中国水利年鉴
2010

《中国水利年鉴》编纂委员会　编

中国水利水电出版社
www.waterpub.com.cn

《中国水利年鉴》

在首届中央级年鉴评比中，荣获框架设计优秀奖、美术装帧优秀奖

在第二届中央级年鉴评比中，荣获一等奖

在第三届全国年鉴编纂出版质量评奖中，荣获综合奖一等奖

在第三届全国年鉴编纂出版质量评奖中，荣获中国年鉴奖

在第四届全国年鉴编校质量评比中，荣获一等奖

中国水利年鉴

2010

《中国水利年鉴》编纂委员会　编

主管：中华人民共和国水利部

主办：中国水利水电出版社

编辑：《中国水利年鉴》编辑部

出版发行：中国水利水电出版社

地址：北京市海淀区玉渊潭南路1号D座

邮编：100038

电话：(010) 88388603（编辑部）
(010) 68367658（营销中心）

排版：中国水利水电出版社微机排版中心

印刷：北京盛兰兄弟印刷装订有限公司

184mm×260mm　16开本　47印张　1812千字　52插页

2010年12月第1版　2010年12月第1次印刷

精装定价 **230.00** 元

国际标准刊号：ISSN 1009—7376

国内统一刊号：CN 11—3065/TV

广告经营许可证号：京西工商广字第0292号

ISSN 1009-7376

◆ 2009年7月9—13日，为贯彻落实党中央、国务院新时期关于西藏工作的决策部署，研究西藏水利发展“十二五”规划思路，部署当前和今后一个时期水利援藏工作，水利部党组书记、部长陈雷率水利部调研组深入西藏自治区调研。图为陈雷部长在昌都地区调研时与当地牧民亲切交谈。

韩莹 摄

◆ 2009年5月13—15日，水利部党组副书记、副部长鄂竟平在重庆市云阳县人和镇考察安全饮水工程时与当地工作人员交谈。

◆ 2009年11月30日至12月3日，中纪委驻水利部纪检组组长、水利部党组成员董力在福建调研水利工作。

◆ 2009年9月25日，水利部党组成员、副部长、部安全生产领导小组组长矫勇在福建省溪源水库工程督察安全生产工作。

安全监督司 供图

◆ 2009年7月11—12日，水利部党组成员、副部长周英在甘肃对《节约用水条例》立法工作进行调研。

汪栋 摄

◆ 2009年12月16—17日，水利部副部长胡四一在安徽合肥考察调研水生态系统保护与修复工作。

选自《中国水利》2009年第24期

◆ 2009年6月9—11日，国家防总秘书长、水利部党组成员、副部长刘宁率工作组现场踏勘重庆武隆鸡尾山堰塞湖。

贾君洋 摄

◆ 2009年9月18日，水利部党组成员、办公厅主任陈小江在湖南湘西调研。

选自《中国水利》2009年第24期

◆ 2009年1月6-7日，2009年全国水利工作会议在广西南宁召开。回良玉副总理出席会议并发表重要讲话，陈雷部长作了题为“打好水利建设攻坚战，开创水利发展与改革新局面”的工作报告。

韩莹 姚葳 摄

◆ 2009年4月6-7日，小浪底水利枢纽工程通过了国家发改委和水利部主持的竣工验收。作为一项民生工程，小浪底工程在初期运行期就发挥了巨大的社会、经济和生态效益，为保障黄河中下游人民生命财产安全、促进经济社会发展、保护生态与环境、维持黄河健康生命作出了重大贡献。

◆ 2009年4月24日，太湖流域防汛抗旱总指挥部成立大会暨2009年防汛抗旱工作会议在南京隆重召开。国家防总副总指挥、水利部部长陈雷，太湖防总总指挥、江苏省省长罗志军为太湖防总成立揭牌。

太湖流域管理局 供图

◆ 2009年4月24日，历时10年建设的洪湖监利长江干堤整治加固工程（非隐蔽工程），在武汉通过了水利部和湖北省人民政府共同主持的竣工验收。此举也标志着湖北省长江干堤加固工程16个建设项目已全面建成。

姚蔵 摄

◆ 2009年5月7日，天津市水务局成立，水利部部长陈雷、天津市副市长熊建平为天津市水务局揭牌。天津市水务局的成立标志着天津市实现了城乡水务一体化管理，确立了“一龙管水、团结治水、合力兴水”的崭新格局，为全国进一步推进水资源管理体制改革提供了新的范例。

天津市水务局 供图

◆ 2009年5月11日，由水利部和联合国工发组织主办，国际小水电中心承办的第五届“今日水电论坛”在杭州举行。

李萌 摄

2009年6月2日，全国首家省级水务厅——海南省水务厅在海口市举行成立揭牌仪式。水利部部长陈雷、海南省副省长陈成共同为海南省水务厅揭牌。

贾君洋 摄

2009年6月8日，中国大坝协会成立大会暨第一次全国会员代表大会在北京隆重召开。全国政协原副主席、中国工程院院士钱正英，水利部部长陈雷出席会议并为协会成立揭牌。

李萌 摄

◆ 2009年7月15日，西藏自治区迄今为止规模最大的水利枢纽工程——旁多水利枢纽工程正式开工。

王鑫 摄

◆ 2009年9月6—8日，新疆乌鲁瓦提水利枢纽工程通过竣工验收。乌鲁瓦提工程是国家“九五”重点建设项目，是具有灌溉、发电、防洪、改善生态等综合效益的控制性骨干工程。该工程的竣工验收是新疆水利建设史上具有标志性的一件大事。

李锋 摄

◆ 2009年9月29日，水利部庆祝新中国成立60周年大会隆重召开。图为对“长期奉献水利优秀人员”进行表彰。

李萌 韩莹 朱朝明 摄

◆ 2009年10月30日，吉林省哈达山水利枢纽工程截流成功。哈达山水利枢纽工程是“十一五”期间国家重点水利工程，该工程于2008年6月正式开工建设，建成后将在提高粮食生产能力、改善城乡供水条件、修复区域水生态环境等方面发挥重要作用。

吉林省水利厅 供图

◆ 2009年11月2日，第十三届世界湖泊大会在“百湖之市”湖北省武汉市隆重召开。

李坤 摄

◆ 2009年11月13日，首届中国水文化论坛在山东省济南市举行。

胡亚利 摄

◆ 2009年12月22日，南水北调中线穿黄工程II–A“穿越号”盾构机顺利到达黄河南岸工作竖井，标志着穿黄上游线过河段隧洞顺利贯通，中线穿黄工程建设取得了重大阶段性胜利。图为中线穿黄工程施工现场。

国务院南水北调工程建设委员会办公室 供图

◆ 2009年，我国旱情来得早、去得晚、范围广、影响大，特别是冬麦主产区年初的冬春连旱，东北西部、华北北部和西北东部的夏伏旱，江南大部、华南大部和西南局部的秋冬连旱，对农业生产带来严重影响。面对严峻旱情，国家防总首次启动抗旱I级应急响应，全面加强旱情监测预报，全力开展抗旱工作。

◆ 2009年，全国水土保持生态建设扎实推进，完成水土流失综合防治面积7.5万km^2，其中综合治理面积4.8万km^2，实施封育保护2.7万km^2。图为延安水土保持生态修复后情景。

◆ 2009年，全国共解决了6069万农村人口的饮水安全问题，提前一年完成"十一五"饮水安全规划任务，提前6年实现联合国千年宣言提出的到2015年将饮水不安全人口比例降低一半的目标。图为地处偏远的小学校学生畅饮安全卫生水。

◆ 2009年，农村水电持续快速发展，全年新增装机容量超过300万kW，全国农村水电装机容量达5400万kW，年发电量1500多亿kW·h。小水电代燃料工程全面启动。图为吉林省长白县马鹿沟镇果园村通过小水电代燃料工程成为山青树绿的生态村。

◆ 2009年，全国列入专项规划的6240座病险水库各项前期工作全面完成，已开工建设6124座，开工率超过98%。图为除险加固后的崔贺庄水库一角。

《中国水利年鉴》编纂委员会

张嘉毅　上海市水务局
吕振霖　江苏省水利厅
陈　川　浙江省水利厅
纪　冰　安徽省水利厅
杨志英　福建省水利厅
孙晓山　江西省水利厅
杜昌文　山东省水利厅
王仕尧　河南省水利厅
王忠法　湖北省水利厅
戴军勇　湖南省水利厅
黄柏青　广东省水利厅
钟想廷　广西壮族自治区水利厅
李洪波　海南省水务厅
朱宪生　重庆市水利局
冷　刚　四川省水利厅
黎　平　贵州省水利厅
周运龙　云南省水利厅
白玛旺堆　西藏自治区水利厅
王　锋　陕西省水利厅
康国玺　甘肃省水利厅
于丛乐　青海省水利厅
吴洪相　宁夏回族自治区水利厅
王世江　新疆维吾尔自治区水利厅
田克军　新疆生产建设兵团水利局
郎连和　大连市水务局
于　睿　青岛市水利局
叶勇义　厦门市水利局
张拓原　宁波市水利局
张绮文　深圳市水务局
高俊才　国家发展和改革委员会农村经济司
曹德胜　交通运输部水运局
张　悦　住房和城乡建设部城市建设司
鞠建华　国土资源部规划司
凌　江　环境保护部污染防治司
封加平　国家林业局办公室
朱光明　中国长江三峡集团公司新闻宣传中心
卢胜芳　国务院南水北调工程建设委员会办公室综合司

主　　编　吴文庆
副 主 编　胡昌支

编 辑 说 明

一、《中国水利年鉴》（以下简称《年鉴》）是反映中国水利事业发展和记录水利事实、汇集水利统计资料的工具书，每年编印一册。2010年刊主要收录2009年的资料和情况。

二、《年鉴》包括14个专栏：1. 综述；2. 重要文献；3. 政策法规；4. 综合管理；5. 建设管理；6. 防汛抗旱；7. 江河治理与开发；8. 地方水利；9. 人力资源；10. 新闻宣传、信息、出版、学术团体；11. 水利统计；12. 大事记；13. 名录；14. 附录。

三、专栏内包含文章、条目和表格。标有【　】者，为条目的题名。

四、《年鉴》文稿实行文责自负。文稿的技术内容、文字、数据、保密等问题均经撰稿人所在单位把关审定。

五、《年鉴》采用中国法定计量单位。数字的用法遵从国家标准GB/T 15835—1995《出版物上数字用法的规定》。技术术语、专业名词、符号等力求符合规范要求或约定俗成。

六、《年鉴》中流域机构名称均使用简称，具体是：长江水利委员会简称长江委；黄河水利委员会简称黄委；淮河水利委员会简称淮委；海河水利委员会简称海委；珠江水利委员会简称珠委；松辽水利委员会简称松辽委；太湖流域管理局简称太湖局。

七、水利统计不包括香港特别行政区、澳门特别行政区和台湾省。

八、限于编辑水平和经验，《年鉴》难免有缺点和错误。我们热忱希望广大读者和各级领导提出宝贵意见，以便改进工作。

《中国水利年鉴》编辑部

2010年10月

目　　录

防　汛　抗　旱

江河治理与开发

地　方　水　利

人　力　资　源

新闻宣传、信息、出版、学术团体

水利统计

大事记

名录

附录

索引

CONTENTS

Policies, Laws and Regulations

Comprehensive Administration

Construction Administration

Flood Control and Drought Relief

Human Resources

Press, Information, Publications and Academic Societies

Statistics on Water Conservancy

Memorabilia

Directory

Appendix

Index

综　　述

Overview

2009年水利发展综述

水利部部长 陈雷

2009年是我国应对国际金融危机取得显著成就的一年，也是水利发展与改革加快推进的一年。各级水利部门坚决贯彻落实中央保增长、保民生、保稳定的各项决策部署，奋发努力，迎难而上，锐意改革，扎实工作，防灾减灾成效突出，水利建设加速推进，水利管理取得突破，水利改革逐步深入，水利又好又快发展势头强劲，为保持经济平稳较快发展提供了有力支撑。

一、防汛抗旱减灾

抗旱减灾成效显著。2009年，我国旱情来得早、去得晚、范围广、影响大，特别是冬麦主产区年初的冬春连旱，东北西部、华北北部和西北东部的夏伏旱，江南大部、华南大部和西南局部的秋冬连旱，对农业生产造成严重影响。面对严峻旱情，国家防总首次启动抗旱Ⅰ级应急响应，全面加强旱情监测预报，全力开展抗旱工作。通过组织松花江水量应急调度、黄河抗旱调水、引黄济津济淀、引江济太、长江中下游集中补水、珠江压咸补淡等应急调水措施，及时解除了松嫩平原、黄河和长江中下游等地区的缺水状况，有效缓解了天津、珠海、澳门等城市的用水紧张局面，改善了太湖、白洋淀以及黄河河口和珠江三角洲地区的生态环境。全年完成抗旱浇地面积3000万hm^2（4.5亿亩），减少粮食损失499亿kg，解决了1979万人、1131万头大牲畜临时饮水困难，为全国粮食连续6年丰收和粮食产量再创历史新高提供了重要保障。

台风损失大为降低。2009年，有9个台风在我国沿海登陆，其中第200907号“天鹅”和第200908号“莫拉克”半天内相继生成并登陆，出现强风、暴雨、高潮三碰头的最不利形势。各级水利部门突出抓好防、避、救工作，预警及时、防范到位、管理有序、措施得力，安全转移群众278.6万人次，单次台风平均死亡人数明显减少，在防御“浪卡”“苏迪罗”“莫拉菲”“彩虹”台风工作中实现了零死亡。特别是在防范“莫拉克”过程中，国家防总提前4天召开视频会议进行部署，强化各项防御措施，提升应急响应级别，加大安全转移力度，有效减少了人员伤亡和经济损失。

洪灾死亡降至新低。2009年，受多次大范围、高强度降雨过程影响，全国有210多条河流相继发生超警戒水位以上洪水。各级水利部门扎实备汛、加强监测、科学调度，夺取了防汛抗洪工作的全面胜利，重要堤防无一决口，水库无一垮坝，重要城市和重要保护目标无一受淹；全国洪涝受灾面积较常年减少近四成；全国洪涝灾害死亡人数538人，较常年减少近八成，是新中国成立以来最少的一年。

二、水利基础设施建设

水利投资保持较高强度。全年落实预算内中央水利投资637亿元，落实省级地方水利投资790亿元，年度水利投资规模达1427亿元。

重点水利项目深入实施。淮河、太湖、洞庭湖等大江大河大湖治理继续加强，西藏旁多、贵州黔中、四川亭子口、太湖走马塘等重点工程开工建设，黄河古贤、珠江大藤峡、淮河出山店等重点项目前期工作取得新进展。按照“三年重建任务两年基本完成”的要求，四川等地震灾区水利恢复重建工作加快推进。

涉及民生的水利问题加快解决。列入专项规划的6240座病险水库各项前期工作全面完成，已开工建设6124座，开工率超过98%。解决了6069万农村人口的饮水安全问题，提前一年完成“十一五”饮水安全规划任务，提前6年实现联合国千年宣言提出的到2015年将饮水不安全人口比例降低一半的目标。对364处大型灌区和92处中型灌区实施了续建配套和节水改造，对99处大型灌排泵站进行更新改造。

农田水利建设态势趋好。2008—2009年度冬春水利建设完成投资和出动机械台班数均创历史新高，新增蓄水能力11.7亿m^3，新增灌溉面积91.2万hm^2（1368万亩），改善灌溉面积384.7万hm^2（5770万亩），新增节水灌溉面积166.6万hm^2（2499万亩）。启动400个小型农田水利重点县、103个山洪灾害防治试点县和273条中小河流治理项目建设。

水土保持生态建设扎实推进。完成水土流失综合防治面积7.5万km^2，其中综合治理面积4.8万km^2，实施封育保护2.7万km^2。治理小流域3200条，新建淤地坝208座。全面推进生态清洁型小流域建设，深入开展水土保持监督执法专项行动。

农村水电持续快速发展。全年新增装机容量超过300万kW，全国农村水电装机容量达5400万kW，年发电量1500多亿kW·h。小水电代燃料工程全面启动，水电农村电气化县建设扎实推进，全国首次农村水能资源调查评价工作全面完成，农村水能资源管理取得新成效。

三、水资源管理和保护

提出并大力推行最严格的水资源管理制度，研究建立用水总量、用水效率、水功能区限制纳污指标体系。完成了流域取水许可总量控制指标编制工作，通过水资源论证否决了上百个不符合国家产业政策、高耗水、高污染的建设项目。节水型社会建设深入推进，水资源利用效率不断提高。加大全国水功能区管理工作力度，对2000多个水功能区实施动态监测，加强入河排污口监督管理和饮用水水源地保护，成功应对多起突发水污染事件。组织实施第九次黄河调水调沙，黄河连续10年不断流，黑河水资源统一调度和首都应急调水成效明显。大力实施太湖流域水环境综合治理，太湖水质明显改善。深入开展地下水保护行动，继续推进水生态系统保护与修复。水利风景区建设取得长足进展。

四、水利管理

水利规划工作取得新进展。国务院批复淮河等流域防洪规划、全国大型水库建设规划、全国蓄滞洪区建设与管理规划等重要水利规划。全国水资源综合规划已通过八部委审议并上报国务院审批，七大江河流域综合规划修编已完成主要任务，全国水利发展"十二五"规划编制正式启动，全国第一次水利普查前期工作全面展开。

流域管理取得新成效。进一步加强对流域管理工作的指导，明确了流域管理工作的总体要求、目标任务和工作重点。各流域机构加大工作力度，长江委实施流域水库群优化调度，黄委构建具有流域特色的综合管理体制、强化水资源统一管理和调度，淮委狠抓治淮骨干工程建设，海委强化应急调水和水土资源保护，珠委推动"泛珠三角"区域水利协作，松辽委深化水权制度建设，太湖局推进流域水环境综合治理，流域管理进一步加强。

水文和信息化建设不断推进。加强水文站网建设，推进水文测报信息化，水文预测预报能力和水平不断提升。理顺水文管理体制，地方水文管理职能不断加强。国家防汛抗旱指挥系统一期工程建设基本完成，全国水土保持监测网络和信息系统建设二期工程启动实施。

五、水利改革

水管体制改革继续深化，落实公益性管理人员基本支出79.15亿元，占应落实经费的94%；落实公益性工程维修养护经费52.15亿元，占应落实经费的81%。水务一体化步伐加快，天津市水务局、海南省水务厅、石家庄市水务局挂牌，四川省基本完成市县水务管理体制改革，全国67%的县级以上行政区实行城乡涉水事务一体化管理。农业水价综合改革试点取得显著成效。全面开征水资源费，建立合理的水价形成机制，促进了节约用水。加快构建区域水利发展协作机制，与青海、广西、陕西、湖南、河南、黑龙江等省（自治区）签订加快水利发展与改革合作备忘录。全面落实水库移民后期扶持政策，为维护水库移民合法权益、保障社会稳定作出贡献。

六、依法治水

水利法治建设取得新成果。国务院颁布《中华人民共和国抗旱条例》，国务院法制办审查通过《水土保持法修订草案》，水利部发布《海河独流减河永定新河河口管理办法》《黑河干流水量调度管理办法》。进一步规范水利行政审批制度，稳步推进水利政务公开。与交通运输部建立长江河道采砂管理合作机制，与河南省共同开展黄河滩区"黑砖窑"专项执法。加强水事矛盾纠纷预防和调解，全年未发生一起由省际水事纠纷引发的大规模群体性事件。加强水利工程建设管理，强化水利建设市场主体信用和资质监管，大力开展安全生产专项行动，水利安全生产形势趋好。

七、水利科技与国际合作

全面推进水利科技创新体系建设。完成南北2个国家级创新基地建设规划，组建国家大坝安全工程技术研究中心，与科技部、中国科学院建立战略合作机制。加强水利科学研究、技术开发和质量技术监督工作，实施"948"等水利科技推广项目，落实公益性行业科研专项，取得一批重要水利科研成果。

水利国际交流与合作深入开展。组团参加第五届世界水论坛，加入世界水理事会，大力推进多边、双边交流与高层互访。成功举办第四届中国水博览会、第三届长江论坛、第四届黄河国际论坛。水利利用外资工作有序推进，国际河流工作全面加强。

八、党的建设和精神文明建设

顺利完成水利部深入学习实践科学发展观活动，群众满意率达99.82%，认真进行整改落实及"回头看"，着力建立学习实践科学发展观长效机制。深入学习贯彻党的十七届四中全会精神，以改革创新精神全面落实党的建设各项任务。

加强干部选拔任用和交流锻炼，强化干部监督管理，优化领导班子和干部队伍结构。加强公务员队伍建设，大力推进"5151人才工程"，开展第六届水利行业技能人才评选表彰和第三届全国水利高等职业院校"楚天杯"技能竞赛。全面推进新一轮大规模干部培训工作。

坚持标本兼治、综合治理、惩防并举、注重预防，狠抓党风廉政建设责任制落实。积极开展水利工程建设领域突出问题专项治理，与审计署共同建设水利审计免疫系统，落实党政机关厉行节约有关规定。大力推进政风行风建设，进一步强化水利巡视工作，认真抓好案件查办工作。深入开展信访积案化解年活动，水利信访和维护稳定工作进一步加强。

围绕新中国成立60周年组织系列庆祝活动，开展集中宣传展示。深入开展讲党性、重品行、做表率活动和“创建文明机关、争做人民满意公务员”活动，大力推进水利系统文明创建工作，表彰一批精神文明建设先进单位，成功举办首届中国水文化论坛。重视离退休干部工作，注重发挥工青妇组织和学会、协会等社团作用。

在充分肯定成绩的同时，我们也清醒地看到，水利工作中存在许多问题和不足：水资源管理依然比较薄弱，一些地方过度开发、粗放利用的现象尚未得到根本扭转；关键领域的水利改革进展缓慢，制约水利发展的体制机制问题仍然比较突出；地区之间水利建设进度不平衡，少数项目监管不到位，个别工程出现质量问题。

当前，我国经济社会发展正处在关键时期，保持经济平稳较快发展任务繁重，转变经济发展方式刻不容缓。中央经济工作会议决定，继续实施积极的财政政策和适度宽松的货币政策，提出五个“更加注重”的要求，强调要把农业基础设施建设的重点放在水利上。中央农村工作会议把突出抓好水利基础设施建设作为夯实农业农村基础、统筹城乡经济社会发展的重要手段，对各项水利工作作出重要部署。要全面贯彻党的十七届三中、四中全会和中央经济工作会议、中央农村工作会议精神，深入落实科学发展观，积极践行可持续发展治水思路，全面推进民生水利新发展，努力在新的起点上做好水利建设、管理、改革各项工作，为保持经济平稳较快发展、夺取全面建设小康社会新胜利作出更大贡献。

重 要 文 献

Important Literatures

重要文献 5~89页

重要文件

关于加强小水电代燃料和水电农村电气化建设与管理的通知（2009年7月23日国家发展和改革委员会、水利部发改农经〔2009〕1937号）

有关省、自治区、直辖市、新疆生产建设兵团发展改革委、水利（水务）厅（局）：

为继续推进我国农村水电建设，国家从2009年第四批扩大内需中央预算内投资中安排3亿元用于水电农村电气化项目建设，安排3亿元用于小水电代燃料项目建设，项目投资计划已以《国家发展改革委、水利部关于下达农村小水电项目2009年第四批扩大内需中央预算内投资计划的通知》（发改投资〔2009〕1734号）下达。为做好项目实施工作，切实加强项目管理，现就有关事项通知如下：

一、认真做好项目前期工作

小水电代燃料工程和水电农村电气化工程是中央补助投资的地方项目，其前期工作程序按照《中央预算内投资补助和贴息项目管理暂行办法》（国家发展改革委第31号令）、《国家发展改革委关于改进和完善中央补助地方投资项目管理的通知》（发改投资〔2009〕1242号）有关规定执行。各地要严格按照国家批准的有关专项规划选择建设项目。小水电代燃料工程和水电农村电气化工程可行性研究报告由地方水行政主管部门提出审查意见后，由地方发展改革部门审批；初步设计报告由地方水行政主管部门审批。实施方案由县级水行政主管部门负责组织编制并会同发展改革部门上报，由省级水行政主管部门会同发展改革部门组织对实施方案进行审查和批复，报水利部备案，批复后的实施方案作为项目验收的依据。小水电代燃料工程主要建设内容包括代燃料电站建设和项目区建设，项目区范围应以行政村为单元，按照就近供电的原则合理确定；水电农村电气化建设主要内容是农村水电站建设。项目的建设内容要在项目实施方案中予以明确。

二、加强工程建设管理

小水电代燃料和水电农村电气化项目建设要严格实行项目法人责任制、招标投标制、建设监理制和合同管理制。要建立健全工程质量管理和监督机制，严格执行各项制度，确保工程质量和安全。要采取有效措施，防止水土流失，保护生态环境。要大力推进技术进步，代燃料电站及配套变电站要实现无人值班、少人值守，统一标准标识，统一管理制度，把小水电代燃料和水电农村电气化项目建设成环境友好、社会和谐的农村水能资源开发利用典范。各地要安排资金用于小水电代燃料和水电农村电气化项目的前期工作、人员培训和监督检查等工作。

三、进一步完善有关体制机制

要按照保证代燃料电站长期稳定运行的要求，建立和完善管理体制。建立健全国家投资出资人制度，明确代燃料电站的所有权、经营权和使用权，实现所有者、经营者和使用者权利和义务的统一。按照“国家补助、企业运作、农民受益、协会监督”的要求，建立和完善运行机制。要成立县级小水电代燃料领导小组，切实加强组织和领导。组建以代燃料户为主体的代燃料用户协会，对代燃料电站的建设、运营、供电，代燃料户用电和禁止砍伐森林等进行监督管理。项目法人、代燃料用户和有关各方要签订相关协议，落实责任、明确权利、承担义务，确保代燃料工程长期稳定发挥效益。

就近直接供电是降低小水电代燃料电价的有效办法，有关部门和电网企业应积极支持代燃料电站就近直接供电，不具备直接供电条件的可借网供电，按成本核定过网费。将代燃料电价列入电价目录，按程序核准代燃料电价，并保持相对稳定。要最大限度地降低代燃料到户电价，使农民得到实惠，生态得到保护。

水电农村电气化项目建设要探索国有投资的有效管理模式，通过壮大农村集体经济，改善农村基础设施，建立让农民直接受益的新机制。加强对中央补助投资形成资产的监管，明确和落实资产监管的主体和职责，确保国有资产的安全、有效利用和保值增值。

四、加强资金筹措和计划管理

小水电代燃料项目建设资金由地方负责落实，中央给予补助，中央补助投资占项目总投资的比例，西部地区和享受西部政策地区为45%左右，中部地区38%左右，东部地区15%左右。各地要积极争取各级财政对小水电代燃料工程的支持，省级安排的投资，西部地区和享受西部政策地区应不低于总投资的10%，中部地区不低于15%，东部地区不低于25%。项目法人要多渠道筹集资金，积极争取金融机构的支持和国家政策性贷款。要认真执行国家关于中央预算内资金管理的有关规定，严格专户专账管理，不得滞留、挤占和挪用。

水电农村电气化项目建设采取政府引导、市场运作、社会参与的方式，也要多渠道筹集资金。中央投资实行定额补助，地方应按照不低于中央投资规模的比例支持水电农村电气化项目建设，地方资金应与中央安排的资金同步到位。

小水电代燃料和水电农村电气化项目年度投资建议计划应由省级发展改革部门和水行政主管部门审查后联合报送国家发展改革委和水利部。省级发展改革部门会同省级水行政主管部门根据国家发展改革委和水利部下达的投资计划联合下达具体项目投资计划。

项目投资计划一经下达，必须严格执行。因特殊情况需要变更，涉及项目调整、建设地点、建设规模等重大变动的，须报原审批单位批准，其他一般性变更，须报原审批单位备案。

五、加强项目监督检查和验收

省级水行政主管部门和发展改革部门负责本行政区域内小水电代燃料和水电农村电气化建设项目的监督和检查。检查重点是建设程序、工程质量和进度、资金筹措和使用、管理体制和机制，以及实施方案所确定目标任务的完成情况。

各地要按照项目验收有关标准和规定，认真做好竣工验收工作。项目完成后，由项目所在县级水行政主管部门和发展改革部门进行初步验收，并提出验收申请。省级水行政主管部门和发展改革部门联合进行验收，验收报告报水利部和国家发展改革委备案。水利部会同国家发展改革委对全国小水电代燃料和水电农村电气化项目的实施进行督查。

小水电代燃料和水电农村电气化建设工作涉及多部门、多方面，各地要高度重视，加强领导，精心组织，有效实施，确保小水电代燃料和水电农村电气化建设任务的顺利完成。

关于明确由淮河水利委员会负责审查并签署水工程建设规划同意书的河流（河段）湖泊名录和范围（试行）的通知（2009年3月9日水利部水规计〔2009〕144号）

淮河水利委员会，河南、安徽、江苏、山东、湖北省水利厅：

根据《中华人民共和国水法》、《中华人民共和国防洪法》及《水工程建设规划同意书制度管理办法（试行）》（水利部令第31号），经研究，现将淮河流域由淮河水利委员会负责审查并签署水工程建设规划同意书的河流（河段）、湖泊名录和范围（试行）通知如下：

一、干流及其主要一级支流

（一）淮河干流

1. 淮河干流：淮河出山店—三江营（包括沿岸的行洪区、蓄洪区和洪泽湖、高邮湖、邵伯湖）

2. 怀洪新河：西坝口闸及新开沱河闸—入洪泽湖口

3. 分淮入沂：洪泽湖二河闸—新沂河

4. 入海水道：洪泽湖二河闸—入海口

（二）淮河主要一级支流

1. 洪汝河：河南省新蔡县班台—入淮河口（包括洪河分洪道）

2. 沙颍河：河南省周口闸—入淮河口

3. 汾泉河：河南省沈丘县泥河口—安徽省临泉县杨桥闸

4. 涡河：河南省鹿邑县付桥闸、东孙营闸—安徽省亳州市大寺闸

5. 包浍河：包河河南省夏邑县王楼闸和浍河永城县黄口闸—安徽省淮北市南坪闸

6. 奎濉河：奎河江苏省徐州市袁桥闸—安徽省宿州市马元闸，濉河安徽省泗县八里桥闸—泗洪县七里沟入溧河洼

7. 新汴河：跨皖苏省界段（安徽省泗县104国道公路桥—江苏省溧河洼），跨豫皖省界段（河南省永城县张桥闸—安徽省濉溪县岱桥闸）

8. 史灌河：史河安徽省金寨县红石嘴以下、灌河河南省商城县鲇鱼山水库—入淮河口

（三）沂沭泗河

新沭河：石梁河水库以下—入海口

二、其他跨省及省际边界河流

跨省河流省界上、下游各10km之内的河段和省际边界河段。

三、流域管理机构直接管理的河流

1. 沂河：跋山水库以下—骆马湖，支流祊河入沂河河口—上游39km处

2. 邳苍分洪道：江风口闸—入中运河口

3. 沭河：青峰岭水库以下—新沂河，支流汤河入沭河河口—上游6km处

4. 分沂入沭：彭家道口闸—大官庄枢纽

5. 新沭河：大官庄枢纽—石梁河水库（含水库）

6. 韩庄运河、中运河：韩庄闸—骆马湖（包括伊家河）

7. 新沂河：嶂山闸—入海口

8. 南四湖和骆马湖：全湖

四、淮河水利委员会和各有关省水行政主管部门要根据水利部第**31**号令和办规计〔**2008**〕**7**号文的要求，依法执行水工程建设规划同意书制度；按照分级管理权限和水工程规模，抓紧制定《水工程建设规划同意书制度管理办法（试行）》实施细则。

淮河水利委员会要与各有关省水行政主管部门密切配合，相互协调，全面加强水工程建设规划同意书制度实施的有效管理。

水利部门户网站信息发布管理办法（2009年3月19日水利部水办〔2009〕172号）

第一条 为规范中华人民共和国水利部门户网站（域名：www. mwr. gov. cn，以下简称部网站）信息发布工作，确保水利信息发布的真实、准确、及时、安全，依据《互联网信息服务管理办法》（国务院令第292号）、《关于进一步做好中央政府门户网站内容保障工作的意见》（国办发〔2006〕61号）和《关于加强政府网站建设和管理工作的意见》（国办发〔2006〕104号）等有关规定，结合部网站工作实际，

制定本办法。

第二条 本办法适用于部网站信息的采集、提供、编辑、审核、发布、更新和维护。

第三条 本办法所称信息是指在部网站上对外发布的文字、数据、图片、音像、链接以及其他形式的信息。

第四条 水利部办公厅是部网站信息发布工作的主管机构，负责信息发布工作的指导、协调与监管。部网站重要信息发布的位置、重要栏目设置的变更以及主页设计风格的重要变化等，由办公厅宣传处负责审核。

水利部水利信息中心是部网站信息发布工作的承办单位，具体负责信息的采集、编辑、发布与更新、维护，以及部网站运行环境的维护管理和网站安全等工作。

部机关各司局、各直属单位、各省（自治区、直辖市）水利（水务）厅（局）、各计划单列市水利（水务）局、新疆生产建设兵团水利局等分别负责与其工作职责相关的信息的提供与审核。

第五条 各单位应遵守国家有关法律法规和政策规定，按照严格依法、全面真实、及时便民的原则，及时主动地向部网站提供信息，并确保信息发布的真实性、准确性，不断提升信息发布的深度和广度。

第六条 各单位应按照保密工作的有关规定和程序，加强对信息发布内容的保密审查，涉密信息不得上网发布，确保国家秘密安全。

第七条 党和国家领导人出席的有关水利方面的重要会议、重要活动和重要指示、批示、讲话，以及国家出台的涉及水利的法律、法规和有关政策，在中国政府网、新华社等中央权威媒体发布后，部网站可直接链接或转载。

第八条 水利部召开的全国性重要会议，由办公厅宣传处会同主办单位及部内外有关新闻单位，提前制定宣传报道计划，报经领导同意后实施。部网站要按照计划在第一时间进行相应信息发布和会议报道。

第九条 水利部领导出席的会见、考察、调研等活动信息，经主办单位负责人审核，必要时由主办单位呈报部领导审定后，由主办单位交部网站发布。重要会见、考察、调研等活动信息，由办公厅部长办负责协调安排信息发布事宜，发布稿经办公厅领导审核，必要时呈部长审定后，由部长办交部网站发布。

中国水利报社记者采写的部领导活动信息，经报社社长或总编辑审核，必要时呈报部领导审定后，由报社向部网站提供发布。

第十条 水利部或水利部办公厅制发的、在部政务内网办文时“公开范围”项选择“对外公开”的重要公文，部网站可直接发布。

第十一条 部机关各司局、各直属单位、各省（自治区、直辖市）水利（水务）厅（局）、各计划单列市水利（水务）局、新疆生产建设兵团水利局提供的信息，由本单位负责人审核后，必要时呈报部领导审定后发布。

第十二条 部网站“业务栏目”等栏目的信息，由相关业务司局（或单位）负责，经司局（或单位）负责人审核后发布，重要信息由业务司局（或单位）呈请部领导审定后发布。

第十三条 信息审核的内容包括：

（一）是否符合国家有关法律法规和方针政策。

（二）是否符合部党组工作思路和指示要求。

（三）数据、事实是否真实准确。

（四）是否涉及保密事宜。

（五）文字表述、逻辑关系是否清楚。

（六）文件格式是否规范。

第十四条 部网站在从水利系统各单位接收拟发布信息的同时，要加强从中央权威媒体转载水利信息，及时抓取系统内重要信息。

第十五条 实行部网站与部政务内网重要信息发布的同步管理，保证同类信息的及时更新和部内、外网重要信息刊载的统一协调。

第十六条 部网站发布的信息发生变更的，信息提供单位应当会同部网站及时予以更新。发布信息出现差错的，部网站要在第一时间予以更正。

第十七条 部网站要按照要求，做好向中央政府门户网站等中央权威网站报送重要水利信息的工作。

第十八条 部网站及相关各单位要做好信息发布审核材料的收集、整理工作，并按要求及时进行归档。

第十九条 对违反本办法、导致水利信息发布工作出现失误的单位或个人，要予以批评。对造成严重不良后果的，要追究相关责任。

第二十条 部机关各司局、各直属单位，可根据本办法对各自负责的网站或网页，进一步明确职责，落实责任，加强管理，规范运行。

第二十一条 本办法自印发之日起施行。

关于规范生产建设项目水土保持监测工作的意见（2009 年 4 月 1 日水利部水保〔2009〕187 号）

各流域机构，各省、自治区、直辖市水利（水务）厅（局），各计划单列市水利（水务）局，新疆生产建设兵团水利局，各有关单位：

为加强水土保持监测管理，提高监测质量，有效控制生产建设活动引起的人为水土流失，保护和合理利用水土资源，促进生态文明建设，实现人与自然和谐，现就进一步规范生产建设项目水土保持监测工作提出如下意见：

一、监测目的

(1) 协助建设单位落实水土保持方案，加强水土保持设计和施工管理，优化水土流失防治措施，协调水土保持工程与主体工程建设进度；及时、准确掌握生产建设项目水土流失状况和防治效果，提出水土保持改进措施，减少人为水土流失；及时发现重大水土流失危害隐患，提出水土流失防治对策建议；提供水土保持监督管理技术依据和公众监督基础信息，促进项目区生态环境的有效保护和及时恢复。

二、监测分类

(2) 建设类项目，征占地面积大于 50hm² 或挖填土石方总量大于 50 万 m³ 的，由建设单位委托有甲级水土保持监测资质的机构开展水土保持监测工作；征占地面积 5～50hm² 或挖填土石方总量 5 万～50 万 m³ 的，由建设单位委托有乙级以上水土保持监测资质的机构开展水土保持监测工作；征占地面积小于 5hm² 且挖填土石方总量小于 5 万 m³ 的，由建设单位自行安排水土保持监测工作。

(3) 生产类项目，以每年的征占地面积或挖填土石方量为依据，依照上条执行。

三、监测内容和重点

(4) 生产建设项目水土保持监测的主要内容包括：主体工程建设进度、工程建设扰动土地面积、水土流失灾害隐患、水土流失及造成的危害、水土保持工程建设情况、水土流失防治效果，以及水土保持工程设计、水土保持管理等方面的情况。

(5) 生产建设项目水土保持监测的重点包括：水土保持方案落实情况，取土（石）场、弃土（渣）场使用情况及安全要求落实情况，扰动土地及植被占压情况，水土保持措施（含临时防护措施）实施状况，水土保持责任制度落实情况等。

四、监测方式和手段

(6) 承担委托的监测机构必须实行驻点监测，同一项目的驻点监测人员中至少要有 1 名取得水土保持监测人员上岗证书。建设单位自行监测的项目要指定专职人员开展定期监测。

(7) 扰动土地面积、弃土（渣）量、水土保持措施实施情况等内容以实地量测为主。线路长、取弃土量大的公路、铁路等大型建设项目，可以结合卫星遥感和航空遥感等手段调查扰动地表面积和水土保持措施实施情况。有条件的项目，可以布设监测样区、卡口监测站、测钎监测点等，开展水土流失量的监测。

五、监测频率

(8) 建设项目在整个建设期（含施工准备期）内必须全程开展监测；生产类项目要不间断监测。

(9) 正在使用的取土（石）场、弃土（渣）场的取土（石）、弃土（渣）量，正在实施的水土保持措施建设情况等至少每 10 天监测记录 1 次；扰动地表面积、水土保持工程措施拦挡效果等至少每 1 个月监测记录 1 次；主体工程建设进度、水土流失影响因子、水土保持植物措施生长情况等至少每 3 个月监测记录 1 次。遇暴雨、大风等情况应及时加测。水土流失灾害事件发生后 1 周内完成监测。

六、监测报告

(10) 开展委托监测的生产建设项目，项目开工（含施工准备期）前应向有关水行政主管部门报送《生产建设项目水土保持监测实施方案》。工程建设期间，应于每季度的第一个月内报送上季度的《生产建设项目水土保持监测季度报告表》，同时提供大型或重要位置弃土（渣）场的照片等影像资料；因降雨、大风或人为原因发生严重水土流失及危害事件的，应于事件发生后 1 周内报告有关情况。水土保持监测任务完成后，应于 3 个月内报送《生产建设项目水土保持监测总结报告》。

(11) 水利部批复水土保持方案的项目，由建设单位向项目所在流域机构报送上述报告和报告表，同时抄送项目所涉省级水行政主管部门。项目跨越两个以上流域的，应当分别报送所在流域机构。地方水行政主管部门批复水土保持方案的项目，由建设单位向批复方案的水行政主管部门报送上述报告和报告表。报送的报告和报告表要加盖生产建设单位公章，并由水土保持监测项目的负责人签字。《生产建设项目水土保持监测实施方案》《生产建设项目水土保持监测总结报告》还需加盖监测单位公章。

七、监测成果公告

(12) 接受监测数据的流域机构和水行政主管部门要及时整理分析相关数据，定期公布（至少每年 1 次）生产建设项目水土流失及其防治情况，接受社会监督。公布的主要内容包括：扰动土地面积、植被占压面积、取土（石）量、弃土（渣）量、拦渣率、阶段治理成果、水土流失灾害事件和主要水土保持措施的建设情况等。

八、监测管理

(13) 流域机构和各级水行政主管部门要加强对水土保持监测工作的监督管理，强化对生产建设项目水土保持监测定期报告制度落实情况和监测成果的核查，对瞒报、漏报、编造数据的生产建设单位和监测机构要及时进行通报批评，对问题较严重的监测机构和个人，可向我部建议要求监测机构限期整改、注销监测人员上岗证书。

关于进一步加强水利建设项目概算编制有关工作的通知（2009 年 4 月 10 日水利部水规计〔2009〕202 号）

部直属有关单位，各省、自治区、直辖市水利（水务）厅（局），各计划单列市水利（水务）局，新疆生产建设兵团水利局：

最近，通过审计署等有关部门的审计和专项检查，以及我部开展的病险水库除险加固工程、大型灌区续建配套与节水改造工程等项目的专项检查和稽察发现，一些项目由于前期工作深度不够、项目概算编制不实、工程技术方案比选不充分等原因，导致项目实施过程中出现设计变更多，实际完成工程建设投资、工程量与设计概算、设计工程量差距较大等问题，在社会上产生了不良影响。为进一步提高水利工程勘测设计和审查复核质量，合理确定工程投资，保证国家投资安全和投资效益，现将有关要求通知如下：

一、充分认识严格概算编制管理工作的重要性和必要性

项目概算是全面反映工程建设费用、合理安排项目投资、衡量设计方案经济合理性、建设过程中对工程造价进行控制、考核项目建设投资效益的重要依据。但在近期的监督检查和审计中发现，有些项目前期工作深度不够、概算编制管理不力、工程概算偏大、工程建设内容与设计内容不符的现象时有发生。这些问题不仅影响到病险水库除险加固工程的顺利实施，更影响到国家投资的安全和效益。部直属有关单位、各级水行政主管部门、项目法人、勘测设计和技术审查复核等单位务必要从确保国家投资安全和投资效益的高度，深刻认识工程概算管理的重要性和必要性，切实加强组织领导，从源头上严把概算管理关口，努力做好做实项目概算编制有关工作。

二、科学合理确定建设内容和建设标准

各级水行政主管部门、前期工作主管部门和责任单位要在开展项目前期工作、履行前期工作程序的各个环节加强概算编制管理工作，重点要保证勘测设计工作达到规程规范要求的深度，确保项目建设内容、建设标准的科学性和合理性。要加强基础资料收集、整理和分析工作，认真开展必要的现场调查和勘测、试验等工作，对于改扩建工程，还要全面掌握原工程有关情况，确保基础资料、各类数据真实、准确，坚决杜绝在基础资料、各类数据缺乏的情况下就仓促开展具体设计工作的现象。要根据工程建设目标和要求，按照安全可靠、节约投资的原则，综合考虑地形地质、水文条件、工程结构、施工方法、运行调度、投资等因素，对设计方案进行比选和论证，确保设计方案技术可行、经济合理。坚决杜绝勘探设计中“小病大治”或“大病小治”的现象，严厉惩处为减轻地方建设资金压力而弄虚作假，导致项目概算编制不实的行为。

三、严格按照现行的规程规范开展勘测设计工作

各级水行政主管部门、前期工作主管部门和责任单位要严格按照国家有关规定认真组织项目的勘测设计工作，大力推行设计招标工作，选择具备合格资质的单位承担项目勘测设计任务，要加强对项目勘测设计全过程的管理，督促勘测设计单位确保设计质量。项目勘测设计单位要建立技术责任制，明确各个环节的技术责任人，加强勘探测量和现场检测工作，严格各设计阶段工程设计标准和等别，认真执行现行规范和标准，保证勘测设计成果质量。要依据项目设计方案和图纸，严格执行《水利水电工程设计工程量计算规定》（SL 328—2005）和有关技术标准，据实计算设计工程量，严禁虚列、虚报工程量。

四、严把审查复核审批和设计变更、概算调整关

各省级水行政主管部门和部直属有关单位要进一步加强项目审查、复核和审批工作，从严把关。要严格审核工程概算编制的定额依据、编制办法和费用标准是否符合国家有关规定，工程量、材料价格和设备数量、种类、价格等是否合理，工程单价选用定额是否准确，费用计取是否规范等。要加强对技术专家的管理，确保技术审查责任到位，确保审查、复核成果质量，确保工程投资经济合理。

项目法人要严格按照批复的项目概算组织项目建设实施。对于项目建设过程中出现的重大设计变更、子项目调整、建设标准调整、概算调整等，必须组织开展充分的技术论证，并报请项目原复核、审批单位履行相应复核、审批手续，未经复核、审批不得擅自变更或调整；对于由以上原因形成中央投资节余的，应按国家有关规定报国家有关部门审批后，将节余资金用于其他经过批准的水利工程建设项目，严禁用于抵补原项目地方建设资金。

五、切实加大监督检查和惩处力度

各省级水行政主管部门和部直属有关单位要按照本通知精神，尽快对本地区、本部门有关水利建设项目概算编制等工作提出严格要求，并按要求切实加强本地区、本部门项目概算管理工作。对各地项目概算管理中出现的突出问题，我部将视情况做出全国通报、向有关部门提出降低相关单位设计资质的建议、商国家有关部门调减项目投资计划等处罚，并追究相关部门和责任人的责任。地方各级水行政主管部门也要按照各自职责，切实加大查处力度。

各省级水行政主管部门和部直属有关单位要对正在建设实施或正在开展前期工作的水利建设项目前期工作情况立即组织开展一次专项检查工作，重点检查工程建设内容、工程量不实、工程方案不合理、设计审查不严等造成项目概算偏高的问题，并对专项检查工作中发现的突出问题，立即组织开展整改工作。有关专项检查工作和整改工作情况请于 2009 年 4 月 30 日前报部。我部将在各地开展自查自纠工作的基础上，适时开展对各地水利建设项目前期工作情况的抽查工作。

水利安全生产“三项行动”实施方案

（2009 年 5 月 4 日水利部水安监〔2009〕237 号）

为贯彻落实《国务院办公厅关于进一步推进安全

生产“三项行动”的通知》（国办发〔2009〕32号，以下简称《通知》）和全国水利安全生产视频会议精神，深入开展水利安全生产执法、安全生产治理、安全生产宣传教育三项行动（以下简称“三项行动”），根据国务院安委会办公室制定的安全生产执法行动、安全生产治理行动和安全生产宣传教育行动实施方案，结合《水利部2009年水利安全生产工作方案》，制定本实施方案。

一、工作目标

以贯彻落实科学发展观为统领，牢固树立“安全发展”的理念，坚持“安全第一、预防为主、综合治理”的方针，认真贯彻落实国务院“安全生产年”各项工作部署，在水利工程建设、水库安全运行、农村水电和水文测验等重点领域开展安全隐患排查治理，打击整治违规违章行为，加大安全生产宣传教育培训力度，切实解决水利安全生产薄弱环节和突出问题，通过深入开展“三项行动”，建立规范的水利安全生产秩序，坚决杜绝水利重特大生产安全事故，进一步减少较大和一般安全事故，降低伤亡人数，保持水利安全生产形势持续稳定好转，为水利事业又好又快发展提供坚实保障。

二、重点内容

（一）开展水利安全生产执法行动，重点打击整治违法、违规违章行为

（1）违反安全生产市场准入条件，从事水利工程建设的。

（2）前期工作不到位、违反建设项目安全设施“三同时”规定的。

（3）违规从事小水电建设，存在“四无”现象的。

（4）违反水利技术标准强制性条文规定建设的。

（5）瞒报生产安全事故的。

（6）对重大隐患隐瞒不报或不按规定期限予以整治的。

（7）不按规定进行安全培训或无证上岗的。

（8）拒不执行安全监管指令、抗拒安全执法的。

（9）其他非法违法生产、经营、建设行为。

（二）开展水利安全生产治理行动，着力解决水利重点领域安全生产突出问题

（1）隐患排查治理制度不健全、责任不明确、措施不落实、整改不到位的。

（2）未按要求落实水利工程防汛安全责任制、度汛方案和各项度汛安全防范措施，确保施工度汛安全的。

（3）应急救援队伍、装备不健全，应急预案制订修订、演练不及时，以及自救装备配备不足、使用培训不够的。

（4）水利工程建设和运行、病险水库除险加固项目安全管理制度不完善、管理措施落实不到位，水利施工单位未足额提取安全生产费用、安全技术措施不落实的。

（5）违章指挥、违章作业、违反劳动纪律的。

（6）安全生产条件、安全生产投入和安全防护不符合规定要求的。

（7）特种设备未按规定进行检测检验，危险物品的存放、保管不符合规定要求的。

（8）各级水行政主管部门安全监管责任不落实，安全管理机构不健全，监督检查不到位，安全许可制度执行不严格的。

（9）水行政主管部门确定需要重点治理的有关企业、单位的安全隐患。

（三）开展水利安全生产宣传教育行动，增强水利安全发展意识

（1）开展“安全生产月”集中宣传活动，利用电视、广播、报纸、网络等各种媒体宣传手段，宣传安全发展理念和安全生产法律法规、规章制度，普及安全生产知识。

（2）开展“水系民生，安全发展”主题活动，通过组织安全生产演讲比赛、征集安全文艺和摄影作品及深入基层水利单位巡回演出的方式，宣传安全法制意识，推进安全文化建设。

（3）完善生产安全事故快报、事故月报制度，建立安全事故通报、约谈和现场分析制度，加强安全事故预防应对工作和事故查处情况监督。

（4）加强水利企事业单位主要负责人、安全管理人员和特种作业人员培训，抓好新上岗人员安全教育，增强全员安全技能培训。

（5）宣传推广安全生产工作的典型经验和做法，推进安全生产示范单位建设。

三、进度安排

水利安全生产“三项行动”要贯穿各级水行政主管部门、各水利企事业单位全年安全生产工作的始终，并结合防汛抗旱和水利工程建设和运行的特点同步部署、同步实施、同步检查和同步总结，做到统筹兼顾，突出重点，有计划、有步骤、有针对性地组织开展。

（一）细化方案，自查自纠（5月中旬以前）

各级水行政主管部门、各水利企事业单位按照《通知》和本方案要求，结合自身实际和今年汛前水利安全生产检查中发现的突出问题，制订本地区、本单位的安全生产“三项行动”的实施方案，明确目标，落实责任，细化要求，强化措施，根据安全生产规章制度和标准规程要求，全员、全过程、全方位开展自查自纠，针对排查发现的隐患和问题，制定整改计划，落实整改措施，及时整改到位。部直属各单位、各省（自治区、直辖市）和计划单列市水行政主管部门的安全生产“三项行动”实施方案于5月20日以前报水利部安全监督司。

（二）督促检查，全面推进（5月下旬至9月）

1．安全生产执法行动

（1）根据《水利部办公厅关于全面加快违规水电站清查整改工作的通知》（办水电〔2009〕88号）组织开展违规小水电清理整改工作，试行责任公示、挂牌督办、限期销号，坚决遏制违规小水电建设。

（2）根据《水利部关于开展汛前安全生产检查的通知》（水安监〔2009〕96号）和《水利部办公厅关于开展汛前安全生产督查的通知》（办安监〔2009〕133号）组织开展汛前安全生产检查和督查，整治违规建设、违背安全生产市场准入条件、违反安全设施“三同时”规定的在建水利工程项目，加大对“三违”行为的惩处力度，确保汛期安全生产。

（3）组织开展水利技术标准强制性条文执行检查活动，以重点水利工程和安全隐患突出、易受自然灾害影响的单位为重点，坚决查处违反规章制度行为。

2．安全生产治理行动

（1）组织开展病险水库除险加固安全隐患治理。继续加大病险水库除险加固工作力度，在病险水库除险加固过程中切实把准病险隐患，制定科学方案，真正做到除险加固，为水库安全生产奠定坚实基础。

（2）根据《水利部办公厅关于开展农村水电安全大检查的通知》（办水电〔2009〕119号），全面检查和重点督查在建和已建农村水电工程安全生产和安全度汛情况。

（3）根据《水利部关于开展黄土高原淤地坝安全大检查专项行动的通知》（水保〔2009〕130号），组织开展淤地坝全面检查摸底，进行安全风险评估和隐患治理。

（4）根据《水利部水文局关于加强2009年汛期水文安全生产工作的通知》（水文测〔2009〕55号），做好水文水质站和各项水文测报工作汛前准备与安全检查，加强对危险物品和化学试剂的管理。

（5）组织开展国庆60周年前水利安全生产大检查以及大型灌区节水改造、农村水电建设、河道采砂以及水利风景区等专项检查和勘测设计单位、科研院所的试验室和危险物品存放地点安全隐患排查治理工作。

（6）建立重大安全隐患挂牌督办制度。针对排查治理工作中水利重大安全隐患，建立挂牌督办制度，加强隐患治理，做到整改措施、整改资金、整改期限、整改责任人和应急预案“五到位”。

3．安全生产宣传教育行动

（1）根据《水利部安全生产领导小组办公室关于开展“水系民生，安全发展”水利安全生产宣传教育活动的通知》（水安办〔2009〕2号），开展“安全生产年”专题宣传和安全生产巡回演出活动。在中国水利报开设“关注水利安全生产”专栏和出版“水利安全生产专版”，通过开展“安全生产月”等方法途径，大力宣传安全生产方针政策，广泛开展水利安全生产教育，营造安全生产的良好社会氛围。

（2）加强安全生产教育。下发《关于加强水利单位职工安全教育培训工作的通知》，开展水利安全生产监督管理和水利施工安全技术标准宣贯等培训，进一步提高广大干部职工安全生产监管水平和安全生产操作技能。

各级水行政主管部门要根据加强对安全生产“三项行动”的组织指导，做好宣传发动，抓好协调推进，突出工作重点，强化监督检查，严格责任追究，对“三项行动”过程实行动态管理，及时掌握情况；配合9月全国安全生产大检查，对本地区、本单位安全生产“三项行动”进展情况进行专项抽查；对重大事故隐患和突出问题要挂牌督办，逐项销号；对普遍性和倾向性问题，要分析原因，研究对策，集中整治。

（三）深化治理，巩固成果（10月至12月）

针对四季度工作特点，各级水行政主管部门加强对水利安全生产“三项行动”开展情况的督查检查，深入治理“三违”现象，清查整改“四无”电站等违法违规行为，同时开展隐患整改情况“回头看”，推广典型经验做法，建立长效机制，并对安全生产“三项行动”进行全面总结。部直属各单位、各省（自治区、直辖市）和计划单列市水行政主管部门将安全生产“三项行动”总结于11月15日前报水利部安全监督司。

四、工作要求

（一）高度重视，加强领导

安全生产“三项行动”是“安全生产年”活动的重要组成部分，是推进“安全生产年”目标任务落实的重要举措。各单位要充分认识开展水利安全生产“三项行动”的重要意义，切实加强组织领导，抓细抓实。流域机构和地方各级水行政主管部门主要负责同志要亲自研究部署，明确目标，落实责任，分管负责同志要切实履行职责，深入一线开展督促检查。水利企事业单位主要负责人要切实负起安全生产主体责任，组织开展好本单位自查整改工作。

（二）周密部署，务求实效

各单位要把“三项行动”与今年部署开展的汛前水利安全生产检查、病险水库除险加固、违规水电站清查整改、河道违法采砂整治、淤地坝安全大检查专项行动以及“水系民生，安全发展”水利安全生产宣传教育活动等相结合，根据本地区、本单位实际，制订具体方案，明确重点、步骤和具体要求，周密部署，精心组织，狠抓落实。对“三项行动”中发现的隐患和问题，要责令立即整改；不能现场整改的，要提出防范措施，落实整改资金，明确整改期限和责任人，并制订应急预案，防止发生事故。

（三）突出重点，全面推进

水利安全生产“三项行动”要统筹兼顾，点面结合。既要突出安全度汛、病险水库除险加固、水利工程建设和运行、农村水电、河道采砂等重点领域和事故多发、隐患突出、安全生产形势严峻的地区和单位，同时要加强水文测验、水利工程勘测设计、水利科学研究实验与检验、水利旅游、后勤服务和综合经营等方面的安全生产，既要突出汛期、国庆60周年等重点时段，以及重点部位、重要设施和重大危险源，也要注意日常检查，兼顾其他作业场所和部位，做到横向到边、纵向到底，不留死角，全面深入开展“三项行动”，切实把隐患治理和事故防范工作抓好抓实。

（四）广泛宣传，舆论监督

各单位要充分利用各种宣传手段和舆论工具，结合“水系民生，安全发展”水利安全生产宣传教育活动的开展，广泛宣传这次“三项行动”的目标、内容和要求，及时反映“三项行动”的开展情况和取得的成效，大力宣传安全生产先进典型，总结推广好经验、好做法，加大舆论监督和群众监督力度，批评曝光自查不认真、走过场，或者督促检查不力的单位和部门，形成安全生产“三项行动”的良好舆论氛围。

关于加强水利扶贫工作的指导意见（2009年5月15日水利部水移〔2009〕270号）

部机关各司局，部直属各单位，有关省、自治区、直辖市水利（水务）厅（局），新疆生产建设兵团水利局：

扶贫开发是国家发展战略的重要组成部分，扶持贫困地区发展是构建社会主义和谐社会、建设社会主义新农村和全面建设小康社会重要而艰巨的任务。水利扶贫在国家扶贫开发战略格局中属于发挥行业优势支持扶贫事业的行业扶贫范畴，是指直接面向贫困地区的水利工作。实施水利扶贫，通过加强贫困地区水利基础设施建设，推进贫困地区水利发展与改革，为贫困地区经济社会发展提供水利支撑和保障，是水利行业重要的政治任务和义不容辞的责任。党的十七届三中全会提出了到2020年绝对贫困现象基本消除的战略目标，中央经济工作会议、中央农村工作会议和国务院扶贫开发领导小组第一次全体会议对当前和今后一个时期的扶贫开发工作进行了重点安排部署。为贯彻落实中央关于扶贫开发的一系列指示精神，切实把水利部党组学习实践科学发展观活动提出的整改措施落到实处，进一步做好水利扶贫工作，提出如下意见：

一、指导思想和基本原则

（一）指导思想

认真贯彻党的十七大、十七届三中全会、中央农村工作会议和国务院扶贫开发领导小组第一次全体会议精神，以科学发展观为指导，坚持以人为本，按照统筹城乡发展的要求，充分发挥行业优势，大力加强贫困地区的水利基础设施建设，配合扶贫开发整村推进工作，着力解决好人民群众最关心、最直接、最现实的水问题，促进农业增产、农民增收，增强贫困地区的自我发展能力，逐步建立水利扶贫长效机制，为贫困地区实现经济社会又好又快发展创造有利条件。

（二）基本原则

1. 坚持发挥水利行业的整体优势

一是发挥政策优势。要认真贯彻落实中央关于加强农业基础建设、促进农业发展、农民增收、加快水利基础设施建设等一系列支持“三农”的政策，对水利扶贫重点地区实行政策倾斜。二是发挥投资优势。要充分利用各级政府加大水利投入的有利时机，着力加强水利扶贫重点地区的水利基础设施建设，在项目和投资上要给予倾斜和支持，水利扶贫重点地区的政府投资（中央投资、地方政府投资）比例高于所在省平均水平。三是发挥专业优势。各级水利部门、各流域机构以及相关单位等要在技术、管理、人才上对水利扶贫重点地区给予帮扶和支持。

2. 坚持发挥中央和地方两个积极性

水利部和省级水行政主管部门是承担水利扶贫工作的责任主体，贫困县是完成脱贫任务的实施主体，要充分发挥两个“主体”的积极性。一是水利部机关各司局、直属各单位要把水利扶贫重点地区的水利工作纳入重要议事日程，给予重点支持；二是各有关省级水行政主管部门要把水利扶贫重点地区的水利工作作为全省（自治区、直辖市）水利工作的重中之重，作为优先支持发展的地区；三是水利扶贫重点地区各级水行政主管部门要抓住机遇，充分运用水利扶贫机制，扎扎实实做好本地区的水利发展与改革工作，促进地方经济社会的全面发展。

3. 坚持政府主导和群众参与相结合

水利扶贫工作要充分发挥政府主导与群众参与的双重作用。有关各级政府要高度重视水利扶贫工作，切实加强组织领导，做到领导责任到位、工作措施到位、监督检查到位，确保水利扶贫取得实效。有关各级政府要积极探索新形势下发动群众参与农田水利基本建设的新模式、新措施，探索群众投工投劳的新机制，引导群众在国家政策扶持下，发扬自力更生、艰苦奋斗精神，用自己勤劳的双手改善生产生活条件。

4. 坚持群众脱贫致富与促进区域经济发展相结合

水利扶贫工作在改善群众生产生活条件、帮助群众脱贫致富的同时，要与促进区域经济发展并重，特别是对于区域经济发展条件较差的地区，要着力加强对带动区域经济发展有重要影响作用的重大基础设施建设。

5. 坚持统筹资金安排、发挥综合效益

投向水利扶贫重点地区的水利资金，要与扶贫资金以及当地的各项支农资金相结合，统筹规划，本着“统筹安排、配套使用、渠道不乱、职能不变、各负其责、各记其功”的原则，发挥资金的综合效益。

二、重点扶持范围和主要工作任务

（一）重点扶持范围

水利扶贫重点地区是：水利部定点扶贫县、贵州铜仁和毕节等水利扶贫试点地区、国家扶贫开发重点县和22个人口较少民族地区。

（二）主要工作任务

1. 加强水利基础设施建设

一是尽快解决贫困地区农村饮水安全问题。解决饮水安全问题是水利扶贫工作的首要任务。要突出重点地区，加快工作进度，争取尽快完成水利扶贫重点地区农村饮水安全工程建设任务。二是抓好农田水利基本建设。加强水利扶贫重点地区灌区续建配套与节水改造、小型农田水利建设，全面实施规划内大、中型灌区骨干工程节水改造，大力发展节水灌溉，提高农田灌溉保证率，确保粮食安全；大力推进高效节水灌溉示范项目建设，做好牧区水利和草牧场灌溉建设。三是抓好骨干水利工程建设。加强水利扶贫重点地区的病险水库除险加固、灌区续建配套及节水改造、重点水源工程，防洪工程和水文基础设施建设等水利骨干工程建设，拉动地方经济发展。四是抓好水土保持生态工程建设。要坚持人与自然和谐的原则，正确处理好扶贫开发与生态保护的关系，抓好水利扶贫重点地区的水保生态工程建设。要按照山、水、田、林、路、(沼）气综合治理的要求，逐流域、逐村进行综合治理。同时，要充分发挥生态的自我修复能力，通过各种封育措施，加强生态系统的保护和恢复。五是抓好农村水电建设。要加大水利扶贫重点地区的农村水电建设力度，大力推进水电农村电气化建设，扩大小水电代燃料建设规模，不断改善偏远山区农村无电、缺电和用不起电的状况，提高农村电气化水平，保护生态环境，发挥水资源综合利用效益，帮助农民脱贫致富。

2. 加快水利改革

要加强对贫困地区水利改革的指导，积极稳妥地推进水资源管理体制、水利工程管理体制、农村小型水利工程产权制度等改革，探索建立合理的水价形成机制；要积极探索集工程建设、产权制度、水价机制和科学管理四位一体的农田水利建设综合改革试点工作。

3. 加强技术帮扶

要加大水利扶贫重点地区水利建设和管理人才的培养力度，有计划、有组织地开展业务培训和实践锻炼，提高当地水利干部队伍的综合素质；要加强对水利扶贫重点地区的水利前期工作、建设管理、工程管理、水利改革等方面技术指导；要加大科技推广和科技创新方面的扶持，大力推广先进适用的水利技术，促进先进水利产品和技术的应用。

4. 开展“三个确保”贫困村帮扶工作

水利部机关各司局、直属各单位要做好湖北房县和重庆城口县6个“三个确保”贫困村帮扶工作。有关省级水行政主管部门要按照《关于做好扶贫开发“三个确保”工作的通知》（办移民〔2008〕150号）要求，将认领“三个确保”贫困村并开展帮扶工作作为水利扶贫工作的重要内容。

三、保障措施

（一）加强组织领导

水利部扶贫领导小组负责全国水利扶贫工作的指导，扶贫领导小组成员单位负责组织实施本部门的水利扶贫重点工作，水利部扶贫领导小组办公室负责日常工作；有关省级水行政主管部门负责本行政区水利扶贫工作。

（二）完善工作制度

（1）建立水利扶贫工作联络员制度。有关省级水行政主管部门要明确本单位水利扶贫工作分管领导、具体负责部门和联系人（处级），报水利部扶贫办备案。

（2）建立水利扶贫年度计划会商机制。水利部针对水利扶贫重点地区的水利项目年度计划，建立内部会商机制。各有关省级水行政主管部门要建立相应机制，在上报和细化中央年度计划的过程中，落实好国家扶贫开发重点县的年度计划，保证水利扶贫重点地区水利投入的比例和额度。

（3）建立水利扶贫统计制度。水利统计主管部门要尽快研究，在现有水利统计体系中，设立反映592个国家扶贫开发重点县水利年度投资、项目建设、效益等情况统计表式，并负责开展水利扶贫统计工作。

（4）建立水利扶贫工作报告制度。有关省级水行政主管部门要负责开展年度水利扶贫总结工作，并于每年12月20日前将本行政区水利扶贫工作年度总结报告以正式文件报水利部。水利扶贫工作年度总结报告应包括本行政区针对国家扶贫开发重点县的中央水利政策的细化和执行情况、水利投资落实情况、水利建设进展情况、水利改革推进情况、工作成效、存在的突出问题和困难，按照《关于共同促进整村推进扶贫开发工作的意见》（国开办发〔2008〕27号）要求工作开展情况，以及工作建议和下步工作安排等内容。有水利扶贫重点任务的湖北、重庆、贵州等省（直辖市）应对水利定点扶贫、水利扶贫试点情况进行总结。水利部定点扶贫对口联系组各组长单位要负责开展本小组年度帮扶工作总结。

（5）完善对口联系机制。水利部定点扶贫对口帮扶组要按照水利部定点扶贫总体要求和帮扶协议，加大对口联系的定点扶贫县技术帮扶、管理帮扶、人才帮扶和产业帮扶工作力度。有条件的省级水行政主管部门应选择水利扶贫重点地区建立对口联系工作机制。

(6) 坚持水利扶贫挂职干部派遣制度。地方根据工作需要和岗位需求，提出意见后，水利部继续向定点扶贫地区和水利扶贫试点地区派出扶贫干部。有条件的省级水行政主管部门应选择水利扶贫重点地区派遣挂职扶贫干部。

(7) 坚持水利扶贫调研和工作会议制度。水利部和省级水行政主管部门分管领导原则上每年要安排1次水利扶贫专题调研活动，每年至少召开1次专题会议研究水利扶贫工作，年终或年初应对管辖范围的水利扶贫工作进行总结和部署。省级水行政主管部门要按照《关于报送国家扶贫开发工作重点县水利工程建设项目及投资需求有关情况的通知》（办规计函〔2008〕823号）要求，认真做好基础工作，摸清国家扶贫开发重点县水利需求，按项目报水利部备案。

(8) 完善绩效评估机制。进一步完善水利扶贫试点监测评估机制，开展水利扶贫绩效评估工作。要对照《中国农村扶贫开发纲要（2001—2010年）》中确定的有关水利方面的目标进行全面回顾总结和评估，启动《水利部定点扶贫规划（2001—2010年）》实施效果终期评估工作，研究编制下一阶段水利定点扶贫规划。

（三）做好宣传工作

水利部以水利统计数据为依据，以各地水利扶贫年度总结为基础，适时编制并发布水利扶贫白皮书，向社会全面系统介绍水利扶贫工作。各级水利部门要加大水利扶贫宣传工作力度，及时发布信息，扩大水利扶贫影响。水利部要筹备水利定点扶贫（十年）成果展和水利扶贫试点（五年）成果展，并配合国务院扶贫办做好新中国成立60周年扶贫开发成果展览活动，各级水利部门和有关单位要做好配合工作。

关于加强城市污水处理回用促进水资源节约与保护的通知（2009年5月26日水利部水资源〔2009〕289号）

各流域机构，各省、自治区、直辖市水利（水务）厅（局），各计划单列市水利（水务）局，新疆生产建设兵团水利局：

城市污水处理回用是缓解城市水资源紧缺、实现区域水资源循环利用、促进水资源节约与保护、建设节水型社会的重要手段，对落实节能减排目标，建设资源节约型、环境友好型社会意义重大。为落实《国务院办公厅关于印发水利部主要职责内设机构和人员编制规定的通知》（国办发〔2008〕75号，以下简称水利部“三定”规定）要求，加强城市污水处理回用工作，促进水资源节约与保护，推进节水型社会建设，现将有关事项通知如下：

一、充分认识城市污水处理回用工作的重要性

（一）由于城市排水量的持续增长，城市水环境问题十分严峻，对城市经济社会可持续发展构成了严重威胁。城市污水处理回用在替代清洁水源的同时减少了污水排放量，降低了城市排污负荷，充分体现了科学发展观以人为本的要求，反映了广大人民群众的迫切愿望，代表了人民群众的根本利益，是落实节能减排目标，建设节水防污型社会的重要举措。

（二）我国工业化和城市化进程对城市供水安全提出了更高要求，目前在656个城市中，400多个城市缺水，水资源短缺已成为城市化发展的制约因素。城市污水处理回用具有水量稳定、输水距离短、制水成本低等特点，可以提供安全可靠的城市替代水源，是解决城市缺水问题的战略选择，是推进城市化建设的客观需要，对我国经济又好又快发展意义重大。

（三）国家高度重视城市污水处理回用工作，《中华人民共和国水法》要求“加强城市污水集中处理，鼓励使用再生水，提高污水再生利用率”；国务院办公厅印发的水利部“三定”规定明确赋予水利部指导城市污水处理回用等非传统水资源开发的工作职责。我国城市污水处理回用起步较晚，现状城市污水处理回用率不足8%，远低于发达国家水平，发展潜力巨大，加强城市污水处理回用是落实《中华人民共和国水法》和水利部“三定”规定的必然要求。

二、将城市污水处理回用纳入区域水资源统一配置

（一）城市污水处理厂出水应符合国家排放标准和水功能区水质要求，原则上应就近排入河道，保持河流生态流量，维持流域水体自然循环。再生水是在城市污水处理回用过程中，对污水处理厂出水、集纳雨水、工业排水以回用为目的进行适度处理，达到水利行业标准《再生水水质标准》（SL 368—2006，以下简称《标准》）规定，可以被再次利用的水，是重要的非饮用水源。

（二）再生水应与地表水、地下水、外调水共同纳入区域水资源统一配置，在地下水回灌、工业用水、农林牧业用水、城市非饮用水、景观环境用水等领域加大再生水使用比例，控制、减少新水用量。综合考虑排水体制、再生水设施、管网布局、用户分布等因素，统筹城乡再生水生产与供应，实现区域范围内水资源循环利用。

（三）各级水行政主管部门应组织编制城市污水处理回用规划，城市污水处理回用规划应服从水资源综合规划和城市总体规划，并与土地利用规划、环境保护规划、城市供水规划、城市排水与污水处理规划等相衔接。

（四）所有市、县城区都应根据水资源紧缺程度和污水处理设施建设情况，确定不同水平年污水处理

回用指标。到2010年，北方缺水城市污水处理回用率应达到污水处理量的20%以上，南方缺水城市污水处理回用率应达到污水处理量的10%以上。到2015年，全国城市污水处理回用率在2010年基础上大幅度提高。

（五）各地应根据经济社会发展水平、水资源紧缺程度，因地制宜，采取集中与分散结合、污水处理与再生利用衔接、城市利用与农业灌溉统筹的原则，规划建设城市污水处理回用设施与管网系统。新、改、扩建城市污水处理设施，必须同步规划建设污水处理回用设施与管网。新建建筑面积在2万m^2以上的大型公共建筑、规划人口在3万人以上的居民小区，应就近接入市政再生水管线；没有条件接入市政再生水管线的，可配套建设污水处理回用设施，其出水水质必须符合《标准》的规定。

三、进一步加强城市污水处理回用管理

（一）对国民经济与社会发展规划、城市总体规划和重大建设项目布局进行水资源论证时，应优先考虑再生水源，统筹地表水、地下水、外调水、再生水开发利用。在进行建设项目水资源论证时，对再生水水量水质满足建设项目用水需求的，优先使用再生水，严格控制取用新水。再生水利用应纳入用水计划管理，水行政主管部门按年度下达再生水使用计划，对按计划应使用再生水而未使用的或再生水使用率不达标的用水户，水行政主管部门将核减下一年度计划用水量。

（二）再生水应用于地下水回灌、工业用水、农林牧业用水、城市非饮用水、景观环境用水等用途，其水质必须符合《标准》的规定。再生水水质应由持有实验室资质认定证书的水质监测机构进行定期检测，当地水行政主管部门应建立严格的再生水水质监督管理制度。

（三）各级水行政主管部门应编制城市污水处理回用应急预案，建立城市污水处理回用突发事件应急处置机制。对因再生水水质、水量发生重大变化，或因突发事件、事故造成关键设备停机，可能影响供水安全的，再生水生产销售企业应按应急预案要求组织抢修，尽快恢复正常运行，并将突发事件和应急处置措施报送当地水行政主管部门。在发生突发性涉水公共卫生安全事件时，应严格限制再生水使用，保障居民身体健康。

（四）各级水行政主管部门应加强城市污水处理回用统计工作，将其纳入《水务管理年报》统计体系，按年度统计上报，并建立检查评估制度。我部将定期组织全国或重点地区城市污水处理回用工作专项检查，对检查中发现的问题及时督察，限期整改；对成绩突出的地方和单位给予表彰。

四、建立健全城市污水处理回用运行机制

（一）建立多层次、多渠道、多元化的城市污水处理回用设施建设与运行维护投融资模式，逐步形成政府主导、社会筹资、市场运行、企业开发的良性运行机制，充分发挥市场机制在城市污水处理回用设施建设与运行维护中的作用。通过税费减免、优惠电价、财政贴息、以奖代补等多种手段鼓励和吸引社会投资。

（二）严格按照《财政部　国家税务总局关于资源综合利用及其他产品增值税政策的通知》（财税〔2008〕156号）和国家发展和改革委员会、财政部、国家税务总局印发的《国家鼓励的资源综合利用认定管理办法》（发改环资〔2006〕1864号），开展再生水销售企业认定与免征增值税工作。申请免征增值税的再生水销售企业应委托持有实验室资质认定证书的水质监测机构，按照《标准》对再生水厂出厂水质进行检测，并出具检测报告，作为认定再生水销售企业的依据。未通过再生水销售企业认定的，不得对外销售再生水。

（三）建立合理的再生水价格体系。各级水行政主管部门应会同价格、财政主管部门，根据再生水企业的投资构成、供水规模和供水水质，结合再生水生产成本、自来水水价和政府财政状况，制定合理的再生水价格体系。再生水价格应以补偿成本和合理收益为原则，综合考虑本地区水资源条件、产业结构和经济状况，结合再生水水质、用途等因素，与自来水价格保持适当差价，按低于自来水价格的一定比例确定。对再生水价格暂时无法满足污水处理回用设施建设和运营需要的再生水企业，政府应给予一定补助，确保城市污水处理回用设施正常运行。

五、强化城市污水处理回用工作的保障措施

（一）加强城市污水处理回用工作的组织领导。各级水行政主管部门要抓住地方政府机构改革的机遇，参照水利部“三定”规定，积极落实城市污水处理回用管理职责。已落实管理职责的地区，要尽快开展工作，指定专人负责，逐级落实责任，加强与有关部门的协调配合。建立地方性城市污水处理回用法规体系，加大执法监督力度，逐步将城市污水处理回用工作纳入法制化、规范化轨道。

（二）鼓励城市污水处理回用技术创新与科技进步。推动城市污水处理回用关键技术研究与成果应用推广、技术设备集成和示范工程建设，支持新技术、新工艺、新材料的研究开发，完善并实施城市污水处理回用技术标准与规范体系。

（三）加强监管，确保再生水使用安全。各级水行政主管部门应加强对城市污水处理回用设施，尤其是公共建筑和居民小区配套污水处理回用设施的监管，加强对再生水水质监测与监督，健全再生水水质安全保障体系，确保再生水使用安全。

（四）采取各种形式，大力开展城市污水处理回用的宣传教育。在全社会树立自觉使用、科学使用、安全使用再生水的意识，推进污水资源化，实现水资源循环使用，促进水资源节约与保护。

关于开展全国水土保持监督管理能力建设的通知（2009年5月31日水利部水保〔2009〕294号）

各流域机构，各省、自治区、直辖市水利（水务）厅（局），各计划单列市水利（水务）局，新疆生产建设兵团水利局：

为深入贯彻《中华人民共和国水土保持法》（以下简称《水土保持法》），增强水土保持监督管理能力，提升监督管理水平，水利部决定开展全国水土保持监督管理能力建设。现就有关事项通知如下：

一、充分认识开展监督管理能力建设的重要意义

《水土保持法》颁布实施以来，各级水行政主管部门基本建立了水土保持配套法规体系、监督执法体系和技术服务体系，具备了一定的水土保持监督管理能力和水平。但是，各级水行政主管部门水土保持监督管理能力与深入贯彻落实《水土保持法》的要求仍难完全适应，特别是基层水土保持监督管理能力相对较弱。主要表现为监督管理机构和人员配置还没有完全到位，监督管理人员的法律素养和执法水平有待提高，监督管理存在缺位、漏位现象，基层水土保持监督管理能力与全面建设法治政府、依法行政的要求还有较大差距。在当前全面贯彻落实科学发展观，建设资源节约型、环境友好型社会的新形势下，开展水土保持监督管理能力建设，着力提高水土保持监督管理能力，规范监督管理工作，对预防新的水土流失，减少水土流失灾害，保护生态环境，促进经济社会又好又快发展，具有十分重要的意义。

二、明确指导思想、目标和任务

（一）指导思想

以科学发展观为指导，积极践行可持续发展治水思路，深入贯彻《水土保持法》，以全面提高水土保持监督管理能力为目标，以县级为重点，建立健全水土保持配套法规体系和监督管理体系，全面提高水土保持依法行政水平，进一步推进水土保持“三同时”制度落实，切实减少生产建设中的人为水土流失，以水土资源的可持续利用和生态环境的可持续维护保障经济社会又好又快发展。

（二）目标和任务

（1）进一步完善水土保持配套法规体系，做到《水土保持法》实施办法、方案审批、现场监督检查、设施验收、水土保持生态补偿等规定“五完善”。

（2）进一步增强水土保持监督管理机构履行职责能力，全面实现机构、人员、办公场所、工作经费、取证设备装备“五到位”。

（3）进一步规范水土保持监督管理工作，实现水土保持方案审批、监督检查、设施验收、规费征收、案件查处工作“五规范”。

（4）进一步健全水土保持监督管理制度，做到上级水行政主管部门对下级履行职责情况的督察制度、年度及重大水土流失案件（事件）报告制度、水土保持技术服务单位管理制度、廉政建设制度、社会监督制度“五健全”。

（5）进一步提高生产建设项目水土保持方案申报率、实施率和验收率，其中县级水土保持方案申报率达到90%以上，水土保持方案实施率达到80%以上，水土保持设施验收率达到70%以上。

三、加强组织领导，落实保障措施

水利部水土保持监督执法专项行动领导小组继续作为这次监督管理能力建设的组织领导机构。地方各级水行政主管部门要加强对监督管理能力建设的领导，继续发挥各级水土保持监督执法专项行动领导小组的作用，组织好能力建设的各项工作。各地要在本级人大、政府的领导和支持下，加强与有关部门的协作配合，主动争取理解和支持；要结合当地实际，制定能力建设实施方案，进一步提高方案的针对性和操作性；要安排足够经费，保障能力建设的正常开展，圆满完成各项工作任务；要加大对能力建设的舆论宣传，建立简报制度，通报情况，介绍先进做法和经验，督促后进；要对能力建设中涌现出来的先进单位、先进个人进行表扬（彰）和奖励，通过综合评价的县要优先安排国家水土保持重点投资。

四、扎实推进，分批实施

全国水土保持监督管理能力建设按照统一行动，突出重点，分批实施的原则组织开展。其中，第一批的实施期为两年，重点开展500个县级水行政主管部门水土保持监督管理能力建设。参加第一批监督管理能力建设的县要求具有较好的监督管理工作基础，具体名单请省级水行政主管部门根据分配的名额推荐，并于2009年7月底前报我部水土保持司。

水利部办理全国人大代表建议和全国政协委员提案工作规定（2009年6月10日水利部水办〔2009〕306号）

第一章　总　　则

第一条　为规范水利部办理全国人大代表建议和全国政协委员提案工作，根据全国人大常委会办公厅、全国政协提案委员会、国务院办公厅的有关要求，制定本规定。

第二条　本规定所称建议，是指我部承办的全国人大代表提出的书面建议、批评、意见和议案；所称提案，是指我部承办的全国政协委员和参加政协的各党派、各人民团体以及政协各专门委员会提出的书面

意见和建议。

第三条 人大代表对政府各方面工作提出建议、批评和意见，是依法执行代表职务、代表人民行使国家权力，参与管理国家事务和社会事务、管理经济和文化事业的重要形式。政协提案是人民政协行使政治协商、民主监督职能，参政议政的重要方式。尊重和支持代表委员行使职权，认真办理好建设提案，是政府部门的法定职责。

第四条 办理建议、提案，应遵循实事求是、认真负责、注重质量、及时高效的原则。

第五条 建议、提案办理工作实行领导负责制。部长对建议、提案办理工作负总责，分管副部长对各自分管工作的建议、提案办理工作负领导责任，各承办司局（单位）主要负责同志对本司局（单位）的办理工作负直接领导责任。

第六条 办公厅归口管理水利部建议、提案办理工作，负责建议、提案办理的组织协调、审核把关、督办检查、宣传报道等工作，组织对办理工作人员的培训。部机关有关司局和部直属有关单位负责具体办理答复工作。

第二章 交 办

第七条 办公厅负责统一接收全国人大常委会办公厅和全国政协提案委员会交由我部办理的建议、提案，并根据职责分工提出拟办意见。

第八条 建议、提案涉及多个司局和单位的，办公厅明确一个主办司局或单位。主办司局或单位在充分征求其他协办司局和单位的意见后答复代表、委员。

第九条 承办司局和单位收到建议、提案后，应及时研究核对。对建议、提案由我部承办有异议的，尽快告知办公厅，由办公厅与相关部（委、局、办）协调、转办。对部内承办工作有异议的，拟定的主办司局和单位应与相关司局和单位先行协商；难以取得一致意见、确定主办司局和单位的，交由办公厅协调确定。

第十条 对全国人大常委会办公厅、全国政协提案委员会交办的重点建议、提案，部内主办司局和单位，由办公厅提出意见后，报部领导确定。

第十一条 办公厅会同有关司局、单位研究提出部内重点办理的建议、提案，经部领导审定后，报送全国人大常委会办公厅及有关专门委员会、全国政协提案委员会办公室。

第十二条 办公厅会同有关司局、单位对建议、提案进行综合分析，分析报告经部领导审定后，分别报送全国人大常委会办公厅、全国政协提案委员会办公室。

第十三条 全国人大常委会办公厅和全国政协提案委员会召开交办会后，办公厅及时组织召开部内交办会。主要任务是：

（一）传达学习全国人大、全国政协领导同志讲话精神和主管部门关于建议、提案办理工作的要求；

（二）对年度办理工作进行部署；

（三）对重点建议、提案的办理进行部署；

（四）根据建议、提案内容，确定部内主办司局和单位；

（五）其他需要研究和安排的事项。

第三章 办 理

第十四条 承办司局和单位要加强对办理工作的组织领导，建立健全建议、提案办理工作责任制度，实行司局（单位）主要负责同志负总责，司局（单位）分管负责人、处室负责人、具体承办人员分级负责制。

第十五条 承办司局和单位应制定建议、提案办理工作方案，细化工作流程，并对具体承办人员进行培训，努力提高办理工作的效率和质量。

第十六条 承办司局和单位要指定1～2名联系人，负责本司局、单位办理工作的督查和与其他承办司局、单位的联系。每年2月底前，承办司局和单位须将联系人名单报送办公厅。

第十七条 对需要重点办理以及涉及重大、敏感问题的建议、提案，承办司局和单位应经司（局）务会集体研究后办理。重点建议、提案应制定专项办理工作方案，并报部领导审定。对跨年度跟踪办理的建议、提案，要制定跟踪办理工作方案，并抓好落实。

第十八条 我部主办、其他部门协办的建议、提案，承办司局和单位应主动与会办部门联系、协商。其他部门主办、我部协办的建议、提案，承办司局和单位应积极配合，按照全国人大常委会办公厅和全国政协提案委员会规定的时间，将会办意见按规定格式转送主办部门，并送办公厅备案。

建议的会办意见应抄送全国人大常委会办公厅联络局，每件一式两份；重点建议的会办意见以部函形式转送全国人大常委会办公厅联络局和有关的全国人大专门委员会，每件一式两份。

第十九条 我部和其他部门分别办理的建议、提案，根据我部的职能单独办理并直接答复代表、委员。

第二十条 部内由两个以上司局和单位共同承办的建议、提案，主办司局和单位应主动与协办司局和单位协商，协办司局和单位应在收到建议、提案之日起15个工作日内提出协办意见。

第四章 答复文稿

第二十一条 承办司局和单位负责起草建议、提案答复稿。答复稿所述工作情况和意见应符合党和国家的路线、方针、政策，符合国家法律法规，符合部党组的决定和意见。正在研究、拟定中的法规、规定和政策等，不能作为答复的依据。

第二十二条　答复稿内容应实事求是。对已经解决或能够及时解决的问题，应尽快解决并明确答复；对应该解决但一时难以解决的问题，应在答复稿中向代表、委员实事求是地说明情况，制定工作计划和具体方案；对确实不能解决的问题，应充分说明原因，给予详细答复。

第二十三条　办理建议、提案，应在全国人大常委会办公厅和全国政协提案委员会规定的时限内完成。

对全国人民代表大会会议期间全国人大代表提出的建议，承办司局和单位应在闭会之日起3个月内予以答复，因特殊情况确需延长期限的，可适当延长，但最迟不超过6个月；大会闭会期间提出的建议，承办单位应在交办之日起3个月内予以答复，最迟不超过6个月。

对全国政协提案委员会交办的提案，承办司局和单位应在每年8月底前予以答复；办公厅将已办结的全部提案答复稿，按照统一格式要求制成电子版，报送全国政协提案委员会办公室。

第二十四条　对内容完全相同的建议、提案，可以并案答复，但一次并案一般不超过5件。

第二十五条　答复稿内容应具有针对性，客观体现工作进展程度，力戒语言生硬，切忌空话、套话和大话。

第二十六条　建议、提案如涉及国家秘密，办公厅和承办司局、单位应按照保密工作相关规定做好保密工作。

第五章　答 复 格 式

第二十七条　我部主办（含独办、分办）的答复稿应按照全国人大常委会办公厅和全国政协提案委员会规定的答复格式书写，填写统一印制的水利部全国人大建议办理稿签纸、水利部全国政协提案办理稿签纸，建议办理稿签纸在办结后加盖部印归档，提案办理稿签纸在办结后加盖办公厅印归档。建议、提案正式答复稿均为部函形式。

第二十八条　对其他部门主办、我部协办的建议、提案，承办司局和单位应按照部里规定的统一格式书写，并加盖承办司局和单位公章。

第二十九条　承办司局和单位报送答复稿前，如必要应附向分管部领导报送的送签说明。内容应力求简洁，包括以下内容：

（一）建议、提案中反映的主要问题或建议。

（二）答复意见的主要内容和依据。

（三）与其他部门、单位的沟通情况。

（四）与代表、委员的沟通联系情况。

（五）其他需要向部领导说明的问题。

第三十条　承办司局和单位答复建议，应将办理情况按照以下分类标注在办理稿签的“办理类别”栏内：

（一）所提问题已经解决或在本年度内能够及时解决的，以及所提问题已有规定，承办司局和单位明确说明了有关情况的，用“A”标明。

（二）所提问题从全国人民代表大会闭会之日起3年内能够基本解决，承办司局和单位已制定解决措施或已列入改进计划的，用“B”标明。

（三）所提问题因目前条件限制或其他原因从闭会之日起3年内难以解决的，以及所提问题留作参考的，用“C”标明。

属于“C”类答复的，应充分说明原因和理由，如有需要，可就代表所提问题开展相关调研，加强与代表沟通，争取代表的理解和支持。

第三十一条　承办司局和单位答复提案，应将办理情况按照以下分类标注在办理稿签的“办理类别”栏内：

（一）所提问题已经解决或所提建议已经采纳的，用“A”标明。

（二）所提问题正在解决、已列入规划逐步解决的以及所提建议计划采纳的，用“B”标明。

（三）所提问题因目前条件限制需要以后解决或所提建议留作参考的，用“C”标明。

第六章　答 复 程 序

第三十二条　具体承办人起草的答复稿送办公厅审核前，须经承办处室负责人和司局（单位）负责人审签。

第三十三条　办公厅审核后，人大建议按照部内文件审批签发权限和部领导的分工，报分管部领导审签，重要的报部长审签。政协提案一般由办公厅领导签发，重要的由分管部领导签发。全国人大常委会办公厅交办的重点建议和全国政协提案委员会交办的重点提案答复稿，由分管部领导审核后报部长审签。承办单位将答复稿送办公厅登记、审核、编号。

第三十四条　全国人大代表单独提出的建议，直接答复代表本人；代表联名提出的建议，分别答复每位代表并附代表建议办理和答复征求意见表。

第三十五条　全国政协委员单独提出的提案，直接答复委员本人；委员联名的提案，答复第一提案人，党派、人民团体、政协专门委员会的提案，答复提案单位；界别、小组或者联组的提案，答复召集人。答复稿应同时附提案办理情况征询意见表。

第三十六条　全国人大建议答复稿，应抄送全国人大常委会办公厅、国务院办公厅和会办部门。重点建议的答复，还应抄送有关的全国人大专门委员会。全国政协提案答复稿，应抄送全国政协提案委员会办公室、国务院办公厅和会办部门。

第三十七条 对建议的答复稿使用“水（司局简称）办字〔年号〕第＊号”文号，对全国人大议案使用“水（司局简称）议字〔年号〕第＊号”文号。对提案的答复稿使用“〔年号〕水（司局简称）办字第＊号”文号。

第三十八条 我部主办（含独办、分办）的答复稿印制成文后，由主办司局和单位在3个工作日内统一寄发。寄发代表、委员时，应在其姓名后加“代表”或者“委员”称谓。

第三十九条 我部协办的建议、提案的意见，由承办司局和单位在规定时限内自行寄发到主办部门。全国人大常委会办公厅确定的重点建议的协办意见，应填写正式的办理稿纸并附送签说明报分管部领导审签。

第七章 与代表、委员联系

第四十条 承办司局和单位可通过电话联系、座谈、走访、调研等方式，加强与代表、委员的沟通联系。

第四十一条 提出建议、提案的代表、委员是国家领导人的，承办司局和单位在正式答复前，应主动当面向代表、委员汇报有关工作情况。

第四十二条 承办司局和单位应深入开展调查研究，努力提高办理质量。有下列情形之一的，承办单位可邀请相关代表、委员共同参与调研，探讨解决问题的办法：

（一）代表、委员连续3年对同一政策性问题提出建议和意见。

（二）代表、委员的建议和意见对业务工作有重要指导意义。

（三）代表、委员主动提出参与调研，承办司局和单位正在组织相关调研活动。

（四）需要重点办理的建议、提案。

第四十三条 代表、委员对答复不满意或有不同意见，承办司局和单位应主动与代表、委员联系，详尽说明情况，商量解决办法，争取代表、委员的理解。

第四十四条 承办司局和单位在承办建议和提案过程中，应当对部分人大代表、政协参加单位和委员适时走访。走访的重点，是对答复意见提出异议的人大代表、政协参加单位和委员，以及办理结果未说明解释或者列入规划逐步解决的建议和提案的提出者。

第四十五条 走访人大代表、政协参加单位和委员，一般采用登门拜访或者召开座谈会的方式进行。采用以上方式确有困难的，可以采用电话联系或者委托走访的方式进行。

第八章 对建议、提案的采纳、使用和宣传

第四十六条 办公厅每年接到建议、提案后，将有重要价值的建议、提案分送部领导和有关司局参阅。

第四十七条 办公厅每年10月底前，向全国人大常委会办公厅和全国政协提案委员会报送年度工作报告。

第四十八条 承办司局和单位应认真分析、整理代表、委员提出的建议和意见，在制定规划、政策过程中，认真采纳和吸收代表、委员的合理化建议。

第四十九条 加强对建议、提案办理工作的宣传，逐步扩大在互联网上公开建议提案办理复文的力度，充分利用部门户网站，开辟专栏，宣传建议提案办理过程中的生动事例和建议提案发挥的积极作用。着力加大重点建议、提案的宣传力度。办理复文的公开须经部领导批准同意。

第九章 督查、表扬

第五十条 建立办理进度通报制度，办公厅负责对办理情况进行催办、督查。对重点建议、提案，应重点督办。

第五十一条 办公厅商人事司每年对办理工作进行评估，并对承办工作成效突出的先进单位和个人进行表扬和奖励。

第十章 附 则

第五十二条 本规定自印发之日起施行。

第五十三条 本规定由办公厅负责解释。

水利重大课题研究项目管理办法（2009年6月11日水利部水办〔2009〕309号）

第一章 总 则

第一条 为加强水利重大课题研究项目管理，促进水利相关重大问题研究，提高研究成果水平，更好地发挥研究成果对水利发展与改革的支撑作用，制定本办法。

第二条 水利重大课题研究项目是水利部组织开展的关系水利发展与改革全局的基础性、战略性、现实性重大政策课题研究项目。项目经费来源主要是政策研究与制度建设、水利基建前期、公益性行业科研等专项经费。部内已有经费渠道安排的政策课题研究项目经过申请认定后也可以列入水利重大课题研究项目范围。

第三条 项目管理坚持统一协调、分类立项、统筹兼顾、突出重点、归口管理、加强监督、严格验收、确保质量的原则。

第四条 水利重大课题研究领导小组（以下简称领导小组）是水利部水利重大课题研究的领导和决策机构，统筹研究确定每年的水利重大研究课题。

第五条 水利重大课题研究领导小组下设办公室（以下简称领导小组办公室），承担领导小组的日常工作。领导小组办公室设在办公厅，其主要职责是提出水利部年度重大课题研究方案，提交领导小组审定，对列入政策研究与制度建设经费范围的重大课题进行组织协调。

第二章 项目选题

第六条 领导小组办公室根据水利政策研究与制度建设预算项目规划和年度计划，结合其他经费渠道研究课题安排，研究提出拟列入水利重大课题的选题建议，提交领导小组。

水利基建前期、公益性行业科研专项等项目主管部门要将确定的政策课题研究项目清单报送领导小组办公室，以加强项目之间的协调，避免重复研究。

第七条 领导小组对水利重大课题研究项目选题方案进行审定，确定年度水利重大课题研究项目选题。

第三章 项目实施

第八条 列入政策研究与制度建设经费范围的水利重大课题由领导小组办公室负责组织实施，其他渠道来源的水利重大课题由项目申报单位根据原渠道有关规定负责组织实施。

第九条 政策研究与制度建设经费范围的水利重大课题实施采取定向委托和公开选择的方式进行。其中：

定向委托是指直接委托有关单位承担课题研究。

公开选择是指面向社会选择具备相应条件的单位承担课题研究。公开选择项目信息要通过水利部网站等权威信息平台向社会发布。

第十条 采取公开选择方式确定承担单位的，按照以下程序进行：

（一）领导小组办公室发布项目申报指南。

（二）各单位按照有关要求进行申报。

（三）专家评议并推荐承担单位。

（四）领导小组办公室审核确定。

第十一条 采取定向委托和公开选择方式确定的项目，项目承担单位要按照工作任务要求制定工作大纲，由领导小组办公室组织专家对工作大纲进行审查，评审通过后组织开展工作。

第十二条 建立项目中期检查制度，由领导小组办公室统一组织对定向委托和公开选择方式确定的项目中间成果和研究进度等进行检查和督促。具体程序为：

（一）各承担单位向领导小组办公室提交中间成果及进展情况报告。

（二）领导小组办公室组织专家进行中期检查，提出检查指导意见，并负责跟踪督办。

第十三条 由申报单位组织实施的项目，项目申报单位要将课题研究工作列入本单位的重点工作，加强指导和检查，及时解决存在的问题，确保项目按时保质完成。领导小组办公室视情况对项目研究工作进展进行抽检。

第十四条 项目因特殊原因无法按期完成时，项目申报或承担单位应向领导小组办公室提交项目延期的申请，经批准后方可延期，并按照财政拨款结余资金管理的有关规定执行。

第十五条 项目经费使用必须严格按照国家有关规定执行。

第四章 项目验收

第十六条 项目完成后，应按照财政预算项目验收的有关规定进行项目成果的验收。项目验收采取专家评审会议的方式。

采取定向委托和公开选择方式确定的项目，由领导小组办公室统一组织验收。

由申报单位组织实施的项目，由申报单位自行组织验收，领导小组办公室对项目成果进行抽验。

第十七条 由领导小组办公室统一组织的验收，按照如下程序进行：

（一）各承担单位向领导小组办公室提交验收申请报告、研究成果及工作总结报告等。

（二）领导小组办公室根据成果汇总情况委托有关单位进行验收。

（三）验收单位制定相关工作方案，经报领导小组办公室批准后开展验收工作，并在工作完成后提交相应工作报告。

（四）领导小组办公室综合课题研究执行情况向领导小组作出报告。

第十八条 对未通过验收的项目，项目承担单位应在规定期限内，根据评审意见进行修改完善，并重新进行验收。

第五章 成果管理

第十九条 领导小组办公室负责项目成果的管理，包括建立成果档案、成果数据库等，并抄送水利部财政项目成果库。

项目申报单位应向领导小组办公室提交研究过程中形成的阶段性成果、最终成果、评审验收意见及相关资料。

第二十条 水利重大政策研究项目成果应作为重要的决策依据之一。各级水利决策部门要充分重视和认真采纳，做好成果的推广应用，促进成果的转化，切实发挥成果的社会经济效益。通过评审和验收的项目，可明确为“水利重大课题研究项目成果”，由领导小组办公室颁发成果证书。

第六章 附 则

第二十一条 本办法由水利部办公厅负责解释。

第二十二条 本办法自颁布之日起实施。

关于贯彻落实全国安全生产电视电话会议精神切实做好水利安全生产工作的通知（2009年6月19日水利部水安监〔2009〕316号）

部直属各单位，各省、自治区、直辖市水利（水务）厅（局），各计划单列市水利（水务）局，新疆生产建设兵团水利局：

2009年6月1日，国务院召开全国安全生产电视电话会议，张德江副总理出席会议并发表了重要讲话。水利部立即召开水利部安全生产领导小组全体会议和全国水利安全生产视频会议，迅速贯彻落实张德江副总理重要讲话精神和全国安全生产电视电话会议精神，研究部署下一步水利安全生产工作。现结合水利实际，就进一步贯彻落实全国安全生产电视电话会议精神，切实做好水利安全生产工作提出要求如下：

一、提高认识，加强领导，切实落实水利安全生产责任制

今年以来，水利行业认真贯彻落实国务院关于“安全生产年”的工作部署，进一步强化安全生产监管和隐患排查治理，狠抓安全生产薄弱环节，扎实推进各项工作，水利安全生产继续保持良好态势。但水利安全生产面临的形势依然严峻。许多水利工程老化失修、病险严重，水利工程本身存在较大的安全隐患；大规模的水利建设开工项目多、建设任务重，安全生产监管任务十分艰巨；维护新中国成立60周年和谐稳定的社会氛围，水利安全生产责任重大；2009年上半年全国一些地方连续发生了多起重特大安全事故，水利生产安全事故也时有发生，给我们敲响了警钟。在刚刚召开的全国安全生产电视电话会议上，张德江副总理针对近期重特大事故抬头、非法违法生产事故较多等严峻的安全生产形势，要求各地区、各部门要全面贯彻落实中央关于“质量和安全年”的工作部署，提高思想认识，加强组织领导，认真查找工作差距和薄弱环节，进一步加大安全生产“三项行动”“三项建设”等重点工作力度，促进全国安全生产形势持续稳定好转，为促进全国经济平稳较快发展、为新中国成立60周年创造良好的安全生产环境。各地各单位要认真学习、深刻领会和准确把握全国安全生产电视电话会议精神，从全面贯彻落实科学发展观的高度，充分认识当前水利安全生产存在的诸多问题和面临的严峻形势，充分认识新形势下做好水利安全生产工作的极端重要性，进一步增强政治意识、大局意识和忧患意识，增强做好安全生产工作的责任感和紧迫感。

各地各单位要按照全国安全生产电视电话会议的部署和《国务院办公厅关于推进安全生产“三项行动”的通知》（国办发〔2009〕32号）要求，进一步加强组织领导，全面落实水利安全生产责任制度。各级水利部门一把手是水利安全生产第一责任人，要切实担负起领导责任，亲自抓，负总责；各地要切实落实项目法人、勘察设计、施工、监理等单位安全生产主体责任，真正做到“一岗双责”。要进一步落实水库安全生产政府领导责任制和水库管理单位负责人责任制，将安全生产工作纳入各级领导班子和领导干部政绩的重要考核内容，并按照干部问责制度严格安全生产问责和责任追究。

二、狠抓重点领域安全监管，严防重特大安全事故

（一）进一步加强各类水库工程运行安全管理。水库运行安全是水利安全生产的重中之重，必须高度重视，切实抓好。第一，要切实做好大中型水库安全运行工作。健全和完善大中型水库管理机构和运行管理机制，严格水库大坝安全监测和分析，加强雨情水情预警预报；严格执行水库调度方案，加强对泄洪建筑物的监管，确保能够及时启用和安全运行；建立应对水库出险应急预案，确保一旦险情出现应急预案能够顺利启用。第二，要切实做好小型水库安全监管工作。必须建立小型水库地方政府和水行政主管部门安全责任制，使每一座小型水库置于政府的监控之下；落实小型水库管理和看护人员，重点小（1）型水库管理人员不少于3人，一般小（1）型水库不少于2人，小（2）型水库也要落实专人看护；全面掌握小型水库的坝型结构、泄洪能力和潜在隐患，制定小型水库出险应急预案，并开展事故转移避险和救援演练。第三，要切实加强病险水库除险加固项目的安全监管。严格按照施工组织设计的要求安排施工，除险加固期间水库要按照施工期调度运用方案运行，有重大险情的务必要空库运行，除险加固项目完成后未经验收一律不得投入运行。

（二）进一步加强农村水电安全生产监管。各级水行政主管部门要切实负起责任，明确监管主体，认真履行农村水电安全监管的职责。要进一步加强与安监、电监、工商等部门配合，全面加快违规小水电站清查整改，对未完成整改任务的实行责任公示和挂牌督办，坚决限期消号。要严格小水电工程审批核准环节管理和初设审批、开工报告和工程验收制度，对违反规定擅自核准、开工、建设或投运发电造成安全事故的，要严格追究业主和有关各单位的责任。加强小水电运营企业的安全监督检查和运行人员上岗培训，规范运行管理；全面开展小水电站安全管理分类及年检制度，消除安全隐患。

（三）加强淤地坝隐患治理，确保工程安全运行。各有关地区、单位要加大淤地坝安全监管和隐患治理力度，根据今年淤地坝安全专项检查发现的问题，进

一步完善工程排险避险方案，制定除险加固方案，编制病险淤地坝除险加固规划，有计划、有步骤地开展病险淤地坝的除险加固工作，确保工程安全。要进一步加强淤地坝的运行管理，加强病险坝的巡查和监测，严格按照“缓洪、拦泥、淤地”的“蓄浑排清”运用方式运行，不得作为水库蓄水高水位运用，对威胁到下游人民群众生命财产安全的病险坝，必须空库运行。

（四）进一步加强在建水利工程安全监督检查。要针对大规模水利建设新形势，以病险水库除险加固工程、枢纽工程、堤防工程、大型灌区节水改造项目等为重点，加强施工安全生产全过程监管。进一步落实水利工程建设政府安全生产监管职责和项目法人、勘察设计、施工、监理等单位安全生产主体责任，严厉打击和整治违反水利工程建设程序、安全生产市场准入条件和安全设施“三同时”规定的在建水利项目，认真执行水利技术标准强制性条文规定，严肃查处各类违章指挥、违规操作和瞒报事故行为。要狠抓工程勘测设计，确保设计方案合理、安全、可靠；严格执行建设管理“四项制度”，科学制定施工组织方案，完善各项施工安全技术措施，确保施工安全。加强对高边坡、隧洞、基坑、起重设备、施工机械、模板、脚手架、施工围挡、临时设施等安全检查，及时消除事故隐患；加强对施工作业人员的安全培训，增强安全意识和防范能力。

（五）加强水文测验、勘测设计、危险化学品和人员密集场所等安全管理。各单位要加强水文监测安全管理，做好水文作业安全防护和穿戴救生器具，水文测船配备消防、救生设备和堵漏器材；加强野外勘察、测量作业和设计勘探、现场设计配合的安全管理，做好野外作业安全防护，加强山地灾害和有毒气体监测与防治，制订预防和应急避险方案，确保安全；落实水利试验厅（室）和大型实验设备使用以及有毒化学危险品的安全管理和防护措施；完善水利旅游安全防护设施、安全警示牌设置、旅游预测预报、游人疏导和安全事故应急救援预案；加强炸药库、油库、仓库等危险区域以及宾馆、培训中心、职工医院、办公场所、集体宿舍、学校、幼儿园等人员聚集场所的安全监管，检查消防设施、电器设备，严防火灾等事故；做好车辆、船舶的安全检查和维护保养，严禁带病运行、超速超载和酒后、疲劳驾驶。

三、强化制度建设，夯实安全工作基础

各地各单位要根据国家有关安全生产法律法规，尽快完善水利安全生产相关配套规章制度和技术标准，建立科学的安全事故预防机制。要结合政府机构改革进一步健全各级水行政主管部门、流域机构和水利企事业单位安全生产监管机构，配备相应的人员，加强安全生产监管，建立规范、有序、高效的安全生产工作机制。要切实解决执法偏软的问题，依法依规加大安全生产违法违规违章行为的纠正和处罚力度。要继续巩固前一阶段安全督查检查的成果，抓好隐患整改工作，建立重大安全隐患挂牌督办制度，做到整改措施、资金、期限、责任人和应急预案“五落实”。

四、加强宣传教育，树立全行业安全生产意识

各地各单位要按照《水利部办公厅关于开展2009年水利系统“安全生产月”活动的通知》（办安监〔2009〕138号）要求，开展好集中宣传教育活动，充分利用各种宣传手段，深入基层，宣传安全生产，传播安全文化。要积极组织职工参加全国安全生产月活动组委会和水利部组织的安全演讲比赛、摄影巡展和巡回演出等活动，营造“以人为本、关注安全、关爱生命”的良好氛围。加强对各级主管领导、安全管理人员、施工生产人员、特种作业人员、防汛抢险人员和车船驾驶人员，特别是农民工的安全教育培训，定期组织开展岗位安全培训，增强安全防范意识和自我保护能力。各级水行政主管部门要加强对作业人员岗位教育培训情况的监督检查，严格执行岗前培训、持证上岗制度，促进全员安全意识的全面提高。

五、切实抓好汛期安全生产工作，保证工程安全度汛

目前已进入汛期，各地各单位要立足于防大汛、抗大旱，做好防汛抗旱各项准备，确保汛期安全生产和工程安全度汛。各地各单位要确定今年运行安全风险大的重点防范水库名单，建立严格的巡测巡查制度，完善汛期调度运用方案和度汛预案，制订防范措施并加强监控。未实施除险加固的病险水库，要严格按照三类坝的运行要求严格控制运用，有重大险情的水库要空库迎汛。要抓好淤地坝防汛工作，把淤地坝的安全度汛纳入当地防汛管理体系，落实行政首长负责制，明确各级、各部门责任，制定切实可行的防汛应急排险避险预案，落实“防、抢、撤”措施，做到任务到岗，责任到人。骨干坝要逐坝落实防汛责任人和专职管护人员。要落实在建水利工程和水电站建设项目防汛安全责任制，制订度汛方案和发生险情时的应急预案，加强汛情水情预警预报，台风、暴雨期间工程应停止施工，加强监测，遇险情要及时启动应急响应，采取措施控制险情，迅速转移群众，防止因自然灾害引发安全生产事故。在山地灾害多发地区施工的工程项目，要制订预防山地灾害的应急避险方案，警惕突发性暴雨、山洪诱发山体滑坡、崩塌和泥石流灾害，最大限度地减少施工人员伤亡和经济损失。

关于同意成立中国保护黄河基金会的批复（2009年6月18日水利部水人事〔2009〕330号）

黄河水利委员会：

你委《关于发起设立中国保护黄河基金会的请

示》（黄人劳〔2009〕11号）收悉。经研究，同意你委发起成立中国保护黄河基金会（公募基金会），并同意我部作为中国保护黄河基金会的业务主管单位。

请据此到国家有关部门办理注册登记手续。

水利安全生产“三项建设”实施方案

（2009年6月29日水利部水安监〔2009〕342号）

为贯彻落实国务院安委会《关于印发安全生产“三项建设”实施方案的通知》（安委〔2009〕4号，以下简称《通知》）和全国水利安全生产视频会议精神要求，深入开展水利安全生产法制体制机制、安全生产保障能力、安全生产监管监察队伍三项建设（以下简称“三项建设”），根据国务院安委会办公室制定的安全生产法制体制机制、安全生产保障能力和安全生产监管监察队伍建设实施方案，结合《水利部2009年水利安全生产工作方案》，制定本实施方案。

一、指导思想

以贯彻落实科学发展观为统领，牢固树立“安全发展”的理念，坚持“安全第一、预防为主、综合治理”的方针，认真贯彻落实国务院“安全生产年”各项工作部署，建立健全水利安全生产工作法制体制机制，加强水利安全生产保障能力建设，提高安全管理水平和事故预防与应对能力，全面推进水利安全生产机构队伍建设，为保持水利安全生产形势持续稳定好转提供坚实的制度、技术、能力和组织保障。

二、工作目标

以落实安全生产责任制为重点，加强水利安全生产规章制度建设和安全标准化建设；以强化安全生产基础、提高安全生产保障能力为目标，落实安全生产经费，完善水利安全生产应急救援体系建设；以提高水利安全监督队伍整体素质为目标，全面加强水利安全监督队伍建设、能力建设、作风建设，构建安全生产长效机制。

三、重点内容

（一）开展水利安全生产法制体制机制建设，推动责任制落实和长效监管

（1）进一步健全水利安全生产责任制。落实地方政府、主管部门和管理单位的水库大坝安全责任制以及病险水库除险加固责任制；落实政府安全生产监管职责和项目法人、勘察设计、施工、监理等单位安全生产主体责任，确保责任到人，监管到位。

（2）建立水利重大安全隐患挂牌督办制度。对水利重大安全隐患进行摸底调查，建立重大安全隐患挂牌督办制度，落实治理方案、责任、措施、时间和资金，确保限期整改到位。

（3）研究建立水利安全生产目标责任体系。分类研究制定科学的水利安全生产考核指标、考核内容和标准，研究建立安全生产奖励和责任追究制度。

（4）制定《小型水库安全监督管理暂行办法》。对小型水库安全责任、安全制度、安全措施、安全监督管理和应急管理与处置作出规定。

（5）制定《水利工程建设安全生产监督管理规定》。对流域机构、地方水行政主管部门、各级水利工程质量安全监督机构的工作职责、监督管理内容和具体要求作出规定。

（6）制定《水利水电建设项目安全评价管理办法》。对水利水电建设项目安全预评价、验收评价和现状评价作出规定，开展水利工程“三同时”安全评价和审查工作。

（7）制定《水利生产安全事故统计报告办法》。落实各单位事故统计报告工作联络员，规范事故报告统计工作，建立安全事故通报、约谈和现场分析制度。

（8）印发《关于加强水利职工安全教育培训通知》。对水利职工安全教育和培训提出要求，规范有关工作。

（9）完善水利安全生产技术标准体系，推进水利安全生产规范化、标准化建设。加快修订《水工建筑物强震安全监测技术规范》《混凝土大坝安全监测技术规范》《水利水电工程劳动安全与工业卫生设计规范》等15项技术标准。明确安全设施的设计内容和标准，进一步规范安全设施设计工作。

（二）开展水利安全生产保障能力建设，强化水利安全生产工作基础

（1）加大对已排查出隐患的投入力度，做好病险水库除险加固，解决当前水利安全生产的头号隐患问题。做好重点病险淤地坝的除险加固工作，落实除险加固资金，抓紧完成相关应急工作。

（2）落实小型水库的管理机构、看护人员和养护经费，完善水库大坝安全监测、水雨情测报通信预警设施。各单位要做到重点小（1）型水库管理人员不少于3人，一般小（1）型水库管理人员不少于2人，小（2）型水库要落实专人管护。

（3）落实安全生产费用。水利施工企业要根据《高危行业企业安全生产费用财务管理暂行办法》（财企〔2006〕487号）有关规定足额提取安全生产费用，落实安全技术措施，改善作业环境和施工条件。

（4）建立和完善各类水利安全生产事故尤其是水库可能发生的生产安全事故的预报、预警、预防和应急救援机制，制定应急管理的规章制度。进一步建立和加强各级应急救援队伍建设，加强救援设备，加强应急救援培训和演练，增强应急救援能力。

（5）加快水利安全监督信息系统建设。开展水利工程建设质量与安全监督机构现状调查，建立水利安全生产专家库，建立水利安全监督人员联络网，推进水利安全生产信用体系的建立和完善。

（6）研究开发和推广使用新技术、新设备、新工

艺和新材料，提高水利安全生产的科技含量和技术水平，不断改善水利职工的劳动条件和生产作业环境。加大新技术、新设备的推广应用力度，提高对工程安全隐患的探测能力，做到早发现，早处理，防患于未然。

（三）开展水利安全生产监管监察队伍建设，提高水利安全监督工作能力

（1）结合流域机构和地方政府机构改革，进一步建立健全水利安全生产监督管理机构，充实监管人员，配备相应装备，保障专项经费。

（2）加强与有关部门沟通协调，落实小水电监管职责，出台关于加强小水电管理工作的有关指导意见。

（3）开展水利行业安全资质（资格）管理体系和安全评价、评估体系研究。规范有关安全生产评价、检测机构和人员资质、资格管理，培育水利安全生产评价、检测等社会中介服务机构，逐步建立水利安全生产技术支撑和咨询服务体系。

四、工作要求

（一）加强领导，落实责任

水利安全生产“三项建设”是做好水利安全生产工作、实现水利安全生产目标的重要保障。各单位要充分认识开展水利安全生产“三项建设”的重要意义，把水利安全生产“三项建设”工作列入重要议事日程，切实加强组织领导，抓细抓实。流域机构和地方各级水行政主管部门主要负责同志要亲自研究部署，明确目标，落实责任；分管负责同志要切实履行职责，切实推进水利安全生产“三项建设”。

（二）周密部署，狠抓落实

各单位要按照《通知》和本方案要求，结合本地区、本部门实际，认真制定“三项行动”工作计划和具体方案，明确重点、步骤和具体要求，周密部署，精心组织，狠抓落实。要充分利用各种宣传手段和舆论工具，广泛宣传“三项建设”的目标、内容和要求，调动各方面积极性，抓好协调推进，及时掌握情况；对存在的问题，要分析原因，研究对策，确保水利安全生产“三项建设”的各项工作落到实处，取得实效。

（三）突出重点，统筹协调

水利安全生产“三项建设”涉及面广，工作量大，要紧紧围绕水利“安全生产年”的各项工作部署，按照轻重缓急，统筹兼顾，把深入开展“三项建设”的各项工作与正在进行的隐患治理和事故防范工作相结合，把安全生产法制体制机制建设、保障能力建设和监管监督队伍建设内容和已经部署过的各项安全生产工作相结合，切实抓好抓实。

（四）加强督导，不断推进

在九月份开展的安全生产综合检查中，水利部将把“三项建设”进展情况作为重点检查内容之一，促进水利安全生产“三项建设”不断稳步向前推进。各单位要加强水利安全生产“三项建设”的督促、检查和指导工作，将“三项建设”的主要内容纳入工作计划和目标进行考核，定期进行自查，及时发现和解决存在问题。

水利部关于做好新一轮大规模培训干部工作的实施意见（2009年7月3日水利部水人事〔2009〕350号）

为深入贯彻落实党的十七大精神和中央关于开展新一轮大规模培训干部工作的战略部署，建设高素质的水利干部队伍，根据中组部《关于2008—2012年大规模培训干部工作的实施意见》，结合水利系统工作实际，现提出如下实施意见。

一、指导思想和总体目标

（一）指导思想

认真学习贯彻党的十七大精神，高举中国特色社会主义伟大旗帜，坚持以邓小平理论和“三个代表”重要思想为指导，深入贯彻落实科学发展观，按照《干部教育培训工作条例（试行）》、中组部《关于2008—2012年大规模培训干部工作的实施意见》《“十一五”水利干部教育培训规划》的要求，以坚定理想信念、增强履行岗位职责本领和提升推动水利科学发展能力为重点，把提高水利干部教育培训质量和效益摆在更加突出的位置，积极推进水利干部教育培训改革创新，坚持干什么学什么、缺什么补什么的原则，实施全覆盖、多手段、高质量的培训，促进学习型行业、学习型组织建设，使干部教育培训工作更好地为水利事业科学发展服务、为干部健康成长服务。

（二）总体目标

按照中央要求，厅局级、县处级党政领导干部每年参加脱产培训的时间一般不少于110学时，5年内累计参加脱产培训的时间达550学时以上，其他干部每年参加脱产培训的时间不少于100学时。通过教育培训，使广大干部的理想信念更加坚定，科学文化素质、业务水平明显提高，推动水利事业可持续发展的本领显著增强。同时，不断推进干部教育培训理念、培训方式、培训管理、培训制度和培训手段的改革创新，基本形成与水利事业发展的要求相适应，与水利干部队伍建设的需要相适应，与干部人事制度改革相适应，充满生机与活力、富有水利特色的干部教育培训体系。

二、主要任务和重点工作

（一）主要任务

新一轮水利大规模培训干部工作要按照中央全面建设小康社会奋斗目标的新要求来谋划，围绕党的十七大确立的重大理论观点、重大战略思想、重大工作部署和水利中心工作来开展。坚持用中国特色社会主

义理论体系武装干部，深入进行邓小平理论和“三个代表”重要思想的教育培训，突出抓好科学发展观的教育培训，着力提高领导和推动水利科学发展的本领；坚持用党的路线方针政策和国家法律法规培训干部，着力提高科学执政、民主执政、依法执政的本领；坚持用解放思想、深化水利改革的生动实践和新鲜经验培训干部，着力提高推动水利事业发展的开拓创新本领；坚持用业务知识和科学文化知识培训干部，着力提高履行岗位职责的本领；坚持用党的优良传统和作风教育干部，引导干部讲党性、重品行、作表率，增强忧患意识，着力提高廉洁从政的本领。

新一轮水利大规模培训干部工作以处级以上党政干部为重点，按照分级分类和全员培训的原则，整体推进各级各类干部的教育培训。紧密结合改革开放和水利现代化建设实践，以提高思想政治素质为重点，把干部教育培训的普遍性要求与不同类别、不同层次、不同岗位干部的特殊需要结合起来，不断增强教育培训的针对性和实效性。

新一轮水利大规模培训干部工作要切实加强学风建设。坚持理论联系实际的优良传统，不断提高广大干部运用马克思主义立场、观点、方法分析和解决实际问题的能力，做到理论与实际、学习与运用、言论与行动相统一。严肃培训纪律，切实加强对教师、学员和干部教育培训机构的管理。加强教育培训经费管理，厉行勤俭节约，防止和杜绝铺张浪费。

（二）重点工作

（1）着力实施领导干部和公务员培训工程。以部管干部和公务员为重点，加强领导能力和执政能力培训。把新任领导干部特别是“一把手”的培训放在优先位置，着力开阔他们领导各项事业科学发展的视野、思路和胸襟，切实提高他们的思想政治素质和开拓创新、驾驭全局、科学决策、危机管理等方面的能力。水利部计划通过自行举办培训班和选派干部外训等途径，每年安排100名部管干部、100名处级领导干部、100名科级及以下公务员参加脱产培训。部直属单位要结合自身实际情况积极主动地开展大规模的干部培训活动，5年内使所有处级以上干部和全体公务员基本达到中央规定的培训要求。

（2）大力推进地方水利领导干部专业能力建设工程。紧密围绕中央水利工作方针以及可持续发展治水思路的要求，贯彻落实《水利领导干部专业能力建设指导意见》，继续在水利系统开展以省、地、县三级水行政部门领导干部和以地、县党委政府分管水利工作的领导干部为重点的专业能力建设工作。水利部计划每年举办2期列入中组部调训计划的地方政府分管水利工作的领导干部专题研讨班，分期分批开展地方水利厅（局）长专业理论培训，5年培训地方政府分管水利工作的市（县）长和厅（局）长400人。各级水利部门应结合本地区实际情况做好县（市）水利领导干部专业理论培训工作。

（3）全面实施专业技术人员继续教育工程。按照人力资源和社会保障部的统一部署，继续推进并按期完成专业技术人才知识更新工程，保证到2010年实现在水利规划设计、水资源管理、建设管理、水土保持、农村水利、防汛抗旱、水能资源及农村水电、水文和水利信息化、水利移民等9个领域培训10万名紧跟水利科技发展前沿、创新能力强的中高级专业技术人才的工程目标。在认真总结知识更新工程经验的基础上，全面实施水利专业技术人员继续教育工程，水利部每年将组织举办2期示范性高级研修班，水利部机关业务司局、各流域机构和直属单位每年举办30期左右的专题培训班；各地水利部门根据本地区水利发展和人才队伍建设的实际情况，在本地区内有计划地组织举办专业技术人员培训班和专题研讨班。通过大规模的培训，使水利系统专业技术人员的继续教育率达到100%，不断提高专业技术人员的学习能力、实践能力、创新能力和业务技术水平。

（4）加强后备干部培训。从确保水利事业可持续发展的需要出发，切实加强后备干部的教育培训工作。突出理论武装、实践锻炼、党性修养，帮助后备干部树立高尚的人生追求，提高科学发展、为民谋利、艰苦奋斗、廉洁自律的意识和本领。水利部每年安排部分司局级后备干部参加脱产培训，5年内将司局级后备干部全部轮训一遍。各单位要结合自身实际情况，根据后备干部培养目标有针对性地组织开展后备干部培训。

（5）重视基层干部培训。着眼于把推动科学发展、促进社会和谐的要求落实到基层，按照紧贴实际、注重实效的原则，各级水行政主管部门应采取脱产培训、在职自学、远程教育、网络培训、开放式教育等措施，加大基层水利干部培训的力度，重点做好乡镇水利站、水文站、小型水利工程管理单位的人员培训，不断提高基层实用人才的业务技术水平、学历层次和综合素质，改善其专业结构，进一步解决县以下水利基层单位干部文化业务素质不高和专业技术人才短缺的问题。

（6）适度开展有针对性的国际合作培训。按照以我为主、为我所用的方针，围绕水利发展、科技创新、管理创新选定国际合作项目，安排重要岗位、关键岗位和具有较大发展潜力的领导干部和专业技术人员到境外名牌大学、著名研究机构参加学习培训。水利部计划每年选派一定规模的领导干部和专业技术人员到境外进行培训。

三、主要措施

（一）建立健全管理体制

按照统一领导、分级负责、分类实施的原则，进一步理顺我部干部教育培训管理体制。成立水利部干部教育培训工作领导机构，加强对水利干部教育培训工作的统一领导。建立干部教育培训联席会议制度，进一步明确干部教育培训管理部门与干部教育培训机构、干部所在单位的职责分工，调动各方面支持和参与干部教育培训工作的积极性，健全沟通合作机制，形成各司其职、各负其责、齐抓共管的工作格局。各级人事（教育）部门要积极转变工作方式，充分发挥业务主管部门及各类培训机构的作用，由办培训向管培训转变，由管微观向管宏观转变，由管具体事务向管方向、管政策转变，切实加强教育培训的整体规划、宏观指导、协调服务、监督检查和制度规范。

（二）制定完善考核激励机制

坚持客观公正、突出重点、重在激励、务求实效的原则，以领导班子和领导干部为重点切实加强对教育培训情况的考核。水利部将拟订干部教育培训考核工作办法，将教育培训同领导班子和领导干部年度考核有机结合起来。对领导班子教育培训工作情况的考核，重点是所在单位干部教育培训的具体实施情况和干部教育培训的基础工作、管理工作、改革创新等综合情况。要将考核结果作为领导班子年终综合考核的重要内容，实行主要领导负责制。领导班子要根据考核结果，认真研究解决存在的问题，不断加强和改进干部教育培训工作。

对领导干部和其他干部教育培训情况的考核，重点是参加教育培训期间的表现、学习完成情况和党性锻炼以及运用理论指导实践、推动工作的情况。要将干部的教育培训情况作为干部考核的内容和任职、晋升、评优评先以及专业技术职务评聘的重要依据之一。把干部教育培训作为培养干部、发现干部、考察识别干部的重要渠道。认真落实《党政领导干部选拔任用工作条例》和《干部教育培训工作条例（试行）》的有关规定，对确因特殊情况在提任前未达到教育培训要求的干部，应该在提任后1年内完成培训，逾期未完成的，应延长试用期，直至达到规定的培训要求为止。水利部将定期对直属单位领导班子和领导干部培训考核结果进行通报。

（三）统筹规划培训工作

继续贯彻落实《“十一五”水利干部教育培训规划》，开展规划落实情况检查评估，对照规划要求，查找存在的问题，并及时整改，确保规划任务的落实。要系统总结近年来大规模培训干部工作经验，编制《“十二五”水利干部教育培训规划》，进一步明确符合中央干部教育培训新要求和满足可持续发展水利事业新需要的水利部干部教育培训工作指导思想、工作目标、主要任务和对策措施，为水利干部教育培训工作指明发展方向，为深入落实大规模培训干部任务奠定基础。

（四）合理分解培训任务

建立人事（教育）部门、干部所在单位（部门）和干部本人共同分担培训任务的工作制度。部人事司每年为部管干部和部机关公务员提供人均不少于30学时的培训时间，部管干部所在单位（部门）或公务员所在司局每年要为其提供人均不少于40学时的培训时间，干部本人每年自主学习时间不应少于40学时。各单位要按照干部管理权限，结合本单位实际，对干部学习任务进行分解，并及时了解和通报干部学习进度。人事（教育）部门要根据中央的干部教育培训要求，组织综合性的培训。干部个人要根据岗位工作需要和个人发展需求，积极主动参加培训和进行自主学习。干部所在单位（部门）要紧密结合业务工作特点和岗位职责要求，对干部进行有针对性的业务培训，并为干部参加培训和自主学习创造条件、提供支持，帮助干部及时更新业务知识，提高工作能力和水平。

（五）科学设置培训内容

统筹抓好理论教育、知识教育和党性教育，使干部树立坚定的理想信念，掌握过硬的业务本领，坚持优良的思想作风。一是把用中国特色社会主义理论体系教育培训干部作为首要任务，突出抓好科学发展观的教育培训，着力提高领导干部领导和推动水利事业科学发展的本领。二是坚持用党的路线方针政策和国家法律法规培训干部，着力提高科学执政、民主执政、依法执政的本领。三是坚持用水利改革与创新的实践经验培训干部，着力提高推动事业发展的开拓创新本领。四是通过当代世界发展变化知识、社会主义市场经济知识、高新技术和信息技术知识、社会主义民主法制知识、社会管理知识和现代领导科学知识的培训，着力提高干部的知识素养和履行岗位职责的本领。五是通过忠诚教育、责任教育、道德教育和拒腐防变教育，着力提高干部的道德品行和精神境界。总之，通过科学设置培训内容，激发干部参加学习的内在动力，切实增强培训的针对性和实效性。

（六）推行干部自主选学

把中央对干部学习的要求同干部的培训需求结合起来，建立自主选学与组织调训相结合的干部参训机制，大力推行干部自主选学。研究制定《水利部干部自主选学管理办法》，鼓励并规范干部参加多种形式的自主选学活动。各单位人事（教育）部门要定期向所在单位干部公布有关培训信息，鼓励和支持培训对象根据公布的信息自主选择培训内容和方式。鼓励干部积极利用社会培训资源提高个人履行岗位职责的能力和综合素质。水利部将充分发挥中国水利教育培训网覆盖面广、共享性好、灵活性强、成本低廉的优势，提供高质量的网络培训课程资源，供广大干部结合岗位需要和个人职业发展需求自由选择学习。在部机关公务员中进行网络培训自主选学试点，取得经验后逐步推广。继续做好水利专业和富有水利特色的多媒体培训课件的开发工作，不断丰富网络培训内容。

（七）着力提高培训质量

建立培训需求调研制度。牢固树立按需培训的理念，把需求分析作为制定培训计划的科学依据，将组织需求、岗位需求和个人需求有机结合起来。水利部所有培训项目的设置都必须事先进行培训需求调查和分析，根据不同层次、不同类型干部的岗位特点和要求，科学设置培训方案，不断增强培训针对性和实效性。

创新培训方式方法。遵循干部学习培训的规律和特点，不断创新培训方式方法。改革培训班设置方式，实现由一般性轮训为主向专题培训为主转变。创新培训方式和手段，从课堂讲授式教学为主向研究式、案例式、体验式教学为主转变，积极开发适应水利干部培训需要的案例。坚持并不断完善水利部机关公务员和在京直属单位处以上干部理论学习系列讲座制度，帮助干部及时更新知识，开阔视野。

加强培训质量评估。以提高培训质量和效益为目标，建立和完善培训质量评估制度、培训质量评估档案管理制度，逐步实现培训质量评估工作的科学化、制度化和规范化。建立培训质量评估的激励约束机制，将培训质量评估结果与主办单位办班数量和承办单位的施教资格以及承担的培训任务量等紧密结合起来，不断提高培训的质量和效果。

（八）加强培训机构建设

整合我部现有培训资源，增强培训能力，提高办学水平。加强培训机构评估，进一步完善水利行业定点培训机构准入制度，逐步建立优胜劣汰的竞争机制。建立水利行业培训机构定期交流机制，积极搭建水利干部教育培训工作信息交流和资源共享的平台，推动培训机构之间的协作。对挂水利部牌子的培训机构进行清理规范，对有必要单独设置的，要进行培训资格认证；对不具备条件的，要限期整改，直至取消其培训资格。充分利用中央和地方组织部门会同教育部门设立的高校干部培训基地的资源优势，开展各类干部培训。鼓励水利类高等院校以及社会培训机构在水利大规模培训干部工作中发挥积极作用。努力构建布局合理、分工明确、优势互补、功能完备、特色鲜明、管理规范、竞争有序的水利干部教育培训施教机构网络体系。

四、组织保障

（一）加强领导，明确责任

各单位要将大规模培训干部工作摆上重要位置，纳入到水利发展和干部队伍建设的全局之中，统筹考虑，整体部署，明确责任。各单位主要负责同志要深入实际调查研究，加强对干部教育培训工作的领导，及时研究解决干部教育培训工作中的重大问题。各级人事（教育）部门要切实履行牵头抓总、综合协调的职责，加强对大规模干部培训工作的指导。干部所在单位要按照干部管理权限，积极组织实施本单位干部教育培训工作，明确学习要求，提供相应保障，通过多种途径落实全员培训任务。干部个人要树立终身学习理念，在积极参加组织调训的同时，做好在职自学，不断提高个人的能力和素质。干部培训机构要充分发挥在大规模培训干部中的作用，积极主动承担培训任务，推动教育培训的改革创新。

（二）加大投入，健全队伍

要加大对干部教育培训的经费投入。把干部教育培训经费及培训基础建设列入预算规划，纳入年度财政预算，予以重点保障，并随财政预算额度的增长逐步提高。各单位要多渠道筹集经费，确保干部教育培训工作的需要。各级人事部门要根据干部教育培训工作的发展需要，健全干部教育培训管理机构，保证足够的人员编制，选拔得力骨干加强工作力量，不断提高培训管理者的业务水平，建设一支高素质的干部教育培训管理者队伍。

（三）加强监督，抓好落实

各级人事（教育）部门要会同有关部门和单位，加强对大规模培训干部工作的监督检查，及时发现存在的问题，坚决杜绝乱办班、乱收费和乱发证的“三乱”现象，规范各类培训工作。总结和推广新鲜经验和有效做法，加强舆论宣传，进一步营造单位高度重视、个人踊跃参与、培训机构强力支撑的良好氛围，推动大规模培训干部工作不断深入，保证新一轮大规模培训干部任务落到实处。

水利部关于在干部教育培训中进一步加强学风建设的实施意见（2009 年 7 月 3 日水利部水人事〔2009〕351 号）

为加强水利干部教育培训中的学风建设，切实落实中央提出的新一轮大规模培训干部任务，根据中组部《关于在干部教育培训中进一步加强学风建设的若干意见》，结合水利干部教育培训实际，现就加强学风建设提出以下实施意见。

一、充分认识加强学风建设的重要意义

加强学风建设是党的优良传统和中央的一贯要求。学风问题，归根到底是对待马克思主义的根本态度问题。只有端正学风，才能真正掌握马克思列宁主义、毛泽东思想和中国特色社会主义理论体系的基本原理和精神实质；只有端正学风，才能用马克思主义的立场、观点和方法解决现实工作中遇到的矛盾和问题，把科学理论转化为观察问题和解决问题的科学方法；只有端正学风，才能用发展的观点对待马克思主义，在坚持中发展，在发展中创新，把马克思主义中国化推向前进，真正做到在思想上不断有新解放、理论上不断有新发展、实践上不断有新创造；只有端正学风，才能不断解决思想作风、工作作风、领导作风、干部生活作风等方面存在的问题，永葆党的先进性；只有端正学风，才能紧密联系实际，以党的创新理论指导实践，破解水利工作中遇到的各种难题，为实现以水资源的可持续利用保障经济社会可持续发展的目标，为小康社会建设和构建社会主义和谐社会作出应有的贡献。因此，各级干部要从全局和战略高度充分认识加强学风建设的重要意义，大力弘扬“献身、负责、求实”的水利行业精神，在落实新一轮大规模培训干部任务中，把加强学风建设作为一项重要任务抓实抓好。

二、坚持理论联系实际

（1）理论联系实际是水利干部教育培训必须坚持的基本准则。各级水利干部教育培训主管部门要从落实科学发展观、贯彻可持续发展的治水思想和服务干部健康成长的要求出发，科学制定培训规划，统筹安排培训任务，将干部教育培训与研究解决水利工作的热点、难点问题有机结合起来，积极推动培训成果向解决实际问题的转化，切实提高培训的实用性和有效性。

（2）各级水利干部在培训学习中要不断提高运用马克思主义的立场、观点、方法分析和解决实际问题的能力，把学习的收获体现到为实现党的基本路线和基本纲领而奋斗的实践上，体现到把中央治水方针和可持续发展治水思路落实到具体工作中和解决实际问题上。各级干部在参加培训前，应注意收集与培训内容相关的现实生活和工作实践中的问题，并结合培训所学内容进行思考和研究，反对照抄照搬、本本主义，力戒学用脱节、言行不一。

（3）水利干部教育培训机构要紧密围绕水利中心工作，将教育培训与服务大局相结合，与干部成长规律相结合，牢固树立按需培训的理念，加强培训需求调研，把培训需求分析作为制定培训计划的科学依据。深化教学改革，创新培训内容，改进培训方式，科学设置培训班次，完善课程设计，增强培训的针对性和实效性，防止和克服脱离实际开展干部教育培训。

（4）水利干部教育培训机构工作人员要把理论联系实际的原则贯穿于教学管理和教学实践过程中，不断提高教学水平、管理水平和服务水平，采取积极有效的措施，帮助学员解决思想和工作中遇到的实际问题，力戒照本宣科、无的放矢。水利干部教育培训机构要对教学管理人员和培训教师的业务素质和理论联系实际的能力提出明确要求，将其作为考核培训质量和培训效果的重要内容，认真总结并推广善于因材施教、按需施教的经验。

三、进一步严肃培训纪律

（1）干部参加教育培训，要始终牢记“两个务必”的要求，加强党性锻炼，认真遵守学员学习、生活、管理和廉洁自律的各项规定；端正学习态度，勤奋务实，努力钻研；以普通学员的身份，高度自觉地完成学习任务，不准抄袭他人学习研究成果。对违反规定的，视情节轻重取消学习成绩或责令退学。

（2）干部在培训期间应当集中精力学习，原则上不得请假，不得承担所在单位的工作、会议、出国（境）考察等任务。如因特殊情况需请假的，必须严格履行请假手续。请假时间超过培训学习时间1/5的，不予发放培训证书和进行培训登记。部党校学员的请假规定，按照中央国家机关分校的有关规定执行。

（3）水利干部教育培训机构工作人员，要认真遵守教学管理的有关规定，不准发表与中国特色社会主义理论体系和党的路线方针政策相违背的言论，对违反规定的，要进行批评教育，情节严重的，取消其从事教学和管理工作的资格。

（4）培训主办单位和各类水利干部教育培训机构要坚持从严治学，完善规章制度，严格培训纪律，切实加强学员管理和教学管理。要充分发挥班（支）委会作用，引导学员开展集体学习，加强自我管理。

（5）各级水利人事（教育）部门和干部教育培训机构要认真落实干部培训考核和激励的有关规定，将学员培训期间的表现、考核成绩、党性锻炼和廉洁自律情况记入其个人学习档案，作为干部考核的内容和任职、晋升的重要依据之一。

四、厉行勤俭节约

（1）在各类水利干部培训中，要大力倡导艰苦奋斗、勤俭节约之风。培训班主办单位在培训安排上应按照国家有关规定执行，严禁铺张浪费。各类培训机构在保证必备的教学和生活条件的基础上，要为学员提供优质的服务。培训班学员要按照国家的有关要求，注意身体力行，做勤俭节约的表率。

（2）培训办班不得租用高级宾馆，不准到风景名胜区游山玩水，不准向学员发放高档消费品、纪念品。干部培训期间不准用公款宴请，不准参加用公款支付的各类高消费娱乐活动。对违反规定的，要通报批评，情节严重的，对负有主要责任的领导和直接责任者给予通报批评或纪律处分。

关于进一步加强水文工作的通知（2009年7月28日水利部水文〔2009〕379号）

部直属各单位，各省、自治区、直辖市水利（水务）厅（局），各计划单列市水利（水务）局，新疆生产建设兵团水利局：

水文事业是国民经济和社会发展的基础性公益事业。多年来，水文部门为防汛抗旱、水利工程规划建设和运行管理、水资源开发利用与节约保护、水生态与环境保护和修复以及经济社会发展各类涉水事务，提供了大量科学的水文监测、预测预报信息和各类水文、水资源、水环境、水生态分析研究成果，取得了巨大的社会效益和经济效益，为我国经济社会发展作出了重要贡献。

当前，全球气候显著变化、我国经济社会快速发展和水资源供需矛盾日益凸显，水文承担的任务更加艰巨繁重，水文的基础支撑作用更加突出。然而，我国水文工作的现状与经济社会发展的要求还不相适应，存在着重视程度不够、管理体制不顺、经费投入不足、基础设施薄弱、服务能力不强等亟待解决的问题，这些问题严重制约了水文事业的发展，削弱了水文的支撑保障作用。

为切实解决水文事业发展中存在的突出问题，进一步加强水文工作，现就有关事项通知如下：

一、转变观念，提高认识，牢固树立“大水文”发展理念

（一）准确把握新时期水文工作的基本定位。随着我国经济社会发展，水文工作已从过去主要为防汛抗旱和水利工程建设服务，发展到为水资源开发利用和节约保护及各项水利业务工作提供全面服务；从主要为水利工作服务，拓展到为农业、工业、交通、环保、国土、民政、国防、外交等各个领域及社会公众提供多方位服务。水文已从传统的行业水文，逐步发展成为立足水利、面向社会提供全面服务的水文行业。这是对新时期我国水文工作的基本定位，也是“大水文”发展的基本理念。这一基本定位和发展理念符合我国的基本国情和水文事业发展的客观规律。各地各单位要充分认识和准确把握水文工作的这一基本定位，切实转变观念，把思想统一到“大水文”发展理念上来。

（二）全面贯彻新时期水文工作的指导思想。当前和今后一个时期，我国水文工作的指导思想是：以科学发展观为指导，积极践行可持续发展治水思路，紧紧围绕水利中心工作和经济社会需求，牢固树立“大水文”发展理念，以加强水文水资源监测体系建设为基础，以提高预测预报能力为重点，以推进体制机制改革为动力，以提供全面优质服务为目标，以强化科技创新和队伍建设为保障，统筹规划、突出重点、适度超前、全面发展，加快推进水文从侧重局部建设向注重整体发展转变，从技术导向型向服务导向型转变，从数据服务型向成果服务型转变，从行业水文向社会水文转变，努力提高水文现代化水平，为水利和经济社会发展提供可靠支撑。各地各单位要按照这一要求，结合实际，深入分析研究本流域、本地区、本部门水文发展中存在的突出问题，认真查找不足和差距，进一步理清工作思路，明确目标任务，采取有效措施，推进水文事业全面发展，努力建设适应时代发展的民生水文、科技水文、现代水文。

二、完善法制，理顺体制，努力健全水文发展的保障机制

（一）不断完善水文法规体系。《中华人民共和国水文条例》（以下简称水文条例）的颁布实施，为水文事业发展提供了法律保障。各省、自治区、直辖市要尽快制定完善与水文条例相配套的地方性法规和相关制度，已出台条例的要抓紧制定配套管理制度，已将条例列入立法计划的要加快工作步伐，尚未列入立法计划的要加大工作力度，力争在今后2～3年内全部完成地方性水文法规和配套规章制度的建设，不断完善水文法规体系。

（二）深入贯彻落实水文条例。各地各单位要把深入贯彻落实水文条例摆在重要位置，切实履行水文条例赋予水文机构的行政管理职能，进一步规范水文工作，强化水文行业管理，全面落实水文条例关于水文站网统一规划与管理、水文资料汇交与使用审查等方面的有关规定。要加强对水文条例执行情况的监督检查，加大对水文监测环境和水文设施的保护力度，切实做到有法可依、违法必究，以保障水文监测工作的正常开展。

（三）进一步理顺水文管理机制。各级水行政主管部门要把理顺水文管理体制作为一项重要任务来抓，逐步建立权威高效、责权统一、规范有序、适应经济社会发展需要的水文管理体制。一是要加强与政府有关部门的沟通、协调和配合，进一步加大省级水文机构管理体制改革的力度，促进水文事业整体发展；二是要积极推进地市级、县（市）级水文机构的双重管理工作，使基层水文机构更好地服务当地经济社会发展；三是要统筹兼顾、积极稳妥地推动水文机构参照公务员法管理工作，进一步强化和稳定水文队伍。

三、统筹规划，加大投入，着力提高水文现代化水平

（一）加强水文规划和前期工作。各地要从水利和经济社会发展大局出发，按照适度超前发展的原则，统筹谋划好本流域、本地区、本部门的水文工作，结合国家区域发展战略，进一步完善本地区水文发展布局；针对各个流域的水资源特点和水利发展定位，进一步明确本流域水文发展重点。当前，各地、各流域机构要突出抓好全国水文事业发展规划、水文基础设施“十二五”建设规划等重点规划的修订和编制工作。要按照水文条例的规定，把水文事业发展规划纳入各级水利发展规划和经济社会发展规划。要重视和加强水文前期工作，根据水利和经济社会发展需求，及时补充、调整和优化水文站网，完善水文站网功能，着力加强行政区域边界、水功能区、重点防洪区、重要城市、西部开发区、跨界河流、地下水超采区、山洪泥石流易发区、粮食主产区、重点水土流失区的水文站网建设。

（二）加大水文投入力度。各地要充分发挥公共财政在水文建设中的主渠道作用，多渠道增加水文建设资金投入，建立健全稳定的水文经费投入机制。要切实把水文基础设施建设纳入国家固定资产投资项目建设程序，纳入年度水利建设计划。要落实水文设施

维护管理经费，按照水文业务定额标准安排水文业务经费并纳入各级政府财政预算。要在水利基建、水利基金、特大防汛费、水资源费、科研经费等专项经费的安排上向水文倾斜，为水文事业发展与能力建设提供资金保障。

（三）加强水文现代化建设。各地各单位要把水文现代化建设放在更加突出的位置，着力加强水文站网建设和基础设施建设，推进水文测验方式改革，加快水文巡测基地建设，大力提升水文应急机动监测能力，提高水文信息采集和传输自动化水平。加快中央、流域、省级水文数据中心建设，加强为防汛抗旱、水资源管理、水生态保护服务的水文业务应用系统建设，强化其智能化、可视化建设，全面提升水文的服务能力和水平。加强水文基础理论、应用技术研究及水文科技成果转化和推广应用，推动水文领域的国际交流与合作，不断提高我国水文的整体科技水平和现代化水平。

四、立足水利，面向社会，充分发挥水文基础支撑作用

（一）充分发挥水文在水利工作中的基础支撑作用。各级水行政主管部门要充分发挥和利用水文部门的站网、技术和人员等资源优势，进一步强化水文在各项民生水利工作中的作用，避免重复建设和资源浪费。

（二）不断提升水文服务水利的能力。各级水文部门要紧紧围绕水利中心工作，深化水文为各项水利工作的精细服务，加强水文信息的深加工，不断提升水文服务的科技含量和技术水平。要加强对城市洪涝、山洪灾害、枯季径流、土壤墒情的水文测报工作，强化信息综合处理与分析，着力提高水文预测预报预警水平，为防灾减灾提供科学决策依据。要加强城乡供水水源地、水功能区等的水质监测分析，大力开展水生态监测，加强突发水污染事件的应急监测预警，强化行政区界、地下水超采区等重点区域的水文监测，积极推进企业水平衡测试、城市水资源精确测验、节水灌溉监测等工作，强化为水资源管理、饮水安全、水生态与环境保护方面的服务，为可持续发展水利提供可靠支撑。

（三）进一步强化水文的社会服务功能。各级水文部门要及时掌握农业、工业、交通、铁路、环保、国土、民政、国防、外交等领域的水文需求以及社会公众在文化与生活等方面的水文需求，不断拓宽水文服务领域，充分发挥水文基础支撑作用。要进一步加强水文资料公开和水文信息共享工作，最大程度地满足经济社会及人民群众对水文信息的需求，充分发挥水文信息的社会效益。

五、加强领导，强化措施，全面推进水文又好又快发展

各地水行政主管部门和各流域机构要进一步提高对水文基础地位和重要支撑作用的认识，切实加强对水文工作的领导。

（一）切实加强领导。各单位主要负责同志要经常听取水文工作汇报，及时研究部署水文工作，切实为水文解决实际问题，在制定政策、安排资金、配备干部、部署工作等各个方面充分体现对水文的重视。

（二）加强调查研究和分类指导。各级领导干部要深入水文工作实际，加强调查研究，强化分类指导，着力解决水文在管理体制、投入机制、能力建设等方面存在的突出问题。

（三）加强水文队伍建设。要切实重视人才培养，加强水文队伍素质建设，关心基层水文职工，强化水文安全生产，努力改善水文测站的生产与生活条件，着力解决基层水文职工的实际困难。

（四）加强水文宣传工作。要重视水文宣传工作，大力宣传水文的重要职责、水文为经济社会发展做出的重大贡献、水文职工的先进事迹和无私奉献精神，积极宣传水文知识和水文科技，不断扩大水文工作的社会影响，努力为水文工作营造良好的社会氛围，全面推进水文事业又好又快的发展。

关于加强病险水库除险加固工程质量和资金管理的通知（2009 年 9 月 3 日水利部、国家发展和改革委员会、财政部水规计〔2009〕430 号）

各省（自治区、直辖市、计划单列市）水利（务）厅（局）、发展改革委（局）、财政厅（局），新疆生产建设兵团水利局、发展改革委、财务局，水利部各流域机构：

2007 年党中央、国务院决定用 3 年时间完成全国大中型和重点小型病险水库除险加固任务。国家有关部委和地方各级人民政府精心组织，共同努力，采取有力措施，狠抓落实，《全国病险水库除险加固专项规划》（以下简称《专项规划》）内项目建设工作总体进展顺利，成效明显。但通过国家有关部门近期开展的审计调查、项目稽察和专项督导、检查发现，一些项目在前期工作、建设管理、工程质量、建设资金等方面仍然存在着薄弱环节和突出问题。为进一步加强病险水库除险加固工程质量和资金管理，现提出如下工作要求：

一、切实落实工程建设资金

各地要高度重视，采取有效措施，加大地方建设资金投入力度。要按照《国家发展改革委、财政部关于进一步加强扩大内需中央投资项目管理有关问题的紧急通知》（发改电〔2009〕137 号）和财政部、水利部联合印发的《重点小型病险水库除险加固项目管理办法》（财建〔2007〕1025 号）等文件要求，抓紧对病险水库除险加固项目地方建设资金落实情况开展

自查，明确地方建设投资责任主体，合理分摊省和省以下地方投资比例，加大省级投入力度，足额落实地方建设资金，保证地方建设资金与中央补助投资同步到位。要着力规范资金管理，严格执行各项财务制度，确保资金安全。对滞留的资金，要及时拨付到项目建设单位；对挪用、挤占和套取的中央资金，要限期全部返还财政指定的账户；对中央资金用于非主体工程建设导致主体工程资金不足的，要用地方建设资金补足；对“假配套”“假到位”骗取、套取建设资金和严重违反财经纪律的，要严肃追究相关单位和人员的责任，绝不姑息。

二、核查前期工作质量

各地和水利部各流域机构要立即组织开展前期工作“回头看”，对在建和未开工项目的设计方案进行认真核查，重点核查实际完成的工程内容和工程量较批复的初步设计明显“缩水”的问题。水利部各流域机构负责大中型水库的核查工作，并将核查情况反馈各省（自治区、直辖市）和新疆生产建设兵团，由地方负责组织整改；小型水库的核查和整改工作由各地负责开展。各地要严格按照有关要求和批复的项目建设内容及工程概算组织项目建设，对于项目建设过程中确有需要的重大设计变更、子项目调整、建设标准调整、概算调整等，必须组织开展充分的技术论证，并报请项目原复核、审批单位履行相应手续；一般设计变更，项目主管部门和项目法人等也应及时履行相应审批程序。坚决杜绝以“优化设计”为名，人为擅自降低工程标准、减少建设内容，造成安全隐患。

三、加强工程建设管理

各地要牢固树立“质量第一、安全至上”的思想，切实加强工程建设管理，认真落实项目法人责任制、招标投标制、建设监理制和合同管理制，确保工程建设质量、进度和安全。一是切实加强招投标管理，严防围标、串标等违法违规行为，严肃查处转包和违法分包。发现违反招投标有关规定的，一律作废标处理。二是进一步规范水利建设市场秩序，加快水利建设市场信用体系建设，严把施工企业和监理单位资质关，加强对监理人员的资格管理，提高从业队伍和人员的素质和水平。三是加强工程竣工验收的管理工作。工程完工后要及时组织验收，确保工程及时发挥效益。四是落实工程建设各方的质量和安全责任，加强施工现场安全管理，落实在建工程防汛安全责任制、度汛方案和各项度汛措施。五是组织开展建设管理情况核查工作，对国家相关部门近期未开展过有关审计、稽察等工作的在建项目和完工项目进行认真核查，重点核查项目招投标管理、施工质量、竣工验收等情况。水利部各流域机构负责大中型水库的核查工作，并将核查情况反馈各省（自治区、直辖市）和新疆生产建设兵团，由地方负责组织整改；小型水库的核查和整改工作由各地负责开展。

四、采取严厉惩戒措施

各地要认真分析研究病险水库除险加固工作中存在的突出问题，加强组织领导，落实责任，举一反三，按照本通知有关要求，组织调动一切力量抓好质量和资金管理。下一步，对前期工作“回头看”和建设管理核查工作中发现的严重问题，以及发生重大质量和生产安全事故、建设进度严重滞后、地方建设资金不落实、资金使用管理严重违规违纪、整改工作不得力、工程完工后不及时验收的地方，将视情况采取如下惩戒措施。

一是全国通报。由水利部商国家发展改革委、财政部进行全国通报批评，不仅通报问题，还要通报项目政府行政责任人、主管部门责任人、建设管理单位和相关参建单位及责任人名单。通报主送相关地方和部门的同时，还要抄送省级人民政府和主要领导同志，商请省级人民政府严肃追究相关部门和责任人的责任。二是处罚参建单位。对于前期工作、工程建设中严重不负责任的勘测设计、施工、监理等单位，水利部将会同国家发展改革委、财政部联合商国家相关部门做出责令停业整顿、降低资质等级或者吊销资质证书等处罚决定，并在一定时段内限制从事相关业务。三是暂停审批新建水利项目。国家发展改革委和水利部将在一定时段内暂停审批项目所在地区甚至全省的新建水利项目。四是调整投资和资金。对于存在问题较多、问题较严重的地方，国家发展改革委和水利部将减少该省（自治区、直辖市）其他大中型水利项目投资计划安排。对于“报大建小”的大中型病险水库项目，将根据核查结果采取惩戒措施，由国家发展改革委、财政部商水利部相应核减工程建设投资，并调减项目投资计划和资金预算。在国家有关部委加大惩处力度的同时，各地也要进一步加大监督检查和惩处力度。

病险水库除险加固任务艰巨，时间紧迫，责任重大，请各地按照党中央、国务院的战略部署，坚定信心，咬定目标，强化措施，扎实工作，确保工程建设进度、质量和安全，确保按期完成病险水库除险加固各项任务。

关于共同建设“母亲水窖”工程的通知

（2009年9月14日水利部、全国妇联水农〔2009〕448号）

各有关省（自治区、直辖市）水利（水务）厅（局）、妇联：

为充分发挥妇女群众和妇联组织在农村水利发展中的作用，进一步加大“母亲水窖”工程建设力度，着力改善中西部地区农民群众的生活生产用水条件，水利部和全国妇联研究决定，在中西部地区共同建设“母亲水窖”工程。现将有关事项通知如下。

一、充分认识共同建设“母亲水窖”工程的重要意义

（1）共同建设“母亲水窖”工程是贯彻落实科学发展观的具体体现。“母亲水窖”工程建设，对解决西部地区农村群众特别是妇女因严重缺水带来的贫困和落后问题，具有十分重要的意义。通过双方合作，将“母亲水窖”纳入农村水利发展相关规划，进一步加大建设力度，扩大工程实施范围，切实解决这些地区农村饮水安全和农业生产用水问题，是各级水利部门和妇联组织贯彻落实中央统筹区域和城乡发展、实现基本公共服务均等化、构建和谐社会等重大部署的具体措施，是各级水利部门和妇联组织深入贯彻落实科学发展观的具体体现。

（2）共同建设“母亲水窖”工程是加快改善农民群众用水条件的迫切需要。近年来，全国妇联开展的“母亲水窖”公益活动，不仅改善了西部地区近150万农民群众的饮用水困难，而且探索出以“水”为龙头的“1＋5”整村推进模式（一口水窖带动一个太阳灶或沼气池、一处卫生厕所、一棚蔬菜瓜果、一圈家禽家畜、一个美化的庭院），得到社会各界的充分肯定和广泛好评。经过长期不懈努力，我国农村水利建设取得了突出成绩，明显提高了农村居民饮水安全保障能力。但是，由于历史欠账太多，目前农村水利还远远滞后于经济社会发展的要求，仍有近2亿农村人口饮水安全得不到有效保障，54％的耕地缺少基本灌排条件。进一步扩大“母亲水窖”工程的覆盖范围和建设规模，推广“母亲水窖”建设管理经验，有助于创新农村水利投入机制和建管模式，加快工程建设步伐。

（3）共同建设“母亲水窖”工程是整合力量，加快农村水利发展的重要措施。十七届三中全会提出了包括农村饮水安全在内的多项民生水利工程建设目标和任务。共同建设“母亲水窖”工程，可以把水利部门解决农村饮水安全、发展农业补充灌溉和妇联建设“母亲水窖”的目标结合起来，可以把财政资金和社会募集资金结合起来，可以把水利部门的行业优势和全国妇联的政治优势、组织优势、工作优势、网络体系优势结合起来，共同推动妇女事业和水利事业的又好又快发展。

二、共同建设“母亲水窖”工程的实施意见

水利部与全国妇联共同建设“母亲水窖”工程的主要范围是中西部具有一定降雨量的山丘区，通过兴建水窖（水柜、水塘）等小型分散工程帮助当地改善生活生产用水条件，具体实施意见如下：

（1）将“母亲水窖”工程纳入农村水利发展的相关规划。为加大“母亲水窖”工程建设力度，水利部尽快将符合规划要求的“母亲水窖”工程纳入相关农村水利发展规划。规划编制过程中，按照“统筹研究、因地制宜、科学安排、优先实施”的原则，将适宜通过兴建水窖等分散式供水工程或小型集中式供水工程解决当地农民群众饮水安全问题的“母亲水窖”工程，纳入《2010—2013年全国农村饮水安全工程规划》；将适宜采用集雨水窖模式发展农业补充灌溉，解决山丘区农田抗旱用水问题的“母亲水窖”工程，纳入《全国小型农田水利建设规划》和《全国雨水集蓄利用规划》。“母亲水窖”工程纳入农村水利相关发展规划后，根据国家批准的规划统一组织实施“母亲水窖”工程建设。

（2）分工协作，共同建设好“母亲水窖”工程。在共同建设“母亲水窖”工程过程中，水利部做好规划和实施方案的编制；各级水利部门协调有关部门及时落实“母亲水窖”工程建设国家投资、资金使用管理、建设和运行管理等工作，纳入全国规划的“母亲水窖”工程由地方水利部门按现行有关水利建设项目管理办法履行前期工作程序并开展工程建设。全国妇联、妇女基金会向社会宣传募集“母亲水窖”工程建设捐助资金，配合做好规划编制工作、建设和运行管理中的监管等工作；相关妇联组织负责做好宣传发动、项目推荐、技术培训等工作。双方共同对已建成的“母亲水窖”工程进行验收，验收合格的工程要设立统一的“母亲水窖”工程标志牌。

（3）切实抓好共同建设“母亲水窖”工程试点工作。为总结经验，稳步推进共同建设“母亲水窖”工程，水利部与全国妇联决定在部分地区先行开展试点工作。

1）试点范围、时间及内容。计划2010年在西部地区选择5个省（自治区、直辖市），其中每个省（自治区、直辖市）选择3个县（市）进行试点，试点时间为1年。试点包括兴建“母亲水窖”工程和集雨水窖等小型农田水利设施，解决农民群众饮水安全问题和部分农田的抗旱补灌用水问题。

2）抓紧做好试点准备工作。抓紧做好试点前期准备工作，在2009年10月底前制定出试点县（市）的实施方案，年底前制定出试点地区共同建设“母亲水窖”工程管理试行办法，并按照《2010—2013年全国农村饮水安全工程规划》、《全国雨水积蓄利用规划》要求，落实年度投资计划，确保2010年试点正式启动。

3）注重试点工作和全面推广的衔接。要认真总结试点经验，及时修订管理制度，为全面开展共同建设“母亲水窖”工程做好准备。初步确定第一期全面共同建设“母亲水窖”工程的时间为2011—2013年。

4）建立共同建设“母亲水窖”工程联席会议制度。水利部与全国妇联建立“母亲水窖”工程建设试点联席会议制度，及时沟通重要情况，商议解决重大问题，研究确定阶段性工作计划，协调国家有关部门和地方政府，建立信息资源共享和重大问题通报机制。

三、加强对共同建设“母亲水窖”工程的领导

（1）高度重视。各级水利部门和妇联组织要高度重视共同建设“母亲水窖”工程，把这项惠民工程作为学习实践科学发展观、贯彻落实党的十七届三中全会精神的重要抓手，切实加强领导，为顺利实施工程建设提供坚强有力的组织保障。

（2）抓好试点。水利部和全国妇联要会同有关地方尽快确定试点县和具体试点项目，相关省、县两级水利部门和妇联组织要把共同建设“母亲水窖”工程试点作为当前的重要工作，按照分工做好试点工作，确保试点工作圆满成功。

（3）严格管理。各级水利部门和妇联组织要结合实际和项目特点，制订和完善项目管理办法或实施细则，严格执行有关技术标准和建设程序，严把项目前期、项目建设和项目验收关，不断提高项目管理水平，确保投资效益。

（4）广泛培训。各级水利部门和妇联组织要依托行业培训基地和农村妇女学校及远程教育平台，广泛开展基层水利和妇联干部及农村妇女的培训工作，帮助她们掌握与工程有关的水与卫生等相关知识和能力，增强受益群众保护和节约水资源的意识，调动其参与工程建设和管理的积极性。

（5）大力宣传。各级水利部门和妇联组织要充分利用广播、电视、报刊、网络等新闻媒体，大力宣传共同建设“母亲水窖”工程的典型经验和做法，宣传已建工程在改善农民群众生活生产用水条件、促进农民增收等方面的重要作用，为全面推广实施共同建设“母亲水窖”工程营造良好的氛围。

关于明确由海河水利委员会负责审查并签署水工程建设规划同意书的河流（河段）名录和范围（试行）的通知（2009年9月17日水利部水规计〔2009〕457号）

海河水利委员会，北京市、天津市、河北省、山西省、山东省、海南省、内蒙古自治区、辽宁省水利（水务）厅（局）：

根据《中华人民共和国水法》《中华人民共和国防洪法》及《水工程建设规划同意书制度管理办法（试行）》（水利部令第31号），经研究，现将海河流域由海河水利委员会负责审查并签署水工程建设规划同意书的河流（河段）名录和范围（试行）通知如下：

一、干流及河口

（1）海河干流：三岔口—海河防潮闸。

（2）滦河干流：白城子—入海口。

（3）永定（新）河干流：朱官屯—永定新河防潮闸。

（4）大清河干流：任庄子—独流减河防潮闸。

（5）子牙新河干流：献县枢纽—入海口。

（6）漳卫河干流：徐万仓—漳卫新河入海口。

（7）河口：滦河口、永定新河口、海河口、独流减河口、子牙新河口、漳卫新河口。

二、主要一级支流

（1）滦河水系：闪电河的闪电河水库、伊逊河的庙宫水库至入滦河干流处；吐力根河、小滦河、武烈河、瀑河、青龙河源头至入滦河干流处。

（2）北三河系：蓟运河（九王庄—蓟运河防潮闸），潮白（新）河（潮河土城子、白河云州水库—宁车沽防潮闸），北运河（北关拦河闸—屈家店枢纽）。

（3）永定河系：桑干河（册田水库—朱官屯），洋河（东洋河皂火口水库、西洋河源头、南洋河源头—朱官屯）。

（4）大清河系：赵王新渠（枣林庄枢纽—任庄子），新盖房分洪道（新盖房枢纽—入东淀）。

（5）子牙河系：滹沱河（济胜桥—献县枢纽）。

（6）漳卫河系：漳河（浊漳河石梁、清漳河下交漳—徐万仓），卫河（共产主义渠，大沙河源头—徐万仓）。

三、其他跨省（自治区、直辖市）重要河流

（1）北三河系：还乡河、洵河、州河、青龙湾减河。

（2）大清河系：拒马河、北拒马河、小清河、唐河、沙河。

（3）子牙河系：冶河（桃河平定—绵河—黄壁庄水库）。

（4）漳卫河系：南运河。

（5）黑龙港及运东地区诸河：青静黄排水渠。

四、海河水利委员会和有关省（自治区、直辖市）人民政府水行政主管部门要根据水利部第31号令和办规计〔2008〕7号文的要求，依法执行水工程建设规划同意书制度；按照分级管理权限和水工程规模，抓紧制定《水工程建设规划同意书制度管理办法（试行）》实施细则。

海河水利委员会要与有关省（自治区、直辖市）人民政府水行政主管部门密切配合，相互协调，全面加强水工程建设规划同意书制度实施的有效管理。

关于进一步加强黄土高原地区淤地坝建设管理工作的意见（2009年9月28日水利部水保〔2009〕475号）

黄河水利委员会，山西、内蒙古、河南、陕西、甘肃、宁夏、青海省（自治区）水利厅：

淤地坝是黄土高原地区人民在治理水土流失长期实践中，探索总结出的重要水土保持措施，既能拦截泥沙、控制水土流失，又能增加稳产高产基本农田，

深受当地群众欢迎。新中国成立后，黄土高原地区各级政府高度重视淤地坝建设，特别是2003年国家启动实施黄土高原淤地坝试点工程以来，淤地坝建设得到长足发展。截至目前，黄土高原地区共建成淤地坝9万多座，其中骨干坝5000多座。这些淤地坝发挥了显著的生态、社会和经济效益，据测算，黄土高原现有淤地坝可淤地超过30万hm^2，拦截泥沙210多亿t，保护下游农田超过4万hm^2，巩固与促进超过133万hm^2坡耕地退耕还林还草。

但是，一些地方在淤地坝建设管理中不同程度地存在着施工质量差、技术和管理工作不完善、配套资金不落实、运行管护不到位等问题，影响工程的安全运行，对下游人民群众生命财产安全构成威胁，制约了淤地坝的健康发展。为了解决淤地坝工程建设管理中存在的突出问题，规范淤地坝建设管理工作，确保淤地坝有序建设和安全运行，现提出如下意见：

一、进一步加强对淤地坝建设管理工作的领导

黄土高原水土保持淤地坝试点工程属于中央投资补助的地方项目，建设管理的责任在地方。地方各级人民政府要高度重视，切实加强对淤地坝建设管理工作的领导。要按照国家有关规定落实工程建设配套资金，省级配套比例不应低于配套总资金的50%。要进一步落实以行政首长负责制为核心的淤地坝防汛责任制，把工程安全度汛纳入当地防汛管理体系，逐坝明确骨干坝防汛责任人，并在当地媒体上公示。要明确管理机构和人员，落实淤地坝防汛经费和岁修经费。地方各级水利水保部门要切实履行淤地坝工程建设管理职责，加强行业监管，做到责权统一，任务到人，责任到人，做好工程建设管理的各项工作，确保工程建设质量。一旦工程建设质量与安全出现问题，要追究相关单位和人员的责任。

二、进一步规范淤地坝的前期工作

淤地坝工程在可行性研究阶段，应重点论证工程选择的合理性与必要性，确定工程布局、建设任务与投资规模等。

要进一步加强淤地坝工程初步设计工作。批准的初步设计是安排工程年度计划、工程建设、竣工验收的依据。工程设计必须严格执行现有规范标准和有关规定。承担淤地坝工程初步设计工作的单位，必须深入现场勘测，精心设计，做到工程设计布局合理、技术与经济可行，确保设计成果质量。对位置重要的骨干坝，以及2座以上骨干坝串联的下游骨干坝，枢纽组成必须按“三大件”（即大坝、放水建筑物和泄水建筑物）设计。放水工程是关系到淤地坝安全运行的重要建筑物，卧管最低放水孔位置应根据实际尽量降低高程，保证淤地坝不蓄水或少蓄水。

对已建成的骨干坝，如果其枢纽组成、控制面积、库容规模、泄水建设物等不符合现有规范、标准和有关规定，特别是对下游重要设施和人民生命财产安全有影响的工程，各地要按照“谁建设、谁负责”的原则，抓紧制定方案，落实资金，采取必要的除险避险措施，确保工程安全。

三、进一步强化淤地坝的建设管理工作

严格淤地坝工程建设管理程序，规范规划、可研、初步设计、计划安排、施工、监理、资金使用、竣工验收等各环节的管理，全面实行工程建设项目法人制、建设监理制、合同制和公示制。

总投资在200万元以上的单座淤地坝工程，必须按照国家有关规定，由建设单位通过招投标，确定有水利工程施工资质的企业承建。总投资在200万元以下的单座淤地坝工程，可由建设单位按照一定条件和程序，择优选择具有相应施工资质的企业承建。

淤地坝的监理工作，要对工程质量、投资、进度进行严格控制，对骨干坝关键部位和隐蔽工程必须实行旁站监理。监理取费标准可按国家发改委和建设部发布的《建设工程监理与相关服务费管理规定》（发改价格〔2007〕670号）执行。

施工单位要推行全面质量与安全管理，从组织、制度、方案、措施等方面实施全过程质量控制和安全管理。要制定完善的岗位质量与安全生产责任制，认真执行初检、复检和终检的施工质量“三检制”。施工单位应配备质检员、材料员和施工技术员，按照规定做好施工质检，建立健全施工档案。

工程质量是保证淤地坝安全运行和安全生产的前提。淤地坝工程质量管理，实行建设单位负责，监理单位控制，施工单位保证和政府监督相结合的管理体制与工程质量终身负责制，工程设计、建设、施工、监理单位要对所负责的淤地坝质量负终身责任。工程开工前，建设单位要与上级水行政主管部门、施工单位要与建设单位分别签订工程质量终身责任承诺书。建设单位须派1名驻坝技术员，负责骨干坝和中型淤地坝施工技术指导与工程质量和安全监督管理。

要切实加强淤地坝的验收工作。淤地坝工程实行验收负责制，验收单位对验收结论负责。各省（自治区）要抓紧制定和完善本省（自治区）淤地坝验收办法，明确要求，规范程序，严格管理。单坝工程的竣工验收，应在落实一定运行条件，并经过1个汛期运行后进行。

四、进一步落实淤地坝的管护工作

各地应认真总结经验，坚持“防重于抢”，切实加强淤地坝运行期维护管理工作。对骨干坝要逐坝制定切实可行的应急排险避险预案，落实“防、抢、撤”措施，保证人民群众生命安全。对威胁下游人民群众安全的病险淤地坝，地方政府要积极落实建设资金，尽快开展除险整治工作。各地要认真研究和总结符合本地特点的淤地坝运行管理机制与经验，积极推行拍卖、租赁、承包等形式的产权制度改革，实行“一人一坝”管护模式，落实管护经费，解决管护人

员的报酬，保证运行管护责任真正落到实处，充分发挥工程效益。

关于将水利部南京水利水文自动化研究所划转南京水利科学研究院管理的通知（2009 年 9 月 22 日水利部水人事〔2009〕458 号）

水利部水文局，南京水利科学研究院：

为进一步深化水利科研机构管理体制改革，推动水利部南京水利水文自动化研究所良性运行和长远发展，经研究决定，将水利部南京水利水文自动化研究所由水利部水文局管理划转南京水利科学研究院管理。

特此通知。

关于建立健全水利系统民主评议政风行风长效机制的指导意见（2009 年 10 月 14 日水利部水监〔2009〕495 号）

为进一步巩固水利系统民主评议政风行风工作成果，切实加强水利系统政风行风建设，提高工作效能，促进水利事业又好又快发展，现就建立健全水利系统民主评议政风行风长效机制提出如下意见：

一、指导思想

要坚持以邓小平理论和“三个代表”重要思想为指导，全面贯彻落实科学发展观，按照党的十七大报告提出的“坚决纠正损害群众利益的不正之风，切实解决群众反映强烈的问题”和中纪委“坚持标本兼治、纠建并举，建立健全防治不正之风的长效机制”的要求，把“实现好、维护好、发展好最广大人民的根本利益”作为水利系统政风行风建设的根本出发点和落脚点，紧紧围绕民生水利工作，建立健全水利系统民主评议政风行风长效机制，不断提高服务社会的质量和水平，努力树立水利行业形象，为水利改革发展提供坚强的保障和良好的社会氛围。

二、工作原则

各级水行政主管部门要切实加强对政风行风建设工作的领导，坚持“谁主管、谁负责”和“管行业必须管行风”的原则，把加强行业管理与政风行风建设紧密结合起来，做到一同研究部署、一同监督检查、一同考核落实，坚持以民生评议政风行风活动促进水利政风行风建设。各级水利部门在改革过程中制定新政策、出台新措施，都要考虑政风行风建设的要求，把政风行风建设工作贯穿到水利工作的各项管理制度和工作规范之中，做到主动接受监督，防止和纠正水利不正之风。

建立健全党组（党委）统一领导，行政领导主抓，相关职能部门各负其责，纪检监察组织协调和督促检查的民主评议政风行风工作领导体制和工作机制，把水利政风行风民主评议结果作为对领导班子及干部考核的重要依据。要把水利民主评议政风行风工作纳入党风廉政建设责任制检查考核范围，建立健全政风行风工作责任追究制，强化责任追究，对于那些因领导不力、制止不力导致不正之风屡禁不止的，要坚决追究有关领导和责任人的责任。

三、评议对象和内容

水利民主评议政风行风的评议对象包括各级水行政主管部门和水利事业单位，重点是具有行政执法、经济管理或公共服务职能，与人民群众生产生活关系密切的窗口部门和单位。

水利民主评议政风行风的内容要紧密结合水利政风行风建设的重点任务、人民群众普遍关心的热点难点问题以及影响水利发展和社会稳定的突出问题，不同地区和部门以及在不同时期的评议内容应有所区别、各有侧重。对水行政主管部门的评议内容主要是依法履行职责、公正执法、政务公开、办事效率、服务态度、清正廉洁等情况；对水利服务窗口单位的评议内容主要是依法经营、诚信服务、办事公开、工作效率、服务态度、清正廉洁等情况。

四、评议方法和步骤

水利民主评议政风行风以属地评议为主，实行统一组织、分级负责、上下联动、分类评议、综合评定。一般由省（自治区、直辖市）水行政主管部门统一确定民主评议政风行风的对象、内容和方法，并组织实施。市（地）、县（区）水行政主管部门负责本区域的评议工作。水利民主评议政风行风工作原则上一年为一个评议周期，各地可根据实际情况进行适当调整。评议的基本程序包括：

（1）制定方案。各级水行政主管部门要根据评议对象的工作职能和性质，结合工作实际，分类制定本级机关、下级机关和水利事业单位民主评议政风行风的具体实施方案，明确任务，量化细化评议指标，提出具体评议方法、保障措施和工作要求，综合运用定性评论、定量评议等多种评议方法，有计划、有步骤、分阶段开展评议工作。

（2）宣传发动。各级水行政主管部门和水利单位要充分利用一切有效的舆论宣传工具，采取灵活多样的形式，向社会宣传相关水利法律法规、主要职责、管理规范、服务承诺以及开展民主评议政风行风工作的目的意义，营造全社会了解水利行业、关心水利工作、支持水利发展、广泛参与水利民主评议政风行风工作的良好氛围。

（3）自查自纠。各级水行政主管部门和水利单位要对照水利民主评议政风行风工作的要求，坚持内外结合，多层次、宽领域、全方位征求意见和建议，定期不定期开展自查自纠。针对查找出的问题，分析原因，制定措施，及时整改。

（4）公开评议。各级水行政主管部门和水利单位要通过召开座谈会、深入调研、设立投诉电话、发放调查问卷、建立网上评议平台等形式，深入基层、深入实际、深入群众，听民声、访民意，广泛征求社会各界、群团组织、服务对象的意见，客观公正地开展评议。

（5）整改公布。对征询到的意见建议和评议反映的问题，各级水行政主管部门和水利单位要认真研究，有针对性地制定切实可行的整改方案和措施，在一定范围内及时向社会公布，接受群众监督，对能够及时解决的问题，立即整改，并公布整改结果。对暂时不能解决的问题，要实事求是并及时向群众做好解释和说明。坚持做到以评促建，通过评议发现问题，研究制定政风行风建设的治本之策。

五、保障措施

（1）加强领导，强化责任。建立健全水利民主评议政风行风长效机制，加强水利政风行风建设是一项复杂而艰巨的任务，各级水行政主管部门和水利单位的领导班子要加强思想、作风、组织和制度建设，要逐级建立健全水利民主评议政风行风工作组织机构，组织实施民主评议政风行风工作，要统一规划，周密部署，精心组织，分步实施。要结合实际研究制订具体实施方案，重点抓住群众反映强烈的突出问题，抓好水行政主管部门和水利窗口单位的政风行风评议，充分发挥积极的示范引导和带动作用。

（2）建章立制，规范工作。各级水行政主管部门和水利单位要把政风行风建设贯穿于整体工作，寓于业务管理和各项规章制度之中。要从建章立制入手，不断健全完善政风行风建设的检查、考核、奖惩等一系列规章制度，促进水利民主评议政风行风工作走上制度化、规范化的道路，形成民主评议政风行风长效机制，确保民主评议政风行风工作经常性、持久性地开展下去。

（3）强化监督，务求实效。各级水行政主管部门和水利监察部门要加强对水利民主评议政风行风情况的监督检查，可采取基层调研、听取汇报、走访服务对象等多种形式，督促民主评议工作的落实。各单位每年要将开展民主评议政风行风工作情况进行总结，并于11月底前书面上报上一级水行政主管部门和水利监察部门。

各级水行政主管部门和水利单位要主动接受人大代表、政协委员、行风监督员和服务对象的评议和监督，主动接受新闻媒体的舆论监督，并聘请素质好、群众威信高、敢于讲真话的人对群众评议中所反映问题的处理和整改情况进行跟踪监督，或对水利民主评议政风行风的全过程进行监督。各级水利监察部门要把水利民主评议政风行风活动的监督作为经常性工作常抓不懈。

（4）完善机制，严格奖惩。各级水行政主管部门要把民主评议政风行风与水管单位的精神文明建设、文明单位评选、领导干部考核和奖惩紧密结合起来，建立有效的激励和约束机制，把民主评议政风行风结果同各项评先工作挂钩，进行严格考核，确保民主评议政风行风工作取得实效，逐步建立和完善民主评议政风行风长效机制。

水利建设市场主体信用信息管理暂行办法

（2009年10月15日水利部水建管〔2009〕496号）

第一条　为贯彻落实《中共中央办公厅国务院办公厅关于开展工程建设领域突出问题专项治理工作的意见》（中办发〔2009〕27号）、《国务院办公厅关于社会信用体系建设的若干意见》（国办发〔2007〕17号）和中央治理商业贿赂领导小组《关于在治理商业贿赂专项工作中推进市场诚信体系建设的意见》（中治贿发〔2008〕2号）的精神，促进水利建设市场信用体系建设，规范水利建设市场主体行为，加强水利建设市场秩序监管，促进水利事业又好又快发展，根据有关法律法规，结合水利建设行业实际和特点，制定本办法。

第二条　本办法适用于水利建设市场主体信用信息采集、审核、发布、更正和使用的管理。

第三条　本办法所称水利建设市场主体，是指参与水利工程建设活动的建设、勘察、设计、施工、监理、咨询、供货、招标代理、质量检测、安全评价等企（事）业单位及相关执（从）业人员。

第四条　水利建设市场主体信用信息管理遵循依法、公开、公正、准确、及时的原则，维护水利建设市场主体的合法权益，保守国家秘密，保护商业秘密和个人隐私。

第五条　水利部、水利部在国家确定的重要江河湖泊设立的流域管理机构（以下简称流域管理机构）和省级人民政府水行政主管部门是水利建设市场主体信用信息管理部门，按照各自的职责分工负责水利建设市场主体信用信息管理工作。

水利部负责组织制定全国水利建设市场主体信用信息制度和标准，建立全国水利建设市场主体信用信息平台，采集和发布全国水利建设市场主体信用信息，指导全国水利建设市场主体信用信息管理工作。

各流域管理机构和各省级人民政府水行政主管部门依照管理权限，分别负责其管辖范围内的水利建设市场主体信用信息管理工作，建立水利建设市场主体信用信息管理平台，采集和发布水利建设市场主体信用信息，同时将信用信息及时报送水利部。

第六条　水利建设市场主体信用信息包括基本信息、良好行为记录信息和不良行为记录信息。

基本信息是指水利建设市场主体的名称、注册地址、注册资金、资质、业绩、人员、主营业务范围等信息。

良好行为记录信息是指水利建设市场主体在工程建设过程中遵守有关法律、法规和规章，受到县级以上人民政府、水行政主管部门、流域管理机构或相关专业部门、有关社会团体的奖励和表彰，所形成的信用信息。

不良行为记录信息是指水利建设市场主体在工程建设过程中违反有关法律、法规和规章，受到县级以上人民政府、水行政主管部门、流域管理机构或相关专业部门的行政处理，或者未受到行政处理但造成不良影响的行为，所形成的信用信息。

第七条　各水利建设市场主体自主填写信用信息，按以下程序报送：

(1) 中央企业、水利部所属企（事）业单位向水利部报送。

(2) 流域管理机构所属企（事）业单位向流域管理机构报送，经流域管理机构审核后报水利部。

(3) 其他企（事）业单位向其注册所在地省级人民政府水行政主管部门报送，经省级人民政府水行政主管部门审核后报水利部。

水利建设市场主体报送的信用信息应真实、合法。信用信息的采集、审核、更正，必须以具有法律效力的文书为依据。

第八条　建立水利建设市场主体不良行为记录公告制度。对水利建设市场主体在工程建设过程中违反有关法律、法规和规章，受到县级以上人民政府、水行政主管部门、流域管理机构或相关专业部门的行政处理，所形成的不良行为记录进行公告。未受到行政处理的不良信用信息可在公告平台后台保存备查。

水利建设市场主体不良行为记录公告办法及认定标准由水利部另行制定。

第九条　水利建设市场主体信用信息实行实时更新。水利建设市场主体基本信息发布时间为长期，良好行为记录信息发布期限为 3 年，不良行为记录信息发布期限不少于 6 个月，法律、法规另有规定的从其规定。

第十条　水利建设市场主体对公告信息有异议的，可向信用信息管理部门提出书面更正申请，并提供相关证据。信用信息管理部门应当立即进行核对，对确认发布有误的信息，及时给予更正并告知申请人；对确认无误的信息，应当告知申请人。

行政处理决定经行政复议、行政诉讼以及行政执法监督被依法变更或撤销的，不良行为记录将及时予以变更或撤销，并在信息平台上予以公告。

第十一条　水利部、流域管理机构和省级人民政府水行政主管部门应推进信用信息平台的互联互通，实现网络互联、信息共享和实时发布，维护水利建设市场的统一开放、竞争有序。

第十二条　水利部、流域管理机构和省级人民政府水行政主管部门应依据有关法律、法规和规章，按照诚信激励和失信惩戒的原则，逐步建立信用奖惩机制，在市场准入、招标投标、资质（资格）管理、信用评价、工程担保与保险、表彰评优等工作中，利用已公布的水利建设市场主体的信用信息，依法对守信行为给予激励，对失信行为进行惩处。

第十三条　水利部、流域管理机构和省级人民政府水行政主管部门要明确分管领导和承办机构、人员及职责，加强对水利建设市场主体信用信息管理工作的监督检查，保证信息公告、传送及时准确。鼓励社会各界监督水利建设市场主体信用信息管理工作。

第十四条　有关水行政主管部门、流域管理机构及其工作人员，违反本办法规定的，责令改正；在工作中玩忽职守、弄虚作假、滥用职权、徇私舞弊的，依法给予行政处分；涉嫌犯罪的，移送司法机关依法追究刑事责任。

第十五条　中国水利工程协会在水利部指导下，研究制订统一的信用信息分类及编码、信用信息格式和信用数据库建设标准等；建立统一的水利建设市场主体信用信息平台，并采集、记录和管理信用信息；组织开展水利建设市场主体信用知识培训教育。同时，要完善行业内部监督和协调机制，建立以会员单位为基础的信用信息平台，加强行业自律，提高企（事）业单位及相关执（从）业人员的信用意识。

第十六条　各流域管理机构和各省级人民政府水行政主管部门可根据本办法，制定具体实施细则。

第十七条　本办法自 2009 年 12 月 1 日起施行。

水利建设市场主体不良行为记录公告暂行办法（2009 年 10 月 27 日 水利部水建管〔2009〕518 号）

第一章　总　则

第一条　为贯彻《中共中央办公厅国务院办公厅关于开展工程建设领域突出问题专项治理工作的意见》(中办发〔2009〕27 号)、《国务院办公厅关于社会信用体系建设的若干意见》（国办发〔2007〕17 号)、《关于印发〈招标投标违法行为记录公告暂行办法〉的通知》(发改法规〔2008〕1531 号）和《水利建设市场主体信用信息管理暂行办法》（水建管〔2009〕496 号)，促进水利建设市场信用体系建设，健全水利建设市场失信惩戒机制，规范水利建设市场主体行为，根据相关法律规定，制定本办法。

第二条　对水利建设市场主体的不良行为记录进行公告，适用本办法。

第三条　本办法所称水利建设市场主体，是指参与水利工程建设活动的建设、勘察、设计、施工、监理、咨询、供货、招标代理、质量检测、安全评价等企（事）业单位以及相关执（从）业人员。

第四条　本办法所公告的不良行为记录，是指水利建设市场主体在工程建设过程中违反有关法律、法规和规章，受到县级以上人民政府、水行政主管部门或相关专业部门的行政处理所作的记录。

水利建设市场主体不良行为记录认定标准见附件。

第五条　水利部、水利部在国家确定的重要江河湖泊设立的流域管理机构（以下简称流域管理机构）和省级人民政府水行政主管部门（以下统称“公告部门”）负责水利建设市场主体不良行为记录公告管理。

水利部负责制定全国水利建设市场主体不良行为记录公告管理的相关规定，建立全国水利建设市场主体不良行为记录公告平台，并负责公告平台的日常维护。

各流域管理机构和各省级人民政府水行政主管部门按照规定的职责分工，建立水利建设市场主体不良行为记录公告平台，并负责公告平台的日常维护。

第六条　水利建设市场主体不良行为记录的公告应坚持准确、及时、客观的原则。

第七条　水利建设市场主体不良行为记录公告不得公开涉及国家秘密、商业秘密、个人隐私的记录。但是，经权利人同意公开或者行政机关认为不公开可能对公共利益造成重大影响的涉及商业秘密、个人隐私的不良行为记录，可以公开。

第二章　不良行为记录的公告

第八条　公告部门应自不良行为行政处理决定作出之日起 20 个工作日内对外进行记录公告。

流域管理机构和省级人民政府水行政主管部门公告的不良行为行政处理决定应同时抄报水利部。

第九条　对不良行为所作出的以下行政处理决定应给予公告：

（一）警告；

（二）通报批评；

（三）罚款；

（四）没收违法所得；

（五）暂停或者取消招标代理资格；

（六）降低资质等级；

（七）吊销资质证书；

（八）责令停业整顿；

（九）吊销营业执照；

（十）取消在一定时期内参加依法必须进行招标的项目的投标资格；

（十一）暂停项目执行或追回已拨付资金；

（十二）暂停安排国家建设资金；

（十三）暂停建设项目的审查批准；

（十四）取消担任评标委员会成员的资格；

（十五）责令停止执业；

（十六）注销注册证书；

（十七）吊销执业资格证书；

（十八）公告部门或相关部门依法作出的其他行政处理决定。

第十条　不良行为记录公告的基本内容为：被处理水利建设市场主体的名称（或姓名）、违法行为、处理依据、处理决定、处理时间和处理机关等。

公告部门可将不良行为行政处理决定书直接进行公告。

第十一条　不良行为记录公告期限为 6 个月。公告期满后，转入后台保存。

依法限制水利建设市场主体资质（资格）等方面的行政处理决定，所认定的限制期限长于 6 个月的，公告期限从其决定。

第十二条　公告部门负责建立公告平台信息系统，对记录信息数据进行追加、修改、更新，并保证公告的不良行为记录与行政处理决定的相关内容一致。

公告平台信息系统应具备历史公告记录查询功能。

第十三条　公告部门应对公告记录所依据的不良行为行政处理决定书等材料妥善保管、留档备查。

第十四条　被公告的水利建设市场主体认为公告记录与行政处理决定的相关内容不符的，可向公告部门提出书面更正申请，并提供相关证据。

公告部门接到书面申请后，应在 5 个工作日内进行核对。公告的记录与行政处理决定的相关内容不一致的，应当给予更正并告知申请人；公告的记录与行政处理决定的相关内容一致的，应当告知申请人。

第十五条　行政处理决定在被行政复议或行政诉讼期间，公告部门依法不停止对不良行为记录的公告，但行政处理决定被依法停止执行的除外。

第十六条　原行政处理决定被依法变更或撤销的，公告部门应当及时对公告记录予以变更或撤销，并在公告平台上予以公告。

第三章　监督管理

第十七条　公告部门应依法加强对不良行为记录被公告的水利建设市场主体的监督管理。

第十八条　公告的不良行为记录应当作为市场准入、招标投标、资质（资格）管理、信用评价、工程担保与保险、表彰评优等工作的重要参考。

第十九条　有关公告部门及其工作人员在不良行为记录的提供、收集和公告等工作中有玩忽职守、弄虚作假或者徇私舞弊等行为的，由其所在单位或者上级主管机关予以通报批评，并依纪依法追究直接责任人和有关领导的责任；涉嫌犯罪的，移送司法机关依法追究刑事责任。

第四章　附　　则

第二十条　各流域管理机构和各省级人民政府

水行政主管部门可根据本办法，制定具体实施办法。

第二十一条 本办法自 2009 年 12 月 1 日起施行。

水利部流域机构参照公务员法管理人员日常登记管理办法（2009 年 12 月 1 日水利部水人事〔2009〕581 号）

第一条 为进一步做好水利部流域机构参照公务员法管理人员日常登记工作，根据公务员法及其实施方案以及中共中央组织部办公厅、人力资源和社会保障部办公厅《关于进一步做好公务员登记工作的通知》，制定本办法。

第二条 参照公务员法管理人员登记应当在国家行政编制限额内以及规定的职数范围内进行。登记工作的管理权限、程序等，按照《公务员登记实施办法》的有关规定执行。

第三条 登记的对象：

（一）试用期满经考核合格的新录用公务员。

（二）按照规定安置到公务员职位工作的军队转业干部。

（三）通过调任、聘任、公开选拔等方式到机关任职的人员。

（四）原不具有公务员身份，依照法律或有关章程经选举等方式担任领导职务、符合登记条件的人员。

（五）其他符合登记条件的人员。

第四条 登记的工作程序：

（一）所在机关确定登记对象，填写《参照公务员法管理机关（单位）工作人员登记表》，经领导班子成员集体讨论决定后，逐级上报审核。

（二）流域机构人事部门将本流域参照公务员法管理的各级机关工作人员登记情况审核、汇总后，报流域机构领导班子成员集体讨论决定。

（三）经流域机构领导班子成员集体审核同意，并签署审核意见后，报水利部人事司。

（四）经水利部审批后，报国家公务员局备案。

（五）经国家公务员局核准备案后，所在机关将《参照公务员法管理机关（单位）工作人员登记表》作为确认公务员身份的依据存入本人档案。

第五条 登记审批备案材料：

（一）流域机构报批文件。正文应包括：登记人员所在机关的国家行政执行人员编制数、编制控制数、相关职务层次的领导职数与非领导职数以及实有人数；本次申请审批备案人员总数，按进入机关方式分类说明；转任进出机关人员数。

（二）《参照公务员法管理机关（单位）工作人员登记表》。“所在机关意见”栏要逐级加盖所在机关以及上级机关印章，“审核机关意见”栏要加盖流域机构党组印章。今后如有聘任制参照公务员法管理人员，应在备注栏注明“聘任制参照公务员法管理人员”。

（三）《参照公务员法管理人员登记备案汇总表》。备注栏中应注明进入机关的方式，即考录、选任、调任、军转、聘任、公开选拔等。

（四）其他相关材料。考录人员需提供批准录用文件复印件；调任人员需提供调任审批（审案）表复印件；军转安置人员需提供军转安置通知复印件。以上复印件均需加盖流域机构人事部门印章。

（五）公务员登记信息数据。统一使用《公务员登记信息系统》软件进行人员信息数据录入、更新，并生成上报信息数据。

第六条 参照公务员法管理人员登记必须以干部档案为依据进行信息填报，登记表的内容要与干部档案的记载相一致。各级机关人事部门在开展公务员登记工作时，必须认真查阅干部档案，对各项信息进行认真核对，防止在登记工作中出现造假现象或错误信息。对个别干部的出生日期、参加工作时间等信息，档案前后记载不一致的，应当以干部档案中最先记载的内容为依据。

第七条 登记审批备案应在干部任职后一个月内进行。登记审批备案完成后，所在机关方可按照有关规定履行工资审批等各项手续。

第八条 水利部原则上每年 1 月底、8 月底统一办理登记审批备案。各流域机构于每年 1 月 10 日、8 月 10 日前将登记审批备案材料及汇总表电子版报水利部人事司。

第九条 各级机关人事部门必须按照干部管理权限，在登记办理完毕后一个月内将登记表归入干部档案。登记表必须符合标准样式，表内项目必须填写齐全，并经所在机关、审核机关、审批机关填写意见并加盖公章。

第十条 退出备案。对因调出机关、辞去公职、被辞退、被开除、退休、死亡等离开公务员队伍的人员，流域机构应于翌年 1 月 10 日前将上一年度上述人员的《参照公务员法管理人员退出备案汇总表》、退出备案说明和信息数据，按照登记工作管理权限及工作程序，报水利部人事司。

第十一条 实行公务员登记制度，是依法界定公务员身份，严把公务员队伍进口，加强公务员管理的基础性工作。各单位要高度重视参照公务员法管理人员登记工作，将其作为加强公务员管理的重要环节和基础工作来抓，切实加强组织领导，明确责任分工，完善相关制度，严格按照本办法要求规范登记工作，及时上报有关数据信息。

第十二条 本办法由水利部人事司负责解释。

第十三条 本办法自发布之日起施行。

关于加强小水电站安全监管工作的通知

(2009年12月2日水利部、国家工商行政管理总局、国家安全生产监督管理总局、国家电力监管委员会水电〔2009〕585号)

各省、自治区、直辖市水利(水务)厅(局)、工商行政管理局、安全生产监督管理局,各计划单列市水利(水务)局、工商行政管理局、安全生产监督管理局,新疆生产建设兵团水利局、安全生产监督管理局,各区域电监局、城市电监办:

我国5万kW以下的小水电资源十分丰富,广泛分布在1700多个县,技术可开发量1.28亿kW。在党中央、国务院的高度重视下,小水电建设取得了举世瞩目的成就。目前,全国已建成小水电站45000多座,总装机容量5100多万kW,在建规模达2000万kW。小水电在农村社会经济发展、农民脱贫致富、节能减排和应急救灾等方面发挥了重要作用。但近年来,在小水电快速发展和体制转轨过程中,由于职责不清、监管缺位,一些小水电站安全隐患严重,事故时有发生,危及人民群众的生命和财产安全。为加强小水电站安全监管,消除安全隐患,保障公共安全,现就小水电站安全监管工作通知如下。

一、明确安全生产责任主体和监管主体

小水电站业主是安全生产的责任主体。业主负责人实行“一岗双责”,既要承担生产管理职责,也必须承担安全管理职责。业主单位要建立完善安全生产责任制度,保障安全投入,落实安全措施,不安全不允许生产。

审批、核准小水电项目的地方人民政府是小水电站的安全生产监管责任主体。各级水行政主管部门、安全监管部门和电力监管机构要按照综合监管与专业监管相结合的原则,明确各部门职责分工。有关部门和单位要各司其职,各负其责,协同配合,确保监管到位。

二、切实加强建设项目安全监管

小水电站是以开发水能资源为主要目标的水利工程,根据水利工程的特点,小水电建设要抓好关键环节的安全监管工作。

(一)严格项目审批、核准前的安全把关

从事小水电开发的项目业主,应取得工商行政管理部门核发的营业执照,其经营范围应包括水电开发业务。

小水电项目必须符合河流水能资源开发规划,取得有管辖权的水行政主管部门签署的水工程建设规划同意书;必须获得水能资源开发权,提交取水许可预申请,通过建设项目洪水影响评价、水资源论证、水土保持方案审批、初步设计审批和其他法定行政许可程序。

凡不满足上述要求的小水电项目,一律不得申请、审批或核准。

(二)严格项目的审批、核准

小水电项目按投资来源不同实行审批制或核准制。对于政府投资的小水电项目实行审批制,按国家相关规定履行审批手续;对不使用政府投资的小水电项目实行核准制,其项目申请报告必须达到初步设计深度。为确保“小电站大水库”的安全,库容达到或超过1000万m^3的水库电站项目必须根据水库库容的大小,按同等规模的水库项目进行初步设计审批。

各省(自治区、直辖市)水行政主管部门应明确辖区内小水电项目初步设计分级审批权限和具体要求,项目业主按工程规模向县级以上人民政府水行政主管部门申报审批。

已经通过初步设计审批的小水电项目,任何单位或个人不得擅自变更建设规模和内容。凡涉及水库大坝及溢洪设施、总体布置、建设规模、工程特性、主要设备等重大设计变更,项目业主应及时以书面形式报原审批部门批准后方可变更。

(三)严格项目建设过程的监管

小水电项目开工前,业主应提出开工申请,经有审批权的水行政主管部门审批后,方可开工建设。小水电工程建设应执行项目法人责任制、招标投标制、建设监理制和合同管理制。

小水电项目业主在主体工程招标工作完成并与施工、监理承包单位签订合同后,应向有监督管理权的水行政主管部门申请办理工程质量与安全监督手续,并接受工程质量安全监督机构的监督;要认真执行建设项目安全设施“三同时”工作的规定和要求,切实保证安全设施与主体工程同时设计、同时施工、同时投入生产和使用。

各级水行政主管部门、安全监管部门要加强对小水电工程建设过程的专业监管与综合监管,进一步加强小水电在建工程施工安全的监督检查,督促落实各项审批意见和安全生产措施。各级水利工程建设质量安全监督机构要切实履行职责,做好工程建设各环节的质量安全监督工作。

(四)严格项目验收制度

小水电建设项目验收应参照执行《水利水电建设工程验收规程》(SL 223—2008)的有关标准,实行分类验收制度。

截流前验收、重要隐蔽工程及基础处理工程验收、单位工程验收由项目业主负责,水行政主管部门参加;工程蓄水验收由项目业主提出申请,水行政主管部门主持;其他专项验收按相应规定和规程规范,由项目业主商相关部门负责组织。

竣工技术预验收,由项目业主提出申请,水行政主管部门主持,有关部门和单位参加。政府投资的小水电工程的竣工验收,按国家有关规定办理;不使用政府投资的小水电工程的竣工验收,由水行政主管部门负责组织。小水电工程竣工验收合格，取得工程竣工证书和电力业务许可证、取水许可证后，方可正式投入运行。

凡未经蓄水验收的小水电工程一律不得蓄水，凡未经竣工验收的小水电工程一律不准投入正式运营。

三、不断强化已建工程安全监管

已建成运行小水电站的大坝管理单位应按规定向大坝主管部门或指定的注册登记机构申请登记。

按照“属地管理”的原则和职责分工，各地各有关部门要摸清本地区小水电工程的基本情况，逐站落实安全监管责任主体。小水电站的安全监管责任已经落实的地方，可继续执行现行职责分工；职责尚未明确的地方，各省级水行政主管部门与当地电力监管机构，要按照职责分工和全面覆盖、利于监管、协商一致的要求，在2010年汛前全面落实本行政区域内小水电站的安全监管责任主体。

各地各有关部门应定期对已经投运的小水电站进行安全执法检查。重点检查工程设备设施是否存在安全隐患，安全生产责任制是否落实，安全生产管理机构是否健全，安全生产管理制度是否完善，安全保障措施是否到位，安全隐患是否得到及时整改。

各级水行政主管部门要与有关部门密切配合，进一步落实农村水电安全管理分类和年检制度以及安全监察员持证上岗制度，做好安全运行监管、标准化管理和教育培训工作。

电力监管机构要与有关部门密切配合，进一步加强对并入电网运行的小水电站的涉网安全监督管理，确保电网安全和并网机组安全。

四、严格落实防汛安全责任制度

小水电工程防汛安全实行地方行政首长负责制，统一指挥、分级分部门负责，明确防汛行政责任人和防汛指挥调度权限。小水电站业主要编制汛期调度运用计划和防洪抢险应急预案，并报防汛指挥部门审批。要与所在河流水文测报机构保持联系，建立健全包括各参建、运行单位在内的安全应急机制，落实汛情预警、信息传输、物资储备、抢险队伍等应急措施。

汛期所有施工、维修作业都要严格遵守相关技术规程，并落实安全防护措施。特别是在涉及重大公共安全、施工人员生命安全的危险区域进行施工、维修作业的，施工前应制定应急预案，并向当地防汛指挥机构报告，得到批准后方可施工。一旦出现险情，有关防汛责任人要第一时间到达现场，组织抢险。

各级水利、安全监管、电力监管等有关部门和单位要在当地防汛指挥机构统一指挥下，认真履行相关职责，切实加强监管，及时消除隐患，确保工程安全。

五、继续加大违规水电站清查整改力度

违规水电站普遍存在审批手续不全、设计不够合理、管理制度缺失、质量安全隐患严重等问题，一旦发生事故，后果十分严重。地方各级水利、工商、安全监管、电力监管等部门和单位要在地方人民政府统一领导下，在各自的职责范围内，认真履行监管职责，并加强协作配合，采取有效措施，实施联合执法。要区分不同情况，在登记造册基础上，明确重点和范围，有针对性地实行分类整改，挂牌督办，限期销号。要建立长效防控机制，确保清查、整改和监管等各项工作落实到位，防止产生新的违规水电站。

六、严厉查处各种违法违规行为

我国小水电站分布广泛、数量众多，安全监管难度很大。各有关部门和单位要通力协作，加强监管。要依法规范小水电建设市场准入，禁止无资质、无许可证的单位和无执业资格的人员进入小水电建设市场。

对违反规划、未经审批擅自开工的小水电项目，水行政主管部门应责令其立即停工并予以处罚。对违规建设的小水电工程，水行政主管部门、安全监管部门应依法进行查处并责令其限期整改。对于安全隐患严重、整改不力或拒绝整改的，根据地方政府下达的关闭决定，工商行政管理部门依法吊销企业营业执照；电力监管机构不予办理电力业务许可；水行政主管部门不予办理取水许可。

对未经验收擅自蓄水或投运的小水电工程，水行政主管部门应责令其放空库容，不予办理取水许可，并报请地方人民政府立即采取措施。根据地方政府下达的关闭决定，工商行政管理部门依法吊销企业营业执照；电力监管机构不予办理电力业务许可。

对已投运的小水电站，凡存在工程安全隐患严重、安全责任制不落实、安全管理制度不健全、持证上岗不规范、安全投入无保障等违规问题的，由水利、安全监管、电力监管等部门和单位责令其限期整改；对于整改不力或拒绝整改的，依照有关法律法规予以查处。根据地方政府下达的关闭决定，工商行政管理部门依法吊销企业营业执照；电力监管机构取消其电力业务许可；水行政主管部门取消其取水许可。

对发生生产安全事故的小水电站，要依照《生产安全事故报告和调查处理条例》，认真做好事故调查和处理工作，坚持“四不放过”原则，查明事故原因，依法追究责任，强化警示教育，落实整改措施。

小水电站的安全监管工作事关人民群众生命财产安全和社会稳定，各地各有关部门要站在落实科学发展观、构建社会主义和谐社会的高度，进一步提高认识，加强领导，统一协调，周密部署，认真研究制定适合本地实际的小水电站安全监管办法，进一步落实责任，完善制度，提高监管水平，促进小水电又好又快发展。

水利部政务公开暂行规定（2009 年 12 月 11 日 水利部水办〔2009〕601 号）

第一章 总 则

第一条 为规范水利部政务公开工作，保障公民、法人和其他组织对水利行政事务的知情权、参与权和监督权，促进水利依法行政，根据《中华人民共和国政府信息公开条例》《中共中央办公厅国务院办公厅关于进一步推行政务公开的意见》（中办发〔2005〕12 号）等有关法规和文件，结合水利部实际，制定本规定。

第二条 水利部依据法律、行政法规、规章、规范性文件和有关政策规定，主动向管理和服务对象以及社会公众公开政府信息，适用本规定。

第三条 政务公开坚持严格依法、全面真实、公正公平、及时便民的原则。

第四条 水利部在履行职责过程中制作或者获取的政府信息，除本规定第十八条所列不予公开的情形外，都应予以公开。

第五条 水利部应当及时、准确地公开政府信息。公开的政府信息发生变更的，应当及时更新。

水利部发现影响或者可能影响社会稳定、扰乱社会管理秩序的虚假或者不完整信息的，应当在职责范围内发布准确的政府信息予以澄清。

第六条 未向社会公布的水利部规章、规范性文件、管理制度，不得作为实施行政管理的依据。

第七条 公开政府信息前，必须按照有关规定进行保密审查。

第八条 水利部政务公开工作领导小组负责组织领导水利部政务公开工作，研究决定水利部政务公开工作重大事项。领导小组下设办公室，负责组织、协调水利部政务公开工作，办公室设在办公厅。

水利部实行政务公开工作责任制。部机关各司局和有关单位（以下简称各单位）负责本单位职责范围内的政务公开工作，单位主要负责人承担本单位政务公开的组织领导责任。

水利部政务公开工作领导小组办公室（以下简称政务公开办公室）和驻部监察局对水利部政务公开工作进行监督检查。

第二章 公开的内容和程序

第九条 水利部向管理和服务对象以及社会公众主动公开下列政府信息：

（一）水利部机构设置、职能范围、联系方式。

（二）水利部规章、规范性文件。

（三）水利技术标准。

（四）水利部行政许可的事项、依据、条件、数量、程序、期限以及申请行政许可需要提交的全部材料目录及办理情况。

（五）由水利部负责组织实施的规划。

（六）水利发展统计信息。

（七）水利部制定的水旱灾害等应急预案、预警信息及应对情况。

（八）水资源状况、水土流失及治理情况、水旱灾害情况，主要江河的汛情、水情。

（九）部直属水利工程建设项目有关情况。

（十）水利部行政事业性收费的项目、依据、标准。

（十一）水利部考试录用公务员的条件、程序、结果等情况。

（十二）其他依法应当向管理和服务对象以及社会公众主动公开的信息。

第十条 政务公开办公室组织各单位编制《水利部政府信息公开目录》（以下简称《目录》）及水利部政府信息公开指南，经水利部政务公开工作领导小组批准后发布。

第十一条 水利部根据《目录》主动公开政府信息。

《目录》所列事项的业务主管单位，负责对拟公开的信息进行核实、按规定进行保密审查、主动向涉及的其他行政机关进行协调确认，经本单位负责人审签后，商政务公开办公室采取适当方式公开。

主动公开的信息发生变化的，按上述程序进行更新。

第十二条 属于主动公开范围的政府信息，应当自形成或者变更之日起 20 个工作日内予以公开。法律、法规对政府信息公开的期限另有规定的，从其规定。

第十三条 根据主动公开政府信息的内容和特点，采用下列一种或几种方式予以公开：

（一）水利部门户网站。

（二）新闻发布会、新闻通气会或者其他相关会议。

（三）水利部公报、公告。

（四）广播、电视、报纸、期刊等新闻媒体。

（五）公告栏、电子信息屏、办事指南等。

（六）其他便于公众获取信息的方式。

第十四条 主动公开的政府信息不得收取费用，法律、法规另有规定的除外。

第十五条 水利部应当依法受理和答复公民、法人或者其他组织依法向水利部提出的政府信息公开申请。依申请公开政府信息管理办法另行制定。

第十六条 水利部内部管理事项，根据有关规定和工作需要，将相关信息在部机关内部采取适当方式公开。

第十七条 水利部重大事项决策过程中应当采用下列一种或者几种方式公开征求意见：

（一）组织有关方面的专家进行论证、咨询。

（二）公示有关草案或征求意见稿，征集、听取管理和服务对象、相关单位以及社会公众的意见和建议。

（三）依法举行听证会。

（四）其他适当的方式。

第十八条 下列政府信息不予公开：

（一）属于国家秘密、商业秘密、个人隐私的。

（二）公开后可能危及国家安全、公共安全、经济安全和社会稳定的。

（三）机关内部正在研究或者审议中的。

（四）与行政执法有关，公开后可能会影响执法活动正常进行或公平公正的。

（五）法律、行政法规规定不得公开的其他信息。

第十九条 对主要内容需要公众广泛知晓或参与，但其中部分内容涉及国家秘密的政府信息，应经法定程序解密并删除涉密内容后，予以公开。

经权利人同意公开或者水利部认为不公开可能对公共利益造成重大影响的涉及商业秘密、个人隐私的政府信息，可以予以公开。

第三章 监督保障

第二十条 公民、法人或者其他组织认为水利部不依法履行政府信息公开义务的，可以向上级机关、监察机关或者政府信息公开工作主管部门举报。

公民、法人或者其他组织认为水利部在政府信息公开工作中的具体行政行为侵犯其合法权益的，可以依法申请行政复议或者提起行政诉讼。

政务公开办公室、驻部监察局按照各自职责负责受理有关政务公开工作的投诉和建议。

各单位对政务公开工作中存在的问题应当积极整改。

第二十一条 建立健全水利部政府信息公开工作考核制度、社会评议制度和责任追究制度，定期对政府信息公开工作进行考核、评议。

第二十二条 政务公开办公室组织编制水利部政府信息公开工作年度报告，并于每年的3月31日前对外公布。年度报告包括下列内容：

（一）水利部主动公开政府信息的情况。

（二）水利部依申请公开政府信息和不予公开政府信息的情况。

（三）政府信息公开的收费及减免情况。

（四）因政府信息公开申请行政复议、提起行政诉讼的情况。

（五）水利部政府信息公开工作存在的主要问题及改进情况。

（六）其他需要报告的事项。

第二十三条 政务公开工作所需经费纳入年度预算，保障政务公开工作的正常进行。

第二十四条 对违反本规定，造成不利影响的，依据有关规定追究有关单位和责任人的责任。

第四章 附 则

第二十五条 本规定由水利部负责解释。

第二十六条 本规定自发布之日起施行。2006年5月29日印发的《水利部政务公开暂行规定》（水办〔2006〕205号）同时废止。

水利部依申请公开政府信息工作管理办法（试行）（2009年12月10日水利部办公厅办综〔2009〕511号）

第一条 为保障公民、法人和其他组织依法获取水利部的政府信息，规范水利部依申请公开政府信息工作，根据《中华人民共和国政府信息公开条例》和《国务院办公厅关于施行〈中华人民共和国政府信息公开条例〉若干问题的意见》（国办发〔2008〕36号），结合水利部实际，制定本办法。

第二条 本办法所称政府信息，是指水利部在履行职责过程中制作或者获取的，以一定形式记录、保存的信息。

第三条 水利部依据公民、法人或者其他组织（以下简称申请人）的申请公开政府信息，适用本办法。

第四条 水利部办公厅为水利部政府信息公开工作机构（以下简称政府信息公开工作机构），归口接收、答复申请人向水利部提出的政府信息公开申请。

被申请公开的政府信息的业务主管司局和单位（以下简称业务主管单位）负责具体审查工作；可予公开的，制作相应的政府信息。

第五条 申请人向水利部申请获取政府信息的，应当采用书面形式（包括数据电文形式）。书写确有困难的，也可以提出口头申请，由工作人员当场记录，并由申请人确认。

政府信息公开申请应当包括：申请人的姓名或者名称、联系方式，申请公开的政府信息的内容描述、形式要求、用途。

第六条 申请人在提出申请时提供虚假身份证明或拒绝提供身份证明的，视作无效申请。

第七条 政府信息公开工作机构收到政府信息公开申请后，应当向申请人出具书面凭证。

第八条 能够当场答复的，应当当场予以答复；不能当场答复的，应当自收到申请之日起15个工作日内予以答复；如需延长答复期限，须经政府信息公开工作机构负责人同意，并告知申请人，延长答复的期限最长不得超过15个工作日。

申请公开的政府信息涉及第三方权益的，征求第三方意见所需时间不计算在前款规定的期限内。

第九条　不能当场答复的，政府信息公开工作机构自收到政府信息公开申请之日起2个工作日内，转交业务主管单位办理。

业务主管单位接到转交的申请后，应在10个工作日内进行审查，并根据下列情况提出书面答复意见交政府信息公开工作机构：

（一）属于主动公开的，告知申请人可以获取该政府信息的方式和途径。

（二）属于依申请可予公开的，制作相应的政府信息。

（三）属于不予公开的，告知申请人并说明理由。

（四）依法不属于水利部公开的，告知申请人；能够确定该政府信息的公开机关的，告知申请人该行政机关的名称、联系方式。

（五）申请公开的政府信息不存在的，告知申请人。

（六）申请公开的内容不明确的，告知申请人更改、补充申请。

业务主管单位认为需征求水利部有关司局或单位意见的，应主动征求意见，被征求意见的单位应在收到征求意见函2个工作日内提出书面回复意见。征求意见所需时间包含在前款所述的10个工作日内。

政府信息公开工作机构对业务主管单位提交的答复意见进行审核，经政府信息公开工作机构负责人批准后，书面答复申请人。

第十条　业务主管单位应依照《中华人民共和国保守国家秘密法》《水利工作中国家秘密及其密级具体范围的规定》以及其他法律、法规和国家有关规定，对申请公开的政府信息进行保密审查；不能确定的，报水利部保密办审查。

水利部保密办不能确定是否可以公开时，应当依照法律、法规和国家相关规定报有关主管部门或国家保密局确定。

第十一条　申请公开的政府信息涉及商业秘密、个人隐私，公开后可能损害第三方合法权益的，业务主管单位应当书面征求第三方的意见，并商政府信息公开工作机构以书面形式告知申请人除外期限。

第三方在收到书面通知之日起20日内未作出书面答复的，视为不同意公开。

第三方不同意公开的政府信息，业务主管单位认为不公开可能对公共利益造成重大影响，应提出予以公开的审查意见，由政府信息公开工作机构报请部领导决定是否公开。决定公开的，由政府信息公开工作机构将公开的政府信息内容和理由书面通知第三方。

第十二条　业务主管单位确因客观原因不能在10个工作日内提出答复意见，需要延期答复的，经本单位负责人同意，向政府信息公开工作机构书面说明理由，由政府信息公开工作机构书面通知申请人。

第十三条　业务主管单位在审查中认定申请人申请公开的政府信息含有不应公开的内容，但能够区分处理的，应当提供可以公开的信息内容。

第十四条　依申请公开的政府信息，业务主管单位应当按照申请人的要求制作相应的政府信息，交由政府信息公开工作机构向申请人提供。

对于按照申请人的要求，提供相应政府信息有困难的，业务主管单位可会同政府信息公开工作机构，通过安排申请人查阅相关资料、提供复制件或者其他适当形式提供。申请人存在阅读困难或者视听障碍的，应当为其提供必要的帮助。

第十五条　申请人有证据证明水利部提供的与其自身相关的政府信息记录不准确的，有权要求水利部予以更正。水利部无权更正的，应当转送有权更正的行政机关处理，并告知申请人。

第十六条　对同一申请人向水利部就同一内容反复提出公开申请的，可以不重复答复。

第十七条　对申请人申请公开与本人生产、生活、科研等特殊需要无关的政府信息，可以不予提供。

第十八条　依申请提供政府信息，除检索、复制、邮寄等成本费用外，不得收取其他费用。收费标准依照国家有关规定执行。

任何单位和个人，不得通过其他组织、个人以有偿服务方式提供政府信息。

申请公开政府信息的公民确有经济困难的，凭有关证明，经本人申请，经政府信息公开工作机构负责人审核同意，可以减免相关费用。

第十九条　驻部监察局和政府信息公开工作机构对水利部依申请公开政府信息工作进行监督检查。

第二十条　公民、法人或者其他组织认为水利部在政府信息公开工作中的具体行政行为侵犯其合法权益的，可以依法申请行政复议或提起行政诉讼。

第二十一条　本办法由水利部办公厅负责解释。

第二十二条　本办法自印发之日起施行。

重 要 讲 话

国务院副总理回良玉在全国水利工作会议上的讲话（摘录）（2009年1月6日）

一、充分肯定2008年水利工作成绩

2008年是我国极不寻常、极不平凡的一年，大事多、喜事多、要事多，同时难事多、自然灾害多、突发事件多。对水利工作而言，是肩负重大任务、经受重大考验、取得重大成效的一年。在党中央、国务院的坚强领导下，全国水利系统以科学发展观为指导，认真贯彻落实胡锦涛总书记和温家宝总理等中央

领导同志对水利工作的重要指示精神，在全力夺取抗灾减灾斗争重大胜利的同时，全面推进水利建设、管理和改革各项任务，为促进国民经济平稳较快发展，为确保人民群众生命财产安全，为促进粮食稳定增产和农民持续增收，提供了有力保障、做出了重大贡献，得到了党中央、国务院和地方各级党委政府、各部门以及社会各界的充分肯定和高度赞誉。2008年水利工作亮点纷呈，特点鲜明，突出体现在以下四个方面：

一是自然灾害历史罕见，抗灾救灾感天动地。2008年，我国自然灾害出现种类之多、发生频率之高、持续时间之长、分布范围之广、危害影响之重，都是过去多年没有遇到过的。年初，我国南方遭受严重的低温雨雪冰冻灾害，波及20个省（自治区、直辖市）；春季，黄河凌汛出现严峻险情，槽蓄量和开河水位创历史最高；4月18日，第1号台风“浣熊”的登陆时间为历史最早，汛期登陆我国的台风数量为本世纪以来最多；5月12日，四川汶川发生特大地震灾害，水利工程设施遭受重大损失；汛期珠江发生了流域性较大洪水，长江流域发生罕见晚秋汛；西北、华北西部和东北西部发生严重干旱，旱情为近5年来最重。在多灾连发、多灾并发的情况下，水利部门按照党中央、国务院的部署，坚持以人为本，及时启动应急响应，调动全行业的力量，全力以赴抗灾救灾，积极参与灾后重建，最大程度地保障了群众生命安全和生产生活，最大程度地减轻了灾害损失，并确保了北京奥运会举办城市的防洪安全、供水安全和水环境安全。特别是汶川特大地震灾害发生后，水利部门视灾情为命令，视时间为生命，坚持“安全、科学、快速”的指导方针，举全行业之力，开展了艰苦卓绝的水利抗震救灾斗争，夺取了抗震救灾的重大胜利，有效地防范了次生灾害，2473座震损水库无一垮坝、822座水电站成功排险、1229km震损堤防无一决口、堰塞湖排险避险无一人伤亡、955.6万人口应急供水得到有效保障，创造了世界上处置大型堰塞湖的奇迹，谱写了水利抗灾史上的新篇章。

二是水利投资再创新高，水利建设突飞猛进。2008年中央水利投资655.4亿元，同比增幅超过87%，为历史最高水平。病险水库除险加固、农村饮水安全、灌区建设与节水改造等涉及民生的水利项目建设得到加强，对2505座病险水库进行除险加固，解决了4824万农村人口的饮水安全问题。重点水利建设项目进展顺利，治淮骨干工程建设接近尾声，南水北调中线工程京石段开始向北京应急供水，尼尔基等重点水利枢纽工程基本建成并发挥效益，辽宁大伙房二期等重点项目深入实施，吉林哈达山等重点项目开工建设。农田水利基本建设完成投资增长较多，投入劳动工日呈现恢复性增长的良好势头。

三是节水防污力度加大，生态建设成效明显。七大流域管理机构初步编制完成了流域取水总量控制指标体系，31个省（自治区、直辖市）全面实行了水资源有偿使用制度，全部完成水功能区划定并进入实施阶段，累计确定国家级节水型社会建设试点城市78个。实现了黄河连续9年不断流，黑河水连续6年进入东居延海，引江济太、引黄济淀等水资源调度成效显著。塔里木河、黑河和石羊河流域重点治理，首都水资源保护，保障澳门、珠海供水安全等工作深入推进。水土流失防治、基本农田和淤地坝建设取得新进展，小水电代燃料生态保护试点建设不断扩大，促进了边远山区群众生产生活条件和生态环境的改善。

四是水利管理不断强化，水利改革继续深化。水利规划编制工作取得重要进展，国务院批复了长江等6个流域防洪规划和全国病险水库除险加固等重要专项规划。水资源、水能资源、河湖水域管理明显加强，重大水事纠纷得到有效调处，依法治水进程不断加快。水文基础设施建设得到加强，水利信息化和现代化建设迈出新的步伐。水权制度改革逐步深化，初始水权分配制度基本建立。水利工程管理体制改革全面推进，良性运行机制初步形成。农田水利建设新机制逐步建立，小型农村水利工程产权制度改革和农民用水合作组织建设蓬勃发展。农业综合水价改革试点全面启动，试点项目区水费支出明显降低。水务一体化改革继续推进，全国61%的县级以上行政区域实行了城乡涉水事务一体化管理。

水利工作取得的重大成就，是党中央国务院坚强领导、各地区各有关部门通力协作的结果，是改革开放以来水利建设不断加强、基础不断巩固的结果，也是各级水利部门艰苦努力、广大水利工作者顽强拼搏的结果。面对历史罕见的特大自然灾害，面对非常时期的艰巨任务，面对各方面的严峻考验，各级水利部门快速反应、果断决策、精心组织，展现了强有力的应急指挥能力、资源调配能力、科学调度能力和统筹协调能力。水利部门各级领导挺身而出、身先士卒、靠前指挥，广大水利干部职工舍生忘死、顽强拼搏、无私奉献，用实际行动深刻诠释了“万众一心、众志成城，不畏艰险、百折不挠，以人为本、尊重科学”的伟大抗震救灾精神和“献身、负责、求实”的水利行业精神。

二、全力谱写新形势下治水兴水新篇章

当前和今后一个时期，是我国全面建设小康社会、加快推进社会主义现代化的重要时期，也是水利改革发展不断深入、传统水利向现代水利和可持续发展水利加快转变的关键阶段。做好新形势下的水利工作，要牢固树立危机意识，切实增强责任意识。

牢固树立危机意识，就是要清醒看到水利面临的深层次矛盾并没有根本解决，有些方面还在加剧。人多水少、水资源时空分布不均、水土资源和生产力布局不相匹配，依然是现阶段我国的突出水情，特别是在全球气候变化和工业化城镇化快速推进等因素的交织作用下，我国水资源条件正在发生新的变化。资源环境对经济增长的约束，依然是我国发展过程中面临的突出矛盾，特别是长期粗放的经济增长方式还没有根本转变，一些地方水资源过度开发、无序开发、低水平开发引发一系列新的矛盾和问题。干旱缺水、洪涝灾害、水污染和水土流失等问题，依然是制约我国经济社会可持续发展的突出因素，特别是东中西部之间、大江大河与中小河流之间、城市与农村之间的水利建设差距十分明显，涉及民生的水利问题亟待解决。水资源管理体制不顺和水利发展机制不活，依然是水利发展的突出障碍，特别是水利改革触及深层次矛盾，利益关系更加复杂，攻坚克难任务艰巨。

切实增强责任意识，就是要敏锐把握水利事业在全局中的重要地位，做到不辱使命。水利是现代农业的重要物质条件，是经济社会发展的重要基础设施，是生态文明建设的重要支撑保障。在我国现代化进程中，水利始终是必须抓紧抓好的关键领域。当前，中央把加强水利基础设施建设作为应对国际金融危机、扩大国内需求、保持经济平稳较快发展的重要举措，把增加水利投入作为安排新增建设资金的重点领域，中央经济工作会议和中央农村工作会议对此都做出了安排。因此，水利肩负着新的重大使命，既要为落实积极财政政策、扩大投资需求担当重任，又要为改善城乡居民用水条件、促进消费需求提供保障。党中央、国务院对水利工作的高度重视，全社会对水利工作的广泛关注，经济社会发展对水利工作的迫切要求，既给水利工作带来很大的机遇，也带来很大的挑战；既赋予很大的动力，也增加很大的压力。我们要牢牢把握我国社会主义初级阶段的基本国情和现阶段的基本水情，适应经济社会发展的新形势，抓住时机、乘势而上，全力谱写新形势下治水兴水的新篇章，努力开创现代水利、可持续发展水利的新局面。

新形势下推进水利改革发展，要全面贯彻党的十七大和十七届三中全会精神，以邓小平理论和“三个代表”重要思想为指导，深入贯彻落实科学发展观，积极践行可持续发展治水思路，围绕实现全面建设小康社会奋斗目标的新要求，抓住扩大内需保持经济平稳较快发展的新机遇，加快水利基础设施建设步伐，加速推进民生水利建设，加大重点领域和关键环节改革攻坚力度，着力提高水旱灾害综合防御能力、水资源配置调控能力、水土资源保护能力，着力解决人民群众最关心、最直接、最现实的水利问题，着力构建充满活力、富有效率、更加开放、有利于水利科学发展的体制机制，以水资源可持续利用保障经济社会可持续发展。

当前和今后一个时期，要重点抓好以下四方面工作：

第一，进一步加快水利基础设施建设步伐，在提高水利保障能力上有新跨越。按照统筹兼顾、突出重点、注重效益的原则，推动水利基础设施建设快速发展，持续提升水利对经济社会发展的保障能力。要围绕提高水旱灾害综合防御能力建立健全防灾减灾体系，继续加强大江大河大湖及其重要支流治理，抓好重点防洪工程建设，启动中小河流治理，建立健全重点地区山洪、泥石流灾害的防控体系，搞好易涝地区综合治理，抓好抗旱水源工程建设和雨水集蓄利用，提高防洪抗旱监测预警水平和指挥调度能力。围绕提高水资源配置调控能力建立健全供水安全保障体系，加快在建骨干水利工程和重点水源工程建设步伐，抓紧开工建设一批大型骨干水利工程，提高对水资源在时间和空间上的调控水平。围绕提高水土资源保护能力建立健全水生态安全保障体系，加快水土流失严重地区的治理，尽快启动坡耕地综合整治试点工程和南方崩岗治理，实施水资源保护工程和生态补水工程，搞好重点流域水环境综合治理，逐步恢复受损生态。

第二，进一步解决涉及民生的水利问题，在推进民生水利上有新成效。要把大力发展民生水利作为水利工作的重中之重，加快解决直接关系人民群众生命安全、生活保障、生产发展、人居环境、合法权益的民生水利问题。加快农村饮水安全工程建设步伐，调整规划，扩大范围，确保 2013 年底前解决农村饮水安全问题。加快病险水库除险加固步伐，确保 2010 年底完成规划确定的 6240 座大中型和重点小型病险水库除险加固任务，择机启动大中型病险水闸除险加固。推进大型灌区续建配套和节水改造，优先安排支撑新增千亿斤粮食生产能力的大型灌区改造项目，启动实施大型灌溉排水泵站更新改造，推进牧区水利和高效节水灌溉示范项目建设。努力改善城乡水环境，加大小水电代燃料工程和水电农村电气化县建设力度，加强水利血防建设，搞好县乡河道疏浚、村庄河塘整治。切实维护人民群众的合法权益，构建以蓄滞洪区运用补偿、大中型水库移民安置和后期扶持、农民用水权益维护为重点的群众利益保障体系，保障人人共享水利发展与改革成果。

第三，进一步加强水资源管理，在促进水资源集约开发、节约利用和有效保护上有新举措。从我国的基本水情出发，必须实行最严格的水资源管理制度，对水资源进行合理开发、综合治理、优化配置、全面节约、有效保护。要强化规划的指导和约束作用，抓紧完成全国水资源综合规划、七大流域综合规划修编，明确水资源开发利用和节约保护的控制性指标。全面推进节水型社会建设，加快建立用水总量控制与定额管理相结合的用水管理制度，推动各行业各领域全面开展节水。认真抓好水功能区管理，建立饮用水水源保护区管理制度，保护好地下水。切实加强依法行政，加快制订和修订相关法律法规，严格执法监督，健全水事纠纷调处机制。

第四，进一步加大水利改革攻坚力度，在构建水利科学发展的长效机制上有新突破。要建立健全流域与区域相结合、城市与农村相统筹、开发利用与节约保护相协调的水资源综合管理体制，强化水行政主管部门的水资源管理与监督职能，继续推进城乡水务一体化。建立健全水利投融资机制，提高水利投资在各级政府基础设施投入中的比重，充分利用市场机制多渠道筹集水利建设资金。建立健全既保障水利工程安全又发挥水利工程效益、既有政府扶持又有市场活力的水利工程管理体制，对水管体制改革进行全面系统评估，针对存在的突出问题，研究提出深化水管体制改革的意见。建立健全农田水利建设新机制，加大对农村水利建设的支持力度。建立健全既充分体现水资源紧缺状况又兼顾社会承受能力的水价形成机制，促进用水效率效益提高和水资源可持续利用。建立健全水资源生态补偿机制，促进水资源集约开发、节约利用和有效保护。

三、进一步加强对水利工作的领导

2009 年是新中国成立 60 周年，是贯彻党的十七届三中全会精神的第一年，也是推进“十一五”规划顺利实施的关键一年，是水利基础设施建设投入最多的一年。做好今年的水利工作，意义非同寻常。各地区、各有关部门要以高度负责的精神、只争朝夕的状态和求真务实的作风，抓好各项任务和措施的落实，推进水利改革发展再上新台阶。

（一）切实强化组织领导。当前，水利工作任务繁重而艰巨，特别是水利基础设施建设投资大、项目多、时间紧、要求高。各级政府要进一步增强责任感和紧迫感，切实加强组织领导，建立健全组织领导机构和专门工作班子，狠抓各项措施的落实。要强化各项责任制和责任追究制，层层落实前期、计划、资金、建设、管理等各个环节的任务和责任。要细化工作目标，分解工作任务，把任务落实到每个项目、每个标段、每个单位。要切实落实地方配套资金，做好移民安置和征地工作，协调解决工作中的突出问题，保障工程施工环境和条件，确保项目及时启动、顺利实施、加快建设、尽早见效。

（二）切实强化协调配合。水利建设、管理和改革涉及部门多、工作环节多，需要有关各方树立全局意识，做到既各司其职、各负其责，又齐心协力、密切配合。水利部门要当好党委、政府的参谋助手，积极向党政领导建言献策，主动与有关部门联系和协商，争取有关部门的理解、支持；切实履行行业管理职责，加强大规模水利基础设施建设的前期工作、技术指导和各项服务；配合有关部门，加强对水利工程项目的建设管理、质量管理和资金监管、安全生产监管，确保“工程安全、资金安全、干部安全”；建立项目建设周报、月报制度，加强监督检查和工程稽察，对关键环节和重点难点问题要一抓到底，不留死角，不留隐患；统筹安排各项工作，推进水利建设、管理、改革协调发展。有关部门要加强支持，努力形成工作合力，切实做到工作责任到位、政策落实到位、措施保障到位。

（三）切实强化基层水利。水利工作的根基在基层，服务对象在基层，政策落实更要靠基层。当前，一些地区特别是中西部地区基层水利单位普遍存在人才紧缺、经费紧张、设施简陋、待遇偏低、队伍不稳、机制不活、发展困难等问题。要结合水管体制改革和乡镇机构改革，落实基层水利单位公益性管理人员基本支出经费和公益性工程维修养护经费，强化基层水利公共服务职能。加大基层水利人才培养和在职培训力度，进一步提高基层水利职工的业务素质和服务水平。

（四）切实强化队伍建设。人才是水利发展最宝贵、最可持续、最具潜力的资源，是支撑水利发展的第一要素。要切实加强水利系统党的思想建设、组织建设、作风建设、制度建设、反腐倡廉建设，进一步提高各级领导班子、公务员队伍、专业技术和技能人才队伍的政治素质、业务能力和工作水平。着力营造人才脱颖而出、奋发有为的良好环境，在实践中发现人才、培育人才、凝聚人才。广大水利工作者要大力弘扬伟大抗震救灾精神和水利行业精神，努力担当推进水利科学发展的历史重任。有关方面要切实关心他们的工作生活，帮助他们解决实际困难。

打好水利建设攻坚战　开创水利发展与改革新局面——水利部部长陈雷在全国水利工作会议上的报告（摘录）（2009 年 1 月 6 日）

这次全国水利工作会议，是在国际经济形势发生重大变化、国内经济发展面临严峻挑战的背景下召开的。会议的主要任务是：全面贯彻党的十七届三中全会和中央经济工作会议、中央农村工作会议精神，认真落实中央关于扩大内需促进经济平稳较快发展的重大决策部署，深入学习实践科学发展观，积极践行可持续发展治水思路，总结 2008 年水利工作，分析当前水利形势，表彰农田水利基本建设先进单位，部署 2009 年和今后一个时期的水利工作，以民生水利为重点，全力打好水利建设攻坚战，进一步夯实水利基础，深化水利改革，促进水利事业又好又快发展。

一、全面回顾 **2008** 年水利工作

2008 年是我国很不寻常、极不平凡的一年，也是水利工作肩负重大任务、经受重大考验、取得重大胜利的一年。在党中央、国务院的正确领导下，各级水利部门深入贯彻落实科学发展观，积极践行可持续发展治水思路，水利工作呈现保障有力、抗灾有效、发展加快、管理加强的良好态势，谱写了水利发展与

改革的新篇章，有力地促进了经济社会的发展。

第一，抗灾减灾取得显著成效。2008年，我国自然灾害历史罕见，救灾难度前所未有，抗灾救灾感天动地。在抗灾斗争的关键时刻，胡锦涛总书记、温家宝总理和回良玉副总理等中央领导同志多次作出重要批示，亲临一线指导工作，极大地鼓舞了广大干部群众的士气，坚定了广大干部群众战胜灾害的信心。在党中央、国务院的坚强领导和有力指挥下，地方党委政府精心组织，周密部署，有关部门顾全大局，通力合作，广大军民不畏艰险，顽强拼搏，各级水利部门坚持以人为本，科学防控，及时启动防汛应急响应53次，抗旱应急响应10余次，召开18次异地视频会议，全力抗灾救灾，最大程度地保障了人民群众的生命财产安全，最大程度地减轻了灾害损失，为经济社会发展，社会安定和谐，人民安居乐业和北京奥运会、残奥会的成功举办提供了重要保障。

水利抗震救灾取得重大胜利。5月12日汶川特大地震造成四川、甘肃、陕西等8个省（直辖市）2473座水库、822座水电站、1229km堤防受损，山体滑坡阻塞江河形成105处堰塞湖（其中35处规模较大），955.6万人的饮水安全受到影响。面对突如其来的特大地震灾害，我们视灾情为命令，视时间为生命，坚决贯彻中央部署，按照“安全、科学、快速”的指导方针，举全部之力、全行业之力，紧急调集大型施工机械和应急设备3881台（套），抽调水利专家和设计、抢险、水文监测等各类人员共1780人，会同灾区广大水利工作者，开展了艰苦卓绝的水利抗震救灾斗争，有效防范了地震次生灾害，实现了安全度汛，震损水库、水电站无一垮坝，震损堤防无一决口，堰塞湖排险避险无一人伤亡，灾区群众应急供水得到有效保障。唐家山堰塞湖成功处置，创造了世界上处置大型堰塞湖的奇迹，谱写了水利抗灾史上的新篇章。

全面战胜了低温雨雪冰冻灾害。2008年年初，我国南方发生百年不遇的低温雨雪冰冻灾害，波及20个省（自治区、直辖市），持续时间长，影响范围广，危害程度深，水利设施遭受严重损失。按照中央“保交通、保供电、保民生”的要求，水利部门紧急动员，迅速行动，出动抢险队2532支、抢险队员4.6万人次，动用抢险车辆2.8万辆、发电机等设备1879台（套），紧急调拨大批物资支援抗灾，全力保障灾区应急供水、供电和水利工程安全运行，调剂10亿元中央水利资金，及时修复了灾区受损水利水电设施，夺取了抗灾斗争的全面胜利。

成功化解了黄河凌汛险情。2007年年末至2008年年初，黄河遭遇了40年来最严重的凌汛，三湖河口封河水位和开河期水位分别超过历史最高水位，宁蒙河段槽蓄水量大大超过常年，分布呈现“上大下小、头重脚轻”之势，内蒙古河段开河期出现重大险情。国家防总、黄河防总和沿黄各地及时修订完善预案，加高加固薄弱堤防，昼夜巡查防守险工险段，科学调度干流刘家峡、万家寨、小浪底等骨干水库，采取泄流、引水、蓄凌和转移受威胁群众等措施，确保了无一人伤亡。

及时应对了台风的频繁登陆。2008年先后有10个台风或热带风暴在我国登陆，是21世纪以来登陆数量最多的一年。第200801号台风“浣熊”于4月18日在海南省文昌市登陆，比历史最早纪录提前15天。各级水利部门紧紧围绕“不死人、少伤人”的目标，按照海上、临海、陆地三个梯次，分层次、分批次组织船只回港避风、海上生产人员上岸和危险区域群众转移避险，全力做好“防、避、救”工作，全年紧急转移安置群众492.23万人次，台风灾害死亡人数比常年平均减少近八成，倒塌房屋减少近五成，将台风灾害损失减少到了最低程度。

有效防范了局部洪涝灾害。2008年汛情来得早，去得晚，洪水涨势猛，量级大。珠江6月份发生了流域性较大洪水，其中珠江三角洲地区发生50年一遇的大洪水，淮河从4月份开始先后出现4次超警洪水，滁河发生了有实测记录以来的第二位大洪水，11月份沅江、资水、西江、郁江、左江等南方多条河流发生历史同期最大洪水，三峡水库出现历史同期最大入库流量，局部地区暴雨、山洪、滑坡、泥石流灾害十分严重。各级水利部门超前部署，超常应对，科学调度，综合防范，夺取了防汛抗洪斗争的全面胜利：洪涝受灾面积较常年减少近四成，受灾人口减少近二成，因灾死亡人数减少近八成，减淹耕地394.8万hm^2（5922万亩），减灾效益达2431亿元。

最大程度地减轻了旱灾损失。2008年我国东北、华北、西北和黄淮等北方地区发生严重春旱、夏旱、伏旱。3月下旬，全国耕地受旱面积一度达到1940万hm^2（2.91亿亩），比多年同期多480万hm^2（7200万亩），部分地区因旱发生饮水困难，为近5年来最严重的春旱。各级水利部门及时完善抗旱预案，千方百计开辟抗旱水源，强化用水计划管理和水资源调度，完成抗旱浇地面积1680万hm^2（2.52亿亩），挽回粮食损失264亿kg、经济作物损失274亿元，解决了1203万农村群众的临时饮水困难。

第二，水利建设取得重大进展。2008年水利建设呈现五大特点：一是中央投资规模创历史新高，落实中央水利投资655.4亿元（包括第四季度新增200亿元），同比增长87.1%；二是民生水利建设步伐加快，其中病险水库除险加固、农村饮水安全和灌区改造投资占总投资的45%以上；三是对中西部地区水利建设支持力度进一步加大，提高了中央补助资金比例；四是水利前期工作全面加强，在建规模明显增加，一大批具备条件的重点水利项目开工建设，水利建设进度快，质量好，效益显著；五是省级水利建设资金大幅度增加，资金规模达到512亿元，同比增长近20%。

涉及民生的水利问题加快解决。中央投资130亿元用于2505座病险水库的除险加固。目前，全国已安排专项规划内项目4034座，开工3215座，开工率达79%。水利部与各地签署了责任书，建立了部领导分省联系、司局包省、流域机构包片的指导监督和检查考核机制，派出25个专项检查组、65个稽察督导组，加强监督检查和工程稽察，推动和规范了病险水库除险加固工作。中央安排115亿元，地方配套103亿元，解决了4824万农村人口的饮水安全问题。中央安排大型灌区续建配套与节水改造投资59亿元，同比增长4倍，对349处大型灌区实施续建配套与节水改造，可新增粮食生产能力33亿kg，增加节水能力48亿m^3。认真做好水库移民工作，进一步落实水库移民后期扶持政策。积极开展贵州毕节、铜仁水利扶贫试点和重庆、湖北七县定点扶贫工作。

重点水利工程建设继续推进。治淮19项骨干工程建设接近尾声，长江干堤湖南段、海南大隆水利枢纽通过竣工验收，尼尔基、百色等重点水利枢纽工程基本建成并发挥效益，天津永定新河一期、内蒙古三座店、山西张峰、辽宁大伙房二期、云南青山嘴、甘肃引洮等工程建设进展顺利，吉林哈达山、重庆玉滩、宁夏固海十一泵站以及润滇、泽渝、兴蜀、滋黔等一批水源工程开工建设。南水北调中线工程京石段实现向北京应急供水，三峡工程进行175m水位试验性蓄水。

农田水利基本建设呈现恢复性增长。中央安排小型农田水利建设专项补助资金30亿元，比上年增加20亿元。全国农田水利建设完成投资816亿元，较上年度增长13.2%；农民投劳27.8亿个工日，较上年度增长0.5%；完成土石方64.9亿m^3，修复水毁工程32.2万处，为促进农业增产和农民增收奠定了基础。

水土保持取得新成效。完成水土流失综合治理4.7万km^2，封育保护2.6万km^2，治理小流域3850条，建设以梯田为主的基本农田65万hm^2，新建淤地坝720座。水土保持重点工程治理水土流失1.76万km^2，同比增加83%。初步建成并验收了62个国家级水土保持大示范区。全国有6个省、1200个县实施了全面封禁。开展水土保持监督执法专项行动，严格建设项目水土保持方案审查审批，全国水土流失与生态安全综合科学考察活动圆满完成，取得了丰硕成果。

农村水电持续稳定发展。农村水电新增装机容量560万kW，超额完成年初制定的新增装机400万kW的目标，在建项目装机容量2000万kW，年末全国农村水电装机容量突破5000万kW，年发电量1500多亿kW·h。水电农村电气化县建设骨干项目全面开工，小水电代燃料扩大试点项目大部分已经建成并发挥效益。

第三，水资源节约和保护全面推进。节水型社会建设深入开展。基本编制完成七大流域取水许可总量控制指标方案，完成了永定河、大凌河水量分配，黄河水量分配指标细化到重要支流，一些省区开展了辖区内主要江河水量分配工作。27个省（自治区、直辖市）发布了行业用水定额，全国农业灌溉用水定额基本编制完成，10个高耗水行业用水定额发布实施。全国31个省（自治区、直辖市）全部开征水资源费，水资源论证的实施力度进一步加大。全国节水型社会建设试点达到78个，省级试点近200个，较好地发挥了示范带动作用。

水资源保护取得新进展。31个省（自治区、直辖市）全部完成了水功能区的划定，进入全面实施阶段。完成了七大流域入河排污口调查登记，加强了对新建、改建和扩建排污口的管理。公布了全国第二批重要水源地名录，对第一批列入名录的部分重要水源地进行了检查和评价。新增水生态系统保护与修复试点4个。进一步开展了全国地下水保护行动试点工作。

水生态综合治理和水资源统一调度取得成效。塔里木河治理、黑河治理、首都水资源保护工程深入推进，石羊河流域重点治理进展顺利，太湖水环境综合治理开始实施。黄河连续9年不断流，黑河下游东居延海连续5年不干涸。山西、河北连续6年向北京输水，保障了北京奥运会供水安全。继续实施引江济太、引黄济淀应急调水和珠江压咸补淡水量统一调度，取得了显著效果。水利风景区建设迅速发展，社会影响不断扩大。

第四，水利社会管理能力得到提升。水利规划取得重要进展。国务院批复了长江、黄河、海河、松花江、辽河、太湖流域防洪规划和全国病险水库除险加固专项规划、保障澳门珠海供水安全专项规划等12个水利规划，是国务院审批水利规划最多的一年。全国水资源综合规划进入报批阶段，七大江河流域综合规划修编加快推进。全国新增500亿kg粮食生产能力规划水利专题、应对全球气候变化、宏观水资源配置格局与江河湖库水资源优化调配等重大课题研究取得重要成果。

水利法治建设加快推进。《取水许可管理办法》《水资源费征收使用管理办法》《三峡水库调度和库区水资源与河道管理办法》颁布实施，《水量分配暂行办法》开始实施，《中华人民共和国水土保持法修订草案》和《中华人民共和国抗旱条例草案》已报国务院审议，《河道采砂管理条例》《太湖管理条例》《节约用水条例》的制订工作取得很大进展。水法规清理工作全面完成。水行政执法力度进一步加大，开展了查处非法取水、打击非法采砂、查处水土保持违法案件、入河排污口监督检查等专项执法活动，取得了良好效果。开展了全国省际水事纠纷集中排查活动，加强了对北京周边地区省际水事纠纷的调处，维护了社会稳定。水利行政审批制度改革和政务公开工作深入推进。“五五”水利普法取得良好效果。

水利管理不断加强。七大流域机构进一步加强流域管理，在流域规划管理、防洪调度、水量调度、水权分配、生态保护等方面取得了新成效。一些地方从实际出发成立了流域管理机构，强化辖区内流域统一管理。加大河湖水域管理力度，规范河道管理范围内建设项目审批，清理“四无”水电站。加强水利建设管理，严格执行“三项制度”，强化项目稽察，规范水利建设市场秩序。认真开展安全生产隐患治理年活动，全年未发生一起重大质量安全事故，安全生产事故和死亡人数同比分别下降52%和60%。

第五，水利科技与国际合作取得新进展。水利科技工作不断加强。召开了新中国成立以来第一次全国水利科技大会，对新时期水利科技工作作出重要部署。组织实施了14个国家级重大科技项目，取得了一批高水平科研成果，其中8项达到国际领先水平。举办了首届水利新产品应用成果交流展示会。部级重点实验室建设深入推进，工程技术研究中心建设不断加强，与中国科学院建立科技战略合作机制。水利技术标准、认证认可、计量和质量工作逐步拓展。

水文和水利信息化建设不断推进。加强水文站网建设，改进信息服务技术和手段，提高水文预测预报预警能力。启动全国河流湖泊普查工作，开展全国部分重点水域的藻类监测试点工作，不断拓宽水文服务领域。积极推进水利信息化重点工程建设，防汛抗旱指挥系统一期工程进入收尾阶段，全国水土保持监测网络和信息系统、水利电子政务系统、国家水资源管理信息系统等重点项目建设进一步加快，取得明显成效。

水利国际交流合作不断拓展。深入推进双边、多边合作，17个国际金融组织贷款和赠款等合作项目进展顺利。实施了多个水利水电援外项目，小水电“点亮非洲”项目为增进中非友谊发挥了重要作用。国际河流工作得到全面加强。成功举办国际水利水电高层论坛、中国水与卫生高级圆桌会议，合作举办萨拉戈萨世博会中国馆的相关活动，中国水利的国际影响不断扩大，在国际涉水事务中发挥了重要作用。特别值得一提的是，在水利抗震救灾斗争中，俄罗斯等国家的政府和一些国际组织给予了无私援助，充分体现了对中国人民的友好情谊。

第六，水利改革继续深化。机构改革顺利实施。国务院批复水利部主要职责、内设机构和人员编制规定，水利工程建设行业管理、地下水监测管理、节约用水、水资源保护、水能资源调查和农村水能资源开发等十方面职能进一步加强。全国61%的县级以上行政区域实行了城乡涉水事务一体化管理，12个水能资源丰富的省（自治区）明确由水行政主管部门统一管理水能资源。

水管体制改革取得显著成效。全国纳入水管体制改革的11442个单位已全部完成了“两定”测算任务，99%的单位完成了分类定性，公益性工程管理人员基本支出经费和公益性工程维修养护经费落实率分别为86%和73%，管养分离、人员分流、社会保障等改革措施稳步推进。云南、江苏、浙江、江西、广东、大连、宁波、厦门等地的水管体制改革工作走在前列，吉林、天津、河北、湖北、陕西、广西等地“两费”落实较好，河南、新疆、内蒙古、山西等地水管体制改革步伐进一步加快。中央直属水管单位体制改革已全部通过验收。

农田水利建设新机制逐步建立。14个省（自治区、直辖市）出台了建立农田水利建设新机制的配套政策，22个省开展了县级农田水利规划的编制工作，并把规划作为安排国家投资和政府组织群众投工投劳的依据，“民办公助”“以奖代补”等机制得到推广运用，5个省建立了农田水利项目建设竞争立项制度。小型农田水利工程产权制度改革深入推进，农民用水合作组织快速发展。

水价改革稳步推进。农业水价综合改革试点全面启动，新疆、山东等地试点项目率先完成，农民亩均水费支出明显降低，并促进了节约用水。全国农业供水平均价格达到6.11分/m^3，重庆、云南等地非农业供水价格上调到微利水平。北京、天津、西安等城市，河北衡水、新疆哈密、山西清徐、甘肃石羊河流域等农村用水推行IC卡计量收费。城市非居民用水超定额累进加价制度得到进一步推广。

第七，加快水利发展的氛围更加浓厚。各地发展水利积极性日益高涨。近年来，安徽、山西、重庆、山东、广西、云南、四川、黑龙江等地党委、政府出台加快水利发展的政策性文件，支持水利发展的力度进一步加大。一些地方根据自身财力和发展需要，制定了提前完成农村饮水安全、病险水库除险加固等建设目标的计划，进一步加大省级投资力度，各项建设步伐明显加快。

部省水利合作不断加强。认真贯彻国家区域发展战略，水利部与重庆、贵州、云南、湖北、甘肃、四川、宁夏、新疆等省（自治区、直辖市）和新疆生产建设兵团签订了合作备忘录，积极推动中西部地区加快水利发展与改革。援藏、援疆工作力度进一步加大，地方之间、流域之间交流与合作进一步加强。

基层水利发展受到广泛关注。一些地方结合水管体制改革、农村综合改革，理顺了基层水利管理体制，明确了乡镇水利站的公益性质，落实了经费渠道，管理条件逐步改善，人员待遇得到提高。一些基层水利单位立足优势资源，积极开展多种经营，经济实力得到增强，逐步走上良性发展的轨道。

第八，深入学习实践科学发展观活动扎实推进。按照中央的统一部署，2008 年 9 月下旬以来，水利部开展了深入学习实践科学发展观活动。部党组把这次活动作为一项重大政治任务，主要负责同志认真履行第一责任人的职责，高度重视，周密部署，精心组织，广泛动员。组织了水利部近年来规模最大、人数最多的一次集中学习培训；深入开展调查研究，部党组确定了 46 个重点调研题目，其中部领导调研课题 6 个，形成了一批调研成果；通过召开座谈会、发放征求意见函、开通热线电话、上门访谈、开设网站专题等形式，广泛征求各方面的意见和建议；积极开展解放思想大讨论，围绕“做好民生水利工作，促进传统水利向现代水利、可持续发展水利转变”这一主题，组织广大党员干部深入讨论；认真开好党组专题民主生活会，深入查找问题和原因；反复征求意见，形成高质量的分析检查报告；广泛组织群众开展评议，水利系统广大党员干部对部党组分析检查报告给予了充分肯定。

通过前一段时间的学习实践活动，广大党员、干部加深了对科学发展观的理解，形成了推进水利科学发展的共识，找准了存在的突出问题，增强了贯彻落实科学发展观的自觉性和坚定性，为整改落实阶段奠定了坚实基础，推动了各项工作的顺利开展，做到了两手抓、两不误、两促进。

第九，队伍建设、反腐倡廉建设和精神文明建设成效显著。干部队伍建设力度加大。加强干部选拔任用和机关公务员队伍建设，通过公开选拔、竞争上岗等多种形式，及时充实各级水利部门领导班子，加大干部交流力度。组织实施“5151”人才工程，加强高层次人才选拔培养。继续实施“水利行业三年三千名新技师培养计划”，加强技能人才队伍建设。大力实施干部教育培训，部机关公务员年培训率保持在 90%以上，全行业职工年培训率接近 50%。事业单位人事制度改革不断推进，用人机制进一步转换。干部队伍素质进一步提高，能力进一步增强，特别是在 2008 年数次抗御特大自然灾害的斗争中，广大水利干部职工经受了严峻考验，树立了良好形象，赢得了广泛赞誉。

反腐倡廉建设扎实推进。把严格执行党风廉政建设责任制作为反腐倡廉建设的龙头工程来抓，狠抓责任分解、责任考核、责任追究三个环节，强化“一岗双责”，深入开展政风行风建设，抓好 2008—2012 年惩防体系工作规划的落实。切实加强对落实科学发展观、拉动内需水利建设等工作的监督检查，积极开展治淮工程建设、病险水库除险加固等重点工程执法监察，组织开展以水管体制改革为重点的效能监察，加强对水利抗震救灾资金物资的监管，开展制止公款出国（境）旅游专项工作。进一步加大查办案件工作力度。

精神文明建设不断拓展。广大干部职工积极投身水利抗震救灾斗争，涌现一大批先进集体和模范人物。踊跃捐款捐物，及时开展“送温暖、献爱心”向汶川地震灾区捐赠衣被活动。加大水利宣传力度，积极开展水利抗震救灾、节水中国行和山洪灾害防御等主题报道活动，举办水利抗震救灾图片展，组织开展纪念改革开放 30 周年系列活动。继续开展文明单位、和谐机关创建活动，切实加强水文化建设，积极组织“迎奥运全民健身活动”，干部职工文化生活不断丰富，工作热情日益高涨。深入开展重信重访问题排查，解决了一批信访难题。认真组织保密大检查，增强了干部职工的保密意识。重视离退休干部工作，充分发挥工青妇、学会、协会等团体作用。加强档案管理、建议提案办理和后勤保障工作。

一年来，我们在多灾频发并发突发、自然灾害历史罕见的重大难关面前，在国家扩大内需、促进经济平稳较快增长的重大机遇面前，在水利建设任务繁重、水利管理改革任务艰巨的重大挑战面前，经受了严峻考验，得到了艰苦磨炼，获得了深刻启示。一是必须坚决贯彻中央的路线、方针、政策和重大部署，始终与党中央保持高度一致。二是必须深入学习实践科学发展观，不断丰富、完善和发展可持续发展治水思路。三是必须坚持服从服务于经济社会发展大局，不断强化水利的基础和保障作用。四是必须抓紧解决好涉及民生的水利问题，让人民群众从水利发展与改革中得到更多实惠。五是必须坚持统筹兼顾，促进各项工作有力有序有效开展。六是必须不断深化水利改革，创新水利科学发展、和谐发展、又好又快发展的体制机制。七是必须强化应急管理，提高应对突发事件和驾驭复杂局面的水平。八是必须着力提高水利干部队伍的素质和能力，大力弘扬“献身、负责、求实”的水利行业精神。

水利工作成绩来之不易，这是党中央、国务院高度重视、正确领导的结果，是中央和地方、干部和群众同心协力、团结治水的结果，也是水利系统广大干部职工锐意进取、顽强拼搏的结果。借此机会，我代表水利部，向长期关心支持水利工作的各有关部门，地方各级党委、政府和社会各界，表示衷心的感谢！向长年奋战在水利一线的广大干部职工，致以崇高的敬意和诚挚的问候！

在充分肯定水利工作成绩的同时，我们也要看到存在的问题和不足。一是水利仍然是基础设施中的“短板”，明显滞后于经济社会的发展。二是水利建设不协调不平衡的问题依然突出，特别是中西部地区、老少边贫地区的水利建设相对滞后。三是水资源无序开发的问题较为突出，重建轻管的现象还没有得到根本扭转。四是关键领域的水利改革进展缓慢，特别是各地水管体制改革的进度差距较大。五是基层水利单位比较困难，行业能力建设亟待加强。对此，我们务必保持清醒的认识，切实采取有效措施，认真加以解决。

二、准确把握水利工作新形势

党的十七届三中全会把加强以农田水利为重点的农业基础设施建设作为解决“三农”问题的重大举措，明确提出2010年年底前完成大中型和重点小型病险水库除险加固任务，2013年年底前解决农村饮水安全问题，力争到2020年基本完成大型灌区续建配套与节水改造任务，同时对大江大河大湖治理、节水灌溉建设、水资源节约保护、水土流失防治、小水电建设、防洪排涝抗旱设施建设等提出了新要求，充分体现了党中央、国务院对水利工作的高度重视，为新形势下进一步做好水利工作指明了方向。

当前和今后一个时期，我们既面临着难得的机遇，也面临着严峻的挑战。

从宏观经济形势看，我国经济发展近期出现了许多新情况、新特点，水利发展面临许多新变化、新任务。一是应对国际金融危机、扩大内需给水利建设提供了新的机遇。当前，国际金融危机愈演愈烈，迅速从局部发展到全球，从发达国家传导到新兴市场国家和发展中国家，从金融领域扩散到实体经济领域，我国经济运行中长期积累的深层次矛盾和问题仍很突出，经济发展面临着来自国际国内的严峻挑战。党中央、国务院总揽国际国内两个大局，果断实施积极的财政政策和适度宽松的货币政策，采取一系列进一步扩大内需、促进经济增长的政策措施。中央经济工作会议指出，必须把保持经济平稳较快发展作为2009年经济工作的首要任务，明确提出大幅度增加对农村基础设施建设和社会事业发展的投入，加强水利、铁路等基础设施建设，全面加强节能、节水、节地、节材和资源综合利用工作，推行油、气、水、电等资源性产品价格改革。2008年第四季度，中央增加投资1000亿元，其中安排水利基础设施建设200亿元。2009年的水利建设资金还将继续增长，为我们集中力量办大事、开展新一轮大规模水利建设创造了有利条件。二是统筹区域发展对水利工作提出了新的要求。近年来，国家在实施西部大开发、促进中部崛起、推动东部地区率先发展、振兴东北老工业基地等区域经济发展战略的基础上，又相继制定了推动长三角地区、珠三角地区、环渤海地区、北部湾经济区、海峡西岸经济区发展战略，在成都、重庆设立统筹城乡综合配套改革试验区，在长株潭城市群和武汉城市圈设立全国资源节约型和环境友好型社会建设综合配套改革试验区，加大对青海等省藏区、西藏、新疆、宁夏等少数民族聚居地区经济社会发展的支持力度，推进兴边富民行动，我国区域协调发展战略基本形成。水利是区域发展的重要支撑，国家加快区域统筹和协调发展步伐，必将有力推动重点地区水利建设。三是加强“三农”工作对水利提出更高要求。我国已经进入以工促农、以城带乡的发展阶段，进入加快改造传统农业、走中国特色农业现代化道路的关键时刻，进入着力破除城乡二元结构、形成城乡经济社会发展一体化新格局的重要时期。目前，我国水利基础设施还远远不能满足现代农业发展、农民生活水平提高和全面建设小康社会的需要。中央农村工作会议强调，扩大内需，最大潜力在农村；实现经济平稳较快发展，基础支撑在农业；保障和改善民生，重点难点在农民。会议把保持农业农村经济平稳较快发展作为首要任务，围绕稳粮、增收、强基础、重民生的要求，研究制定了进一步促进农业稳定发展、农民持续增收的政策措施，对加快水利基础设施建设、着力夯实“三农”工作基础提出了新的更高要求。四是经过改革开放30年，水利站在了一个新的历史起点上。经过改革开放30年的跨越式发展，我国综合国力迈上新台阶，为水利快速发展提供了雄厚的物质条件，我国防洪减灾、供水保障和水土资源保护等方面的能力明显提高，水利对经济社会发展的保障作用显著增强。随着我国改革开放的不断深入，水利的地位和作用将更加突出，水利将面临更为繁重的发展与改革任务。在2008年12月18日中央纪念党的十一届三中全会召开30周年大会上，胡锦涛总书记发表了重要讲话，深刻论述了30年的伟大成就、宝贵经验和历史地位，明确指出了继续推进改革开放伟大事业的前进方向。我们要认真学习贯彻胡锦涛总书记重要讲话精神，进一步增强走中国特色社会主义道路的自觉性和坚定性，在新的历史起点上加快推进水利改革与发展。

从水利发展阶段看，当前和今后一个时期，水利事业处于改革发展不断深入，传统水利向现代水利、可持续发展水利加快转变的关键阶段。这一阶段，呈现出一些重要特征，需要我们深刻认识和准确把握。一是水资源条件更加复杂。我国人多水少，水资源时空分布不均，与生产力布局不相匹配。受全球气候变化和大规模经济活动影响，近年来我国水资源条件发生了新的变化，南方水多、北方水少的水资源分布格局更加突出，极端水旱灾害事件发生频率加快，强度加大，危害加深，对经济社会发展和生态系统产生了重大影响。二是水利建设任务更加繁重。目前我国水利基础设施建设还比较滞后，干旱缺水、洪涝灾害、水土流失和水污染等四大水问题还很突出，东中西部、城市农村水利发展很不平衡，特别是人民群众最关心、要求最迫切的一些民生水利需求还没有得到有效解决，加快发展仍然是水利工作的首要任务。今后两年，水利年度投资规模将远远超过以往年份，水利建设项目多，范围广，时间紧，要求高，对前期工作、施工组织、建设管理和资金管理带来严峻挑战，任务极为繁重，责任极为重大。如何确保项目建设进度、质量和效益相统一，是对各级水利部门的重大考验。三是水利管理任务更加突出。随着社会主义市场经济的发展，我国水资源开发利用的利益主体日益多元化，不同群体的利益关系日趋复杂，水利管理的对象、范围和方式发生了深刻变化。必须实行最严格的水资源管理制度，加强河湖水域岸线管理，强化工程建设和运行管理，促进水资源的合理开发、节约利用和有效保护，保证水资源永续利用和水利工程持续发挥效益。四是对水利功能的需求更加多样。在传统水利向现代水利、可持续发展水利转变的过程中，水利的功能不断拓展，效用不断延伸，内涵不断丰富。水利不但要促进经济的平稳较快增长，还要促进经济发展方式的转变；不但要强化对经济发展的支撑作用，还要强化对社会建设的保障作用；不但要满足经济社会发展的需要，还要满足生态文明建设的需求；不但要发挥水利工程的基础设施作用，还要发挥江河湖泊的文化承载作用和水利实践的文化传承功能，不断满足人民群众日益增加的水利需求。五是水利改革更加艰巨。随着水利改革不断深入，越来越触及深层次的矛盾和问题。水资源管理体制改革涉及部门职能调整，水利投资体制改革涉及中央和地方事权划分，水价改革涉及用户的承受能力，改革攻坚的难度越来越大。突破水利科学发展的体制、机制和制度障碍，仍然是我们面临的重大挑战。

从行业能力建设看，与大规模水利建设的要求相比，与日益繁重的水资源管理任务相比，还有很多不相适应的地方。一是基础工作比较薄弱。水利前期工作进展不平衡，部分地区前期工作明显滞后，有的领域缺乏规划指导，规划的基础导向作用和刚性约束作用还没有充分发挥。水利行业标准等基础工作比较滞后，水文水资源监测能力不强，水利管理手段落后、方式粗放，难以适应可持续发展水利和民生水利的要求。二是应急管理水平需要提高。从近两年应对淮河大水、太湖蓝藻暴发、低温雨雪冰冻灾害、水利抗震救灾等工作看，水利应急管理的体制机制、技术装备、信息管理和指挥协调等方面还存在一定差距，预案、预报、预警“三预”建设急需加强。三是依法行政水平需要提高。与建设法治政府的目标相比，与水利部门肩负的重要职责相比，依法行政、依法治水管水还有较大差距，水法规体系还不健全，有的水法规还没有得到很好落实，水行政执法的力度还不够大，水利社会管理和公共服务的能力和水平还需要进一步提高。四是基层水利亟待加强。基层水利是水利事业的根基，也是水利行业中最为薄弱的环节。不少地方特别是中西部地区，基层水管单位和县乡水利部门承担着大量公益性职能，但事业经费和人员经费缺乏保障，工作条件极为简陋，专业人才十分缺乏，发展后劲严重不足。特别是面对大规模水利建设的繁重任务，基层水利单位的组织协调能力、专业技术能力和管理服务能力尤显薄弱。破解基层水利发展难题，提高基层水利服务能力和水平，已成为一项十分重要、紧迫和艰巨的任务。

总之，我们要全面准确把握水利工作面临的新形势，深入学习实践科学发展观，努力查找影响和制约水利科学发展的突出问题，进一步明确促进水利科学发展的总体思路和主要措施，抓住机遇，迎接挑战，在新的起点上，实现更长时间、更高水平、更好质量的全面发展。

三、积极推进民生水利新发展

近年来，根据经济社会发展的新要求、水资源条件的新变化、水利实践的新发展，水利部党组积极践行并不断丰富完善可持续发展治水思路，推动水利工作各个领域发生了深刻变化，取得了明显成效。2008年全国水利厅局长会议，全面阐述了可持续发展治水思路的深刻内涵，明确提出了“六个坚持、六个更加突出”的要求，确立了新时期水利发展的主要目标和重点任务，明确了七大流域水利发展定位和东中西部、东北老工业基地等区域水利发展布局，强调要把民生水利作为当前水利工作的重中之重，积极推进传统水利向现代水利、可持续发展水利转变。实践证明，可持续发展治水思路是解决中国复杂水问题的必由之路。

以人为本是科学发展观的核心，大力发展民生水利是深入贯彻落实科学发展观的必然要求，是践行可持续发展治水思路的应有之义。近年来，我们以病险水库除险加固、农村饮水安全建设、灌区续建配套与节水改造、水库移民安置和后期扶持等工作为抓手，在践行可持续发展治水思路、推进民生水利发展上下了很大工夫，人民群众从水利发展中得到了很多实惠。但要看到，与人民群众共享水利发展成果、实现全面小康生活、促进人的全面发展相比，民生水利发展的任务还十分艰巨。在防洪减灾方面，虽然大江大河防洪能力有了明显提高，但部分干流及大多数支流还没有得到有效治理，病险水库安全隐患突出，蓄滞洪区安全建设滞后，中小河流防洪能力低，台风暴潮、泥石流、滑坡等山洪灾害十分严重。在水资源保障方面，虽然对水资源时空调控的能力有了较大提高，但水源工程不足，水资源配置格局不完善，供水保障程度较低，特别是还有数以亿计的农村人口饮水安全得不到有效保障，有的城市饮用水水源地受到严重污染，极端干旱情况下城乡居民饮用水问题突出。在粮食安全保障方面，尽管我国粮食生产连续5年丰收，但粮食安全的基础还不稳固，全国有54%的耕地缺少基本灌排条件，现有灌区不配套，老化失修严重，农田水利设施建设滞后已经成为制约粮食生产的重要因素。在水资源开发利用和管理方面，虽然近年来加大了保障群众合法权益的工作力度，但一些地方对群众需求和利益重视不够，在项目论证中重财务效益轻社会效益，在工程建设中重项目上马轻移民安置，在水资源配置中重生产用水轻生态用水，在水电开发中重业主利益轻群众利益，水利发展速度与群众受益程度不相协调。

民生水利发展滞后是水利发展阶段性特征的突出表现，是传统水利向现代水利、可持续发展水利转变过程中的突出问题。深入贯彻落实科学发展观，必须把科学发展观的根本要求与民生水利的具体实践结合起来，以解决人民群众最关心、最直接、最现实的水利问题为重点，以政府主导、群众参与、社会支持为途径，以构建城乡统筹、区域协调、人水和谐的水利基础设施体系为保障，着力解决好直接关系人民群众生命安全、生活保障、生存发展、人居环境、合法权益等方面的民生水利问题，努力形成保障民生、服务民生、改善民生的水利发展格局，使人人共享水利发展与改革成果。

民生水利发展是一个动态的、系统的、长期的过程。民生水利具有阶段性，经济社会发展的不同阶段，民生水利涵盖的内容不同，人民群众对民生水利的要求不同，我们解决民生水利问题的重点和标准也不相同。民生水利具有公共性，涉及人民群众的基本需求，具有广泛的受益面，政府应当发挥主导作用，公共财政应给予更大支持。民生水利具有差别性，东中西部、城市农村、流域之间的民生水利问题表现各异，不同阶层群体对民生水利的期盼各不相同，解决这些民生水利问题的难易程度、紧迫程度和方法措施也不尽一致。民生水利具有综合性，一项民生水利工程往往具有保障生命安全、促进经济发展、改善人民生活、保护生态与环境等多种功能和多重效益，发挥某一功能效益又需要多项民生水利工程相互配套配合。这些特点告诉我们，必须立足于我国社会主义初级阶段的基本国情和现阶段的基本水情，着眼于全面建设小康社会新要求，顺应人民群众过上更好生活新期待，在解决矛盾最为集中、问题最为突出、群众最为需要的水利问题上下工夫，努力在更大范围、更广领域、更高程度、更好水平上造福亿万人民群众。

当前，发展民生水利，关键要牢固树立以人为本的理念，把群众呼声作为第一信号，把群众利益作为首要目标，把群众需求放在优先领域，把群众满意作为根本标准，扩大群众参与，维护公平正义，保障群众权益。一要在防灾减灾中突出民生。始终把保障人民群众的生命安全和饮水安全放在防汛抗旱工作的首位，把受洪水威胁地区人员的安全转移作为防洪预案的重点，把确保群众生命安全作为防洪调度的最高原则，把保障受灾群众基本生活需要作为群众安置和救灾工作的重中之重。二要在水利建设中突出民生。要把人民群众直接受益的基础设施作为水利建设的优先领域，把保障和改善民生体现在规划编制中，体现在项目审批中，体现在投资安排中，合理确定水利发展的目标、任务、规模、重点和布局，拓宽民生水利的服务范围，增强民生水利的服务功能，提高民生水利的服务标准，提升民生水利的保障水平，更好地满足人民群众对水利的需求。三要在水利管理中突出民生。要把维护群众的基本需求与合法权益放在水利管理中的突出位置，正确处理最广大人民的根本利益、现阶段群众的共同利益与不同群体的特殊利益之间的关系，切实保障群众在水资源开发利用、城乡供水保障、用水结构调整、水利移民安置、蓄滞洪区运用补偿等方面的合法权益，坚决纠正损害群众利益的行为。四要在水利改革中突出民生。要把水利改革力度、发展速度和社会可承受程度统一起来，在推进水权改革、水价改革、农村水利改革等过程中切实保障群众的切身利益，充分调动群众参与改革的积极性，使水利改革过程成为不断为民造福的过程，让水利改革成果惠及广大人民群众。

四、全力打好水利建设攻坚战

这次中央出台的扩大内需促进经济增长的政策措施，是在非常时期采取的重大举措。打好水利建设攻坚战，是对我们驾驭复杂局面能力的重大考验，也是对我们领导水利科学发展能力的重大考验。各级水利部门要进一步把思想和行动统一到中央对经济形势的分析判断上来，统一到中央的决策部署上来，统一到贯彻落实科学发展观的要求上来，举全部之力、全行业之力，着力打好这场水利建设攻坚战，充分发挥水利在拉动国内需求、促进经济增长、推进结构调整、保障改善民生等方面的重要作用。

要牢牢把握以下基本原则。一要坚持统筹兼顾。把水利规划目标与扩大内需阶段性要求有机结合起来，统筹城市农村、流域区域、东中西部水利发展，科学安排近期实施计划和项目，优化水利建设布局，既要抓住机遇加快解决历史欠账问题，又要多做打基础、利长远的工作，努力实现水利又好又快发展。二要坚持突出重点。优先安排可以迅速形成实物工作量的在建重点水利项目，优先安排涉及人民群众切身利益的民生水利项目，优先安排支撑国家粮食安全战略、能源资源战略和区域发展战略的基础水利项目。三要坚持注重效益。既要加强现有工程的挖潜改造，也要尽早开工建设一批前期工作基础好、拉动面广、产业链长、带动能力强的项目，充分发挥水利在扩大内需中的重要作用。四要坚持建管并重。把工程建设与运行管理有机衔接、有效统一起来，工程管理设施要做到与主体工程同时设计、同时施工、同时验收，建立完善的工程良性运行与管护机制，确保工程建得成、管得好、长受益。

今后2～3年，要突出抓好“十大水利工程”建设：

一是病险水库除险加固工程。确保2010年年底完成6240座大中型和重点小型病险水库除险加固任务，在此基础上，启动大中型病险水闸除险加固工程，加快各地小型病险水库除险加固步伐。

二是农村饮水安全工程。优先解决人口较少民族、水库移民、血吸虫疫区、涉水重病区、农村学校和国有农场、林场的饮水安全问题，力争3年内基本解决原规划确定的农村人口饮水安全问题，再用两年时间全面解决农村饮水安全问题。

三是大型灌区续建配套与节水改造工程。全面实施规划内大型灌区骨干工程续建配套与节水改造，重点加快支撑新增千亿斤粮食生产能力的大型灌区节水改造。

四是江河湖泊综合治理工程。加快实施淮河治理新三项工程和太湖、洞庭湖、鄱阳湖综合治理，推进黄河宁蒙河段、长江中下游河势控制等大江大河重点河段治理，加强重点蓄滞洪区安全建设，形成我国主要江河较为完善的综合防洪体系。加快渭河、汉江、湖南四水、江西五河等大江大河重要支流治理，启动重点中小河流治理试点。

五是大型灌排泵站更新改造工程。在完成中部四省139处大型排涝泵站更新改造任务的基础上，尽快启动全国大型灌溉排水泵站更新改造，力争用3～5年时间完成260多处大型灌溉排水泵站更新改造任务。

六是骨干水利枢纽和重点水源工程。加快在建的甘肃引洮、吉林哈达山、青海引大济湟等骨干水利工程，以及西南地区中型水库等重点水源工程建设步伐。抓紧开工建设江西峡江、贵州黔中引水、四川亭子口等一批大型骨干水利工程，加快珠江大藤峡、淮河出山店、黄河古贤等骨干水利工程前期工作，进一步提高水资源配置和调控能力。

七是农田水利基本建设工程。重点支持粮食主产区的小型水源、渠道、机电泵站等工程设施的修复、新建、续建与改造，加快中低产田改造步伐，加大大型灌区田间工程和中小灌区建设改造力度，大力推广田间高效节水灌溉技术，因地制宜兴建中小微型蓄引提工程和雨水集蓄利用工程。

八是水土保持等生态建设工程。加快长江和黄河上中游、珠江上游石漠化地区、东北黑土区、西南诸河等水土流失严重地区的治理和黄土高原淤地坝建设，尽快启动坡耕地综合整治工程和南方崩岗治理。全面完成塔里木河、黑河流域综合治理和首都水资源可持续利用规划任务，加快实施石羊河流域近期综合治理。

九是农村水电及电气化工程。大力发展农村水电，到2010年完成400个水电农村电气化县建设。实施2009—2015年全国小水电代燃料工程规划，加大中央投资力度，引导社会资金参与，加快建设步伐，巩固退耕还林成果，改善农民生活生产条件，保护生态与环境。

十是水利行业能力建设工程。进一步加快水文站网建设，特别是要完善重要监测领域的站网布设和功能布局，夯实水文基础设施，提高水文水资源和防汛抗旱监测预警能力。加快防汛抗旱指挥系统二期、农村水利管理信息系统、水利网络和信息安全保障系统、国家水利数据中心、山洪灾害预警预报系统等信息化项目建设，提高水利现代化水平。

要着力强化各项保障措施。一要进一步加强组织领导，落实目标任务，强化各项责任。为加强领导，水利部成立了加快水利基础设施建设领导小组和扩大内需促进经济增长政策落实监督检查工作领导小组。各级水利部门都要建立相应的领导机构，成立专门的工作班子，建立统筹协调、组织有序、运转高效、保障有力的工作机制和责任制度，把任务和责任落实到前期工作、投资计划安排、地方资金配套、工程建设管理、质量安全监控、资金使用监管等各个环节，建立问责制度。二要进一步加大前期工作力度，加快审批进度。前期工作是加快水利基础设施建设的关键。各地要加大资金投入，集中设计力量，统筹兼顾，突出重点，选好项目，保证前期工作的质量和深度，具备国家审批条件的项目要争取尽快审批，该地方批的项目地方要尽快审批，该上报审批的项目要抓紧上报。三要进一步落实建设资金，满足工程需要。要合理编制、如实申报年度投资建议计划，加快计划下达和资金拨付。要及时足额落实地方水利建设资金，特别是中西部经济欠发达地区资金配套压力大，要充分利用中央转贷地方国债资金、地方财政投入、银行信用平台、水利建设基金等渠道，千方百计落实好配套资金，满足工程建设需要。要进一步强化资金监管，严格专款专用，坚决防止滞留、截留、挤占、挪用水利建设资金，严禁把建设资金用于楼堂馆所建设。四要进一步强化施工组织管理，确保工程建设进度。要切实细化和优化工程施工方案，保障施工条件，千方百计保证工程按计划推进。要加强上下沟通，建立信息通报机制，强化进度管理，及时解决建设中遇到的问题，确保按期完成建设任务。五要进一步加强建设管理，保证工程质量。要严格基本建设程序，加快建立水利建设市场信用体系，牢固树立“质量第一、安全至上”的意识，健全工程质量全过程管理机制，落实安全生产责任制、安全生产措施和经费，坚决防止发生重特大安全生产事故。六要进一步强化监督检查，确保措施落实。要集中行业内纪检监察审计和工程稽察力量，配合中央检查组和地方各级监督检查机构，提前介入，主动跟进，全程参与，加大对重点领域、重点项目、重点环节、重点岗位的监督检查力度，确保扩大内需水利项目及时启动，加快实施，如期完成，早日见效，确保工程安全、资金安全、干部安全和生产安全。

五、统筹做好 **2009** 年水利工作

2009 年可能是进入新世纪以来我国经济发展最为困难的一年，也是蕴含重大机遇的一年，做好今年的水利工作，对于应对全球金融危机，扩大国内需求，夯实水利基础，促进经济平稳较快发展，实现“十一五”规划确定的目标任务，推进全面建设小康社会进程，具有十分重要的意义。

2009 年水利工作的总体要求是：全面贯彻党的十七届三中全会和中央经济工作会议、中央农村工作会议精神，深入贯彻落实科学发展观，积极践行可持续发展治水思路，围绕实现全面建设小康社会奋斗目标的新要求，按照中央扩大内需促进经济平稳较快发展的重大部署，加快水利基础设施建设步伐，加速推进民生水利建设，加大重点领域和关键环节改革攻坚力度，着力提高水旱灾害综合防御能力、水资源配置调控能力、水土资源保护能力，着力解决人民群众最关心、最直接、最现实的水利问题，着力构建充满活力、富有效率、更加开放、有利于水利科学发展的体制和机制，以水资源的可持续利用保障经济社会的可持续发展。

第一，如期完成 2008 年第四季度新增水利投资项目建设任务。2008 年第四季度新增水利投资计划已下达各地，各级水利部门要按照重点项目安排，逐项抓好落实。在建工程要抓紧设备采购和备料工作，增加施工力量，衔接好施工各个环节，尽可能多地形成实物工作量；新开工程要尽快完成项目法人组建、招标和开工审批工作，落实各项建设条件，提早准备好设备物料，尽早开工建设。要加强市县级水利部门的工作，做好应对恶劣天气条件等各种不利因素的应急施工预案，倒排工期，确保施工进度和质量。对不能按时开工的项目要及时予以调整，对不能如期完成任务的地方要减少投资计划安排，对工程质量、资金管理和生产安全等方面出现重大问题的要严肃追究责任。总之，要坚决打好扩大内需加快水利基础设施建设的攻坚战，为今后两年争取更大的水利投资规模奠定良好基础。

第二，扎实做好防汛抗旱和防台风工作。2008 年 11 月中旬以来，我国大部分地区降水偏少，气温偏高，北方大部分地区和江西、湖南、浙江等南方地区水利工程蓄水不足，冬春抗旱形势严峻。同时，据气象部门预测，今年夏季主要多雨带位于西北地区东部、华南至江南南部、黄河至长江之间，这些地方发生大洪水的概率较大，其他江河也存在发生大洪水的可能性，防汛形势不容乐观。要立足于防大汛、抗大旱、抢大险、救大灾，把保障人民群众生命安全放在第一位，坚持预防为主，防汛抗旱并举，工程措施非工程措施结合，最大程度地减轻水旱灾害损失。要着力做好防凌汛工作，确保安全度过凌汛期。要加快震损水毁水利设施修复及灾后重建步伐，夯实工程基础，确保安全度汛。要强化以行政首长负责制为核心的防汛抗旱责任制，逐级落实江河湖库、蓄滞洪区和防洪城市等方面的防汛责任人，强化责任监督。要进一步加强应急管理保障体系建设，确保抢险救灾工作高效有序进行。要完善防汛抗旱预案体系、预报体系和预警体系建设，着力提高指挥调度能力和水平。要切实抓好大江大河大湖的防大汛准备，加强汛前检查、监测预警、指挥调度和抢险救灾等各个环节的工作。要高度重视并切实加强中小河流、水库、水电站和城市工矿企业安全度汛工作，加强山洪、泥石流、滑坡等灾害防御工作。要构建预警到乡、预案到村、责任到人的台风防御机制，强化海上、港区管理和人员转移工作，防范因台风登陆造成的次生灾害。要密切监视旱情发展趋势，抓紧对现有供水和灌溉设施进行维修、配套和改造，搞好抗旱应急水源工程建设，进一步完善抗旱应急供水方案，保障供水安全。

第三，全力组织实施 2009 年水利基础设施建设。2009 年中央水利投资还要继续增加，我们要切实组织好、实施好、完成好这场规模空前的水利基础设施建设攻坚战。初步考虑，2009 年要解决 6000 万以上农村人口的饮水安全问题，提前 6 年实现联合国千年宣言确定的饮水不安全人口比例降低一半的目标；规划内的病险水库除险加固项目全部开工建设，启动大中型病险水闸除险加固工程建设；加快推进大型灌区续建配套与节水改造，集中力量完成 20～30 个大型灌区的改造任务；开工建设一批流域性防洪重点工程，加快骨干枢纽和重点水源工程建设；治理水土流失面积 6 万 km^2，启动坡耕地水土流失综合整治和南方崩岗治理；全面完成小水电代燃料扩大试点建设任务，农村小水电年新增装机容量 300 万 kW 左右。要加快前期工作进度，抓紧落实年度投资建议计划，尽快落实资金，及早开工建设。

第四，进一步加强水资源节约和保护。组织实施主要江河流域取水许可总量控制方案，争取年内完成省（自治区、直辖市）辖区内总量控制指标体系的编制，严格取水许可审批和水资源论证审查，积极推进水权制度建设。加强对重点用水行业、用水大户的节水监督管理，进一步扩大节水型社会建设试点的范围和规模，完善节水型社会建设新机制。强化水功能区、省界缓冲区的监督管理，加强以饮用水水源地为重点的水质和水生态监测，有效应对突发性供水安全事件。积极推动全国地下水保护行动，重点抓好南水北调东、中线受水区和地面沉降区地下水压采工作。抓好生态保护与修复试点工作，加快石羊河、太湖等重点流域的水环境综合治理，抓紧编制敦煌生态修复与水环境保护规划，继续做好黄河、黑河、塔里木河、珠江、太湖等流域的水资源统一调度，确保重点地区的用水安全。

第五，大力推进依法行政和依法治水管水。积极

推进《中华人民共和国水土保持法》修订和《中华人民共和国抗旱条例》《河道采砂管理条例》《太湖管理条例》《节约用水条例》的出台，抓紧完成《河道管理条例》的修订和《洪水影响评价管理条例》《珠江水量调度条例》的制订工作。加大水行政执法力度，加强河道管理范围内建设项目管理，开展重点领域专项执法，坚决打击河道非法采砂活动，加强开发建设项目水土保持监督管理。有效防范和化解水事纠纷，维护社会稳定。深化行政审批制度改革，大力推进政务公开。继续强化依法理财，切实加强资金管理。抓好全国及流域水资源综合规划的报批工作，加快流域综合规划修编和一批重要规划编制工作，全面启动全国水利发展“十二五”规划编制工作。组织编制好2010—2013年全国农村饮水安全工程、小型病险水库和病险水闸除险加固等专项规划。加强重大政策课题和重要水利专题研究，提出相关政策措施和建议。做好全国水利普查工作。

第六，继续深化水利改革。结合新一轮政府机构改革，加快推进城乡水务一体化管理，强化水行政主管部门的管理职能，加强水能资源管理，实行更加严格的水资源管理措施。加快健全水利投融资体制，提高各级政府基础设施投入中水利投资的比重，扩大金融机构对水利的信贷规模，利用市场机制吸引社会资金参与水利建设。全面落实水管体制改革的各项政策措施，做好改革的总结和评估工作，进一步巩固和扩大水管体制改革成果。按照中央关于推进资源性产品价格改革的要求，积极推进水价改革，继续推行非居民用水超定额累进加价制度，逐步提高水利工程供水价格。合理确定水资源费征收标准，完善水资源费征收管理体制。继续推进农业水价综合改革，完善农田水利建设新机制，按照政府规划、民办公助、以奖代补、农民受益的原则，加大对农村水利建设的支持力度，加快农民用水合作组织建设，积极推进农村水利改革。进一步理顺水文管理体制，推动地方水文双重管理体制改革。探索建立与水相关的生态补偿机制。

第七，加快提升水利科技和信息化水平。加快国家级创新基地、流域科技创新中心、省级水利科研中心和水利科技实验站建设，推进水利重点实验室和工程技术研究中心建设。加强重大水利科技攻关，集中解决大规模水利建设的共性技术、核心技术和关键技术，大力引进、消化和吸收国际先进水利科学技术，加快科研成果的推广运用。积极推进国家防汛抗旱指挥系统二期等重点项目建设，推进水利信息化。搞好水利标准、规范规程的制定、修订和实施工作。积极做好第五届世界水论坛、七十七国集团水利部长论坛等国际会议的相关工作，认真筹备好第四届黄河国际论坛、第三届长江论坛和第四届中国水博会。稳步推进与港澳台的水利交流。妥善处理国际河流涉外事务。大力开展双边和多边水利国际合作，推动我国水利水电企业开拓国外市场。

第八，着力解决基层的突出困难和问题。要高度重视、认真研究、加快解决基层水利发展中存在的突出困难和问题，把乡镇水利站等基层水利单位纳入水管体制改革、乡镇机构改革、农村综合改革、农业技术服务体系改革等各项改革之中，明确其公益性质，将人员经费、运行经费等列入地方财政预算，落实养老保险、失业保险、医疗保险等社会保障政策。研究制定政策措施，吸引、鼓励大中专院校毕业生到基层水利单位工作，加强在职职工业务培训，逐步优化基层水利队伍人员结构。切实加强基层水利服务能力建设，把基层水利管理设施、仪器装备、试验示范场所等纳入相关建设规划。基层水利单位要克服等、靠、要思想，加大自身改革力度，发挥水土资源优势，积极开展多种经营，努力缓解经费困难，增强自身发展后劲。

第九，切实加强党的建设、干部队伍建设和反腐倡廉建设。扎实搞好深入学习实践科学发展观活动，结合分析检查和整改落实，建立健全保障和促进水利科学发展的体制机制，着力解决党员干部党性党风党纪方面存在的突出问题，确保学习实践活动取得实实在在的成效。进一步加强党的建设和干部队伍建设，完善干部选拔培养和业绩评价制度，加大干部交流和轮岗力度，加强干部教育培训，把各级领导班子建设成为能够担当科学发展重任、奋发有为的坚强领导集体，全面提高水利干部职工的思想政治素质、专业技术水平和实际工作能力。要全面落实党风廉政建设责任制，建立健全惩治和预防腐败体系，完善各项制度，加强对领导干部的教育和监督，加强对水利基础设施建设项目的监督检查。大力推进水利系统政风行风建设，进一步转变工作作风。全面做好离退休干部工作，抓好社团建设和管理，做好信访工作，维护社会稳定。

第十，深入开展水文化建设和精神文明创建活动。要高度重视并着力做好水利新闻宣传工作，紧紧围绕深入学习实践科学发展观活动、贯彻落实中央关于扩大内需保持经济平稳较快发展的决策部署、迎接新中国成立60周年以及防汛抗旱、民生水利、水资源节约保护、水利改革等重点，创新宣传方式方法，加大宣传报道力度，主动引导社会舆论，营造良好发展氛围。要把水文化建设放在更加突出的位置，深入开展水文化理论研究，整理挖掘传统水文化遗产，丰富现代水利的文化内涵，以可持续发展水利的宏伟目标凝聚力量，以民生水利的重要理念引领实践，以“献身、负责、求实”的水利行业精神鼓舞斗志。要深入推进水利系统文明单位、文明灌区、文明工地、文明服务示范窗口等文明创建活动，大力开展向劳动模范、先进集体和先进个人学习活动，推动精神文明建设蓬勃发展。

水利部党组书记、部长陈雷在水利部庆祝新中国成立60周年大会上的讲话（2009年9月29日）

今天，我们在这里隆重集会，热烈庆祝中华人民共和国成立60周年，全面总结60年来水利事业所取得的辉煌成就和宝贵经验，表彰奉献水利60年的老同志和水利工作先进个人，进一步坚定信心、振奋精神，凝聚力量、继往开来，高举中国特色社会主义伟大旗帜，在新的历史起点上开创水利发展与改革的新局面。

60年前，中国共产党领导中国各族人民，经过艰苦卓绝的斗争，推翻了帝国主义、封建主义和官僚资本主义的统治，建立了中华人民共和国，确立了社会主义制度，开辟了中国历史发展的新纪元。60年来，在中国共产党的正确领导下，勤劳勇敢的中国人民在古老的华夏大地上创造了震古烁今的人间奇迹，谱写了中华民族自强不息、顽强奋进的壮丽史诗，昔日积贫积弱的中国发生了翻天覆地的历史巨变，中国人民伴随着改革开放的时代潮流，走上了奔向富裕安康的广阔道路，中国特色社会主义充满蓬勃生机，中华民族以前所未有的雄姿巍然屹立在世界东方。

在新中国60年的光辉岁月中，一代又一代水利工作者怀着对祖国、对人民、对水利事业的满腔赤诚和无比热爱，艰苦探索，顽强拼搏，开拓进取，锐意改革，在中华大地上绘就了气势恢宏的水利画卷，水利事业取得了举世瞩目的辉煌成就，积累了弥足珍贵的历史经验，为经济发展、社会进步、人民生活改善和社会主义现代化建设作出了巨大贡献。

60年在中华民族几千年治水历史长河中虽然短暂，却如此深刻地改变了中国水利的面貌，值得我们共同回顾总结。

一、60年水利发展与改革铸就了中华民族治水的巍峨丰碑

我国是一个水旱灾害严重的国家。新中国成立以来，党和国家把治水兴水摆在关系国家事业发展全局的战略位置，领导人民开展了波澜壮阔的水利建设。新中国成立之初，面对水利残破不全、江河泛滥成灾的落后局面，党和国家掀起了大规模兴修水利的热潮，动员亿万人民群众开展水利建设，水利基础设施得到恢复和发展。改革开放以后，水利体制机制发生重大变革，大江大河治理明显加快，水利法治建设迈出重要步伐，各项水利事业取得显著成效，水利发展与改革进入了新的时期。1998年大水后，中央明确了新时期水利工作方针，治水思路发生深刻变化，水利投入大幅度增加，水利基础设施建设大规模展开，水利改革向纵深推进，水利事业全面快速发展，进入了传统水利向现代水利、可持续发展水利转变的新阶段。60年来，新中国水利事业取得了前所未有的伟大成就，有力地保障了经济社会的可持续发展，谱写了中华民族治水史上最为辉煌的壮丽篇章。

第一，防汛抗旱减灾取得历史性成就，人民群众生命安全得到有力保障。我们战胜了1954年江淮大水、1958年黄河大水、1963年海河大水、1991年江淮大水、1994年珠江大水、1998年长江松花江嫩江大水、2003年和2007年淮河大水以及1978年特大干旱、2000年严重干旱和2006年川渝大旱等历次严重水旱灾害，成功应对了频繁发生的台风和山洪灾害袭击，夺取了2008年抗御低温雨雪冰冻灾害和水利抗震救灾斗争的重大胜利，确保了人民群众生命安全，最大程度地减轻了灾害损失。据统计，1949年以来，全国防洪减灾直接经济效益达3.93万亿元，防洪减淹耕地1.6亿 hm^2（24亿亩），年均减免粮食损失1029万t。1991年以来，平均每年抗旱浇地面积0.307亿 hm^2（4.6亿亩），年均挽回粮食损失4059万t。洪涝灾害年均死亡人数从上世纪50年代的8976人降到2001年以来的1507人，2008年在多灾并发的情况下因洪涝灾害死亡人数降至633人。旧中国水旱灾害导致饿殍遍野、民不聊生的历史悲剧一去不复返。

第二，大江大河治理成效卓著，七大江河流域面貌焕然一新。60年来，按照“除害与兴利相结合”的方针，对大江大河大湖进行了全面系统治理。长江三峡、黄河小浪底、汉江丹江口、淮河临淮岗、嫩江尼尔基、广西百色、四川紫坪铺、新疆乌鲁瓦提、西藏满拉等一大批控制性水利枢纽工程相继建成并投入使用，主要江河的调控能力明显增强。长江中下游干堤修完修好，黄河下游标准化堤防建设全面推进，治淮、治太骨干工程基本完成，松花江、嫩江、辽河、海河、珠江等江河干流堤防建设明显加快。截至2008年底，全国各类水库数量从新中国成立前的1200多座增加到8.6万多座，总库容从约200亿 m^3 增加到6924亿 m^3；全国建成江河堤防28.69万km，是新中国成立之初的7倍，相当于环绕地球赤道7圈多；已建各类水闸4.4万座，其中大型水闸500多座。目前，我国大江大河主要河段基本具备了防御新中国成立以来发生的最大洪水的能力，中小河流具备防御一般洪水的能力，重点海堤设防标准提高到50年一遇。旧中国江河泛滥、洪涝肆虐的落后局面得到彻底扭转。

第三，水资源配置格局逐步建立，城乡供水保障能力显著提升。兴建了大量蓄水、引水、提水工程，密云水库、潘家口水库、大伙房水库等一批重点水源工程相继建成，引滦入津、引碧入连、引黄济青、东深供水等一批引水工程成为受水地区发展的“生命线”，润滇、泽渝、兴蜀、滋黔等一批水源工程相继开工建设，特别是南水北调工程将构成我国水资源“四横三纵、南北调配、东西互济”的格局，极大地提高我国水资源调控能力。农村饮水安全工程建设加快推进，解决了2.72亿农村人口的饮水困难和1.65亿农村人口的饮水不安全问题，基本结束了我国农村严重缺乏饮用水的历史。截至2008年底，全国水利工程年供水能力达到7000多亿 m^3，城乡供水能力大幅度提高，中等干旱年份可以基本保障城乡用水需求。通过适时开展山西、河北向北京集中输水，引黄济津，引黄入淀，引江济太，珠江水量调度等一系列水资源调度措施，成功地化解了重要地区和城市的供水危机。

第四，农田水利事业蓬勃发展，保障粮食安全的水利基础不断巩固。全国已建成万亩以上灌区6414处，其中设计灌溉面积超过2万 hm^2（30万亩）的大型灌区447处，建成各类小型农田水利工程2000多万处。对全国大型灌区进行续建配套和节水改造，对中部四省139处大型排涝泵站进行更新改造。全国农田有效灌溉面积从新中国成立之初的0.16亿 hm^2（2.4亿亩）扩大到目前的0.58亿 hm^2（8.77亿亩），占世界总灌溉面积的20%，居世界首位。在占全国耕地面积48%的灌溉面积上生产了占全国总量75%的粮食和90%以上的经济作物，实现了粮食等农产品供给的历史性转变。我国以占全球6%的径流量、9%的耕地，保障了占全球21%人口的温饱和经济社会发展，这是对世界粮食安全的重大贡献，农田水利设施发挥了至关重要的作用。

第五，节水型社会建设全面推进，用水效率效益明显提高。形成了国家、流域和区域等多层面的节水型社会建设规划体系，建立健全了总量控制、定额管理、取水许可、有偿使用、建设项目水资源论证等一系列用水管理制度，陆续开展了张掖、大连、绵阳、西安等82个全国节水型社会建设试点和近200个省级试点，积极探索不同类型地区节水型社会建设模式和运行机制。全国节水灌溉面积达到0.24亿 hm^2（3.67亿亩），占农田有效灌溉面积的41.8%，全国农业灌溉水利用系数从改革开放初期的0.35提高到0.475；按2000年可比价计算，万元工业增加值用水量从953m^3 降至144m^3。改革开放30多年来，我们以占世界平均水平60%的人均综合用水量，保障了国民经济3倍于世界经济平均增长率的高速增长；在连续30年保持农业灌溉用水量零增长的情况下，扩大有效灌溉面积0.08亿 hm^2（1.2亿亩），粮食产量提高近50%。

第六，水土资源保护不断加强，生态文明建设迈出重要步伐。水土流失治理成效显著，先后启动实施了黄河中游、长江上游、黄土高原淤地坝、京津风沙源、东北黑土区和岩溶地区石漠化治理等一批国家水土流失重点防治工程，累计治理水土流失面积101.6万 km^2，年均减少土壤侵蚀量达15亿t以上，增加蓄水能力250多亿 m^3。实施封育保护面积70万 km^2，其中39万 km^2 的生态环境得到修复。水资源保护力度不断加大，初步形成了以水功能区管理为核心的水资源保护制度体系，全国31个省、自治区、直辖市全部完成水功能区划定并进入实施阶段，以南水北调水源区、饮用水水源地、地下水严重超采区为重点区域的水资源保护不断加强，有效应对了松花江水污染、太湖蓝藻暴发引发的供水危机。以水利措施修复生态与环境的实践逐步拓展，黄河连续10年不断流，黑河下游东居延海连续5年不干涸，塔里木河下游生态逐年恢复，石羊河综合治理全面推进，南四湖、向海、白洋淀、扎龙等湿地生态环境得到改善，武汉、桂林等水生态系统保护与修复试点取得明显成效。

第七，水电建设方兴未艾，农村水电惠及亿万山区群众。截至2008年底，全国水电装机容量从1949年的36万kW增长到1.72亿kW，增长了477倍，占全国电力装机容量的21.6%，水电装机容量位居世界第一；年发电量从1949年的12亿kW·h增长到5633亿kW·h，增长了468倍。农村水电遍布全国1/2的地域、1/3的县市，先后完成了三批共653个农村水电初级电气化县和409个水电农村电气化县建设，实施了小水电代燃料生态保护工程。截至2008年底，已建成农村水电站4.5万座，总装机容量5100多万kW，年发电量1600多亿kW·h，约占全国水电装机和年发电量的30%；累计解决了3亿多无电人口的用电问题，农村水电供电区的户通电率从1980年的不足40%提高到2008年的99.6%，供电质量和可靠性大为提高。小水电国际合作在促进我国对外交往，提升我国国际威望等方面发挥了重要作用。

第八，水利科技创新日新月异，水利信息化和现代化水平不断提高。60年来，我国水利科技实现了由简单模仿到自主创新的历史性跨越，水利科技总体水平与国际先进水平的差距不断缩小。水资源演变规律与科学调控、水资源合理配置理论与方法、河流生态修复技术等基础和应用基础研究取得重大进展，成功地攻克了一系列水利水电工程建设技术难题，使我国水利水电工程技术水平跻身世界先进行列。水文基础不断强化，全国各类水文站点从1949年的353处增加到2008年的37436处，基本形成覆盖主要江河湖库、布局较为合理、功能比较完备、自动化程度较高的水文水资源站网体系。水利信息化加快推进，初步形成了由基础设施、应用系统和保障环境组成的水利信息化综合体系，全国省级以上水利部门已建成各类信息采集点约2.7万个，国家防汛抗旱指挥系统、水利电子政务系统、水资源调度与管理系统、全国水土保持监测网络与管理信息系统、农村水利管理信息系统等水利业务应用系统相继建成并投入运行。水利国际合作与技术交流日益活跃，同60多个国家和地区建立了合作关系，与40多个国家签订了水利科技与经济技术合作协议或谅解备忘录，国际地位和国际影响显著提升。

60年水利发展改革取得的辉煌成就，是党中央、国务院高度重视、正确领导的结果，是全国人民同心协力、团结治水的结果，是广大水利干部职工顽强拼搏、无私奉献的结果。60年来，一代又一代水利人为水利发展与改革积极贡献智慧和力量，涌现了一批又一批具有时代特征的先进模范人物。在新中国成立60周年之际，我们对1001名“长期奉献水利优秀人员”和60名“全国水利系统奉献水利先进个人”进行了表彰。

六十年跋山涉水，六十年风雨兼程，六十年兴利除害，六十年造福民生。此时此刻，我们更加深切地怀念为祖国独立、统一、民主、富强建立了功勋的革命前辈和先驱们，没有他们的浴血奋斗、艰苦创业，就没有新中国，就没有改革开放新时期，就没有水利事业的繁荣发展。此时此刻，我们更加深切地缅怀傅作义、李葆华、刘澜波、林一山、王化云等已故的新中国水利事业开拓者，他们励精图治、辛勤耕耘，为水利发展做出了巨大贡献，为我们留下了宝贵的物质和精神财富。此时此刻，我们要向钱正英、杨振怀、钮茂生、汪恕诚等老领导致以崇高的敬意，他们呕心沥血、殚精竭虑，接力推进水利发展与改革，为水利事业的繁荣昌盛做出了突出的贡献，为可持续发展水利奠定了坚实的基础。我们要永远铭记一代又一代水利人的历史功绩，他们心系水利、不懈奋斗，把心血和汗水洒在了祖国的江河大地，用忠诚铸就了一座座水利丰碑，我们要继承和发扬他们的光荣传统，不断将水利事业推向前进。

二、60年水利发展与改革实践积累了弥足珍贵的历史经验

在60年艰苦卓绝的治水实践中，我们经过了艰辛探索，积累了宝贵经验。

第一，必须坚持着眼社会主义现代化建设全局，把水利放在经济社会发展的突出位置。60年来，我国经济社会发展实现了从一穷二白、百废待兴到国富民强、欣欣向荣的重大跨越，这一切，始终离不开水利的支撑和保障。新中国成立以后，为恢复和发展国民经济，党和国家领导人民重整山河，除害兴利，兴起了大规模群众性治山治水热潮，初步奠定了我国水利事业发展的基础。改革开放以来，党中央、国务院把水资源同粮食、石油一起作为国家的重要战略资源，从支撑经济社会可持续发展的战略高度把水利放在更为突出的位置，不断加大水利基础设施建设力度。1998年大水之后，党中央、国务院制定了灾后重建、整治江湖、兴修水利的若干意见，在全国掀起水利建设的高潮。党的十六大以来，党中央、国务院把水利作为基础设施建设的重中之重，加大政策支持力度，加快水利发展步伐。党的十七届三中全会明确提出2010年底前完成6240座大中型和重点小型病险水库除险加固任务，2013年底全面解决农村饮水安全问题，2020年基本完成大型灌区续建配套与节水改造任务。2008年以来，党中央、国务院把加快水利基础设施建设作为应对国际金融危机，扩内需、保增长、促发展、惠民生的重要举措，大幅度增加水利投入，水利发展与改革进入了新的阶段。实践证明，对于我们这样一个水旱灾害十分频繁、治水任务异常艰巨的国家，发展水利始终是我国现代化建设中的一项重大而紧迫的战略任务，防治水患任何时候都不能松懈，兴修水利任何时候都不能松劲。

第二，必须坚持以马克思主义中国化的最新成果为指导，不断在实践中完善和丰富治水思路。60年来，我国水利实践取得显著成效，关键是我们坚持用马克思主义中国化的最新成果武装头脑，立足于社会主义初级阶段这个最大的实际，坚持服务发展这个第一要务，牢牢把握基本国情和水情，不断探索治水规律，为水利实践提供了有力的指导。特别是近些年来，水利部党组按照科学发展观的要求，与时俱进地提出并逐步形成了可持续发展治水思路，坚持以人为本，坚持人与自然和谐，坚持水资源可持续利用，坚持统筹兼顾，坚持改革创新，坚持现代化方向，对水资源进行合理开发、高效利用、综合治理、优化配置、全面节约、有效保护和科学管理，推动各项水利工作发生了一系列历史性转变。实践证明，可持续发展治水思路是一条符合国情水情、富于创新的治水之路。只有坚持以马克思主义中国化的最新成果为指导，适应经济社会发展的新要求、水资源条件的新变化、水利事业的新发展，不断推进治水思路的深入实践和丰富完善，才能使可持续发展治水思路始终焕发勃勃生机，更好地指导治水实践。

第三，必须坚持发挥社会主义制度优越性，坚定不移地走中国特色的治水兴水道路。60年来，我国水利发展取得的辉煌成就，是社会主义制度集中力量办大事、团结各方渡难关、凝心聚力克时艰优越性的生动体现。新中国成立后，毛泽东主席发出了“一定要把淮河修好”“要把黄河的事情办好”“一定要根治海河”等伟大号召，国家在百废待兴、百业待举的情况下，集中国力兴修水利、防治水害。改革开放以来特别是’98大水后，我们又集中力量开展了规模空前的江湖整治和骨干水利工程建设，1998—2008年中央水利建设投资总量是1949—1997年总量的5.5倍，干成了一些多年想干而没有条件干的大事。同时，广大人民群众发扬自力更生、艰苦奋斗精神，大力开展水利建设，创造了“四荒”拍卖、“民办公助”、农村小型水利工程产权制度改革、农民用水户协会、水权转让等成功做法和新鲜经验，在水利事业发展中发挥着主力军的作用。在历次抗洪抢险和抗旱救灾中，广大军民同心协力、并肩作战，铸就了抵御自然灾害的钢铁长城，形成了万众一心、众志成城，不怕困难、顽强拼搏，坚韧不拔、敢于胜利的伟大抗洪精神。实践证明，我国社会主义制度具有无可比拟的优越性。完成我们肩负的治水使命，必须充分发挥这种优越性，坚定不移地走中国特色水利发展道路，凝聚全社会团结治水、合力兴水的巨大力量，推动水利实现更大跨越、更好发展。

第四，必须坚持以人为本的治水理念，把改善民生作为水利工作的重中之重。60年来，一切水利工作的目标，所有水利成就的创造，都是为了实现好、维护好、发展好最广大人民的根本利益，让人民群众过上更加美好的生活。在防汛抗旱工作中，我们坚持把保生命安全、保饮水安全放在首要位置，洪涝灾害造成的年均死亡人数大幅度降低。在“八七”扶贫攻坚、饮水解困的基础上，实施大规模农村饮水安全工程建设，提前6年实现联合国千年宣言提出的到2015年将饮水不安全人口降低一半的目标，亿万农民告别了祖祖辈辈吃水难的历史。加快病险水库除险加固步伐，大中型水库的病险率明显降低。通过治水办电、发展小水电代燃料，使山区农民过上了现代、文明、健康的新生活。坚持开发性移民的方针，保护移民的合法权益，实施水库移民后期扶持，逐步实现了工程建设、移民安置与生态保护的多赢。此外，我们还通过灌区改造、小流域综合治理、水利血防等工作，显著改善了人民群众的生产生活条件和人居环境。实践证明，只有把人民群众的根本利益作为水利工作的出发点和落脚点，紧紧围绕保障民生推进水利发展，紧紧依靠水利发展促进民生改善，让广大人民群众共享水利发展成果，水利工作才能受到群众拥护，吸引群众参与，得到群众支持。

第五，必须坚持尊重自然规律，在治水中促进人与自然和谐相处。60年来，我们在治水实践中努力把握自然规律和水利发展规律，不断转变水资源开发利用方式，积极探索促进人水和谐相处的途径。从水资源“取之不尽、用之不竭”的观念普遍存在，水资源开发利用方式粗放低效，到水资源节约保护意识深入人心，节水型社会建设全面推进；从千百年来围湖造田、与水争地，向大自然无限索取，到大规模平垸行洪、退田还湖，给洪水以出路；从千年胡杨因干涸而死到唱响绿色颂歌。在60年的治水实践中，我们既有过违背自然规律、遭到大自然无情惩罚的深刻教训，也积累了尊重自然规律、与大自然和谐相处的成功经验。实践证明，只有尊重自然规律，不断提高认识自然、把握规律的能力，正确处理好水资源开发利用与节约保护的关系，在防止水对人类伤害的同时防止人类对水的伤害，在满足人类合理用水需求的同时满足维护河湖健康的基本需求，才能促进人与水、人与自然的和谐相处，以水资源的可持续利用支撑和保障经济社会的可持续发展。

第六，必须坚持以改革创新为动力，全面构建水利科学发展的体制机制。60年来特别是改革开放以来，我们坚持把改革创新精神贯彻到水利发展的全过程，积极探索促进水利又好又快发展的体制机制。在水利投资体制改革方面，形成了以政府投资为主导、社会投资为补充的多元化、多层次、多渠道的新格局。在水资源管理体制改革方面，确立了流域管理与行政区域管理相结合的水资源管理体制，全国63%的县级以上行政区域实行城乡涉水事务一体化管理。在水利建设管理体制改革方面，全面推行项目法人责任制、招标投标制、建设监理制、合同管理制，全面规范水利建筑市场秩序。在水利工程管理体制改革方面，着力落实公益性工程管理人员基本支出经费和公益性工程维修养护经费，水利工程良性运行机制初步形成。在水价改革方面，终端水价制、超定额累进加价、丰枯季节水价、两部制水价等制度得到推广，合理的水价形成机制正在逐步建立。在农村水利改革方面，小型农村水利工程产权制度改革不断深化，农田水利建设机制进一步完善，农民用水合作组织蓬勃发展。实践证明，改革创新是推动传统水利向现代水利、可持续发展水利转变的强大动力，只有加大重点领域和关键环节的改革攻坚力度，全面构建水利科学发展的体制机制，才能适应不断变化的形势需要，才能永葆水利事业的生机和活力。

第七，必须坚持依法治水管水，大力推进水利法治化进程。60年来特别是改革开放以来，伴随着依法治国基本方略的深入实施，水利工作逐步走上依法治水管水的轨道。制定和出台了一系列水法律法规，形成了以《中华人民共和国水法》为核心，《中华人民共和国防洪法》《中华人民共和国水污染防治法》《中华人民共和国水土保持法》等组成的较为完备的水法规体系。组织和开展水行政执法体系建设，形成覆盖流域、省、地、县、乡的水行政执法网络，规范了水事活动秩序，维护了社会稳定。编制和实施了一大批水利规划，形成了综合规划与专业规划相统一、流域规划与地方规划相衔接的水利规划体系，注重发挥规划的指导约束作用。实践证明，在经济社会快速发展和水资源条件不断变化的情况下，只有坚持依法治水、依法管水，大力推进水利法治化进程，不断提高水利社会管理和公共服务水平，才能有效规范水事行为和活动，才能维护人民群众的切身利益，才能从根本上保障水利事业持续、健康发展。

第八，必须坚持强化队伍建设，为水利发展提供坚强的组织人才保障。60年来，我们始终坚持一手抓业务发展，一手抓队伍建设。坚持用科学理论武装头脑，坚定共产主义理想和中国特色社会主义信念，不断增强干部队伍的思想政治素质。大力实施水利人才战略，抓好党政干部人才、经营管理人才、专业技术人才和技能人才四支队伍建设，水利系统干部职工队伍素质和能力不断提高。积极推进反腐倡廉建设，狠抓党风廉政建设责任制落实，努力实现“工程安全、资金安全、干部安全、生产安全”。着力加强水利系统行风建设和干部作风建设，不断提升水利系统良好形象，广大水利干部职工在历次抗洪抢险的危急时刻和应对突发灾害的紧要关头，不畏艰险，勇挑重担，顽强拼搏，无私奉献，以自己的实际行动诠释了“献身、负责、求实”的水利行业精神。实践证明，人才资源是第一资源，干部队伍是决定性因素，在从传统水利向现代水利转变的进程中，必须始终坚持抓班子、带队伍、育人才，鼓励人才干事业、支持人才干成事业、帮助人才干好事业，培养造就一支政治强、素质高、业务精、作风硬、纪律严的水利干部队伍，为加快水利发展提供坚强的智力支持和人才保证。

60年来，我国治水兴水的全部经验，归结起来就是，在我们这样一个人口多、底子薄，发展很不平衡的发展中大国，必须立足国情和水情，以马克思主义中国化的最新成果为指导，把握水利基础性和公益性特征，凝聚各方面力量，走具有中国特色，以人为本、人水和谐的可持续发展水利之路。60年的经验是极为宝贵的财富，是极为重要的启示，我们要倍加珍惜和自觉运用这些宝贵经验和重要启示，善于在纷繁复杂的水利实践中把握规律、抓住主要矛盾，善于在日新月异的时代发展中统筹协调水利工作的各个方面，不断提高驾驭复杂局面、解决疑难问题、应对突发事件的能力，不断推进水利事业更好更快地发展。

三、在新的历史征程上继续谱写水利发展与改革的壮美华章

当前和今后一个时期，是我国全面建设小康社会、加快推进社会主义现代化建设的重要时期，到2020年我国将建成惠及十几亿人口的更高水平的小康社会，到新中国成立100年时基本实现现代化，建成富强民主文明和谐的社会主义现代化国家。

面对中华民族伟大复兴的远大目标和人民群众对水利事业新的期盼，我们必须更加清醒地认识到：人多水少、水资源时空分布不均、水土资源和生产力布局不相匹配，依然是我国长期存在的突出水情；干旱缺水、洪涝灾害、水污染和水土流失等问题，依然是制约我国经济社会可持续发展的突出因素。在水利发展与改革新的征途上，还会遇到不少新的困难和问题，我们一定要更加兢兢业业、扎扎实实地工作，更加团结一致、同心协力地奋斗，永远保持和发扬自强不息、锐意进取的精神。

站在新的起点上，我们必须深入贯彻落实科学发展观，积极践行可持续发展治水思路，大力推进民生水利，力争到2020年全面建设小康社会目标实现之时，在我国基本建成重点流域和区域综合防洪抗旱减灾体系、城乡水资源合理配置和高效利用体系、水环境保护和河湖生态健康保障体系、较为完善的水利管理和运行保障体系；到新中国成立100年时，现代化的水利基础设施体系全面建成，人民群众的防洪安全保障更加可靠，城乡居民普遍享有安全清洁的饮用水，水资源利用效率达到世界先进水平，江河湖泊水生态系统得到根本恢复，充满生机与活力的现代水利将展现在世人面前。

当前和今后一个时期，必须着力抓好以下工作。

第一，进一步完善可持续发展治水思路，全面推动水利科学发展。面对新形势、新任务、新情况、新问题，我们必须与时俱进地不断完善和丰富可持续发展治水思路。要根据全球气候变化给我国水资源条件带来的影响，服务国家经济社会发展战略和总体工作部署，不断调整水利发展定位，优化水利发展布局，进一步强化水利作为国家重要基础设施的战略地位。各流域、各区域要根据经济社会发展变化、水资源特点、水利工程已有基础，认真总结基层和群众的创新实践，不断探索具有流域、区域特色的水利发展模式，为可持续发展治水思路注入新的生机和活力，不断开创水利科学发展新局面。

第二，认真做好防汛抗旱救灾工作，切实保障人民群众生命财产安全。特殊的水资源状况决定了我国是一个水旱灾害频繁而严重的国家，特别是全球气候变化导致极端天气现象发生的频率增加、影响加重，给我国的防汛抗旱工作带来巨大挑战。必须坚持把保障人民群众生命安全放在第一位，着力构建与全面建设小康社会相适应、较为完善的防洪抗旱减灾综合体系，全面提高水旱灾害防御能力。要加强防灾减灾工程设施建设，加强对水利工程的科学调度，优化工程布局与调度运行方式，充分发挥水利工程体系的综合效益。加强对中短期天气和水雨情的预测预报工作，不断提高预报精度、延长预见期，为防洪抗旱科学决策提供支持。要着力强化防洪抗旱应急管理，不断推进防洪抗旱应急管理体系建设，完善防洪抗旱应急预案体系，健全防洪抗旱应急响应机制，形成管理规范、协调有序的联动机制。要大力研究推广科学、实用、先进的防汛抗旱技术、材料和设备，进一步提高防汛抗旱工作的现代化水平。

第三，大力发展民生水利，不断提高广大人民群众的受益水平。发展民生水利是推动传统水利向现代水利、可持续发展水利转变的着力点，是顺应民心民意、事关全局的重大战略举措。要抓紧实施农村饮水安全工程建设、病险水库除险加固、大型灌区续建配套与节水改造，确保高质量按时完成党的十七届三中全会提出的水利目标任务。同时，要大力推进防汛抗旱减灾、农村水电、水利血防、水利移民安置等其他涉及群众切身利益的水利工作。要进一步加大中西部地区民生水利建设力度，项目安排、资金投入、技术力量要更多地向革命老区、少数民族地区、边境地区和贫困地区倾斜。要在解决矛盾最为集中、问题最为突出、群众最为需要的水利问题上下工夫，努力使水

利更好地惠及民生、造福亿万人民群众。

第四，加快建设现代化水利基础设施体系，进一步提升水利保障能力。要立足国家区域发展战略布局和国家中长期发展目标，统筹谋划重点水利工程建设布局，构建较为完善的现代化水利基础设施体系。继续推进大江大河大湖及其重要支流治理，加强重点蓄滞洪区安全建设，实施中小河流治理，形成我国主要江河较为完善的综合防洪体系。加快在建骨干水利工程和重点水源工程建设步伐，抓紧开工建设一批大型骨干水利工程，提高对水资源在时间和空间上的调控水平。加大水土流失严重地区重点治理工作力度，开展坡耕地综合整治和南方崩岗治理，实施水资源保护工程和生态补水工程，搞好重点流域水环境综合治理，逐步恢复受损生态。要充分认识水利建设任务的长期性和艰巨性，着力做好打基础、利长远、增后劲、促发展的工作，持续提升水利基础保障能力。

第五，全面落实最严格的水资源管理制度，确保水资源可持续利用。要从全局和战略的高度，深刻认识加强水资源管理的重大意义，加快推进供水管理向需水管理转变，实行最严格的水资源管理制度，加快划定水资源管理“红线”，严格实行用水总量控制，严格控制入河排污总量，坚决遏制用水浪费，以水资源的可持续利用支撑经济社会的可持续发展。通过实行最严格的水资源管理制度，不仅要保障水资源可持续利用，还要发挥水资源在推动发展方式转变方面的基础性和导向性作用，促进经济社会又好又快发展；不仅要满足人民群众日益增长的用水需求，还要维护利益相关者在水资源开发利用、用水结构调整、水权分配和流转等方面的合法权益，促进社会和谐；不仅要保障城乡供水安全，还要统筹城乡间、区域间、行业间水资源配置，促进水资源科学配置、高效利用、全面节约和有效保护。

第六，继续深化水利改革，不断增强水利发展动力和活力。随着经济社会发展和水利实践的深入，水利改革将越来越触及深层次的矛盾和问题，改革攻坚的难度将会越来越大。必须以改革创新精神，破解水利发展中的体制机制性障碍，力争在水资源管理体制、水利投融资机制、水利建设与管理体制、农村水利建设机制、水价形成机制、与水有关的生态补偿机制等重点领域和关键环节实现新的突破，全面构建充满活力、富有效率、更加开放、有利于水利科学发展的体制机制。要紧紧抓住国家宏观政策调整和体制机制改革的重要机遇，及时出台有利于水利长远发展的改革方案和政策措施。要努力提高决策的科学性，广泛听取各方意见，认真总结试点经验，不断完善改革方案，逐步扩大改革范围。要注重把改革的力度、发展的速度、有关方面可以承受的程度有机结合起来，确保各项改革平稳推进，确保广大人民群众共享水利发展与改革的成果。

第七，积极推进依法治水管水，大力提高水利工作的法治化水平。要按照依法治国基本方略、全面推进依法行政的要求，重点围绕推进民生水利、加强社会管理和公共服务、强化河湖管理、落实最严格的水资源管理制度，加快完善水法规体系，为经济社会可持续发展和人民群众提供良好的水事秩序和法治环境。要全面推进水行政综合执法，深入落实行政执法责任制，加强河道采砂管理，严厉打击水事违法行为，切实保障人民群众的合法权益。要高度重视处理水事纠纷和解决涉水行政争议，加强水事纠纷排查，全面落实水事纠纷调处责任制，建立健全预防为主、预防与调处相结合的水事纠纷预防和调处机制，维护社会和谐稳定。要进一步完善行政决策机制，深化水利行政审批制度改革，大力推进水利政务公开，努力建设人民群众满意的政府机关。要深入开展水利法制教育，营造依法治水、管水的有利环境。

第八，着力加强行业能力建设，进一步夯实水利发展的基础。完善水利规划体系，严格执行水工程建设规划同意书等制度，强化水利规划对涉水活动的指导、管理和约束作用。加快水利科技创新体系建设，努力在重大问题和关键技术方面取得新突破，着力将水利科技成果转化为现实生产力。加强水利国际交流与合作，引进国外先进水利科技成果和管理经验，支持国内水利水电企业开拓国际市场。加强水利队伍建设，深化干部人事制度改革，创新人才激励机制。高度重视基层水利工作，切实帮助基层水利部门排忧解难。加强水利系统党的建设、反腐倡廉建设和精神文明建设，建设学习型党组织和学习型机关，努力发展和繁荣水文化，大力弘扬“献身、负责、求实”的水利行业精神。加大水利宣传力度，增强全社会关心水、爱惜水、节约水、保护水的意识，努力营造水利又好又快发展的良好氛围。

同志们！潮平两岸阔，风正一帆悬。60 年水利发展的伟大成就已经载入祖国的光辉史册，新征程水利事业的绚丽华章正在等待我们去奋力谱写。让我们更加紧密地团结在以胡锦涛同志为总书记的党中央周围，高举中国特色社会主义伟大旗帜，深入贯彻落实科学发展观，积极践行可持续发展治水思路，锐意改革、不断开拓，拼搏进取、扎实工作，努力开创水利发展与改革的新局面，为全面建设小康社会、加快推进社会主义现代化建设、实现中华民族伟大复兴作出新的更大贡献！

水利部党组副书记、副部长鄂竟平在全国水利工作会议上的总结讲话（摘录）（2009 年 1 月 7 日）

一、经过努力，会议取得了圆满成功

这次会议是在特殊背景下召开的一次十分重要的

会议。归纳起来，主要有以下四个特点：

第一，规格很高。主要体现在三个方面：一是回良玉副总理亲自出席我们的会议并发表重要讲话。党中央、国务院历来对水利工作高度重视。1999 年，时任国务院副总理的温家宝同志出席全国水利厅局长会议，对中央水利工作方针进行了全面阐述，提出了“十个坚持”的要求，推动水利工作发生了深刻变化。2006 年，在全国水利厅局长会议期间，国务院召开了全国水利工作座谈会，回副总理发表了重要讲话，强调要以科学发展观统领水利工作全局，坚持走可持续发展水利之路。昨天，回副总理百忙之中又亲临这次会议，发表了十分重要的讲话，充分体现党中央、国务院对新时期水利工作所寄予的厚望，广大水利干部职工备受鼓舞，倍加振奋。二是国务院有关部委的领导亲自出席我们的会议。国务院副秘书长张勇同志、国家发改委副主任杜鹰同志、财政部副部长丁学东同志、国务院扶贫办主任范小建同志、国研室党组成员黄守宏同志亲自出席这次会议，国务院办公厅、国家发改委、财政部、审计署、中国农林水利工会等部门的有关负责同志也应邀参加会议，体现了对水利工作的关心和支持。三是广西壮族自治区党政主要领导集体出席我们的会议。广西壮族自治区党委书记郭声琨同志、主席马飚同志、党委副书记陈际瓦同志、副主席陈章良同志等领导出席这次会议，体现了对水利工作的重视和支持。

第二，背景特殊。主要体现在三个方面：一是这次会议是在全面贯彻落实党的十七届三中全会精神的重要时刻召开的。党的十七届三中全会对继续推进农村改革发展作出了全面部署，把以农田水利为重点的农业基础设施作为建设现代农业的重要物质条件，提出了水利建设的三项重要目标，对大江大河大湖治理、节水灌溉建设、水资源节约保护、水土流失防治、小水电建设、防洪排涝抗旱设施建设等提出了新的要求。今年是全面贯彻落实党的十七届三中全会精神的第一年，深入学习和准确把握党的十七届三中全会精神，切实把思想和行动统一到中央作出的决策部署上来，把智慧和力量凝聚到实现党的十七届三中全会确定的水利工作目标上来，是当前和今后一个时期全国水利系统的一项重要政治任务。二是这次会议是在应对国际金融危机、保持经济平稳较快发展的紧要关头召开的。最近一个时期以来，国际金融危机快速扩散和蔓延，世界经济增长明显减速，对我国经济的负面影响日益加深。中央提出把保持经济平稳较快发展作为今年经济工作的首要任务，出台了一系列保增长、扩内需、调结构的重大政策措施，大幅度增加对水利等基础设施建设的投入，全面加强节能、节水、节地、节材和资源综合利用工作，推行油、气、水、电等资源性产品价格改革。中央还提出要进一步强化惠农政策，加强农田水利建设，并把解决农村饮水安全问题列为 2009 年农村基础设施要重点办好的五件实事之首。2009 年可能是进入新世纪以来我国经济发展最为困难的一年，也是蕴含重大机遇的一年。水利肩负着扩大内需、拉动经济增长的重大使命，做好今年的水利工作，对于应对全球经济危机、保持经济平稳较快发展，具有十分重要的意义。三是这次会议是在罕见的重灾之年并在水利抗灾减灾取得突出成效之后召开的。从 2008 年年初的雨雪冰冻灾害、黄河凌汛，到年中的汶川地震、沿海台风，再到年末南方一些河流的晚秋汛以及贯穿全年的干旱，灾害之多、灾害之重都是过去多年没有遇到过的。在与这一系列灾害进行艰苦卓绝的抗灾斗争中，广大水利干部职工经受了严峻考验，取得了令人瞩目的突出成就。同时也有不少难得的经验教训值得深入分析和借鉴。正因为以上三个方面的特殊背景，所以 2009 年我们将肩负着更加艰巨的任务。一方面，扩大内需、加快水利基础设施建设投资大，项目多，要求高，时间紧，必须确保按时按质按量完成；另一方面，党中央、国务院和社会各界对防灾减灾的要求越来越高，而基础设施抗灾能力较低与日益增加的较高需求之间的矛盾，并没得到根本改变，防灾减灾工作越来越艰难。再有，水利改革进入了关键阶段，水资源管理、水价、水管体制等重要领域的改革牵涉到诸多深层次矛盾和利益调整，改革攻坚难度进一步加大。在这个关键时刻，召开全国水利工作会议，贯彻落实党中央、国务院的一系列重大决策部署，进一步加快水利发展与改革步伐，充分发挥水利在扩大内需促进经济平稳较快发展中的作用，打好攻坚战，意义十分重大。

第三，内容丰富。这次会议既总结了成绩，表彰了先进，又分析了形势，部署了任务，内容十分丰富。主要体现在三个方面：一是回良玉副总理的重要讲话内容丰富。回副总理从全局和战略高度，对一年来的水利工作给予充分肯定和高度评价，对做好当前和今后一个时期的水利工作提出了“四个进一步”和“四个新”的明确要求，对广大水利干部职工寄予殷切希望，具有很强的针对性和指导性，为进一步做好水利工作指明了方向。二是陈雷部长的工作报告内容丰富。陈雷部长从九个方面全面总结了 2008 年水利工作成绩，从三个方面深刻分析了当前水利发展面临的形势，进一步论述了民生水利内涵特征和任务要求，提出了打好水利建设攻坚战的四条基本要求、十大工程和六项保障措施，系统部署了 2009 年工作十个方面的重点任务，对做好当前和今后一个时期水利工作具有重要指导意义。这个报告是在陈部长的直接领导下起草的，部党组专门召开会议讨论审议。为起草好工作报告，部办公厅超前谋划，及早动手，早在 2008 年 10 月份就向全国水利系统发出通知，征求会议主题和建议，各地区、各单位都提供了丰富翔实的素材。在此基础上，我们召开了部分地方水利部门专题座谈会，进行了充分讨论。报告初稿形成后，又征求了各有关司局的意见和建议。应该说，在报告起草过程中，充分发扬了民主，充分研究和吸收了各方面的意见和建议。三是大会的交流发言内容丰富。大会安排了15个单位作交流发言，5个单位作表态发言。发言的单位中，既有机关司局，又有直属单位，既有省级水利部门，又有流域管理机构，既有计划单列市水利部门，又有县级基层水利单位。在发言的单位里，既考虑了南方与北方，又照顾了东中西部。可以说，这次交流发言的数量之多过去少有，门类之全过去少有；同时，这些交流发言并非一般性的泛泛而谈，而是突出亮点、重点，各具特色，具有较强的典型性和启发性，特别是广西水利工作的做法和经验值得大家认真学习借鉴。

第四，收获很大。大家一致认为，通过学习回良玉副总理的重要讲话和陈雷部长的工作报告，对过去一年水利工作取得的成绩有了更全面的了解，对水利工作所面临的机遇和挑战有了更准确的把握，对水利工作所肩负的重大任务和重要责任有了更深刻的认识，对可持续发展治水思路和民生水利有了更深入的理解，对打好水利建设攻坚战有了更坚定的信心和决心。通过大会交流发言和分组讨论，大家交流了体会，分享了经验，找到了差距，开阔了视野，拓宽了思路，看到了方向。这次会议，振奋了精神，鼓舞了士气，是一次继往开来的大会，团结的大会，鼓劲的大会。大家纷纷表示，一定要以对党、对国家、对人民高度负责的态度，以只争朝夕、分秒必争的精神，以求真务实、顽强拼搏的作风，抓住机遇，迎接挑战，坚决打好水利建设攻坚战，实现水利发展与改革新跨越。

二、抓住要点，准确把握会议精神

这次会议的主要精神集中体现在回良玉副总理的重要讲话和陈雷部长的工作报告中，认真学习、深刻领会会议精神，要着重把握好以下几点。

第一，要深刻领会、准确把握会议对当前水利形势的分析判断。回副总理在讲话中，对水利发展改革中存在的深层次矛盾提出了“四个突出、四个特别”的基本判断，强调要牢固树立危机意识；对水利事业在全局中的重要地位进行了全面阐述，强调要切实增强责任意识。这是对当前水利形势的准确把握和深刻分析。陈雷部长在工作报告中，从宏观经济形势、水利发展阶段特征和水利行业能力建设状况三个方面深入分析了水利工作所面临的机遇和挑战，归纳起来主要包括8个要点：一是应对国际金融危机、扩大内需既给加快水利发展提供了重要机遇，也带来很大挑战；二是统筹区域发展更加凸显了水利的重要作用，也更加凸显了水利的薄弱环节；三是加强“三农”工作对水利提出了新的更高要求，这些要求既是推动“三农”长远发展的战略需要，也是破解当前“三农”发展难局的现实需要；四是经过改革开放30年的积累，水利发展站在了一个新的历史起点上，在新的起点上实现水利发展新的跨越既是压力又是动力；五是水利的地位越来越重要，全社会对水利的关注度越来越高；六是人民群众对水利的需求越来越多样化，要求我们始终保持与时俱进的精神状态，不断深化对水利工作的认识；七是水利建设、管理和改革任务越来越艰巨，一些长期困扰我们发展的问题还没有得到根本解决，一些新的任务又接踵而来，新旧矛盾交织在一起；八是行业能力越来越不适应加快水利发展的要求，这是我们最迫切需要解决的问题。总之，回良玉副总理的重要讲话和陈雷部长的工作报告对形势的分析判断既全面又准确，既有高度又有深度。我们要统一认识，既要看到面临着重要机遇，也要认识到面临着严峻挑战，要牢固树立危机意识，切实增强责任意识，正视问题，抢抓机遇，乘势而上，努力推进水利发展与改革实现新的跨越。

第二，要深刻领会、准确把握会议对发展民生水利的根本要求。这次会议把加快民生水利发展摆上更加突出的位置，主要基于以下三点考虑：一是中央经济工作会议把改善民生作为保增长的出发点和落脚点，中央农村工作会议提出了“稳粮、增收、强基础、重民生”的“四项工作要求”。水利工作与民生密切相关，大力发展民生水利是贯彻落实中央一系列重大部署的迫切需要。二是近年来我们虽然在解决涉及民生的水利问题上下了很大工夫，取得了明显成效，但发展还不全面，保障程度还不够高，特别是中西部地区以及革命老区、贫困地区、人口较少少数民族地区、边远山区欠账多，问题还比较突出。新中国成立快60周年了，如果广大人民群众最关心、最直接、最现实的水利问题得不到加快解决，无论如何都无法交代。三是在水利部开展深入学习实践科学发展观活动中，广大干部职工对发展民生水利形成了广泛共识，要求发展民生水利的呼声很高，大力发展民生水利、让人民群众得实惠是水利系统开展深入学习实践科学发展观活动的根本目的。总之，我们一定要充分认识：大力发展民生水利，体现了立党为公、执政为民的本质要求，顺应了新时期新阶段人民群众过上美好生活的新期待，贯穿了科学发展观以人为本的核心理念，是践行可持续发展治水思路的应有之义，是加快水利发展与改革的出发点和落脚点。回副总理在讲话中要求进一步解决涉及民生的水利问题，在推进民生水利上有新突破，强调要把大力发展民生水利作为水利工作的重中之重，加快解决直接关系人民群众生命安全、生活保障、生产发展、人居环境、合法权益的民生水利问题。陈雷部长在工作报告中，从四个方面深入分析了民生水利发展存在的问题，深刻论述了民生水利的内涵和四个特征，指出民生水利发展滞后是水利发展阶段性特征的突出表现，是推动传统水利向现代水利转变要重点解决的突出问题，对做好下一步民生水利工作提出了“四个突出”的要求，强调要把民生水利的要求落实到防灾减灾、水利建设、水利管理和水利改革等各项工作之中，努力形成保障民生、服务民生、改善民生的水利发展格局，使人人共享水利改革和发展成果。我们学习会议精神，就要深刻领会、准确把握发展民生水利的这些根本要求，把贯彻落实科学发展观和民生水利的具体实践结合起来，把保障经济发展与改善民生结合起来，把发展民生水利放在更加突出的位置，切实加大工作力度，在解决矛盾最为集中、问题最为突出、群众最为需要的水利问题上下真工夫，努力在更大范围、更宽领域、更高程度、更好水平上造福人民群众。

第三，要深刻领会、准确把握会议对水利建设攻坚战的重点部署。回副总理在讲话中强调，中央把加强水利基础设施建设作为应对国际金融危机、保持经济平稳较快发展、扩大国内需求的重要举措，把增加水利投入作为安排新增建设资金的重点领域，水利肩负着新的重大使命，既要为落实积极财政政策、扩大投资需求担当重任，又要为改善城乡居民用水条件、促进消费需求提供保障，要按照统筹兼顾、突出重点、注重效益的原则，推动水利基础设施建设快速发展，持续提升水利对经济社会发展的保障能力。陈雷部长在工作报告中，对打好水利建设攻坚战进行了具体部署，提出了四个基本要求和六项保障措施，特别强调要抓好病险水库除险加固、农村饮水安全、大型灌区续建配套与节水改造、大型灌排泵站更新改造、江河湖泊治理、骨干水利枢纽和重点水源、农田水利基本建设、水土保持等生态建设、农村水电、行业能力建设等十大工程。这十大工程，既有大型骨干工程也有面上工程，既有在建项目也有新开项目，既有中央项目也有地方项目，都是支撑国家粮食安全战略、能源资源战略和区域经济发展战略的基础项目，都是涉及人民群众切身利益的重要项目，都是我们多年盼望实施的关键项目。这十大工程的实施，不仅能迅速形成实物工程量，带动相关产业发展，创造大量就业机会，在扩大内需中发挥积极作用，而且将极大地增强防洪安全、供水安全、粮食安全、生态安全保障能力，为经济社会可持续发展提供坚实的水利保障；这十大工程的实施，不仅能够有效缓解长期以来水利基础设施的历史欠账问题，而且能够推动东部与中西部、大江大河与中小河流、城市和农村之间水利的协调发展。对此，希望同志们能有足够的认识。这里，我要特别强调，这次会议之所以强调打好水利建设攻坚战，主要是因为，由于这次中央扩大内需、促进经济增长的政策措施是在非常时期作出的重大战略部署，所以，水利基础设施建设无论是在投资强度和完成时限上，还是覆盖范围和项目管理上，都非同寻常，异常艰巨。从投资强度看，2009 年的中央水利投资规模有可能是平常年份的 2 倍左右，高强度的水利投资对项目前期工作、施工组织、建设管理等带来严峻挑战。从时间要求看，2008 年第四季度新增中央水利投资项目要在 2009 年“两会”之前完成，从计划下达到完成任务不到 4 个月时间，时间非常紧迫，如何确保项目建设进度、质量和效益相统一，是对各级水利部门的重大考验。从项目覆盖范围看，十大工程具有点多、面广、线长的特点，覆盖范围更为广泛，也给投资管理带来难度。从管理要求看，中央不仅对项目选择提出明确的要求，而且对项目管理的要求更加严格，新上项目必须要有规划依据，有前期工作基础，严格执行有关标准。以上所有因素都预示今后工作之艰难。因此，打好水利建设攻坚战，是对我们驾驭复杂局面能力的重大考验，也是对我们领导水利科学发展能力的重大考验。在这样的形势下，就需要我们想尽一切办法，采取一切措施，动员一切力量，坚决完成各项建设、管理、改革任务。

第四，要深刻领会、准确把握会议对 2009 年各项工作的安排部署。回副总理在讲话中就抓好 2009 年的工作提出了“四个切实强化”的新要求。陈雷部长在工作报告中，对 2009 年的工作安排提出了十个方面的任务。2008 年第四季度新增水利投资项目多，时间紧，要求高，要作为当前的首要任务，强化各方面的措施，务必保质保量如期完成。2009 年的水利建设投资还要继续增加，各地要加快前期工作进度，抓紧落实年度投资建议计划和地方配套资金，及早组织实施。要更加重视水资源管理，切实落实各项管理制度，同时积极探索更加严格的水资源管理措施。要更加重视水利改革，进一步深化水管体制改革，进一步加快水价改革步伐，进一步完善农田水利建设新机制，力争在重点领域和关键环节的改革攻坚上有新的突破。要更加重视行业能力建设和基层水利发展，努力建立有利于鼓励、保护和引导基层水利发展的体制机制。与此同时，还要统筹抓好防汛抗旱、水法治建设、水利科技创新及党的建设、干部队伍建设、反腐倡廉建设和精神文明建设等各项工作。我这里要强调的是，这些新要求和十个方面的任务是指令性计划，没有商讨的余地，因为这是全面贯彻落实党的十七届三中全会精神的需要，是推进“十一五”规划顺利实施的需要，是保持国家经济平稳较快发展的需要，是维护社会和谐稳定的需要，是迎接新中国成立 60 周年的需要，也是树立现代水利、可持续发展水利新形象的需要。我们深感责任重大，如果因工作失误而不能很好地完成这十个方面的任务，就要影响中央改革与发展的总体部署，也影响水利事业又好又快发展的总体进程，还将影响水利行业的良好形象。对此，我们一定要有清醒的认识。

三、扎实工作，全面落实会议确定的主要任务

当前，水利工作的目标、任务和要求已经明确，

关键是要一件一件地安排部署，一步一个脚印地抓好落实，确保会议确定的各项目标任务的顺利完成。

第一，要抓好会议精神的传达。首先，会后各地各单位要及时向当地党委和政府汇报这次会议的精神，特别要汇报好回良玉副总理的重要讲话和陈雷部长的工作报告精神，汇报好会议对民生水利和水利建设攻坚战等各项工作的部署和要求，争取地方党委、政府进一步重视水利工作，进一步加大对水利工作的支持力度。其次，要向本系统、本单位的干部职工及时传达，组织好学习讨论，使全系统职工都能充分认识水利面临的形势，准确领会会议精神，全面把握会议的各项部署和安排，进一步增强加快水利发展与改革的责任感和紧迫感。再次，要加大会议精神的宣传，让全社会都了解水利在国家经济社会发展中，特别是在拉动内需、保障经济平稳较快增长中的重要作用，形成关心水利、支持水利、参与水利的良好氛围。

第二，要做好任务分解和落实。各地各单位要紧密结合各自实际，研究制定贯彻落实的具体措施和实施步骤，将会议的各项部署切实分解和落到实处。当前分解和落实的重点是基础设施建设领域，要细化工作目标，分解任务责任，把任务和责任落实到前期工作、投资计划安排、地方资金配套、工程建设管理、质量安全监控、资金使用监管等各个环节，落实到每个单位、每个项目、每个标段、每个岗位上，确保项目建设及时启动、顺利实施和如期完成。有关司局要特事特办，急事急办，加快工作进度，加强技术指导和监督管理。流域机构要发挥技术优势，帮助流域内地方水利部门做好前期工作，加强指导，搞好服务。各级水利部门要加强与发展改革、财政、国土、环保等部门的沟通和联系，及时协调解决建设中遇到的问题。

第三，要加强监督检查。2009 年工作任务显现鲜明的紧迫性与艰巨性，这就要求我们必须高度重视并切实建立目标任务考核机制，以保证各项工作都能有布置，有督促，有检查，有考核，有奖惩。要充分发挥水利系统各级纪检、监察、审计、稽察等部门的作用，要实行水利基础设施建设全过程的监督检查和项目稽察制度，特别要防止在项目审查审批、投资计划安排、招标投标、质量控制、资金管理和安全生产等关键领域和关键环节中出现大的问题，确保“工程安全、生产安全、资金安全、干部安全”。2009 年，我们要下决心严肃查处因落实中央政策措施不力造成严重后果的相关领导和违规违纪以及失职渎职人员的责任。

第四，要切实转变作风。面对严峻的形势和繁重的工作任务，水利系统各级领导干部特别是主要领导同志，要按照回副总理的指示和陈部长的要求，立即行动起来，进一步转变作风，把时间和精力集中到抓落实上来，大力发扬求真务实精神，雷厉风行，真抓实干，力戒形式主义，力戒空话套话，力戒一般号召。少搞花拳绣腿，要多深入基层，深入一线，及时发现和解决工作中遇到的困难和问题。在抓好各项业务工作的同时，也要高度重视和切实加强水利部门自身建设，健全行政决策、执行、咨询、反馈、监督等各方面的程序和制度，进一步提高工作效率和效能。只有这样才能完成好会议确定的工作任务，不辱使命。

最后，我再强调一下岁末年初的几项工作。

一要把冬春农田水利基本建设真正抓实抓好。要认真贯彻落实全国冬春农田水利基本建设电视电话会议精神，利用大好形势，抓住有利时机，做好震毁水毁工程修复、病险水库除险加固、农村饮水安全建设、防汛抗旱减灾体系建设、水土保持和生态建设，开展好以农田水利建设为重点的中低产田改造。希望各地把常规的工作抓出特色来，要把年年都抓的这项工作抓成年年都不同，年年有进步，为今年的农业增产、农民增收和农村发展创造条件。

二要超前并主动开展抗旱工作。2008 年 11 月中旬以来，我国大部分地区降水偏少，气温偏高，华北大部、黄淮北部、西北东部和华南大部分地区累计降水量比常年偏少 5～9 成，北方各大江河累计来水量较常年偏少 3～6 成，水利工程蓄水不足。截至 2009 年 1 月 4 日，全国受旱面积 338 万 hm^2 （5072 万亩），更为严重的是三北地区干封地面积高达 933 万 hm^2 （1.4 亿亩），较常年偏多近 20%。综合当前气象、水情及耕地受旱情况分析，2009 年北方地区发生大范围春旱的可能性很大，南方部分地区有发生严重春旱可能。因此，各地要切实加强领导，全力、超前并要主动做好冬春抗旱工作。首先，要加强旱情监测和分析预报，密切掌握旱情发展变化趋势。其次，要抓紧水毁工程修复和现有水利工程的整修配套和改造，因地制宜超前兴建各种抗旱应急设施。再次，要加强各类水库、泵站、闸坝的调度，进一步修订和完善抗旱预案，加强抗旱水源管理，统筹安排、优化配置城乡生活、生产和生态用水，确保群众生活用水安全。

三要高度重视并全力做好北方防凌工作。2008 年黄河凌汛决口，造成很大的影响和损失，教训深刻。当前，受暖冬影响，黄河封河较往年滞后，首封点较往年上移，并同时出现了两个首封点，加之宁蒙河段河床抬高、堤防薄弱的现状并未改变，防凌形势严峻。黄河、松花江、黑龙江等北方河流有防凌汛任务的地方和流域机构，要坚决落实防凌责任制，完善防凌预案，加强凌情监测预报，要统筹落实“拦、调、分、疏、滞、泄、守”等各项防凌措施，确保防凌安全。

四要周到细致地做好春节和“两会”期间相关工作。一是认真落实值班工作的各项制度，严格执行领导干部值（带）班制度和岗位责任制。保证能及时处理好群众的来信来访和突发事件，及时化解危机、矛盾和纠纷，维护稳定。二是全面落实安全生产责任制和各项安全措施，认真抓好重点领域、环节、场所、部位的安全管理和监督检查，及时消除事故隐患，严防重特大安全事故的发生。要做好节日和“两会”期间安全保卫和巡查工作。三是深入受灾地区、对口扶贫和联系单位、基层困难单位，访贫问苦，送温暖，献爱心，帮助困难单位、贫困职工解决实际困难，安排好节日期间职工生活，走访慰问离退休老同志。四是大力倡导勤俭节约、文明过节的风尚，各级领导干部要廉洁自律，认真遵守各项廉洁自律规定，严禁铺张浪费。

以科学发展观指导纪检监察工作　为水利可持续发展提供有力保证——水利部党组成员、驻部纪检组组长董力在全国水利系统党风廉政建设工作会议上的工作报告（摘录）（2009 年 2 月 24 日）

2009 年，水利系统党风廉政建设和反腐败工作要以邓小平理论和“三个代表”重要思想为指导，深入学习贯彻党的十七大和十七届三中全会精神，全面落实科学发展观，按照十七届中央纪委三次全会的部署，坚持标本兼治、综合治理、惩防并举、注重预防的战略方针，积极推进具有水利特色的惩治和预防腐败体系建设，针对重点领域和关键环节加强监督检查，实现水利工程安全、资金安全、干部安全和生产安全。坚持关口前移，突出重点，积极推动水利党风廉政建设和反腐败工作，为水利改革发展和社会和谐稳定提供保证。

一、加强监督检查，确保中央关于水利工作决策部署顺利实现

加强执行政治纪律的监督检查。水利系统各级纪检监察部门要积极协助党组织加强对党员干部遵守政治纪律的教育和宣传，不断增强执行政治纪律的自觉性和坚定性，促使广大党员干部增强政治意识、政权意识、责任意识、忧患意识，坚持党的基本路线，始终同党中央保持高度一致。各级纪检监察部门要加强对政治纪律执行情况的监督检查。严禁公开发表同中央的决定和党的路线方针政策相违背的言论，决不允许参与各种非法组织和非法活动，严肃查处反对四项基本原则和改革开放等违反政治纪律的行为。对违反政治纪律的，视情节轻重给予批评教育或组织处理；对造成严重后果的，要依纪依法予以惩处。

加强对贯彻落实科学发展观情况的监督检查。当前各级水利纪检监察部门要积极会同有关职能部门着重开展以下工作：一是对中央应对国际金融危机，加强宏观调控特别是扩大内需保持经济平稳较快增长政策措施执行情况的监督检查，督促各地各单位严格执行中央政策和各项要求，切实加强对水利投资项目和资金的监管；二是协助各级党组织巩固深入开展学习实践科学发展观活动成果，督促检查整改措施的落实；三是加强对水利财政资金和水利国有资产使用管理的监督检查；四是加强对灾后重建资金物资管理使用情况的监督检查。

围绕做好民生水利工作开展监督检查。全国水利工作会议强调要做好民生水利工作，水利系统各级纪检监察部门要围绕当前水利中心任务开展监督检查，重点抓好以下工作：一是加强对病险水库、水闸除险加固工作以及在建重点水利骨干枢纽和重要水源工程的监督检查；二是加强对农村饮水安全工程、大型灌区续建配套与节水改造工程的监督检查；三是加强对水利安全生产法律法规和安全生产责任制落实情况的监督检查；四是协助做好防汛抗旱工作检查；五是继续做好清理拖欠工程款和农民工工资的检查工作。

陈雷部长在全国水利工作会上强调，监督检查工作要集中行业内纪检监察审计和工程稽察力量，配合中央检查组和地方各级监督检查机构，提前介入，主动跟进，全程参与。我们要认真落实陈部长的这一要求，工作中搞好综合协调。要将党风廉政工作与水利各项业务工作一并部署，一并检查，发现问题一并督促落实整改。

二、加强作风建设，实现领导干部作风的进一步转变

胡锦涛总书记在中央纪委三次全会上作了重要讲话，要求进一步加强党员领导干部作风建设。陈雷部长也将在这次会上就落实胡锦涛总书记讲话精神，加强水利系统领导干部作风建设提出要求。我们要深刻领会和充分认识加强领导干部作风建设的重要现实意义，充分认识在当前形势下，加强领导干部党性修养，树立和弘扬良好作风的重要性、必要性和紧迫性，充分认识完成今年水利发展改革的繁重任务，水利系统各级党员领导干部必须强化宗旨意识和责任意识，团结一致，认认真真抓好各项工作。努力在领导干部思想作风、学风、工作作风、领导作风、生活作风建设上有新的提高，以良好的精神状态和优良的作风，推动水利事业新的发展。要把加强领导干部作风建设与弘扬“献身、负责、求实”的水利行业精神结合起来，积极发挥工作创造力和积极性，为圆满完成当前各项任务提供保证。

各级纪检监察部门要积极协助党组织抓好作风建设。要认真分析党员领导干部在作风方面存在的问题，从纪检监察工作的职责和特点出发开展工作。要把反腐倡廉教育与改进作风的教育有机结合起来，通过正反两方面的典型，促进党员领导干部树立良好的作风。对领导干部自身在作风方面存在的问题，要通过诫勉、廉政谈话，召开民主生活会、述职述廉、开

展党课教育等方式督促改进；对工作不负责任、不作为、乱作为可能造成损失的，要及时提醒、教育和进行批评帮助。对因失职和渎职造成不良后果的，要进行责任追究和处分。同时也要注意发现作风优良、工作突出、廉洁勤政的优秀干部和先进典型，建议各级党组织予以表扬表彰，以先进典型推动党员干部队伍作风的进一步提高。

三、加强反腐倡廉教育，促进领导干部廉洁从政

健全和完善水利反腐倡廉“大宣教”工作格局，建立反腐倡廉宣传教育联席会议制度，定期研究部署反腐倡廉宣传教育工作。配合有关部门以庆祝新中国成立60周年为主题，深入开展理想信念教育、爱国主义教育和党性党风党纪教育，引导党员干部坚定理想信念，树立正确政绩观和利益观，做到讲党性、重品行、作表率。以社会主义核心价值体系建设为根本，抓好《社会主义核心价值体系学习读本》的宣传学习，建立水利职业道德和行为规范体系。积极开展示范教育、警示教育和有关廉政法规制度的教育，提高党员干部拒腐防变的意识和能力。进一步加大教育培训工作力度，把反腐倡廉教育列入干部教育培训规划，同领导干部的培养、选拔、管理、使用结合起来。

要认真贯彻落实领导干部廉洁自律各项规定，严禁领导干部利用职务上的便利谋取不正当利益。按照中央纪委的要求，主要抓好五个方面的工作：第一，严禁领导干部违反规定收送现金、有价证券、支付凭证和收受干股等行为。第二，落实领导干部配偶和子女从业、投资入股、到国（境）外定居等规定和有关事项报告登记制度，严禁发生与公共利益冲突的行为。第三，治理违规组织集资合作建房、超标准建房、在风景名胜或公园区建房等问题；纠正领导干部违反规定发放住房补贴、多占住房、以明显低于市场价格购置住房或以劣换优、以借为名占用住房等问题。第四，严禁领导干部利用和操纵招商引资项目、资产重组项目，为本人或特定关系人谋取私利。第五，严禁领导干部相互请托，违反规定为对方的特定关系人在就业、投资入股、经商办企业等方面提供便利，谋取不正当利益。

根据中央纪委、监察部今年的工作要求，结合水利实际，还要着重抓好以下工作：一要认真开展中纪委提出的“严格出国（境）规定执行年”活动，继续配合有关部门加强外事出国团组管理，建立健全出国团组联合审议制度，落实组团单位责任制和团长负责制，推行出国经费先行审核制度。二要继续治理“小金库”和规范津贴补贴工作。要坚持会议标准，规范公务接待。三要严格控制新建楼堂馆所，纠正超预算超标准装修办公用房、超标准超编制配备使用小汽车的问题。四要认真落实修订后出台的《中国共产党领导干部廉洁从政若干准则》和监察部等三部委颁布的《关于国有企业领导人员违反廉洁自律“七项要求”政纪处分规定》。要紧密联系实际，把严格执纪与组织处理结合起末，切实解决领导干部在廉洁从政方面存在的突出问题。

四、加强对领导干部的监督，确保权力正确行使

加强监督是纪检监察部门的重要职责和任务，水利系统各级纪检监察部门要针对权力制约和监督方面存在的薄弱环节，建立健全权力运行机制，完善规章制度，切实加强监督，特别是强化对主要领导干部的监督，确保权力正确行使。

开展好党内民主监督，贯彻民主集中制。认真贯彻执行党内监督条例，加强对民主生活会、述职述廉、诫勉谈话和函询等制度执行情况的检查。切实抓好《中共水利部党组关于加强领导班子建设的意见》的贯彻落实，将民主集中制执行情况作为考核领导班子的重要内容。不断完善领导干部个人有关事项的报告制度，做好干部个人收入申报、重大事项报告工作。

协助党组织，会同人事部门认真开展巡视工作。要按照水利部党组巡视工作的规定，继续组织巡视组对部直属单位进行巡视。进一步完善工作机制，不断增强巡视效果。加强对被巡视单位整改措施落实情况的监督检查，创新巡视工作方式方法，健全巡视成果运用机制，不断提高巡视工作的制度化、规范化水平。

继续开展执法监察和效能监察。要针对全国水利工作会议提出的十大工程建设，突出重点，有选择的开展水利工程建设执法监察。继续开展对水资源费征收管理使用情况的专项执法监察和审计调查。开展对《政府信息公开条例》实施情况的执法监察。开展对病险水库除险加固、农村饮水安全工程的督导检查和效能监察。开展机关效能监察，推进行政审批网上监察系统建设，促进机关及其工作人员廉洁、勤政、高效。

推动开展行政稽察工作。会同有关方面开展对水利工程建设项目稽察整改意见落实情况的监督，加强水利工程建设项目执行情况的稽察工作，对稽察中发现的问题要切实督促整改。

建立健全纪检监察与审计监督和财务监督的工作协同联动机制。要推动做好水利审计工作，加大审计力度。配合有关部门积极开展审计免疫系统建设试点工作，建立健全工作机制。要充实水利内部审计队伍，整合力量，采取轮审复查、重点抽查、联合集中审计等方式，加大审计整改督查力度，确保水利资金的安全有效。水利内部审计要继续开展领导干部经济责任审计，深化预算执行审计，促进责任追究制度和问责机制的建立与完善。要注意审计结果的运用。审计署2009年明确了水利部审计的重点是会议费和出国费，纪检监察工作要密切跟进，与各级财务监督和审计监督部门密切配合，做好相关工作。2009年是“预算执行管理整改提高年”，要密切配合财务和审计

部门抓好工作落实，对不认真整改的要严肃督促落实整改，通过加强财务检查和内部审计使管理水平有新的提高，减少乃至消灭重大差错，杜绝违规违纪，保证资金使用合规合法，努力提高资金使用效果。

五、加强案件查办工作，保持惩治腐败的强劲势头

以查办发生在领导机关和领导干部中滥用职权、贪污贿赂、腐化堕落、失职渎职的案件为重点，严肃查办官商勾结、权钱交易的案件，利用人事权、行政执法权、行政审批权索贿受贿、徇私舞弊的案件。严肃查办在重点水利工程建设、库区移民、病险水库除险加固、饮水安全、灌区改造、河道采砂管理工作的违法违纪案件。严肃查办领导干部干预招标投标获取非法利益的案件。严肃查办严重违反政治纪律和严重侵害群众利益的案件，买官卖官等严重违反组织人事纪律的案件。严肃查办违背中央扩大内需促进经济增长政策的案件，从严查处在国家投资项目实施和资金管理使用中的贪污、挪用、挤占、私分资金和索贿受贿等违法违纪行为。坚持在党纪国法面前人人平等，严格执纪，决不让腐败分子逃脱党纪国法的惩处。

做好信访举报工作，拓宽案件线索渠道。要加强对来信来访反映问题的核查力度，对重要线索及时核查，对实名举报试行反馈和回复制度。加大信访案件交办、督办的力度，做到件件有着落，事事有结果，及时解决一批性质严重、可查性强的典型信访问题。

严格依纪依法查办案件，充分发挥查办案件的治本功能。实事求是地评价办案成果，坚持查实问题是成绩，澄清问题也是成绩。要严格执行党内法规和国家法律法规，保障被调查人的合法权益，实现查办案件工作政治效果、社会效果、法纪效果的有机统一。要加强和改进重要案件线索的督办核查工作，强化案件监督和管理，进一步改进案件审理工作。加强案件剖析，认真研究案发规律，找出制度的漏洞和管理上的薄弱环节，有针对性地完善规章制度。

继续深入开展治理商业贿赂专项工作。认真查办发生在水利工程建设、政府采购和资源开发等领域的商业贿赂案件。完善规范市场竞争行为和惩治商业贿赂的法规制度，加大对行贿行为的打击力度，进一步规范市场竞争行为，逐步建立水利系统防治商业贿赂的长效机制。

六、加强政风行风建设，维护人民群众的切身利益

行风政风建设是做好民生水利工作，促进水利事业健康发展的重要保证。水利系统各级纪检监察部门要把治理和纠正损害群众利益的不正之风作为贯彻落实科学发展观和构建社会主义和谐社会的重要任务，会同有关部门加强督促检查，着力解决社会关注程度高、群众反映强烈的突出问题。

深入开展民主评议政风行风工作。在总结近年来成功经验的基础上，建立和完善科学规范的民主评议指标体系、运行方式，拓展民主评议工作范围，搞好评议结果运用，认真整改行风评议中发现的问题。以评议促建设，逐步建立健全水利系统民主评议政风行风长效机制。

继续推进政务公开和办事公开工作。认真贯彻落实《政府信息公开条例》，协助有关部门尽快修订《水利部政务公开工作暂行规定》，建立健全相关考核、评议和责任追究制度，进一步完善工作机制。各地也要完善有关政务公开办法，保障人民群众的知情权和监督权。推动和加强电子政务工作。督促和指导基层水管单位等与群众利益密切相关的公共服务单位推行办事公开。

继续推动水利系统认真贯彻实施《中华人民共和国行政复议法》和《信访条例》，充分发挥行政复议作用，做好涉法信访工作。当前，水库移民政策落实、水事纠纷和水管体制改革等问题是水利信访中的突出问题，要推动做好这些问题的源头治理工作，协助有关部门做好细致工作，努力化解矛盾，保护人民群众的合法权益，保持社会稳定和谐。协助有关部门搞好水行政执法监督，完善水行政执法体制，加强对《中华人民共和国水法》《中华人民共和国防洪法》《中华人民共和国水土保持法》等水法律法规执行情况的执法检查，坚决打击水事违法行为。继续推行行政执法责任制，研究出台《水利部行政执法责任追究办法》。

要推动加强对行业协会、市场中介组织的监管，实行与行政主管部门脱钩，规范其服务和收费行为。会同有关部门继续清理规范评比达标表彰活动。继续开展培训办班治理整顿工作，坚决杜绝乱办班、乱收费、乱发证现象。

会同有关部门深入开展“水利安全生产年”活动，健全和落实安全生产责任制，严格执行水利工程建设安全生产条件准入制度，进一步加大责任事故调查处理力度，坚决查处失职渎职问题和事故背后的腐败行为，确保施工人员安全和工程安全。

七、加强制度建设和改革创新，深化治本抓源头工作

关口前移是做好纪检监察工作的重要措施。要结合水利实际，加大改革和创新，完善体制机制制度，把规范权力运行、健全市场机制、强化监管结合起来，靠制度管人、管钱、管物，强化制度的落实执行，完善监督约束制衡，力争在重点领域和关键环节取得新的突破。

扎实推进水利系统惩治和预防腐败体系建设。要按照中央工作规划和水利部实施办法确定的 2009 年工作任务，认真抓好落实。各级纪检监察部门要对落实情况加强督促检查。要积极研究探索建立落实工作规划和实施办法的工作载体和平台，研究建立考核评

价机制，形成科学合理的评价体系，鼓励先进，督促后进，形成各单位、各部门共同推进工作规划和实施办法落实的良好局面。

认真落实党风廉政建设责任制，推动反腐倡廉工作深入开展。水利系统各级党组织要继续认真落实党风廉政建设责任制，把党风廉政建设和反腐败工作纳入本单位总体工作之中，切实抓好责任分解、责任考核、责任追究三个环节，各项行政工作要与党风廉政一并部署、一并推进、一并检查、一并考核。各级领导干部特别是“一把手”要切实履行好第一责任人的政治责任。各级党组织要定期听取工作汇报，研究分析反腐倡廉形势。职能部门要各司其职，按照责任分工，认真抓好贯彻落实。各级纪检监察部门要加强督促检查，切实抓出成效。要按照一级抓一级，层层抓落实的原则，签订党风廉政建设责任状，推进党风廉政建设责任制在基层的落实。要认真总结经验，积极开展专题调研，规范检查考核的程序，强化对考核结果的运用，把党风廉政建设责任制工作不断引向深入。

协助党组（党委）继续深化干部人事制度改革。认真贯彻《干部任用条例》，配合组织人事部门完善任免干部听取纪检监察部门意见的办法，进一步加大对干部选拔任用工作监督的力度，防止用人不当。坚持正确选人用人导向，严格干部任用程序，切实选准配好领导班子。建立水利部人才工作联席会议制度。完善考核工作机制，研究探索有利于贯彻落实科学发展观和正确政绩观的干部考核评价体系。

继续推进水利行政管理改革。深化水利行政审批制度改革。配合有关部门做好取消和调整行政审批事项、行政审批事项目录编制和后续监管工作，研究制定水利行政审批事项监督管理办法，防止出现已取消的行政许可项目以备案、核准等名义进行变相审批。继续加强水利资金管理使用制度建设。加强对水利财政资金和水利国有资产的监督管理，配合财务部门搞好“公务卡”的推行使用，推动建立新型预算管理模式。强化对扶贫救灾专项资金的监督管理，深化水费征收、移民收费等涉农负担专项治理以及规范水利行政事业性收费管理。继续推动加强水利投资管理制度建设。强化前期工作管理，规范项目申报和审批。规范水土保持方案技术审查审批等内部管理程序，加强监督管理。继续深化水利建设管理体制改革。督促和协助有关部门抓紧印发《水利部关于进一步加强水利工程建设管理的若干意见》。修订颁布《水利水电工程施工合同和招标文件示范文本》，规范水利工程招标投标工作，完善水利建设市场信用体系，颁布《水利建设市场主体不良行为记录公告暂行办法》。加强农村水电安全监管，继续配合开展违规水电站清查整改。

八、进一步加强队伍建设，更好地履行纪检监察职责

水利反腐倡廉建设任务艰巨，纪检监察机关责任重大。水利系统各级纪检监察部门一定要按照十七大精神和十七届中央纪委三次全会精神要求，不断适应新形势新任务的需要，坚持改革创新，模范带头加强党性修养、树立和弘扬良好作风，以更高的标准、更严的纪律，不断加强队伍建设，更好地履行纪检监察职责。

巩固深入开展学习实践科学发展观活动成果，继续开展“做党的忠诚卫士、当群众的贴心人”活动。在深入开展学习实践科学发展观活动中，各级纪检监察部门按照中央纪委要求同步开展了以“做党的忠诚卫士、当群众的贴心人”为载体的主题实践活动。各级水利纪检监察部门要把主题实践活动作为一项重要任务，精心组织，周密部署，扎实推进。一要根据各自的工作职责和特点，研究提出具体措施，切实把科学发展观和“做党的忠诚卫士、当群众的贴心人”的要求体现在工作中，落实到行动上，做到认认真真学习、兢兢业业干事、老老实实做人，真正达到提高素质、改进作风、推动工作、树立形象的目的。二要针对纪检监察工作和个人的思想观念、工作作风与科学发展观的要求不适应、不符合的问题，切实加以整改，不断探索和拓宽围绕水利中心、服务工作大局的有效途径，使纪检监察工作更好地服务水利科学发展、保障水利科学发展、推动水利科学发展。三要加强以理想信念为主题的集中学习教育，引导和督促纪检监察领导干部带头讲党性、重品行、作表率，努力成为忠于党、忠于人民的模范，坚持原则、公道正派的模范，践行高尚品德、严格廉洁自律的模范，保持纪检监察领导干部的良好形象。

加强队伍建设，提高履行职责的能力。要加强思想政治建设，进一步增强政治敏锐性和政治鉴别力，在思想上、政治上、行动上与党中央保持高度一致。要加强业务能力建设，加大对纪检监察干部的培训力度，通过开展纪检监察和水利业务知识的培训，改善知识结构，拓宽工作视野，努力提高纪检监察工作的专业化水平。要加强作风建设，继续加强对纪检监察干部的教育、管理和监督，严格遵守各项纪律特别是办案纪律和保密纪律。要加强组织建设，加大干部交流和轮岗力度，各级党组织要有计划地推进干部交流，通过交叉任职等方式，将纪检干部选调到业务部门工作，调配政治素质高、业务能力强的干部到纪检监察部门工作。审计、稽察和纪检监察等部门要加强工作配合，增强工作协调和沟通，通过改进工作方式方法，进一步提高工作能力和水平。

贯彻加强派驻机构工作新规定，着力提高派驻机构工作水平。2009 年初，中纪委监察部印发了《关于加强和改进派驻机构工作的若干意见》，水利部党组高度重视，正在研究制定贯彻意见。水利系统各级党组织和纪检监察部门要认真学习文件，把文件的各项要求落到实处。各级纪检监察部门要认真分析本单

位开展工作需要解决的问题，向党委（党组）汇报，提出建议和意见，切实把纪检监察工作加强起来。纪检监察部门要按照中央的要求和部署，认真履行纪检监察职责，充分发挥派驻机构统一管理新体制、新机制的作用。切实加强对驻在部门领导班子及其成员的监督，进一步提高办案能力，积极协助党组（党委）抓好反腐倡廉工作，努力完善纪检监察部门的内部管理和外部工作协调。各内设纪检监察部门的上级党组织也要按照中央要求，研究加强本单位纪检监察工作的措施，充分发挥纪检监察部门在反腐倡廉工作中的职能作用，促进反腐倡廉工作深入开展。

认清形势 明确任务 努力做好新时期水利建设与管理工作——水利部副部长矫勇在全国水利建设与管理工作会议上的讲话（摘录）（2010年3月28日）

这次会议是在我国继续应对国际金融危机、加快经济发展方式转变的大背景下，在水利建设进入新一轮高峰期、水利建设与管理面临新挑战的重要时期召开的。会议的主要任务是：总结近年来水利建设与管理工作，表彰水管体制改革工作先进集体和先进个人，研究分析水利建设与管理面临的形势，安排部署当前和今后一个时期的工作，为促进水利又好又快发展提供支撑和保障。

下面，我就水利建设与管理工作讲四点意见。

一、肯定成绩

2008年以来，为应对国际金融危机，党中央、国务院实施了促进经济平稳较快发展的一揽子重大举措，水利既肩负起完成扩大内需项目的神圣职责，又迎来了加快发展的重大机遇。各级水行政主管部门在水利部党组和地方各级党委政府的正确领导下，深入贯彻科学发展观，努力完成中央扩大内需水利建设项目，进一步规范建设与管理行为，全面推进水管体制改革，水利建设与管理工作取得可喜成绩。

第一，大规模水利建设取得显著成效。2008年第四季度以来，为应对国际金融危机，水利成为中央保增长、保民生、保稳定一系列决策部署的重要领域，水利进入大规模建设的高峰期。2008年第四季度以来，在建水利工程总规模达到6700多亿元。面对历史性大规模的水利投资，极为繁重的建设任务，面对建设项目点多、面广、量大的复杂局面，各地加强领导，落实责任，创新机制，强化措施，用不到5个月的时间全面完成2008年第四季度新增中央水利投资建设任务，2009年三批扩大内需水利投资建设进展顺利，没有发生重大质量与安全事故和重大建设资金违规使用案件，总体实现了工程安全、资金安全和干部安全，为扩内需、保增长、调结构、促改革、惠民生做出了重要贡献。

第二，病险水库除险加固取得重大进展。中央提出用3年时间完成6240座全国大中型和重点小型病险水库除险加固目标任务，这不仅在中国水利史上前所未有，在世界水利史上也是绝无仅有的。统计表明，这3年每年需要完成的病险水库除险加固项目数量均要超过前10年的任务总量，任务十分艰巨。为完成好中央交给水利系统的艰巨任务，水利部党组高度重视，举全部之力、全行业之力，坚决打好这场攻坚战。水利部建立了部领导分省联系、司局对口监督检查等一系列管理制度，陈雷部长和各位部领导多次专门检查、指导病险水库除险加固工作，各级水利部门按中央的要求和部党组的统一部署，在地方党委、政府的坚强领导下，围绕进度、质量、安全和效益，加强组织领导，强化措施落实，开展了一系列卓有成效的工作。目前，专项规划内6240座病险水库全部开工建设，2302座水库完成竣工验收或主体工程投入运用验收，东部地区1116座重点小型病险水库中央补助资金全部下达，已开工建设930座，为年底全面完成中央确定的目标任务打下坚实基础。

第三，水管单位体制改革取得重要成果。水管单位体制改革是中央深化水利改革的一项重大举措。它既是水利系统的一项重要改革，事关12000多个国有水管单位的生存和发展，涉及60万水管单位职工的切身利益；又是一项社会改革，涉及到不同利益群体的方方面面。特别是这项改革突出水利的公益性特征，明确要求各级财政增加资金，保障水管单位人员的基本支出和公益性工程的维修养护经费，工作难度显而易见。几年来，各级水利部门紧紧抓住机遇，从基础工作入手，着眼于争取政府大力支持，采取一系列有效举措，取得了重大成果。到2009年底，国有水管单位落实公益性人员基本支出79.15亿元，占应落实的94%，落实公益性工程维修养护经费52.15亿元，占应落实的81%；88%的水管单位职工落实社会保障政策；管养分离稳步推进，新的用人制度、激励竞争机制逐步建立。通过改革，理顺了管理体制，建立起良性运行机制，畅通了经费渠道，稳定了职工队伍，增强了水管单位活力，提高了工程管理水平，从整体上提升了水利工程在经济社会发展中的地位和作用。

第四，水利建设管理工作迈上新台阶。主要体现在以下几个方面。一是现代建设管理的规模不断增大。“十五”期间，国家批复的大中型建设项目92个，投资规模1152亿元。“十一五”期间，截止到目前国家已经批复大中型建设项目144个，投资规模4276亿元，说明全面采用现代管理制度的水利工程，无论从项目个数还是投资规模，都在迅速增长。二是现代建设管理制度的应用范围不断拓展。过去，现代建设管理制度主要在水利重点工程中推广。随着民生水利投资占中央水利投资的比重逐年增长，现代建设管理制度逐步向民生水利项目推广，病险水库除险加固、大型灌区改造、饮水安全工程等正在逐步地、全面地应用现代管理制度，更加有效地保障了工程质量和效益，保障了工程安全、资金安全和干部安全，有效提升了水利建设管理整体水平。三是中小工程建设管理模式不断创新。针对中小水利工程点多、面广、规模不一、种类各异的特点，各地积极探索、不断创新建设管理模式。项目法人组建逐步规范，以县（市）为单元的集中建设管理模式广泛采用，很多地方还成立了常设的项目法人机构，保持了稳定的建设管理力量，专业化管理水平得到提高。施工、监理、材料设备等采用打捆招标、集中采购、代理招标等方式，有的还纳入有形市场集中交易。四是水利建设管理体制机制不断完善。目前，水利建设管理已建立了较为完善、符合我国水利建设管理实际的建设管理体系、质量控制体系、安全监管体系和稽察检查体系。根据新的形势要求，各地不断完善体制机制，不断健全法规制度，积极探索有效的组织方式、监管手段和保障措施。“代建制”管理模式试点范围扩大到多种类型的水利工程，“总承包”管理模式也在部分地方试行。政府对招投标行政监管体系逐步完善，监管手段和方式不断丰富，大幅度提高了招标投标的公开和透明程度。水利建设市场监管不断加强，信用体系建设不断加快，水利建设市场秩序得到规范，有力支持了大规模水利建设的顺利实施。

第五，河湖管理工作开创新局面。面对经济社会的快速发展，河湖管理的压力越来越大，任务越来越重。河湖管理虽然一直是建设与管理的薄弱环节，但近期工作中还是有所进展。一是加大河道采砂管理力度。强化了国务院部门对长江干流河道采砂管理，建立了水利、交通两部长江河道采砂管理合作长效机制，组织编制《全国江河重要河道采砂管理规划》。不少地方政府也按照《中华人民共和国水法》《中华人民共和国防洪法》和有关规定，出台了一系列加强河道采砂管理规定，积极理顺采砂管理体制，明确管理主体和管理责任，加大对非法采砂的打击力度。二是加强河湖水域、岸线管理。我部组织编制《全国重点河段（湖泊）岸线利用管理规划》，为水域岸线管理奠定科学基础。各级水行政主管部门岸线管理的责任意识逐渐增强，积极加强水域岸线管理，强化河道管理范围内建设项目管理，根据管理权限，认真履行职责，坚持依法行政，严格项目审批。三是加大监督检查和执法力度。各级水行政主管部门加强对河湖开发利用和涉水事务的监督检查，加大巡查力度和密度，严格执法。对“四无”水电站、违法侵占河道等违法违规涉河行为，依法予以严厉打击，坚决整治，严肃查处。四是积极探索新的管理模式。各地因地制宜，积极探索河道管理新模式，江苏、浙江、上海等地实施清水河道建设，实行水域岸线占用补偿制度，无锡等地建立“河长制”，由市党政主要负责人分别担任河流的“河长”，不少地方还将实践中好的经验和做法不断加以总结，形成规章制度，有的已经以政府规章形式颁布，使河湖利用与保护有法可依、有章可循，河湖管理得到进一步加强。

2008 年、2009 年，是水利投入最大、在建项目最多的两年，是水利保障能力提升最快、水利惠及民生效果最明显的两年，是水利建设与管理任务最重的两年。在此，我代表水利部、代表陈雷部长，向长期坚守在水利建设与管理一线的干部职工致以崇高的敬意！向受到表彰的全国水管体制改革先进集体和先进个人表示热烈的祝贺！向长期以来关心支持水利建设与管理事业的国务院各有关部委、地方各级党委政府和社会各界表示衷心的感谢！

二、认清形势

在过去几年的水利发展中，水利建设与管理工作取得了较好的成绩，但也存在不少问题，面临许多新的挑战。要想进一步提高水利建设与管理的能力和水平，必须认清形势，把握新的挑战，有所预见；必须认真分析问题，找准水利建设与管理的基本特点和存在的问题，明确整改的方向。

第一，我国水利建设将迎来历史高峰期，这是水利建设与管理面临的新挑战。这一判断，主要基于以下事实。一是水利基础设施已成为国民经济重要基础设施中的薄弱环节。经过 30 年的改革开放和大规模的经济建设，我国的铁路已进入高铁时代，高速公路里程数已进入世界前列，电力装机已达到 7.93 亿 kW，接近 2020 年的规划目标，电信已进入三网融合的时代。但是水利基础设施仍然远远落后于其他基础设施行业，这已经成为社会共识，如不迎头赶上，必然落后于全面建设小康社会的步伐。二是水利抗御自然灾害的能力还比较低，与经济社会发展的需要相比还有较大差距。我国水利基础设施建设相对滞后，全球气候变化带来的极端水旱灾害，进一步突显水利保障能力严重不足。如今年西南五省特大干旱，造成 2000 多万人饮水困难，1 亿多亩耕地受旱。西南属于水资源相对丰富地区，如此严重的旱灾充分暴露出工程供水能力严重不足，工程性缺水问题十分突出，对水利工程的需求十分迫切。三是从未来发展需求看，经济社会发展对水利的需求越来越大，要求越来越高。通过这次国际金融危机，中央已经充分认识到加快经济发展方式转变的极端重要性和紧迫性。加快我国经济结构调整，加快推进城乡一体化进程和区域协调发展，加快农业发展方式转变，加快推进生态文明建设等，都对水利保障能力提出新要求。水利作为国民经济和社会发展的重要支撑和保障，作为改善民生、完善公共服务、促进生态文明、保障社会公平的重点领域，面临加快发展的重大机遇。四是党中央、国务院高度重视水利工作，国家综合国力不断提高，使维持较长时期、保持较高强度的水利投入成为可能。近几年党中央、国务院多个文件中，均把水利作为加强基础设施建设的重中之重。党中央、国务院领导在多次讲话和批示中，反复强调“防范水患任何时候都不能松懈，兴修水利任何时候都不能松劲”。在中央保增长、扩内需、调结构、惠民生的一揽子应对国际金融危机的政策中，水利是重点领域。加快水利发展已经成为全党共识，全社会共识。再加上我国综合国力的全面提升，公共财政能力不断提高，今后一个时期加大水利投入是完全有可能的。

第二，民生水利建设的全面提速，是今后一个时期水利建设与管理的新特点。民生问题，是党中央始终高度重视和着力解决的重大问题，事关社会和谐稳定，事关全面建设小康社会奋斗目标的实现。水利部党组高度重视民生水利工作，大幅增加民生水利投入，2008 年民生水利投入占整个水利投资比重的 56%，2009 年民生水利投入占整个水利投资的比重达到 68%。各级水行政主管部门一定要认清建设管理的新形势，把握建设管理的新特点和新规律。一是民生水利项目点多面广量大。2009 年中央投资 637 亿元，涉及的民生水利项目达 6000 多个，种类繁多，几乎覆盖了全国所有农村地区，与铁路、交通等基础设施行业相比，明显具有点多、面广、规模小、非标准的特点。二是民生水利项目实施主体基层化。绝大多数民生水利项目由县级或县级以下水利部门负责实施，但基层单位在前期工作、建设管理、施工组织、质量安全管理、运行管理等方面力量薄弱，经验不足，管理不规范的问题比较突出。切实提高基层建设管理能力，严格实行规范化管理，是确保高强度投资安全和效益的重大课题。三是民生水利项目法规和技术标准不配套。现行法规制度和技术标准主要适用于大中型水利工程，对这些小型、微型民生水利项目来说，针对性、适用性和可操作性不强。对此，建设与管理主管部门要会同相关业务部门，尽快研究提出加强民生水利项目建设管理指导意见，制订一批适应民生水利项目建设特点的法规制度和规程规范，建立一整套针对民生水利项目建设的监督、检查和指导工作机制，确保民生水利项目建得成、管得好、长受益。

第三，全面整改水利工程建设领域中的突出问题，是水利建设与管理的艰巨任务和迫切要求。2009 年以来，我们按照党中央、国务院关于开展工程建设领域突出问题专项治理工作的重要决策，开展工程建设领域突出问题专项治理。同时针对水利建设使用中央投资多的特点，加强了对水利工程建设的稽察和检查。国务院审计和稽察部门，也把水利作为审计和稽察的重点。通过专项整治和一系列的审计、稽察和检查，发现水利工程建设领域仍然存在不少薄弱环节和突出问题，有些相当严重。2009 年水利建设项目稽察 309 项，查出各类违规问题 1530 个；工程建设领域突出问题专项治理工作开展以来，水利行业共排查发现问题 7012 个；国家对病险水库除险加固的专项审计，审计的 554 个项目中，有 168 个存在各类建设管理问题，其中 29 个存在较为严重的问题，为此陈雷部长亲自主持整改会议，要求彻底整改。分析这些问题的原因，既有建设任务重、现行政策不完善、制度不健全等客观原因，但更主要的是有些同志，特别是少数领导同志责任心不强，建设管理队伍素质相对不高，采取的工作措施力度不够，管理不严格、不规范等主观原因。面对大规模的水利建设任务和复杂的建设局面，各级分管建设与管理的负责同志首先要从主观上查找原因，掌握水利建设管理的特点，切实加强领导，切实加强整改，提高工作质量和效率；同时也要分析客观规律，不断完善建设管理制度，创新体制机制、建立起促进工程建设健康发展的长效机制，确保大规模水利建设的进度、质量、安全、廉洁和效益。

第四，大规模的经济建设，使强化河湖管理，维护河流健康面临巨大的压力。随着人口的增长和经济社会的发展，河湖管理与保护将面临更加严峻的挑战。一是河道无序采砂，部分地区偷采盗采、乱采滥挖现象时有发生。自 2001 年实施《长江河道采砂管理条例》以来，长江河道采砂管理在各级政府的共同努力下，基本上处于可控状态。但是全国河道采砂管理由于主观和客观的原因，尚未形成有效的管理格局，河道非法采砂仍十分严重，局部河段甚至比较猖獗，给河势稳定、防洪安全、航运安全、供水安全和生态安全带来严重危害。二是随着人类活动的增加，大肆围垦、侵占河道、围湖造地现象屡禁不止。一些河湖、河滩、洲滩、岸线被围垦侵占，致使河道、湖泊萎缩，行蓄洪能力减弱，洪水位逐步抬高，降低了防洪能力，加大了防洪风险，严重影响人民群众生命财产安全。三是无序开发现象严重，水域、岸线管理亟待加强。一些中小河流的水能资源开发缺乏有效监管，部分地方中小水电无序开发现象比较严重，导致质量安全事故频繁发生，严重危及公共安全。在涉河建设项目审批中，重点项目不报批、审批不严格或不按审批要求施工建设等现象依然存在，一些项目在审批时往往是按单个项目申报，对河道的影响较小，但多个项目累加起来对水域、岸线就会产生较大的负面影响。四是法律法规不完善，实行严格的河道管理缺乏有效的法律依据。现行《河道管理条例》已颁布实施 20 多年，已不适应河湖管理面临的新形势，不能有效应对新情况，解决新问题，如河道规划没有明确的定位，水域岸线利用管理制度缺失，涉河建设项目审批规定不具体、可操作性不强，对违规涉河建设项目和河湖无序开发行为处罚力度不大等，有的条款与后颁布的新《中华人民共和国水法》《中华人民共和国防洪法》《中华人民共和国行政许可法》等上位法不相符，加上相关配套管理办法和技术标准不健全，执行效力大打折扣。对此，各级河道主管部门要坚持以人为本、人水和谐的理念，以健全的法律法规和技术标准体系作保障，以更加科学的规划作指导，以更严格的项目审查和执法监督检查作保证，采取切实措施，努力维护河湖健康生命和可持续利用。

第五，进一步深化改革，加快推进传统水利向现代水利转变，对水利建设与管理提出更高要求。由传统水利向现代水利转变，从建设与管理的角度看，必须满足4个基本要求。一是水利工程要满足现代水利的要求。这就要求水利工程建设要实现高标准、高要求、高质量，确保建设期和运行期的工程安全；工程体系要相对完善，互成系统，实现工程效益目标的高保证率；工程建设本身能够实现资源节约，环境友好，促进人与自然和谐。二是建设与管理要满足现代水利的要求。这就要求水利工程要有健全的建设与管理体制，健全的管理机构，完善的规章制度，完整的规程规范和技术标准，规范和健康的水利建设市场秩序，科学和先进的建设与管理手段。三是工程运行调度要满足现代水利的要求。这就要求水利工程要有明确的调度目标，统一的调度原则，科学的调度规程，实时的监控体系和决策系统，能够使工程联合运行的综合调度手段。四是河湖管理要满足现代水利的要求。这就要求河湖管理要有健全的法律法规体系，协调的执法体制机制，科学的管理规划，明确的执法职责，健全的执法管理队伍和先进的执法管理手段。这四条现代水利对水利建设与管理的基本要求，请分管建设与管理的负责同志认真研究，准确把握现代水利的规律和方向，使水利建设与管理工作紧密与现代水利的要求相结合，推动水利建设与管理始终朝着现代水利的方向前进。

三、明确任务

2010年是保持经济平稳较快发展、加快经济发展方式转变、全面实现“十一五”规划目标的重要一年，是完成中央确定的病险水库除险加固任务、打好大规模水利建设攻坚战、开展水利工程建设领域突出问题专项治理的关键一年。水利建设与管理工作的总体要求是：全面贯彻党的十七届三中、四中全会和中央经济工作会议、中央农村工作会议、全国水利厅局长会议精神，深入贯彻落实科学发展观，积极践行可持续发展治水思路，围绕水利中心工作，着力抓好病险水库除险加固，着力打好扩大内需水利建设攻坚战，着力深化水利建设与管理体制改革，着力抓好水利工程建设领域突出问题专项治理工作，着力做好社会管理和公共服务，为水利事业又好又快发展做出新的贡献。

当前及今后一个时期，要突出抓好以下五项重点工作：

第一，全面完成病险水库除险加固目标任务。2010年底，按照中央的要求，要全面完成大中型和重点小型病险水库除险加固目标任务，这一目标不能动摇，任务十分艰巨。目前，病险水库除险加固工作尽管取得很大进展，但总体上进展还不平衡，地方配套资金全国平均仅64%，个别地方不到40%，通过验收的项目只有37%；有的项目管理不规范，招投标和资金使用不严，质量与安全问题不同程度存在。因此，各地务必要尽早落实预算，开拓筹资渠道，全面落实地方配套资金。对前两年审计、稽察、检查发现的问题，一定要加大整改力度，确保整改到位。要进一步优化施工方案，精心组织，倒排工期，在保证质量和安全的前提下，加快建设进度。重要小型病险水库要力争在汛前全部完成，大中型水库2010年底全部完成，个别因审批时间晚的大（1）型病险水库，要按照合理工期的要求，力争2010年底之前完成主体工程。各地务必高度重视，加强组织领导，强化目标责任，加强监督检查，规范资金使用管理，确保进度、质量和安全，各相关司局要根据部里分工，加大帮扶和监督检查力度，坚决完成病险水库除险加固目标任务，向党中央、国务院交上一份满意答卷。

第二，全力打好大规模水利建设攻坚战。2010年，中央水利投入安排已超过800亿元，全行业水利投入有望达到2000亿元。水利建设规模将持续加大，民生水利工程建设范围将进一步拓展，水利建设任务更加艰巨。各级建设管理部门要进一步鼓足干劲，以保进度、保质量、保安全为中心，强化建设管理，全力打好水利建设攻坚战。一是加强组织协调。2010年水利投资计划总盘子已经明确，各级建设管理部门要与计划等业务相关部门尽早衔接，确定计划和资金到位时间和规模，尽早做好招标投标和施工计划安排等各项工作。一定要避免2009年前松后紧的现象，工作要早抓，要抓早。要总结大规模水利建设以来好的经验和做法，继续强化被实践证明行之有效的领导机制、协调机制、监督机制和各项保障措施，确保各项工程建设顺利实施。二是严格执行“三项制度”。要规范项目法人组建，严格项目法人组建和审批，落实项目法人责任主体地位。要以规范民生水利工程项目法人组建和管理为重点，积极实验连片整合，集中组建项目法人的做法，提升项目法人的规格，充实项目法人力量，强化对项目法人的指导、培训和监督管理。要严格招标投标，严防规避招标、围标串标、恶意低价中标、转包和违法分包等行为发生。要加强监理管理，严格市场准入，严禁无证或超许可范围承揽任务，严禁无证上岗，确保现场监理力量，全面落实监理责任。三是加强进度、质量和安全管理。要制定科学合理的施工计划，保障工程按进度要求顺利实施。要牢固树立“质量第一，安全至上”的意识，建立完善的质量管理体系，落实质量管理责任，加强施工过程质量管理，积极推行关键部位和重点环节的强制性检测，严格质量评定和验收，确保工程建设质量。要切实加强施工现场安全管理，完善各项安全措施，杜绝违规作业行为，确保施工安全。要切实落实在建工程防汛安全责任制、度汛方案和各项度汛措施，确保施工度汛安全。

第三，加快推进水利建设与管理体制改革。改革是推进水利建设与管理工作的不懈动力。要通过深化改革，进一步改进水利建设与管理工作。一是深化水利建设管理体制改革。要把民生水利工程纳入现代建设管理体制改革范围，针对点多、面广、分散、项目小的民生水利工程，系统总结集中建设管理、打捆集中招标等经验，全面推广建设管理“三项制度”。尤其要研究制定规范民生水利工程项目法人组建指导意见，积极试点代建制、总承包制等新型建设管理模式，着力建立起适应社会主义市场经济体制要求的民生水利新型建设管理机制。二是深化和巩固水管体制改革。一方面，要巩固改革成果，要真正将“两项经费”全部足额纳入本级财政预算，稳定经费渠道，全面落实社保政策，深入推进内部人事、分配制度改革，积极推行管养分离，建立良性运行机制。另一方面，要认真研究政策，继续深化改革，扩大改革的对象和范围，将小型水利工程和县级以下基层单位纳入改革范畴，明确管理主体和管理责任，落实管护人员和经费。

第四，切实抓好水利工程建设领域突出问题专项治理工作。水利工程建设领域突出问题排查工作已基本结束，专项治理工作进入整改的关键阶段。下一步，要按照中央关于开展工程建设领域突出问题专项治理工作的总体部署，在全面排查的基础上，抓住重点，集中治理，力求在解决重点难点问题上取得新突破，在查办违纪违法案件上取得新进展，在建立健全长效机制上取得新成效。一是分类梳理问题。对排查出的问题，既要按照项目决策、招标投标、建设实施和质量安全、资金使用等各个重点环节分类，又要按照重大水利工程、病险水库除险加固、大型灌区续建配套、农村饮水安全等工程类别分类，还要按照体制机制、管理能力、人员素质、监管水平等问题成因分类，真正把水利工程建设领域存在的问题查清摸透，为落实责任、有的放矢地做好问题整改工作打下坚实基础。二是狠抓问题整改。要针对自查、抽查中发现的问题，落实整改责任，制定和完善整改措施，及时纠正。对一般违规问题，及时督促责任单位立即纠正，认真整改；对严重违纪问题，商请监察部门立案查处，追究相关单位、相关人员的责任；涉嫌违法犯罪的，及时移送司法机关依法处理。要按照问题性质，认真分析原因，有针对性地提出整改处理方案。对违法违纪、工作不到位等执行层面引发的问题，要从加强监管、健全监督机制、提高单位管理水平上下工夫；对常见、多发且带有共性的问题，要从政策、制度和体制机制层面进行分析，提出切实可行的措施和办法。三是加大案件查办力度。要按照中央工程治理领导小组《关于进一步加大工程建设领域违纪违法案件查处力度的通知》要求，落实办案责任制、重点案件挂牌督办制和查办案件情况旬报制，坚决查处水利建设领域的违法违纪案件。加强对典型案件的剖析，认真开展警示教育，建立健全相关制度，并且充分发挥查办案件的治本功能。四是建立健全长效机制。要把专项治理工作作为进一步完善水利工程建设领域规章制度的契机，深入调查研究，及时把专项治理工作中形成的创新成果转化为规章制度，强化源头治理和事先防范。属于政策层面的，要通过深化改革，创新体制机制，不断适应水利工程建设实际；属于制度层面的，要通过制度创新，及时废止、修订、制定一批法规标准文件，形成一整套规范性强、指导效力高的法规标准体系。当前要抓紧出台《水利建设工程设计变更管理办法》《水利基本建设资金管理办法》和《水利工程质量管理规定》等一批规章制度。五是加强专项治理工作的监督检查。水利工程建设领域突出问题专项治理工作是一项十分严肃的重要政治任务，必须着力抓好落实，切忌停留在表面，绝不能搞形式、走过场。要加大监督检查力度，对组织领导不到位、方法措施不得力、治理效果不明显的地方、部门和单位，要及时提出明确的整改要求，重点督查，限期整改，确保专项治理工作达到预期目标。

第五，全面加强社会管理和公共服务。社会管理和公共服务是推进法制政府建设的重要内容。水利建设与管理工作具有很强的社会管理属性，资质资格管理、市场监管、河湖管理等都是具体内容，务必强化管理。一是要加强河湖管理，把河湖管理纳入法治轨道。在立法上，要加快《河道采砂管理条例》《河道管理条例》的立法进程；各地也要尽快理顺管理体制，建立河湖开发、利用和保护长效机制。在河道采砂管理上，近日水利部已部署重要江河采砂规划编制工作，这是理顺全国河道采砂管理体制的基础，要全力做好；要进一步深化水利、交通两部长江河道采砂管理合作机制，积极推广“长江采砂管理模式”，主动会同有关部门，加强监管，保持严监管、高打压态势，着力维护河势稳定，确保行洪安全、生态安全和航运安全。在涉河建设项目管理上，要严格涉河涉湖建设项目审查审批，健全公示、公告制度，强化监督检查，严防非法围垦、侵占河湖水域岸线行为发生，维护河湖生态。二是要加强水利建设市场监管。要严格资质资格审查审批，把好市场准入关，保证市场管理的公平正义。要积极推行政务公开，发挥行业自律组织的作用，主动服务，并广泛接受社会监督。要结合中央工程治理领导小组在水利行业开展的项目信息公开和诚信体系建设试点工作，加快水利建设市场信用体系建设，积极探索加强信息公开的途径和办法，逐步实现水利行业信息共建共享，通过开通全国统一的水利建设市场主体信用信息平台、公布不良行为记录等措施，切实提高水利建设市场的监管水平。

四、强化保障

当前，水利建设与管理面临前所未有的艰巨任务。各地务必高度重视，加强领导，精心组织，周密安排，全力落实好建设与管理工作的各项保障措施。

第一，加强组织领导，强化责任落实。当前，水利建设与管理的各项任务十分艰巨。水利部相关司局和各级水行政主管部门要切实加强组织领导，主要领导要亲自抓，分管领导要抓好各项具体工作的落实，形成工作有人管、任务有人抓、责任有人负、一级抓一级、层层抓落实的工作格局。要建立严格的奖惩制度和责任追究制度，加强对责任制落实情况的监督检查。

第二，加强监督检查，强化指导协调。水利工程建设的特点，要求各级水行政主管部门都要高度重视监督检查工作。部稽察办要进一步加大稽察力度，各地也要充分发挥审计、稽察、监察等职能部门的作用，建立领导联系、有关部门或处室分片包干督导机制，形成监管合力，确保监管到位，确保监管成效。对建设任务重的地区和基层，要进一步加强对口帮扶工作，帮助这些地方把工作搞上去。

第三，加强基础工作，强化制度建设。各地要狠抓基础工作，加强资料收集、基础数据统计、基本情况分析，加快水利建设与管理信息系统建设。加强涉及全局、体制机制的重大问题研究，加大科研攻关力度，不断研究推广水利建设领域的新技术、新材料、新工艺。要强化制度建设，尽快修订不适应工作需要的法规制度，尽快制订工作急需的管理制度，着力完善水利建设与管理法规和技术标准体系。

第四，加强教育培训，强化能力建设。要狠抓建设与管理队伍能力建设，特别要针对基层水利部门组织能力不足、专业力量薄弱等问题，开展全方位、多层次的教育培训，不断提高干部队伍素质和业务实践能力。要大兴学习之风，求真务实之风，深入基层调查研究，不断提高政策水平、业务能力和服务质量。要加强党风廉政建设，自觉执行领导干部廉洁自律各项规定，严防项目招标、工程建设、河道采砂等事项中的腐败行为，共创廉洁清正的工程建设环境。

贯彻落实科学发展观　全面推进水利依法行政——水利部副部长周英在全国水政工作会议上的讲话（摘录）（2009 年 5 月 26 日）

这次会议的主要任务是认真贯彻党的十七大、十七届三中全会等中央一系列重要会议精神，深入贯彻落实科学发展观，积极践行可持续发展治水思路，总结工作，交流经验，分析形势，明确任务，进一步加强水政工作，全面推进水利依法行政，保障和促进水利科学发展。

下面，我讲三点意见。

一、**2008** 年水利工作取得重大胜利

2008 年是我国很不寻常、极不平凡的一年，也是水利工作肩负重大任务、经受重大考验、取得重大胜利的一年。在党中央、国务院的正确领导下，各级水行政主管部门深入贯彻落实科学发展观，积极践行可持续发展治水思路，水利工作呈现保障有力、抗灾有效、发展加快、管理加强的良好态势，谱写了水利发展与改革的新篇章，有力地促进了经济社会的发展。水利抗灾减灾成效显著，取得了水利抗震救灾重大胜利，全面战胜了低温雨雪冰冻灾害，成功化解了黄河凌汛险情，有效防范了局部洪涝灾害，最大程度地减轻了旱灾损失。水利建设突飞猛进，投资规模大幅度增加，民生水利建设步伐加快，对中西部地区水利建设支持力度进一步加大。水利管理不断加强，水资源节约和保护全面推进，水利法治建设步伐加快，水利科技与国际合作取得新进展。水利改革继续深化，机构改革顺利实施，水管体制改革、水价改革取得新成效，农田水利建设新机制逐步建立。加快水利发展的氛围更加浓厚，各地发展水利积极性日益高涨，部省水利合作不断加强，基层水利发展受到广泛关注。同时，各级水利部门、单位着力加强思想建设、作风建设、队伍建设、反腐倡廉建设和精神文明建设，各项工作都取得了新的进展。

2008 年以来，各级水行政主管部门、流域机构和广大水政工作者深入学习实践科学发展观，围绕水利中心工作，服务于水利发展改革大局，不断加强水利立法和水行政执法工作，妥善解决水事矛盾和行政争议，全面推进依法行政和依法治水，为水利发展改革提供了有力的法治保障。

第一，水利立法和政策研究取得新成果，依法行政的基础更加坚实。《中华人民共和国抗旱条例》于 2009 年 2 月 26 日由国务院令第 552 号发布施行，明确了各级人民政府、有关部门和单位在抗旱工作中的职责，建立了抗旱水量统一调度等一系列重要的抗旱工作制度和抗旱保障机制，填补了抗旱法律制度空白。《取水许可管理办法》《三峡水库调度和库区水资源与河道管理办法》《水利工程质量检测管理规定》《海河独流减河永定新河河口管理办法》和《黑河干流水量调度管理办法》五件部规章发布施行。《中华人民共和国水土保持法（修订稿）》和《太湖管理条例》两个草案已报送国务院审议，《节约用水条例》起草工作取得阶段性成果。围绕民生水利和可持续发展水利，提出了一批政策研究成果。广东、江苏、四川等地加快推进地方水法规建设，出台了一批有特色、有影响的地方性法规和政府规章，黑龙江省出台了关于加强水利建设大力发展现代水利的决定，宁

夏、天津等地的水利政策研究工作为水利发展与改革提供了重要参考依据。不断完善的水法规体系和不断丰富的政策研究成果为水利依法行政奠定了重要基础。

第二，水行政执法取得新成效，保障了水法规的贯彻实施。深入推行行政执法责任制，完成了水利部和7个流域机构执法依据的梳理，起草了《水行政执法责任追究办法》，进一步规范了行政执法行为，强化了对行政执法行为的监督，江苏、湖南、重庆等地推行行政执法责任制工作进展较快。水利综合执法继续推进，河北、陕西、山东、贵州等地综合执法成效显著，较好地解决了执法职责交叉等问题。在北京奥运会举办前，我们集中组织13个省、自治区、直辖市水行政主管部门开展专项执法活动，依法制止了由境外组织幕后操纵并提供资助的非法水质调查活动，北京、福建、河南、大连等地在规范执法行为、查处水事违法案件等方面加大工作力度，取得明显成效。水利行政审批制度改革继续推进。水利部2008年共准予水行政许可889件，涉及开发建设项目水土保持方案审批等10类水行政许可事项；组织开展了行政审批事项集中清理，对取水许可、长江河道采砂审批等行政许可事项的实施情况进行了评估；水利部网上审批及电子监察系统建成并投入试运行，使行政审批行为更加规范，体制机制进一步健全。上海、四川、湖北等地行政审批制度改革扎实推进。水利规费征收进一步强化。财政部、国家发改委、水利部联合颁布了《水资源费征收使用管理办法》进一步规范了水资源费的征收和使用。青岛市加大水利规费的征收和追缴力度，2008年共征收和追缴河道工程维护管理费5.12亿元，占全市水利建设总投资的60%，为水利事业又好又快发展提供了重要的资金保障。

第三，水事纠纷调处和预防化解行政争议有新进展，为社会和谐稳定做出了重要贡献。在北京、天津、河北、陕西、甘肃和内蒙古水利部门的共同努力下，妥善解决了京津泃河杨庄截潜工程放水纠纷和陕甘泾河长庆桥河段护堤工程纠纷，处置了京冀拒马河水事纠纷，维护了北京奥运期间的社会稳定；经过努力，圆满解决了陕西内蒙无定河取水纠纷。我部和浙、闽两省政府联合批复了浙闽边界交溪流域水资源规划，为根本解决浙闽边界水事纠纷奠定了重要基础。黄委、海委、太湖局等流域机构在调处水事矛盾、维护社会稳定方面做了大量工作，取得了显著成效。认真做好行政复议工作，注重发挥行政复议制度在化解行政争议、促进法治政府建设、构建和谐社会中的重要作用。在坚持精心办案的同时，注意及时总结经验、发现问题、提出完善有关法律制度和规范具体行政行为的措施，在预防行政争议的发生，努力实现法律效果和社会效果的统一上取得了新进展。

第四，水利法制宣传教育工作有新面貌，水法律意识和观念进一步增强。坚持集中宣传与经常性宣传相结合，学法和用法相结合，普法和依法治理相结合。2008年、2009年分别以“发展水利、改善民生”和“落实科学发展观、节约保护水资源”为主题组织开展了形式多样的“世界水日”“中国水周”宣传活动。扎实推进“五五”普法工作，在传播法律知识，弘扬法治精神，增强全社会的法律意识，形成全社会自觉学法守法用法的良好风尚方面组织开展了卓有成效的工作，全社会的水法律意识进一步增强，各级水行政主管部门和流域机构依法行政的能力和水平进一步提高。黄委和广东、广西等地水利法制宣传教育广泛深入、取得实效。在中宣部、司法部和全国普法办作出的《关于表彰全国“五五”普法中期先进集体和先进个人的决定》中，水利系统共有2个先进集体和4名先进个人受到表彰。

二、深刻认识水政工作面临的形势和任务

水政工作是水利发展与改革中的一项基础性、全局性和保障性工作。深刻认识当前我国经济社会发展、法治建设和水利发展形势，对于我们谋划和安排当前和今后一个时期的水政工作，具有十分重要的意义。

第一，深刻认识当前我国经济社会发展形势。2008年9月以来，世界经济遭受了上世纪大萧条以来最为严峻的挑战。受国际金融危机快速蔓延和世界经济增长明显减速的影响，加上我国经济发展中尚未解决的深层次矛盾和问题，我国经济运行的困难增加，经济增速下滑。2009年是进入新世纪以来我国经济发展最为困难的一年。为应对国际金融危机冲击、保持经济平稳较快发展，我国果断实施积极的财政政策和适度宽松的货币政策，形成了进一步扩大内需、促进经济增长的一揽子计划。目前，这些措施已初见成效，经济运行出现积极变化，形势比预料的好。但是，国际金融危机还在扩散蔓延，世界经济衰退的基本态势没有改变，对我国经济的影响还在加深；我国经济回升的基础还不稳固，内外部环境还十分严峻。在经济发展面临挑战的时候，影响社会稳定的各种不确定因素随之增多，一些深层次的问题和矛盾加剧。胡锦涛总书记在纪念5.12汶川特大地震一周年活动时的讲话中指出，“我们要牢牢坚持发展是硬道理的战略思想，把保持经济平稳较快发展作为经济工作的首要任务，认真落实进一步扩大内需、促进经济平稳较快发展的一揽子计划，全力做好保增长、保民生、保稳定各项工作，努力夺取经济社会发展新胜利。”认真学习贯彻胡锦涛总书记讲话精神，深刻认识国际国内形势的严峻性和复杂性，要求我们把水政工作放在国家工作大局中统筹研究和安排，切实增强做好水政工作的紧迫感、责任感和使命感，要统筹当前与长远发展要求，既要立足当前保增长，为水利建设保驾护航，又要着眼长远，把强化水资源管理的

对策措施转化为法律制度，促进经济发展方式转变，为我国经济长远发展打下更加牢固的水资源基础；要统筹水利建设与制度创新，在打好水利建设攻坚战的同时，加快推进各项促进民生水利的制度建设，更好地保障民生；要统筹改革发展与稳定，注重运用法律手段妥善解决水利问题、化解社会矛盾，为促进经济平稳较快发展和社会政治大局稳定作出新的贡献。

第二，深刻认识我国法治建设形势。近年来，我国依法治国、依法行政进程不断加快。党的十七大把依法治国基本方略深入落实，全社会法制观念进一步增强，法治政府建设取得新成效，作为实现全面建设小康社会奋斗目标新要求的重要内容。国务院《全面推进依法行政实施纲要》提出，要用十年左右的时间基本实现建设法治政府的目标。2008 年 5 月，国务院颁布《关于加强市县政府依法行政的决定》，对加强市县政府依法行政作出了全面部署。《全国推进依法行政实施纲要》实施五年来，依法行政和法治政府建设取得了长足进步。但必须清醒地看到，对照依法治国、建设社会主义法治国家和依法行政、建设法治政府的目标，我们的任务还相当艰巨，时间相当紧迫。深刻认识推进法治建设的重要性和紧迫性，要求我们进一步加强对水利依法行政工作的组织领导，从转变政府职能、建立健全科学民主决策机制、提高制度建设质量、理顺行政执法体制、探索社会矛盾防范化解机制、完善行政监督、提高依法行政的观念和能力等方面，全面推进水利依法行政，为落实依法治国基本方略和依法行政、建设法治政府目标作出应有的贡献。

第三，深刻认识水利发展形势。2009 年是新中国成立 60 周年。经过 60 年的努力，我国水利事业取得了举世瞩目的伟大成就，特别是近年来，水利部党组积极践行并不断丰富完善可持续发展治水思路，推动各项水利工作发生了深刻变化，取得了明显成效，水利对经济社会发展的保障作用显著增强。当前和今后一个时期，我国处于全面建设小康社会、社会主义现代化建设加快推进的重要时期，水利事业处于改革发展不断深入，传统水利向现代水利、可持续发展水利加快转变的关键阶段。民生水利发展滞后是当前水利发展阶段性特征的突出表现，着力解决好直接关系人民群众生命安全、生活保障、生存发展、人居环境、合法权益等方面的民生水利问题，使人人共享水利发展与改革成果是人民的期盼和经济社会发展的迫切要求；人多水少，水资源时空分布不均、与生产力布局不相匹配，是现阶段我国的突出水情，水资源水环境对经济增长的约束，将是贯穿于我国工业化进程中的突出矛盾。准确把握水利发展形势，要求我们深入学习实践科学发展观，充分认识可持续发展治水思路是有效解决我国水资源问题的成功之路，发展民生水利是践行可持续发展治水思路的着力点，实行最严格的水资源管理制度是保障水资源永续利用的根本举措，紧紧围绕推进可待续发展治水思路的深入实践和丰富完善，围绕推动民生水利新发展，围绕全面落实最严格的水资源管理制度，进一步理清水政工作思路、采取有力措施，切实为水利科学发展提供强有力的法治保障。

三、认真做好新形势下的水政工作

为保障和促进水利又好又快发展，今年和今后一个时期，要着力从以下五个方面切实加强水政工作。

第一，进一步加强水政工作。水政工作是水利系统依法行政的基础，在推进水利发展与改革进程中发挥着重要作用。在新的形势下，进一步加强水政工作，既是建设法治国家、法治政府的必然要求，也是确保水利又好又快发展的迫切需要。在去年的机构改革中，水利部党组决定整合水利安全生产监督、水利建设项目稽察、水政监察等三项重要监督执法职能，组建安全监督司，这是从当前我们面临的越来越严峻的安全生产形势、越来越繁重的建设项目稽察任务和越来越高的依法行政要求出发作出的重大决策。这种调整相对过去而言，人员增加了，力量更强了，对于进一步加强水政工作是有利的。但也有些同志认为这种职能设置不够顺畅，担心会削弱水政工作。这种想法不是没有道理。为了扩大积极效果，尽可能减少不利影响，更好地发挥有关职能部门的作用，调动各方面的积极性，2009 年 4 月 9 日，陈雷部长亲自主持会议对部政法司和安监司职责分工作了进一步明确，会议纪要已发给大家。只要部内相关司局认真贯彻陈雷部长关于“事业为重、大局为先、加强协调、形成合力”的要求，各司其职，互相配合，水政工作就会得到进一步加强，水政工作就一定会推向一个新的水平。关于流域机构内设机构要以满足履行自身职能需要，精简、高效为原则，进行科学合理的设置。地方机构改革，决定权在地方政府，部里只是希望各地要坚持从实际出发，实事求是地提出建议，为政府决策当好参谋。需要强调的是，在机构改革中要切实加强专职执法机构建设，凡没有成立水政监察总队的省，要抓紧成立；有机构无编制的应争取编制部门的支持，核定编制，落实人员；要将水政监察队伍纳入行政系列或者参照公务员管理，使队伍的性质与履行的执法职能相适应。

第二，把加强基层水政工作放在更加突出的位置。水政工作的根基在地方、在基层。基层水政机构处在水政工作的第一线，是水利政策法规的重要执行者。实际工作中，直接涉及人民群众具体利益的涉水事务的行政行为大多数由基层水政机构代表同级水行政主管部门做出，水事矛盾和行政争议大多数发生在基层并需要基层水政机构处理和化解。基层水政机构能否切实做到依法行政，很大程度上决定着水利依法行政的整体水平和整体进程。我们要认真贯彻落实国务院2008年5月下发的《关于加强市县政府依法行政的决定》，大力提高基层水政工作人员依法行政的意识和能力，完善行政决策机制，建立健全规范性文件监督管理制度，严格行政执法，强化对行政行为的监督，把提高基层水政机构人员素质和依法行政的能力、水平作为全面推进水利依法行政的紧迫任务，把加强基层水政工作作为一项基础性、全局性工作，摆在更加突出的位置。部里将采取措施，进一步加大对基层水政人员的培训力度，加强对基层水政工作指导和工作交流。各地要增加对基层水政工作的投入，改善基层水政工作条件，完善执法保障，努力为加强基层水政工作营造良好的环境。

第三，充分运用法律手段，为水利又好又快发展提供法治保障。在当前扩大内需、促进经济平稳较快发展的形势下，水政工作既要发挥执法监督功能、严格把好法律关，又要增强服务意识、营造良好法治环境。一是围绕推进民生水利新发展，不断完善民生水利方面的法律制度，保证民生水利法律制度的有效实施，用法律手段确保人民群众在水资源开发利用、城乡供水保障、用水结构调整、水利移民安置、蓄滞洪区运用补偿等方面的合法权益，坚决纠正损害群众利益的行为。二是围绕打好水利建设攻坚战，完善水利建设方面的法律制度，注重已有法律制度的落实，加强监督管理，确保项目建设进度、质量、安全和效益相统一，确保水利建设任务顺利完成。三是围绕落实最严格的水资源管理制度，完善水资源管理方面的法律制度，划定水资源开发利用、水功能区限制纳污、用水效率控制“三条红线”，严格执行取水许可和水资源费管理、节约用水、水资源保护等水资源管理制度，促进水资源的可持续利用，保障经济社会的可持续发展。四是围绕深化水利改革，加大政策支撑力度，及时将行之有效的改革措施转化为法律制度，推进城乡水务一体化改革、水利投融资体制改革、水管体制改革、水价改革等各项改革进程，促进城乡、区域统筹发展，确保水利又好又快发展。

第四，努力防范、化解水事矛盾和涉水行政争议，为维护社会和谐稳定做出贡献。当前，水事矛盾和涉水行政争议呈现多发的态势，是影响社会稳定和水利发展的不和谐因素。我们要从维护国家改革发展稳定大局和构建社会主义和谐社会的战略高度，充分认识防范、化解水事矛盾和涉水行政争议的重要性、紧迫性、复杂性和艰巨性。越是情况紧急，越是矛盾突出，越要注重发挥法律制度的规范、引导和保障作用，越要注重运用法律手段妥善解决问题、化解矛盾、保持稳定、促进和谐。一是要坚持“预防为主、预防和调处相结合”的工作方针，进一步健全水事矛盾预防调处机制，加大已发生水事纠纷调处力度，努力维护和谐的水事秩序和团结治水局面。二是要严格依法行政，规范行政行为，加强对与人民群众利益密切相关的行政行为的监督，及时纠正违法或者不当的行政行为，维护社会公平正义。三是要进一步加强水利行政复议和行政应诉工作，畅通行政复议渠道，充分发挥行政复议在有效解决行政争议、推动法治政府建设、促进社会公平正义中的重要作用，做到“定纷止争、案结事了”，切实维护人民群众的根本利益。四是要加强水利法制宣传教育和舆论引导工作，增强水利干部职工依法行政意识，在涉水管理中引导人民群众自觉履行法定义务，依法理性表达利益诉求。

第五，进一步加强对水政工作的组织领导。做好新形势下的水政工作，加强领导是关键。各级水行政主管部门和流域机构的领导，要把加强和改进水政工作放在更加突出的位置，摆上重要议事日程，加强对水政工作的组织领导、综合协调和监督检查，把水政工作完成情况作为工作目标责任制的重要内容，建立健全领导、监督、协调和责任机制，切实解决水政工作中的突出问题。

总结经验　真抓实干　扎实做好小水电代燃料工作——水利部副部长胡四一在小水电代燃料工程建设现场会上的讲话（摘录）(2009年8月27日)

一、小水电代燃料扩大试点成效明显

为解决农民生活燃料，改善农民生活条件，巩固退耕还林、天然林保护等生态建设成果，根据党中央国务院的决策部署，2003年在5个省开展了小水电代燃料试点建设，取得了显著成效，受到了广大农民群众的积极拥护和大力支持，得到了温家宝总理、回良玉副总理的赞扬和肯定。在试点基础上，2006年在全国开展了更大规模的扩大试点建设，涉及21个省（自治区、直辖市）和新疆生产建设兵团的81个项目。目前工程进展顺利，有43个项目的代燃料电站已投产运行，年底前将有76个项目实施代燃料供电，基本完成了扩大试点建设任务。

（一）小水电代燃料从根本上解决了农民的燃料问题，有效保护了生态环境

小水电代燃料项目区家家户户用上了电饭锅、电炒锅、电水壶，项目区农民不再上山砍树烧柴，森林植被和生态环境得到了有效保护。据统计，小水电代燃料扩大试点建设保护森林超过13万 hm^2，每年减少薪柴消耗75万t，项目区走上了以林蓄水、以水发电、以电护林的良性发展道路。

（二）小水电代燃料解除了农民砍树烧柴的艰辛，提高了生活质量

过去农民为了砍柴翻山越岭，斧砍肩扛，受苦受累。农村妇女烧柴做饭，三餐围着灶台转，要四五个小时，烟熏火燎，负担沉重，有的还得了红眼病和肺

气肿病等。现在用电做饭，方便、快捷、省时、省力，减轻了农民负担。

（三）小水电代燃料显著改善了农民生活条件，美化了人居环境

小水电代燃料建设带动项目区改厨、改厕、改圈，通电、通水、通路，项目区人居环境发生了显著变化，缩小了城乡差距，农民过上了现代文明的新生活。我们下午将要考察的长白县马鹿沟代燃料项目是扩大试点项目的典型代表，项目区建设与民族村建设相结合，农民生活条件和生活环境得到了极大的改善。

（四）小水电代燃料解放了受砍树烧柴束缚的农村劳动力，增加了农民收入

项目区所在的县、乡（镇）政府积极引导从砍树烧柴中解放出来的劳动力，从事农副产品加工，发展特色农业和畜牧业，搞手工编织和特色旅游或外出打工，千方百计增加农民收入。据初步统计，实施小水电代燃料后，项目区群众平均每户每年增加收入上千元。

（五）小水电代燃料增加了可再生能源比重，促进了节能减排

砍树烧柴不但破坏植被，削弱生态建设成果，还会增加大量温室气体。小水电是国际公认的可再生能源，小水电代燃料工程建设增加了小水电装机，改善了农村能源结构，减少了温室气体排放。

各地在小水电代燃料扩大试点建设中进行了大量的实践探索，积累了许多好的经验和做法：一是领导高度重视。一些省成立了省级小水电代燃料建设领导小组，试点县均成立了县级小水电代燃料建设领导小组。各级发展改革部门和水行政主管部门各司其职，密切配合。各级水行政主管部门把小水电代燃料作为水利工作的重点，主要领导亲自过问，分管领导直接抓，保证了项目的顺利实施。二是群众积极拥护。小水电代燃料最大限度地降低了代燃料电价，让农民用得起、长受益，显著改善了生活条件，真正得到了实惠。三是建立体制机制。各地在扩大试点实践中探索建立了“国家所有、企业经营、农民使用”的管理体制和“国家补助、企业运作、农民受益、协会监督”的运行机制，保证了代燃料工程长期发挥效益。四是出台扶持政策。河北省政府出台了允许小水电代燃料就近直接供电的政策，湖北省政府出台了小水电代燃料电价的一系列优惠政策等。

当前，小水电代燃料试点工作虽然取得了显著成效，但也还存在前期工作不扎实、代燃料电站余电上网电价低、代燃料供电过网费偏高等问题，在一定程度上影响了工程建设进度和代燃料的效果。

二、着力抓好小水电代燃料工程建设

小水电代燃料是民生水利的重要内容，利在当代、功在千秋。2009 年中央 1 号文件明确要求“扩大小水电代燃料建设规模”，陈雷部长在全国农村水电工作会上进一步提出，高标准高质量搞好项目建设，把小水电代燃料项目建成农村水能资源开发利用的示范工程，到 2015 年基本解决 200 万户农民的生活燃料问题，到 2020 年基本解决 1000 万户农民的生活燃料问题。为落实党中央、国务院关于实施小水电代燃料工程的战略决策，按照陈雷部长的讲话精神，当前和今后一段时期，小水电代燃料建设要着力抓好以下四个方面的重点工作。

（一）做好项目前期工作，夯实代燃料工程建设基础

小水电代燃料工程是中央补助投资的地方项目，前期工作是基础，其程序要严格按照《中央预算内投资补助和贴息项目管理暂行办法》（国家发展改革委第 31 号令）、《国家发展改革委关于改进和完善中央补助地方投资项目管理的通知》（发改投资〔2009〕1242 号）有关规定执行。各地要依据《2009—2015 年全国小水电代燃料工程规划》选择建设项目。小水电代燃料电站可行性研究和初步设计报告必须由具备相应资质的设计单位编制，可行性研究报告由地方水行政主管部门提出审查意见，由地方发展改革部门审批，初步设计报告由地方水行政主管部门审批，同时要履行取水许可、水保、环评等审批手续。要按照水利部《关于做好小水电代燃料项目实施方案编制工作的通知》要求，由县级水行政主管部门负责组织编制项目实施方案并会同发展改革部门上报，省级水行政主管部门会同发展改革部门组织对实施方案进行审查和批复，报水利部备案，批复后的实施方案作为项目建设和验收的依据。

（二）强化工程建设管理，打造农村水电示范工程

一是严格按《中华人民共和国公司法》组建代燃料项目法人，负责电站、项目区的建设和管理。从试点情况看，国有独资、国有控股和集体企业作为项目法人，有利于项目的顺利实施和效益的发挥。二是高质量搞好代燃料电站建设。要严格实行项目法人责任制、招标投标制、建设监理制和合同管理制。要建立健全工程质量管理和监督机制，严格执行各项制度，确保工程质量和安全。采取有效措施，防止水土流失，保护生态环境。按照《小水电代燃料项目技术进步和标准化管理指导意见》的要求，大力推进技术进步。三是高标准搞好项目区建设。要结合新农村建设、国土整治和村镇建设规划，以行政村为单元，按照就近供电的原则，科学合理选择项目区。项目区建设的主要内容包括配电网完善、进户线和厨房改造等，要充分利用现有供电网络，满足代燃料供电的要求。要统一标识，统一管理制度，把小水电代燃料工程建设成环境友好、社会和谐的农村水能资源开发利用典范。

（三）加强供用电管理，切实降低代燃料电价

一是保障长期稳定供电。代燃料电站由代燃料项目法人自主经营、自负盈亏，接受政府及有关部门的监管，必须建立权责统一、奖惩分明的管理制度，加强运行和安全管理。项目法人要与供电公司签订并网和供电协议，明确上网电量和电价，确保代燃料供电长期稳定。二是加强用电管理。代燃料用电要按照"核定基数、定额限量、分类计费、按月结算"的办法管理。农户代燃料用电量要根据项目区群众生活习惯、经济条件和气候情况等合理确定。供电公司要与代燃料用户签订用电协议，明确代燃料电量、电价和安全用电等。代燃料电量和电价要公开，保障农民的知情权、参与权、监督权，切实将农民的利益保护好、维护好、发展好。三是努力降低代燃料电价。国家投入大量资金用于小水电代燃料建设，项目法人要千方百计降低建设费用和运行成本。要落实就近直接供电或借网供电，按成本价收取过网费，降低供电加价，最大限度地降低代燃料到户电价，使农民得到实惠，生态得到保护。

（四）建立管理体制机制，确保工程长期发挥效益

要按照"国家所有、企业经营、农民使用"和"国家补助、企业运作、农民受益、协会监督"的要求，进一步完善管理体制和运行机制，保证代燃料工程长期稳定运行。建立健全国家投资出资人制度，明确代燃料电站的所有权、经营权和使用权，实现所有者、经营者和使用者权利和义务的统一。所有权属于国家，水行政主管部门要承担出资人代表职责，承担小水电代燃料项目国有资产监督管理和保值增值的职责。使用权属于代燃料农户，拥有使用代燃料电量、享受代燃料电价的权利，承担不砍树烧柴、保护森林植被的义务。经营权属于代燃料电站项目法人，负责电站的经营管理，获取管理收入。小水电代燃料项目是社会公益类项目，任何单位和个人不得从中谋取私利。小水电代燃料涉及广大山区农民的根本利益，需要农民的参与、支持和配合，要成立以代燃料户为主体的小水电代燃料用户协会，对小水电代燃料工程进行民主管理和监督。

三、切实加强小水电代燃料工作的领导

小水电代燃料工程涉及多部门、多方面，直接关系广大群众的切身利益。小水电代燃料建设工作时间紧、任务重、要求高、难度大，要切实加强小水电代燃料工作的领导，保障小水电代燃料工程的顺利实施。

（一）落实责任

各级水行政主管部门要切实负起责任，有关各方要层层签订目标责任书，落实责任，明确权利和义务。省级水行政主管部门要与县级人民政府签订责任书；县级人民政府要与项目法人签订责任书；县级人民政府要与项目区所在乡（镇）签订责任书；项目区所在乡（镇）要与代燃料行政村签订责任书；代燃料行政村要与代燃料农户签订责任书等。通过层层签订协议，确保代燃料工程的顺利实施和长期稳定发挥效益。

（二）搞好协调

各级水行政主管部门要把小水电代燃料工程作为当前水利工作的大事抓紧抓好，要主动向政府汇报，主动与发展改革、财政、税务、国土、林业、环保、扶贫等部门沟通，争取投资、税收等政策支持；主动与供电企业协调，落实就近供电政策和借网供电按成本价收取过网费政策，落实小水电代燃料电站余电全额上网、电价不低于全网平均电价等政策；主动与中国农业发展银行和国家开发银行等金融机构联系，落实小水电代燃料工程贷款。

（三）强化监督

各级水行政主管部门要加强对小水电代燃料项目的监督和检查，重点是建设程序和内容，工程质量、安全和进度，资金筹措和使用，管理体制和机制，建设目标和任务等，确保工程安全、资金安全和代燃料目标任务的实现。要充分发挥代燃料用户协会和社会舆论的监督作用，保证代燃料工作公平、公开、公正。

（四）广泛宣传

要深入细致地做好宣传工作，让项目区群众充分了解小水电代燃料的重要意义、相关政策和代燃料户的权利、责任和义务，理解和支持项目建设。采取多种形式，积极向有关部门和社会宣传小水电代燃料的作用和效果，让有关部门和社会各界了解、关心和支持小水电代燃料工程。要做好项目区周边群众的思想工作，为小水电代燃料工程建设创造良好的环境和氛围。

国家防总秘书长、水利部副部长刘宁在海河防总工作会议上的讲话（摘录）（2009年5月23日）

一、充分肯定去年以来防汛抗旱工作显著成绩

海河防总自成立以来，流域内各省市、北京军区和有关部门团结协作、军地联动、努力工作，防汛抗旱工作取得了显著成绩。防汛抗旱工作得到了高度重视，国家防总和海河防总的工作部署和要求得到了贯彻落实，2009年防汛抗旱各项准备工作抓得早、抓得紧、抓得实，这为现有防汛抗旱工程与非工程体系注入了活的灵魂，进行了系统集成，形成了有效合力。

2008年是我国改革开放30周年，大事多、要事多，特别是北京奥运会正值"七下八上"的防汛关键期，绝大多数比赛项目在海河流域内进行，防汛抗旱

保安全工作压力非常大。在党中央、国务院的坚强领导下，流域内各省市党委、政府把防汛抗旱工作作为迎奥运、保安全、促稳定的重要工作来抓，海河防总应时而生、适时而动，与各省防指共同确保了流域防洪和供水安全，保障了奥运会顺利举办，减轻了灾害损失，取得了全面胜利。

一是确保了度汛安全。奥运会期间正值主汛期，海河流域出现数次集中强降雨。由于各地准备充分，响应及时，措施有力，没有发生大的险情和灾情，确保了群众生命安全，确保了各项赛事的顺利进行。

二是确保了供水安全。由于连年干旱，北京水源紧缺，为保障去年北京供水安全，经国务院批准，共利用南水北调中线工程从岗南、黄壁庄、王快3座水库向北京应急调水3亿m^3，入京水量2.25亿m^3，大大缓解了北京的供水压力。

三是促进了生态环境改善。去年通过实施“引黄济淀”调水，共向白洋淀补水1.58亿m^3，大大改善了华北明珠白洋淀的生态环境，如今白洋淀呈现出40年来最好的水质。

取得这样显著的成效，归功于下述四个方面的有力工作：

一是领导重视，靠前指挥。党中央、国务院高度重视防汛抗旱工作，中央领导同志多次作出重要批示。2008年7月初，回良玉副总理亲自率队检查海河流域防汛抗旱工作，并在天津市主持召开北方片防汛抗旱工作会议，对海河防汛抗旱工作进一步作出部署。国家防总副总指挥、水利部部长陈雷同志率队检查北京市保奥运防汛准备工作，并多次部署防汛抗旱工作。流域各省市主要领导都高度重视2008年防汛抗旱工作，都带队深入一线检查指导工作，为圆满完成2008年的防汛抗旱工作奠定了坚实的基础。

二是超前部署，充分准备。2008年海河的防汛抗旱工作动手早、抓得紧、措施实。各省市汛前组织开展了扎实细致的防汛检查，对检查中发现的问题逐项采取解决措施，消除安全度汛隐患。国家防总专项安排6400万元应急度汛资金，均有效用于解决应急度汛迫切问题。各地抓紧时间修复加固病险工程，补充防汛抢险物料。海河防总成立后立即召开流域防汛抗旱工作会议，研究部署流域防汛抗旱工作，有力地推动了各项工作的开展。在海河流域进入主汛期的关键阶段，海河防总组织京津冀三省市和北京军区开展北三河防汛调度演习，各省市也针对各自情况分别开展了形式多样的演练，进一步提高了防汛抢险救灾的应急能力。

三是落实责任，完善预案。2008年，流域内各省市以行政首长负责制为核心狠抓防汛抗旱责任制的落实，明确了责任分工，加强了对基层行政领导和技术负责人的防汛法规和抢险知识培训，落实了重点防洪工程和蓄滞洪区防汛行政责任人和技术负责人，并将责任人名单公之于众，接受监督。汛前，国家防总批复了《大清河洪水调度方案》，为汛期科学调度洪水提供了依据和保障。各省市根据工程变化情况，修订完善防汛抗旱排涝预案，落实在建工程应急度汛方案，采取多种措施努力提高水旱灾害响应能力。

四是科学调度，统筹兼顾。2008年，各省市结合实际降雨情况，统筹考虑防洪、蓄水、生态环境等方面需求，科学调度水利工程，在保证防洪安全的前提下，努力利用雨洪资源，既有效改善了城乡水生态环境，又增加了农业抗旱水源。河北省大、中型水库和平原洼淀共蓄水32亿多m^3，比2007年多蓄水9.4亿m^3，是1996年以来蓄水最好的年份。北京市充分利用河湖水网和集雨工程，累计拦蓄雨洪4850万m^3。天津市抓住北部上游地区降雨的有利时机，合理调控潮白新河、蓟运河和北运河，赶潮提放排水，冲污排咸，共相机抢蓄雨洪资源1.89亿m^3。

前几天，我和铁道部、武警总部、水利部一些司局、国家防办以及海委的同志对北京、天津、河北、山东、河南的防汛抗旱工作进行了检查。我们实地察看了永定河、大清河、子牙河、漳卫南运河等河流的一些重点防洪工程，了解了东淀、文安洼、献县泛区、崔家桥、恩县洼等蓄滞洪区以及一些重要防洪控制枢纽的运用准备情况。当地同志详细介绍了很多防洪工程建设管理、防汛责任制落实、预案编制完善、防汛抢险队伍与物资准备、群众转移安置准备、泄洪闸门启闭测试等情况。刚才，各省市又全面介绍了已开展的工作。总体上看，海河防总和流域内各省市高度重视今年防汛抗旱工作，已组织开展了大量卓有成效的汛前准备工作。

一是领导重视，及早部署。流域内各省市主要领导非常重视2009年的防汛抗旱工作，都亲自组织、亲自部署防汛抗旱工作，及时召开防汛抗旱工作会议，亲自带队到防汛抗旱重点部位和工程进行检查，并对2009年防汛抗旱工作提出明确要求。

二是抗旱工作卓有成效。针对去冬今春流域中南部发生的严重干旱，海河防总加大协调力度，大力推动各地采取抗旱减灾措施。各有关地区党委、政府和防汛抗旱指挥部紧急动员，积极应对，按照预案及时启动应急响应，投入大量人力、物力和财力抗旱救灾，取得了十分显著的效果。

三是充实指挥机构，落实责任。海河防总增补了海河流域气象业务服务协调委员会为成员单位，各级防汛抗旱指挥部也根据具体情况调整充实了组成人员。各省市都调整并公布了重点防洪工程的责任人名单，主动接受媒体和公众的监督。

四是着力推进防汛抗旱各项准备工作。各地正抓紧时间开展病险水库除险加固，培训防汛抗旱队伍，补充防汛抗旱物料和设备，并组织开展了全面的汛前检查。

五是修订和完善各类防汛抗旱预案。海河防总正在组织修订北三河洪水调度方案，已提出初稿。各省市也针对各自情况，认真开展防汛抗旱预案修订工作。

以上这些准备工作的开展，为保障2009年防汛安全、抗旱安全、供水安全打下了坚实基础。

二、充分认清**2009**年防汛抗旱严峻形势

海河流域地处京畿之地，做好2009年的防汛抗旱工作，对保障经济发展、维护社会稳定、促进人水和谐具有特殊重要的意义。

经过几十年的治理，虽然海河流域防洪工程体系和非工程体系建设都取得了巨大成就，使防洪减灾能力和手段有了很大程度的提高，但海河流域人口密集，洪水预见期短，蓄滞洪区多，现有防洪工程体系标准偏低，病险工程问题多，且多年没有经受大洪水考验，保障防汛安全、抗旱安全、供水安全的风险很大，难度很大，不可预见问题多，形势容不得半点乐观。

第一，从气象预测和洪水发生规律看，绝不能麻痹。海河南系1963年以来没有发生流域性大洪水，只是1996年发生了局部大洪水。据中国气象局预测，2009年汛期我国主要多雨区位于华北南部至江淮地区北部。受降雨影响，海河流域南部可能发生洪涝灾害。海河北系自1956年以来有50多年没有发生大洪水了。从洪水发生规律看，海河流域发生大洪水的风险在增加。随着全球气候变化加剧，突发性极端天气事件发生频率在增加，局部暴雨山洪和极端高温干旱等灾害的威胁越来越大，绝不能有丝毫的掉以轻心。

第二，从洪水特性和防御难度看，绝不能松懈。海河流域降雨时空分布极不均匀，年降雨量的80%集中在汛期，汛期的降雨量又基本集中于几场暴雨，因此暴雨强度往往很大。海河流域山区与平原过渡带很短，大部分河流呈扇状分布，源短流急，洪水陡涨陡落，洪量非常集中，洪峰高、历时短。河道泄洪能力上大下小，尾闾行洪不畅。一旦发生洪水，需要大量运用蓄滞洪区分洪，需要大量转移人员，洪水调度预见期很短，先天不利因素很多，洪水调度难度非常大。

第三，从思想认识和防汛实战能力看，绝不能懈怠。一是存在不同程度的麻痹思想和侥幸心理。由于多年没有发生大水，常年干旱，很多人盼水心切，对可能发生的大洪水缺乏足够的思想准备。二是不同程度地缺乏抗洪抢险的实战经验。虽然每年各级防汛抗旱指挥部都组织不同形式的防汛演练，但实战能力只有在实战中才能真正得到显现和检验。三是由于多年不来大水，海河流域的洪水规律难以准确把握，现有洪水演算模型预报结果难以预计。

第四，从工程体系和需转移人员状况看，绝不能轻视。海河流域近年来没有系统治理，工程体系存在问题多。一是病险水库数量多，问题突出，很多水库没有达到设计防洪标准。尤其2009年正在施工的病险水库水闸数量多，修复工作重，安全度汛任务艰巨。二是一些堤防、穿堤涵闸老化失修。流域内骨干河道的Ⅰ、Ⅱ级堤防有近50%达不到规范要求的高度。河道淤积严重，永定新河、独流减河等几条主要河道泄洪能力已降低了40%左右。从我们检查的情况看，还有一些堤防的管理、维修、养护不到位，病险问题突出。三是蓄滞洪区内人口众多，群众安全转移避险设施严重不足。规划的28处重点蓄滞洪区内有480万人，现有安全设施只能解决140万人的避洪问题。大多数蓄滞洪区没有分洪闸，靠临时扒口分洪，很难及时及量控制分洪水量，运用难度很大。

第五，从水资源状况和抗旱供水情况看，绝不能小视。海河流域十年九旱，人均水资源占有量仅有300m³，是全国平均水平的1/7左右。以全国1.5%的水资源量，支撑着全国11%的耕地和10%的人口，水资源的承载能力远远不能满足流域内生产生活的实际需要。流域多年降雨持续偏少，水资源过度开发利用，地下水超采严重，地表水严重匮乏，水环境问题日益突出，严重制约流域内经济社会的可持续发展。近几年来，北京、天津等城市水源地蓄水严重不足，抗旱保供水的压力非常大，抗旱任务异常艰巨。

以上这些问题对防汛抗旱减灾工作提出了艰巨挑战，必须给予高度重视。要进一步增强现实感、紧迫感、责任感，立足于防大汛、抗大旱、救大灾，必须按照国家防总和海河防总的部署狠抓落实，全力以赴，努力做好各项工作，尽最大可能减轻灾害损失。

三、切实做好今年防汛抗旱各项工作

2009年是新中国成立60周年，也是我国应对国际金融危机非常关键的一年。做好今年的防汛抗旱工作，对保障国民经济平稳较快发展、维护社会稳定具有十分重要的意义。国家防总2009年4月16日召开了当年第一次全体会议，国务院副总理、国家防总总指挥回良玉指出今年防汛抗旱工作的总体要求是：深入贯彻落实科学发展观，坚持以人为本、依法防控、科学防控、群防群控，坚持防汛抗旱并举，确保大江大河、大型和重点中型水库的防洪安全，努力保证中小河流和一般中型、小型水库安全度汛，切实保障城乡居民生活用水安全，千方百计满足生产和生态用水需求。5月5日，国家防总召开的全国水库安全度汛视频会议提出2009年水库安全度汛要坚持以人为本，以保障人民群众生命安全为首要目标，落实责任，强化管理，确保大型和防洪重点中型水库不垮坝，确保一般中型和小型水库设计标准内洪水不垮坝，确保下游地区人民群众生命安全，充分发挥水库防洪减灾与兴利综合效益。各省市要按照国家防总会议的部署和要求扎扎实实开展工作，落实各项具体措施，确保实现国家防总确定的防汛抗旱工作目标。

第一，要进一步强化责任落实。做好防汛抗旱工作，责任落实是关键。要全面落实以行政首长负责制为核心的各项防汛抗旱责任制。各级防汛抗旱责任人要抓紧到岗到位，切实负起责任。领导干部要深入一线调查研究，及时解决工作中的重点、难点、热点问题。一旦发生洪涝旱情，要靠前指挥，及时处理问题。要通过完善制度，强化管理，确保各项责任制落实到位。要按照《中华人民共和国防洪法》和《国家防汛抗旱应急预案》的规定，落实岗位职责。要抓紧时间对新上岗的防汛抗旱责任人进行培训，使其尽快熟悉和掌握有关情况。

第二，要进一步强化预报预警。准确的预报是科学调度洪水和有效实施抗旱措施的重要依据。雨情、水情和旱情监测是洪水预报的基础。要狠抓监测、预报、预警三个环节，努力做到监测到位、预报准确、预警及时。要密切监视天气变化和汛情变化，加密监测频次，完善监测体系，加强信息交流和分析会商，努力提高预测测报的精度，延长预见期。特别要做好小尺度、高强度、突发性强降雨的定点、定时预报，准确分析影响的时间、程度和范围。要及时通过多种渠道向公众发布预测预警信息，为防汛抗旱决策提供可靠依据，切实避免人员伤亡和减少财产损失。

第三，要进一步强化水库安全度汛。各地要认真贯彻回良玉副总理重要批示精神，深刻吸取海南博冯水库垮坝和印尼金东湖大坝溃决的教训，突出抓好水库、水电站安全度汛工作。海河流域许多水库位于京广、京九铁路以西的燕山、太行山山口的暴雨洪水多发区，长期带病运行，对下游众多的城市、交通干线和广大平原地区构成巨大威胁。各地要把水库安全度汛作为重中之重，特别是病险水库一定要加强安全检查和管理，制订水库安全度汛方案，落实安全度汛责任，严格执行调度计划，充分做好抢险队伍、物料、应急通信设施等方面的准备，采取一切措施，确保人民群众生命安全。

第四，要进一步强化在建防洪工程安全度汛。海河流域病险防洪工程很多，2009 年汛期在建工程也不少，安全度汛任务非常重。要切实克服麻痹思想和侥幸心理，高度重视在建防洪工程的安全度汛工作，进一步落实安全度汛行政责任人和技术负责人，加强安全度汛检查和管理，制订科学合理的施工度汛方案，落实应急抢险队伍和物料，出现问题及时抢护，确保在建防洪工程安全度汛。

第五，要进一步强化防洪工程的管理维护。海河流域近年来治理投入较少，防洪工程老化失修比较严重，维修管护经费少，一些管理措施不足。要进一步加大防洪工程维修管护投入，采取有力措施，推进水管体制改革，理顺管理体制，建立良性运行的机制，加强水管单位制度建设，努力提高防洪工程维修管护水平。对于一些管理薄弱、影响 2009 年安全度汛的工程，要抓紧采取应急度汛措施，确保 2009 年安全度汛。

第六，要进一步强化蓄滞洪区运用准备。海河流域蓄滞洪区多，区内人口多，安全避险设施少，运用复杂，启用蓄滞洪区及时分洪是确保海河流域防洪安全的重要手段。要高度重视蓄滞洪区分洪运用准备工作，把确保群众生命安全放在各项工作的首位，切实落实蓄滞洪区分洪运用方案，详细安排群众转移路线、交通工具、安置地点、临时避险措施等，确保能够及时启用，努力避免人员伤亡，全力减少灾害损失。

第七，要进一步提高应急处置能力。一要抓好预案修订完善工作。要根据流域防洪抗旱工程现状和不断发展变化的经济社会情况，抓紧做好水库、水闸枢纽、蓄滞洪区、城市防洪和抗旱调水等各项预案的修订完善，着力提高预案的针对性和可操作性。二要抓好防汛抗旱队伍建设。大力开展技能培训，努力配备先进设施和装备，有计划地开展实战演练，确保关键时刻拉得出、顶得上、抢得住。三要抓好防汛抗旱物资储备。从防汛抗旱实战要求出发，合理储备各类抢险物资，防洪重点区域、重要地段、重要工程的抢险物资一定要足额储备到位。四要进一步加强中小河流洪水和山洪灾害防御能力。完善和落实防御山洪灾害责任制和预案，加强监测和预警预报，落实排险减灾、撤离避险措施，确保人民群众生命安全，努力减少财产损失。

第八，要进一步强化抗旱供水工作。要坚持防汛抗旱两手抓，努力提高抗旱工作的主动性，坚持把确保城乡居民生活用水安全放在抗旱工作的首位，最大程度地满足工农业生产和生态用水需求。要密切关注流域旱情，加强重要水源地的来水预测和滚动预报，在保证防洪安全的前提下，推进洪水资源化利用，做好蓄水保水工作。要加强水源工程建设，大力推进农田水利基础设施建设，搞好现有水源工程的防渗加固、清淤扩容，结合实际修建各种中小微型水利设施，千方百计增辟抗旱水源。要高度重视城乡水源地的保护，确保用水安全。要进一步优化供水调度，强化节水措施，提高水资源利用率。要分析城市用水形势，及时提出缺水应对措施，必要时实施跨流域应急调水。

第九，要进一步加强统一指挥调度。顾全大局、团结治水是海河流域防汛抗旱的优良传统，也是做好海河防汛抗旱工作的重要保证。海河防总承担着统一指挥海河流域防汛抗旱工作的重要职能，自 2008 年成立以来，在流域内各省市的大力支持和配合下，开展了一系列卓有成效的工作，各项工作已逐步步入正轨。流域内各省市要进一步发扬团结协作的优良传统，全力支持海河防总的工作，服从海河防总的统一领导和指挥调度，共同做好有关各项工作。海河防总要进一步细化和完善各项工作制度，加强与各成员单位的联系和沟通，强化流域上下游、左右岸的组织和协调。海河防总办公室要进一步加强能力建设，完善工作制度，努力提高工作水平，增强应急响应能力、协调沟通能力和决策参谋能力，在防汛抗旱日常工作中发挥更大作用。

水利部党组成员、办公厅主任陈小江在水利系统机关后勤工作座谈会上的讲话（摘录）（2009 年 10 月 20 日）

近年来，水利系统机关后勤部门深入贯彻落实科学发展观，坚持服从和服务于水利中心工作，在纷繁琐碎的工作中认真践行“态度好、服务好、廉政好”的要求，为机关的正常运转和职工工作生活条件的改善提供了良好的服务；广泛深入地开展建设节约型机关活动，弘扬勤俭节约的优良传统和作风，积极探索资源节约的有效途径，建立健全厉行节约的长效机制；适应国家经济体制和行政管理体制改革的要求，科学规范职能、合理设置机构、优化组织结构，积极探索和建立适合水利行业和本地区特点的后勤管理体制机制，有力推进了机关后勤工作的法制化、规范化和制度化；根据水利工作的特点和要求，健全完善应急保障机制，为重大接待任务、大型活动和抢险救灾工作提供了及时有力的后勤服务，为水利事业又好又快发展做出了积极贡献。特别是在 2008 年的水利抗震救灾工作中，后勤部门筹措物资、调度人力、组织运力，切实做到了反应迅速、措施有力、保障到位，涌现出了一批不畏艰险、迎难而上的先进典型和先进事迹，为夺取水利抗灾救灾工作的胜利作出了重要贡献。在此，我代表部党组和陈雷部长向长期奉献在机关后勤岗位上的同志们致以崇高的敬意和衷心的感谢！

下面，我讲几点意见。

一、充分认识做好机关后勤工作的重要意义

机关后勤工作是机关工作的重要组成部分，是为机关正常运转提供服务保障的基础性工作，也是展示机关精神风貌、文明程度和管理水平的窗口。我们要从贯彻落实科学发展观、实现水利又好又快发展的高度，从适应市场经济和国家行政管理体制改革、推进政府机关建设的需要，充分认识做好水利系统机关后勤工作的重要意义，进一步提高后勤工作的质量和水平，着力保障机关高效有序安全运转。

（一）深刻认识后勤服务在机关工作中的地位和作用

机关后勤工作的基本任务是为各级机关履行职能活动提供物质支持和服务保障。机关的业务职能有可能随着政治、经济、社会情况的变化而变化，但不论如何变化，机关后勤服务都不可缺少。温家宝总理在会见全国机关后勤工作先进代表时，强调要努力搞好机关的管理、保障、服务工作。部党组对机关后勤工作也非常重视，陈雷部长多次对部机关后勤工作做出重要指示，每逢春节，陈雷部长和在京的部领导都要专程到机关服务局看望慰问机关后勤职工。机关后勤工作的基本任务决定了后勤服务在机关工作中承担着重要的功能，发挥着重要的作用。一是机关后勤工作是机关履行职能的重要保障，机关后勤部门大量艰苦、细致的服务工作，保证了水利系统各级机关工作的正常运转。二是机关后勤工作是机关工作的重要组成部分，搞好了机关后勤工作，就可以为机关的干部职工创造良好的工作和生活环境，使机关干部可以更好地集中精力抓工作。三是机关后勤工作是机关廉政建设的重要“阵地”，机关后勤部门管钱管物，既要艰苦奋斗，量力而行，精打细算，合理利用资源，又要严格按制度办事，促进廉洁、务实、高效政府机关的建设。

（二）深刻认识机关后勤工作的特点和规律

经过长期的历史变革和近年来不断深化的后勤改革，机关后期逐渐形成了兼具政治性、政策性和经济性的特点。机关后勤是机关政务活动的辅助、延伸和支撑，这就要求机关后勤工作必须在方向上、思想上、步调上始终与机关保持高度统一，具有较强的政治性；机关后勤工作必须在贯彻落实党和国家关于构建和谐型节约型机关、建立服务型政府等方针政策中发挥表率作用，从而使得机关后勤工作具有较强的政策性；机关后勤部门必须利用经济资源强化后勤保障，通过劳务和技术服务满足机关运转的需求，使得机关后勤工作又带有鲜明的经济性。因此，我们必须准确把握机关后勤工作的特点和规律，不断提高后勤工作的管理水平、保障能力和服务质量，推动机关安全、高效、节约、和谐运转。安全是做好机关工作的前提和基础。机关后勤部门承担着为机关服务，为机关领导同志和职工群众服务的重任，做好安全工作既是一项义不容辞的重要任务，又是完成好机关各项工作的重要保障。高效是对机关行政工作的基本要求。机关后勤部门必须通过建立健全科学的管理体系和机制，充分发挥后勤资源的优势，为机关高效运转提供及时、周到的服务。艰苦奋斗、勤俭节约是党的优良传统，是机关建设必须遵循的基本准则。机关后勤部门要把资源节约工作作为衡量机关后勤管理水平的重要标尺，健全推进资源节约的长效机制，大力推进节约型机关创建工作。和谐是我们党提出的重大战略思想。机关后勤搞好了，就可以起到机关矛盾融化剂和干部群众暖心剂的作用，有力地推动机关的和谐建设。

（三）深刻认识机关后勤工作面临的形势和任务

从国家宏观环境来看，经过 30 年的改革开放，我国经济稳步发展，科技日新月异，社会安定团结，良好的外部大环境为推进机关后勤发展与改革创造了有利条件、带来了大好机遇。同时，随着改革进入攻坚阶段，加快推进行政管理体制改革已经成为全面深化改革开放的关键因素和重要环节。党的十七大强调，要加快行政管理体制改革，建设服务型政府。这对做好机关后勤工作提出了新的更高的要求。从水利发展形势来看，近年来部党组认真贯彻落实科学发展观，积极践行可持续发展治水思路，水利工作各个领域发生深刻变化，实现重大跨越，取得明显成效。但也要看到，洪涝灾害、干旱缺水、水污染和水土流失等水的问题仍然没有根本解决，水利建设、管理、改革的任务依然十分繁重，仍然需要水利系统后勤部门积极努力工作，开拓进取，提供良好优质服务。从机关后勤自身发展来看，近年来，水利系统机关后勤部门不断深化管理体制改革，推动制度创新，后勤管理水平明显提高，保障能力明显增强。但是也要看到，水利系统机关后勤管理、保障和服务工作还存在不少困难、矛盾和问题，如：经费物资保障还不能满足机关日益增长的物质文化需要，管理方式方法和技术手段还不适应科技进步的需要，服务机制和方式还不适应社会化发展的需要，管理制度还不适应依法行政的需要，职工队伍素质还不适应机关建设和管理创新的需要。特别是与国家推进行政管理体制改革的进程和要求相比，有些深层次的矛盾和问题，解决起来难度还很大，还需要付出艰苦的努力。

总之，水利后勤服务工作事关水利系统各级机关的高效有序运转，事关水利中心工作的顺利完成，事关水利事业的又好又快发展。我们一定要站在全局的高度，充分认识做好新时期水利后勤服务工作的重要意义，进一步认清历史赋予我们的职责和使命，切实把水利后勤工作抓紧、抓实、抓好。

二、扎实推进水利机关后勤的发展与改革

总的要求是：深入贯彻落实科学发展观，紧紧围绕水利中心工作，以全面履行管理、服务、保障职能为主线，以改革创新为动力，以建设效能型、服务型、节约型、廉政型、和谐型机关为抓手，开拓创新，扎实工作，为水利事业科学发展、和谐发展提供坚实有力的机关后勤服务保障。

（一）进一步解放思想，坚持用科学发展观统领机关后勤工作

坚持把科学发展观作为加强机关后勤各项工作的行动指南。坚持用科学发展观解放思想和统一思想，着力转变安于现状、不求进取的思想观念，着力转变片面追求高档次高标准、经营管理粗放的发展理念，牢固树立责任意识、服务意识、节俭意识、廉政意识、创新意识、和谐意识，大力推进后勤管理体制和服务保障机制的改革创新，努力实现管理科学化、保障法制化、服务社会化，逐步建立适应市场经济和地区经济社会发展水平、满足机关运转和干部职工需要、充满生机和活力的管理体制、运行机制及保障体系。要把科学发展观贯穿于后勤工作的全过程、覆盖到后勤工作的各方面，准确把握其职能定位和内在规律，做到统筹兼顾经济社会发展与机关办公环境、职工居住条件的改善，处理好财力增长有限与需求不断增加的矛盾；统筹兼顾机关后勤体制改革与经济体制改革、行政管理体制改革、事业单位改革，确保制度配套和政策衔接；统筹兼顾机关运转需要与职工个人利益，保证队伍稳定和人心的凝聚；统筹兼顾改革速度、力度与干部职工的承受能力，妥善处理改革、发展、稳定的关系，真正使机关后勤工作立足科学发展、服务科学发展、推动科学发展。

（二）进一步强化大局意识，不断提高机关后勤工作水平

服务保障是机关后勤工作的职责所在、优势所在、依托所在。水利系统机关后勤部门要进一步强化大局意识，紧扣水利中心工作，牢固树立“权力有限，服务无限”的理念，增强服务意识，转变工作作风，不断增强机关后勤服务保障能力。一是要积极推进机关后勤服务标准化。认真研究后勤服务工作的特点和规律，主动引入标准化机制，归纳工作内容，梳理工作流程，明确工作职责，制订工作标准，逐步建立起责任明确、标准统一、流程合理、管理科学的标准化服务体系，整体带动机关后勤服务保障能力跨上新台阶。二是要积极推动机关后勤服务人性化。认真研究服务对象的需求和发展趋势，变滞后服务为超前服务，变被动服务为主动服务，变“等上门”服务为“走上门”服务，增强服务的针对性和主动性。三是要积极推进后勤管理制度化。把制度建设摆在重要位置，着眼机关运转和干部职工的需求，大力加强机关后勤管理各项工作和各个环节的制度化建设，制定规范、建立标准、形成体系，努力推动后勤工作由粗放型管理向规范化、制度化管理转变。

（三）进一步理顺管理体制，大力推进后勤管理科学化

主动适应国家深化行政管理体制改革的要求，服从和服务于传统水利向现代水利、可持续发展水利转变的大局，积极稳妥地推进机关后勤改革。要针对改革的系统性、利益的多元性、需求的差异性，把眼前与长远、主观与客观、需求与可能很好的统一起来，坚持积极稳妥、稳中求进。一是要进一步完善机关后勤管理职能。要科学划分和界定机关后勤职能，克服和纠正管理职能交叉，管理越位、错位、缺位等问题，通过科学配置后勤职能，保证人、才、物等后勤管理资源的合理配置和有效利用。二是要健全机关后勤管理机制。适应现代科学管理的要求，吸收科学管理理念，更新管理知识，创新管理制度，降低管理成本，提高管理效率，不断推进管理科学化。三是要着力推进后勤单位人事制度改革。积极探索建立符合后

勤单位自身特点的人事管理制度，完善激励约束机制，营造有利于干部职工成长进步的环境，引导机关后勤干部职工以学促干、学干结合、岗位成才。四是要完善后勤服务保障的应急响应机制。立足水利工作和机关后勤工作的特点，制订科学合理、权责明确、响应迅速的应急工作预案，统筹机关后勤资源调配，加强常态工作管理，建立健全应急管理长效机制，为各级水利部门应对公共突发事件、处理突发安全事故、增强抢险救灾能力提供迅捷有力的后勤服务保障。

（四）进一步加强自身建设，不断增强机关后勤服务能力

加强自身建设是提高机关后勤服务能力的根本途径。一是要强化理论学习。认真学习贯彻党的十七届四中全会精神，完善学习制度，健全学习机制，着力解决好干部职工的理想信念、政治立场、宗旨观念等根本问题，进一步增强贯彻党的路线方针政策的自觉性和坚定性，进一步增强践行可持续发展治水思路、大力推进民生水利的自觉性和坚定性，不断增强工作的预见性、规律性和创造性。二是要加强后勤发展理论研究，更好地掌握国家对推进机关后勤改革的要求，把握后勤工作的特点和规律，研究加强后勤工作的新思路、新方法，制订科学可行的发展战略和发展规划，推进水利系统机关后勤工作科学发展、和谐发展。三是要着力增强机关后勤的可持续发展能力，要牢牢抓住水利行业特点和机关后勤特点，拓宽后勤服务领域和服务内容，培育核心产业，打造核心竞争力，不断增强综合实力。要科学配置后勤资源，有效盘活闲置资产，积极吸纳优良资产，充分发挥资产效用，培育自身造血机能，形成资产增值、资源增效、发展增速的良性循环，特别是在市场能够有效发挥作用的后勤服务领域，要积极利用市场手段，逐步实现机关后勤服务主体的多元化、方式的多样化和专业化。四是要大力加强后勤队伍建设，广泛开展以“态度好、服务好、廉政好”为主要内容的思想道德教育，弘扬“献身、负责、求实”的水利行业精神，努力打造一支政治素质好、大局观念强、工作作风硬、业务技能精、服务水平高的机关后勤队伍。

三、进一步发挥水利系统机关事务工作协会的积极作用

水利系统机关事务工作协会成立以来，紧紧围绕水利中心工作，积极开展各项活动，扎实推进平台建设，广泛组织交流学习，深入进行理论研讨，在推动水利系统机关后勤发展与改革、服务水利中心工作中发挥了重要作用。当前，我国水利事业正处于传统水利向现代水利、可持续发展水利转变的关键时期，大规模水利建设对水利后勤服务工作也提出了新的要求。面对新形势、新任务，协会要坚持紧紧围绕中心、服务大局，进一步发挥自身优势，在水利事业又好又快发展的历史进程中作出新的更大贡献。

一是充分发挥协会的桥梁纽带作用。在加强会员单位联系与沟通方面，协会还有更大的潜力可以挖掘，有更多的优势可以利用，有更广的空间可以发挥。要进一步建立健全畅通的交流沟通渠道，通过召开流域机构机关后勤主任座谈会以及各个分片组的座谈会，加强协会与会员单位之间以及会员单位自身之间的交往和联系，让大家互通信息、广泛交流，相互学习、分享经验，拓宽视野、打开思路，努力使水利系统机关后勤管理和服务保障水平不断得到提高。

二是大力加强协会的调查研究工作。针对水利系统机关后勤工作的重点、难点以及存在的共性问题，深入开展调查研究活动，形成有真知灼见的调研成果，积极向有关部门建言献策，进一步让实践探索上升为理论总结，达到研讨问题、破解难题的目的，推进水利后勤工作的理念、方法和手段的创新，从而不断提高水利后勤工作的理论水平。

三是进一步加大业务培训力度。根据水利后勤业务工作特点和培训对象的实际，有针对性地开展教育培训工作，切实提高后勤队伍的学习能力、实践能力和创新能力。要注重理念和知识的培训，进一步启发思维、更新理念、充实知识，不断增强自身理论水平和管理能力。要注重技能和素质的培训，提高印刷交换、餐饮接待、车辆驾驶、客房服务、物业服务等业务水平。

四是积极组织丰富多彩的协会活动。要紧密结合水利机关后勤工作的特点和要求，开展思想明确、主题突出、形式多样的活动，把协会建设成为水利机关后勤系统一面凝心聚意的旗帜、一条沟通你我的纽带，建设成为水利机关后勤部门和后勤工作者学习交流、合作互动、共谋发展的平台。对一些针对性强、普适性强的活动，如部机关服务局每两年举办一次的职业技能竞赛等，可以常态化、品牌化，不断增强水利机关后勤部门的向心力和凝聚力。

政　策　法　规

Policies, Laws and Regulations

法律法规

中华人民共和国抗旱条例（国务院令第552号，2009年2月26日公布，自公布之日起施行）

第一章 总 则

第一条 为了预防和减轻干旱灾害及其造成的损失，保障生活用水，协调生产、生态用水，促进经济社会全面、协调、可持续发展，根据《中华人民共和国水法》，制定本条例。

第二条 在中华人民共和国境内从事预防和减轻干旱灾害的活动，应当遵守本条例。

本条例所称干旱灾害，是指由于降水减少、水工程供水不足引起的用水短缺，并对生活、生产和生态造成危害的事件。

第三条 抗旱工作坚持以人为本、预防为主、防抗结合和因地制宜、统筹兼顾、局部利益服从全局利益的原则。

第四条 县级以上人民政府应当将抗旱工作纳入本级国民经济和社会发展规划，所需经费纳入本级财政预算，保障抗旱工作的正常开展。

第五条 抗旱工作实行各级人民政府行政首长负责制，统一指挥、部门协作、分级负责。

第六条 国家防汛抗旱总指挥部负责组织、领导全国的抗旱工作。

国务院水行政主管部门负责全国抗旱的指导、监督、管理工作，承担国家防汛抗旱总指挥部的具体工作。国家防汛抗旱总指挥部的其他成员单位按照各自职责，负责有关抗旱工作。

第七条 国家确定的重要江河、湖泊的防汛抗旱指挥机构，由有关省、自治区、直辖市人民政府和该江河、湖泊的流域管理机构组成，负责协调所辖范围内的抗旱工作；流域管理机构承担流域防汛抗旱指挥机构的具体工作。

第八条 县级以上地方人民政府防汛抗旱指挥机构，在上级防汛抗旱指挥机构和本级人民政府的领导下，负责组织、指挥本行政区域内的抗旱工作。

县级以上地方人民政府水行政主管部门负责本行政区域内抗旱的指导、监督、管理工作，承担本级人民政府防汛抗旱指挥机构的具体工作。县级以上地方人民政府防汛抗旱指挥机构的其他成员单位按照各自职责，负责有关抗旱工作。

第九条 县级以上人民政府应当加强水利基础设施建设，完善抗旱工程体系，提高抗旱减灾能力。

第十条 各级人民政府、有关部门应当开展抗旱宣传教育活动，增强全社会抗旱减灾意识，鼓励和支持各种抗旱科学技术研究及其成果的推广应用。

第十一条 任何单位和个人都有保护抗旱设施和依法参加抗旱的义务。

第十二条 对在抗旱工作中做出突出贡献的单位和个人，按照国家有关规定给予表彰和奖励。

第二章 旱灾预防

第十三条 县级以上地方人民政府水行政主管部门会同同级有关部门编制本行政区域的抗旱规划，报本级人民政府批准后实施，并抄送上一级人民政府水行政主管部门。

第十四条 编制抗旱规划应当充分考虑本行政区域的国民经济和社会发展水平、水资源综合开发利用情况、干旱规律和特点、可供水资源量和抗旱能力以及城乡居民生活用水、工农业生产和生态用水的需求。

抗旱规划应当与水资源开发利用等规划相衔接。

下级抗旱规划应当与上一级的抗旱规划相协调。

第十五条 抗旱规划应当主要包括抗旱组织体系建设、抗旱应急水源建设、抗旱应急设施建设、抗旱物资储备、抗旱服务组织建设、旱情监测网络建设以及保障措施等。

第十六条 县级以上人民政府应当加强农田水利基础设施建设和农村饮水工程建设，组织做好抗旱应急工程及其配套设施建设和节水改造，提高抗旱供水能力和水资源利用效率。

县级以上人民政府水行政主管部门应当组织做好农田水利基础设施和农村饮水工程的管理和维护，确保其正常运行。

干旱缺水地区的地方人民政府及有关集体经济组织应当因地制宜修建中小微型蓄水、引水、提水工程和雨水集蓄利用工程。

第十七条 国家鼓励和扶持研发、使用抗旱节水机械和装备，推广农田节水技术，支持旱作地区修建抗旱设施，发展旱作节水农业。

国家鼓励、引导、扶持社会组织和个人建设、经营抗旱设施，并保护其合法权益。

第十八条 县级以上地方人民政府应当做好干旱期城乡居民生活供水的应急水源贮备保障工作。

第十九条 干旱灾害频繁发生地区的县级以上地方人民政府，应当根据抗旱工作需要储备必要的抗旱物资，并加强日常管理。

第二十条 县级以上人民政府应当根据水资源和水环境的承载能力，调整、优化经济结构和产业布局，合理配置水资源。

第二十一条 各级人民政府应当开展节约用水宣传教育，推行节约用水措施，推广节约用水新技术、新工艺，建设节水型社会。

第二十二条　县级以上人民政府水行政主管部门应当做好水资源的分配、调度和保护工作，组织建设抗旱应急水源工程和集雨设施。

县级以上人民政府水行政主管部门和其他有关部门应当及时向人民政府防汛抗旱指挥机构提供水情、雨情和墒情信息。

第二十三条　各级气象主管机构应当加强气象科学技术研究，提高气象监测和预报水平，及时向人民政府防汛抗旱指挥机构提供气象干旱及其他与抗旱有关的气象信息。

第二十四条　县级以上人民政府农业主管部门应当做好农用抗旱物资的储备和管理工作，指导干旱地区农业种植结构的调整，培育和推广应用耐旱品种，及时向人民政府防汛抗旱指挥机构提供农业旱情信息。

第二十五条　供水管理部门应当组织有关单位，加强供水管网的建设和维护，提高供水能力，保障居民生活用水，及时向人民政府防汛抗旱指挥机构提供供水、用水信息。

第二十六条　县级以上人民政府应当组织有关部门，充分利用现有资源，建设完善旱情监测网络，加强对干旱灾害的监测。

县级以上人民政府防汛抗旱指挥机构应当组织完善抗旱信息系统，实现成员单位之间的信息共享，为抗旱指挥决策提供依据。

第二十七条　国家防汛抗旱总指挥部组织其成员单位编制国家防汛抗旱预案，经国务院批准后实施。

县级以上地方人民政府防汛抗旱指挥机构组织其成员单位编制抗旱预案，经上一级人民政府防汛抗旱指挥机构审查同意，报本级人民政府批准后实施。

经批准的抗旱预案，有关部门和单位必须执行。修改抗旱预案，应当按照原批准程序报原批准机关批准。

第二十八条　抗旱预案应当包括预案的执行机构以及有关部门的职责、干旱灾害预警、干旱等级划分和按不同等级采取的应急措施、旱情紧急情况下水量调度预案和保障措施等内容。

干旱灾害按照区域耕地和作物受旱的面积与程度以及因干旱导致饮水困难人口的数量，分为轻度干旱、中度干旱、严重干旱、特大干旱四级。

第二十九条　县级人民政府和乡镇人民政府根据抗旱工作的需要，加强抗旱服务组织的建设。县级以上地方各级人民政府应当加强对抗旱服务组织的扶持。

国家鼓励社会组织和个人兴办抗旱服务组织。

第三十条　各级人民政府应当对抗旱责任制落实、抗旱预案编制、抗旱设施建设和维护、抗旱物资储备等情况加强监督检查，发现问题应当及时处理或者责成有关部门和单位限期处理。

第三十一条　水工程管理单位应当定期对管护范围内的抗旱设施进行检查和维护。

第三十二条　禁止非法引水、截水和侵占、破坏、污染水源。

禁止破坏、侵占、毁损抗旱设施。

第三章　抗 旱 减 灾

第三十三条　发生干旱灾害，县级以上人民政府防汛抗旱指挥机构应当按照抗旱预案规定的权限，启动抗旱预案，组织开展抗旱减灾工作。

第三十四条　发生轻度干旱和中度干旱，县级以上地方人民政府防汛抗旱指挥机构应当按照抗旱预案的规定，采取下列措施：

（一）启用应急备用水源或者应急打井、挖泉；

（二）设置临时抽水泵站，开挖输水渠道或者临时在江河沟渠内截水；

（三）使用再生水、微咸水、海水等非常规水源，组织实施人工增雨；

（四）组织向人畜饮水困难地区送水。

采取前款规定的措施，涉及其他行政区域的，应当报共同的上一级人民政府防汛抗旱指挥机构或者流域防汛抗旱指挥机构批准；涉及其他有关部门的，应当提前通知有关部门。旱情解除后，应当及时拆除临时取水和截水设施，并及时通报有关部门。

第三十五条　发生严重干旱和特大干旱，国家防汛抗旱总指挥部应当启动国家防汛抗旱预案，总指挥部各成员单位应当按照防汛抗旱预案的分工，做好相关工作。

严重干旱和特大干旱发生地的县级以上地方人民政府在防汛抗旱指挥机构采取本条例第三十四条规定的措施外，还可以采取下列措施：

（一）压减供水指标；

（二）限制或者暂停高耗水行业用水；

（三）限制或者暂停排放工业污水；

（四）缩小农业供水范围或者减少农业供水量；

（五）限时或者限量供应城镇居民生活用水。

第三十六条　发生干旱灾害，县级以上地方人民政府应当按照统一调度、保证重点、兼顾一般的原则对水源进行调配，优先保障城乡居民生活用水，合理安排生产和生态用水。

第三十七条　发生干旱灾害，县级以上人民政府防汛抗旱指挥机构或者流域防汛抗旱指挥机构可以按照批准的抗旱预案，制订应急水量调度实施方案，统一调度辖区内的水库、水电站、闸坝、湖泊等所蓄的水量。有关地方人民政府、单位和个人必须服从统一调度和指挥，严格执行调度指令。

第三十八条　发生干旱灾害，县级以上地方人民政府防汛抗旱指挥机构应当及时组织抗旱服务组织，解决农村人畜饮水困难，提供抗旱技术咨询等方面的服务。

第三十九条　发生干旱灾害，各级气象主管机构应当做好气象干旱监测和预报工作，并适时实施人工增雨作业。

第四十条　发生干旱灾害，县级以上人民政府卫生主管部门应当做好干旱灾害发生地区疾病预防控制、医疗救护和卫生监督执法工作，监督、检测饮用水水源卫生状况，确保饮水卫生安全，防止干旱灾害导致重大传染病疫情的发生。

第四十一条　发生干旱灾害，县级以上人民政府民政部门应当做好干旱灾害的救助工作，妥善安排受灾地区群众基本生活。

第四十二条　干旱灾害发生地区的乡镇人民政府、街道办事处、村民委员会、居民委员会应当组织力量，向村民、居民宣传节水抗旱知识，协助做好抗旱措施的落实工作。

第四十三条　发生干旱灾害，供水企事业单位应当加强对供水、水源和抗旱设施的管理与维护，按要求启用应急备用水源，确保城乡供水安全。

第四十四条　干旱灾害发生地区的单位和个人应当自觉节约用水，服从当地人民政府发布的决定，配合落实人民政府采取的抗旱措施，积极参加抗旱减灾活动。

第四十五条　发生特大干旱，严重危及城乡居民生活、生产用水安全，可能影响社会稳定的，有关省、自治区、直辖市人民政府防汛抗旱指挥机构经本级人民政府批准，可以宣布本辖区内的相关行政区域进入紧急抗旱期，并及时报告国家防汛抗旱总指挥部。

特大干旱旱情缓解后，有关省、自治区、直辖市人民政府防汛抗旱指挥机构应当宣布结束紧急抗旱期，并及时报告国家防汛抗旱总指挥部。

第四十六条　在紧急抗旱期，有关地方人民政府防汛抗旱指挥机构应当组织动员本行政区域内各有关单位和个人投入抗旱工作。所有单位和个人必须服从指挥，承担人民政府防汛抗旱指挥机构分配的抗旱工作任务。

第四十七条　在紧急抗旱期，有关地方人民政府防汛抗旱指挥机构根据抗旱工作的需要，有权在其管辖范围内征用物资、设备、交通运输工具。

第四十八条　县级以上地方人民政府防汛抗旱指挥机构应当组织有关部门，按照干旱灾害统计报表的要求，及时核实和统计所管辖范围内的旱情、干旱灾害和抗旱情况等信息，报上一级人民政府防汛抗旱指挥机构和本级人民政府。

第四十九条　国家建立抗旱信息统一发布制度。旱情由县级以上人民政府防汛抗旱指挥机构统一审核、发布；旱灾由县级以上人民政府水行政主管部门会同同级民政部门审核、发布；农业灾情由县级以上人民政府农业主管部门发布；与抗旱有关的气象信息由气象主管机构发布。

报刊、广播、电视和互联网等媒体，应当及时刊播抗旱信息并标明发布机构名称和发布时间。

第五十条　各级人民政府应当建立和完善与经济社会发展水平以及抗旱减灾要求相适应的资金投入机制，在本级财政预算中安排必要的资金，保障抗旱减灾投入。

第五十一条　因抗旱发生的水事纠纷，依照《中华人民共和国水法》的有关规定处理。

第四章　灾后恢复

第五十二条　旱情缓解后，各级人民政府、有关主管部门应当帮助受灾群众恢复生产和灾后自救。

第五十三条　旱情缓解后，县级以上人民政府水行政主管部门应当对水利工程进行检查评估，并及时组织修复遭受干旱灾害损坏的水利工程；县级以上人民政府有关主管部门应当将遭受干旱灾害损坏的水利工程，优先列入年度修复建设计划。

第五十四条　旱情缓解后，有关地方人民政府防汛抗旱指挥机构应当及时归还紧急抗旱期征用的物资、设备、交通运输工具等，并按照有关法律规定给予补偿。

第五十五条　旱情缓解后，县级以上人民政府防汛抗旱指挥机构应当及时组织有关部门对干旱灾害影响、损失情况以及抗旱工作效果进行分析和评估；有关部门和单位应当予以配合，主动向本级人民政府防汛抗旱指挥机构报告相关情况，不得虚报、瞒报。

县级以上人民政府防汛抗旱指挥机构也可以委托具有灾害评估专业资质的单位进行分析和评估。

第五十六条　抗旱经费和抗旱物资必须专项使用，任何单位和个人不得截留、挤占、挪用和私分。

各级财政和审计部门应当加强对抗旱经费和物资管理的监督、检查和审计。

第五十七条　国家鼓励在易旱地区逐步建立和推行旱灾保险制度。

第五章　法律责任

第五十八条　违反本条例规定，有下列行为之一的，由所在单位或者上级主管机关、监察机关责令改正；对直接负责的主管人员和其他直接责任人员依法给予处分；构成犯罪的，依法追究刑事责任：

（一）拒不承担抗旱救灾任务的；

（二）擅自向社会发布抗旱信息的；

（三）虚报、瞒报旱情、灾情的；

（四）拒不执行抗旱预案或者旱情紧急情况下的水量调度预案以及应急水量调度实施方案的；

（五）旱情解除后，拒不拆除临时取水和截水设施的；

（六）滥用职权、徇私舞弊、玩忽职守的其他行为。

第五十九条 截留、挤占、挪用、私分抗旱经费的，依照有关财政违法行为处罚处分等法律、行政法规的规定处罚；构成犯罪的，依法追究刑事责任。

第六十条 违反本条例规定，水库、水电站、拦河闸坝等工程的管理单位以及其他经营工程设施的经营者拒不服从统一调度和指挥的，由县级以上人民政府水行政主管部门或者流域管理机构责令改正，给予警告；拒不改正的，强制执行，处1万元以上5万元以下的罚款。

第六十一条 违反本条例规定，侵占、破坏水源和抗旱设施的，由县级以上人民政府水行政主管部门或者流域管理机构责令停止违法行为，采取补救措施，处1万元以上5万元以下的罚款；造成损坏的，依法承担民事责任；构成违反治安管理行为的，依照《中华人民共和国治安管理处罚法》的规定处罚；构成犯罪的，依法追究刑事责任。

第六十二条 违反本条例规定，抢水、非法引水、截水或者哄抢抗旱物资的，由县级以上人民政府水行政主管部门或者流域管理机构责令停止违法行为，予以警告；构成违反治安管理行为的，依照《中华人民共和国治安管理处罚法》的规定处罚；构成犯罪的，依法追究刑事责任。

第六十三条 违反本条例规定，阻碍、威胁防汛抗旱指挥机构、水行政主管部门或者流域管理机构的工作人员依法执行职务的，由县级以上人民政府水行政主管部门或者流域管理机构责令改正，予以警告；构成违反治安管理行为的，依照《中华人民共和国治安管理处罚法》的规定处罚；构成犯罪的，依法追究刑事责任。

第六章 附 则

第六十四条 中国人民解放军和中国人民武装警察部队参加抗旱救灾，依照《军队参加抢险救灾条例》的有关规定执行。

第六十五条 本条例自公布之日起施行。

海河独流减河永定新河河口管理办法（水利部令第37号，2009年5月13日公布，自2009年7月1日起施行）

第一条 为加强海河流域海河、独流减河、永定新河入海河口的管理，维护河口的行洪、排涝和纳潮等功能，保障海河流域中下游地区防洪安全，促进河口地区经济社会的可持续发展，根据《中华人民共和国水法》《中华人民共和国防洪法》和《中华人民共和国河道管理条例》等法律法规，制定本办法。

第二条 在海河、独流减河、永定新河入海河口（以下称三河口）管理范围内进行治理、开发、保护和管理活动，适用本办法。

第三条 三河口的治理、开发和保护，应当遵循统一规划、综合整治、兴利与除害相结合的原则，保障行洪排涝畅通，维护潮汐吞吐，改善生态环境。

第四条 海河水利委员会负责三河口治理、开发和保护活动的统一监督管理。

天津市人民政府水行政主管部门按照本办法规定的权限，负责永定新河河口治理、开发和保护活动的监督管理。

第五条 三河口综合整治规划是三河口治理、开发、保护和管理的基本依据。

三河口综合整治规划需要修改时，必须按照规定的程序经原批准机关批准。

三河口管理范围内的港区建设、航道整治、滩涂开发、铁路、公路、水产养殖等专业规划，应当与三河口综合整治规划相衔接。

第六条 三河口规划治导线是三河口整治与开发工程建设的外缘控制线，除河口整治水利工程外，其他工程建设不得超越规划治导线。

整治河口和修建控制引导河水流向、保护堤岸等工程，应当按照规划治导线实施，不得任意改变河水流向。

规划治导线确需调整的，必须经科学论证，并按照规定的程序经原批准机关批准。

第七条 根据三河口综合整治规划，三河口管理范围为：

（一）海河河口管理范围

1. 纵向为海河防潮闸闸上500米至闸下14300米，横向闸上以河道两岸防洪墙为界，闸下以规划治导线为界，有导堤的以导堤外坡脚线以外15米为界；

2. 河口防洪清淤排泥场以围堤外坡脚线以外15米为界；

3. 河口疏浚工作场地。

（二）独流减河河口管理范围

1. 纵向为独流减河防潮闸闸上500米至闸下9000米，横向闸上以河道两岸堤防外坡脚线以外30米为界，闸下左侧3080米以上以左堤为界，3080米以下至9000米以规划治导线以外200米为界，闸下右侧2965米以上以右堤外坡脚线以外30米、海挡和大港分洪道南堤及其延长线为界，2965米以下至9000米以规划治导线以外2500米为界；

2. 河口防洪清淤排泥场以围堤外坡脚线以外15米为界；

3. 河口疏浚工作场地。

（三）永定新河河口管理范围

1. 纵向为永定新河防潮闸闸上500米至闸下19000米，横向闸上以河道两岸堤防外坡脚线以外30米为界，闸下左侧13000米以上以规划治导线为界，13000米以下至19000米以规划治导线以外1150米为界，闸下右侧 9000 米以上以规划治导线为界，9000 米以下至 19000 米以规划治导线以外 1150 米为界；

2. 河口防洪清淤排泥场以围堤外坡脚线以外 30 米为界；

3. 闸下水下抛泥区；

4. 河口疏浚工作场地。

规划治导线调整时，河口管理范围相应作出调整。

海河和独流减河的河口管理范围由海河水利委员会会同有关县级以上地方人民政府具体界定。

永定新河的河口管理范围由天津市人民政府水行政主管部门会同有关县级以上地方人民政府具体界定，并报海河水利委员会备案。

第八条　在三河口管理范围内，新建、扩建、改建以及调整原有功能的水工程的，应当由海河水利委员会按照水工程建设规划同意书制度的有关规定审查并签署水工程建设规划同意书，并实施监督管理。

前款所称水工程，是指水库、拦河闸坝、引（调、提）水工程、堤防、水电站（含航运水电枢纽工程）等开发、利用、控制、调配和保护水资源的各类工程。

第九条　在海河和独流减河的河口管理范围内，新建、扩建、改建跨河、穿河、穿堤、临河的桥梁、码头、道路、输送带、渡口、管道、缆线、排污口、海岸防护整治工程等工程设施的，由海河水利委员会按照河道管理范围内建设项目管理等有关规定审查同意并实施监督管理。

在永定新河的河口管理范围内，新建、扩建、改建前款所列大中型工程设施的，经天津市人民政府水行政主管部门提出意见后，由海河水利委员会按照河道管理范围内建设项目管理等有关规定审查同意并实施监督管理；前款所列的其他工程设施，由天津市人民政府水行政主管部门按照河道管理范围内建设项目管理等有关规定审查同意并实施监督管理，并报海河水利委员会备案。

第十条　在三河口管理范围内，进行城市建设、工业、交通、港区生产运营、石油开采、盐业、农业、渔业、旅游、滩涂开发等有关活动，必须符合三河口综合整治规划，不得妨碍行洪、排涝、纳潮和河口整治水利工程建设与管理。

第十一条　在三河口管理范围内，从事各种开发利用活动造成河口淤积或者行洪障碍，影响河口行洪、排涝和纳潮的，有关单位或者个人应当承担清淤或者清除责任。

三河口管理范围内已修建的本办法第九条所列的工程设施，对河口行洪、排涝和纳潮有不利影响的，建设单位或者个人应当采取补救措施；必要时，建设单位或者个人应当按照海河水利委员会或者天津市人民政府水行政主管部门的要求，进行改建或者拆除。

第十二条　防洪清淤排泥场需要占用的土地，由所在地的县级以上地方人民政府依照有关法律法规的规定解决。

第十三条　任何单位和个人不得侵占防洪清淤排泥场用地，破坏清淤工程设施。

需要开发利用海河河口和独流减河河口防洪清淤排泥场的，必须经海河水利委员会同意；需要开发利用永定新河河口防洪清淤排泥场的，必须经天津市人民政府水行政主管部门同意。

第十四条　在三河口管理范围内禁止下列活动：

（一）修建围堤、阻水渠道、阻水道路；

（二）种植阻碍行洪的林木和高秆作物；

（三）弃置矿渣、石渣、煤灰、泥土、垃圾等；

（四）在堤防和护堤地上建房、开渠、打井、挖窖、葬坟、存放物料、开采地下资源、进行考古发掘以及开展集市贸易等活动；

（五）损坏闸坝和堤防上的设施、标志桩、水文和测量标志、通信设施等。

第十五条　在海河河口和独流减河河口管理范围内进行下列活动，应当报经海河水利委员会批准；在永定新河河口管理范围内进行下列活动，应当报经天津市人民政府水行政主管部门批准：

（一）采砂、取土、爆破、钻探、弃置砂石或者淤泥、挖筑鱼塘；

（二）在河口滩地和滩涂上存放物料、修建厂房或者其他建筑设施；

（三）在河口滩地和滩涂上开渠，开采地下资源及进行考古发掘。

第十六条　在三河口地区开采地下水，应当经过科学论证，并采取措施，防止地面沉降和海水入侵。

第十七条　三河口整治与建设，应当符合三河口综合整治规划和国家规定的防洪等有关技术要求。

第十八条　海河水利委员会和天津市人民政府水行政主管部门应当根据三河口综合整治规划，按照规定的权限分别对三河口进行清淤疏浚，维持行洪、排涝和纳潮畅通。

防洪清淤排泥场和导堤建设工程应当纳入国家基本建设计划，由海河水利委员会和天津市人民政府水行政主管部门按照基本建设程序和规定的权限组织实施。

第十九条　海河水利委员会管理的河口整治水利工程的维修养护经费，按照国务院办公厅转发的《水利工程管理体制改革实施意见》的规定筹集。

天津市人民政府水行政主管部门管理的河口整治水利工程的维修养护经费，按照国务院办公厅转发的《水利工程管理体制改革实施意见》及天津市人民政府的有关规定筹集。

第二十条　违反本办法第六条规定，未按照规划治导线整治河口和修建控制引导河水流向、保护堤岸等工程，影响防洪的，由海河水利委员会或者天津市人民政府水行政主管部门依照《中华人民共和国防洪法》的有关规定采取行政措施，并给予行政处罚。

第二十一条 违反本办法第八条规定，未取得水工程建设规划同意书，在三河口管理范围内擅自建设水工程，或者违反水工程建设规划同意书的要求建设水工程的，由海河水利委员会依照《中华人民共和国水法》和《中华人民共和国防洪法》的有关规定采取行政措施，并给予行政处罚。

第二十二条 违反本办法第九条规定，未经海河水利委员会或者天津市人民政府水行政主管部门对其工程建设方案审查同意，或者未按照审查批准的位置、界限，在三河口管理范围内从事工程设施建设活动的，由海河水利委员会或者天津市人民政府水行政主管部门依照《中华人民共和国水法》和《中华人民共和国防洪法》的有关规定采取行政措施，并给予行政处罚。

第二十三条 违反本办法第十三条规定，侵占防洪清淤排泥场用地，破坏清淤工程设施的，由海河水利委员会或者天津市人民政府水行政主管部门依照《中华人民共和国水法》和《中华人民共和国防洪法》的有关规定采取行政措施，并给予行政处罚。

第二十四条 违反本办法第十四条和第十五条规定的，由海河水利委员会或者天津市人民政府水行政主管部门依照《中华人民共和国水法》和《中华人民共和国防洪法》的有关规定采取行政措施，并给予行政处罚。

第二十五条 海河水利委员会和天津市人民政府水行政主管部门及其工作人员不依法履行管理和监督检查职责，或者发现违法行为不予查处的，对负有责任的主管人员和其他直接责任人员，依法给予行政处分；构成犯罪的，依法追究刑事责任。

第二十六条 本办法所称防洪清淤排泥场，是指为维护河口行洪、排涝、纳潮畅通，实施河口清淤疏浚工程设置的贮泥场地。

第二十七条 本办法自2009年7月1日起施行。

黑河干流水量调度管理办法（水利部令第38号，2009年5月13日公布，自公布之日起施行）

第一条 为加强黑河干流水量统一调度，合理配置黑河流域水资源，促进流域经济社会发展和生态环境改善，根据《中华人民共和国水法》等法律法规，制定本办法。

第二条 黑河流域的青海省、甘肃省、内蒙古自治区（以下称三省区）和东风场区的黑河干流水量调度和管理，适用本办法。

第三条 国家对黑河干流水量实行统一调度，遵循总量控制、分级管理、分级负责的原则。

实施黑河干流水量调度，应当首先满足城乡居民生活用水，合理安排农业、工业、生态环境用水。

第四条 水利部负责组织、协调、监督、指导黑河干流水量调度工作。

黄河水利委员会及其所属的黑河流域管理局依照本办法规定，负责黑河干流水量调度的组织实施和监督检查工作。

三省区有关县级以上地方人民政府水行政主管部门和东风场区水务部门按照规定的权限，负责所辖范围内黑河干流水量调度的实施和监督检查工作。

第五条 黑河干流年度水量调度方案、月水量调度方案和实时调度指令的执行，实行地方人民政府行政首长负责制和黄河水利委员会、黑河流域管理局、东风场区主要领导以及水库、水电站主管部门或者单位主要领导负责制。

三省区有关县级以上地方人民政府水行政主管部门、东风场区水务部门、水库和水电站主管部门或者单位负责落实所辖范围内实施水量调度的责任，明确责任人。责任人名单应当逐级上报，由黄河水利委员会汇总上报水利部，向社会公告。

第六条 在黑河流域新建、改建、扩建建设项目的水资源论证和取水许可制度的实施，由黄河水利委员会、黑河流域管理局以及三省区有关县级以上地方人民政府水行政主管部门按照《取水许可和水资源费征收管理条例》和水利部授予的权限办理。

第七条 黑河流域内批准取水的总耗水量不得超过本流域水资源可利用量，三省区和东风场区批准取水的总水量不得超过国家规定的相应区域的取水许可总量控制指标。

在黑河流域取水，不得用于扩大农田灌溉面积。

黄河水利委员会、黑河流域管理局按照黑河流域取水许可总量控制的要求，负责黑河流域取水许可的监督管理。

第八条 国务院批准的黑河干流水量分配方案和水利部批准的黑河干流年度水量调度方案是黑河干流水量调度的依据，有关地方人民政府、东风场区、黄河水利委员会及其所属的黑河流域管理局必须执行。

第九条 黑河干流年度水量调度方案由黑河流域管理局商三省区人民政府水行政主管部门和东风场区水务部门编制，经黄河水利委员会审核后报水利部批准。

黑河干流年度水量调度方案根据国务院批准的黑河干流水量分配方案、三省区和东风场区用水计划建议、水库和水电站运行计划建议、莺落峡水文断面年度预测来水量，按照丰增枯减的原则编制。

第十条 三省区人民政府水行政主管部门、东风场区水务部门、水库和水电站主管部门或者单位应当于每年3月1日前向黑河流域管理局报送年度用水计划建议和水库、水电站运行计划建议。

第十一条 黑河干流水量调度按照年度水量调度方案、月水量调度方案和实时调度指令相结合的方式调度，实行年度断面水量控制和区域用水总量控制，逐月滚动修正。

黑河干流水量调度年度为当年11月11日至次年11月10日。其中，当年11月11日至次年6月30日为一般调度期，7月1日至11月10日为关键调度期。

第十二条 在一般调度期，三省区有关县级以上地方人民政府水行政主管部门和东风场区水务部门应当根据年度水量调度方案及控制断面下泄水量的要求，合理安排各时段取水计划，必要时应采取全线闭口、集中下泄或者限制取水等措施。

第十三条 关键调度期月水量调度方案由黑河流域管理局依据水利部批准的黑河干流年度水量调度方案，在本调度年度前期莺落峡、正义峡水文断面实测水量和后期莺落峡水文断面预测来水的基础上，商三省区人民政府水行政主管部门和东风场区水务部门制定；协商未能达成一致意见的，由黑河流域管理局上报黄河水利委员会决定，并由黄河水利委员会报水利部备案。

黑河流域管理局应当于每月5日前下达当月水量调度方案。

第十四条 在关键调度期，三省区人民政府水行政主管部门、东风场区水务部门、水库和水电站主管部门或者单位应当于每月2日前向黑河流域管理局报送上月用水情况及当月用水计划建议和水库、水电站运行计划建议。

第十五条 关键调度期水量调度，由三省区有关县级以上地方人民政府水行政主管部门和东风场区水务部门根据月水量调度方案，采取全线闭口、集中下泄或者限制取水等措施，保证各控制断面当月下泄水量指标的落实。

黑河流域管理局根据实时水情、雨情、旱情、墒情、水库、水电站蓄水量和用水等情况，可以对已下达的月水量调度方案作出调整，下达实时调度指令。

第十六条 当莺落峡水文断面流量超过150立方米每秒时，实施洪水期水量调度。

洪水期水量调度，由黑河流域管理局下达实时调度指令，三省区有关县级以上地方人民政府水行政主管部门和东风场区水务部门应当采取全线闭口、集中下泄或者限制取水等措施，负责组织实施所辖范围的水量调度。

第十七条 流域内有关地区出现危及城乡生活供水安全等紧急情形或者预测年度正义峡水文断面少下泄水量可能超过年度水量调度方案中确定的控制指标的5%时，可以按照黑河干流应急水量调度预案，实施应急水量调度。

应急水量调度，由黑河流域管理局报黄河水利委员会批准后实施。

三省区县级以上地方人民政府水行政主管部门、东风场区水务部门、水库和水电站主管部门或者单位，按照应急水量调度实施方案和黑河流域管理局下达的实时调度指令，负责实施所辖范围内的应急水量调度，黑河流域管理局负责监督检查。

应急水量调度采用日调节的调度措施，优先保障生活用水，严格控制其他用水。

实施应急水量调度期间，三省区人民政府水行政主管部门、东风场区水务部门、水库和水电站主管部门或者单位应当每日向黑河流域管理局报送取（退）水量、水库和水电站蓄水量、坝前水位及进（出）库流量等相关资料。

第十八条 黑河干流应急水量调度预案由黑河流域管理局会同三省区人民政府水行政主管部门、东风场区水务部门、水库和水电站主管部门或者单位编制，经黄河水利委员会审核后报水利部批准。

三省区人民政府水行政主管部门、东风场区水务部门、水库和水电站主管部门或者单位，应当根据批准的黑河干流应急水量调度预案制定实施方案，并报黑河流域管理局备案。

第十九条 实施应急水量调度需要动用水库、水电站死库容的，由黑河流域管理局商三省区人民政府水行政主管部门和东风场区水务部门制定方案，经黄河水利委员会审核并报水利部批准后，由有关水库、水电站主管部门或者单位组织实施。

第二十条 三省区有关县级以上地方人民政府水行政主管部门按照水量统一调度的要求，对所辖范围内的水库、水电站实施调度，水库、水电站主管部门或者单位必须服从；黑河流域管理局直接管理的水库、水电站，由黑河流域管理局实施调度。必要时，黑河流域管理局可以对有关省、自治区所辖范围内的水库、水电站下达实时调度指令。

水库、水电站主管部门或者单位应当根据黑河干流年度水量调度方案、月水量调度方案和实时调度指令安排发电、供水计划。

实施全线闭口、集中下泄期间，水库、水电站主管部门或者单位应当每日向本省、自治区人民政府水行政主管部门和黑河流域管理局报送水库、水电站蓄水量、坝前水位及进（出）库流量等相关资料。

第二十一条 黑河干流水量调度分别以莺落峡、正义峡水文断面作为进入中游、下游的控制断面。在实际调度中，正义峡水文断面年度少下泄水量的误差不得超过年度水量调度方案确定的控制指标的5%。

甘肃省人民政府负责确保正义峡水文断面年度下泄水量，并确保下游鼎新灌区不超指标取水；内蒙古自治区人民政府负责合理安排管辖范围内的用水，确保输水到黑河下游东居延海，并用于生态用水；东风场区负责确保不超指标取水。

第二十二条 黑河干流控制性水文断面的水文监测由所在的有关省、自治区人民政府水行政主管部门直属的水文机构承担；黄河水利委员会水文机构协助监测并负责监督，对水文监测资料进行审查，并及时报送黑河流域管理局。

三省区人民政府水行政主管部门和黄河水利委员会及其所属的黑河流域管理局按照管理权限负责落实水文监测和监督工作经费。

第二十三条 三省区人民政府水行政主管部门和东风场区水务部门应当于每年11月30日前向黑河流域管理局报送上一调度年度水量调度实施情况的总结；黑河流域管理局应当于每年12月10日前向黄河水利委员会报送上一调度年度水量调度总结。

第二十四条 黑河流域管理局应当于每月5日前向三省区人民政府水行政主管部门、东风场区水务部门、水库和水电站主管部门或者单位通报上月水量调度情况；每年12月31日前通报上一调度年度水量调度情况，并向社会公告。

第二十五条 黑河干流水量调度实行分级督查和联合督查相结合的督查制度。

黄河水利委员会及其所属的黑河流域管理局、三省区有关县级以上地方人民政府水行政主管部门和东风场区水务部门，应当在各自的职责范围内对黑河干流水量调度实施情况进行监督检查；在实施全线闭口、集中下泄和应急水量调度期间，应当派出督查组，对取（退）水口的启闭及取（退）水情况、水库和水电站蓄泄水情况等进行巡回监督检查或者驻守监督检查；必要时，由黑河流域管理局会同有关省、自治区人民政府水行政主管部门和东风场区水务部门组成联合督查组，对黑河干流重要取（退）水口及水库、水电站实施重点监督检查。

第二十六条 监督检查人员履行本办法规定的监督检查职责时，有权采取下列措施：

（一）要求被检查单位提供有关文件和资料，进行查阅或者复制；

（二）要求被检查单位就执行本办法的有关问题进行说明；

（三）进入被检查单位的生产场所进行现场检查；

（四）对取（退）水口的启闭及取（退）水情况进行现场监测；

（五）责令被检查单位纠正违反本办法的行为。

第二十七条 重要水文控制断面下泄水量未达到年度水量调度方案的要求，或者区域取用水量超过年度水量调度方案要求的，由黄河水利委员会对相关省、自治区或者单位予以通报。

实际取用水量超出年度水量调度方案确定的控制指标的，扣减该省、自治区或者单位下一调度年度取用水量指标；影响水量调度并造成严重后果的，应当暂停审批该省、自治区或者单位下一调度年度在黑河干流新增取水工程项目。

实际取用水量超出月水量调度方案确定的控制指标，对全年水量调度造成影响的，视情节扣减该省、自治区或者单位下一调度年度取用水量指标。

正义峡水文断面下泄水量连续3年达不到年度水量调度方案确定的控制指标时，应当暂停审批相关省在黑河干流新增取水工程项目。

第二十八条 违反本办法规定，有下列行为之一的，责令改正，予以通报批评，对负有责任的主管人员和其他直接责任人员，由其上级主管部门、单位或者监察机关依法给予处分；构成犯罪的，依法追究刑事责任：

（一）不执行年度水量调度方案、月水量调度方案、应急水量调度预案及实施方案、实时调度指令的；

（二）水库、水电站下泄流量和水量不符合规定的控制指标，对水量调度产生严重影响的；

（三）未按要求及时上报、虚假填报或者篡改水文监测数据、取用水量数据、用水计划建议、水库和水电站运行计划建议及实施情况数据或者年度水量调度情况等资料，对水量调度产生严重影响的；

（四）不履行监督检查职责，或者发现违法行为不予查处的；

（五）其他滥用职权、玩忽职守、徇私舞弊的行为。

第二十九条 违反本办法规定，有下列行为之一的，对负有责任的主管人员和其他直接责任人员，由其上级主管部门或者单位责令改正；情节严重的，由其上级主管部门、单位或者监察机关依法给予处分：

（一）不及时编制水量调度方案的；

（二）不及时下达月水量调度方案的；

（三）不编制或者不及时审查应急水量调度预案及实施方案的。

第三十条 违反本办法规定，有下列行为之一的，由公安机关依法给予治安管理处罚；构成犯罪的，依法追究刑事责任：

（一）妨碍、阻挠监督检查人员或者取水工程管理人员依法执行公务、履行职责的；

（二）在水量调度中煽动群众闹事的。

第三十一条 在黑河干流水量调度工作中做出显著成绩的单位和个人，由有关县级以上地方人民政府或者有关部门给予奖励。

第三十二条 黑河干流水量调度文书格式及要求，由黄河水利委员会规定。

第三十三条 在黑河干流水量调度中，涉及防洪、水资源管理、河道管理和水文等事项的，依照相关法律、法规和规章的规定执行。

第三十四条 本办法所称全线闭口、集中下泄，是指在一定时段内，关闭中游地区的所有取水口门，集中向下游地区输水的调度措施。

第三十五条　本办法自公布之日起施行。2000年6月14日水利部发布的《黑河干流水量调度管理暂行办法》（水资源〔2000〕221号）同时废止。

水政工作

【水利立法】

一、法律、行政法规的制定和修订工作

1.《中华人民共和国抗旱条例》制定出台　2009年2月26日，温家宝总理签署第552号国务院令，公布了《中华人民共和国抗旱条例》（以下简称《条例》）。《条例》自公布之日起施行。《条例》的颁布施行，填补了我国抗旱立法的空白，标志着抗旱工作进入了有法可依、规范管理的新阶段。这是我国水利法制建设的一件大事，对新时期我国抗旱减灾事业发展具有重要的现实意义和深远的历史影响。

《条例》共六章65条，其内容涵盖了从旱灾预防、抗旱基础设施建设、抗旱减灾到灾后恢复的全过程。《条例》以科学发展观为指导，以《中华人民共和国水法》为依据，参照国家有关防灾减灾的法律法规和国务院办公厅颁布的《国家防汛抗旱应急预案》、《关于加强抗旱工作的通知》等文件，结合国内外抗旱工作的实际情况和成功经验，确立了一系列加强和规范抗旱工作的原则，建立了一套比较完善的政府领导下全社会共同抗旱的体制和机制。

（1）明确了各级人民政府、有关部门和单位在抗旱工作中的职责。长期以来，抗旱工作责任制在我国法律层面上没有明确的界定，导致许多地区对抗旱工作的组织部署缺乏明确的监督检查和责任落实机制。《条例》除了在总则中提出“抗旱工作实行各级人民政府行政首长负责制，统一指挥、部门协作、分级负责”的要求外，还在相关条款中对各级人民政府、各级水行政主管部门、防汛抗旱指挥机构的其他成员单位提出了具体明确的职责要求，对流域机构的抗旱工作职责也作了明确界定。抗旱工作责任制的明确和落实对理顺我国抗旱管理体制、进一步做好抗旱工作将起到积极的推动作用。

（2）建立了一系列重要的抗旱工作制度。《条例》从旱灾预防、抗旱减灾、灾后恢复、法律责任等方面确立了一系列重要制度，对规范我国的抗旱管理工作，推进依法抗旱、依法行政将发挥重要的保障作用。

1）确立了抗旱规划制度。《条例》要求县级以上地方人民政府水行政主管部门会同同级有关部门，在充分考虑本行政区域的国民经济和社会发展水平、水资源综合开发利用情况、干旱规律和特点、可供水资源量和抗旱能力以及城乡居民生活用水、工农业生产和生态用水需求的基础上，编制本行政区域的抗旱规划，报本级人民政府批准后实施。

2）确立了抗旱预案制度。《条例》要求县级以上地方人民政府防汛抗旱指挥机构应当组织其成员单位编制抗旱预案，对不同等级的干旱采取不同的应急响应措施。

3）确立了抗旱水量统一调度制度。对干旱期间的用水管理，《条例》要求县级以上地方人民政府按照统一调度、保证重点、兼顾一般的原则对水源进行调配，优先保障城乡居民生活用水，合理安排生产和生态用水。同时明确规定，县级以上地方人民政府防汛抗旱指挥机构或流域防汛抗旱指挥机构可以按照批准的抗旱预案，制订应急水量调度实施方案，统一调度辖区内的水库、水电站、闸坝、湖泊等所蓄的水量。有关地方人民政府、单位和个人必须服从统一调度和指挥，严格执行调度指令。

4）确立了紧急抗旱期抗旱物资设备征用制度。《条例》规定，在发生特大干旱，严重危及城乡居民生活、生产用水安全，可能影响社会稳定时，经本级人民政府批准，省级人民政府防汛抗旱指挥机构可以宣布本辖区内的相关行政区域进入紧急抗旱期。在紧急抗旱期，有关地方人民政府防汛抗旱指挥机构根据抗旱工作的需要，有权在其管辖范围内征用物资、设备、交通运输工具。旱情缓解后，应当及时归还紧急抗旱期征用的物资、设备、交通运输工具等，并按照有关法律规定给予补偿。

5）确立了抗旱信息报送制度。对旱情信息的监测、管理，《条例》除提出有关部门要按职责分工向本级防汛抗旱指挥机构提供有关旱情及抗旱信息外，还要求县级以上地方人民政府组织有关部门，充分利用现有资源，建设和完善旱情监测网络，加强对干旱灾害的监测。县级以上地方人民政府防汛抗旱指挥机构应当组织完善抗旱信息系统，实现成员单位之间的信息共享，为抗旱指挥决策提供依据。

6）确立了抗旱信息统一发布制度。旱情由县级以上地方人民政府防汛抗旱指挥机构统一审核、发布。旱灾由县级以上地方人民政府水行政主管部门会同同级民政部门审核、发布。报刊、广播、电视和互联网等媒体，应当及时刊播抗旱信息并标明发布机构名称和发布时间。

（3）完善了抗旱保障机制。干旱灾害是我国自然灾害中影响、损失最为严重的灾种之一，但多年来我国抗旱保障体系建设却很不完善。以抗旱减灾投入来说，目前全国31个省、自治区、直辖市和新疆生产建设兵团，只有12个省、自治区、直辖市设立少量抗旱专项资金，总额不足6000万元。这种状况严重不适应抗旱减灾的实际需要。另外，中央和绝大多数地方政府至今都没有建立抗旱物资储备制度，大部分省、自治区、直辖市没有制订抗旱用油、用电及抗旱设备购置的优惠政策。这导致每到抗旱关键时期，重旱区经常发生抗旱机具设备价格暴涨或脱销，抗旱油、电资源短缺，农民抗旱负担加重，贻误抗旱时机。各地在干旱灾害保险、抗旱社会救助等方面的保障措施也基本处于空白状态。为此，《条例》要求县级以上地方人民政府应当将抗旱工作纳入本级国民经济和社会发展规划，所需经费纳入本级财政预算，保障抗旱工作的正常开展；应当做好干旱期城乡居民生活供水的应急水源贮备保障工作；应当根据抗旱工作需要储备必要的抗旱物资，并加强日常管理；应当根据水资源和水环境的承载能力，调整、优化经济结构和产业布局，合理配置水资源。《条例》还要求各级人民政府应当建立和完善与经济社会发展水平及抗旱减灾要求相适应的资金投入机制，在本级财政预算中安排必要的资金，保障抗旱减灾投入。这些措施将从根本上改变目前我国抗旱投入严重不足的状况，有效减轻农民抗旱负担，更好地保障和促进抗旱减灾事业健康发展。

2.《中华人民共和国水土保持法》的修订 《中华人民共和国水土保持法》是国务院2009年立法工作计划一档项目。2008年10月，水利部向国务院报送《中华人民共和国水土保持法（修订草案送审稿）》。2009年，水利部配合国务院法制办对修订草案送审稿进一步修改完善，在先后两次征求中央有关单位和省级地方政府意见、赴四川和广东实地调研、与有关部门沟通协调、专家论证的基础上，深入细致研究修改，形成《中华人民共和国水土保持法（修订草案）》。2009年底，修订草案经国务院法制办审核通过，将正式上报国务院。

3.《太湖管理条例》的制定 《太湖管理条例》是国务院2009年立法工作计划二档项目。水利部于2008年11月将《太湖管理条例（征求意见稿）》发送江苏、浙江、上海两省一市人民政府以及国务院发展改革委等国务院部门书面征求意见，并于2009年2月专门同环保部和农业部进行了面对面的沟通和协调，根据有关地方和部门反馈的意见以及协调情况，经反复研究修改形成了《太湖管理条例（送审稿）》。水利部于2009年5月将《太湖管理条例（送审稿）》报送国务院审议，并配合国务院法制办完成了第一次征求国务院有关部门和太湖流域两省一市人民政府意见的工作。为了推进条例的审查工作，国务院法制办组织水利部和环保部组成联合调研组，于2009年11月赴太湖流域两省一市开展了条例立法调研。目前，国务院法制办正在抓紧审查。

4.《节约用水条例》的制定 《节约用水条例》是国务院2009年立法工作计划二档项目。水利部于2008年12月将《节约用水条例（征求意见稿）》发送国家发改委、住房和城乡建设部征求意见，两部委分别于2009年1月和2月将意见返回。2009年6月，水利部与两部委就条例起草工作召开了座谈会。2009年10月，水利部与住房和城乡建设部再次召开座谈会听取意见并协商有关问题。目前，水利部正在认真研究有关部委的修改意见，争取尽快将《节约用水条例（送审稿）》报送国务院。

5.《洪水影响评价管理条例》的制定 《洪水影响评价管理条例》是国务院2009年立法工作计划二档项目。水利部于2008年12月将《洪水影响评价管理条例（修改稿）》发送有关省、自治区、直辖市人民政府和国务院有关部、委、局征求意见。根据各方面的反馈意见，经反复研究修改，水利部于2009年10月形成了《洪水影响评价管理条例（草案）》部务会议稿，待部务会审议通过后报送国务院审议。

6.其他法律法规 根据国务院领导的指示，水利部配合国务院法制办加大了《河道采砂管理条例》的协调力度。开展了《河道管理条例（修订）》《珠江水量调度条例》和《南水北调供用水管理条例》的相关审查工作。

二、规章的制定和修订工作

1.《海河独流减河永定新河河口管理办法》制定出台 2009年5月13日，水利部部长陈雷签署第37号水利部令，公布了《海河独流减河永定新河河口管理办法》。该办法自2009年7月1日起施行。该办法对这三河河口管理的职责分工，综合整治规划及规划治导线的效力，三河河口管理范围，水工程建设规划同意书制度的实施、开发建设项目等活动的管理，河口清淤排泥场的划定、管理和保护，以及河口整治与建设等作出了规定。该办法的实施，对于加强三河河口的管理，维护河口的行洪、排涝和纳潮等功能，保障海河流域中下游地区防洪安全，促进河口地区经济社会的可持续发展，具有重要的意义。

2.《黑河干流水量调度管理办法》制定出台 2009年5月13日，水利部部长陈雷签署第38号水利部令，公布了《黑河干流水量调度管理办法》。该办法自公布之日起施行。该办法对黑河干流水量调度的原则、管理职责、调度责任制、调度依据、一般调度期水量调度、关键调度期水量调度、洪水期水量调度、应急水量调度、水文断面控制、调度总结、监督检查等作出了全面规定。该办法的实施，对于加强黑河干流水量统一调度，合理配置黑河流域水资源，促进流域经济社会发展和生态环境改善，具有重要的意义。

3.其他规章 《水利工程启闭机使用许可管理办法》的立法审查工作已基本完成，已于2009年10月提请部务会审议，待部务会审议通过后发布施行。《长江河道采砂管理条例实施办法》修改取得较大进展。对《水文监测环境和设施保护管理办法》《水土保持监测单位资质管理办法》《小浪底水库管理办法》和《长江河口管理办法》等开展了初步的审查相关工作。开展了《农村水能资源管理办法》等的前期研究讨论工作。

（刘洁）

【水利执法】

一、行政审批制度改革

水利部认真贯彻落实科学发展观，按照党的十七大关于“减少和规范行政审批，减少政府对微观经济运行的干预”的精神，认真贯彻落实《行政许可法》，按照《国务院办公厅转发监察部等部门关于深入推进行政审批制度改革意见的通知》（国办发〔2008〕115号）要求，继续深化水利行政审批制度改革，取得了积极成效。

1. 深化水利行政审批制度改革，进一步取消和调整行政审批事项　根据国务院统一部署和国务院行政审批改革领导小组办公室要求，组织对现有40项水利行政许可事项逐一进行了审核论证，提出了有关水利行政审批事项的处理意见，妥善处理好推行行政审批制度改革和依法履行职责的关系，进一步加强水行政管理职能。

2. 依法实施水行政许可事项　2009年，水利部共计准予水行政许可1063件，涉及9项水行政许可事项。其中，建设项目水资源论证机构资质认定2件，建设项目水资源论证报告书审批4件，水利水电建设项目环境影响报告书（表）预审26件，水利工程建设监理单位资质认定212件，水利工程质量检测单位资质认定201件，开发建设项目水土保持方案审批288件，开发建设项目水土保持方案验收审批166件，水土保持生态环境检测资质认定156件，水利工程启闭机使用许可证核发8件。

3. 强化水行政许可监督检查，加强了行政许可监督和指导　开展了《水利行政审批事项监督管理办法》调研、论证、起草等基础性工作。完成了网上审批及电子监察系统开发测试等工作，印发《水利部电子政务网上审批系统管理办法》。组织开展了水文水资源调查评价机构资质认定、建设项目水资源论证机构资质认定、建设项目水资源论证报告书审批、入河排污口设置同意4项水行政许可事项的实施评价和水行政许可调整研究等基础性工作，为进一步取消、调整行政许可事项和加强行政审批事项持续监督管理提供科学依据。开展水行政许可岗位培训，举办了4期建设项目水资源论证培训班，4期水文水资源调查评价上岗培训。

二、行政复议

1. 依法办理行政复议案件　2009年共办理行政复议案件19件，相当于过去8年的总和。其中，结案14件，包括不受理1件、驳回申请2件、终止2件、维持9件，申请人涉及885名个人和40个法人或其他组织。在办案过程中，坚持以人为本、复议为民的宗旨，坚持教育疏导与依法审查相结合，进一步畅通渠道，采取书面审查、听取意见、调解和解等方式，保护当事人的合法权益，促进水利部门依法行政，做到“定纷止争、案结事了”，实现法律效果和社会效果的统一。

2. 不断完善行政复议机制　通过办理行政复议案件，及时研究分析反映出的问题、规律和趋势，对于发现的问题，采取书面或口头的方式向有关地方水行政主管部门提出了进一步规范具体行政行为、完善相关法律制度的意见和建议，以期举一反三、改进工作。

三、水行政执法

1. 依法查处重大水事违法案件　开展了原阳县黄河滩区“黑砖窑”核查处理工作，消除了防洪隐患，处理了有关责任人，强化了监督检查，树立了水法规的权威和尊严。

2. 深入推行行政执法责任制　为进一步明确执法责任，加强执法监督，确保依法行政各项要求落到实处，组织开展了分解执法职权确定执法责任工作。为进一步落实行政执法责任，对《水行政执法责任追究办法》进行了修改完善。

3. 组织开展专项水行政执法检查活动，保障水法规的全面贯彻实施　为强化水行政执法工作，加大执法监督力度，充分发挥水行政执法队伍的作用，在全国范围内首次组织开展了流域与区域相结合的专项水行政执法检查活动，严厉查处水事违法行为，保障水法规的全面贯彻实施。流域与区域联合执法，解决了一批单靠流域或者单靠区域都难以解决的执法问题。各流域、各地以实行最严格的水资源管理制度、加强河道管理等为执法重点，开展专项执法活动，有效地促进了防洪安全和水资源的可持续利用。

4. 加强水政监察队伍管理，严把入口关，强化执法人员资格管理　为贯彻落实国务院《关于加强市县政府依法行政的决定》，组织举办了4期依法行政培训班，培训水行政执法骨干500余人。根据国务院全面推进依法行政实施纲要、推进行政执法责任制和改革行政执法体制的总体要求，结合水政监察的实际，研究起草《水利部关于加强水政监察工作的意见》。

四、水事纠纷调处

积极预防化解省际水事矛盾纠纷，确保省际边界地区水事稳定。按照党中央、国务院对维护社会稳定的新要求，加大工作力度，省际水事纠纷调处工作取得新进展。先后妥善解决了陕蒙无定河取水纠纷、京冀拒马河水事纠纷、河南红旗渠技改工程施工受阻纠纷、甘宁固原调水工程建设纠纷、甘宁石家坪水库建设纠纷、甘陕葫芦河南沟门水库建设纠纷、陕蒙红碱淖水工程建设纠纷等多起重大水事纠纷。专项布置了国庆前全国省际水事矛盾纠纷排查化解活动，特别是加强了北京周边地区京冀、京津水事矛盾纠纷的排查化解工作，确保了国庆期间的水事稳定。加强基础工作，推动开展省际水事矛盾敏感河流（河段）的应急规划的编制工作，为水事纠纷调处工作提供科学依据。为加强水事纠纷突发事件的应急管理工作，组织开展省际水事纠纷应急机制研究工作。

五、水法宣传

1. *以“落实科学发展观、节约保护水资源”为主题，组织开展了“世界水日”“中国水周”宣传活动*　举行了由水利部、中央国家机关工委、全国节约用水办公室、全国青联共同发起的为期一年的“落实科学发展观、节约保护水资源”主题实践活动启动仪式，是近年来纪念“世界水日”和“中国水周”活动中声势最大、效果最好的一次。

2. *法制宣传常抓不懈*　印发了2009年普法依法治理工作要点，组织完成了水利法制优秀文艺节目评选、全国法制好新闻和电影电视节（剧）目初评、第七届全国法制宣传书法作品征集、《水事大案剖析》和《人·水·法》电视片第4部的编辑策划等工作。

3. *完成“五五”普法中期检查和表彰工作*　水利部普法办等2个先进集体和4名先进个人受到中宣部、司法部、全国普法办表彰，并在中央和国家机关法制宣传教育工作座谈会上作了典型发言。（杨易华）

【政策研究管理】

1. *为加强政策研究的管理，提高政研项目立项的针对性和成果质量，促进成果的应用，水利部从政研规划和计划的编制以及政研管理办法的制订入手，理顺关系，建立机制，加强管理*　编制了水利政策研究和制度建设项目规划和2010年计划，明确了今后一个时期水利政策研究的目标和任务，对2010—2013年拟实施的水利政策研究和制度建设项目进行了合理安排。规划和计划在2010年政研项目安排中起到了关键的指导作用。按照政策研究管理的需要，在借鉴有关部门政策研究管理经验的基础上，积极开展政策研究管理办法的制订。经过征求意见、多方协调和反复修改，形成了办法初稿，为进一步完善办法打下了良好基础。

2. *积极推进水权制度建设*　为充分反映形势要求，加快取水权转让制度建设，2009年在已有工作的基础上，组织专家对《取水权转让管理暂行办法》进行了进一步研讨、修改和完善，办法草案更趋成熟。为进一步推进农民用水权利保障制度建设，将农民用水权益保障调研确定为水利部年度重点调研内容。本着突出重点、全面了解的原则，将农业用水转移中农民用水权益保障作为调研对象，精心设计调研提纲和调研问卷，组织各省级水行政主管部门对农业用水转移中农民用水权益保障情况作了摸底，选择典型地区进行了实地考察，形成了调研报告，不仅第一次全面了解了农民用水权益保障状况，为深入分析问题、提出政策措施打下基础，而且引导各地更加关注农民用水权益问题，为加强农民用水权益保障创造了条件。（熊向阳）

政 策 研 究

【综述】

1. *政策研究概况*　水利部发展研究中心2009年紧紧围绕水利部领导关心、基层关注的课题，围绕推进水利发展与改革急需解决的重点热点难点问题，围绕束缚水利科学发展的体制机制问题，深入开展课题研究，研究任务量大幅增加，服务水利发展大局能力不断提升。全年共开展课题研究108项，代水利部组织实施7项，研究任务量比2008年增长36%，创历史新高。“水利辉煌60年研究”，全面总结新中国成立60年来水利发展历程、辉煌成就和宝贵经验。“民生水利若干问题研究”，努力从理论上进一步回答如何认识民生水利，实践上进一步阐明如何发展民生水利。“延长水利建设基金及拓宽渠道研究”，研究拓宽水利建设基金的思路和征收方案。“实行最严格的水资源管理制度研究”，着重分析面临的挑战和当前的重点问题。“新时期我国农田水利存在的问题及发展对策研究”，剖析新形势下农田水利存在的问题，提出建立农田水利建设与管理新机制的对策措施。《南水北调供用水管理条例》前期研究，提出南水北调工程的管理体制、水量调度、用水管理、水质保障的有关制度。水利“十二五”规划一系列重大专题研究扎实有序开展。

2. *业务支撑能力建设*　2009年发展研究中心继续加强水利业务支撑能力建设，取得显著工作成果。强化水利统计支撑，积极做好第一次全国水利普查相关工作，深入分析研究水利投资对促进就业的作用。强化信息支撑，做好水利舆情分析，全年共报送水利舆情快报115期，及时编译多篇有较高参考价值的国外文献。加强政策支撑，“抗旱立法研究”“海河、独流减河、永定新河河口管理立法研究”推动相关法规出台，“水利工程管理体制改革评估及深化研究”对全国水管体制改革情况进行总结评价，推动改革深化。做好全国水利发展“十二五”规划编制支撑工作，配合水利部有关司局编写规划编制总体方案、规划思路报告等。配合水利部有关司局开展城市污水处理回用等调研，病险水库除险加固等专项检查，农田水利重点县建设成效评估等工作。

3. *研究咨询能力建设*　2009年发展研究中心着

力加强水利政策研究与决策咨询能力建设，进一步夯实研究咨询基础。改进研究方法，对基层水利、河道规范化管理、地方水利发展环境、流域立法、洪水保险等课题开展持续研究，形成研究序列，逐步推进研究深度。加强调查研究，全年共前往28个省（自治区、直辖市）开展调研。加强载体建设，《参阅报告》全年共编发39期，比2008年多39%。《中国水利发展报告》刊登发展研究中心研究报告篇数占全书的44%。《水利发展研究》《水利水电技术》分别以纪念发行100期和创刊50周年为契机，进一步明确办刊宗旨和方针。中国水势网进一步明确定位，加强信息发布与管理。整合研究力量，召开特约研究员座谈会，面向流域机构、地方水利机构和有关科研院所，组建100多人特约研究员队伍。发挥专家咨询委员会作用，完成学术委员会换届工作，评选表彰2005—2008年度“水利发展研究奖”。 （张建功）

【主要成果】

2009年水利部发展研究中心主要研究成果

序 号	成 果 名 称	完 成 单 位
1	农村饮水安全法律法规保障体系研究	发展研究中心
2	我国粮食虚拟水流动空间格局及其调控政策研究	发展研究中心
3	京津冀大都市圈水资源短缺风险研究	发展研究中心
4	综合评价指标体系技术方法及其在水利发展中的应用分析	发展研究中心
5	水源地面源污染治理研究——以密云水库为例	发展研究中心
6	法律变迁与水利立法完善研究	发展研究中心
7	北京市产业变迁与水资源协调发展研究	发展研究中心
8	石羊河流域水资源承载能力研究	发展研究中心
9	南亚地区跨界河流双边协定借鉴研究	发展研究中心
10	干旱区水资源末端治理研究	发展研究中心
11	南水北调法律制度建设研究	发展研究中心
12	全面建设小康社会对水利发展与改革新要求及对策研究——经济社会用水趋势分析及对策研究	发展研究中心
13	基层水利发展的现状问题与对策研究	发展研究中心
14	水利改革30年回顾与展望	水利部办公厅、发展研究中心
15	重大涉水突发事件应急管理机制与对策研究——汶川地震与冰冻灾害水利应急管理调查研究	发展研究中心
16	农村饮水工程运行机制研究	发展研究中心
17	保障粮食安全和促进农民增收的农田水利发展思路研究	发展研究中心
18	减轻农民负担的农业水价综合改革研究	发展研究中心
19	水事管理总体思路及关键问题研究——流域与区域事权划分与协商机制研究	北京中水润泽咨询有限公司
20	大隆水库建设管理总结报告	发展研究中心
21	水管体制改革进展普查分析报告	北京中水润泽咨询有限公司
22	《山西省抗旱条例》立法研究及山西省抗旱条例资料汇编	发展研究中心
23	美军参加防灾减灾工作机制及其启示	发展研究中心
24	水利水电工程移民安置环境影响评价导则研究	发展研究中心
25	农村饮水安全法律法规保障体系研究	发展研究中心
26	有关国家跨界河流问题的动态跟踪（内部资料）	发展研究中心
27	水利水电工程移民安置环境影响评价导则研究	发展研究中心

（张曼）

【水利发展研究奖】

2005—2006 年度水利发展研究奖

序号	获奖等级	项　目　名　称
1	一等奖	中国水权制度建设研究
2	二等奖	《中华人民共和国抗旱条例》立法研究
3	二等奖	海河流域蓄滞洪区社会管理研究
4	二等奖	水利数字图书馆试验工程研究
5	三等奖	太湖流域水资源管理体制和运行机制研究
6	三等奖	流域管理与行政区域管理相结合的水资源管理体制试点研究
7	三等奖	南水北调中线工程实施条件下丹江口水利工程管理问题研究
8	三等奖	国家防汛抗旱指挥系统运行管理及保障机制研究

2007—2008 年度水利发展研究奖

序号	获奖等级	项　目　名　称
1	一等奖	加入 GPA 对水利行业的影响及对策研究（07－08 专项）
2	二等奖	农业水价综合改革暨灌区末级渠系节水改造奖补机制研究报告
3	二等奖	《海河、独流减河、永定新河河口管理办法》立法研究
4	三等奖	长株潭城市群“两型社会”建设水利发展战略研究
5	三等奖	世界重点国家水资源管理体制和重大国际涉水组织调查研究报告
6	三等奖	水利水电工程移民安置社会评价研究

（张曼）

综　合　管　理

Comprehensive Administration

规划计划

【水利规划】 2009年，水利规划工作以七大江河流域综合规划修编，全国水资源综合规划审查、协调等工作为重点，各项规划工作进展顺利。

1. 水利规划审批 2009年，在扎实做好水利规划编制工作的同时，积极开展规划征求意见和协调工作，着力推进重点水利规划的审批，共批复各类水利规划19项，水利规划体系不断完善。其中，国务院批复了全国大型水库建设规划、全国蓄滞洪区建设与管理规划、淮河流域防洪规划等4项规划，淮河流域防洪规划的批复，标志着七大流域防洪规划全部通过国务院批复，流域防洪规划体系逐步完善；国家发展和改革委员会（以下简称国家发改委）批复了内蒙古自治、广西壮族自治区和吉林省跨界河流近期治理规划；水利部批复了全国重点地区中小河流近期治理建设规划、南方崩岗防治规划（2008—2020年）、淮河干流行蓄洪区调整规划等12项规划。

2. 七大江河流域综合规划修编 2009年，七大流域综合规划报告修编基本完成，进入成果审查和完善阶段。长江、黄河、辽河流域综合规划已完成了预审工作，其他流域规划修编成果正在陆续上报。各省（自治区、直辖市）也积极开展本辖区内流域综合规划编制工作。

3. 全国水资源综合规划 全国水资源综合规划已完成专家审查、征求意见、省区和部门协调，并通过了全国水资源综合规划编制工作领导小组会议审议，即将报国务院审批。

4. 其他重点规划 流域和区域重点水利规划取得突破，成果进入审查报批阶段。金沙江干流综合规划、怒江流域综合规划、澜沧江流域综合规划、嘉陵江流域综合规划、汉江流域综合规划、黄河下游滩区安全建设规划、额敏河流域综合规划、珠江河口综合治理规划、呼伦湖水系水资源配置规划、敦煌水资源合理利用与生态保护综合规划编制完成，正在抓紧审查或报批。事关水利发展的重点专项规划正在抓紧编制。抗旱规划、保障国家粮食安全水资源保护和开发利用规划、全国主要河湖生态保护与修复规划等正在编制。主要支流湖泊及省际矛盾敏感河流综合规划加快编制，长江、海河、珠江等流域重点跨省支流、湖泊综合规划逐步开展。组织编制了农村饮水安全、大型灌区续建配套和节水改造、大型灌溉排水泵站更新改造、水利血防等与人民群众生产生活密切相关的水利规划。

5. 重大水利专题研究 围绕水利发展中的重大问题，组织开展重大水利专题研究。①开展了甘肃经济社会发展、广西经济社会发展、江西鄱阳湖生态经济区等10余项区域水利发展专题调研，提出高质量的调研报告，主要成果纳入国家出台的区域规划和政策意见中；②积极推进与水有关的生态补偿机制研究工作，完成14项专题研究成果，提出研究总报告框架成果，布置开展生态补偿典型案例研究，为最终形成总报告成果提供支撑；③认真组织水利应对气候变化有关工作，积极做好《中国应对气候变化国家方案》各项水利工作的贯彻实施，积极参与第二次《气候变化国家评估报告》《政府间气候变化委员会（IPCC）第五次气候变化评估》《应对气候变化科技专项规划》《应对气候变化——中国在行动（2009）》《中国应对气候变化的政策与行动——2009年度报告》的编写；④组织开展以长江三峡为核心的梯级水库群调度研究、黄河三门峡水库运用方式调整补偿方案研究、洪水风险图研究、中国水图研究等基础研究工作。 （张光锦）

【七大江河流域综合规划修编】 2009年是流域综合规划修编的关键之年，按照3年完成七大流域综合规划修编的目标要求，切实加强了规划修编的跟踪指导和全过程管理。针对本次流域综合规划修编面临的新形势和新要求，各流域机构找准规划修编的定位，突出规划修编的重点，着力研究解决流域治理开发与保护中的关键问题，加强规划成果的协调。目前，七大流域综合规划报告修编基本完成，进入成果审查和完善阶段。一是长江、黄河、辽河流域综合规划已完成了预审工作，其他流域规划修编成果正在陆续上报。各省（自治区、直辖市）也积极开展本辖区内流域综合规划编制工作。二是在规划修编过程中，加强对工作的跟踪和指导，召开了流域综合规划修编工作座谈会，对修编中存在的共性问题及时提出指导性意见。三是加强规划修编的技术咨询把关，对全国及有关流域专题研究成果进行了专家咨询。 （张光锦）

【水利工程建设重点专项规划】 与国家发改委联合印发了《全国大型水库建设规划（2008—2012年）》；界河整治规划前期工作取得重大进展，2009年，内蒙古、广西、吉林3省（自治区）规划报告经国家发改委批复，云南界河规划报告已报送国家发改委，新疆界河规划报告已经复审；批复了红岭灌区、向家坝灌区、涝天河水库扩建工程灌区和牛栏江—滇池补水工程规划。 （徐吉）

【水利基建项目立项审批】 2009年，国家发改委批复重点水利基建项目共46项，总投资894.28亿元，其中已明确的中央投资155.10亿元。按前期工作阶段分，批复内蒙古自治区跨界河流近期治理等规划3项；批复辽宁青山水库、吉林中部城市引松供水、广西桂中治旱乐滩水库引水灌区一期工程等项目建议书

16项；批复广东乐昌峡、西藏旁多、贵州黔中、黄河海勃湾水利枢纽、走马塘拓浚延伸工程等可行性研究报告21项；核定全国水土保持监测网络和信息系统建设二期、岳城水库除险加固、晋陕蒙砒砂岩区窟野河流域沙棘生态减沙工程等初步设计5项；复函甘肃省引大入秦工程供水结构优化调整1项。

水利部批复的重点水利基建项目共26项，总投资267.19亿元（不含规划投资）。其中，批复（或联合印发）金沙江向家坝水电部灌区工程、淮河干流行蓄洪区调整等规划7项；批复嘉陵江亭子口水利枢纽等初步设计19项。

水利部提出审查意见报送国家发展改革委的重点水利基建项目共62项，总投资1864.54亿元。其中，报送云南省跨界河流近期治理、全国大型灌溉排水泵站更新改造等规划3项；报送陕西引汉济渭、牛栏江—滇池补水、大藤峡水利枢纽工程等项目建议书12项；报送江西峡江、海南红岭、云南小中甸、国家防汛抗旱指挥系统二期工程等可行性研究报告41项；报送官厅水库塌岸治理工程等初步设计核定概算5项；报送甘肃省引大入秦工程供水结构优化调整方案修编报告1项。 （徐吉）

【重点水利工程前期工作】

1. 治淮工程　19项治淮骨干工程前期工作已全部完成，与安徽、江苏两省人民政府联合批复了《淮河干流行蓄洪区调整规划》；在治淮19项骨干工程总体评估工作基础上，多次与国家发改委协商召开国务院治淮工作会议并达成基本一致意见，已与国家发改委对下一步治淮相关问题进行了3次调研；形成了《关于进一步治理淮河近期工作的指导意见（征求意见稿）》，与国家发改委联合征求了国务院有关部门和沿淮四省人民政府意见；并与国家发改委联合向2009年国务院第95次常务会议作了《关于进一步治理淮河的工作汇报》；推进了治淮新3项等重点项目的前期工作，已将入江水道整治、分淮入沂整治、洪泽湖大堤加固、安徽西淝河洼地治理应急工程可行性研究报告及出山店水库项目建议书审查意见报送国家发改委；安排对前坪水库、淮干蚌埠—浮山段行蓄洪区调整等项目可行性研究报告进行审查。

2. 太湖水环境治理　组织召开了太湖流域水环境综合治理水利工作协调小组第二次会议，对下一步工作进行了明确和全面部署，印发了会议纪要；走马塘拓浚延伸工程初步设计已经江苏省批复，并开工建设；望亭水利枢纽初步设计报告已经审查；东太湖综合整治、太湖污染底泥疏浚试验工程可行性研究报告审查意见已报送国家发改委；安排对太湖流域水资源监控及保护预警系统、望虞河西岸控制工程、新沟河延伸拓浚工程、平湖塘延伸拓浚工程、太嘉河工程、杭嘉湖地区环湖河道整治等项目的可行性研究报告以及新孟河延伸拓浚工程规模与河线方案论证报告进行审查或讨论。

3. 洞庭湖区综合治理　积极推进《洞庭湖区治理近期实施方案》中优先安排项目的前期工作，国家发改委已经批复钱粮湖、共双茶、大通湖东三个垸的围堤加固工程可行性研究报告和洪湖分蓄洪工程东分块项目建议书；将湖北围堤湖等10个蓄洪垸堤防加固工程、湖南省麻塘垸堤防加固工程和钱粮湖、共双茶、大通湖东三个垸的安全建设工程可行性研究报告审查意见报送国家发改委；安排对华容县引水工程规划、湖南四水治理、洞庭湖区荆南四河堤防加固工程、湘资沅澧四水尾闾疏浚工程和钱粮湖、共双茶、大通湖东三个垸的分洪闸工程等项目可行性研究报告进行审查。 （徐吉）

【水利基本建设前期工作计划】　2009年，中央水利前期工作投资计划总规模4.32亿元，共安排49个项目（共130个子项）。其中，规划14项、投资计划20520万元，占年度投资计划的48%；前期工作17项，投资计划10839万元，占25%；专题研究12项，投资计划4863万元，占11%；基础工作6项，投资计划6993万元，占16%。

2009年中央水利前期投资计划安排的重点包括以下4个方面。

1. 重点规划编制工作　重点安排七大江河流域综合规划修编、全国水利发展“十二五”规划、大江大河重点支流规划以及民生水利的保障粮食安全水利专项、农村饮水安全工程、小水电代燃料工程、大中型病险水闸除险加固专项、大型灌溉排水泵站更新改造、血吸虫病综合治理水利专项、大型灌区续建配套与节水改造“十二五”规划等各专项规划。

2. 项目前期工作　重点安排南水北调西线一期工程、治淮、黄河下游、太湖和巢湖水环境综合治理、古贤、大藤峡、百色枢纽过船设施、岳城水库塌岸治理、黄河水量调度系统、国家地下水监测工程等重点项目前期工作。

3. 重大专题研究　重点安排三峡水库为核心的水库群综合调度、与水有关的生态补偿机制研究、黄河黑山峡河段开发论证等专题研究。

4. 基础工作　重点安排洪水风险图编制、中国水图、长江中下游河道水下地形测量、水利技术标准规程规范、全国水利普查前期工作等基础工作。

（徐吉　刘江）

【水利基建投资年度计划】　2009年，实际下达中央水利建设投资637.03亿元，继续维持在较高水平。其中，中央预算内投资480.03亿元，占75.35%，较上年减少69.39亿元；中央水利建设基金12.00亿元，占1.89%；中央财政专项资金145亿元，占

22.76%，较上年增加51亿元。

1. 投资计划构成情况 2009年，中央水利建设投资计划按项目类型划分，防洪工程投资265.35亿元，占41.65%；水资源工程投资309.30亿元，占48.55%；水土保持及生态建设工程投资42.25亿元，占6.64%；专项工程投资20.12亿元，占3.16%。

按项目所属区域划分，东部地区143.94亿元，占22.60%；中部地区243.81亿元，占38.27%；西部地区249.28亿元，占39.13%。

用于以民生水利为重点的农村水利基础设施建设中央投资达440.5亿元，占总投资的69.15%。

2. 水利建设投资重点 2009年，中央水利建设投资继续着力扩大内需、促进经济平稳较快增长，优先保证农村饮水安全、病险水库除险加固、大型灌区续建配套与节水改造工程的投资需求，继续加强防洪工程建设和水资源工程建设，启动实施全国重点地区中小河流治理，努力推进重点地区水土保持生态工程建设。

（1）继续推进大江大河治理。2009年安排淮河治理中央投资7.79亿元，重点用于淮河干流上中游河道整治及堤防加固补充工程、南四湖湖西堤加固工程、行蓄洪区安全建设、移民迁建和重要支流治理等工程。安排其他大江大河治理中央投资42.58亿元，主要用于黄河下游、洞庭湖、鄱阳湖、广西西江、湖南“四水”、江西“五河”、跨界河流治理、海堤建设及蓄滞洪区安全建设等工程。

（2）加快推进重点骨干水利枢纽及重点水源工程建设。2009年安排中央投资45亿元，继续实施南水北调工程；安排中央投资37.25亿元，继续推进吉林哈达山、重庆玉滩、四川永定桥、甘肃引洮一期、新疆喀腊塑克、恰甫其海南岸干渠等工程建设；开工建设辽宁锦凌、陕甘宁盐环定扬黄、宁夏中部干旱带、中哈霍尔果斯河、广西漓江补水等重点工程；安排中央投资7.1亿元，进一步加快西南4省中型水库建设步伐。

（3）进一步加强农村水利基础设施建设。继续加大农村饮水安全工程投入力度，安排中央投资152亿元，用于解决规划中4481万人的饮水安全问题。继续推进灌区节水改造工作，安排中央投资32亿元，用于全国242个大型灌区续建配套与节水改造工程、142个节水灌溉示范项目和60个牧区水利试点项目建设。启动全国大型灌溉排水泵站更新改造工程，安排中央投资15亿元，用于99处大型灌溉排水泵站更新改造项目。安排中央投资6亿元，继续实施农村小水电代燃料项目和水电农村电气化建设。安排中央投资2亿元，用于水利血防项目建设。安排中央投资45亿元，用于小型农田水利基础设施建设安排中央投资5亿元，继续用于三峡库区专项、西藏专项、西藏“一江两河”专项等项目建设。

（4）加强病险水库除险加固工程建设。2009年安排中央投资168.5亿元（大中型88.5亿元，重点小型80亿元），用于《全国病险水库除险加固专项规划》和《东部地区重点小型病险水库除险加固规划》内37座大型病险水库、609座中型病险水库和3000多座重点小型病险水库的除险加固。

（5）启动了全国重点地区中小河流治理。为提高全国重点中小河流重点河段防洪标准，保障区域防洪安全和粮食安全，水利部会同财政部启动了全国重点地区中小河流近期治理试点项目，于年底安排中央财政专项资金20亿元，启动项目273个。

（6）加强水土保持和生态治理工程建设。安排水土保持中央投资16.67亿元，用于全国水土流失重点治理项目、云贵鄂渝水土保持世行贷款项目、丹江口库区及上游水土保持工程和水库移民坡改梯综合治理试点工程等建设；安排中央投资9亿元，用于塔里木河流域近期综合治理工程，重点实施节水灌溉改造等工程建设；安排中央投资3.11亿元，用于黑河流域近期治理工程，重点实施灌区节水改造等工程建设；安排中央投资11亿元，用于石羊河流域生态综合治理，重点实施高新节水、灌区节水改造等工程；安排中央投资2亿元，用于首都水资源项目，重点实施水土保持小流域治理、河道整治等工程。

（7）抓好水利行业基础能力建设。安排中央投资1.77亿元，支持水利基层单位基础设施改造、基础设施配套建设和信息化建设；安排中央投资1.26亿元，加强科研能力建设；安排中央投资2.68亿元，加强水文、水资源监测、水政监察和节水型社会试点建设；安排中央投资4.32亿元，支持重点规划、重点项目前期工作和重大专题研究工作。

3. 投资计划管理 2009年，推进投资计划精细化管理，加强水利投资建设和管理有关工作。

（1）做好扩大内需水利投资建设有关工作。2009年，按照中央的部署和部党组要求，继续从组织领导、落实责任、建设管理、监督检查等几方面抓好扩大内需水利投资建设各项工作。制定了《2009—2010年加快水利基础设施建设实施方案》，建立了新增中央水利投资计划落实情况周报制度、旬报制度，对项目实施精细化、动态跟踪管理，先后三次联合国家发改委等有关部门对进展较慢的地区进行督办和通报；先后7次派出90多个检查、稽察和调研组，对全国各省（自治区、直辖市）的扩大内需水利投资建设情况进行了监督检查。

（2）积极推进投资计划精细化管理。联合国家发改委印发了《国家发展改革委、水利部关于改进中央补助地方小型水利项目投资管理方式的通知》，进一步加强对安排中央投资的面上小型工程管理；会同财政部联合印发了《全国重点地区中小河流治理项目管理暂行办法》，加强中小河流治理项目投资建设管理；

结合水利工程建设领域突出问题专项治理，印发了《关于规范水利工程建设项目决策和投资计划管理的指导意见》；加快编制《水利建设工程设计变更管理办法》。

（3）加强部属基础设施建设管理。全面完成2009年小基建项目的审查审批工作，及时开展2010年部属基础设施建设项目前期工作；基本修订完成《水利部直属单位基础设施建设投资计划管理暂行办法》，组织开展了部直属单位基础设施建设“十二五”规划编制。

（4）加强相关规划的编制工作。会同财政部编制完成《全国重点地区中小河流近期治理建设规划》《东部地区重点小型病险水库规划》；编制完成《全国大型灌溉排水泵站更新改造规划》《云南省山区水利发展与改革示范区规划》《毕节地区水利重点扶持对口支援实施规划》《2009—2015年全国小水电代燃料工程规划》；初步完成《全国水利血防规划（2009—2015年）》《2009—2013年全国农村饮水安全工程规划》编制工作；启动《全国大中型病险水闸除险加固专项规划》《全国重点小型病险水库除险加固规划》《全国农村水电增效扩容改造工程规划》编制工作；组织流域机构完成了对各省《近期水土保持重点工程建设规划》的审核工作。

（5）加强监督检查。开展了对湖南、四川、浙江、福建、云南、贵州等省扩大内需水利基础设施建设项目的监督检查工作；完成了对河北、河南、安徽、青海4省病险水库除险加固工程专项检查工作；开展了全国规划内病险水库 除险加固工程前期工作中有关问题的核查以及大型灌溉排水泵站更新改造工程初步设计复核工作；对在全国大型灌区续建配套与节水改造工程稽察中发现的问题加强监督指导，督促地方有关部门及时整改。配合审计署完成对全国病险水库除险加固工程专项审计调查和整改落实工作。

（6）积极推动地方水利建设。水利部与青海、广西等6省（自治区、直辖市）人民政府在充分协商的基础上，通过部省签订合作备忘录的方式，进一步加强合作，共同努力，推动水利改革与发展。

（7）积极推进汶川地震水利灾后恢复重建有关工作。组织技术骨干赴四川省开展对口技术援助工作，并督促指导受灾省做好水利灾后恢复重建各项工作。成立了专门的组织机构，开展《汶川地震灾后重建志》和《水利灾后重建志》编纂工作，完成志书篇目的编制、资料收集和长编工作以及工作人员的培训工作。（李明　温鹏　张煦　李扬）

财　务

【预算单位情况】　2009年度水利部所属独立核算单位共有340个，按单位性质划分：行政单位1个、事业单位339个。按预算级次划分：一级预算单位（本级、机关）1个，二级预算单位27个，三级预算单位94个，四级预算单位124个，五级预算单位94个。2009年末，水利部及所属单位在职职工为29978人，离退休职工19111人，合计49089人。其中，在职职工占61%，离退休职工占39%。（郑伯韦）

【中央水利资金投入情况】　2009年中央财政投入水利资金698674.52万元，具体包括：①农林水事务386294.10万元；②一般公共服务656.52万元；③外交28万元；④教育944.22万元；⑤科学技术56200.37万元；⑥文化体育与传媒2794.58万元；⑦社会保障和就业36633.12万元；⑧医疗卫生2078.40万元；⑨城乡社区事务846万元；⑩其他支出31247万元；⑪采掘电力信息等事务1407万元；⑫中央水利建设基金179545.21万元。（王斌）

【资产、负债及净资产情况】　2009年末，水利部直属行政事业单位资产总计4921247.39万元，负债总计451107.40万元，净资产总计4470139.99万元。（郑伯韦）

【预算收支完成情况】　2009年，水利部全年预算收入1746845.26万元，其中上年结余745976.32万元（2008年国库指标结余246936.03万元），本年收入998826.81万元（本年国库预算指标698674.52万元），用事业基金弥补收支差额2042.13万元，全年累计支出1274364.52万元（国库集中支付724793.80万元），结余分配22910.60万元，年末结余449570.14万元（国库指标结余220816.75万元）。

1. 收入情况　2009年，各项收入总计998826.81万元。包括：财政拨款698674.52万元，行政单位预算外资金收入3277万元，上级补助收入1465.82万元，事业收入220465.28万元，经营收入50502.08万元，附属单位缴款875.84万元，其他收入23566.27万元。

2. 支出情况　2009年，水利事业各项支出总计1274364.52万元。按功能分类，其中一般公共服务1117.23万元，外交23.24万元，教育1133.48万元，科学技术132210.90万元，文化体育与传媒15611.57万元，社会保障和就业55551.08万元，医疗卫生1964.96万元，城乡社区事务407.76万元，农林水事务1025191.09万元，采掘电力信息事务1407.00万元，其他支出39746.20万元；按经济分类，其中工资福利支出150725.64万元，商品和服务支出352760.21万元，对个人和家庭的补助114755.17万元，赠与2324万元，基本建设支出447592.56万元，其他资本性支出157294.97万元，上缴上级支出 294.00 万元，经营支出 49712.91 万元，对附属单位补助支出 1205.82 万元。

3. 收支结余情况　2009 年末，收支结余 470438.61 万元，其中，一般公共服务－9.28 万元，外交 12.61 万元，教育－1.00 万元，科学技术 9487.89 万元，文化体育与传媒 2097.26 万元，社会保障和就业 384.33 万元，医疗卫生 1770.90 万元，城乡社区事务 438.24 万元，农林水事务 454592.31 万元，其他支出 1665.35 万元。

4. 结余分配情况　2009 年末，结余分配 22910.60 万元，其中交纳所得税 952.59 万元，提取职工福利基金 5545.33 万元，转入事业基金 12080.51 万元，其他 4332.18 万元。

5. 年末结余情况　2009 年末，结余 449570.14 万元，其中基本支出结余 2815.68 万元，项目支出结余 468925.55 万元，经营亏损 22171.09 万元。

（郑伯韦）

【一般预算财政拨款收支完成情况】　2009 年，水利部一般预算财政拨款全年预算 1089235.29 万元（当年预算 519129.31 万元，上年结余 570105.98 万元），全年累计支出 794480.03 万元（基本支出 198251.47 万元，项目支出 596228.56 万元），年末结余 290900.15 万元（基本支出 843.24 万元，项目支出 290056.91 万元）。（郑伯韦）

【政府性基金收支情况】　2008 年末，库区建设基金结余 288.29 万元，中央水利建设基金结余 185770.10 万元（其中：行政事业类 3701.22 万元，基本建设类 182068.88 万元）。2009 年，财政部共下达水利部中央水利建设基金 179545.21 万元（其中：行政事业类 63845.21 万元，基本建设类 115700.00 万元），2009 年共支出库区建设基金 288.29 万元，中央水利建设基金 195106.51 万元（其中：行政事业类 66238.88 万元，基本建设类 128867.63 万元）。2009 年末，库区建设基金无结余，中央水利建设基金 170208.80 万元（其中：行政事业类 1307.56 万元，基本建设类 168901.24 万元）。（郑伯韦）

【预算外资金情况】　2009 年，水利部共上缴财政专户预算外资金 578.21 万元，主要包括主管部门集中收入 540 万元，行政事业性收费 37.09 万元。2009 年，水利部收到财政部返还的预算外资金 5709.50 万元，均已按照财政部批复的预算，拨付相关单位。

（郑伯韦）

【预算执行进度管理】　2009 年，水利部积极采取各项措施，进一步加强预算执行进度管理。建立了重点项目约谈制度、支付信息定期通报制度、旬报制度，将预算执行进度与单位和个人的考核评优、与预算安排挂钩等制度，同时，通过与部属单位签订预算执行进度承诺书，强化重点项目督导等一系列措施，切实加快预算执行进度。2009 年末，水利部总体支付进度较 2008 年有较大提高，国库结余资金大幅减少，资金使用效益进一步有效发挥。（郑伯韦）

【水利资金预算管理】　（1）组织完成部门预算的“两上两下”工作。圆满完成 2009 年预算批复及相关工作。2009 年水利部年初部门预算财政拨款 39.41 亿元，按同口径比较减少了 19.3%（基本建设资金按同口径比较减少了 67.3%）。作为财政部确定的试点单位，按照财政部编制 2010 年部门预算的总体要求，完成项目支出预算按经济分类细化试点工作。完成 2010 年部门预算编制、审核、汇总、报送工作，以及三项经费预算的编制和报送工作。

（2）积极争取财政资金，为水利事业科学发展提供资金保障。2009 年水利项目预算较 2008 年增长了 19.35%，重点解决了水利部重大政策制度研究、干部教育培训等一批重点规划项目经费问题。落实了公益性行业科研和修缮购置等重点科研专项经费，行业科研经费获得了突破性增长，水利科技推广经费规模大幅度提高。解决了长江委陆水枢纽管理局、水利部建设管理总站和国际小水电中心等基层单位的困难，落实基层单位新增政策性抚恤金经费需求，以及政策性津补贴经费落实等一系列重点难点问题。

（3）建立和完善预算管理制度，规范部门预算管理程序。启动了《水利部中央级预算管理办法（试行）》和《水利部中央级预算项目管理实施细则》修订工作。通过建立和完善管理制度，来完善和规范管理程序，明确管理要求，完善事前、事中、事后各管理环节。

（4）进一步完善“规划先行，专家评议，课题竞争，公开招标，注重实效”的预算管理体制，强化部门预算的科学化、精细化管理，提高水利预算管理的科学决策、民主决策水平，提高水利资金的使用效益。初步完成了“政策研究与制度建设”“水利人才培养”“基层单位房屋维修”“水利标准化”“水资源管理与保护”“节水型社会建设”“水利科技推广”等七项预算项目规划的编制工作，并在 2010 年预算编制过程中加以运用。

（5）继续推进预算定额标准的制定工作。完成并印发了《水利信息系统运行维护定额标准》。“水资源管理与保护”定额标准正在制定中，同时启动了“水质监测”“水土保持”定额标准的编制。水利项目支出预算定额标准体系建设框架已初步形成。

（6）进一步开展预算项目总结验收和绩效考评试点工作，强化预算编制和执行相结合的力度，建立和完善预算项目成果库。首次组织水利部知名专家对年度预算1000万元以上的重大项目实施方案进行了审查。完成了财政部开展的“节水型社会建设”项目绩效考评试点工作。对2006—2008年科研单位修购专项236个项目进行了全面的验收。组织四个非营利科研院所对基本科研业务费使用管理情况进行了全面自查。组织中介机构对流域机构部分水管单位的维修养护经费使用管理情况进行了专项检查。（王斌）

【基建财务管理】（1）水利基本建设资金投入。2009年，在中央应对国际金融危机政策措施的带动下，水利投资保持较高强度。全年落实预算内中央水利投资637亿元，落实省级地方水利投资790亿元，年度水利投资规模达1427亿元。其中，财政部以《关于批复水利部2008年部门预算的通知》及追加预算共下达水利部基本建设类项目预算288886.23万元。2009年，考虑以前年度结余和结转资金因素下，水利部直属基本建设类项目结余195967.51万元，其中专项结转195918.79万元，结余48.72万元。

（2）2009年水利基本建设取得重大成就，全行业充分贯彻落实中央关于扩大内需的重大战略部署，重点水利项目深入实施，淮河、太湖、洞庭湖等大江大河大湖治理继续加强，西藏旁多、贵州黔中、四川亭子口、太湖走马塘等工程开工建设，黄河古贤、珠江大藤峡、淮河出山店等重点项目前期工作取得新进展。按照“三年重建任务两年基本完成”的要求，大力推进四川等地震灾区水利恢复重建工作。小浪底水利枢纽、新疆乌鲁瓦提水利枢纽等重点建设项目相继竣工验收。

（3）基建财务监督检查。2009年，水利部加大基建财务管理监管力度，检查和调研相结合，以检查调研促发展。先后完成了对黑龙江、吉林、湖南、河北等4省的病险水库除险加固和对黑龙江、吉林、湖南、安徽、辽宁（大连）等5省的扩大内需新增水利投资以及甘肃省淤地坝建设等重大水利项目的检查，配合审计署完成了对病险水库除险加固、农村饮水安全等全国范围内的审计调查，督促有关地方水利部门认真进行整改。检查和调研相结合，注重从检查发现问题中分析原因，提出包括中西部地方配套资金比例调整、重视农村饮水项目后期管理等政策建议。

（4）基建财务制度建设。2009年，在进一步梳理、分析部直属单位决算编制历史遗留问题的基础上，根据实际情况和财政部有关政策，水利部相继出台了《中央小型水利基本建设项目竣工财务决算审批规定》（水财务〔2009〕253号）、《关于中央级小型水利基本建设项目竣工财务决算审批规定的解释》（水财务〔2009〕337号）和《中央级小型水利基本建设项目竣工财务决算审核工作细则》（办财务〔2009〕442号）三个文件，明确了流域机构和各下属管理单位的审批权限和程序，对水利基建决算的审批进行授权和规范。这三个文件层次分明，各有侧重，基本形成了较为完备的中央级小型水利基建决算编制和审批制度体系。（蔡泓）

【财务管理与监督检查】（1）2009年，水利部与审计署共同构建“水利审计免疫系统”，建立了包括定期沟通机制、重大事项月报制度、建立重大决策及时沟通制度、共同开展重大问题专题调研等内容在内的制度框架。同时，搭建了“3+5”水利审计联网工作平台，“3”即水利部规划计划、部机关财务、国库集中支付系统3项重要业务；“5”即综合局、水科院、信息中心、服务局、预算执行中心5家重点在京事业单位，实现了在线实时和跟踪审计。通过联网工作平台，发现并及时核实、纠正相关单位在预算执行过程中存在的疑点信息，将事后审计变为事前、事中监督，将以前年度集中的预算执行审计转变为执行中的随时监督，极大地提高了审计监督的及时性和有效性，充分发挥了审计免疫系统预防、差错纠弊的功能。

（2）2009年，为进一步强化预算执行管理，规范财务收支行为，保证水利资金安全和效益发挥，提升预算执行管理水平，水利部在2009年度组织开展了以“检查教育，整改提高”为主题的“预算执行管理整改提高年”活动。2009年3—12月，先后开展了会议费、出国费、“小金库”、业务委托合同、科技项目经费、维修养护经费等专项检查和治理工作。

2009年，根据《中共中央办公厅　国务院办公厅印发〈关于深入开展“小金库”治理工作的意见〉的通知》（中办发〔2009〕18号）和《中共中央纪委　监察部　财政部　审计署关于印发〈关于在党政机关和事业单位开展“小金库”专项治理工作的实施办法〉的通知》（中纪发〔2009〕7号）的要求，水利部部署开展了“小金库”专项治理工作。水利部成立了以部领导为组长的，相关成员单位参加的水利部治理“小金库”领导小组，并印发了实施方案。专项治理工作从5月启动，到12月结束，历经动员部署、自查自纠、重点检查、配合重点检查、整改落实等阶段。自查自纠面达100%，部分单位还将自查范围扩大到企业。水利部治理“小金库”领导小组成员带队、会计师事务所参加的5个重点检查组，对部分单位进行重点检查，重点检查面达到44%，全力配合中央治理“小金库”领导小组对水利部开展的重点检查。在整改落实阶段，印发了《关于做好“小金库”专项治理整改落实工作的通知》（水财务〔2009〕568号），全面做好落实整改工作。（郑伯韦）

【水利国有资产监督管理】（1）制定出台了《中央级水利单位国有资产管理暂行办法》（水财务〔2009〕147号），并印发了《关于部直属单位国有资产管理授权审批问题的通知》（办财务〔2009〕100号）。规范了中央级水利单位国有资产从配置、使用（包括自用和对外投资、出租等）到处置各环节的管理，尤其从明确出资人责任的角度，对事业单位履行对所投资企业国有资产监管责任提出了具体要求。对部直属单位资产使用和处置事项，按照资产规模、管理层级和单位性质的不同，以500万、300万、20万元分别进行了授权。

（2）深入开展水利部部属事业单位对外投资情况专题调研，形成《水利部部属事业单位对外投资管理情况调研报告》，提出下一步制定水利部关于加强对外投资管理的指导意见的工作建议，旨在落实管理责任，进一步规范事业单位对外投资管理，控制投资风险，促进提高资产效益。

（3）完成了《中央水利国有资产审批事项专家评审规程》拟定工作并通过专家评审，旨在建立资产审批公正、透明的制度，进一步规范中央级水利单位国有资产管理事项审批管理。

（4）初步建立了资产管理与预算管理相结合的机制。2009年部门预算表中增加了“行政事业单位资产存量表”和“新增资产配置申请表”，对房屋、土地（行政单位填列）、车辆以及200万元以上设备购置（不含申请基建资金购置房屋、土地）等四大类资产进行审核和审批，这标志着行政事业单位国有资产管理与预算管理相结合取得了实质性突破。

（5）完成水利部行政事业单位资产管理信息系统试点工作，着手布置系统的具体实施，积极实现对资产多级次、全过程的信息化管理。

（6）研究提出解决海委岳城水库产权和管理关系不一致问题的意见并进行全力推动，彻底解决了长达14年的岳城水库产权与管理关系不一致的问题。

（陈玉秋）

【价格管理与收费】 （1）农业水价综合改革试点工作成效显著。2009年农业水价综合改革试点全面启动。目前试点项目区已基本完成试点任务。据不完全统计，试点地区的亩均用水量由468m³减少到414m³，灌溉周期由13天减少到8天，农民亩均水费支出由38.52元减少到29.07元，农民人均农业纯收入由改革前的2757元增加到2877元。通过农业水价综合改革试点，农田灌溉工程良好、产权明晰、农民用水户协会参与式管理及农业终端水价制得到推广，新的农田灌溉工程长效运行机制正在形成。

（2）推进非农业水价改革，探索“以工补农”水价形成机制创新。根据我国水资源形势以及国家资源性产品价格改革总体要求，全面开征了水资源费，适当提高了水利工程非农业供水价格和城市污水处理费。2009年全国36个大中城市中的部分城市相继提高了自来水价格，加大了利用价格杠杆促进节水的作用。全国农业灌溉平均供水价格达到7.33分/m³，各地结合实际，因地制宜地实施了终端水价、两部制水价和丰枯季节水价，农业水价形成机制日趋合理。

按照“以工补农、保本微利、分步实施”的思路，率先在引滦枢纽工程水价中对“以工补农”机制进行了有益探索。与发改委初步议定，引滦水利工程非农业水价拟分两步进行调整，最终调价幅度仍需发改委价格司与河北省、天津市物价部门进一步落实后，再下发调价文件。

（3）积极与发改委沟通协调，推动部属水电站上网电价调整。在发改委价格司的大力支持下，经过艰难的协调过程，我部所属大部分水电站的上网电价均有较大程度的提高，其中尼尔基上网电价由0.357元/kW·h提高到0.387元/kW·h，提高0.03元；丹江口上网电价由0.175元/kW·h提高到0.195元/kW·h，提高0.02元；三门峡上网电价由0.222元/kW·h提高到0.242元/kW·h，提高0.02元；潘家口上网电价由0.264元/kW·h提高到0.314元/kW·h，提高0.05元。按照这4个水电站平均发电量计算，每年约能增加发电收入1亿元。

（4）课题研究取得初步成果。2009年启动了“黄河流域农民用水成本分担机制研究”课题，目前已取得初步成果。

（5）完成了全国人大代表建议答复工作。按时完成了《关于取消向农民征收排涝费改由财政承担的建议》（第2467号）等9件人大建议的答复工作。

（吴钦山）

【政府采购管理】 2009年，水利部政府采购范围不断扩大。全年加大推进了政府采购工作的力度，扩大政府采购管理实施范围。加强对纳入财政管理的其他资金或使用以财政性资金作为还款来源的借（贷）款进行采购的管理；加强工程项目的政府采购管理，严格要求直属单位政府采购工程项目除招标投标外均按《政府采购法》规定执行。2009年，水利部政府采购规模稳步增长，资金节约效益不断提高。全年政府采购节约资金1.18亿元，资金节约率5.95%。

（1）水利部部门集中采购工作不断深入。在充分调研的基础上，及时公布《水利部2009年部门集中采购项目清单》，明确2009年度水利部部门集中采购项目范围和限额标准，制定了部门集中采购项目组织实施基本程序。年中及时跟踪部门集中采购项目执行情况，年末召开部门集中采购工作座谈会，对部门集中采购项目执行情况进行总结评估。

（2）加强水利部直属预算单位政府采购变更采购方式和申请进口产品的申报审批管理。2009年，共完成直属预算单位32项政府采购项目中申请采购进口产品和变更政府采购方式的申报手续。水利部直属预算单位政府采购申报审批手续不断规范。

(3) 积极配合财政部开展电子化政府采购平台建设工作。针对当前政府采购制度改革中的难点问题，开展前沿热点的研究。完成水文水资源保护专用仪器设备部门集中采购课题研究工作。开展水利部政府采购部与部门预算、国库集中支付制度衔接及政府采购评价指标体系课题研究。

(4) 按时完成 2008 年度政府采购信息统计工作以及 2009 年度政府采购计划的汇总和报送工作。政府采购计划实现了按品目按项目管理，政府采购精细化管理水平不断提高。（沈桑阳）

【国库集中支付改革】 2009 年，水利部继续深化国库改革，推动预算执行精细化。新增 13 个预算单位纳入国库改革范围，其中三级单位 1 个、四级单位 4 个、五级单位 8 个。到 2009 年底，累计实施国库改革单位已达到 354 个。新增直接支付项目 34 个，累计实施直接支付项目 146 个。实现了财政部“横行到边，纵向到底”的改革要求。

(1) 完成了用款计划和直接支付申请的审核上报工作。及时上报了 2009 年全年基本支出用款计划和项目支出用款计划，保证了各预算单位的用款。2009 年全年预算 70.42 亿元，其中上年结余 18.51 亿元。全年上报用款计划 188 批，金额 66.02 亿元，授权支付 50.83 亿元，直接支付 854 笔，支付金额 10.14 亿元。

(2) 完成了划分建议表和年终结余的审核上报工作。一是根据部门预算控制数和部门预算数及时组织、审核、汇总上报划分建议表工作；二是完成了年终结余核定上报工作，对 354 个纳入国库改革单位年终预算结余资金进行了核定申报。

(3) 积极配合，推动加快预算执行进度。按照财政部 2009 年继续加强预算执行管理工作的要求，积极配合财务司加大预算执行分析力度，促进各单位提高预算执行管理水平。一是执行财政资金支付旬报制度。为及时掌握各单位财政资金支付情况，充分利用旬报系统对各单位每旬、每月支付情况进行统计、分析，并形成分析报告，为领导决策提供依据。二是做好督促工作。每月根据进度情况对执行进度慢的单位和项目进行重点督促，以采取措施加快支付进度。

(4) 加强在线监控，保证资金安全。为保证水利财政资金支付安全，对部属所有预算单位预算执行情况进行跟踪，动态监控每一笔财政资金支付的详细交易记录。2009 年，发现并核实各类疑点 280 余笔，涉及资金 6500 万元，对存在的问题该规范的进行了规范，需要退库的 430.72 万元，在规定时间内进行了退库。

(5) 积极加以协调，及时解决基层单位困难。对基层单位反映的直接支付项目在财政专员办审核时间较长的问题，专门走访了财政部驻北京专员办事处，并对其提出了在网上进行支付审核试点的建议。经过与专员办的多次沟通和研究，目前，财政部驻北京专员办的网上申报系统已开发完成，在京单位已经开始通过网络进行支付申请和资料的传递。部水文局成为第一个成功通过财政专员办网络上报支付申请材料的单位，是首家在中央部门中运用网络上报直接支付申请材料进行网上审核的部门。

(6) 组织试点论证，推动国库支付考评。根据《国库集中支付评价指标体系》课题研究成果，2009 年，选取黄委、淮委、海委、南科院、水规总院等 5 个预算单位作为试点对其 2008 年国库集中支付执行情况进行了考评。从考评结果看，《国库集中支付评价指标体系》的指标和分值设计基本合理，能够反映预算单位国库集中支付工作的总体情况。并据此制定了《水利部国库集中支付工作考评管理办法（暂行）》。

(7) 深入开展调研，认真研究工作中的问题。联合财政部国库司到珠委所属西江局和广西百色水利枢纽管理局进行调研。通过调研和座谈，进一步了解了基层单位国库改革情况，以及大型水利工程建设情况，对基层单位在支付中存在的困难和问题有了进一步的了解，为下一步改进工作提供了基础材料。

组织完成了《中央财政转移支付地方水利项目资金支付机制研究报告》并通过了验收。该课题研究对规范财政资金管理，解决地方水利项目资金在管理和核算上存在的问题起到了较好的促进作用。组织完成《水利部国库集中支付工作考评办法》并通过验收，考评办法的制定对加强国库支付业务管理，提高财政资金使用效率具有积极的促进作用。（郭红云）

【项目管理】 2009 年，项目管理工作得到加强，预算项目管理逐步向精细化和科学化方向迈进。

(1) 完成了 2009 年部属单位 344 个和 8 类经常性业务经费行政事业类预算项目实施方案审查和复查工作。

(2) 完成了《中央级直属水利事业单位房屋维修 2010—2012 年预算项目规划》的文本编写工作及项目现场审核工作。

(3) 完成了对 2010 年部直属各单位申报的 131 个新增项目的立项评审工作。

(4) 完成了对 37 个 2008 年水利部中央级重大预算项目的验收工作和 6 个项目的绩效考评工作。

(5) 完成了对财政部 2009 年批复我部的共 1287 个财政拨款项目的清理工作；完成了 2006—2008 年 212 个科研修缮购置项目的检查验收工作。

通过这些项目管理工作的开展，加强了项目单位对项目管理工作的重视，提高了项目管理工作的水平，为加强项目全生命周期管理提供了保障。（张萌）

【机关财务】 (1) 厉行节约，降低行政成本。贯彻落实《中共中央办公厅国务院办公厅关于党政机关厉行节约若干问题的通知》（中办发〔2009〕11号）、《财政部审计署关于压缩2009年出国费等三项经费预算支出的通知》（财预〔2009〕23号），2009年水利部机关因公出国（境）经费支出在近3年平均数基础上压缩20%，车辆购置及运行费用在近3年平均数基础上降低15%，公务接待费用在2008年基础上降低10%，严格控制会议费、差旅费等一般性支出，节电、节水、节油指标在2008年基础上降低5%。

(2) 公务卡改革全面推行。为深化国库集中支付制度改革，规范财政授权支付业务，减少现金支付结算，提高公务支出透明度，加强财务收支监管，根据财政部关于中央预算单位公务卡改革总体部署，按照《水利部机关公务卡管理暂行办法》（办财务〔2008〕334号），从2009年1月1日起，水利部机关公务卡改革工作全面推行。

(3) 水利部离退休干部局财务由水利部机关财务统一管理。从2009年1月1日起，水利部离退休干部局撤销银行账户，不再独立核算，并入水利部机关财务统一管理。即：水利部离退休干部局截至2008年12月31日的全部存量资产移交并入水利部机关财务；从2009年1月1日起，离退休干部局管理机构和离退休人员经费、资产由水利部机关财务统一管理。

(4) 进一步加强经费使用监管。①2009年进一步加强水利部机关会议费管理，制定印发《关于加强部机关会议费管理的通知》（办财务〔2009〕285号），坚持勤俭办会议的原则，加强会议经费预算审核，严格执行会议费开支标准；②切实加强水利部委托业务费管理，印发《关于部机关2009年合同管理有关问题的通知》（财务函〔2009〕106号），要求水利部机关同部属预算单位不得签订业务委托合同，相关工作经费预算直接下达项目承担单位，进一步规范水利部机关同非部属预算单位合同管理；③按照中央“小金库”专项治理工作部署，开展了水利部机关出国费、会议费和业务委托经费监督检查工作；④水利部机关财务管理信息系统纳入水利审计“免疫系统”，实现各项经费收支审计实时动态监管。

(5) 全面完成2009年预算收支任务。2009年着重做好水利部机关第二步规范津贴补贴、机关后勤经费、公费医疗经费以及非贸易非经营性人民币购汇限额预算管理基础上，全年预算收支任务圆满完成，实现各项收支近2.7亿元、各项支出近2.2亿元，资金支付进度达到财政部总体要求。

(6) 切实做好政府采购和固定资产管理工作。2009年水利部机关认真执行会议、差旅、印刷、办公设备和办公用品购置以及车辆定点维修、定点加油和保险等政府采购制度，全年政府采购支出2774万元，新增固定资产428万元，其中车辆6辆，办公设备327台（件）、办公家具13件。经批准，2009年水利部机关处置资产976万元，其中处置车辆16辆、处置办公设备等206台（件）。 （陆光杰）

【业务培训】 2009年，水利部对新增国库集中支付改革单位和部直属实施国库集中支付改革的二级到五级所有预算单位近400名业务人员进行了三期国库集中支付业务培训，使业务人员进一步掌握了国库集中支付相关政策和水利部财政资金国库集中支付信息管理系统（升级版）操作，同时对国库集中支付动态监控机制有了进一步明确认识，提高了各单位业务人员加强财务管理，依法和规范使用财政资金的意识。

2009年，水利部以提高直属预算单位政府采购管理信息化水平为着力点，举办两期政府采购培训班，来自基层预算单位共250余人次参加了培训。主要培训内容是2009—2010年政府集中采购目录及执行和水利部政府采购管理信息系统基本功能。同时，为了加强政府采购相关政策的宣传贯彻，举办两期政府采购制度法规培训班，来自直属预算单位政府采购业务负责人共计160余人参加了培训。

2009年12月水利部在广州举办“2009年度水利部预算项目管理培训班”，本次培训班共有来自26个部各直属单位项目负责人和财务人员共60人参加。本次培训的主要内容为当前财政预算科学化、精细化管理的相关政策和水利部门预算改革情况，水利部中央级预算项目规划编制、项目申报、实施方案编写、项目总结验收和绩效考评的组织实施和管理，水利科研类项目概况、存在的主要问题和改进管理的措施。通过培训，参加人员普遍反映收获很大，了解了目前预算项目管理存在的主要问题，学习了预算项目管理的政策和知识，为提高预算项目管理工作和加强预算项目的精细化管理奠定了理论基础。

（郭红云 沈桑阳 张萌）

【财务信息化建设】 2009年，完善了国库集中支付信息系统，提高了支付效率和安全性。一是为每个预算单位的操作人员配备了密钥，提高了水利国库集中支付信息系统的安全性。二是根据近几年系统运行情况，充分听取了基层单位操作人员的意见，结合工作中管理的需求，增加了划分建议功能和月报统计功能。各基层单位根据我们导入的2009年水利部正式预算数，进行了网上支付方式的划分并上报，较以往年度提前了近半个月的时间。同时，利用新的划分建议功能，直接控制基层单位用款计划上报数，有效避免了用款计划超预算报送的情况。

完成水利部政府采购信息管理系统的升级和试

运行，实现政府采购全过程的信息化管理。通过系统对政府采购预算、计划和执行情况的比较分析，生成政府采购活动绩效评价体系的具体指标及参数；实现政府采购改变采购方式和申报进口产品电子化审批，有效加快了审批速度，提高了审批效率。

完成了对“水利部预算项目管理信息系统”的维护和升级，围绕“以前三类项目为重点和主线，不断拓展、完善和提高水利部预算项目信息系统的功能，完善预算项目库和专家库，支撑项目全生命周期的管理”的目标开展了二期系统建设并通过验收。建立了预算项目库，并将2007—2010年的项目及相关文本信息入库，基本实现了项目全生命周期管理。通过加强项目信息化管理水平，推进水利预算项目管理现代化进程，推进预算精细化管理水平。

（郭红云　沈桑阳　张萌）

【财会队伍建设】　(1) 2009年4月和10月，水利部财务司和人事司联合举办了两期部管干部综合管理培训班，水利部直属单位的70余名司局领导干部参加了培训，此次培训将预算执行审计、预算管理、财务管理、资产管理、基建财务管理等法律法规知识作为培训的重要内容之一，强化了领导干部“依法办事、依法理财”的意识。

(2) 2009年7月，水利部财务司委托水电会计学会举办了两期2009年度部属在京单位中、初级会计人员继续教育培训班，并首次选调京外单位业务骨干参加培训，共有230余名中、初级会计人员参加了培训。培训内容包括国际金融危机对中国经济的影响，行政事业单位内部控制体系建设等。

(3) 2009年12月，水利部财务司组织举办了2009年部门决算、基建决算、住房改革支出决算报表编制和软件应用培训班。水利部直属各单位及各省（自治区、直辖市）水利（务）厅（局）年度决算报表编制骨干110余人参加了本次培训。

(4) 2008年底至2009年，水利部多名会计工作者获得财政部表彰，水利财会队伍建设成果显著。2008年12月，松辽水利委员会任红梅同志获财政部颁发的“全国先进会计工作者”荣誉称号；综合事业局总会计师裴宏志获得中国总会计师突出贡献奖；湖南澧水流域水利水电开发有限责任公司原总会计师李爱梅获得中国总会计师奉献奖；小浪底水利枢纽建设管理局副局长兼总会计师庄安尘、黄河万家寨水利枢纽有限公司副总经理兼总会计师曹均尧、中国水利电力对外公司总会计师崔立中获得中国总会计师贡献奖；淮河水利委员会黄学超、综合事业局李春龙入选财政部全国会计领军（后备）人才（行政事业类）培训班；2009年7月，水利部张红兵等8位同志获得财政部颁发的从事财会工作满30年“中华人民共和国会计人员荣誉证书”。

（郑伯韦）

水 利 经 营

【水利经营基础工作】

1. 国家水利风景区专家评价　2009年6—8月，水利部景区办组织专家分赴21个省（自治区、直辖市），对第九批申报“国家水利风景区”的单位进行了现场考察评价。

2. 国家水利风景区评审　2009年国家水利风景区评审会于8月15—16日在北京召开。水利部总工程师汪洪出席会议并讲话，综合事业局局长王文珂出席会议并致辞。会议由水利部水利风景区评审委员会主任何文垣主持。部办公厅、规计司、政法司、水资源司、财务司、人事司、国科司、建管司、水保司、农水司、国家防办、水规总院和综合事业局等单位的负责同志参加了会议。会议审议并表决通过了第九批“国家水利风景区”名单，同时针对下阶段水利风景区建设与管理工作进行了研讨，提出了具体要求和建议。

3. 全国水利风景区建设与管理培训　全国水利风景区建设与管理第十期培训班于12月3—5日在福州举办。培训班聘请了国内水生态旅游、水文化与水景观、水利风景区规划等方面的专家教授为学员授课，还组织学员实地观摩福建省天门山国家水利风景区，并与景区负责人就景区规划、项目策划、旅游产品开发等进行了交流。培训班由水利部景区办主办，水利部人才资源开发中心承办，来自全国各级水利部门的水利风景区建设管理负责人、水利风景区单位管理人员和有关高校与科研院所研究人员共100余人参加了培训。

全国水利风景区建设与管理第十一期培训班于12月18—20日在水利部江垭培训中心举办。来自全国各省（自治区、直辖市）及流域机构的水利风景区建设与管理主管部门、市县水利部门、国家水利风景区等单位的负责同志和联络员130余人参加了本次培训。本次培训班邀请了国内生态环境领域、生态旅游、景区规划与建设、市场营销、经营管理等方面的专家进行授课。授课内容涉及到水利风景区旅游规划建设与环境保护、生态旅游与水利风景区可持续发展、旅游二次创业发展战略、水利风景区与旅游市场营销等多个方面。

4. 水生态修复及风景区建设与管理片区工作座谈会　2009年11月，“水生态修复及风景区建设与管理片区工作座谈会”分别在广东东莞、山西晋城、安徽蚌埠、吉林省吉林市、甘肃阿克塞县召开。有关省（自治区、直辖市）水利（水务）厅（局）水利风景区主管部门负责人和有关专家参加了会议。会议学习贯彻了部领导关于水利风景区建设与管理工作重要指示精神；交流了各地水生态修复及水利风景区建设与管理进展情况；研究、分析了当前全国工作新形势、新动态；对水利风景区建设与水生态修复工作中遇到的困难和问题进行了探讨；总结、推广了各地先进经验。 （詹卫华）

【水利经营行业管理】

1. 水利部发文公布第九批国家水利风景区 经过水利部水利风景区评审委员会讨论通过，并在水利部网站公示，批准北京市门头沟区妙峰山水利风景区等56家景区为“国家水利风景区”（见附表），2009年8月25日水利部下发《关于公布第九批国家水利风景区的通知》（水事业〔2009〕423号）

2. 组织开展全国水利资源综合开发与保护调研 通过召开水利资源综合开发与保护管理工作座谈会、专家研讨会、咨询会等，了解、掌握我国水利资源综合开发与保护态势，及时修订和完善有关政策措施，确保我国水利资源综合开发与保护工作健康发展。

3. 组织推进设立水利旅游项目审批管理和水利旅游安全管理 组织各地开展《水利旅游项目综合影响评价标准》宣传和实施，了解并掌握了各地开展水利旅游项目审批管理情况及实施过程中存在的问题。5—11月期间，分别在广东、湖南、山东、重庆、河北等地，通过会议座谈、问卷调查、实地察看等方式，宣传贯彻《水利旅游项目管理办法》和《水利旅游项目综合影响评价标准》，实地了解水利旅游项目批准设立情况。

4. 国家水利风景区复查 为了解、掌握已批准设立的国家水利风景区建设管理情况，水利部综合事业局多种经营管理处结合景区考察，于6—8月间对云南、河北、江苏、福建、甘肃等省的国家水利风景区进行了复查。9—10月间，组织专家对山西、重庆、云南、宁夏等地区的部分前6批国家水利风景区开展了复查工作。

5. 组织开展水利渔业资源综合开发与保护调查 启动了《水库鱼产力评价标准》编写工作，完成征求意见稿。组织召开了水利渔业资源工作研讨会，总结了前一阶段水利渔业资源管理工作，研究、分析当前水利渔业资源综合开发与保护工作形势及存在问题，讨论了《关于进一步加强水利渔业工作的通知》，并就如何加强水利渔业资源科学开发与维护水生态环境安全提出了相关措施和建议。

6. 湿地水环境保护暨水利风景区建设与管理经验交流会在长沙召开 11月25—27日，湿地水环境保护暨水利风景区建设与管理经验交流会在湖南长沙千龙湖国家水利风景区召开。湖南省水利厅钟再群副厅长出席会议并致辞，中国生态学会旅游专业委员会主任李文埕教授做了“生态旅游与旅游业可持续发展”专题报告。湖南、山东、河南等省水利厅的景区主管部门负责人在大会上介绍了本省湿地水环境保护与水利风景区建设管理工作的情况，上海滴水湖、福建延平湖、湖南紫鹊界等5个国家水利风景区的代表进行了大会经验交流发言。与会代表和专家、学者进行了分组讨论，深入分析了当前湿地水环境保护面临的外部环境和形势，总结交流了景区建设与管理的先进经验，探讨了如何进一步做好湿地水环境保护的对策和措施，展望了水利风景区建设与管理工作的发展前景。

来自水利部综合事业局、湖南水利厅、山东水利厅、河南水利厅、辽宁水利厅、福建水利厅、云南水利厅、宁夏水利厅、中国生态学会、中科院、河海大学、北京林业大学、福建农林大学等单位和院校的领导、专家、学者及湖南凤凰县长潭岗、宁夏银川爱伊河等部分水利风景区代表参加了会议。 （董青 李亚伟）

【水利风景区建设与管理情况】 截至2009年12月31日，全国已批准建立了370个国家水利风景区和千余家省级水利风景区。这些水利风景区均依托山水风景资源丰富、自然文化特点突出的国家重点水利工程和其他水利工程而建，具有亲水性强、特色鲜明、效益显著的特点，景区质量和管理水平逐年提高，初步形成了国家级、省级及其他不同层级的水利风景区遍布大江南北、布局合理、发展迅速的可喜局面。

2009年10月，水利部成立了“水利部水利风景区建设与管理领导小组”，由胡四一副部长担任领导小组组长，部党组成员、办公厅陈小江主任和综合局王文珂局长任副组长，水利部各司局和有关单位主要领导出任成员。 （司毅兵 李亚伟）

附表

第九批国家水利风景区名单

（共56家，排名按行政区划）

黄河水利委员会	山东省滨州黄河水利风景区
北京市	门头沟区妙峰山水利风景区
河北省	沽源县闪电河水库水利风景区
内蒙古自治区	巴彦淖尔市二黄河水利风景区
	牙克石市凤凰湖水利风景区
吉林省	松原市龙坑水利风景区
	吉林市松花江清水绿带水利风景区
黑龙江省	哈尔滨市白鱼泡水利风景区
	黑河市法别拉水利风景区

	密山市青年水库水利风景区
	孙吴县二门山水库水利风景区
上海市	浦东新区滴水湖水利风景区
江苏省	徐州市故黄河水利风景区
	太仓市金仓湖水利风景区
	南京市珍珠泉水利风景区
	南京市天生桥河水利风景区
浙江省	丽水市南明湖及生态河川水利风景区
	安吉县老石坎水库水利风景区
安徽省	歙县霸王山摇铃秀水水利风景区
	凤台县茨淮新河水利风景区
	霍邱县临淮岗工程水利风景区
	亳州市白鹭洲水利风景区
福建省	尤溪县闽湖水利风景区
	龙岩市梅花湖水利风景区
江西省	都昌县张岭水库水利风景区
	萍乡市明月湖水利风景区
山东省	潍坊市白浪河水利风景区
	枣庄市台儿庄运河水利风景区
	淄博市太公湖水利风景区
	沾化县秦口河水利风景区
	临朐县淌水崖水库水利风景区
	高青县千乘湖水利风景区
	高密市胶河水利风景区
	新泰市青云湖水利风景区
河南省	漯河市沙澧河水利风景区
	南阳市龙王沟水利风景区
	信阳市北湖水利风景区
湖北省	孝昌县观音湖水利风景区
	罗田县天堂湖水利风景区
湖南省	长沙市黄材水库水利风景区
	新化县紫鹊界水利风景区
	韶山市青年水库水利风景区
	衡阳县斜陂堰水库水利风景区
广东省	五华县益塘水库水利风景区
重庆市	江津区清溪沟水利风景区
	璧山县大沟水库水利风景区
	合川区双龙湖水利风景区
	黔江区小南海水利风景区
	武隆县山虎关水库水利风景区
云南省	泸西县阿庐湖水利风景区
	丘北县摆龙湖水利风景区
陕西省	丹凤县龙驹寨水利风景区
	凤县嘉陵江源水利风景区
甘肃省	山丹县李桥水库水利风景区
	阿克塞县金山湖水利风景区
青海省	互助县北山水利风景区

科 技

【科技创新体系建设】 全力推进水利科技创新体系建设。建设水利科技创新体系是提高水利自主创新能力、加速行业科技进步的重大举措。水利科技创新体系包括科学研究与技术开发体系、科技推广与技术服务体系和科技管理体系三个组成部分。根据水利科技创新体系建设总体方案，围绕行业实际需求，推进了科学研究与技术开发体系建设。以中国水利水电科学研究院、南京水利科学研究院为依托的南北两个国家级创新基地建设思路已经明确，建设规划已经完成，正在抓紧建设。各流域机构根据自身基础条件和实际需求，结合公益性行业科研专项的组织实施，提出了各具特色的流域创新中心建设方案，正在逐步完善。结合水利部相关司局和地方业务工作的开展，逐步推进地方水利科研中心和水利科技试验站建设。通过深入调研，基本摸清了水利科技推广体系现状，明确了科技推广体系建设思路，以科技推广项目的组织实施带动科技推广体系的建设完善。稳步推进科技管理体系建设，结合电子政务建设，基本建成水利科技管理信息系统，有效提高了管理效率和水平。

各流域和地方也在积极探索、推进科技创新体系建设。长江委、黄委积极探索整合流域内现有科技力量，初步构建了布局结构更加合理、学科特色鲜明、组织功能完善，融科学研究、人才培养和社会服务等功能为一体的创新中心框架。太湖局围绕太湖治理需求，与南京水科院、河海大学等单位加强协作，共同打造湖泊治理科技创新基地。海委与中科院生态环境研究中心签订了“合作框架协议”，整合资源，构筑统一的科研平台，提升流域科技创新水平。上海市水务局建立了独具特色的科技创新体系，基本形成了技术决策支持平台、研究平台和技术创新推广应用平台等促进科技发展的三大平台。宁夏水利科学研究所经过积极争取，顺利进入自治区保留的3家非营利性科研机构行列，成为地方水利科研中心。

（吴宏伟 曾向辉）

【科技投入】

水利科技投入主要由科技计划投入、科研基建修缮投入和科研机构运行经费等组成。2009年，水利科技积极争取各渠道支持，落实中央财政经费对水利科技计划和科研基建投入达到5.3亿余元，为今后一个时期水利科技实现又好又快发展夯实了基础。

科技计划方面，目前已经形成了以国家3大主体科技计划、公益性行业科研专项经费、公益性科研院所基本科研业务费等为主体的研究与开发计划，以“948”计划为主体的引进计划，以国家农业科技成果转化资金和水利部科技推广计划为主体的技术推广与转化计划。三类计划涵盖了自主研究开发、引进消化吸收和成果转化推广等各个方面和各个阶段。2009年，落实国家3大主体科技计划经费2000多万元；公益性行业科研专项经费项目82项，国拨经费2亿元；组织实施948项目、水利部科技成果重点推广项目和国家农业科技成果转化资金项目共74项，国拨经费7600余万元，组织实施技术引进、消化吸收和示范推广。以上各类科技计划总计经费3亿余元。

科研基建方面，主要由部级科研基建投入和修缮购置专项资金两部分组成。2009年，中央级科学事业单位修缮购置专项资金，落实经费1亿元；科研基础设施建设经费1.3亿元。（曾向辉 金旭浩）

【科学研究与技术开发】

围绕民生水利和可持续发展水利的科技需求，利用各类科技计划，组织开展重大科技问题研究，取得了一批重大科研成果，为水利建设和发展提供了有力支撑。

围绕汶川地震造成的大量震损水库及堰塞湖处置问题，及时组织申报“震损水库及堰塞湖处置与风险评估关键技术”国家科技支撑项目，获得立项并组织实施，经费1500万元。在研国家科技支撑项目进展顺利，大部分项目执行已近尾声，一批重要的研究成果已经在生产实践中得到有效应用，取得良好效果。其中“三峡工程运用后泥沙与防洪关键技术研究”提出了长江中下游干流河道治理、洞庭湖和鄱阳湖防洪治理以及三峡水库的综合调度措施。“黄河健康修复关键技术研究”提出了黄河健康修复所需要的条件以及应采取的治理措施。“农村安全供水集成技术研究与示范”研发了一批适合农村供水工程的实用性技术和产品设备，取得专利4项，申请专利26项。“雨洪资源利用技术及应用”项目研究成果在北京奥运会体育场馆雨水利用中进行了示范应用，取得了很好的效果。

加强公益性行业科研专项组织。按照财政部“突出项目的系统性、集成性、重大性和应用性，目标明确，能够解决实际问题”的要求，在系统梳理重大科技问题的基础上，结合科技创新体系建设，编制了符合财政部要求的水利部公益性行业科研专项实施方案。以流域重大科技需求为主，兼顾行业共性技术和区域性关键技术需求，重点围绕长江、黄河等7大流域和内陆河及其他流域综合治理的重大科技问题，水文水资源、水土保持、农村水利等共性技术，以及若干区域性关键技术开展研究。2009年启动了9个流域重大问题、3个行业共性技术研究，同时作为过渡阶段兼顾了部分自下而上申报并通过评审的项目建议。最终，财政部批复水利部82个项目，经费预算达到2亿元，与2008年相比增长了15%。

（田庆奇 曾向辉）

【科技管理】

开展科技项目检查。启动了科技项目执行和经费使用情况专项检查，会同财务司组织会计师事务所，对2007年以来执行的各类科技项目1500余项和修缮购置项目306项，采取自查自纠和重点检查相结合的方法，集中开展专项检查。针对发现的问题，通过集中整改，绝大部分得到了有效解决。

加强与相关部门的交流和合作。2009年3月，水利部与科技部座谈，共商加快水利科技发展大计。科技部明确在重大课题研究、节水型社会建设科技行动、科技基础条件平台和科技创新体系建设等方面给予水利部大力支持。水利部还与河南省共建华北水利水电学院、与湖北省共建三峡大学、与江西省共建南昌工程学院等高等院校，全面加强科研教育合作。

深化科技管理体制改革。进一步深化科技体制改革，继续推动非营利性科研机构建立“职责明确、评价科学、开放有序、管理规范”的现代科研院所制度。重点研究解决转制科研机构面临的突出问题和实际困难，申请国家有关部门对转制院所的定位和性质进行重新评估；建立对口帮扶机制，鼓励部内条件较好的单位对口帮扶；在科研基建和科技计划等方面给予大力支持，共同促进转制院所发展。

2009年12月组织召开的全国水利科技工作座谈会，是2008年全国水利科技大会后召开的又一次全国性的水利科技会议。胡四一副部长出席会议并讲话，100余名科技管理部门和科研机构代表参加会议。会议总结交流了贯彻落实全国水利科技大会精神的进展和经验，深入剖析了科技项目管理中存在的问题，进一步明确了工作目标和任务，研究部署了下阶段水利科技工作。（田庆奇 曾向辉）

【“十二五”水利科技发展规划】

组织开展“十二五”水利科技发展战略研究和规划编制。组织专门力量，开展“十二五”水利科技发展战略研究。围绕部中心工作，遴选凝练节水型社会建设、民生水利建设、水资源管理、重大水利工程建设、流域开发治理、河口治理与保护等方面的重大研究课题，积极争取国家级科技计划支持。在战略研究的基础上，启动规划编制工作。作为“十二五”水利规划的重要专项规划，水利科技发展规划工作大纲已经通过了专家审查，进入编制阶段。

（吴宏伟 姜谋余）

【科技成果】

全年共验收各类水利科技项目100余项，组织科技成果鉴定30项，其中3项达到国际领先水平，18项达到国际先进水平。获国家科技进步奖二等奖8项。38项科技成果获得大禹水利科学技术奖，其中一等奖8项，二等奖14项。出版《2008年水利科技成果统计公报》，收录科技成果97项。

（金旭浩　王美婷）

【技术引进和推广转化】

组织召开2009年国际水利先进技术（产品）推介会，推介108项国内外先进技术，参会人员达到500多人，胡四一副部长出席会议并讲话。在技术推荐指导目录的基础上，结合水利行业发展和重大水利工程建设的实际需求，确定2010年度“948”项目计划。2009年共安排技术引进项目43项，国拨经费6000多万元。

依托水利部科技推广计划、国家农业科技成果转化资金项目，以及发布先进实用技术重点推广指导目录等手段，推广转化80余项先进实用技术，在防灾减灾、水资源保护、水利工程建设、水利信息化、农业高效用水、水土保持等各个领域发挥了积极作用。在陈雷部长、胡四一副部长等部领导的关心和推动下，科技推广专项经费取得重大突破。从2010年开始，投入规模将增加到4500万元，增长了近5倍，经费不足的问题得到一定程度的缓解。

（田庆奇　刘若星）

【科技基础条件平台建设】

加强科技基础条件平台建设。积极申报组建国家大坝安全工程技术研究中心，已获科技部批准立项建设。会同规划计划司、财务司，共同组织开展部属科研单位科研能力建设以及重点实验室和工程技术研究中心建设评估，发布评估结果，表彰先进，并对评估结果较差的单位提出警告，督促其尽快整改落实。评估工作为下一步制订“十二五”科研能力建设规划和启动新一轮部级重点实验室、工程中心建设奠定了基础。协助有关司局，落实科研基建经费1.3亿元、修缮购置专项经费1亿元。同时积极支持具备国际竞争能力的水利科研院所和设计施工单位开拓海外市场，2008年以来完成技术设备出口、国外水利水电项目技术咨询及工程建设任务合同额超过30亿元，在国际市场上赢得了良好信誉。（王美婷　吕烨）

【水利部科学技术委员会活动】

部科技委在部党组的重视和关心下，围绕水利发展与改革的目标和任务，紧密结合民生水利等中心工作，注重解决实际工作中遇到的难点问题和社会广为关注的热点问题，充分发挥专家优势，适时组织召开专题调研或咨询会议，为水利科学决策和民主决策发挥了重要作用。

2009年1月13—14日，部科技委在北京召开了全体会议。会议对2008年度部科技委的工作进行了总结，还听取了各位顾问委员对水利工作及部科技委工作的意见建议，确定了2009年的工作思路和目标。2009年7月部科技委与达沃斯世界风险论坛、哈尔滨工业大学、民盟中央灾害与社会管理专家论坛等11家单位共同发起组织了2009中国·成都国际灾害风险大会。2009年12月4日，部科技委联合辽宁省水利厅在北京组织召开了辽宁省大伙房水库输水工程二期输水系统安全性论证专家咨询会。

5月部科技委联合黄河水利委员会共同组织开展了“黄河宁蒙河段治理问题的专题调研”活动。在实地调研的基础上，2009年8月6—7日又在北京组织召开了黄河宁蒙河段治理问题专家研讨会，对黄河宁蒙河段治理的有关问题进行了更深入的研讨。2009年8月8—15日，部科技委联合民盟中央和部水土保持司，共同组织开展了“坡耕地水土流失综合治理”专题调研咨询活动。民盟中央蒋树声主席亲自带队赴甘肃省定西市进行了现场考察调研。

（姜谋余　刘若星）

【水利计量认证】

水利计量认证评审工作。2009年国家计量认证水利评审组共完成了61家质检机构的评审，其中复查评审48家、扩项评审3家、监督评审10家。

组织召开了以水利行业国家计量认证骨干评审员为主参加的水利计量认证工作研讨会，针对“《水利实验室资质认定评审员管理细则》修订稿”和“计量认证中需规范和统一的有关问题”等议题展开了研讨，审查了水利工程类和水环境类检测参数—标准对照表等文件。会议审查文件已用于指导质检机构的实际工作。

在青岛、重庆和海口组织了3期水利行业计量认证评审准则宣贯培训研讨班，培训水利质量检测从业人员431人。总结以往经验，创新培训形式，增加了实验室的参观考察环节，受到培训学员的好评。

根据水利质检机构的专业领域，结合水利评审员队伍的专业情况、年龄现状和地域分布等，从水利行业有关管理机构和质检机构选拔了12名具有计量认证基础知识和实际工作经验的专业技术人员，参加国家资质认定评审员培训和考核，均通过考核获得评审员资质证书。

（汝楠　刘咏峰）

【水利标准化工作】

（1）2009年批准发布水利技术标准56项（其中水利国家标准33项，水利行业标准23项），报批国家标准8项（见下页表）。

2009年水利技术标准发布及国标报批一览表

序号	标准名称	标准编号	实施日期（年.月.日）
一、发布标准			
（一）行业标准			
1	堰塞湖风险等级划分标准	SL 450—2009	2009.05.12
2	堰塞湖应急处置技术导则	SL 451—2009	2009.05.12
3	水利系统通信工程验收规程	SL 439—2009	2009.06.02
4	水文缆道测验规范	SL 443—2009 替代 SD 121—84	2009.06.02
5	水利信息网运行管理规程	SL 444—2009	2009.06.02
6	黑土区水土流失综合防治技术标准	SL 446—2009	2009.06.09
7	漏电保护器农村安装运行规程	SL 445—2009	2009.06.30
8	水土保持工程项目建议书编制规程	SL 447—2009	2009.08.21
9	水土保持工程可行性研究报告编制规程	SL 448—2009	2009.08.21
10	水土保持工程初步设计报告编制规程	SL 449—2009	2009.08.21
11	水土保持监测点代码	SL 452—2009	2009.09.05
12	周期式混凝土搅拌楼（站）	SL 242—2009	2009.09.10
13	转子式流速仪计量检定规程	JJG（水利）001—2009	2009.09.29
14	浮子式水位计计量检定规程	JJG（水利）002—2009	2009.09.29
15	超声波测深仪计量检定规程	JJG（水利）003—2009	2009.09.29
16	水利水电工程建设征地移民安置规划设计规范	SL 290—2009 替代 SL 290—2003	2009.10.31
17	水利水电工程建设农村移民安置规划设计规范	SL 440—2009	2009.10.31
18	水利水电工程建设征地移民安置规划大纲编制导则	SL 441—2009	2009.10.31
19	水利水电工程建设征地移民实物调查规范	SL 442—2009	2009.10.31
20	人才管理数据库结构及标识符标准	SL 453—2009	2009.11.07
21	水文年鉴汇编刊印规范	SL 460—2009	2009.12.29
22	中小河流水能开发规划编制规范	SL 221—2009 替代 SL 221—98	2010.03.21
23	小水电水能设计规程	SL 76—2009 替代 SL 76—94	2010.03.21
（二）国家标准			
1	水文情报预报规范	GB/T 22482—2008	2009.01.01
2	水利水电工程钢闸门制造安装及验收规范	GB/T 14173—2008	2009.01.01
3	水土保持综合治理　技术规范　坡耕地治理技术	GB/T 16453.1—2008	2009.02.01
4	水土保持综合治理　技术规范　荒地治理技术	GB/T 16453.2—2008	2009.02.01
5	水土保持综合治理　技术规范　沟壑治理技术	GB/T 16453.3—2008	2009.02.01
6	水土保持综合治理　技术规范　小型蓄排引水工程	GB/T 16453.4—2008	2009.02.01
7	水土保持综合治理　技术规范　风沙治理技术	GB/T 16453.5—2008	2009.02.01
8	水土保持综合治理　技术规范　崩岗治理技术	GB/T 16453.6—2008	2009.02.01
9	水土保持综合治理　规划通则	GB/T 15772—2008	2009.02.01
10	水土保持综合治理　效益计算方法	GB/T 15774—2008	2009.02.01

续表

序号	标 准 名 称	标 准 编 号	实施日期（年．月．日）
11	水土保持综合治理 验收规范	GB/T 15773—2008	2009.02.01
12	开发建设项目水土保持设施验收技术规程	GB/T 22490—2008	2009.02.01
13	土工试验仪器 固结仪 第1部分：单杠杆固结仪	GB/T 4935.1—2008	2009.02.01
14	土工试验仪器 击实仪	GB/T 22541—2008	2009.02.01
15	土工试验仪器 渗透仪	GB/T 9357—2008	2009.02.01
16	大坝监测仪器 埋入式铜电阻温度计	GB/T3413—2008	2009.02.01
17	大坝监测仪器 垂线坐标仪 第1部分：步进电机式垂线坐标仪	GB/T 22542.1—2008	2009.02.01
18	大坝监测仪器 引张线仪 第1部分：步进电机式引张线仪	GB/T 22543.1—2008	2009.02.01
19	灌溉用塑料管材和管件基本参数及技术条件	GB/T 23241—2009	2009.05.01
20	水利水电工程地质勘察规范	GB 50487—2008	2009.08.01
21	水资源公报编制规程	GB/T 23598—2009	2009.09.01
22	岩土工程仪器 土压力计 第1部分：振弦式土压力计	GB/T 23872.1—2009	2009.10.01
23	大坝监测仪器 检测仪 第1部分：振弦式仪器检测仪	GB/T 3412.1—2009	2009.10.01
24	大坝监测仪器 孔隙水压力计 第1部分：振弦式孔隙水压力计	GB/T 3411.1—2009	2009.10.01
25	岩土工程仪器术语及符号	GB/T 24106—2009	2009.12.01
26	岩土工程仪器型号命名方法	GB/T 24104—2009	2009.12.01
27	岩土工程仪器基本环境试验条件及方法	GB/T 24105—2009	2009.12.01
28	岩土工程仪器可靠性技术要求	GB/T24108-2009	2009.12.01
29	土工试验仪器 三轴仪 第1部分：应变控制式三轴仪	GB/T24107.1-2009	2009.12.01
30	土工试验仪器 固结仪 第2部分：气压式固结仪	GB/T 4935.2—2009	2009.12.01
31	微灌工程技术规范	GB/T 50485—2009	2009.12.01
32	灌区规划规范	GB/T 50509—2009	2009.12.01
33	泵站更新改造技术规程	GB/T 50510—2009	2010.02.01
二、报批国家标准			
1	旱情等级标准		
2	水功能区划分技术导则		
3	水域纳污能力计算规程		
4	节水型产品技术条件与管理通则		
5	水位观测标准	修订 GBJ 138—90	
6	雨水集蓄利用工程技术规范		
7	灌区改造技术规程		
8	渠道防渗工程技术规范		

（2）标准编制。安排水利技术标准财政专项项目71项、经费1025万元，包括《建设项目水资源论证导则（试行）》（修订）、《水电农村电气化验收规程》（修订）、《村镇供水技术管理规程》《水文缆道设计规范》等；基建前期项目80项、经费900万元，包括《规划后评价导则》《节水型社会建设规划编制导则》《水库调度规程编制导则》《岩土工程基本术语标准》等。

（3）标准宣贯。组织完成了水利标准化理论和标准编写规定、水利工程建设标准编制与强制性条文、《堰塞等级划分标准》（SL 450—2009）、《海堤工程设计规范》（SL 435—2008）、《水利血防技术导则（试行）》（SL/Z 318—2005）等的宣贯培训工作，参加培训人员达超过1万人次。

（4）标准奖励。由水利部推荐的《水文仪器通则 第1部分：总则》（GB/T 18522.1—2003）等系列标准，获2009年度“中国标准创新贡献奖”三等奖。

（5）标准科学研究。完成8项水利技术标准化专项研究；完成有关水利工程安全、应急供水、应急处置等5项财政部、科技部公益性行业科研专项标准关键技术研究项目立项。完成《节水产品认证相关政策组织与实施》研究，总结了水利行业开展节水产品认证的成绩和存在的问题，提出了节水产品认证技术体系和水利行业节水产品认证“十二五”发展目标。开展了水利技术标准绩效评估、国内外水利标准对比、水利行标升国标、水利认证认可发展战略等领域的研究。

（汝楠　刘咏峰）

国际合作与交流

【双边合作】

2009年，水利双边国际交流与合作工作正确把握复杂多变的国际政治经济形势，认真贯彻中央的外交路线与方针，按照部党组新的治水思路和水利重点工作，签署并执行政府间水利合作协议，大力推动政府间高层领导互访，强化双边固定合作机制，加强并扩大同各国政府部门在水资源领域的合作，不断提升中国水利在国际水资源领域的地位和作用，水利双边合作关系稳固持续发展。

2009年先后接待了来自匈牙利、瑞士、意大利、巴基斯坦、阿根廷、乌拉圭、老挝、荷兰、印度尼西亚、新加坡、澳大利亚、马来西亚等国家及相关国际组织机构22个重要团组；安排了回良玉副总理会见瑞士联邦委员兼环境、交通、能源与信息部部长和世界水理事会主席，推动中外水利合作；完成了陈雷部长赴丹麦、挪威，鄂竟平副部长赴俄罗斯、罗马尼亚，董力组长赴意大利、西班牙，矫勇副部长赴巴西、阿根廷，周英副部长赴瑞士、荷兰，胡四一副部长赴澳大利亚、新西兰，刘宁副部长赴以色列、肯尼亚的访问活动。

作为高层互访的重要结果，签署了《中华人民共和国水利部与瑞士联邦环境、交通、能源与信息部水资源领域合作协议》《中华人民共和国水利部与世界水理事会合作谅解备忘录》《中华人民共和国水利部与印度尼西亚公共工程部水资源领域合作谅解备忘录》《中华人民共和国水利部与法兰西共和国生态、能源、可持续发展和海洋部关于水资源领域的合作协议》等双边协议、备忘录和项目协定共4份。与新加坡环境水资源部、丹麦环境部、墨西哥国家水委员会、委内瑞拉环境部、美国农业部、芬兰环境部、斯洛伐克环境部之间的双边合作谅解备忘录也在积极磋商中，部分已初步达成共识。

双边交流机制的建立取得新突破。截至2009年底，水利部已与世界上60多个国家或地区的水主管部门建立并开展了多种形式的技术交流和经济合作关系，与43个国家签署了政府间或部门间水利经济技术合作协议或谅解备忘录。根据协议和备忘录精神，水利部分别与10多个国家的水管理部门建立了双边固定交流机制，搭建了水利对外交流合作的基础性平台。

召开了第24届中日水资源交流会议、第24届中日河工坝工会议、第15届中韩水资源交流会议、中国—南非水利合作工作组会议、2009中国—澳大利亚水政策高层研讨会、中荷水管理联合指导委员会第10次会议、中匈水资源研讨会、第三届中国—瑞士防洪减灾研讨会等8次双边定期交流会议和技术研讨会。

（吴浓娣　王晋苏　常婧华）

【水利利用外资】

2009年，与相关业务部门通力合作，围绕病险水库除险加固、治淮工程、水土保持、水资源和水生态环境保护、节水型社会建设等重点工作，积极开拓新的外资渠道，加强利用外资项目的管理，提高水利利用外资的质量和效益。

在贷款方面，认真做好利用国际金融组织贷款项目的前期准备工作，提高在建项目的管理水平。目前，水利部正在执行国际金融组织贷款项目2个，贷款总金额2.5亿美元，分别是世行贷款长江中上游云贵鄂渝水土保持项目、亚行贷款松花江洪水管理项目。正在申请的项目2个，分别是世行贷款淮河流域重点平原洼地排涝治理项目、节水灌溉二期项目，拟利用国际组织贷款约2.8亿美元。

在赠款方面，正在执行的赠款项目有19个，赠款总金额超过1.5亿美元，分别是亚行赠款中国洪水管理战略实施，流域水量分配与管理政策研究，GEF海河流域水资源与水环境综合管理，英国赠款中国水资源需求管理援助，英国赠款面向贫困人口的农村水利改革，日本赠款草原生态保护节水灌溉示范，日本赠款节水型社会建设，荷兰赠款基于遥感的中国干旱监测与预报示范，意大利赠款南水北调水资源可持续综合管理，意大利赠款华北平原地下水管理，澳大利亚赠款中澳环境管理项目，欧盟赠款流域战略性环境规划，联合国/西班牙政府千年发展目标基金气候变化对中国水资源状况特别是黄河流域的影响，联合国

/西班牙政府千年发展目标基金气候变化对地下水影响研究，联合国开发计划署、商务部和可口可乐公司共同开展的改善中国农村地区水资源管理和饮水安全项目，联合国粮农组织合作开展的“可持续水资源利用分析”等项目。同时，部属事业单位在流域综合规划修编、农村饮水安全、多边论坛等方面与世界自然基金会开展了有效合作。

结合国际交流合作项目，申请科技部国际科技合作计划项目3项，共获800万元的专项资金支持。

（吴浓娣　王晋苏　常婧华）

【国际会议与交流】

2009年，中国水利以更为积极的姿态走向国际舞台，积极举办或参加大型国际会议和水事活动，水利国际交流与多边合作取得了显著成绩。共举办10次重要国际会议，参加各类重大水事活动20多次，包括各种国际论坛、国际研讨会和世界博览会等，国家领导人、水利部和有关部门领导参加了这些活动。这些活动的举办和参与，极大地宣传了我国水利建设成就，扩大了中国水利在国际舞台的影响。

陈雷部长率由水利、外交、气象、林业等部门组成的中国政府代表团参加在土耳其举办的第五届世界水论坛，是2009年水利国际合作的一大亮点。陈雷部长在3天参会时间内先后7次作主旨发言或致辞，与10个国家的水利部长举行双边会谈。中国水利水电科学研究院和中国水利水电出版社分别组织专家团和企业团参与论坛期间的技术交流和世界水展览，中国代表团参与水论坛规模之大，开展交流活动之多，取得成果之丰富，均创下历届水论坛之最，受到各国与会代表的高度赞誉。

2009年，部领导出席了一系列重要国际会议和活动：鄂竟平副部长出席第四届国际沙棘协会大会；矫勇副部长出席第23届国际大坝会议并作主旨演讲；胡四一副部长出席77国集团水资源部长级论坛；刘宁副部长出席以色列国际水技术周。

水利部还成功举办了“第五届今日水电论坛”“第四届黄河国际论坛”“第三届长江论坛”“第一届堆石坝国际研讨会”“中国水博览会”“国际泥沙研究培训中心成立25周年纪念活动暨全球气候变化下的流域管理学术报告会”“中国成都国际灾害风险大会水利分会”“全球水伙伴中国委员会第二届伙伴代表大会”“国际水文计划东南亚及太平洋地区区域指导委员会第17次会议暨水文与灾害管理国际研讨会”。指导全球水伙伴中国委员会召开了第一届理事会第七次会议，选举产生了新一届理事会；指导国际小水电中心成功举办国际小水电组织协调委员会2009年年会，选举产生了新一届协调委员会，在加拿大举行的第33届国际水利学大会上成功申办并获得2013年国际水利学大会的主办权。

水利部与世界水理事会于2009年7月在北京签署了合作谅解备忘录，中国水利部及7家所属单位正式加入世界水理事会。水利部专家在国际组织中成功当选重要职务：水利部以第一高票当选世界水理事会政府类别董事成员，水利部代表出任新一届世界水理事会董事；贾金生成功当选国际大坝委员会主席；田中兴成功当选国际小水电组织协调委员会主席；刘恒成功当选国际水文计划亚太地区区域指导委员会主席。

2009年区域性合作逐步深入。中、日、韩三国在水资源领域的区域合作进一步深入，就举行水资源主管部长会议的设想达成了共识，该设想已成为中、日、韩三国领导人联合宣言的组成部分；与亚太国家政府代表共同就成立亚太水安全部长级理事会交换了意见；与联合国有关机构合作举办的亚太地区小水电研究培训中心、国际小水电中心、国际泥沙研究培训中心以及国际沙棘研究培训中心业务稳步发展。

参加国家外国专家局审批类培训项目3个，59人次；审核类培训项目4个，72人次。完成了2009年出国（境）培训团组的复核、重新申报以及2010年因公出国境团组计划联合审核审批。（金海　郝钊）

【国际工程承包】

2009年，中国水利电力对外公司（以下简称“中水电公司”）新签国际工程17个，合同额6.39亿美元；在建国际工程62个，完成营业额5.05亿美元。在建项目遍布亚洲、非洲、北美洲、南美洲的20余个国家和地区。

1. 2009年新签合同额4000万美元以上的国际工程项目

（1）巴基斯坦M4高速公路P1项目。2009年12月3日，中水电公司与巴基斯坦国家公路局签署M4高速公路P1项目。项目合同额1.24亿美元，资金来源于亚洲发展银行。

项目位于巴基斯坦旁遮普省中部，全长58km，为双向四车道全封闭高速公路。施工工期3年，于2009年12月22日开工。

（2）巴基斯坦曼格拉大坝移民镇开发项目。2009年10月23日，中水电公司中标曼格拉大坝移民镇开发项目，三个标段合同额总计4312万美元。资金来源于巴基斯坦政府。

项目位于巴基斯坦克什米尔地区，是中水电公司承建的曼格拉大坝加高项目的配套移民搬迁项目。项目施工工期1年，于2009年12月8日开工。项目业主是巴基斯坦水电发展署。

（3）喀麦隆巴舒奥·阿卡贝—芒菲—埃科克公路改造项目。2009年12月18日，中水电公司中标喀麦隆巴舒奥·阿卡贝—芒菲—埃科克公路改造项目。项目合同额1.07亿美元，资金来源于非洲发展银行和日本合作基金。

巴舒奥·阿卡贝—芒菲—埃科克公路项目全长82km，沥青混凝土路面，路宽7m，两侧路肩宽1.5m。施工工期3年。项目业主是喀麦隆公共工程部。

（4）加纳农村电气化自助四期附加项目。2008年12月23日，中水电公司与加纳矿产能源部签署农村电气化自助四期附加工程的EPC总承包合同。项目合同额1.7亿美元，其中90%的资金使用中国进出口银行卖方出口信用贷款，其余10%由加纳政府自筹。

项目施工工期4年，于2009年9月29日开工，当年即完成营业额5350万美元。

（5）菲律宾大马尼拉供水项目。2009年7月28日，中水电公司与菲律宾大马尼拉给排水局签署大马尼拉供水项目。项目合同额1.12亿美元，其中95%的资金使用中国进出口银行优惠买方出口信用贷款，其余5%由菲律宾政府自筹。项目施工工期3年。

菲律宾首都大马尼拉地区97%的生活用水来自安嘎特水库，但安嘎特水库至马尼拉之间的输水管线的输水能力严重不足，且严重漏水。大马尼拉供水项目将在两者之间建设一条新的管线，提高输水能力，同时维修现有管线，解决漏水问题，从而惠及一千多万马尼拉人民，是当地人民和政府都非常关心的民生工程。

2. 2009年合同额2000万美元以上的在建国际工程项目进展情况

（1）印度跨瓦塔纳河碾压混凝土大坝项目。2008年9月9日，中水电公司中标跨瓦塔纳河碾压混凝土大坝项目，成为首个在印度承揽大坝工程的中国公司。项目合同额1.13亿美元。业主是印度大孟买市政公司。

跨瓦塔纳河碾压混凝土大坝项目施工工期42个月，于2008年10月27日开工，截至2009年底完成营业额1140万美元。大坝距孟买145km，高105m，长550m，顶宽8m。工程完工后日供水能力达45万t，将有效解决孟买的用水短缺问题。

（2）巴基斯坦曼格拉大坝加高项目。曼格拉大坝加高项目是巴基斯坦国家重点工程项目，合同额2.4亿美元。工程内容包括：主坝加高30英尺（约9.2米）、主溢洪渠道加高加固及上游紧急溢洪道控制堰的建设等多项土建施工。项目完工后，灌溉水量将增加35.5亿m^3，现有机组发电量也将增加12%。

项目于2004年6月20日开工，2009年12月26日完工，实现营业额2.17亿美元。由于表现出色，业主巴基斯坦水电发展署相继将上游丹加力桥梁项目和移民镇开发项目的承包资格授予中水电公司。

（3）巴基斯坦旁遮普省公路项目。巴基斯坦旁遮普省公路项目主要是对该省现有省级道路进行改建及重建，3个标段道路总长225km。合同额总计1.01亿美元，资金来源于亚洲开发银行贷款。

P2标段于2008年7月9日开工，2010年1月沥青路面铺设完毕，主体工程基本完工。P3、P4标段于2006年11月2日开工。3个标段截至2009年底累计完成营业额9322万美元。

（4）巴基斯坦卡拉奇深水集装箱港码头疏浚及填海项目。2008年11月23日，中水电公司与巴基斯坦卡拉奇港务局签署卡拉奇深水集装箱港码头疏浚及填海项目，项目合同额3.18亿美元。

卡拉奇港是巴基斯坦最大的海港和最主要的外贸港口，承担了巴基斯坦全国65%的海运量。卡拉奇深水集装箱港码头项目旨在开发及扩建现有的卡拉奇深水集装箱码头，由疏浚与吹填工程、防坡堤工程和码头工程三部分组成。中水电公司中标承建的疏浚与吹填工程是系列工程的第一部分。主要工程内容包括进出航道和港池疏浚约3300万m^3，利用疏浚土吹填以形成新的码头区等。项目完工后，将有效提升卡拉奇深水集装箱港的吞吐能力，有利促进当地社会经济发展，并有助于该港口成为本地区重要的中转港。

项目于2008年12月27日开工，2009年完成营业额6695万美元。

（5）约旦钾盐厂晒盐池项目。2006年11月30日，中水电公司与约旦阿拉伯钾盐公司签署钾盐厂晒盐池工程承包合同。工程包括土建工程、机械工程、电气设备安装、仪表和控制设备安装等。项目于2006年12月13日开工，2009年7月16日竣工，完成营业额5320万美元。

项目位于自然条件恶劣的死海地区，人烟稀少，气候炎热干燥，且施工内容庞杂，几乎涵盖了土建和机电工程的全部作业内容，设备材料和施工工艺都采用欧洲标准，施工及管理难度极大。项目的保质按期完工，为中国公司在约旦市场树立了良好形象。

（6）哈萨克斯坦玛依纳水电站项目。2008年4月9日，中水电公司与哈萨克斯坦玛依纳股份有限公司在人民大会堂签署玛依纳水电站项目EPC总承包合同。中国国务院总理温家宝和哈萨克斯坦国总理卡里姆共同出席了签字仪式。项目投资总额3.3亿美元，其中1.3亿美元由哈萨克斯坦开发银行承担，其余2亿美元由中国国家开发银行提供。

玛依纳水电站是中哈两国政府在非资源领域合作的最大项目和重点项目，也是中国公司在哈萨克斯坦获得的最大水电工程。项目设计总装机150MW×2的高水头冲击式水轮发电机组，是中国单机容量最大的冲击式机组，年发电量10.27亿kW·h。

项目于2008年8月8日开工，截至2009年底累计完成施工支洞及引水隧洞洞挖进尺7387m，占全部洞挖长度的63.7%，完成营业额5320万美元。

（7）突尼斯齐亚迪尼大坝项目。大坝为黏土心墙坝，最大坝高33m，坝顶长885m。水库库容3300万m^3，调剂水量1920万m^3，可抵御百年一遇的洪水的侵袭。

项目于2004年7月6日开工，2009年4月29日竣工。截至2009年底实现营业额2237万美元。

(8) 喀麦隆雅温得排污项目。2008年7月16日，中水电公司与喀麦隆雅温得排污项目协调局签署雅温得排污项目穆丰迪下游水渠及三个栏污栅建设工程。项目合同额3823万美元，资金来源于非洲发展基金。施工工期22个月。

工程位于首都雅温得市中心，主要包括长约3.5km的排污渠和跨渠桥梁，三个栏污栅工程及其他附属工程的修建。项目于2008年10月1日开工，截至2009年底，完成1296m排污渠的土石方开挖及部分混凝土浇筑。完成营业额1346万美元。

(9) 加纳舒佳库碧—阿佳琪公路修复项目。项目于2007年4月28日开工，2009年1月27日竣工。截至2009年底实现营业额2728万美元，资金来源于德国复兴开发银行。

修复工程主要包括加宽十字路口，加宽和新建排水渠道，铺设骨料底基层、DBM基层和沥青混凝土耐磨层，以及提供交通信号标志、道路划线和辅助的道路安全设施等。

(10) 加纳马地纳—磐堂公路项目。2008年9月16日，中水电公司与加纳公路和交通部签署马地纳—磐堂公路项目。项目合同额4183万美元，资金来源于阿拉伯非洲发展银行。施工工期18个月。

项目于2009年7月29日开工，截至2009年底完成营业额620万美元。

(11) 加纳夸福库禄睦—阿壁多公路项目。2008年10月10日，中水电公司与加纳公路和交通部签署夸福库禄睦—阿壁多公路项目。项目合同额1.43亿美元，资金来源于加纳政府。施工工期39个月。

项目于2009年12月2日开工，截至2009年底左幅16km范围内完成70%以上土石方和涵洞等结构物施工，完成营业额1588万美元。

(12) 加纳农村电气化自助4期项目。2006年1月5日，中水电公司与加纳矿产能源部签署农村电气化自助4期工程的EPC总承包合同。

项目于2007年8月30日开工，2009年12月31日提前竣工，完成5100km高低压架线施工。实现营业额9000万美元，其中90%的资金使用中国进出口银行卖方出口信用贷款，其余10%由加纳政府自筹。

(13) 阿尔及利亚德拉迪斯大坝项目。项目是阿尔及利亚国家重点工程东西部输水工程中的重要项目，建成后可实现年供水量1.9亿m^3，灌溉土地3.17万hm^2，并提供爱尔欧尔马地区的工业用水和饮用水。项目合同额8974万美元，资金来源于阿尔及利亚政府。施工工期39个月。

项目于2008年5月27日开工。截至2009年底，导流洞贯通，交通洞完成50%，竖井打通。坝基开挖完成95%，灌浆廊道开挖完成80%，级配料加工系统安装完毕。防渗铺盖开始清表，灌浆试验段开始施工。完成营业额1584万美元。

(14) 阿尔及利亚玛乌阿纳大坝项目。大坝为黏土心墙堆石坝，坝高76m，坝顶长884m，坝顶宽7m，是用于农田灌溉和城市饮用水供应的工程。项目合同额1.42亿美元，资金来源于阿尔及利亚政府。施工工期36个月。

项目于2008年12月21日开工，截至2009年底，坝基开挖完成80%，级配料加工系统安装完成30%，导流洞洞挖完成30%，导流明渠和库区道路改线全部完成。完成营业额711万美元。

(15) 苏丹麦洛维大坝项目。2009年3月3日，由中水电公司牵头与中国水利水电建设集团公司组成联营体承建的麦洛维大坝首两台机组并网发电。

麦洛维大坝工程被誉为“苏丹的三峡工程”。大坝全长近10km，最大坝高67m，是世界上最长的水坝。大坝将世界第一长河尼罗河拦腰截断，形成宽10km、延绵400km的大漠平湖，库容140亿m^3。大坝装有10台发电机组，总装机容量为1250MW，相当于大坝建成前苏丹全国总装机容量的两倍以上，是当前非洲大陆上建成的最大水电站。

截至2009年底，麦洛维大坝项目累计完成营业额9.51亿美元。

(16) 苏丹罗塞雷斯大坝加高项目。2008年4月27日，中水电公司和中国水利水电建设集团公司组成联营体与苏丹灌溉和水资源部签署罗赛雷斯大坝加高项目合同。项目合同额3.96亿美元，工期1308天。

罗塞雷斯大坝加高项目将在原坝基础上将大坝整体加高10m，并移位、检修和更新大坝现有水力控制系统、翻修深水底孔等。加高后的大坝全长将增至25.1km，库容将增加40亿m^3。

项目于2008年5月1日开工，2009年9月12日坝顶首仓开仓浇筑，截至2009年底完成营业额6950万美元。

(17) 埃塞俄比亚客佳灌溉和排水系统项目。项目防洪控制流域面积22000hm^2，灌溉面积7000hm^2，竣工后将有效地解决长期困扰当地百姓生活和生产的防洪及灌溉问题。项目合同额2428万美元，资金来源于非洲开发银行。施工工期73个月。

项目于2005年6月14日开工，已完成6000m主渠衬砌成型，12000m二级渠衬砌成型，3000m非衬砌三级渠成型，432个水工结构物浇筑，102套金属闸门安装。截至2009年底完成营业额1364万美元。

(18) 埃塞俄比亚瓦佳—马吉道路改造项目。道路全长175km，包括52km双表处路面和123km砂砾路面。合同额9102万美元，资金来源于非洲发展银行。施工工期42个月。

项目于2007年9月25日开工，2009年底全线贯通，实现营业额4113万美元。

（19）埃塞俄比亚沃瑞塔—沃迪亚道路改造工程2号合同高博高博—嘎西纳段项目。项目主要是将原有86km的泥结石路面公路升级为两车道、双表面处理的沥青路面。合同额3305万美元，资金来源于世界银行贷款。施工工期53个月。

项目于2006年7月31日开工，截至2009年底完成营业额1852万美元。

（20）菲律宾伊洛伊洛防洪工程2号合同项目。项目于2006年3月1日开工，2009年9月30日竣工。实现营业额2863万美元，资金来源于日本国际协力银行。

工程主要内容包括修建河道防洪堤、开挖及扩建现有河道、拆除及新建桥梁、修建河堤管涵和箱涵等。项目业主是菲律宾公共工程和交通部。

（21）泰国块垴大坝项目。项目于2004年11月26日开工，2009年6月24日竣工。实现营业额8972万美元，资金来源于泰国政府。

块垴大坝项目是中水电公司继合同额1.1亿美元的巴帕南水闸工程后在泰国承建的第二个国王御批重点工程。项目主要包括大坝及灌溉系统，主坝两座，一座为混凝土面板堆石坝，最大坝高75m，坝顶长570m，另一座为黏土心墙堆石坝，最大坝高80m，坝顶长1270m。副坝为土坝，坝高9m，坝顶长350m。水库最大库容为7.69亿m^3，有效库容7.33亿m^3。

（22）老挝南立1-2水电站项目。老挝南立1-2水电站项目是中水电公司在海外以BOOT方式承揽的第一个工程投资项目，项目特许经营期限30年（含4.5年的建设期），总投资1.5亿美元。项目的主要功能是发电，建成后除满足邻近地区用电需求外，将向泰国出口电力创汇获得经济效益，项目同时兼顾防洪、灌溉、养殖和旅游业等功能。

南立1-2水电站位于老挝首都万象市西北约145km处的南立河上。工程枢纽主要建筑物包括：钢筋混凝土面板堆石坝、溢洪道、泄洪防空洞、发电引水洞、电站厂房、开关站和左岸垭口副坝等。主机间安装两台竖轴混流式水轮发电机组，单机装机容量5万kW。

项目于2007年9月1日开工，2009年12月14日提前下闸蓄水。

（23）老挝南立1-2水电站附属输变电项目。2008年4月4日，中水电公司与老挝国家电力公司签署南立1-2水电站附属输变电项目EPC总承包合同。项目合同额6500万美元，施工工期3年。

南立1-2水电站附属输变电项目是为南立1-2水电站项目对外送电配套的万象电网改造工程，工程包括架设88km 115kV输变电线路，100km 230kV输电线路，以及扩建或改造5个变电站。

项目于2009年3月15日开工，截至2009年底，完成从南立至BAN DON变电站的双回115kV线路架设、BAN DON变电站改造、从BAN DON变电站至HINHEUP变电站的单回115kV线路架设，以及HINHEUP变电站改造工作。完成营业额356万美元。

（金哲平）

安 全 监 督

【安全监督机构能力建设】

1. 安全监督组织机构及队伍建设　根据国务院办公厅印发的《水利部主要职责内设机构和人员编制规定》（国办发〔2008〕75号），2008年9月水利部安全监督司组建成立。安全监督司主要承担水利行业安全生产监督管理、水利工程建设项目稽察和水行政执法监察等职责，内设安全生产处、稽察处、水政监察处。2009年12月23日，水利部印发了《关于政策法规司和安全监督司机构编制调整有关事项的通知》（水人事〔2009〕621号），对安全监督司主要职责和内设处室进行了调整，调整后安全监督司主要承担水利行业安全生产监督管理和水利工程建设项目稽察等职责，内设处室相应调整为综合处、安全生产处、稽察处。在水利部有关司局的大力支持下，安全监督司短时间内迅速完成了组建工作，现已形成了处室人员配备平衡、专业配置合理、年龄结构搭配的安全监督管理队伍。

2009年，为尽快提高水利行业安全监督能力，开展了全国水利安全监督现状调查，指导流域管理机构和地方水行政主管部门结合机构改革，进一步建立健全水利安全监督管理机构。2009年底，水利部批复流域管理机构成立水利安全监督部门，各省（自治区、直辖市）水利（水务）厅局也相继成立或完善安全监督机构，进一步明确职责，充实人员，强化水利安全监督工作。

2. 全国水利安全监督工作座谈会　2009年1月9日，全国水利安全监督工作座谈会在南昌召开。这次会议是水利安全监督工作总结过去，分析形势，谋划未来的一次十分重要的会议，也是水利安全监督工作承前启后、具有里程碑意义的一次重要会议。水利部副部长矫勇出席会议并作了重要讲话。会议总结回顾了近年来水利安全监督工作取得的成效，深入分析了当前水利安全监督工作面临的形势，明确了今后一个时期的工作目标，提出了推动水利安全监督工作深入开展的具体措施。部直属各单位，各省（自治区、直辖市）水利（水务）厅（局），各计划单列市水利（水务）局等单位相关负责同志做了会议发言。

3. 水利工程安全监督管理信息系统建设　为加快水利安全监督信息化建设工作，2008年底即启动了水利工程安全监督管理信息系统建设，计划用两年的时间完成系统开发建设。水利工程安全监督管理信息系统从水利安全监督应用的实际需要出发，力求构建一个完善的安全监督信息资料数据库，以实现对业务数据和工作流程的信息化管理；促进全国水利工程安全监督信息资源的有效整合和统一建设，使水利工程安全监督信息可以安全、快捷、方便的报送和查询；便于对水利工程地理信息的直观查询和分析；有利于进行数据统计、分析，对领导决策进行辅助支持。至2009年底，已完成项目开发建设的招标工作，基本完成了系统需求调研工作。（刘岩　王瑞）

【安全生产监督管理】　2009年水利安全生产工作明显加强。按照国务院办公厅关于开展“安全生产年”活动的通知要求，结合水利行业实际，迅速部署水利行业“安全生产年”活动，扎实开展水利安全生产“三项行动”和“三项建设”，有力地推动了水利安全生产各项工作的落实，水利安全生产工作取得了较大进展和成效。2009年水利行业没有发生重特大安全事故，事故起数和死亡人数与2008年基本持平，水利安全生产形势总体保持稳定。水利部安全监督司安全生产处、建设与管理司市场监管处被国务院安全生产委员会办公室评为“2009年度安全生产工作先进集体”。

1. 全国安全生产视频会议　深入贯彻落实全国安全生产电视电话会议精神和国务院“安全生产年”各项工作部署，2009年共组织召开两次水利部安全生产领导小组全体会议和两次全国水利安全生产视频会议，迅速传达贯彻落实全国安全生产电视电话会议精神，认真分析水利安全生产形势，明确水利“安全生产年”各项工作目标，全面安排部署水利安全生产工作。

2. 部署开展水利“安全生产年”活动　结合水利实际，制定印发了《水利部2009年水利安全生产工作方案》《关于贯彻落实全国安全生产电视电话会议精神切实做好水利安全生产工作的通知》以及《关于印发水利安全生产“三项行动”实施方案的通知》《关于印发水利安全生产“三项建设”实施方案的通知》等文件，落实水利“安全生产年”工作目标责任，提出水利安全生产的主要任务、工作措施和工作步骤，扎实有效开展水利“安全生产年”活动。

3. 汛前水利安全生产检查　以水利工程建设、水库安全运行、农村水电和水文测报等为重点，采取自查和重点抽查结合的方式，进一步落实水利企事业单位安全生产主体责任，全面开展违规建设、违章操作检查和隐患排查，落实水利设施各项度汛措施，强化水利安全生产管理。4月，各建设项目法人、水库、水电站管理单位和有关企事业单位按照要求进行了自查整改。5月，水利部组织5个督察组对长江委、淮委、湖北、重庆、安徽、浙江、福建、湖南、辽宁、吉林等单位和地区水利工程汛前安全生产情况开展专项督查。

4. 国庆60周年前水利安全生产专项督查　以在建水利工程、小水库安全运行和水利建设项目“三同时”管理为重点，采取自查和重点抽查结合的方式，深入排查治理各类隐患，为国庆60周年创造良好稳定的水利安全生产环境。8月下旬到9月末，部直属各单位，各省（自治区、直辖市）水利（水务）厅（局），各计划单列市水利（水务）局，新疆生产建设兵团水利局组织本单位及辖区内水利行业所有生产经营单位开展全面自查并加强检查。9月中下旬，水利部派出由矫勇副部长带队的综合督察组和司局长带队的6个专业督查组对黄委、珠委、南京水利科学研究院、水利部在京直属单位、浙江、福建、江西、湖北、广西、陕西、甘肃等单位和地区国庆前安全生产工作进行了督查指导。

5. 水利安全生产隐患排查治理和督促检查　开展病险水库除险加固、违规小水电站清理整改、在建水利工程违规建设以及淤地坝、水文测报、勘测设计、危险物品存放等安全隐患的排查治理。加大病险水库、病险淤地坝等病险工程除险加固投入力度，加快解决工程安全隐患。组织开展隐患排查治理工作，加强监督检查，促进水利安全隐患的排查治理和整改落实。全国9250家水利企事业单位进行了安全生产隐患排查治理，共排查出一般隐患15566项，整改14876项，整改率95.6%，累计落实重大隐患治理资金1.7亿元。

6. 水利安全生产执法行动　以在建水利工程施工、水库水电站大坝安全运行、违规小水电站清理整顿等为重点，对违反水利建设安全生产准入条件、违反建设项目安全设施“三同时”规定、违反水利技术标准强制性条文规定、瞒报生产安全事故、无证上岗等行为，采取有力措施，依法依规进行了查处。据不完全统计，全国共开展水利安全生产执法行动5694起，查处违反安全生产市场准入条件从事水利工程建设、违反建设项目“三同时”规定、违规从事小水电建设等违法违规活动221起，完成了95%的违规水电站清查整改任务。（王甲）

【安全生产宣传教育与培训】

1. “安全生产月”活动　开展2009年水利系统“安全生产月”活动，在京举办了“水系民生、安全发展”安全生产专题汇报演出和水利安全生产工作图片展，深入建设工地组织水利安全生产巡回演出和水利安全生产主题摄影图片展，在新闻媒体上开辟水利安全生产专栏，举办了多期水利安全生产监督管理培训班，促进全员安全素质和安全意识的提高。全国共开展水利安全生产演讲、征文、知识竞赛、咨询、展览、论坛等活动2586次，举办安全生产培训班、知识讲座1532次，培训116348人，进行水利安全生产应急预案演练531次，参加演练人员达34403人。在"安全生产月"活动中，水利部获得了国家安监总局、中华全国总工会主办的"安全伴我行"全国安全生产演讲比赛优秀组织奖，水利部安全监督司被国家安监总局等6部委评为2009年"安全生产月"优秀单位。

2. 水利施工安全技术标准宣贯培训　为进一步提高安全生产监管人员的素质和履行职责能力，2009年5月举办水利施工安全技术标准宣贯培训班，对水利部2008年修订并颁布实施的《水利水电工程金属结构与机电设备安装安全技术规程》《水利水电工程施工通用安全技术规程》《水利水电工程土建施工安全技术规程》和《水利水电工程施工作业人员安全操作规程》等4个标准进行宣贯培训，共有256人参加了培训。

3. 水利安全生产监督管理培训　为进一步加强水利安全生产监督管理，提高水利安全生产监管人员的业务素质和监管水平，做好水利生产安全事故统计报告工作，于2009年11月举办了两期水利安全生产监督管理培训班，对流域机构、部直属单位和地方水行政主管部门安全生产监管人员进行安全生产监督管理基础知识培训，共有403人参加了培训。（王甲）

【生产安全事故】

1. 生产安全事故督导　对2009年水利行业先后发生的海南省博冯水库、江西省上饶县大碑水电站、湖南省浏阳市杨家潭水电站和黄委水文局黄河水文勘察测绘局等生产安全事故，及时派出督导组，加强督查和指导。针对事故所暴露出的问题，及时印发通知、通报，就进一步加强在建水利水电工程隧洞施工安全管理等重点施工现场、重点环节以及切实做好病险水库除险加固项目安全管理工作提出明确要求。同时，完善和规范水利安全生产信息和安全事故报送制度，印发水利部《关于完善水利行业生产安全事故统计快报和月报制度的通知》，建立安全生产联络员制度。

2. 2009年水利安全生产形势总体稳定　2009年水利行业共发生死亡事故32起、死亡人数43人，没有发生重特大安全事故，事故起数和死亡人数与2008年基本持平。2009年水利生产安全事故呈如下特点：一是水利工程建设安全事故比较突出，事故起数和死亡人数分别占到水利生产安全事故总数的80%和73%之多；二是农村水电安全事故比较突出，3起较大事故都发生在小水电站隧洞施工和维护环节；三是中小型水利水电工程安全事故比较突出，在统计的32起安全事故中，95%发生在中小型工程；四是低级失误导致的安全事故比较突出，有多起为混凝土搅拌机操作失误、施工触电等引发的安全事故。

（王甲　王瑞）

【水利建设项目稽察】　2009年，水利稽察工作紧紧围绕水利中心工作，坚持"检查、监督与帮助、指导并重"的原则，积极应对大规模水利建设新形势，以扩大内需新增中央水利投资项目和病险水库、大型灌区、枢纽及水源等民生水利工程为重点，以项目前期与设计、建设管理、计划下达与执行、资金使用与管理和工程质量等五个方面为主要内容，创新工作方式，狠抓项目稽察和专项稽察，通过及时反馈、督促整改，保障了大规模水利建设的健康有序开展。全年共派出稽察组76个，完成稽察项目309个，其中，常规稽察181个（病险水库项目91个、大型灌区改造项目60个、枢纽及水源工程30个），病险水库项目复查38个，专项稽察18个，专项检查59个，审计核查13个。稽察项目涉及28个省（自治区、直辖市）和新疆生产建设兵团，项目总投资232亿元。全年提交各类稽察报告326份，下发稽察整改意见通知237份，印发《水利稽察要情》6期。水利稽察有力地保障了水利工程安全、资金安全、干部安全和生产安全。经项目稽察和整改落实，地方配套资金比例显著上升，财务管理显著改善，项目进度明显加快，促进了水利建设管理水平的提高。

1. 项目稽察

（1）2008年第四季度中央新增水利投资项目专项稽察。2008年12月至2009年1月，组织8个稽察组，对河北、辽宁、福建、山东、河南、湖南、贵州和陕西等8省2008年第四季度中央新增水利投资项目前期工作进行专项稽察。及时摸清了各地在新增项目前期工作等方面存在的问题，有力地促进了中央扩大内需新增水利投资项目的及时启动、加快实施、早日见效。

（2）病险水库除险加固项目稽察。2009年3—4月和7月，分两批次组织28个稽察组，对26个省（自治区、直辖市）的91个病险水库除险加固项目进行了稽察，稽察项目涉及工程总投资17亿元。另外组织13个工作组，对审计署提出的存在工程质量隐患的13个病险水库除险加固项目进行了专项检查。

（3）枢纽及水源工程建设项目稽察。2009年5—6月，组织9个稽察组，对12个省（直辖市）的30个枢纽和水源工程建设项目进行了稽察，重点安排四川、重庆、贵州和云南等西南4省（直辖市）中型水库工程，兼顾部分国家重点枢纽水源工程，其中大型工程8个、中型工程22个，涉及工程总投资166

亿元。

（4）2008年中央水利投资过亿元县专项稽察。2009年5—6月，组织5个稽察组，对江西、河南、湖北、湖南、广西等5个省（自治区）的10个中央水利投资过亿元县水利建设项目实施和管理情况进行专项稽察。专项稽察涉及建设项目共9大类159项，涉及工程总投资32亿元。同时，针对县级水利工程建设管理薄弱的实际情况，现场开展政策咨询和技术指导，针对工程实施过程中存在的主要问题，研究提出改进工作的具体措施和建议，推动各项水利工程顺利实施。

（5）大型灌区续建配套和节水改造项目稽察和绩效评估。2009年8—9月，组织15个稽察组，对15个省（自治区）的60个大型灌区续建配套与节水改造工程2008—2009年度项目进行稽察。针对项目特点，在常规稽察内容外，增加了灌区改革、灌区管理稽察等相关内容。同时组织对其中骨干工程规划投资基本完成的10个灌区开展了绩效评估，全面了解规划实施情况，查找项目实施过程中存在的主要问题，提出政策性建议。

2. 项目复查

（1）病险水库除险加固项目复查。2009年对38个病险水库除险加固项目进行了复查。复查发现，稽察中提出的项目前期设计、建设管理、工程质量等方面问题整改较好，地方配套资金到位率低和用中央资金支付非主体工程费用等问题整改工作还需进一步加强。

（2）工程质量检测。为提高稽察工作的公正性和权威性，2009年在稽察中尝试运用工程质量检测手段，通过公开招标选定10家岩土混凝土类和金属结构类检测单位承担检测任务。2009年11月，组织6个稽察组，对稽察中发现存在质量问题的9个病险水库除险加固项目开展了复查和工程质量检测评价工作，重点对岩土或混凝土工程的实体质量进行检测评价，发现问题，及时处理，消除工程安全隐患。

3. 稽察整改“回头看”

根据每批次稽察结果，及时归纳总结存在的问题，认真分析问题产生原因，印发水利稽察要情，及时向相关业务司局反馈稽察中发现的普遍问题和突出问题，共同督促整改。对稽察中发现的问题比较严重的项目和省份，将稽察整改意见抄送相关省政府办公厅，借助政府监督整改。2009年12月，印发《关于开展稽察整改回头看工作通知》，部署稽察整改“回头看”工作，对2007—2009年稽察、复查过的水利建设项目整改落实情况进行全面的清理和检查，督促稽察整改意见的落实，进一步促进和提高稽察成效。

4. 全国水利稽察工作会议

2009年11月27—28日，第一次全国水利稽察工作会议在海口市召开。水利部副部长矫勇出席会议并讲话。会议全面总结回顾了10年来水利稽察工作取得的成绩和经验，对稽察发现的主要问题和整改情况进行了归纳分析，研究部署新形势下加强水利稽察工作、促进水利建设项目管理的有效途径和措施。会议突出强调要进一步加强稽察整改工作，以稽察整改促进项目建设管理水平的提高。 （何兰超　刘岩）

【稽察队伍建设与业务培训】

1. 稽察队伍建设　2009年增补稽察特派员3人，调整特派员助理8人，形成了一支由18名稽察特派员、16名稽察特派员助理、123名专家组成的稽察队伍，保证了2009年水利稽察任务的顺利完成。

2. 稽察业务培训　2009年3月在京召开年度稽察培训动员会，布置年度稽察工作任务，对新任稽察特派员、稽察专家和特派员助理进行上岗前培训；8月在辽宁举办由全体稽察特派员、稽察专家和特派员助理参加的稽察工作培训，邀请国家发改委重大项目稽察办领导和部内有关业务司局领导为稽察人员授课；结合项目稽察任务，开展多期业务交流活动，提高稽察人员的政治素质、业务水平和工作能力。

（何兰超）

【稽察绩效调研】　对10年来的稽察工作进行回顾、总结和分析，并组织3个调研组，分别到长江委、黄委和河北、山西、吉林、辽宁、湖南、湖北等6个省开展稽察绩效调研，全面总结10年来水利稽察工作取得的成绩和经验，深入查找水利稽察工作中存在的问题和不足，分析原因，提出进一步提高水利稽察工作绩效的措施和建议。还分别到国家发改委稽察办、住房和城乡建设部稽察办、国务院南水北调工程建设委员会办公室监督司等单位，学习借鉴有关部门开展稽察工作的经验，听取各方对水利稽察工作的意见和建议。 （何兰超）

【安全监督制度建设】

1. 安全生产制度建设

（1）研究制定《小型水库安全管理办法》。为加强小型水库安全管理，确保工程安全运行，保障人民生命财产安全，对部分地区小型水库安全管理现状和在建水利工程安全生产管理状况进行调研，组织编制了《小型水库安全管理办法》，对小型水库安全责任、安全制度、安全措施、安全监督管理和应急管理与处置作出了规定。并以召开研讨会、书面征求意见等方式多次征求部机关各司局、部直属各单位、各省（自治区、直辖市）意见，已完成报批稿。

（2）研究制定《水利工程建设安全生产监督管理规定》。为进一步加强水利工程建设安全生产监督管理工作，组织起草了《水利工程建设安全生产监督管理规定》，明确流域机构、地方水行政主管部门、各级水利工程质量安全监督机构的工作职责、监督管理内容和具体要求。多次召开研讨会，征求各流域机构、部分省水利工程建设安全生产监督管理负责人和有关专家的意见，已完成征求意见稿。

(3) 研究建立水利安全生产目标责任体系。为研究建立水利安全生产目标责任体系，制定考核标准、安全奖惩和责任追究制度，通过开展相关调研，组织制定了水利安全生产目标责任体系。经多次召开研讨会，征求各流域机构、部分省水利工程建设安全生产监督管理负责同志和有关专家的意见，已完成《水利安全生产目标责任体系》研究报告。

(4) 修订《水利水电工程劳动安全与工业卫生设计规范》。根据住房和城乡建设部《关于印发2008年工程建设标准规范制订、修订计划（第二批）的通知》（建标〔2008〕105号）和水利部技术标准编制工作计划，完成了《水利水电工程劳动安全与工业卫生设计规范》修订送审稿。

(5) 建立水利安全生产专家库。为充分发挥水利专家在水利安全生产法规制度建设、重特大事故调查、水利安全生产监督检查、重大问题专题调研和宣传教育中的支撑作用，印发《关于建立水利安全生产专家库的通知》，请各地各单位推荐水利工程建设施工、运行管理、农村水电、水文测验、勘察设计等方面的专家。已完成推荐专家审核工作，水利安全生产专家库基本建立。

2. 水利稽察制度建设

为进一步规范稽察工作，对1999年颁布的《水利基本建设项目稽察暂行办法》（水利部令第11号）开展修订工作，对原办法中在稽察体制机制、工作范围、工作手段和督促整改措施等方面与当前的实际情况不适应的规定进行了修改，完成了修订初稿；为规范稽察人员的选聘、管理、奖惩，规范稽察人员行为，强化稽察纪律，组织起草了《水利部稽察人员选聘和管理办法》。引入检测技术手段，制订了稽察检测程序，进一步保证稽察工作的公正性和权威性。组织对10年来的稽察工作成果进行系统整理和研究，对稽察发现的问题归类整理，分析问题产生的原因，提出了关于完善水利稽察工作体制机制的建议。

（王甲　何兰超）

水利信息化

【综合管理】

一、行业管理

1.《水利信息化建设管理办法》修订工作　《水利部信息化建设管理暂行办法》（水办〔2003〕369号）颁布施行以来，对规范水利部信息化的建设和管理起到了重要作用。2009年12月，管理办法修订稿已经过有关司局会签，并报送部领导，下一步将根据部领导意见进行完善，尽快颁布实施。

2. 水利信息资源开发利用及共享的机制研究工作　“水利信息化资源整合与共享专题调研”被列为水利部2009年度19个重点调研课题之一，已完成有关流域和省、市的调研，正对调研情况进行汇总分析，将尽快完成调研报告的编制和上报。

3. 全国水利信息化工作会议　2009年4月18—19日，全国水利信息化工作会议在上海召开，陈雷部长出席会议并作重要讲话，工业和信息化部杨学山副部长作专题报告，上海市沈骏副市长发表致辞，胡四一副部长作会议总结。陈雷部长充分肯定了近年来水利信息化建设取得的重大进展，明确了水利信息化的总体要求和今后3～5年水利信息化发展的总体目标，强调了要全力推进水利信息化重点工程建设，提出了水利信息化建设的保障措施。这次会议是水利信息化发展史上一次非常重要的会议，标志着水利信息化进入了一个新的发展阶段。

4. 全国水利信息中心（信息办）主任座谈会　2009年7月4日，全国水利信息中心（信息办）主任座谈会在安徽蚌埠召开。会议认真学习领会了陈雷部长和胡四一副部长在2009年全国水利信息化工作会议上的讲话精神，研讨了全面推进水利信息化工作的举措，并就贯彻落实陈雷部长、胡四一副部长的讲话精神进行了部署。水利部信息办蔡阳主任出席会议并作了题为《深入贯彻落实全国水利信息化工作会议精神　开创水利信息化工作新局面》的讲话。会议还对水利部节点水利信息化共享资源（第一批）进行了整理和研究。

5. 水利信息化发展“十二五”规划编制工作　2009年10月16—17日，水利信息化发展“十二五”规划专题研讨会在湖南省长沙市召开。会议的主要任务是贯彻落实全国水利信息化工作会议精神，总结水利信息化“十一五”工作成果，分析存在的问题，交流水利信息化资源整合经验，研讨水利信息化“十二五”规划编制工作。根据水利部的统一安排，部信息办组织编写了规划编制工作大纲，并于2009年12月3日通过了水利部的审查。目前正按照通过的规划编制工作大纲，开展规划的编制工作。

6. 水利信息化八大重要工程建设基本技术要求编制工作　2009年4月，水利部印发《水利数据中心建设指导意见》和《水利数据中心建设基本技术要求》（水文〔2009〕192号），指导各流域和地方水利数据中心建设有序开展；2009年5月，编制完成《省级防汛抗旱指挥系统建设基本技术要求》征求意见稿，向各流域、地方水利信息中心、防办征求意见；关于《水利电子政务基本建设要求》和《水利网络与信息安全体系建设基本技术要求》的咨询会于

2008年3月在北京召开，2009年4月完成征求意见，并在全国水利信息化工作会议上下发征求意见；《全国水土保持监测网络与管理信息系统基本技术要求》已完成审查，正在报批过程中；《全国水库移民后期扶持管理信息系统基本技术要求》已完成专家咨询，正在完善修改，准备审查；《中国农村水利管理信息系统基本技术要求》正在编制中。

7. 水利信息化顶层设计编制工作　2008年，水利部信息办正式启动了水利信息化顶层设计工作。2009年3月，在北京组织召开首次《水利信息化顶层设计》咨询会，会后，组织编制组对专家意见进行详细整理，充分吸纳，4月，完成《水利信息化顶层设计（征求意见稿）》并在全国水利信息化工作会议上下发征求意见；12月，水利部在北京组织召开了《水利信息化顶层设计（送审稿）》评审会，水利部汪洪总工程师主持了会议。会议认为，水利信息化顶层设计工作是一项具有开创性的工作，对解决水利信息化建设过程中的全局性、系统性问题意义重大，对统一技术架构、强化资源整合、促进信息共享、保障良性运行等十分必要。《水利信息化顶层设计》的颁布必将对水利信息化建设具有重要的指导作用。一致同意通过评审。

8.《水利信息系统运行维护定额标准（试行）》2009年4月15日，周英副部长主持召开部长专题办公会，审议通过了《水利信息系统运行维护定额标准》。2009年10月《水利信息系统运行维护定额标准》已正式印发。

9. 水利部信息化资源共享目录（一）编制整理工作　2009年，为进一步贯彻落实水利部2008年《关于水利信息化资源整合共享的指导意见》，水利部水利信息中心开展了水利部节点信息化资源共享目录调研、编制工作，共整理了包括基础设施、应用系统、数据资源等在内的信息化资源20多项。

10.《2008年度中国水利信息化发展报告》2009年，为全面分析和总结2008年水利信息化领域状况发展，组织完成了《2008年度中国水利信息化发展报告》调查、编写和出版工作。

二、项目建设

1. 水利电子政务　基本完成水利电子政务综合应用平台项目建设任务。完成公用平台信息交换大文本传输和监控功能的完善以及部机关和七个流域的系统更新；完成部机关腾讯通RTX软件的扩容升级；完成综合办公系统部分功能的完善；完成规划计划业务管理系统、国际合作与科技业务管理系统的遗留问题的修改和功能完善，并组织进行了“1+7”统一终验，正式投入运行；完成人事劳动教育业务管理系统后续追加任务的开发，正在进行联调测试和系统更新；完成信访信息管理系统与国家信访局信访系统的接口开发，实现了系统对接和信息共享。

启动水利业务协同及内外网信息交换系统建设项目，将基于水利电子政务综合应用平台项目搭建的软硬件环境和公用平台，依托水利政务内网和政务外网，构建政务公开、网上监察和协同办公三类应用，配套建设政务信息显示系统、改造政务会商系统，完善综合应用平台建设成果。目前已完成项目实施单项工程划分，正在进一步明确需求，进行任务委托和合同签署工作。

2. 水利电子政务内网安全系统　组织完成水利部电子政务内网的安全保密改造工程，已向国家保密局提交了测评申请报告，国家保密局测评中心正在安排对水利部政务内网进行机密级安全保密评估。

3. 国家自然资源和地理空间信息库项目　实现了水利电子政务外网与国家电子政务外网的联通，为信息的交换、汇集与服务提供了通道。2009年12月，各项工作进展顺利。部信息办与各流域机构、地方水文、水利部门充分沟通，水文、水质数据库委托各流域机构和地方水利水文部门完成，完成了合同签订任务，各地正开展建设，进展顺利。

4. 水利部应急平台技术研发与示范项目　根据国务院应急办的统一要求，水利部水利信息中心完成水利部应急平台技术研发与示范项目的信息资源整合、应急方案的实施等工作，实现与国务院应急平台的互连互通，完成了项目自评估报告的上报，将按照国务院应急办的统一安排进行验收。

5. “863”项目“面向水利信息化的高性能计算与网格应用”　2009年8月7日，国家“863”网格专家组召开现场检查会，对水利部水利信息中心牵头的国家“863”课题“面向水利信息化的高性能计算与网格应用”进行中期检查，对课题各参与单位一年来取得的进展及本项目结合水利行业实际需求开展研究和应用的思路给予充分肯定。

6. 水利信息资源和基础地理空间信息库　确定了实施方式；完成了水文、水质数据库委托建设任务和43个合同的签订任务，各承建单位正在开展建设；完成了资源目录和数据库维护系统项目的合同签订，其余信息库委托资源所有单位进行建设，整个项目进展顺利。

7. 中国东中部地区1∶5万水利基础电子地图项目　完成《东中部1∶5万水利基础电子地图》立项工作。召开视频会议，举办项目有关的培训班，实施工作进展顺利。根据保密要求，专题图层委托各流域机构信息中心完成，公共图层和软件通过竞争性谈判，确定了承建商。

三、水利信息化前期和标准工作

1. 水利数据中心建设规划　2009年10月，水利部成立了由水利信息中心和七个流域机构人员组成的编制组，开展规划编制工作。11月上旬，完成初稿编制并组织召开《水利数据中心建设规划》咨询会。

会上，专家对编制组的工作给予充分肯定，认为规划的编制将有利地促进水利数据中心的立项和建设。会后，编制组根据专家和代表提出的意见进行修改完善，将尽快完成规划的编制和审查。

2. 水利信息化标准　颁布《水利信息网网络管理规程》《水土保持监测站编码》《人才管理数据库数据字典》等 3 项行业标准；完成 4 项标准的专家审查；开展《水利系统政务信息编码规则与代码》标准的修订工作；配合国科司完成水利技术标准体系修订工作，新体系中，水利信息化作为单独门类被列入，水利信息化专业门类下共 82 项标准；完成水利信息化目前 20 个在编标准进展情况的调查工作；召开 2009 年全国水文（水利信息化）标准化工作座谈会；举办网络维护标准的贯标培训。（黄藏青）

建 设 管 理

Construction Administration

建设管理　　135～195 页

规划勘测设计

【前期工作】 2009年，中央安排水利前期工作投资共计4.3215亿元，其中：规划编制2.052亿元，项目前期工作1.0839亿元，专题研究0.4863亿元，基础工作0.6993亿元。2009年中央水利前期工作投资与2008年基本持平。

2009年中央水利前期工作投资项目130项，其中：规划项目57项，项目前期工作18项，专题研究20项，基础工作35项。全年水利前期工作投资重点安排流域综合规划修编、大江大河重点支流规划、水资源综合规划、全国水利发展“十二五”规划编制工作，共计安排投资1.3829亿元，占总投资规模的32.0%，有力地保证了重点规划项目的顺利开展。

2009年淮河流域防洪规划、全国蓄滞洪区建设与管理规划、全国大型水库建设规划（2008—2012年）等一批专项规划已经国务院、国家发改委批复，全国大型灌溉排水泵站更新改造规划已报国家发改委审批；金沙江干流综合规划、嘉陵江流域综合规划、汉江流域综合规划、黄河下游滩区安全建设规划、珠江河口综合治理规划、敦煌水资源合理利用与生态保护综合规划、省际重点水事矛盾敏感地区水利规划等一批重要的水利规划已编制完成，正在抓紧审查或报批；水利部会同国家发改委对全国及流域水资源综合规划进行了审查，并征求了各有关部门和全国31个省（自治区、直辖市）人民政府意见，修改完善后已经全国水资源综合规划编制工作领导小组审议并原则通过该规划；东部地区重点小型病险水库除险加固规划、全国重点地区中小河流近期治理建设规划、全国血吸虫病综合治理水利专项规划（2010—2015年）、全国大中型病险水闸除险加固专项规划等一批专项规划也已编制完成；流域综合规划修编工作取得重要成果，长江、黄河、辽河、海河4个流域综合规划成果已报水利部，辽河、长江、黄河流域综合规划已完成预审工作；全面开展了全国水利发展“十二五”规划编制工作，提出了规划思路，印发了规划编制总体方案；启动了14项重大课题研究和23项专项规划编制，完成了规划重大研究课题中水利相关专题研究和水利发展“十一五”规划中期评估；洞庭湖区、鄱阳湖、赤水河、拒马河、韩江、绰尔河等大江大河重要支流综合规划逐步开展；全国抗旱规划、保障国家粮食安全水资源保护和开发利用规划、全国主要河湖生态保护与修复规划、全国主要河湖水生态保护规划、国家粮食安全中长期规划纲要水利专项规划等一批事关水利发展的重点专项规划正在抓紧编制。

重点开展治淮工程、太湖水环境及洞庭湖治理、南水北调西线工程的前期工作。进一步推进治淮新3项等重点项目前期工作，入江水道整治、分淮入沂整治、洪泽湖大堤加固、安徽西淝河洼地治理应急工程可行性研究及出山店水库项目建议书审查意见已报送国家发改委，淮干蚌埠—浮山段行蓄洪区调整等项目可行性研究和前坪水库项目建议书已进行了审查或预审；走马塘拓浚延伸工程初步设计已经江苏省批复，望亭水利枢纽初步设计已完成审查，东太湖综合整治工程、太湖流域水资源监控及保护预警系统可行性研究已报国家发改委待批，望虞河西岸控制工程、新沟河延伸拓浚工程、平塘湖拓浚延伸工程、太嘉河工程、环湖河道整治工程、太湖污染底泥疏浚试验工程等项目的可行性研究及新孟河规模与河线方案论证已完成审查，太浦闸除险加固工程正在编制可行性研究报告；继续开展南水北调西线一、二期工程水源合并方案研究，进一步论证调水量，进行项目建议书报告及专题成果的补充完善。

继续加快“十一五”重点水利建设项目前期工作，大藤峡、黔中、古贤、涔天河、峡江、小中甸、涪溪口、肯斯瓦特、观音阁、金塘冲、小井沟、塔林西、锦凌、红岭、乐滩、青山、河口村等水库枢纽工程前期工作正抓紧进行；江西省五河重点段防洪应急整治工程、滁河防洪治理近期工程、荆江大堤综合整治工程、黄河内蒙古河段近期防洪工程、黄河宁夏河段近期防洪工程建设、独流减河治理工程、永定新河治理二期工程等堤防和河道整治工程也在积极进行中；水资源配置工程重点推进了牛栏江—滇池补水工程、都江堰灌区毗河供水一期工程、引汉济渭工程、吉林省中部城市引松供水工程、引大济湟调水总干渠工程、双永供水工程等前期工作；晋陕蒙础砂岩区窟野河流域沙棘生态减沙工程、丹江口库区及上游水土保持湿地恢复与保护项目等生态环境工程，以及长江流域重点区域水资源质量监控能力建设、黄河中游多沙粗砂区孤山川等重点支流水土保持监测、新疆塔里木河流域水量调度远程监控系统、黄河省界及重点控制断面水资源质量自动监测站建设等水文和信息化工程也在加紧开展。

组织开展的区域水利发展专题研究、与水有关的生态补偿机制研究、延长水利建设基金征收期限研究、中国水资源环境经济核算体系研究等主要专题研究工作进展顺利，已提出了相关研究成果；长江杨家垴至湖口河段泥沙观测、以长江三峡为核心的梯级水库群调度研究、黄河三门峡水库运行方式调整补偿方案研究、黄河黑山峡开发论证等重大专题研究工作也取得阶段性研究成果；洪水风险图研究、中国水图研究、长江中下游河道水下地形测量等基础工作也在积极开展。

2009年全国具有水利行业甲、乙级设计资质的单位共有352家，其中甲级单位70家，乙级单位

282家，职工总人数7万多人。据2009年水利部直属单位、流域机构及省（自治区、直辖市）水利厅（局）直属（控股）的40家甲级勘察设计单位资料统计，现有职工总人数27075人，其中工程技术人员18241人，占总人数的67%；高级工程师以上职称人员总数7320人，占技术人员的40%；年末生产人员总数22817人，占总人数的84%；注册人员总数5437人，占工程技术人员的30%；各单位勘察设计项目收入占总收入的79%，其中，水利主管部门下达的勘察设计项目占20%，市场项目占80%。

2009年承担的勘察设计项目主要有：牛栏江—滇池补水工程规划、全国大型灌溉排水泵站更新改造规划等一批规划项目，另外，还承担了南水北调东线工程、南水北调中线工程、治淮工程、广西乐滩水库引水灌区工程、青海省引大济湟调水工程、海南省万泉河红岭水利枢纽工程、辽宁省观音阁水库输水工程等一批跨流域调水和流域控制性水利枢纽工程的勘察设计工作。据水利部直属单位、流域机构及省（自治区、直辖市）水利（局）直属（控股）的40家甲级勘察设计单位资料统计，2009年共完成地质2518521定额工日，钻探682658标准米，平硐31372标准米，竖井33905标准米，坑槽235194标准立方米，工程测量39430标准平方公里，物探729053标准点。

（张永　高音）

【技术审查】 2009年，水利部水利水电规划设计总院（以下简称水规总院）完成的主要技术审查项目如下。

一、长江流域

（一）办部文批复的项目

（1）安徽省安庆市花凉亭水库除险加固工程初步设计报告。

（2）丹江口库区及上游水土保持监测项目初步设计报告。

（3）河南省鸭河口水库除险加固工程初步设计报告。

（4）嘉陵江亭子口水利枢纽初步设计报告。

（5）西藏旁多水利枢纽工程初步设计报告。

（6）四川省渠江广安段防洪二期工程可行性研究报告。

（二）提出技术审查意见的项目

1. 规划

（1）牛栏江—滇池补水工程规划报告。

（2）长江干流河道采砂管理能力建设规划报告（2009—2013年）。

（3）毕节地区水利重点扶持对口支援实施规划。

（4）贵州省铜仁地区乌江中下游大型灌区续建配套与节水改造工程规划报告（修编）。

（5）湖南省潇水涔天河水库扩建工程灌区规划报告。

（6）湖南省怀化市㵲水灌区续建配套和节水改造规划报告。

2. 项目建议书

（1）四川省都江堰灌区毗河供水一期工程项目建议书。

（2）湖南省潇水涔天河水库扩建工程项目建议书。

（3）牛栏江—滇池补水工程项目建议书。

（4）湖南省金塘冲水库项目建议书。

3. 可行性研究

（1）江西省五河重点段防洪应急整治工程可行性研究报告。

（2）江西省鄱阳湖区二期防洪工程第六个单项除险加固可行性研究总报告。

（3）滁河防洪治理近期工程可行性研究报告。

（4）洞庭湖区钱粮湖、共双茶、大通湖东垸三垸蓄洪工程安全建设可行性研究报告。

（5）长江中下游宜昌—大通河段水文测报工程可行性研究报告。

（6）荆江大堤综合整治工程可行性研究报告。

（7）长江荆江河段河势控制应急工程湖北段2009年度实施项目可行性研究报告。

（8）长江南京新济洲河段河道整治工程可行性研究报告。

（9）荆江河段河势控制应急工程湖南段2009年度实施项目可行性研究报告。

（10）江西省峡江水利枢纽工程可行性研究报告。

（11）江西省浯溪口水利枢纽工程可行性研究报告。

（12）云南省迪庆州硕多岗河小中甸水利枢纽工程可行性研究报告。

（13）四川省自贡市小井沟水利工程可行性研究报告。

（14）丹江口库区及上游水土保持湿地恢复与保护项目可行性研究报告。

（15）长江流域重点区域水资源质量监控能力建设可行性研究报告。

（16）长江科学院九万方科研基地给排水及道路改造工程可行性研究报告（代项目建议书）。

（17）长江科学院九万方科研基地网络通信改造及电力增容项目可行性研究报告（代项目建议书）。

4. 初步设计

（1）贵州省铜仁地区松桃道塘水库灌溉工程修改概算书。

（2）安徽省大型泵站更新改造项目初步设计概算复核。

（3）重庆市大型泵站更新改造项目初步设计概算复核。

（4）江西省大型泵站更新改造工程初步设计概算复核。

（5）四川省大型泵站更新改造工程（遂宁市佛爷岩灌区泵站除外）初步设计概算复核。

（6）四川省遂宁市佛爷岩灌区泵站更新改造初步设计概算复核。

（7）四川武都引水第二期工程武都水库工程修改概算。

二、黄河流域

（一）办部文批复的项目

（1）黄河三门峡库区辛店应急防冲工程初步设计。

（2）晋陕蒙础砂岩区窟野河流域沙棘生态减沙工程初步设计核定概算。

（3）晋陕蒙础砂岩区窟野河流域沙棘生态减沙工程初步设计报告。

（4）黄河中游多沙粗砂区孤山川等重点支流水土保持监测初步设计报告。

（二）提出技术审查意见项目

1. 规划

敦煌水资源合理利用与生态保护综合规划。

2. 项目建议书

（1）新疆叶尔羌河阿尔塔什水利枢纽工程项目建议书。

（2）陕西省引汉济渭工程项目建议书。

3. 可行性研究

（1）新疆塔里木河流域水量调度远程监控系统可行性研究报告。

（2）黄河水量调度管理系统可行性研究报告。

（3）甘肃省靖远县双永供水工程可行性研究报告。

（4）甘肃省引大入秦工程供水结构优化调整方案修编报告。

（5）黄河内蒙古河段近期防洪工程建设可行性研究报告。

（6）金堤河干流二期治理工程可行性研究报告。

（7）黄河宁夏河段近期防洪工程建设可行性研究报告。

（8）新疆玛纳斯河肯斯瓦特水利枢纽工程可行性研究报告。

（9）青海省引大济湟工程调水总干渠可行性研究报告。

（10）沁河河口村水库工程可行性研究报告。

（11）黄河省界及重点控制断面水资源质量自动监测站建设可行性研究报告。

（12）晋陕蒙础砂岩区十大孔兑沙棘生态减沙工程可行性研究报告。

（13）黄河中学教学危房拆建工程可行性研究报告（代项目建议书）。

（14）山东黄河河务局基层单位饮水工程可行性研究报告（代项目建议书）。

（15）黄河小北干流山西、陕西河务局基层单位饮水工程可行性研究报告（代项目建议书）。

（16）河南黄河河务局基层单位饮水工程可行性研究报告（代项目建议书）。

（17）黄河水利科学研究院水利部堤防安全与病害防治实验室建设项目可行性研究报告（代项目建议书）。

4. 初步设计

（1）新疆玛纳斯河肯斯瓦特水利枢纽工程初步设计报告。

（2）甘肃省大型泵站更新改造项目初步设计概算复核。

（3）山西省大型泵站更新改造项目初步设计概算复核。

（4）陕西省大型泵站更新改造工程初步设计概算复核。

（5）新疆下坂地水利枢纽工程修改概算编制大纲。

三、淮河流域

（一）办部文批复的项目

（1）淮河干流上中游河道整治及堤防加固工程补充初步设计报告。

（2）沂沭泗河洪水东调南下续建工程韩庄运河、中运河及骆马湖堤防工程中运河张楼段河道扩挖工程变更设计报告。

（3）河南省宿鸭湖水库除险加固工程初步设计报告。

（二）提出技术审查意见项目

1. 规划

淮河流域重点平原洼地除涝规划报告。

2. 可行性研究

（1）分淮入沂整治工程可行性研究报告。

（2）洪泽湖大堤除险加固工程可行性研究报告。

（3）安徽省淮河流域西淝河等沿淮洼地治理应急工程可行性研究报告。

（4）淮河流域淮河水系省界及重点水资源质量自动监测站建设可行性研究报告。

（5）沂沭泗局计算机网络系统及供电供热工程可行性研究报告（代项目建议书）。

四、海河流域

（一）办部文批复的项目

（1）海河下游直属防洪堤防除险加固工程初步设计报告。

（2）2009年海河口清淤应急工程初步设计报告。

（3）漳河上游治理水事纠纷遗留工程初步设计报告。

（4）岳城水库除险加固工程初步设计核定概算。

(5) 岳城水库除险加固工程初步设计报告。

(6) 官厅水库塌岸治理工程初步设计核定概算。

(7) 官厅水库塌岸治理工程初步设计报告。

(二) 提出技术审查意见项目

1. 规划

永定新河河口综合整治规划治导线调整报告。

2. 可行性研究

(1) 独流减河治理工程可行性研究报告。

(2) 永定新河治理二期工程可行性研究报告。

(3) 永定河左堤(泛区段)堤防加固工程可行性研究报告。

(4) 潘家口、大黑汀水库水源地水资源实时监测项目可行性研究报告。

3. 初步设计

(1) 岳城水库除险加固工程初步设计报告。

(2) 官厅、密云水库上游水土保持监测系统总体设计报告。

五、珠江流域

(一) 提出技术审查意见项目

1. 规划

海南省万泉河红岭灌区工程规划报告。

2. 项目建议书

(1) 大藤峡水利枢纽工程项目建议书。

(2) 海南省红岭灌区工程项目建议书。

3. 可行性研究

(1) 黔中水利枢纽一期工程可行性研究报告。

(2) 海南省万泉河红岭水利枢纽工程可行性研究报告。

(3) 广西桂中治旱乐滩水库引水灌区一期工程可行性研究报告。

(4) 珠江骨干水库统一调度管理信息系统可行性研究报告(代项目建议书)。

4. 初步设计

百色水利枢纽云南库区剥隘镇四、七、九片区滑坡应急抢险工程实施方案。

六、松花江、辽河流域

(一) 办部文批复的项目

吉林省老龙口水利枢纽工程修改概算报告。

(二) 提出技术审查意见项目

1. 规划

(1) 吉林省舒兰市舒东灌区续建配套与节水改造工程规划报告。

(2) 吉林省扶余灌区续建配套与节水改造规划报告。

(3) 哈达山水利枢纽主要配套工程松原灌区规划报告。

2. 项目建议书

(1) 塔林西水利枢纽工程项目建议书。

(2) 辽宁省观音阁水库输水工程项目建议书。

3. 可行性研究

(1) 辽宁省葫芦岛市青山水库工程可行性研究报告。

(2) 吉林省中部城市引松供水工程可行性研究报告。

七、太湖流域

(一) 办部文批复的项目

太湖流域扩大拦路港、疏浚泖河、斜塘二期工程初步设计报告。

(二) 提出技术审查意见项目

1. 可行性研究

(1) 东太湖综合整治工程可行性研究报告。

(2) 太湖污染底泥疏浚试验工程可行性研究报告。

(3) 太湖流域水资源监控与保护预警系统可行性研究报告。

2. 初步设计

走马塘拓浚延伸工程初步设计报告。 (高音)

【水利规划】 2009 年,水规总院按照水利部的要求,积极推进承担的水利规划编制工作,全国水资源综合规划、流域综合规划修编、全国蓄滞洪区建设与管理规划以及全国重点中小河流近期治理规划等已编制完成,部分规划已获主管部门批复。

1. 全国水资源综合规划 修改完善《全国水资源规划报告》,形成送审稿,于 2009 年 5 月通过国家发改委、水利部在京召开的全国水资源综合规划专家审查会,审查会议认为,规划提出了新时期我国水资源可持续利用的总体战略,对于全面建设节水型社会、合理配置和有效保护水资源,着力解决新时期我国水资源面临的突出问题,促进经济社会与资源环境协调发展,以水资源的可持续利用,支撑经济社会可持续发展具有十分重要的意义。在此基础上,规划征求了各省(自治区)和有关部门意见,进行成果协调,对报告进一步修改。2009 年 12 月,通过了国家发改委、水利部、国土资源部、环境保护部、住房和城乡建设部、农业部、国家林业局、中国气象局 8 部委组成的领导小组会议审议。

2. 流域综合规划修编 按照流域综合规划修编的目标要求,2009 年是流域综合规划修编的关键之年,针对流域治理开发与保护中的关键问题,全面加强了规划修编的跟踪指导和全过程管理。全国七大流域综合规划修编基本完成,提出了总体规划、各专业规划、干流及重点支流、湖泊的规划等重要成果,完成了规划报告编写,进入成果审查和完善阶段。2009 年 8 月以来,先后完成了长江、黄河、海河、辽河流域综合规划的预审工作。流域综合规划修编专项规划“全国地下水利用与保护规划”和“全国重点河段(湖泊)岸线利用管理规划”全面开展,提出了规划相关成果，完成了规划报告编写和技术层面协调，进入成果审查阶段。

3. 全国蓄滞洪区建设与管理规划　完成了规划报告修改调整和报批工作，2009 年 11 月规划得到国务院正式批复。规划提出用 10 年左右的时间，基本完成使用频繁、洪水风险较高、防洪作用突出的蓄滞洪区建设任务，并初步建立较为完善的蓄滞洪区管理体制、制度和运行机制，实现洪水“分得进、蓄得住、退得出”，用 20 年左右的时间，建成较为完备的蓄滞洪区防洪工程和安全设施体系，建立较为完善的蓄滞洪区管理体制、制度和运行机制。规划对指导今后一个时期内蓄滞洪区建设与管理工作，着力解决流域整体防洪安全、蓄滞洪区内民生问题具有十分重要的意义。

4. 全国重点地区中小河流近期治理建设规划　提出中小河流建设重点，完成了主要建设项目筛选和投资估算，在成果汇总复核与平衡协调基础上，编制完成了《全国重点地区中小河流近期治理建设规划》（送审稿），并通过了水利部组织的专家审查。在进一步对规划报告修改完善的基础上，正式上报并由水利部和财政部批复，目前已下发各省（自治区、直辖市）实施。（刘小勇）

【重点工程审查】

1. 走马塘拓浚延伸工程初步设计报告审查　走马塘拓浚延伸工程是国务院批复的《太湖流域水环境综合整治总体方案》中确定的治理工程项目。工程位于太湖流域江苏省境内的武澄锡虞区，主要包括河道拓浚延伸、张家港枢纽和江边枢纽等。

走马塘拓浚延伸工程自京杭运河经伯渎港、锡北运河，与张家港立交后经七干河入长江，拓浚开挖河道全长 66.51km（其中拓浚段 30.55km，平地开河段 35.96km），设计流量 6.2～95.2m³/s。张家港枢纽由立交地涵、节制闸、退水闸及泵站组成，立交地涵和泵站设计流量为 50m³/s。江边枢纽由节制闸、船闸和鱼道组成，节制闸设计流量为 95.2m³/s，船闸按通过 300t 船舶、Ⅴ级船闸通航标准设计。另外对工程沿线两侧 251 个支河口门中的 147 个进行封堵或控制。新建、重建或保留跨河桥梁 68 座。对受工程影响的水系等进行影响处理及补偿。工程实施后，结合望虞河西岸控制工程，可有效缓解“引江济太”与地区排涝、调水的矛盾，提高“引江济太”的效率，改善太湖水环境，并可兼顾提高流域和区域防洪除涝能力，具有较好的经济、社会和环境效益。

江苏省水利厅组织江苏省太湖水利规划设计研究院有限公司、上海勘测设计研究院和江苏省水利勘测设计研究院有限公司编制完成了《走马塘拓浚延伸工程初步设计报告》，2009 年 2 月 17—20 日，水规总院会同太湖流域管理局在北京召开会议对初步设计报告进行了审查，并以水总规〔2009〕501 号文将审查意见上报水利部。该工程施工总工期为 36 个月。按 2008 年第四季度价格水平，工程静态总投资为 258712 万元，总投资为 258712 万元。

2. 永定新河治理二期工程可行性研究报告审查　永定新河是海河流域北系永定河、北运河、潮白河、蓟运河等河洪水的入海通道，位于天津市北部。根据海河流域防洪规划，永定新河防洪标准应为 100 年一遇。因受潮汐水流倒灌影响，永定新河淤积严重，泄洪能力下降，不能满足两岸防洪保护要求。自 2005 年开始实施的永定新河一期治理工程可使河道行洪能力恢复到 20 年一遇，通过实施永定新河二期治理和达标建设，使永定新河达到 100 年一遇的防洪标准。

永定新河治理二期工程的治理范围为屈家店至河口段，治理河道长度为 66km，治理标准按屈家店—机场排水河口（桩号 0＋000～19＋470）段流量为 1400m³/s、机场排水河口—北京排污河口（桩号 19＋470～26＋000）段流量为 1420m³/s、北京排污河口—潮白新河口（桩号 26＋000～54＋500）段流量为 1640m³/s、潮白新河口以下段流量为 4640m³/s。

永定新河二期工程主要任务是河道清淤扩挖、加高加固堤防、穿堤建筑物处理及生产桥、堤顶防汛道路建设。计划在已实施的一期治理工程基础上，继续实施河道清淤工程，清淤长度为 40km，并拆除 53＋000 处现有挡潮埝；堤防复堤 55.988km（其中左堤 46.988km、右堤 9km），右堤 13.9km 堤防充填灌浆、6km 堤防防渗处理，左堤护砌 2.03km 堤防；处理穿堤建筑物 91 处，其中维修加固 33 座、拆除重建 37 座、封堵 21 座；拆除重建两座漫水生产桥；堤顶道路硬化长 92.8km。

天津市水利局以津水报〔2009〕5 号文将中水北方勘测设计研究有限责任公司编制完成的《永定新河治理二期工程可行性研究报告》上报水利部。水规总院于 2009 年 3 月 25—27 日在北京召开会议对可行性研究报告进行了审查，并以水总规〔2009〕687 号文将审查意见上报水利部。该工程施工总工期为 36 个月。按 2009 年第一季度价格水平，工程静态总投资为 104695 万元，总投资为 104695 万元。（蒋肖）

3. 分淮入沂整治工程可行性研究报告审查　分淮入沂工程是淮河下游防洪工程体系的重要组成部分，是洪泽湖的排洪通道之一，与入海水道、入江水道、苏北灌溉总渠、废黄河等工程联合运用，排泄淮河上中游来水，为洪泽湖大堤的防洪安全提供保障。

受江苏省水利厅委托，江苏省水利勘测设计研究院有限公司编制完成了《分淮入沂整治工程可行性研究报告》，水利部淮河水利委员会将《分淮入沂整治工程可行性研究报告》报送水利部。2008 年 11 月，水规总院曾在北京召开会议对可行性研究报告进行了审查。会后，设计单位根据会议讨论意见，提出了《分淮入沂整治工程可行性研究报告补充材料》。经审查，基本同意可行性研究报告和补充材料，并以水总规〔2009〕55号文将审查意见上报水利部。

审查确定的工程主要建设内容是：堤防防渗处理长104.17km；新建干堤护坡长61.18km，接高护坡长57.0km，维修护坡长69.83km，新建支流六塘河回水段护坡长9.2km；新建干堤堤顶防汛道路47.06km，维修干堤堤顶防汛道路48.74km，新建支流六塘河堤顶防汛道路43.10km；新建干堤防汛上堤道路13条，合计长32.15km，新建支流六塘河防汛上堤道路4条，合计长9.6km，新建上堤桥2座，拆除重建11座；新建偏泓生产桥9座，拆除重建11座；加固沭阳闸、六塘河船闸和六塘河地涵等3座跨河建筑物；拆除重建王庄电灌站、张福河船闸下闸首、钱集闸、柴塘闸、项荡洞、淮柴闸枢纽6座建筑物；加固三闸洞、蛇家坝洞挡洪闸2座建筑物；加固盐河水电站及杨庄活动坝水电站挡洪闸；拆除重建支流六塘河回水段的泗塘闸等13座穿堤建筑物；维修完善滩地农田水利设施，实施滩地清障工程。按2008年10月价格水平，核定工程静态总投资为59728万元，总投资为59728万元。

4. 淮河干流蚌埠—浮山段行洪区调整和建设工程可行性研究总报告审查　淮河干流蚌埠—浮山段包括方邱湖、临北段、花园湖和香浮段4个行洪区，自方邱湖进口至香浮段出口河道全长86.81km。左岸为淮北大堤和临北段行洪区，右岸为方邱湖、花园湖和香浮行洪区。目前淮河干流蚌埠—浮山段堤距普遍较窄，大部分河段河道堤距为700～900m，局部束窄段仅500m，行洪不畅，未达到规划的13000m³/s行洪能力，行洪区自身防洪标准低，堤身单薄，穿堤建筑物老化失修，难以保障行洪安全。

中水淮河规划设计研究有限公司和安徽省水利水电勘测设计院根据已审查的淮河干流行蓄洪区调整规划，在各单项基础研究工作基础上，共同编制了《淮河干流蚌埠—浮山段行洪区调整和建设工程可行性研究总报告》。水利部淮河水利委员会以淮委规计〔2009〕293号文将该可行性研究报告上报水利部。2009年11月17—20日，水规总院在北京召开会议对该可行性研究报告进行了审查。会后，设计单位根据会议讨论意见对该报告进行了修改和完善，于2009年12月提出修改后的《淮河干流蚌埠—浮山段行洪区调整和建设工程可行性研究总报告》（修订）。水规总院于2010年2月6—7日在北京召开复审会议，对修改后的报告进行了复审，并以水总规〔2010〕263号文，将该项目的审查意见上报水利部。

审查确定的工程布局、建设内容和规模分别为：①工程总体布局。根据《淮河流域行蓄洪区调整规划》，在已实施的河道疏浚和堤防局部退建的基础上，通过退建行洪区堤防、修建进洪闸和退洪闸、新建保庄圩、河道疏浚等工程措施，使蚌埠—浮山段河道泄洪能力达到13000m³/s，将方邱湖、临北段和香浮段行洪区调整为防洪保护区，不再承担分洪削峰任务；花园湖调整为有闸控制的行洪区，并提高行洪区行洪标准。②工程建设内容和规模。对方邱湖、临北段、花园湖、浮山段行洪区堤防实施局部退建，总退出面积17.01km²，最大退宽700m，铲除老堤51.65km，新筑堤防46.14km；对行洪区老堤进行加固处理，共加固老堤48.96km，压渗平台11.75km，截渗墙6.1km，黏土铺盖和盖重7.93km，堤身灌浆39.69km；堤身护坡29.69km（含浮山段靠山坝护坡11.1km）；护岸工程5.16km；防洪墙0.312km；填塘固基19.99km；新建花园湖黄枣保庄圩圩堤长16.81km；新修堤顶防汛路117.1km，其中泥结碎石路面108.1km，混凝土路面9km；在新建和加固堤段设置上堤路79条；在新建、加固堤段及影响处理工程加固和拆除重建建筑物28座、桥梁5座。疏浚临北段进口—浮山段河道长度74.06km。

按2009年第三季度价格水平，核定工程静态总投资520037万元，总投资520037万元。（王府义）

5. 江西省峡江水利枢纽工程可行性研究报告审查　峡江水利枢纽工程位于赣江中游峡江县巴邱镇上游峡谷河段，是《江西省赣江流域规划报告》推荐近期开发的防洪控制工程。工程以防洪、发电、航运为主，兼顾灌溉。峡江水利枢纽水库工程为大（1）型Ⅰ等工程，枢纽建筑物由混凝土重力坝、泄水闸、电站厂房、船闸和鱼道等组成，坝顶全长874m，泄水闸最大闸高28.7m，重力坝最大坝高15.2m。主要建筑物混凝土重力坝、泄水闸、电站厂房上游挡水部分、船闸上闸首和鱼道上游挡水部分为1级建筑物，设计洪水标准采用500年一遇，校核洪水标准采用2000年一遇；水电站厂房为2级建筑物，设计洪水标准为100年一遇，校核洪水标准为500年一遇；消能防冲建筑物设计洪水标准采用100年一遇；船闸下闸首、闸室为2级建筑物。

2009年1月17—19日，水规总院在北京召开会议对江西省水利厅报送水利部的《江西省峡江水利枢纽工程可行性研究报告》进行了审查，并以水总设〔2009〕365号文将审查意见上报水利部。该工程施工总工期72个月。按2008年第四季度价格水平，核定工程静态总投资为824123万元，总投资为869481万元（不含送出工程投资）。（汤洪洁　周玲）

6. 广西桂中治旱乐滩水库引水灌区一期工程可行性研究报告审查　广西桂中治旱乐滩水库引水灌区位于红水河中下游两岸，涉及广西南宁市宾阳县和来宾市忻城县、合山市、兴宾区共4个县（区、市）、27个乡镇，是水利部《加快灌区建设保障粮食安全近期重点建设规划》中确定的9个新建灌区之一。工程开发任务是以农业灌溉为主，兼顾农村人畜饮水和城镇供水，并为改善区域生态环境创造条件。2009年8月，国家发改委以发改农经〔2009〕2185号文批复了《广西桂中治旱乐滩水库引水灌区一期工程项目建议书》。根据批复意见，一期工程建设总干渠及北干渠灌区，设计灌溉面积为3.6453万hm^2。工程建成后，可从扩建后的乐滩水库自流引水，扩大灌区水稻种植面积和提高灌溉保证率，解决当地农村人畜饮水，为来宾市提供自流供水水源，并为改善当地的生态环境创造条件。

一期工程自乐滩水库多年平均引水4.03亿m^3，其中农业供水量为3.13亿m^3（包括农业灌溉、农村人畜饮水、水产畜牧及乡镇供水），城镇生活及工业供水量为0.90亿m^3。总干渠、北干渠渠首工程设计流量分别为$70m^3/s$、$27.38m^3/s$。

该工程为Ⅱ等工程。渠首建筑物为2级，总干渠、北干渠渠道及渠系建筑物为3级。取水口布置在乐滩水库大坝左岸上游约1.2km处，总干渠沿红水河左岸布置，全长30.56km；总干渠末端接北干渠，从果遂至正龙乡全长58.80km。总干渠、北干渠沿线共布置支渠和分支渠22条。一期工程施工总工期为48个月。

广西壮族自治区水利厅以桂水计〔2009〕95号文将广西水利电力勘测设计研究院编制完成的《广西桂中治旱乐滩水库引水灌区一期工程可行性研究报告》上报水利部。2009年11月4—7日，水规总院在北京召开会议对报告进行了审查，并以水总设〔2009〕1001号文将审查意见上报水利部。经审核，工程静态总投资为260069万元，总投资为260069万元，其中骨干工程投资242494万元，田间工程投资17575万元。

7. 四川省自贡市小井沟水利枢纽工程可行性研究报告审查　四川省自贡市小井沟水利枢纽工程是一项以城市供水、农业灌溉为主，兼顾农村人畜饮水等综合利用的大（2）型水利工程，该工程是《四川省水资源开发利用总体规划报告》中拟定的解决自贡市城市缺水的重点工程。工程包括小井沟水库和输水工程两部分，工程等级为Ⅱ等。工程实施后，多年平均可新增城市生活工业供水4795万m^3；可新增和改善0.972万hm^2农田的灌溉条件，多年平均灌溉供水2673万m^3，并补充双溪水库灌区2000万m^3水量；还可向灌区人畜饮水提供水源。

小井沟水库位于自贡市西部的越溪河上，水库死水位为404.0m，正常蓄水位429.0m，总库容1.66亿m^3；水库枢纽主要建筑物拦河坝、溢洪道、泄洪放空洞、放水洞进水口、副坝等级别为2级，放水洞及次要建筑物级别为3级，其主要建筑物设计洪水标准为100年一遇，校核洪水标准为2000年一遇，消能防冲建筑物洪水标准为50年一遇。输水干渠、供水管线及其主要建筑物级别为3级，设计洪水标准为30年一遇，校核洪水标准为100年一遇；灌溉支渠及渠系建筑物级别为5级，相应洪水标准为10年一遇。拦河主坝采用钢筋混凝土面板堆石坝，最大坝高88.37m。

工程项目建议书已经国家发改委批复（发改农经〔2009〕1061号）。四川省水利厅以川水〔2009〕87号文将四川省水利水电勘测设计院编制完成的《四川省自贡市小井沟水利枢纽工程可行性研究报告》上报水利部。2009年9月23—26日，水规总院在北京市召开会议对可行性研究报告进行审查，并以水总设〔2009〕1032号文将审查意见上报水利部。该工程施工总工期为43个月。工程静态总投资265107万元，总投资272693万元。（张安）

8. 大藤峡水利枢纽工程项目建议书审查　大藤峡水利枢纽工程位于珠江流域西江水系黔江河段大藤峡峡谷出口处，下距广西桂平市黔江彩虹桥6.6km，是国务院批准的《珠江流域综合利用规划》、《珠江流域防洪规划》确定的流域防洪关键性工程，也是《珠江水资源综合规划》、《保障澳门、珠海供水安全专项规划》提出的流域关键性水资源配置工程。工程的开发任务以防洪、发电和水资源配置为主，结合航运，兼顾灌溉等综合利用。

大藤峡水利枢纽为Ⅰ等大（1）型工程，主要由黔江混凝土主坝（挡水坝段、泄水闸坝段、厂房坝段、船闸上闸首坝段、船闸检修门库坝段、纵向围堰坝段等）、黔江副坝和南木江副坝等组成。水库正常蓄水位和防洪高水位为61.0m，汛期洪水起调水位和死水位为47.6m，防洪高水位和1000年一遇设计洪水位为61.0m，10000年一遇校核洪水位为64.23m；水库总库容为30.13亿m^3，防洪库容和调节库容均为15亿m^3。枢纽主要建筑物黔江混凝土主坝、黔江副坝和南木江副坝等为1级建筑物；黔江混凝土主坝设计洪水标准为1000年一遇，校核洪水标准为5000年一遇；黔江和南木江土石副坝设计洪水标准为1000年一遇，校核洪水标准为10000年一遇。电站采用河床式厂房，装机容量1600MW，安装8台单机容量为200MW的轴流转桨式水轮发电机组，多年平均发电量为72.39亿kW·h。船闸规模按二级航道标准、通航2000t级船舶确定；控制灌溉面积9.11万hm^2、补水灌溉面积4.42万hm^2。

该工程项目建议书由中水东北勘测设计研究有限责任公司和中水珠江规划勘测设计有限公司联合编制完成，水利部珠江水利委员会以珠水规计〔2006〕28号文将《大藤峡水利枢纽工程项目建议书》上报水利部。水规总院于2007年9月22—27日在广西贵港市召开会议对项目建议书进行预审查。2009年3月10—13日、2009年5月24—26日，水规总院在北京再次召开会议对《大藤峡水利枢纽工程项目建议书》

分别进行审查和复审，并以水总设〔2009〕512号文将审查意见上报水利部。该工程施工总工期为9年。按2009年第一季度价格水平，估算工程静态总投资为2408797万元，总投资为2804766万元。

9. 陕西省引汉济渭工程项目建议书审查　陕西省引汉济渭工程是《渭河流域重点治理规划》、《全国水资源综合规划》和《渭河流域重点治理规划陕西省水利项目实施方案》中确定的跨流域调水工程。工程从陕南汉江流域调水至渭河流域的关中地区，向渭河沿岸重要城市、县城、工业园区供水，逐步退还挤占的农业与生态用水，缓解城市与农业、生态用水的矛盾，为陕西省水资源配置提供条件。

陕西省引汉济渭工程为Ⅰ等工程，以汉江干流黄金峡水库及其支流子午河三河口水库为水源，由黄金峡泵站自黄金峡水库提水，通过黄三隧洞输水至三河口水库，然后通过秦岭隧洞直接自流输水至黑河金盆水库下游黄池沟，实现向关中地区供水。该项目由黄金峡水库、黄金峡泵站、黄三隧洞、三河口水利枢纽和秦岭隧洞等5部分组成。为有效缓解关中地区水资源供需矛盾，引汉济渭工程采用整体一次立项建设，分期配水。工程2020水平年由汉江向陕西关中地区调水10亿m^3左右，2030水平年在实施南水北调中线后期水源工程建设后调水规模可达到15亿m^3（多年年平均值）。

陕西省发改委和水利厅联合以陕发改农经〔2008〕416号文将陕西省水利电力勘测设计研究院和中铁第一勘察设计院集团有限公司等单位编制完成的《陕西省引汉济渭工程项目建议书》上报国家发改委和水利部。水规总院分别于2008年12月23—28日、2009年3月22—24日在北京召开会议对项目建议书进行审查和复审，并以水总设〔2009〕385号文将审查意见上报水利部。该工程施工总工期79个月。按2009年第一季度价格水平，估算工程静态总投资为1519375万元，总投资为1622257万元。

10. 牛栏江—滇池补水工程项目建议书审查　牛栏江—滇池补水工程是国家发改委、环境保护部、水利部、住房和城乡建设部联合批复的《滇池流域水污染防治规划（2006—2010年）补充报告》中确定的“十一五”期间建设项目之一，也是云南省政府批复的《牛栏江流域（云南省部分）水资源综合利用修编规划》确定的近期建设项目。工程的近期开发任务是向滇池补水，改善滇池水环境和水资源条件，配合《滇池流域水污染防治规划（2006—2010年）补充报告》确定的其他水环境综合治理措施，达到相应的规划水质目标，并具备向昆明市应急供水的能力；远期任务主要是向曲靖市供水，并与金沙江调水工程共同向滇池补水，同时作为昆明市的备用水源。

牛栏江—滇池补水工程以在牛栏江干流德泽河段新建德泽水库为水源，调蓄径流并抬高河道水位，在坝上游约18km处的库区设干河泵站提水，利用隧洞等输水工程自流输水至滇池流域，于松花坝下游注入盘龙江并进入滇池。2020水平年工程多年平均调水量为5.88亿m^3，设计流量为$23m^3/s$。

牛栏江—滇池补水工程为Ⅱ等工程，由水源工程德泽水库枢纽、德泽干河泵站及泵站至昆明（盘龙江）的输水线路等工程组成。

云南省发改委、水利厅以云发改农经〔2008〕2433号文将中国水电顾问集团昆明勘测设计研究院和云南省水利水电勘测设计研究院联合编制完成的《牛栏江—滇池补水工程项目建议书》上报国家发改委、水利部。水规总院于2009年2月14—16日在北京召开会议对项目建议书进行审查，并以水总设〔2009〕473号文将审查意见上报水利部。该工程建设总工期为48个月。按2009年第一季度价格水平，估算工程静态总投资为764427万元，总投资为790605万元。

11. 辽宁省观音阁水库输水工程项目建议书审查　观音阁水库输水工程是自辽宁省本溪县的观音阁水库库区自流引水，经输水隧洞及管道将水引至本溪市的大型输水工程。工程主要任务是保障本溪市生活饮用水安全，解决本溪钢铁集团、北台钢厂等大型企业存在的水量保证率与水质安全问题，并为本溪市经济社会发展提供安全可靠的水源。

该工程为Ⅱ等大（2）型输水工程。输水工程由取水头部、隧洞、输水管线、1座消能电站、4个配水站及分支管线等组成。输水线路主干线长约38.1km，分支管线长约42.6km。取水头部设计引水流量为每天124.3万m^3，设计年供水量为3.72亿m^3。取水头部利用观音阁水库修建时预留的取水口分层取水；管道以预应力钢套筒混凝土管（PCCP）为主，局部采用钢管；输水线路上设有调压井、连通阀门井、空气阀井、排泥阀井、加氯系统等设施。

辽宁省水利厅以辽水计财〔2008〕302号文将辽宁省水利水电勘测设计研究院编制完成的《辽宁省观音阁水库输水工程项目建议书》上报水利部。水规总院于2009年1月20—23日在北京召开会议对项目建议书进行审查，并以水总设〔2009〕982号文将审查意见上报水利部。该工程施工总工期为48个月。按2008年第四季度价格水平，估算工程静态总投资为138665万元，总投资为146941万元（不含送出工程投资）。

12. 吉林省中部城市引松供水工程可行性研究报告审查　吉林省中部城市引松供水工程是解决吉林省中部地区城市供水问题的大型调水工程，其主要任务是从第二松花江调水至吉林省中部地区，向长春市、四平市和辽源市等11个市、县、区及沿线26个乡镇的生活工业供水，改善农业用水和生态环境。工程建成后，可从第二松花江丰满水库多年平均引水9亿m^3，增加向长春、四平、辽源等城市群的生产生活供水，可为退还被城市用水挤占的农业用水和河道生态环境用水、限采地下水创造条件，为中部城市群的振兴和发展提供水资源保证，并改善部分地区的饮用水水质，对保障吉林百亿斤粮食生产和饮水安全、促进地区乃至全省经济社会可持续发展、改善生态环境具有重要作用。

引松工程总体布局由渠首取水口、输水总干线、分水枢纽、输水干线及加压泵站、调蓄水库和输水支线等组成。取水枢纽位于丰满水库库区左岸，距水库大坝约1.2km，通过有压输水总干线自流输水至伊通河上游的冯家岭地区，在冯家岭修建分水枢纽，设长春、四平、辽源3条输水干线。输水总干线110.483km，冯家岭以下干线152.54km。工程最大年引水量为10.4亿m^3，设计引水流量$38m^3/s$，其中长春、四平和辽源干线引水流量分别为$12.8m^3/s$、$8.7m^3/s$和$5.2m^3/s$。

吉林省水利厅以吉水规计〔2009〕274号文将吉林省水利水电勘测设计研究院编制完成的《吉林省中部城市引松供水工程可行性研究报告》上报水利部。水规总院分别于2009年6月23—27日在长春、2009年11月13—14日在北京召开会议对可行性研究报告进行了审查，并以水总设〔2009〕1143号文将审查意见上报水利部。该工程施工总工期为72个月。按2009年第四季度价格水平，估算工程静态总投资为908352万元，总投资为965501万元。

13. *嘉陵江亭子口水利枢纽工程初步设计审查* 亭子口水利枢纽位于嘉陵江干流中游四川省广元市苍溪县境内，是《长江流域综合利用规划简要报告(1990年修订)》和《嘉陵江干流广元至苍溪河段规划报告》中推荐的近期建设项目，也是国务院批转水利部《关于加强长江近期防洪建设若干意见》(国发〔1999〕12号)确定的完善长江防洪工程体系近期建设的防洪工程之一。其开发任务是以防洪、灌溉及城乡供水、发电为主，兼顾航运，并具有拦沙减淤等综合利用效益。亭子口水利枢纽为Ⅰ等大(1)型工程，主要由碾压混凝土重力坝、泄洪建筑物、坝后式电站厂房、灌溉引水首部建筑物、通航建筑物等组成。

水库正常蓄水位为458m，正常运用防洪高水位为458m，非常运用防洪高水位为461.3m，汛期限制水位为447m，死水位为438m，设计洪水位为461.3m，校核洪水位为463.07m；水库总库容为40.67亿m^3，正常运用防洪库容为10.6亿m^3，非常运用防洪库容为3.8亿m^3，调节库容为17.32亿m^3。主要建筑物拦河坝、泄水建筑物、垂直升船机上闸首和厂房坝段为1级，设计洪水标准为500年一遇，校核洪水标准为5000年一遇；电站厂房和开关站为2级，厂房设计洪水标准为200年一遇，校核洪水标准为500年一遇。工程设计灌溉面积19.476万hm^2。电站装机容量1100MW，安装4台单机容量为275MW的混流式水轮发电机组，无灌溉条件下多年平均发电量为31.75kW·h，设计灌溉条件下多年平均年发电量为29.51亿kW·h；通航建筑物为2×500t级。

四川省水利厅以川水〔2009〕102号文将长江勘测规划设计研究有限责任公司编制完成的《嘉陵江亭子口水利枢纽工程初步设计报告》上报水利部。水规总院于2009年9月15—17日、9月17—23日、10月22—25日在北京分别召开会议对初步设计报告进行了审查和复审。水利部以水总〔2009〕526号文对《嘉陵江亭子口水利枢纽初步设计报告》进行批复。该工程总工期为81个月，发电工期为72个月。按2009年第一季度价格水平，核定工程静态总投资为1537354万元，总投资为1685268万元（不含送出工程和灌区工程投资）。

14. *黄河海勃湾水利枢纽工程初步设计审查* 黄河海勃湾水利枢纽位于内蒙古自治区境内的黄河干流上，是黄河历次综合治理规划中确定的干流梯级工程之一，也是内蒙古自治区“十五”水利发展规划和实施西部大开发战略的重点项目。其建设任务是防凌、发电等综合利用，工程实施后，近期配合上游龙羊峡、刘家峡水库的防凌调度，可适时控制凌汛期流量，为下游防凌抢险创造条件，减轻宁蒙河段的凌灾损失。

海勃湾水利枢纽为Ⅱ等大(2)型工程，主要由土石坝、泄洪闸、河床式电站厂房、左岸连接坝和左岸土石坝等组成。水库正常蓄水位1076.0m，水库总库容4.87亿m^3，初始防凌库容4.43亿m^3。枢纽采用混合坝型，即主河槽内布置的电站厂房和泄洪闸坝段为混凝土结构，左岸滩地坝段为黏土心墙坝，坝基防渗为混凝土防渗墙。主要建筑物土石坝、泄洪闸、电站等为2级建筑物，设计洪水标准为100年一遇，校核洪水标准为2000年一遇。电站装机容量90MW，安装4台单机容量为22.5MW的灯泡贯流式机组，多年平均年发电量3.82亿kW·h。

内蒙古自治区水利厅以内水建管〔2009〕159号文将中水北方勘测设计研究有限责任公司和黄河勘测规划设计有限公司联合编制完成的《黄河海勃湾水利枢纽工程初步设计报告》上报水利部。水规总院于2009年12月7—9日在北京召开会议对初步设计报告进行审查。水利部以水总〔2010〕114号文对《黄河海勃湾水利枢纽工程初步设计报告》进行了批复。该工程总工期为46个月，第一台机组发电工期为40个月。按2009年第三季度价格水平，核定工程静态总投资为269518万元，总投资为274099万元（不含送出工程）。

（游超）

15. 海南省万泉河红岭水利枢纽可行性研究报告和初步设计审查　海南省万泉河红岭水利枢纽位于万泉河支流大边河中游，地处海南省琼中县境内，是《万泉河流域综合治理开发规划》推荐的近期开发的重点水利枢纽工程。该工程建设任务以城乡供水和农业灌溉为主，结合防洪、兼顾发电等综合利用。

红岭水利枢纽水库正常蓄水位为168.0m，死水位135.0m，总库容6.64亿m^3。工程设计水平年为2020年，城乡工业和生活供水及人畜饮水9367万m^3；灌区控制范围9.15万hm^2，新增灌溉面积4.98万hm^2；防洪库容0.96亿m^3，可将以大边河洪水为主的下游防洪标准由20年一遇提高到30年一遇；电站装机容量为42.6MW，多年平均发电量9922万kW·h。红岭水利枢纽工程等别为Ⅱ等，拦河主坝为碾压混凝土重力坝，最大坝高97.70m，副坝为土石分区坝，最大坝高55.90m。主要建筑物拦河主坝、副坝、渠首电站为2级建筑物，坝后电站及次要建筑物为3级建筑物。主要建筑物重力坝设计洪水标准为500年一遇，校核洪水标准为2000年一遇；土石坝设计洪水标准为500年一遇，校核洪水标准为5000年一遇。渠首电站和坝后电站的厂房设计洪水标准为50年一遇，校核洪水标准为200年一遇；消能防冲建筑物洪水标准为50年一遇。工程施工总工期为48个月。

国家发改委以发改农经〔2009〕350号文批复该工程项目建议书。海南省水务局以琼水规计〔2008〕569号文将《海南省万泉河红岭水利枢纽工程可行性研究报告》上报水利部。2009年2月18—21日，水规总院在北京召开会议对可行性研究报告进行审查，并以水总设〔2009〕474号文将审查意见上报水利部。

16. 黔中水利枢纽一期工程可行性研究报告审查　黔中水利枢纽位于贵州省中部黔中地区，该地区是全省政治、经济、文化的腹地，也是长江与珠江的分水岭河源地带。该工程的主要任务是以农业灌溉和城市供水为主、兼顾发电等综合利用，工程由平寨水库水源工程、灌区工程、贵阳市供水和安顺市供水工程等组成。工程分两期建设，一期工程包括平寨水库、灌区和贵阳市供水一期工程。

平寨水库正常蓄水位为1331m，死水位1305m，总库容10.84亿m^3，调节库容4.48亿m^3。一期工程解决5座县城、27个乡镇的生活工业用水及灌区35万人的饮水安全问题，并向贵阳市区供水；灌溉面积3.41万hm^2（新增3.05万hm^2，改善0.36万hm^2）；年引水量5.5亿m^3，供水量4.06亿m^3。水库坝后电站装机容量136MW，渠首电站装机容量4.2MW。

灌区和贵阳供水一期工程总干渠从渠首电站尾水池取水，输水干渠总长148.64km，沿线利用桂家湖、革寨、鹅项、大洼冲、高寨等5座水库进行调蓄，经桂松干渠进入凯掌水库。在总干渠布置12条、桂松干渠布置13条支渠分水灌溉，并向沿途乡镇及人畜供水，支渠全长283.60km。贵阳供水一期工程利用灌区总干渠及桂松干渠输水到贵阳市周边的红枫湖、松柏山、华溪、阿哈等水库反调节后向贵阳市供水。

该工程为Ⅰ等工程，平寨水库枢纽工程主要建筑物拦河坝、溢洪洞、泄洪放空洞、发电引水洞和灌溉取水洞进口为1级建筑物，发电厂房及次要建筑物为3级建筑物。大坝设计洪水标准为500年一遇，校核洪水标准为5000年一遇；泄洪建筑物消能防冲洪水标准为100年一遇；发电厂房设计洪水标准为100年一遇，校核洪水标准为200年一遇。代表坝型为混凝土面板坝堆石坝，最大坝高162.7m。大坝设计地震烈度为Ⅶ度，其他建筑物设计地震烈度为Ⅵ度。工程施工总工期为4年。

2008年11月，国家发改委批复一期工程项目建议书（发改农经〔2008〕3177号文）。2009年1月6—11日，水规总院在贵阳市召开会议对贵州省水利厅报送水利部的《黔中水利枢纽一期工程可行性研究报告》进行审查，并以水总设〔2009〕274号文将审查意见报送水利部。经审核，按2009年第一季度价格水平，核定工程静态总投资为650871万元，总投资为669534万元（不含送出工程投资）。其中水源工程投资351753万元（不含送出工程投资）、灌区骨干及贵阳供水一期工程投资292904万元、田间工程投资24877万元。（朱峰）

17. 除险加固工程审查

（1）河南省宿鸭湖水库除险加固工程。宿鸭湖水库位于河南省驻马店市境内淮河流域大洪河支流汝河干流上，控制流域面积4498km^2，是一座以防洪为主，结合灌溉、发电、养殖、旅游等综合利用的大（1）型水利枢纽工程。该工程自1958年建成以来，在流域防洪、农业灌溉等方面发挥了重要作用。受工程建设时期历史条件的限制，工程建设标准较低、施工质量较差，且经过多年运用老化失修，虽经多次除险加固，目前仍存在坝顶超高不满足规范要求、大坝下游管涌翻砂及部分沼泽化、局部坝段坝体滑坡、护坡破损、泄洪闸等建筑物稳定及应力不满足要求、金属结构及机电设备陈旧老化等问题，影响了运行安全和工程效益的发挥。2009年6月，国家发改委以发改农经〔2009〕1503号文批复《河南省宿鸭湖水库除险加固工程可行性研究报告》。河南省水利厅以豫水计〔2009〕67号文将《河南省宿鸭湖水库除险加固工程初步设计报告》上报水利部。2009年8月水利部以水总〔2009〕431号文批复该水库除险加固工程初步设计。

该次宿鸭湖水库除险加固的主要建设内容为：加高洼地坝段坝顶及防浪墙、新建南岗坝段坝顶防浪墙、新建和加高北岗坝段防浪墙和坝顶、翻修坝顶道路、翻修和加糙上游护坡、局部整修下游草皮护坡，对部分坝基进行防渗处理，坝后导渗沟及排水支沟清淤，增设大坝安全监测设施；拆除重建五孔泄洪闸，加固七孔泄洪闸；拆除重建桂庄渠首闸和桂庄输水涵闸；修建坝后防汛路；更新改造金属结构及机电设备等。水库除险加固后，工程任务及防洪调度运用方式仍维持原规模及方案不变。

主要建筑物土坝洼地坝段、北岗坝段、南岗坝段、泄洪闸、桂庄渠首闸、桂庄输水涵闸等按1级建筑物进行除险加固设计；主要建筑物设计洪水标准为100年一遇，校核洪水标准为1000年一遇，泄洪闸闸下消能防冲洪水标准为100年一遇。工程施工总工期为30个月。工程静态总投资为29630万元，总投资为29630万元。

（2）河南省鸭河口水库除险加固工程。河南省鸭河口水库是长江流域汉江支流唐白河水系白河上的控制性工程，坝址位于河南省南召县境内，控制流域面积3030km^2，是一座以防洪、灌溉为主的综合利用大（1）型水利枢纽工程。工程自1959年基本建成并投入运行以来，虽经除险加固，但仍存在防洪标准不满足现行规范要求、工程设计标准较低、部分建筑物老化破损严重、金属结构及机电设备老化等问题，影响工程安全运行，并列入《全国病险水库除险加固专项规划》。河南省水利厅以豫水计〔2009〕63号文将《河南省鸭河口水库除险加固工程初步设计报告》上报水利部。2009年7月水利部以水总〔2009〕422号文批复该水库除险加固工程初步设计。

该次除险加固工程主要建设内容包括：加高加固主坝和各副坝、拆除重建1号溢洪道、维修2号溢洪道、加固左右岸输水洞及马沟输水洞、更新改造金属结构、改造水文自动测报系统、改建坝区防汛路等。除险加固工程完成后，鸭河口水库工程任务调整为防洪、灌溉为主，兼顾工业及城市供水，结合发电等综合利用。除险加固后维持汛限水位175.70m、正常蓄水位177.00m不变。水库1000年一遇设计洪水位为179.84m，10000年一遇校核洪水位为181.50m，总库容为13.39亿m^3。

该工程为Ⅰ等工程，主要建筑物大坝、溢洪道、左右岸输水洞进口和洞身按1级建筑物设计，输水洞出口按2级建筑物设计，马沟输水洞及次要建筑物按3级建筑物设计。枢纽各1级建筑物的洪水标准为1000年一遇洪水设计、10000年一遇洪水校核；消能防冲建筑物防洪标准为100年一遇。大坝、溢洪道及左右岸输水洞抗震设计烈度在基本烈度基础上提高Ⅰ度按Ⅶ度设计，地震动峰值加速度采用0.10g；其他建筑物抗震设计烈度为Ⅵ度。工程施工总工期为24个月。工程静态总投资为22016万元，总投资为22016万元。

（张安）

（3）岳城水库除险加固工程。2009年5月，水规总院召开会议对《岳城水库除险加固工程初步设计报告》进行审查。2009年9月水利部以水总〔2009〕35号文对该初步设计报告进行批复。该除险加固工程静态总投资20232万元。主要批复内容：①岳城水库现有校核洪水标准不足2000年一遇，除险加固后可达到近期校核洪水标准2000年一遇。根据水利部《关于岳城水库汛期调度运用方案请示的批复》，岳城水库防洪起调水位为132.0m。除险加固工程完成后，水库校核洪水标准仍未达到国家防洪标准的要求，水库仍维持原有的调度运行方式，正常蓄水位为149.0m，死水位为125.0m，汛期限制水位为134.0m。②工程建设的主要内容为主副坝除险加固、溢洪道除险加固、泄洪洞除险加固以及坝下公路改建等工程。③工程不涉及人口迁移和房屋拆迁；工程占地面积21.92hm^2，其中永久占地6.4hm^2，临时占地15.52hm^2。④工程施工总工期为22个月。⑤根据国家发改委关于核定岳城水库除险加固工程初步设计概算的通知（发改投资〔2009〕2330号），核定工程静态总投资为20232万元，总投资为20232万元。

（谭志勇）

（4）洪泽湖大堤除险加固工程。洪泽湖是位于淮河中下游结合处的大型平原水库，承纳淮河上中游15.8万km^{2}的来水，总库容176亿m^3，防洪库容约为100亿m^3，具有防洪、灌溉、航运、水产养殖等多种功能。洪泽湖大堤位于洪泽湖东岸，北起淮阴区码头镇，南至盱眙张庄高地，全长67.25km，是淮河下游地区的重要防洪屏障，保护着200多万hm^{2}耕地和2600万人口的防洪安全，区内有淮安、盐城、扬州、泰州等经济发展较快的城市和京沪高速公路、宁连高等级公路、新长铁路等国家重要基础设施。

根据国务院办公厅批转水利部《关于加强淮河流域2001—2010年防洪建设的若干意见》，水利部批准的《加快治淮工程建设规划》等文件的精神，江苏省水利勘测设计研究有限公司编制完成《洪泽湖大堤除险加固工程可行性研究报告》，水利部淮河水利委员会以淮委规计〔2006〕705号文将报告上报水利部。2008年12月12—15日，水规总院在北京召开会议对报告进行了审查，设计单位根据会议讨论意见对报告进行了修改和完善，于2008年12月提出了修改后的可行性研究报告。经审查，基本同意修改后的报告，并于2009年5月4日以水总规〔2009〕208号文将审查意见上报水利部。

审定的主要工程内容为：堤基垂直截渗处理长13.17km；堤身充填灌浆防渗处理长42.985km；加固十三堡大塘北段直立石工墙长1.024km；加固周桥大塘直立墙长0.8km；洪泽湖大堤北端码头镇封闭段筑堤封闭0.3km，浆砌块石挡浪墙封闭0.92km，新建草皮护坡3.38km；洪泽湖大堤南端张庄封闭段新建堤防1.15km，护坡0.2km，增设封闭段涵洞3座；洪泽县城区老车站段按堤顶高程19.5m，堤顶宽8m进行复堤，复堤长0.737km；加固钱码头段临湖侧石工墙险工长0.546km。对省管堤段一级坡翻修整治长7.770km，二级坡翻修整治长4.283km，其中裂缝处理2.953km，块石翻修整治1.33km。加固二河林场护坡长1.45km；新建和接高二河西堤与洪泽湖大堤共堤段护坡2km（二河侧）；新建洪泽湖大堤草皮护坡5段，长10km。新建沥青防汛道路24.167km，路面宽4m；上堤路一条长2km；防浪林改造长21.525km；洪泽湖大堤增设8个测压管自动观测断面。加固张福河船闸上闸首、高良涧进水闸和蒋坝老涵洞3座建筑物。

按2008年第三季度价格水平，估算工程静态总投资为32558万元，其中工程占地及移民安置补偿投资16793万元，总投资为32558万元。水利部以水规计〔2009〕282号文将该工程可行性研究报告上报国家发改委。（王府义）

【大坝安全鉴定】

1. 内蒙古赤峰市三座店水利枢纽工程　受内蒙古赤峰市三座店水利枢纽工程建设管理局委托，水规总院承担了内蒙古赤峰市三座店水利枢纽工程蓄水安全鉴定工作。2009年5月15—26日，水规总院组织专家组全体成员查勘工程现场，查阅工程建设资料，了解工程建设情况。在与有关参建单位充分交流、沟通的基础上，编制完成《内蒙古赤峰市三座店水利枢纽工程蓄水安全鉴定报告》。并于2009年6月15日以水总计〔2009〕545号文向内蒙古赤峰市三座店水利枢纽工程建设管理局提交《内蒙古赤峰市三座店水利枢纽工程蓄水安全鉴定报告》。

2. 云南省楚雄彝族自治州青山嘴水库工程　受云南省楚雄彝族自治州青山嘴水库工程建设管理局委托，水规总院于2009年4—6月承担了云南省楚雄彝族自治州青山嘴水库蓄水安全鉴定工作。2009年6月12—22日，水规总院组织专家组查勘工程现场，听取参建各方的工作情况介绍，查阅工程建设资料，了解工程建设情况。在与有关参建单位充分交流、沟通的基础上，编制完成《云南省楚雄州青山嘴水库蓄水安全鉴定报告》。并于2009年7月9日以水总计〔2009〕638号文向云南省楚雄彝族自治州青山嘴水库工程建设管理局提交《云南省楚雄州青山嘴水库蓄水安全鉴定报告》。

3. 云南省景谷威远江水电站工程　受云南省景谷威远江水电站开发经营有限公司委托，水规总院于2006年6月承担了云南省景谷威远江水电站工程蓄水安全鉴定工作。根据工程建设的进展情况，2009年10月10—18日，水规总院组织专家组查勘工程现场，查阅工程建设资料，了解工程建设情况，在与有关参建单位充分交流、沟通的基础上，编制完成《云南省景谷威远江水电站工程蓄水安全鉴定报告》。并于2009年10月29日以水总计〔2009〕927号文向云南省景谷威远江水电站开发经营有限公司提交《云南省景谷威远江水电站工程蓄水安全鉴定报告》。

4. 新疆下坂地水利枢纽工程　受新疆下坂地水利枢纽工程建设管理局委托，水规总院于2009年5—12月承担了新疆塔里木河流域近期综合治理下坂地水利枢纽工程蓄水安全鉴定工作。2009年12月14—22日，水规总院组织专家组查勘工程现场，听取参建各方工作情况介绍，查阅工程建设资料，了解工程建设情况，在与有关参建单位充分交流、沟通的基础上，编制完成《新疆塔里木河流域近期综合治理下坂地水利枢纽工程蓄水安全鉴定报告》。并于2009年12月31日以水总计〔2009〕1142号文，向新疆下坂地水利枢纽工程建设管理局提交《新疆塔里木河流域近期综合治理下坂地水利枢纽工程蓄水安全鉴定报告》。（杜崇玲）

【技术标准】

1.《工程建设标准强制性条文（水利工程部分）》修订工作　受水利部国科司委托，水规总院对2004年版《工程建设标准强制性条文（水利工程部分）》进行局部修订，根据近年批准发布的水利技术标准，筛选出2006—2008年发布的工程建设类水利技术标准，于2009年8月召开2009年版“水利工程建设标准强制性条文摘编”送审稿讨论会，并提出了《工程建设标准强制性条文（水利工程部分）》局部修订的送审稿。

2. 技术标准管理工作　2009年技术标准化管理工作主要包括申报项目建议书、组织编制工作大纲和送审稿审查、报批稿的报送和已发布技术标准的宣贯培训等工作。

（1）配合水利部完成《水利技术标准体系表》修订工作，提出《水利水电勘测设计技术标准体系（送审稿）》。

（2）住房和城乡建设部批准发布《灌区规划规范》（GB/T 50509—2009）；水利部批复《水土保持工程调查勘查规程》等32项标准编制。

（3）主持完成《河工模型试验规程（编制工作大纲）》和《水工预应力锚固设计规范（编制工作大纲）》等22项标准编制大纲的审查，并印发了审查纪要。印发《土石坝沥青混凝土面板和心墙设计规范（征求意见稿）》等19项标准的征求意见稿，并向有关单位和专家征求意见。审查《地下水源水文地质勘察规范》和《水利水电工程继电保护设计规范》等14项标准送审稿。向水利部、住房和城乡建设部报送《水利水电工程电气测量设计规范》和《泵站设计规范》等10项标准的报批稿。

(4) 水利部批准发布由水规总院主持、主编的《水利水电工程建设征地移民安置规划设计规范》、《堰塞湖风险等级划分标准》、《堰塞湖应急处置技术导则》和《水土保持工程项目建议书编制规程》等9项标准。

(5) 根据水利部培训计划，2009年举办水利技术标准规范宣贯培训班9期，共有20名教师参加培训宣讲工作，有795人次的学员参加了培训。

(6) 对《水利水电技术标准全文检索系统》进行全面更新，这是该标准检索系统连续第十次升级换版，新增标准60项。目前该系统共收录1122项标准，并正式开展网上升级工作。

(7) 印发《水利水电勘测设计标准化工作简报》4期，加强有关工作的梳理和进度检查，形成通报机制，使管理工作更加规范。

3. 标准化专题研究　2009年继续开展《水工程基础和边坡软弱面稳定分析方法研究》和《水工程防洪（潮）标准及关键技术研究》的研究工作。2009年10月26—27日召开水利部公益性行业科研专项经费项目《水工程基础和边坡软弱面稳定分析方法研究》成果技术咨询讨论会。2009年底该项目已全部完成，并报水利部行业主管部门准备验收；2009年12月18—22日召开水工程防洪潮标准及关键技术研究课题技术讨论会。截至2009年底，《水工程防洪潮标准及关键技术研究》已取得重要研究成果，完成《沿海地区风暴潮影响及防护标准研究报告》《不同保护对象的防洪标准指标体系研究报告》《水工程等级划分与设计洪水标准指标体系研究报告》《防洪风险分析与风险管理研究报告》《水工程失事概率及工程结构可靠性计算方法研究报告》等5个专题研究成果，聘请专家对成果进行咨询讨论，各专题已基本完成修改完善工作；在专题研究成果的基础上，编制项目研究的总报告——《水工程防洪（潮）标准及关键技术研究报告》的咨询稿，继续进行修改完善和专家咨询，尽快报水利部行业主管部门验收。　（崔忠波）

水　文

【综合管理】

1. 全国水文工作会议　2009年5月21日，全国水文工作会议在辽宁沈阳召开。水利部部长陈雷出席会议并发表重要讲话，水利部副部长刘宁主持会议并作会议总结。这次会议的主要任务是：深入贯彻党的十七大和十七届三中全会精神，以科学发展观为指导，总结水文工作成效，分析水文发展形势，强化水文基础地位，明确水文工作思路，部署当前和今后一个时期的水文工作，努力开创水文工作新局面，为推进水利和经济社会又好又快发展，提供更加有力的水文支撑和保障。

2. 政策法规建设

(1) 水利部印发《关于进一步加强水文工作的通知》。为深入贯彻落实《中华人民共和国水文条例》（以下简称《水文条例》）和2009年全国水文工作会议精神，进一步明确水文发展思路，切实加强水文工作，全面推动水文事业发展，2009年7月28日，水利部印发《关于进一步加强水文工作的通知》（水文〔2009〕379号），要求全国水利系统切实解决水文事业发展存在的突出问题，进一步加强水文工作：转变观念，提高认识，牢固树立“大水文”发展理念；完善法制，理顺体制，努力健全水文发展的保障机制；统筹规划，加大投入，着力提高水文现代化水平；立足水利，面向社会，充分发挥水文基础支撑作用；加强领导，强化措施，全面推进水文又好又快发展。

(2) 积极推进《水文条例》配套部门规章制定工作。为深入贯彻落实《水文条例》，不断健全完善水文政策法规体系，水利部水文局依据《水利部2009年立法工作安排》，组织开展了《水文条例》配套部门规章的制定工作。起草完成《水文监测环境和设施保护管理办法》，先后征求全国水文系统、水利系统、国务院有关部门的意见，多次组织专家进行咨询和研讨，反复进行修改和完善，形成送审稿，并于5月报送水利部政策法规司审查。开展了《水文站网管理办法》的调研、论证和起草工作。起草完成了《水文站网管理办法》（征求意见稿），征求了全国水文系统的意见。开展了《水文监测资料使用审查管理办法》和《水文监测资料汇交管理办法》的调研和论证工作。

(3) 地方水文政策法规建设成果显著。2009年，地方水文法规建设取得较大进展。2009年1月18日，《江苏省水文条例》经江苏省第十一届人大常委会第七次会议审议通过，同日由江苏省人大常委会公布，自3月22日起施行。9月25日，《重庆市水文条例》经重庆市第三届人大常委会第十二次会议审议通过，由重庆市人大常委会于9月29日公布，自12月1日起施行。2月6日，《青海省实施〈中华人民共和国水文条例〉办法》经青海省人民政府第二十九次常务会议审议通过，由青海省人民政府于2月10日公布，自4月1日起施行。10月21日，《西藏自治区水文管理办法》经西藏自治区人民政府第十八次常务会议审议通过，由西藏自治区人民政府于11月16日公布，自2010年1月1日起施行。12月14日，《贵州省水文管理办法》经贵州省人民政府第二十次常务会议审议通过，由贵州省人民政府于12月28日公布，自2010年2月1日起施行。12月8日，《四川省〈中华人民共和国水文条例〉实施办法》经四川省人民政府第四十六次常务会议审议通过。《云南省水文条例》

制定工作取得积极进展，已通过云南省人大常委会一审审议。截至2009年底，全国共有河北、河南、陕西、湖南、广西、江苏、重庆等7个省（自治区、直辖市）人大常委会出台了《水文条例》或者《水文管理条例》；广东、新疆、浙江、安徽、青海、西藏、贵州等7个省（自治区）人民政府出台了《水文管理办法》或《〈中华人民共和国水文条例〉实施办法》；大部分省（自治区、直辖市）人民政府出台了《关于加强水文工作的通知》或《关于加强水文工作的意见》，为水文事业健康稳定发展提供了法制保障。

为加强水文管理，规范水文工作，全国水文系统依据《中华人民共和国水文条例》和地方水文管理行政法规、政府规章，大力开展加强水文管理和水文工作的规范性文件制定工作，取得了积极进展。上海市水务局出台《关于〈中华人民共和国水文条例〉实施意见》；河南省水利厅出台《关于转发〈水利部关于进一步加强水文工作的通知〉的通知》；湖南省水利厅出台《关于进一步加强水文工作的通知》；重庆市人民政府办公厅出台《关于贯彻落实重庆市水文条例有关事项的通知》等。

3. 管理体制改革

（1）水文机构改革。2009年，水文机构规格建制改革取得新的进展。12月31日，水利部印发流域管理机构新“三定”规定，明确海河水利委员会和太湖流域管理局水文机构为副局级单位。至此，七大流域机构所属水文机构规格问题全部理顺，其中：长江水利委员会和黄河水利委员会水文机构为正局级单位，海河水利委员会、淮河水利委员会、松辽水利委员会、珠江水利委员会、太湖流域管理局水文机构为副局级单位。12月23日，广东省机构编制主管部门批复同意广东省水文局内设处室，以及广州、惠州、肇庆、韶关、汕头5个地市级水文机构升格为正处级单位。截至2009年底，全国有17个省（自治区）省级水文机构被明确为副厅级单位或配备副厅级领导干部，其中：内蒙古、湖南、广东、新疆、贵州、浙江、广西、安徽、黑龙江、吉林10个省（自治区）省级水文机构为副厅级单位；辽宁、山东、湖北、四川、云南、江西、陕西7个省省级水文机构配备副厅级领导干部。全国约2/3的省（自治区）地市级水文机构规格问题得到解决，包括河北、山西、内蒙古、辽宁、吉林、黑龙江、江苏、安徽、福建、江西、山东、河南、湖北、湖南、广东、广西、四川、贵州、云南、陕西、新疆的21个省（自治区）地市级水文机构被明确为副处级或正处级单位。

2009年，地市级水文机构按行政区划进行设置取得新的进展。1月，江苏省机构编制主管部门批准江苏省水文水资源勘测局成立泰州、宿迁两个地市级水文分局，全省实现按行政区划设置地市级水文机构。截至2009年底，除北京、天津、上海、重庆和海南外，全国共有333个地市行政区划，水文系统共设置266个地市级水文机构。河北、内蒙古、辽宁、吉林、江苏、浙江、福建、湖南、贵州、宁夏、新疆等11个省（自治区）全面实行按照地市行政区划设置地市水文机构，使水文工作能更好地为当地经济社会发展服务。

（2）双重管理体制建设。2009年，水文双重管理体制改革取得重大进展。江苏省淮安市、宿迁市，山东省济南市，河南省南阳市、信阳市、驻马店市、平顶山市、漯河市、周口市、许昌市、郑州市、濮阳市、安阳市、商丘市、开封市、新乡市，湖南省娄底市、衡阳市、邵阳市、湘西州，广西壮族自治区贵港市、梧州市、百色市、玉林市、河池市、桂林市，云南省丽江市、大理州、文山市、保山市、临沧市，陕西省宝鸡市等32个地市级水文机构成立，实行省级水行政主管部门和地市级人民政府双重管理体制；辽宁省盘锦市双台子区，湖南省桃江县、永州市冷水滩区、芷江县，陕西省华阴市等5个县级水文机构成立，实行省级水文机构和县级人民政府双重管理体制。水利部副部长鄂竟平、刘宁等领导出席部分地市水文局的揭牌仪式并作重要讲话。截至2009年底，全国有辽宁省8个市7个县、江苏省4个市1个县、安徽省2个市、江西省2个市1个县、山东省13个市7个县、河南省14个市、湖南省14个市28个县、广西自治区7个市9个县、贵州省4个市1个县、云南省14个市、陕西省2个市2个县共计84个市56个县的水文工作实行双重管理体制。其中：山东、河南、湖南、云南4省的所有地市级水文机构均实行双重管理体制。

（3）参照《中华人民共和国公务员法》（以下简称《公务员法》）管理改革。2009年，全国水文系统结合本地区本单位的实际情况，认真研究，积极稳妥地推进水文机构参照《公务员法》管理改革，并取得较大进展。1月，福建省人事厅批准福建省水文水资源勘测局全员参照《公务员法》管理；5月，广西壮族自治区人事厅批准广西壮族自治区水文水资源局在自治区水文机构参照《公务员法》管理的基础上，下属分局和基层测站全员参照《公务员法》管理；6月，湖南省实施《公务员法》工作领导小组批准湖南省水文水资源勘测局在省水文机构参照《公务员法》管理的基础上，下属分局机关参照《公务员法》管理；11月，贵州省人力资源和社会保障厅批准贵州省水文水资源局全员参照《公务员法》管理。水文机构参照《公务员法》管理，是水文管理体制改革的一个发展方向，也是各地贯彻落实《中华人民共和国水文条例》的具体体现，对加强水文行业管理，提高水文社会地位、稳定水文职工队伍、确保各项水文业务工作的正常开展、促进水文事业健康稳定发展具有重要意义。截至2009年底，全国有湖南、广西、江西、广东、重庆、新疆、福建、贵州等8个省（自治区、直辖市）水文机构实行参照《公务员法》管理，其中：广东、新疆2个省（自治区）省级水文机构参照《公务员法》管理；湖南省省级和地市级水文机构参照《公务员法》管理；江西、福建、广西、贵州、重庆5个省（自治区、直辖市）水文系统全员参照《公务员法》管理。

4. 全国河流湖泊普查工作　2009年，水利部水文局积极推进全国河流湖泊普查工作，开展了一系列技术准备工作，取得积极进展。组织技术支撑单位收集了全国1∶50000电子地形数据、高分辨率遥感影像数据和其他相关基础资料，为下一步开展河流湖泊数字水系计算机提取等工作奠定了重要资料基础。按照第一次全国水利普查工作的总体安排和统一部署，组织制定《全国河流湖泊普查技术方案》《全国河流湖泊普查技术细则》《全国河流湖泊普查方案》等一系列技术规定，多次组织专家进行技术咨询和研讨，对技术规定进行反复修改和完善，确定了全国河流湖泊普查的目标、任务、内容、技术路线、普查方法、组织形式等，为全面组织开展全国河流湖泊普查工作奠定了重要的技术基础。为做好河流湖泊普查试点工作，在辽宁、浙江两省开展试点工作的基础上，进一步扩大试点范围，深化试点工作，8月11—12日在南京组织召开全国河流湖泊普查试点工作会议，对试点工作进行研讨和部署。9月16日，水利部办公厅印发《关于开展河流湖泊普查试点工作的通知》（办水文〔2009〕359号），确定辽宁、浙江、江西、湖北、广西、青海、甘肃等7个省（自治区）开展河流湖泊普查试点工作。

5. 跨界河流水文业务交流与合作　2009年，跨界河流水文业务交流与合作进一步深化，作为近期我国同周边国家水资源领域合作的主要内容之一，我国同哈萨克斯坦、俄罗斯、蒙古、朝鲜、越南、印度、孟加拉和湄公河委员会等周边有关国家和国际组织围绕跨界河流水文报汛、水文资料交换、水文业务交流等事项开展一系列磋商谈判活动，签署一系列关于水文报汛和水文资料交换的协议和实施方案。根据我国同周边有关国家和国际组织签署的协议，云南、西藏、新疆、内蒙古、黑龙江、吉林、辽宁等省（自治区）水文单位圆满完成同越南、印度、孟加拉、俄罗斯、朝鲜、哈萨克斯坦、湄公河委员会等国家和国际组织交换了2009年度国际水文报汛和水文资料的工作，发扬了国际人道主义精神，为发展我国同周边国家睦邻友好合作关系、维护外交大局做出了重要贡献。

6. 水文统计　水利部水文局组织全国水文系统开展2009年全国水文统计工作，编制《2009年全国水文统计年报》，见表1。　（刘圆圆　魏新平）

【水文站网】

1. 水文站网发展　2009年，全国水文系统共有各类水文测站39799个，包括国家基本水文站3183个（含其他部门管理的国家基本水文站203个）、水位站1407个、雨量站15750个、蒸发站11个、墒情站780个、水质站6097个、地下水监测站12522个、实验站49个。其中向县级以上有关部门拍报水情的水文测站10294处，发布预报的水文测站1110处。水文站网在保持稳定发展的同时，进一步得到了充实和调整，与2008年相比，水文站、水位站、雨量站、水质站等各类测站均有所增加，尤其是水位站、雨量站、水质站增加幅度较大。此外，为满足防汛抗旱指挥决策、水资源调度管理、突发性水事件应急处理等的要求，拍报水情的水文测站逐年增加，水情信息服务的社会化水平不断提高。水文测站的充实和调整，优化了水文站网总体布局，完善了水文站网整体功能，拓展了水文资料收集范围，增强了水文工作服务支撑能力，更好地满足了防汛抗旱、水资源管理、生态环境保护、饮水安全保障、水土流失治理、突发性应急水事件处理以及社会公众服务等对水文信息的需要。

2. 水文站网基础工作　2009年，全国水文系统完成全国水文测站编码工作。在各省（自治区、直辖市）水文单位按照水文测站编码规则对全国5万多处各类水文测站进行统一编码和各流域机构水文单位开展以流域为单元进行水文测站编码汇总、协调、校核工作的基础上，水利部水文局组织开展了全国水文测站编码的汇总、审核和完善等工作，9月17日，印发《关于确认全国水文测站编码成果的函》（水文站函〔2009〕41号），将水文测站编码成果分发至各流域机构和各省（自治区、直辖市）水文单位进行确认。经全国水文系统确认后，水利部水文局将刊印全国水文测站编码成果报告。该成果报告将首次发布涵盖全国各主要水文测站编码及基本属性的系统资料，为水文信息化建设奠定重要基础。在总结全国水文测站编码工作的基础上，水利部水文局组织开展水利行业标准《水文测站编码导则》的编制工作。9月，水利部水文局将《水文测站编码导则》（征求意见稿）印发全国水文系统及有关专家征求意见，并完成了进一步的修改和完善，即将报审。

2009年，全国水文系统完成全国水文站网普查与功能评价工作。在各省（自治区、直辖市）和各流域机构水文单位开展水文站网普查与功能评价工作的基础上，水利部水文局结合经济社会不断发展的需求和水文工作面临的新形势新任务，组织开展了全国水文站网功能评价工作，编写完成《全国水文站网评价报告》和4个专题报告。4月16日，水利部水文局以《关于审批全国水文站网普查与功能评价报告的请示》（水文站〔2009〕61号），将《全国水文站网评价报告》报水利部审查。12月22—23日，水利部水

表 1

2009 年全国水文统计年报表

单位名称	水文站（个）	水位站（个）	雨量站（个）	水质站（个）	墒情站（个）	地下水监测站（个）	蒸发站（个）	实验站（个）	拍报水情站（个）	发布预报站（个）	水质实验室（个）	房屋总面积（m^2）	办公用房（m^2）	生产用房（m^2）	测流缆道（座）	机动测船（艘）	非机动测船（艘）	测沙缆道（座）	固定资产总值（万元）	事业经费（万元）	基建经费（万元）	各项经费总额（万元）	在职人员（人）	离退休人员（人）	委托观测员（人）
北京市水文总站	41		121	537		527			155	21	2	8342	6124	1805	8		2		4439	3590		3590	171	63	636
天津市水文水资源勘测管理中心	28	2	28	152		459			45	1	13	17460	17160	300	26	3	5		1997	4586		4586	236	104	
河北省水文水资源勘测局	140	15	838	233		905	1	2	478	50	11	78767	31444	25932	113	2	30		9978	7032	1074	8106	1117	426	1700
山西省水文水资源勘测局	79		804	129		780		2	300	2	7	66186	27503	33096	60	2	2	13	5244	5163	781	6212	570	297	1493
内蒙古自治区水文总局	143	9	642	45		958			241		5	88603	36278	8113	42		56		3355	6510	1032	7541	850	388	1495
辽宁省水文水资源勘测局	118	8	435	61		643	2	3	250	31	12	47824	31747	5151	32	5	35		7364	14446	413	14859	844	617	928
吉林省水文水资源局	107	14	285	113	26	1285	1	7	233	43	6	104062	32905	3789	53	16	55		5335	7317	1640	8984	841	473	1584
黑龙江省水文局	119	47	449	50		1114		4	609	81	7	40039	20980	17315	37	33	51		13994	8113	1218	9366	972	500	1462
上海市水文总站	10	45	10	346		3			57	3	10	20449	15221	4022	1	2			7475	13752	144	13896	328	172	15
江苏省水文水资源勘测局	155	135	237	688	7	1070		1	468	2	11	52100	30891	13545	123	4		15	7921	9943	6210	16153	774	365	660
浙江省水文勘测局	101	129	492	472		10		1	290	18	11	59522	30500	20530	77			15	20800	11341	3185	14526	604	381	627
安徽省水文局	121	91	626	320	101	183	1	5	513	19	6	56837	24873	15057	96	13	16	2	8944	5983	232	6314	755	459	861
福建省水文水资源勘测局	57	43	397	128		21	1	1	209	47	9	49620	33167	13162	49	5			7419	3770	683	4453	451	351	373
江西省水文局	121	58	1326	269		15			381	91	9	117466	27159	21617	83	20	41	19	5971	9142	1350	10492	1024	481	1352
山东省水文水资源勘测局	134	16	663	176		2670			477	60	15	52436	39555	1860	57		4	30	6511	16421	558	16979	1115	562	2755
河南省水文水资源局	130	16	1119	120	121	1292			1181	43	10	107790	23670	10310	83	5	16	5	5407	8408	403	8811	1069	550	2057
湖北省水文水资源局	110	41	543	133	35	33			395	32	10	82149	37759	495	78		19		8944	7080	1350	8430	939	522	601
湖南省水文水资源勘测局	112	10	456	79					720	60	13	98820	45546	53274	101	39	51	3	24027	9869	1867	11736	968	686	456
广东省水文局	82	107	868	294		10	1	1	342	162	10	63017	3419	42778	58	38	13	4	20494	10401	1069	11470	713	532	669
海南省水文水资源勘测局	13	8	175	10					21	7	1	6700	3784	1619	10	2	4		1299	1183	609	1791	90	68	175
广西壮族自治区水文水资源局	160	19	960	128		2			603	41	9	86265	28229	14562	98	28	14	3	11361	11589	1895	13484	763	396	960

续表

单位名称	水文站（个）	水位站（个）	雨量站（个）	水质站（个）	墒情站（个）	地下水监测站（个）	蒸发站（个）	实验站（个）	拍报水情站（个）	发布预报站（个）	水质实验室（个）	房屋总面积（m^2）	办公用房（m^2）	生产用房（m^2）	测流缆道（座）	机动测船（艘）	非机动测船（艘）	测沙缆道（座）	固定资产总值（万元）	事业经费（万元）	基建经费（万元）	各项经费总额（万元）	在职人员（人）	离退休人员（人）	委托观测员（人）
四川省水文水资源勘测局	145	30	534	280	16	59			414	35	9	81357	54859	2927	135	2	1	3	11232	6292	2154	8446	1110	701	593
重庆市水文水资源勘测局	24	67	592	107	72				113	9	2	16317	1856	13745	17	1		14	3407	4438	2425	6863	124	72	153
贵州省水文水资源局	89	3	557	77	45			1	237	10	9	82184	14692	29383	84	3		2	4383	4098	2383	6481	650	269	557
云南省水文水资源局	149	8	869	242	45			1	242	17	14	12413	10973	1440	130				2416	9778	1748	11526	954	522	871
西藏自治区水文水资源勘测局	34	4		47	6	21		3	24	2	5	45145	18489	12360	18		2	12	4836	3705	500	4205	293	54	
陕西省水文水资源勘测局	80	5	556	29	20				261	37	6	75248	30572	25989	70				6091	4911	1987	6898	695	345	556
甘肃省水文水资源勘测局	95		242	56	20	185			80	25	8	52070	20123	4729	72		1	35	2293	5595	1574	7169	697	346	304
青海省水文水资源勘测局	38	1	85	104		32			35	14	3	26293	7448	102	31		2	4	1617	3165	117	3281	265	233	117
宁夏回族自治区水文水资源勘测局	38	8	155	40	11	230			30	7	1	8915	5566	2974	20				433	1548	292	1886	224	100	
新疆维吾尔自治区水文水资源局	140	1	10	215				2	102	67	12	65287	49994	12315	121	1	5		14515	7116		7116	962	450	
新疆生产建设兵团水利局水文处	20	117		16		1	1	2	137		2	12516	2892	2657	16	1	3	4	1590	820		820	314	14	
长江水利委员会水文局	102	264	24	112		2	2	1	195	57	62	143679	40480	54583	53	67	39	27	57601	23156	6614	29770	2236	1317	180
黄河水利委员会水文局	117	72	651	50		6	1	10	409	12	8	316239	87246	62718	103	39	36	4	67084	20165	9537	29702	2240	1068	518
珠江水利委员会水文局	15	6	1	103					3		3	6587	4347	2240		4			4047	8391	375	8766	163	87	
海河水利委员会水文局	10	8				1			38	3		4474	2974	1240	12	4			5017	1077		1162	131	21	
松辽水利委员会水文局	3			3					3		1	4340	3421	790		2			3701	1525	2421	3946	85	8	
淮河水利委员会水文局						5		1			1	1316	1100	216	1				2224	1090		1105	59	11	3
太湖流域管理局水文处	3			133				1	3	1	1	5624	4256	1040	1	6			6650	759	1342	2101	42	5	
总　计	3183	1407	15750	6097	780	12522	11	49	10294	1110	334	2264458	909202	539780	2169	347	503	214	387416	283263	59182	343020	26438	14016	24711

规总院在北京组织专家对全国水文站网普查与功能评价成果进行了审查，审查认为：开展全国水文站网普查与功能评价工作，对于摸清我国水文站网的基本情况，制定水文发展战略，提升水文工作满足经济社会发展需要的能力具有重要意义；全国水文站网普查的要素全面、信息量大、资料翔实，为开展全国水文站网评价提供了可靠依据，也为全国水文行业管理提供了基础数据；《全国水文站网评价报告》从多角度、多层次对全国水文站网功能进行评价，内容全面，体系完整，分析了水文站网存在的突出问题，研究了水文站网调整意见，提出全国水文站网建设和发展的方向和重点，可作为开展水文发展规划编制工作的重要依据。

3. 水文站网管理　为确保国家基本水文站网的稳定发展以及水文站网服务功能的正常发挥，按照《水文条例》的规定，水文站网设立和调整的审批工作不断得到加强。2009 年，水利部水文局对全国 10 余处国家重要水文测站和流域机构所属的一般水文测站的设立和调整进行了审批。为推动各地水文单位做好水文站网规划工作，8 月 21 日，水利部水文局以《关于重庆市水文站网规划报告的批复》（水文站〔2009〕142 号），对重庆市水利局报送的《重庆市水文站网规划报告》进行批复。各流域管理机构和省级水行政主管部门按照管理权限，进一步加强水文站网管理和审批工作。海河水利委员会对漳河上游 11 个水文专用站的设立进行了技术论证和批复。重庆、广西、云南等省（自治区、直辖市）水文机构加强专用水文测站的管理，对非水文系统设立的专用水文测站进行审批，切实履行《水文条例》赋予的行政管理职责。（魏新平）

【测验与新技术】

1. 水文监测情况

（1）水文测报能力进一步加强。2009 年在应对突发事件中，水利部水文局承担了对西藏雅鲁藏布江墨脱县古玉山体滑坡造成的堰塞湖进行水文监测的紧急任务，迅速组建水文应急监测工作组和应急测验突击队，制定监测预案、紧急调动水文突击队和监测设备进藏赶赴墨脱，组织完成了 11 个水文站的监测报汛站的布设和滑坡体堰塞湖应急影像传输系统等监测设备的安装，圆满完成各项监测任务，为国际河流水情预报、抢险、排险工作提供可靠信息。

（3）召开“水文安全生产工作会议”，加强对安全生产工作的领导，切实落实安全生产责任制。

（4）2009 年，全国共有 329 个测站的测验设施（测井、缆道、报汛设施等）遭受严重水毁，水毁直接经济损失达 6700 余万元。

2. 水文资料整编

（1）继续开展水文年鉴汇编刊印工作。编制发布了《水文年鉴汇编刊印实施方案》，完成《中华人民共和国水文年鉴》共 10 卷 75 册 84 本的整理、汇总、编辑工作。聘任水文行业 60 名专家担任评定专家，承担对全国水文年鉴资料的整编和流域汇编的技术指导、质量审查及水文年鉴质量的评定工作。

（2）召开“中国西北地区定点洪水调查资料汇编刊印工作会议”，组织对中国西北地区稀缺资料的收集汇总工作。

3. 水文测验技术标准编制及水文数据库

（1）编制完成《水文年鉴汇编刊印规范》《河流泥沙颗粒分析规程》《水位试验台校验方法》《水文自动测报系统通用设备》以及《水位测量仪器第 3 部分　地下水位计》《水位测量仪器第 5 部分　电子编码水尺》《水深测量仪器第 1 部分　水文测杆》《流量测量仪器第 2 部分　声学流速仪》共 8 个水文测验技术标准。

（2）启动国家、行业技术标准的编制、修订工作；完成《水面蒸发观测规范》《受工程影响测验方法技术导则》《水文资料整编规范》《河流流量测验规范》《二线能坡法测流规程》等 12 个技术标准编制大纲的审查。

（3）编制《国家水文数据库建设规划》，并通过水利部水文局组织的专家审查，将纳入水文“十二五”建设规划。

4. 国际活动和交流

（1）将联合国教科文组织国际水文计划（IHP）中国国家委员会改设在水利部水文局。召开了 IHP 中国国家委员会工作会议，会议宣读了水利部文件，并向 IHP 中国国家委员会成员颁发证书，邓坚任 IHP 中国国家委员会主席，朱晓原任秘书长。全体委员全面回顾了中国国家委员会成立以来开展的工作，探讨了国际水文计划的工作内容，确定了国家委员会的工作重点及下阶段的工作计划。

（2）成功主办联合国教科文组织国际水文计划东南亚及太平洋地区区域指导委员会（RSC）第十七次会议。来自澳大利亚、柬埔寨、朝鲜、日本、老挝、印度尼西亚、马来西亚、蒙古、缅甸、新西兰、巴布亚新几内亚、菲律宾、韩国、泰国、越南等国家以及联合国教科文组织雅加达办事处、北京办事处的 40 多名代表参加了会议。会议的主要内容包括：联合国教科文组织代表通报国际水文计划全球活动情况，各国 IHP 国家委员会提交国家报告并交流了在水文领域的活动情况，听取区域联合国教科文组织涉水国际中心的工作报告，提出区域活动的计划并检查正在开展的项目执行情况，主席换届选举等等。中国 IHP 国家委员会代表做了中国在水文领域所开展的活动和交流研究成果的国家报告。IHP 中国国家委员会副主席刘恒当选 RSC 主席。

（3）主办“水文和灾害管理”国际研讨会。会议在武汉举办，研讨会包括5个主题：流域及含水层对全球变化影响的适应性；加强水资源管理，提高水资源利用的可持续性；面向可持续性的生态水文学；淡水与生命支撑系统；面向可持续发展开发水资源保护教育。来自16个国家共80位国内外专家参加会议，交流了各国在相关领域的研究成果。

（4）落实中朝水文科学技术合作协议的实施，圆满完成接待以朝鲜国家气象水文局局长高日勋为团长的朝鲜水文代表团对水利部的访问工作会谈和水文业务交流考察，签署会谈纪要，并举行了向朝鲜赠送水文仪器的交接仪式，以加强朝方向中方报汛水文站的测验能力。

（5）组成中国水文测验专家团出席在英国举行的ISO国际标准会议，提交了中国负责起草的国际标准技术报告，并参加国际标准草案讨论及决议起草。

（熊珊珊）

【水资源监测与评价】

1. 水质监测

（1）全国部分重点水域藻类试点监测工作。2008年，水利部水文局选择13个试点单位，对太湖、巢湖、滇池等16座湖泊、水库开展了藻类试点监测工作，取得了很好的效果。2009年4月10日，水利部水文局在京召开会议部署2009年藻类试点监测工作，水文局局长邓坚出席会议并作重要讲话，副局长林祚顶主持会议并部署了2009年度藻类监测试点工作，水质处就实施方案做了具体说明。承担试点监测工作的流域水环境监测中心、省市水文局的负责人及有关技术人员参加了会议，会议进一步扩大了监测范围与监测内容，推进了藻类试点监测工作的开展。

（2）举办2009年藻类监测技术培训班。2009年4月25日—5月8日，水利部水文局委托长江流域水环境监测中心在武汉举办了2009年藻类监测技术培训班。来自藻类试点监测工作单位的近30人参加了培训。

（3）召开水环境监测质量管理及计量工作研讨会。2009年7月28—29日，水利部水文局在哈尔滨召开水环境监测质量管理及计量工作研讨会，来自各流域水环境监测中心和部分省（自治区、直辖市）水环境监测中心的负责人和国家级实验室资质认定评审员近50人参加会议。会议交流了水利系统水质监测质量管理的经验做法，明确了监测质量管理重点，研讨了水环境计量工作要点及监测机构在接受资质认证评审中需要统一的有关问题。

（4）《饮用水安全应急监测规划》通过审查。2008年，水利部水文局组织开展了《饮用水安全应急监测规划》编制工作。2009年11月19—20日，水利部水文局召开会议审查并通过了《饮用水安全应急监测规划》，该规划将上报水利部。规划内容实施后，能够建立健全水利系统饮用水安全应急监测网络体系，有效弥补各级水环境监测机构现有应急监测能力的不足，使各级机构的监测能力与其工作职责相适应，保障饮用水应急监测工作有效、有序开展，切实维护人民群众饮水安全。

（5）举办水环境监测实验室管理培训班。2009年12月5—9日，水利部水文局在长沙举办“水环境监测实验室管理培训班”，来自全国的地市级水文机构从事水环境监测工作的近百名管理人员及技术骨干参加了培训。

（6）召开“全国水资源质量信息共享服务系统应用平台建设项目”验收会。2009年12月23日和29日，水利部水文局根据项目进度组织召开专家验收会，对“全国水资源质量信息共享服务系统应用平台建设项目”中“水质分析评价水质预测共享服务信息发布及其推广应用”“水质测站、水功能区与排污口GIS信息处理”“数据传输与信息管理子系统”和“实验室信息管理系统”共4个合同所含建设内容进行了验收并一致通过。

（7）印发2008年度《中国地表水资源质量年报》。水利部水文局组织编写2008年度《中国地表水资源质量年报》，综合反映了有关中国水资源质量监测、评价、管理和科研成果，向有关部门报告我国水资源质量状况和变化趋势，为社会经济可持续发展和水资源优化配置、合理利用及水生态管理提供科学依据，为科研、设计和规划提供水资源质量方面的基础资料。

（8）组织完成水利行业标准编制工作。2009年5月12—13日，水利部水文局在北京召开会议，组织完成《气相色谱法测定水中酚类化合物》《气相色谱法测定水中酞酸酯类化合物》和《高效液相色谱法测定水中多环芳烃类化合物》《冰封期冰体采样与前处理规程》《生态风险评价导则》等5项标准的编制工作，并对这5项标准进行了审查。会后，根据专家审查意见，修改完善后，上报水利部。（彭辉）

2. 地下水监测

（1）《国家地下水监测工程项目建议书》通过中国国际工程咨询公司评估。2009年2月，水利部、国土资源部相关司局向国家发改委投资司就两部联合上报的《国家地下水监测工程项目建议书》有关情况进行了专题汇报。国家发改委投资司原则同意，按照有关基建程序展开工作。3月，受国家发改委委托，中国国际工程咨询公司在北京组织召开评估会议《国家地下水监测工程项目建议书》通过了专家评估，将作为下阶段工作的依据。水利部水文局邀请中国国际工程咨询公司、国家发改委等单位有关领导对地下水监测工作进行调研。水利部水文局提前部署《国家地下水监测工程可行性研究报告》编制工作。2009年1月，印发了“关于开展《国家地下水监测工程可行性研究报告》编制准备和调研工作的通知”（水文资

〔2009〕19号文），要求有关单位按要求认真组织项目前期可行性研究阶段报告的编写工作，并上报相关报告和材料。4月成立《国家地下水监测工程可行性研究报告》编写组，组织开展可行性研究报告技术大纲及可行性研究报告编制工作。

（2）发布《地下水动态月报》。2009年，水利部水文局为更加及时反映地下水动态变化，为水资源管理和抗旱指挥决策等提供及时、准确的地下水信息，经过资料收集与技术准备，开展了《地下水动态月报》的编制工作。自9月起，每月编制发布北方平原区《地下水动态月报》。月报的内容包括：主要平原区的降雨量、浅层地下水埋深、地下水蓄变量等动态信息。范围为我国北方地区的17个省（自治区、直辖市）。与现有的《地下水通报》相比，其着眼点是突出信息的时效性，力求及时准确地发布地下水监测信息。

（3）编制《全国重点地区旱情监测项目建议书》。为加快旱情监测特别是墒情监测站网的建设进度，水利部水文局在2009年上半年开展了《重点地区旱情监测与分析系统工程建设项目建议书》的编制工作及土壤水分监测仪器性能对比测试工作。

（4）召开城市水文工作座谈会。2009年11月26日，水利部水文局在北京组织召开城市水文工作座谈会。与会代表经过认真交流和座谈讨论，对进一步做好城市水文工作有了更深刻的认识与体会，会议取得了预期效果。

（5）推进各项业务工作。2009年初印发了《关于开展水资源监测与评价工作情况调查的通知》（水文资〔2009〕5号文），在全国范围内开展水资源监测与评价工作情况调查，基本摸清了全国水文系统水资源监测与评价开展情况；水利部公益性科研项目“京津冀地下水严重超采区地下水预测研究”和联合国儿童基金会“气候变化对地下水影响的监测研究”项目进展顺利，取得较好的阶段性工作成果；10月，水利部地下水监测中心协助组织了“黄河论坛——气候变化对地下水影响”分会场工作，将“气候变化对地下水影响的监测研究”项目背景、进展情况制作成图文并茂的中英文宣传册，并派出代表在分会上做了“气候变化影响下的地下水研究项目对我国地下水监测与预测技术的作用”专题报告。

（6）加强技术培训。2009年，按照《水利部2009年面向行业举办的培训班计划》，6月10—12日，水利部水文局在郑州举办了国家地下水监测工程可行性研究报告编制培训班，全国7个流域机构、31个省（自治区、直辖市）和新疆生产建设兵团水文部门100余人参加培训。　（王爱平）

【水利气象】

1. 汛期预报服务　2009年我国自然灾害频发，表现为台风登陆多、影响区域集中；汛期降水过程多、局部暴雨超强；同时区域性干旱严重、范围大、持续时间长。针对非汛期防汛抗旱防台风重点热点工作加强天气监视、分析和预测工作，及时、全面为水利部领导、国家防办抗旱部门提供气象信息和服务。

2009年，水利部水文局从汛前准备、加强值班和提高服务能力三个方面狠抓工作落实，开展了水文气象信息资源共享平台建设工作。汛前完成了全国汛期长期降水预报制作、度汛准备、业务系统软件和设备维护等汛前准备工作。为做好2009年气象值班工作，提高气象信息服务水平，重新修订了《气象处汛期值班工作制度》、《气象情报预报工作责任制》和《气象业务系统运行管理工作制度》，并重新制定了《气象短信息发布规程》，对气象防汛值班工作进一步流程化、规范化和制度化，同时加强了气象短信息发布工作。

2009年共提供气象信息134期，降水预报图108期，日旬月雨量图140期，气象周旬月降水总结64次，台风（热带气旋）总结材料9次，降水天气分析报告20次，手机短信发布450次。

汛后完成了2007年台风资料整编和历史台风库更新、756个气象站历史日雨量数据库资料更新和雨量特征值统计、2540个气象站站码信息校核及2008年《水情年报》雨情气象部分的编写等日常气象信息服务工作。

2. 业务建设与科研　参与“国家防汛抗旱指挥系统一期工程项目”建设工作，完成了气象产品应用系统、热带气旋应用系统、致洪暴雨查询系统等项目建设工作，这些系统已投入业务应用，其中热带气旋应用系统在9月防台风会商中得到应用，取得了良好的会商效果。

利用高分辨率MODIS卫星数据替换NOAA-16卫星，通过对遥感旱情监测应用系统软件改造，将全国旱情监测分辨率从4km×4km提高到1km×1km，提高了旱情监测精度；为满足防台风工作要求，开展台风定量指标分析工作，在对现有资料分析统计的基础上，建立台风生成、移动、登陆、降水等过程的指标体系，在台风信息服务系统中增加台风定量指标应用功能；为加强降水分析工作，改造“天眼”应用系统中降水分析应用模块，增加区域（流域、行政）降水分析应用功能，开发完成历史、实时区域（流域）面雨量分析处理软件。

3. 会议与培训班　2009年4月1—3日，水利部水文局与气象局在北京联合召开“2009年汛期全国气候趋势预测会商会”，为水利部领导、防汛抗旱部门提供了汛期天气预测信息。6月初参加了黄河、海河流域水文气象长期预报会商会。

2009年11月15—18日，水利部水文局在合肥主持召开了全国首届水利系统水文气象信息技术工作研讨会，会议重点讨论了水利气象的业务特点和发展方向、水文气象信息资源共享平台的建设以及气象服务工作的经验和不足等问题，并就建设水文气象信息资源共享平台有关技术问题初步达成了一致意见。

4. 雨情

（1）年度。2009 年，我国大部地区降水偏枯。长江以南大部地区降水量偏少，发生了阶段性干旱；多雨区包括太湖、淮河、海河、松花江流域及黄河中下游地区。年内台风生成个数偏少，但登陆我国的个数偏多。

2009 年降水量，广东西部沿海、海南东部为 1800～2500mm；江南大部、华南中东部大部、湖北西南部、四川东北部为 1200～1800mm；广西中西部、福建南部沿海、江苏中部、安徽中部、湖北大部、河南南部、陕西南部、重庆大部、湖南西部、贵州、云南部分地区为 800～1200mm；西南大部、黄淮北部、华北中南部大部、东北中东部、青海南部为 500～800mm；辽宁西部、吉林西部、内蒙古东北部、甘肃南部、山西大部、陕西中部、青海东北部、新疆西部为 300～500mm；宁夏、甘肃中部、西藏中部、内蒙古中部、新疆北部为 100～300mm；青海西部、甘肃西部、西藏西部、内蒙古西部、新疆南部为 20～100mm。

与多年平均年降水量相比，太湖流域、汉江上游、淮河流域东南部和西北部、黄河上中游大部、海河流域南部、松花江流域及华南沿海地区降水偏多，其中海南、广东西部沿海、江苏南部、山西中部、河北西南部、陕西关中地区、青海和新疆北部部分地区偏多二至五成；珠江和长江流域大部、江淮西部、海河流域北部、辽河流域及宁夏、甘肃东部、内蒙古和新疆大部偏少一至四成。

2009 年，西北太平洋（含南海）共生成台风及热带风暴 22 个，其中有 9 个在我国沿海登陆。与多年平均值相比，生成个数明显偏少，但在我国沿海登陆的个数则偏多，登陆比例显著偏高。

（2）汛期。汛期（汛期 5—9 月），我国大部地区降水过程较多，但持续降水少。主要多雨带从青海跨汉江上游、黄淮中西部、海河流域西南部、江淮东部至太湖流域，东北中北部和内蒙古东北部为次要多雨带。

5—9 月累计降水量，广东西南部和海南东部为 1500～2000mm，广东西北部、广西东部、海南西部、福建东北部、浙江东南部等地为 1000～1500mm；广西中西部、广东东部、江西南部、福建和浙江大部、上海、江苏中南部、重庆、贵州东南部、云南部分地区、四川南部为 700～1000mm；东北东部和北部、华北东部和南部、黄淮、江淮西部、陕西南部、四川大部、西藏东部、云南东南部、辽宁南部为 400～700mm；华北北部、西北东南部、吉林西部、辽宁中北部、陕西北部、青海东北部、西藏中部、新疆天山地区西部为 200～400mm；内蒙古中部、宁夏北部、新疆天山地区东部、西藏西部为 100～200mm；新疆大部、青海西部、内蒙古西部为 10～100mm。

与常年同期相比，珠江桂江、太湖、雅砻江、海河、松花江干流和嫩江等流域及黄河中游、淮河流域西北部、里下河地区和海南降水偏多，其中海南、粤西沿海、江苏南部、安徽北部、山西中部、河北西南部、青海、甘肃中部等地 5—9 月累计降水量偏多三成至一倍；华南和江南大部、西南中东部、江淮西部、西北东部、华北北部、辽宁、新疆大部偏少一至五成。

（3）非汛期。汛前（1—4 月），长江、海河、松花江、辽河流域和新疆北部降水偏多，尤以松辽流域偏多明显。

1—4 月累计降水量，海南东部、湖南大部、江西中北部、福建北部、浙江南部为 400～600mm；海南西部、广东大部、广西东北部、江西南部、福建南部、浙江北部、江苏南部、上海、安徽中部、湖北部分地区、重庆、贵州东部为 200～400mm；江苏中部、安徽北部、河南东部、贵州西部、四川部分地区、辽宁东部和吉林东南部为 100～200mm；黄淮大部、西北中东部、华北、东北大部、新疆北部为 10～100mm；宁夏北部、青海西部、甘肃中西部、内蒙古西部、新疆南部、西藏中西部不足 10mm。

与同期多年平均值相比，长江上游部分地区和中下游沿江、淮河流域西北部、海河流域北部、辽河和松花江大部降水偏多，其中雅砻江、南四湖、永定河、辽河、第二松花江和新疆天山以北地区偏多三成至一倍；珠江流域、淮河和黄河流域大部、海河流域南部及江南南部、青海、甘肃、内蒙古西部、新疆中部偏少一至四成。

汛后（10—12 月），我国大部地区降水偏丰，但云南、贵州和广西降水显著偏枯。

10—12 月累计降水量，海南大部为 400～700mm；广东北部、福建北部、浙江北部、安徽南部为 200～300mm；广西东部、广东部分地区、四川东部、贵州北部、重庆大部、湖北大部、湖南、江西、福建南部、浙江南部、安徽中部、上海、江苏中南部、河南西南部、陕西南部为 100～200mm；东北东南部、陕西大部、湖北西部、安徽北部、江苏北部、河南大部、云南和四川部分地区、贵州中南部为 50～100mm；东北西部和北部、华北大部、西北中部、新疆北部、西藏北部、云南西北部和东南部、四川西南部为 10～50mm。

与常年同期相比，珠江北江和东江、长江下游和岷江、太湖、浙闽地区、黄河中游、海河流域西部、第二松花江、西北大部偏多三成至一倍，部分地区偏多一至二倍；珠江西江、长江上中游大部、淮河上游和沂沭泗、海河流域东部和北部、黄河下游、辽河流域西部偏少二至七成。

5. 台风　2009 年，在西北太平洋（含南海）共生成台风及热带风暴（以下统称“台风”）22 个，其中在我国沿海登陆 9 个。生成个数较常年（27 个）明显偏少，在我国登陆的个数较常年（6.9 个）偏多。

从总体上看，年内台风活动呈现如下几个特点：

（1）登陆时间集中。登陆台风中，有 6 个台风集中在 6 月 21 日—8 月 9 日的 50 天时间内连续登陆我国，为历史罕见。

（2）登陆比例高。年内生成个数较常年偏少 5 个，但登陆个数却偏多，登陆个数占生成个数的 40.9%，为有记录以来历年之次高值（最高为 2008 年的 45.5%）。

（3）登陆位置集中且偏南。9 个登陆台风中有 7 个登陆点在广东、海南，2 个在福建，而浙江及以北地区没有台风登陆。

（4）路径怪异。第 200907 号台风“天鹅”从粤西登陆后逆时针转向，在海南岛近海旋转绕行接近一圈；第 200917 号台风“芭玛”在菲律宾登陆 3 次，并在其北部近海海域回旋打转达 5 天之久，极为罕见。

（5）台风降水少。台风在我国大陆地区产生的降水资源量最多的仅为 420.8 亿 m^3，最少的才 23.4 亿 m^3，普遍偏少。

从综合影响看，2009 年内对我国影响较大的台风分别是第 200907 号台风“天鹅”、第 200908 号台风“莫拉克”和第 200915 号台风“巨爵”，其中尤以第 200908 号台风“莫拉克”影响最为严重。第 200908 号台风“莫拉克”登陆前水汽含量极大，8 月 7 日登陆台湾岛，穿岛时间与普通台风相当，却产生了创纪录的高强度暴雨，暴雨中心阿里山的过程点雨量超过 3000mm，8 月 9 日在福建北部再次登陆，又给浙南闽北地区带来超强暴雨，暴雨中心浙江泰顺县九峰乡九峰村站过程点雨量达 1242mm，创浙江省台风过程降雨量最大的历史纪录。（戚建国）

【水文情报与减灾效益】

1. 2009 年水情概况　2009 年，全国除西江、长江上游干流及太湖流域发生了超警戒水位洪水外，其他大江大河水情总体平稳，但中小河流洪水频发。全国七大流域中除海河流域外，其他六大流域的 210 余条中小河流相继发生了超警戒水位以上洪水，受极端灾害性天气和台风登陆带来的局地强降雨影响，柳江支流龙江、赣江支流章水、黄河上游支流汝箕沟口、浙江鳌江支流南港、曹娥江支流黄泽江等 12 条中小河流发生超过历史记录的洪水。2009 年汛后，由于降雨及来水持续偏少，西江干流梧州江段、北江下游以及江西、湖南部分河流出现了历史最低水位，长江中下游干流及两湖水位持续偏低。

2009 年汛前，黄河、松花江、黑龙江开河（江）期间未出现大的凌汛。1 月，黄河内蒙古及河曲河段全部封冻，黄河下游大部分河段封河，黄河上游宁夏河段出现开河；2 月，黄河下游封冻河段全线开通，内蒙古及河曲河段部分开通；3 月，黄河干流封冻河段全部开通，开河过程中未出现大的凌汛。4 月，黑龙江上游部分江段提前开江，较常年提前 14～16 天。汛前，受冷暖空气的共同影响，华中、华东地区出现一次大范围强降水过程，受其影响，贵州、湖南、江西、浙江、福建的部分中小河流发生超警戒水位洪水。

2009 年汛期，除西江、长江上游干流及太湖流域发生超警戒水位洪水外，其他大江大河水情总体平稳。受强对流天气和台风登陆带来的局地强降雨影响，全国七大流域中除海河外，其他六大流域的 210 余条中小河流都相继发生了超警戒水位以上洪水，其中柳江发生了大洪水，柳江支流龙江、赣江支流章水、黄河上游支流汝箕沟口、浙江鳌江支流南港、曹娥江支流黄泽江等 12 条河流发生了超过历史记录的洪水，赣江支流袁河、汉江支流前河发生了历史第二位大洪水，松花江呼兰河出现了 1998 年以来的最大洪水。5 月，受局部强降雨影响，广西桂江、北流河，广东漠阳江，福建建溪、富屯溪，湖南湘江，江西信江，甘肃白龙江等部分中小河流均发生了超警戒水位洪水；受高温及降雨影响，新疆额敏河支流发生了超保证水位洪水；松花江、黑龙江平稳开河。6 月，受局部强降雨影响，广西柳江、北流河、蒙江，浙江飞云江，长江上游岷江、青衣江、南河及涪江支流，鄱阳湖水系的资水、沅江、澧水支流，长江下游巢湖水系的西河、青弋水阳江、秦淮河以及云南、甘肃境内的部分中小河流均发生超警洪水；黑龙江呼玛河、嫩江甘河发生超过保证水位的洪水，松花江呼兰河支流出现了 1998 年以来的最高水位；受高温融雪影响，新疆玛纳斯河、伊犁河、喀什噶尔河、克孜河均发生了超过警戒水位或警戒流量的洪水。7 月，西江干流发生 2009 年首次超警戒水位洪水，柳江干流发生了大洪水，其支流龙江发生超历史记录的洪水，桂江及北流河发生超警戒水位洪水。受强降雨影响，浙闽地区的闽江、九龙江、韩江、晋江、飞云江，长江上游支流雅砻江、岷江、沱江、涪江、渠江、嘉陵江，洞庭湖水系湘江、资水、沅江，鄱阳湖水系饶河、抚水、赣江、信江，淮河里下河地区部分河流，黄河上游支流汝箕沟口、大通河，松辽流域黑龙江呼玛河、松花江呼兰河、嫩江甘河等多条河流均发生了超警戒水位以上洪水，其中，赣江支流章水、黄河上游支流汝箕沟口、嘉陵江支流岸门口河发生超历史记录的洪水；赣江支流袁河、嘉陵江支流清江、渠江支流前河均发生历史第二位洪水。8 月，长江上游干流发生2004年以来最大洪水；太湖出现1999年以来的最高水位；受第200908号台风“莫拉克”登陆的影响，浙闽地区诸多河流发生了超警戒水位以上洪水，其中，浙江鳌江支流南港、曹娥江支流黄泽江发生超历史记录的洪水，福建闽江部分潮位站出现历史第三高潮位；受强降雨影响，长江上游金沙江、岷江、沱江、大渡河等多条支流，长江中游支流汉江、下游支流水阳江等发生超警戒水位以上洪水；黄河流域渭河支流发生超警戒水位洪水。9月，受第200915号台风“巨爵”登陆影响，广西、广东部分河流发生超警戒水位洪水，珠江口出现了历史最高潮位；受第200916号台风“凯萨娜”影响，浙江沿海地区部分河流发生超警戒水位以上洪水；受局部强降雨影响，长江上游支流嘉陵江发生超警戒水位洪水。

2009年汛后，全国无明显的大范围降雨过程，大江大河水势基本平稳。但由于受第200917号热带风暴“芭玛”登陆影响，海南南渡江干支流发生了超警戒水位洪水，部分潮位站超警戒水位。此外，由于降雨及来水持续偏少，西江干流梧州江段、北江下游以及江西、湖南部分河流出现历史最低水位，云南大部、广西西北部出现不同程度的旱情，长江中下游干流及两湖水位持续走低，为有效缓解水位下降趋势，三峡水库加大泄流。黄河、松花江、黑龙江相继开始封冻，封冻期间水情均较为平稳。

2009年，全国主要江河年来水量总体偏枯。与常年相比，松辽流域主要江河来水量偏少一至六成。其中，嫩江偏少近一成，松花江干流及第二松花江均偏少近四成，辽河偏少六成；海河流域各大水系来水量严重偏少。其中，滦河潘家口水库、潮白河密云水库、滹沱河、卫运河均偏少七至八成；漳河岳城水库、永定河水系洋河及桑干河、大清河水系拒马河均偏少九成以上；黄河干支流来水量，除黄河上游干流龙羊峡水库偏多三成外，其他干支流均偏少，其中，黄河上游干流偏少半成，黄河中下游干流偏少四成，支流渭河及伊洛河均偏少三成半；淮河流域除沂沭泗水系沂河来水量与常年持平外，其他主要河流干支流均偏少四至六成。其中，淮河上游干流偏少五成多，中下游干流偏少四至五成，支流洪汝河偏少近六成，史灌河偏少近五成；长江流域主要江河来水量总体偏少。其中，长江上游干流偏少一成，中下游干流偏少一成半，长江上游支流嘉陵江及中游支流汉江与常年基本持平，洞庭湖水系沅江和湘江、鄱阳湖水系赣江偏少二至四成；珠江流域主要江河来水量总体偏少，其中西江偏少三成，北江偏少四成，东江偏少四成半；浙闽地区的闽江来水量偏少三成半，浙江新安江水库偏少一成半。

据全国422座大型水库统计，2009年末（2010年1月1日）蓄水总量为1783亿 m^3，较2008年同期少蓄179亿 m^3，较多年同期平均多蓄160亿 m^3；北方9省（自治区、直辖市）的134座大型水库蓄水总量为310亿 m^3，较2008年同期少蓄82亿 m^3，较多年同期平均少蓄56亿 m^3；南方8省（自治区）的151座大型水库蓄水总量为678亿 m^3，较2008年同期少蓄80亿 m^3，较多年同期平均多蓄62亿 m^3。

2. *水文情报预报效益* 在2009年防汛抗旱、水资源管理、生态环境保护中，全国各级水文部门及时报送雨水情信息和进行水文预测预报分析，为国家防总及各级防汛抗旱指挥部门进行决策提供了及时、准确的科学依据，取得了较大的社会效益和经济效益。据统计，2009年全国水文情报预报工作减灾效益约80.1亿元。

（周砀）

水 资 源

【全国水资源工作会议】 2009年2月14—15日，全国水资源工作会议在广西桂林召开。水利部部长陈雷主持会议，并作题为《实行最严格的水资源管理制度保障经济社会可持续发展》的重要讲话。全国政协原副主席、中国工程院院士钱正英出席会议并发表重要讲话。水利部原部长、全国人大财经委副主任委员汪恕诚出席会议并讲话。广西壮族自治区党委副书记陈际瓦到会致辞。水利部副部长胡四一出席会议并作会议总结。广西壮族自治区政府副主席陈章良，水利部党组成员、办公厅主任陈小江，以及中编办、国家发改委、国务院法制办有关部门领导出席会议。

本次会议的主要任务是，全面贯彻党的十七大、十七届三中全会和中央经济工作会议、中央农村工作会议精神，深入贯彻落实科学发展观，按照全国水利工作会议的要求，总结工作，交流经验，分析形势，部署当前和今后一个时期的水资源管理工作，努力开创水资源管理工作的新局面。

会议邀请了中国科学院院士刘昌明、中国工程院院士王浩作专题报告。会议组织了交流发言和分组讨论。

参加此次会议的还有财政部农业司的有关负责同志，各流域机构，各省、自治区、直辖市水利（水务）厅（局），各计划单列市水利（水务）局，新疆生产建设兵团水利局负责同志和水资源管理部门负责同志，水利部各有关司局和直属单位负责同志，部分省、自治区、直辖市节水办负责同志。（刘永攀）

【水资源规划】

1. *水资源论证* 截至2009年12月底，全国开展五批建设项目水资源论证资质认定工作，共认定甲级资质单位160家，乙级资质单位748家，从事水资源论证工作的技术人员已达3万余人；资质单位覆盖全国各省、自治区、直辖市，涉及水利、建设、农业、国土资源、电力、环保等行业的生产、设计以及大专院校和科研单位；全国8000余人参加了水资源论证培训，提高了报告书编制人员的从业能力；水利部建立了水资源论证专家库，聘请各相关领域专家1700余名，大部分省区也建立了省级专家库，基本满足了报告书审查工作的需要；全国各级水行政主管部门审查的报告书万余份，其中省级以上水行政主管部门（包括流域）审查通过的论证报告书3000余份，涉及水利、水电、火电、化工、冶金、农业、生态、供排水、建材、造纸、医药、食品等行业。

2. 地下水资源管理　继续推进地下水管理立法工作，编制了《南水北调东、中线受水区地下水压采实施方案技术大纲》，累计发布《地下水通报》29期。开展了粮食主产区、南水北调（东、中线）受水区、煤矿开采区、西南岩溶地区、生态脆弱区、北方缺水城市地区、滨海地区和地热水开发利用地区地下水保护试点工作。组织开展了全国地下水管理人员培训，编制了专用培训教材。开展了《地下水资源管理与保护工作评价指标体系》的研究工作，为评价和考核地方水行政主管部门地下水资源管理保护工作、强化监督提供基础和依据。开展了地下水回灌技术与管理研究工作，为规范和指导以地下水涵养为目标的地下水人工回灌、推进地下水保护工作提供科学依据。

3. 首都水资源规划　继续推进水资源综合治理，落实规划各项目标任务。截至2009年12月底，中央及北京市地方财政共落实投资181.76亿元，占规划总投资的78.52%。其中，中央安排投资44.98亿元，占中央投资总额的56.6%。中央对河北省、山西省、北京市和海委的投资分别为21.65亿元、19.0961亿元、2.48亿元和1.76亿元，分别占各自投资总额的54.6%、69.1%、24.8%、88%。北京市地方财政安排投资136.78亿元，占其地方投资总额的96.32%。形成节水灌溉面积11.99万 hm^2；治理水土流失面积 $4777km^2$，68个点污染源治理项目和19个城市污水处理厂项目全部建成发挥效益，完成官厅水库浸没面积治理 $29km^2$。河北、山西两省加强规划项目前期工作和项目储备，加强督导检查，加快项目建设进度，加强项目财务管理，及时解决项目建设管理中存在的问题，一批规划项目完成验收。

加强水资源统一调度，全力确保首都供水安全。积极克服严重干旱的不利条件，协调小组会同海委组织实施了汛期河道取水口封闭集中下泄，实施河北云州水库向北京市集中输水1022万 m^3。北京市统筹境内外水资源配置，强化调度管理，稳定水源地开采，强化用水管理，促进用水结构调整，严格水源地保护和安全监督管理，保障了大旱之年首都供水安全，为新中国60周年庆典成功举办作出了贡献。全市2009年总用水量35.4亿 m^3，与2008年基本持平，利用再生水6.2亿 m^3。按可比价格计算，万元GDP用水量由2008年的 $35.7m^3$ 下降到 $33.1m^3$，用水效率进一步提高。

4. 全球环境基金（GEF）海河流域水资源与水环境综合管理项目　全球环境基金（GEF）海河流域水资源与水环境综合管理项目2009年各项工作进展顺利，并取得了一批技术成果。2009年中央项目办组织国内外专家开展了相关的KM系统运行管理、遥感监测ET技术应用、项目监测评价、IWEMP、SAP、SWAT模型开发等业务培训，加强各级项目办能力建设；7月和9月顺利通过了世界银行小型检查团、世界银行第十次检查团的检查；10月15—16日，由环境保护部、水利部和世界银行共同组织召开了海河流域水资源与水环境综合管理第二次国际研讨会，展示和交流了项目的研究成果；开展了KM系统数据共享协议的研究与协调工作，经多方努力，在10月15日的第二次国际研讨会上，由水利部水资源司和环境保护部污染防治司领导共同签订了海河流域级KM系统数据共享协议，有力地推进了KM系统的应用管理工作，进一步完善了水利、环保部门合作机制。截至2009年底，GEF海河项目累计完成投资2505.8万美元，完成总投资计划的74.5%。其中，GEF赠款1155.6万美元，各级财政及单位自筹等配套资金完成1350.2万美元。

（毕守海　高娟　赵辉　刘斌　陈庆伟）

【水资源开发利用】　(1) 水资源总量。2009年，全国平均年降水量591.0mm，折合年降水总量为55958.6亿 m^3，比2008年减少10.0%，比常年值偏少8.0%。从水资源分区看，北方6个水资源一级区（指松花江、辽河、海河、黄河、淮河和西北诸河区，下同）面平均年降水量315.7mm，比常年值偏少3.8%；南方4个水资源一级区［指长江（含太湖）、东南诸河、珠江和西南诸河区，下同］面平均年降水量1079.5mm，比常年值偏少10.1%。

2009年全国水资源总量为24180.2亿 m^3，比常年值偏少12.7%。当年人均水资源量为 $1816m^3$。全国产水总量占降水总量的43.2%，平均每平方公里产水量为25.5万 m^3。从水资源分区看，北方6个水资源一级区水资源总量为4711.2亿 m^3，占全国的19.5%，当年人均水资源量约为 $782m^3$；南方4个水资源一级区水资源总量为19469.0亿 m^3，占全国的80.5%，当年人均水资源量约为 $2741m^3$。

(2) 供水量。2009年全国总供水量5965.2亿 m^3，其中，地表水源供水量4839.5亿 m^3，占总供水量的81.1%；地下水源供水量1094.5亿 m^3，占总供水量的18.4%；其他水源供水量31.2亿 m^3，占总供水量的0.5%。在总供水量中，水资源一级区之间的跨流域调水量约为139.3亿m^3。

（3）用水量。2009年全国总用水量5965.2亿m^3。其中，居民生活用水503.9亿m^3，占总用水量的8.5%；第一产业用水3819.0亿m^3，占总用水量的64%；第二产业用水1426.9亿m^3，占总用水量的23.9%；第三产业用水112.4亿m^3，占总用水量的1.9%；生态环境补水103.0亿m^3，占总用水量的1.7%。与2008年比较，全国总用水量增加55.3亿m^3。其中，居民生活用水增加12.3亿m^3，第一产业用水增加59.6亿m^3，第二产业用水减少5.3亿m^3，第三产业用水增加5.8亿m^3，生态环境补水减少17.2亿m^3。

按生活、工业、农业、生态环境用水划分，2009年全国生活用水占12.6%，工业用水占23.3%，农业用水占62.4%，生态环境用水占1.7%。

（4）消耗量。2009年全国用水消耗总量3155.0亿m^3，耗水率（消耗量占用水量的百分比）为53%。农田灌溉耗水量2094.6亿m^3，占用水消耗总量的66.4%，耗水率63%；林牧渔业灌溉（补水）耗水量273.7亿m^3，占用水消耗总量的8.7%，耗水率73%；工业耗水量320.5亿m^3，占用水消耗总量的10.1%，耗水率23%；城镇生活耗水量132.6亿m^3，占用水消耗总量的4.2%，耗水率30%；农村生活耗水量258.3亿m^3，占用水消耗总量的8.2%，耗水率86%；生态环境补水耗水量75.3亿m^3，占用水消耗总量的2.4%，耗水率73%。

（5）污水排放量。2009年全国污水排放总量768亿t，其中排放量大于30亿t的有江苏、浙江、安徽、福建、河南、湖北、湖南、广东、广西和四川10个省（自治区），小于10亿t的有天津、山西、内蒙古、海南、西藏、甘肃、青海、宁夏和新疆9个省（自治区、直辖市）。

（6）用水指标。2009年，全国人均用水量为448m^3，万元国内生产总值（当年价）用水量为178m^3。农田实灌面积亩均用水量431m^3，万元工业增加值（当年价）用水量103m^3，城镇人均生活用水量每日212L（含公共用水），农村居民人均生活用水量每日74L。按东、中、西部统计分析，人均用水量分别为418m^3、440m^3、523m^3，东、中部地区相对较小，西部大；万元GDP用水量相差较大，分别为105m^3、217m^3、286m^3，西部比东部高近2倍；农田实灌面积亩均用水量分别为394m^3、383m^3、538m^3，西部大；万元工业增加值用水量分别为68m^3、128m^3、106m^3，呈东部小，中、西部大的分布态势。从南北方水资源分区看，南方4区（整体）各项用水指标均高于北方六区。

（7）河流湖库水质状况。2009年，对全国约16.1万km河流进行水质状况评价，Ⅰ～Ⅲ类水河长占总评价河长的58.9%。其中，Ⅰ类水河长占评价河长的4.6%，Ⅱ类水占31.1%，Ⅲ类水占23.2%，Ⅳ类水占14.4%，Ⅴ类水占7.4%，劣Ⅴ类水占19.3%。对305个省界断面进行水质评价，全年期Ⅰ～Ⅲ类水断面数占总评价断面数的46.6%，Ⅳ～Ⅴ类水断面数占29.5%，劣Ⅴ类水断面数占23.9%。对71个湖泊进行水质状况评价，全年水质为Ⅰ类的水面占评价水面面积的0.8%，Ⅱ类水面占38.0%，Ⅲ类水面占19.6%，Ⅳ类水面占14.8%，Ⅴ类水面占12.8%，劣Ⅴ类水面占14.0%。对411座水库的水质进行了评价，大部分水库水质较好。Ⅰ～Ⅲ类水库有334座，占评价总数的81.2%；Ⅳ～Ⅴ类水库57座，占13.9%；劣Ⅴ类20座，占4.9%。

（张续军　林锦）

【水资源管理】

1. 水资源管理进入新阶段　回良玉副总理在2009年1月召开的全国水利工作会议上明确要求，要从我国的基本水情出发，实行最严格的水资源管理制度。水利部部长陈雷在2009年2月广西桂林召开的全国水资源工作会议上强调，我国将实行最严格的水资源管理制度，要不断完善并全面贯彻水资源管理法律法规，不折不扣地落实各项水资源管理制度，划定水资源管理的“三条红线”并严格执法监督，即围绕水资源的配置、节约和保护，建立水资源开发利用红线，严格实行用水总量控制；建立用水效率控制红线，坚决遏制用水浪费；建立水功能区限制纳污红线，严格控制入河排污总量。要加快推进六个转变：一是在管理理念上，要加快从供水管理向需求管理转变；二是在规划思想上，要把水资源开发利用优先转变为节约保护优先；三是在保护措施上，要加快从事后治理向事前预防转变；四是在开发方式上，要加快从过度开发、无序开发向合理开发、有序开发转变；五是在用水模式上，要加快从粗放利用向高效利用转变；六是在管理手段上，要加快从注重行政管理向综合管理转变。

按照全国水资源工作会议部署，水利部代国务院起草了《关于落实最严格水资源管理制度的意见》，经会签中编办、国家发改委、财政部、国土资源部、环境保护部、住房城乡建设部、法制办、监察部等八个部委，并征求中组部和国资委意见，以《水利部关于报请印发〈关于实行最严格水资源管理制度的意见〉的请示》（水资源〔2009〕493号）上报国务院。

组织编制了《实行最严格水资源管理制度工作方案》及《水资源开发利用控制红线实施方案》、《用水效率控制红线实施方案》、《水功能区限制纳污红线实施方案》，立足于“能操作、可检查、易考核、有奖惩”的原则，对“三条红线”指标进行分解明确责任，对工作任务进行细化明确近期工作重点。

2. 稳步推进总量控制工作 完成六大流域取水许可总量控制指标审查与修改工作，并积极协调组织批复；编制并下发《区域取水许可总量控制指标编制技术大纲》；拟定全国取用水考核指标红线及管理办法；积极推进建立地方总量控制指标制定及细化工作；制定总量控制管理办法。

3. 进一步加强水权制度建设 组织编制2010—2015年水量分配工作实施方案，启动全国主要江河水量分配工作；组织编制水量分配技术大纲，着力推进汉江、渭河等重点流域、区域水量分配工作。系统总结并积极组织推广大凌河、黄河等水权转换试点经验。在广泛征求流域机构意见的基础上，拟定报国务院的跨省（自治区、直辖市）江河水量分配方案分级审批权限意见。

4. 深化水资源调度工作 继续抓好黄河、黑河、塔里木河水量调度工作，黄河河口、塔里木河下游生态逐步恢复，黑河全年成功组织实施了5次“全线闭口，集中下泄”和1次“洪水调度”，两次将黑河水送达东居延海。审查批复太湖水量调度方案，推进太湖调度由应急调度向常规调度转变。南水北调中线京石段工程第一阶段应急调水工作圆满完成，保障了首都供水安全。引江济巢调水试验正式启动，将有效遏制巢湖蓝藻暴发。珠江流域水量调度更具规模化、规范化，压咸补淡效果更精确、合理。2009年引黄济津济淀应急调水正式实施，有效保证了天津市居民饮水安全和白洋淀生态环境安全。2009年5月，水利部部长陈雷签署第38号水利部令，发布了《黑河干流水量调度管理办法》，对黑河干流水量调度的原则、管理职责、调度责任制、调度依据等做出了规定。组织完成重点流域及区域水资源调度调研工作，2009年12月在广州组织召开全国水资源调度工作研讨会。

5. 进一步规范取水许可管理 2009年流域水资源管理和保护工作会议在安徽省合肥市召开，会议总结了2009年流域水资源管理和保护工作。组织取水许可越权审批清查工作，以大批火电项目为突破口，进一步理顺了流域与省的关系。组织拟定并以国家发改委、财政部和水利部办公厅名义下发了《关于开展水资源管理专项检查工作的通知》，启动了全国取水许可水资源论证、入河排污口设置和水资源费征收使用管理的检查工作。沟通协调黄委、海委、松辽委等流域机构和冀、蒙两省（自治区），研究确定内蒙古高原内陆河区东部流域取水许可管理权限；进一步规范取水许可管理。组织完成取水许可和水资源费征收培训班2期近400人的培训工作。

6. 组织协调水资源费征收、使用和管理工作 协调拟定国家发展改革委、财政部和水利部《关于中央直属和跨省水利工程水资源费征收标准》（发改价格〔2009〕1779号）；拟定第一批“流域管理机构审批取水的中央直属和跨省（自治区、直辖市）水利工程”名录。为落实《实行最严格水资源管理制度实施方案》，围绕建立“三条红线”，组织编制《落实最严格水资源管理制度中央经费保障方案》（征求意见稿）；编制《2010—2012年中央级水资源费预算项目实施重点》（征求意见稿）《中央级水资源费预算项目管理暂行办法》（初稿），全力推进中央级水资源费征收、使用和管理工作。

7. 全面推进省级水资源管理系统建设 按照水利部《关于开展省级水资源管理系统建设工作的通知》（水资源〔2008〕281号）要求，组织审查各地水资源管理系统建设实施方案，已完成浙江、辽宁、重庆、安徽、河北、河南、海南等七省（直辖市）实施方案的审查工作；组织省级水资源管理系统建设工作培训及研讨会，全面推进水资源管理信息化工作。

8. 积极推动供用水统计工作 加强水资源管理标准体系建设，完成供用水统计、水资源管理信息代码编制规定等标准的编制审查工作，2009年4月国家标准委发布《水资源公报编制规程》。开展水资源公报编制规程和软件系统培训班，组织编制完成2008年水资源公报、简报和管理年报。

9. 稳步推进国际合作项目 中英水资源需求管理项目进展顺利，取得阶段性成果；中澳合作中国水权制度建设项目经验总结与推广工作进展顺利。

（张续军 林锦）

【节约用水】

1. 加强节水型社会建设监督管理工作

（1）组织开展节水型社会建设规划总结和编制工作。根据节水型社会建设“十一五”规划实施进度，召开部分省市参加的座谈会，安排水规总院、水利部发展研究中心、中国水利水电科学研究院开展节水型社会建设“十一五”规划总结工作，起草总结工作大纲。同时，组织开展节水型社会建设“十二五”规划编制工作，与水规总院、水利部发展研究中心确立“十二五”规划专题，研究分析规划编制指导思想、主要目标等。

（2）开展全国节水型社会建设试点检查工作，对2008年度试点地区承担的节水型社会建设专题成果进行验收。2009年5月6—8日，在内蒙古包头市对包头市、天津市、石家庄市、廊坊市、西安市、榆林市节水型社会建设试点工作进行了检查和专题验收；5月10—12日，在山东省淄博市对淄博市、德州市、南京市、徐州市、张家港市、义乌市节水型社会建设试点工作进行了检查和专题验收；5月19—21日，在宁夏银川市对宁夏回族自治区、张掖市、哈密地区、敦煌市、五家渠市、西宁市节水型社会建设试点工作进行了检查和专题验收；5月25—27日，在辽宁省鞍山市对鞍山市、四平市、大庆市、太原市、郑州市、济源市节水型社会建设试点工作进行了检查和专题验收；6月3—5日，在湖北省襄樊市对襄樊市、荆门市、萍乡市、岳阳市、淮北市、浦东新区、铜梁县节水型社会建设试点工作进行了检查和专题验收；6月18—20日，在云南省曲靖市对曲靖市、德阳市、绵阳市、日喀则地区、清镇市、北海市、莆田市节水型社会建设试点工作进行了检查和专题验收。

(3) 开展第二批全国节水型社会建设试点中期评估工作。2009年4月，全国节水办印发《关于开展节水型社会建设试点中期评估工作的通知》(全节办〔2009〕4号)和《关于开展节水型社会建设试点中期评估工作的补充通知》(全节办〔2009〕5号)，部署七个流域机构组织成立专家评估组对第二批全国节水型社会建设试点开展中期评估。5—7月，试点开展自评估工作，向流域机构上报了自评估报告。7—10月，各流域机构牵头组织开展试点中期评估工作，听取试点地区汇报，实地考察试点建设，进行综合评分。10月底前，各流域机构形成试点地区中期评估报告，上报水利部。

11月4—5日，水利部在武汉召开节水型社会建设试点评估工作座谈会，总结通报第二批全国节水型社会建设试点中期评估工作，交流节水型社会建设进展情况和存在的问题，研讨近期节水型社会建设重点工作。水利部水资源司陈明副巡视员作了讲话。部分省厅和试点地区水利局作了交流发言。各流域机构水资源局（处），各省、自治区、直辖市水利（水务）厅（局）水资源处（节水办），第二批全国节水型社会建设试点地区水利（水务）局参加会议。

(4) 部署了全国节水型社会建设试点验收工作。按照《南水北调东中线规划区节水型社会建设试点总体方案》和试点规划方案要求，部署开展了对天津市、廊坊市、徐州市、淄博市、郑州市、襄樊市、西安市、张家港市节水型社会建设试点验收工作，指导试点地区编制自评估报告，派出专家组进行调查，准备对试点期节水型社会建设各项目标任务完成情况和取得的试点经验进行全面验收。

(5) 指导有关省厅对第三批全国节水型社会建设试点规划完成审查。印发《关于做好第三批全国节水型社会建设试点规划审查工作的通知》(全节办〔2009〕1号)，指导各流域机构和各省级水行政主管部门，按照《节水型社会建设试点规划编制导则》要求，完成对第三批全国试点地区规划审查。

(6) 启动了第四批全国节水型社会建设试点申报工作。根据节水型社会建设"十一五"总体部署，为深入探索我国节水型社会建设的模式途径，开展了第四批全国节水型社会建设试点申报工作，要求各省级水行政主管部门积极推荐在本辖区具有典型性和代表性、具有较好的节水工作基础的地区申报全国试点。

2. 推进节水基础工作

(1) 积极推进节水立法工作。配合水利部政策法规司加快《节约用水条例》的立法进度，与国家发改委、住房和城乡建设部召开两次研讨会，修改完善节约用水条例。

(2) 加强节水标准建设。完成《节水型产品技术条件与管理通则》国家标准修订工作和《节水型社会评价指标体系》国家标准编制工作，并上报国家标准委。《用水定额编制技术导则》国家标准完成征求意见工作，《节水统计标准》国家标准完成起草工作。提出的水嘴和坐便器两项用水效率等级强制性国家标准编制完成，上报国家标准委。

(3) 推动水平衡测试工作。发文要求各地上报水平衡测试工作开展情况的材料，研究推进水平衡测试工作。

(4) 推动计划用水和建设项目节水设施"三同时"管理工作。组织水利部发展研究中心、中国水利水电科学研究院开展了计划用水管理和建设项目节水设施"三同时"管理调研工作，研究完善计划用水制度和建设项目节水设施"三同时"管理制度。

(5) 开展节水统计工作。组织编制节水型社会建设管理年报，征求了有关省市意见，准备建立年报管理制度。开展了全国节水管理机构统计调查，截至2008年底，全国三级行政区设立节水管理机构共有961个，其中省级（含兵团）32个，地（市）级270个，县（市、区）级657个。全国31个省（自治区、直辖市）、新疆建设兵团全部设立了节水管理机构。全国334个地级行政区中，设立节水管理机构的259个，占77.5%。全国县级行政区2860个，设立节水管理机构的656个，占23%。

(6) 开展了相关研究工作。结合水利部"三定"规定，组织有关单位开展了非常规水资源开发利用的研究。开展了高耗水行业用水统计调查，联合有关行业协会开展了钢铁、石油石化、火电、造纸等行业的用水调查。

3. 加强节水宣传工作

(1)"落实科学发展观，节约保护水资源"主题实践活动。3月22日上午，水利部、全国青联、全国节约用水办公室、中央国家机关青联在京共同启动了"落实科学发展观，节约保护水资源"主题实践活动。主题实践活动将遴选中国节水大使，征集节水公益歌曲、"青春·水的印记"漫画和Flash，组织青年走近水，开展青年护水行，通过丰富多样的体验式宣传促进青年深入了解我国水资源状况，身体力行参与节约保护水资源行动。

水利部党组副书记、副部长鄂竟平出席并致辞，中央国家机关工委委员、组织部部长张德成出席并致辞，水利部副部长、全国节约用水办公室主任胡四一主持启动仪式，水利部党组成员、副部长刘宁宣布中国节水大使提名人选名单，团中央书记处书记汪鸿雁，全国青联秘书长、团中央统战部部长安桂武，中央国家机关青联副主席程凯，全国人大环境与资源保护委员会办公室主任马千里，全国政协人口资源环境委员会副主任张黎出席启动仪式。全国人大资源与环境保护委员会、全国政协人口资源环境委员会、国家发改委、司法部（全国普法办）、国务院法制办、国家气象局等有关部门领导出席了启动仪式。

主办单位经广泛协商，主要在全国青联和中央国家机关青联委员中，推荐具有较高知名度、影响力，且热心公益事业、社会形象良好的优秀公众人士代表幺红、王莉、王宏伟、王诗沂、邓亚萍、朱军、齐峰、关琦、沈冰、张宁、张泽群、张晶晶、秦刚、郭蓉、郭秋林、袁慧琴、谭晶、戴滨（按姓名笔画排序）等为中国节水大使提名人。主办单位组织成立中国节水大使遴选委员会，由水利部、中央国家机关工委、全国青联、全国节约用水办公室、中央国家机关青联和全国人大环境与资源保护委员会、全国政协人口资源环境委员会有关负责人和相关方面专家担任委员。遴选期间，主办单位向全社会公开征集选票，于3月22日至9月22日，在新华网、新浪网、水利部网、中国水利网和中国水利报设立中国节水大使遴选专栏，刊发提名人选的简介、节水实践活动、对水的认识和节水感言等内容。

启动仪式上，邓亚萍代表中国节水大使提名人宣读了“建设碧水中华，从我做起”倡议书，全体中国节水大使提名人在倡议书上集体签名，号召社会各界青年踊跃投入节约保护水资源行动，共同推动节水型社会建设。

（2）中国节水大使提名人走近首都水源地活动。11月15日，组织中国节水大使提名人走近首都水源地，到北京市密云水库、第九水厂和清河再生水厂，亲身感受首都缺水形势，体会了解首都水源地保护情况、自来水生产工艺流程、再生水利用及环境保护情况。参加活动的张晶晶、王诗沂、关琦、袁慧琴、郭蓉、戴滨等中国节水大使提名人纷纷表示，节约保护水资源，理应成为每个公民义不容辞的义务，作为中国节水大使提名人，要以身作则，引领全社会行动起来。

中央国家机关青联主席吴海英，北京水务局局长程静，全国青联新闻出版界别秘书长陈磊，团中央统战部青联办公室主任张彦，全国政协、全国青联有关部门领导，以及部分全国青联、中央国家机关青联委员参加活动。

4. 推进水利行业节能减排工作　配合国家发改委，积极推进节能减排工作。报送2009年节能减排工作总结，提出2010年节能减排工作要点，研究推进水利行业节能减排，确保“十一五”节能减排相关指标顺利完成。

5. 继续推进中日合作节水型社会建设项目

（1）开展节水技术培训。5月17—19日，在郑州举办节水技术培训班，5月20—23日，在淄博举办节水技术培训班，分别介绍日本的水资源管理概况，日本福冈市节水型社会建设的主要做法和经验，日本工业用水节水技术等。

（2）6月5日，召开项目第一次联合协调委员会会议。专家组汇报项目的研究进展情况，会议讨论项目工作计划。水资源管理司、国际合作与科技司、部国际经济技术合作交流中心、试点城市项目办参加会议。

（3）项目组专家考察节水型社会建设。7月13—17日，项目组专家前往宁夏、西安考察节水型社会建设情况，就制度建设、工程建设、技术改造等情况进行座谈。9月22—24日，项目组专家前往石家庄、衡水考察节水型社会建设项目情况，就节水型社会建设、水权制度建设相关内容进行座谈。

（4）9月17日，中日合作节水型社会建设示范项目阶段成果交流研讨会在北京召开。日方专家组组长竹岛睦先生对项目实施一年多来的工作成果进行总结汇报，介绍了完善水资源管理制度方案的下一步工作计划。日方专家分别介绍了试点河流生态流量方案及设定标准研究情况、利水计划方案及水库泄水试验情况、地下水与河流流量以及水质改善措施、试点河流水质改善方案进展情况等。水资源司、北京市节约用水管理中心、北京市水科所、日本国际协力机构驻北京办公室代表和日方专家组成员参加会议。水利部国际经济技术合作交流中心副主任朱绛主持会议。

（5）10月8—26日，开展项目中期评估工作。日方派遣项目中期评估团来华，对项目进展情况进行中期评估。10月10—18日前往淄博、郑州对项目进展情况进行评估，就两市节水型社会建设相关内容与有关部门进行座谈。11月25日，项目办召集了第二次联合协调委员会会议，与日方派遣的项目中期评估团签署评估备忘录。（刘永攀）

【水资源保护】

1. 推进水功能区管理，落实水功能区限制纳污红线

（1）为落实国务院批准实施的《太湖流域水环境综合治理总体方案》，按照太湖流域水环境综合治理部际联席会议的要求，水利部会同环境保护部、国家发改委协调流域内江苏、浙江、安徽和上海3省1市开展了《太湖流域水功能区划》协调完善工作，成立了协调小组和专家组，完成了《太湖流域水功区划》（报批稿）。

（2）推进水功能区监督管理工作。江苏、辽宁、河北等省纳污能力核定和限制排污总量意见提出的工作已经完成，并提交省人民政府和环保部门。各流域机构加强省界缓冲区水质监测，定期向流域内有关省

区通报省界水质状况。

（3）组织开展21世纪前10年全国地表水功能区水资源质量变化调查评价工作。目前，流域管理机构和省级水行政部门已启动工作。

（4）完善水功能区水质监测体系。各流域管理机构负责的缓冲区等水功能区监测、通报工作已比较完善和规范，各省（自治区、直辖市）水行政主管部门通报水功能区水质信息的省份达半数以上。

2. 深入开展水生态系统保护与修复试点工作 2009年10月，水利部和湖北省人民政府在武汉市组织了对武汉市水生态系统保护与修复试点工作的验收。水生态试点工作增强了全社会对于人与自然和谐发展的认识，拓展了自然价值的理念，公众生态意识逐渐加强；水生态系统保护与修复工程初步发挥了效果，为人民群众提供了优质的生活和娱乐休闲环境，实现了社会、经济和环境效益的统一。水生态试点工作初步建立水生态系统保护与修复工作的管理体系，制定实施了有关湖泊保护的一系列法规文件，建立了由政府统一领导，水利部门综合协调，各相关部门密切配合、互相监督、通力协作的工作体制，以及投融资机制，规范了管理机制。

其他试点工作稳步推进。批复了西安浐灞区的水生态系统保护与修复的实施方案，举办了两期水生态系统保护与修复培训班。

3. 妥善应对突发水污染事故，保障人民用水安全

（1）成功应对临沂水污染事件、盐城饮用水水源污染事件、云南阳宗海污染事件、重庆省界水质恶化事件、山西省运城市垣曲县泄漏事故、密云水库环湖垃圾等几起重大水污染事件，其中临沂、垣曲和密云的污染事件，水利部还派遣了工作组赴现场进行处理，消除污染影响，保障了人民群众的饮水安全。

（2）加强突发事件的常规管理，协调、配合国家防汛抗旱总指挥部办公室制定《水利部应对重大突发水污染事件应急预案》。

4. 继续推进饮用水水源地保护和入河排污口的监督管理

（1）编写第一批列入名录的国家重要饮用水水源地保护情况的调研报告，摸清大型城市集中式饮用水水源地现状以及存在的问题，向国办和中办报送了信息。

（2）继续对第二批列入名录的重要饮用水水源地进行检查，以促进全国饮用水水源的保护工作。有关流域和省区开展新一轮入河排污口核查工作，新建、改建和扩大入河排污口审批工作顺利实施。对饮用水水源地进行重新核准和安全评估。

5. 建设项目和规划环境影响评价工作

（1）召开水利水电系统建设项目环境影响评价工作座谈会，提高环境影响评价工作质量。

（2）就珠江河口综合整治规划环评工作多次与环保部沟通，达成了一致意见。

（3）出具有关水利工程和规划项目环境影响报告书预审意见的文件24份。

6. 重点推进湖泊水资源保护工作

（1）编制了全国湖泊保护规划项目建议书，开展了有关技术大纲和工作大纲编制工作。

（2）参与环保部组织有关部门共同开展的九大湖泊生态评价工作。

7. 启动农村水资源保护工作 出台了《关于加强农村水资源保护工作的通知》（办资源函〔2009〕289号），对农村水资源保护工作提出了要求。

（刘平）

【水务管理体制改革】

1. 推进城乡水务一体化改革 天津市组建水务局，海南省成立水务厅，四川省全省实现城乡水务一体化，石家庄、郑州、昆明、洛阳、湘潭等城市成立水务局，城乡水务一体化取得新进展，有力推进了水利发展与改革。截至2009年底，全国县级以上水务局1286个，承担水务管理职能的水利局455个，共计1741个，占全国县级以上行政区的71.4%。全国27个省、自治区中已有4个实现全省市、县水务一体化，4个直辖市中已有3个组建水务局，27个省会城市中已有17个组建水务局，5个计划单列市中已有2个组建水务局。

2. 水务市场化改革进一步深化 组织有关单位开展水务特许经营情况调研，系统总结了水务特许经营制度实施以来的发展现状、主要经验、存在问题、研究水务改革新形势下水务特许经营发展方向。上海、北京、深圳、广州、武汉、苏州、海口、呼和浩特等城市积极探索建立政府主导、社会筹资、市场运行、产业发展的水务良性运行机制，在理顺水价形成机制、实施特许经营、推进产权制度和经营模式改革等方面取得初步成效。

3. 加快推进城市污水处理回用工作 印发了《关于加强城市污水处理回用促进水资源节约与保护的通知》，组织开展了全国城市污水处理回用现状调查，召开了部分城市污水处理回用工作座谈会，启动了《污水处理回用条例》立法前期工作，开展了《再生水水质标准》（SL 368—2006）修订升国标工作，修订了《水务管理年报编制大纲》，将城市污水处理回用、其他非传统水资源开发等指标纳入水务统计体系。

4. 推进水资源监控管理系统建设 在20个省、自治区、直辖市选择28个城市，开展了水资源实时监控与管理系统建设试点工作，下达中央补助资金1.2亿元，地方自筹资金1.29亿元，合计投资2.5亿元，建成22个市级水资源监控中心，42个县级分

中心，对2710个城市饮用水源地、大型取用水户、地下水超采区、水功能区和入河排污口等监测点实施了在线监测，开发了包括水资源业务应用、水资源调度配置、水资源应急管理、水资源信息管理构成的水资源管理应用软件系统。（练湘津）

农 村 水 利

【农村饮水安全】 2009年，国务院政府工作报告提出解决6000万农村人口饮水安全问题。国家发改委、水利部分三批下达农村饮水安全工程中央投资202亿元（含2008年第四季度新增投资），地方自筹配套资金116.3亿元，安排解决规划内6053万农村人口的饮水安全问题。

三批计划实行按建设任务切块下达，目标、任务、投资、责任全部落实到省，由各地按照确定的建设目标任务、安排原则、补助标准和工作责任进一步安排到具体项目，落实地方建设资金并组织实施。要求各地抓紧落实各项建设任务，迅速组织实施，切实加强项目和资金管理。项目实施严格遵循有关建设程序，符合土地、环评、节能等管理要求，落实好项目法人责任制、招标投标制、工程监理制和合同管理制，在努力加快建设进度、加大投资强度的同时，确保工程质量安全。

第一批计划2008年11月下达，安排中央投资50亿元，地方自筹配套资金30.92亿元，解决1571.27万农村人口的饮水安全问题，并且明确规定，自这批计划起，东、中、西部地区农村饮水安全工程建设的中央补助投资比例分别由16%、45%、68%提高到33%、60%、80%；比照实施西部大开发有关政策的中部6省243个县，相应提高其中央投资补助比例到80%。同时，适当提高工程人均综合投资标准。在中央加大投资的同时，要求各地切实加大省级投入力度，中西部地区不再要求县及县以下资金配套。

第二批计划2009年2月下达，安排中央投资60亿元，地方自筹配套资金33.55亿元，解决1783.44万农村人口的饮水安全问题。

第三批计划2009年4月下达，安排中央投资92亿元，地方自筹配套资金51.78亿元，解决2698.26万农村人口的饮水安全问题。

地方在安排农村饮水安全具体项目时，根据工程建设的实际需要，实际配套资金121.7亿元，比国家下达计划要求增加了5.4亿元。三批扩大内需计划落实到具体工程的总投资为323.7亿元。到2009年12月20日，6000万人饮水安全工程建设任务提前完成。到12月底，全国解决了6069万农村人口的饮水安全问题。

根据国务院批准的《全国农村饮水安全工程“十一五”规划》，“十一五”期间全国要解决1.6亿农村人口的饮水安全问题。2006—2009年共安排中央投资390亿元，地方自筹配套资金311亿元，解决规划内15348.1万农村人口的饮水安全问题，完成“十一五”规划任务的96%。（杨广欣）

【灌区建设与管理】 （1）大型灌区续建配套与节水改造项目建设。2009年是应对国际金融危机的关键年，中央将大型灌区续建配套与节水改造项目作为扩大内需水利基础设施重点进行投入，共安排投资47.63亿元，其中中央资金29.38亿元，对241处大型灌区实施了续建配套与节水改造。①重点安排粮食主产区、北方缺水地区、生态脆弱地区和国家级贫困县所在灌区。②优先安排已完成投资比例较高，适当增加投资就可基本完成骨干工程节水改造任务的灌区。③加大工程管理体制改革到位，财政核查、专项稽察基本没有问题的灌区的投资力度。④选择23处工程急需改造、投资效益显著、前期工作充分、地方积极性高的灌区进行新开工建设。预计项目完成后，可以新增恢复灌溉面积16万hm^2，改善灌溉面积83.3万hm^2，提高粮食生产能力14.6亿kg，形成年节水能力11.1亿m^3。同时，项目的实施在短期内形成带动地方建筑市场的效应，拉动了内需，创造了返乡农民工就业机会，增加了农民收入。

（2）大型灌区续建配套与节水改造项目建设管理。按照2020年基本完成灌区配套与改造任务的要求，以提高灌排保障能力、提高水的利用效率和效益为目标，水利部完成了《全国大型灌区续建配套与节水改造规划报告（2009—2020年）》。

进一步推动管理体制改革，根据“两定”标准，所有灌区管理单位基本编制完成改革实施方案，93.8%以上灌区改革方案得到当地政府批复。农民用水户协会发展继续推进，全国共发展农民用水合作组织5.2万个，管理灌溉面积1333万hm^2。

为适应国家加快大型灌区续建配套与节水改造、大型泵站更新改造的需要，切实加强大型灌区、泵站项目管理工作，2009年11月10—11日，水利部在湖南省韶山市召开全国灌区、泵站管理座谈会，通报大型灌区、大型泵站管理情况；针对存在的主要问题，分析原因，研究对策；围绕加强项目管理这一重点，对下阶段大型灌区、大型泵站工作进行部署。

针对2009年中央投资大型灌区续建配套与节水改造项目建设时间紧、任务重的特点，水利部建立了灌区项目建设情况旬报制度，要求各省（自治区、直辖市）从项目开始到建设任务完成时，每月的上、中、下旬按时上报项目进展情况。同时以旬报为基础，对各地项目建设情况进行排名。对项目建设缓慢、工程质量不高和配套资金不落实的地区和单位，在全国通报，并派出工作组现场督导。

为进一步规范大型灌区项目建设管理，水利部从可行性研究和设计等前期工作、计划与执行、资金管理和使用、建设管理、体制改革等5个方面对全国15个省60处大型灌区的2008—2009年度续建配套与节水改造项目进行稽察。

(3) 灌区节水改造及管理。大型灌区续建配套与节水改造管理信息系统于2009年初投入试运行。针对试运行过程中发现的系统数据不够完整，不够准确问题，水利部组织省级和灌区管理单位完成灌区数据的补充、修改和审核工作。

为加强春灌用水管理工作，保障春耕农业生产用水，促进粮食增产，水利部下发《关于加强春灌用水管理工作的通知》(水农〔2009〕165号)，要求各级水利部门切实做好春灌用水管理工作。同时派出工作组赴粮食主产区和北方缺水地区开展春灌用水检查督导工作。

全国农业灌溉用水有效利用系数到“十一五”末提高至0.5(预期性指标)，是《中华人民共和国国民经济和社会发展第十一个五年规划纲要》中一项重要水利指标。水利部自2006年启动全国农业灌溉用水有效利用系数测算分析工作以来，已完成2006、2007年的测算分析成果。2009年是任务比较重的一年，不仅要完成2008、2009年两年的测算分析成果，还要为2010年分析预测做好准备。水利部于2009年4月下发《关于进一步做好农业灌溉用水有效利用系数测算分析工作的通知》，要求各地切实采取措施确保2009年测算分析工作如期顺利完成。经测算分析，2008年全国农业灌溉用水有效利用系数为0.483。

(4) 国际灌排委员会第六十届执理会。中国代表团出席2009年12月6—11日在印度新德里召开的国际灌排委员会(ICID)第六十届执理会暨第5届亚洲区域会议。会议期间，第六十届执理会召开了国际灌排委员会下设的25个工作组会议及特别工作组会议。中国代表高占义担任ICID战略规划与组织事务常设委员会主席，主持了该委员会的会议，胡和平同志担任环境工作组的主席，主持了该工作组的会议。

(王欢)

【泵站建设与管理】 (1) 大型灌排泵站更新改造项目建设。党的十七届三中全会明确提出“加快大中型灌区、排灌泵站配套改造、水源工程建设”，同时在应对国际金融危机、扩大内需的战略部署下，中央于2008年10月启动大型灌溉排水泵站更新改造项目。水利部以2008年为基准年，以提高泵站的灌排能力、降低能耗为目标，以更新改造机电设备和金属结构为重点，按照2013年基本完成更新改造任务的要求，完成《全国大型灌溉排水泵站更新改造规划》，对252处泵站进行更新改造，装机容量301万kW，设计流量13847m^3/s，估算投资199亿元。预计规划完成后，可恢复灌溉面积82.9万hm^2，改善灌溉面积274万hm^2；恢复农田排涝面积92.5万hm^2，改善农田排涝面积305.7万hm^2；年增加粮食生产能力59亿kg。规划通过水利部审查，已报国家发改委。

作为拉动内需重点水利项目，中央于2009年下达大型灌溉排水泵站更新改造项目资金26亿元，其中中央资金15亿元，对规划内99处大型泵站开工建设。

(2) 大型灌排泵站更新改造项目建设管理。为提高泵站管理水平，水利部在全国选择了20处基础条件较好、效益明显、地方积极性高的泵站，结合大型灌溉排水泵站更新改造项目，开展信息化建设试点工作。

针对大型灌排泵站更新改造项目启动工作时间紧、任务重、建设经验不丰富的特点，水利部建立大型泵站2009年扩大内需项目建设情况旬报制度，要求各省(自治区、直辖市)从项目开始到建设任务完成时，每月的上、中、下旬按时上报项目进展情况。同时以旬报为基础，对各地项目建设情况进行排名。对项目建设缓慢、工程质量不高和配套资金不落实的地区和单位，在全国通报，并派出工作组现场督导。

为提高泵站管理水平，水利部组织开发大型泵站管理信息系统，并分期分批对大型泵站更新改造建设项目单位管理人员进行培训。

(王欢)

【小型农田水利】 2009年，中央财政小型农田水利工程建设补助专项资金规模大幅度增加，小型农田水利建设与管理工作取得重大突破。

(1) 小型农田水利重点县建设全面实施。为更好地推进小型农田水利建设，2009年初，水利部、财政部联合组织开展500个典型县小型农田水利情况调查，通过深入调查，初步摸清全国小型农田水利工程状况、建设管理情况、投入情况和存在的主要问题。在此基础上，水利部、财政部研究决定，在继续做好小型农田水利专项工程建设的同时，从2009年起，集中资金投入，连片配套改造，以县为单位整体推进，开展小型农田水利重点县建设，实现小型农田水利建设由分散投入向集中投入转变、由面上建设向重点建设转变、由单项突破向整体推进转变、由重建轻管向建管并重转变，以期通过重点县建设，基本完成县域范围内主要小型农田水利设施建设任务，初步实现基本农田“旱能灌、涝能排”，使农业生产条件明显改善，农业综合生产能力明显提高，农业抗御自然灾害能力明显增强，为保障国家粮食安全奠定坚实基础。

2009年6月19日，财政部、水利部联合印发《关于实施中央财政小型农田水利重点县建设的意见》，6月24日，财政部、水利部办公厅联合印发《关于印发2009年中央财政小型农田水利工程建设补助专项资金项目立项指南和下达资金控制指标的通知》，下拨中央财政小型农田水利工程建设补助专项资金32亿元，在全国正式启动400个小型农田水利重点县建设。为加强重点县建设管理工作，11月4日，财政部、水利部联合印发了《中央财政小型农田水利重点县建设管理办法》，11月6日，财政部、水利部联合印发了《中央财政小型农田水利设施和国家水土保持重点建设工程补助专项资金管理办法》。

(2) 小型农田水利基础工作不断加强。为指导各地更好地编制县级农田水利建设规划，全面推进农田水利建设管理工作，2009年，按照国务院办公厅《关于建立农田水利建设新机制的意见》的要求，国家发改委、财政部、水利部、农业部、国土资源部联合印发《关于印发县级农田水利建设规划编制大纲进一步规范和完善规划编制工作的通知》，指导各地加快编制县级农田水利建设规划，经县级人民政府或县人大审批后，作为县级人民政府及各部门安排或申报农田水利建设项目、协调农田水利建设有关事项、组织农民出资出劳建设农田水利的重要依据，也是国家安排补助资金的重要依据。各地高度重视县级农田水利规划编制工作，以编制规划为契机，进一步理清农田水利工作总体思路、目标任务、规划布局、建设重点和保障措施，为加强农田水利建设打造坚实的技术平台。

为切实解决基层技术力量薄弱的问题，针对当前农田水利工作的实际和基层工作的需要，及时组织编写《小型农田水利技术培训教材》《小型农田水利工程设计参考图集》等，系统介绍了近年来农田水利方面的新成果、新理论、新工艺和新设备，总结了农田水利建设管理方面的好经验、好典型，突出实用性、规范性、系统性，为加强基层水利技术人员培训，提高基层水利队伍专业水平，推进农田水利事业健康发展提供了重要技术支撑。组织编印《小型农田水利技术农民读本》等科普读物，免费发放给广大农民群众，为农田水利技术的普及打下了扎实的基础。针对各地需求，举办了3期1000多人参加的农田水利技术培训班，切实加强基层技术人员的培训工作。

(刘云波)

【牧区水利】 2009年，国家安排国债资金6000万元，支持牧区节水灌溉水利试点建设，加上地方配套资金3000万元，总投资9000万元。试点项目以牧区节水灌溉饲草料地和小型水源工程建设为主要内容，以内蒙古中部、新疆北部、青海三江源区、四川北部、甘肃南部等生态保护治理区为重点，适当兼顾其他周边地区。试点项目涉及内蒙古、新疆（含新疆生产建设兵团）、西藏、青海、四川、甘肃、黑龙江、宁夏8个省（自治区）的39个地（市、州）60个县（旗、团、场）。项目实施后，可新增牧区节水灌溉饲草料地1.0万hm^2，可为60万个羊单位提供补饲，结合舍饲圈养，项目区35万hm^2天然草原得到有效保护，生态环境得到改善，牧民收入增加，对其他周边地区草地生态保护和小型牧区水利建设产生积极引导和示范作用。

2009年，水利部在黑龙江省举办牧区水利建设与管理技术培训和研讨会，来自12个省（自治区）的180多位基层水利管理人员参加了培训、交流和研讨。

为加强草原生态保护国际交流与合作，与日本海外国际协力会合作开展草原生态保护节水灌溉技术交流合作项目，2009年组团到日本就草原生态保护和节水灌溉技术以及水利工程管理等进行考察培训。

(潘云生)

【农业综合开发水利建设】 2009年，水利部和国家农业综合开发办公室共安排支持农业综合开发重点中型灌区改造项目92个，涉及30个省（自治区、直辖市）以及新疆生产建设兵团、黑龙江农垦总局等单位，项目计划总投资16.4亿元，其中中央财政农发资金8.245亿元（当年拨付下达3.882亿元），地方财政配套资金4.76亿元，地方自筹资金3.39亿元。项目全部建成后，预计可新增灌溉面积11.98万hm^2，改善灌溉面积28.63万hm^2，增加供水能力及节约灌溉用水量约12.87亿m^3，新增粮食等主要农产品生产能力约5.01亿kg。 (阎存立 李召祥)

水 土 保 持

【《中华人民共和国水土保持法》修订前期工作】

1. 主要进展 《中华人民共和国水土保持法》（以下简称《水土保持法》）修订是国务院2009年立法计划的项目。为了做好修订工作，国务院法制办公室先后3次征求有关部委、单位对修订草案的意见，农林城建资源环保法制司召开了部门意见协调会，修改完善修订草案。3次征求意见，国务院法制办公室共收到有关部门、单位反馈的400多条修改意见和建议，在符合立法原则、意见之间不冲突的情况下，都尽量采纳吸收，总体采纳和部分采纳的达到了80%，对没有采纳的修改意见和建议也进行了协调沟通。

2009年5—6月期间，水利部副部长刘宁就《水土保持法》修订有关问题先后与国家发改委、财政部、交通部、环境保护部、铁道部、国家林业局6部门的领导同志进行深入讨论和研究，重点对有关部门提出的修改意见采纳情况和关注条款的修订思路进行了解释和说明。6部门的领导同志都认为修订《水土保持法》十分必要，完全同意修订的指导思想和总体思路，同时提出了进一步的修订意见和建议。

2009年9月上旬，国务院法制办公室赴四川、广东两省开展《水土保持法》修订立法调研。调研组召开了座谈会，听取地方水利部门水土保持工作汇报和有关部门、企业对修订草案的意见，现场考察了5个生产建设项目的水土保持工作情况，进一步明确了完善和加强建设项目水土保持设施验收制度、水土保持补偿制度和罚则的必要性。9月25日，国务院法制办公室在北京召开《水土保持法》修订专家论证会，会议邀请了中国科学院院士郑度、中国工程院院士王浩、中国政法大学教授郎佩娟等专家参加会议。会议由国务院法制办公室副主任张穹主持，水利部副部长周英出席会议并发言。与会代表围绕修订草案进行认真讨论，在建设项目水土保持方案制度、设施验收制度、水土保持补偿费制度、法律责任等方面提出很多修改意见和建议。

2. 征求意见及协调中的重点问题

(1) 关于水土保持规划体系。根据国家发改委水土保持规划的体系和分类应按有关规定进行规范的意见，修订草案将水土保持规划分为整体规划和专项规划；同时，调整对相关规划的水土保持要求，缩小范围，删除对项目法人编制规划的水土保持要求，对政府有关部门编制的相关规划只要求考虑可能产生的水土流失防治问题，不再要求单写水土保持篇章或说明。

(2) 关于实施水土保持方案的范围。现行法将水土保持方案编报范围限定为“三区”、“五类工程”，不够科学和全面，造成部分生产建设项目处于法律约束之外，修订草案（送审稿）扩大了水土保持方案制度的适用范围。国家发改委、环境保护部等提出水土保持方案制度的适用范围仍按现行法的规定执行。经协调，修订草案明确适用范围为“在山区、丘陵区、风沙区以及容易产生水土流失的其他区域开办可能造成水土流失的生产建设项目”。

(3) 关于水土保持方案的审批。征求意见中，环境保护部坚持水行政主管部门只能“审查同意”水土保持方案而不是“审批”。水利部认为修订草案明确水行政主管部门审批水土保持方案，符合职能明确、依法行政、规范许可的要求，水利部建议国务院法制办公室协调并在修订草案中规定水行政主管部门“审批”水土保持方案。

(4) 关于水土保持设施验收制度。修订草案（送审稿）规定水土保持设施验收作为工程竣工验收的前置专项验收。征求意见中，国家发改委提出水土保持设施验收的形式仍采用现行法的规定。经协调，修订草案规定，“生产建设项目竣工验收时应当同时验收水土保持设施；水土保持设施未经验收或者验收不合格的，生产建设项目不得投产使用。”

(5) 关于水土保持补偿费制度。目前，全国已形成完整的水土保持补偿费法规体系和制度，且水土保持补偿费已连续列入国家年度行政事业性收费目录，因此修订草案（送审稿）明确规定了水土保持补偿费制度。征求意见中，铁道部等提出了明确反对意见，财政部赞成建立水土保持补偿费制度，同时也提出了完善意见。经协调，修订草案保留了水土保持补偿费制度，并进行了文字修改。

(6) 关于水土保持方案编制资质。修订草案（送审稿）规定水土保持方案编制资质的颁发作为行政许可事项。征求意见中，国家发改委、环境保护部分别提出用工程咨询资质、环评资质代替水土保持方案编制资质的意见。经协调，修订草案第二十七条明确水土保持方案由具备相应技术条件和资质的机构编制。

（王瑞增）

【水土保持监督管理】　2009年，全国水土保持监督管理工作以强化行业管理为重点，狠抓规范管理和执法检查，生产建设项目水土保持设施验收和水土保持监测取得显著进展，成效显著。

(1) 圆满完成监督执法专项行动。2007年10月到2008年底，水利部组织开展全国水土保持监督执法专项行动。2009年6月9日，水利部召开全国水土保持监督执法专项行动总结暨监督管理能力建设启动视频会议，水利部副部长刘宁出席会议，并对专项行动的工作进行全面总结，同时通报表扬专项行动中工作突出的59个单位、96名个人和78个生产建设单位。

2009年，水利部组织专项行动“回头看”活动，活动中各级水行政主管部门对下达整改要求的生产建设项目进行了全面的跟踪检查，确保各项整改要求落实到位。

监督执法专项行动成效显著，水土保持监督管理基础工作得到全面加强。水土保持“三同时”制度（即建设项目中的水土保持设施必须与主体工程同时设计、同时施工、同时投产使用）得到进一步落实，据统计，在2.68万个违法违规项目中，有2.1万个已补编了水土保持方案，落实了水土保持工作，全国水土保持方案的实施率由专项行动前的50%提高到现在的75%，水土保持设施验收率提高了20%。水土保持依法行政能力得到明显增强，各地水土保持行政诉讼案件中败诉和行政复议的数量明显减少，山东省在专项行动中查处150多个水土保持违法违规案件，没有一起败诉。社会各界的水土保持意识和法制观念有了很大提高。

(2) 严格水土保持方案审查审批。为推动水土保持“三同时”制度的落实，水利部规范管理、严格方案审批程序，认真执行限缓批制度，规范完善水利部水土保持方案批文的格式和内容，提高水土保持方案审批效率，缩短拉动内需建设项目前期工作周期。2009 年，水利部共审批水土保持方案 288 个（含委托 1 个），建设单位投入水土保持资金 259.6 亿元，涉及防治责任范围 5672.2km²，预计可减少人为水土流失 5553 万 t。

（3）继续推进水土保持设施验收工作。水利部进一步规范水土保持设施验收评估程序、标准和要求，加强对项目的监管，大力推进水土保持设施验收工作。同时，加强对水土保持方案技术审查单位、技术评估单位及专家的监督和管理，严格把关，提高质量，对出现较大质量问题的一律退回并给予批评。2009 年，水利部先后组织完成了贵州乌江索风营水电站工程等 167 个（含委托 2 个）大中型项目的水土保持设施验收，涵盖了水利、公路、煤炭、水电、火电等多个行业。

（4）加强对建设项目水土保持监测工作的管理。水利部水土保持司多次召开监测工作座谈会征求行政管理和技术服务单位意见，印发《关于规范生产建设项目水土保持监测工作的意见》（水保〔2009〕187 号），明确监测内容和重点，规范监测的分类、方式、手段和频率，提出监测报告、公告等一系列管理制度。

（5）进一步加强行风建设，对涉及水土保持方案审批、验收等环节的单位和专家提出相应的廉政要求和处罚措施，建立监督机制，树立良好的水利行业形象。2009 年 8 月，水利部水土保持司以水保函〔2009〕15 号文件印发了《生产建设项目水土保持方案技术评审廉政规定（试行）》。

（6）提高水土保持方案编制和水土保持设施建设质量。水利部水土保持司组织编写《生产建设项目水土保持设计指南》；在杭州市召开水土保持设施验收技术评估工作座谈会，交流了 2008 年的评估工作，并印发会议纪要；召开水土保持方案技术评审工作座谈会，交流总结 2009 年度工作，分析当前工作存在的问题，研究讨论下一阶段的工作重点。

（7）大力强化水土保持方案编制资质的行业管理工作。严格把关，中国水土保持学会向 27 个单位颁发甲级证书，开展了乙、丙级证书换证考核工作。

（8）全国水土保持监督管理能力建设。为全面增强水土保持监督管理能力，提升水土保持监督管理水平，水利部决定组织开展水土保持监督管理能力建设活动。2009 年 6 月 9 日，水利部在北京召开全国水土保持监督执法专项行动总结暨监督管理能力建设启动视频会议，水利部副部长刘宁出席会议并讲话，全面部署全国水土保持监督管理能力建设工作。明确能力建设工作的 5 项目标和任务为：进一步完善水土保持配套法规体系，做到《水土保持法》实施办法、方案审批、现场监督检查、设施验收、水土保持生态补偿等规定“五完善”；进一步增强水土保持监督管理机构履行职责的能力，全面实现机构、人员、办公场所、工作经费、取证设备装备“五到位”；进一步规范水土保持监督管理工作，实现水土保持方案审批、监督检查、设施验收、规费征收、案件查处工作“五规范”；进一步健全水土保持监督管理制度，做到上级水行政主管部门对下级履行职责情况的督察制度、年度及重大水土流失案件（事件）报告制度、水土保持技术服务单位管理制度、廉政建设制度、社会监督制度“五健全”；进一步提高生产建设项目水土保持方案申报率、实施率和验收率，其中县级水土保持方案申报率达到 90%以上，水土保持方案实施率达到 80%以上，水土保持设施验收率达到 70%以上。能力建设工作的进度安排：按照突出重点、分批实施的原则开展，其中第一批的实施期为两年，重点开展 500 个县级水行政主管部门水土保持监督管理能力建设，具体分 4 个阶段进行。第一阶段（2009 年 6—9 月）为启动阶段，第二阶段（2009 年 10 月—2010 年 2 月）为培训研讨阶段，第三阶段（2010 年 3—12 月）为全面推进阶段，第四阶段（2011 年 1—6 月）为总结阶段。

为确保能力建设工作的顺利进行，水利部及地方各级水行政主管部门采取多项有力措施。①抓组织协调，成立领导小组。水利部成立了副部长刘宁任组长，相关司局和流域机构有关负责人为成员的领导小组。②抓工作方案，明确职责和任务。全国 31 个省（自治区、直辖市）各级水行政主管部门和新疆生产建设兵团地方各级水行政主管部门全面启动能力建设的各项工作，制定实施方案和工作计划，明确专门机构和人员，推荐全国及地方第一批能力建设县。水利部在各省级水行政主管部门推荐的基础上，审核确定了第一批开展能力建设的 510 个县。③编写教材组织培训。水利部组织编写《水土保持监督管理实务》《水土保持法律法规汇编》等教材，举办全国监督管理能力建设高级培训班，培训各地培训教师和监督管理骨干人员 120 多位。浙江、广东两省启动省内培训工作。④加强宣传工作。水利部在中国水土保持生态建设网站开辟专栏，报道各地能力建设信息，建立信息简报报送联系人制度，2009 年，水土保持司共编发简报 7 期。

截至 2009 年底，专项行动已完成第一阶段启动工作，第二阶段培训研讨工作正在顺利推进中。

（任明）

【黄土高原淤地坝试点工程建设】 2009 年，是黄土高原地区淤地坝试点工程建设的第七年，黄河上中游山西、内蒙古、陕西、甘肃、宁夏、青海 6 省（自治区）按照水利部《关于进一步加强黄土高原地区淤地坝建设管理工作的意见》和《黄土高原地区水土保持淤地坝工程建设管理暂行办法》等有关规定要求，不断规范淤地坝建设管理，工程建设取得新的进展。

2009年，共下达黄土高原地区水土保持淤地坝试点工程中央投资1.44亿元，建设淤地坝208座（其中骨干坝104座，中型坝104座）。2003年以来实施小流域坝系230余条，累计下达中央投资13.29亿元，建设淤地坝6838座，其中骨干坝1792座。2009年淤地坝工程建设管理重点开展以下几项工作：

（1）开展淤地坝安全大检查专项行动，全面掌握淤地坝建设运行现状。根据国务院安全生产电视电话会议精神和水利部关于深入开展水利“安全生产年”活动的统一部署，水利部2009年在黄土高原地区组织开展了淤地坝安全大检查专项行动，印发了《关于开展黄土高原淤地坝安全大检查专项行动的通知》。2009年3月12日，水利部召开黄土高原淤地坝安全大检查专项行动启动视频会。专项行动历时5个多月，黄土高原7省（自治区）各级水保部门及流域机构先后有3000余名工程技术和管理人员参与了淤地坝安全大检查专项行动。据统计，截至2009年底，黄土高原地区建成淤地坝91301座，其中骨干坝5613座，中型坝11338座，小型坝74350座。

各地在淤地坝安全大检查中，根据黄河上中游管理局《关于黄土高原淤地坝安全大检查有关问题的补充通知》（黄淤办发〔2009〕1号）提出的淤地坝安全大检查安全分类标准，对辖区内的骨干坝和中型坝进行了坝坝到位的逐一检查和分类统计。据各省（自治区）分类统计结果，16743座骨干坝和中型坝中，一类坝有6141座，其中骨干坝2560座，中型坝3581座；二类坝有3266座，其中骨干坝966座，中型坝2300座；三类坝有1181座，其中骨干坝566座，中型坝615座；四类坝有4107座，其中骨干坝808座，中型坝3299座；五类坝有2048座，其中骨干坝609座，中型坝1439座。

通过安全大检查，做到了“四个清楚”，即淤地坝基本情况清楚、病险情况清楚、采取的措施清楚、安全责任清楚。

（2）妥善处理甘肃省环县淤地坝建设存在的问题。2009年6月16日，记者滕兴才在《中国青年报》上以《甘肃环县：大坝频频垮塌，天灾还是人祸》为题报道了环县淤地坝建设管理中存在的问题，搜狐、新浪等多家媒体进行转载，在社会上引起极大反响。水利部对此高度重视，水利部部长陈雷、副部长刘宁分别批示，要求“派出调查组，了解核实相关情况，严肃处理，举一反三，确有病险隐患的坝要制定避险预案，整治除险，安全运用”。水利部水土保持司于6月16日上午电话要求黄委和甘肃省水利厅立即派调查组调查核实有关情况。6月16日下午，黄河上中游管理局和甘肃省水利厅水土保持局组成的联合调查组到达环县开展调查；6月19日和20日，水利部水土保持司、建设与管理司、安全监督司、国家防办和黄委组成的调查组到达环县，针对媒体反映有关环县淤地坝建设管理中存在问题进行认真核查。调查组结论：记者所反映的环县存在的淤地坝发生垮塌及病险的情况基本属实。经对照工程设计和对暴雨洪水的分析，调查组认为垮坝的主要原因是超标准洪水造成的，但也与2008年地震造成险情未能得到彻底排除和工程存在的施工质量问题有一定的关系。

针对环县乃至甘肃省暴露出的黄土高原淤地坝建设管理中的不足，调查组要求各级水利水保部门在今后的工作中，首先要规范工程建设管理，高度重视淤地坝工程质量；其次要加强计划资金管理，积极筹措配套资金。

（3）黄河粗泥沙来源区拦沙工程项目前期工作取得新进展。粗泥沙集中来源区分布于黄河中游右岸的皇甫川、孤山川、窟野河等9条主要支流，总面积1.88万km^2。涉及陕西、内蒙古两省（自治区）的延安、榆林、鄂尔多斯3个市的15个县（旗、区）。该区平均水土流失总量为4.08亿t，侵蚀模数高达2.17万$t/(km^2 \cdot a)$，是黄土高原强烈侵蚀的中心，属于剧烈侵蚀区，占到黄土高原地区剧烈侵蚀面积（3.67万km^2）的51.2%。2009年，黄河水利委员会把粗泥沙集中来源区治理作为治黄中心工作之一，强力推进拦沙工程前期工作，会同陕西、内蒙古两省（自治区）共同研究、反复论证，提出拦沙工程的总体布局，在此基础上编制了《黄河粗泥沙集中来源区拦沙工程一期项目建议书》（以下简称《建议书》），通过了水利部水规总院审查，并报送国家发改委。国家发改委委托中国国际工程咨询公司对《建议书》进行现场评估，通过了咨询评估。同时，黄委委托设计单位——西安黄河规划设计研究院编制完成了《黄河粗泥沙集中来源区拦沙工程一期项目可行性研究》，完成了工程布局和100座拦沙坝的初步设计。一期工程建设期为5年，安排建设中型拦沙坝1140座，控制面积3419.94km^2。

（4）规范管理，完善措施。为研究解决淤地坝建设管理存在的突出问题，探讨淤地坝建设管理的有效措施，进一步规范淤地坝建设管理工作，2009年8月17—19日，水利部在山西太原市召开了有黄河上中游7省（自治区）和相关流域机构参加的黄土高原淤地坝建设管理专题座谈会。就《关于进一步加强淤地坝建设管理工作的通知》（讨论稿）征求意见，讨论修改《黄土高原淤地坝建设管理办法》等。会后，根据会议讨论意见，水利部下发了《关于进一步加强黄土高原地区淤地坝建设管理工作的意见》（水保〔2009〕475号）。

（5）积极开展病险淤地坝除险加固工作。山西省为巩固淤地坝安全生产专项整治工作成果，按照《山西省水土保持大中型淤地坝工程安全生产专项整治工作方案》，省发改委与省水利厅联合召开了山西省大中型淤地坝除险加固设计审查会，对下游有村庄、学校、工矿企业等重要设施的67座大中型病险淤地坝的应急除险初步设计进行了审查，并经省发改委与省水利厅批复，落实除险加固资金2893万元。

（梁其春）

【江河流域水土保持重点工程建设】　2009年，国家安排中央投资23.26亿元，在长江、黄河等七大流域的600多个县实施了水土保持重点工程，工程建设稳步推进，效益持续发挥。

（1）国家高度重视水土保持工作。2009年12月，党中央、国务院分别就蒋树声同志（全国人大副委员长、民盟中央主席）《关于加强坡耕地水土流失综合治理的建议》做出重要批示，要求把坡耕地水土流失综合治理作为重大农村基础设施工程进行规划和实施。

（2）重点工程建设稳步开展。2009年，七大流域继续实施长江上中游、黄河上中游、黄土高原淤地坝、珠江上游、东北黑土区和丹江口库区及上游等水土保持重点工程，治理面积4.8万km^2，实施封育保护2.7万km^2，当年实施水土流失综合治理的小流域3200条。全国共建设以梯田为主的基本农田55万hm^2，营造水土保持林草269万hm^2，新建淤地坝210座。

（3）重点工程建设范围不断扩大。国家水土保持重点建设工程实施项目范围在2008年增加29个县的基础上进一步扩大，项目县增加到规划范围内的106个县。当年安排中央财政投资23000万元，较2008年增加15000万元。

（4）耕地较少水库移民坡改梯综合试点工程启动。为改善耕地较少水库移民生产条件，帮助解决水库移民口粮问题，增加水库移民收入，2009年7月，水利部和国家发改委启动实施耕地较少水库移民坡改梯综合试点工程。工程涉及河北、内蒙古、安徽等17个省（自治区、直辖市）的17个水库，原则上安排北方地区移民人均基本农田少于1亩、南方地区移民人均基本农田少于0.5亩、移民与当地农民人均收入差距较大的大型水库。计划投资2亿元。

（5）重点工程前期工作扎实开展。①组织流域机构对各省近期水土保持重点工程建设规划（2009—2011年）进行审核，明确了近期各省国家水土保持重点工程建设布局、重点、目标、任务。督促各省按照新的水土保持工程建设管理程序与要求，以审批的《近期水土保持重点工程建设规划》为依据，综合投资需求与可能等因素，按小流域综合治理、坡耕地水土综合整治、崩岗和淤地坝四类做好项目储备工作。②组织编制完成《革命老区国家水土保持重点建设工程规划》，并通过水规总院技术审查。③着手部署《“十二五”水土保持重点工程建设规划》编制工作，初步提出了中央投资定额补助标准及补助比例。组织有关流域机构完成了基本建设投资水土保持项目中央资金补助标准的测算。④组织珠江委完成了《岩溶地区石漠化综合治理水利专项规划》，并通过了水规总院技术审查。⑤积极推进陕甘宁梯田建设项目。在与国家农发办联合对甘肃、宁夏调研的基础上，组织甘肃、陕西、宁夏3省（自治区）32个县开展梯田建设项目前期工作，组织黄委对可行性研究报告进行审查和批复，为陕甘宁项目顺利启动实施奠定了基础。

（6）工程建设管理不断加强。①完善工程建设管理制度。配合财政部制定并印发《中央财政小型农田水利设施建设和国家水土保持重点建设工程补助专项资金管理办法》，明确了水土保持工程资金使用范围和中央投资比例；与国家发改委协调，完成《水土保持工程建设管理办法》修订稿初稿，明确水土保持实行切块管理的投资管理体制，明确了发展改革、水利等有关部门的职能和工作程序，简化水土保持项目前期工作程序，进一步规范水土保持施工管理和信息报送制度；印发《关于进一步加强黄土高原地区淤地坝建设管理工作的意见》，从规划、可行性研究、初步设计、计划安排、施工、监理、资金使用、竣工验收等各个环节规范了淤地坝建设管理要求。同时，委托有关单位起草完成了《水土保持工程竣工验收办法》《黄土高原地区水土保持淤地坝建设管理办法》。②强化工程的检查验收。组织完成2006—2008年国家农业综合开发水土保持项目的竣工验收；组织有关流域机构完成了2008年京津风沙源治理工程水利项目、珠江上游南北盘江石灰岩地区水土保持试点工程、东北黑土区水土流失综合防治试点工程和西南岩溶地区石漠化综合治理工程水土保持项目等重点水土保持工程的年度验收及检查工作。组织完成甘肃环县淤地坝垮塌情况的调查处理。组织完成第一批17个省（自治区）的34个水土保持大示范区验收命名和甘肃、陕西两省第一批4个梯田化县验收命名工作。③部署开展淤地坝安全大检查和水土保持建设领域突出问题专项治理两个专项行动。

（高媛）

【云贵鄂渝世行贷款项目】　2009年，云贵鄂渝水土保持世行贷款/欧盟赠款项目进入第四年，项目实施继续面临国内配套资金到位迟、物价上涨、美元对人民币汇率下挫，单价报账措施无法实施等困难，水利部积极协调和推动项目中期调整，加强项目建设管理，取得了一定的进展和突破。2009年项目完成石坎坡改梯335.51hm^2，土坎坡改梯790.09hm^2，沉沙凼6503.62m^3；排洪沟132155.60m；谷坊1448.63m；水土保持林4120.49hm^2；封禁18601.96hm^2；人畜饮水受益户5096户；田间道路40281.50m；机耕道113158.80m；蓄水池78584.74m^3；小水窖8940m^3；渠道78374.20m；经果林输水管网24.31km；经济果木 4901.46hm^2；种草 204hm^2；养牛 533 户；养杂交牛 695 户；沼气池 2988 户；节柴灶 690 户；欧盟贫困户扶持 1253 户享受 500 元赠款补助。

（1）完成项目中期调整。云贵鄂渝 4 省（直辖市）水土保持生态建设世界银行贷款项目涉及云南、贵州、湖北、重庆 4 省（直辖市）的 37 个县，规划实施小流域 274 条，综合治理水土流失面积 3175.41km^2，项目总投资 2 亿美元，折合人民币 16.2 亿元（根据 2006 年汇率）。其中利用世行贷款 1 亿美元，折合人民币 8.1 亿元（根据 2006 年汇率），占项目静态总投资的 50%。2009 年初，由于物价上涨、美元贬值，项目评估时约定的报账单价已远远不能包住项目建设成本，一度出现了招标无人响应的情况，工程实施一度停滞。为此，水利部积极协调和推动项目中期调整，重新平衡措施数量、单价和投资。当年，水利部将中期调整方案及修改的项目《贷款协议》《赠款协议》和《项目协议》提交财政部；各方确定以 2008 年 8 月 31 日为中期调整的时间起算点，制定 2008 年 8 月 31 日以前和以后实施工程采用的单价、美元对人民币汇率、水保措施、世行贷款和欧盟赠款总投资以及中方配套资金投资规模、独立费用的类别和金额、待摊资金等中期调整的原则和思路。2009 年 12 月，世行与财政部签署项目协议、贷款协议和赠款协议修订文本，文本根据实际情况，对项目执行单价和报账金额等规定做出了一系列调整，以利于下一步项目实施进度的加快。

（2）完善项目建设管理。为加强项目的管理，水利部成立了中央项目领导小组及协调机构，以长江水利委员会为主，与珠江委共同设立中央项目执行机构，4 省（直辖市）及 5 个相关地区（市）、37 个县（区）均已成立由政府分管领导任组长，发改委、财政、水利、农林等相关部门领导任成员的项目领导小组，并在水利部门设立项目办，落实专职人员。按照世行项目管理要求，4 省（直辖市）还成立了由农、林、水、畜牧、财务等方面专家参与的省级技术专家咨询机构，专门为项目作技术咨询和指导。目前，中央、省（直辖市）、地（市、州）、县（市、区）逐级设立了世行项目办公室，有专职人员 358 人，自上而下形成完备的管理机构体系，为项目实施提供机构保证。

2009 年，中央项目执行办开展了一系列完善工程建设管理工作。①2009 年初，中央项目执行办下发了一整套项目执行管理手册，对参与式设计、年度计划及进度报告编制、采购、检查验收、工程建设程序和质量要求、农户如何参与项目等方面进行了规范。各地深入学习手册，并在实际工作中加以运用，使项目管理工作逐步走向规范化。②启动实施“创建项目示范县活动”，召开专题研讨会，下发实施创建示范县方案，对工作进行部署，目的是通过活动建立小流域样板工程，起到树立典型、以点带面、以先进带落后，全面推进项目建设的目的，并达到管理出经验、管理出典型、管理出人才、管理出效益的目标。③组织世行 2009 年春季检查，检查督促项目办工作。④2009 年 11—12 月组织了项目检查。⑤编制《项目监测评价方案》和《操作技术手册》，并开展全项目监测评价工作招标。2009 年 12 月底完成招标，选定由珠江流域水土保持监测中心站承担此工作。

为规范项目资金管理，2009 年，各省级项目办均编制了《项目财务手册》，明确规定了资金的使用、会计审核、贷款支付等方面的操作细则。各级项目办积极与本级财政沟通、协调，明确贷款转贷、报账、回收的流程，确定了贷款发放、回收的责任机构，解决了报账难等长期困扰项目实施的瓶颈问题。云南省水利厅和财政厅重新下发文件，对报账程序和手续进行了简化，大大提高了报账效率。2009 年世行年度项目审计和欧盟赠款审计结果表明，各级项目办资金使用程序基本规范，未发生重大违规情况。

（3）加强先进技术引进和人才培训。为提高各级项目办的管理能力，2009 年，中央项目执行办与欧盟合作，开展了大量的考察、培训、技术援助等活动。共组织中央项目协调办和执行办相关人员国外培训 1 次、国内管理培训 6 次，培训技术管理人员 240 余人次。并以示范县为基地，聘请项目管理专家对所有项目县开展了一次轮流培训，现场讲解世行项目管理的有关要求和规定。为提高农民参与项目经营管理的技能，各地组织农业、林业、畜牧、水利水保等技术人员为农户进行种植养殖培训，传授新技术新品种，印发科普资料，现场解决种植养殖业发展过程中的问题，在实施乡镇设置技术服务咨询点，进行现场指导，部分县还印发了小册子为农户提供技术信息。

利用信息化技术方面，2009 年，中央项目执行办会同欧盟专家联合开发的小流域设计辅助软件投入使用，大大提高了设计工作效率。

项目引进人才方面，2009 年，中央项目办依托欧盟流域管理项目，聘请欧洲水土保持协会协调员安东·爱默生和西班牙地中海研究中心任务罗蒙作为短期专家，指导编制项目减蚀效率监测方案，并在 2009 年中国水土保持科技年会和长江可持续发展论坛上介绍欧洲水土保持经验。（高媛）

【生态清洁型小流域建设】 为适应经济社会快速发展的新形势，满足广大人民群众对良好人居环境和清洁水源的迫切要求，开拓水土保持事业发展领域，2006 年底，水利部在全国 30 个省（自治区、直辖市）的 81 条小流域开展了生态清洁型小流域试点工程建设。

生态清洁型小流域工程建设，是保护水源、维护饮水安全的一项重要举措，对于提高人民生活质量，实现经济社会可持续发展具有重要意义。试点范围主要是在经济相对发达地区、人口相对集中的城市周边和重要水源区。主要建设内容有小流域综合治理工程、生态修复工程、河道综合整治工程、人居环境综合治理工程、生态农业建设工程、面源污染治理工程、水土流失和水环境监测等。

试点工作开展以来，已初见成效，涌现出北京、浙江永康等一批典型，探索和总结出不少治理模式和做法。如北京市的“三道防线”模式，即在人口相对稀少的远山和中山进行生态修复、在人口相对密集的浅山和丘陵地带进行生态治理、在河道库区周边进行生态保护。浙江省的“六治”模式，即以水源保护、河道整治和新农村建设为核心，把小流域治理与整治村镇环境有机结合，通过治山、治水、治污、治穷、治乱、治差，树立山青、水秀、景美、民富、和谐、有序的新农村典型。

在试点工作取得一定成效的基础上，2009 年 10 月 25—26 日，水利部组织在浙江省永康市召开全国水土保持生态清洁型小流域建设现场会。会议总结交流了生态清洁型小流域试点工程建设的经验，分析了当前存在的主要问题，进一步明确了今后一个时期开展试点工程建设工作的目标与要求，为深入推动生态清洁型小流域建设工作起到了很好的促进作用。

（冯伟）

【水土保持科技示范园区建设】 继 2007 年水利部命名第一批 25 个水利部水土保持科技示范园区后，各地全面贯彻落实水利部《关于开展水土保持科技示范园区建设活动的通知》和《关于印发〈全国水土保持科技发展规划纲要〉的通知》精神，进一步加快水土保持科技示范园区建设步伐，提高水土保持科技水平，在继续完善已有科技示范园区的基础上，积极开展第二批水利部水土保持科技示范园区的创建工作。全国涌现出深圳南山、重庆万盛、浙江安吉、江西南昌、湖南湘西、黑龙江二龙山、山东孙武湖、湖北李西河等 20 多个基础条件和配套设施成熟，兼具水土保持科研示范、科技推广、观测试验、科普教育、产业开发、辐射带动、休闲观光等多种功能的示范园区，为服务当地水土保持生态建设、开展水土保持国策宣传教育提供了重要支撑。同时，近年来水土流失防治的一系列新理念、新技术、新成果在新建园区内得到充分诠释和展现，成为社会各界认识了解水土保持的重要基地和窗口。经过地方推荐和专家评定，2009 年 3 月，水利部命名了第二批 24 个“水利部水土保持科技示范园区”，全国获得水利部命名的水土保持科技示范园区达到 49 个。新一批园区的建成命名，使得全国水土保持科技示范园区的布局更趋合理，规模进一步扩大，整体影响力和示范带动作用得到显著提升。各地依托水土保持科技示范园区，深入开展水土保持国策宣传教育，通过形式多样的主题课外实践活动对中小学生进行水土保持教育，通过小手拉大手，带动全社会水土保持国策意识不断增强。

（王莹）

【水土保持监测】 2009 年，水土保持监测工作重点是进一步加强水土保持监测网络建设，规范和加强水土保持监测与评价制度建设，组织开展全国水土流失动态监测。

（1）全国水土保持监测网络和信息系统二期工程启动实施。二期工程按照全国水土保持监测网络和信息系统建设的总体要求，与一期工程衔接，建设淮河、松辽河、珠江和太湖等 4 个流域机构水土保持监测中心站，北京、天津、河北、辽宁、吉林、黑龙江、江苏、浙江、安徽、福建、江西、山东、河南、广东、广西、海南、西藏等省（自治区、直辖市）和新疆生产建设兵团等 18 个省级水土保持监测总站，以及与这些省级监测总站对应的 75 个监测分站，配置数据采集和处理设备、数据管理和传输设备、监测交通工具，建立数据库，开发应用系统。同时，在全国建设 738 个水土保持监测点（水蚀观测场 40 个、小流域控制站 338 个、径流场 316 个，风蚀监测点 31 个、冻融侵蚀监测点 4 个、重力监测点 4 个、混合侵蚀监测点 5 个），配置水土流失观测和实验设施设备。在项目法人单位——水利部水土保持监测中心的统一协调下，完成二期工程建设招标投标工作，基本完成设备采购与系统集成、交通设备采购任务，积极推进软件开发与数据库建设、水土流失监测点建设工作。

（2）积极做好第一次全国水利普查水土保持专项普查前期工作。按照“第一次全国水利普查”前期工作要求，完成了水土保持专项普查的实施方案、技术细则和经费测算工作，对普查的任务、对象与范围、技术路线、主要指标、相关的表格与表式、数据处理软件等进行了规定和设计，为全面实施全国水土保持普查做好技术准备。水土保持普查的主要对象包括水土流失现状、侵蚀沟道现状和水土保持措施现状等。

（3）进一步完善水土保持监测与评价制度。组织开展水土保持监测与评价制度建设工作，完成前期调研和工作大纲编制，完成水土保持监测资质管理、水土保持监测工作年报制度、全国水土保持监测网络和信息系统运行管理办法、水土保持常规监测点建设标准等 4 项制度文本的起草工作。

（4）完成中央级水利经常性业务项目水土流失动态监测与公告项目申报工作。组织长江、黄河、海河、淮河、珠江、松辽流域、太湖等七大流域机构编制完成项目申报书和可行性研究报告，开展中央级水土流失动态监测与公告项目申报并获得批准，保障全国水土流失动态监测持续稳定开展。

（5）全国水土流失动态监测与公告项目继续良好开展。实施新安江预防保护区、辽宁冶金煤矿监督区、泾河北洛河上游治理区的吴起县等3个重点防治区的水土流失监测；开展不同水土流失类型区30个典型小流域、50个典型监测点的水土流失观测；编制完成《植被盖度季节分布曲线测量方法及其应用》和《水土流失抽样调查手册（县级版）》技术推广材料，并进行了技术培训；对项目前3年执行情况进行全面总结，并表彰工作突出的单位和个人。

（6）进一步加强和完善行业管理。开展水土保持监测资格证书持证单位年度业绩报告工作，加强对监测资格证书持证单位的监督管理，促进监测工作的有序开展；积极推动地方开展水土流失动态监测及公告财政预算经费申报工作，推动水土保持监测工作全面开展。开展《水土保持数据表结构及标识符》《开发建设项目水土保持监测技术规范》《小流域划分及编码规范》《水土保持元数据标准》等技术标准的编制工作。发布了2008年《中国水土保持公报》。

（7）全面开展水土保持监测技术培训与交流。举办了小流域与监测点水土流失监测数据库建设、水土保持公报数据上报系统、植被盖度季节分布曲线测量方法、小流域水土流失抽样调查、水土保持监测岗前技术等研讨培训班，共培训技术人员2300多人（次）。

（刘宪春）

水力发电

【农村水电总体情况】

1. 农村水电基本建设

（1）农村水电站。2009年，全国农村水电继续保持平稳发展。全年完成投资456亿元，新增装机容量380.7万kW，新增装机主要集中在西南、华中和华东地区。在建项目装机容量保持在1200万kW左右，截至2009年底，全国共建成农村水电站44804座，装机容量5512万kW，形成水库总库容2118亿m^3。全国水利部直属水电站15座，装机容量609.4万kW，其中大中型水电站12座，装机容量598.9万kW。2009年，全国农村水电发电量1567亿kW·h。农村水电供电区通电率进一步提高，用电量进一步增加，解决了80万无电人口的用电问题，为促进社会主义新农村建设发挥了重要作用。

（2）农村水电电网。截至2009年底，全国农村水电电网共建成110kV及以上变电站538座，变电容量2564万kVA；35（63）kV变电站2748座，变电容量1682万kVA；配电变压器36.4万台，容量3463万kVA；10kV及以上高压线路52万km，低压线路112万km。县城居民平均到户电价0.502元/(kW·h)；农村居民平均到户电价0.521元/(kW·h)。

（3）农村水电投资及资产。2009年，全国农村水电建设共完成投资456亿元。其中，中央和地方财政配套资金占3.8%，银行贷款占39.9%，自筹资金占56.3%。水电站建设投资410亿元，电网建设投资46.2亿元。农村水电全年发售电总收入684.8亿元，上缴税金65.4亿元。截至2009年年底，全国农村水电站资产3416亿元，电网资产355亿元。全国农村水电拥有独立核算单位共24802个，其中有78%的企业为非国有企业；从业人数64.4万人，其中技术人员17.7万人。

2. 农村水电管理情况

（1）水能资源管理。2009年，各级水行政主管部门继续加强水能资源管理。圆满完成新中国成立以来首次全国农村水能资源调查评价，完成中小河流水能开发规划的技术标准制定。全国14个省（自治区、直辖市）开展了水能资源使用权有偿出让，9个省（自治区、直辖市）制定了出让实施办法。11个省（自治区、直辖市）出台了水能资源开发利用的规范性文件。12个省明确了由水行政主管部门负责水能资源统一管理。

（2）安全监管。各级水行政主管部门以强化农村水电安全监管为重点，组织开展了汛前安全生产大检查和事故督查，加强了违规水电站整改工作力度，已有95%的违规水电站完成整改任务，福建、湖北、重庆、贵州等9个省（直辖市）的整改率达到100%，清查整改工作进展顺利。与国家安全生产监督管理总局、国家工商管理总局、国家电力监管委员会等部门联合出台了《关于加强小水电安全监管工作的通知》，进一步理顺了农村水电安全监管体制，对农村水电安全生产发挥重要作用。

法规和标准化建设：在广泛开展立法调研的基础上，编制完成了《农村水能资源管理办法（送审稿）》，通过了专家审查。逐步完善农村水电技术标准体系，已有58项标准纳入水利部技术标准体系，2009年编制、修订了29项。

3. 涉及民生的农村水电工作进展情况

（1）小水电代燃料。2009年，小水电代燃料工程全面启动。《2009—2015年全国小水电代燃料工程规划》正式批复实施。当年安排的中央年投资由1亿元增加到3亿元，用于19个省（自治区、直辖市）和新疆生产建设兵团的108个项目。8月在吉林省长白县召开的小水电代燃料现场会有力促进和规范了小水电代燃料项目建设与管理，加快小水电代燃料工程技术进步和标准化管理步伐，把小水电代燃料工程逐步建设成农村水能资源开发的示范和样板工程。

（2）水电农村电气化。2009年水电农村电气化建设持续推进，当年安排中央投资3亿元用于25个省（自治区、直辖市）和新疆生产建设兵团的424个水电农村电气化建设项目。在扎实做好“十一五”水电农村电气化县建设的同时，提前谋划“十二五”电气化工作，制定了水电新农村电气化标准和规划编制规程，召开规划工作研讨会，8月正式启动了规划编制工作。农村水电信贷支持力度明显加强，7月中国农业发展银行下发《关于做好信贷支持小水电代燃料和农村电气化加建设工作的通知》，要求对代燃料和电气化项目降低贷款门槛限制，实行信贷优惠政策。

(3) 增效扩容。农村水电增效扩容改造工程前期工作正式开展。会同水利部有关司局，积极与财政部沟通协调，努力开辟农村水电建设资金新渠道。进行了大量调研，完成了农村水电增效扩容改造工程规划大纲等起草工作。 （曲鹏）

【全国农村水电工作会议】 2009年5月16日，全国农村水电工作会议在浙江省杭州市召开。这次会议是继2001年全国农村水电暨“十五”水电农村电气化县建设会议后召开的又一次重要会议。水利部部长陈雷出席会议并做了题为《加强农村水能资源开发和管理 促进经济社会可持续发展》的讲话，浙江省副省长茅临生到会致辞，水利部副部长胡四一主持会议并作总结讲话。国家发展改革委农经司副司长胡恒洋、财政部农业司副司长曹广生到会并讲话，水利部水电局局长田中兴做工作报告。

这次会议的主要任务是：认真贯彻党的十七大、十七届三中全会和中央一系列重要会议精神，深入贯彻落实科学发展观，总结工作，交流经验，分析形势，理清思路，部署当前和今后一个时期的农村水电工作，努力开创农村水电工作新局面。

大会通报表扬了全国农村水电及电气化建设先进集体和先进个人，发布了全国农村水能资源调查评价成果，浙江省、吉林省、湖南省等18家单位做交流发言。 （曲鹏）

【水能资源管理】

1. 水能资源管理职能得到加强 2008年国务院办公厅印发的水利部新“三定”规定，明确了水利部水能资源管理和农村水能资源开发利用的有关职能。在2009年机构改革中，湖南、湖北、吉林、新疆等省（自治区）明确水行政主管部门负责全省水能资源开发利用管理工作，其他省也比照水利部“三定”规定明确了相关职能。总体上农村水电职能普遍得到加强，机构不断健全，体制基本理顺。2009年，河南省正式成立了农村水电及电气化发展中心，落实了人员编制和工作经费，结束了多年来政企不分的状况。

2. 水利部发布了全国农村水能资源调查评价成果 2009年5月8日，水利部以《关于发布全国农村水能资源调查评价成果的通知》（水电〔2009〕257号）发布了全国农村水能资源调查评价成果，填补了我国水资源调查和水能资源普查工作的空白。本次农村水能资源调查评价涉及大陆地区河流16572条，其中单河水能资源理论蕴藏量10MW及以上河流5095条；单河水能资源理论蕴藏量10MW以下河流11472条。全国单站技术可开发装机容量0.1MW（含）～50MW（含）农村水电装机容量128032MW，年发电量5350亿kW·h。截至2005年底，全国已、正开发农村水电装机容量69086MW，年发电量2875亿kW·h，分别占技术可开发总装机容量和总发电量的54%和53.7%。

3. 中小河流水能开发规划进一步规范 2009年12月21日，水利部以2009年第32号公告批准发布了《中小河流水能开发规划编制规程》（SL 221—2009）以及《小水电水能设计规程》（SL 76—2009），这两部标准考虑了河流生态需水量，提出了跨流域引水限制条件，以及尽量少占用耕地，减少社会矛盾等近年来对中小河流水能开发规划以及小水电水能设计的新要求、新理念，为各地开展中小河流水能开发规划以及小水电设计提供了统一规范。

4. 积极推动水能资源管理立法 继湖南、吉林省人大常委会颁布水能资源管理条例，贵州颁布了水能资源开发使用权有偿出让政府规章后，2009年3月吉林省人民政府发布了《吉林省水能资源开发利用权有偿出让若干规定》；2009年6月，湖南省人民政府办公厅出台了《关于加强水能资源开发利用管理工作的意见》；贵州出台了《关于水能资源使用权有偿出让工作有关问题的通知》（黔水电〔2009〕9号）以及《关于对水能资源使用权出让金征收工作进行检查的通知》（黔水法〔2009〕33号）。这几部水能资源管理配套措施明确了水能资源开发利用权有偿出让细则，详细规定了水能资源开发利用规划和技术审查程序，并对贯彻落实水能资源管理地方性法规提出了具体要求。 （张学进）

【农村水电行业安全监管】 2009年，水利部水电局围绕农村水电中心工作，继续深入开展“安全生产年”活动。在加强安全生产监督管理“三项行动”和“三项建设”中，突出预防为主，着力做好强化监管、健全制度、落实责任、协作联动、培育队伍、加强宣传等各项工作。完善各项措施，加大工作力度，坚决杜绝重特大安全事故，减少较大和一般安全事故，保持农村水电安全生产形势持续向好。

1. 初步理顺安全生产监管体制 各级水行政主管部门把理顺农村水电安全监管体制作为工作重点，在新的一轮机构改革中，主动向政府汇报情况，明确安全生产管理职责和范围，积极承担起农村水能资源开发利用中的安全监管责任。2009年水利部、国家工商管理总局、国家安监总局和电监会联合发布的《关于加强小水电站安全监管工作的通知》（水电

〔2009〕585号），进一步明确水利部门与相关部门和机构的职责分工，形成中央与地方政府相衔接，综合监管与专业监管相结合的农村水电安全监管体制。

除少数地区外，大部分省区市的农村水电安全管理体制已较为健全。省、地、县农村水电主管部门均成立了安全监察管理机构，配备了专兼职管理人员。各农电企业均设立了安全管理部门，并配备了专兼职安全监察员、安全管理员岗位，基本形成三级安全生产管理网络。

2. 全面落实安全生产责任制　农村水电行业普遍建立起以一把手为安全生产第一责任人、分管领导为直接责任人的农村水电安全管理责任制度。各地农村水电主管部门和农电企业基本做到了层层落实岗位责任制，签订安全生产管理目标责任书，制定安全生产管理目标考核办法并实施考核，实行安全生产目标管理。福建省水利厅在落实安全生产行业监管主体和企业安全生产责任主体的“两个主体”责任中不断创新工作机制，强化主体责任落实。河北省农村水电行业各级主管部门大力加强安全生产的行业监管和行业指导，层层签订《安全生产责任书》，做到了逐级落实，层层把关，齐抓共管，立体防控，为安全生产提供了保障。

3. 组织开展安全生产大检查

(1) 安全生产大检查工作部署执行情况。安全生产大检查的范围包括四川、湖南、重庆、广西等27个省（自治区、直辖市，未含上海、天津、江苏、宁夏）和新疆生产建设兵团。各单位均对水利部布置的2009年度安全生产大检查工作高度重视，通过转发文件的方式，将有关精神传达贯彻到各市县水利（水务）局。各市县局迅速组织辖区内农村水电在建工程业主单位和农村水电站及电网供电单位开展了自查自纠工作。

各单位按照通知要求，结合本单位实际情况确定了安全生产大检查的范围、内容、重点和步骤，采用了自查、互查和抽查等多种检查形式。检查中基本做到了认真严格、求真务实、不留死角，对检查出的安全隐患，限期监督整改，达到了安全大检查的预期目的。各单位对安全生产大检查工作进行了总结，并按时向水利部报送了安全大检查工作报告。

(2) 各单位安全度汛措施落实检查情况。各地水行政主管部门认真抓好农村水电工程防洪度汛工作，健全了防汛责任制，制定了防洪度汛预案并报相应防汛抗旱指挥部门审批或备案，积极落实防洪度汛的物资，建立健全防汛抢险应急机制，做到机构、责任、队伍、方案、物料和报警六落实。如：广东省水利厅要求全省各地按照“属地管理、分级负责”的原则，逐级落实各项防汛责任制。湖北省实行以防汛行政首长负责制和项目法人责任制为核心的防汛责任制。各地按照有关规定，对辖区内的水电工程项目都明确了防汛行政责任人和水库水电站六大责任人，统一指挥防汛工作。

(3) 安全生产管理制度建立和执行检查情况。各地水行政部门结合水利部及相关部门发布的政策法规，相应制定了安全管理规章制度。吉林省经过多年的努力，在安全生产责任制、安全生产监察管理体系方面形成了稳定的管理模式。湖南省发布了《湖南省水利系统电站、电网安全生产管理考核办法》，在安全管理工作中做到有规可依，有章可循。

各地农村水电企业已形成一整套以“二票”（工作票、操作票）、“三制”（交接班制度、巡回检查制度、设备缺陷管理制度）为核心内容的安全管理规章制度体系。此外，各地农电企业还制定了许多相关配套安全管理制度。如黑龙江、甘肃、河北、陕西、重庆等省（直辖市）农电企业制定了“年度定期检查制度”“安全累进记录制度”“安全例会制度”“安全事故分析制度”“安全监督奖惩制度”“持证上岗制度”“设备定期检修制度”“设备评级制度”和“安全培训考核制度”等多种规章制度。这些制度的建立和执行，使企业安全管理工作目标明确、职责清楚、奖惩分明，提高了职工安全生产和事故防范意识，对水电企业安全生产、消除事故隐患起到了重要作用。

4. 违规水电站清查整改取得明显成效　各地水利部门高度重视违规水电站的清查整改工作，进一步加强领导，违规水电站清查整改取得明显成效。年初，水利部办公厅印发了《关于全面加快违规水电站清查整改工作的通知》（办水电〔2009〕88号）。各地各级水行政主管部门与有关部门联合执法，加大了对违规水电站的清查整改力度。截至2009年底，全国已有95%的违规水电站完成了整改任务。其中，广东、福建、湖北、重庆、贵州等19个省（自治区、直辖市）已100%完成了违规水电站清查整改任务。

5. 安全教育培训进一步规范　各地水利部门和农村水电企业认真贯彻落实国家职业资格证书制度，鼓励农村水电企业主要负责人、安监员和特种作业人员参加相关主管部门组织的教育培训，要求通过职业技能鉴定，取得相应职业证书，做到持证上岗。广西、湖南、湖北、贵州、重庆、河北、陕西、甘肃、吉林等地采取与职业教育相结合的方式，通过业务培训、安规考核、反事故演练和知识竞赛等多种形式，长期开展农村水电职工的安全生产教育，有效地增强和提高了职工的安全生产意识和业务技能。（刘京和）

【农村水电技术标准】　2009年，水利部农村水电及电气化发展局主持和主编的农村水电技术标准共有29项，其中，2009年新增财政专项2项、基建前期10项。根据《水利标准化工作管理办法》要求和

2009年水利技术标准制修订计划安排，部水电局启动了《小型水电站施工安全规程》等12项新增标准项目的制修订工作，组织召开了《小型水电站技术改造规范》等8个标准的编制工作大纲审查会，发文对《小水电接入电力系统技术规定》等10个标准征求意见，组织召开了《农村水电站技术管理规程》等10个标准的送审稿审查会，完成《水电农村电气化标准》等7个标准的报批工作。至2009年底，在编标准中，《漏电保护器农村安装运行规程》(SL 445—2009)《小水电水能设计规程》(SL 76—2009)《中小河流水能开发规划编制规程》(SL 221—2009) 3项标准已发布，其余26项详情见表1。

表1　农村水电在编标准情况表

序号	标 准 名 称	编 制	主编单位	编制状态
1	小水电代燃料标准	SL	部水电局	报批
2	小水电代燃料工程规划编制规程	SL	部水电局	报批
3	水电新农村电气化标准	修订 SL 30—2003	部水电局	报批
4	水电新农村电气化规划编制规程	修订 SL 145—95	部水电局	报批
5	小型水电站机组运行综合性能质量评定标准	SL	水科院机电所	征求意见
6	小水电站接入电力系统技术规定	SL	水科院自动化所	征求意见
7	小型水电站现场效率试验规程	修订 SD 140—85	水科院机电所	征求意见
8	小型水电站初步设计报告编制规程	修订 SL/T 179—96	山西水电研究院	征求意见
9	小水电电网节能改造工程技术规范	GB	部水电局	大纲审查
10	小水电建设项目经济评价规程	修订 SL 16—95	农电所	征求意见
11	小型水电站技术改造规范	GB	部水电局	大纲审查
12	小型水电站施工技术规范	修订 SL 172—96	农电所	大纲审查
13	农村水电供电区电力发展规划导则	修订 SL 22—92	农电所	大纲审查
14	水能资源调查评价导则	SL	农电所	立项
15	小型水电站运行维护技术规范	GB	部水电局	征求意见
16	小型水电站机电设备报废条件	GB	部水电局	大纲审查
17	农村水电站技术管理规程	SL	吉林地电局	送审
18	农村水电变电站技术管理规程	SL	吉林地电局	送审
19	农村水电配电线路、配电台区技术管理规程	SL	吉林地电局	送审
20	农村水电送电线路技术管理规程	SL	吉林地电局	送审
21	小型水电站施工安全规程	SL	农电所	立项
22	小水电网安全运行规程	SL	农电所	立项
23	小型水电站建设工程验收规程	修订 SL 168—96	农电所	立项
24	小水电代燃料项目验收规程	修订 SL/Z 304—2004	农电所	立项
25	小型水电站安全测试与评价规范	GB	部水电局	立项
26	小水电代燃料生态效益计算导则	SL	农电所	立项

注　部水电局为水利部农村水电及电气化发展局，农电所为水利部农村电气化研究所。

（孙亚芹）

【小水电代燃料工程建设】　党中央、国务院从保护生态环境、解决农民燃料和长远致富的战略高度，作出实施小水电代燃料工程的决策，温家宝总理亲自命名“小水电代燃料工程”，通过建设代燃料电站，让农民用低价电做饭、取暖，替代砍树烧柴、烧煤，保护森林植被和生态环境，提高农村居民的生活质量，改善生产生活条件。2003年开始在全国开展了小水电代燃料试点建设，到2009年底，新增代燃料装机容量20多万kW，实现代燃料人口80多万人，保护森林面积23万多hm^2。小水电代燃料建设得到广大农民的一致欢迎和支持，也得到国务院领导的充分肯定。2009年初，国家正式批复《2009—2015年全国小水电代燃料工程规划》，小水电代燃料工程全面启动。根据规划，小水电代燃料工程将在7年内解决170.78万户、677.71万农村居民的生活燃料和农村能源，新增代燃料装机容量170.56万kW，保护森林面积159.33万hm^2，总投资141.3亿元，其中中央投资56.99亿元。

1. 工程建设　2009年，国家共下达小水电代燃料投资11.6亿元，其中，中央投资3亿元，地方配套0.9亿元，贷款7.7亿元。涉及全国19个省（自治区、直辖市）和新疆生产建设兵团的108个项目，新增代燃料装机容量22.5万kW，解决21万户、78.6万农村居民的生活燃料，保护退耕还林面积5.67万hm^2，天然林保护面积16.13万hm^2，其他森林植被21.2万hm^2。

2009年安排的108个项目中，西部地区和中部六省比照实施西部大开发有关政策的项目有73个，中央投资22325万元，占74.4%；中部地区有33个项目，中央投资7025万元，占23.4%；东部地区有2个项目，中央投资650万元，占2.2%。

2. 工程管理　为做好2009—2015年小水电代燃料工程建设工作，2009年7月，国家发改委和水利部联合印发了《关于加强小水电代燃料和水电农村电气化建设与管理的通知》（发改农经〔2009〕1937号），对小水电代燃料项目前期工作、项目建设、管理体制机制、监督检查和验收等提出了具体要求，明确了就近直接供电、按成本核定过网费、将代燃料电价列入电价目录等政策。

根据国家发改委、水利部《关于加强小水电代燃料和水电农村电气化建设与管理的通知》（发改农经〔2009〕1937号）要求，为加强小水电代燃料项目管理，2009年8月，水利部下发了《关于做好小水电代燃料项目实施方案编制工作的通知》（水电〔2009〕409号），明确了小水电代燃料项目实施方案编制的内容及要求，批复后的实施方案作为项目验收的依据。

2009年，水利部对小水电代燃料建设项目加强了日常督促检查，由专人负责督促小水电代燃料建设进度，每季度报送进度表，及时掌握项目进展情况，分析存在的问题，分类指导工程建设，促进工程科学化、规范化建设与管理。在初步排查摸底的基础上，开展了现场专项检查。分四个检查组到12个省（自治区、直辖市）对小水电代燃料项目进行督促检查，对2010年小水电代燃料新上报项目进行了审核。

3. 工程建设现场会　为贯彻落实2009年全国农村水电工作会议精神，加强和规范小水电代燃料项目建设与管理，加快小水电代燃料工程技术进步和标准化管理步伐，扎实做好小水电代燃料工作，2009年8月，水利部在吉林省长白县召开了全国小水电代燃料工程建设现场会，会议由水电局田中兴局长主持，水利部副部长胡四一出席会议并做了题为《总结经验 真抓实干 扎实做好小水电代燃料工作》的讲话，吉林省人民政府副秘书长刘延春到会致辞，国家发改委农经司副司长胡恒洋到会讲话。会议还邀请国家发改委农经司、水利部办公厅、水利部规划计划司等有关单位、领导出席，部分省（自治区、直辖市）水利厅（局）的分管领导，各有关省（自治区、直辖市）和新疆生产建设兵团水利（水务）厅（局）水电局（处）长，部分项目所在县领导和项目单位代表参加了会议，11家单位代表进行了大会交流发言。

4. 标准化建设与管理　为进一步规范小水电代燃料项目建设和管理，促进小水电代燃料快速健康发展，2009年，水利部编制完成了《小水电代燃料标准》和《小水电代燃料规划编制规程》。

《小水电代燃料标准》适用于国家组织实施的小水电代燃料建设项目，共分8章45条和1个附录，主要技术内容有：总则；术语；小水电代燃料基本条件；小水电代燃料电站；小水电代燃料项目区；小水电代燃料供用电；小水电代燃料项目管理；小水电代燃料效益等。

《小水电代燃料工程规划编制规程》适用于县级小水电代燃料工程规划的编制，共分10章51条和2个附录，主要技术内容有：总则；基本资料；代燃料项目区规划；代燃料电源规划；代燃料供用电规划；环境影响分析；项目管理；投资估算及资金筹措；效益分析等。《小水电代燃料工程规划编制规程》在《小水电代燃料标准》的基础上，进一步明确了规划编制的原则、目标、主要内容和技术要求，目的是规范小水电代燃料工程规划的编制，保证规划工作质量，从而保证小水电代燃料工程建设的质量。

2009年7月水利部下发了《小水电代燃料技术进步和标准化管理指导意见》，明确了今后一段时间小水电代燃料技术进步和标准化管理发展的方向及要求，统一了标准标识和管理制度。《小水电代燃料技术进步和标准化管理指导意见》较好地反映了小水电代燃料的特点，既要求有一定的技术先进性，又要求安全可靠和经济实用，具有较强的可操作性，对大力推进小水电代燃料项目技术进步，统一标准标识，统一管理制度具有重要作用。（赵虹）

【水电农村电气化建设】

1. “十一五”水电农村电气化建设　“十一五”期间，我国水电农村电气化建设取得了较好的成效。据统计，2006年至2009年底，全国共完成水电农村电气化县建设投资143亿元。其中中央投资12亿元，涉及459个县的1024个项目，占完成投资的8.4%；电站工程中央投资11.24亿元，线路工程中央投资

0.76 亿元。

2009 年，电气化建设计划投资 25 亿元。其中中央投资 3 亿元，地方投资 22 亿元，涉及 383 个县，426 个项目。截至 2009 年底，共完成投资 18 亿元。其中：中央投资 3 亿元，占 2009 年完成投资的 16.7%；省级配套资金 0.82 亿元，占 2009 年完成投资的 4.6%；其他资金 14.18 亿元，占 2009 年完成投资的 78.8%。

2. “十二五”水电新农村电气化规划全面启动 2009 年 6 月，水利部水电局在云南召开了 2011—2020 年水电新农村电气化建设规划编制工作座谈会。8 月水利部办公厅印发了《关于做好“十二五”水电新农村电气化规划编制工作的通知》，标志着“十二五”水电新农村电气化规划编制工作在全国正式启动。截至 2009 年底，全国已有 26 个省（自治区、直辖市）和新疆生产建设兵团的 689 个县、5134 个乡向水利部报送了规划材料。

2009 年上半年，水电局在河北、湖南两省召开了两次水电新农村电气化标准和规划编制规程编写组会议，初步提出了“十二五”水电新农村电气化建设思路，修改完善了《水电新农村电气化标准》（初稿）和《水电新农村电气化规划编制规程》（初稿）。这两项标准的修订工作已基本完成，并报水利部审批。

（程骏）

【农村水电国际交流与合作】

1. 第五届“今日水电论坛”在杭州成功举办 2009 年 5 月 11—12 日，由水利部和联合国工发组织主办，国际小水电中心承办的第五届“今日水电论坛”在杭州举行。本次论坛以小水电与民生改善为主题，水利部部长陈雷出席论坛并作了“大力发展水电 着力改善民生 促进经济社会可持续发展”的主旨讲话，水利部副部长胡四一主持会议，浙江省葛惠君副省长到会致辞，水利部水电局田中兴局长作了“小水电点亮中国农村”的专题报告。本次论坛探讨了小水电在改善民生方面的重要作用，展示我国农村水电及电气化发展成果，交流了国际小水电发展方向和趋势，推动了全球小水电领域的合作与发展。来自瑞士、挪威等 26 个国家和联合国工业发展组织、国际水电协会等国际组织的 50 多名国外代表，以及来全国各地水利部门、小水电行业企事业单位的 120 多名国内代表参加了论坛。

2. 国际小水电组织协调委员会成功换届 2009 年 5 月 12 日，国际小水电组织协调委员会 2009 年会在杭州召开。国际小水电组织荣誉主席、水利部副部长胡四一出席年会并在开幕式上致词。本次年会选举产生了新一届国际小水电组织协调委员会，水利部水电局局长田中兴当选为协调委员会主席，斯里兰卡电力和能源部常务秘书费迪南多先生当选为协调委员会副主席，国际小水电中心主任刘恒当选为协调委员会总干事。会议还通过了国际小水电组织 2009、2010 年工作计划和《国际小水电组织章程》修改意见，并对国际小水电组织今后发展战略进行了深入讨论。

3. 小水电援外培训稳步开展 2009 年，国际中心承办了“小水电与农村社区可持续发展官员研修班”，来自非洲、亚洲的 13 个国家的 20 名学员参加了本次研修班。杭州农村电气化研究所成功举办了“小水电技术培训班”、“非洲小水电培训班”和“小水电研修班”等 3 期小水电援外培训班，来自 46 个国家的 91 名学员参加了培训。

4. “点亮非洲”项目继续推进 “点亮非洲”项目由中国商务部和联合国工发组织共同支持，国际小水电中心提供技术支撑。目前已在肯尼亚、尼日利亚和坦桑尼亚投产了 14 个 100kW 以下的微型水电项目。2009 年 9 月在联合国工发组织见证下，国际小水电中心与赞比亚能源部、赞比亚国家电力公司签署了在赞比亚北方省合作建设 1MW 小水电站的协议；2009 年 11 月，该项目举行奠基仪式，项目全面启动，预计 2010 年底建成投产。2009 年 11 月，国际小水电中心派遣专家组对塞拉利昂及利比里亚的初选站址进行了实地查勘，为下一阶段实施“点亮非洲”项目开展前期工作。

（付自龙）

【《中国小水电 60 年》出版发行】 为了保存我国小水电发展的珍贵史料，再现小水电发展的光辉历程，记录 60 年来小水电发展中的重大事件，经部领导批准，水利部水电局在新中国成立 60 周年之际，组织编写了《中国小水电 60 年》。该书由水利部部长陈雷作序，胡四一副部长任编委会主任，主编为水利部水电局局长田中兴。2009 年 9 月 28 日上午，新书首发仪式在北京举行，水利部副部长胡四一出席首发式并讲话。

《中国小水电 60 年》全书 40 万字，共分十章，由中国水利水电出版社出版发行。全书图文并茂，既记录了大量我国小水电 60 年发展历程中的重大事件、重要改革、重大政策和重要技术突破，也展示了各地通过小水电建设形成的成果；既有重要的现实意义，也有珍贵的存史价值。

（岳梦华）

内 河 航 运

【概况】

1. 航道 2009 年底，全国内河航道通航里程 12.37 万 km。其中等级航道 6.15 万 km，占总里程的 49.8%；Ⅲ级及以上航道 0.88 万 km，占总里程的7.1%；Ⅴ级及以上航道2.48万km，占总里程的20.0%。各等级内河航道通航里程分别为：Ⅰ级航道1385km，Ⅱ级航道2741km，Ⅲ级航道4716km，Ⅳ级航道7402km，Ⅴ级航道8521km，Ⅵ级航道18433km，Ⅶ级航道18348km。各水系内河航道通航里程分别为：长江水系64016km，珠江水系15952km，黄河水系3333km，京杭运河1410km，闽江水系1973km，淮河水系17201km。2009年底，全国内河航道共有4153处枢纽，其中具有通航功能的枢纽2344处。通航建筑物中，有船闸847座、升船机42座。

2. 港口　港口码头泊位持续增加，2009年底，全国内河港口拥有生产用码头泊位26109个，占全国生产用码头泊位总数的83.1%，其中万吨级及以上泊位293个，占全国生产用码头泊位总数的18.9%，比2008年底分别增加178个和34个。港口码头泊位大型化、专业化程度进一步提升，全国内河港口万吨级及以上泊位中，1万～3万吨级、3万～5万吨级、5万～10万吨级、10万吨级以上泊位分别为149个、83个、56个和5个，比2008年底分别增加10个、8个、14个和2个。

3. 投资　2009年，全国内河建设完成投资301.57亿元，增长55.7%。内河港口新建及改（扩）建码头泊位312个，新增吞吐能力10472万t，其中万吨级以上泊位17个，新增吞吐能力3195万t。全年新增及改善内河航道里程967km。

4. 船舶　2009年底，全国拥有内河运输船舶16.48万艘，比2008年末减少4.4%；净载重量5988.57万t，比2008年末增长8.5%；平均净载重量363t，比2008年末增长13.5%；载客量80.52万客位，比2008年末减少4.4%；集装箱箱位10.11万TEU，比2008年末增长29.4%；船舶功率2085.31万kW，比2008年末增长2.0%。（郭青松　刘长俭）

【内河航运建设】　2009年12月9－12日，张德江副总理专程赴长江调研内河航运发展情况，并在武汉召开了内河航运发展座谈会，作出了一系列重要指示，对长江及内河航运发展具有巨大的推动作用，为建设畅通、高效、平安、绿色的现代化内河航运指明了方向。

1. 长江黄金水道建设　2009年6月，交通运输部与沿江七省二市人民政府召开了长江水运发展协调领导小组第二次会议，联合签署了《关于合力推进长江黄金水道建设的若干意见》和《推进长江干线船型标准化实施方案》。国家新增9.5亿元预算内资金用于长江干线航道建设。新增预算内资金投资的长江干线中下游枝江—江口一期、牯牛沙一期、马当一期、土桥一期、江心洲—乌江一期等5个新开工建设项目和沙市一期、戴家洲一期、窑监一期、张南上浅区、黑沙洲、太子矶水道拦江矶炸礁等6个续建项目建设加快推进，全年完成了中央预算内投资的98%以上。其他重点建设工程也有序推进，重庆航道局生产业务用房、信息化二期等工程已全部完工，扬中、丰都、泸州等综合码头建设加快推进；中下游周天、武穴等水道整治基本完成并发挥工程建设效益，改善航道里程380km；在南浏段数字航道建设的基础上，完成了宜宾—鳊鱼溪、大埠街—磁湖口两段电子航道图生产制作，覆盖2688km长江干线的电子航道图全面建成贯通；海事巡航搜救一期、三峡库区船舶交管系统、三峡坝区防污和监管救助基地、长航公安350M无线通信网基本建成。长江干线航道维护标准进一步提高。芜南段航道维护水深非汛期由6.5m提高到7.5m，汛期由7.5m提高到9m，万吨级海轮可直达芜湖。长江中游宜昌—城陵矶段航道维护水深提高到了3.0m，标志着中游航道50多年不变的维护标准实现了历史性的突破。

2. 其他重要航道建设　珠江、黑龙江等航道建设和京杭运河扩能改造工程建设步伐逐步加快，嘉陵江、湘江、汉江、赣江等河流梯级渠化工程建设有序推进，大大改善了航道通航条件、提高了服务沿江经济社会发展的能力。黑龙江依兰航电枢纽工程工可研已编制完成正上报审批，湖南长沙枢纽工程、湖北汉江引江济汉通航工程已开工建设，江西赣江石虎塘航电枢纽工程建设进展顺利，湖北汉江催家营航电枢纽已实现两台机组并网发电，内河航运在水资源综合利用中走出了一条“航电结合、滚动发展”的特色之路，促进了内河航运的畅通、高效、平安、绿色发展。

3. 绩效考核工作　2009年开始全面推行内河水运工程建设项目的绩效考核工作。各省级交通运输主管部门和长江航务管理局按照交通运输部2009年初印发的《关于布置2009年度内河水运工程建设项目管理绩效考核工作的通知》要求，加强宣贯培训，认真组织部署，严格绩效考核工作，在项目单位自查基础上，共对69个项目进行绩效考核工作检查，绩效考核检查项目覆盖航运枢纽、航道工程和港口工程。2009年12月，交通运输部水运局组织内河水运工程建设项目管理绩效考核工作组，分别对重庆港涪陵港区黄旗码头工程、四川嘉陵江沙溪航电枢纽工程、河南淮河淮滨至三河尖航运基础设施建设工程进行了建设项目管理绩效考核工作抽查，进一步规范了建设管理行为，确保工程质量和投资效益。

（李传光　祝振宇）

【内河航道管理】

1. 综述

（1）继续组织做好2009年内河航道应急抢通资金的申报和审查工作。

（2）做好跨越国家重要航道的桥梁通航净空尺度及技术要求审批工作。完成了渝利线涪陵韩家沱长江铁路大桥、浙江省乐清湾跨海桥梁、台州湾跨海大桥、三门湾蛇蟠大桥、宁波大榭二桥、重庆嘉陵江千厮门、南京至安庆城际铁路长江大桥、福建泉州湾大桥、同江黑龙江铁路大桥、云南勐波跨江通信光缆、四川黄舣长江大桥、湖北黄冈公铁两用大桥、澜沧江4号大桥等跨、拦河建筑物通航净空尺度和技术要求的批复。做好沪通铁路过江通道工程通航论证有关工作。

（3）做好国境国际河流航道管理工作。召开了中俄国境河流航行联合委员会第50次航行例会。

（4）积极推进全国航道管理体制改革工作。组织对全航道管理体制改革方案开展课题研究。

2. 三峡通航管理　积极应对三峡水库试验性蓄水，组织完成了三峡工程汛后175m试验性蓄水期间的各项通航保障工作，确保了长江航运的安全畅通。组织开展了《三峡航运效益拓展研究》，完成了三峡工程后续工作规划的编制，包括库区航运基础设施建设、三峡船闸消防和人员救助设施完善、库尾炸礁，坝下游芦家河水道整治、中游航道整治等项目初步纳入了三峡工程后续工作规划。积极协调，不断完善三峡通航建筑物管理体制，积极争取将三峡通航建筑物管理权划归交通部门管理。2009年，三峡航运工作进入一个新的阶段。一方面，随着三峡水库汛末试验性蓄水的继续进行，三峡库区航道条件得到进一步改善，三峡过坝运量持续增长；另一方面，三峡库尾泥沙淤积、库区地质灾害、坝区大风大雾恶劣气候、坝下河床下切等对航运的影响进一步显现，三峡河段航运管理任务仍然十分繁重。

在交通系统航运管理部门的共同努力下，船闸运行维护管理水平不断提高，船舶过闸4小时动态调度计划成为常态调度模式，多项便民、惠民措施和帮扶政策及时出台，三峡过坝运输服务能力不断增强，船舶过闸满意度稳步提高。三峡坝区水域未发生一起死亡10人以上水上交通事故，未发生船舶漂流撞击大坝和闸室、引航道内沉船事故，安全状况良好。妥善应对了三峡水库汛末试验性蓄水，蓄水期间三峡河段通航平稳有序。完善了三峡梯级调度航运沟通协调机制，三峡水库汛期防洪、汛后蓄水及水位消落期间水库调度航运协调效果良好。系统分析了三峡工程建设航运工作的主要成就和经验，全面开展了三峡工程建设航运总结性研究。组织编制了三峡工程后续工作航运规划，相关三峡航运建设项目在三峡后续工作规划中得到初步落实。完成了多项三峡航运科研项目，科技成果逐步推广应用，三峡通航科技含量不断提升。

3. 应急抢通工作　2009年，受台风、枯水等自然灾害影响，全国航道应急抢通事件较多。受“莫拉克”等台风影响，广东、广西等省区航道及航道设施损毁严重；珠江、湘江、汉江、赣江等河流出现特枯水情，黑龙江等国境国际河流也出现枯水水情。各级地方政府及其交通部门克服资金严重不足的困难，投入大量人力、物力，力保航道畅通，确保了电煤等重点物资的运输。

4. 界河航道管理

（1）不断深化对外合作机制。组织召开了中俄国境河流航行联合委员会第50次航行例会，协调办理了中朝国境河流航运合作委员会第48次会议有关文件的批复工作。

（2）加强中俄同江铁路大桥通航管理。组织中俄航联委中方委员会成员单位及有关部门，就中俄同江铁路大桥通航技术问题与中俄航联委俄方在黑龙江同江市举行了专题会晤，在通航净空、设计最高通航水位、航标配布、通航桥墩防撞标准和河岸稳定工程等方面达成了一致意见。

（3）开展了界河航道管理和养护经费等问题的专项调研。

（姜明宝　张善波）

【内河水运经济效益】　2009年，内河运输完成货运量15.68亿t、货物周转量4632.73亿t·km，分别比2008年增长16.4%和11.6%。在内河货物运输中，长江水系完成货运量6.53亿t、货物周转量2897.36亿t·km，分别占全国内河货运量和货物周转量的41.6%和62.5%；珠江水系完成货运量2.72亿t、货物周转量514.33亿t·km，分别占17.4%和11.1%；京杭运河完成货运量1.88亿t、货物周转量338.42亿t·km，分别占12.0%和7.3%；黑龙江水系完成货运量0.13亿t、货物周转量7.95亿t·km，分别占0.8%和0.2%。全国内河港口完成货物吞吐量27.83亿t，比2008年增长9.9%；完成外贸货物吞吐量1.86亿t，增长15.3%。2009年，货物吞吐量超过亿吨的内河港口为4个，分别为湖州港1.49亿t、南通港1.36亿t、南京港1.21亿t、江阴港1.01亿t。内河港口完成1220万TEU，比2008年增长5.4%。2009年，长江干线完成货运量13.3亿t，同比增长9%；干线规模以上港口完成货物吞吐量11.3亿t，同比增长11.7%；完成外贸货物吞吐量1.4亿t，同比增长22%；完成集装箱吞吐量653万TEU，同比减少6.9%。三峡船闸累计运行8082闸次，通过船舶51815艘次、通过货物实载吨6089万t，通过客船5880艘次、73.99万人次。三峡断面通过货物实载吨7425万t，同比上升8.5%。三峡船闸和断面货物通过量均创历史最好水平。

三峡水库试验性蓄水航运效益显著。对上可以渠化大坝至重庆河段，对下可以增加葛洲坝以下长江中游航道枯季流量，能够分时段、分河段、不同程度地改善重庆至武汉间通航条件，为长江上中游航运的远景发展创造条件。2008、2009年三峡水库进行了175m试验性蓄水，水库蓄水运行彻底改变了三峡大坝至重庆段通航条件，推动了长江中上游航运的快速发展。

(1) 库区航道条件显著改善。重庆至宜昌航道维护水深从2.9m提高到3.5～4.5m，航行船舶吨位从1000t级提高到3000～5000t级。蓄水后库区香溪河、沿渡河、小江、大宁河等支流具备较好通航条件，为库区水运干支直达创造了条件。

(2) 川江水运量大幅提高，2009年三峡枢纽过坝货运量达到了7425万t，是首次蓄水前2002年葛洲坝过闸运量的4.1倍，蓄水后三峡过坝运量年均增速高达12%。

(3) 库区船舶运输成本和油耗明显降低。初步统计，库区船舶单位马力拖带能力由成库前的1.5t，提高到目前的4～5t，平均单位能耗由2002年的7.6kg/(kt·km)，下降到2009年的2.9 kg/(kt·km)，节能减排成效显著。

(4) 葛洲坝以下航道的枯水流量有所增加。通过三峡水库的流量调节，葛洲坝下游最小流量从3200m^3/s提高到5300m^3/s左右，葛洲坝下游最低通航水位从38m提高到39m。

(5) 川江船舶运输安全性显著提高。水库蓄水后，三峡库区年均水上交通事故件数、沉船数、死亡失踪人数、直接经济损失分别比蓄水前下降了67.5%、67.4%、86.2%和43.4%。

(6) 川江及三峡库区船型标准化和大型化进程明显加快。500t级以下的小型船舶过闸艘次比例由2004年的32%下降到2009年的15%，2000t级以上的船舶过闸艘次比例由2004年的7.7%上升到2009年的31.7%。

(7) 三峡库区港口通过能力明显提高。三峡工程实施了库区港口设施复建，新建了一批大型化、专业化、机械化的码头，港口吞吐能力跃上新台阶。2008年，重庆港口货物通过能力达到11186万t，其中集装箱96万TEU，滚装汽车134万辆，客运通过能力6046万人次；与蓄水前的2002年相比，货物通过能力增长了1.9倍；客运通过能力增长了1.4倍。

(吴琼　王宇川　刘长俭)

工程建设与管理

【重点工程建设】　2009年，重点工程建设工作主要有以下三个方面。一是继续加强对治淮等重点工程建设的指导、协调和督促检查。水利部成立了治淮工程建设督导组，对骨干工程建设进行现场检查，协调解决工程建设存在的问题；印发治淮骨干工程建设督导情况通报，对下一步治淮工作提出意见、建议；贯彻落实治淮建设情况通报制度，印发5期治淮建设情况通报。治淮19项骨干工程中，17项工程全面完成，2项工程已批项目基本完成。二是加强对其他重点工程建设项目的指导、督促。长江三峡枢纽工程开始正常水位试验性蓄水。黄河西霞院、嫩江尼尔基、广西百色、湖南皂市、山西张峰等项目完成主体工程建设。辽宁大伙房输水一期工程正式通水，二期工程隧洞全线贯通。云南青山嘴、云南龙江、黄河龙口工程已下闸蓄水。吉林哈达山、上海青草沙水库实现截流。宁夏扶贫扬黄、甘肃引洮、内蒙古三座店等工程进展顺利。西藏旁多、贵州黔中、四川亭子口、山西引黄入晋北干线工程开工建设，江西峡江、辽宁青山水库相继奠基。三是加强重点工程验收管理。28项长江干堤加固工程已竣工验收27项，19项治淮骨干工程已竣工验收13项，11项治太骨干工程已竣工验收9项。黄河小浪底、新疆乌鲁瓦提通过竣工验收。安徽无为大堤、山东刘家道口、河南燕山、安徽白莲崖、湖北王甫洲等重点工程的验收准备工作稳步推进。

1. 西霞院工程　主体工程施工已全部完成。南陈村居民整体搬迁已经完成，旧村址房屋全部拆除。近坝区地下水位抬升影响处理工程北岸混凝土防渗墙基本完成；南岸防渗墙分两期施工，一期长约800m的防渗墙施工已完成。机电设备安装工程通过完工验收。消防、水土保持、工程档案均已通过专项验收。征地拆迁与移民安置、环境保护专项验收准备工作正在进行。

工程累计完成土石方开挖681.56万m^3，土石方填筑290.41万m^3，防渗墙10.64万m^2，钢筋37679.85t，混凝土99.51万m^3，金属结构8720.70t，分别为设计量的93.35%、108.57%、113.17%、116.62%、105.95%和100.00%。

工程总投资为29.9353亿元，工程累计完成投资28.9778亿元，占总投资的93.8%。

2. 湖南澧水皂市水利枢纽工程　大坝工程已基本完工并正在进行完工结算审计，电站厂房工程已全部完工并通过完工结算审计，大坝下游左岸边坡处理正在按计划实施；流域水情信息采集和洪水预报调度系统预计2010年上半年投运。

2009年度共完成土石方开挖7.30万m^3，混凝土浇筑0.48万m^3，钢筋制安50t；累计完成土石方开挖410.10万m^3，混凝土浇筑134.27万m^3，钢筋制安19349.5t。

2009年度工程下达投资计划1亿元，到位资金1亿元。累计下达投资计划31.785亿元，其中中央投资14.86亿元，省级配套12.925亿元，银行贷款4亿元；累计到位资金31.785亿元。2009年度完成投资0.4807亿元，其中工程部分投资0.3032亿元，移民环境部分投资0.1775亿元。累计完成投资31.9207亿元，其中工程部分投资16.6771亿元，移民环境部分投资15.2436亿元。

3. 治淮骨干工程　1991年国务院治淮会议确定的治淮19项骨干工程，根据前期工作最新进展情况估算总投资465亿元。2009年治淮骨干工程共下达投资计划12.21亿元，完成投资44.16亿元；累计下达投资计划456亿元，完成投资441亿元。2009年完成土石方0.88亿m^3，混凝土34.7万m^3；累计完成土石方17亿m^3，混凝土862万m^3。

到2009年底，治淮19项骨干工程中怀洪新河续建、入江水道巩固、分淮入沂续建、洪泽湖大堤抗震加固、包浍河初步治理、淮河入海水道、淮河中游临淮岗洪水控制、汾泉河初步治理、洪汝河河道近期治理、大型病险水库除险加固、奎濉河近期治理、涡河近期治理、沙颍河近期治理等13项工程通过竣工验收；淮河干流上中游河道整治及堤防加固、防洪水库、湖洼及支流治理、治淮其他等4项工程全面完成；沂沭泗河洪水东调南下和行蓄洪区安全建设等2项工程已批项目基本完成。

4. 治太骨干工程　截至2009年，治太11项骨干工程中，望虞河、太浦河、杭嘉湖南排后续、环湖大堤、杭嘉湖北排通道、红旗塘、东西苕溪防洪、湖西引排、武澄西引排等9项工程已通过竣工验收，拦路港（一期）、黄浦江上游干流防洪等2项工程正在进行工程扫尾和竣工验收准备工作。治太骨干工程初步形成了太湖流域防洪除涝及水资源调控骨干工程体系的框架。

5. 嫩江尼尔基水利枢纽工程　尼尔基水利枢纽工程已经全面完工，工程量已全部完成。累计完成土石方开挖609.8万m^3，土石方填筑916.7万m^3，混凝土浇筑104万m^3，沥青混凝土浇筑3.25万m^3，水工金属结构制作安装7000t，启闭设备安装19台（套），水轮发电机组安装4台（套），主变电设备安装2台（套）。

工程总投资76.59亿元，其中中央投资52.87亿元，黑龙江省投资8.53亿元，内蒙古自治区投资1.80亿元，银行贷款13.39亿元。截至2009年底，累计到位资金75.09亿元。

6. 广西右江百色水利枢纽工程　2009年实施的项目主要有主坝区水土保持综合治理工程和百色水利枢纽云南库区剥隘镇四、七、九片区滑坡应急抢险工程。右岸上坝公路的路面混凝土硬化以及右坝肩回车场建设、4号沟主排水渠的疏通和局部新建、4号沟水保绿化以及闽黄营地排水系统的建设、左岸A区、C区建设均已完成，剩余的D、E、F区正在实施。

主坝区水土保持综合治理工程累计完成土方开挖3382.32m^3，石方开挖580m^3，土石方填筑2784.95m^3，混凝土浇筑342.98m^3，钢筋制安22.71t，苗木种植2926株，绿化面积6755m^2。云南库区剥隘镇四、七、九片区滑坡应急抢险工程累计完成土方开挖5.75万m^3，石方开挖19.67万m^3，土石方填筑22.38万m^3，混凝土浇筑0.98万m^3，钢筋制安706.69t。

水库淹没处理及移民安置方面，除因高速路建设占用其新址用地未能搬迁的广西库区长寨、百寨外，其他均已基本完成搬迁和永久房建设，各专项工程正在办理验收及移交手续。

2009年到位资金0.5亿元，完成投资1.4098亿元，累计完成投资59.803亿元。

7. 四川紫坪铺水利枢纽工程　2009年，紫坪铺工程灾后修复加固前期工作继续推进。在灾后修复加固初步设计报告未批复的情况下，工程进行了与防洪度汛、安全生产相关震损项目的除险加固。完成电厂机组技术供水防结露、水轮机导轴承油槽密封盖板、发电机盖板、消防系统管路等震损设备更换和修复，完成1号、2号泄洪洞工作闸、检修闸、溢洪道工作闸震损设备的检修和更换，完成厂区震损的生产生活附属建筑物修复8748m^2，满足了2009年度工程震后度汛、蓄水安全要求及现场生产运行人员基本生产生活需求。2009年工程灾后修复加固完成投资0.3315亿元。

8. 宁夏扶贫扬黄灌溉工程　水利、供电、通信、水保、环保工程全部建成、移交，通过国家竣工验收。2009年建成红寺堡三干渠21—22支灌区防洪排水工程，新庄集1—4支干渠洪沟倒虹和尾水等基础加固工程，固扩泵站、干渠及马家塘灌区防洪工程，固扩、马家塘、兴隆干（支）渠道路整修工程；完成韦州灌区防洪工程及红寺堡太阳山镇沙泉村、西泉村和红寺堡镇城东灌区盐渍化防治工程；完成泵站自动化改造一期二阶段的建设和单位工程验收，自动化改造工程全部完成。

农业、移民、田间配套工程即将完成。2009年完成开发土地1773.33hm^2，搬迁安置移民1.8万人；完成支渠8条21km、主干道21km；建成学校和村委会各8所；完成毛渠砌护2066.67hm^2；防沙治沙1666.67hm^2；完成38个村庄的道路建设210km。

累计完成泵站39座，干渠325km，支干渠232.6km，各类建筑物1931座。供电工程完成变电所37座，输电线路417km。建成了一点多址数字微波专用通信网以及泵站综合自动化。完成土方4716万m^3、浆砌石127万m^3、混凝土98万m^3、钢筋制安3.8万t，分别为设计工程量的87%、93%、96%和89%。累计开发水浇地5.31hm^2，安置移民39.3万人（其中异地搬迁安置29.3万人）。建成支斗农渠4100km，建成乡（镇）9个、行政村90个、中小学校85所等。

2009年计划投资1亿元，到位资金0.8亿元，完成投资1.012亿元。累计到位资金34.276亿元，完成投资33.95亿元，占总投资的92.5%。

9. 四川武都引水二期工程　截至2009年底，大坝6—12号坝段浇筑至629.5m高程（最大坝高119.14m，坝顶高程660.14m），13—15号坝段浇筑至610m高程，16—18号坝段浇筑至604m高程，19—20号坝段浇筑至595m高程，21—23号坝段浇筑至623m高程。623m高程以下的溶洞等地质缺陷处理已基本完成，正在进行底层帷幕灌浆。厂房水轮机层混凝土已基本浇筑完成，开始进行机组设备安装。导流洞封堵段地质缺陷处理正在进行。

2009年计划投资5亿元，实际到位资金2.8亿元，实际完成投资5.14亿元。累计到位资金15.5655亿元（含灾后重建、应急），占工程总投资的73%。其中中央投资5.85亿元，省级配套0.9355亿元，市级配套1.98亿元，贷款6.8亿元。累计完成工程投资14.4178亿元，其中建安工程（含临时工程）8.0079亿元，水库淹没处理补偿费3.2855亿元，独立费用1.751亿元，贷款利息1.3734亿元。

2009年完成土石方开挖6.35万m^3，混凝土浇筑70.85万m^3，灌浆16.26万m，钢筋制安4580t，金属结构3725t。累计完成土石方开挖325.6万m^3，混凝土浇筑157万m^3，灌浆20.3万m，钢筋制安11577t，金属结构3725t。

10. 内蒙古三座店水利枢纽工程　2009年坝体沥青混凝土心墙及过渡料填筑已达到729.6m设计高程，堆石填筑达到730.6m设计高程，堆石填筑、沥青混凝土心墙、心墙两侧过渡料已全部完成。左右岸泄洪冲砂洞工程的隧洞、进出口闸室、进出口启闭机室、进出口闸门安装、启闭机安装、交通桥等已全部完成。副坝电站溢洪道工程全部完成。

2009年完成土方4.63万m^3，石方7.19万m^3，混凝土3732.85m^3，钢筋制安64.737t，金属结构安装317t。累计完成土方49.63万m^3，石方270.24万m^3，混凝土8.65万m^3，钢筋制安3567.813t，金属结构安装664t，分别占设计工程量的128.91%、95.43%、106.27%、96.53%、100%。

2009年完成投资0.4157亿元，累计完成投资4.7897亿元。累计到位资金5.673亿元，其中中央投资3.88亿元，自治区1.78亿元，松山区0.013亿元。

11. 山西张峰水库　枢纽扫尾工程全部完工。输水总干主体工程基本完工，总干全长63km，截至2009年底累计完成61.9km。其中明渠总长7.9km全部完成；21条隧洞总长18.1km全部贯通，底板混凝土衬砌全部完成，侧墙混凝土衬砌累计完成9.72km；渡槽14座、倒虹3座、暗涵2座全部完成；PCCP管道总长21.4km，完成安装20.8km；DN1200玻璃钢管道总长13.0km，完成安装12.5km；七坡、东岭泵站土建主体工程全部完成，各6台机组主辅机安装调试完成，电气设备安装调试完成；35kV变电站设备安装调试完成，14km泵站35kV专用供电线路铁塔及混凝土杆架立全部完成，放线完成70%。总干末端蓄水池918m高程以下工程完成。输水一干至阳城芹池工业园区（20km）已完成招标设计，具备招标条件。输水二干管道工程完成83.3%，DN800玻璃钢管道总长18km，完成安装15km；二干末端蓄水池待征地手续办齐后开工。

2009年完成土方259.92万m^3，石方142.89万m^3，混凝土13.87万m^3。累计完成土方511.54万m^3，石方425.48万m^3，混凝土26.08万m^3，金属结构1985t。

2009年度工程完成投资5.0818亿元，其中枢纽完成1.3316亿元，输水完成3.7502亿元。累计完成投资13.608亿元，其中枢纽完成8.776亿元，输水完成4.832亿元。工程累计下达投资计划17.4778亿元，到位资金16.7638亿元。

12. 长江干堤加固工程　长江干堤加固工程已完成建设任务，有关单位正组织开展工程扫尾和竣工验收工作。为做好竣工验收，水利部颁发了《长江干堤加固工程竣工验收工作大纲》、《长江干堤加固工程竣工验收质量抽检管理办法》等文件。

2009年4月20—24日，水利部会同湖北省人民政府对湖北省洪湖、监利长江干堤整治加固工程（非隐蔽工程）进行了竣工验收。竣工验收主持单位组织成立了竣工验收委员会和竣工技术预验收专家组。竣工验收委员会由水利部、财政部驻湖北省财政监察专员办事处、审计署驻武汉特派员办事处、水利部长江水利委员会、湖北省人民政府及有关部门、荆州市人民政府及有关部门、工程质量监督、运行管理等有关单位代表及技术预验收专家组代表共42人组成。项目法人、设计、监理及部分施工单位的代表参加了会议。竣工验收委员会主任委员、水利部副部长矫勇主持了竣工验收会议。

湖北省洪湖、监利长江干堤整治加固工程（非隐蔽工程）已按照批准的设计内容建设完成，尾工已作安排；施工质量符合规程规范和设计要求，工程质量合格；概算控制有效，竣工财务决算已通过审计；征地补偿及移民安置、水土保持、工程档案等已通过专项验收；工程管理机构健全，运行管理经费基本落实；工程经历了多次较高水位的洪水考验，运行正常，效益显著。竣工验收委员会同意湖北省洪湖、监利长江干堤整治加固工程（非隐蔽工程）通过竣工验收。

（王殊）

【三峡工程建设】　2009年三峡工程初步设计建设目标如期实现。经过数万名三峡建设者17年的艰苦奋斗，三峡工程初步设计建设任务除国家批准缓建的升船机外，均提前或如期完成。三峡水利枢纽工程顺利通过175m蓄水前验收，三峡工程由以建设为主转入以运行为主的阶段。三峡工程防洪抗旱、发电、航运、供水等综合效益全面发挥。

2009年，三峡工程投资计划187.17亿元，实际完成投资109.42亿元，占年度计划的58.46%。其中：建安工程完成投资22990万元，比计划投资55642万元减少32652万元，设备费完成投资7907万元，比计划投资18236万元减少10329万元，其他费用完成投资12388万元，比计划投资23659万元减少11271万元，水库移民费完成投资100亿元，比计划投资169亿元减少69亿元。

2009年1—11月，三峡主体工程土建与金属结构安装工程单元质量评定完成795个，合格率100%，优良率92.6%。实现全年无质量事故管理目标。

至2009年底，三峡工程累计完成投资1592亿元，其中：枢纽工程静态投资完成477.4亿元，占枢纽工程概算500.9亿元的95.31%；库区移民完成静态投资505亿元，占库区移民静态投资530亿元的95.28%；价差458.4亿元；贷款利息151.3亿元。静态、动态投资均控制在国家批准的概算投资范围内。（张立先　乔仁贵）

【南水北调工程建设】

1. 概述　2009年，是南水北调工程全面推进、加快建设的一年。12月1日，李克强副总理主持召开了国务院南水北调工程建设委员会第四次全体会议，强调加强统筹协调，加快工程建设，优质高效地开展工作，把南水北调工程建成节约利用资源、保护生态环境的惠民工程。

在北方水资源短缺形势日益严重和国家实施扩内需、促经济、调结构、保民生的宏观经济政策的情况下，南水北调工程进入全面加快建设的新阶段，各项工作取得显著进展：前期工作取得突破，设计质量和审批效率进一步提高；东线济南市区段、南四湖至东平湖段，中线黄河以北至漳河段、天津干线段、黄河以南段部分项目和湖北兴隆水利枢纽等工程相继开工建设；在建项目进展顺利，中线穿黄上游引水洞即将贯通，丹江口大坝加高接近到顶；已建项目开始发挥效益，中线京石段工程顺利完成向北京应急调水任务，东线济平干渠工程和三阳河潼河宝应站工程在水资源调配、防汛排涝中发挥重要作用；干线征地和库区移民工作稳步推进，丹江口库区移民搬迁试点工作顺利实施，移民群众喜迁新居，生活生产条件有较大改善；东线治污工作深入推进，沿线主要污染物排放总量及浓度均较规划前大幅削减；中线水源地水质持续良好，并初步建立了生态补偿机制。

（杜丙照　杨栋）

2. 南水北调工程前期工作

（1）《南水北调供用水管理条例》立法前期工作。《南水北调供用水管理条例》是保证南水北调工程建成后的良性运行和充分发挥工程效益的重要法规。水利部把条例起草修改工作作为2009年水利立法的一项重点任务，在征求相关流域机构和有关省、市水行政主管部门意见的基础上，水利部南水北调规划设计管理局对《南水北调供用水管理条例》进行修改完善，提出了《南水北调供用水管理条例》草案，2009年9月向部长专题办公会作了全面汇报。根据部长专题办公会有关精神，水利部南水北调规划设计管理局、水利部发展研究中心和有关司局成立了《南水北调供用水管理条例》修改工作组。工作组结合水利部有关司局对《南水北调供用水管理条例》草案提出的意见，修改完善后，提交南水北调供用水管理条例起草工作领导小组讨论修改。在此基础上，完成了征求意见稿，2009年12月21日印送国务院有关部门和南水北调东、中线一期工程沿线7个省（直辖市）人民政府征求意见。

（2）南水北调工程运行管理研究工作。围绕东、中线一期工程运行管理研究工作中的重点和难点，水利部南水北调规划设计管理局进一步加强与相关技术负责部门、科研单位和其他相关部门的沟通协调，分层次、有计划、有步骤地开展了南水北调工程运行管理相关专题研究工作。根据水利部批复的“南水北调东、中线一期工程运行管理前期工作任务书”及有关专项研究安排，水利部南水北调规划设计管理局组织相关研究部门和技术单位分别开展了《南水北调东、中线一期工程受水区多种水源合理配置的价格政策研究》《南水北调中线一期工程运行管理体制框架研究》《南水北调中线一期工程水量调度方案研究》《南水北调中线一期工程水资源调度决策支持系统需求分析》《南水北调水资源调度系统研究》《南水北调工程水资源配置与调度研究》《南水北调东、中线受水区城市挤占农业与生态用水的返还方案研究》《南水北调东线一期工程水质风险与应急调度策略研究》《跨流域调水工程建设生态补偿机制研究》《南水北调工程受水区地下含水层补给的技术经济可行性研究》《南水北调东中线受水区地下水管理制度体系研究》《重大跨流域调水工程实施评估及对策研究》等12项专题研究工作，已取得了部分阶段性成果。水利部南水北调规划设计管理局提出了“南水北调运行管理前期研究工作意见”，为系统开展南水北调前期研究工作提供了指导框架。

（3）南水北调东、中线受水区地下水压采方案修编工作。2009年3月6日水利部办公厅印发了《关于开展南水北调东中线受水区城市挤占农业与生态用水的返还方案研究工作的通知》（办调水函〔2009〕151号），水利部南水北调规划设计管理局与水利水电规划设计总院配合水资源司，针对南水北调东、中线一期工程建设目标的调整，开展了南水北调东、中线受水区地下水压采方案的修编工作，对压采方案进行了修改完善，增强了方案的指导性、针对性和可操作性。

（4）南水北调工程配套工程前期工作。配套工程与主体工程同步建成，是保障南水北调工程良性运行和充分发挥工程整体效益的重要基础。部分省（市）南水北调配套工程前期工作滞后、工程建设进展缓慢，水利部积极促进有关省（市）人民政府和地方有关部门加快推进南水北调配套工程建设。国家发改委办公厅、水利部、国务院南水北调办综合司 2009 年 2 月 6 日联合印发了《关于进一步加快南水北调工程受水区配套工程建设的通知》（发改办农经〔2009〕272 号），对工程沿线各省（市）进一步加快配套工程建设提出了明确要求。水利部南水北调规划设计管理局开展了对工程受水区 5 省（直辖市）配套工程的调研工作，对配套工程建设有关情况和存在问题进行了深入调研，编写了调研报告上报水利部。为国家发改委、水利部和国务院南水北调工程建设委员会办公室联合组织召开南水北调受水区配套工程建设座谈会做好准备工作，南水北调规划设计管理局组织受水区北京、天津、河北、河南、山东等 5 省（直辖市）南水北调有关主管部门召开座谈会，就配套工程建设有关问题进行座谈，对配套工程管理体制、配套工程投资及其资金筹措方案、两部制水价的落实、受水区水价承受能力及水价调整方案、外调水和当地水的统一管理等问题进行深入讨论。并起草提出了《加快南水北调工程受水区配套工程建设指导意见》初稿。

（5）北京应急调水组织协调工作。为了保障奥运会和首都的供水安全，国家决定实施从河北向北京应急调水工程，根据国务院批复的《北京 2008 年奥运会应急调水实施方案》，应急调水自 2008 年 9 月 18 日开始实施，至 2009 年 7 月 24 日结束，历时 312 天，共从河北省岗南、黄壁庄、王快 3 座水库放水 4.35 亿 m^3，调入北京水量 3.34 亿 m^3，有效保障了北京 2008 年奥运会后首都的供水安全，改善了生态环境，取得了显著的社会和生态效益。调水结束后，水利部组织对此次调水实践进行全面总结，向国务院报送了应急调水实施情况报告。

针对南水北调中线工程推迟通水和当前首都水资源供需的总体形势，北京市 2009 年 9 月提出 2010 年继续实施从河北应急调水。水利部南水北调规划设计管理局会同规划计划司、水资源司、国家防办和海河水利委员会等有关部门和单位，先后组织召开了两次专题会议进行研究，海河水利委员会编制了《北京市水资源情势及河北 3 库向北京应急调水分析专题报告》和 2010 年实施应急调水工作方案，为编制应急调水实施方案和实施调水工作做好准备。　（杨占军）

3. 南水北调工程新开工项目

（1）南水北调东线南四湖至东平湖段输水与航运结合工程开工建设。2009 年 6 月 4 日，南水北调东线一期南四湖至东平湖段输水与航运结合工程（以下简称“两湖段”工程）开工建设。

两湖段工程是南水北调东线一期工程的重要组成部分，是连接胶东输水干线、鲁北输水干线的纽带和实现南四湖至东平湖调水与通航的关键工程。工程上接南四湖的上级湖，下至东平湖，输水线路全长 108km，途径济宁市的微山县等 7 个县（区）和泰安市的东平县。工程由相对独立而又联系紧密的南四湖湖内疏浚工程、梁济运河输水航道工程、柳长河输水航道工程、长沟泵站、邓楼泵站、八里湾泵站和灌区影响处理工程 7 个单元组成。设计输水流量 $100m^3/s$。

南水北调东线工程建成后，可通过该工程，往北向德州、聊城等鲁北地区并进而向冀东、天津供水，往东可以通过胶东输水干线调水至烟台、威海，以有效解决当地水资源短缺问题。对南四湖和东平湖之间水资源的联合调度以及对沂沭河洪水的利用、实现洪水资源化都具有重大的现实意义。同时，两湖段工程利用原京杭运河水道调水并结合航运，将全面贯通南四湖至东平湖的航道，实现南四湖至东平湖按照三级航道通航的目标。

该工程的开工建设，对促进山东省经济社会可持续发展、如期实现东线通水目标具有重要的保障作用。

（2）南水北调东线洪泽湖至骆马湖段工程开工建设。6 月 30 日，南水北调东线洪泽湖至骆马湖段工程开工建设，标志着南水北调东线江苏段工程建设进入加快实施的新阶段。

洪泽湖至骆马湖段工程，包括扩建泗阳站、改造皂河一站、新建刘老涧二站、皂河二站、泗洪站、睢宁二站、邳州站等项目，建成后可实现调出洪泽湖 $350m^3/s$、调进骆马湖 $275m^3/s$ 的输水目标，是实现东线工程建设目标的关键任务。其中，泗阳泵站是东线一期工程的第四级泵站，泵站梯级设计流量为 $230m^3/s$，装机 6 台，总装机容量 18900kW，总工期为 28 个月；刘老涧二站是第五级泵站的新建部分，设计流量为 $80m^3/s$，装机 4 台，总装机容量 8000kW，总工期 24 个月；皂河泵站是第六级泵站，具体由皂河一站和皂河二站组成，泵站梯级设计流量 $175m^3/s$，装机 5 台，总装机容量 2 万 kW，总工期 30 个月。以上泵站除承担调水任务外，还兼顾灌溉、排涝、航运等功能。该段工程的开工建设，将对南水北调东线一期工程如期通水起到重要的促进作用。

（3）东线江苏段泗洪站枢纽工程开工建设。11 月 16 日，南水北调东线江苏段泗洪站枢纽工程开工建设，标志着南水北调东线江苏段新开辟的运西线工程进入全面实施阶段。

泗洪站枢纽工程是南水北调东线一期工程第四梯级泵站之一，工程包括调水泵站、进水挡洪闸、船闸、徐洪河节制闸、利民河排涝闸以及管理设施等。枢纽总体布置采用泵站分建，船闸与节制闸部分结合方案，泵站布置于徐洪河西侧，船闸布置于东侧，船闸与泵站间布置徐洪河节制闸。工程总投资5.6亿元，设计调水流量达120m^3/s，建设工期4年。建成后与睢宁站、邳州站一起通过徐洪河向骆马湖输水。泗洪站枢纽工程是江苏省运西输水线上首座开工建设的泵站工程，工程投资大、技术复杂、建设工期长，对江苏段工程能否在2013年实现全面建成、全线通水目标至关重要。

（4）南水北调东线泗阳站工程开工建设。12月30日，南水北调东线泗阳站工程开工建设，这是2009年东线洪泽湖至骆马湖段开工建设的第三座大型泵站工程。

泗阳站工程是南水北调东线江苏段京杭大运河线上的重要调水工程。该工程位于江苏省泗阳县境内，是南水北调东线一期工程第四梯级泵站，设计流量198m^3/s，建设工期28个月，总投资3.1亿元。工程建成后，可实现通过中运河向骆马湖输水175m^3/s，与运西徐洪河线上的邳州站共同实现向骆马湖调水275m^3/s的目标，工程兼顾灌溉，改善航运，不仅对提升向北供水能力具有关键作用，并对提高工程所在地区防洪、排涝能力，促进地方社会经济发展具有积极意义。

（5）南水北调中线兴隆水利枢纽工程开工建设。2009年2月26日，南水北调中线兴隆水利枢纽工程开工建设，这标志着南水北调东、中线七省（直辖市）全部开工，南水北调调水区、受水区工程开始同步建设。

兴隆水利枢纽工程是南水北调中线一期工程汉江中下游四项治理工程之一。该工程位于汉江中下游河段湖北省潜江、天门市境内，上距丹江口水利枢纽378.3km，下距河口273.7km。其开发任务是以灌溉、航运为主，兼顾发电。

兴隆水利枢纽工程为Ⅰ等工程，设计最小通航流量420m^3/s，最大通航流量10000m^3/s，正常蓄水位为36.2m，入库洪峰为19400m^3/s时相应水库水位为41.75m；本阶段装机容量为40MW。工程按1000t级船队通航规模设置船闸。按照设计要求，汉江丹江口至汉口河段近期按Ⅳ级航道整治，远期按Ⅲ级航道渠化和整治。工程总工期为54个月，按照2008年第三季度价格水平，工程静态总投资304905万元。

国务院批准的《南水北调工程总体规划》和《南水北调中线一期工程可行性研究总报告》均安排实施汉江中下游治理工程，即引江济汉、兴隆水利枢纽、部分闸站改造、局部航道整治四项工程。其中，兴隆枢纽工程的任务是通过调蓄、增加下游河段枯水期的水量，改善该河段的生态、灌溉、供水、航运等用水条件。

兴隆水利枢纽工程的开工建设，对于加快南水北调工程建设步伐，推进汉江中下游综合治理开发，促进汉江中下游乃至湖北省经济社会可持续发展都具有十分重要的意义。

（6）南水北调中线河南郑州段工程开工建设。7月28日，南水北调中线河南郑州段工程开工建设，标志着中线黄河以南工程建设进入新阶段。

南水北调中线河南郑州段工程起点位于新郑市观音寺镇英李村，终点位于穿黄工程隧洞入口，途经新郑、中牟、管城、二七、中原、高新、荥阳等7个县（市、区），全长128.94km，占中线一期工程总长的1/10。工程起点设计流量305m^3/s，加大流量365m^3/s，终点设计流量265m^3/s，加大流量320m^3/s。沿线共布置各类交叉建筑物179座，其中河渠交叉建筑物18座，左岸排水建筑物40座，渠渠交叉建筑物4座，节制闸8座，退水闸6座，分水口门7座，公路桥91座，铁路交叉建筑物5座，总占地3666.67hm^2。郑州段建成后，总干渠水面宽约55m，水深7m，两岸防护林带宽约4～8m，总占地平均宽约140m。受水区设计供水目标6个，年分配水量5.17亿m^3。工程总投资约135亿元。

郑州段工程的开工建设，将对缓解郑州水资源紧缺状况，促进沿线经济社会可持续发展具有重要促进作用。

（7）南水北调中线天津干线河北境内工程开工建设。7月29日，南水北调中线天津干线河北境内工程开工建设，标志着中线一期工程天津干线在途径的天津、河北两省市全面开工建设。

此次开工建设的天津干线河北境内工程，西起河北省保定市徐水县西黑山村，东至廊坊市安次区，途经河北省保定市的徐水、容城、雄县、高碑店，廊坊市的固安、霸州、永清、安次。工程全长131km，为地下箱涵输水结构。起点设计流量为50m^3/s，加大流量60m^3/s；终点设计流量45m^3/s，加大流量55m^3/s。工程总投资约为74.6亿元。该工程全线共划分4个设计单元，分别是：西黑山进口闸至有压箱涵段、保定市1段、保定市2段、廊坊市段。工程建设将采取项目法人直管、委托和代建制管理三种建设管理模式。

南水北调中线天津干线河北境内工程的建设实施，对于缓解天津水资源短缺具有重要促进作用，同时，为天津市水资源配置提供了新的通道和能力，有利于经济社会的可持续发展。

（8）南水北调中线干线沙河渡槽段工程开工建设。2009年12月30日，南水北调中线一期工程总干渠沙河南至黄河南沙河渡槽段工程开工建设，这意味着南水北调中线黄河以南工程加快建设。

沙河渡槽段工程是南水北调中线一期工程的组成部分，担负向沙河以北地区的输供水任务。工程起点为沙河南至黄河南段起点，位于鲁山县薛寨村北，终点为鲁山坡流槽出口 50m 处，与鲁山北段设计单元相接。工程设计流量为 $320m^3/s$，加大流量为 $380m^3/s$。起点断面设计水位为 132.37m，终点设计水位为 130.489 米。渠段总长 11.963km，其中明渠长 2.888km，建筑物长 9.075km。

该工程跨沙河、将相河、大郎河三条大河，各类交叉建筑物共 12 座，其中渡槽 1 座（统称沙河渡槽），包括沙河梁式渡槽、沙河—大郎河箱基渡槽、大郎河梁式渡槽、大郎河—鲁山坡箱基渡槽和鲁山坡落地槽，其中大郎河梁式渡槽采用多跨 U 形 3 孔连接方式，预应力预制整体吊装，槽墩间距 30m，一次吊装重量 1200t，是当前国内最大的梁式渡槽；另外还布置左岸排水建筑物 5 座，节制闸 1 座，退水闸 1 座，公路交叉建筑物 4 座。按照 2009 年第一季度价格水平，核定该工程初步设计概算总投资 265706 万元。

据了解，沙河渡槽建成后，将成为目前世界上规模最大的渡槽工程。

4. 南水北调中线穿黄工程首条隧洞贯通　12 月 22 日，南水北调中线穿黄工程Ⅱ-A“穿越号”盾构机顺利到达黄河南岸工作竖井，标志着穿黄上游线过河段隧洞顺利贯通，中线穿黄工程建设取得了重大阶段性胜利。

南水北调中线干线一期穿黄工程是中线总干渠的关键性工程，其任务是将中线调水从黄河南岸输送到黄河北岸，向黄河以北地区供水，同时在水量丰沛时可向黄河相机补水，一期工程设计流量为 $265m^3/s$，加大流量为 $320m^3/s$。工程由南北岸明渠、南岸退水建筑物、进口建筑物、邙山隧洞段、穿黄隧洞段、出口建筑物、北岸新老蟒河渠道倒虹吸、南北岸跨渠建筑物和南岸孤柏嘴控导工程等组成。穿黄主体建筑物（含隧洞及其进出口建筑物）设计洪水标准为 300 年一遇，校核洪水标准为 1000 年一遇；主要建筑物地震设计烈度为Ⅶ度。根据 2004 年 6 月价格水平，核定工程总投资为 31.37 亿元。

南水北调中线穿黄工程是南水北调工程中投资较大、施工难度最高、立交规模最大的控制工期建筑物，同时也是当前国内最宏大的穿越大江大河的工程。工程选定的李村穿越黄河线路是在选比了孤柏嘴线、李村线、李寨线、牛口峪线等不同线路后最终选定的，穿越方式也是在充分论证对比了隧洞和渡槽两种方案后选定了隧洞方式穿越黄河。其中，两条引水的穿黄隧洞是整个穿黄工程的控制性建筑物，每条隧洞总长 4250m，单洞直径 7m，采用目前世界上较为先进的盾构技术进行挖掘施工，技术含量高，施工工期长，在国内用盾构方式穿越黄河尚属首例。

中线穿黄工程于 2005 年 9 月 27 日开工建设。为做好盾构掘进工作，早在 2005 年 12 月，南水北调建设者就在黄河北岸摆开战场，采用“铣接法”先进工艺和“双高压三重管、单管高压旋喷法”土体加固新技术，优化地连墙护壁泥浆配合比，先后攻克了北岸地连墙和高压旋喷土体加固施工难题，建成两条深 48.5m 的竖井，为盾构机始发掘进奠定坚实的基础。2007 年 7 月 8 日，穿黄工程隧洞盾构机掘进始发，率先始发的是右引水洞（Ⅱ—B 标项目）。

中线穿黄施工中使用的“穿越号”盾构机总体长度 80m，刀盘直径 9m，总重量达 1166t，总功率 4600kW。隧洞采用两次衬砌加固工艺，盾构施工过程中，先用混凝土管片预衬砌，再进行环向预应力混凝土衬砌，中间设置弹性防排水垫层防止内水外水的相互渗透，以确保隧洞输水安全。盾构机在穿越黄河长距离掘进施工过程中成功解决了高水压下盾构机分体式始发、黄河河道上砂下土地层下长距离掘进、高水压、复合地层条件下更换刀具等技术难题。

中线穿黄工程的顺利推进，将为 2014 年中线工程通水，缓解北方水资源短缺局面，为北方地区经济社会可持续发展提供水资源保障。

5. 南水北调工程建设投资进展情况　截至 2009 年 12 月底，累计下达南水北调东、中线一期工程投资 621.2 亿元（含初步设计工作投资 13.7 亿元），其中中央预算内投资 167.7 亿元，中央预算内专项资金（国债）106.5 亿元，基金（地方）86.9 亿元，贷款 260.1 亿元。

工程建设项目累计完成投资 389.4 亿元，占在建设计单元工程总投资 697.8 亿元的 56%，其中东、中线一期工程分别累计完成投资 66.3 亿元和 323.2 亿元，分别占东、中线在建设计单元工程总投资的 68%和 54%。

工程建设项目累计完成土石方 40097 万 m^3，占在建设计单元工程设计总土石方量的 62%；累计完成混凝土浇筑 890.2 万 m^3，占在建设计单元工程混凝土总量的 50%。

（杜丙照　杨栋）

【水利工程建设领域突出问题专项治理】　2009 年 7 月，中办、国办印发了《关于开展工程建设领域突出问题专项治理工作的意见》，水利系统紧密结合水利实际，认真抓好贯彻落实。

8 月 18 日，水利部成立了水利工程建设领域突出问题专项治理工作领导小组，部党组书记、部长陈雷任组长，中央纪委驻部纪检组组长董力和副部长矫勇任副组长，部党组成员、办公厅主任陈小江等 15 个司局和单位的主要负责人为小组成员。领导小组办公室设在建设与管理司，承担日常工作。办公室抽调专门人员，组成了专职工作班子。10 月 17 日，水利部召开全国水利工程建设领域突出问题专项治理工作视频会议，对全国水利系统开展工程建设领域突出问题专项治理工作进行动员部署。水利部党组书记、部长陈雷作了重要讲话，要求各级水利部门要把贯彻落实中央《意见》、扎实推进水利工程建设领域突出问题专项治理工作作为一项十分重要而紧迫的政治任务，切实把思想和行动统一到中央的决策部署上来，进一步增强做好专项治理工作的责任感和使命感，加大力度，扎实工作，确保专项治理工作取得实效。

水利部印发了《水利工程建设领域突出问题专项治理工作方案》，明确了总体要求、主要任务、阶段性目标、工作步骤、任务分解和主要措施；印发了《水利工程建设领域突出问题排查工作方案》，明确了排查的范围、内容、时间、方式和工作要求；对项目决策、建设管理、资金管理、案件查办等4项重点工作分别制定了《加强水利工程项目决策和计划管理工作指导意见》《加强水利工程建设招标投标、建设实施和质量安全管理工作指导意见》《加强水利工程建设领域物资采购和资金安排使用管理工作指导意见》《关于推进水利工程建设监督整改和案件查处工作的指导意见》。

水利部（包括流域机构）、地方各级水行政主管部门分别组织对其负责的水利工程建设项目进行了统计，摸清项目底数，按照排查范围进行梳理，建立排查项目清单。水利部会同各流域机构，对总投资额在5000万元（含）以上直属水利工程建设项目进行了摸底，确定对黄河小浪底工程等34个项目进行排查。

在水利部政府门户网站上开通了“水利工程建设领域突出问题专项治理”专栏，设置了工作动态、文件通知、领导讲话、经验交流等12个栏目，公布了专项治理举报电话和邮箱。编印水利工程建设领域突出问题专项治理工作简报22期，及时反映专项治理工作进展情况和各地各部门的有益做法。（戚波）

【招标投标管理】 完成了《水利水电工程标准施工招标资格预审文件》和《水利水电工程标准施工招标文件》修编工作，于2009年12月29日印发，自2010年2月1日起正式施行。文件涵盖了招标投标过程中的招标文件、资格预审、投标文件的内容，对于规范统一招投标内容格式，促进水利工程招标投标市场健康发展具有重要的意义。

水利部、国家发改委等9部委联合印发了《关于印发贯彻落实扩大内需促进经济增长决策部署进一步加强工程建设招标投标监管工作意见的通知》，加强工程建设招标投标监管。

作为联合主持单位，组织了水利系统代表参加第二届中国招标投标高层论坛，矫勇副部长在论坛上作了主旨发言。（戚波）

【工程质量管理】 开展了首次全国甲级水利工程质量检测单位资质审批工作，共收到122家检测单位、306个专业类别的资质申请材料，94家单位的201个专业类别通过审批；水利部印发了《水利工程质量检测员注册管理办法》，中国水利工程协会开展了水利工程质量检测员首次注册工作。启动了《水利工程质量管理规定》《水利工程质量监督管理规定》《水利工程质量事故处理暂行规定》的修订工作，召开了修订工作研讨会，形成了修订初稿。

长江三峡工程、黄河小浪底工程、淮河入海水道近期工程、东深供水改造工程、北京密云水库、引滦入津工程6项工程荣获新中国成立60周年经典工程称号。海南大隆、陕西金盆水利枢纽工程荣获国家优质工程鲁班奖；黄河小浪底工程荣获詹天佑奖；宁夏扶贫扬黄灌溉一期工程等10个项目获得中国水利工程优质（大禹）奖。

水利部水利工程建设质量与安全监督总站荣获全国先进工程质量监督机构称号。（戚波）

【施工安全管理】 继续开展了对施工企业主要负责人、项目负责人和专职安全生产管理人员三类人员的考核工作，以及考核证书有效期满的换证工作，共有3015名水利、水电、施工企业安全生产三类人员通过了安全生产考核，1206人进行了延期。

2009年，全国共发生22起水利工程建设安全生产事故，均为一般事故，造成22人死亡。（戚波）

【水利建设市场监管】 水利部印发了《水利建设市场主体信用信息管理暂行办法》和《水利建设市场主体不良行为记录公告暂行办法》，两个办法作为建立水利工程建设市场信用体系的指导性文件，有助于加强水利建设市场动态监管，有助于解决当前市场主体信用意识薄弱和信用缺失的问题，有助于维护统一开放、竞争有序的水利建设市场秩序。

开展了《水利水电施工企业资质标准》修订工作和调研活动，先后召开三次专家审查会，并向全国征求了意见，根据水利实际新增了《灌排与水保工程专业承包施工企业资质标准》，形成了《水利水电工程施工企业资质标准》（报批稿），送住房与城乡建设部。

做好水利工程款和农民工工资防拖欠工作，印发了《关于切实做好当前水利建设项目工程款和农民工工资支付工作的紧急通知》和《关于切实做好水利建设领域农民工工作的通知》。（戚波）

【河湖管理】

1. 全国河道采砂管理

为规范全国河道采砂管理工作，根据国务院“三定”方案中“由水利部牵头，会同国土资源部、交通运输部等部门，负责河道采砂监督管理工作，统一编制河道采砂规划”的要求，水利部组织编制了《全国江河重要河道采砂管理规划任务书》。2009年11月

24日，水利部综合事业局组织有关单位，对该规划任务书进行了审查。纳入本次规划的江河共85条，总长度2.9万km；湖泊5个。其中，长江流域19条，湖泊2个；黄河流域14条，湖泊1个；淮河流域11条，湖泊2个；海河流域21条；松辽流域10条；珠江流域8条；太湖流域2条。

2. 长江河道采砂管理

2009年4月1日，水利部办公厅下发了《关于做好2009年长江河道采砂管理工作的通知》(办建管〔2009〕109号)，确定2009年为长江河道采砂“强化管理年”。通过进一步强化管理，确保长江河道采砂处于可控状态。

(1) 建立长江河道采砂管理部际合作机制。为进一步强化对长江河道非法采砂的打击和治理工作，规范采砂管理秩序，巩固来之不易的采砂管理成果，确保长江干流河势、航道基本稳定和防洪、航运安全，2009年4月14日，水利部、交通运输部在北京正式签订《加强长江河道采砂管理合作备忘录》(以下简称《合作备忘录》)，两部合作进入一个新的发展阶段。按照《长江河道采砂管理条例》赋予的职能，两部各司其职，各负其责，密切合作，整合相关执法管理资源，共同携手应对长江河道非法采砂的打击和治理难题。6月19日，长江委、长江航务管理局签署了两部《合作备忘录》实施方案，细化《合作备忘录》各项内容，进一步健全和完善采砂管理合作执行机制。

(2) 组织开展专项整治行动。为贯彻落实两部《合作备忘录》，两部合作机制领导小组办公室组织了2次执法行动：7月，由长江委会同长江航务管理局组织有关省(直辖市)水行政主管部门联合开展了打击长江干流重点水域违法采砂专项行动，查获违法采砂船6艘、运砂船4艘；12月，长江委组织安徽、江苏两省地方水行政主管部门，在长航公安干警的配合下，在皖苏边界河段开展了打击违法采砂专项执法行动，查获违法采砂船9艘。另外，5月，长江委还组织湖北、江西、安徽、江苏等省水行政主管部门开展了统一清江行动，清理和查处大小采砂船只386艘。

(3) 修改完成长江河道采砂规划报告。按照水利部水利水电规划设计总院审查意见要求，长江委组织完成了《长江中下游干流河道采砂规划报告(2008年修订)》和《长江上游干流宜宾以下河道采砂规划报告》修改工作，为进一步落实长江采砂统一规划制度和江砂的可持续利用提供了科学依据。

(4) 继续实施采砂许可与项目审查制度。按照《长江河道采砂管理条例》要求，根据长江沿江各省编制的长江河道采砂规划，2009年，在长江中下游干流河道湖北省巴河口、江西省搁排洲和永和洲、安徽省华阳河口共4个规划可采区实施了采砂许可(江苏省境内长江河道和省际边界重点河段规划可采区未实施采砂许可)。2009年实施的可采区个数占规划可采区个数(33个)的12.1%；许可采砂总量为274万t，实际完成采砂总量212万t，占规划年度控制采砂总量(3400万t)的6.2%；许可采砂船只数量9艘，占规划采砂船控制数量(98艘)的9.2%。另外，长江委组织对湖北、江苏两省申报的10个工程吹填采砂项目进行了审查，同意采砂总量4681.5万m^3，其中湖北省3项，采砂量386万m^3；江苏省7项，采砂量4295.5万m^3。

(5) 继续推行采砂管理责任制。按照《长江河道采砂管理条例》要求，长江委督促沿江各地采取多种措施进一步建立和完善以地方行政首长负责制为核心的长江河道采砂管理责任制，其中江苏省率先向社会公布了长江采砂管理责任人，湖北省层层签订了长江河道采砂管理责任书。

(6) 强化河道采砂检查和调研工作。2009年2月，长江委检查了上海市河道采砂管理工作；6—9月，又先后对湖北、四川、湖南、江西、安徽、江苏、重庆等省(直辖市)长江干流及部分中小河流进行了一次大规模检查调研，对流域内采砂管理现状和主要措施有了进一步了解。

(7) 加强采砂管理能力建设。长江委修改完成了《长江河道采砂管理能力建设规划报告(2009—2013年)》；完成了长江河道采砂管理执法装备——远程可视化实时监控系统工程项目的竣工验收。长江委水行政管理与执法手段得到进一步加强。

3. 河道综合管理

(1) 加强河道岸线和涉河建设项目管理。2009年，建管司与水利水电规划设计总院组织召开了两次全国河道(湖泊)岸线利用管理规划成果汇总会，对2008年召开的第一次汇总会的成果进行了复核、修改和完善。建管司还加强了涉河建设项目日常管理工作，每季度对7大流域机构涉河建设项目审批情况在水利部网站上进行公告。

(2) 对流域机构直属工程确权划界工作进行调查。针对流域机构直属水利工程确权划界工作存在的问题，建管司下发了《关于对流域机构直属水利工程确权划界工作情况进行统计的通知》(建管函〔2009〕10号)，对流域机构直属水利工程确权划界工作情况进行调查，并将根据各流域机构上报的材料分析整理后制定有关政策，推动流域机构直属工程确权划界工作深入开展。

(3) 修订《河道管理条例》。建管司配合政法司召开了《河道管理条例(修订)》研讨会，根据专家们的意见修改完成了《河道管理条例(修订)》的送审稿。

4. 水闸管理

(1) 开展全国大中型病险水闸除险加固专项规划

编制工作。2009年2月，水利部办公厅下发了《关于开展全国大中型病险水闸除险加固专项规划编制工作的通知》（办规计〔2009〕85号），按照全国水利工作会议提出的“全力组织实施水利基础设施建设，启动大中型病险水闸除险加固工程建设”的要求，规计司、建管司组织开展了全国大中型病险水闸除险加固规划编制工作。规划编制由各流域机构、水利部建管总站等单位具体负责，2009年底完成了规划报告初稿，为做好大中型水闸除险加固工作奠定了基础。

（2）公布大中型水闸安全评价单位。为提高全国大中型病险水闸除险加固前期工作质量，2009年4月20日，水利部发布了《关于公布大中型水闸安全评价单位的通知》（水建管〔2009〕238号），认定16家单位可承担大中型水闸的安全评价任务。

（3）举办水闸安全鉴定和病险水闸除险加固技术培训班。根据全国大中型病险水闸规划编制和实施工作需要，建管司举办了3期水闸安全鉴定技术培训班和2期病险水闸除险加固技术培训班，以便进一步提高规划编制质量和病险水闸除险加固工程建设项目前期工作质量。

（4）组织水闸工程基础信息管理系统开发研制工作。为进一步提高水闸工程管理信息化水平，全面掌握水闸工程管理状况，建管司组织建管总站、黄河水科院等单位开展了水闸工程基础信息管理系统开发、研制工作。该系统包括水闸基本情况、注册登记、安全普查、除险加固规划和项目实施进度等功能模块。

5. 堤防管理

（1）召开全国堤防管理现场会。2009年12月26日，全国堤防管理现场会在郑州召开。会议提出在新形势下堤防管理工作要体现五种理念，探索五项管理，实现“五化”目标。即安全第一、科学发展、依法管水、人水和谐、以人为本的理念；目标管理、规范管理、责任管理、优质管理、现代管理的要求；确保堤防管理常态化、精细化、规范化、专业化、现代化。

（2）中国堤防工程管理信息化系统启动。建管司组织进行中国堤防工程管理信息化系统开发、研究工作。该系统建成后可快速、灵活地以图文等方式浏览堤防数据，并对其信息进行管理，提高工作效率；通过对基础数据进行动态更新，为防汛抢险提供信息服务和技术支持；信息系统与其他专门分析系统接口，可实现堤防工程实时安全监测与预警。

（匡少涛　孙明利）

【水库管理】

1. 病险水库除险加固

（1）病险水库除险加固进展情况。1998—2009年，已累计安排中央投资606.16亿元，用于9200多座病险水库除险加固，一大批完成除险加固的项目已经开始发挥巨大的社会效益和经济效益。2009年，中央共投入病险水库除险加固资金168.5亿元（其中中央预算内资金88.5亿元，中央财政资金80亿元），安排3600多座病险水库除险加固（其中大中型648座，重点小型3000多座）。

（2）组织开展病险水库除险加固审计整改工作。2008年12月至2009年3月，审计署对河北、山西等18个省（自治区）的554座病险水库除险加固工程进行了审计调查。针对发现的突出问题，水利部高度重视，立即组织有关地方进行整改，并取得明显成效。在对地方整改报告汇总、分析的基础上，提出了全国病险水库除险加固整改工作报告，2009年11月初上报国务院。

（3）召开全国病险水库除险加固整改工作会议。2009年6月15日，水利部会同审计署召开了全国病险水库除险加固整改工作会议，通报病险水库除险加固工作进展情况，认真分析病险水库除险加固工作中存在的问题，研究整改措施，明确目标要求，全面部署整改工作，要求各地进一步加强领导，落实责任，强化措施，狠抓落实，确保病险水库除险加固工程建设进度、质量和安全，确保如期完成病险水库除险加固目标任务。

（4）对部分审计调查项目开展检查督导。2009年6月11日，根据温家宝总理、回良玉副总理在审计署《审计值班信息》（第8期）“江西河南甘肃三省的3座水库存在安全隐患威胁下游数万群众生命财产安全”上的批示，水利部立即会同环境保护部、安监总局组织3个检查组对3座水库进行调查处理。3座水库均落实了确保度汛安全的各项措施。同时，水利部还组织了8个检查组对审计署调查反映的除险加固完成后仍存在较严重质量缺陷和安全隐患的29座水库进行检查督导，检查组查明了存在的问题及原因，协助指导地方制定了整改工作方案。调查处理结果均已报国务院。

（5）对稽察督导和审计调查发现问题进行挂牌督办。2009年4—5月，水利部组织有关司局按照职责分工对在病险水库除险加固稽察督导和审计调查中发现问题突出且有代表性的9省（自治区）16座水库的前期工作质量、建设资金使用管理、工程建设管理、安全生产及度汛安全等四方面问题进行督办。

（6）召开水利部病险水库除险加固工作领导小组（扩大）会议。2009年3月30日，矫勇副部长主持召开了水利部病险水库除险加固工作领导小组（扩大）会议，听取建管司关于全国病险水库除险加固工作情况的汇报，审议2008年度各省（自治区、直辖市）病险水库除险加固工作考核结果和2009年春季病险水库除险加固专项检查工作方案，对2009年病险水库除险加固工作和近期有关具体工作进行了部署。

（7）开展病险水库除险加固工作专项检查。按照

《水利部病险水库除险加固工作方案》（水建管〔2008〕54号）确定的“春查秋会”制度和部机关司局包省、各流域机构包片的对口指导监督检查机制以及水利部统一部署，2009年3—4月，各省级水行政主管部门先行组织市、县水行政主管部门及项目建设单位进行病险水库除险加固专项规划项目自查工作。4月，在各地自查的基础上，水利部组织25个检查组赴有除险加固任务的29个省（自治区、直辖市）和新疆生产建设兵团（大连、宁波、青岛、厦门等计划单列市由所在省的检查组负责检查）进行病险水库除险加固专项检查，在全国开展全面检查。

（8）公告病险水库除险加固年度工作考核结果。按照水利部《病险水库除险加固工作年度考核办法》（水建管〔2008〕579号）的要求，根据病险水库除险加固工作2008年度考核结果对各省进行排序，经部病险水库除险加固工作领导小组会议研究审定后，于2009年6月1日向全国公告。

（9）东部小型病险水库除险加固规划项目启动实施。2009年10月11日，水利部在北京召开了东部地区重点小型病险水库除险加固工作座谈会，专门研究部署东部地区重点小型病险水库除险加固工作。东部小型病险水库除险加固规划中央补助投资18.97亿元全部下达。

（10）开展《全国小型病险水库除险加固专项规划》编制工作。为全面消除重点小型病险水库的安全隐患，按照水利部领导指示，经商财政部，水利部于2009年12月印发了《关于编制小型病险水库除险加固规划的通知》（水规计〔2009〕586号），部署各地开展小型病险水库除险加固规划编制工作。

（11）开展病险水库除险加固稽察督导工作。继续开展病险水库除险加固稽察督导工作，2009年共派出28个工作组，对27个省的120个项目进行了稽察督导。

2. 水库运行管理督查　为加强水库运行管理，切实落实水库管理法规、制度和技术标准，保障水库大坝运行安全，水利部制定了《水库运行管理督查工作指导意见》，并于2009年7月21日印发实施。

2009年，共派出10个工作组，对河南等10省（自治区）的32座大中型水库的运行管理情况，以及所涉及的各级水行政主管部门的监督管理情况进行了督查。

（张大伟）

【蓄滞洪区建设管理】　2009年，国务院批复了《全国蓄滞洪区建设与管理规划》；水利部提出了国家蓄滞洪区名录修订意见；水利部、安徽省人民政府、江苏省人民政府批复了淮河干流行蓄洪区调整规划；国家投入重点蓄滞洪区基本建设经费4.7亿元。

1. 国务院批复了《全国蓄滞洪区建设与管理规划》　2009年11月9日，国务院批复了水利部组织编制的《全国蓄滞洪区建设与管理规划》（国函〔2009〕134号，以下简称《规划》），并要求有关地区和部门加强领导，密切配合，精心组织，确保《规划》顺利实施。2009年12月31日，水利部会同国家发改委、财政部、国土资源部、环境保护部、住房和城乡建设部及农业部向有关部门发出《关于印发全国蓄滞洪区建设与管理规划的通知》（水规计〔2009〕649号），要求有关地区和部门按照轻重缓急，有序做好蓄滞洪区各类建设项目的前期工作。近期《规划》实施的重点工作是加快长江城陵矶附近100亿m^3蓄滞洪区、淮河蓄滞洪区和海河重要蓄滞洪区建设的前期工作。

2. 水利部公布了国家蓄滞洪区修订名录　水利部根据国务院《蓄滞洪区补偿暂行办法》规定和近年来批复的各大江河流域防洪规划和防御洪水方案，结合防汛抗洪工作实际，在有关省（直辖市）及流域机构意见基础上，商财政部提出了国家蓄滞洪区修订名录，并于2009年11月上报国务院。经国务院同意，水利部于2010年1月公布了《国家蓄滞洪区修订名录》。

3. 淮河干流行蓄洪区调整　2009年6月，水利部、安徽省人民政府、江苏省人民政府批复了《淮河干流行蓄洪区调整规划》（水规计〔2009〕352号）。此次规划调整的重点是：南润段、邱家湖、姜唐湖、寿西湖、董峰湖、上六坊堤、下六坊堤、石姚段、汤渔湖、洛河洼、荆山湖、方邱湖、临北段、花园湖、香浮段、潘村洼和鲍集圩等17处行洪区（姜唐湖行洪区调整建设已完成）。洪泽湖周边滞洪圩区另列专题研究。具体调整方案为：南润段、邱家湖行洪区调整为蓄洪区；上六坊堤、下六坊堤、石姚段、洛河洼、潘村洼行洪区调整为防洪保护区；方邱湖、临北段、香浮段行洪区退建行洪堤，新辟方邱湖分洪道调整为防洪保护区；花园湖、寿西湖、董峰湖、汤渔湖、荆山湖改为有闸控制行洪区（花园湖行洪区堤防局部退建）；鲍集圩行洪区并入洪泽湖周边滞洪圩区。

4. 蓄滞洪区基本建设　2009年国家共投入蓄滞洪区基本建设投资4.7亿元，其中中央投资2.76亿元，地方投资1.94亿元，主要安排全国重点蓄滞洪区建设。

（刘洪岫）

【水利工程管理体制改革】

1. 开展水管体制改革总结评估　2009年1月，水利部办公厅下发了《关于进行水管体制改革工作总结的通知》（办建管函〔2009〕8号），要求各地对水管体制改革工作进行全面总结，认真做好改革收尾工作，抓紧改革验收。根据各地上报资料，建管司委托发展研究中心汇总全国水管体制改革进展情况，建立水管体制改革评估指标体系，建立数学模型，对全国及各地改革任务完成情况进行综合评估，形成总结评估报告。

2. 开展水管体制改革抽查调研　2009 年 3 月，水利部办公厅下发了《关于开展水管体制改革抽查调研的通知》（办建管〔2009〕94 号），由建管司、政法司、人事司、农水司各 1 名司局级领导带队，对河南、河北、江苏、安徽、辽宁、内蒙古、重庆、贵州、陕西、宁夏等共 10 个省（自治区、直辖市）的水管体制改革工作进行了抽查调研。抽查调研组采取座谈会、现场检查、查阅资料、问卷调查相结合的方式，了解调研省（自治区、直辖市）水管体制改革进展情况，督促各地总结改革工作，巩固改革成果，进一步深化改革。

3. 督促各地尽快完成省级验收等有关工作　2009 年 3 月 27 日，水利部下发了《关于尽快完成水利工程管理体制改革省级验收等有关工作的通知》（水明发〔2009〕13 号），要求各地对水管体制改革相关数据认真核实上报水利部，抓紧开展省级验收等工作。

4. 向国务院报告全国水管体制改革工作情况　2009 年 6 月，根据全国水管体制改革工作总结评估情况，水利部向国务院报送了《关于水利工程管理体制改革情况的报告》（水建管〔2009〕318 号）。国务院领导作出重要批示，肯定了水管体制改革工作取得的成效和做法，指出当前要认真抓好总结评估工作，妥善处理改革中存在的困难和问题，逐步扩大改革覆盖面，促进水利工程管理水平进一步提高，并要求有关部门对下一步改革措施进行认真研究。

5. 深化水管体制改革的有关工作　一是为贯彻国务院领导批示精神，进一步深化水管体制改革，水利部办公厅下发了《关于开展水管体制改革进展情况调查和小型水利工程管理体制普查的通知》（办建管〔2009〕452 号）进行小型水利工程、基层水利单位管理体制普查。二是水利部办公厅下发了《关于报送水管体制改革两项经费落实情况的通知》（办建管〔2009〕1023 号），进行两费落实渠道调查。根据各地上报材料进行了中央财政扶持中西部地区基层改革经费测算工作。通过上述工作，为进一步研究深化水管体制改革工作奠定了基础。

6. 全国水管体制改革取得显著成效　截至 2009 年 12 月底，中央直属水管单位各项改革任务全面完成，各地水管体制改革省级验收基本完成。经精简撤并，全国现有大中型水利工程管理单位 11371 个，管理人员 32.8 万人，分别较改革前下降了 12% 和 44%。全国水管单位“两定”（定性、定编）、“两费”测算全部完成；水管单位定性率达 99%。落实“两费”131.3 亿元，落实率达 88%，比改革前增加 40 多亿元，其中人员经费 79.15 亿元，落实率为 94%；维修养护经费 52.15 亿元，落实率为 81%。实行管养分离的水管单位达 66%。改革共安置分流人员 7.3 万多人，落实社会保障政策 34 万人。通过改革，理顺了管理体制，增加了两项经费，增强了单位活力，稳定了职工队伍，提高了管理水平，为建立符合我国国情、水情和社会主义市场经济要求的水利工程管理体制和运行机制奠定了坚实基础。

7. 开展全国水管体制改革先进评选　为表彰先进，树立典型，进一步深化水管体制改革工作，2009 年 9 月，水利部办公厅下发了《关于评选表扬全国水管体制改革工作先进集体和先进个人的通知》（办人事〔2009〕370 号），部署水管体制改革评优工作。要求各地按照通知要求和分配名额，向水利部推荐 100 个先进集体和 200 名先进个人，并报送相关事迹材料。

（王健）

【水利工程管理考核】

1. 组织对申报单位进行水利工程管理考核验收　根据江西省、江苏省、浙江省水利厅申报，依据《水利工程管理考核办法》（水建管〔2008〕187 号）规定，水利部建管司委托中国水利工程协会组织专家组分别于 2009 年 6 月 16—17 日、2009 年 10 月 27—30 日对江西省上饶市大坳水库管理局、江苏省南京市三汊河河口闸管理处和无锡市太湖闸站工程管理处、浙江省杭州市青山水库管理处和绍兴市汤浦水库管理局等 5 个水管单位进行了水利工程管理考核验收。根据考核验收结果，经水利部审查和公示，分别以水建管〔2009〕397 号、水建管〔2009〕572 号批准上述 5 个单位通过水利部水利工程管理单位考核验收，并予以通报，颁发证书。

2. 组织对原国家一级水管单位进行复核　根据《水利工程管理考核办法》（水建管〔2008〕187 号）规定，水利部建管司委托中国水利工程协会、海委、珠委和太湖局组织专家组，分别于 2009 年 9—12 月对黄委滨州邹平黄河河务局、济南槐荫黄河河务局、焦作博爱沁河河务局、开封黄河河务局第二黄河河务局，黄河万家寨水利枢纽有限公司，天津市引滦工程潮白河管理处、宜兴埠管理处，河北省唐山市陡河水库管理处，山西省漳泽水库管理局，广东省江门市锦江水库工程管理处，江苏省宜兴市横山水库管理处，宁波余姚市四明湖水库管理局，福建省泉州市山美水库管理处等 13 个原国家一级水管单位进行复核，并通过水利部复核验收。

（王健）

水 库 移 民

【水库移民后期扶持政策】　①配合国家发改委组织完成了水库移民后期扶持工作三年总结，并向国务院报送了《水库移民后期扶持政策实施情况的总结报告》。中央高度重视，胡锦涛、温家宝等中央领导同志进行了批阅。温家宝总理批示指出：三年实践证明水库移民后期扶持政策是正确的，要继续完善政策措施，继续做好移民扶持工作，解决好移民的长远生计问题，确保社会稳定。②积极协调有关部门，加大库区和移民安置区基础设施建设倾斜扶持力度。水利部与国家发改委在2009年中央预算内安排2亿元投资，在16座水库实施水土保持坡改梯综合治理试点，同时在2009年新增中央预算内投资计划中，明确要求各地解决全部水库移民的饮水安全问题。③完成2008年全国新建水库移民后期扶持人数核定工作，新增后期扶持人口10.38万人。至此，全国后期扶持人口达到2356万人。联合财政部完成跨省水库移民人口核定及库区基金征缴工作。④组织开展山东省外迁至东北三省移民32万人后期扶持政策落实工作。⑤组织开展6个省8个县的水库移民后期扶持政策实施情况监测评估试点工作，积累了经验。⑥积极推进库区和移民安置区基础设施建设和经济发展规划审批和实施工作。全国有27个省（自治区、直辖市）和新疆生产建设兵团已经完成规划审批工作。 （靳宏强）

【水库移民法规制度建设和行业管理】 ①积极推进《大中型水利水电工程建设征地补偿和移民安置条例》配套法规标准研究制定工作。移民局承担的11个配套规章制度研究起草工作正在有序推进。②加强移民政策研究工作。组织开展征地补偿同地同价、大中型水利水电工程建设藏族移民安置等重大课题研究，完成水库移民监测评估导则等15个课题研究任务。③会同有关部门完成三峡移民评估工作，得到中国工程院的高度评价和水利部的充分肯定。④加强稽察和内部审计监督。完成15个省45个县的后期扶持政策规划实施稽察任务，对8个省的后期扶持资金使用管理情况进行审计调查，对15个省206个县的库区建设基金进行审计，审计资金14.75亿元。⑤加快建设全国水库移民后期扶持管理信息系统，完成系统硬件建设和软件开发工作。⑥加强宣传和培训工作。出版3期《水工程移民》杂志，组织举办18期移民政策法规、移民稽察、移民资金管理、信息系统推广应用等培训班，培训移民干部3000多人次。 （靳宏强）

【重点水利工程移民安置】

1. 皂市水库移民安置 皂市水库淹没影响涉及湖南省常德市石门县、张家界市慈利县的15个乡（镇）100个村，规划搬迁安置移民38255人。截至2009年底，已搬迁安置农村移民39338人，还有2423人尚未搬迁，其中集镇998人，农村移民1425人。库区集镇迁建和专业项目基本完工。2009年12月，国家发改委批复皂市水库移民补偿投资概算调整报告。 （徐之青）

2. 燕山水库移民安置 燕山水库工程占地和水库淹没影响涉及河南省平顶山市叶县、南阳市方城县共3个乡镇的42个行政村，涉及人口20530人、房屋61.82万m^2、土地4307.87hm^2（其中耕地2839.67hm^2）、工矿企业4家，以及部分道路、桥涵和供电、通信、广播线路、文物古迹等专项设施。初步设计规划搬迁农村移民5269户20530人，生产安置人口20115人，规划以土地为依托、以大农业安置为主。截至2009年底，燕山水库农村移民已全部搬离库区，实际共搬迁移民5643户20954人，实际为移民调整划拨生产用地1784.62hm^2。2009年12月，燕山水库移民安置通过竣工验收。 （徐之青）

3. 亭子口水库移民 初步设计阶段亭子口水库工程建设用地总面积为12052.51hm^2，其中工程永久征地11688.31hm^2（耕地2870.36hm^2），临时占地364.2 hm^2；坝区建设征地737.64 hm^2。淹没影响人口21760人，拆迁房屋181.15万m^2。规划搬迁人口20843人（库区20101人，坝区742人），水库区生产安置人口26896人，坝区生产安置人口887人。农村移民规划全部在本县（区）内安置，以调整耕地为主，采取分散和集中相结合的安置方式。水库淹没涉及14个集镇，其中8个集镇异地迁建，6个集镇后靠迁建。 （武斌）

4. 尼尔基水利枢纽水库移民 尼尔基水库淹没影响涉及黑龙江省讷河市、嫩江县以及内蒙古自治区莫力达瓦达斡尔族自治旗共计8个乡镇66个行政村。淹没耕地28130hm^2，草地3670hm^2，初步设计审定动迁移民1.36万户，5.45万人。截至2009年底，移民搬迁安置工作已全部完成。 （解丹）

【水利部定点扶贫】 2009年，水利部继续在重庆市城口、巫溪、开县、云阳、丰都、武隆和湖北省房县等7个国家扶贫开发工作重点县开展定点扶贫工作。

2009年4月13日，水利部在重庆市丰都召开定点扶贫工作座谈会，水利部部长陈雷出席会议并发表重要讲话，水利部扶贫领导小组组长、水利部副部长矫勇主持会议。会议对当前和今后一个时期水利定点扶贫工作进行全面动员和部署，明确提出水利定点扶贫工作的总体要求、目标任务和保障措施。

据统计，2009年定点扶贫的7个县共落实中央水利投资42996万元，用于民生水利工程建设。全年7个县共解决32.32万人的饮水安全问题，新增、恢复和改善灌溉面积1.54万hm^2，治理水土流失面积190km^2，增加小水电装机容量19.6万kW，有效提高了当地的水利基础保障能力。

2009年，到定点扶贫地区考察的水利部干部达68人（次），其中部级干部4人（次），司局级干部24人（次），进一步加深与贫困地区干部群众的感情；向开县捐助 100 万元援建防汛指挥系统，向云阳县捐助 20 万元援建防汛指挥支持系统，向丰都县捐赠 54 台计算机和 34 台打印机；捐款 29 万元，共资助 180 名贫困学生，援助 40 户困难群众，改善 4 所中小学校教学条件。

在重庆城口和湖北房县两个革命老区县 6 个贫困村，以农村饮水和农田水利等民生水利基础设施建设为重点，开展帮扶工作。全面完成 6 个村安全饮水工程，完成投资 592 万元，建成集中供水点 10 处，分散供水点 35 处，铺设主、支、入户各类管道合计 21.78 万 m。6 村 10725 人已全部按安全饮水标准解决饮水问题，实现饮水安全上的整村推进。

（欧阳锋　虞泽）

【水利扶贫试点工作】　2009 年，水利部与贵州省人民政府继续在贵州省铜仁地区开展水利扶贫试点和毕节试验区水利重点扶持工作。

据统计，2009 年落实铜仁地区中央水利建设资金 15991 万元，解决 22 万人的饮水安全问题，新增、恢复和改善灌溉面积 0.66 万 hm^2，整治病险水库 45 座，保护耕地 0.19 万 hm^2，治理水土流失面积 28.7km^2，增加小水电装机容量 1.5 万 kW。落实毕节地区中央水利建设资金 22495 万元，解决 60 万人农村饮水不安全问题，新增、恢复、改善灌溉面积 0.93 万 hm^2，整治病险水库 24 座，治理水土流失面积 178km^2，农村小水电装机容量增加 0.27 万 kW。

（欧阳锋　虞泽）

【全国水利扶贫工作】　2009 年 5 月 14 日，水利部印发《关于加强水利扶贫工作的指导意见》（水移〔2009〕270 号），进一步明确水利扶贫的指导思想、基本原则、重点范围、主要任务和保障措施，对建立并完善各项工作制度提出具体要求。

据统计，2009 年中央水利基建投资继续向贫困地区倾斜，安排近 140 亿元中央水利投资，用于 592 个国家扶贫开发工作重点县民生水利工程建设，促进农民生产、生活水平的提高，带动了区域经济社会的发展。

（欧阳锋　虞泽）

防　汛　抗　旱

Flood Control and Drought Relief

防　汛

【洪水】　2009年，全国降雨总体偏少，多雨区主要位于太湖、淮河、海河、松花江流域及黄河中下游地区，长江以南大部地区降水量偏少。除西江、长江上游干流及太湖流域发生了超警洪水外，其他大江大河水情总体平稳。除海河流域以外的六大流域共210余条中小河流发生了超警以上洪水，其中柳江发生了大洪水，柳江支流龙江、赣江支流章水、黄河上游支流汝箕沟口、浙江鳌江支流南港、曹娥江支流黄泽江等12条河流发生了超过历史记录的洪水，赣江支流袁水、渠江支流前河发生了历史第二位大洪水，松花江呼兰河出现了1998年以来的最大洪水。全年西北太平洋（含南海）共生成台风及热带风暴22个，其中有9个在我国沿海登陆。与常年相比，生成个数明显偏少，但在我国沿海登陆的个数则偏多。

一、冰凌洪水

1. 黄河　2008年12月5日于内蒙古三湖河口水文站断面上游4.0km处和包西铁路桥出现首封，首封日期较常年偏晚3天。最大累计封河长度达到1062km，其中上游宁夏河段141km，内蒙古河段720km（含宁蒙交界河段）；中游河曲河段67km；下游山东河段174km。2009年3月22日黄河封冻河段全部开通，累计封冻历时为108天，较常年短4天。开河期间，水势平稳。

凌汛期凌情有两个显著特点：一是水位高，三湖河口水文站2009年3月19日最高水位1020.98m，为历史第二高水位，仅比2008年最高水位低0.24m。二是槽蓄水量大，内蒙古河段槽蓄水量最大达到17.01亿m^3，较常年偏多52%，比凌情严重的2008年还多0.18亿m^3。

2. 松花江和黑龙江　松花江及黑龙江干流自2008年11月中旬开始相继封江，至12月1日全线封冻，松花江干流封江时间较常年提前3～14天，黑龙江干流封江时间较常年晚1～12天。其中，松花江哈尔滨水文站2008年11月17日封江，封江时间比常年早6天；黑龙江黑河水文站2008年11月21日封江，封江时间较常年晚4天。

至2009年4月30日，松花江及黑龙江干流全线开江，其中，松花江干流开江日期接近常年，黑龙江中上游干流开江日期较常年提前6～16天，下游干流晚3～5天。开江期间，黑龙江上游漠河水文站4月14日开江，比常年提前16天，使黑龙江上游形成罕见武开江，14—25日漠河至黑河之间部分江段形成冰坝或卡塞。

二、暴雨洪水

1. 珠江流域　汛期受连续强降雨影响，西江干流发生了超警洪水，柳江干流发生了大洪水，其支流龙江发生了超过历史记录的大洪水；受台风登陆带来的局部强降雨影响，西江支流白沙江发生了超过历史记录的洪水，西江支流北流河、红水河支流清水河、南流江、罗定江以及漠阳江、南渡江等均发生了超警洪水，珠江三角洲部分潮位站超警，并出现历史最高潮位。

（1）西江2009年7月洪水。6月28日至7月5日，西江流域出现持续性强降雨过程，暴雨中心位于柳州地区，西江干流发生了超警洪水，重现期略小于5年；柳江干流发生大洪水，重现期为20年，其支流龙江发生超过历史记录的大洪水；另外，桂江、北流河等发生了超警洪水。

柳江支流龙江干流三岔水文站7月4日11时洪峰水位111.96m，超过警戒水位4.36m，相应流量10800m^3/s，为1954年建站以来最大洪水，重现期为20年。柳江干流柳州水文站5日2时洪峰水位89.64m，超过警戒水位7.14m，相应流量26700m^3/s，水位和流量分别列1949年有资料以来的第五位和第四位，重现期为20年。西江干流梧州水文站5日8时水位开始超警，7日14时出现洪峰水位21.85m，超过警戒水位3.85m，相应流量37200m^3/s，重现期略小于5年；10日4时退至警戒水位以下，超警历时6天。

（2）第200906号台风“莫拉菲”造成的洪水。7月中旬，受“莫拉菲”带来的局部强降雨影响，西江支流北流河干流金鸡水文站7月20日14时洪峰水位34.93m，超过警戒水位3.73m，相应流量2640m^3/s。西江支流白沙江南义水文站7月19日22时12分洪峰水位98.75m，超过1961年有实测资料以来最高水位0.02m，相应流量350m^3/s。独流入海的南流江上游横江水文站20日11时42分洪峰水位63.28m，超过警戒水位0.58m，相应流量526m^3/s。西江干流红水河段支流清水河邹圩水文站21日0时洪峰水位88.08m，超过警戒水位0.08m，相应流量418m^3/s。

（3）第200907号热带风暴“天鹅”造成的洪水。8月上旬，受“天鹅”登陆影响，广东漠阳江阳春水位站8月7日1时洪峰水位13.67m，超过警戒水位1.07m；珠江三角洲潭江长沙潮位站5日13时35分出现最高潮位2.76m，列1976年建站以来历史第2位。

（4）第200915号台风“巨爵”造成的洪水。9月中旬，受“巨爵”登陆影响，广西北流河、白沙江、南流江、罗定江，广东漠阳江发生超警洪水，广东珠江口部分潮位站超警，超警幅度0.45～1.25m，其中三江口潮位站9月15日8时最高潮位2.75m，超过警戒潮位1.25m，列1952年建站以来第一位。

（5）第200917号热带风暴“芭玛”造成的洪水。10月中旬，受“芭玛”的影响，海南南渡江干支流发生了超警洪水，其中南渡江干流龙塘水文站10月13日21时洪峰水位12.11m，超过警戒水位0.61m，相应流量3580m³/s。海口潮位站12日14时出现最高潮位2.97m，超过警戒潮位0.07m。

2. 长江流域　汛期长江上游干流发生了超警洪水，出现了2004年以来的最大洪峰。长江上游干流金沙江段、支流岷江、嘉陵江、渠江、涪江、清江河、岸门口河、白龙江以及下游支流水阳江等均发生了超警以上洪水，其中，渠江、涪江发生了建站以来第二位洪水；洞庭湖水系湘江、澧水以及鄱阳湖水系赣江、袁水、章水等多条支流也发生了超警以上洪水，其中章水发生了超历史记录的洪水。

（1）长江上游支流洪水。7月中下旬，金沙江、岷江、渠江、清江河、岸门口河和白龙江部分干支流发生超警以上洪水，其中渠江上游支流前河土黄水文站7月11日10时55分洪峰水位42.06m，超过保证水位0.46m，相应流量3100m³/s，列1958年有资料以来第2位；清江河上寺水文站7月16日13时30分洪峰水位505.83m，超过保证水位1.83m，相应流量7630m³/s，为1957年建站以来第2位大洪水；岸门口河康县水文站7月17日4时洪峰水位1099.40m，超过保证水位2.10m，相应流量1100m³/s，为1983年建站以来最大洪水。

（2）长江上游干流8月上旬洪水。8月上旬，受局地强降雨影响，长江上游干流金沙江段支流马过河与五郎河、大渡河、沱江支流濑溪河、涪江支流安居河、璧南河、綦江等发生了超警洪水，致使长江上游干流发生超警洪水。干流控制站寸滩水文站8月6日4时洪峰水位182.49m，超过警戒水位1.99m，相应流量55000m³/s，为2004年以来的最大洪峰。三峡水库8月6日8时最大入库流量55000m³/s，相应出库流量39000m³/s。

（3）长江下游支流洪水。8月中旬，受第200908号台风“莫拉克”带来的强降雨影响，长江下游支流水阳江发生了超过保证水位的洪水，干流宣城水文站8月11日14时45分洪峰水位17.00m，超过保证水位0.50m，相应流量3230m³/s。

（4）洞庭湖水系湘江、澧水洪水。湘江支流渌水和涓水7月发生超保证水位的洪水，超保幅度分别为1.80m和0.96m。澧水支流溇水淋溪河水文站6月30日1时30分洪峰水位230.54m，相应流量3100m³/s，列1998年有实测资料以来第一位。

（5）鄱阳湖水系赣江洪水。7月初，赣江上游干流及袁水、章水等多条支流相继发生了超警洪水，其中章水窑下坝水文站7月4日14时30分洪峰水位121.53m，超过警戒水位2.53m，相应流量1590m³/s，为1957年建站以来最大洪水，赣江下游干流栋背水文站7月5日6时6分洪峰水位68.92m，超过警戒水位0.62m，相应流量8420m³/s。

3. 太湖及浙闽地区　受梅雨期较强降雨及台风登陆带来的强降雨影响，太湖出现了1999年以来最高水位，太湖流域及浙闽地区诸多河流发生了超警洪水，其中，鳌江支流南港、曹娥江支流黄泽江发生超历史记录的洪水，福建闽江部分潮位站出现历史第三高潮位。

（1）第200908号台风“莫拉克”造成的洪水。8月上旬，受“莫拉克”登陆的影响，浙江鳌江、飞云江、乐清湾、瓯江、椒江、金清、奉化江、钱塘江支流浦阳江、曹娥江，福建交溪、梅溪、大樟溪均发生了超警以上洪水。其中，鳌江支流南港灵溪水位站8月9日16时洪峰水位7.73m，超过保证水位3.64m，列1954年建站以来第一位；曹娥江支流黄泽江黄泽水文站8月10日1时洪峰水位29.71m，超过警戒水位0.55m，相应流量1750m³/s，流量列1963年有实测记录以来第一位。福建共有7个潮位站超警，其中，闽江白岩潭潮位站8月9日1时15分最高潮位4.18m，超过保证潮位0.08m，列1953年有实测资料以来第3位；闽江口梅花潮位站8月9日0时25分最高潮位4.73m，超过警戒潮位1.13m，列1956年有实测资料以来第三位。

（2）太湖出现1999年以来最高水位。太湖水位自7月下旬持续上涨，7月29日开始超过警戒水位。8月上旬，受“莫拉克”带来的强降雨影响，太湖水位上涨迅速，8月16日8时，太湖出现最高水位4.23m，超过警戒水位0.73m，为1999年以来的最高水位。太湖周边河网地区有45个水位（水文）站超警，最大超警幅度0.12～1.83m，其中11个水位（水文）站超过保证水位，西苕溪港口水位站8月11日12时最高水位5.59m，超过保证水位0.83m；东苕溪瓶窑水文站8月11日8时洪峰水位7.04m，超过保证水位0.38m。8月7—16日，环太湖累计入湖水量11.5亿m³，累计出湖水量4.63亿m³。8月11日出现最大日均入湖流量2510m³/s，列历史第二位。至9月14日8时，太湖平均水位回落至警戒水位以下，累计超警时间达47天。

（3）第200916号台风“凯萨娜”造成的洪水。受“凯萨娜”影响，浙江飞云江、瓯江、乐清湾、金清等河流发生超警以上洪水，金清水系支流温岭溪温岭水位站9月30日11时洪峰水位3.54m，超过保证水位0.91m，列1960年建站以来第二位。

4. 淮河流域　汛期淮河流域水情总体平稳，除受局部强降雨或台风登陆带来的强降雨影响，江苏里下河地区部分水位站超过警戒水位外，淮河干流及流域内其他主要河流均未发生超警洪水。

5. 黄河流域　汛期黄河流域水情总体平稳。受局部强降雨影响，黄河上游支流汝箕沟口汝箕沟水文站7月7日23时12分洪峰水位13.81m，相应流量665m³/s，均列1971年有实测资料以来的第一位，重现期接近100年。祖厉河支流关川河以及渭河支流漏河、大裕河发生了超警洪水。

6. 海河流域　汛期海河流域各主要河流未发生明显汛情。

7. 松辽流域　汛期松辽流域各主要江河水势平稳。受局部暴雨影响，黑龙江呼玛河、松花江呼兰河、嫩江支流甘河、乌裕尔河、辽宁黄海沿岸登沙河发生了超警以上洪水，其中松花江呼兰河支流努敏河四海店水位站6月22日8时洪峰水位97.81m，为1998年以来最高水位。

8. 西部河流　汛期西部地区主要河流水势平稳。受局部强降雨影响，云南大盈江发生了超警洪水；受高温融雪影响，新疆额敏河支流哈拉依灭勒河、玛纳斯河、伊犁河支流哈什河、喀什噶尔河、克孜河、塔里木河支流叶尔羌河均发生了超过警戒水位或警戒流量的洪水，其中，额敏河支流哈拉依灭勒河哈拉依敏水文站5月4日10时36分洪峰流量178m³/s，超过保证流量78m³/s，列1957年建站以来第二位。

（徐宪彪）

【洪涝灾情】　2009年，全国29个省（自治区、直辖市）发生了洪涝灾害，全国因洪涝农作物受灾面积874.82万hm²，成灾面积379.58万hm²，受灾人口1.11亿人，因灾死亡538人，失踪110人，倒塌房屋55.59万间，直接经济损失845.96亿元，其中水利设施直接经济损失148.34亿元。

一、洪涝灾害特点

(1) 洪涝灾害总损失少。与常年相比，2009年全国洪涝受灾面积、受灾人口比多年同期均值少三成半，直接经济损失少近三成。

(2) 西南、华南地区灾情较为严重。四川省洪涝灾害造成211人死亡或失踪，占全国洪涝灾害死亡和失踪总人数的33%；四川、湖南、广东、广西四省区洪涝灾害损失占全国洪涝灾害总损失的33%；甘肃省康县和玛曲县的洪涝灾害直接经济损失均超过本县的国民生产总值。

(3) 山洪灾害多，死亡比例高。山洪灾害仍呈多发态势，全国共发生较大山洪灾害116起，因山洪灾害死亡430人，占洪涝灾害死亡总人数的79.9%。

(4) 台风灾害损失相对较重。台风灾害致使广东、海南、福建、浙江、广西等省区直接经济损失190.9亿元，约占全国洪涝灾害直接经济损失的22.6%。

(5) 洪涝灾害死亡人数少。2009年因洪涝灾害造成人员死亡538人，较常年减少近八成，是新中国成立以来最少的一年。

(6) 减灾效益显著。确保了重要江河湖泊的防洪安全，重要堤防无一决口，重要城市和重要保护目标无一受淹。据统计，全年累计减淹耕地269.4万hm²，减少受灾人口4027万人，避免城市进水受淹214多座，避免人员伤亡1.8万起，减少粮食损失2759.8万t，防洪减灾经济效益627.18亿元。

二、主要洪涝灾害过程

(1) 2009年4月，我国华南、江南部分省份相继入汛，湖南、贵州、广东等地局部受降雨影响发生洪涝和山洪灾害。

4月18日，湖南省大部分地区出现了强降雨，怀化、长沙、常德等3个市11个县（市、区）122个乡镇37.93万人受灾，受灾农作物0.97万hm²，因房屋倒塌死亡1人，直接经济损失1.29亿元。

4月18—19日，贵州省南部、东南部、中部等地降暴雨，黔东南州、黔南州和铜仁地区27个县市158个乡镇受灾，受灾人口37万人，死亡2人。

4月24—27日，广东省粤西、粤北等部分地区出现大雨到暴雨，局部地区大暴雨，造成云浮、肇庆两市共3.3万人受灾，死亡3人。

(2) 5月，受降雨影响，四川、湖北、贵州、湖南、广东、福建等省发生洪涝灾害。西藏发生暴雨（雪）灾害。

5月9—13日，四川省达州市自南向北普降大到暴雨，造成达州市3个县78个乡镇28.2万人受灾，倒房致使2人死亡。

5月14—16日，湖北省大部出现降雨过程，其中7个县市区降暴雨，局部地区发生山洪、泥石流、滑坡等灾害，1人因灾死亡。

5月16—17日，贵州省出现大范围降雨，造成黔南、黔东南州4个县20个乡镇0.96万人受灾，倒塌房屋122间，农作物受灾面积0.15万hm²，死亡5人，直接经济损失1467万元。

5月16—5月20日，湖南省自北向南发生一次中到大雨过程，局部大暴雨，造成郴州、永州2个市州16个县（市、区）139个乡镇18.27万人受灾，农作物受灾面积1.29万hm²，直接经济损失2.249亿元。

5月22—25日，广东珠江三角洲及珠江口以西部分地区降暴雨到大暴雨，造成东莞、中山、江门、阳江、茂名5个市9个县（市、区）76个乡镇共52.73万人受灾，死亡2人，农作物受灾面积2.9万hm²，倒塌房屋51间，直接经济损失1.15亿元。

5月27—28日，湖北省江汉平原及鄂西北地区的部分地区降大到暴雨，十堰、襄樊、荆州等8个市28个县（市、区）84.98万人受灾，造成3人死亡，6人失踪，直接经济损失2.85亿元。

5月29日，福建省龙岩市长汀县连日普降大雨，引发泥石流，致使3人被埋死亡。

5月25—27日，西藏日喀则地区南部、山南地区南部、林芝地区中西部及那曲地区中西部降大雨，局部降暴雨（雪），造成日喀则、山南及林芝等地12

个县受灾，7个乡镇道路中断，民房倒塌325间，被困大牲畜2万多头、死亡8000多头。山南地区洛扎及错那县有1人因泥石流灾害死亡。

（3）6月，四川、湖南、贵州、广东、浙江等省出现较强降雨过程，部分地区发生了山洪、滑坡泥石流等灾害。

6月6—7日，四川凉山州强降雨引发山洪泥石流，造成6人死亡，1人失踪，3人受伤。雷波县上田坝乡沙坪子村沙坪子组发生山洪泥石流，造成4人死亡。昭觉县泥石流造成苏巴姑电站指挥部附近民工棚被毁，致使2人死亡，3人受伤。美姑县候姑莫乡1人在过沟时被洪水冲走失踪。

6月7—11日，湖南省自北向南遭受一次强降雨过程，导致长沙、株洲、湘潭、衡阳等12个市州69个县（市、区）666个乡镇432万人受灾，1个县级城市受淹，倒塌房屋2.8万间，死亡10人，失踪5人，农作物受灾面积15.7万 hm^2，直接经济损失29.9亿元。

6月7—9日，贵州省北部、南部、东南部及西南部出现大范围强降雨天气过程，造成遵义、黔南、黔东南、黔西南、铜仁、六盘水等6个市（州、地）23个县（市、区）47.22万人受灾，死亡6人，直接经济损失2.2亿元。

6月7日开始，广东省发生了一次较强降雨，茂名、阳江等2个市（州）6个县（市）27个乡29万人受灾，倒塌房屋156间，直接经济损失3.14亿元。

6月30日至7月2日，浙江省出现大范围强降雨过程，造成6个县（市）89个乡镇，受灾人口22.4万人，倒塌房屋143间，直接经济损失2.1亿元。

（4）7月，西江干支流洪水造成广西严重受灾。西南、华南部分地区发生了严重山洪、泥石流、滑坡灾害。宁夏、甘肃、陕西、山西及内蒙古等地因强降雨受灾。第200906号台风“莫拉菲”给广东、广西、云南等省造成灾害。受强降雨影响，湖南、福建、广东、湖北、安徽、黑龙江等省发生洪涝灾害。

7月1—3日，福建省中部、北部地区普降暴雨到大暴雨，局部降特大暴雨，造成三明、泉州、南平、龙岩等4个设区市19个县18.64万人受灾，倒塌房屋420间，死亡5人，失踪2人，农作物受灾面积1.27万 hm^2，直接经济损失2.42亿元。

7月1—7日，广西遭受持续性大范围暴雨，造成14个市84个县（市、区）729个乡镇555.58万人受灾，受淹县城3座（河池市宜州市、柳州市融水县、融安县），死亡4人，失踪3人，房屋倒塌1.91万间，农作物受灾面积23.66万 hm^2，直接经济损失35.63亿元。

7月1—20日，山东省共发生6次降雨过程，降雨主要集中在鲁北和鲁中等地，造成8个市32个县（区）220个乡镇不同程度受灾，受灾人口245.4万人，倒塌房屋2695间，农作物受灾面积35.42万 hm^2，直接经济损失26亿元。

7月1—15日，黑龙江省出现强降雨过程，造成12个市县（区）82个乡镇20万人遭受洪涝灾害，倒塌房屋1114间，农作物受灾面积13.5万 hm^2，直接经济损失6亿元。

7月2—3日，贵州省南部、东南部大范围降雨，黔东南州榕江县三江乡境内2人被山洪冲走死亡。

7月3—4日，广东省北部韶关、清远等地普降大到暴雨，局部特大暴雨，造成韶关、清远2个市3个县26个乡（镇）6.6万人受灾，倒塌房屋656间，死亡2人，直接经济损失0.57亿元。

7月4—6日，内蒙古赤峰市及呼伦贝尔市部分地区降中到大雨，造成赤峰市克什克腾旗4个乡镇0.51万人受灾，受灾农田660 hm^2，直接经济损失0.022亿元。呼伦贝尔市鄂伦春旗有6个乡镇3.76万人受灾，农作物受灾面积7.90万 hm^2，房屋进水9587户，直接经济损失1.58亿元。

7月4—8日，云南省自北向南普降大雨，局部暴雨，造成普洱、版纳、昆明、曲靖、楚雄等8个市州23个县67个乡镇10.27万人受灾，受淹县城1座，农作物受损0.49万 hm^2，因灾死亡2人，直接经济损失1.06亿元。

7月7—8日，我国西北地区发生较强降雨过程，造成宁夏石嘴山市平罗县4个行政村958人受灾，4人死亡、1人失踪。陕西安康市汉滨等5个县区23个乡镇2.47万人受灾，倒塌房屋476间，因山体滑坡引发房屋垮塌，死亡1人，直接经济损失3511万元。

7月7—14日，四川省连续发生三次强降雨过程，造成德阳、广元、宜宾、自贡等11个市（州）32个县（市）472个乡镇311.71万人受灾，倒塌房屋1.41万间，死亡11人，失踪3人，农作物受灾面积13.49万 hm^2，直接经济损失15.68亿元。

7月10—12日，贵州省东北部、中西部等局地出现强大暴雨，造成10个县（市）41.32万人受灾，死亡7人。

7月11日下午，重庆市万州区、云阳县普降大雨，引发山洪，致使重庆35名自发组织的自助旅行者遇险，死亡19人。

7月11日下午，湖南长沙浏阳市小河乡杨家槽小水电站所在区域降大到暴雨，电站输水巷道进水，5名维修人员被围困在输水巷道中死亡。

7月12—13日，内蒙古赤峰市阿鲁科尔沁旗及呼伦贝尔市莫旗普降中到大雨，局部暴雨，造成7个苏木乡镇6.69万人受灾，死亡3人，直接经济损失1.17亿元。

7月14—18日，四川广元、绵阳等地震重灾区持续降雨，部分地方降大暴雨到特大暴雨，造成成都、绵阳、广元、遂宁、阿坝共5个市（州）38县（市）420个乡镇177.9万人受灾，倒塌房屋1.3万间，死亡15人，失踪8人，农作物受灾面积9.85万hm^2，直接经济损失36.6亿元。

7月14—17日，甘肃省陇南市大部及定西市、天水市部分县区出现暴雨天气过程，造成2个市13个县（区）136个乡镇75.96万人受灾，因洪灾死亡7人、失踪1人，倒塌房屋1.45万间，农作物受灾3.15万hm^2，直接经济损失25.3亿元。

7月16—17日，山西省吕梁市柳林县普降大到暴雨，造成房屋倒塌，导致3人死亡、1人受伤。

7月19日0时50分，第200906号台风“莫拉菲”在广东省深圳市龙岗区南澳镇沿海地区登陆，之后西行进入广西境内。受其影响，广东、广西、云南等3个省（自治区）69个县（市）401个乡镇160受灾，倒塌房屋1174间，农作物受灾面积5.79万hm^2，直接经济损失5.79亿元。

7月20日，甘肃省甘南州玛曲县境内发生强降雨天气，造成8个乡镇1.2万人受灾，死亡5人，死亡牲畜100多头（只），倒塌房屋510间，直接经济损失5600万元。

7月21—24日，安徽省沿淮淮北地区、江淮中东部先后发生较强降雨，造成阜阳、淮南、六安、黄山、池州等地50万人受灾，农作物受灾面积3.15万hm^2，倒塌房屋约670余间，直接经济损失1.76亿元。

7月22日晚，云南省昭通市盐津县大部地区、绥江县局部区域出现暴雨，引发山体滑坡，堵塞河道，雍水淹没1户农户，死亡5人。

7月23—30日，湖南省自北向南发生了一次强降雨过程，造成10个市（州）49个县（市、区）467个乡镇341.24万人受灾，倒塌房屋1.06万间，死亡16人，直接经济损失21.43亿元。

7月23—27日，贵州省中部、西部、西南部及东北部地区发生较强降雨过程，造成7个市（州、地）17县（市、区）20.8万人受灾，1人死亡，农作物受灾1.09万hm^2，直接经济损失3100万元。

7月23日凌晨3时，四川省康定县舍联乡响水沟发生泥石流灾害，冲毁了水电七局、中国路桥公司长河坝水电站项目部住地，造成16人死亡，38人失踪。

7月23日，江西省大部分地区遭受强降雨袭击，造成9个市16个县（市、区）162乡镇44.6万人受灾，倒塌房屋120间，农作物受灾面积1.7万hm^2，直接经济损失2.25亿元。

7月24日，湖北省咸宁市的城区和咸安、通城、崇阳等县区普降暴雨，造成咸宁市3个县区14个乡镇24.85万人受灾，咸宁市城区一度因暴雨渍水，最深达1m，1380间居民房屋和店铺进水，受灾农田1.76万hm^2，倒塌房屋108间，直接经济损失1.28亿元。

7月26—27日，四川省攀枝花市米易县遭遇强降雨，造成县城低洼地区部分进水受淹，24人死亡、4人失踪。

7月26—27日，四川省凉山州会理、宁南两县因暴雨引发山洪泥石流灾害，死亡7人。

7月29日凌晨，西藏昌都地区边坝县加贡乡加布沟次拉错冰湖突发冰崩，导致湖口溃塌，下游河水骤涨，形成洪流，造成2人失踪，冲走车辆19辆，冲毁桥梁15座。

7月30日晚，四川省西部的广元、绵阳、凉山等地出现暴雨，引发泥石流造成施工人员9人死亡。

7月30—31日，湖北十堰丹江口、竹溪、郧县、郧西部分乡镇发生暴雨到大暴雨，引发了山洪、滑坡、泥石流等灾害，死亡5人。

7月30日开始，四川省内出现一次明显降雨天气过程，造成成都、德阳、乐山、南充、遂宁、眉山、巴中、凉山共8个市（州）22个县（市）255个乡镇67.4万人受灾，倒塌房屋0.32万间，死亡3人，失踪1人，农作物受灾面积1.36万hm^2，直接经济损失2.96亿元。

7月31日，河北省张家口市蔚县、阳原县、张北县的3个乡镇7个行政村遭受暴雨、洪涝灾害，1人被洪水冲走死亡。

（5）8月，受第200907号热带风暴“天鹅”和第200908号台风“莫拉克”影响，浙江、福建、广东、安徽、江苏、海南等省发生洪涝灾害，湖北、宁夏、陕西、甘肃、新疆等省发生山洪灾害。受强降雨影响，四川、重庆、云南、贵州等省也发生较大洪涝灾害。

8月1—5日，重庆市东北部、中部、西部遭受暴雨袭击，造成潼南、大足、铜梁、北碚、巴南、綦江、璧山等28个区县339个乡镇213.5万人受灾，农作物受灾10.3万hm^2，因灾死亡14人，失踪3人，倒塌房屋2万间，直接经济损失16亿元。

8月1—3日，湖北省十堰市发生较强降雨过程，造成茅箭、丹江口、郧西等3个县（市、区）29个乡镇5.61万人受灾，死亡3人。

8月2—5日，浙江省宁波市、舟山市、嘉兴市、金华市、台州市遭受短历时强暴雨，造成8个县（市）39个乡镇15.6万人受灾，倒塌房屋823间，农作物受灾面积1.56万hm^2，水产养殖损失面积250hm^2，直接经济损失2.71亿元。

8月3—5日，贵州省西部、中部及北部地区发生强降雨，造成贵阳等7个市（州）16个县（市）30.37万人受灾，农作物受灾面积1.14万hm^2，倒塌房屋417间，因灾死亡3人，直接经济损失6700

余万元。

8月5日，受第200907号热带风暴“天鹅”在广东江门台山市登陆影响，广东29个县（市）230个乡镇88.78万人受灾，死亡2人，倒塌房屋1353间，农作物受灾面积11.42万 hm^2，直接经济损失10.41亿元。

8月6日，受第200907号热带风暴“天鹅”的影响，海南省北部、西部地区发生了强降雨，共有7个市县100个乡镇163.4万人受灾，倒塌房屋1025间，死亡6人，失踪12人，农作物受灾面积6.64万 hm^2，直接经济损失3.87亿元。

8月9—10日，四川省川南、川东和川西高原南部降中到大雨，局部大到暴雨，造成震东乡西湖村三社发生山体滑坡，致使2人死亡。

8月9日，受第200908号台风“莫拉克”在福建省霞浦县北壁乡登陆影响，福建、浙江、安徽、江苏、江西部分地区发生强降雨，造成5个省总计有177个县（市）1940个乡镇1152万人受灾，倒塌房屋15862间，因灾死亡12人，失踪2人，农作物受灾面积77.6万 hm^2，成灾面积29.5万 hm^2，直接经济损失124.9亿元。

8月11—12日，福建省泉州、龙岩、莆田、福州等市的部分县出现暴雨到大暴雨，造成泉州、龙岩2市6县4.05万人受灾，倒塌房屋30间，死亡1人。

8月12日凌晨，云南省丽江市华坪、永胜、宁蒗3县降中到暴雨，华坪县新庄乡天星村一石材加工厂因山洪灾害造成5人失踪。

8月12日晚，四川省木里县沙湾乡境内让白牧场若波地点发生山洪，一简易工棚被冲塌，造成3人死亡。

8月13—14日，浙江省的杭州、绍兴、金华等市降了暴雨和大暴雨，造成3个市77个县（市）48个乡镇28.2万人受灾，倒塌房屋723间，农作物受灾面积0.52万 hm^2，水产养殖损失500hm^2，直接经济损失2.3亿元。

8月15日13—14时，宁夏西吉县、海原县突降暴雨，西吉县沙沟乡东庄村臭水河组4名儿童玩耍时被洪水冲走，其中1人获救，3人死亡。银川一行5人在滴水崖沟遭遇山洪，轿车被冲翻，3人死亡，2人获救。

8月16—19日，陕西省陕南地区出现一次降水过程，造成陕南3市7个县33个乡镇5.29万人受灾，倒塌房屋366间，死亡7人，农作物受灾0.33万 hm^2，直接经济损失0.54亿元。

8月16日18—19时，甘肃省白银市靖远县突降暴雨、冰雹，造成8个乡镇受灾，1人死亡，部分农作物、水利工程和乡村道路被山洪冲毁。

8月16日，宁夏同心县河西镇突降暴雨，引发清水河一级支流石炭沟山洪暴发，使路过同石公路石炭沟路段的一辆小面包车被冲走，1人死亡，1人失踪。

8月15日下午，浙江省丽水市缙云县大源镇岭后一带降强雨，一辆正在施工的挖掘机被降雨引发的泥石流冲走，1人死亡，1人受伤。

8月16—21日，湖北省西部普遍降雨，局部地区降暴雨和特大暴雨，造成宜昌、襄樊、十堰等3个市13个县（市）23.7万人受灾，倒塌房屋367间，农作物受灾1.93万 hm^2，直接经济损失1.59亿元。

8月15—20日，四川盆地出现了区域性暴雨天气过程，造成成都、绵阳、德阳、乐山等10个市（州）20县（市）159个乡镇42.67万人受灾，倒塌房屋0.43万间，死亡1人，失踪1人，农作物受灾面积1.76万 hm^2，直接经济损失2.19亿元。

8月20日18时左右，新疆阿克苏地区温宿县博孜墩乡发生强降雨，引发山洪灾害，致使一辆小汽车连同车内8人被冲翻到河道内，5人逃生，3人死亡。

8月20—22日，陕西省陕南地区普降中到大雨，局地降大到暴雨，造成汉中、商洛两市3个县38个乡镇12.2万人受灾，倒塌房屋178间，因灾死亡3人，农作物受灾1.27万 hm^2，直接经济损失1.65亿元。

8月25日18时30分，甘肃省甘南州舟曲县大峪乡境内发生强降雨，引发山洪泥石流，造成1人死亡，1人失踪。

8月24—27日，四川省盆地西部、北部降中到大雨，其中成都、绵阳、德阳、乐山、阿坝等地降大到暴雨，局地大暴雨，造成绵阳、广元、乐山、巴中、凉山共5个市（州）10县（市）119个乡镇58.5万人受灾，倒塌房屋660间，死亡8人，失踪3人，农作物受灾面积1.20万 hm^2，直接经济损失0.66亿元。

8月28—29日，四川达州、广安、内江等部分地方出现了暴雨，局地降了大暴雨，造成宜宾、泸州2个市10个县111个乡镇50.08万人受灾，倒塌房屋4500间，死亡6人，失踪4人，农作物受灾面积1.49万 hm^2，直接经济损失8.88亿元。

（6）9月，受强降雨影响，湖北、浙江、四川、重庆、青海、甘肃等省发生洪涝灾害。受第200915号台风“巨爵”正面登陆影响，广东省发生洪涝灾害。

9月5—6日，四川省绵阳、德阳、广元等地降中到大雨，局部大到暴雨，造成德阳市中江县、广汉市和旌阳区3个县（市、区）22个乡镇0.8万人受灾，房屋倒塌200间，死亡1人，农作物受灾面积730hm^2，直接经济损失0.19亿元。

9月5日19—22时，湖北宜昌市部分地区遭受大暴雨袭击，造成高家堰镇1人因暴雨造成房屋倒塌死亡，受伤1人。

9月6日晚，青海省海南州和黄南州部分地区突降暴雨夹带冰雹，暴雨山洪造成部分渠道、公路和农田损毁，贵南县塔秀乡加斯村左隆沟有1名牧民被冲走死亡。

9月12—15日，四川成都、绵阳、德阳等地局部降大到暴雨，造成德阳、广元、宜宾、巴中、甘孜、南充共6个市（州）21县（市）316个乡镇81.03万人受灾，倒塌房屋0.91万间，死亡8人，失踪3人，农作物受灾面积6.71万hm^2，直接经济损失5.11亿元。

9月15日7时，受"巨爵"在广东江门台山市北陡沿海地区登陆影响，广东江门、阳江、茂名、湛江等市局部地区出现了大雨到大暴雨，造成阳江、江门、茂名、湛江、云浮、肇庆、珠海、中山8个地级市38个县（市、区）331个镇167.8万人受灾，倒塌房屋4507间，死亡11人，失踪8人，农作物受灾面积11.74万hm^2，直接经济损失23.93亿元。

9月19—20日，重庆市大部地区降中到大雨，东北部降暴雨，致使万州、开县、云阳、奉节、黔江、彭水、石柱等7个区县65.5万人受灾，农作物受灾面积1.82万hm^2，死亡6人，倒塌房屋1763间，直接经济损失1.985亿元。

9月27日下午，甘肃省武都区突降暴雨冰雹，暴雨致使山洪暴发，造成1人被山洪冲走死亡。

9月29—30日，浙江省台州、温州、舟山、宁波等地发生强降雨，造成台州市7个县（市、区）67个乡镇97.3万人受灾，温岭、玉环等2个县（市）受淹或受涝，农作物受灾面积2.77万hm^2，水产养殖损失900hm^2，直接经济损失2.74亿元。

（7）10月，受第200917号热带风暴"芭玛"正面登陆和强降雨影响，海南省部分地区发生洪涝灾害。

10月12日10时，受"芭玛"在海南省万宁市龙滚镇登陆影响，海南省大部分地区都有较强的降水过程，造成全省15个市县158个乡镇163万人受灾，农作物受灾面积4.57万hm^2，倒塌房屋93间，直接经济损失2.37亿元。万宁市一艘无证渔船在回港避风后，躲避监控，于10月12日早上7点擅自顶风出海作业，造成4人死亡。

10月18—23日，海南省东南部地区出现持续性强降雨过程天气，三亚市等一些城市街道由于排水不畅而积水，交通、水利等基础设施也遭到较大程度的损坏。全省共有9个市县69个乡镇118.14万人受灾，倒塌房屋118间，农作物受灾面积2.23万hm^2，直接经济损失1.29亿元。（闫淑春）

2009年全国洪涝灾害（含台风）统计情况见表1。

表1 **2009年全国洪涝灾害（含台风）统计**

地区	农作物（万hm^2）		受灾人口（万人）	死亡人口（人）	失踪人口（人）	倒塌房屋（万间）	直接经济损失（亿元）	
	受灾	成灾					总损失	水利设施
合计	874.82	379.58	11101.81	538	110	55.59	845.96	148.34
北京	0.00	0.00	0.00	0	0	0.00	0.00	0.00
天津	0.00	0.00	0.00	0	0	0.00	0.00	0.00
河北	11.99	4.91	38.10	1	0	0.00	2.30	1.01
山西	5.30	3.03	18.76	4	1	0.50	4.50	0.22
内蒙古	44.93	16.08	57.70	14	0	0.45	19.10	0.53
辽宁	2.04	0.53	12.82	0	0	0.00	1.80	0.26
吉林	3.70	1.55	13.52	0	0	0.10	2.25	0.40
黑龙江	157.04	80.00	185.37	0	0	0.70	45.21	1.65
上海	1.63	0.80	4.63	0	0	0.00	3.32	0.00
江苏	32.94	7.10	186.46	3	0	0.20	10.40	1.10
浙江	43.08	22.00	967.30	8	1	1.30	116.40	23.73
安徽	52.28	19.47	746.78	8	0	0.80	42.40	5.75
福建	15.83	7.82	218.00	18	3	0.70	30.87	6.21
江西	48.26	30.07	922.00	9	0	6.80	52.70	12.44
山东	76.11	18.46	684.00	0	0	1.00	60.96	4.30
河南	10.00	3.28	120.52	0	0	0.63	6.07	0.62

续表

地　区	农作物（万 hm^2）		受灾人口（万人）	死亡人口（人）	失踪人口（人）	倒塌房屋（万间）	直接经济损失（亿元）	
	受　灾	成　灾					总损失	水利设施
湖　北	83.24	32.12	944.82	31	1	5.30	35.70	6.16
湖　南	55.75	32.71	952.90	41	5	6.14	67.88	18.49
广　东	32.51	8.31	469.75	30	6	2.60	56.34	10.53
广　西	32.22	11.67	762.13	6	3	4.80	42.70	8.30
海　南	10.64	8.50	312.07	10	12	0.10	10.00	3.26
四　川	66.71	35.45	1656.23	145	66	9.60	111.30	9.22
重　庆	31.94	11.85	920.80	69	5	6.00	41.43	21.81
贵　州	19.57	4.23	387.00	36	0	0.80	12.30	1.29
云　南	14.89	8.82	252.68	40	6	3.02	16.14	2.71
西　藏	0.00	0.00	4.00	5	0	0.00	1.30	0.00
陕　西	6.07	2.47	67.66	11	0	1.80	6.56	2.10
甘　肃	10.99	6.03	143.48	22	1	1.15	36.68	4.76
青　海	1.28	0.37	9.52	3	0	0.90	5.90	0.52
宁　夏	3.00	1.53	29.40	16	0	0.00	1.03	0.25
新　疆	0.70	0.36	13.40	8	0	0.15	2.10	0.58
新疆兵团	0.16	0.07	0.01	0	0	0.05	0.32	0.14

注　台湾省和香港特别行政区、澳门特别行政区资料未计入。

【防汛抗洪】　2009年，我国洪涝灾害频繁。在党中央、国务院的正确领导下，国家防总和地方各级党委、政府及防汛抗旱指挥部超前部署、精心组织、科学调度，广大军民团结奋战、英勇拼搏、奋力抢险，最大限度减轻了洪涝灾害损失，夺取了防汛抗洪工作的全面胜利。

一、防汛准备

1. 及时动员部署　国家防总于1月9日召开全国防汛抗旱工作会议，部署2009年防汛抗旱工作；3月24日批复成立太湖流域防汛抗旱总指挥部；4月16日召开2009年第一次全体会议，全面部署2009年全国的防汛抗旱工作；5月5日召开全国水库安全度汛工作电视电话会议，对水库安全度汛工作进行了专项部署；6月15日批复同意将松花江防汛指挥部更名为松花江防汛抗旱指挥部。汛期，先后组织有关部委和省市异地视频会商10多次，发出紧急通知180多份，共派出工作组或专家组119个。其中针对四川省汛情险情灾情频发的情况，国家防总首次派出常驻四川的专家组，为抗洪抢险工作提供技术支持。

2. 组织汛前检查　4月中旬至5月下旬，国家防总组织10个检查组，检查了大江大河重点区域的防汛抗旱工作，并对西南地区山洪灾害防御、东南沿海防台风和西北地区抗旱工作进行了专项检查。此前国家防总办公室针对四川地震灾区安全度汛进行了检查。与此同时，防总部分成员单位也对本部门、本行业防汛抗旱工作进行了自查和抽查。

3. 落实责任制　5月18日，国家防总、监察部联合对全国大江大河、大型及防洪重点中型水库、主要蓄滞洪区和重点防洪城市防汛行政责任人名单进行了通报，公布防汛行政责任人共计1427人（次）。各地按照分级管理的原则，也先后公布了各类防汛行政责任人。

4. 完善预案　汛前，国家防总批复了《辽河流域洪水调度方案》《三峡—葛洲坝水利枢纽2009年汛期调度运用方案》，出台了《国家防总关于防汛抗旱值班的规定》《国家防总办公室应急响应实施细则》等规章制度。汛期，国家防总依据《国家防汛抗旱应急预案》先后启动Ⅳ级以上应急响应16次。

5. 安排应急度汛工程　2009年汛前财政部、国家防总办公室共安排重点度汛应急项目资金5.996亿元（中央水利建设基金3.996亿元，中央特大防汛补助费2亿元），其中安排地方5.52亿元，中央直属单位0.476亿元，主要用于大江大河堤防水毁修复、险工险段处理，病险水库、涵闸应急处理，水文、通信设施水毁修复等项目。

6. 储备防汛物资　2009年汛前，国家防总办公室在全国16个中央防汛物资定点仓库储备抢险物料11种：编织袋500万条、复膜编织布200万m^2、土工布40万m^2、防管涌土工滤垫12000组、防管涌围井围板10000块、快速堵漏材料100t、橡胶子堤1000组（10000延m）、吸水速凝挡水子堤300组（1500延m）、钢丝网兜15000个、铅丝网片15000片、抢险钢管500t；救生器材6种：橡皮舟1600只、9.9马力船外机1307台、玻璃钢抢险舟500艘（含40马力船外机500台）、专用机油1295箱、机动救生船3艘、救生衣24万件；小型抢险机具7种：液压抛石机10套、抢险照明车34台、便携式打桩机100台、汽油发电机组200台、投光灯2000只、电缆4万m、便携式应急灯3080只及帐篷200顶。

省级防汛部门（含流域机构）储备的防汛物资主要有：草袋3246万条、麻袋2536万条、编织袋36673万条、编织布39577万m^2、无纺布40029万m^2、铅丝84125t、桩木30.9万m^3、块石50535万m^3、砂石料89361万m^3、橡皮舟15173只、防汛抢险舟8015艘、机动救生船4669艘、救生衣166.65万件、救生圈28.22万只。省级主要防汛物资储备价值37.67亿元。市、县级防汛部门也根据需要储备了一定数量的防汛物资。

7. 培训宣传　3月17—21日，国家防总在安徽省合肥市举行第四期地市级防汛抗旱行政首长培训暨专题研究班。5月11日国家防总举行了《台风灾害防御知识》宣传片赠发仪式，向沿海有关省区赠发1000多份。国家防总办公室累计编发防汛抗旱新闻稿124期，通过中央主要新闻媒体和知名门户网站，第一时间发布国家防总防汛抗旱工作部署和汛情、旱情、灾情等，营造了良好的舆论氛围。

二、抗洪抢险

1. 防御太湖洪水

（1）组织领导。7月29日，太湖水位超过警戒后，国家防总立即启动防汛Ⅳ级应急响应，发出通知作出具体部署，并派出工作组赶赴太湖。7月31日，国家防总与太湖防总进行异地视频会商。8月2日，国家防总副总指挥、水利部部长陈雷主持召开防汛会商会议，对太湖流域防汛工作提出具体要求。8月8日晚，国家防总召开会商会议，专题部署太湖流域防汛工作。8月9日上午，在第200908号台风“莫拉克”登陆前的关键时刻，陈雷部长再次主持召开会商会议，研究部署太湖防汛和“莫拉克”防御工作。国家防总副总指挥、水利部副部长鄂竟平多次对太湖防汛工作提出明确要求。国家防总秘书长、水利部副部长刘宁每天主持防汛会商会，分析研判太湖汛情态势，滚动安排部署各项防御工作。国家防总8月15日将应急响应升级为Ⅲ级。太湖防总7月29日启动Ⅳ级应急响应，8月3日提升至Ⅲ级，8月15日提升至Ⅱ级。太湖流域各省市防指按照国家防总部署，及时启动防汛防台风应急响应，根据预案组织开展人员转移避险，落实各项防御措施。

（2）应急值守。国家防总编发12期防汛抗旱简报，反映太湖流域汛情和防御部署情况，编发新闻稿10余期，发出太湖防汛及“莫拉克”防御工作明传电报10份。太湖防总加强与中国气象局华东区域气象中心会商，开展太湖水位滚动预报，共编发防汛抗旱简报13期、汛情快报9期、水情信息10期，完成太湖水位预报74期。8月5日太湖防总办向主要新闻媒体通报了流域汛情，7日再次向主要新闻媒体通报流域汛情。太湖局组织有关单位开展了环湖及流域重要节点水量水质应急监测，全面掌握主要入湖河道、望虞河、太浦河水量水质变化，为实时调度提供依据。流域各省市水文部门加强预测预报，为调度指挥决策提供支持。

（3）科学调度。为尽快降低太湖和区域河网水位，太湖防总视流域及区域水雨情及时调整流域重要引排工程调度方式，共下达调度指令10余份。太浦闸、望亭水利枢纽、常熟水利枢纽全力排泄太湖洪水，流域沿长江、杭州湾水利工程加快抢排涝水。常熟水利枢纽7月30日提前启用闸泵联合排水，于8月4日13时起调整为闸泵全力排水。望亭水利枢纽在上下游水位具备开闸条件后，立即开闸并逐步加大排水力度，于4日13时起调整为全力排水。太浦闸视太湖及下游地区河网水位，实时调整运行方式，逐步加大下泄流量。11日15时，为兼顾下游区域防洪排涝，暂时关闸。14日9时，下游水势平稳后再次开启泄洪，并于15日加大泄量至全力下泄。

为统筹流域和区域防洪排涝，太湖防总多次发出通知，要求沿长江口门和杭嘉湖南排工程全力排水，望虞河东岸口门保持行水通畅，为流域防洪发挥应有作用。同时，针对当时水库普遍超汛限水位的情况，要求各省市做好水库的调度和安全工作，组织做好抢排流域洪水工作。流域各省市也加强工程调度，做好预排预泄，努力降低水库及下游地区河网水位。洪水期间，太湖上游7座大型水库最大拦蓄水量2.4亿m^3，有效缓解了太湖的防洪压力。7月21日至8月18日，太浦闸、望亭水利枢纽合计排泄太湖洪水5.79亿m^3，常熟水利枢纽累计排水6.14亿m^3；沿江13个大闸排泄地区涝水11.5亿m^3；南排工程从7月25日开始排水，至8月18日累计排水6.0亿m^3，日均排水量近2500万m^3。

（4）各地配合。太湖防总会同江苏、浙江和上海防指，加强会商分析和信息沟通，强化科学调度与密切配合，齐心协力，团结抗洪。受地区暴雨和黄浦江高潮位共同影响，8月7日起太浦河下游地区水位猛涨，浙江杭嘉湖地区多站超保证水位，“莫拉克”预计也将在登陆后北上影响太湖流域，嘉北地区防洪压力骤然加大。经会商分析，在太湖水位仍在上涨的情况下，太湖防总适时关闭太浦闸，减轻了下游杭嘉湖地区防洪压力。8月11日凌晨，太湖流域东苕溪上游支流北苕溪发生超历史流量洪水，大大超过河道安全泄量，严重危及张堰、潘板、澄清、外畈等4个圩区2万多人安全，浙江省防指及时转移了受威胁区域群众，并紧急启用北湖滞洪区分滞洪水，3小时内降低北苕溪水位1.3m，降低东苕溪干流水位0.5m，有效减轻了下游防洪压力。望虞河自8月4日起一直全力外排，江苏省全力配合望虞河调度运用，为减缓太湖水位上涨趋势发挥了重要作用。

2. 长江干流8月洪水及三峡水库调度

8月1日8时三峡水库水位145.62m，入库流量22000m^3/s，出库流量20900m^3/s。1日长江防总办公室召开会商会，并于当日12时向中国长江三峡工程开发总公司（以下简称三峡总公司）发出调度令，要求8月2日20时以前将三峡水库坝前水位均匀降至汛限水位145.0m。三峡总公司严格执行长江防总办公室调度令，至2日8时水库水位降至144.95m。

8月2—3日，长江上游岷沱江、嘉陵江、三峡区间等地普降大雨，局地大暴雨。8月3日10时，长江防总办公室召开会商会，决定三峡水库仍维持在汛限水位运行，不拦蓄洪水。后据交通部长江航务管理局进行三峡船闸大流量实船试航试验的报告，以及湖北省对三峡水库实施洪水调蓄的请求，为减轻长江干流湖北段及荆南四河防洪压力，长江防总办公室于4日16时30分向三峡总公司发出调度令，要求从8月4日18时起，将三峡水库按最大下泄流量不超过40000m^3/s控泄。由于入库流量的逐步增大，三峡库水位由4日14时144.81m开始上涨，最高升至152.89m。8月5日，长江防总启动防汛Ⅲ级应急响应。

8月10日8时，三峡水库水位151.17m，入库流量27000m^3/s，出库流量38100m^3/s。考虑到入库流量逐步减少，若维持出库流量不变，11日后水库水位日降幅将可能超过国土资源部要求的汛期库水位日降幅的上限（2m）；同时，三峡—葛洲坝水利枢纽上下游区域积压了200多条船舶，长江航务局请求尽快将三峡水库下泄流量降至35000m^3/s以下，以便滞留的小型船只通行。经会商，长江防总办公室于8月10日11时向三峡总公司发出调度令，要求其从即时起至8月10日20时、8月11日8时，将三峡水库出库流量分别均匀降至34000m^3/s、30000m^3/s。当三峡水库入库流量小于25000m^3/s且水库水位低于146.5m后，由三峡总公司按规定调度。三峡总公司按照长江防总办公室调度令执行，至8月17日10时三峡库水位降至146.5m，恢复正常调度。

2009年8月初的长江上游洪水是近5年以来的最大洪水，2009年汛期是三峡水库具备正常运行期运行条件以来的首次防洪运用。长江防总统筹兼顾，精细调度，实现了防洪效益、发电效益和航运效益的“三赢”，是洪水管理、防汛抗旱“两个转变”的生动实践。防洪方面，水库削减洪峰16000m^3/s，削峰率29.10%，使沙市站洪峰水位降低约2.4m，长江中下游干流水位控制在警戒水位以下，大大减轻了长江干流及荆南四河的防守压力；发电方面，增发电量5.3亿kW·h，为国家经济建设提供了大量的清洁能源；航运方面，保证了三峡船闸大流量试航试验的顺利进行，及时疏散了滞留在三峡和葛洲坝区域的300余艘船舶。

3. 防御第200906号台风“莫拉菲”

（1）组织领导。7月17日，回良玉副总理针对第200906号热带风暴“莫拉菲”防御工作作出重要批示。18日，国家防总副总指挥、水利部部长陈雷主持召开异地视频会商会，国家防总副总指挥、水利部副部长鄂竟平和国家防总秘书长、水利部副部长刘宁参加会议，对防御工作作出安排部署。国家防总每天进行防汛会商，分阶段有针对性地部署防御工作。广东省省委书记汪洋、省长黄华华、副省长李容根，福建省常务副省长张昌平，广西自治区主席马飚、副书记陈际瓦、副主席陈章良，海南省省委书记卫留成、省长罗保铭、副省长陈成等领导分别对本省（自治区）台风防御工作作出安排部署。湖南省副省长徐明华、贵州省副省长禄智明分别对本省防强降雨特别是山洪灾害防御工作提出明确要求。各级防汛抗旱指挥部按照应急预案迅速响应，强化措施，有序开展各项防御工作。广大干部特别是乡镇基层党员干部日夜奋战在第一线，组织广大群众全力投入防汛防台风工作。

（2）预报预警。中国气象局及时启动气象预报Ⅱ级应急响应，加强与相关省（自治区）气象局的联系和会商，每隔3小时发布一期热带气旋公报。国家海洋预报台对台风影响海区的海浪及沿海地区风暴增水滚动作出预报，最高时发布风暴潮灾害Ⅲ级（黄色）警报和海浪灾害Ⅰ级（红色）警报。水文部门精心组织水文测报，及时对降雨和河道来水情况作出预报，为防汛指挥调度决策提供了科学依据。与此同时，有关地区各部门按照职责分工切实做好灾害预警。国土资源部门加强地质灾害隐患点和多发区的监测巡查，并和气象部门联合发布地质灾害气象预警预报。交通运输部门及时向有关海域发出通航预警信息。水利部门加强水库、涵闸、海塘、堤防等的巡查，落实工程险情预警措施。新闻媒体滚动播报台风动态，及时播发台风预警信号。

（3）应急响应。国家防总于7月18日启动防汛Ⅲ级应急响应，在派往防台风前线2个工作组的基础上，又向前期降雨多、可能发生灾害的省区派出3个工作组协助地方抗灾。珠江防总启动了防台风Ⅱ级应急响应。广东省防指17日16时启动防风Ⅲ级应急响应，并于18日9时提升至Ⅱ级；福建省防指也启动了防台风Ⅱ级应急响应；广西自治区防指启动防台风Ⅳ级应急响应。各级防汛抗旱指挥部按照应急预案规定，分区域、分时段、分人员情况及时转移危险区群众。

（4）转移避险。台风影响地区坚持以人为本，把确保人民群众生命安全放在首位，重点做好出海船只回港、海上作业和养殖人员上岸等工作的同时，还加强力量对低洼易涝地区、建筑工地、高空构筑物、地下空间、危房校舍、简易工棚、工矿企业等进行拉网式检查，落实安全措施。广东省沿海各市4.56万艘渔船全部回港避风，共转移37.07万人。针对珠江三角洲工厂企业多、简易工棚多、外来人口多的情况，深圳、珠海、中山、惠州等地共开放了450余个避风场所，妥善安置转移人员。

（5）部门协作。各地各有关部门在防汛抗旱指挥部的统一领导和协调下，加强协作，密切配合，防汛抗洪救灾机制高效有序运转。民政部17日启动了救灾预警响应，进一步加强应急值班，做好救灾准备。国土资源部召开专题会议，对地质灾害防御工作进行安排部署。交通运输部召开异地视频会商会，启动防台风Ⅳ级应急响应。农业部发出紧急通知，要求各地制定渔业和养殖业防风避险措施，做好随台风迁入病虫防控准备工作。中国气象局启动气象预报Ⅱ级应急响应，加强预测预报，并派出工作组赶赴一线。国家海洋局启动海浪灾害Ⅰ级应急响应。总参谋部和武警部队密切掌握台风动向，及时组织部队投入抗灾救灾。

4. 防御第200908号台风“莫拉克”

（1）组织指挥。胡锦涛、温家宝、贺国强、回良玉等党和国家领导人对“莫拉克”的防御工作作出重要指示，陈雷、鄂竟平、刘宁等国家防总及水利部领导主持防汛会商，分析研判台风态势，滚动安排部署各项防御工作。福建省、浙江省、上海市、江苏省、安徽省、江西省各级领导及防指人员、各有关地区党政主要领导迅速到岗到位，靠前指挥，精心组织，广泛动员。各级防汛抗旱指挥部按照预案，超前部署，强化措施，狠抓落实，各项防御工作有力有序开展。

（2）预报预警。各级气象、海洋、水利等部门密切监视台风、暴潮和水雨情变化，及时做出预测预报，预警信息发布及时。中国气象局及时启动气象预报Ⅱ级应急响应，加强与相关省市气象部门会商，每3小时发布1期热带气旋公报。国家海洋预报台对台风影响海区的海浪及风暴增水作出滚动预报，及时加密测报频度，发布风暴潮灾害Ⅱ级（橙色）警报和海浪灾害Ⅰ级（红色）警报。水文部门精心组织水文测报，及时对降雨和河道来水情况作出预报。有关地区、各部门按照职责分工切实做好灾害预警，实现预警信息多渠道、高密度、广覆盖。台风影响期间，浙江省发送防台风公益短信1亿多条，福建省发送防台风预警信息2638万条，上海市发送安全提示2190万条。国土资源部门加强地质灾害隐患点和多发区的监测巡查，和气象部门联合发布地质灾害气象预警预报，提醒公众防范山洪地质灾害。交通运输部门及时向有关海域发出通航预警信息。水利部门加强水库、涵闸、海塘、堤防等的巡查，落实工程险情预警措施。新闻媒体滚动播报台风动态，及时播发台风预警信息。

（3）应急值守。国家防总办公室加强值班和会商，密切监视台风动向，先后4次发出通知，贯彻落实中央领导批示精神，分阶段、有针对性地对防御工作提前作出部署。国家防总派出3个工作组分赴浙江、福建和安徽等省，协助指导防台风工作。民政部8月6日紧急启动国家Ⅳ级救灾应急响应，国家减灾委办公室派出由民政部、财政部组成的4个工作组分赴浙江、福建、江西、安徽，协助开展抗灾救灾工作。交通运输部8月6日召开视频会议，研究部署交通系统防台风工作和海上搜救工作。农业部紧急启动防台风Ⅲ级应急响应，派出工作组分赴福鼎、温州等地。武警部队参加抢险行动，武警总部机关启动Ⅲ级应急响应。太湖防总8月3日启动Ⅲ级应急响应，召开19次会商会议，编报各类简报、汛情快报、水情信息等16期，下达7份调度指令。

（4）转移避险。福建省防指以人为本，精细指挥，分阶段制定防台风应对措施，从海上、临海、陆地三个梯次和防风、防潮、防雨、防次生灾害四个方面，分层次、分批次，组织做好船只回港避风、海上作业人员上岸、危险区域群众转移避险工作，同时做好转移人员的安置抚慰工作，避免转移人员在台风警报解除前擅自返家，确保安全。浙江省充分发挥基层防汛组织体系作用，对防台风“八类应转移人员”实施一对一转移，并及时关闭涉海、涉河、涉水旅游景点，加强外来人员安全管理，做到“不漏一处、不留死角”。8月10日晚，太湖流域东苕溪上游降大暴雨，东苕溪支流北苕溪发生超历史记录洪水，大大超过河道安全泄量，严重危及北苕溪下游两岸4个圩区2万多人安全，杭州市、余杭区紧急转移安置了受威胁群众。全省转移危险区域人员87.8万人，启用应急避险点4050个，安置群众38万人。安徽省对地质灾害隐患点、切坡建房户等重点地区和危险区内的群众提前转移，妥善安置。在这次台风防御工作中，福建、浙江、江苏、上海、安徽、江西等省市共及时组织涉海、涉江、涉河、涉湖船只回港避风11.35万艘(条)，组织群众安全转移152.33万人，有效避免了人员伤亡。

(5) 科学调度。太湖防总协调江苏、浙江和上海，科学调度望虞河、太浦河等防洪排涝工程，加大向长江、黄浦江及杭州湾排水力度，全力降低太湖及周边河网地区水位。台风到来前，各地强化科学调度，预泄预排，为迎战第200908号台风“莫拉克”做出充分准备。太浦闸7月30日开始加大下泄流量，望亭水利枢纽8月3日开闸泄水。江苏省苏州、无锡、南通、常州等市抓紧台风到来前的有限时间，利用落潮时机全力抢潮排水，并及时将水库水位预降至汛限水位以下。上海市对排水管道、水闸、泵站等排涝设施进行检查维护，确保排水通畅，水闸预排水1.6亿m^3，有效预降内河水位30～40cm。台风来临时，各地紧急应对，及时启用水库、蓄滞洪区、排涝泵站、涵闸等防洪排涝工程，实施“上拦、中控、下泄”的科学调控手段，有效地减轻了下游防洪压力，减少了灾害损失。8月7—13日台风影响期间，累计出湖水量2.5亿m^3，太湖上游7座大型水库最大拦蓄水量2.4亿m^3，有效缓解了太湖的防洪压力。浙江省加强水库预泄和河网预排，腾出库容，提高水库拦蓄洪水能力，全省水库预泄9.11亿m^3，杭嘉湖平原河网及温州地区预排涝水6.96亿m^3，水库拦蓄洪水20.68亿m^3。在北苕溪发生超历史记录洪水时，及时启用北湖滞洪区，并协调部队官兵对北苕溪堤防实施爆破加大分洪流量，3小时内降低北苕溪水位1.3m，降低东苕溪干流水位0.5m，保障了周边圩区安全。安徽省科学调度港口湾水库、南漪湖拦蓄水阳江上游洪水，蓄洪错峰，减轻下游防守压力。

(6) 防次生灾害。防御期间，浙江省1.3万多名山洪与地质灾害预警员及时上岗到位，切实履行职责，认真做好巡查、预警工作，并按预案转移危险区群众，浙江省国土资源系统共组成1921个组，出动7821人，检查地质灾害隐患点4347处，协助撤离地质灾害点人员34066人，有效避免了多起人员伤亡。安徽省加强山区山洪、泥石流和地质灾害的监控工作，地质灾害点监测人员坚守在岗，紧急转移了1330人。福建、江西等省切实加强山洪灾害巡查、预警，及时转移受威胁人员。

(7) 配合协作。8月8日上午，在接到长乐市外文武海堤险情报告后，福建省紧急组织指挥抢险和群众转移。驻闽某集团军派出200余名兵力赶赴外文武海堤参加抢险。武警福建总队根据省防指要求，提前派出400余名官兵赶赴预计台风登陆地点宁德市集结待命。8月11日早晨，浙江省积极落实水上航运安全防范和交通道路抢险救灾措施，及时组织抢修水毁道路，出动抢险人员1.2万余人，调动机械设备4469台套。广大解放军指战员和武警部队官兵冲锋在前，承担了爆破抢险、渔排加固、解救被困群众、转移遇险物资、抢修被毁基础设施等大量急难险重的任务。

5. 防御第200915号台风“巨爵”

9月13日，热带风暴刚生成，国家防总即发出通知，要求有关省区和部门加强监测预报，按照应急预案及早做好防御准备。14日上午，召开了异地视频会商会，与国家防总有关成员单位和有关省区、流域防汛指挥部负责同志共同分析研判台风形势，安排部署防御工作，并派出2个工作组分赴广东、海南，协助地方开展防台风工作。同时，根据台风发展变化，及时将应急响应级别由Ⅳ级提升至Ⅲ级。珠江防总启动了防台风Ⅱ级应急响应。

有关部门按照国家防总的统一部署，及时响应，密切配合。民政部及时启动灾情预警响应，提早部署救灾工作。交通运输部启动Ⅳ级应急响应，加强值守，及时会商，落实海上货运船只防台风措施和海上搜救力量。农业部及时发出通知，安排出海渔船回港避风。中国气象局及时启动应急响应，密切监视台风动向，滚动预测预报。国家海洋局滚动播报海浪和风暴潮预警信息。其他成员单位都分别按照职责分工及时开展了扎实有效的工作。

有关省区按照国家防总的要求，认真做好第200915号台风“巨爵”的防御工作。广东、广西、海南3省区政府领导作出指示，防汛抗旱指挥部分别启动了防台风Ⅱ级、Ⅲ级和Ⅳ级应急响应，并于14日参加国家防总异地视频会商会后，分别召开本省区防御“巨爵”异地视频会商会议，从海上船只回港避风、渔排养殖人员上岸、危险地带群众转移、城镇防洪排涝、山洪灾害防御、水利工程调度等方面，全方位提前进行统筹安排，还派出多个工作组深入一线检查指导，确保各项措施落实到位。受台风直接影响市县的各级党委、政府主要负责同志靠前指挥，精心组织，着力抓好船只回港避风和受威胁地区群众转移安置工作，3个省区共转移群众31.06万人。

三、抗洪抢险投入

2009年中央财政共下达特大防汛补助费7.8416亿元（不含用于度汛应急的中央特大补助2亿元），其中30个省、自治区以及新疆生产建设兵团7.37亿元，7个流域机构及国家防总办公室4716万元。

2009年各省、自治区、直辖市共安排防汛经费58.74亿元，用于抗洪抢险和水毁工程修复，其中省级财政安排17.50亿元、省级以下财政安排41.24亿元。

（杨昆）

2009年全国大江大河（含重要支流）防汛行政责任人名单见表2。

表 2　　**2009 年全国大江大河（含重要支流）防汛行政责任人名单**

流域	河流	省（自治区、直辖市）、堤段		责任人	职务
黄河	黄河干流	甘肃		泽巴足	副省长
		内蒙古		郭启俊	自治区副主席
		宁夏		郝林海	自治区副主席
		山西		刘维佳	副省长
		陕西		姚引良	副省长
		河南		郭庚茂	省长
		山东		姜大明	省长
长江	长江干流	四川	长江干堤总负责	钟 勉	副省长
			宜宾市	王剑明	宜宾市副市长
			泸州市	陈万春	泸州市副市长
		重庆	长江干堤总负责	马正其	副市长
			巴南区防洪堤	段成刚	巴南区区长
			九龙坡区堤防	秦大春	九龙坡区副区长
			渝中区防洪堤	王 勇	渝中区副区长
			南岸区防洪堤	唐 昕	南岸区副区长
			江北区防洪堤	陈 茂	江北区副区长
		湖北	长江干堤总负责	李鸿忠	省长
			荆江大堤	王祥喜	荆州市市长
			洪湖监利长江干堤	王祥喜	荆州市市长
			松滋江堤	洪文革	松滋市市长
			南线大堤	周昌俊	公安县县长
			荆南长江干堤	王祥喜	荆州市市长
			咸宁长江干堤	任振鹤	咸宁市市长
			汉南至白庙长江干堤仙桃段	李启斌	仙桃市副市长
		湖北	汉南至白庙长江干堤汉南段	吴明益	武汉市汉南区区长
			武汉市江堤	阮成发	武汉市市长
			鄂州粑铺大堤	陶 宏	鄂州市代市长
			鄂州昌大堤	陶 宏	鄂州市代市长
			黄石长江干堤	杨晓波	黄石市市长
			阳新长江干堤	孔凡新	黄石市阳新县县长
			黄广大堤	刘雪荣	黄冈市市长
			黄冈长江干堤	刘雪荣	黄冈市市长
			黄州长孙堤	余友斌	黄冈市黄州区区长
			枝江下百里洲江堤	王 磊	枝江市副市长
		湖南	长江干堤总负责	徐明华	副省长
		江西	长江干堤总负责	陈达恒	副省长
			九江市	廖凯波	副市长

续表

<table>
<tr><th>流域</th><th>河 流</th><th colspan="2">省（自治区、直辖市）、堤段</th><th>责任人</th><th>职　务</th></tr>
<tr><td rowspan="11">长江</td><td rowspan="6">长江
干流</td><td rowspan="4">安徽</td><td>无为大堤
和县江堤</td><td>文海英</td><td>副省长</td></tr>
<tr><td>铜陵江堤
池州江堤</td><td>唐承沛</td><td>副省长</td></tr>
<tr><td>同马大堤、安庆城市防洪堤、
广济圩江堤、枞阳江堤</td><td>黄海嵩</td><td>副省长</td></tr>
<tr><td>芜湖江堤
马鞍山江堤</td><td>谢广祥</td><td>副省长</td></tr>
<tr><td colspan="2">江苏</td><td>黄莉新</td><td>副省长</td></tr>
<tr><td colspan="2">上海</td><td>沈 骏</td><td>副市长</td></tr>
<tr><td rowspan="3">汉江</td><td rowspan="3">湖北</td><td>汉江干堤总负责</td><td>汤 涛</td><td>副省长</td></tr>
<tr><td>汉江遥堤</td><td>马朝晖</td><td>钟祥市市长</td></tr>
<tr><td>汉江遥堤</td><td>张爱国</td><td>天门市市长</td></tr>
<tr><td>洞庭湖</td><td colspan="2">湖南</td><td>徐明华</td><td>副省长</td></tr>
<tr><td rowspan="6">淮河</td><td rowspan="4">淮河
干流</td><td colspan="2">河南</td><td>刘满仓</td><td>副省长</td></tr>
<tr><td rowspan="2">安徽</td><td>淮河干流、涡河</td><td>倪发科</td><td>副省长</td></tr>
<tr><td>淮河干流、颍河</td><td>孙志刚</td><td>常务副省长</td></tr>
<tr><td colspan="2">江苏</td><td>黄莉新</td><td>副省长</td></tr>
<tr><td rowspan="2">沂沭泗</td><td colspan="2">山东</td><td>贾万志</td><td>副省长</td></tr>
<tr><td colspan="2">江苏</td><td>黄莉新</td><td>副省长</td></tr>
<tr><td rowspan="10">海河</td><td>海河干流</td><td colspan="2">天津</td><td>熊建平</td><td>副市长</td></tr>
<tr><td rowspan="3">永定河</td><td colspan="2">北京</td><td>夏占义</td><td>副市长</td></tr>
<tr><td colspan="2">天津</td><td>李文喜</td><td>副市长</td></tr>
<tr><td colspan="2">河北</td><td>胡春华</td><td>省长</td></tr>
<tr><td rowspan="2">大清河</td><td colspan="2">河北</td><td>张 和</td><td>副省长</td></tr>
<tr><td colspan="2">天津</td><td>熊建平</td><td>副市长</td></tr>
<tr><td>子牙河</td><td colspan="2">河北</td><td>付志方</td><td>常务副省长</td></tr>
<tr><td rowspan="3">漳卫南运河</td><td colspan="2">河南</td><td>刘满仓</td><td>副省长</td></tr>
<tr><td colspan="2">河北</td><td>杨崇勇</td><td>副省长</td></tr>
<tr><td colspan="2">山东</td><td>王仁元</td><td>常务副省长</td></tr>
<tr><td colspan="2" rowspan="2">松花江</td><td colspan="2">吉林</td><td>王守臣</td><td>副省长</td></tr>
<tr><td colspan="2">黑龙江</td><td>吕维峰</td><td>副省长</td></tr>
<tr><td colspan="2">辽河</td><td colspan="2">辽宁</td><td>陈海波</td><td>副省长</td></tr>
<tr><td rowspan="2">珠江</td><td>西江</td><td colspan="2">广西</td><td>陈章良</td><td>自治区副主席</td></tr>
<tr><td>北江</td><td colspan="2">广东</td><td>黄华华</td><td>省长</td></tr>
<tr><td colspan="2" rowspan="3">太湖</td><td colspan="2">江苏</td><td>黄莉新</td><td>副省长</td></tr>
<tr><td colspan="2">浙江</td><td>茅临生</td><td>副省长</td></tr>
<tr><td colspan="2">上海</td><td>沈 骏</td><td>副市长</td></tr>
</table>

抗 旱

【旱情与旱灾】 2009年，我国发生严重干旱灾害。全国耕地累计受旱面积4213.33万hm^2，农作物受灾面积2925.88万hm^2，成灾面积1319.71万hm^2，绝收面积326.88万hm^2，直接经济损失1206.6亿元。其中，因旱造成粮食损失348亿kg、经济作物损失433亿元，林牧业和水产养殖业直接经济损失143亿元，减少水力发电58亿kW·h。全年共有1751万农村人口、1099万头大牲畜因旱发生饮水困难，有15个省（自治区、直辖市）的89座城市出现不同程度供水短缺，影响人口1670万人、工业产值154亿元。

一、旱情

2009年旱情主要经历了冬春旱、春旱、夏伏旱和伏秋旱4个阶段。主要有四个特点。

（1）旱情发生早，持续时间长。冬麦区大部2008年12月中旬就开始出现旱情，明显早于常年。年初黄淮部分重旱区受旱时间超过3个月，内蒙古中东部、山西和河北北部以及辽宁西部等地发生的夏伏旱一直持续到秋收，江南、华南地区的旱情从入伏开始持续到秋末，持续时间之长、结束时间之晚多年少有。

（2）受旱地域广，阶段过程多。全国几乎所有省（自治区、直辖市）都发生了不同程度的旱情，受旱范围之广是近些年少见的。另外，自2009年初以来，各地旱情此消彼长，接连不断，旱情呈现明显的阶段性特征。

（3）受旱面积大，局部灾情重。年初冬麦主产区有1073.3万hm^2越冬作物受旱，比常年同期多566.7万hm^2，为近6年来同期最大，干枯面积近26.7万hm^2。夏伏旱高峰时，北方旱区作物受旱面积达1266.7万hm^2，比多年同期均值多近333.3万hm^2，其中内蒙古、辽宁、吉林、河北、山西等省作物干枯面积达266.7万hm^2，为近年罕见。

（4）江河水位低，影响范围广。由于滦河、海河上游2009年降水严重偏少，潘家口等多座大中型水库蓄水严重不足，天津市城市供水再次出现紧张局面，白洋淀再度面临干淀威胁。入秋以后，湘江、赣江、西江、北江、洞庭湖和鄱阳湖等南方重要河流湖泊来水严重偏枯，一些河段出现历史同期最低水位，对部分群众生活、生产用水和湖区渔业、航运、生态环境等造成一定影响。珠江流域出现近70年来最枯来水，珠江口咸潮上溯加剧，严重威胁澳门、珠海等珠江三角洲地区汛后供水安全。另外，新疆塔里木河干流下游生态用水因断流受到严重影响。

1. 年初冬麦主产区的冬春旱 2008年入冬后，我国大部分地区降水明显偏少，北方部分冬麦区旱象露头。2009年1月，冬麦区大部降水仍持续偏少，气温偏高，旱情发展迅速，2月上旬高峰期全国作物受旱面积1073.3万hm^2，其中冬麦主产区河南、安徽、山东、江苏、山西、陕西、河北、甘肃8省作物受旱面积1020万hm^2，重旱面积361.5万hm^2，干枯面积近26.7万hm^2；有451万人、222万头大牲畜因旱发生饮水困难。由于旱区科学调度抗旱水源并全力开展抗旱浇灌，加上后期多次出现降水过程，2月中旬后冬麦区旱情逐渐缓解。

2. 北方和西南部分地区的春旱 进入3月，我国大部分地区气温回暖，但降水偏少，特别是三北及西南南部部分地区受持续气温偏高和少雨大风天气影响，耕地失墒严重。4月上旬，全国耕地受旱面积一度达到1586.7万hm^2，其中春播白地缺水缺墒面积1286.7万hm^2，有829万人、681万头大牲畜因旱发生饮水困难。华北北部、东北西南部旱情最为严重，河北、山西、内蒙古、辽宁4省合计有上千座小水库干涸，17万眼机电井出水不足或吊泵。山西省一些地区持续108天无有效降水，旱情严重的太行山区，一些群众要到10km外拉水。4月中旬以后，我国中东部及西南地区出现大范围降水过程，旱情缓和。

进入5月，黑龙江大部和内蒙古东部降水量比多年同期偏少八成，气温显著偏高，同时大风天气多，旱情迅速发展。5月下旬，两省区耕地受旱面积达913.3万hm^2，占全区可利用草场的2/3以上，有的牧民拉水距离达20km。6月初，两省区旱情因降雨缓和，全国耕地受旱面积下降到361.3万hm^2。

3. 北方部分地区的夏伏旱 进入6月中旬后，西北东部及华北西部再次出现持续高温少雨天气，旱情快速发展。7月上旬，全国耕地受旱面积达到833.3万hm^2。7月中旬后，西北大部旱情缓和，但山西北部、内蒙古中部及新疆南部旱情一直持续。进入7月下旬后，受高温少雨天气影响，东北地区南部旱情再度露头并迅速发展。8月中旬高峰时，全国作物受旱面积达1273.3万hm^2，其中重旱481.4万hm^2，同时有421万人、445万头大牲畜因旱发生饮水困难。8月下旬后，北方地区出现多次降雨过程，部分旱区旱情缓解，但内蒙古东南部、辽宁西部、河北北部、山西北部一些重旱区旱情一直持续到秋收。另外，受干旱影响，新疆塔里木河干流断流河段达1100km，为近年来最长。

4. 南方部分地区的伏秋旱 进入7月后，江南、华南局部地区受持续高温和降水偏少影响，旱情露头。江西、湖南、湖北、广东、广西、重庆、贵州7省（自治区、直辖市）部分地区8月后先后发生严重伏秋旱，9月中旬受旱高峰时，农作物受旱面积达239.1万hm^2，有525万人、265万头大牲畜因旱发生饮水困难。9月中旬以后，受降水影响，农作物旱情逐渐缓解。受汛期降雨持续偏少影响，长江、珠江流域干支流来水明显偏少。10月，湘江、赣江及北江陆续出现历史最低水位，洞庭湖、鄱阳湖及西江出现历史同期低水位，沿江沿湖地区生活、生产和生态用水及航运交通受到较大影响。11月9日后，江南、华南出现大范围降雨过程，上述大部分地区旱情缓解。但西南部分地区尤其是云南省由于降雨持续偏少，旱情露头并发展。12月底南方地区作物受旱面积70.7万hm^2，其中重旱19.9万hm^2，干枯4.1万hm^2，有232万人、96万头大牲畜因旱饮水困难。

二、旱灾

与1991年以来的农业旱灾损失相比，2009年我国农作物受灾面积列第8位，明显高于18年来的平均值2513.3万hm^2；农作物成灾面积列第11位，与18年来的平均值1346.7万hm^2基本持平；农作物绝收面积和因旱粮食损失分别列第5位和第6位，均高于18年来的平均值278万hm^2和282亿kg；因旱造成的经济作物损失明显高于1998年有统计数据以来的平均值333亿元，因旱林牧业和水产养殖业损失明显高于2003年有统计数据以来的平均值72亿元；因旱饮水困难的农村人口和大牲畜低于1991年以来的平均值2815万人、2213万头。综合分析，2009年我国发生的旱情和旱灾达到严重干旱水平。

【防旱抗旱】　党中央、国务院对抗旱工作高度重视。中共中央总书记胡锦涛针对北方冬麦区抗旱和南方伏秋旱两次作出重要批示。国务院总理温家宝多次对抗旱工作做出重要批示，并亲赴河南、内蒙古等地，察看灾情，指导抗旱工作。国家副主席习近平就保障澳门供水安全先后两次作出重要批示。李克强副总理多次对抗旱工作做出重要批示，并于10月27日与回良玉副总理共同主持召开专题会议，研究解决洞庭湖、鄱阳湖区域干旱缺水有关问题。回良玉副总理多次对抗旱工作做出重要批示，并多次亲赴重旱区视察指导抗旱工作，2月5日还主持召开国务院专题会议具体部署和全面动员冬麦区抗旱，在4月下旬召开的国家防总2009年第一次全体会议和8月下旬召开的国家防总和国家减灾委联席会议上也对相应阶段抗旱工作做了重点安排和部署。

国家防总超常规部署，各有关部门密切配合，各流域防总精细调度，旱区各地切实加强领导，积极组织动员广大干部群众全力抗旱救灾，最大限度减少了干旱的影响和损失。据统计，抗旱高峰期，全国投入抗旱劳力7612万人，开动机电井387万眼、泵站9.5万处、机动抗旱设备783万台（套），出动各类机动运水车辆295万辆；全年累计投入抗旱资金141亿元（其中中央特大抗旱补助费11.28亿元）、抗旱用电72亿kW·h、用油51万t，完成抗旱浇地面积3000万hm^2，抗旱挽回粮食损失499亿kg、经济作物损失405亿元；各地通过各种应急措施解决了1979万人和1131万头大牲畜的饮水困难。

2009年抗旱工作的主要做法有以下6点。

（1）高度重视，靠前指挥。国家防总及旱区各级党委、政府认真贯彻落实中央领导的重要批示精神，把抗旱作为一项重要任务来抓，主要领导靠前指挥，强化组织领导，各级各部门切实将抗旱措施落到实处。

（2）超常部署，组织有序。各级防汛抗旱指挥部门密切监视旱情发展变化情况，对各阶段抗旱工作作出超前超常规部署。国家防总1月上旬就对冬春抗旱工作进行了全面安排部署，先后6次启动抗旱应急响应，召开3次抗旱异地视频会商会，发出近20个紧急通知，向重旱省区派出30多个抗旱工作组，其中2月5日首次启动了抗旱Ⅰ级应急响应。全国省、市、县三级全年共启动抗旱应急响应2200多次，派出抗旱工作组12000多个。

（3）科学调度，保障供水。各级防汛抗旱指挥机构和水利部门加强了抗旱水源的统一调度管理，为夺取抗旱救灾的胜利发挥了至关重要的作用。其中，国家防总、水利部组织实施了引黄济津济淀应急调水，缓解了天津市的供水紧张局面，增加了白洋淀生态用水；首次对三峡等长江上游大型水利水电工程实施了枯水期水量统一调度，保障了沿江及周边地区的用水需求；实施了2009—2010年度枯水期珠江水量调度，保障了澳门、珠海等珠江三角洲地区供水安全。

黄河防总在年初冬麦区抗旱时期，统筹调度黄河上下游水利工程，小浪底水库累计下泄水量29亿m^3，为下游沿黄灌区提供抗旱用水17.4亿m^3。松花江防总在东北地区抗春旱期间，组织抗旱应急调水为下游旱区补水3亿m^3。太湖防总通过引江济太应急调度，累计引长江水12.45亿m^3，保障了太湖湖区周边城市供水安全。新疆塔里木河管理局实施了塔里木河干流抗旱应急调水，使断流河道重新恢复过流。

（4）加大投入，强化保障。旱区各地千方百计增加抗旱投入，保障各项抗旱工作的顺利进行。河南省结合春季抗旱，安排13.38亿元抗旱应急灌溉工程建设资金，新增灌溉面积82.6万hm^2。旱区各地通过调整生产结构、劳务输出、旱灾保险、生态移民等综合措施，减小旱灾影响和损失。辽宁省在辽西北重旱区开展了大田作物农业保险，今年全省核定投保农作物受灾面积72.7万hm^2，省财政厅拨付保费补贴3.36亿元。

（5）团结协作，合力抗旱。国家防总有关成员单位按照职责分工，各司其职，密切配合，全力支持旱区抗旱救灾。中央军委领导对抗旱救灾工作高度重视，多次就抗旱救灾工作作出重要批示，解放军总参谋部、总政治部和武警总部多次下发通知，对抗旱工作作出专门部署。

(6) 加强法制，夯实基础。2009 年 2 月《中华人民共和国抗旱条例》颁布实施后，国家防总、水利部指导各地做好宣传贯彻工作；全国七大流域机构全部成立了防汛抗旱总指挥部，把抗旱职能纳入日常工作；山西、湖北等省完成了省级《抗旱条例》的起草并进入立法程序。

国家防总办公室继续加强抗旱基础工作。组织完成了省级抗旱规划的编制和初审，启动了全国汇总工作；继续推进全国省、市、县三级总体抗旱预案和城市专项抗旱预案的编制和审批；修改完善抗旱会商系统，对抗旱统计管理系统进行升级改造；组织开展农业抗旱用油用电补贴和抗旱机具直补政策调研；完成了《全国新增 1000 亿斤粮食生产能力规划》中农业抗旱应急水源工程部分的编写任务；组织开展干旱预警水位等基础工作的研究。 (冯琳)

2009 年全国旱灾面积统计情况见表 3。

表 3 2009 年全国旱灾面积统计

单位：万 hm^2

单位（省、自治区、直辖市）	受灾面积	成灾面积	绝收面积
合 计	2925.88	1319.71	326.88
北 京	0.33	0.13	0.04
天 津	0	0	0
河 北	154.39	106.29	41.8
山 西	138.40	96.61	26.2
内蒙古	389.01	192.26	66
辽 宁	208.37	97.18	48.6
吉 林	244.00	147.13	44.6
黑龙江	487.17	190.70	27.2
上 海	0	0	0
江 苏	59.85	19.89	1.27
浙 江	2.25	0.57	0.13
安 徽	90.90	5.20	0
福 建	4.23	2.61	0.13
江 西	62.13	26.10	2.93
山 东	117.47	81.47	7.93
河 南	157.92	28.79	2.73
湖 北	59.19	14.94	1.87
湖 南	75.31	30.48	6.2
广 东	31.82	10.59	0.87
广 西	77.37	33.61	3.27
海 南	1.33	0.19	0
重 庆	13.66	4.69	1.73
四 川	74.28	24.17	2.67
贵 州	47.79	31.81	4.53
云 南	103.67	41.60	7.33
西 藏	2.72	0.98	0.07
陕 西	80.00	33.33	5.07
甘 肃	154.20	49.47	17.4
青 海	3.39	1.70	0
宁 夏	30.77	10.60	3.18
新 疆	45.53	30.27	1.73
新疆生产建设兵团	8.43	6.33	1.4

江 河 治 理 与 开 发

Regulation and Exploitation of Rivers

长江流域

【水政】

一、水法规建设

（1）《长江法》立法前期研究工作自 2003 年 7 月步入快车道。在 6 年多的时间里，长江水利委员会（以下简称长江委）分专题组织开展了一系列研究并取得了相应成果或阶段性成果。2009 年，长江委与武汉大学在合作研究取得初步成果的基础上，继续开展《长江法》研究，并有望形成较为完整的《长江法》立法条文。

（2）为解决长江流域水资源管理与保护中的突出问题，建立长效机制，促进科学发展，长江委开展了《长江流域水资源管理与保护条例》立法前期研究，并先后派员赴河南、甘肃、四川、江苏、上海等省（直辖市），有针对性地开展调查研究工作，并形成调研报告。

（3）长江委组织开展三峡水库运行期管理体制研究。一是开展国内外控制性水库运行管理体制研究，二是开展三峡水库运行期管理体制框架研究，三是开展研究建设期管理体制向试验运行期管理体制转变的方式与途径，探讨了运行期过渡形式。

二、水行政执法

根据水利部《关于开展专项水行政执法检查活动的通知》要求，水政监察总队制定了专项执法方案，长江委开展了一系列大型执法检查活动。

（1）长江委和湖北省水利厅联合开展了水资源管理与保护专项执法检查活动。联合执法检查组对重点单位进行了现场执法检查，就取水许可手续办理、取水计量设施安装、水资源费征收、河道管理等事项进行了检查和座谈，宣讲了相关法律法规，对检查中发现的未办理取水许可手续擅自取水及未安装取水计量设施、拖欠水资源费、非法向河道倾倒弃土弃渣等问题提出处理意见和相关要求。

（2）以《三峡水库调度和库区水资源与河道管理办法》（以下简称为《管理办法》）颁布为契机，在水利部的统一部署下，长江委联合湖北、重庆两省（直辖市）水行政主管部门，在“世界水日”、“中国水周”期间，选择若干典型单位开展了《管理办法》宣传调研和专项执法检查活动。

（3）长江委组织湖北、河南两省水行政主管部门，开展鄂豫省际边界丹江河道非法采砂淘金专项执法检查，有效地震慑了非法采砂淘金活动，为确保丹江河道汛期防洪安全打下基础。

（4）在 2008 年水利部正式公布《长江水利委员会行政执法项目及依据》和《长江防汛抗旱总指挥部行政强制项目及依据》的基础上，根据水利部关于开展分解执法职权确定执法责任的工作部署，对长江委行政执法项目再次进行了梳理，按照长江委各部门（单位）的职责分工，将 106 项行政执法职权和执法责任，全部分解和确定到委有关部门（单位）及具体承办岗位，明确了岗位职责，推进了行政执法责任制。

三、省际水事纠纷调处

（1）鄂豫两省界牌（九里）水库水事纠纷协调，在 2008 年取得重大进展的基础上，2009 年 2 月，长江委再次召开两省协调会，对 2008 年未解决的主要问题进行了协商，最终达成一致意见。5 月，湖北省大悟县和河南省罗山县两县政府正式签订了解决界牌（九里）水库水事纠纷的协议书，至此两省纠纷得以圆满解决。水利部对界牌水库水事纠纷的协调工作给予了高度评价。

（2）启动《川黔同民河（龙爪河）水量分配方案》（以下简称为《方案》）编制工作。6—9 月，《方案》编制协调工作组完成讨论稿及送审稿的讨论和审议，要求对龙爪河引水工程年调水量做进一步的复核论证并修改完善后，送两省政府征求意见。

（3）及时制定了开展省际水事矛盾纠纷排查化解活动方案，向流域内各省发出通知，要求在 2009 年 8—9 月通过自查、协调、现场检查、总结 4 个阶段的工作及时消除矛盾和纠纷隐患。9 月中旬，长江委召开长江流域省际水事纠纷排查化解工作会议，开展集中排查化解活动。

（4）受水利部安监司委托，长江委开展了省际水事纠纷应急机制方面的研究工作，就省际水事纠纷应急管理、保障体系和运行体系等方面，提出了水利部省际水事纠纷应急预案文本草案。

四、河道采砂管理

2009 年是水利部确定的长江河道采砂“强化管理年”，长江委及沿江水行政主管部门积极推动各项工作科学有序发展，确保了长江河道采砂处于可控状态。

1. 建立长江河道采砂管理部际合作机制　2009 年 4 月 14 日，水利部、交通运输部在北京签订《加强长江河道采砂管理合作备忘录》，按照《长江河道采砂管理条例》，各司其职、各负其责，进一步密切双方合作，及时整合相关执法管理资源，携手应对长江河道非法采砂打击和治理难题。

2. 进一步落实河道采砂规划制度　按照水利部水规总院审查意见要求，长江委组织完成了《长江中下游干流河道采砂规划报告（2008 年修订）》和《长江上游干流宜宾以下河道采砂规划报告》的修改工作。同时，长江委参与编制《全国重要江河河道采砂规划任务书》。

3. 组织开展专项整治行动　5 月，长江委组织湖北、江西、安徽、江苏等省水行政主管部门开展了统一清江行动，清理和查处大小采砂船只386艘。7月，长江委会同交通运输部长航局组织有关省（直辖市）水行政主管部门联合开展了打击长江干流重点水域违法采砂专项行动，查获违法采砂船6艘、运砂船4艘；12月，长江委组织安徽、江苏两省有关地方水行政主管部门，在长航公安干警的配合下，在皖苏边界河段开展了打击违法采砂专项执法行动，查获违法采砂船9艘。

4. 实施采砂许可与项目审查　2009年，长江中下游干流河道有湖北省巴河口、江西省搁排洲和永和洲、安徽省华阳河口共4个规划可采区实施了采砂许可，江苏省境内长江河道和省际边界重点河段规划可采区未实施采砂许可。2009年实施的可采区个数占33个规划可采区的12.1%；许可采砂总量为274万t，实际完成采砂总量为212万t，占规划年度控制采砂总量3400万t的6.2%；许可采砂船只数量9艘，占规划采砂船控制数量98艘的9.2%。长江委组织对湖北、江苏两省申报的10个工程吹填采砂项目进行了审查，审查同意的采砂总量为4681.5万m^3。

5. 继续推行采砂管理责任制　督促各地采取多种措施进一步建立和完善以地方行政首长负责制为核心的长江河道采砂管理责任制度，其中江苏省率先向社会公布了长江采砂管理负责人，湖北省层层签订了长江河道采砂管理责任书。

6. 强化法规建设和调研工作　长江委向水利部上报了《关于修改长江河道采砂管理条例实施办法的请示》。2月下旬，长江委检查了上海市采砂管理工作，促进了长江采砂管理薄弱地区的工作；6—9月，长江委先后对湖北、四川、湖南、江西、安徽、江苏、重庆等省（直辖市）长江干流及部分中小河流进行了一次大规模的检查调研。不仅促进了长江干流采砂管理，而且对流域内采砂管理的现状和主要措施有了进一步的了解，同时为全国重要江河河道采砂规划编制以及全国河道采砂管理条例的拟定等工作积累了丰富的资料。

7. 不断加强采砂管理能力建设　长江委修改完成《长江河道采砂管理能力建设规划报告（2009—2013年）》并上报水利部。此外，完成长江河道采砂管理执法装备——远程可视化实时监控系统工程项目的竣工验收工作，长江委水行政管理与执法手段得到进一步增强。　（杨谦　邓涌涌　徐汉宁）

【水资源】

1. 审批与监管　长江委在对取水户颁发取水许可证之前，全面开展对取水设施的验收，核对是否符合审批要求，将强化对取水户的监督检查的关口移到发放取水许可证之前，并总结取水工程或设施验收办法试行的经验，将此项制度纳入修订的长江委取水许可制度实施细则中，强化并规范监督检查工作。

2. 长江流域第二批节水型社会建设试点中期评估工作　对流域管辖内的8个全国节水型社会建设试点地区的节约用水工作开展了现场检查、量化评估和指导总结。

3. 跨流域引调水管理　在水利部水资源司主持下，长江委与淮委、太湖局等单位对引江济太、南水北调东线重点跨流域引调水的管理方式进行研讨；组织对长江流域内已建、在建以及拟建的引调水工程开展现场调查。同时，启动了长江流域大型水利水电枢纽水资源调度前期调查。

4. 取水许可和水资源论证管理　2009年，长江委审批了21个建设项目的取水许可申请，为14个取水户颁发了取水许可证；对金沙江鲁地拉水电站工程等36个建设项目的水资源论证报告书进行了审查。

5. 流域取水许可总量控制指标体系建设　根据水利部的要求，对成果进行了反复修改、完善后，2009年度再次组织委内有关部门（单位）专家进行讨论、研究和咨询，召开流域内有关省（直辖市、自治区）水行政主管部门参加的讨论会，再次对成果进行意见征询，2009年底正式上报水利部。

6. 加大对取水户定期检查、不定期抽查的力度　完善取水许可管理信息系统，对取水户取水状况进行远程实时监控；举办长江委水资源管理培训班。

（杨谦　徐汉宁）

【前期工作】

一、规划工作

1. 长江流域、西南诸河水资源综合规划　2009年1月，根据水利部审查意见，长江委对《长江流域水资源综合规划报告（送审稿）》和《西南诸河（澜沧江以西）水资源综合规划报告（送审稿）》进行修改完善后，水利部发文将报告发送长江流域（片）各省（自治区、直辖市）政府征求意见。3月，长江委针对反馈的意见，提出了省区行政协调处理意见。4月，水利部在北京主持召开了“全国及流域水资源综合规划数据核定与报告修改会议”，通报各流域水资源综合规划成果省区行政协调情况、主要存在的问题及处理意见。5月，水利部、发改委在京组织召开全国水资源综合规划专家审查会，审查通过了《全国水资源综合规划报告》《长江流域、西南诸河水资源综合规划报告》，作为《全国水资源综合规划报告》的附件通过审查。12月，根据国家有关部委对《全国水资源综合规划报告》提出的意见，对长江流域、西南诸河水资源综合规划报告进行了修改，并作为附件与《全国水资源综合规划报告》一并报送国务院。

2. 长江流域综合规划修编工作　2009年7月，提出了《长江流域综合规划简要报告（2009年修订）》（讨论稿），根据各省（自治区、直辖市）讨论意见进行讨论、修改和补充，形成了该报告的征求意见稿，9月，长江委根据意见进行修改和完善。9月30日，长江委以《关于审批〈长江流域综合规划简要报告（2009年修订）〉的请示》向水利部报送了送审稿。11月26—29日，水规总院在北京组织召开预审会，并以《关于印发长江流域综合规划简要报告预审意见的函》提出了预审意见，长江委据此对送审稿又进行了修改补充。

3. 金沙江干流综合规划　2009年8月13—14日，水利部在北京主持召开了《金沙江干流综合规划报告》专家审查会。通过审查认为：长江委编制的《规划报告》的指导思想正确，内容较全面，总体布局合理，方案基本可行，建议规划经修改完善后，尽快报请国务院审批。

4. 尼洋河流域综合治理和保护规划　2009年7月14日，水利部部长陈雷率队赴藏考察，8月下旬，长江委主任蔡其华率长江委相关部门负责人和规划技术人员对尼洋河流域进行调研考察。随即，长江委编制完成了《关于审批西藏自治区尼洋河流域综合治理和保护规划任务书》并上报水利部。规划报告正在编制汇总。

5. 赤水河流域综合规划　2005年，赤水河被调整并纳入“长江上游珍稀特有鱼类国家级自然保护区”，原有规划确定的以发电、航运为主的流域开发任务需要做重大调整。2009年4月，水利部审查批复了《赤水河流域综合规划任务书》；同年11月，长江委编制完成了《赤水河流域综合规划工作大纲》，并下发相关部门，随即规划工作全面展开。

6. 嘉陵江流域综合规划　嘉陵江流域综合规划工作始于2003年，长江委于2007年9月提出规划报告征求意见稿，2008年12月水利部就征求意见稿征求国务院相关部委及相关省（直辖市）政府意见，长江委根据反馈意见进行了修改和补充，于2009年8月中旬报送水利部。

7. 汉江干流综合规划　2009年5月，根据陕西、湖北两省水利厅意见和《长江流域综合规划简要报告（修订稿）》对《汉江干流综合规划报告》进行了修改完善，明确了陕西省引汉济渭工程调水规模，2020水平年为10亿m^3，远景2030年结合中线后期从长江引水或其他措施，扩大引水量至15亿m^3。同时，对流域水利任务进行了调整，考虑水源区水土保持涵养水源地位应加强等因素，将水土保持工作提前；增加了河道整治与岸线利用以及丹江口大坝加高及中线调水后中下游防洪改善、河势调整加剧，河道整治与岸线利用等内容。报告于2009年8月报水利部待审。

8. 华阳河蓄滞洪区综合规划　2009年12月，长江委长江设计院编制了《华阳河蓄滞洪区西隔堤2009年度除险加固应急工程初步设计报告（送审稿）》，后应湖北省黄梅县的要求，在初步设计报告的基础上，计划于2010年3月编制完成《华阳河蓄滞洪区西隔堤喇叭湖和芦竹埂堤段除险加固工程可行性研究报告（送审稿）》。

9. 长江中下游蓄滞洪区建设与管理规划　2009年上半年，长江设计院配合水利部水规总院，对国家发改委中咨公司对《全国蓄滞洪区建设与管理规划》的评估意见进行了研究，调整了相关内容并回复了有关长江流域蓄滞洪区的评估意见。2009年6月，国务院批复了《全国蓄滞洪区建设与管理规划》。依据上述规划，长江设计院对2008年8月上报水利部的《长江流域蓄滞洪区建设与管理规划报告》进行了修改完善。

10. 洞庭湖区综合规划　2009年3月初，长江设计院为研究湖区一般垸的定位问题进行了查勘。5月，水利部批复了《洞庭湖区综合规划任务书》；11月，长江设计院牵头，委内有关单位配合编制完成《洞庭湖区综合规划工作大纲》；11月下旬，长江委规计局组织对《工作大纲》进行了审查；12月，长江设计院对《工作大纲》进行了修改完善。

11. 鄱阳湖区综合规划　2009年3月，长江设计院完成了规划报告初稿；6月，水规总院在北京组织召开了鄱阳湖水利枢纽工程规划讨论会；9月，江西省水利厅在南昌组织召开了《鄱阳湖区综合规划报告》预审会；12月初，长江委对《鄱阳湖区综合规划报告》进行了审查。2009年12月底，《鄱阳湖区综合规划报告（送审稿）》完成，报送水规总院待审。

12. 全国血吸虫病水利专项规划（2009—2015年）　长江委对2008年12月提出的《全国血吸虫病综合治理水利专项规划报告（2009—2015年）（初稿）》进行了修改。2009年4月，提出了送审稿；5月，水规总院对送审稿进行了审查，会后根据审查意见和水利部规计司对规划投资进一步压缩的要求，再一次对送审稿进行了修改。9月，水利部召开部长专题办公会议，专题研究了2009—2015年水利血防规划，要求就规划年限、投资规模及项目分类等内容进行修改。12月，长江委提出了修改稿。

13. 玉曲河干流水电规划　2008年3月，受中国大唐集团公司四川分公司委托，长江设计院承担了玉曲河干流水电专项规划工作。2009年11月，长江设计院编制完成了《玉曲河干流水电规划报告（送审稿）》。水规总院会同西藏自治区发改委、能源办公室于12月16—18日在成都召开了《玉曲河干流水电规划报告》审查会议。

14. 三峡工程后续工作规划　2009年5月7日，经国务院批准，三峡工程建设委员会办公室正式委托长江委承担三峡工程后续工作规划编制总成任务。10月26日，中咨公司组织对该《规划总体报告》进行评估。11月，国务院三峡建委办公室在武汉召开了三峡工程后续工作规划会商会，12月提出了《三峡工程后续工作规划总体报告（征求意见稿）》。

二、可行性研究工作

1. 长江荆江河段河势控制应急工程可行性研究　在2005年1月编制完成的《长江荆江河段河势控制应急工程可行性研究报告》（修订本）（以下简称《可研报告》）基础上，长江设计院于2009年5月编制完成《可研报告（2009年修订）》。7月20—23日，水规总院对修订报告进行了审查，与会专家和代表基本同意该报告。

2. 滁河近期防洪治理可行性研究　2009年1月，由长江设计院技术总牵头，皖苏两省有关设计单位共同参与编制的《滁河近期防洪治理可行性研究（送审稿）》完成并上报水规总院，总投资约53.5亿元。3月，水规总院在南京组织审查，对工程投资规模进行调整。5月，编制完成《滁河防洪治理近期工程可行性研究报告》，6月通过了水规总院的审查，水利部将可行性研究报告审查意见上报国家发改委。11月28日，受国家发改委委托，中咨公司在南京组织召开了《滁河防洪治理近期工程可行性研究报告》的专家咨询评估会。

3. 水阳江下游防洪治理工程可行性研究　该工程是水阳江、青戈江、漳河流域防洪治理的重要项目，2009年8月，国家发改委委托中咨公司对该项目进行了咨询评估，11月在北京进行了复审。该项目可行性研究前期工作已全部完成，待正式批复。

4. 青戈江分洪道工程可行性研究　2009年6月，芜湖市水务局委托长江设计院开展项目的可行性研究，11月编制完成《青戈江分洪道工程可行性研究报告》。

（王小玲　陈星绚）

【汛情旱情与防汛抗旱】　2009年，长江流域降雨总体偏少，但极端天气事件频发，水旱灾害交替发生。部分支流出现了短时超保证水位的较大洪水，并引发山洪泥石流等灾害。同时，长江中下游地区9月下旬后干旱少雨，旱情严重，造成较严重的旱灾损失。

一、汛情、旱情和灾情

2009年4—10月总体上长江流域汛期降雨偏少，累计降雨量为810mm，与多年同期降雨量相比偏少11.4%，其中，长江上游偏少7.7%，中下游偏少14.9%，鄱阳湖水系明显偏少（24.2%），乌江流域5—10月连续6个月降雨偏少。入梅较常年偏晚，出梅时间较常年偏早，梅雨期内降雨天气形势不典型，雨量较常年偏少。秋汛期（9—10月），长江流域降雨均较常年明显偏少。2009年1—10月期间，在西太平洋地区生成台风共21个，较历年同期平均台风数偏少；但登陆我国的台风有9个，较同期登陆台风平均数偏多。

长江干流汛情平稳，除寸滩站年最高水位超警戒外，其余均低于警戒水位，沙市、汉口站年最高水位分别为41.44m（8月7日2时）和24.26m（8月12日8时）。长江流域部分支流出现较大洪水，岷江支流杂谷脑河杂谷脑站、大渡河支流尼日河岩润站、湘江支流渌水大西滩站、綦江五岔站以及水阳江新河庄以上短时超保证水位。两湖水系10月来水显著偏少，洞庭湖水系四水合成量较历年均值偏少5成多，鄱阳湖水系五河合成量偏少4成多。10月，湘江长沙站、赣江南昌站均出现历史同期最低水位，分别为24.87m（31日16时）和13.11m（31日20时）。

2009年灾害呈现3个特点。一是山洪灾害死亡人数多、局部地区重复受灾。据统计，长江流域共有694个县（市、区）8691个乡6450.81万人受灾，倒塌房屋36.01万余间，因灾死亡353人（山洪灾害死亡257人，占因灾死亡人数的72%），紧急转移21万人，直接经济损失约386亿元。有相当数量的县、乡是重复受灾，尤其是四川省，“5·12”汶川特大地震后山体地质条件变得更加恶劣，加之局地强降雨频繁，山洪灾害致死占因灾死亡总人数的80%，损失相当于近5年同期洪涝灾害损失平均值的3倍。二是局部地区干旱灾害严重，其中以湖南、四川、江西3省损失较大。据统计，贵州、四川、重庆、湖北、湖南、江西、安徽、陕西、甘肃9省（直辖市）因旱少种农田面积32.07万hm^2，农作物受旱面积481.66万hm^2，农作物受灾面积310.28万hm^2，旱灾中损失粮食517.94万t，经济作物损失46.92亿元。三是2009年汛期支流及尾闾堤防险情多，长江干堤及重点堤防险情少。据统计，各类堤防共出现险情1801处，其中主要支流及尾闾堤防占1136处。

二、防汛、抗旱和减灾

2009年，长江防汛抗旱总指挥部（以下简称长江防总）和各级防汛抗旱部门主要做了以下几个方面的工作。一是心系灾民。长江防总先后派出了27个工作组和专家组赴灾区查勘灾情、协助指导抗洪救灾工作。二是长江防总和地方各级防汛抗旱指挥部超前部署，及早预警，科学调度，长江防总对三峡水库下发7次调度令，向有关省市通报重大汛情5次。运用三峡、欧阳海、五强溪、万安等水库拦洪错峰，有效减轻了水库下游的防洪压力，确保了重点地区的防洪安全。8月6日8时三峡水库出现汛期最大入库洪峰流量55000m^3/s，长江防总经慎重会商后决定实施拦洪调度。8月8日三峡最高库水位152.89m，拦蓄洪量43.63亿m^3，是三峡工程具备正常运行条件以来的首次防洪运用，其控泄调度实现了防洪效益、发电效益和航运效益的三赢。三是长江防总统筹水资源调配，紧急调整三峡水库蓄水计划，3次加大三峡水库下泄流量，首次对三峡及其上游主要大型水库（水电站）实施枯水期水量统一调度，使城陵矶、湖口站水位分别较最低水位上涨了0.77m和0.19m，有效缓解了长江中下游旱情。同时为避免三峡水库因给下游补水而出现入库水量不足的情况，长江防总11月8

日通知长江上游大型水库（水电站）停止拦蓄水量，并对正在拦蓄的雅砻江上的二滩、乌江上的彭水以及乌江流域的梯级水库单独发出了停止拦蓄的紧急通知。本年度，长江防总制定的“三峡水库优化调度方案”获国务院批准。受灾各省（直辖市）防汛办公室也强化了水资源的统一调度。长江流域9省（直辖市）共投入抗旱人数1270万人，抗旱资金11.47亿元，解决了567.61万人、341.10万头大牲畜的临时饮水困难。

与2008年相比，2009年受灾面积虽然增加较多，但损失却大为减少。据统计，防洪减灾方面，长江流域共减少淹没耕地98.19万hm^2，避免粮食减收573.52万t，减少受灾人口1333.60万人，解救洪水围困群众293.35万人，避免66座县级以上城市受淹，避免人员伤亡事件3745起、避免人员伤亡6.12万人；防御山洪、台风方面，共紧急转移人员4701.80万人，减灾经济效益198.81亿元；抗旱减灾方面，减少粮食损失661.73万t，经济作物减少损失40.50亿元。

（黄为 陈星绚）

【水土保持】

1. 水土流失重点治理

（1）流域水土保持重点防治工程。2009年，国家水土保持重点工程共完成流域水土流失治理面积6869km^2，其中，中央预算内投资水土保持项目786km^2，农业综合开发水土保持项目1212km^2，丹江口库区及上游水土保持工程4148km^2，云、贵、鄂、渝世界银行贷款水土保持项目388km^2，赣江上游国家水土保持重点工程335km^2。

（2）长江上游水土保持委员会第十四次会议召开。2009年11月26日在武汉召开会议，充分肯定了“长治”工程20年来取得的成效与经验，明确了当前和今后一个时期长江流域水土保持生态建设的总体要求，确定了水土保持生态建设的主要目标。

（3）云贵鄂渝世行贷款项目建设。召开云贵鄂渝水土保持世行贷款、欧盟赠款项目第一次工作会议；规范项目管理，完善基础工作；启动实施了“创建项目示范县活动”；组织开展监测评价前期准备工作。

（4）丹江口库区及上游水土保持工程建设。10月30—31日，长江委协助水利部在湖北省十堰市组织召开了丹江口库区及上游水土保持工程建设现场会。

丹江口库区及上游水土保持工程督察。长江委水土保持局组成3个督察组对湖北省、河南省、陕西省的10个县（区）的2007年、2008年丹江口库区及上游水土保持工程实施情况进行了督察。截至2008年底，3个省25个县（区）已在67个项目区318条小流域开展了水土保持综合治理，累计完成水土流失治理面积5642km^2，占2007—2008年度计划任务的99%；完成总投资13.45亿元，占计划投资的96%。

2. 流域水土保持监督管理

（1）流域水土保持监督管理工作会议召开。2009年11月，长江委在西安市召开会议，全面总结了2007年以来，特别是开展全国水土保持监督执法专项行动以来，该项工作所取得的成效和经验，研究部署加强工作和能力建设的有效举措，明确了流域今后工作重点。

（2）开展生产建设项目的水土保持监督检查。长江委组织流域9省（直辖市）水行政主管部门对新建大理至瑞丽铁路工程等37个大型生产建设项目水土保持情况进行了监督检查，检查数量占水利部2007—2008年批复长江流域大型生产建设项目（76个）的59%，占开工项目的80%以上，涉及铁路、公路、火电、水电、水利、矿业、钢铁、航电、机场等8个行业。检查前，长江委水土保持局编制了《大中型生产建设项目水土保持监督管理手册》；检查结束后，及时向有关省（直辖市）及建设单位印发了检查通报，有效地促进了水土保持“三同时”制度的落实。

（3）督促开展生产建设项目水土保持设施验收工作。2009年长江委水土保持局会同地方各级水行政主管部门组成督察组，对江西7个生产建设项目水土保持设施验收工作开展了督查。通过督察有6个项目开展了验收评估工作，即将验收。2009年，长江委水土保持局还受水利部水土保持司委托完成了31个生产建设项目的水土保持设施专项验收工作，其中代水利部主持完成了长沙电厂等26个项目的水土保持设施验收工作。

3. 前期和基础工作

（1）“长治”工程。分赴金沙江下游及毕节地区、嘉陵江中下游地区、陇南陕南地区、三峡库区和江南红壤丘陵区等5片“长治”工程项目区开展调研工作，于11月在武汉召开“长治”工程实施20年建设成效与经验研讨会，认为“长治”工程已经成为长江流域生态建设的品牌工程。

（2）南方崩岗防治规划。由长江委组织编制的《南方崩岗防治规划》通过水利部批复，该规划涉及长江、珠江和太湖3个流域，近期（2008—2015年）将优先实施治理75个重点县，新增和恢复可耕作土地面积0.97万hm^2，远期（2016—2020年）将对全部160个重点治理县实施治理，新增和恢复可耕作土地面积0.59万hm^2，可有效保护崩岗直接影响区的基本农田。

（3）2009年12月28—29日，水规总院在北京召开会议，对长江委组织编制的《三峡库区水土保持规划》进行审查并通过。三峡库区水土保持规划范围涉及湖北省4个县，重庆市所辖16个区县，土地总面积5.75万km^2，水土流失面积2.80万km^2。该规划明确了三峡库区2010—2030年水土保持工作的指导思想、原则、目标任务和保障措施。会议对《规划》提出了修改、补充和完善的建议。

（4）根据《长江流域综合规划简要报告》修编水土保持规划工作大纲及技术要求，完成了大纲修编、基础资料成果整编等工作。

（5）丹江口库区水土保持项目可研报告的技术审查。2009年长江委组织湖北、河南省水利厅水土保持主管部门开展了丹江口库区及上游水土保持重点防治工程近期项目最后一批的丹江口、武当山特区、郧县、郧西和西峡5个县（市、区）15个项目区可行性研究报告及典型小流域初步设计报告审查工作，提出了修改意见和建议。

（6）流域支流水土保持监测。长江委完成了洞庭湖水系、西南诸河的怒江流域水土流失动态监测工作，三峡库区、丹江口水库及其上游第二轮水土流失动态监测已开始实施。全流域开展监测的面积约101万km^2，已完成的监测面积69.49万km^2，正在开展的监测面积31.52km^2。 （陈健 李锋）

【水资源与水生态保护】

1. 水资源保护

（1）规划工作。根据长江委统一部署，长江流域水资源保护局（以下简称水保局）参与的长江流域规划修编工作、金沙江流域综合规划、嘉陵江流域综合规划等一大批规划工作顺利完成，成果已正式上报。全面开展了全国主要河湖水生态保护与修复规划以及伊洛瓦底江、尼洋河流域综合规划等多项规划工作。《三峡库区水资源保护规划任务书》通过了水利部组织的审查，及时组织提出了规划工作大纲，并按照大纲全面开展了相关规划工作。水保局作为技术牵头单位编制完成了《饮用水安全应急监测规划》，通过了水利部水文局的审查。

（2）法制机制建设。水保局继续开展并完成了《长江水资源管理与保护条例》中的有关研究和条文建议稿修改完善工作。根据水利部水资源司审查意见，完成了全国《水资源保护条例》条文建议稿的修改。

经过近两年的调研和协商，水保局与湖北省十堰市，河南省南阳市和陕西省商洛市、安康市、汉中市三省五市政府达成共识，2009年11月，在陕西省商洛市召开了南水北调中线工程水源区水资源保护和水污染防治联席会议，建立起由流域水资源保护机构与地方政府组成的“五加一”联席会议制度，通过了《南水北调中线工程水源区水资源保护和水污染防治联席会议章程》，发布了《确保一江清水送北京——商洛宣言》。

（3）水功能区管理。进一步加强省界断面和省界缓冲区的监管，开展了省界缓冲区标志碑的建设工作，拟定首批开展长江鄂赣缓冲区（右岸）、长江鄂皖缓冲区（左岸）、长江苏沪缓冲区起止断面的立碑工作。对近年来水质连续严重超标的水域展开了全面调研，完成省界缓冲区2002—2008年水质分析报告。针对皖苏省界的石臼湖水质长期超标问题开展了现场查勘，完成了调研报告，开展了新增省界缓冲区的调查工作及报告的编制工作。

在综合规划基础上开展了长江干流水功能区水域纳污能力和限排意见的征求意见汇总工作，继续完善了丹江口库区纳污能力及限排意见研究报告，开展并完成了澜沧江流域纳污能力及限排意见报告编制工作。

（4）入河排污口管理。建立了入河排污口设置与取水许可、河道管理范围内建设项目的联动机制。完成了扬巴石化、芬欧汇川纸业等项目入河排污口审批工作，参与了30多项水资源论证报告审查，分省建立了取水许可水质管理和入河排污口设置的档案。修改完善了长江委《入河排污口办事指南》，提出了入河排污口监督管理自查报告。

完成“五市三区”入河排污口调查报告。针对8家单位违规设置入河排污口的情况，督促其分别补办登记手续或审批手续。此外，对云南、贵州两省主要河段的入河排污口进行了监督检查，对三峡库区和长江干流武汉主城区江段入河排污口设置情况进行了调查，提出了管理要求。通过多渠道、多方式搜集和掌握了一大批入河排污口基础信息，启动了入河排污口监控体系建设。

（5）突发水污染事件应急工作。对位于云南省金沙江和横江交汇处的水富县云天化股份有限公司合成氨塔发生爆炸事故、湖北宜昌长江石牌水域集装箱（有的装了化学品）落水事故、葛洲坝坝前发生货船倾覆等3起可能造成重大水污染的事件事态进行了跟踪，开展了应急响应准备。

启动丹江口库区水资源保护监督执法船的建造工作，完成了该船设计、建造厂家的选择。该船计划于2010年投入使用，将明显增强水资源保护监督执法能力。

（6）监测工作。水保局组织开展了流域内以省界水体等重要水域和重点功能区为重点的水质监测工作。2009年，新增2个省（国）界水体监测，共实施了流域（片）72个省界断面、6个国界断面水质监测。组织开展了三峡水库2009年试验性蓄水期间动态巡回监测；及时组织开展了多项突发水污染事件的现场监测、调查和跟踪工作；组织开展了三峡库区、丹江口库区水质自动监测和长江口、三峡库区、丹江口库区等重要水域水环境的调查监测；组织开展了三峡库区“水华”连续观测，开展了香溪河氮、磷时空分布调查研究，密切关注香溪河蓝藻“水华”，首次取得了香溪河“水华”全年连续观测的完整资料，为库区“水华”控制研究提供了科学依据。

2. 水生态保护与修复 2009年，水利部、中国科学院水工程生态研究所（以下简称水生态所）各项工作取得全面进展。

（1）水生态保护规划。水生态所完成《长江流域综合规划简要报告·水生态保护与修复》《全国主要河湖水生态保护与修复规划·长江流域河湖水生态保护与修复措施》《三峡工程后续工作规划·库区生态建设与环境保护》《尼洋河综合规划·水生态保护》专题研究，以及流域重要支流、湖泊综合规划水生态保护规划及相关的专题研究工作。

（2）水生态监测、评价与预警。开展了长江上游水资源监测评价生态调研，长江上游珍稀特有鱼类国家级自然保护区及乌江彭水、银盘水电站水生生物专项监测任务，3座水库蓝藻水华的监测与预报以及10多个涉水工程的水生态专项调查与评价；承担水利部"948"项目"藻类在线水体生态毒性监测系统"。

（3）水生态保护与修复。完成了8个过鱼设施和6座水电站鱼类增殖放流站的规划设计；完成贵州北盘江光照、董箐、马马崖水电站鱼类增殖放流站，乌江思林、沙陀鱼类增殖放流站机电设备设计及关键养殖设备建设；承担运行管理的索风营鱼类增殖放流站人工催产成功。连续5年开展了三峡工程珍稀鱼类增殖放流项目监督管理。

承担的水利部公益性行业专项《大渡河河口再自然化及重要栖息地修复的研究》《湘江流域鱼类洄游通道恢复需求与对策研究》全面启动。主持的科技部重大国际合作项目《三峡库区的生态系统功能与生物多样性保护策略》、湖北省重点攻关项目《全雄黄颡鱼中试与可持续利用》及农业科技成果转换资金项目《三峡库区小江生态修复技术研究与示范》等一批研究项目进展顺利。《三峡、丹江口水库建设及运行对鱼类资源影响研究》《三峡水库生态渔业问题研究》等一批项目顺利完成并通过委托单位组织的验收。

（4）科研与学术交流。水生态所与20多个国家或地区开展了广泛的学术交流与科研合作。与法国图卢兹大学签署合作协议；成功承办由全国水生野生动物保护分会、世界鲟鱼保护学会主办，有近600人参会的第六届国际鲟鱼养护大会；与中国水利学会水生态专业委员会共同举办水生态监测与保护培训班。

完成的《重要生物类群对水域环境胁迫的生态响应》荣获大禹水利科学技术奖二等奖，与合作单位共同完成的《长江流域水资源开发利用对生态环境影响及保护措施研究》荣获大禹水利科学技术奖一等奖和长江水利委员会科技进步一等奖。

（吴生桂　李欣欣　徐汉宁）

【工程建设与管理】

1. 长江干堤加固工程竣工验收　2009年4月，长江委配合水利部完成了洪湖监利长江干堤加固工程竣工验收。12月底，长江委主持完成了同马大堤竣工验收工作。被验项目除少量尾工外，已按批准的设计内容建设完成，施工质量符合设计和规范要求，工程质量合格，工程管理机构健全，工程经历了洪水考验，运行正常，尾工已作安排。

2. 病险水库除险加固监督检查　2009年4—5月，长江委派员参加了水利部建管司、水资源司组织的对江西、四川、甘肃和湖南等4个省病险水库的专项检查工作。6月，派员分赴湖南和安徽两省对审计发现存在质量安全隐患的病险水库进行了专项检查工作。8月，开展了湖北省12座水库、江苏省7座水库的现场核查工作。10月，主持召开了湖北省3座水库除险加固项目设计变更复核会。11月，开展了流域内四川、重庆等省（直辖市）10多座病险水库除险加固建设实施情况专项检查工作。

3. 流域重点水利工程和委管水利工程建设管理　2009年2月，长江委派员参加水利部2008年第四季度新增水利投资建设情况专项检查督导第12组江西省的专项检查督导工作。4月，对陆水水利枢纽除险加固、长江荆江河段河势控制应急工程2006年度实施项目等工程的建设管理情况进行了检查。派员参加了水利部组织的四川汶川地震灾后重建情况的检查工作。6月，组织完成了长江荆江河段河势控制应急工程2006年度实施项目2008年投资计划实施工程5个单位工程的投入使用验收。7月，派员参加了水利部第三、四调研组对湖南、安徽、湖北和江西4个省2008年第四季度及2009年新增水利投资项目建设进展情况的现场调研工作。12月，组织完成了嘉陵江亭子口水利枢纽工程二期截流验收工作。

4. 水利工程安全度汛检查　2009年4月，长江委对陆水水利枢纽除险加固、长江荆江河段河势控制应急工程2006年度实施项目、丹江口大坝加高等在建水利工程进行了安全度汛检查工作。

5. 质量与安全监督　2009年，长江委开展了洞庭湖二期治理工程、长江荆江河段河势控制应急工程2006年度实施项目2008年度投资计划实施工程、陆水水利枢纽除险加固工程、陆水基地改水血防工程、陆水试验枢纽管理局基础设施水电改造工程、陆水试验枢纽管理局电厂及主坝下游左岸片水利血防工程、湖北堵河潘口水电站项目等8项和长江堤防加固工程（非隐蔽工程）等5项工程的质量与安全监督工作。

6. 移民及水库管理　2009年，长江委组织并参与完成了水利部移民开发局布置的中央直属水库6年规划项目实施的监测评估工作，提交了监测评估成果。4月底，派员参加了湖北省恩施州3座水库移民工作阶段性验收。9—10月，派员参加了水利部移民开发局组织的对山东、云南两省水库移民后扶政策实施情况的稽察工作。11月底，完成了重庆市涪陵区、湖北省赤壁市移民后扶项目监测评估试点工作。

2009年6月，长江委组织完成了丹江口、陆水水利枢纽工程的确权划界工作。派员参加了国家发改委、水利部等部门组织的云南迪庆，四川甘孜、阿坝州藏区水利调研工作。9月，主持完成了湖北省高关水库国家级管理单位达标三年一次的复核工作。12月，会同湖北省水利厅积极开展陆水水利枢纽与咸宁市陆水水库管理局“两库合一”有关协调工作，促进了陆水水库“一库两管”问题的妥善解决。

7. 长江流域水闸安全状况普查　2009年3月，长江委组织编写完成了《长江流域及澜沧江以西（含澜沧江）区域水闸安全状况普查报告》并报送水利部。5月，开展了大中型病险水闸除险加固专项规划项目审核工作，编制完成了《长江流域片大中型病险水闸除险加固规划项目审核意见》并报水利部。

（梁伟　余纯）

【工程设计】

1. 三峡水利枢纽工程　三峡水利枢纽及右岸地下电站：在中国长江三峡集团公司的统一安排下，按照颁布的技术服务和管理制度，长江委长江设计院紧紧围绕工程建设及运行各项目标，安排落实相关设计及研究工作。截至2009年11月底，完成各项专题研究报告50余份，施工详图630余张，满足了工程建设的需要。

2009年三峡工程右岸地下电站混凝土和金属结构安装处于高峰期，升船机续建工程全面启动，枢纽已具备全面发挥综合效益的条件，地下电站和升船机续建工程建设进展顺利，8月29日，通过了国务院长江三峡三期工程验收委员会组织的枢纽工程正常蓄水175m验收，防洪、蓄水、发电、航运、维护等安全平稳，实现了各项预定的工作目标和任务。

2. 南水北调中线工程　根据水规总院初步设计咨询意见及国调办关于弃土临时用地调整要求，长江设计院完成陶岔—沙河南8个设计单元初步设计报告修改工作，全套设计成果近100册，其中澧河等3个设计单元初步设计报告已通过相关部门组织审查，其余5个设计单元报告于12月完成送审稿上报。2009年在南水北调工作任务繁重情况下，派出近百余人次完成南水北调中线黄河以南初步设计报告咨询、黄河以北招标设计审查及初步设计概算评审工作，提交审查意见及报告近10余份。

基本完成了《南水北调中线一期工程丹江口水库建设征地初步设计阶段移民安置规划设计报告》，中咨公司已对农村移民安置规划、专业项目复建规划等专题报告进行概算评审，水规总院完成对城（集）镇建设规划、工矿企业迁建规划、单价分析报告等专题报告的审查。共完成总报告、专题报告、单项设计报告250余份，地质报告140余份。开展了丹江口水库湖北省、河南省移民安置实施规划外业调查工作，第一批移民的外业调查工作已结束，正在编制规划报告。开展了丹江口水库移民安置试点规划综合设代工作。

3. 其他在建工程

（1）构皮滩水电站。按供图计划要求按时提交了构皮滩水电站的施工图。积极提供现场设代服务，保证了构皮滩水电站已有3台机组按时投产发电。按时完成了构皮滩水电站移民调概报告送审稿。

（2）彭水水电站。按业主要求按时完成了彭水水电站相关工程单项工程验收。按时完成彭水水电站相关尾工工程设计。积极提供现场设代服务，保证了水电站通航建筑物等工程现场施工的顺利进行。按时完成了相关移民工程设计，保证了293m蓄水移民工作的顺利完成。

（3）银盘水电站。按供图计划要求按时提交了银盘水电站的施工图。积极提供现场设代服务，保证了银盘水电站工程现场施工的顺利进行。按时完成了相关移民工程设计，保证了银盘水电站移民工作的顺利开展。

（4）皂市水利枢纽。按业主要求按时完成了皂市水利枢纽相关单项工程和分部工程验收。

（5）水布垭水电站。主体工程施工已基本结束，为了配合工程验收，2009年度的主要设计工作是进行主体工程单元建筑物工程竣工设计、工程总结、配合业主完成扫尾工作的现场服务。根据业主安排，开展清江水布垭水利枢纽工程6个单项工程竣工验收设计，并提交相应单项工程竣工验收设计报告。对大坝、溢洪道、地下电站、渗控和边坡滑坡等主体工程的施工技术进行系统整理编排，完成了《湖北清江水布垭水利枢纽工程技术要求汇编》。保安自备电厂工程施工已经结束，为了配合工程验收，进行主体建筑物工程竣工设计。

（6）亭子口水利枢纽。围绕项目业主2009年实现可行性研究报告审批、初步设计报告审查、工程正式开工和大江二期截流4个建设目标，积极开展勘测设计研究工作，保证了项目建设目标实现和现场施工的正常进行。配合项目业主完成了可行性研究报告报批工作；完善了初步设计报告并取得主管部门的审查通过；编制完成了《嘉陵江亭子口水利枢纽工程建设征地初步设计阶段移民安置规划设计报告》并根据咨询及初审的意见进行修改完善；根据各方意见修订了坝区规划报告并通过了审查；完成了围堰蓄水专题报告初稿编制并通过审查；根据工程建设进度，完成了亭子口水利枢纽大坝工程建设监理等招标文件的编制工作。

（徐玮　徐汉宁）

【水文】

1. 站网管理　长江委现辖水文测站408个，其中水文站118个，水位站264个，雨量站24个，蒸发站2个。据2009年统计，长江流域水文站网密度约1978km^2/站，雨量站网密度约387km^2/站，自西向东逐渐增大。上游地区密度最低，水文站网密度约3401km^2/站，雨量站网密度约575km^2/站；中游地区，水文站网密度约 1560km²/站，雨量站网密度约 278km²/站；下游地区，水文站网密度约 885 km²/站，雨量站网密度约 211km²/站。雨量站网密度含水文、水位站雨量项目。

2009 年度，长江委水文局完成地下水站网规划并完成长江流域地下水开发利用与监测现状有关信息的流域汇总与上报。完成了《长江委水文局组建西南水文巡测基地技术论证报告》的修改完善工作；完成水文汉江局襄阳水文站测验断面下迁的查勘与批复工作；完成《长江委水文局拟建江汉勘测队、宜都基地技术论证》的修编工作。

2. 水文气象预报　2009 年，长江流域来水总体偏少，干流仅寸滩站出现超警戒水位，支流局部出现短时超保证洪水：岷江支流发生超历史洪水，湘江支流、水阳江出现保证洪水；洞庭、鄱阳两湖水系汛期来水显著偏少，其中 9 月、10 月来水均偏少 5 成左右，三峡水库蓄水期间（9 月下旬至 10 月）两湖遭遇严重枯水；中下游干流出现同期低水位，湘江长沙站、赣江南昌站等出现历史最低水位。8 月上旬，三峡水库出现大入库流量 55000m³/s，为缓解荆江河段及荆南四河的防洪压力，三峡水库实施拦洪削峰调度，总拦蓄量约 180 亿 m³。

3. 水文资料整编　重新修订、颁布了长江委水文局《水文测验补充技术规定》《水文测验成果质量评定办法》，制定并颁发了《长江流域及西南诸河水文年鉴汇编与验收管理办法》；完成 2008 年度水文资料复审工作；组织完成 2008 年度《水文年鉴》《长江流域及西南诸河水文年鉴》编纂工作；完成 2008 年度《长江泥沙公报》编制工作等。

4. 河道观测　长江委水文局编制完成 2009 年度长江中下游重点险工护岸生产任务书；编制了长江流域河道观测任务书并报水利部；进行了河道地形、险工险段等测绘工作，全年全局完成地形测量 493.2km²，断面测绘 2905 个，水准测量 2852km。

（佘焰高　陈星绚）

【科技教育】

1. 科技

（1）科技创新体制机制逐步健全。2009 年，长江委出台了《长江委治江战略问题及重大技术问题科研项目指导意见》《长江水利委员会技术管理办法》《长江委科技奖励办法》等规章制度，组织编写了《长江委科研项目管理办法》，制定了长江委科技创新体系建设方案，编制完成了《长江流域科技创新中心建设总体方案》并报水利部。

（2）科研平台建设进一步加强。长江设计院、长江科学院联合申报组建“国家大坝安全工程技术研究中心”获科技部批复，长科院新增 3000 余万元的科研仪器设备全部到位，占地 6.93hm² 的水生态与生物资源研究试验基地一期建设任务顺利完成。

（3）治江重大课题研究成果丰硕　开展了《以三峡水库为核心的长江干支流控制性水库群联合调度研究》等一系列专题研究，以及鱼类驯养、性控育种等方面的研究，完成了中华鲟人工繁殖子二代研究。成功申报多项水利部公益性行业科研专项和“948”项目，项目数量和资助金额大幅度增长。长江委近 30 项科技成果获省、部级奖励，获大禹科技进步一等奖，近 20 项科技成果经鉴定为国际领先或先进水平，10 余项科技成果获批专利，50 余项各类科技项目结题验收。

2. 教育　长江委 2009 年全年培训职工 19692 人次（10000 多人），其中：适应性培训 12492 人次，岗位培训 2586 人次，工人技术等级培训 577 人次，继续教育 3877 人次，高等学历教育约 160 人次；以自办培训班或其他形式集中办班培训 18812 人次，学历培训与外出业务培训（分散送培）880 人次（含出国学习深造约 16 人次）；工人培训合计 10283 人次，干部培训合计 9409 人次。全年举办培训班 374 期。

在完成自身职工培训任务的同时，长江委还根据流域管理和培训机构开拓创新的需要，为行业和地方进行业务培训约 1505 人次，举办培训班 18 期。

（董雅平　陈星绚）

【国际合作与交流】

1. 国际合作

（1）在欧盟专家组的协助下，先后组织长江委多批高层管理与技术人员赴欧洲，与欧盟各成员国就流域管理及其经济社会发展各个阶段的管理状况进行实地考察和交流，如通过赴多瑙河保护委员会、莱茵河保护委员会以及丹麦、德国、西班牙、意大利、匈牙利、土耳其等国交流访问，了解当前世界主要河流的流域管理理念与最佳实践，为长江委实施新时期治江战略提供了经验参考。

（2）通过中欧流域管理项目引进欧盟专家和学者来长江委短期工作、讲学，增强了长江委的学术氛围，促进了长江委技术与管理人员的能力建设。

（3）中欧流域管理项目从资金和会议组织方面大力支持了第三届长江论坛和长江—欧盟流域管理高层对话会。欧盟驻华副大使 Michael Pulch 先生出席了第三届长江论坛并在高峰会议上致辞，高度肯定了中欧流域管理项目的成果和意义。中欧流域管理项目加大了对长江委水土保持、流域规划及流域水生态监测等重点任务的资金和技术支持，结合赤水河生态规划，组织举办了“中欧赤水河流域综合管理与生态补偿机制”研讨会等。

（4）2009 年是云贵鄂渝水土保持世行贷款项目实施的第 4 年，各项工作取得了积极进展。长江委有效进行水土保持世行贷款项目的对口管理，按有关规定审查批复项目涉外活动，将其与中欧流域管理项目有机结合，节约了管理成本。

2. 国际交流

(1) 2009 年，长江委先后接待了日本国土交通省环境研究官、美国约翰·霍普金斯大学代表团韩国国土海洋部水资源代表团、中欧流域管理项目组、阿根廷—乌拉圭萨尔托格兰德联合技术委员会代表团、韩国水资源公社代表团、朝鲜水文化代表团、湄公河委员会专家代表团、瑞士联邦环境署风险管理专家、水库运行管理能力建设项目日本专家组等代表团来访，使来访外宾充分了解长江委在水利水电科学研究、技术开发和水资源管理等方面的成就，对拓展长江委合作领域、沟通对外技术经济合作交流信息、扩大长江委的对外影响均起到积极作用。长江委与韩国水资源公社续签了《水资源和流域管理技术合作备忘录》，保持了合作与交流的连续性。

(2) 3 月 16 日，长江委派代表参加了由世界水理事会和土耳其政府在伊斯坦布尔共同举办的为期 7 天的第五届世界水论坛暨世界水展，共有来自 13 个国际机构以及 100 多个国家和地区的 2.5 万各界人士参加本届论坛及相关活动。

(3) 4 月 20—21 日，第三届长江论坛在上海隆重召开。来自水利部、环保部、国家林业局等部委，长江干流 11 个省（直辖市、自治区）政府以及 23 个国家与地区的 500 余位代表参加了论坛。与会代表围绕“长江·河口·城市”的论坛主题，进行了广泛交流和深入探讨，达成了广泛共识，通过了《长江口保护与治理——上海宣言》。

(4) 11 月 20 日，第三届中瑞防洪减灾研讨会在北京举行，双方代表就水资源综合管理和气候变化对水资源的影响等问题进行了深入的交流与探讨。水利部部长陈雷出席研讨会并致辞。长江委作为中瑞双边合作秘书处，积极配合水利部完成了会议的组织筹备及会务工作。

(5) 2009 年，长江委申报的 2009 年度引进国外技术、管理人才项目计划——藻类在线水体生态监测系统，获水利部和国家外国专家管理局批准立项。本项目邀请了美国费罗姆学院化学与环境科学教授、美国麦普技术公司高级专家 David Johnson 先生和美国麦普环境与生物技术公司副总裁傅有彤博士来长江委进行了学术交流。 （管晶 杜小鹏 罗祥生 李锋）

黄 河 流 域

【水政】

1. 水法规建设

(1)《黑河干流水量调度管理办法》。5 月 13 日，《黑河干流水量调度管理办法》以水利部令第 38 号颁布实施。这是我国颁布实施的第一部关于西北内陆河的部门规章，标志着黑河流域管理立法取得了重大突破，为今后制订出台有关黑河流域管理行政法规奠定了良好基础，黑河水量调度从此走上依法调水的轨道。

(2) 沿黄省（自治区）有关黄河立法。组织修改完善《黄河东平湖蓄滞洪区管理办法（草拟稿）》，指导支持山东局初步开展了《黄河河口容沙区划定办法》和《占用黄河工程有偿使用费收费标准》制定工作，继续组织开展了《河南省黄河防汛条例》立法工作。

(3)《黄河法》立法前期工作。对 2008 年提出的《黄河法》立法议案进行修改完善，提出了“制定《黄河法》，保障黄河治理开发”的议案。3 月，全国人大代表李国英牵头提交给十一届人大二次会议，被列为第 34 号议案。5 月，按照水利部政法司要求对该议案提出了答复处理意见。结合黄委“十一五”立法规划，开展了《黄河法》《黄河河道与防汛管理条例》《黄河水资源保护条例》《黄河源区管理办法》等立法前期研究；11 月底全面完成了立法研究报告，并组织有关部门进行了联合验收。

2. 水行政执法工作

(1) 建立完善直管河段巡查预警报告制度及责任追究机制。对 2003 年颁布的《黄河河道管理巡查报告制度》进行了修订完善，于 8 月 19 日以黄水政〔2009〕19 号文印发实施。研究制订了《黄河河道水行政管理工作责任追究办法》，7 月初以黄监〔2009〕1 号文印发施行。

(2) 及时采取有效措施，清除违章片林。2 月及 12 月，山东、河南河务局各基层单位及时发现违章种植片林 10 余起，依法清除片林超过 23hm^{2}2 万余株。此外，根据 2008 年遥感调查和人工普查结果，对列入 2009 年清除治导线范围内两岸生产堤之间的片林数量、位置等情况，逐一现场核实。根据核查结果，采取专项清障行动，制定了清障工作实施方案，拟定了 2009 年清障指令。5 月 6 日黄河防总下达了清障指令。截至 5 月 31 日，共清除违章片林 31 处 397hm^{2}38.2 万余株。

(3) 下游滩区窑场治理整顿。积极配合河南省政府开展沿黄滩区窑场治理整顿，截至 8 月 15 日，共拆除违规砖瓦窑厂 297 座，原阳黄河滩区影响河道行洪的砖瓦窑厂已全部拆除，因违规砖瓦窑影响工期的原阳双井控导续建工程全线对接贯通，主体工程已基本完成。经过治理，下游直管河道的管理秩序得到根本好转。

(4) 全面治理整顿下游浮桥。6 月 30 日，黄河防总发出紧急通知，要求对浮桥码头的裹头及伸入河道中的引道等行洪障碍进行清除。河南、山东两省防指和各级河务部门高度重视，迅速部署安排，对需整顿的43座浮桥逐桥提出治理整顿方案。经两个多月艰苦努力，共投入机械设备300余台（套），清除桥头裹头及引道长1km有余，完成土石方12.8万m^3，全面完成了浮桥治理整顿任务，顺利通过了黄河防总的验收。本次整顿是近几年力度最大，社会影响最大，效果最明显的一次。

（5）专项水行政执法检查。11月7—8日，与有关省（自治区）水利厅组成联合执法检查组，开展了黄河干流晋陕府谷保德边界河段和乌兰木伦河陕蒙边界河段水行政专项执法检查。检查组要求当地政府针对在河道管理范围内违法采煤、部分堤防工程建设缩窄河道、乱采乱堆河砂影响行洪等问题，制定出切实可行的方案，采取有力措施坚决制止河道违法采煤活动，并对河道采砂活动进行整顿，限期于2010年汛前恢复河道原貌，并由陕西省、山西省、内蒙古自治区水利厅负责监督落实。

3. 省际水事纠纷调处

（1）《黄河流域省际水事纠纷预防调处预案》。12月11日，《黄河流域省际水事纠纷预防调处预案（试行）》以黄水政〔2009〕29号文印发流域各省区和委属有关单位执行。预案包括总则、职责划分、预防、应急处置预案、一般调处预案、奖惩等主要内容。预案的实施将对有效预防省际水事纠纷、规范纠纷调处工作程序和提高纠纷应急处置及快速反应能力发挥重要作用。

（2）晋蒙边界河曲、准格尔河段水事纠纷调处。针对2008年11月山西河曲县违法修建河道工程引发的晋蒙边界水事纠纷，2009年7月14日、23日黄委分别召开了两次由两省水利厅参加的协调会议，对违章工程拆除及下一步工作形成了意见。7月27日，在黄河防总分别向两省（自治区）防指发出于8月底前完成第一批违章工程拆除的指令后，即派出现场督察组，并多次以黄河防总、黄河防总办名义发出通知，对违章工程拆除工作提出要求。11月5日，黄委联合两省（自治区）对第一批违章工程拆除工作进行了验收，并对今后工作提出了明确要求，晋蒙水事纠纷调处取得阶段性成果。

（3）渭河凤阁岭河段陕甘省际水事纠纷调处。3月上旬，陕西省宝鸡市陈仓区凤阁岭镇通关河村违法擅自在陕甘省际边界河段修建河堤工程，引发两岸水事纠纷。纠纷发生后，黄委迅即派出现场调查组，在查看现场及与当地政府有关方面沟通协调的基础上，3月24日，紧急通知两省水利厅，要求采取强有力措施，立即停止违规建设，同时要求上中游管理局进行现场巡查监督。3月27日，通关河村再次强行施工引起对岸群众强烈不满，致使局势再度紧张，黄委会同两省水利厅迅即赴现场进行协调处理。与两省各级有关方面紧急研究、沟通，并与陕西方面形成了会议纪要，3月29日下午18时停工。3月31日，黄委向陕西省水利厅发出紧急明传电报，要求采取果断措施，责令当地政府有关方面立即撤出工地现场的所有施工人员、设备，以控制事态。为尽快妥善解决纠纷，4月2日，水政局组织两省水利厅在宝鸡市召开了协调会议，最终形成一致的处理意见并经各方签字认可。8月，两省水利厅分别向黄委报送了处理意见落实情况。10月25日，黄委组织召开了河堤工程建设方案审查会议，并形成了审查意见。11月，黄委正式批复了河堤工程建设方案，纠纷双方均较满意，纠纷得到了妥善解决。

（4）陕蒙边界无定河水事纠纷。2008年11月，陕西省水利厅向水利部反映内蒙古乌审旗拟在无定河建设大槽湾取水工程，对下游陕西省拟建的无定河王圪堵水库有严重影响，要求予以处理。黄委及水利部先后进行了现场调查，并提出了调处意见，确定了调处方案。3月27日，水利部在北京召开无定河水事纠纷协调会，经与陕蒙双方充分协商，形成共识，两省签署了协议。至此，陕蒙无定河水事纠纷得到了妥善解决。

4. 水行政执法队伍建设

（1）编制完成《2009—2015年水政监察基础设施建设初步设计》。按照水利部的要求，5月底前组织编制完成了初步设计。本初步设计总投资2694.04万元，建设内容包括采砂管理设备建设，河道清障遥感监测信息系统，黄河排污口监测及突发水污染事件应急处置设施建设，水政监察基础设施续建等。按照初步设计，2009年度水政监察基础设施建设任务已全部完成。

（2）强力推进黄河公安派出所建设。进一步梳理了黄河水利公安队伍的现状及存在问题后，黄委提出了恢复黄河水利公安设置的途径和措施，6月18日，河南省公安厅下发“关于筹建黄河沿线治安派出所的通知”，明确在河南境内黄河沿线设置黄河治安派出所21个，所需警力和编制从当地公安机构调配。10月29日，山东省机构编制委员会办公室、山东省公安厅、山东黄河河务局联合发出《关于理顺黄河公安管理体制的通知》，明确在山东省境内沿黄28个县（市、区）公安局（分局）各设立1个治安派出所。

（3）基层执法队伍建设管理工作经验交流会。该会于3月10—11日在焦作召开，焦作、濮阳、聊城、河口、济南、菏泽、郑州等河务局介绍了组建水政监察专职队伍、恢复黄河水利公安机构设置等方面的经验，为全面加强基层执法队伍建设与管理提供了借鉴。

（4）黄河水政监察干部暨普法骨干培训班。10月21日，2009年黄委水政监察干部暨普法骨干培训班在故县水利枢纽管理局开班。68名学员都是来自黄委各基层单位的水政监察干部及普法骨干。在为期6天的培训中，学员们系统学习了《黄河水行政管理和执法》《行政执法案例评析》《执法程序及文书制作》《水行政责任追究》《中国法制建设现状与“五五”普法验收》《遥感技术在水行政管理中的应用》等法律法规和执法理论知识，之后又结合水行政执法工作的业务技能在故县拓展基地进行拓展训练。

（于自力　王志华）

【水资源】

（1）主要来水区来水及干流河段省区耗水。根据报汛资料统计，2008年7月至2009年6月，黄河流域主要来水区合计来水342.8亿m^3，较多年同期均值（1950—2000年，下同）少28%。其中，汛期（2008年7—10月）来水177.2亿m^3，比多年同期均值少38%；非汛期（2008年11月至2009年6月）来水165.6亿m^3，比多年同期均值少14%；灌溉高峰期（2009年3—6月）来水101.8亿m^3，比多年均值偏少15%。同期，青海省、甘肃省、宁夏回族自治区、内蒙古自治区、陕西省、山西省、河南省、山东省及河北省在黄河干流合计耗水量198.8亿m^3，比年度分配指标少4.39亿m^3，除受旱严重的甘肃、宁夏、内蒙古、山东分别超分配指标0.79亿、1.09亿、2.58亿和0.52亿m^3以外，其他省（自治区）均未超分配指标。其中，汛期合计耗水62.7亿m^3，非汛期合计耗水136.1亿m^3。

（2）水库运行。2008年7月1日8时，龙羊峡、刘家峡、万家寨、三门峡、小浪底水库合计蓄水185.38亿m^3，到2009年7月1日8时合计蓄水175.20亿m^3，蓄水量减少10.18亿m^3；其中，汛期蓄水量增加64.35亿m^3，非汛期蓄水量减少74.53亿m^3。在非汛期内，龙羊峡水库蓄水量由180.4亿m^3降至135.6亿m^3，减少44.80亿m^3，泄流总量133.0亿m^3（贵德站），与调度指标基本持平；刘家峡水库蓄水量由26.65亿m^3降至22.64亿m^3，蓄水量减少4.01亿m^3，泄流总量164.0亿m^3（小川站），比调度指标多5.4亿m^3；万家寨水库蓄水量由4.84亿m^3降至2.13亿m^3，蓄水量减少2.71亿m^3，泄流总量110.9亿m^3；三门峡水库蓄水量由3.40亿m^3降至0.00亿m^3，蓄水量减少3.40亿m^3，泄流总量123.6亿m^3；小浪底水库蓄水量由34.44亿m^3降至14.83亿m^3，蓄水量减少19.61亿m^3，泄流总量148.6亿m^3，与调度指标基本持平。

（3）汛期水量调度。印发了2008年7—10月黄河干流水量调度方案，合理安排各省（自治区）干流用水，加强实时调度和监督检查，督促各省（自治区）按计划用水。2008年9月1日，发出了“关于做好秋浇冬灌用水控制管理工作的通知”。通过加强用水管理，2008年7—10月黄河干流合计耗水62.68亿m^3，比计划少7.48亿m^3。

（4）凌汛期水量调度。2008年11月至2009年3月，刘家峡水库在保证防凌安全前提下，兼顾下游抗旱供水，实际各月平均泄流量分别为696、477、474、369、705m^3/s。根据防凌需要，在开河期实施了应急分凌，2009年2月22日，三盛公水利枢纽实施分水，分水最大流量100m^3/s，分水量1.59亿m^3；2009年3月18—21日，内蒙古杭锦淖尔蓄滞洪区分水0.066亿m^3。2008年11月至2009年3月，青海、甘肃、宁夏、内蒙古合计耗水量9.45亿m^3。2008年11月至2009年2月，小浪底水库在保证防凌安全前提下，兼顾下游供水，各月平均泄流量分别为470、425、429、828m^3/s，河南、山东、河北省合计引水26.73亿m^3。

（5）春灌期水量调度。2009年4月21日黄委在甘肃省兰州市组织召开了2009年黄河上游河段水量调度协商会议，确定了黄河干流刘家峡水库至头道拐河段5—6月分旬水量调度方案，按照甘肃、宁夏、内蒙古抗旱需水情况，在年计划基础上对引水过程进行了适当调整。

3月，黄河下游小麦处于返青期，小浪底水库以春灌供水和桃汛蓄水为主，兼顾枢纽发电。2009年1月6日至3月10日实施抗旱调度，通过及时供水缓解了下游旱情。根据黄河来水、水库蓄水、黄河下游降水和沿黄灌区旱情缓解情况，小浪底水库月均泄流量由年计划1000m^3/s调减为600m^3/s，其中上旬按720m^3/s控制，5日调整为600m^3/s控制，中、下旬按600m^3/s控制，实际月均下泄流量599m^3/s。河南、山东实际引水分别为1.1亿、11.4亿m^3。

4月，黄河上游引黄灌区陆续开灌，下游引黄灌区进入小麦拔节期，用水需求量大。刘家峡水库上旬泄流量按800m^3/s控制，4日调整为1000m^3/s，中、下旬分别按750、1150m^3/s控制，实际月均下泄流量1169m^3/s。青海、甘肃、宁夏、内蒙古耗水分别为0.35亿、1.41亿、4.86亿m^3和3.47亿m^3。万家寨水库到正常蓄水位后按进出库平衡运用，三门峡水库按不超过318m运用。小浪底水库上旬按800m^3/s控制，9日调整为750m^3/s，19日调整为700m^3/s，20日调整为600m^3/s，实际月均下泄流量721m^3/s，河南实际引水1.83亿m^3，山东实际引水11.45亿m^3。

5月，甘肃、宁夏及内蒙古进入灌溉高峰期，河南、山东进入小麦抽穗、灌浆期，用水高峰重叠。按照年度计划及黄河上游河段协商会精神，确定刘家峡、小浪底水库分别按1130、700m^3/s控制。在实时调度中，根据宁夏、内蒙古用水需求，刘家峡水库上中旬分别按1200、1100、1050m^3/s控制，实际月均下泄流量1161m^3/s，青海、甘肃、宁夏、内蒙古耗水分别为0.58亿、2.38亿、8.77亿和8.91亿m^3。万家寨水库按进出库平衡运用，三门峡水库按不超过

318m 运用。黄河下游大部地区墒情适宜，小浪底水库上旬按 550m^3/s 控制，中旬按 500m^3/s 控制，18 日调整为 400m^3/s，实际月均下泄流量 481m^3/s，河南实际引水 2.87 亿 m^3，山东实际引水 4.50 亿 m^3。

6 月，黄河上游进入小麦第三水及夏、秋季作物第一水，农业灌溉需水量大。中下游开始夏播夏种，6 月 19 日开始调水调沙。按照年度计划及协商会议精神，刘家峡、小浪底水库月均下泄流量分别按 1170、1800m^3/s 控制。在调度过程中，根据宁夏、内蒙古用水需求，刘家峡水库上中下旬分别按 1200、1100、1050m^3/s 控制，实际月均下泄 1206m^3/s，青海、甘肃、宁夏、内蒙古耗水分别为 0.56 亿、1.66 亿、11.38 亿和 8.29 亿 m^3。小浪底水库上中旬分别按 375、500m^3/s 控制。6 月 19 日，黄河调水调沙开始后，万家寨、三门峡、小浪底水库按照调水调沙运行。6 月，河南引水 5.03 亿 m^3，山东引水 4.70 亿 m^3。

(6) 调水调沙期间引水控制。2009 年汛前黄河调水调沙生产运行自 6 月 19 日开始，至 7 月 8 日水库调度结束。为配合做好 2009 年汛前调水调沙生产运行工作，一是加强黄河水量调度，积极为调水调沙筹集水源。做好龙羊峡、刘家峡水库实时调度管理，自 3 月中旬至 4 月上中旬从龙、刘水库增调水量 10.83 亿 m^3。二是做好调水调沙期间引水控制管理。编制完成了《2009 年调水调沙期间黄河下游河段引水控制预案》，确定了下游河段的引水控制指标，提出了相应的保障措施；加强订单供水管理，逐日滚动批复未来五日分河段引水订单 14 份，批复平均引水流量 529m^3/s，实际平均引水流量 544m^3/s，引水控制精度达到 97%。根据引水引沙资料统计，6 月 19 日至 7 月 7 日，累计引水量 8.94 亿 m^3。累计引沙量 406.14 万 t。

(7) 黄河下游生态用水调度。为继续推进功能性不断流工作，继 2008 年成功实施黄河下游生态补水之后，2009 年继续结合汛前调水调沙实施了黄河下游生态调度。本次调度的重点是向河口三角洲湿地保护区有计划地补水，改善下游生态环境，同时积累基础资料和调度经验。2009 年汛前调水调沙自 6 月 19 日开始，6 月 22 日利津断面流量显著增加。根据闸前大河流量和水位，3 号闸于 24 日 6 时开始向三角洲自然保护区补水，6 月 30 日 14 时停止补水；1 号闸于 24 日 14 时开始补水，7 月 3 日 14 时停止补水。本次补水历时 10 天，合计补水量为 1508 万 m^3，较去年增加 152 万 m^3。根据 6 月 19 日与 7 月 4 日两次卫星遥感监测，核心区水面面积增加 3480hm^2，补水完成后湿地平均水深增加了约 0.4m。同时，由于近海口漫溢，增加河道水体面积 2910hm^2。截至 7 月 5 日，1 万 hm^2 淡水湿地地下水水位抬高了 0.15m。

(8) 引黄济津济淀应急调水。2009 年天津市和河北省同时遭遇大旱，为解决天津市、河北省水资源短缺问题，国务院决定于 10 月 15 日开始实施引黄济津济淀应急调水。引黄济津仍采用 2004 年输水线路，自黄河下游位山闸引水，经位山三干渠至临清立交穿卫运河，进入清临渠、清凉江，经清南连渠入南运河至天津九宣闸，经南运河进入天津市区；整个输水线路总长 500km。引黄济淀仍采用 2008 年引黄济淀线路，线路全长约 399km。自 10 月 1 日位山闸开闸放水至 2009 年 12 月 31 日 8 时，位山闸累计放水 6.82 亿 m^3，刘口闸累计收水 5.73 亿 m^3，天津九宣闸累计收水 1.35 亿 m^3。

(9) 重点支流调度管理。按照《黄河水量调度条例》要求，黄委积极推进黄河支流调度的规范化管理。一是组织相关省（自治区）建立渭河、沁河枯水期水量分配和调度管理机制，山西省水利厅制定了沁河、汾河水量调度工作机制，陕西省省政府出台了《陕西省渭河水量调度办法》，河南省正在开展沁河水量调度方案和枯水分配与调度管理工作机制研究。二是在 2008—2009 年度水量调度总结中，重点总结了支流调度存在问题，陈雷部长做了重要批示，水利部相关司局提出了处理意见。三是在 2009 年黄河水量调度工作会议上，对支流调度工作提出了明确要求，包括强化支流用水控制，加强跨省（自治区）支流的实时调度，提前防范出现小流量事件，确保支流省际和入黄控制断面达到规定的指标要求。逐级明确支流调度的管理部门和职责，有关省（自治区）要进一步完善和建立各调度支流枯水时段分水和调度管理机制，督促支流各用水户尽快安装取水计量设施，提高支流用水统计的精度等。

(10) 建设项目水资源论证管理。黄委组织审查建设项目水资源论证报告书共 48 份（其中属于纠正越权审查建设项目水资源论证报告书 33 份），涉及火电、水电（水库）、引水、石化、采掘等行业。根据报告书修改复核情况，2009 年批复 36 份，均及时将报告书批复文件及审查意见报水利部备案。

(11) 水权转换工作。9 月 25 日，黄委修订印发了《黄河水权转让管理实施办法》，以更加翔实、细致、严谨的条款，规范黄河流域水权转让行为。近几年，鄂尔多斯市在完成一期水权转让节水工程建设任务的基础上，迫切要求实施二期水权转让节水工程建设，解决新增重点工业建设项目的用水需求。2009 年 3 月 8 日，黄委对《鄂尔多斯市引黄灌区水权转换暨现代农业高效节水工程规划》进行了审查，2009 年 8 月对该规划进行了批复。在一期水权转让节水工程已转换 1.3 亿 m^3 水量指标的基础上，通过实施鄂尔多斯市二期水权转让规划确定的节水建设任务后可再转换水量 1.0 亿 m^3。9 月 27 日，黄委又组织审查批复了《鄂尔多斯市引黄灌区水权转换暨现代农业高效节水工程可行性研究报告》。（于自力　周建波）

【前期工作】

1. 治黄重大规划

（1）黄河流域综合规划修编工作全面完成。

（2）积极推动《黄河流域及西北诸河水资源综合规划》审批工作。对青海、甘肃、宁夏、内蒙古、陕西和山西6省（自治区）分别进行了协调，配合水利部完成征求国家有关部委以及省（自治区）人民政府意见，极大地推动了规划的上报和审批工作。

（3）启动了一批规划编制工作。青海湖流域和三江源区水资源综合规划任务书已经水利部批复，并开展规划编制工作；根据国务院、水利部安排，启动了《黄河流域（片）水利发展“十二五”规划》等编制工作。

（4）一大批重点规划取得丰硕成果。《黄河蓄滞洪区建设与管理规划》作为《全国蓄滞洪区建设与管理规划》的重要组成部分，已得到国务院批复；《黄河河口综合治理规划》《黄河龙羊峡以上河段综合规划》《黄河下游滩区安全建设规划》通过了水利部水规总院审查；编制完成了《黄河遥感应用技术规划》和《“数字黄河”工程数学模拟系统建设规划》并上报水利部；编制完成了《黄河下游滩区综合治理规划》，征求了省区意见并上报水利部；《黄河水沙调控体系建设规划》已完成满足规划修编要求的成果，并提交了规划报告；印发了《黄河流域（片）水利规划框架体系意见》，规划体系得到进一步完善。

2. 重点项目

（1）重大项目立项工作。在水利部对《黄河古贤水利枢纽项目建议书》规划、枢纽布置、移民3个专题进行技术讨论的基础上，补充完善了重力坝方案并协助水利部水规总院组织了咨询论证工作；全面完成了项目建议书并配合水利部完成了审查，同时积极与山西、陕西两省就有关环境影响评价、供水区规划等问题进行沟通协调，取得了基本一致的意见，为古贤水利枢纽工程的立项奠定了基础。启动了《黄河禹门口水利工程项目建议书》编制工作。南水北调西线一期工程项目建议书报告在委内各专题咨询的基础上，继续完善了相关重大专题研究工作，完成了项目建议书编制并通过了委内初审咨询。黄河粗泥沙集中来源区拦沙工程一期项目建议书通过水利部审查报送发改委，通过了中咨公司评估，对项目建议书进一步完善，并就建管模式、总体布局等进行了协调和沟通。黑河黄藏寺水利枢纽项目建议书，按部要求完成了黄藏寺、正义峡建设规模与开发次序专题论证报告，并积极协调水利部进行了审查。

（2）重点项目可行性研究工作。在获得水利部批复移民安置规划大纲、水土保持报告书，国家环保部批复环境影响报告书，国土资源部批复土地预审的基础上，《黄河下游防洪工程近期可行性研究报告》通过了中咨公司的评估。《宁蒙河段近期治理工程可行性研究报告》经中咨公司评估后，已协调宁、蒙两个自治区修改完成了可研报告，并会同水规总院完成了审查。《黄河三门峡库区近期治理工程可行性研究报告》和《黄河小北干流近期治理可行性研究报告》，按发改委要求督促地方政府出具了相关承诺文件。《黄河河口近期治理工程可行性研究报告》已通过水利部审查并上报国家发改委。完成了《黄河粗泥沙集中来源区拦沙工程一期项目可行性研究报告》编制。黄河水量调度管理系统建设可研报告已经国家发改委批复，同时初步设计已上报水利部。启动了黑河黄藏寺水利枢纽、东平湖滞洪区近期工程、黄河下游“十二五”防洪工程建设和黄河下游近期滩区安全建设可研报告编制工作。完成了《“模型黄土高原”一期工程可行性研究报告》编制并通过了科技委咨询和黄委主任专题办公会研究。

（3）重点项目设计报告编制和审查批复　按水利部要求，编报了《2009年黄河下游防洪工程建设实施方案》《2010年度黄河下游防洪工程建设应急实施方案设计报告》并配合水利部完成了审查。完成了黄河下游、小北干流、三门峡库区、河口等河段的近期防洪工程建设初步设计的编制。

完成了一大批水文、水资源保护、电子政务等建设项目的前期工作，促进了“三条黄河”建设。通过积极向部汇报沟通，较大幅度地争取了黄委2009年基础设施建设投资。

根据行政许可有关规定，审查签署了黄河班多、羊曲水电站等4项水工程规划同意书。及时安排了塔河治理项目、黑河治理项目共计29项单项工程的审批，完成了黄河流域片9座中型水库审核工作。完成了黄河流域（片）10省（自治区）413座病险水闸的规划项目审核工作，其中黄委直管水闸60座，同时编制上报了《黄委直管病险水闸除险加固专项规划》。完成了《黄河流域（片）重点地区中小河流近期治理建设规划》的编制工作和黄河流域片61座大型灌溉排水泵站更新改造项目的初步设计复核工作。组织完成了黄河流域（片）规划内大中型病险水库除险加固工程前期工作核查。

3. 投资计划管理　2009年度共争取中央投资125394万元，其中黄河下游治理70862万元，黄河下游非工程措施27086万元，三门峡库区治理3000万元，渭河入黄流路调整2408万元，黑河近期治理846万元，水土保持中央直属项目2289万元；水文、水资源和水政建设1260万元，水利前期及基础研究工作经费9868万元，基础设施建设8275万元。

4. 治黄重大战略问题研究

（1）结合规划前期工作，开展了黄河黑山峡河段开发论证工作、黄河小浪底水库拦沙期防洪减淤运用方式研究、三门峡水库运用补偿方案研究、黄河流域与水有关的生态补偿机制典型案例分析和试点研究，以及小浪底水库异重流调度关键技术研究和黄河中游降雨产流产沙预报模型应用研究等项目。

(2) 涉及小浪底水库的专题研究。完成了小浪底水库拦沙初期运用分析评估、黄河下游中常洪水变化及小浪底水库风险调控关键技术研究、小浪底水库汛前调水调沙出库水流加沙方案初步研究、小浪底(西霞院)水库富营养化趋势分析及预防对策研究、以小浪底水库为中心的水沙调控体系联合运用模型开发与应用研究，以及小浪底水库入库水沙条件分析研究等相关工作。

(3) 治黄基础工作。安排完成了黄河流域重点区域统一高程、渭河下游河道地形图测量等基础工作，并进行了技术验收；在深入调研的基础上，提出了基础工作近期安排计划。

5. 解决热点、难点问题

(1) 黄河下游防洪工程建设用地补偿难点问题。黄委与山东、河南两省人民政府进行了专题座谈，就防洪工程建设用地方式、投资渠道、工程管理等关键问题达成基本一致，两省人民政府已经以正式文件函复黄委。2009 年初，水利部向国家发改委上报了《黄河下游防洪工程建设征地补偿标准及投资概算调整报告》。组织编写了《黄河下游防洪工程占地土地评价报告》和《1999—2006 年黄河下游防洪工程建设用地问题汇报提纲》等材料并向国家发改委汇报。组织对山东、河南河务局土地办证情况的调研，多方筹资，力促地籍测绘和办证报件组织工作。

(2) 专项调查研究。深入基层单位开展了统计工作实地调研，提出了进一步加强和改进水利统计工作的具体措施。为全面了解黄河流域病险水库除险加固工作进展及水库安全生产情况，分别组织对河南和青海两省病险水库除险加固工作进行专题调研。为掌握流域内拉动内需项目的投资完成情况，进行了青海、甘肃、宁夏、陕西 4 省(自治区)的水利投资项目执行情况检查调研。 (于自力 温红杰)

【汛情与防汛】

一、汛情

1. 雨情 2009 年 7—9 月黄河流域各区间降雨量与历年同期相比：兰州以上、泾渭河、龙三干流、伊洛河、小花干流及大汶河接近常年，北洛河偏少 12.1%，兰托区间、三小区间及沁河偏少 20%～30%，汾河及黄河下游偏多 10%～20%，山陕区间偏多 28.8%。

2. 暴雨洪水 7—9 月黄河干支流水势基本平稳，未出现大洪水。8 月 28—29 日，黄河中游地区普降大到暴雨，受降雨影响，中游部分干支流有一次较明显的小洪水过程：渭河魏家堡站 8 月 29 日 16 时 30 分洪峰流量 1110m³/s，咸阳站 30 日 6 时 48 分洪峰流量 1020m³/s；灞河马渡王站 29 日 8 时 30 分洪峰流量 595m³/s；沣河秦渡镇站 29 日 12 时 50 分洪峰流量 460m³/s；渭河临潼站 8 月 30 日 16 时洪峰流量 1240m³/s，华县站 8 月 31 日 14 时洪峰流量 1140m³/s，该流量为华县站 7—9 月最大流量。黄河龙门站 8 月 29 日 20 时 54 分洪峰流量 1670m³/s，干支流洪水汇合，黄河潼关站 8 月 31 日 5 时洪峰流量 2000m³/s。由于上游基流较大，加上万家寨、天桥水库的调节作用，黄河中游府谷站 8 月 30 日 0 时 36 分洪峰流量 1610m³/s，龙门站 9 月 1 日 5 时 30 分洪峰流量 1830m³/s，该流量为龙门站 7—9 月最大流量。黄河潼关站 9 月 2 日 2 时洪峰流量 2080m³/s，三门峡水库敞泄运用，8 月 31 日 1 时 42 分最大下泄流量 2710m³/s，31 日 6 时最大下泄含沙量 311kg/m³。

3. 来水来沙 7—9 月黄河流域各区实测来水量与历年均值相比，黄河上游唐乃亥站径流量 126.4 亿 m³，偏多 31.2%，而刘家峡入库径流量 63.86 亿 m³，偏少 47.2%；兰州站径流量 86.4 亿 m³，头道拐站径流量 49.1 亿 m³，分别偏少 38.1%和 47.8%。中游龙门站径流量 49.82 亿 m³，较多年均值偏少 61.8%；潼关站径流量 65.75 亿 m³，较多年均值偏少 58.4%；小浪底站径流量 44.21 亿 m³，较多年均值偏少 70.6%。下游花园口径流量 52.19 亿 m³，较多年均值偏少 70.9%；夹河滩—利津河段各站径流量较多年均值偏少 70%左右。支流控制站与多年均值相比，渭河华县站偏少 49.6%，汾河河津站偏少 84.1%，北洛河狱头站偏少 75.2%，伊洛河黑石关站偏少 59.5%，沁河武陟站偏少 98.9%。

7—9 月黄河干流实测输沙量与历年均值相比均偏少。黄河上游唐乃亥站(龙羊峡水库入库)输沙量为 0.0802 亿 t，较多年均值偏少 6.2%；兰州站输沙量为 0.0583 亿 t，较多年均值偏少 91.5%；头道拐站输沙量为 0.1955 亿 t，较多年均值偏少 72.2%；中游龙门站输沙量 0.3610 亿 t，较多年均值偏少 95%；潼关站输沙量 0.8030 亿 t，较多年均值偏少 91.1%；三门峡输沙量 1.478 亿 t，较多年均值偏少 84.2%；小浪底站输沙量 0.0332 亿 t，较多年均值偏少 99.6%；下游花园口—利津各站输沙量较多年均值偏少 96%以上。主要支流控制站实测输沙量与历年均值相比，渭河华县站、北洛河狱头站较多年均值分别偏少 82.6%、98.9%，汾河河津站、沁河武陟站、伊洛河黑石关站基本无输沙。

4. 冲淤情况 不计引水引沙，据现有资料按输沙率方法计算，7—9 月三门峡库区共冲刷泥沙 0.5389 亿 t，其中潼关以上库区淤积 0.1361 亿 t，潼关以下冲刷 0.6750 亿 t。黄河下游花园口—利津河段共冲刷泥沙 0.1341 亿 t，其中夹河滩—高村河段冲刷 0.0685 亿 t，泺口—利津河段冲刷 0.0380 亿 t。

二、防汛

1. 黄河第九次调水调沙 本次调水调沙整个调

度过程分为小浪底水库清水下泄冲刷河道的流量调控阶段和万家寨、三门峡和小浪底水库三库水沙联合调度人工塑造异重流阶段。6月17日15时起，西霞院水库按1000m^3/s控泄；6月18日12时起，小浪底、西霞院水库联合调度运用，出库流量按2300m^3/s均匀下泄。6月19日9时起小浪底水库起始调控流量2800m^3/s，6月20日8时起调控流量3500m^3/s，6月22日8时起调控流量3800m^3/s，6月24日8时起调控流量4000m^3/s。6月29日22时起，为延长异重流排沙历时，小浪底水库先后按3000m^3/s、2600m^3/s、2300m^3/s、1500m^3/s流量下泄，并保持3个排沙洞全开，尽量多排泄库区泥沙。7月3日18时，小浪底库水位降至220m左右，水库按600m^3/s下泄，调水调沙调度过程结束。

本次调水调沙黄河下游河道主河槽实现全线冲刷，主河槽冲刷泥沙3429万t，最小过流能力提高到3880m^3/s。通过联合调度小浪底、三门峡、万家寨水库，小浪底水库成功实现了异重流排沙出库。调水调沙期间，还在小浪底至花园口河段开展了水库、河道泥沙联合调度运用方式研究工作。

2. 完善各类防洪预案　按照国家防办要求及时启动了黄河防御洪水方案和洪水调度方案修订工作，修订完善各类防洪预案，沿黄各省区防指完成了《黄河滩区迁安救护方案》《东平湖蓄滞洪区防洪运用方案》以及沁河、伊洛河等重要支流防洪调度方案。编制了黄河下游河南开封黑岗口上延、山东鄄城芦井、东平湖蔡楼等重点工程应急抢险方案，为实施防洪风险管理提供了强有力的技术保障。

3. 积极探索防汛管理新体制　汛前，沿黄各级防指明确和落实了以行政首长负责制为核心的各项防汛责任制，并通过新闻媒体予以公示。开展了多层次的防汛检查，国家防总、黄河防总联合检查组重点检查了沿黄各省（自治区）和有关单位防汛工作落实情况，各省（自治区）防指开展了省市县各级密集型备汛检查。同时，针对当前黄河防汛抢险管理存在的突出问题，通过完善制度进一步落实了养护公司、供水局等具有独立法人资格企业单位的防汛职责，理顺了黄河防洪工程险情管理程序；修订完善了黄河防汛机动抢险队管理办法，对防汛机动抢险队伍的集结、培训、调遣、抢险等做出明确规定；积极开展机动抢险队管理运行定额测算、编制工作，定编、定岗、定责，开展机动抢险队队员纳入黄委预算单位基本支出定员定额管理试点工作，积极探索并正逐步建立防汛机动抢险队长期良性发展机制，以解决制约防汛机动抢险队发展的瓶颈。

4. 开展多层次防汛演练　7月23日，黄河防总举行了以检测中游水库群联合调度、沁北滞洪区运用、东平湖防洪调度的黄河汛期中常洪水指挥调度演练，通过视频直播的形式，会同河南河务局、山东河务局、山西河务局、陕西河务局、黄委水文局，对相关水情预报、水库调度、视频会商、应急抢险等科目进行演练，抽查了黄河机动抢险队参与沁河抢险演练、东平湖防风浪抢险演练的现场应对能力。汛前，各河务局也开展了不同规模的防汛抢险实战演练。通过多层次的防汛演练，检验了相关单位和部门的防汛准备情况，达到了通过演练发现问题、完善预案、规范流程、锻炼队伍，提高防汛快速反应及实战能力的目的。

5. 探索实践洪水泥沙管理新途径　按照委党组“把洪水泥沙管理的重点转向塑造协调的水沙关系上来”的要求，积极进行洪水泥沙管理的实践和探索。2009年汛初再次实施了黄河调水调沙，联合调度小浪底、三门峡、万家寨水库。2009年还继续开展了利用并优化桃汛洪水过程冲刷降低潼关高程试验，潼关高程降低了0.13m。

6. 强力推进防汛信息化建设　黄委国家防汛抗旱指挥系统一期工程建设任务已全部完成。榆次、延安、西峰、天水、榆林、三门峡、兰州、西宁、包头、济南等10个水情分中心已投入使用，建成计算机网络管理系统、洪水预报系统、黄河防洪调度系统和防洪工程数据库；黄河下游工情险情查询系统得到更新和完善，黄河防总防汛值班系统投入使用，黄河水文、防汛等信息收集更便捷、更全面、时效性更强。黄河洪水预报系统的建成使时效性和预见期增强，扩大洪水预报的内容和范围，使洪水预报会商更为方便快捷，实现了各业务应用系统之间信息资源共享和业务协同，切实提高了防汛抗旱信息化整体水平。

7. 灾情与抢险　7—9月，黄河防洪工程出险80处，长度19922m，抢险用石4.56万m^3，铅丝25.78t，麻料33.19t，抢险耗资994.9万元。防洪工程水毁修复19处，长度8415m，修复所需投资1131.76万元，水文设施（备）水毁损失258.05万元，通信网络传输设施遭水毁或雷击损失43.91万元。其中，河南郑州桃花峪控导，开封黑岗口控导、新乡古城、大张庄，山东菏泽杨集上延控导、苏泗庄险工，小北干流陕西段华原控导工程、小北干流山西段小石嘴控导等工程发生了较大险情，经全力组织抢护，确保了工程安全。

三、防凌

1. 凌情　2009—2010年凌汛期，黄河干流最大封冻长度累计1216.37km。其中各河段封冻最大长度分别为宁蒙河段792km（扣除宁夏、内蒙古交叉河段40 km），龙口水库库区20km，天桥水库库区55km，壶口瀑布龙槽5km，小北干流河段16km，三门峡水库库区73km，黄河下游255.37km。

2. 险情及灾情　2010年2月27日，黄河内蒙古阿拉善盟酒店湾河段出现卡冰，水位上涨，凌水漫滩。造成1座20hm²的鱼池和4个砂石场的加工设备及成品石料全部被冲毁，1户居民房屋被洪水包围，镇区4眼供水机电井及设备被淹，15.8hm²耕地被淹。直接经济损失约600万元。由于开河水位持续偏高，堤防薄弱，3月10日，黄河内蒙古巴彦淖尔市乌拉特前旗乌拉山镇南无祥段700m多长的堤防出现渗漏和管涌险情。3月16日，黄河内蒙古包头市打不素段部分堤段出现渗水和滑坡险情。

2010年1月，受河势变化、主槽封冻、主流下泄不畅影响，小北干流左岸清涧湾调弯下延工程和汾河口工程防汛道路均发生漫溢险情，小北干流放淤试验工程发生漫溢，庙前工程17、18号坝发生坦石坍塌险情，造成不同程度损毁。小北干流左岸临猗屈村河段，受主流坐弯及冰凌壅塞影响，在2009年12月31日发生凌汛漫滩，造成260hm²滩地受淹。小北干流右岸韩城南谢控导工程、芝川工程和大荔雨林下延工程部分坝垛受主流顶冲及河道冰凌冲击，出现根石、坦石坍塌险情，出险河段长度288m，造成损失102万元。

3. 防凌工作开展情况

(1) 及早部署，全面准备。召开2009—2010年度黄河防凌工作会议，总结防凌工作经验，分析研究黄河防凌形势，安排部署2009—2010年度黄河防凌工作。沿黄各省（自治区）防指和有关单位对各项防凌责任制落实，防凌预案修订，工程建设，防凌物资储备，防凌队伍组织，气象、水情、冰情测预报，冰凌爆破和抢险，迁安救护，行凌障碍清除等各项防凌工作进行了全面部署。

(2) 修订完善防凌预案。编制了《2009—2010年度黄河防凌预案》，制定了防凌应急措施和预案保障措施。批复《2009—2010年度内蒙古自治区黄河凌汛期应急分洪区运行调度修订方案》。

(3) 积极储备防凌物资，落实防凌队伍。凌汛期间，宁夏、内蒙古、河南、山东省（自治区）防指和陕西、山西黄河河务局针对实际情况，分别落实了防凌队伍及防凌抢险料物，并对黄河各专业队伍进行了业务培训。

(4) 加强凌情监测预报工作，为黄河防凌提供信息支撑。黄委水文局加密预报测报频次，及时发布凌情预报，为防凌指挥决策提供基础资料。

(5) 科学调度防凌调蓄工程，最大限度减轻防凌压力。按照"上控、中分、下泄"的原则，加强水库和应急分洪区的科学调度。为内蒙古河段平稳开河创造有利条件。开河期，黄河防总适时压减刘家峡水库下泄流量，控泄在280～300m³/s，减小进入内蒙古河段水量。三盛公水利枢纽总干渠自3月6日起正式分凌，历时22天，共计分凌1.24亿m³。万家寨水库自3月6日起，降低库水位至968m以下运行。

(6) 大力开展清障工作，保障河道行凌畅通。流凌初封期，黄河防总派出清障检查工作组对内蒙古河段浮桥拆除、在建桥梁阻水阻冰临时施工设施等行凌障碍清除情况进行了全面检查。对浮桥拆除不彻底的，影响行凌严重的采取了相应的处罚措施，要求限期完成拆除工作。进入开河期，内蒙古自治区组织了黄河清障专项行动，拆除黄河浮桥11座，并彻底清除浮桥引道等严重影响行洪的障碍物，恢复过流断面，确保了行洪畅通。黄河下游出现流凌后，及时拆除了影响流凌的52座浮桥，在建桥梁落实了多种破冰措施，确保了冰凌畅通和在建桥梁的安全。

(7) 加强组织领导，及时抢护险情。开河期由于水位持续偏高，堤防薄弱，内蒙古段北岸接连出现堤防渗漏、管涌及滑坡险情。2010年3月10日，乌拉特前旗乌拉山镇南无祥段700多米堤防发生渗漏和管涌。乌拉特前旗防凌防汛指挥部有效应对，全力抢护，统一调集了50多辆抢险机械抢修沙堤戗台工程。经昼夜奋战，3月17日上午，险情被全部排除。共完成砂石工程量7700m³，长度2.14km。为保障群众生命财产安全，乌拉特前旗防汛部门印制了迁安救护明白卡，向沿河群众发放。2010年3月16日，黄河包头市打不素段部分堤段出现渗水和滑坡险情。内蒙古前线指挥部立即派员赶赴现场指导，当地政府组织人员和机械全力抢护，及时控制了险情的进一步扩大。

2010年1月14日，黄河小北干流由于河道气温升高，上游封冻融化，下泄冰凌在河津清涧湾至小石嘴河段堆积加快，冰凌下泄不畅，水位壅高，河津清涧湾调弯下延工程发生漫溢险情。险情发生后，正在该河段检查防凌工作的黄河防凌工作组立即与山西黄河河务局现场会商，确定应急抢险方案。由于险情抢护及时，措施有效，最大程度减少了损失。

(8) 加强军地协调，部队为防凌工作提供了强有力的支撑和保障。空军某部于3月9日出动6架轰炸机，完成试航、试投炸冰演练，共投弹48枚。直升机进行了12次空中察看凌情。3月22日，防凌炮兵某连在包头市皿己卜河段实施主动破冰，40发炮弹全部命中目标，消除了河段的阻冰隐患，保证了河道行凌畅通。

4. 水库防凌调度　凌汛前期，根据来水预测和河道边界条件，黄河防总办公室制定了2009—2010年度黄河防凌预案。凌汛期间，黄河防总办公室按照"上控、中分、下泄"的调度原则，加强水库实时调度，适时分凌，为黄河安度凌汛创造了有利条件。

(1) 刘家峡水库。按照本年度黄河防凌预案，刘家峡水库2009年11月至2010年3月月平均下泄流量依次为770m³/s、480m³/s、460m³/s、380m³/s、470m³/s，总泄水量为66.92亿m³，比多年均值65.96亿m³多泄0.96亿m³，比上年度预案值63.70亿m³多泄3.22亿m³。

（2）万家寨水库。万家寨水库的防凌调度运用，主要根据内蒙古河段封河开河情况，以控制调度水库库水位为主。根据2009—2010年度黄河防凌预案，内蒙古河段封河发展期控制库水位在970m左右运行；稳定封河期控制库水位在972m左右运行；开河期按控制库水位不超过970m运行。当内蒙古河段遇严重凌情时，水库降低水位运用，保证上游河段通畅下泄。凌汛期龙口水库泄流必须保持相对稳定，不能忽大忽小，以保证河曲河段和天桥库区较稳定的封冻基面，防止天桥库区及北干流河道产生冰凌堆积现象。

（3）三门峡水库。2009年12月至2010年2月凌汛期间，三门峡水库各月最高运用水位分别为317.52m（12月11日）、317.99m（1月20日）、317.92m（2月11日）；各月最低运用水位分别为314.56m（12月31日）、314.28m（1月1日）、317.28m（2月28日）。

（4）小浪底水库。由于引黄济津济淀应急调水自2009年10月1日开始供水，小浪底水库下泄流量需要相应加大。在本年度防凌预案中，考虑防凌安全、水流传播时间及下游用水需求，小浪底水库冬季三个月各月平均泄流量计划为520m^3/s、480m^3/s、620m^3/s，总泄水量为41.78亿m^3。

在保证防凌安全的前提下，黄河防总科学调度小浪底水库，顺利完成了引黄济津济淀任务。2009年12月和2010年1月、2月的月平均下泄流量依次为429m^3/s、346m^3/s、483m^3/s，累计下泄水量32.44亿m^3，比计划下泄量少29%。（于自力　苏景梅）

【水土保持】

一、水土流失治理

（1）概况。2009年全流域共开展水土流失综合治理面积1.05万km^2（不含河南省）。其中，建设基本农田14.47万hm^2，营造水保林35.11万hm^2、经济林7.10万hm^2，种草18.68万hm^2。实施封禁治理29.27万hm^2。安排建设淤地坝326座，其中骨干坝145座。兴修小型水利水保工程1.51万处（座）。

（2）开展黄土高原淤地坝安全大检查。根据水利部《关于开展黄土高原淤地坝安全大检查专项行动的通知》要求，黄委积极配合，及时组织制定了淤地坝安全分类标准，分别参加了7省（自治区）淤地坝安全大检查专项行动，对各有关省（自治区）淤地坝病险情况进行了统计汇总，及时向水利部报送了《关于黄土高原淤地坝安全大检查专项行动总结的报告》。

据统计，截至2008年底，黄河流域黄土高原地区有各类淤地坝91093座，其中骨干坝5509座，占淤地坝总数6.0%，中型坝11234座，占淤地坝总数12.3%，小型坝74350座，占淤地坝总数81.7%。按安全等级分类统计：一类（防御标准达规范要求）坝有6141座，占36.68%，其中骨干坝2560座，中型坝3581座；二类（运行情况基本正常）坝有3266座，占19.51%，其中骨干坝966座，中型坝2300座；三类（需提高防御标准）坝有1181座，占7%，其中骨干坝566座，中型坝615座；四类（达不到规范要求防御标准）坝有4107座，占24.53%，其中骨干坝808座，中型坝3299座；五类（存在严重隐患）坝有2048座，占12.23%，其中骨干坝609座，中型坝1439座。

（3）前期工作。根据水利部办公厅“关于开展2009—2011年省级水土保持重点工程建设规划审核工作的通知”要求，黄委于2009年2月11—13日在北京、2月16—20日在郑州，分别组织召开了内蒙古、陕西、甘肃、青海、河南、宁夏、新疆7省（自治区）和新疆生产建设兵团所编制的《2009—2011年水土保持重点工程建设规划》（以下简称《规划》）审核会议。会议听取了规划编制单位的汇报，与会领导和专家在各省（自治区）审查的基础上，根据水利部制定的《规划》编制参考提纲和《规划》审核要点要求，重点对《规划》的区域布局、建设重点、投资标准以及与已有规划衔接等内容进行了认真细致的审核，分别提出了审核意见初稿。本次审核的7省（自治区）和新疆生产建设兵团《规划》包括小流域综合治理、坡耕地水土综合整治试点、黄土高原淤地坝建设等3类工程，总投资达140多亿元。

目前有关省（区）正按照审核修改意见抓紧修改完善规划报告，黄委将尽快印发审核意见，争取项目尽早批复实施。

（4）外资项目。2009年年初，审计署驻西安特派办审计组进驻上中游局，对英国赠款小流域治理管理项目进行例行审计。上中游局密切配合，提供完整的相关材料与台账，回答审计组的相关质询，顺利完成了对英国赠款小流域治理管理项目的审计工作。审计结束后，上中游局按照审计意见要求，及时完成了整改工作，得到审计组的认可和好评。

2009年，完成了世行贷款二期项目管理与研究成果资料的收集整理工作，做好了出版准备；完成了科研合作项目的验收工作。编制了《黄土高原水土保持世行贷款三期项目建议书》，并通过了水利部组织的技术审查。按照部署，积极开展了项目前期准备工作。

二、水保监督与检测

1. 水保监督

（1）2009年，水利部审批黄河流域（片）开发建设项目水土保持方案共78项，水土保持方案总投资839598.3万元，防治责任范围97419.4hm^2，涉及青海、甘肃、宁夏、内蒙古、陕西、山西、河南、山东、新疆等9个省（自治区）。

2009年水利部审批的78个开发建设项目水土保

持方案中，所涉及的不同行业分布为：水利系统8项，能源电力系统22项，煤炭矿产系统（煤气、煤化）12项，石油天然气系统4项，铁路公路机场等交通系统25项，冶金化工系统3项，其他4项。

（2）根据水利部《关于开展全国水土保持监督执法专项行动“回头看”活动的通知》（水保〔2009〕155号）和《关于限期整改的水土保持违法违规生产建设项目进行检查的通知》（办水保函〔2009〕366号）要求，由水利部、黄委水保局、黄委上中游管理局组成的黄河流域督查组，于2009年8月10—12日，对内蒙古自治区丹东—拉萨国道2个水利部限期整改项目进行了检查，对检查中发现的问题提出了具体整改意见，形成了会议纪要。

（3）2009年，黄委组织对水利部通报的10个严重水土保持违法违规项目，进行了“回头看”，其中，内蒙古自治区3个、山西省2个、甘肃省3个、青海省1个、跨晋陕宁3省（自治区）项目1个。10个违法违规项目中，1个项目已通过水土保持设施专项验收；3个项目已按照水土保持方案全面落实了防治措施，进入验收准备阶段；6个项目已完成水土流失防治措施70%以上，有效控制了人为水土流失。

（4）按照水利部《关于加强大型生产建设项目水土保持监督检查工作的通知》和《黄河流域及西北内陆河地区国家大型开发建设项目水土保持督查办法》的要求，全面开展了黄河流域国家大型生产建设项目水土保持监督检查和跟踪督查工作。2009年年初分别召开了有关预防监督工作会议和黄河流域水土保持预防监督工作座谈会，对全年的水土保持督查工作作了全面部署。4月份开始，以水利部责令限期整改的水土保持违法违规项目为突破口，以在建公路、铁路、煤矿和已竣工待验收的项目为重点，组织联合督查组，分赴内蒙古等8个省（自治区），历时6个月，行程数万公里，现场督查了涉及10个行业的161个项目。通过连续监督检查，提高了建设单位对水土保持工作重要性的认识，促进了水保方案实施，推动了验收工作进程，强化了监督执法力度。

2. 水保监测

2009年，先后开展了黄河上中游水土保持措施调查、皇甫川流域水土保持动态监测以及黄土高原小流域示范坝系水土保持监测等重点项目，并完善和更新了黄河流域水土保持数据库。黄河水土保持生态环境监测中心被水利部评为“全国水土流失动态监测与公告项目重点防治区监测先进单位”。

（1）黄河上中游水土保持措施效益与评价项目全面展开。2009年在相关省区的配合下，黄河上中游管理局组织西峰、天水水土保持治理监督局，组成50多人的项目工作组，分赴各省（自治区），完成资料收集及项目外业调查工作，共计完成典型小流域调查300多个。

（2）皇甫川流域水土保持动态监测项目第二次航摄工作启动。2009年，全面完成了该项目2006年获得的航空影像的室内解译工作，获得了2006年该流域水土保持措施、土壤侵蚀、植被、数字高程等数据，将和2010年的第二次航空影像遥感解译结果进行对比分析，并综合典型小流域观测资料进行皇甫川流域水土保持动态分析评价。同时，对3条典型监测小流域继续进行观测，已经取得了4年的观测资料。启动了第二次航空摄影的前期准备工作，完成了航摄招标。

（3）黄土高原小流域示范坝系监测工作进入项目收尾阶段。黄委于2006年启动该项目，监测期5年，2009年是该项目实施监测的最后一年。小流域示范坝系包括青海省大通县景阳沟，甘肃省定安区称钩河、环县城西川，宁夏回族自治区西吉县聂家河，内蒙古自治区准格尔旗西黑岱、清水河县范四窑，陕西省横山县元坪、宝塔区麻庄、米脂县榆林沟，河曲县树儿梁、永和县岔口，河南省济源市砚瓦河等12条小流域坝系。监测内容主要包括工程建设动态监测、拦沙蓄水监测、坝地利用及增产效益监测、坝系工程安全监测。

黄河水土保持生态环境监测中心组织各省区监测机构，对12条坝系监测工作进行了全面检查，对各小流域的监测工作进行了技术指导，并安排部署明年的验收准备工作。

（4）开展了水土保持监测科学研究工作。在开展水土流失动态监测的同时，开展了黄土高原水土保持遥感监测关键技术研究，该课题2009年已通过水利部验收。开展了国家科技支撑项目“黄土高原水土流失综合治理工程关键支撑技术研究”05课题第04专题“水土流失综合治理工程基础信息平台建设”研究，以及国家科技支撑项目“黄河健康修复技术研究”第01课题第02专题“黄河中游水土保持措施资料核实与评价”研究工作。2009年完成了年度研究任务。

（5）积极开发建设项目水土保持监测。随着水土保持监督管理的不断强化，黄河流域开发建设项目水土保持监测工作全面展开，2009年开展了天然气管道、铁路、公路、电厂等行业的水土保持监测项目近10项。

（6）开展了大量的水土保持监测前期工作。随着水土保持前期工作的规范化，水土保持监测前期工作逐步加强。2009年完成了一大批监测项目前期报告编制，主要有黄河流域水土保持综合规划修编（监测部分）、《黄委水土保持监测规划（送审稿）》《黄河中游多沙粗沙区孤山川等重点支流水土保持监测项目初步设计》《黄河水土保持监测中心现代化建设实施方案》《黄委近期水土保持监测信息系统建设可行性研究》等多项前期报告。　　（于自力　王天永）

【建设管理】

1. 工程建设任务　2009年全河防洪工程在建项目64项，工程投资总规模达27.5亿元，土方量7759万 m^3，永久征地585hm^2，拆迁房屋22.9万 m^2。工程建设时间紧，移民迁占任务大，困难多，建设任务十分繁重。经过各级责任单位和相关部门的共同努力，2009年累计完成土方7255万 m^3，完成工程投资22.86亿元，53项防洪工程全部完成主体建设任务。

2. 年度工程验收　全年累计验收防洪工程39项，其中：山东局25项，河南局12项，山西局2项；累计完成基础设施建设项目验收13项，全面完成了年度验收工作目标。竣工验收有力地促进了资金结算进度，为确保建设资金安全奠定基础。

3. 开展工程建设领域突出问题专项治理　9月25日，黄委成立了"黄委治理水利工程建设领域突出问题专项工作领导小组"；11月19日召开了全河水利工程建设领域突出问题专项治理工作动员大会。制订了《黄河水利工程建设领域突出问题专项治理工作实施方案》，明确了各单位、部门具体责任，确保专项治理工作的各项任务落到实处。黄委动员大会之后，河南、山东黄河河务局等委属单位相继成立领导小组，召开动员会，层层部署和落实专项治理任务。按照水利部要求，认真执行旬报制度，及时跟踪和督促项目排查工作的开展。（于自立）

【工程管理】

1. 开展水管体制改革后评估工作　2008年12月，水利部领导到黄委基层单位调研时要求黄委对水管体制改革进行全面评估。为此，黄委由建管局牵头，人劳局、财务局参加，委托黄河水利科学研究院全面开展"黄委水管体制改革后评估"工作。2009年初以来，后评估项目组先后多次研究讨论工作大纲、报告编制提纲，深入水管单位调研，采用座谈、查看资料、填写调查问卷和函调等方式收集第一手资料，在广泛调研和对国内外公共政策评估理论深入研究的基础上，针对黄委水管体制改革实际和特点，提出《黄河水利委员会水利工程管理体制改革后评估》报告，并上报水利部。

2. 制定标准化堤防规划设计与管理标准　为适应黄河防洪工程管理现代化发展需要，规范黄河标准化堤防工程规划设计及管理标准，按照黄委工作部署要求，建管局组织有关单位积极开展工作。依据《堤防工程设计规范》及《堤防工程管理设计规范》等技术标准，总结以往堤防工程建设实践经验，经过反复调查研究，在广泛听取有关单位和专家的意见后，经多次咨询和修改完善，完成了《黄河下游标准化堤防工程规划设计与管理标准（试行）》的编制，并于2009年11月印发执行。该标准的制订对规范黄河堤防工程设计与管理工作必将发挥重要作用。

3. 完成黄河病险水闸安全鉴定和专项规划编制工作　2009年初，水利部印发通知要求做好病险水闸的安全鉴定及除险加固专项规划编制工作。建管局与规计局密切配合，于5月底将直管水闸工程的安全鉴定成果和除险加固专项规划上报水利部。黄委直管水闸188座，多数水闸修建于20世纪80年代，部分水闸存在防洪标准低、建筑物老化、机电设备陈旧等问题。为加强水闸工程管理，确保工程运用安全，依据水利部《水闸安全鉴定管理办法》规定，2009年完成了60座水闸（其中山东31座、河南29座）的安全鉴定和除险加固专项规划，并上报水利部。

4. 建立黄河历史洪水险情数据库　历史险情数据资料是黄河防洪工程规划、设计、建设、管理及抢险的基础和重要依据。按照黄委2009年度部署安排，建管局组织有关单位开展了《黄河防洪工程历史洪水险情数据库建设》，及时指导数据库建设任务书编制，督促配合承担单位收集相关数据资料，协助开展典型调查，初步建成以堤防工程为重点、包括水闸、河道整治工程在内的黄河历史洪水险情数据库。该数据库的建设将为防洪工程规划设计、运行管理及度汛防守提供技术基础支持。（于自力　逯洪波）

【污染治理】

（1）入河排污口设置与管理。2009年，黄河流域水资源保护局严格执行入河排污口设置审批与管理相关规定，受理了宁夏中宁电厂扩建工程、鲁能河曲电煤开发有限公司入河排污口设置、河南发恩德矿业有限公司入河排污口竣工验收、甘肃刘化集团排污口设置管理等事项，依法进行了审批。

（2）黄河西霞院段油污染事件处置。1月3日，水资源保护局接到黄委水文局报告，西霞院河段突发油污染事件。据调查，为西霞院水利枢纽8号机组检修时油泄漏所致，约有100多公升检修废液压油进入黄河。在黄委的统一指挥下，水资源保护局、河南河务局、小浪底建管局积极开展了事故调查、应急监测、拦油截污、运用水利工程稀释调水等措施，此次污染事件未对下游水质造成影响。

（3）黄河宁蒙交界区入河排污联合检查。2月中下旬，黄河流域水资源保护局联合水利部水资源司、黄委水政局、水调局以及宁夏、内蒙古水利厅等有关单位，对宁蒙交界区域入河排污情况进行联合执法检查。在此检查基础上提出的"加强省界缓冲区监督管理工作六条要求"得到水利部的肯定和认可，转发全国各流域水资源保护局和黄河流域9省（自治区）水利厅。

（4）黄河石嘴山河段水污染事件处置。7月8日，水资源保护局接到宁蒙水文水资源局报告，黄河干流石嘴山河段出现宽约30m、长约2000m的黑色污染带。水资源保护局立即启动应急预案，要求宁蒙水文水资源局迅速开展调查监测。经调查，因7月8日、9日石嘴山市普降大雨，地表水及山洪水经第三排水沟、第五排水沟流入黄河，洪水冲刷河道内淤积的污染物，造成入黄口下游化学需氧量浓度超标。7月9日6时，直观石嘴山水文站附近河段已恢复正常，污染带消失，此次水污染事件对黄河干流水质造成了局部影响。

(5) 河南洛染股份有限公司爆炸污染事故处置。7月15日凌晨2时，位于偃师市顾县镇的河南洛染股份有限公司发生爆炸，爆炸地点距伊河约400m，距洛河入黄口约40km，存在事故废水进入伊河进而威胁黄河干流水质安全的可能性。接到报告后，水资源保护局紧急启动应急机制，在黄委领导统一指挥下，部署开展事故应急处置工作。在黄委和地方有关部门密切配合下，经过5天不分昼夜的连续奋战，7月19日，事故应急处置工作顺利结束，事故对水体造成的污染状况得到有效监控，黄河干流水质污染较轻，没有超过国家水质标准。

(6) 抗旱东平湖引水入黄水质监测。2月8日20时起，黄河防汛抗旱总指挥部决定开启山东东平湖水库陈山口、清河门入黄闸门，向黄河干流补水。为保证引水水质，水资源保护局认真部署山东水环境监测中心开展水质监测工作。监测结果显示，东平湖入黄水质的代表性常规监测断面陈山口和东平湖湖心主要监测参数氨氮、化学需氧量、高锰酸盐指数、挥发酚、石油类等均未超过国家地表水环境质量标准中Ⅲ类标准限值。

(7) 在2008年11月至2009年6月黄河水量调度期间，流域水环境监管中心共对干流12个断面、支流8个断面开展了16次水质监测，其中月测4次、旬测12次，获得水质监测数据约5000余个。监测结果表明：干流12个监测断面中，符合Ⅱ～Ⅲ类水质标准的断面8个，符合Ⅳ～Ⅴ类水质标准的断面4个；支流8个断面中，符合Ⅱ类水质标准的断面2个，符合Ⅳ～Ⅴ类水质标准的断面3个，劣于Ⅴ类水质标准的断面3个。与2007—2008调水年度相比，黄河干支流水质均有所好转。 （于自力 张清）

【科技与教育】

一、科技

1. 国家公益性行业科研专项及各类科研项目的立项

(1) 水利部公益性行业科研专项。编制完成了黄河公益性行业科研专项实施方案（5年规划）；组织有关单位编制了“黄河下游局部河段滞沙及调整驼峰段关键技术”等10个项目的实施方案和预算书并上报水利部。项目获准立项，总经费投入2851万元。

(2)“十二五”国家科技支撑计划。宁蒙河段近年来的凌灾，引起了各方的高度重视。水利部专门组织了现场考察、研讨。针对当前黄河宁蒙河段基础规律认识薄弱，凌情评估方法不健全，冰凌洪水预报支撑能力不足，防凌减灾调控措施亟待完善，监测、防凌减灾技术手段单一等问题，黄委国科局组织编写了《黄河宁蒙河段防凌减灾关键技术研究项目建议书》上报水利部，积极争取“十二五”国家科技支撑计划的支持，通过开展黄河宁蒙河段防凌减灾关键技术攻关，为进一步提升黄河防凌监测能力，提高冰情预报精度，完善防凌减灾调控及工程抢护措施，应对突发水污染事件，科学调度凌汛洪水提供科学依据和技术支持。

(3) 水利部“948”先进技术引进项目。围绕治黄生产需求，认真做好选题和前期调研工作，组织委属单位参加了2009年度国际水利先进技术（产品）推介会，围绕治黄热点、难点问题，与国内外技术持有方进行合作洽谈，经积极争取，“动态泥沙粒形分析技术研究”、“在线城市洪涝预测预警及解决方案”2个项目获得批准立项，经费合计220万元。

(4) 水利部科技成果重点推广计划。2009年4月，黄委国科局向水利部国科司和科技推广中心组织推荐111项黄委完成的水利科技推广建议项目。经过多次汇报、协调和积极争取，黄委水环境质量监测关键技术、黄土高原土壤侵蚀预测预报技术等6项技术列入2010年水利部科技推广计划，项目经费合计310万元。

2. 科技成果评奖　2009年11月下旬，按照《黄河水利委员会科学技术进步奖励办法》，黄委国科局组织有关专家组成评审委员会对申报今年委科技进步奖的成果进行了评审，“建立基于卫星的黄河流域水监测和河流预报系统”等28项成果获奖，其中一等奖6项，二等奖14项，三等奖8项。2009年有7项成果荣获2009年度水利部大禹奖，其中一等奖2项，二等奖2项，三等奖3项。黄委自主完成的“黄河水资源统一管理与调度”获得2009年度国家科技进步二等奖。

3. 黄河讲坛工作　2009年“黄河讲坛”邀请了教育学家郑强教授、水环境研究专家夏青教授、泥沙专家韩其为院士、经济学家胡鞍钢教授、水利史研究专家周魁一教授、作曲家王立平教授、军事理论家张召忠教授、作家“二月河”先生、国际关系学院尚水利教授、郑州大学周文顺教授等十位莅临“黄河讲坛”作专题讲座，内容涉及自然科学、社会科学、人文、艺术、水利、历史等专业领域。通过讲坛，广大治黄工作者开拓了视野，有利于学科间的相互交融和创新思维的形成。

4. 举办第四届黄河国际论坛　第四届黄河国际论坛于2009年10月20—23日在郑州召开，来自世界五大洲61个国家和地区的1500余名专家学者参加了此次盛会。论坛围绕“生态文明与河流伦理”中心议题展开。开展了全球气候变化对人类生存环境的影响、全球气候变化对水资源影响及水资源可持续开发利用等9个专题，与一些国家政府和国际著名机构共同主办15个相关专题，从社会、环境、经济、历史、科学、伦理等层面广泛交流、深入探讨。

论坛主要收获：一是构建河流伦理，给河流以道德的关怀赢得广泛共识；二是宣传了黄河治理开发成就，扩大了黄河流域管理理念的国际影响力；三是增进了国际交流和国际合作，尤其是推动了国际间的流域合作。

二、教育

黄河水利委员会2009年全河在职职工共计27924人，参加职工学历教育860人，举办培训班902个，参加各类培训共计29194人次。参加国外长期培训19人次，参加国外短期培训8人次，参加国内长期培训138人次，参加国内短期培训29029人次；政治理论培训5775人次，专门业务培训22724人次，共培训856401学时，人均受训31学时，培训总投入金额1773.31万元，人均投入金额635.05元。

（于自力　张美丽）

【国际合作与交流】

1. 来访出访　2009年共派出因公出国（境）团组47个，其中培训团共派出202人次，其中公务员派出62人。接待外宾团组32个，外宾180人次，办理外宾来华邀请81人次（不含黄河国际论坛的外宾的邀请）。外事管理规范有序，按照要求完成任务，收到很好的效果。

2. 青年人才出国培训　2009年1月顺利选派了19位青年技术骨干赴澳大利亚南澳大学开展为期7个月的学习。9月黄委派出代表团到澳大利亚对培训效果进行评估，19名学员在澳学习，水利专业能力、语言能力都取得了很大进步，开阔了眼界，丰富了知识，建立了交流渠道，达到了预期的培训效果。经过国科局的努力，中澳双方将继续开展合作，在未来进行短、中、长期的培训合作，为黄委培训更多年轻的专业技术人员。

3. 国际合作项目

（1）中国—欧盟流域合作管理项目。2009年欧盟项目进展顺利，按照工作计划实施。2月，欧盟流域管理项目在北京召开项目评估会。该项目通过加强中欧水资源管理对话，提高公众参与和政策制定，针对水资源综合管理、包括水量分配与水权转让、跨界水资源管理、环境流量以及气候变化影响评估等问题，提供对话平台和对策建议，推广有关流域管理经验，以促进黄河流域的可持续发展。目前已经编制完成了黄河流域综合管理行动计划工作大纲。开展气候变化对黄河流域管理的影响及未来对策研究项目，确定北京大学联合黄委水文局开展气候变化对黄河流域管理的影响及对策研究工作。

（2）启动联合国教科文组织资助的“气候变化与黄河水资源管理项目”。近年来，黄委在维持河流健康生命方面所作的探索和研究引起联合国教科文组织的高度关注，2009年年初，联合国教科文组织副助理总干事纳吉访问黄河水利委员会并进行了合作交流，经协商讨论达成合作意向。黄委主任李国英代表黄委与纳吉共同签署了黄河水利委员会与联合国教科文组织合作谅解备忘录。同时，联合国教科文组织与黄委共同在郑州举办气候变化与黄河水资源管理项目启动会，水利部国科司和水文局的相关负责人出席项目启动仪式并致辞，会议达到预期效果。

（3）亚太地区水利信息化与流域管理知识中心（以下简称为知识中心）。知识中心2008年10月启动以来，积极与亚行、荷兰IHE（基础设施、水利与环境工程国际学院）等有关单位协调，进行相关单位的调研，并对知识中心的组织机构、运行方式、各项制度等提出建议。积极推动知识中心工作的开展。完成中英文双语的知识中心培训手册的准备与编写，共计30万余字；按水科学知识领域，设计编制了8个类别3个不同培训时长的科目，以及基于黄河流域治理经验的特色课程；并于12月上旬为越南自然资源与环境部提供流域水资源保护及治污方面的培训，培训内容主要涉及黄河流域水资源管理、流域规划、立法、操作机制等。同时，积极推动知识中心走出去承担国外咨询工作。

（于自力　张美丽）

淮 河 流 域

【水政】

1. 水法规建设　向水利部报送淮委2010年立法计划建议，提出修订《淮河流域水污染防治暂行条例》和开展淮河流域法、南四湖管理条例立法前期研究的建议；完成《淮河流域河道管理范围内建设项目管理办法》报部备案；组织编制《淮委沂沭泗直管区河道采砂管理办法》。

2. 水法规宣传　组织开展第十七届“世界水日”、第二十二届“中国水周”宣传活动；开展2009年“12·4”全国法制宣传日活动；研究制定并印发和组织实施《淮委2009年法制宣传教育工作计划》。及时总结淮委领导干部学法用法工作经验并上报水利部普法办公室；总结《全面推进依法行政实施纲要》进展情况，形成总结报告报送水利部。

3. 水行政许可　组织开展分解执法职权、确定执法责任工作，进一步明确淮委的行政许可审批权限、承办机构、执法岗位及职责。开展淮委实施行政许可工作情况调研。继续加强和改进淮委行政许可网建设，进一步完善“统一受理、分头办理、全程跟踪、专人反馈、实时查询”的行政许可工作模式。对淮委实施的行政许可项目实施情况进行监督管理，2009年累计受理行政许可申请315项，办结299项。

4. 水行政执法与监察　组织安徽、江苏两省水利厅及有关市县水行政主管部门在淮河干流皖苏省界段开展联合整治非法采砂行动，牵头与安徽、江苏两省签订采砂联合管理协议；组织开展淮河干流豫皖省界至皖苏省界段水政执法巡查。推动卫星遥感动态监测系统的建设进程。组织报送水政监察基础设施建设2010年中央水利建设投资建议计划及2011年框架计划；向水利部报送淮委2008年水利执法统计报表。组织开展淮委水政工作20周年总结纪念活动。

5. 流域省际边界水事　组织召开2009年淮河流域省际边界水事协调联络小组工作会议；组织完成水利部部署的省际水事矛盾纠纷排查化解活动工作；继续完善省际边界水利工程项目库建设。组织编制《淮河流域省际重点水事矛盾敏感地区水利规划》；及时编制并报送淮河流域省际边界水事纠纷月报。

（郝天奎）

【水资源】

一、水资源管理

1. 取水许可总量控制　组织编制《淮河流域取水许可总量控制指标》，通过水利部组织的技术审查，并正式报部待批准实施。

2. 河湖水量分配　依据《中华人民共和国水法》、水利部《水量分配暂行办法》（32号令）等有关规定，启动淮河干流水量分配方案的研究制定工作。

3. 建设项目水资源论证　颁布实施《淮河水利委员会水资源论证报告书审查管理办法》。组织完成临沂市南坊水厂非饮用水供水工程等25个建设项目水资源论证报告书的审查工作；组织对山东汶上张宝庄铁矿采选矿工程拟选厂址、田湾核电站三期扩建工程拟选厂址进行实地查勘并提出意见。向水利部报送2009年（分季度）淮委建设项目水资源论证工作情况统计表、2008年淮委水资源论证工作总结。开发水资源论证管理系统，完善水资源论证备案统计制度，对已审批的水资源论证报告书及时统计、归档、备案。

4. 取水许可监督管理　研究制订“淮河水利委员会取水工程或设施验收程序规定”；开展取水许可管理权限调整专题研究工作；组织开展水资源管理执法巡查。及时审查审批郑州裕中能源有限责任公司新密电厂二期2×1000MW机组扩建工程等16个建设项目取水申请；对安徽淮南平圩发电有限责任公司二期扩建工程等建设项目取退水设施（工程）进行现场核验；向安徽淮南平圩发电有限责任公司等单位发放取水许可证。

5.《淮河片水资源公报》　2008年度淮河片水资源公报成果经编委会批准后及时报送《中国水资源公报》编辑部，并正式刊印发布。

6. 节水型社会建设　对安徽省淮北市节水型社会建设试点进行了中期评估，完成《淮北市节水型社会建设试点中期评估报告》并报全国节约用水办公室。

7. 水资源管理基础研究与设施能力建设　组织开展淮河流域取水许可监督管理制度研究等专题研究工作；完成淮河流域主要河湖年度水量分配方案和年度水量调度计划方法研究等。启动淮河流域水资源管理系统实施方案编制工作。开展省界等重要水资源断面自动监测系统的建设，淮河干流皖苏省界小柳巷水文站流量自动监测系统已建成并投入使用。（朱国勋）

二、水资源保护

1. 水功能区监督管理　2009年，组织流域4省水利部门开展152个重点水功能区水资源质量监测（其中省界缓冲区每月监测2次，其余每月监测1次），按照水利部《地表水资源质量评价技术规程》（SL 395—2007）进行综合评价；评价结果，重点水功能区达标率为27.6%，其中保护区达标率为48.8%，保留区为40%，缓冲区为11.9%，过渡区为14.3%，饮用水源区为24.0%，工业用水区为55.6%，渔业用水区为0，景观娱乐用水区为16.7%。全年共向水利部、环境保护部和流域4省人民政府等120多个相关单位发布12期《淮河流域及山东半岛重点水功能区水资源质量状况通报》。

2009年首次对流域975个水功能区开展全覆盖监测。根据2009年3月和8月两次监测结果，全流域水功能区达标率为33%，其中保护区达标率为60.8%，保留区为51.2%，缓冲区为30.6%，过渡区为18.5%，饮用水源区为39.4%，工业用水区为22.6%，农业用水区为29.5%，渔业用水区为39.5%，景观娱乐用水区为17.6%。

2. 省界断面水质监督管理　继续开展淮河流域跨省河流49个省界断面的水质水量监测工作，监测频率为每月2次，监测项目20余项。每月向水利部、环境保护部和流域四省人民政府等130多个相关单位发布2期《淮河流域省界水体水资源质量状况通报》，并在淮委网站向社会公布；每季度向流域四省人民政府办公厅通报省界水体水资源质量状况。2009年淮河流域49个省界断面水质达标率为10.2%；列入国家考核的25个省界断面中，高锰酸盐指数（或COD）单项评价有24个断面达标，占96%；氨氮单项评价有17个断面达标，占68%。针对省界断面监测中发现水质严重超标（或存在污染隐患）的情况，及时进行调查和通报。2009年1月和7月，两次发现鲁苏边界河流邳苍分洪道省界断面砷污染，已成功处置。2009年还相继对河南省大沙河包公庙闸上河段砷浓度长期超标，奎河支流闫河和郎溪河省界断面化学需氧量超标，以及石门头河省界断面水质超标的情况进行调查和通报。

3. 入河排污口监督管理　依法开展管理范围内入河排污口的审批，审批同意徐州彭城发电厂三期工程入河排污口设置申报；继续做好纳污总量及入河排污口超标情况通报工作。组织开展淮河流域及山东半岛入河排污口监测，按照《水法》的有关规定，向流域四省人民政府办公厅通报了2009年度淮河流域入河排污量。2009年，淮河流域主要污染物化学需氧量（COD）入河排放量为55.08万t，与2008年的52.62万t相比上升了4.67%；氨氮入河排放量为6.99万t，与2008年的6.63万t相比上升了5.41%。继续开展重点入河排污口监督监测工作；每月选取省界缓冲区、淮河干流、南水北调沿线等重点水功能区30～40个入河排污口进行监督检查，并根据入河污染物特点增加了砷、硒以及苯、甲苯等特征污染物污染的监测项目，及时将监测结果通报有关单位；2009年共监测入河排污口424个测次，发布12期《淮河流域重点水功能区入河排污口排污状况通报》，其中重点入河排污口达标排放率约为64.4%。

4. 淮河水污染联防　组织联防区域各级水利、环保部门，开展水情水质动态监测、水闸防污调度和污染源限排等各项工作，实现沙颍河、涡河等支流污染水体安全下泄，保障了沿淮地区用水安全。2009年，联防区域河南、安徽和江苏3省有关地区水文部门共对辖区内30个控制站点实施水质动态监测，累计获得水质动态监测数据2.5万余个，发布《淮河水污染联防信息》12期；对槐店、李坟、颍上、蒙城等水闸实施防污调度48次，安全下泄污染水体15.6亿m^3。河南、安徽两省环保部门分别制定本辖区污染源限排方案，共对淮河流域10市74家企业实施限排。会同河南、安徽省环境保护部门对淮河水污染联防区域内重点限排企业进行汛前检查。

5. 水质监测　开展跨省河流省界断面、南水北调输水干线主要控制断面、重要水功能区和污染联防等动态应急水质监测工作，共监测160个断面次、24个项目，取得水质监测数据5万余个；运用监测船和监测车开展污染联防动态水质监测；完成流域内重点饮用水水源地和重点入河排污口有机物监测工作；完成洪泽湖、骆马湖藻类生物生态监测；完成淮河干流生态调查POPs的监测工作。完成淮河王家坝水质自动监测站的建设工作；开展沙颍河界首水质自动监测站建设；淮干鲁台子水质自动监测站、东孙营水质自动监测站运行良好。

6. 饮水安全保障　完成宿迁市饮用水源地和南水北调东线工程调水水源保护区（宿迁段）入河排污口综合整治工作，会同江苏省水利厅对江苏省宿迁市饮用水水源保护区整治试点进行验收。

7. 污染治理　截至2009年底，列入《淮河流域水污染防治规划（2006—2010年）》的655项治污工程，已完成493项，完成率75%；调试运行项目27个，占总数的4%；在建项目94个，占14%；处于前期准备阶段的项目20个，占3%。

8. 科研等基础工作　完成“淮河流域主要河湖水生态保护与修复规划”、“东平湖富营养化评价及沉积物中营养元素的形态分布特征研究”、“南四湖主要支流与湖泊水质关系研究”项目，并通过相关部门的审查和验收。（程绪水　郁丹英　王津　陈磊）

【前期工作】

一、规划工作

1. 淮河流域防洪规划　在水利部、淮委多次协调、征求意见和修改完善的基础上，《淮河流域防洪规划》上报国务院并已批复。

2. 淮河流域及山东半岛水资源综合规划　针对流域各省对水资源综合规划的意见，向各省提供书面说明，同时修改完善规划报告，并按要求再次征求江苏省和湖北省人民政府意见。

3. 淮河流域综合规划修编　根据水利部批复的流域综合规划修编任务书和淮委印发的流域综合规划修编工作大纲安排，全面开展综合规划修编工作，基本完成规划总报告和各专业、专项规划和专题研究工作。

4. 引江济淮工程规划　2009年11月，水利部副部长矫勇对引江济淮工程进行考察，明确了由淮委牵头、长江委和安徽省水利厅配合开展引江济淮工程规划。淮委按照要求，就引江济淮工程规划前期工作分工与有关单位进行了协调。

5. 淮河干流行蓄洪区调整规划　在淮委组织编制完成《淮河干流行蓄洪区调整规划》并经水规总院审查的基础上，水利部联合安徽省、江苏省人民政府对规划进行了批复。

6. 淮河流域重点平原洼地除涝规划　根据水规总院对《淮河流域重点平原洼地除涝规划》的审查意见和要求，淮委组织对规划报告进行了修改完善，水利部征求了流域四省人民政府的意见。

7. 淮河流域片重点地区中小河流近期治理建设规划　完成《淮河流域片重点地区中小河流近期治理建设规划》并上报水利部，有关成果纳入全国中小河流近期治理建设规划。

8. 淮河流域蓄滞洪区建设与管理规划　基本完成《淮河流域蓄滞洪区建设与管理规划》报告，主要成果纳入《全国蓄滞洪区建设与管理规划》并已由国务院批复。

9. 全国省际重点水事矛盾敏感地区水利规划

按照水利部印发的《关于开展省际重点水事矛盾敏感地区水利规划编制工作的通知》要求，淮委牵头，长江委、黄委、海委、珠委、松辽委和太湖局参加进行了报告编制和汇总，并将规划报告报送水利部。

10. 进一步治理淮河近期实施方案　按照水利部部署和进一步治理淮河的要求，组织编制并基本完成《进一步治理淮河近期实施方案》。

11. 淮河流域水利发展“十二五”规划　按照水利部关于全国水利发展“十二五”规划编制工作的部署，成立流域规划领导小组及工作组，编制流域规划任务书，并已由水利部批复，开展了思路报告的编制工作。

12. 其他　开展了淮河流域水文事业发展规划、国家粮食安全中长期规划纲要水利专项规划、淮河流域主要河湖水生态保护与修复规划等工作。

二、专题研究

1. 淮河与洪泽湖关系研究　组织编制完成《淮河中游洪涝问题与对策研究综合报告》，并通过专题研究顾问组咨询。

2. 淮河流域闸坝运行管理评估及优化调度对策研究　组织编制完成《淮河流域闸坝运行管理评估及优化调度对策研究报告》。

3. 临淮岗工程综合利用研究　临淮岗工程综合利用对生态环境影响分析与对策研究、临淮岗工程综合利用对淮河水资源配置的影响、临淮岗工程综合利用管理研究和水文分析等工作已经完成；临淮岗工程综合利用调度运用研究、临淮岗工程综合利用对航运影响分析等工作基本完成；临淮岗工程综合利用对区域发展影响分析和临淮岗综合利用风险评估等工作正在开展。

4. 数字淮河研究　完成淮河流域管理数字化及其应用研究工作，新增部分重点区域卫星数据并入库管理，完成河道及行蓄洪区洪水模拟系统的建设工作。编制了《项目工作总结》等 13 个报告，并由淮委组织进行了验收。

三、项目前期工作

加快治淮 19 项骨干工程建设扫尾，努力推动淮河的进一步治理。2009 年 12 月国务院第 95 次常务会议听取并原则同意水利部、国家发改委关于进一步治理淮河工作的汇报，形成了会议纪要，要求继续贯彻“蓄泄兼筹”的方针，把治淮作为水利建设重点，加大投入力度。按照水利部关于进一步治淮的总体部署，积极组织开展进一步治理淮河项目前期工作，取得一大批前期工作成果。

1. 淮河干流行蓄洪区调整工程　淮河干流行蓄洪区调整分蚌埠—浮山段（包括方邱湖、临北段、香浮段、花园湖），正阳关—峡山口段（包括寿西湖、董峰湖），浮山以下段（潘村洼、鲍集圩、冯铁营引河），和其他段（濛河分洪道、南润段、汤渔湖和上下六坊堤）开展前期工作。

2. 淮河干流行蓄洪区及滩区居民迁建　河南、安徽两省水利厅组织编制完成本省淮河干流行蓄洪区及滩区居民迁建总体实施方案并报送淮委；江苏省居民迁建实施方案基本完成。

3. 淮河流域重点平原洼地治理工程

（1）世行贷款淮河流域重点平原洼地治理工程。国家发改委国家投资项目评审中心对工程可行性研究报告进行了评估和修改完善；环境影响报告书、水土保持方案报告书、土地预审、移民安置规划、外资利用方案等工作先后经过了有关部门的审核或批复；外资程序方面的工作基本完成；河南、安徽、江苏、山东四省和淮委项目分别开展了初步设计编制。

（2）安徽省淮河流域西淝河等沿淮洼地治理应急工程。可行性研究报告审查意见已上报国家发改委，同时开展初步设计编制工作。

（3）淮河流域重点平原洼地治理里下河川东港工程。该工程可行性研究报告已报送水利部。

（4）淮河流域重点平原洼地治理近期其他工程的可行性研究报告也在编制中。

4. 淮河流域堤防达标及河道治理工程

（1）入江水道整治、分淮入沂整治、洪泽湖大堤加固工程。入江水道整治工程环境影响报告书、水土保持方案报告书和土地预审等工作先后经过有关部门的审核或批复；可行性研究报告正待国家发改委批复；开展并基本完成三项工程初步设计编制工作。

（2）入海水道二期工程。淮委与江苏省水利厅签订入海水道二期工程前期工作分工纪要，中水淮河规划设计研究有限责任公司和江苏省水利勘测设计研究院有限公司联合承担入海水道二期工程前期工作，全面开展工程可行性研究报告的编制工作。

（3）堤防达标工程。安徽省和河南省淮河干流一般堤防加固工程可行性研究报告已完成，并报送水利部。

（4）重要支流治理工程。完成山东省泗河和安徽省新汴河等重要支流治理可行性研究报告并报送水利部。受水利部委托，淮委组织对新汴河治理工程可行性研究报告进行了审查。

5. 防洪水库　出山店水库工程项目建议书及其审查意见已报送国家发改委，中咨公司对出山店水库项目建议书进行了评估和复评估。水规总院对前坪水库项目建议书进行了预审。

6. 南四湖二级坝拦湖大坝除险加固工程　水规总院对该工程可行性研究报告进行了审查和修改完善。

7. 南四湖湖西大堤加固工程　水利部批复《南四湖湖西大堤加固工程初步设计》。

8. 淮河流域行蓄洪区安全建设　对河南省、安徽省编报的泥河洼、老王坡、杨庄、城西湖、城东湖、濛洼等蓄滞洪区安全建设工程初步设计进行审查，并批复泥河洼、蛟停湖滞洪区安全建设工程初步设计。

9. 组织编制完成淮河流域淮河水系省界及重点水资源质量自动监测站建设、沂沭泗水利管理局计算机网络及供电供热工程可研报告，报送水利部并经过批复；完成《淮委2009—2015年水政监察基础设施建设初步设计报告》批复；编制完成淮河流域淮河水系省界及重点水资源质量自动监测站建设、沂沭泗水利管理局计算机网络及供电供热工程初步设计，上报水利部经概算复核后完成批复。

四、其他

1. 病险水库（闸）除险加固　根据水利部统一要求，先后对湖北省4座、河南省16座、安徽省11座、江苏省8座、山东省18座、青岛9座共计66座病险水库除险加固情况进行核查，对审计中发现的问题进行督促整改。按照水利部《关于开展全国大中型病险水闸除险加固专项规划编制工作的通知》要求，组织开展淮河流域病险水闸除险加固建设规划编制工作。

2. 大型泵站更新改造　按照水利部部署，对淮河流域河南、江苏两省9处89座大型泵站更新改造初步设计进行了概算复核。

3. 完成淮干整治及堤防加固、沙颍河近期治理、涡河近期治理、行蓄洪区安全建设、白莲崖水库、刘家道口、韩庄运河中运河骆马湖堤防、新沂河整治、分沂入沭、南四湖大堤等工程项目的设计变更、预备费审批等工作。

（吴贵勤　陈娥）

【工程建设】

一、**2009年年度投资计划安排及完成情况**

2009年，治淮骨干工程共下达计划22.64亿元，完成治淮骨干基建投资43.57亿元，其中中央投资32.23亿元，地方11.34亿元；累计完成土石方9095.6万 m^3、混凝土55.82万 m^3。

截至2009年底，治淮骨干工程共下达投资计划456亿元，累计完成治淮骨干基建投资441亿元（其中中央310亿元，地方131亿元），占下达投资计划456亿元的96.7%，占最新估算投资的94.6%；累计完成土石方17亿 m^3，混凝土862万 m^3。

二、治淮骨干工程建设情况

截至2009年底，治淮19项骨干工程已有17项全面完成，其中入江水道加固、分淮入沂续建、洪泽湖大堤加固、包浍河初步治理、怀洪新河续建、入海水道近期、汾泉河近期治理、临淮岗洪水控制、洪汝河近期治理、大型病险水库除险加固、奎濉河近期治理、沙颍河近期治理、涡河近期治理这13项工程已完成竣工验收，其余2项已批工程项目基本完成。

1. 湖洼及支流治理　工程计划总投资30.28亿元，工程已全面完成；累计完成土方24235.58万 m^3、石方300.56万 m^3、混凝土76.17万 m^3。

2. 防洪水库

（1）燕山水库工程。工程批复总投资为21.41亿元（含征地补偿标准调整费），其中中央投资12.36亿元，地方投资9.05亿元。截至2009年底，已累计安排投资计划21.41亿元，累计完成投资21.39亿元，占投资的99.9%；累计完成土方517.97万 m^3、石方347.09万 m^3、混凝土23.3万 m^3。工程已全部完成，并通过水土保持设施、征地补偿和移民安置、环境保护、档案等专项验收。

（2）白莲崖水库工程。工程批复总投资为8.88亿元（含征地补偿标准调整费），其中中央投资4.13亿元，地方投资4.75亿元。主体工程已基本完成。至2009年底，已累计安排投资计划8.88亿元，累计完成投资8.88亿元，占投资的100%；累计完成土方15.4万 m^3、石方79.8万 m^3、混凝土69.8万 m^3。

3. 淮河干流上中游河道整治及堤防加固工程　工程总投资为84.51亿元；目前除淮干补充工程外，其他工程已全部完成并通过竣工验收。淮干补充工程总投资为18.12亿元，其中中央投资12.37亿元，地方投资5.74亿元。截至2009年底，已累计安排投资计划18.12亿元，累计完成投资14.9亿元，占投资的82.2%；累计完成土方700万 m^3、混凝土0.6万 m^3。

4. 沂沭泗河洪水东调南下工程　一期工程已全部完成；续建工程除南四湖湖西大堤加固工程未批复实施外，其余工程已全部开工建设，其中新沂河整治工程、刘家道口枢纽工程、湖东堤工程已基本完成。工程最新估算总投资109.26亿元，截至2009年底已累计完成投资95.11亿元，完成土方29829.22万 m^3、石方685.75万 m^3、混凝土115.04万 m^3。

5. 行蓄洪区安全建设　工程估算总投资约21.38亿元。截至2009年底，累计下达投资计划14.47亿元；累计完成投资13.6亿元，占总投资的63.6%，占下达投资计划的94%；年度工程基本完成；累计完成土方1104.84万 m^3、石方218.49万 m^3、混凝土96.88万 m^3。

6. 其他　包括直管病险闸、边界水利、水土保持、基础设施建设等内容，工程估算总投资11.03亿元。截至2009年底，已累计安排投资9.19亿元，累计完成投资7.93亿元。

三、工程建设管理

1. 招标投标　开展工程招投标工作的监督检查，对评标专家实行动态管理并建立退出机制。重点开展了直管病险闸、沙颍河近期治理和淮干整治等治淮工程的招投标监督工作。治淮工程的施工和监理招标率达100%。

2. 质量管理　治淮工程全面落实项目法人责任制、建设监理制、招标投标制和合同管理制。细化治淮工程的项目法人组建单位，推行“小建设、大监理”模式，全部公开招标投标，严格按照合同约定控制工程质量和进度。

3. 工程验收　2009年共组织进行了沙颍河近期治理、涡河近期治理、淮北大堤加固、淮北大堤涡下段加固、淮干城西湖蓄洪大堤加固、蚌埠闸枢纽老节制闸除险加固、宿迁闸除险加固工程等20多项工程的竣工验收。（孙建华）

【工程管理】

1. 河道管理范围内建设项目管理　完成淮南淮河海螺专用码头工程等37项（含沂沭泗水利管理局审查中小型项目14项）工程建设方案的审查。组织召开淮河流域水利管理暨河道管理范围内建设项目管理联系人工作会议。编制《淮河流域河道管理范围内建设项目方案审查申办指南》。

2. 河道管理范围内建设项目检查监督　汛前组织有关单位对流域内建设项目进行防洪安全检查。加强建设项目管理全过程的监督管理，保证建设项目按批复要求实施。督促有关河道管理单位对管辖范围内的建设项目进行巡查，建立建设项目季报制度、重大事项及时报告制度。

3. 水管体制改革、直属工程确权划界、大中型水闸除险加固规划　完成淮委直属水管单位水管体制改革工作总结和直属水利工程确权划界工作情况报告，及时报送水利部。组织完成淮河流域大中型水闸除险加固规划审核工作，呈报水利部。

4. 其他　委托安徽省·水利部淮委水利科学研究院完成淮河蚌埠铁路复线桥壅水影响原型监测工作；委托中水淮河规划设计研究有限公司完成连云港港疏港航道新沂河枢纽南北防洪大堤专项设计、南水北调东线徐州市截污导流工程张楼中运河地涵工程和苗圩沂河地涵工程专项设计审查工作。组织编制《淮河水利委员会河道管理范围内建设项目防洪影响工程验收检测管理办法》，已完成初稿。（张才庭）

【防汛抗旱】

2009年，淮河流域水势总体平稳，没有发生大范围洪涝灾害，但局部地区因受强降雨影响，发生了较重的洪涝灾害。年初淮河流域发生了严重的春旱，对旱区的农业生产影响较大。

一、汛情、旱情与灾情

1. 雨情　2009年汛期（6—9月）淮河流域平均雨量为506.8mm，较历年同期偏少11%。其中，淮河水系499.5mm，偏少12%；沂沭泗水系524.8mm，偏少7%。大别山区、沙颍河支流沙河和涡河上游大部、淮河干流上中游沿淮两侧、里下河地区及沂沭泗水系大部地区降雨量超过500mm，淠河黄尾河站1046mm为汛期最大点雨量。汛期共出现6次主要降雨过程，即6月27—30日、7月9—15日、7月20—23日、8月10日、8月15—21日、8月26—29日；汛期降雨特点主要为暴雨时空分布不均匀、局部暴雨强度高。据统计，淮河中游阜南站最大6小时雨量222.5mm（7月22日22时至23日4时），重现期约为85年。

2. 水情　汛期，淮河干流王家坝站最高水位26.70m，沂河临沂站最高水位61.08m，均低于警戒水位；淮河水系淠河横排头站、沂沭泗水系新沂河沭阳站最高水位分别超过警戒水位1.09m和0.50m；里下河地区南官河兴化站、西塘河建湖站、串场河盐城站、射阳河阜宁站最高水位超过警戒水位0.21～0.43m，警戒水位以上持续时间5～11天；其余各河道主要控制站水位均低于警戒水位。汛期，洪泽湖三河闸、南四湖二级坝枢纽和韩庄闸、骆马湖嶂山闸等相继开启泄洪。10月1日8时，淮河流域大型水库及湖泊共蓄水123.46亿m^3，较汛初和历史同期分别增加20.17亿m^3和18.16亿m^3。

3. 旱情　2008年10月至2009年2月上旬，淮河流域降水量67.0mm，较常年偏少49%。淮河水系、沂沭泗水系降水量为75.9mm和45.1mm，分别较常年偏少48%和52%。与历年同期相比，除洪泽湖北部支流中下游和里下河局部地区外，淮河以南山区降水量一般偏少20%～50%，淮河沿淮及以北、沂沭泗水系绝大部分地区偏少50%以上，淮南支流白露河北庙集站偏少96%。根据水情报汛资料统计，流域连续50天无有效降水（日降水量小于1mm）的站131个，连续100天无有效降水的站51个；其中，沂河古城站达到122天，泗河泗水站117天，沙颍河上游昭平台、白龟山水库100天，淮河正阳关站96天。

受降水稀少影响，淮河以北、沂沭泗水系中北部地区发生大范围严重干旱，部分地区出现人畜饮水困难。2009年年初，淮河流域又出现3次大范围降温过程，沿淮淮北地区最低气温达−13～−12℃，寒潮天气给小麦带来不同程度的冻害，加重了受旱小麦的灾情。据不完全统计，全流域农作物受旱面积达477.33万hm^2，其中河南154.87万hm^2、安徽186.53万hm^2、江苏62.27万hm^2、山东73.67万hm^2，占同期全国农作物受旱面积的49%，是流域多年平均受旱面积的1.7倍，旱情之重属历史罕见。

4. 灾情　受暴雨洪水的影响，淮河流域部分地区遭受了洪涝灾害。据统计，全年淮河流域河南、安徽、江苏、山东4省共有22个市的85个县（市、区）受灾，农作物洪涝受灾面积43.6万hm^2，受灾人口514万人，倒塌房屋1.02万间，直接经济总损失23.57亿元，其中水利损失1.93亿元。2009年属于洪涝灾害中等偏小的年份。

二、防汛与抗旱

1. 领导重视　2009年2月7日，温家宝总理专程到河南检查指导抗旱工作，并强调旱区各地要把抗旱工作作为经济工作的重中之重，切实抓紧抓好。回良玉副总理主持召开会议，安排部署抗旱工作，并启动了国家防总抗旱Ⅰ级应急响应。根据旱情发展和抗旱工作形势，国家防总先后启动了Ⅲ、Ⅱ、Ⅰ级抗旱应急响应，多次联合有关部委和流域各省进行会商，安排部署抗旱工作。7月上旬，回良玉副总理对淮河流域汛情作出重要批示，要求高度关注淮河流域雨情、汛情和灾情，及时做出安排部署，进一步抓好气象和水文的预报预警工作，强化防汛责任制和各项防洪、减灾、救灾举措的落实。国家防总、水利部领导高度重视淮河防汛抗旱工作，认真贯彻国务院领导的重要批示精神，精心部署淮河流域的防汛抗旱工作。淮河防总在国家防总的正确领导下，积极履行组织协调职能，努力确保人民群众生命财产安全和工程安全。

2. 明确防汛抗旱责任　淮河防总与流域四省根据人事变动和防汛抗旱工作实际需要，及时充实调整防汛抗旱指挥机构组成人员，落实责任分工。淮委及时印发《关于调整2009年委内防汛抗旱责任及分工的通知》，明确防汛抗旱责任，落实重要防洪工程防汛责任委内分工。

3. 及早部署防汛抗旱工作　2月，淮委召开防汛抗旱专题办公会议，着重讨论部署2009年淮河流域防汛抗旱工作重点，明确各相关部门的任务分工和工作职责，受到了国家防办的通报表扬。4月，淮河防总召开2009年工作会议，深入分析流域防汛新形势，研究部署各项防汛工作。

4. 全力做好抗旱保苗工作　针对2009年初淮河流域发生的严重旱情，国家防总和水利部领导多次进行抗旱工作会商。国家防总启动抗旱Ⅰ级应急响应，派出多个抗旱工作组和抗旱专家组。2月，国务院抗旱工作督导组先后到河南省、江苏省调查了解旱情，指导当地抗旱工作。在国家防总统一部署下，流域四省各级政府全力投入抗旱保苗工作，积极组织生产自救，河南、安徽、山东三省相继启动抗旱Ⅰ级应急响应。淮委适时启动抗旱预案，主动配合地方部门优化配置抗旱水源，取得了流域抗旱工作的新突破。

5. 认真开展防汛检查　5月，国家防总淮河流域防汛抗旱检查组重点检查江苏、安徽两省的防汛抗旱工作，先后查看了洪泽湖大堤、三河闸、二河闸、淮安枢纽、入海水道、淮北大堤、防汛机动抢险队、防汛仓库、临淮岗洪水控制工程、姜唐湖行洪区、王家坝闸、濛洼蓄洪区。7月，国家防办工作组对沂沭泗防汛工作进行检查，实地查看了骆马湖嶂山闸、沭河口头拦沙坝及新沂河河道行洪情况。淮河防总、淮委及流域地方水利部门也多次组织汛前检查和在建工程度汛检查。

6. 科学调度洪水　7月中旬，沂沭河上游和南四湖湖东大部地区分别出现大到暴雨，南四湖、骆马湖水位逐步抬升并超汛限水位。20—21日，沂沭泗流域再次出现强降水天气，沂沭泗河出现了2009年入汛以来最大洪水。淮委和苏鲁两省主动加强会商，积极采取有效措施，全力排泄洪水。一是进一步加大南四湖、骆马湖控制性水闸的泄量，尽快降低湖泊水位，迎接上游来水。二是将沂沭河洪水东调，减轻中下游行洪压力。经过各控制性枢纽联合调度，南四湖、骆马湖水位得到了有效控制，各主要行洪河道汛情平稳，沿河没有出现大的险情。

7. 加强防汛抗旱能力建设　制定《淮河防汛总指挥部办公室防汛信息管理办法》，出台《淮委防汛抗旱值班制度》和《淮委防汛会商制度》。修订《淮委防汛抗旱应急预案》和《淮河流域防汛应急预案》，整理和刊印《淮河流域行蓄洪区运用预案》，加强了预案的动态管理。联合地方水利部门开展防汛抢险演习，锻炼防汛抢险队伍，提高协同作战能力。

为更好地在流域层面协调抗旱工作，预防和减轻干旱灾害及其造成的损失，经国务院领导同意，2009年10月国家防总决定将"淮河防汛总指挥部"更名为"淮河防汛抗旱总指挥部"，相应增加抗旱职能。

（石英杰）

【水土保持】

1. 综合治理　淮河流域（含山东半岛）完成水土流失综合治理面积1249km^2，其中建设基本农田23663hm^2，营造水保林38738hm^2、经济林26214hm^2，种草1511hm^2，封育治理30640hm^2，其他治理4151hm^2；共计完成土石方量7372万m^3，各行业水土保持投入55625万元。

组织完成治淮骨干工程2006年度水土保持项目8个县（区）13条小流域的竣工验收工作。完成治淮骨干工程2007年度水土保持建设项目9个县15条小流域综合治理工程及桐柏淮河源水土保持科技示范园工程的质量评定工作。开展治淮骨干工程2008年度水土保持建设项目7个县12条小流域综合治理工程年度检查工作，并向流域四省水利厅和项目所在地水行政主管部门印发检查评价意见。完成治淮骨干工程2009年度水土保持建设项目13个县22条小流域及桐柏淮河源水土保持科技示范园区续建工程初步设计的技术审查与上报工作；建设项目已得到批准实施。

组织完成湖北省随州市曾都区以径流调控与生态修复技术探索为目标的游河小流域试点示范工程的选点、初步设计编制和审批任务并实施。完成河南省汝阳县马寺沟小流域以径流调控为核心的水土保持综合治理试点工程的竣工验收工作。

2. 预防监督　举办《开发建设项目水土保持设施验收技术规程》培训班。会同各项目所在地水利水保部门组成检查组，对郑州363电厂扩建工程等8个大型生产建设项目水土保持方案的实施情况进行监督检查，并印发2009年度淮河流域大型生产建设项目水土保持监督检查意见。代水利部组织完成涡河近期治理工程（安徽段）等7项水利工程水土保持设施专项验收工作；同时还组织完成安徽华电宿州发电有限公司一期2×600MW机组工程等其他行业14个大型生产建设项目的水土保持设施专项验收工作。参加烟台潮水国际机场工程、田湾核电站扩建工程5号、6号机组等近20多个项目水土保持方案的审查。

3. 监测预报　根据水利部《关于全国水土保持监测网络和信息系统建设二期工程初步设计报告的批复》，配合水利部水土保持监测中心先后完成流域内监测单位"六到位"工作检查等工作。完成涡河近期治理工程（安徽段）等工程水土保持监测总结报告，并通过上级主管部门验收。继续开展南水北调东线一期工程台儿庄泵站等工程的年度水土保持监测工作。开展淮河流域国家级重点防治区（桐柏大别山区）宏观水土流失监测调查工作，初步完成调查成果报告。继续开展监测点的年度观测工作，并开展3个典型监测站点所在小流域的本底环境调查工程；初步完成年度观测报告和调查成果报告。

4. 前期工作和基础研究　组织完成《淮河流域水土保持生态修复机理和评价指标体系研究与示范项目》等3项科研课题的研究任务和成果验收工作。组织开展《淮河流域土石山区水土保持生态补偿研究》等2个科研项目的研究工作。组织完成河南、山东、江苏三省和青岛市2009—2011年水土保持重点工程建设规划的审核工作。组织开展水土保持业务费定额标准编制工作，已编制完成《水土保持业务经费编制工作大纲》和《水土保持业务内容构成体系》。

5. 其他　组织召开淮河流域水土保持监督管理工作座谈会、淮河流域水土保持工作会议和淮河流域水土保持重点工程建设管理座谈会。组织完成《淮河流域土石山区土壤侵蚀环境特征与水土保持生态功能评价》和《淮河流域土石山区水土保持研究》两书的出版发行工作。　（刘俐）

【科技与教育】

一、科技

1. 学术活动　2009年共举办5场学术报告会；组织派员参加"第五届世界水论坛""国际大坝委员会第77届年会""中日韩第六次学术交流会""第四届黄河国际论坛""亚太水科技2009年国际峰会""第十三届海峡两岸水利科技交流研讨会""第一届堆石坝国际研讨会""第五届安徽水利论坛""华东片水利科技协作会""2009中国水博览会与第四届中国水务高峰论坛"等国内外学术交流活动。

2. 科研管理及成果奖励　印发《淮河水利委员会科技成果管理办法》、《关于落实淮河水利委员会科技创新实施意见的工作方案》。"基于3S技术的江河流域水污染自动化测报和应急处理系统研发与应用"通过水利部国科司组织的专家鉴定；"软体排护岸技术创新与应用研究"通过安徽省科技厅组织的专家鉴定；"淮河水系生态用水调度研究""沂沭河大型水库群防洪错峰调度研究""水文预报与水资源优化管理关键技术""大型齿联灯泡贯流泵的研制与应用""建设项目区域水土保持生态环境影响遥感监测研究""淮河流域大别山区小流域水土保持综合治理效益评价研究""临淮岗工程综合利用与水环境相互影响及污染控制研究""东平湖富营养化评价及沉积物中营养元素的形态分布特征研究"和"淮河干流优控POPs分布特征及生态风险分析"9个项目通过淮委组织的专家评审。

"平原河流防洪安全水动力关键技术及工程应用"获得国家科技进步二等奖，"淮河流域闸坝对河流水环境及生态影响研究"获得安徽省科学技术二等奖，"流域水资源配置关键技术及应用"获得安徽省科学技术三等奖、淮委科学技术一等奖，"淮河流域涝灾成因及治理技术措施研究"获得安徽省科学技术三等奖，"青岛市重点水域纳污能力及排污总量控制研究"获得青岛市科学技术二等奖，"淮河流域水环境综合承载能力研究"获得淮委科学技术一等奖，"淮河防御洪水方案研究及应用"和"淮河流域水污染物排放权研究"获得淮委科学技术二等奖，"洪泽湖'水华'发生临界条件与预警模式研究"获得淮委科学技术三等奖。

3. 重点科研项目

（1）已完成或基本完成项目。"淮河与洪泽湖关系研究（第一阶段）"已经完成；"闸基渗流特性和渗控设计理论与方法研究"已完成并通过水利部组织的验收；"淮河干流河相关系和整治方向研究"已完成并通过水利部组织的验收，成果已在《淮河流域综合规划》（修编）、《淮河干流行蓄洪区调整规划》等规划设计中得到应用；"流域管理数字化及其应用"已基本完成并通过淮委组织的验收；"平原河流防洪安全水动力关键技术及工程应用"已基本完成。其他已完成或基本完成的重点科研项目有"水资源实时监控及调度管理系统关键技术""水文信息统一分析平台""淮河水系生态用水调度研究""沂沭河大型水库群防洪错峰调度研究""基于3S技术的江河流域水污染自动化测报和应急处理系统研发与应用""大型齿联灯泡贯流泵的研制与应用""软体排护岸技术创新与应用研究""建设项目区域水土保持生态环境影响遥感监测研究""淮河流域主要河湖年度水量分配方案和年度水量调度计划方法研究"等。

（2）在研项目。“淮河中游河床演变与整治研究”项目，已完成资料收集、水沙特性分析研究、分段输沙平衡研究、水流挟沙力分析研究、河道形态与河相关系研究、洪河口至洪山头1992年至2001年河道主槽与滩地冲淤计算、入湖河段演变计算等工作；“淮河流域排涝综合控制标准与治理措施研究”项目，已完成收集资料、提出淮河流域涝渍灾害分区治理原则与控制方案研究的思路、确定开展研究的代表性区域和典型区域、开展作物受淹试验等工作。其他在研的重点项目有“淮河流域闸坝运行管理评估与优化调度对策研究”“临淮岗洪水控制工程综合利用研究”“怀洪新河分洪与排涝关系研究”“淮干整治淮北平原除涝水文计算研究与复核”“流域洪水预警预报及风险管理关键技术”“淮河—沙颍河水质水量联合调度改善水质关键技术研究与示范”“淮北平原典型河流污染对地下水影响研究”等。

（3）新启动项目。2009年新启动“淮河流域防灾减灾支撑技术研究及应用”，该项目包括淮河流域洪涝特征研究、淮河行蓄洪区及易涝洼地减灾技术研究及示范、淮河流域旱灾治理关键技术研究、淮河流域防灾减灾预测预报支撑技术研究等4个专题。

（张志刚）

二、教育

1. 认真总结，科学谋划干部教育培训工作　组织开展《淮河水利委员会干部教育培训规划（2006—2010年）》落实情况总结评估工作，研究拟定《关于做好新一轮大规模培训干部工作的实施意见》。

2. 加强组织，认真落实大规模培训干部任务　在坚持党委（党组）中心组和总支、支部学习制度的同时，加强脱产培训，鼓励在职自学，大力开展大规模培训干部工作，取得了较好效果。2009年，淮委司局级干部参加脱产培训71人次，人均122学时；处级干部参加脱产培训357人次，人均59学时；参照公务员法管理各级机关工作人员共参加各类培训1131人次，人均42学时；全委共举办各类培训班115个，其中，委机关18个，直属单位97个，培训各类专业技术人员3200余人次。

3. 积极探索，确保培训质量和效果　一是利用高等院校教育培训资源丰富的优势，加大与高等院校合作办学力度；二是坚持按需设置培训科目；三是合理选请授课教授和专家；四是推行参与式培训方法，鼓励学员参与到培训内容中；五是理论培训和实践考察相结合。

（张彦奇）

【国际交流与合作】　2009年，结合淮河治理的需求，申报并获批2个出国考察团组。在实际操作过程中，积极响应党中央、国务院关于厉行节约的精神，主动放弃淮委机关的一个出国团组。同时，从培养人才的需要出发，积极组织企事业单位的中青年技术干部参加国际学术交流。全年共派出出国人员26人次，其中6人参加一个项目考察团组，2人参加部有关单位组织的培训，18人参加国际会议。　（刘常忠）

海 河 流 域

【水政水资源】

1. 水政

（1）法制建设。流域第一部流域性水利法规——《海河独流减河永定新河河口管理办法》颁布施行，流域水利立法工作取得重大突破，对加快流域依法行政、依法治水和依法管水进程具有积极推进作用。积极开展《永定河官厅水库上游水量调度管理办法》、《漳河水量调度管理办法》和《漳卫新河河口管理办法》立法工作，在向水利部报送的2010年立法项目建议中，分析了立法必要性和可行性、拟确立的主要制度、立法准备情况及拟完成时间等内容。

（2）法规宣传。积极推进《海河独流减河永定新河河口管理办法》宣传贯彻工作。一方面向流域内各省、自治区、直辖市水利（水务）厅（局）及委属各管理局下发通知，全面部署并督促开展该管理办法的贯彻工作；另一方面，通过召开新闻媒体见面会、组织记者现场采访、举办专题讲座等活动对该管理办法的重要意义、主要内容进行宣传。在“世界水日”、“中国水周”和“12·4”全国法制宣传日，通过发表委领导署名文章、设立网络与期刊宣传专栏、组织观看水法规宣传影视节目等多种形式，面向全流域开展广泛的水法规宣传。为切实提高水行政执法和水资源管理工作水平，组织举办了海委系统水行政执法与水资源管理培训班。

（3）水行政执法。6—12月，海委组织开展了海河流域专项水行政执法检查活动，流域内各省级水行政主管部门也在各自行政区域内组织各市、县水行政主管部门开展专项执法活动，并积极配合海委开展执法检查，促进了流域的水事和谐稳定。依法查处漳卫新河滩地违法兴建船厂案件。及时制止漳河上游田家嘴水电站未经报批擅自违法改建。规范岳城水库库区及其周边地区采煤管理。海委水政监察基础设施项目建设完成，项目历时9年，完成投资1666万元，为57支水政监察队伍配备了标准化执法设施设备。该项目于7月通过竣工验收。

海委直接管理范围内全年共发生水事违法案件132件，现场处理109件，立案23件；全年共结案25件（含2008年遗留5件），累计有3件案件尚未结案。

（4）水事纠纷调处。圆满解决晋豫红旗渠技改工程施工矛盾，妥善解决2009年度京冀拒马河水事纠纷、2009年度京津泃河杨庄截潜工程向海子水库放水纠纷，解决晋蒙省际河流镇大沟堵塞影响阳高县防洪安全纠纷，积极协调晋冀清漳河泽城西安水电站（二期）工程水事矛盾，继续做好漳河上游水事纠纷的预防与调处工作。

2. 水资源管理

（1）落实最严格的水资源管理制度。流域取水许可总量控制指标通过专家审查，完成了流域第二批全国节水型社会建设试点中期评估工作，开展了流域用水总量控制管理研究工作。

（2）水资源规划。基本完成了规划工作任务，提出的规划成果反映了流域水利发展的实际情况，符合全国流域综合规划修编工作的总体要求。

（3）水资源论证及取水许可管理。水利部、国家发改委进一步规范建设项目水资源论证审批工作，海委集中受理了一批建设项目水资源论证报告书审查申请，共计受理审查申请22个，均为火电项目取水，其中18个已完成批复。

（4）水资源基础工作。开展流域新兴经济区水资源配置与管理体制机制研究；完成流域农业和生态补水方案编制；完成聊城位山引黄灌区水沙综合治理模式研究；编制完成了《2008年度海河流域水资源公报》、《2008年度海河流域水资源管理年报》。

（唐肖岗　陶桂荣）

【前期工作】

1. 规划设计

（1）规划。完成《海河流域综合规划》修编工作，11月底报部，同时完成《海河流域地下水利用与保护规划》《海河流域岸线利用与管理规划》等专项规划和《海河流域下垫面变化对暴雨洪水影响研究》《海河流域平原河流生态保护与修复模式研究》等专题研究。进一步完善了《海河流域水资源综合规划》《海河流域蓄滞洪区建设与管理规划》并已纳入全国规划报告。《永定新河口综合整治规划治导线调整报告》已获水利部批复。开展了独流减河口综合整治规划治导线调整工作，启动了流域重要支流——拒马河与滹沱河综合治理规划编制工作。完成了流域重点地区中小河流近期治理建设规划，其主要成果已纳入全国重点地区中小河流近期治理建设规划。全面启动了流域水利发展“十二五”规划，规划工作方案及规划思路报告已报送水利部。对临清市兴建红旗渠穿卫运河右堤涵闸工程、泃河三河市段改道工程、武城水库工程建设、德州市经济开发区陈段沟入减河穿堤涵闸改建工程提出建设规划同意书。

（2）初步设计。审查复核流域内10个重要河道堤防、蓄滞洪区建设项目投资20亿元，26个首都水资源项目投资5.2亿元，10个大型灌溉排水泵站更新改造项目投资8.3亿元以及北京、天津、山西、河北等4省（直辖市）2009—2011年重点水土保持建设规划项目投资51.5亿元。积极推进河北省双峰寺、山西省吴家庄、山东省信源等流域重点水库工程有关前期工作。

对天津市金钟河防潮闸枢纽拆除重建工程初步设计、团泊水库除险加固工程初步设计，山西省忻州市忻州区双乳山水库除险加固工程初步设计（修正），2002年蓟运河险工治理工程（江洼口段）初步设计修订概算，聊城市茌平县信源水库工程初步设计报告提出审核或复核意见。对天津市北运河东泵站、运东泵站、北辰泵站，河北省唐山市玉田蓟运河泵站、丰南津唐运河泵站、农场泵站、丰润区还乡河泵站，河北省保定市安新淀北泵站，河北省任丘市任丘淀边泵站，河北省霸州市中亭堤泵站等的更新改造工程初步设计概算提出复核意见。

2. 项目审批　2009年，海委直属水利固定资产中央投资15335万元，主要安排了岳城水库除险加固工程，漳卫新河治理工程，海河下游直属防洪堤防除险加固工程，海河口、独流减河口清淤工程以及直属单位基础设施建设和水文、水资源监测、水政监察等项目建设。批复的项目包括漳卫新河治理工程（四女寺—辛集）堤顶防汛路优化设计，漳卫新河治理工程（四女寺—辛集）管理设施变更，官厅、密云水库上游水质水量自动监测系统三期工程水质监测设备配置补充设计，海委2009—2015年水政监察基础设施建设初步设计，引滦局防汛程控交换机改造工程可行性研究报告，漳河上游局直属河道管理处基础设施配套工程初步设计，海委直属大中型病险水闸除险加固项目复核，海河下游局机关职工活动室初步设计，引滦局防汛程控交换机改造工程初步设计，海委水文基础设施2008年度应急建设漳卫南局巡测基地工程初步设计等。

（张金顺　陶桂荣）

【工程建设】

（1）漳卫新河治理工程（四女寺—辛集）。2006年11月，国家发改委批复了《漳卫新河治理工程可行性研究报告》，总投资1.17亿元。工程主要建设内容为：险工段护坡3处长1700m，堤顶防汛道路151.35km，堤顶整修土方15.2万m^3，加固改建吴桥拦河闸交通桥，整治穿堤建筑物140座。工程于2008年2月开工，预计竣工日期为2010年2月，设计工期为24个月。已完成工程量（截止到2009年12月25日，下同）：土方724888m^3，石方10098m^3，混凝土4068m^3，钢筋制安385.53t，金属结构套闸门及启闭机131台（套）总重426.4t，沥青路面71.81万m^2。完成投资11263万元，占投资计划的96%（剩余480万元为质保金）。

（2）潘家口水库防汛坝上公路加固改造工程。为保障桥梁安全、恢复桥梁的正常使用，实施此项加固改造工程，工程批复投资798万元，到位投资798万元。工程主要建设内容为：拆除重建桥面结构，大梁顶面及两侧粘钢、下部粘贴碳纤维布，大梁其他部位及墩台进行防碳化处理。工程于2008年9月16日开工，完工日期为2009年5月31日，设计工期8.5个月。完成工程量：桥面拆除1294m^3，垫梁浇筑76.5m^3，桥面板预制1001.7m^3，钢筋制安153t，抗震挡块70m^3，湿接缝混凝土163.04m^3，混凝土桥面铺装316.8m^3，大梁粘钢加固1118m^2，粘贴碳纤维布1176m^2，防碳化处理4901.76m^2。完成投资798万元，占总投资的100%。

(3) 岳城水库除险加固工程。除险加固设计维持原设计结果不变，岳城水库任务、规模不变，不改变水库的功能和调度运用方式，汛后最高蓄水位仍为149m，汛限水位仍维持为134m，起调水位132m，死水位125m。除险加固完成后，校核洪水标准达到近期非常运用洪水标准2000年一遇。工程主要建设内容为：主坝右岸基础防渗工程帷幕灌浆18854m，坝顶公路65163m^2，溢洪道加固工程混凝土浇筑17455m^3，防碳化处理67242m^2，启闭机房改造1488m^2；泄洪洞加固及主坝下游排水处理工程，下游排水管改造788m，主坝散浸处理土石方开挖2400m^3，干砌石1036m^3，土方填筑2200m^3，混凝土防碳化处理21847m^2；金属结构，更新泄洪洞启闭机9台套，平板钢闸门2扇；工业电视系统、闸门监控系统及通信系统建设；观测设施改造，安装渗压计92支、坝面观测墩29个、水准基点3个；建设房屋2800m^2、坝下公路9.54km、桥梁5座。工程批复投资20232万元，到位投资5000万元；于2009年9月28日开工，预计于2010年底主体工程完工（设计工期为22个月）。工程完成投资4405.22万元，占投资计划的22%，占2009年下达投资的88%。

(4) 海河下游直属防洪堤除险加固工程。为保障海河下游地区防洪工程的安全运用和天津市的防洪安全，发挥工程整体效益，实施该工程。工程主要建设内容为：屈家店枢纽，上游右岸护坡410m，下游中隔堤护坡1000m，新引河闸液压启闭机及电气控制系统；独流减河防潮闸，上游左右岸护坡850m，左岸土堤310m，左岸道路110m，右岸道路1200m，闸头上下游防浪墙380m，防汛仓库；海河防潮闸，上游两岸护坡270m，上游右岸平台整修4274m^2，下游挡潮墙拆除重建190m，下游两侧堤脚处清淤200m，下游两岸防潮堤加固230m。工程批复投资2803万元，到位投资2803万元。工程于2009年9月27日开工，12月31日完工，实际工期3个月（设计工期8个月）；完成主要工程量：土方明挖48261m^3，土方填筑42103m^3，浆砌石20882m^3，浆砌石拆除1599m^3，清淤8250m^3，模袋混凝土7363.5m^2，混凝土路面4860m^2，沥青碎石路面3000m^2，钢筋加工安装16.7t，液压启闭机油缸更换3套。工程完成投资2517.56万元，占投资计划的90%。

(5) 海河口清淤南疆2号排泥场加固工程。海委以《关于海河口清淤南疆2号排泥场加固工程初步设计报告的批复》批准实施，批复投资为415.67万元。工程主要建设内容为：按5级堤防标准新建围堤段350m，筑堤土方39500m^3；砖砌挡水墙285m^3；采用真空预压排水固结法处理工程场地地基13500m^2。工程于2008年10月8日开工，2009年4月8日完工。工程完成投资405.52万元。

(6) 海河口防汛疏浚码头工程。海委以《关于海河口防汛疏浚码头工程初步设计报告的批复》批准实施，批复投资为2253.20万元。工程主要建设内容为：疏浚码头设计为Ⅱ级建筑物等级，2个2000吨级泊位，水工结构按3000吨级泊位设计；码头主体为地下连续墙结构，泊位长210m，宽40m，东、西两侧各有35m长的连接段。工程于2009年7月开工，计划于2010年4月完工；工程完成投资1448.2万元，占总投资的64.3%。

(7) 2009年海河口清淤应急工程。2009年6月11日，水利部以《关于2009年海河口清淤应急工程初步设计报告的批复》批准实施该工程。工程主要建设内容为：海河防潮闸下4km以内主河槽清淤31.29万m^3，续建南疆3号排泥场东围堤550m，新建退水口1处；工程批复投资494万元。工程于2009年7月22日开工，12月完工；完成清淤31.29万m^3，土方填筑6358m^3，普袋混凝土护坡1265m^3；工程完成投资345万元。

(8) 官厅、密云水库上游水土保持监测系统二期工程。2004年3月22日，海委以《关于官厅、密云水库上游水土保持监测系统工程初步设计报告的批复》批准实施该工程；批复投资1935万元。工程主要建设内容为40对SPOT5遥感影像采购、处理；水土保持遥感监测，收集两库上游水土流失数据，建立解译标志，提取土地利用、小流域治理、土壤侵蚀信息；六类基础信息收集，数据库及应用系统开发建设；泥沙调查、面源污染、生态修复课题研究等。工程于2005年6月开工，2009年3月竣工，工期45个月。工程完成投资1950万元，占总投资的100%。

(9) 官厅、密云水库上游水质水量自动监测系统三期工程。海委以《关于官厅、密云水库上游水质水量自动监测系统三期工程初步设计报告的批复》批准实施该工程，批复投资1565万元，到位资金1565万元。工程主要建设内容为：在官厅水库入库断面建设八号桥水量监测站；改造海河流域水环境监测中心实验室；完善水资源保护监督管理子系统，完成官厅水库上游水质预警预测模块开发建设；建设海委监控中心水环境监管室；开展密云水库水环境安全保障体系运行体制专项研究等。工程于2008年2月开工，

2009年12月竣工，工期共计22个月。工程完成投资1525万元，占总投资的97%。（马云霞　陶桂荣）

【汛情与防汛】

1. 汛情

（1）雨情。2009年汛期，流域降水主要集中在东部沿海地区，即北三河系、大清河系中下游以及漳卫河系、徒骇马颊河系下游，流域面平均降水量333mm，较多年同期平均（430mm）偏少2成，较2008年同期（386mm）偏少1成。各河系面平均降水量由大到小依次是徒骇马颊河系410mm，子牙河系385mm，大清河系382mm，北三河系334mm，漳卫河系309mm，滦河系261mm，永定河系214mm；累积降水量较大的站有子牙河系滏东排河武邑753.8mm、清凉江阜城722mm，漳卫河系卫运河南皮731.2mm、卫运河南陶716.5mm。

1月1日至9月30日，流域面平均降水量376mm，较多年同期平均（511mm）偏少3成，较2008年同期（452mm）偏少2成，各水系中最大的是子牙河系（441mm），最小的是永定河系（248mm）。

（2）河道水情。汛期，除个别支流出现洪峰外，流域各水系主要河道控制站水势平稳，未发生明显涨水。河道实时流量较大的有：漳卫河系榆社7月17日12时24分最大洪峰流量620m^3/s，7月18日8时回落至21.9m^3/s；永定河系东洋河堡8月17日23时48分最大洪峰流量270m^3/s，8月18日8时回落至0.9m^3/s；北三河系榆林庄7月31日8时最大洪峰流量181m^3/s，8月1日8时回落至35.2m^3/s。

（3）水库水情。截至10月1日8时，流域内32座大型山区水库共蓄水51.54亿m^3，比6月1日少蓄1.82亿m^3，比2008年同期少蓄9.77亿m^3。

流域内各省（直辖市）大型水库蓄水总量与2008年同期相比，河北省少6.23亿m^3、委直属水库少2.66亿m^3、天津市少1.20亿m^3、河南省少0.25亿m^3；北京市多0.53亿m^3、山西省多0.04亿m^3。

重点城市重要水源地蓄水情况为，向北京供水的密云和怀柔两座水库蓄水总量为11.56亿m^3，向天津和唐山供水的潘家口和大黑汀两座水库蓄水总量为13.12亿m^3，向石家庄供水的岗南和黄壁庄两座水库蓄水总量为6.81亿m^3，大清河系王快、西大洋水库蓄水总量6.12亿m^3。

（4）灾情。汛期未发生大的洪涝灾情，但局地性暴雨洪水仍造成了一定灾害损失。据统计，截止到9月30日，流域共有41个县（市）150个乡（镇）遭受不同程度的洪涝灾害，受灾人口177万人，死亡1人，农作物受灾面积19.8万hm^2（其中成灾面积7万hm^2），损坏堤防576km、护岸114处、水闸7座、机电井748眼。流域直接经济损失约11.44亿元，其中农林牧渔业6.19亿元，工业运输业0.16亿元，水利设施1.31亿元；海委系统直接经济损失0.04亿元。

2. 防汛

（1）领导重视，及早部署。5月23日，召开了海河防总2009年工作会议，国家防总秘书长、水利部副部长刘宁，海河防总总指挥、河北省省长胡春华和海河防总副总指挥分别做重要讲话；会议总结了2008年海河流域防汛抗旱工作，分析了2009年防汛抗旱形势，安排部署了防汛抗旱工作任务。6月15日，海委召开防汛抗旱工作暨上岗动员视频会议，传达国务院领导有关指示精神和国家防总有关会议精神，全面部署海委系统防汛抗旱工作，保证了防汛抗旱工作的顺利进行。

（2）加强检查，落实措施。5月12—16日，配合完成了国家防总海河流域防汛抗旱检查。国家防总秘书长、水利部副部长刘宁率国家防总海河流域防汛抗旱检查组对河北、河南、山东、天津、北京等五省（直辖市）和海委的防汛抗旱准备工作进行了检查。3月中旬和4月中旬，配合国家防办分别完成了永定河、大清河和漳卫河重点防洪工程的汛前检查，同时，海河防总派出工作组对流域重点河系及委直属重点防洪工程进行了查勘和检查。6月上旬，海河防总派出两个检查组分别对流域内重点防洪工程进行防汛检查。为进一步加强军地联合抗洪抢险工作，7月21—22日，海委与北京军区作战部对永定河、大清河系进行了军地联合防汛检查。

（3）精心准备，无汛严防。汛期，为保证安全度汛，在基础建设等方面开展的工作包括：加快海河防总工作平台建设，全力做好海委水利防洪保安全工作；加强洪水预报调度演习，精心备汛，做好水文测报预报工作；加快防汛抗旱信息化建设，加强防汛通信与网络系统建设，确保信息畅通；做好防汛抢险准备和防汛物资管理工作，加强蓄滞洪区建设与管理工作；加强度汛应急工程的项目管理，用好防汛经费。

（王建刚　陶桂荣）

【工程管理】

1. 4—9月，分别对委直属水利工程2009年专项维修养护项目进行审查并批复：漳卫南运河管理局安排投资3104.39万元；引滦工程管理局安排投资90.3万元；海河下游管理局安排投资23.73万元；漳河上游管理局安排投资26.23万元。12月进行了竣工验收并形成了验收意见。

2. 11月，对委直属水利工程2010年专项维修养护项目进行审查并批复：漳卫南运河管理局安排投资2720.32万元；引滦工程管理局安排投资115.30万元；海河下游管理局安排投资21.92万元；漳河上游管理局安排投资 39.91 万元。

3. 4月，对引滦工程管理局 2009 年更改大修计划（第一批）进行了批复，核定投资 787.30 万元，其中更新改造 27.00 万元，大修理 760.30 万元。11月，对大黑汀电站 1 号机组扩大性大修工程方案进行批复，批准投资 160.37 万元。

4. 积极推进病险水库除险加固工作，完成了病险水闸除险加固专项规划工作。

5. 扎实开展工程管理考核工作，完成了天津市引滦工程潮白河管理处国家级水利工程管理单位复核验收工作。

（马云霞　陶桂荣）

【水土保持】

1. 概况　流域全年共完成水土流失治理面积 2946.5km²，其中建设基本农田 20318hm²、水保林 77001hm²、经济林 30222hm²，种草 2220hm²，封禁治理 157741hm²，其他措施 7146hm²，建设淤地坝 13 座、谷坊 2614 座、水源工程 7239 处、节水灌溉 5974 处。

2. 重点工程

（1）21 世纪初期首都水资源可持续利用规划水土保持工程。完成水土流失治理面积 542.2km²，其中基本农田 2692hm²，水保林 10154hm²，经济林 2968hm²，种草 17hm²，封禁治理 38392hm²，淤地坝 9 座，谷坊 949 座，水源工程 114 处，节水灌溉 104 处。

（2）京津风沙源工程。完成水土流失治理面积 1262.5km²，其中基本农田 3375hm²，水保林 43311hm²，经济林 12289hm²，种草 1597hm²，封禁治理 63158hm²，其他措施 2524hm²，谷坊 306 座，水源工程 5928 处，节水灌溉 5087 处。

（3）国家水土保持重点建设工程太行山项目。完成水土流失治理面积 572.4km²，其中基本农田 2090hm²，水保林 13292hm²，经济林 7317hm²，封禁治理 34502hm²，其他措施 38hm²，淤地坝 4 座，谷坊 603 座，水源工程 539 处，节水灌溉 229 处。

（4）新增中央预算内投资项目。完成水土流失治理面积 59.2km²，其中基本农田 247hm²，水保林 1350hm²，经济林 1710hm²，封禁治理 2558hm²，其他措施 52hm²，谷坊 40 座，水源工程 76 处，节水灌溉 51 处。

3. 水土保持监测

（1）全国水土流失动态监测与公告项目立项。项目包括流域 3 个国家级水土流失重点防治区的动态监测，典型小流域和常规监测点水土流失动态监测，水土保持监测网络管理与维护，水土保持数据库更新与维护以及水土保持年鉴和公报编制等主要任务。

（2）密云水库上游水土流失遥感监测工作完成。完成了密云水库上游不同侵蚀类型区的水土流失面积、强度、分布的遥感调查，编制了《密云水库上游水土流失遥感监测成果报告》，绘制了密云水库上游土壤侵蚀强度分布图、土地利用类型分布图、植被覆盖度分布图，基本摸清了该区域土地利用、植被覆盖度和水土流失等现状条件，为客观评价该区域水土保持治理成效和安排下一步综合防治提供了依据。

（3）滦河潘家口、大黑汀水库上游水土流失面源污染资料收集基本完成。收集了两库上游地区的空间数据、监测数据及其他相关资料，为两库上游水土流失面源污染调查与分析工作的深入开展奠定了扎实的基础。

（4）生产建设项目水土保持监测工作有序开展。开展了顺姜安芦滨 500kV 输变电工程、张家口南 500kV 输变电工程、王曲电厂 500kV 输变电工程、漳卫新河治理工程（四女寺—辛集）、冀中水泥厂等项目的水土保持监测工作，完成监测报告的编写，通过了水利部验收。同时，启动了海河下游直属防洪堤防除险加固工程、岳城水库除险加固工程等生产建设项目的水土流失监测工作。

4. 水土保持监督管理　完成了流域内水利部批复的 12 个生产建设项目水土保持设施竣工验收工作；开展了 2009 年度流域大型开发建设项目水土保持监督检查工作；开展了水土保持监督执法专项行动“回头看”活动；开展了流域大中型生产建设项目督促验收工作；召开了流域水土保持监督执法工作会议。

（李希刚　凌峰　陶桂荣）

【水资源保护】

1. 水质监测和评价　海河流域水环境监测中心对流域内 54 个省界断面（其中 11 处全年河干）的水质进行了监测，全年期达到或优于Ⅲ类水质标准的水质断面占评价断面的 41.8%，较 2008 年上升了 12.9 个百分点。流域总体水质有所好转，但水质污染依然比较严重。具体评价结果如下。

（1）全年期。参加评价的断面中，Ⅱ类水质断面有 10 个，占评价断面的 23.2%；Ⅲ类水质断面 8 个，占评价断面的 18.6%；25 个水质断面受到不同程度的污染，占评价断面的 58.2%。与 2008 年相比，受污染断面比例下降了 12.9 个百分点，受污染断面均为劣Ⅴ类水质，主要超标项目为溶解氧、氨氮、高锰酸盐指数、化学需氧量、五日生化需氧量、挥发酚、氟化物等。

（2）汛期。参加评价的断面中，Ⅱ类水质断面 8 个，占评价断面的 20.0%；Ⅲ类水质断面 7 个，占评价断面的 17.5%；25 个水质断面受到不同程度的污染，占评价断面的 62.5%。与 2008 年相比，受污染断面比例下降了 5.1 个百分点，其中Ⅳ类水质断面有 2 个，占评价断面的 5.0%；Ⅴ类水质断面有 1 个，占评价断面的 2.5%；劣Ⅴ类水质断面有 22 个，占评价断面的 55.0%。

(3) 非汛期。参加评价的断面中，Ⅰ类水质断面1个，占评价断面的2.3%；Ⅱ类水质断面8个，占评价断面的18.6%；Ⅲ类水质断面8个，占评价断面的18.6%；26个水质断面受到不同程度的污染，占评价断面的60.5%。与2008年相比，受污染断面比例下降了7.9个百分点，其中Ⅳ类水质断面1个，占评价断面的2.3%；劣Ⅴ类水质断面有25个，占评价断面的58.2%。

2. 流域水环境监测

(1) 保证了10座已建水质自动监测站的正常运转，强化了部分重要水源地水质动态监测，加强了省界断面水质和污染物下泄总量的监测，对超标水质及突发性水污染形成了动态预报预警，保障了京津等重要水源地国庆供水安全。

(2) 购置了第二套移动监测实验室，实现了50余项水质参数的现场机动监测和实时网络传输。组织开展了潘家口水库、岳城水库突发水污染应急演练，不断提高突发水污染应急处理能力。完成了河北省4座水库应急调水、引黄济津应急调水和冀晋两省向北京市应急输水水质监测工作，保证了应急输水水质安全。

(3) 重点开展了潘家口、大黑汀及岳城水库水源地和白洋淀等重点水域水质监测和生物藻类监测工作，拓展了监测范围，为湖库富营养化监控和蓝藻暴发预警预报提供了技术支撑，保障流域供水安全、生态安全。认真做好流域省界缓冲区和省界断面水质监测工作，每月编制发布流域水质信息公报，努力为流域管理和经济社会发展作好服务。

(4) 编制完成了《海委"十二五"水资源监测能力建设规划》，开展了《海委水质监测事业发展规划》，明确了发展思路、工作目标、主要任务和重点项目，对全面提高水质监测能力具有十分重要的战略意义。

(5) 组织召开了海河流域水质监测暨水资源保护工作座谈会，成功举办水质监测标准及规范技术培训班，进一步提升了流域水质监测水平。海河流域水环境监测中心顺利通过国家级计量认证审查。

3. 水功能区管理

(1) 加强了流域入河污染物总量监督工作。在2008年基础上，进一步组织完成了2009年漳卫南运河省际入河污染物总量通报工作，将有关情况以文件形式报告河北、山西、山东、河南省人民政府。

(2) 加强了直管水源地保护工作。组织开展了潘家口、大黑汀水库水质应急监测工程建设前期工作，根据部长办公会有关精神，研究提出了引滦水资源保护工作意见；组织开展了直管水源地联合执法检查，以文件形式向河北邯郸、河南安阳两市人民政府报告了岳城水库水源地主要问题和检查情况，进一步推动和促进直管水源地保护工作。

(3) 组织开展了滦河、漳卫南运河、大清河等重要河系入河排污口监督性监测工作，组织开展了海委直管水功能区入河排污口监督管理自查工作，深化完善入河排污口的登记、设置审查、监测监督等管理制度，依法完成了10余项热电项目退水水质审核工作，为流域入河污染物总量控制创造了有利条件。

(4) 组织开展了流域重点水功能区入河污染物限制排放总量意见细化分解工作，提出了2015年前逐年入河污染物总量控制方案，开展了水功能区达标考核研究工作，积极探索建立流域水功能区入河污染物总量控制制度。 (韩东辉 陶桂荣)

【科技与教育】

1. 科技成果 积极组织申报科技奖项并取得历史新突破，与南京水利科学研究院等单位合作完成的"海河口防洪与综合治理开发关键技术研究"获2009年度水利部大禹奖一等奖，与河海大学合作完成的"基于多主体合作和供应链的水资源现代调配理论、关键技术与应用"获教育部科技进步一等奖；组织完成了"海河洪水预报系统"项目的成果鉴定工作，被评为具有国内领先水平；开展了2009年度海委优秀科技论文评选工作，共征集论文60余篇，评选出"水动力学条件下潘家口水库富营养化控制初步分析"等15篇优秀科技论文。

2. 科研项目 共有4个部级科技项目结题并通过水利部验收，包括水利部科技推广项目——"基于GMS地下水模型在海河流域水资源规划和管理中的应用"、水利部现代水利科技创新项目——"海河流域平原河道生态保护与修复模式研究"和水利部"948"项目——"地下水监测及信息管理系统"及"河流水质在线监测系统"。成功申请国家级和部级科研项目6项；组织有关单位开展流域防洪问题研究，申报的2009年水利公益性行业科研专项经费项目——"海河流域下垫面要素变化及对洪水影响研究""下垫面变化条件下设计洪水修订技术研究""海河流域洪水调控技术与防洪格局研究""下垫面变化下漳卫河洪水预报支持平台研究"获科技部、财政部立项。围绕流域地下水管理问题，组织编制了《海河流域地下水管理研究》亚行项目申请书并上报财政部；围绕流域水生态问题，与中科院生态环境研究中心合作开展国家水体污染控制与治理科技重大专项——"海河流域水资源与河流水质过程综合研究"及"海河流域北运河水系水环境实时管理决策支持系统研究与示范"。 (赵春芬 陶桂荣)

珠江流域

【水政】

1. 执法监督 健全执法机制，加强执法队伍能力建设，组织编制了《珠江委2009—2015年水政监察基础设施建设可行性研究报告》和《珠江委2009—2015年水政监察基础设施建设初步设计报告》，并通过水规总院审查和水利部批复。完成了2000—2008年水政监察基础设施建设项目验收工作，组织水政监察人员进行集中培训，并选派水政监察人员参加水利部举办的各种培训班。组织开展了广东、广西、云南、贵州等省际边界河流水事纠纷调处、水工程建设规划同意书制度和取水许可制度执行情况、河道管理范围内建设项目、水土保持、边界河流水污染调查等专项水行政执法检查；对珠江河口区域的涉河建设项目开展多次水事巡查工作；做好郁南县大河水库供水水源水质污染等省际水事纠纷调处工作。

2. 法制建设　2009年，认真做好普法宣传工作，以“世界水日”和“中国水周”纪念活动为切入点，开展形式多样的水法宣传活动；组织广大干部职工观看水法宣传电视系列片《人·水·法》，并在珠江水利网上开辟普法专栏；举办领导干部法制讲座和水政执法培训班；对水事法规进行梳理汇编、印刷成册并分发给干部职工。按照水利部的要求，组织开展了分解执法职权、确定执法责任工作，通过把行政许可、行政处罚、行政强制等执法职权分解到各职能部门，明确各执法岗位及职责，有利于规范和监督执法行为。对水行政许可进行全面清理，拟定了《行政许可审批程序规定》，并制定了水行政许可的办事指南及相关规范性格式文本。已将《珠江水量调度条例（送审稿）》上报水利部，列入国务院2010年立法工作计划。（赵颖　黄猛）

【水资源】

一、水资源管理

1. 取水许可　开展行政区域的取水许可总量控制指标工作，解决珠江委取水许可项目与各省（自治区）水资源费代征代收的衔接问题；清理取水许可项目，完善流域管理与行政区域管理相结合的节约用水监督管理体系。依法建立以行政许可管理权属为核心的审批前监督和审批后备案管理的运行机制，建立取水许可制度、取水许可证联合年审制度、行政区域取水统计报表制度、取水口逐日取水月报表制度。对云南巡检司等8个项目开展取水许可监督管理工作，深入企业，了解企业的用水工艺、实际取用水量、计划用水情况、排污情况以及取退水的监测设施等。2009年审批取水许可34项，新发取水许可证22个，换发取水许可证12个，审批水量2190亿m^3。

2. 水资源论证　在已有多项制度的基础上，新建立项目水资源论证公示制度，全面履行了流域机构水资源管理职责。2009年度，受理建设项目22个，其中水利工程类6个，火电项目9个，核电项目4个，抽水蓄能及石油类项目3个；进行专家评审项目14个，审查工作大纲3个，公示项目11个，出具审查意见26份。

3. 前期工作　开展珠江河口河海管理范围划定研究工作，先后完成了任务书、工作大纲和《珠江河口河海管理范围划界研究》编制工作，委内多次组织专家学者对此研究报告进行审查、讨论和修改，报水利部，并已通过水利部组织的专家评审。《珠江流域取水许可总量控制指标方案》已通过水利部审查，目前正积极组织建立覆盖流域和省、市、县三级行政区域的取水许可总量控制指标。推进韩江水量分配研究报告编制，启动东江流域水量分配研究。（赵颖　黄猛）

二、水资源保护

1. 监督管理　开展了天生桥一级电站水库水资源保护与水污染防治行动计划的研究编制工作，该计划以研究天一水库水资源承载能力和水域纳污能力为基础，即以“纳污红线”为基础提出限排总量意见和水库综合利用建议，提出建立流域机构和云、桂、黔相关部门及电力公司之间的协作制度，明确职责，共同保护水资源。建立流域各省（自治区）交界缓冲区水质状况通报制度，每两月发布一次《珠江流域省界水体水环境质量状况通报》。组织编制、发布《珠江流域重点水功能区水资源质量状况通报》，掌握重点水功能区的水资源质量状况。加大对入河排污口监督检查的力度，进一步规范入河排污口的管理。完成广东中山火电、广西环江电厂等6个建设项目的入河排污口设置审批工作；加强珠江流域饮用水水源地的保护和监督管理，加强跨境河流水资源保护，完成了红水河、东江、北江、韩江及红河等6个跨省河流省界缓冲区确界立碑的选址、确界等野外查勘工作。

2. 水环境监测　组织开展水生态试点监测工作，在抚仙湖、星云湖、桂江、绥江、广州河道、流溪河及磨刀门水道设置了42个生态监测点，研究区域高等植物、浮游植物、浮游动物、底栖动物种类组成、群落结构、生态多样性的动态变化规律；加强对已建排污口监督检查，对20个重点入河排污口进行了试点监测。（郭继民　黄猛）

【前期工作】

一、水利规划

1. 珠江流域综合规划修编　组织水文复核、西水南调、三角洲控导工程、龙滩水电站淹没调查、流域综合管理、洪水归槽等重要专项工作研讨；完成珠江流域综合规划修编报告初稿，并组织委内各部门及专家进行讨论。

2. 珠江水资源综合规划　已通过水利部审查，正在报送国务院审批。

3. 珠江河口综合治理规划　已通过水利部审查，正在报送国务院审批。

4. 红河流域综合规划 已完成编制和流域初审，正在修改完善报告并准备上报水利部。

5. 柳江流域综合规划 组织开展修编工作，并完成干流梯级规划和防洪规划两个专题评审，正在筹备流域初审会。

6. 其他 完成珠江流域省际界河水事敏感地区水利规划、珠江流域重点中小河流近期治理专项规划、珠江流域重点河段岸线利用管理规划；配合水利部完成了《全国重点地区中小河流近期治理规划》。岩溶地区石漠化综合治理水利专项规划通过水规总院的审查；韩江流域综合规划、北盘江可渡河流域综合规划、南盘江黄泥河流域综合规划等工作正在稳步推进。珠江水利发展与改革"十二五"规划编制工作全面启动，完成了工作方案编制和上报，开展了规划思路调研和报告编制工作，对相关专题规划编制工作进行了部署。（李春贤 黄猛）

二、项目前期

1. 大藤峡水利枢纽 2009年初，广西壮族自治区人民政府明确了工程年内开工建设的总体目标。2月份，项目建议书编制完成并上报水利部；3月10—13日，水规总院在北京对项目建议书进行了审查；5月24—26日，水规总院在北京对项目建议书进行了复审；7月20日，水利部将大藤峡水利枢纽工程项目建议书及审查意见报送国家发改委申请立项（水规计〔2009〕366号）。有关各方多次进行协调：2月7日，在南宁召开了大藤峡前期工作领导小组第一次工作会议；4月23日，在南宁召开了大藤峡前期工作协调小组第一次协调工作会议；7月31日，在北京召开了大藤峡前期工作领导小组第二次工作会议；11月，水利部会同广西壮族自治区政府到国家发改委就立项工作进行沟通和协调。在各方努力下，大藤峡水利枢纽前期工作取得了实质性进展，广西已就建设方案、项目法人组成等重要事宜与水利部达成共识，澳门特别行政区无偿援助8亿元人民币建设大藤峡水利枢纽。

2. 百色水利枢纽收尾工程 百色水利枢纽全部机组于2006年投产发电，主体工程已基本完成；目前除开展工程收尾及项目验收等工作外，还积极推进百色水利枢纽通航设施前期工作、库区移民资金政策性调整及地质灾害治理等工作。根据国家发改委给云南省政府关于百色水利枢纽过船设施规模复函的有关要求，按照水利部部署，已组织设计单位完成了百色水利枢纽过船设施规模调整的勘察、论证及设计工作，并于2009年12月初将项目可研报告上报水利部。综合考虑国家有关移民补偿标准政策调整、库区地质灾害治理及移民安置实施中存在规划设计漏项等问题，积极协调有关部门，组织编制了《百色水利枢纽库区移民资金政策性调整及有关问题处理设计报告》，提出了一揽子解决方案，上报水利部，通过了水规总院审查。

3. 流域重点工程 积极推进广西柳江防洪控制工程洋溪、落久水利枢纽前期工作，就洋溪、落久水利枢纽新的可研方案征求贵州、广西两省（自治区）意见，并于2009年9月出具了洋溪、落久水利枢纽规划同意书。2009年10月30日，在贵阳召开了洋溪水利枢纽建设方案征求意见会，征求交通部珠江航务管理局和贵州省发改委、水利、国土、交通、移民各厅（局）及相关州县意见，对矛盾较为突出的临时淹没和航道水位衔接等问题进行了协调。加强对流域其他重点项目前期工作的跟踪指导，主要包括桂林漓江补水工程、黔中水利枢纽工程、鹤地水库恢复原设计正常蓄水位淹没处理、桂中治旱乐滩引水灌区工程、红岭水库，以及南宁、梧州、贵港等重点防洪城市堤防建设项目，等。（李春贤 黄猛）

三、技术审查

1. 按照水利部的统一部署，组织流域各省（自治区）编制了《珠江流域加快水利基础设施建设前期工作实施方案》并上报水利部。

2. 在完成列入《全国病险水库除险加固专项规划》的流域内185座大中型项目初步设计复核任务的基础上，继续做好病险水库除险加固工程技术服务工作，完成云南省稼依水库除险加固工程初步设计和东风水库除险加固工程重大设计变更的技术复核工作。

3. 珠江流域列入《全国大型灌溉排水泵站更新改造规划》的大型灌溉排水泵站共15处（共计61座泵站），其中列入2009年投资计划的共3处（46座泵站）；已完成列入规划且已上报的38座泵站更新改造初步设计概算复核工作，其中已正式出台文件的有28座，其余项目设计单位正在根据复核意见对报告进行修改完善。

4. 继续开展新建中型水库审核工作，已完成贵州省桑郎水库、白河沟水库和云南省五一水库、洞上水库、恨虎坝水库、阿白冲水库、阿扎河水库等7座新建中型水库的审核，正在办理云南省云洞水库和贵州省鱼洞坝水库的审核工作。

5. 完成了《珠江流域各省（自治区）2009—2011年水土保持重点工程建设规划》、《珠江片大中型病险水闸除险加固专项规划》的审核工作；完成梧州河东防洪堤加固工程、贵港城区防洪排涝工程郁江江南大堤、南宁市防洪工程邕宁防洪堤等8个项目的技术审查工作。

6. 按照水利部统一部署，多次对流域扩大内需水利投资建设情况进行监督检查。2月，对广西、贵州两省（自治区）扩大内需水利投资建设情况进行了调研；8月，对云南、广东、广西、海南等四省（自治区）的大中型病险水库除险加固工程前期工作有关问题进行了核查；9月，对广东、海南两省扩大内需水利投资建设情况进行督导检查，并按要求提交了相

关报告。 （李庆林 黄猛）

【工程建设】

1. 乐昌峡水利枢纽 乐昌峡水利枢纽是2007年经国务院批复的《珠江流域防洪规划》（国函〔2007〕110号）中确定的北江上游防洪控制性工程，位于韶关市所辖乐昌市境内、北江支流武江乐昌峡河段塘角火车站附近；下距乐昌市约14km、韶关市81.4km，坝址以上集水面积$4988km^2$。枢纽的防洪任务是通过与湾头水库联合运用，将韶关市的防洪标准由20年一遇提高到100年一遇，同时将乐昌市的防洪标准由10年一遇提高到50年一遇。工程开发以防洪、发电为主，兼顾航运、灌溉等综合利用；水库正常蓄水位154.5m，校核洪水位163.0m，防洪限制水位144.5m，总库容3.74亿m^3，防洪库容2.11亿m^3，电站装机容量132MW；工程静态总投资33.00亿元。该枢纽建成后，将提高下游农田的自灌能力，改善灌溉面积0.25万hm^2，消除上游44km的险滩；大坝下游在枯水期调节水流量达$151m^3/s$，使航行更加畅顺。乐昌峡水利枢纽工程于2009年6月开工，2010年底水库大坝将具备防洪功能。

2. 黔中水利枢纽 黔中水利枢纽是贵州省首个大型水利枢纽工程，也是大型长距离调水工程。工程涉及大中小型水库91座，其中大型1座、中型5座、小（1）型23座、小（2）型62座；其中5座水库承担灌区反调节任务，4座承担贵阳供水调节任务。工程位于贵州省中部黔中地区，处于长江和珠江两大流域分水岭地带，涉及三市（贵阳、安顺、六盘水）一州（黔南自治州）一地区（毕节）的10个县，及贵阳市城区。水库大坝位于六枝特区与织金县交界处的三岔河中游木底河平寨附近。黔中水利枢纽工程坝高162.7m，总库容10.89亿m^3，坝后式厂房装机容量136MW，年调水量5.5亿m^3。工程分两期建设，一期工程建成后，可解决贵阳市2020年城市供水需要和贵州省六枝北部等7个县、42个乡镇3.11万hm^2农田灌溉，解决5个县城和28个乡镇供水，解决农村35万人和31.5万头牲畜饮水安全问题。2009年11月30日，黔中水利枢纽工程开工，一期工程总投资约73亿元。 （黄猛）

【汛情与防汛】

一、雨情

2009年汛期珠江面平均降雨量961mm，比多年同期偏少21.6%；流域面平均降雨量885mm，比多年同期偏少22.5%。其中西江872mm，比多年同期偏少20.6%；北江779mm，比多年同期偏少41%；东江870mm，比多年同期偏少37%；珠江三角洲1276mm，比多年同期偏少15%。珠江流域其他河流，韩江及粤东沿海782mm，粤西及桂南沿海1395mm，海南1563mm。流域累积最大点雨量是广东江门市锦江2861mm。

2009年汛期降雨时空分布极不均匀，空间分布自东南向西北呈递减的趋势，粤西沿海和海南岛地区降雨明显偏多，约偏多3～5成。各地区降雨量为500～2000mm，红河上中游、南北盘江、红水河、左右江、北江上中游、东江上中游和韩江中下游等地区的降雨量为500～900mm，其他地区降雨量基本超过900mm，1100mm以上降雨量主要分布在红河下游、桂柳江上中游、西江干流、粤西桂南沿海、珠江三角洲、东江下游和海南等地，1500mm以上降雨量主要分布在粤西沿海和海南等地。降雨量主要集中在5月下旬至7月上旬，6月份降雨量最多，占汛期降雨总量的25.8%；4、8、9月降雨量相对较少，其中9月降雨量仅占汛期降雨总量的8.3%。

二、水情

2009年汛期，珠江主要大江大河水势总体比较平稳，未发生大的洪水，截至10月中旬，珠江共有60个报汛站的水位超过警戒水位，且大多发生在6、7月份，其中西江有44个报汛站，北江2个报汛站，韩江4个报汛站，粤西桂南沿海河流6个报汛站，珠江三角洲1个报汛站，海南3个报汛站。

6月底至7月初，受高空槽和切变线影响，柳江、桂江等地出现持续强降雨，降雨中心主要在柳江和桂江上游地区。西江支流柳江发生20年一遇大洪水，洪峰水位89.64m，洪峰流量$26700m^3/s$（列历史第4位）；柳江支流的安马站、天河站和三岔站出现了超历史实测的最大流量和最高水位。桂江桂林站和黔江武宣站发生5年一遇中等洪水。柳江洪水汇入西江，7月7日梧州站出现了2009年汛期的最高洪峰水位21.85m，超过警戒水位3.85m，洪峰流量$37200m^3/s$。

三、热带气旋

2009年，共有8个热带气旋登陆（影响）珠江，分别是第200903号热带风暴“莲花”、第200904号热带风暴“浪卡”、第200905号热带风暴“苏迪罗”、第200906号台风“莫拉菲”、第200907号热带风暴“天鹅”、第200913号热带风暴“彩虹”、第200915号台风“巨爵”、第200916号台风“凯萨娜”和第200917号热带风暴“芭玛”。

四、旱情

2009年8月初到10月中旬，珠江除三角洲、粤西、桂南和海南沿海地区外，大部分地区降雨总量较常年偏少3～5成，西江中游地区偏少5成以上。受降雨严重偏少影响，珠江主要江河来水严重偏枯，西江、北江、东江三大水系主要控制站8月、9月连续两个月的平均流量较常年同期均偏少6成以上；下游西北江三角洲地区咸潮上溯，咸潮界上移，珠海、澳门等地遭受咸潮袭击，珠海主要取水口联石湾和平岗泵站出现含氯度超标的时间比近年提早约2个月。往年平岗泵站的初次咸潮出现时间一般在11～12月，2009年则提前到9月中旬；截至10月17日，联石湾水闸连续24小时超标天数达19天，平岗泵站出现超标的天数达15天，超标时数累计达196小时，连续2天不可取水，这些是近五年没有出现过的。严重的咸情直接威胁澳门及珠江三角洲地区供水安全。流域内广东、广西、贵州等省（自治区）一些地方先后出现不同程度干旱。（吴伟强　黄猛）

五、灾情

2009年，珠江共有314个市（县）2434个乡镇发生了不同程度的洪涝灾害，受灾人口1665.53万人，死亡66人，倒塌房屋5.1013万间，直接经济损失114.22亿元。农作物洪涝受灾面积81.32万hm^2，其中成灾42.89万hm^2。因洪涝停产工矿企业3503万个，铁路中断4条次，公路中断1138条次，损坏大中型水库6座、小型水库248座；损坏堤防3316处，共454km；损坏水闸661座；水利、设施直接经济损失21.31亿元。2009年，珠江流域共出现26起洪涝灾害，其中，特大洪涝灾害过程9起，重大洪涝灾害过程2起，较大洪涝灾害过程6起，一般洪涝灾害事件和过程9起。

六、防汛抗旱

1.2009—2010年度枯水期珠江水量统一调度　从2009年9月15日开始，第六次组织实施枯水期珠江水量调度工作，调度共历时5个多月。珠海主要取水泵站累计抽取淡水1.83亿m^3，累计供澳门原水约3600万m^3，供水含氯度在150mg/L以下，确保了澳门、珠海等地供水安全，同时还有效缓解了西江黄金水道塞船事件，保障了电网调峰、调频的正常运行。

2. 汛前准备　2—4月，珠江各省（自治区）分别召开了防汛抗旱工作会议、防办主任会议和水库安全度汛电视电话会议，认真贯彻落实全国防办主任会议精神，结合本地实际，对防汛抗旱工作进行全面部署。3月下旬至4月上旬，珠江防总派出4个检查组，分赴云南、贵州、广西、广东、海南等5个省（自治区），对国家重点防洪城市和流域重要防洪城市、重要堤防、重点大型水库等的度汛准备情况进行检查。5月5—8日，国家发改委副主任杜鹰带队国家防总防汛抗旱检查组，对珠江流域防汛抗旱工作进行了检查。4月24日，珠江防总在广西南宁召开了2009年工作会议，会议总结了2008年珠江防汛抗旱工作，并对2009年珠江防汛抗旱工作作了部署。流域各省（自治区）在汛前也派出多个检查组，对各地市的防汛准备工作情况以及重点防洪工程的度汛准备情况进行了认真的检查，确保安全度汛的工程措施、组织措施、防洪预案、抢险物料、防汛通信、抢险队伍等各项措施落实到位。

3. 防洪防风　珠江防总先后启动防御洪水（台风）Ⅳ级应急响应3次、Ⅲ级应急响应8次、Ⅱ级应急响应2次，先后派出20多批次工作组、专家组赶赴一线，协调和指导地方抗洪抢险。广西卡马水库出现险情后，珠委立刻派出由7位专家组成的工作组代表国家防总第一时间赶赴现场，研究抢险方案，协助指导当地开展抢险工作，确保了水库大坝安全。

4. 能力建设　抓好水情基础研究工作，先后开展了珠江山洪灾害预警分析研究工作，流域体积雨量的分析研究工作，构建珠江水文专用气象网等。完成珠江37处重点水文站、57座重要水库报汛站和23个水文分局信息接收单元的改造建设。开展了珠江重点水文站信息管理系统项目建设，对珠江重点水文站网信息进行网络化动态信息管理。（易越涛　黄猛）

【水土保持】

1. 水土保持预防监督　对云南、贵州、广东、广西、海南5省（自治区）29个大型开发建设项目进行了监督检查。代部主持完成了广西北海电厂、广东潮州三百门电厂、云南衡昆国道主干线平远街至锁龙寺高速公路等21个项目的水土保持设施验收工作。组织开展了珠江流域开发建设项目水土保持管理信息系统的研究工作并正式建成投入使用。联合广西壮族自治区水利厅对黔桂铁路扩能改造工程（广西段）和洛湛铁路（广西段）2个水土保持违法违规生产建设项目的整改落实情况进行了监督检查。参与流域内20多个开发建设项目水土保持方案的审查工作。

2. 水土保持监测　配合水利部做好全国二期水土保持监测网络建设的有关工作。韩江上游水土保持动态监测工作已完成了区域水土保持调查、水土流失遥感调查的任务。多次参与全国水利第一次普查水土保持普查技术细则的讨论，完成了珠江委负责承担的珠江流域崩岗调查和珠江流域水土保持措施与效益评价技术细则的编写工作。完成2010年珠江流域水土保持动态监测的技术路线和动态监测区域的调研工作，编写了项目实施方案和可行性研究报告，参与了全国水土保持动态监测项目可行性研究报告的讨论和编写工作。

3. 水土保持前期工作　《岩溶地区石漠化综合治理水利专项规划（送审稿）》通过了水利部水规总院组织的专家审查，经修改完善后报水利部审批。组织完成了贵州、广西、海南和广东4省（自治区）2009—2011年水土保持重点工程建设规划的审核工作，并将审核意见上报水利部。参与云南、福建省2009—2011年水土保持重点工程建设规划的审核工作。完成珠江流域综合规划修编等前期工作中有关水土保持部分的审核和把关工作。（陈文贵　黄猛）

4. 水土保持管理　根据水利部水土保持司《关于开展2008年岩溶地区石漠化综合治理试点工程水土保持项目实施情况检查工作的通知》要求，由珠江委牵头，联合长江委水保局组成5个检查组，对贵州、云南、广西、广东、四川、重庆、湖南、湖北等8省（自治区、直辖市）的15个县（市）2008年岩溶地区石漠化综合治理试点工程水土保持项目实施情况进行了检查，形成检查报告上报水利部水土保持司。参加世界银行组织开展的云贵鄂渝水土保持世行贷款/欧盟赠款项目2009年度春季检查工作。

（陈文贵　黄猛）

【工程管理】

1. 建设管理　做好百色水利枢纽工程运行安全管理和尾工工程建设管理以及工程验收准备等，重点是库区剥隘镇四、七、九片区应急抢险工程。根据现场险情，抢险工程共分4期，Ⅰ期工程包括完善地表排水系统和地表裂缝封闭施工，Ⅱ期工程包括水厂前缘抗滑支挡、九片区前缘沿迎宾路抗滑支挡、四片区博爱大道西侧抗滑支挡、坡面系统排水工程，Ⅲ期工程包括七片区水平排水孔、格构锚护坡、7号沟回填压脚、甲村前缘回填块石压脚、地下排水工程；目前Ⅰ、Ⅱ、Ⅲ应急工程已完工。加强响水水电站扩机工程的建设质量、进度、投资管理，协助项目法人加强工程建设管理与安全生产工作，多次深入工程现场，认真调研，并加大检查力度，协调解决工程建设中存在的问题。

2. 工程管理　严格执行管理制度，规范流域水工程及河口涉水项目管理，进一步加强水工程建设规划同意书管理工作，严格执行水工程建设项目规划同意书制度，先后办理海南省红岭水利枢纽、广西老口水利枢纽、云南万家口子水利枢纽、贵州永康桥电站、广东乐昌峡水利枢纽等36项水工程规划同意书。会同云南省水利厅开展对南盘江部分河段和红河流域水工程规划同意书制度执行情况的执法检查；对未办理规划同意书的水工程，责令其补办相关手续。对中船龙穴造船基地、珠海鸡啼门大桥、中远船务有限公司码头、黄埔大桥、广东新中国船厂有限公司小虎岛造船基地工程、珠海发电厂码头、广州建翔码头改造、蕉门航道整治工程等12个项目出具了水行政许可，对5项已完工的码头、桥梁等项目进行水利专项验收。

3. 病险水库除险加固　发挥珠江委技术优势，加强对口指导和监督检查，高度重视解决珠江病险水库除险加固建设过程中出现的难题，及时组织经验丰富的专家赴广西赤水水库、卡马水库抢险，使病险水库除险加固过程中出现的有关技术难题得到及时解决，切实保证了病险水库除险加固工程安全。流域病险水库除险加固工作进展顺利。

4. 质量监督　加强省际河流和流域重点水利工程建设的质量监督工作，开展百色水利枢纽工程、达开水电站、响水水电站扩机、万家口子水电站、泥猪河水电站和广西桂林市防洪和漓江补水工程6个项目的质量与安全监督工作。积极为中水珠江设计公司和珠江水利科学研究院成功申报水利工程质量检测单位甲级资质做好服务；做好委属申报单位质量检测员的换证认定和首次注册工作；协助水利部建管总站和中国水利工程协会在广州市举办了水利工程质量检测员岩土类、混凝土类和测量类的培训和考试。组织参加了首届全国水利工程建设监理论坛；组织开展水利工程建设监理工程师注册备案和继续教育工作；做好水利工程建设监理单位资质等级审批工作。

（孙建伟　黄猛）

【污染治理】

广州污水治理和河涌综合整治项目　为实现广州市“水更清”目标，广州城乡统筹，全市治污。污水治理和河涌综合整治项目包括：建设并完善城市污水处理系统，提高污水处理能力，对中心城区主要河涌截污，主要污染源接入污水处理系统；开展堤岸整治、河道清淤、景观建设等，营造良好的河岸环境；对北部、西南部、中东部及南部等4个片区进行调水补水系统工程建设，实现部分河涌水体循环，提高水体自净能力；对中心城区水浸街地段进行治理；农村地区配套建设污水处理系统。该项目包括581个工程项目，总投资340.65亿元；工程于2008年底启动，到2010年6月底前全市水环境将明显改善。（黄猛）

【科技与教育】

1. 科技　成功申报8个科技项目，其中“948”计划项目2项，珠江流域公益性行业科研专项4项，水利部科技推广计划项目2项。评出珠江委科学技术奖6项，完成科技项目鉴定4项，验收项目5项。组织完成珠江流域科技创新中心建设方案编制，提出珠江流域科技创新建设总体方案，确定将河口与海岸工程、水环境与水生态、遥感与地理信息、水利信息技术作为珠委的4个重点学科；重点打造珠江水利科学研究院中心实验室、珠江流域水环境监测中心水质分析实验室、珠江委基本建设工程质量检测中心3个重点实验室，为水利科研试验提供良好的场所和工具。

组织2008年珠江委科学技术奖评审工作和2009年的申报工作，共评审出珠江委2008年度科学技术奖获奖项目6项，其中一等奖1项，二等奖1项，三等奖4项。推荐大禹水利科学技术奖2项，有1项获三等奖；推荐广东省科学技术奖1项，获三等奖。加强水利科技项目结题或验收管理，对2007年以来正在执行和验收的项目进行全面检查，正式上报了自查报告和整改报告，并及时对检查中出现的问题进行了整改：对已经完成的项目，督促承担单位结题，9月份共上报5个项目结题验收；对已经延期的项目，完善相关手续，正式行文上报延期申请2项，补交延期

申请2项。组织完成科技项目鉴定4项、验收项目5项。（王萍 黄猛）

2. 教育培训 突出抓好能力建设和素质培训，组织委机关和水源局（水文局）机关公务员分赴淮委和太湖局开展流域管理与实践拓展培训，组织委机关公务员到井冈山开展革命传统教育。组织19名优秀骨干参加在河海大学举办的2009年水行政管理研修班（奖励培训）学习。组织珠江委2009年新职工的入职培训。举办讲座，撰写培训心得体会，收集优秀视频供职工挑选等形式学习，积极开展学习型组织建设。举办水利专业技术人员知识更新培训、珠江委财务管理培训、珠江委防汛专家研讨等各种培训班。选拔优秀人才和技术骨干参加水利部等水利行业机构举办的各类培训。选派了多名司局级领导干部参加水利部举办的任职培训和综合管理培训班，选派3名处级干部参加水利部党校进修班，选派约140人次参加水利青年公务员更新知识培训等各类专业技术或岗位培训。（郑艳萍 黄猛）

【国际交流与合作】

1. 出访和来访 2009年，派团赴新加坡参加国际水周，赴日本参加第三届河口海岸国际研讨会，赴荷兰参加中荷科技项目洽谈，赴澳门出席澳门特别行政区援助建设大藤峡水利枢纽工程签字仪式，赴澳大利亚参加河流健康与环境流量项目技术培训，赴澳门参加执行项目洽谈、中欧流域管理专题研讨会，赴马来西亚参加洪水预报培训团等共计8个团组21人次。共接待了来自荷兰交通公共工程与水管理部、荷兰驻中国大使馆交通水利专员、泰国气象局水文气象研究中心、新加坡国立大学教授、美国爱荷华州立大学教授、美国自然遗产研究所、澳门特别行政区政府代表团出席委庆代表团、香港特别行政区政府代表团、澳门经济建设协促会代表团、澳门特别行政区政府考察大藤峡水利枢纽代表团、澳门立法会考察大藤峡水利枢纽代表团、澳门特别行政区港务局代表团等85人次。

2. 对外合作 积极开展对外合作，与澳门特别行政区政府港务局签订合作协议书，双方拟在促进珠江河口水资源和其他自然资源的保护和合理利用，共同防御洪、涝、旱、风暴潮、咸潮等自然灾害，防治水污染，维护珠江河口的良性水循环和生态环境等领域进一步加强友好合作；与荷兰开展珠江三角洲咸潮入侵与治理措施和珠江流域水库富营养化防治项目合作；借鉴澳大利亚在河流健康监测与评价中的科学理念与方法，与澳大利亚开展“河流健康—环境流量”项目合作。

3. 培训 派人员参加水利部组织的“高层次人才创新能力建设培训团”“国家防汛抗旱指挥系统工程技术人员培训团”“水土保持方法与最佳实践培训团”“河流健康与环境流量项目技术培训团”，前往美国、西班牙、意大利、澳大利亚等国家进行短期培训。（王智慧 黄猛）

松花江、辽河流域

【水政】

1. 依法行政 加强了水行政许可管理工作，全年共办理水行政许可60项，其中水资源论证20项，取水许可21项，河道管理范围内建设项目审批12项，河道管理范围内建设项目位置和界限审查3项，签署水工程建设规划同意书3项，审批入河排污口设置1项。组织对《松辽流域水工程建设规划同意书制度管理实施细则》等7项流域规范性文件进行跟踪管理；制定并印发了《松辽流域入河排污口监督管理办法实施细则》等3项制度。《松辽委水利前期工作投资计划管理实施细则》等4项已完成初稿，正在征求意见；对松辽委制定的流域规范性文件进行全面清理，废止了《松辽流域取水许可制度实施细则》等7项与流域水资源管理现状不相适应的规范性文件。按照水利部要求和法律法规赋予的水资源管理职责，开展职责分解工作，制订了《松辽水利委员会行政执法职责和执法责任文本》，进一步明确了松辽委机关处室和人员的行政执法职责和执法责任。围绕“严格水资源管理，保障可持续发展”的宣传主题，开展了纪念“世界水日”“中国水周”和“12·4”全国法制宣传日宣传活动，举办了松辽委水行政执法知识竞赛活动，在职工中掀起学习水行政执法知识的热潮。

2. 水政监察执法 按照水利部要求，开展了松辽委专项水行政执法检查活动。成立了松辽委专项检查领导小组，制定印发了执法方案，分别会同有关省，对鞍钢股份鲅鱼圈钢铁分公司、鞍钢集团朝阳鞍凌钢铁有限公司的取水许可，嫩江县污水处理厂入河排污口设置，以及哈大客运专线工程第二松花江特大桥位置和界线进行审查，对大安市围堤、肇源县围堤清障等情况进行了现场执法检查；对违法项目下达了责令改正通知书，并将检查情况汇总上报水利部。组织编制了《松辽水利委员会行政执法项目及依据详本》；依法组织实施了2010年水政监察基础设施建设工作。

3. 水事纠纷调处 老虎山河水事纠纷调处工作取得重大进展。在纠纷双方达成一致意见的基础上，开展了老虎山河治理规划，明确了河道清障线和治导线，运用工程措施解决矛盾纠纷。目前《老虎山河治理规划》即将通过水利部审批，初步设计已由辽、蒙两省（自治区）上报松辽委。拉林河等其他水事纠纷调处工作进展顺利。组织开展了省际水事矛盾纠纷排查化解活动，摸清了流域省际边界水事情况和信息，

把水事纠纷预防的关口前移，全面查清了流域边界河流情况，为下一步做好水事纠纷的预防和调处工作打下了基础。（张旸）

【水资源】

1. 流域取水许可总量控制　为加强松辽流域取水许可总量控制管理，建立和谐水事秩序，按照水利部要求，经与流域内各省区协调，编制完成了松辽流域取水许可总量控制指标方案；方案已通过审查，待水利部审批。松辽流域取水许可总量控制指标方案，作为“三条红线”的核心技术方案，将为流域水资源管理和保护及省区细化指标方案提供必要的基础和依据。

2. 省际水量分配　大凌河水量分配方案获得水利部批准后，为保证方案顺利实施，松辽委协调沿河省区编制了大凌河水资源监控系统项目建议书。为探索水量分配思路、原则和方法，利用水利部《节水型社会建设》项目资金，组织开展了嫩江流域水量分配方案编制研究工作。2009 年 5 月，编制完成《嫩江流域现状水量分配方案研究报告》；2009 年 6 月和 10 月，水利部对该报告进行了审查。该项研究成果为进一步开展嫩江流域水量分配提供了技术支撑，为落实流域取水许可总量控制管理奠定了重要的基础。

3. 建设项目水资源论证和取水许可　组织开展了吉林省中部城市引松供水工程等 20 余项建设项目水资源论证报告书的审查、批复工作；组织完成了松辽委管理的建设项目水资源论证资质单位和专家 2008 年度总结工作，开展了第四批水资源论证专家选聘和资质单位资质范围扩大审批工作；完成了磨盘山水库等 20 余项取水许可审批工作；开展了 2009 年计划用水审批和年检工作；完成对涝洲灌区等取水户的水资源管理行政执法检查；开发完成了松辽流域取水许可统计系统。

4. 尼尔基水利枢纽和察尔森水库兴利调度　编制完成了尼尔基水利枢纽、察尔森水库 2009 年度兴利调度计划。2009 年 4 月，尼尔基水利枢纽在可用水量仅为 16 亿 m^3 的情况下，为确保春耕用水，将放流量由 $35m^3/s$ 增加到 $100m^3/s$，进入 5 月放流量又提高到 $200m^3/s$，保障了下游工农业用水要求。2009 年汛末，尼尔基水库蓄水达到了正常高水位，根据 2009 年实际来水情况，为提高水库的供水保障能力，发挥水库的多年调节作用，对年初制定的年度调度计划进行了调整，严格控制封冻期前放流，使水库保持高水头运行，进一步提高了供水保障程度，增加了水库发电效益。

5. 节水型社会建设　配合水利部对节水型社会建设试点城市进行了监督检查；参与了节水型社会建设规划审查；按全国节水办的要求，完成了第二批国家级试点城市大庆、四平、鞍山的中期评估工作。（陈丽芳　战子欣）

【前期工作】　2009 年共下达水利前期工作投资计划 2322 万元，其中，松花江、辽河流域综合规划修编 1329 万元，全国主要河湖水生态保护规划 40 万元，保障国家粮食安全水资源保护和开发利用规划 80 万元，松辽流域水利发展“十二五”规划 35 万元，研究建立与水有关的生态补偿机制 80 万元，大凌河流域水权初始分配方案 123 万元，洪水风险图编制 115 万元，松辽流域前期基础工作 70 万元，其他规划 450 万元。

1. 松花江、辽河流域综合规划修编　截至 2009 年底，辽河流域综合规划报告基本完成；松花江流域综合规划报告于 2009 年 12 月在北京进行了专家咨询会议，并根据专家意见对规划成果进行修改完善。

2. 松辽流域水利发展“十二五”规划　根据水利部的统一部署，已完成松辽流域水利发展“十二五”规划工作方案并上报水利部；成立了松辽委松辽流域水利发展“十二五”规划编制工作领导小组；规划思路报告已编制完成；正进行规划报告的编制工作。

3. 其他规划　截至 2009 年底，全国主要河湖水生态保护与修复规划，流域成果已经完成并参加水规总院组织的全国汇总；保障国家粮食安全水资源保护和开发利用规划，流域阶段性成果已经完成；研究建立与水有关的生态补偿机制工作，正在进行资料收集，编制大纲已经确定；大凌河流域水权初始分配方案已经完成，并获得水利部批复，正在编制与之配套的水资源监控系统任务书；洪水风险图编制正在进行，计划 2010 年汛期完成。（隋意　赵直）

【工程建设】

一、水利基本建设投资

2009 年，东北 4 省（自治区）水利基本建设计划投资 146.04 亿元，其中中央投资 57.01 亿元，地方投资 89.03 亿元。截至 2009 年底，水利基本建设到位资金 146.27 亿元（含上年度结转资金），其中中央到位资金 50.19 亿元，地方到位资金 96.08 亿元。2009 年完成水利基建投资 154.78 亿元（含上年度结转资金），其中完成中央投资 57.03 亿元，地方投资 97.75 亿元。完成枢纽工程投资 32.04 亿元，防洪工程投资 38.84 亿元，灌溉工程投资 13.83 亿元，供水工程投资 62.88 亿元，水电开发工程投资 4.29 亿元，水保及生态环境建设投资 1.21 亿元，机构能力建设 0.85 亿元，前期工作 0.23 亿元，其他 0.60 亿元。2009 年水利基本建设完成土方 3337 万 m^3、石方 501 万 m^3、混凝土 131 万 m^3、金属结构 85003t，主要进行了防洪工程、水库及枢纽工程、病险水库除险加固工程、大型灌区改造工程、城乡供水和人饮解困工程、生态环境保护及治理工程等。

二、重点水利工程建设

1. 防洪工程　利用亚行贷款松花江嫩江防洪工程。该工程总投资21.45亿元，其中黑龙江省10.45亿元，吉林省6.75亿元，内蒙古自治区2.51亿元，松辽委1.74亿元。截至2009年底，工程累计下达计划投资19.44亿元，完成投资18.56亿元；其中2009年下达计划投资2.13亿元，完成投资5.19亿元（含以前年度结转），完成土方1084万m^3、石方96万m^3、混凝土38万m^3。

2. 水库及枢纽工程　哈达山水利枢纽工程由挡水坝、溢流坝、河床式发电站、东干渠进水闸等工程组成，属大（1）型工程，主要建筑物为1级。哈达山水库主坝为粉质壤土斜墙坝；总库容为38.6亿m^3，其中兴利库容34.8亿m^3；电站装机容量为8万kW。工程于2008年开工，总投资30.84亿元。截至2009年底，工程累计完成投资15.23亿元，完成土方827万m^3、石方14.28万m^3、混凝土7.21万m^3、金属结构6676t；其中2009年计划投资16.5亿元，完成投资14.23亿元，完成土方445万m^3、石方13万m^3、混凝土6.6万m^3、金属结构5480t。

3. 引调水工程

（1）大伙房水库输水工程。工程总投资52.18亿元，日供水能力17.8万m^3，主体工程输水隧洞长83.5km；工程于2003年开工，2009年9月一期工程试通水成功。截至2009年底，累计安排投资41.12亿元，完成投资48.52亿元，完成石方493万m^3、混凝土96万m^3；其中2009年计划投资2.64亿元，完成投资4.79亿元，完成石方116万m^3、混凝土33万m^3。

（2）大伙房水库输水二期一步工程。工程总投资49.06亿元，日供水能力11.97万m^3，该工程是大伙房水库输水工程的配套工程，于2005年开工，计划于2010年建成通水。截至2009年底，工程投资已全部安排，完成投资44.79亿元，完成土方2913万m^3、石方202万m^3、混凝土72万m^3、金属结构45048t；其中2009年完成15.67亿元，完成土方806万m^3、石方14万m^3、混凝土36万m^3、金属结构43734t。

4. 病险水库除险加固工程　2009年进行病险水库除险加固的有内蒙古自治区的山湾子、响水、红旗，辽宁省的柴河、后楼、老龙口，吉林省的柳河、群昌、玉皇庙，黑龙江省的平原、南湖、石人沟等270座，共下达计划投资24.00亿元，完成投资21.29亿元，完成土方1605万m^3、石方240万m^3、混凝土66.35万m^3、金属结构6631t。

5. 大型灌区节水改造工程　2009年，主要对内蒙古自治区的英金河、海日苏、辽河，辽宁省的庄河、凌海、大洼、盘山，吉林省的海龙、前郭、洮儿河，以及黑龙江省的倭肯河、引汤、龙头桥等102个灌区进行续建配套及节水改造建设；共下达计划投资22.58亿元，其中中央投资16.28亿元，地方投资6.30亿元；完成投资13.83亿元，其中中央投资9.79亿元，地方投资4.04亿元；完成土方4998万m^3、石方61万m^3、混凝土55万m^3、金属结构3498t。

（李玉）

【汛情与防汛】

一、汛情

2009年，松辽流域大部分地区降水偏少且时空分布不均，汛前北少南多，汛期北多南少。2009年是继1999年以来全流域持续干旱的第11年，辽河流域出现了近50年以来的最严重旱情。年降水量，黑龙江干流上中游、嫩江上游及中游左侧支流、松花江干流左侧支流的呼兰河上游和汤旺河、第二松花江上游、鸭绿江、辽东半岛为600mm以上；额尔古纳河下游、黑龙江干流下游、嫩江中游右侧支流、松花江干流右侧支流、第二松花江中下游、辽河干流、乌苏里江、绥芬河、图们江为400～600mm；额尔古纳河中游、嫩江下游、东辽河、大小凌河为200～400mm；额尔古纳河上游、西辽河为100mm。与多年平均降水量相比，2009年松辽流域降水量偏少12%；除黑龙江干流、嫩江、松花江干流与常年持平外，其他流域均偏少，额尔古纳河、乌苏里江、辽河干流、辽东半岛偏少5.2%～19.8%，第二松花江、绥芬河、图们江、鸭绿江、大小凌河偏少21.7%～31.8%，东辽河、西辽河偏少43%～57.3%。

2009年，松辽流域主要江河水势平稳，大江大河水位均低于警戒水位，年径流量整体偏枯，除黑龙江干流较常年偏多25%外，其他流域均偏少25%以上，东辽河和辽河干流偏少61%以上，大小凌河、西辽河偏少84%以上。嫩江下游、辽河干流、大小凌河等流域的部分河流发生干涸断流现象，西辽河几乎常年处于断流状态。2009年，松辽流域主要江河干流均未出现明显洪水过程；受局地连续降水影响，少数支流发生超警洪水或超保洪水，发生超警以上洪水的支流均位于黑龙江省境内，其中松花江干流支流呼兰河青冈站发生了有实测记录以来的第二位洪水，嫩江支流乌裕尔河北安站发生了有实测记录以来的第三位洪水。

截至2009年底，松辽流域58座大型水库蓄水总量为262.101亿m^3，比多年同期平均蓄水量少蓄2.274亿m^3。

（尤晓敏）

二、防汛

1. 汛前准备　汛前分别对水情气象接收查询系统、察尔森水库、尼尔基水库远程视频监视系统、水库洪水调度系统以及防汛专用的服务器等相关软、硬件系统进行了调试，保证系统在汛期的正常运行；落实了尼尔基、察尔森、白山、丰满、云峰等水库的防汛行政责任人。

2. 防汛指挥与检查　5月13日，召开了松辽委防汛工作会议；6月5日，组织召开了松花江防汛总指挥部2009年工作会议，部署流域防汛工作。5月19—22日，参加国家防总松辽流域防汛抗旱检查组，对黑龙江、吉林两省防汛抗旱工作及尼尔基水利枢纽防汛抗旱准备工作进行了检查。6月7日，松辽委副主任刘明率队对委直属的察尔森水库防汛准备工作进行了检查。4月9—12日，松辽委陪同国家防办工作组赶赴内蒙古自治区兴安盟阿尔山市受灾地区，检查"桃花汛"汛情和灾情。2009年，松花江流域发生严重春旱，松辽委协调丰满水库，调度尼尔基、察尔森水库，加大放流量，增加抗旱水量3.04亿m^3，基本扭转了沿江灌溉用水、生产生活用水和湿地生态用水的紧张局面，有效缓解了流域旱情。7月18—20日，松辽委派工作组，指导和协助黑龙江省2条铁路运输中断的抢险救灾工作。7月23日，松辽委派工作组赶赴黑龙江省鸡西市鑫永丰煤矿，了解塌陷事故原因，并向当地政府提出了人员抢救期间防范降雨带来的影响和危害的建议。

3. 防汛基础工作　《辽河流域洪水调度方案》编制完成，国家防总于2009年7月正式批复。组织完成了嫩江、松花江省界围堤调查与行洪影响评价工作，积极协调黑龙江、吉林两省制定了围堤清障计划；清障工作已全面展开。编制完成了《松花江防总工作规则》《松花江防总防汛应急响应工作规程》。松辽委国家防汛抗旱指挥系统一期工程项目全部完成。完成了松辽流域防汛概化图，开发完成了胖头泡、月亮泡蓄滞洪区调度软件。（崔桂凤）

【水土保持】

1. 流域水土保持管理工作　印发了《关于进一步加强松辽流域水土保持工作的通知》（松辽水保〔2009〕43号）和《关于进一步加强东北黑土区生态建设项目水土保持监测工作的通知》（松辽水保〔2009〕204号）；出台了《松辽流域大中型生产建设项目水土保持监督管理办法（暂行）》；印发了《东北黑土区农发水保项目创建优质工程活动方案》。2009年11月，组织召开了松辽流域水土保持预防监督暨生产建设项目水土保持技术服务规范化建设工作会议。

2. 生产建设项目水土保持监督与管理　2009年5—7月，松辽委组织相关省份开展了水土保持专项督察，共检查抚顺发电厂2×300MW供热机组扩建工程、中国石油抚顺石化分公司100万t/年乙烯技术改造工程、哈尔滨至大连高速铁路客运专线工程等项目11项，针对检查中发现的问题，印发了水土保持整改意见；对黑龙江省漠河机场、吉林省天桥岭林业局人参开发种植项目等5项限期整改项目进行了监督执法专项行动"回头看"检查。完成了20项生产建设项目的水土保持验收工作，参加了31项水土保持方案审查。

3. 东北黑土区水土流失综合防治　国家农业综合开发东北黑土区水土流失重点治理工程（以下简称为农发水保项目）累计完成治理面积1367km^2，其中，治理坡耕地11.59万hm^2，营造水土保持林1.23万hm^2。

组织编制了《黑土区水土流失综合防治技术标准》（SL 446—2009）；完成了黑龙江、吉林、辽宁省和大连市2009—2011年水土保持重点工程建设规划审核工作。4月，对内蒙古东北黑土区水土流失治理一期工程进行了专项检查；7—8月，陪同水利部、国家农发办对东北黑土区水土流失情况及2008年度农发水保项目进展情况进行了检查和调研；10月，组织召开了农发水保项目经验交流会。

4. 水土保持监测　编写完成了《松辽流域水土保持监测网络运行管理办法》和《东北黑土区生态建设项目水土保持监测技术细则》；开展了典型黑土区侵蚀沟道发展及吞食耕地动态监测工作；完成了哈尔滨至大连高速铁路客运专线工程等8项开发建设项目的水土保持监测工作；完成了松辽流域水土保持公报和年报工作；完成了长白山预防保护区、西辽河大凌河中上游重点治理区水土流失动态监测工作；制定了《松辽流域水土保持措施调查与效益评价实施方案》和《东北黑土区侵蚀沟道普查方案》。

5. 水土保持宣传、科技工作　开展了纪念《中华人民共和国水土保持法》颁布实施18周年排球赛和有奖问答等系列活动。组织制定了《松辽流域水土保持科技发展指导意见》，3个项目入选了"国家水利政策研究与制度建设预算项目规划选题库"。完成了《松辽流域水土保持管理现状研究及政策建议》。（陈光　回莉君）

【工程管理】

1. 建设项目管理　配合水利部完成了全国江河重要河道采砂管理规划任务书的编制工作，完成了松辽流域江河重要河道采砂管理规划任务书的编写及上报工作；完成了齐齐哈尔两座桥、舒兰二松大桥、吉林市输油管线、松原油田管线等18项河道管理范围内建设项目的审批工作；组织对哈大高速铁路第二松花江特大桥等河道管理范围内建设项目的执法检查；开展了松辽委直属水利工程建设领域突出问题专项治理工作。

2. 直管水利工程建设　利用亚行贷款松花江嫩江防洪工程项目嫩江右岸省界堤防工程（扎泰联防—半拉山段）全部完工，建成达标堤防总长45.02km，穿堤建筑物2座，完成土方61.52万m^3、石方4.46

万 m^3、混凝土 1.67 万 m^3；实际完成投资 11389.28 万元，其中利用亚行贷款 5461.64 万元，中央预算内投资 5927.64 万元。泰来县堤防（光荣—沿江段）完成堤防建设总长 7.78km，穿堤闸 1 座，完成土方 39.36 万 m^3、混凝土 1.30 万 m^3、钢筋 12.69 t，实际完成投资 2807.21 万元。

3. 水库、水闸工程管理　完成了松辽流域病险水闸除险加固规划的汇总、复核及上报工作；完成了察尔森水库安全隐患处理工程的前期协调工作；完成了对黑龙江省 3 座水库除险加固工程整改的检查和督办工作；配合水利部完成了水管单位的达标考核工作；完成了松辽流域水闸普查工作。（王家维）

【污染治理】

1. 水资源管理制度　颁布实施了《松辽流域省界缓冲区水质控制断面考核会商制度》《松辽流域省界缓冲区水资源保护和管理工作情况通报制度》《松辽水利委员会实施〈入河排污口监督管理办法〉细则（试行）》（以下简称为《细则》）等流域省界缓冲区管理执行机制；举办了《细则》宣贯会。

2. 水资源保护科学技术研究　水利部“948”项目《水生态保护管理技术引进及在松花江流域的应用》、水利部科技成果重点推广计划项目《松辽流域入河排污口快速调查与信息管理系统》通过了水利部组织的成果验收。

3. 水功能区水质动态监测　制定了《松花江流域重点水功能区动态监测管理工作规则》；应用松花江干流水质模型及水环境管理信息系统，模拟重点水功能区系统流程及传输规律，科学确定水体时空要素，合理安排监测时序，依照系统模拟信息，流域与区域联合开展监测，分析污染物随时空变化的演进规律；制定了《松花江流域重点水功能区动态监测实施方案》，与流域省（自治区）联合开展了动态监测工作。

4. 水质监测站网复核及水质监测　完成了流域内省（自治区）界 42 个现有水质监测断面及拟选新断面的实地踏勘，完成了断面地理位置 GPS 定位及周围环境调查，拍摄采集了大量图片和信息，建立了档案数据库。

完成了流域内省界缓冲区 42 个水质断面监测工作；完成 22 个国际界河（湖）水质断面监测工作；完成了省界缓冲区 17 个入河排污口不同水期监督性监测工作；组织开展了松花江流域重要城市段重点入河排污口监测工作。完成了《松辽流域省界缓冲区水资源质量状况通报》《松辽流域国际河流水体水环境质量状况评价报告》《松辽流域地表水质量状况月报》《松辽流域地表水资源质量年报》《水质自动监测日报》等的编制与发布工作。完成了 2008 年松辽流域水质资料整编工作，共整编流域内 250 个断面近 10 万个水质数据。（金世光　金春久）

【科技与教育】

一、科技

1. 科技项目管理　水利部现代水利科技创新项目“嫩江廊道生态修复研究”工作进入收尾和验收准备阶段；组织完成了水利部“948”项目“水生态保护管理技术引进及在松花江流域的应用”和水利部科技成果重点推广项目“松辽流域入河排污口快速调查与信息管理系统”验收工作；“948”项目“察尔森水库双星卫星定位大坝安全自动监测系统”和“东北黑土区土壤侵蚀监测分析技术引进”进展顺利；组织完成了“松花江干流水质模型及水环境管理信息系统”和“松花江干流水质模型及水环境管理信息系统技术在松辽流域重点水功能区水质监测与评价中的应用”申报水利部先进技术成果和水利科技推广项目工作；参与的国家科技支撑项目 2007 年度课题启动实施；2009 年度水利部公益性行业科研专项项目《东北商品粮高产稳产水利关键技术问题研究》通过水利部、科技部、财政部审批。

完成了水利科技项目执行情况自查工作，开展了科技管理调研工作，分析松辽委科技工作存在的问题，进一步完善了科技管理工作制度，积极推进科技创新。编制完成了《松辽流域科技创新中心建设总体方案》初稿，提出了构建科技创新体系的整体目标和任务。

2. 科技进步奖成果评审和大禹奖申报工作　完成了 2009 年度松辽委科技进步奖成果评审和大禹奖申报工作，共有 18 项成果和论文类项目分别获得松辽委科技进步奖一、二、三等奖。“东北黑土区水土流失综合防治技术体系研究”和“松花江干流水质模型及水环境管理信息系统”项目分别获得水利部 2009 年度大禹奖二、三等奖。（王蔷）

二、教育

1. 教育培训　松辽委以加强业务能力建设和提高素质为着力点，采取多种形式对专业技术人才进行培训。在教育培训工作中，突出以提高履行岗位职责能力为重点，重点培养中青年专业技术人才在业务能力上的全面性。

2009 年，松辽委认真贯彻落实《干部教育培训工作条例》，按照《水利部关于做好新一轮大规模培训干部工作的实施意见》和《“十一五”水利干部教育培训规划》要求，以增强团队意识、提高领导能力为主题，采取脱产培训形式，组织举办了 5 期干部综合能力提高培训班，提高了松辽委机关参照公务员法管理的工作人员、委属事业单位干部及企业管理干部综合素质；组织开展了青年讲坛、讲座等活动，为青年搭建了充分展示其才华的平台，使青年人才思想素质、知识储备、业务水平、实践能力得到了综合提高，达到了交流思想、开阔视野、提高素质、发现人才的目的。

2009年以来，松辽委举办培训班12个，主要是水文和水利信息化、水利工程管理及安全生产等几个专业领域，并积极选派干部参加水利部党校、处级公务员任职及青年公务员知识更新的培训，全年累计培训人次达1437余次，完成了年度培训计划。

2. 培训登记　根据工作实际，加大政策宣传力度，加强集中培训和全员轮训力度，不断创新教育培训方式，提高培训质量，认真做好培训效果反馈；严格执行教育培训登记备案制度，完善培训档案，逐步规范干部教育培训工作，为干部的培养、选拔和任用提供依据。（卢红）

【国际交流与合作】

1. 完成了2006—2008年度出国费管理和使用情况自查工作。2006—2008年，松辽委共组团21个，参团27个，出访人员总计227人（松辽委人员121人）。通过自查，进一步完善了出国费使用管理制度，加强对出国人员的教育，规范出国组团管理工作。

2. 完成了2007—2009年度国际合作项目业务委托合同执行情况自查工作。对“2007年度水利外事管理工作座谈会”及“赴西班牙王国及葡萄牙与胡加河流域交流及参加2008年萨拉戈萨世界水博会交流”两项业务委托合同的合同签订、合同履行、合同成果、总结验收、合同管理等5个方面进行了检查。

3. 完成了2009年度出国培训或考察任务。2009年，松辽委共有10人次赴相关国家执行培训或考察任务。根据新的预算管理规定，完成了2010年出国计划的编制和申报工作，做好出国培训推荐人选的选拔及相关工作。

4. 配合做好中蒙边界水联合委员会联合专家组第二次会议相关工作。

5. 在水利部的统一部署下开展了“国际合作与科技业务系统”的开发、调试和试运行工作，该项目已通过验收并投入使用。（余莉）

太 湖 流 域

【水政】

1. 水法规　我国第一部流域性管理法规——《太湖管理条例》已由水利部正式上报国务院，并列入国务院2010年立法工作计划一档项目。2009年上半年国务院法制办已第一轮征求流域省市和国务院有关部委意见，并于11月初赴太湖流域开展专题调研。太湖局认真做好水利部部务会议、部长专题办公会议、国务院法制办调研等阶段草案修改，2009年12月底已将新一轮修改稿完善后报水利部。

结合“世界水日”“中国水周”及《中华人民共和国水土保持法》颁布实施18周年等开展普法宣传教育活动；编演的《美丽的太湖》舞蹈入选水利部水利法制宣传优秀文艺节目，获舞蹈类一等奖。

太湖局行政许可网上审批系统投入试运行。修订了太湖局行政许可工作规定，进一步明确部门职责、办理流程、审批时限等；修订印发了行政许可办事指南、格式文本。

2. 水政监察　组织召开了太湖流域“一湖两河”水行政执法联合巡查第一次联席会议，总结流域与区域联合巡查工作。开展了流域和区域总队联合巡查与检查，对湖州父子岭耐火集团违法填湖等10多个重点违法案件进行了现场督促检查。加大违法案件督办查处，办结了苏同黎公路太浦河大桥未批先建违法案件，查办了东太湖湿地保护违法项目、环太湖湿地违法项目、生态渔村违法项目等。组织开展了专项执法检查，对竺山湖旅游度假村擅自填湖、东太湖生态岛不按批复要求施工等水事违法项目进行了依法处理。

完成《“一湖两河”违法案件高发区（苏州）现状及特征研究》，推进重点地区水行政执法；完成水政监察卫星遥感动态监测系统建设；开展了执法基地二期等水政监察设施建设；不断提高执法能力。

3. 水事纠纷调处　为维护国庆60周年省际边界地区社会稳定，组织开展了浙闽边界地区水事矛盾纠纷排查化解活动，督促协调地方政府推动大岩坑跨流域引水补偿水库建设，妥善处理了杨梅洲电站与友谊电站水事矛盾。积极做好浙闽边界交溪流域水资源规划实施有关工作。（杨斌）

【水资源】

1. 贯彻落实最严格水资源管理制度　全国水资源管理工作会议后，太湖局专门组织召开流域片水资源管理与保护工作座谈会，深入研究太湖流域贯彻落实水资源管理“三条红线”的具体措施。经过系统梳理，研究提出了关于实行最严格水资源管理制度的工作安排，拟用2～3年时间完成相关工作，并在“十二五”期间全面贯彻落实水资源管理“三条红线”。

2. 水资源管理

（1）积极推进太湖用水总量控制。为推进流域取水许可总量控制指标方案的实施，对河道外取水许可总量控制、经济社会用水约束性和预期性指标等数据进行了全面复核，组织研究落实总量控制方案调控措施。组织开展太湖水量分配方案编制；组织完成新安江流域取水许可总量控制指标方案编制。

（2）加强取水许可监督管理。继续推进流域片取水许可清理，2009年共核发取水许可证6份，许可水量92.5亿m^3；批准取水许可申请和水资源论证报告书8份。协助水利部对福建福清核电二期工程水资源论证进行预审；对吴江市东太湖应急备用水源地专题论证报告进行审查。加强对直管取水户计量设施、取退水的监督检查。组织协调新安江水力发电厂水资源费征收，有效推动地方水资源费征收工作。

编制印发2008年度流域片水资源公报，组织完成流域内第二批全国节水型社会建设试点上海市浦东新区、浙江省义乌市、福建省莆田市中期评估。

（杨斌）

【前期工作】

1. 太湖流域综合规划　2009年，太湖局会同流域各省（直辖市）加大力度，狠抓落实，全力推进流域综合规划编制，已基本完成规划编制。2009年4月、6月、10月分别完成总报告第二、第三、第四稿编制；多次召开局长办公会议和专家技术讨论会研究完善规划成果，先后完成规划报告四次修改完善。在2009年12月召开的规划报告专家咨询会上，与会专家对规划报告质量给予了充分肯定。

组织完成流域重要河湖岸线利用规划、流域地下水规划、流域重点地区中小河流近期治理建设规划、省际边界重点水事矛盾敏感地区水利规划等编制工作；基本完成流域水文"十二五"规划编制；组织开展保障国家粮食安全水资源保护与开发利用规划、流域片重要河道采砂规划编制；启动流域水利发展"十二五"规划编制。同时，继续加强流域规划管理，进一步规范流域涉水开发利用行为。

2. 流域水环境综合治理总体方案　2009年，太湖局紧紧抓住太湖流域水环境综合治理和国家扩大内需的历史机遇，组织并协调流域水利（水务）部门大力推进各项水利工程前期工作。经过一年的努力，各项重点水利工程前期工作取得重大进展，各省市工作全面推进。

为推进太浦闸除险加固工程，太湖局积极主动向水利部汇报，反复多次与地方沟通协调，得到水利部领导和有关司局的鼎力支持和地方水利部门的理解，陈雷部长、矫勇副部长、刘宁副部长先后亲自组织协调太浦闸除险加固工作，工程前期协调工作取得突破。2009年6月，太湖局分别与两省一市水行政主管部门就太浦闸除险加固工程实施方案协调意见签署了纪要。2009年8月，太浦闸除险加固初步设计报告通过水规总院复审，历时多年的太浦闸除险加固工程前期工作协调终于取得一致意见。

太湖流域水环境综合治理重点水利工程走马塘延伸拓浚工程已开工建设；东太湖综合整治工程可研已通过国家发改委委托的咨询评估；太湖污染底泥疏浚试验工程可研已上报国家发改委；太湖流域水环境综合治理引排通道工程总体任务和效果论证、太湖流域水资源监控与保护预警系统可研、望亭水利枢纽更新改造工程初设、新沟河延伸拓浚工程可研、太嘉河工程可研、杭嘉湖地区环湖河道整治工程可研等已通过水利部水规总院（或水规总院会同太湖局）审查；新孟河延伸拓浚工程河线论证、苕溪清水入湖工程可研等已通过水规总院会同太湖局组织的技术讨论。

在2009年4月召开的太湖流域水环境综合治理省部际联席会议第二次会议上，国家发改委对太湖局在流域水环境综合治理中开展的工作给予了肯定。9月21日，水利部会同两省一市人民政府召开太湖流域水环境综合治理水利工作协调小组第二次会议，认为太湖流域水环境综合治理水利工作开局良好。

（杨斌）

【工程建设】　治太一期工程竣工验收基本完成。在涉及部分历史遗留问题时间较长、原因较复杂的情况下，太湖局积极组织督促相关省市推进工作，切实抓好实施项目建设，努力推进竣工验收进度。组织完成杭嘉湖北排通道（浙江段）、红旗塘（上海段）工程竣工验收；完成拦路港（一期）工程总体质量评定。截至2009年底，治太十一项骨干工程已有望虞河、太浦河、杭嘉湖南排后续、环湖大堤、红旗塘、杭嘉湖北排通道、东西苕溪防洪、武澄锡引排等8项工程完成竣工验收。

加强局直属建设项目管理，太湖水资源移动监测船已于2009年12月25日下水，开始进行内部装饰、监测分析实验仪器安装等工作；青浦水文巡测基地、浙皖水环境监测分中心建设前期工作基本完成；太浦闸水文站完成搬迁建设；杭州水文基地前期工作有效推进。

（杨斌）

【汛情与防汛】

一、汛情

1. 雨情　2009年，太湖流域年降水量西部大于东部，暴雨中心在浙西区。流域全年降水量1323.9mm，较常年偏多12%，各分区降水均偏多。太湖流域汛前期（1—4月）降水量339.9mm，较常年偏多7%；汛期（5—9月）降水量776.1mm，较常年偏多9%；汛后期（10—12月）降水量207.9mm，较常年偏多34%。

2009年，太湖流域于6月20日入梅，比常年晚5天；7月8日出梅，与常年同期持平；梅雨期18天，梅雨量161.0mm，比常年偏少25%；梅雨空间分布不均，北多南少，以过程性雷阵雨为主，局地为短时强降雨。

2. 水情　2009年，太湖最高水位4.23m，出现在8月16日，为2000年以来最高水位；最低水位2.87m，出现在2月10日；年平均水位3.31m。全年太湖超警戒水位天数达46天，出现在7月29日到9月12日。与常年同期水位相比，多数时间太湖水位较常年偏高，偏高最大达0.96m。汛期（5—9月），太湖水位出现明显涨落过程。7月下旬，由于流域持续降雨，太湖水位持续上涨，29日达到

3.52m，首次超警戒；8月16日，太湖水位达到今年最高水位4.23m；8月17日到9月底，太湖水位回落，9月14日太湖水位3.49m，降到警戒水位以下。梅雨期间，与同期防洪控制水位相比，太湖水位总体略偏高。

2009年，地区河网水位变化过程与太湖水位相似。汛前，2月下旬至3月上旬，地区河网水位有上涨过程；7月下旬至8月上旬，地区河网水位普遍大幅上涨，流域大部分站点出现超警戒水位，部分站点出现超保证水位，年最高水位基本出现在"莫拉克"台风影响期间。汛后，地区河网水位总体较平稳，11—12月期间出现两个小幅上涨过程，部分站点出现超警水位。

3. 台风　2009年，太湖流域主要受到第200908号台风"莫拉克"影响。受其影响，太湖流域自8月8日起开始降雨，至8月12日8时，全流域平均降雨量87.2mm。其中，各分区降水量浙西区最大132mm，其次是湖西区97.7mm，其余各分区60～80mm。台风期间，流域大部分地区站点累计雨量为50～100mm；湖西山区、湖西沿江地区站点累计雨量为100～200mm；浙西上游山区站点累计雨量为100～300mm，其中市岭站达465mm。台风期间降雨主要集中在8月9—10日。

二、防汛工作

1. 太湖防总成立　2009年3月24日，国家防总批复同意成立太湖流域防汛抗旱总指挥部，办公室设在太湖局。4月24日，太湖防总成立大会暨2009年防汛抗旱工作会议在南京召开，陈雷部长到会并作重要讲话，国家防总副总指挥、水利部部长陈雷，太湖防总总指挥、江苏省省长罗志军为太湖防总揭牌。

2. 汛前准备工作　国家防总和水利部高度重视太湖流域防汛工作，国家防总副总指挥、水利部部长陈雷，国家防总副秘书长、中国气象局副局长矫梅燕先后率领国家防总检查组对太湖流域和浙闽地区防汛抗旱工作进行了检查。按照国家防总和水利部的部署，太湖局认真组织做好流域各项汛前准备，组织开展汛前检查。开展了太湖防御洪水方案、太湖流域洪水调度方案修订等基础性研究工作。

3. 成功防御10年来最大流域性洪水　2009年汛期，太湖流域遭受持续性强降雨和"莫拉克"台风影响，太湖发生流域性洪水，太湖水位最高达4.23m，为10年来最高水位。在国家防总和水利部的正确领导下，太湖防总精心组织，及时启动防汛应急响应，加强监测、加强预测、加强会商，科学调度，充分发挥太湖调蓄和沿长江、沿杭州湾口门工程的泄洪排涝作用，保障了流域防洪安全，为庆祝建国60周年提供了良好的社会环境。期间，针对下游杭嘉湖平原出现的严重涝情，在保障流域防洪安全的前提下，科学分析，紧急协商，果断决策，对太浦闸泄洪流量进行控制，有效缓解了浙江省嘉兴北部地区的防洪压力；既保障了流域防洪安全，又为区域排涝创造了条件，实现了流域防汛的上下游统筹和流域与区域统筹。

（杨斌）

【水土保持】　组织对14个大型开发建设项目进行跨省市现场检查，促进了重点地区与重点行业水土保持"三同时"制度的落实。对水利部挂牌督办的华安金山铁矿开展两次现场督查落实水利部整改要求。组织开展了18个大型项目水土保持设施竣工验收与4个水土保持生态示范区验收；完成了浙江、福建两省2009—2010年水土保持重点工程建设规划审核。

基本完成太湖局水土保持中心站筹建；开展全国水土保持二期监测网络建设。（杨斌）

【工程管理】

（1）加强病险水库除险加固监督检查。先后组织对浙江、福建、宁波、厦门2009年扩大内需水利建设项目进行检查督导。组织开展流域内病险水库除险加固工程监督检查，召开了流域病险水库除险加固整改工作督导会议，通报了审计调查发现的问题和专项检查督导情况，进一步推进整改落实。

（2）强化河道管理范围内建设项目管理。组织召开流域内有关省市县水利部门涉河项目管理会议，加强与地方水行政管理部门沟通协调，共同推进流域涉水项目管理。主动与江苏省林业、交通部门协调，提出了太湖湿地项目和涉河交通建设项目管理要求。完成了环太湖公路及环湖沿路大堤加固工程（浙江段）等14项河道管理范围建设项目的防洪影响评价审查和行政许可工作；组织开展苏锡常南部高速公路跨太湖公路等涉河建设项目建设方案的前期协调工作；组织江苏、浙江两省水利部门对在建涉河项目进行联合检查。

进一步加强水利工程安全管理，组织对局直属单位和在建工程开展安全生产专项检查。开展太湖流域综合治理骨干工程管理体制研究相关工作。组织完成流域内宜兴横山水库等3家管理单位的国家级水利工程管理单位复核工作。

（杨斌）

【水资源保护】　积极开展《太湖流域水功能区划》协调完善工作。根据太湖流域水环境综合治理省部际联席会议要求，太湖局组织流域省（直辖市）开展太湖流域水功能区划协调完善工作，并根据省市政府和国务院有关部门的反馈意见，进一步修改完善了流域水功能区划及相关材料。《太湖流域水功能区划》已经通过水利部、发改委、环保部联合召开的协调小组和专家组会议的审议。继续开展健康太湖研究，已完成总报告。编制了《太湖健康状况报告（2008）》，对2008年太湖水资源、水环境、水生态状况及水利部门开展的水环境综合治理工作进展进行了归纳总结，并送国家有关部委及省市有关部门。陈雷部长在报告上作出批示，对太湖局工作给予肯定。

继续做好省界水体水质监测、水功能区监测，逐月编制《太湖流域及东南诸河地区重点水功能区水资源质量状况通报》。加强太湖蓝藻调查和水源地监测，汛期逐日向省部际联席会议、水利部和两省一市报送《太湖水质信息》。进一步推进流域水环境综合治理信息共享平台建设，修改完善了共享平台建设技术方案，进行信息共享平台系统开发建设，通过电子邮件与各省市水利部门实现水功能区监测信息共享，与江苏省实现望虞河沿岸水质监测信息共享。（杨斌）

【主要水体水质】

1. 太湖水质　与2008年相比，2009年太湖水质有所好转，主要水质指标高锰酸盐指数、氨氮、总氮、总磷、叶绿素的浓度均有所下降。2009年，太湖未发生大面积的黑臭现象。

2. 太湖水源地水质　2009年，太湖主要水源地中除渔洋山水源地外，其他水源地水质均较2008年有所好转，没有发生影响饮用水安全的水污染事件。贡湖南泉水厂、锡东水厂和金墅港水源地与2008年相比，总体水质均提高了一个类别。渔洋山水源地高锰酸盐指数、氨氮和总氮的浓度略高于2008年，总体水质有所下降。浦庄寺前水源地和吴江水厂各项指标浓度均较2008年有所下降，总体水质有所好转。

3. 入湖河流水质　2009年，水质为劣Ⅴ类的太湖入湖河流数量下降，水质呈现好转趋势。其中，江苏省16条入湖河流中水质劣Ⅴ类为7条，较2008年减少2条，定类指标的浓度也有下降；浙江省8条入湖河流中水质没有劣Ⅴ类，2008年长兴港水质为劣Ⅴ类。

4. 主要污染物入湖总量　2009年，通过环太湖河流进入湖的高锰酸盐指数4.72万t，总磷0.164万t，总氮3.69万t，氨氮1.19万t，均比2008年减少。

5. 湖体综合营养状态　2009年，太湖为中度富营养状态，综合营养指数为60.9，较2008年的62.8有所下降。从分湖区营养状态变化来看，2009年太湖营养状况有所改善，中度富营养面积从2008年的1897.6km^2减少到2009年的933.3km^2，轻度富营养面积从2008年的440.4km^2增加至2009年的1404.7km^2。（杨斌）

【科技与教育】　积极开展流域科技创新体系建设研究，编制完成《太湖流域水利科技创新中心建设总体方案》并报水利部，太湖流域水资源综合利用指标研究、平原河网地区水资源管理等课题已列入《水利部公益性行业科研专项实施方案》。大力推进流域调度运行设计，太湖流域洪水资源化利用研究、太湖流域洪水风险管理情景分析等项目已完成阶段成果；太湖流域平原河网水资源调度问题研究已经启动。完成“水量水质实时监控决策支持系统”等4个“948”项目验收；开展“948”项目“浮游植物流式细胞仪”技术引进。（杨斌）

【国际交流与合作】　进一步加强国际交流与合作，在水利部的关心下，太湖局成为水利系统首批正式加入世界水理事会的8家单位之一。完成世界水理事会、瑞士、美国等10多个国际组织与国家机构的专家、学者来访接待工作。中荷合作太湖风浪监测项目进展顺利，中英合作“太湖未来洪水情景分析研究”项目顺利通过验收。（杨斌）

【引江济太】　为保障太湖不发生大面积黑臭和饮用水安全，依据水利部批复的《太湖流域引江济太调度方案》，应江苏省防办请求，经商有关省市，太湖局于2009年4月27日紧急启动了引江济太水资源调度。全年通过常熟水利枢纽共引长江水13.1亿m^3，通过望亭水利枢纽入湖4.9亿m^3；通过太浦闸向江苏、浙江、上海等下游地区增供水11亿m^3。水质监测数据表明，望虞河干流沿线水质得到明显改善，入湖水质一直保持或优于Ⅲ类；太湖和贡湖水源地水质都较2008年同期有较大改善；贡湖水源地蓝藻发生情况明显轻于2008年同期。通过实施引江济太水资源调度，加快太湖水体流动，配合太湖水环境综合治理相关措施，2009年太湖没有暴发大规模蓝藻。

为保障流域引江济太工作长效、常态和有序实施，太湖局组织流域各省市开展了《太湖流域引江济太调度方案（试行）》编制工作；2月27日，水利部在上海主持召开了《太湖流域引江济太调度方案（试行）》审查会；4月16日，水利部行文印发了《太湖流域引江济太调度方案》。（杨斌）

地　方　水　利

Provincial Water Conservancy

北京市

【概况】　2009年，北京市水务工作落实中央和市委、市政府“保增长、保民生、保稳定”的工作部署，按照加快推进“民生水务、科技水务、生态水务”的工作方针，应对水资源紧缺困难，统筹水资源配置，实施境内外调水，稳定水源地开采，强化用水管理，促进用水结构调整，保障了大旱之年的水安全。改善环境服务发展，依法行政强化管理。加强水务建设运行管理，实现了水源安全、供水安全、水环境安全和迎汛安全的目标，保障了国庆60周年庆典活动和城市安全运行。　（王民洲　唐菊）

【水政】　2009年，受理涉水行政许可事项2265件，全部在规定时限内办结，办理效率提高15%。办理人大代表和政协委员建议提案66件，受理政风行风热线、水务热线咨询1万多件，做到及时办理，服务到位，群众满意。解决了市属水管单位职能调整和经费管理这一困扰水务多年的问题。扎实推进水库移民后期扶持工作，共落实移民接收村扶持项目829项，年内发放扶助资金7783万元。农民管水员管理更加规范，在乡村水务设施管护和节水、管水中发挥了重要作用。

2009年，组织编制了《2014年南水北调通水前水源配置方案》《北运河水系综合治理规划》《永定河绿色生态走廊建设规划》，经市委、市政府审议通过并开始实施。为保障首都的供水安全，制定了《2014年前南水北调通水前水资源配置方案》。方案按照做好“四个服务”的要求，充分考虑水资源面临的风险，实行最严格的水资源管理制度，严格控制用水总量，限制用水过快增长，立足自身，争取外援，优化配置，深度挖潜，确保2014年南水北调引水进京前首都水源安全。市水务局、市发改委、市环保局等有关部门共同编制了《北运河流域水系综合治理规划（2009—2015年）》。规划吸纳市人大代表的意见和建议，治理思路实现“三个转变”：坚持城乡统筹，从重点治理中心城区污染向统筹城乡污染治理转变；坚持综合治理，从分段分块治理向流域综合治理转变；坚持循环利用，从污水处理无害化向资源化转变。将生态清洁小流域建设和管理的理念推广到大流域，建设“三个体系”：流域水资源保护体系、流域水资源配置体系、流域防洪减灾体系。根据市委、市政府提出的建设京西生态屏障，服务水岸经济，全面提升西南五区社会经济发展水平，建设宜居城市的要求，针对永定河多年断流干涸、生态退化的局面，制定了《永定河生态走廊建设规划》，该规划的实施对缓解水资源与水环境矛盾具有积极示范意义。

2009年，启动了4项涉水立法项目。《北京市排水和再生水管理办法》已经市政府常务会议审议通过，2010年1月1日起施行。启动了《北京市节水奖励办法》立法调研。完成了水污染防治、节约能源立法调研及法规草案起草上报工作。出台《北京市超定额超计划用水累进加价费征收使用管理办法》《北京市水务行业有限空间作业安全生产规范》等行政规范性文件。编制了《北京市村镇供水管理指导意见》等指导性文件；编制了《机井报废技术标准》《中小河道治理规划导则》等地方标准。2009年内，水务与城管联动，出动执法人员780人次，清理垃圾3300m^3，劝阻河边违章刷车、违章摊贩4.5万人次，拆除沿河违法建筑2931m^2。采取“属地管理、三及时、四结合、五管住”等措施，巩固砂石禁采成果。出动执法人员4100人次，加强对河湖水环境的巡查和管护，水务与城管协调联合执法485次，重点地段日夜巡查、蹲守，查处盗采车辆214辆次，刑拘盗采人员190人次。年内共查处违法水事案件1790件，罚款204万元，挽回直接经济损失135万元，保证了水工程的安全，维护了正常的水事秩序。

（王民洲　唐菊）

【水资源】　1. 水文　2009年，北京市平均降水448mm，比2008年降水量638mm减少30%，比多年平均值585mm减少23%，为枯水年。全市水资源总量为21.84亿m^3，比多年平均37.39亿m^{3}少42%，其中地表水资源量为6.76亿m^3，地下水资源量为15.08亿m^3。入境水量为3.03亿m^3，出境水量为8.23亿m^3。截至2009年底，全市大中型水库蓄水总量13.54亿m^3，可利用来水量为3.49亿m^3。官厅、密云两大水库蓄水量为11.58亿m^3，可利用来水量为1.99亿m^3，其中密云水库蓄水10.39亿m^3，比2008年减少0.9亿m^3，水质保持Ⅱ类；官厅水库蓄水1.19亿m^3，比2008年减少0.4亿m^3，水质Ⅲ～Ⅳ类。平原区地下水平均埋深为24.07m，地下水位比2008年末下降1.15m，地下水埋深继续下降。

2. 水资源保护和管理　2009年，北京市新建生态清洁小流域52条，面积575km^2。全市累计完成生态清洁小流域治理128条，面积1592km^2。山区640个村实现整村治污。水生态环境质量不断提高，支撑了沟域经济发展和农业产业升级，增加了农民收入。治理后的小流域水质达到地表水Ⅲ类以上标准。建成张坊水源地配套工程。新建潮白河、怀河应急水源。应急水源稳定开采，2009年内供水2.8亿m^3。实施跨省市水资源合作，利用南水北调工程成功地从河北黄壁庄、王快等水库向北京应急输水，2008年9月18日至2009年8月15日累计调水4.35亿m^3，北京累计收水3.34亿m^3，2009年年内收水2.64亿m^3；

从河北洋河、云州等水库向北京输水2000多万m^3。境内白河堡等水库向密云水库调水8000万m^3。

（王民洲 唐菊）

【供水】 2009年，北京市总供水量35.5亿m^3，其中城八区15.7亿m^3，远郊区19.8亿m^3，比2008年的35.1亿m^3增长0.4亿m^3。万元GDP水耗由2008年的35.7m^3下降到32.78m^3，用水效率进一步提高，继续在全国保持领先水平。其中生活用水14.7亿m^3，环境用水3.6亿m^3，工业用水5.2亿m^3，农业用水12亿m^3。供水来源中，地表水为4.6亿m^3，占总供水量的13%；南水北调水2.6亿m^3，占总供水量的7%；地下水为21.8亿m^3，占总供水量的62%；再生水为6.5亿m^3，占总供水量的18%。

加强供水运行管理。全市水厂122座，供水管道1.55万km，年内更新改造505.3km。完成自来水销售量10.6亿m^3，其中城八区8.7亿m^3。夏季北京市区供水量激增，最高日供水量达278.8万m^3，与2008年同比增加13%。这一水量为北京供水史上最高纪录，逼近市区295万m^3/d的供水能力。为国庆阅兵村提供专项水务保障，改造了长安街使用50年以上的供水管线，对重点保障区域内管线、闸门进行风险评估，组建了警戒区保障队伍，严格管护。形成了严密的保障组织管理系统，制订了周密的保障方案和应急预案。

（王民洲 唐菊）

【南水北调建设】 2009年，北京市在完成南水北调中线干线北京段建设的基础上，加强了管理和保护，充分发挥已建工程效益，圆满完成了京石段应急调水任务，同时积极推进市内配套工程建设。南水北调北京段单位工程验收共计49项，已完成40项；合同项目验收28个。制定《北京市南水北调配套工程总体规划实施方案》，明确了工程建设时序，落实了建设责任主体。完成南干渠、大宁调蓄水库工程招标及合同签订工作，组织成立了现场管理机构，下达工程投资12亿元。征地拆迁工作全面开展，建立征地拆迁联络员工作机制，引入征地拆迁监理机制，积极推进配套工程征地拆迁，交付临时用地3.7万m^2，移植树木1497株。

（王民洲 唐菊）

【排水管理】 2009年，北京市排水管道9344km，其中城八区5277km，郊区4067km。污水排放总量136511万m^3，其中城八区91000万m^3，郊区45511万m^3。建成“排水管网设施监控系统”，对核心区域地下管网的连接点进行反恐监控，确保排水设施安全运行。对454条排水管线实施专项养护，更换“五防”井盖646套，改造立箅式雨水口1100套，污水处理厂升级改造工程完成投资8.16亿元。

（王民洲 唐菊）

【污水处理】 2009年，北京市污水排放总量13.65亿m^3，污水处理量10.97亿m^3，污水处理率80%。其中城八区8.58亿m^3，污水处理率达94%；郊区2.39亿m^3，污水处理率达51%。北苑污水处理厂建成试运行，解决了北苑地区多年来污水直排、污染环境的问题。城乡结合部的堡头、东坝污水处理厂进入工程实施阶段，定福庄至高碑店污水调水工程取得明显进展。北七家、南口、天堂河污水处理厂建成并投入运行，新增污水日处理能力12.5万m^3。农村新建污水处理设施286处，其中涉及民俗旅游村和水源地村庄124个，新增污水日处理能力5000m^3。污泥处理处置取得新突破，清河污泥热干化项目和北京水泥厂污泥处置项目投入运行，污泥无害化日处理能力达到1600t。

（王民洲 唐菊）

【水环境改善】 2009年，北京城市水环境管理标准到位、责任到位、监管到位，实行全天候巡查，随时维护，保持水面清洁。合理调度水源，补充河湖水量共3.6亿m^3，有效保障了环境用水需要。重点水域采用曝气措施，促进水体循环流动。年内实施北运河流域综合治理，完成了昌平区半壁店沟、海淀金河和北长河等12条共45km河道生态治理工作；建成朝阳马泉营、通州运河等6处生态湿地，形成220万m^2水面，为通州新城建设打下了水环境基础。确定了28个考核断面，建立了区县出境断面考核公示机制。出市境榆林庄闸断面COD平均值由2008年的52mg/L下降到45mg/L，超过了预期目标值，流域水环境质量整体改善。

（王民洲 唐菊）

【再生水利用】 2009年，北京市再生水利用量6.5亿m^3，比2008年增加5000万m^3，利用率达到60%。再生水已占全市总用水量的18%，连续两年成为本市稳定可靠的再生水源。清河二期、卢沟桥等再生水厂建设全面启动。完成门头沟再生水厂建设。延庆再生水厂建成投入使用。市区新建再生水管线25km，扩大再生水绿地浇灌面积200万m^2。

（王民洲 唐菊）

【节水型社会建设】 2009年，北京市对29663个社会用水单位下达计划用水指标24.04亿m^3。按月监管，严格落实预警制度，全市累计发出预警22033户次。制定了年度用水计划和应对水资源紧缺的措施，其中包括工业、农业、宾馆饭店、学校、医院等不同行业用水的措施。召开2009年北京市节约用水大会，市政府、水利部、住房和城乡建设部领导出席会议并讲话。会议总结了北京奥运会筹办以来北京的节水工作，安排部署全市节水工作，表彰了2008年度节水先进单位和个人，通过树立、奖励节水先进典型，充分调动全社会节水的积极性。举办2009年北京市节水新技术与产品推介会，邀请12家厂商参展。北京公共场所基本普及节水器具，家庭节水器具普及率达85%以上。结合新农村建设，实施供水一户一表及管网改造工程，安装入户水表25万块，推进村镇供水向计量化、集约化迈进。创建节水型单位100个，建设节水型小区66个。配合市有关部门加快“三高”企业的退出步伐，全年超额完成50家“三高”企业的退出任务，节水近200万m^3。（王民洲　唐菊）

【防汛应急体系建设】　2009年，北京市成功应对14次较强降水，应急指挥系统运行高效，防洪排涝等水利工程运行正常，山区没有出现险情，危旧房屋没有出现倒房塌房，城市排水设施运行总体平稳。对涉及国庆60周年庆典活动广场、道路、大街、场所等重点部位进行隐患排查，安排3000多人进行盯守，组织制定排水等专项防汛保障预案10余项，防汛应急保障措施全部到位，确保了国庆60周年庆典活动顺利进行。年内确定积滞水点隐患79处，完成治理71处。完成知春桥排水改造工程、首都机场滑行东桥雨水泵站、红领巾立交桥雨水泵站、万泉河排水管线建设工程，排水标准明显提高，积水问题基本解决。

（王民洲　唐菊）

天　津　市

【概况】　2009年5月7日，天津市水务局正式挂牌成立，水管单位由55个增加到58个，市直属单位公益性人员基本支出和公益性工程维修养护经费全部落实到位，从根本上解决了水管单位公益性质不明、经费来源不畅等问题，初步建立起集工程、资源、环境管理于一身的河务管理体系框架。

2009年，科学调度引滦水源，从大黑汀水库调水5.29亿m^3，于桥水库向城市供水5.76亿m^3，全年引滦水质达到国家地表水环境质量Ⅲ类标准。2009年实施了引黄济津应急调水，调水自10月23日九宣闸开始引黄计量。

扎实做好防汛抗旱工作。分级制定防汛预警应急响应和河系防汛工作规程，修订完善各类防汛预案，开展永定河防御洪水推演，落实20余项跨河建设项目度汛措施，完成80余项防汛排水安全隐患整改，增储入库500万元防汛物资；引调和拦蓄抗旱水源1.83亿m^3，累计春灌麦田一、二、三水21.13万hm^2，浇春播地和菜田7.4万hm^2。

全年完成水利建设投资29亿元，比2008年度增长51%，建成了一批惠及民生的水务工程，水务基础设施保障能力显著提升。加大河道水环境综合治理力度，共完成环外17条（段）、133km的河道综合治理任务，引滦向海河生态补水2500万m^3，完成175km一级行洪河道、37.6万株树木绿化任务。

编制完成城市供水、水环境治理、引滦水源保护和再生水利用三年行动计划。全市水务建设投资计划实现统一管理，筛选建立了水务建设滚动项目库。出台《关于加强天津市水利工程建设管理有关工作的意见》、水利工程建设管理5个规范性文件和南水北调7项技术标准；开通建设程序网上审批“绿色通道”；强化质量和安全生产监督管理；规范资金拨付使用程序，严格合同审查备案制度；建立施工、监理等各类从业人员信用档案，初步建立起水务建筑市场诚信体系。重点工程施工图审查率100%，全年工程建设安全生产实现“零事故”，工程质量合格率100%，重点项目单元工程优良率90%以上。（丛英）

【水政】　2009年对《天津市河道管理条例》（修订草案）涉及水务一体化和水环境等问题进行了专项调研，实地了解有关河道工程并与管理单位进行了座谈，多次召开修会议，现在修订稿草案已通过局长办公会议审议，报市政府法制办审核。完成了《天津市地下水资源管理办法》送审稿。完成了《天津市计划用水管理办法》初稿的起草。截至2009年底，共向市政府法制办备案《关于对天津市水工程建设项目法人进行考核的通知》《天津市水务局关于变更局发行政规范性文件行政主体的通知》《天津市水务局关于废止部分局发行政规范性文件行政主体的通知》《关于加强天津市水利工程建设管理有关工作的意见》4个行政规范性文件。对《天津市水资源费征收使用管理办法》《关于依法加强节约用水管理的通告》等23个规范性文件和内部制度进行了法律审核。

（1）水行政执法。2009年建立水政、公安、工程管理人员三位一体联合巡控执法机制，水政、公安、工程管理单位密切配合，共出动水政执法人员8610人次，执法车辆7730车次，警力5640人次，发现并及时有效地处置水事案（事）件1985起，检查重点要害部位481个次，发现督促整改各类隐患47件。完成对2009年新增的380家非生活用水户用水计划指标办理情况的全面调查，对未办理用水计划指标的非生活用水户进行了水法律法规宣传，并督促其整改，对仍不办理用水计划指标的立案查处并依法实施行政处罚。针对于桥水库管理范围内违法旅游影响水库水质安全的问题，开展了治理于桥水库管理范围内违法旅游活动。通过采取对沿库区村镇村民开展广泛宣传，对库区内船只开展全面调查、联合蓟县政府和引滦治安分局开展集中执法活动等措施，严厉打击了于桥水库管理范围内违法旅游活动，自7月开展于桥水库违法旅游活动专项治理以来，共出动执法人员3600余人次，执法船只720余艘次，扣押违法船只16艘，保障了天津市城市供水安全。为确保2009

年引黄济津工作顺利进行，根据水行政执法工作实际，制订了《水政处护水巡查工作实施方案》。从技术准备、沟通协调、巡查实施、信息报送等四个方面作出了具体安排，要求每一位执法人员做到及时发现问题、及时沟通信息、及时妥善处理、及时登记汇总；对各自制定的引黄护水巡查实施方案进行说明和沟通协调，确定了引黄沿线重点巡查的河段和重点巡查的部位，做到分工明确，各尽其责。2009 年全市水务系统共查处水事违法案件共计 2304 件，其中通过立案查处的 91 起，结案 88 起，执收行政罚款 56.4 万元，挽回其他经济损失 1176.5 万元。

（2）水法制宣传。组织贯彻落实《天津市法制宣传教育条例》中的各项工作内容，明确相关部门和人员在法制宣传教育工作中的职责和任务，充分发挥各种宣传教育方式的作用，在全社会营造浓厚的学法用法氛围。围绕第十七届“世界水日”和第二十二届“中国水周”宣传活动，对新开河沿岸生活垃圾随意丢弃、堆放情况较为严重的耳闸至京津桥一段开展集中治理，来自市容委、河北区市容委、环卫局、鸿顺里街道约 150 余名干部职工以及河北工业大学的 50 余名学生参加了整治活动，共清整河道堤岸 300m，出动垃圾清运车 3 台，清理沿河生活垃圾 80t，通过治理实现了“河面无漂浮物，河岸无垃圾”。水周期间组织各区县水务（水利）局、局属有执法任务的单位通过采取街头宣传、现场咨询和专项活动启动仪式等宣传方式，发挥电视、广播、报刊、网络等媒体的积极作用，广泛深入地宣传水行政管理工作和水法律法规知识，最大限度地让社会各界和广大人民群众认知、了解水利政策和水法律知识。举办信息宣传员培训班，邀请市政府信息处有关负责人在信息写作方面给予全面讲解，以水政信息为主要宣传载体，重点增加全局执法巡查工作统计、案件处理过程等执法技术方面的内容，强化了信息的时效性和技术性。（丛英）

【水资源】 2009 年，天津市降水为平水年，年平均降水量 604.3mm，折合水量 72.03 亿 m^3，比 2008 年偏少 5.68%，比多年平均值偏多 5.11%。水资源总量 15.24 亿 m^3，其中地表水资源量 10.59 亿 m^3，比 2008 年偏少 22.2%；地下水资源量 5.60 亿 m^3，比 2008 年偏少 24.2%；地下水与地表水不重复量 4.65 亿 m^3。全市 14 座大、中型水库年末蓄水量 5.72 亿 m^3，比 2008 年增加 0.39 亿 m^3。平原淡水区浅层地下水年末存储量比年初减少 0.14 亿 m^3。

2009 年天津市入境水量 18.32 亿 m^3，比 2008 年增加 1.47 亿 m^3。出境水量除蓟运河山区泃河流入北京市外，其他均注入渤海。2009 年全市出境、入海水量合计为 12.78 亿 m^3。其中：泃河出境水量为 0.18 亿 m^3；入海水量 12.60 亿 m^3。（丛英）

【水务规划】 2009 年，天津市水务局开展了《天津市中小河流近期治理建设规划》，规划水平年以 2008 年为基准年，近期为 2012 年，将新开河、金钟河等 20 条河流列入本次近期治理建设规划，本着统筹协调、突出重点、注重实效的原则，确定天津市近期治理的重点河段，并提出了切实可行的治理建设方案。另外，完成了《天津市抗旱规划》《天津市水务发展“十二五”规划》《天津市水系规划》等规划项目。设计审批项目主要有《独流减河治理工程可行性研究》《天津市黄庄洼蓄滞洪区（Ⅰ）分区滞洪围堤工程可行性研究》《团泊水库除险加固工程初步设计》《金钟河防潮闸枢纽拆除重建工程可行性研究》《天津市 2009 年海堤加固工程可行性研究》《2009 年引黄济津天津市应急输水工程实施方案》《小沙河改道扩建工程初步设计》《蓟运河中新生态城段治理工程堤防部分初步设计》《天津市引滦工程隧洞边墙混凝土无损检测工程实施方案》《引滦入津隧洞二期补强加固工程 2009 年实施段初步设计》《2009 年引滦入津黎河治理工程初步设计》《中新生态城应急供水管线工程实施方案》。（丛英）

【水利建设】 2009 年天津市水利基本建设共下达投资计划 7.30 亿元。主要包括永定新河治理一期工程、蓟运河防潮闸除险加固工程、蓟运河中新生态城段治理工程、2009 年天津市海堤加固工程、外环河北辰区段完善工程、金钟河防潮闸枢纽拆除重建工程、蓟运河宁汉交界至李自沽闸段治理工程等。截至 2009 年底，完成土方 319.21 万 m^3，石方 11.94 万 m^3，混凝土 8.11 万 m^3，投资 5.46 亿元。编制出台了《关于加强天津市水利工程建设管理有关工作的意见》和《关于对天津市水利工程建设项目法人进行考核的通知》等规范性文件。对已完工未验收项目分析原因，加大验收力度，及时组织验收，2009 年共验收水利工程 15 项。（丛英）

【防汛抗旱】

1. 防汛

（1）防汛责任落实。按照天津市 2009 年防汛抗旱工作安排意见，明确防汛责任和任务，层层分解，层层落实，不断提高防汛抗旱工作水平和应对突发事件处置能力。市防汛抗旱指挥部、各区县防汛抗旱指挥部和有关单位根据人事变动情况调整充实了防汛组织指挥机构，并成立市防汛抗旱指挥部防潮分部，指挥王国良（市滨海新区管委会），副指挥张文波（市水利局，主持日常工作）、罗家均（塘沽区副区长）、赵忠（汉沽区副区长）、李德林（大港区副区长）防潮分部办公室设在天津市海堤管理处，具体负责防潮分部的日常工作。落实了以行政首长负责制为核心的市、区县、乡镇三级防汛责任制。在《天津日报》向全市公布了主要行洪河道堤防、重要蓄滞洪区和重点水库防汛责任人名单，接受社会监督。全市各防汛部门、各区县按照市防办的要求，认真熟悉掌握防汛工作的组织管理和运作程序，责任到人、到岗，落实了各项措施，保证了防汛责任和安全度汛措施的有效落实。

(2) 防汛部署检查。6月25日，市防汛抗旱指挥部召开第一次成员（扩大）会议，安排部署防汛抗旱各项工作。在主汛期，市长黄兴国、常务副市长杨栋梁、副市长李文喜冒雨深入实地检查指导防汛工作。天津警备区司令员和政委亲自率领警备区各部门对天津市防汛重点地区地形进行了勘查。副市长熊建平实地勘查排水情况和薄弱环节。副市长李文喜分别主持召开了水库安全度汛工作会议和防潮分部成立大会，并多次到市水务局调研和指导防汛、防潮、排涝工作。按照防汛工作的总体安排部署，市防办组织各单位、各区县深入开展防汛大检查，查找防汛薄弱环节和安全隐患，全面落实整改措施。4月，市水利局领导分5路对全市主要行洪河道、堤防、泵站等水利工程设施开展汛前检查。

(3) 抢险队伍建设。2009年天津警备区、各区县人武部组建了40余万民兵的防汛抢险队伍。7月17日，举办防汛抢险培训班，对水务局各河系管理处和各区县水务（水利）局负责人及技术骨干60余人进行培训，培训内容包括各种险工险情识别、险情排查及抢险方法、防汛组织与责任、防御洪水方案、防洪管理、防汛检查等内容。授课专家结合工作实际，对2009年天津市的防汛形势进行了分析。培训使参训人员增强了防汛抢险意识，熟悉和掌握了防汛抢险技术，对防汛工作的组织管理、责任、制度有了更为深入的理解。7月30日，市防办组织开展了永定河系洪水防御推演。市防汛抗旱指挥部办公室常务副主任、市水务局副局长陈振飞，市防办调度组、抢险组，武清、北辰、东丽、宁河、塘沽等区县防办和市水务局总工办等有关处室负责人参加了推演。此次推演以假定永定河系降暴雨到大暴雨，卢沟桥将出现20年一遇洪水为背景，开展了永定河泛区内武清区、北辰区的群众转移安置，永定新河洪水预报测报分析，永定新河洪水调度及七里海临时滞洪区运用，永定新河堤防抢险等4个推演项目。推演采用室内作业方式，各有关区县和单位按照临时给出的水雨情条件，研究需要采取的应对措施，大屏幕演示了永定河泛区群众转移安置方式、洪水演进计算、洪水调度、堤防抢险方案、物资调运情况等全过程。利用防汛应急通信指挥车和防汛通讯系统实现了区县防办、重点闸涵与防汛会商室的通信联络。通过推演，检验了防汛各有关单位，防汛抢险预案的可操作性以及防汛处置机制的实效性、应对洪水的应急处置能力，为今后应对洪涝灾害积累了经验。

(4) 防汛预案。修订完善了《天津城市防洪预案》《天津市山洪灾害防御预案》《天津城市抗旱预案》等各专项预案。组织各河系处的精干技术力量，组织研究编制防汛抢险预案大纲，按照大纲要求开展了防汛防潮专项预案的修订工作，切实提高了预案可操作性。并根据各单位在防汛抢险工作中的职责及预警响应机制，分级制定了《天津市防汛预警应急响应规程》，建立健全防汛抗旱指挥部统一指挥、各成员单位协调联动的防汛预警响应体系。为提高防汛检查效能，组织各区县、各有关单位研究编制了《天津市一级行洪河道、堤防、小型穿堤涵闸防汛检查规范》，明确了检查内容、方法和标准，并根据规范要求全面深入开展防汛检查工作，查找工程、设施、管理等方面存在的隐患，逐项提出整改措施，加强措施落实的督察和通报，切实消除隐患。

(5) 防汛物资储备。2009年，重新核定了储备物资的补贴标准，出台了《天津市企业代储防汛物资管理办法》，经汛前、汛中两次检查，各代储单位全部按要求完成了储备计划。新增储400万元的防汛物资，包括救生、抢险、机具三大类，共13个品种。防汛物资储备的品种和数量有了大幅度的增加，截至9月30日，专储防汛物资总价值已达2259.65万元。为天津警备区及驻津部队配备冲锋舟5艘、操舟机5台、橡皮舟40艘、救生衣4000件、救生圈600个、铁锨2000把、铁镐570把、桩木50m^3、钢管20t、钢管扣件2500个。

2. 抗旱

(1) 农村抗旱。2009年春季北方地区发生的严重干旱，市委市政府高度重视，按照中央一号文件全国农业生产工作会议精神，把落实各项抗旱措施，确保粮食丰收作为全市重点工作来抓。年初召开全市防汛抗旱动员会，安排部署各项防汛抗旱工作。全市各级水利部门按照国家防总和市委、市政府的要求，把抗旱保春耕作为重要任务，加强领导、统一部署、全面落实抗旱行政首长负责制，完善了以行政首长负责制为核心的区、镇、村三级抗旱责任制，层层落实责任，责任到人，做到制度到位、措施到位。水务局在分析水源情况和旱情发展趋势后，按照抗旱预案和“先生活、后生产，先节水、后调水，先地表、后地下”的原则，正确处理工业、农业和生产用水关系，做到计划用水、节约用水。把保证城乡居民生活用水放在首位，确保人畜饮水安全。密切注视雨情、水情及土壤墒情变化情况，加强同气象部门的联系，及时了解天气趋势，组织发动群众投入抗旱，尽可能减少干旱损失。水务局加大与上游地区的协调力度，外调水源4.48亿m^3，并利用汛期上游洪沥水经天津市宣泄入海的有利时机，实施联合调度，市防办抓住共相机抢蓄雨洪水资源1.83亿m^3，有效改善了城乡水生态环境，天津市汛末蓄水4.98亿m^3，增加了农业抗旱水源。

（2）城市抗旱。2009年入汛以来，天津市水源地潘家口水库来水极枯，已不能保证天津市正常供水。温家宝总理、回良玉副总理均作出重要批示，要求妥善解决好天津城市供水问题。市委、市政府高度关注城市供水安全问题，熊建平副市长带队专程赴水利部、国家发改委、财政部，以及河北和山东两省协商解决天津市城市缺水问题。为确保引黄济津输水调度工作有序开展，天津市制定了2009年引黄济津（九宣闸以下）输水调度方案和引黄济津水质监测方案。完成引黄济津天津市内工程建设，主要包括引黄济津输水河道口门封堵、河道清障、堤顶整修、闸站维修、拦冰工程以及水文水质监测等辅助工程。工程于2009年9月26日全面开工，10月15日全部完工，具备通水条件。 （丛英）

【农村水利】 2009年，市水务局抓住国家拉动内需的大好时机，农村水利投入创历史新高。年计划投资为238409万元，其中：计划安排重点农村水利工程建设投资123382万元，环外河道水环境整治区县自筹投入115027万元。年内实际完成投资243111万元，为计划的102%。其中，中央投资18384.3万元，市级配套43794.4万元，区县投资157185.2万元，农民自筹23747.1万元。

（1）农村水利基本建设。按照全国冬春农田水利基本建设工作会议的安排部署，制定了天津市冬春农建工作计划，并印发了《天津市2009—2010年冬春农田水利基本建设安排指导意见》，以提高农业综合生产能力和改善农村居民生产生活条件为目标，以供水、节水、排水、水环境治理及骨干水利设施维修改造为重点，加大投入，全面推进，全市农田水利基本建设取得明显成效。2009年，全市累计完成土石方2461万 m^3；解决了104.15万农村居民饮水不安全及管网入户改造问题；新建防渗明渠、低压管道1876km；新增节水灌溉面积19.3万 hm^2、新增节水能力2320万 m^3；完成上马台、黄港二库两座病险水库除险加固任务；新建各类小型水源工程331处，新增蓄水能力758万 m^3；治理骨干河道和清淤灌排沟渠1018km，新建、维修改造农用桥闸涵433座；新建、维修扬水站点283座，其中完成更新改造国有扬水站11座；治理水土流失面积14 km^2。

（2）节水灌区建设。截至2009年底，天津市共有万亩以上大中型灌区64处，有效灌溉面积20.13万 hm^2，占全市灌区有效灌溉面积34.26万 hm^2 的58.8%。其中，里自沽灌区有效灌溉面积2.78万 hm^2，2009年灌区改造任务完成投资9800万元，中央资金3300万元，地方配套6500万元，节水改造灌区0.61万 hm^2。

（3）节水示范项目。完成了宁河县板桥镇节水灌溉增效示范项目的市级验收；实施完成2009年度宁河县岳龙镇1个节水灌溉增效示范项目的建设任务。完成工程总投资300万元，新建低压输水管道节水灌溉面积260.93 hm^2。

（4）农用桥闸涵维修改造。计划维修改造112座农用桥闸涵工程，全年实际完成122座农用桥闸涵维修改造工程，完成投资4360万元。市财政局、市水务局领导高度重视农用桥闸涵维修改造工程竣工验收工作，联合成立验收小组，对武清区、宝坻区2008年度市级财政投资2300万元建设的51座桥、闸工程，进行竣工验收。 （丛英）

【水土保持】 京津风沙源治理工程2009年水利水保项目总投资297万元，包括：水源工程200处，总蓄水量达4万 m^3，其中：新建塘坝工程2座，总蓄水3.8万 m^3；打中浅井30眼，井深50～80m；建水池26座，蓄水量0.221万 m^3；修建水窖6座，蓄水量为0.078万 m^3。节水灌溉工程97处，浇灌控制面积291 hm^2。其中：塑料管道50处，浇灌控制面积150 hm^2；铁管道47处，浇灌控制面积141 hm^2。山丘区水土流失治理，2009年天津市水土保持生态环境治理工程投资400万元，完成14 km^2 综合治理任务，安排在山丘9个乡（镇），主要建设基本农田55.33 hm^2，其中水平梯（条）整修39.33 hm^2、沟坝地整修16 hm^2；经济林改造与新建65.33 hm^2；生态林42 hm^2；封禁治理1213.33 hm^2；修建谷坊坝69条；微集雨蓄水工程18座。 （丛英）

【城市供水】 2009年滦河潘家口以上区域降水严重偏少，于桥水库年度自产水1.57亿 m^3，2009年度从大黑汀水库引水两次，累计5.3亿 m^3。引水时间分别为4月25日至6月10日，引水2.3亿 m^3；10月10日至12月10日，引水3.0亿 m^3。随着天津市经济的快速发展，城市日供水量逐年增加，2009年天津城市日供水量增加至180万 m^3/d，为使有限的引滦水源高效利用，全市加大节水力度，同时取消全市引滦水供菜田和农业用水，在全市范围内加大节水力度，保障了年度城市用水。全年度于桥水库累计向城市供水5.76亿 m^3，其中市区自来水36796万 m^3、入塘6984万 m^3、入开发区4015万 m^3、入港1223万 m^3、入汉1092万 m^3、入杨816万 m^3、入聚酯2227万 m^3、宝坻949万 m^3、盘山电厂2368万 m^3、京津新城114万 m^3，海河工业2623万 m^3。面对天津严峻的城市供水形势，水务局分析城市供水水源形势，反复进行城市供需水平衡计算，制订了2009—2010水利年度天津引黄济津应急供水方案。针对天津严重缺水形势，党中央、国务院十分重视，再次批准实施引黄济津应急调水。2009年引黄济津应急调水自10月23日九宣闸开始引黄计量，至2010年2

月28日引黄调水结束，天津市九宣闸累计收水2.59亿m^3，自来水水质综合合格率达到99.8%。此次实施的引黄济津应急调水缓解天津供水危机。（丛英）

【工程管理】 为适应工管体制改革以来的新形势，2009年将工管单位工程管理考核内容纳入局工作目标考核中，按工程性质，工管单位分为河道管理类与引水管理类，考核实行1000分制，其中工程管理占600分，考核标准分别按《河道工程管理考核标准》、《引水工程管理考核标准》执行，采取查看现场、查阅档案资料、考核小组评议打分的形式进行考核，取得了较好的效果。2009年完成加固整修堤防、复堤、堤防灌浆、险工护砌、河道清淤、水闸加固河道等专项维修工程共27项，总投资1964.6万元，工程自4月开工，6月底前全部完工。完成水闸、泵站、海堤等日常维修养护工程58项，工程投资1614万元。为做好水库库区和安置区基础设施项目扶持管理工作，天津市发改委和市水务局联合印发了《天津市大中型水库移民项目扶持管理办法》。到2009年底，天津市实际核定移民人口117307人，与中央核定数据相差7107人，2009年批复库区和安置区基础设施和经济发展项目5154.85万元，项目分两期实施，一期项目批复2048.85万元，二期项目批复3106万元，其中，一期项目在2009年内已全部完成，主要内容有村内道路硬化、机井工程、蓄水池工程、引水灌溉工程、低压线路和变压器安装工程等，完成投资2048.85万元，中央结余资金1523万元，地方自筹资金525.85万元。2009年采取社会承包河道堤防绿化使用权的形式，有效解决河道绿化资金投入少和树木管理养护难的问题，堤防植树37.6万株，堤防长度175.2km，提高了河道绿化覆盖率，使河道整体环境得到提升。（丛英）

【排水管理】 排水管理部门充分发挥水务一体化管理体制新优势，2009年健全完善了以各区、委、办、局构成的多层次排水指挥与管理系统，市区防汛各有关单位认真落实防汛行政首长负责制，明确职责、定岗定人，加强值班制度，建立以市区两级排水队伍为骨干的专群结合的排水队伍。在主汛期到来之前，全市疏通市属管道1332km，掏挖雨水井66万座次，维修管道1351m，维修检雨井4106座，清挖集水池159座，检修水泵246台套。确保排水设施以最佳状态进入主汛期。编制了《市区2009年主汛期排水调度方案》《市区2009年非汛期排水调度方案》《城市排水突发性事件应急处置预案》和《地道泵站防汛排水调度方案》，提高了防汛应急保障的针对性。完善了泵站远程遥测系统、河道水位监测系统和重点部位观测系统等6大系统，全年新增10个河道液位计、5个积水片视频、3个降雨量监测，使河道液位计达到37个、视频监测26个，降雨量监测26个。建设完善了91座重点雨水泵站水泵机组运行远程监控系统，泵站运行管理和调度水平得以提高。通过气象信息预测分析，在降雨前提前采取“一低两腾空”措施，保持泵站低水位运行、腾空管道、腾空河道，最大限度地增加雨水调蓄能力；降雨后立即启动《市区主汛期排水调度方案》，根据雨情及时开泵提闸。市排水管理部门2000多名排水职工冒雨上岗，到积水点打开井盖，坚守在井盖旁，捞取杂物，保证快速退水，保证行人安全。（丛英）

【科技与教育】 2009年，列入计划的科研项目全局共34项，其中新立29项，结转5项。年内通过鉴定、验收和报告结题的科研项目共38项，其中通过鉴定项目1项，报告结题7项，验收项目30项。在已有的成果中，天津市水利科学研究院、天津市水利局水源调度处和天津大学共同完成的《天津市南部洪水预报及实时调度系统的建立与应用》项目获水利部大禹奖一等奖；天津市水利科学研究院完成《环保型绿色植被混凝土开发应用研究》项目获市科技进步奖三等奖；由水科院、农水处、水文水资源中心共同完成的《含氟苦咸水饮用安全技术》等12个项目分别获天津市水利科技进步奖。

2009年举办了大学非水利专业毕业生水利基础知识培训、不具备规定学历和专业水利知识的培训班，有292人次参加了培训。组织了全市水利系统水利特有工种的劳动技能鉴定及特有工种技术工人的技术等级，晋级培训和考试工作，对河道修防工、泵站运行工、渠道维护工等7个水利特有工种的技术工人102名进行了等级认定和晋级培训考试工作，其中高级工50人，中级工36人，初级工16人。（丛英）

【水务改革】 为切实加强全市水资源统一管理，经报请国务院批准同意，天津市委、市政府决定组建天津市水务局，将水利局职责，建设管理委员会城市供水、城市排水和有关河道堤岸管理职责，整合划入水务局，不再保留天津市水利局。2009年5月7日，天津市委、市政府举行天津市水务局成立暨揭牌仪式。水利部部长陈雷、天津市副市长熊建平共同为天津市水务局揭牌并作重要讲话，建设部总经济师李秉仁、国务院南水北调办总工程师沈凤生出席，仪式由天津市人民政府副秘书长朱军主持。天津市水务局的成立，是统筹经济社会发展、推进城乡水务一体化的重大举措，标志着天津市确立了水环境、水资源、水安全“三位一体”水务管理崭新格局。这不仅为实现水资源合理开发、高效利用、有效保护提供了有力的体制保障，也为全国进一步推进水资源管理体制改革创造了新的范例。（丛英）

河　北　省

【概况】　2009年，河北省落实水利投资计划61.35亿元，加之其他渠道对水利的投入，全年水利投入超过100亿元。全年完成节水灌溉投资7.94亿元，新增节水灌溉面积16万hm^2，解决了378万农村人口饮水问题，完成治理水土流失面积2086万km^2；各类水电发电量3.2亿kW·h，新增投产水电站6座，装机容量4720kW；实行最严格的水资源管理制度，划定了水资源管理"三条红线"。南水北调工程稳步推进，截至2009年8月19日，历时11个月，圆满完成了向北京输水4.35亿m^3的任务，有效缓解了首都北京的水源压力。2009年河北水利各项工作任务圆满完成，重点工作实现了新的突破，为促进粮食稳定增产和农民增收，为全省经济平稳较快发展提供了有力保障。

（杨晓威）

【水政】　（1）水利立法。为推动《河北省实施〈水法〉办法》早日出台，成立了以省水利厅厅长为组长的起草工作领导小组。通过制定细致的工作方案，分解目标，配合省人大、省政府法制办多次到省内外调研，在广泛征求意见，多次讨论、修改和大量前期工作的基础上，形成了比较成熟的草案文本，经省政府第35次常务会议讨论顺利通过，已提交省十一届人大常委会第十次会议第一次审议。

（2）水事稳定。①做好北京周边水事秩序稳定，为国庆60周年创造安定的社会环境。环北京六个市和石家庄等三个市水行政主管部门与省水利厅签订了维护水事安全稳定责任书；开展了水事矛盾排查，共排查出环北京地区矛盾隐患95起，全部进行了妥善处理；全省水政系统实行24小时值班制度。②积极处理边界水事纠纷。妥善处理了沙河石保边界水事纠纷，拆除沙河内非法采砂船21条；及时调处了省滦河唐秦边界水事矛盾，避免了矛盾进一步升级；积极做好冀晋清漳河山西省修建泽城西安水电站纠纷的调处工作，深入调查核实情况，全力做好群众稳定工作，积极向国家发改委、水利部反映诉求，沟通协调，有力地推动了整个事件的依法、依规解决。

（3）河道采砂。省水利厅联合省监察厅、省公安厅、省交通运输厅、省安监局、省政府法制办等部门开展了全省河道采砂专项整治活动，全省共出动执法人员12000余人次（其中警力2000余人次），封堵通往采砂场点进出道路50余条，新设置警示和禁采标志80余个，查处非法采砂场170余处，扣押各种非法采砂车辆100余台，强制拆除采砂作业设备165台套，出动各种机械设备2245台次，动用清障保证金及财政补贴300余万元，平整河道158.6km，回填砂石260余万m^3。有力地打击了各种非法采砂行为。

（杨晓威）

【水资源】　（1）水资源状况。2009年，全省平均年降水量为462.6mm，比2008年减少95.1mm，比多年平均少69.1mm，属偏枯年份；全省年水资源总量为141.16亿m^3，比2008年减少19.82亿m^3，比多年平均值少63.53亿m^3。其中，地表水资源量约39.69亿m^3。2009年底平原区浅层地下水平均埋深15.39m，深层地下水位平均埋深：沧州55.24m，衡水51.61m，邢台中东部平原54.01m。年末全省大中型水库蓄水24.02亿m^3，白洋淀蓄水1.24亿m^3。

（2）水资源管理。2009年，编制完成了《河北省水资源管理信息系统建设总体实施方案》。河北省作为水利部审查的第一个省级信息系统，得到了部领导和专家的充分肯定。该方案顺利通过了审查。在"干部作风建设年"活动中，结合实际，紧紧围绕"破难题、搞服务、抓队伍"这个主题，不断转变作风、创新机制、提高效率和改善服务，获得省干部作风建设年活动"十佳先进集体"荣誉称号。河北省继续推进城乡水务一体化管理，石家庄市政府将城市防洪、供水职能划归水利局，组建成立水务局。评定建设项目水资源论证乙级资质单位4家。

（3）水资源保护。编制完成了《河北省水功能区纳污能力和限制排污总量意见》，并通过了由水利部水资源司组织的专家评委会的评审验收。制定了城市饮用水水源地保护工作方案，印发了《河北省水利厅关于加强饮用水水源地保护工作的通知》，明确了水源地保护的具体要求。组织开展了全省饮用水源地调查工作，核准公布了河北省第一批重要饮用水水源地名录，提出了保护目标与管理要求。印发了《关于规范入河排污口监督管理工作的通知》，明确了入河排污口设置审批、论证审查和管理权限，完善了监管制度。指导邢台市制定了水生态修复试点建设评估指标体系，开展了市区自备井关停和岩溶地区地下水回灌研究等工作。完成了沧州市地下水保护行动试点专题研究，拟定了沧州市地下水压采指导意见并由沧州市人民政府公布实施。启动了中意合作华北平原地下水管理项目，完成了试点区地下水开发利用调查评价任务，开展滹沱河地下水库回灌试验研究工作。开展了自备井关停工作，2009年全省共关闭自备井481眼，减少地下水开采量2300多万m^3。

（4）节水工作。完成了河北省严重缺水应对方略研究，提出了以"节水治污、充分挖潜、完善和扩大引黄工程体系、推进南水北调工程建设、改革水价形成机制和水务管理体制"为主要内容的八大应对方略。省水利厅李清林厅长先后向胡春华省长和省政府第三十五次常务会议进行了专题汇报，得到了各位省长和各省直部门的充分肯定和高度赞扬。省政府常务会据此作出了省市财政每年拿出1.2亿元用于引黄水费补贴和加强调研、推动水务一体化改革的决定，为破解河北省缺水和体制障碍这两个长期制约水利发展的难题奠定了坚实的基础。以地方标准的形式向全社会颁布了《河北省用水定额》，该定额共分为农业用水、工业取水和生活用水3个部分。农业部分包括7个农业灌溉分区、两种保证率、7种主要农作物灌溉基准定额，以及5类蔬菜、4种果树、渔业和大小牲畜用水定额。工业部分涵盖了128个行业478种工业产品的取水定额。生活部分制定了25个部门50种门类的生活用水定额。全省万元工业增加值取水量下降9.3%。 （杨晓威）

【水利规划】 完成河北省引黄工程规划。引黄作为河北省缓解水资源短缺矛盾的战略措施之一，得到省委、省政府的高度重视和全省上下的高度关注。按照用足用好黄河水，建设永久性引黄专用通道的思路，编制完成《河北省引黄工程总体规划》，提出了河北省中、东、西三条引黄线路的总体工程布局。规划报告已经上报水利部。为了推动引黄工作的开展，河北省多次到河南、山东两省进行沟通协调，为下步完善工程方案奠定坚实的工作基础。

重点谋划重点水利基础设施建设项目32项，总投资约180亿元。其中报中央审批立项项目13项，报海委复核地方审批立项争取国家补助项目15项，地方审批立项项目4项。按期完成了大型灌排泵站等项目的设计审批工作。国家安排河北省大型灌排泵站更新改造7座。及时安排大中型水闸除险加固、中小河流设计报告编制工作，完成中小河流治理项目设计审批10余项。 （杨晓威）

【工程建设与管理】 （1）工程管理。列入国家专项规划的119座病险水库除险加固工程年内全部开工，西大洋等15座水库除险加固工程续建，到年底完成或基本完成一批项目的施工，其中35座小型水库已经完工，北牛叫和康庄等16座水库完成主体工程完工验收；戴河和滏阳河中游等3项河道治理项目续建，戴河治理二批等4项河道治理项目新开工并完成年度投资计划；王村分洪闸枢纽建筑物除险加固工程续建并基本完工；霸州泵站等7处大型泵站更新改造工程全部开工并完成年度投资计划；完成岗南、东石岭等水库竣工验收，红领巾水库下闸蓄水验收，滹沱河安平县段2项河道治理项目验收，雄固霸新河防洪闸、莲花口分洪闸枢纽、水文站网改造等6项其他工程验收。

（2）引黄入冀。编制完成了引黄济津和引黄济淀实施方案，通过了海委和水利部审查，并争取国家补助资金5700多万元，天津市投资5900多万元，部分控制性工程得到了永久化建设，为今后顺利引黄创造了条件。2009—2010年度引黄入冀、引黄济津济淀自2009年10月1日黄河位山闸提闸放水至2010年2月28日结束，历时151天，冀鲁界累计收水8.0715亿m^3，超额完成了任务，天津市收水2.7375亿m^3。河北省圆满完成了向白洋淀、衡水湖、大浪淀、扬埕水库补水和沿线农灌引水的目标，并初次实施了向廊坊供水。

（3）水管体制改革。全省水管体制改革工作已经完成，并通过省级验收。全省335个水管单位中，有191个定性为纯公益、143个定性为准公益、1个定性为企业。全省已落实人员基本支出32770万元，落实率92%；公益性工程维修养护经费已落实13041万元，落实率83.5%。 （杨晓威）

【应急供水】 自2008年9月18日至2009年9月19日，历时11个月，通过科学调度、严格管理，克服了流量小、时间长、冰期输水、跨春节、跨春灌期输水等重重困难，完成了岗南、黄壁庄、王快三座水库向北京应急供水4.35亿m^3目标，水质持续保持Ⅱ类以上，有效缓解了北京用水紧张局面。 （杨晓威）

【防汛】 2009年，全省蓄滞洪区安全建设稳步实施，共完成撤退路69km、撤退桥3座，解决6.5万人的避险转移问题；海堤建设有了新进展，完成海堤加固13km，建设挡潮闸1座。按照国家防总要求，完成了3个山洪灾害防治试点县的建设。下达应急度汛资金4700万元，涉及水库、河道、指挥系统建设140多个建设项目，努力实现当年项目当年完成的目标。

（1）汛情。2009年属偏旱少雨年份，全年全省平均降雨量475mm，比常年偏少8%。其中，1—5月全省平均降雨量84mm，比常年同期偏多14%；汛期全省平均降雨357mm，比常年同期偏少12%；10—12月全省平均降雨量34mm，比常年同期偏少11%。降雨的主要特点：①降水南北少中部多，空间分布不均。与常年相比，廊坊、保定偏少7%～11%，唐山、秦皇岛、张家口、承德偏少15%～28%，邢台、石家庄、沧州、衡水偏多7%～28%。②汛期降雨汛初汛末偏多，主汛期偏少。6月、9月降雨量与常年同期相比，分别偏多11%和30%，但主汛期降水量仅为76mm，比常年同期偏少38%。③强降雨过程少，范围小，暴雨强度大。汛期全省没有出现大范围强降雨过程，但局部暴雨发生较多，短时暴雨强度超百年一遇，抚宁、丰润、任县、广平、乐亭等县1小时暴雨量达70～120mm。④局地风雹暴雪灾害偏多，致灾程度大。7月23日，邢台、邯郸两市遭受了罕见的大风、冰雹灾害，瞬时最大风速高达11.4级，造成经济损失巨大。11月10～13日，河北省中南部普降大到暴雪，石家庄最大降水量

93.5mm，最大积雪厚度55cm，均为有历史记录以来最大值，造成经济损失15.3亿元。

汛期全省各河道仅有30个站出现涨水过程。河道实测最大洪峰流量为青龙湾减河土门楼水文站342m^3/s。截至2010年1月1日，全省大、中型水库蓄水24.02亿m^3，比常年同期少蓄0.64亿m^3。其中，18座大型水库共蓄水22.13亿m^3，较常年同期多蓄0.69亿m^3；39座中型水库共蓄水1.89亿m^3，较常年同期少蓄1.33亿m^3。白洋淀、衡水湖、大浪淀三处平原洼淀共蓄水3.29亿m^3。

（2）灾情。全年全省没有发生大范围洪涝灾情，受灾程度是近几年来最轻的一年。灾害损失主要是由局地短时暴雨、洪水、风雹等灾害造成，全省共有23个县、89个乡镇受灾，受灾人口14.45万人，因灾死亡1人，农作物受灾面积1.42万hm^2，成灾8800hm^2，绝收2900hm^2，倒塌房屋34间，死亡大牲畜126头，造成26条公路中断，491处堤防损坏，损坏机电井713眼，损坏机电泵站3座，共造成直接经济损失2.30亿元，其中水利设施直接经济损失1.01亿元。 （杨晓威）

【抗旱】 （1）旱情。全省大面积干旱主要发生在早春和夏季7月、8月，是旱情较重的年份。春旱主要发生在早春，由于从2008年10月底至2009年2月初，全省大部分地区无有效降雨，且气温持续偏高，全省11个市普遍受旱，中南部地区尤为严重。最大受旱面积达230多万hm^2，占耕地面积的40%，其中冬小麦受旱面积100多万hm^2，占播种面积的42%；春播白地受旱330多万hm^2，占计划播种面积的42%。有42万人、12万多头大牲畜出现临时性饮水困难，9万人靠出村拉水维持生计。夏旱主要发生在7月、8月，受旱区域主要集中在北部张家口、承德、唐山、秦皇岛地区，其中张家口、承德两市发生了历史罕见的旱灾，全省最大受旱面积80.5万hm^2，其中重旱21.7万hm^2，干枯43.5万hm^2，有98.98万人、20.6万头大牲畜因旱发生临时性饮水困难。

（2）抗旱。各级党委、政府和职能部门切实加强对抗旱工作的组织领导，采取各种有效措施，全面科学抗旱，努力减轻灾害损失。省防指先后两次启动省级抗旱Ⅱ级、Ⅲ级应急响应，迅速落实各项抗旱措施，全年共下达抗旱资金7000万元。各地财政加大投入力度，全年共投入资金52.95亿元，建设井灌防渗工程1502万m，新建防渗渠道723km，清淤渠道3747km，建设塘坝、水池、水窖和坑塘1.7万个，增加蓄水能力472万m^3，扩大灌溉面积4.6万hm^2，恢复改善灌溉面积25.8万hm^2。新建咸淡水混浇机组2100组，控制面积3.5万hm^2，使河北省咸淡混浇井组达到1.53万组，控制面积23.3万hm^2，年节约深层淡水2.8亿m^3，节电1.4亿kW·h。全省3000名抗旱服务人员深入田间地头为群众检修设备、传授灌溉技术，提供全方位服务。各地加强对现有水资源的统一管理和调度，科学配置地表水和地下水，全年通过水利工程共调（引）水11.2亿m^3，有力支持了各地抗旱。通过全省上下的共同努力，河北省粮食在大旱之年实现了连续6年的增产。 （杨晓威）

【农田水利】 （1）农田水利基本建设。全省累计投入农田水利基本建设资金52.95亿元，其中，各级政府投入34.54亿元，群众自筹16.70亿元，民营及其他投入1.71亿元，投入工日5551万个，完成工程量1.74亿m^3，完成工程项目10.5万项。其中，维修加固堤防747km，疏浚河道721km，清淤渠道3747km，新建防渗渠道723km，铺设地下管道1457万m，更新机井2.2万眼，修旧井2.6万眼，建设集雨工程1.7万处；新增灌溉面积4.59万hm^2，恢复改善灌溉面积25.76万hm^2，新增节水灌溉面积16.01万hm^2，新增旱涝保收面积2.93万hm^2，新增除涝面积2.35万hm^2，改造中低产田3.29万hm^2，新增供水受益人口378万人。继续组织开展了农田水利基本建设"海河杯"竞赛活动，全省共评出"海河杯"竞赛先进县（市、区）22个，其中一等奖8个，二等奖14个。省政府对获奖县（市、区）进行了表彰。

（2）节水灌溉。2009年，中央财政安排河北省小型农田水利工程设施建设补助专项资金2.09亿元，中央现代农业资金1.4亿元，省级财政配套资金4500万元，主要用于节水灌溉工程建设，项目涉及全省11个设区市80个县。2009年省财政从预算内资金中安排500万元，继续实施小型微灌（微喷）项目，择优确定21个项目县。国家发展改革委、水利部安排河北省节水灌溉增效示范项目资金600万元，涉及6个项目县。全年完成节水灌溉投资7.94亿元，新增节水灌溉面积16.01万hm^2，其中低压管道灌溉面积13.29万hm^2，渠道防渗2.16万hm^2，微灌面积4200hm^2，喷灌720hm^2，其他形式节水灌溉面积630hm^2。

（3）大型灌区续建配套与节水改造。2009年，下达灌区节水改造计划资金11112万元，涉及全省7处大型灌区，其中中央投资6670万元，需要地方配套4442万元。项目完成后，可新增或恢复改善灌溉面积4万多hm^2，新增节水能力2000多万m^3。

（杨晓威）

【城乡供水】 2009年，解决378万农村人口饮水问题，超额完成省政府《十项民心工程》确定的373万人的任务目标。加强南宫、容城、青县、馆陶、固安、玉田、栾城、阜城等8个整体推进县建设，其中青县、馆陶、固安、玉田和阜城五个县建设任务已全部完成，实现了全县分片联网，统一供水。组织各地开展2010—2013年规划人口调查复核工作，完成《河北省2010—2013年规划人口复核报告》，上报水利部和卫生部。配合审计署对河北省部分市县2006—2008年度农村饮水安全专项资金的筹集、使用、管理，供水工程建设和运行管理等情况进行审计调查，审计调查报告对河北省农村饮水安全项目建设所取得的成就给予了充分肯定。（杨晓威）

【农村水电】 截至2009年底，落实农村水电建设资金11534万元，完成投资5971万元，其中中央投资1352万元，地方配套、银行贷款及个体投资4619万元。全省14个县列入国家2009—2015年小水电代燃料规划，2009年下达专项资金1950万元，其中中央投资1270万元。全省有农村水电的县45个，建成农村水电站235座，容量370178kW，固定资产12.6亿元。2009年，全年新增投产水电站6座，装机容量4720kW；在建水电站工程11座，装机容量15060kW，投资规模1.35亿元。全省农村水电年发电量3.2亿kW·h，发电收入8253万元。2009年11月20日起，全省农村水电上网电价由0.33元/（kW·h）统一调整至0.40元/（kW·h）。2009年全省水电行业已实现连续18年无较大设备和人身死亡事故，省水电中心被省水利厅安委会评为2008年度安全生产管理先进单位。（杨晓威）

【水土保持】 （1）水土保持治理。2009年，继续实施京津风沙源治理工程、21世纪初期首都水资源可持续利用规划、太行山国家水土保持重点建设工程及省级重点水土保持建设项目。太行山国家水土保持重点建设工程新增项目实施县4个，中央投资由2008年的800万元增加到2009年的2300万元。京津风沙源治理工程水利项目资金11687万元。争取国家投资拉动资金14010万元。京津风沙源治理工程水利项目2008年度工程顺利通过了水利部核查，全年共有88条小流域通过了验收。张家口市桑干河下游水土保持大示范区被水利部命名。全年共完成治理水土流失面积2086km²，新实施生态修复保护面积356km²，完成投资52521万元，其中中央投资27997万元，地方投资4859万元。

（2）水土保持监督管理。2009年6月，水利部启动了水土保持监督管理能力建设活动，河北省的怀来县、丰宁县、迁安市、武安市等20个县（市）被水利部确定为全国第一批水土保持监督管理能力建设县（办水保〔2009〕425号），同时省水利厅确定兴隆、迁西等7个县为省级能力建设重点县。12月22日，省水利厅组织8个市、27个能力建设重点县召开了监督管理工作座谈会，对监督管理能力建设工作进行专项调度，提出了下阶段监督管理能力建设工作的具体要求和安排。（杨晓威）

【21世纪首都水资源规划】 2009年国家发改委分别以〔2009〕632号、〔2009〕1725号文下达河北省《21世纪首都水资源规划》水利项目7个，投资1.10亿元。截至2009年12月底，国家累计下达河北省《21世纪首都水资源规划》98个项目（水利项目57个，治污项目41个）投资21.65亿元（水利项目13.24亿元，治污项目8.41亿元），累计完成投资20.51亿元，共完成小流域综合治理3105km²，新增节水灌溉面积6.43万hm²，治理河道205km，官厅水库浸没治理面积29km²。32家点源治理项目全部建成。张家口主城区、宣化区、怀来县三座污水处理厂已正式运行。官厅水库水质有所改善、密云水库水质继续保持Ⅱ类水标准。84个项目全部建设完成，31个项目通过竣工验收。

（1）向北京集中输水。鉴于张家口市遭受严重的旱情、水库蓄水大幅减少的实际困难，桑干河流域不再实施集中输水。按照国家协调小组的统一部署，根据海委调水令，决定继续实施第六次向北京集中输水。河北省云州水库向北京集中输水，10月24日开闸放水，11月17日结束，共输水1022万m³，收水率67%。

（2）“稻改旱”继续实施。2009年，经省水利厅、张家口、承德两市共同努力，完成“稻改旱”面积6867hm²，争取北京市补助资金5768万元。根据张、承两市及各有关县的要求，积极推动北京市水务局延长“稻改旱”实施期限和扩大实施范围，为河北省张、承地区争取更大利益。（杨晓威）

【水利科技】 （1）科研计划。制订下达了2009年水利科研和技术推广计划，共下达科研和推广项目90项，其中延续项目45项，新上项目45项。

（2）科技成果。向省科技厅、省山办和中国水利学会推荐科技奖励项目15项，成果质量好于往年，有7项成果获省科技进步和山区创业奖。

（3）重点项目。加强了重大科技项目的管理，河北省水利厅与北京市水利局合作的水利部重大科技项目——密云水库流域水土流失综合防治体系及示范推广研究，已按合同要求完成，待水利部验收；两个“十一五”国家科技支撑项目——大型灌区节水改造关键支撑技术、农村分质供水技术集成与示范，均按科技部要求顺利实施，并进行了中期评估；水利部“948”技术引进项目——区域水生态环境监测设备管理技术引进已按合同要求与德国供应商签订了商务合同，正在组织验收前的准备。

（4）外事工作。认真贯彻国家和省委省政府关于外事工作的有关规定，制定下发了《河北省水利厅外事工作管理办法》，安排了水利厅2009年出访计划。2009年派出12批48人赴国外参观考察、交流培训、执行施工任务，接待国外人员4批22人次，加深了与有关国家的科技交流与合作。接待了荷兰南荷兰省政府工作小组和政府代表团，组织了河北省水利代表团出访南荷兰省。2009年10月26—27日，在石家庄组织举办了第二届河北省—南荷兰省水利环保合作项目研讨会。河北省和南荷兰省政府部门、科研院所、高等院校、企业代表近80人参加了研讨会。两省水利部门在前三年合作基础上，又签订了2010—2011年合作备忘录。中德合作项目“官厅流域水土资源可持续利用研究”已与德国签订了合同，正在顺利实施。

(5) 职工教育。认真落实全省水利系统2008—2010年“653工程”培训计划，全年共举办各类技术培训班34个，完成人员培训1780人次，超额完成全年任务；河北省水利厅与河海大学联合举办的水文水资源工程硕士班3月14日在石家庄举行了开班典礼和首次面授，有38名学员被录取，全年进行了两次10门课程的集中面授。为提高基层水利骨干人员的业务水平，河北省水利厅科外处与水资源处4月下旬在河海大学举办了“河北省取水许可管理高级研修班”，有128名学员参加了学习。8月下旬在河北工程大学举办了全省非水利专业的水利（务）局长培训班，有63名市、县水利（务）局长参加了培训。两次培训均采取了教学、讲座、研讨、实践相结合的方式，收到了较好的效果。

(6) 学术交流。4月召开了河北省水利学会第八次会员代表大会暨民生水利与水利科技研讨会，5月与全球水伙伴（中国河北）召开了河北省沿海经济发展水安全保障战略对策论坛，6月召开了河北省水利学会青年科技工作委员会成立大会暨第四届青年论坛，三次会议均出版了论文集，共征集论文378篇，计120万字，为河北水利的发展提出了很多好的意见和建议。为进一步贯彻“科教兴水”和可持续发展战略，提高民主参与度，广泛凝聚社会各界智慧，对影响河北发展的重大水问题达成共识，增强管理的科学性，推动河北水利又好又快发展，水利学会对影响河北发展的20个重大水问题战略研究课题面向社会公开选聘研究单位，确定了8个单位20个课题组承担课题研究，2010年4月提交成果，为“十二五”规划编制提供技术支撑。

(7) 水博览会。为庆祝建国六十周年，在厅领导的高度关注和财务处的大力支持下，科技外事处会同办公室、宣传中心，制作了“河北水利建设六十年”展览和宣传画册，于国庆期间在水利厅展出，并于11月18—20日在北京展览馆参加了“2009年中国水利六十年”展览。组织300多人赴北京参观，河北省获得了“优秀组织奖”。

(8) 科技下乡。6月下旬，组织4名省内专家深入邢台、衡水等地农村，为农民送急需的水利知识、水利技术、水利技能；7月8日与水保处、石家庄市水利局在灵寿举办一期小流域综合治理示范和经济林果栽培技术培训班，共有78位承包大户、基层水保人员参加了培训，并进行了现场咨询指导。科技外事处会同人事处于8月12日为灵寿县东金山村赠送了包括种植业、养殖业、农副产品加工、法律法规、文学读物等内容的图书672册，价值8000多元，帮助该村建起了农家书屋。在水资源处、水保处、防汛抗旱办公室的支持下，落实科技支持资金55万元，共发放水利科技宣传材料4000多份，接受农民科技咨询100多人次，达到了普及水利科技知识的目的，取得了较好的效果。

（杨晓威）

【南水北调工程】 着眼2014年汛后实现南水北调中线通水目标，全力抓好邯石段和天津干线开工建设前的各项准备工作。邯石段和天津干线永久征地任务基本完成，工程招标工作基本结束，邯石段主体工程、天津干线各标段陆续进场施工，南水北调工程即将迎来第二个建设高潮。注重抓好省内配套工程前期工作，廊坊干渠可研报告省发改委已批复，初步设计报告已上报待批，其他干渠可研报告正在抓紧编制。

（杨晓威）

山 西 省

【概况】 2009年，山西省累计完成水利投资121.35亿元，其中市县和群众自筹14.24亿元；已建成大型水库7座，中型水库57座，现有大中型水库库容38.72亿m^3；当年新增有效灌溉面积2.51万hm^2，新增节水灌溉面积2.11万hm^2，当年实际灌溉面积达到107.4万hm^2；小型水利设施本年新增37处，累计达到14233处，小型水利灌溉面积9.54万hm^2；累计除涝面积8.91万hm^2；万亩以上灌区178处，万亩以上机电灌站656处，防渗长度59947.47km；累计堤防长度4234.57km；水利工程总供水量42.43亿m^3，其中向农业供水32.13亿m^3，向工业供水4.25亿m^3，向城镇生活供水1.44亿m^3，向乡村生活供水3.46亿m^3，为生态环境供水0.79亿m^3，其他供水0.36亿m^3；此外，水电供水27.03亿m^3；当年地下水开采量26.88亿m^3；水土流失累计治理面积509.39万hm^2，当年新增水土流失治理面积22.41万hm^2；当年解决农村饮水安全人口272万人。农村人畜饮水工程年供水量4.12亿m^3，农村自来水人口1698万人。全省小水电全年发电量1.7亿kW·h；水产品总量达到3.1万t，渔业产值达到4.03亿元。

（梁性英 王秀芳）

【水政】 (1) 加强水利立法，完善法规体系。配合山西省水资源管理委员会办公室并协调山西省政府法制办完成《山西省水资源征费稽查办法》的起草、意见征求及论证工作；完成2010年水利立法计划建议项目的报送工作，协调山西省政府法制办将《山西省抗旱条例》《山西省节约用水条例》列入省政府2010年立法计划；向山西省政府法制办报送了《山西省水利建筑市场各方主体信用管理暂行办法（试行）》《山西省水利科技优秀成果奖奖励办法》两部规范性文件，二者已经山西省政府法制办审查，并发布实施；组织完成了《中华人民共和国水土保持法（修订草案）》《中华人民共和国救灾条例》《山西省尾矿库安全生产规定（草案）》《山西省城市供水和节约用水管理条例》《山西省气象灾害防御条例》等20多部法律、法规、规章征求意见的回复与立法协调工作。

（2）水行政审批得以规范，水行政执法取得实效。①进一步规范厅行政审批窗口，对行政审批项目进行重新梳理，并按省审改办的要求向审批载体予以授权，向社会予以公示。②根据水利部《关于开展专项水行政执法检查活动的通知》精神，按照黄委、海委专项水行政执法活动实施方案的要求，及时下发了《山西省水利厅专项水行政执法检查活动实施意见》，针对性地组织了重点市县、重点区域、重点河段的专项执法检查，协助各市对重大违法项目、违法案件进行了查处，取得了一定成效。③按照水利部安监司《中西部地区水政监察基础设施建设实施方案》要求，与相关处室共同完成了《山西省2010—2015年水政监察基础设施建设初步设计》，并上报水利部。该项目的实施将较好地解决全省水政监察队伍基本执法装备严重不足的问题。④配合水利部、黄委、海委相继协调处理了河曲县违规修建堤防侵占黄河河道、保德堤防工程侵占黄河河道、阳高镇大沟上游河道堵塞问题、河津铝厂水源地违规取水、永济黄河滩涂违规取水等省际及涉及流域管理范围的水事纠纷，上述纠纷都已得到妥善解决。⑤按照省政府法制办《关于核发2007版行政执法证件的通知》要求，对水行政执法人员进行了培训，并核发行政执法证件。⑥修订完善了水行政执法各项制度。

（3）水法规宣传普及深入开展。一是把《中华人民共和国水法》《中华人民共和国防洪法》《中华人民共和国水土保持法》等水法律法规作为宣传重点，结合实际工作适时进行宣传。二是利用“世界水日”“中国水周”“12.4”法制宣传日，组织各市开展好集中宣传活动。围绕宣传主题，利用广播、电视、报刊等新闻媒介，以座谈会、发表纪念文章、领导讲话、文艺演出、制作宣传版面和张贴宣传画等形式举行声势浩大的宣传活动，向全社会大力宣传水法规。全省在宣传活动期间共发放宣传单8万余张，宣传画1万余张，宣传覆盖全省100%的城镇，95%以上乡村和90%的城乡居民。

（4）水务建设与管理稳步推进。一是加强了市县水资源的统一开发利用和节约保护工作，积极推进市县城乡涉水事务的统一，阳泉市水利局已改制为阳泉市水务局。二是安排了2009年水务建设项目计划，对年初确定的10个水务重点县建设安排了投资。

（渠性英　王秀芳）

【水资源】（1）严格实施取水许可制度，全面展开取水许可清理工作。2009年，共发放取水许可证93家，对28家新建、改扩建项目进行了取水许可申请初审意见和批复；对33家项目进行了取水意见批复；对到期的8家省发取水许可证给予换发，对2家新建项目发放了取水许可证。全年共查处水事案件6件，并得到协调解决。晋中、吕梁、运城、临汾、阳泉等市完成了全省取水许可数据库建设。

（2）全省信息化建设稳步推进。一年来，省水利厅按照“试点先行、重点推进、全面开展”的工作思路，较好地完成了水资源信息化建设工作，全省各市水资源信息中心均以建成，共计安装取水计量监控设备2500余台，水位自动监测170余套，基本对所有工业企业和自备水源进行了安装。

（3）制定规划，严格论证，水资源优化配置能力得到提升。①全省控制地下水超采成效显著，太原、晋中、临汾等7市实现地下水位止降返升，平均上升0.56m；太原市较上年同期上升1.87m，最高上升16.17m。阳泉市娘子关泉水源保护工程初见成效，重点泉眼水质已达到饮用水标准，泉域生态环境得到明显改善。同时，对兰村泉、晋祠泉实行关井压采，有力地改善了当地水生态环境。②完成了山西省地下水保护行动专题——煤炭开采区地下水的保护研究。③建设项目水资源论证工作深入开展。山西省严格按照水利部、国家计委发布的《建设项目水资源论证管理办法》，全面开展了建设项目水资源论证工作，全年共审查水资源论证项目13项。按照《建设项目水资源论证管理办法》和《水文水资源调查评价资质和建设项目水资源论证资质管理办法（试行）》规定，对到期乙级资质进行了审核和审查，对到期水资源论证专家进行了审核和续聘的申报工作，对新申报的水资源论证专家进行了审核和申报工作。

（4）积极配合水利部抓好太原、晋城、侯马三个全国节水型社会建设试点节水项目实施工作。2009年10月15—16日，水利部对太原市节水型社会建设工作展开中期评估，专家组给予充分肯定与高度评价。按照水利部《关于进一步加强用水定额管理的通知》精神，编制了《山西省农业节水定额编制大纲》，组织了农业用水典型县调查培训班，完成了全省19个典型县的农业用水定额调查任务。

（5）水资源费征收工作取得突破性进展。全省水资源费征收标准大幅度提高，超采区由1.2元提高到

3元，采矿排水按照开采矿石或原煤3元/t计征，全省征收水资源费达12亿元，实现历史性突破。

（渠性英 王秀芳）

【水利规划】 根据水利部和海委、黄委确定的流域综合规划修编工作进度要求，完成了山西省33条河流的流域综合规划报告。编制完成《山西省重点地区中小河流近期治理建设规划》，并提交流域机构和水规总院，最后水利部确定山西省有29条中小河流列入《全国重点地区中小河流近期治理建设规划》，其中有12条河流13个项目列入2009—2011年试点规划，于2010年启动实施，山西省已将2010年启动的8个项目计划上报水利部和财政部。启动了《山西省水利发展“十二五”规划》《山西省县城饮用水水源地规划》编制工作，编制完成了《山西省黄河水利用总体规划报告》《全省小型水库建设规划》《山西省供水体系规划》《山西省地下水开发利用与保护规划》《黄河古贤水利枢纽山西受水区规划》。

（渠性英 王秀芳）

【基本建设】 （1）应急水源工程取得重大突破。截至2009年底，由山西省委、省政府确定的35项应急水源工程，有33项开工，12项完工和基本完工。国家重点工程张峰水库，继枢纽建成蓄水后，输水总干63km和二干18km全部完成，具备通水条件。其中总干前25km穿越20座山峰，横跨17条河谷，龙王嘴渡槽单跨78m，是山西省水利工程建设史上跨度最长的渡槽工程；夹马口北扩工程建成投产；坪上应急引水工程通水到忻府区和原平；临汾和川引水枢纽下闸蓄水，输水工程全线贯通，具备沁河水自流调入汾河的通水条件；湾则水电站、西岁兴水库、千年水库、温峪引水、石门引水、陵川磨河等主体工程完工或基本完工，加上东焦河水电站、双峰水库，35项工程累计完成12项。正在加紧建设的北赵引黄工程，主要泵站和干渠已经建成，具备上水条件；柏叶口水库、禹门口东扩等已全面进入施工高峰，松塔水电站具备大规模施工条件。已完工和正在建设的这批应急水源工程，基本形成了覆盖全省中心城市的稳定供水格局，它不仅是山西省实施兴水战略的标志性工程，更是确保山西省长远发展、可持续发展的重大基础设施。

（2）水库除险加固。列入全国病险水库除险加固专项规划的101座水库，开工95座，完工58座。对未列入全国规划的小型病险水库，按照“轻重缓急、分期分批、市县包干、限期完成”的原则，由省市县自行筹资进行了应急处理，确保了水库安全度汛。同时各市按照淘汰和新建1∶1.2的比例进行了新的水库规划。

（3）规范水利工程建设管理。按照水利基本建设的有关规定，年初先后制定出台了《关于进一步明确全省水利工程招标投标监督管理工作的通知》《关于进一步加强水利工程项目法人组建工作的通知》和《山西省水利建筑市场各方主体信用管理暂行办法》三个管理办法。规范了项目法人机构，所有在建工程均已组建了完善的项目法人机构。对进入山西省水利建设市场的所有企业强化信用管理，增强合同履约意识和履约责任。全年共有165家企业办理信用备案手续，有114家企业正式备案。此外，省水利厅进一步严格开工审批、工程招标审批及工程技施设计。

（渠性英 王秀芳）

【防汛抗旱】 （1）汛情。2009年汛期6—9月山西省平均降雨量313.8mm，与历年平均值353.2mm比较偏少11%，在时间分布上，6—7月雨量较历年明显偏少，8—9月降雨量明显偏大。在空间分布上，降雨主要集中在忻州以南和长治、临汾以北的山西省中部。太原、晋中、吕梁、阳泉暴雨次数和降雨量都较历年同期明显偏多，降雨量依次比历年同期偏多70%、14%、49%、35%。受降雨影响，山西省部分河流发生洪水：浊漳西源8月17日洪峰流量620m^3/s；汾河义棠站9月10日洪峰流量298m^3/s；黄河龙门站9月1日5：30洪峰流量1830m^3/s。除部分河段漫滩外，洪水未造成灾情。全省共有8个市、30个县、102个乡镇、18.8万人遭受洪涝灾害，直接经济总损失4.5亿元，其中农业直接经济损失3.4亿元，工业交通运输业直接经济损失0.34亿元，水利经济损失0.23亿元。

（2）防汛。①落实了以行政首长为核心的防汛责任制。明确了全省重点防洪水库、河道和城市的防汛责任人，各市县也在媒体公布了防汛重点部位的防汛责任人。全省731座水库、206座骨干淤地坝和1249处边山峪口等也分别明确了行政责任人、技术责任人和报汛责任人，真正做到防患于未然。②创新防汛检查监督机制，按隶属权限落实分级分部门责任制。从4月开始，山西省开始了防汛检查：一是由县到市，自下而上，层层检查、落实隐患处理责任，各市县的主要领导和分管领导亲自带队检查指导防汛工作；二是各有关部门按隶属权限分工，查找和排除隐患，国土部门检查滑坡等地质灾害；安监部门检查尾矿库；建设部门检查城乡危房和城市防洪隐患；教育部门检查学校危房；水利部门检查水库、淤地坝、河道等，整个检查纵横结合，不留死角。7月初，省水利厅又组织了11个检查组，对各市检查情况从9个方面进行了抽查。③超前部署，科学调度，全力做好防汛各项工作。各级党委政府和防汛部门超前部署，及时启动应急预案，全方位做好应对准备。灾害发生时，各级党政主要领导亲自指挥调度，广大干部提前到岗到位，靠前指挥，奋战在抗灾抢险第一线，各级防指根据天气变化和雨情、水情、险情、灾情，及时组织会商，及时科学决策，特别是对各类水库实施科学调度，使之充分发挥拦洪错峰作用，既有效减轻水库上下游防洪压力，又充分发挥水资源的灌溉、发电、生态等综合效益。灾害发生后，各地以最快的速度、最有力措施，妥善安排群众生活，确保灾民有房住、有饭吃、有衣穿、有干净水喝，并迅速开展生产自救和恢复重建工作。④层层落实责任制，强化基层组织防洪措施。一是行政首长责任制。实行市级领导包县、县级领导包乡、乡干部包村的责任体系，层层落实责任制，一级对一级负责，一级对一级督查。二是基层组织防灾责任制。凡是有山洪防御任务的乡村，都制定了防灾责任制，全面实行村干部包组、党员骨干包户的工作机制，每个村都明确了监测员、报汛员，组建了应急小分队，各司其职，各负其责。三是水库保安责任制。对所有水库，按照“泄洪畅通、道路畅通、通信畅通、供电畅通”和“责任落实、预案落实、队伍落实、物资落实、防守落实”的要求运行，小型水库和重点淤地坝，每一库、每一坝都有专人值班，关键时刻上领导，上技术人员，上抢险队伍，24小时严防死守。省防指建立了严格的责任追究制，对领导不力、失职渎职或处置不当而造成严重后果的防汛责任人进行严肃处理，并依法依纪追究责任，这对严肃各级干部的防汛纪律、保证抗灾胜利起到了重要作用。⑤强化应急管理体系建设，提升防汛应急指挥能力。一是不断修订、完善各类防洪预案，切实提高预案的科学性和可操作性。2009 年，山西省水利厅先后对全省 46 个重点防洪城市（含县城）的技术人员和全省 119 个县防汛总指挥进行了防汛业务、防洪预案专题培训，以更好地指导和应对防汛抢险工作。二是有效提高防汛指挥系统的科学决策水平。密切关注天气、水文、汛情的变化，加强预警、预测和预报工作，实行定期会商制度，每周对前一周的汛情进行分析总结，对下一周的动态进行分析研究。并根据收集的卫星云图、水雨情信息与国家及各市防汛指挥机构实现视频会商。此外，建成了省直属汾河水库、汾河二库、漳泽水库 3 座大型水库和永定河上游册田水库、东榆林水库以及汾河干流的视频监控系统，对大坝枢纽、河流关键段等部位全天候实施监控，随时掌握工程的运行与管理情况，确保重点工程的防汛安全。三是全力落实防汛物资和抢险队伍。全省有编织袋、铅丝、冲锋舟等各类防汛抢险物资，总价值达 5600 多万元。5 支防汛专业抢险队、115 支抗旱服务队在汛期抢险救灾中发挥重要作用。四是加强防汛值班，确保防指系统信息通畅。山西省防汛抗旱指挥部多次以明传电报对值班工作提出了明确的规定和要求。值班实行领导带班和工作人员值班相结合的 24 小时值班制度。7 月 9 日起实行汛情零报告制度。

（3）旱情。2009 年山西省遭遇了 50 年一遇的冬春连旱。对全省冬小麦产量和春播工作带来严重影响，夏粮减产幅度较大。同时造成全省 110 多万人发生临时性吃水困难。夏伏旱虽然仅在大同、朔州、长治、晋城、临汾、运城六市发生，但这六市的秋粮播种面积占到全省秋粮播种面积的 60%，由于受旱程度较重，秋粮产量受到严重影响。

（4）抗旱。面对持续旱情，山西省先后 3 次发布干旱预警，启动相应的抗旱应急响应，有效促进了抗旱减灾工作的开展。面对特大旱情，省委省政府高度重视，累计下达中央和省级抗旱资金 8850 万元用于抗旱。首次启动省长预备金 2650 万元用于抗旱减灾。为各县配备了 125 辆供水服务车和 1153 台水泵，确保了大旱之年全省人民的饮水安全。安排抗旱资金 1500 万元用于大中型泵站电价补贴。通过实施高扬程电价补贴政策，充分调动群众用水的积极性。13 处沿黄泵站比正常年份多提水 7100 万 m^3，增加灌溉面积 2 万余 hm^2，为农业增产和农民增收发挥了积极作用。

（渠性英　王秀芳）

【农村水利】　（1）农业灌溉。2009 年，山西省出台了灌溉电价水价补贴政策，灌溉电价由 0.269 元/（kW·h）降到 0.06 元/（kW·h），水价由 0.507 元/m^3 降到 0.25 元/m^3。这一政策极大地调动了农民群众的用水积极性。农业灌溉的硬件得到有效恢复与提高。全省实灌面积去年突破 107.3 万 hm^2，创历史最好水平。汾河等十大灌区节水改造和夹马口、尊村、西范三大泵站改造进展顺利，小型农田水利建设项目扎实推进。按照省委、省政府安排，编制完成了《西山沿黄地区黄河水利用规划》。

（2）城乡节水。山西省共有 9 个节水型社会建设试点县，共对 3100 眼机井实施了用水计量监控、对 51 眼机井实施了地下水位监控，并与数字水利中心监控系统完成对接，初步实现了省级部门对各县地下水位的远程实时监控。各试点县结合本地水资源和供用水实际情况，充分发挥水行政主管部门的职责，制定节水型社会建设规划并实施有关工作，在各行政区域起到了较好的示范作用。同时，山西省启动了平川县地下水位监测工作。在用水计量控制监测体系建设方面，全省安装 IC 卡用水计量控制器 1822 台；地下水位自动监测装置 60 套，可在 60 分钟内完成收集地下水位数据；建立水务局信息化总站和 11 个乡镇子站，与省数字水利中心进行了对接。

（渠性英　王秀芳）

【水土保持】　2009 年，山西省水土保持各项工作任务圆满完成。全年新建淤地坝 305 座，完成水土流失初步治理面积 $2100km^2$，实施生态修复面积 $4160km^2$，分别超额完成计划 $2000km^2$ 和 $4000km^2$ 的 105%和 104%。全年共完成中央和省级财政投资

5.16亿元。

(1) 水土保持预防监督工作稳步推进。全年共开展水保监督执法1031次，检查项目277个，审批开发建设项目水土保持方案255个。煤炭行业生态补偿取得突破性进展，山西省从煤炭可持续发展资金安排水利水保工程资金达8亿元。全省开发建设项目水土保持方案申报率、实施率和设施验收率均达到90%以上。

(2) 水土保持监测预报能力得到提高。山西省启动"全国水土保持监测网络和信息系统"二期工程建设，在全省建设36个监测点，已完成初步设计工作，右玉县毛家岭监测点已开工建设。首都水资源水保项目在连续几年的实施中，11个项目区的监测报告系统、完整，被水利部认定为项目建设中的一大亮点；黄土高原淤地坝工程连续4年在不同类型区开展的典型坝系监测工作已取得初步成果。开发建设项目监测范围不断扩展，已涉及到煤炭、电力、天然气、水利等多个行业，全省10多个大型开发建设项目开展了水土保持监测。

(3) 生态自然修复取得新成效。山西省全面推广"小治理，大保护，以小促大"的治理模式，加快生态恢复和改善的步伐，同时以发展民生水保为突破口，在低山、近村、靠水源的地方发展经济林果，沟道发展坝系，配套小水工程建设高产稳产田，以小面积治理促进大面积的生态修复。截至2009年底，全省共有7个市、102个县（市）分别出台了相关的封禁治理政策，开展生态修复面积达到2.5万km^2，占全省水土流失面积的1/4。

(4) 民营水保事业发展势头良好。省水利厅重点对全省112户民营水保大户进行了扶持。全省承包或购买"四荒"面积在33.33hm^2（500亩）以上的民营水保大户5132户，承包或购买面积达177万hm^2，治理水土流失面积81hm^2。

(5) 淤地坝建设与管理稳步推进。山西省结合本省实际总结出了一套加强淤地坝工程建设与管理、保证工程安全运行的好经验与好做法，并出台了《关于进一步明确水保淤地坝安全运行中有关问题的意见》《关于对吕梁市方山县木瓜沟等23座淤地坝进一步规范管理加强安全监管的意见》《关于推广大宁县淤地坝管理工作经验将管护经费纳入县级财政预算实行一人一坝管护制的通知》等办法。水利部对山西省的做法给予充分肯定，并在黄河上中游七省区推广。山西省组织技术力量对存在隐患的206座大中型淤地坝逐坝进行了检查，病险较严重的67座淤地坝的应急除险初步设计审批工作已完成，对下游有村庄、厂矿等重要设施但未建设的62座淤地坝坝址进行了调整，并完成初步设计的审查和中型坝的审批工作，水利部对山西省的做法给予充分肯定，并建议将病险坝排查方案和处理措施向相关省区推广。（渠性英　王秀芳）

【城乡供水】　饮水安全全覆盖是山西省政府工作报告对水利系统明确要求的工作任务。2009年解决农村饮水安全人口272万人，是山西省农村饮水投资力度最大、受益人口最多的一年。全年新建成饮水工程5000处，占年初目标任务的136%。从无水到有水，从苦水到甜水，从挑水到自来水，全省农村饮水状况得到根本性改善。央视《新闻联播》和《人民日报》头版头条予以报道。（渠性英　王秀芳）

【地方水电】　(1) 农村电气化县建设进展顺利。"十一五"期间，国家批准我省左权、平顺、盂县、陵县、沁水、阳城7县列入全国水电农村电气化县建设范围，共涉及9个项目。其中，新建工程2项，技改工程7项。总装机1.41万kW，输变电容量4000kVA。

(2) 小水电代燃料试点项目实施成效显著。完成了首批小水电代燃料试点项目——晋城市东焦河水电站设计变更方案的批复；完成了扩大试点项目——定襄县南庄小水电代燃料项目一级站电源工程和项目区的建设；完成了扩大试点项目——陵川县夺火小水电代燃料项目电源工程浆砌石枢纽大坝主体工程，执行了代燃料到户电价0.26元/（kW·h）；完成了扩大试点项目——阳城县东冶小水电代燃料项目区改造工程，执行了代燃料到户电价0.295元/（kW·h）。此外，2009年新上左权县苏公水电站、灵丘县上沿河水电站、平顺县湾里水电站、沁水县佛圪咀4个小水电代燃料项目进展顺利。（渠性英　王秀芳）

【渔业建设】　山西省无公害水产品产地认定和产品认证工作扎实推进。2009年新认定无公害水产品产地13家，新增无公害水产品产地认定面积767hm^2。向农业部农产品质量安全中心推荐申报了20个产品的认证。截至2009年底，全省累计认定无公害水产品产地29家，认定面积2153hm^2，累计通过农业部认证的无公害水产品19个，产量1900t。山西省渔业专业合作社已发展到26家，"基地＋农户""协会（合作社）＋农户"的养殖发展模式促进了水产业的投入和发展；名特优新品种的产量占水产品产量的比重进一步加大，鲈鱼、新吉富罗非鱼、鲟鱼、甲鱼、南美白对虾等名优品种养殖已渐成气候，开展了黄颡鱼、美国红点鲑、哲罗鲑、小龙虾等名优品种的试养，并取得成功；上规模、上档次的集休闲、观赏、垂钓、餐饮、住宿为一体的综合生态休闲渔业园不断涌现。在农业部对山西省的两次共计50个样品的产地水产品质量安全监督抽查中，抽查合格率均为100%。12月，举办了全省有史以来规格最高、规模最大的一次水产品质量安全法律法规暨水产健康养殖技术培训班，培训班特邀农业部渔业局、全国水产技术推广总站、国家水产品质检中心及美国大豆协会的有关领导和专家进行讲解。开展池塘微孔管道底部增氧新技术示范，并在运城市率先进行试点和示范推广，试验池面积 4.7hm^2，试验表明，该技术成效显著。完成了《山西省水生生物增殖放流规划（2010—2015 年）》编制工作。在全省 11 个水库、3 个重点河段组织开展了渔业资源增殖放流活动，并与吕梁市政府联合举办了黄河碛口段渔业资源增殖放流活动，全年放流各种经济鱼类 1620 万尾，有效地带动了水管单位效益增长和沿河、沿库农民的增收。初步完成了《山西省水生动植物彩色图谱》，组织申报的沁河特有鱼类国家级水产种质资源保护区项目顺利通过农业部评审，配合农业部黄河流域渔业资源管理委员会完成了黄河流域（山西段）渔业资源调研，落实渔业资源养护及修复课题 2 个。山西省垣曲县渔政监督管理站和长治市渔政监督管理站被农业部确定为全国渔业文明执法窗口单位。加强了对水上非法作业渔船的监管，全年实现了"渔船一般事故发生率为零"。

（渠性英　王秀芳）

【科技外事】　全年完成了 4 个科研项目的验收和 2 个科研项目的鉴定，其中，4 个科研项目达到国内领先水平，2 个科研项目达到 A 级。10 月，联合国粮农组织及英国、印度、突尼斯等国专家对夹马口灌区进行考察，为联合国粮农组织和日本政府资助的两个水资源配置和灌区现代化规划项目立项提供了基础依据。11 月，邀请美国犹他大学冶金工程系教授、博导王旭明举办水污染治理及水生态保护专题讲座，并实地考察了汾河河道、二坝等断面和汾河二库的水污染状况，其科学的理论和可渗透反应墙以及优选吸附材料等成功技术将对山西省实施兴水战略起到良好的推动作用。建立了水利科研推广专家库，共收录水利工程、农田水利、水文水资源、水土保持等 12 个专业 268 名专家，为今后开展水利技术联合攻关及推广、鉴定等工作提供了基础依据。（渠性英　王秀芳）

【水利改革】　水利投融资改革和体制机制创新取得重大突破。按照现代企业制度的要求，山西水务投资有限公司正式组建并良好运作，全年授信 50 亿元，融资 20 亿元，为水利建设提供了资金保障。基建加农建的水利工程建设模式得到进一步推广，在夹马口北扩、北赵引黄等大型灌溉工程中发挥了重要作用。阳泉市整体推进水务一体化取得突破，为全省起到了示范作用。

（渠性英　王秀芳）

内蒙古自治区

【概况】　2009 年是内蒙古自治区水利工作任务极其繁重、水利发展与改革加快推进的一年。全年下达水利投资计划 36.29 亿元，其中国家投资 18.28 亿元，自治区投资 12.51 亿元，盟市、旗县配套 5.50 亿元。另外，还吸引社会融资 10.42 亿元。水利工程建设充分发挥吸纳投资大，产业链条长，能迅速形成实物工程量等优势，对自治区经济平稳较快发展形成了有力的拉动作用，进一步改善了人民群众的生产生活条件，为保持自治区经济平稳较快发展提供了有力保障。

（李建国）

【水政】　出台了《内蒙古自治区水利前期工作技术审查与行政审批管理办法（试行）》和《内蒙古自治区水文监测资料使用审查办法（试行）》两个规范性文件。向自治区人大和自治区政府法制办上报了立法计划，《内蒙古自治区农村牧区饮用水管理条例》（送审稿）草拟完成，并经厅长办公会议通过。

（1）在黄河汛期前，派出 2 个检查组对自治区境内黄河段进行全线巡查，对发现的问题，令其限期整改。

（2）在松辽委的主持下，自治区水利厅与辽宁省水利厅通力合作，为妥善协调内蒙古赤峰市敖汉旗和辽宁省建平县老虎山界河由来已久的水事纠纷，共同委托松辽水利水电开发有限责任公司编制《老虎山河治理规划报告》。

（3）配合自治区人大开展了贯彻《中华人民共和国水法》和《内蒙古自治区实施〈中华人民共和国水法〉办法》执法检查活动。

（4）对内蒙古兴和县和山西省阳高县之间的镇大沟流域尾矿渣堆积影响行洪情况进行了执法检查，并责令当地水政部门加强对相关企业的管理，避免因暴雨引发的灾害性事故的发生。

（5）配合黄委调查协调内蒙古准格尔旗和山西省河曲县黄河界河水事纠纷，并达成了拆除涉河违章建筑方案。第一批违章建筑工程已基本完成，并通过了黄委的初步验收。

（6）针对丰镇市京隆发电有限公司违法取用地下水和违法建设跨河管道进行了行政处罚。罚款 15 万元，并责令其限期补办有关手续。

（7）积极配合水利部调处乌审旗与陕西省榆林市无定河水事纠纷，使之得到妥善圆满的解决，保证了取水工程的顺利实施，保障了该旗工业园区用水。

（8）承办了涉及水利方面的行政复议案件 3 件，答复内蒙古政协委员提案 1 件。

（李建国）

【水资源】　自治区水利厅从全区的基本水情出发，以科学发展观为指导，以建立水资源管理的"三条红线"为重点，加强对水资源的合理开发、综合治理、优化配置、全面节约、有效保护等方面工作，强化水行政主管部门的水资源管理与监督职能，统筹考虑全区经济社会发展与水资源节约、水环境治理、水生态保护，切实加强水资源的管理和保护，努力“管好资源权”。结合全区水情和区情，从各级政府和水行政主管部门入手，分行业有针对性地开展节水型社会建设工作。

（1）强化节水管理和考核管理。在农业方面，大力推广节水灌溉技术，鼓励采用先进的农业节水技术，着力提高农业灌溉水有效利用率，全区农业用水效率显著提高。2008年全区节水灌溉面积已达200.71万hm^2，全区节水灌溉面积占农田有效灌溉面积的70%，并且提出在保证粮食生产能力和粮食安全的前提下，西部地区农业用水实现零增长或负增长。全区农业亩均用水量从2005年的431m^3/亩减少到2008年的327m^3/亩。2009年全区农业灌溉水有效利用率已达44%，预计2010年可以完成自治区水利发展“十一五”规划目标。

在工业方面，审批建设项目水资源论证时严格限制高耗水行业的用水，要求新建项目必须采取先进节水工艺，积极配合相关部门做好关停小机组和更新落后产能技改工作，并对工业企业开展水平衡测试工作，核定企业合理用水量，加强企业计划用水等。2008年全区万元工业增加值用水量为255m^3，万元GDP用水量为62m^3。预计2009年万元工业增加值用水量为220m^3，万元GDP用水量为55m^3左右，均已提前3年完成自治区政府要求的2010年节能减排实施方案目标。另外，2008年，全区工业用水重复利用率已达55%，完全可以实现2010年底达到60%的既定目标。

在城镇生活方面，加强供水、排水管理和城镇供、排水管网改造，全面推广节水器具，2008年全区人均城镇生活用水（含公共用水）为130L/人，预计2009年不会突破200L/人。

通过把万元GDP、万元工业增加值用水量、工业用水重复利用率等主要指标列入各盟市年度考核目标责任，提高了各级干部节水意识，更好地促进了节水型社会各阶段目标任务的完成。

继续开展节水型社会建设试点工作。2009年，包头市作为全国第二批节水型社会建设试点，已完成节水型社会建设中期评估工作；呼和浩特市和鄂尔多斯市作为全国第三批节水型社会建设试点，节水型社会建设规划已通过水利部审查，下一步将履行报批程序。

加大节水型社会宣传工作，组织开展第二批节水型园区、节水型社区和节水型企业的申报评比活动，有效利用电台、电视台等媒体宣传节水知识。联合自治区团委、少工委开展“珍惜宝贵水资源养成节约好习惯”主题活动，营造全民、全社会节水的良好氛围。

（2）以加强水资源管理与配置工作为抓手，努力管好资源权。为贯彻落实科学发展观，转变政府职能，提高行政效能，促进行政决策的科学性、民主性，积极推进水利前期技术审查、审批分离工作，完成报告审查36份，通过批复的水资源论证报告11份。

严格执行取水许可和水资源论证制度，促进水资源优化配置。在审批过程中，严格按照国家产业政策，优化配置水资源，坚持传统和非传统水资源开发相结合的原则、鼓励使用中水、疏干水等非传统水源，合理开发地表水，严格控制地下水，坚持新项目新定额，严格禁止高耗水、高污染的项目，努力“管好资源权”。为了掌握全区已批复建设项目水资源论证水源取用水情况，避免无望上马的企业空占宝贵的取水指标，促进已经取水企业纳入正常取水管理，规范企业取水行为，开展了建设项目水资源论证后续跟踪调查工作。

坚持以总量控制为核心，通过计划用水管理控制取水总量，严格取水管理。为了做好西辽河分水工作，多次深入地方进行协调。为争取取水权最大化，在流域取水许可总量控制指标方案编制和征求意见过程中，通过不同途径多次向水利部和流域委反映自治区要求，并由厅领导带队赴各流域委进行协调工作，达到了预期效果。

以水功能区管理为载体，进一步加强水资源保护。重点加强饮用水源地保护和监督管理，完善相关预警制度；强化水功能区监督管理，结合入河排污口监督管理，开展了全区水域纳污能力核定及限排意见报告的编制工作，并完成初稿；切实加强地下水资源保护工作，在全区开展地下水保护行动计划，通过加大力度开展核查关闭自备水源井、治理区域违规取用地下水行为等途径，减少区域地下水取水量，控制地下水位持续下降的趋势，恢复地下水健康生态系统。

加强监督，开展全区水资源管理工作执法检查。在组织完成对全区各盟市水资源管理情况检查调研的基础上，配合自治区人大完成了全区水法和实施办法执法检查工作。形成《关于〈中华人民共和国水法〉和〈内蒙古自治区实施水法办法〉执法检查情况报告》，并通过自治区十一届人大常委会第十次会议审议通过。

以先进技术为基础，提高水资源管理水平。建立与用水总量控制、水功能区管理和水源地保护要求相适应的监控设施和管理平台，准确了解各企业实时用水情况，强化水资源使用的计量管理，规划建设自治区水资源远程实时监测系统。《内蒙古自治区水资源管理信息系统可行性研究报告》组织编制工作已完成，已报自治区发改委审批。

（3）以鄂尔多斯市二期水权转换为突破口，全面推进水权转换工作。结合鄂尔多斯市高效节水的现代农业基地建设，在巩固一期工程建设的基础上，水利厅进一步推进水权转换二期工程建设。目前，鄂尔多斯市水权转换二期工程规划、可行性研究报告和初步设计均已通过黄委会批复，新增工业项目用水1亿m^3。

全区其他盟市也积极开展适合当地情况的水权转换工作，其中阿拉善盟水权转换灌区节水改造工程已开工建设；巴彦淖尔市由当地水务公司牵头成立法人机构；包头市经过充分调研，确定借鉴鄂尔多斯市点对面的模式进行准备工作。

（4）以统筹生活、生产和生态用水为目标，全力做好黄河和黑河水调工作。组织编制了《黄河内蒙古段旱情紧急情况下水量调度应急预案》，并由自治区政府批准实施。

黄河水调工作。2008—2009年度自治区黄河水量调度工作面对气候干旱、小麦等高耗水粮食作物面积扩大、干热水地面积大、灌溉需水量增加等多种不利因素，积极采取抗旱节水措施，按月、按旬、关键时期按日的水量调度方式，本着实行总量控制、年终结算、下年度扣除的原则，较好地完成了本年度任务，为当地农业增产农民增收奠定了基础。

黑河水调工作。根据黄委和黑河局要求，按时保质保量完成黑河调水工作，按期报送了黑河额济纳绿洲生态配水计划，以建立平衡生态系统理论为指导额济纳绿洲生态保护工作，同时完成自治区及水利厅黑河水调工作责任人报送工作。2008—2009水调年度3次输水到东居延海、两次水头进入西居延海，首次实现东、西河春季同时全线过流，东居延海实现连续4年多不干涸，全年入湖水量6471万m^3，最大水面面积40.5km^2，达到自统一调度以来最大水面面积，东居延海周边生态用水及下游生态环境得到进一步改善。为控制合理的林草面积，保证湖区生态健康发展，水利厅经多次协调，委托自治区水文总局对居延海水质进行取样分析工作，掌握第一手数据，为居延海生态环境恢复工作提供有力的数据支撑。

（5）以建章立制为手段，积极完善水资源管理相关制度。通过联合自治区发改委、财政厅开展水资源征收标准修订工作，充分借鉴兄弟省区意见，开展了大量的调研工作，结合自治区实际情况分地区、分水源类型对水资源费征收标准进行调整。该工作已完成，并两次征求盟市意见，力争2010年尽快完善报批后颁布实施。

组织完成了《内蒙古自治区行业用水定额》修编修订工作，将定额标准与全区经济社会快速发展的现状相适应。目前，自治区技术监督局已经完成征求自治区相关部门意见程序，预计2010年下发执行。

自治区水利厅和发展改革委联合开展的《内蒙古自治区工业发展水资源可持续利用规划》已通过批复，2010年下发盟市贯彻实施，为引导地方经济布局和产业结构合理调整，推进经济发展方式转变提供了技术依据。

开展了全区节水条例前期起草调研工作。

（李建国）

【水利规划】（1）对《全区水资源综合规划》进行了修改和完善，对流域机构完成的各流域水资源综合规划提出了具体意见。

（2）成立了黄河、辽河、嫩江、界河流域综合规划修编工作领导小组及办公室，并组成了专家咨询组。该项工作正顺利进行。

（3）编制完成《内蒙古中小河流治理规划》，已报请自治区政府批复。重点地区中小河流治理近期三年实施规划已完成，并已分别到各流域机构进行了汇总。目前，水利部已汇总完成并已通过审查。

（4）《黄河内蒙古河段近期防洪工程建设可行性研究报告》已经水利部水规总院复审，并通过了中国国际工程咨询公司两次评估。目前水利部已再次上报国家发改委，等待批复。

（5）《黄河内蒙古河段应急分洪工程可行性研究报告》已通过黄委审查。目前自治区发改委已进行了批复。初步设计已编制完成。

（6）海勃湾水利枢纽工程可行性研究报告已经国家发展改革委批复，初步设计正在编制。目前正在做开工前的各项准备工作。

（7）《内蒙古国际界河近期治理规划》已经水规总院审查，并已通过了中国国际工程咨询公司评估，目前等待国家发改委批复。

（8）按照水利部的具体部署和安排，《内蒙古大中型病险水闸除险加固专项规划》《内蒙古自治区抗旱规划》《内蒙古地下水利用与保护规划》正在抓紧编制。

（9）亚行货款松花江洪水管理项目的尼博汉堤防、乌兰浩特城市堤防、非工程措施三个子项目目前正在建设中；已开工的都尔本新项目已基本完成；替换项目初步设计已批复，工程正在建设中。

（10）为积极争取国家新增资金，及时准确地上报了大江大河防洪工程、病险水库除险加固工程、重点水利枢纽建设工程、大型灌区节水改造工程、节水增效示范工程、大型灌排泵站更新改造工程、水土保持工程、安全饮水工程计划，为争取2009年国家新增水利投资奠定了基础。

2009年，全区已下达水利投资计划33.31亿元，其中：国家投资17.78亿元，自治区投资9.92亿元，盟市旗县配套5.61亿元。国家投资中：水土保持重点工程2.67亿元；大江大河防洪工程1.31亿元；安全饮水工程5.8亿元；病险水库除险加固工程2.88亿元；灌区及节水抗旱工程4.42亿元，大型灌排泵站更新改造工程0.7亿元。

（李建国）

【基本建设】 (1) 2009年，内蒙古重点水利工程建设项目进展顺利，三座店、绰勒、哈拉沁、美岱、霍林河、德日苏宝冷、红花尔基、大石门、呼伦湖治理、引乌入通、乌力吉木仁枢纽、阿塔山等13座重点民生水利工程稳步推进。绰勒水利枢纽、哈拉沁水库、呼伦湖治理已完工待验收，其他工程施工有序开展。

(2) 列入《全国病险水库除险加固专项规划》的131座水库，初步设计批复全部完成，现已全部开工建设，其中90座（大型2座、中型11座、小型77座）已下达投资计划，其中中央投资56643万元，地方配套37829万元。工程建设总体进展顺利，工程质量总体良好，未发生重特大质量与安全事故。

(3) 2008年底和2009年共下达国际界河护岸工程和黄河防洪工程投资计划2.65亿元，其中国家1.88亿元，建设国际界河护岸工程42.7km，黄河堤防加固48.8km、险工治理6.0km。工程进展基本顺利，其中黄河防洪工程已大部完成，国际界河护岸工程预计2010年汛前全部完成。

(4) 开展了水管体制改革督察工作，重点抽查了改革任务重的旗县，督察效果显著。

(5) 根据水利部要求，全区共完成中型病险水闸安全鉴定工作，编制了《内蒙古自治区大中型病险水闸除险加固专项规划报告》，已经过流域机构松辽委、黄委审核。

(6) 开展水库大坝安全鉴定工作，完成水库大坝安全鉴定的水库47座，其中中型水库3座，小型水库44座。

(7) 完成包兰线乌拉山至锡尼铁路黄河大桥、国家高速公路网荣成至乌海高速公路十七沟至大饭铺黄河大桥、达拉特电厂至包头生态铝业园区220kV输变电线路工程跨越黄河段、磴口金牛电厂2×330MW接入乌海北500kV输变电线路工程跨越黄河段、黄河乌海市海南区巴音陶亥镇大桥村北矿山地质环境恢复治理工程、朔州至准格尔铁路跨越黄河特大桥等6项河道管理范围内建设项目防洪评价报告审查工作。

（李建国）

【防汛抗旱】 (1) 2009年春季开河期，黄河内蒙古段防凌形势十分严峻，总槽蓄水量接近历史最高值，三湖河至头道拐区间槽蓄水量连续7天超过历史最大值。自治区防指在国家和自治区各级党委、政府大力支持下，充分发挥人民解放军和武警部队防凌抢险主力军作用，动员沿黄6个盟市、19个旗县区力量，取得了开河期防凌工作的全面胜利，实现了国家防总、黄河防总、自治区党委、政府提出的确保黄河防凌安全的目标。特点是：领导重视、靠前指挥；准备充分、扎实应对；超前部署、有效防御；积极探索、方法创新；强化监测、信息畅通；多措并举、合力抗灾。

(2) 2009年汛期，全区降雨相对偏少，局部地区发生暴雨山洪，造成不同程度的灾害损失。西辽河干流、嫩江干流水位平稳，没有发生大洪水。

(3) 2009年，内蒙古遭受了历史上罕见的干旱灾害。受旱范围涉及12个盟市，受旱时间长，春旱、夏旱、秋旱接连不断。东部部分地区旱情严重。全区农作物受旱面积最大达到315.13万hm^2，重旱135万hm^2，农作物干枯48.66万hm^2。因旱造成189万人、427万头（只）牲畜饮水困难。牲畜死亡40多万头（只）。为应对旱情，全区各级党委、政府组织广大干部群众、动员全社会力量，采取各种有效措施抗旱保生产、保稳定工作，累计投入抗旱资金1.9亿万元，群众自筹10亿万元，使旱灾损失降到最低程度，有效保障了工农牧业生产和社会稳定，保障了全区粮食生产在大旱之年夺得了历史上第二个丰收年。

（李建国）

【农田水利】 据水利年度统计，截至2009年9月底，全区农田草牧场水利建设投入资金36.68亿元，其中国家投资16.54亿元，地方及群众投资20.14亿元。农牧民投工7434万工日。完成土石方21756万m^3。新打各类井26280眼。全区新增有效灌溉面积13.36万hm^2，其中新增灌溉饲草料地面积2.43万hm^2；新增节水灌溉面积20.05万hm^2；新增供水受益人口108.57万人。农牧水利建设继续保持了平稳发展的良好势头，为农牧业和农村牧区经济社会又好又快发展提供了有力支撑和保障。

2009年农牧水利建设亮点突出，呈现出三个显著特点：①农牧水利投入实现历史性突破。中央投资规模创历史新高，是2008年的150%，同比增加5.5亿元。地方和群众投入明显增加，是2008年的122%，同比增加4.0亿元。②民生水利工程建设明显加速。12个小型农田水利重点县建设全面启动实施；安全饮水工程提速推进，改善民生成效显著。③节水灌溉重点工程建设全面推进。14个大型灌区续建配套与节水改造项目、节水灌溉示范项目进展顺利，4个大型灌溉排涝泵站改造工程启动实施。以重点节水灌溉项目为依托，全区粮、油、薯、菜、草、料特色种植和设施农业为重点的农牧业产业化生产基地和园区建设初具规模，综合效益凸显，形成抓节水、调结构、促增收的良好发展格局。四是牧区水利建设迈出新步伐。灌溉饲草料地稳步发展，以建促退效果明显，牧区经济发展与草原生态保护协调发展能力不断增强，促进民族团结、社会稳定、边疆安宁的基础进一步巩固。

（李建国）

【水土保持】 (1) 实施的东北黑土区水土流失综合防治工程、国家水土保持重点建设工程、京津风沙源治理工程水利水保建设项目、黄土高原淤地坝系工程和黄河水土保持生态项目、水库库区及移民安置区坡改梯试点项目等水土保持重点工程治理力度进一步加大。同时，结合面上治理，全年共完成水土流失综合治理面积 4851.3km^2。建设淤地坝 110 座，小型蓄水保土工程 4093 处，治理小流域 219 条，实施封育保护面积 2532.41km^2。国家投资继续保持良好态势。2009 年国家投资达 2.16 亿元；国家投资标准大幅提高。中央投资标准由不足 10 万元/km^2，提高到 10 万～25 万元/km^2；重点治理范围进一步扩大，全区已有 70 个旗县实施了水土保持重点工程；封育保护自然修复工作不断推进。国家水土保持重点工程项目区全部实行封禁保护；在黄河流域组织了淤地坝安全大检查专项行动，摸清了淤地坝家底，掌握了病险坝的基本情况，对检查出的问题，提出了相应的除险方案。

（2）水土保持监督管理工作成效显著。全区开展了 5 次执法检查，检查生产建设项目 8979 个，查处违法违规项目 1878 个，圆满完成了水土保持监督执法专项行动。

（3）水土保持监测工作积极推进。在黄土高原小流域坝系示范工程及重点小流域综合治理工程开展了水土保持监测工作；全区水土保持监测网络和信息系统建设二期工程已启动，国家和地方配套资金已落实，正在安排落实各监测点建设任务。

（4）编制了《内蒙古自治区水土保持重点工程三年实施规划》，通过水利部审查，自治区发改委已批复。《全区坡耕地水土流失综合治理规划》《全区革命老区国家水土保持重点建设工程规划》编制完成并上报水利部汇总；完成了全区流域规划修编水土保持规划修编年度任务。各地先后完成了一批水保工程项目可研报告、实施方案，保证了项目储备和年度水保工程的实施。

（5）水土保持国策宣传教育工作深入开展。各地不断强化宣传教育的基础性工作和长效机制，结合当地实际，因地制宜，努力创新宣传手段，丰富教育载体，采取宣传手册、公益广告、主题活动、手机短信、影视作品、交通要道两侧悬挂宣传口号等形式，基本做到了有目标、有计划、有步骤、有经费，水土保持宣传教育行动扎实推进，取得了较好效果。

（6）对全区 500 多名技术人员进行了专项培训。

（7）配合水利部完成了风沙源治理工程年度稽察和两项科技支撑项目的终验；由自治区政府组织，对 2008 年京津风沙源治理工程进行了验收。（李建国）

【城乡供水】 2009 年，自治区政府把解决 100 万人饮水安全问题列为为群众办好“十件实事”之一。自治区水利厅按照自治区政府的统一部署，把饮水安全工作作为改善民生的基础工作来抓，科学规划，合理布局，突出重点，落实措施，重点解决高砷水、高氟水、苦咸水等饮水水质不达标问题以及局部地区饮用水严重不足问题。全区新增供水受益人口 108.57 万人，超额完成全年饮水安全工作任务，农村牧区饮水安全条件进一步改善。（李建国）

【科技与教育】 （1）科研与技术推广项目的立项审查和管理。结合水利建设中的技术难点，全年共安排科研与技术推广项目 21 项，其中延续项目 13 项，新上项目 8 项，安排经费 170 万元。项目涉及水资源开发利用及优化配置、节水灌溉、水土保持生态建设和水利工程建设及新技术、新材料应用等。

在水资源开发利用及优化配置方面，继续开展了盐碱风沙退化牧场生态恢复与水资源高效利用技术推广等；开展了通辽市水环境评估及对策研究、浑善达克沙地植被需水机理及其生态蓄水量的确定研究与技术推广等。在水利工程建设方面，继续开展了钢钎混凝土薄壳结构水库大坝护坡研究等应用推广研究项目；开展了深井修复技术推广等。在农村牧区节水灌溉与饮水安全方面，继续开展了河套灌区节水型灌溉制度及秋浇覆膜灌溉技术研究、河套灌区节水改造项目区水环境监测预测研究与示范推广、河套灌区节水配套工程节水效果及末级渠道量水技术研究、盐碱地改良新途径的应用技术研究、盐碱化地区作物水肥耦合效应及水分高效利用研究、半干旱地区 PAM 集成技术推广、红干椒膜下滴灌灌溉制度试验推广、和林县农牧业产业化示范园区节水灌溉工程监测评估与管理模式研究、通辽地区玉米灌溉制度研究与示范推广、锡林郭勒盟典型牧区饮水安全供水集成技术研究与示范推广等。开展了乌兰察布市马铃薯喷灌灌溉制度试验研究与技术推广、大型灌区土壤墒情自动化监测系统研究与示范推广、河套灌区立体种植作物非充分灌溉制度研究、河套灌区节水改造后土壤水盐时空演变规律与趋势研究等。

在水土保持生态建设方面，继续开展了鄂尔多斯沙棘治理础砂岩典型模式示范与推广等。在加强科研与技术推广项目立项审查的同时，加强了对科研与技术推广项目的管理工作。

（2）科研与技术推广项目的验收与鉴定工作。主要验收项目 7 项。荒漠区梭梭林保护与更新复壮技术示范研究、内蒙古黄土高原区水土流失预测与防治技术研究、内蒙古阴山北麓水土保持植被建设技术集成与优化模式研究、黄河流域多沙粗沙区水土保持生态建设遥感监测及效益评价、钢纤维混凝土薄壳结构水库大坝护坡研究、集雨补灌节水农业综合技术集成与示范推广、河套灌区非充分灌溉技术集成示范与推广等。

（3）科研与技术推广项目的申报工作。积极组织全区水利行业申报了科技部、水利部、内蒙古科技厅的农业科技转化成果转化项目、“863”“948”等科研与技术推广项目。组织开展了全区水利行业2009年度自治区科技进步奖的申报工作。《盐碱化地区水盐联合胁迫效应与节水灌溉应用研究》获2008年度自治区科技进步一等奖。

(4) 建立了水利部科技推广中心内蒙古推广示范基地1处，已通过水利部推广中心审批。

(5) 科技协作、科普宣传工作积极开展。建立了总人数211人的技术审查专家库。制定了《内蒙古自治区建设项目水资源论证报告和水资源评价报告技术审查实施细则》《内蒙古自治区建设项目水资源论证报告和水资源评价报告技术审查合同书》。全年共审查建设项目水资源论证报告和水资源评价报告40项。

举办了2009年内蒙古科技活动周暨全区第十届科普活动宣传周，制作宣传展板8块，印发宣传单3000多份，配发科普宣传手册、光盘300多份；编辑出版了《内蒙古水利改革开放30年》专刊。

(6) 举办了节水灌溉培训班。6月15—24日，水利厅与中国—以色列国际农业研究培训中心在呼和浩特举办了“中国内蒙古·以色列节水灌溉技术培训班”。

(7) 组织参加了中国水利学会、内蒙古科协举办的各种学术交流活动。

(8) 召开了内蒙古自治区水利学会2009年学术年会。评选优秀学术论文40篇，编辑了《优秀学术论文集》。 (李建国)

【人事制度改革和干部队伍建设】 组织完成了机关、事业单位副处级领导干部选拔任用工作。按照自治区党委、政府的要求，组织编制完成了《内蒙古自治区水利厅主要职责内设机构和人员编制规定（草案）》，待自治区编制委员会审批。组织完成了对新考录的5名公务员考察和转正定级工作。按照自治区人事厅要求，完成了厅直属14个事业单位，44名工作人员的招聘工作。制定引发了《全区水利安全生产“三项行动”实施方案》《水利安全生产宣传教育行动实施方案》《内蒙古自治区水利厅开展2009年“全国安全生产月”活动实施方案》。制定上报了“内蒙古自治区水利水电工程建设质量监督站”和“内蒙古抗旱防汛物资服务中心”更名及机构设置报告，自治区编制委员批复同意更名为“内蒙古自治区水利工程建设质量与安全监督中心站”“内蒙古自治区灌溉排水发展中心”。 (李建国)

【党风廉政和精神文明】

1. 党风廉政建设

4月21日，全区水利系统党风廉政建设工作会议在三盛公召开，会议传达贯彻自治区纪委八届四次全会、水利部党风廉政建设工作会议精神，全面总结了2007年、2008年全区水利系统党风廉政建设和反腐败工作。自治区纪委常委朱俐萍到会并就进一步加强党风廉政建设作了重要指示，厅党组书记、厅长戈锋代表厅党组作了重要讲话。会议传达了有关文件，并进行了热烈的讨论，确定2009年的工作重点。

(1) 水利厅配合自治区、水利部对自治区扩大内需水利工程项目的审查、审批、核准、备案管理、招标投标程序等进行全面检查。

(2) 制定了《内蒙古自治区水利厅专项治理领导干部违反规定收送礼金问题实施方案》（以下简称《实施方案》），成立了自治区水利厅专项治理工作领导小组，负责专项治理工作的组织领导、综合协调和督促检查工作，两次召集厅机关及所属单位负责人会议，进行部署和督查，各处室和单位都按照《实施方案》的要求，对本处室、本单位的违反规定收送礼金问题进行了认真排查整改，提交了专项检查报告，没有发现违规行为。

(3) 制定下发了《内蒙古自治区水利厅开展党政机关和事业单位“小金库”专项治理工作的意见》和《内蒙古自治区水利厅关于对厅属单位治理“小金库”工作进行重点检查的通知》。召开了厅属单位纪检监察、财务负责人会议，布置治理“小金库”自查自纠工作，公布了举报电话，落实举报制度。

(4) 召开了全区水利工程建设领域突出问题专项治理工作会议，对专项治理工作进行再动员再部署，进一步规范水利工程建设领域市场秩序，确保水利工程的质量与安全，着力推进水利系统反腐倡廉建设。制定了《专项治理工作实施方案》。

(5) 落实惩防体系建设，预防职务犯罪，加大从源头上防治腐败的工作力度。监察室接到群众来信来访9件，都根据具体情况及时进行了解决处理，对上级转交的有关举报案件进行了调查了解。开展了对领导干部任前谈话。

(6) 编制了《内蒙古自治区水利厅政务公开指南》和《内蒙古自治区水利厅政府信息公开目录》，公告了水利厅行政执法依据及职责分解，全面落实《内蒙古自治区水利厅政务公开工作暂行规定》明确的政务公开工作预审、听证、告示、评议、投诉、责任追究等制度。在政务公开的形式上，坚持创新与规范相结合，做到经常性工作定期公开、阶段性工作逐段公开、临时性工作随时公开。

(7) 参加了自治区纪委、监察厅和驻水利部纪检组监察局组织的业务培训和工作交流，组织部分厅直属单位纪检书记和盟市纪检组长参加业务培训。

2. 精神文明建设

(1) 水利厅党组全年安排集中学习12次。

(2) 认真总结、圆满完成第一、第二批学习实践科学发展观教育活动，启动了第三批学习实践科学发展观教育活动。按照自治区党委关于开展“保增长、惠民生、进百县、促落实”活动要求，专门成立了以厅长为工作组组长，副厅长等任副组长的调研工作组，深入基层开展调研工作。

（3）继续做好对兴安盟的定点帮扶工作。制定了2009—2011年帮扶工作3年规划和2009年帮扶计划，帮助地方争取落实帮扶项目，2009年落实项目46个，投资6671.5万元，项目已顺利实施。抓好对呼伦贝尔市鄂伦春自治旗、莫力达瓦达斡尔自治旗的区域帮扶工作。制定了《内蒙古自治区水利厅对鄂伦春自治旗、莫力达瓦达斡尔自治旗重点帮扶水利项目2008—2009年规划》，明确了帮扶目标、任务。共落实帮扶项目14个，总投资5072万元，项目已实施。

（4）纪念建党88周年，开展“两优一先”表彰活动，对5个先进基层党组织、21名优秀党员和15名优秀党务工作者进行了表彰。

（5）开展了庆祝中华人民共和国成立60周年纪念活动，举办了全区水利系统第三届“健身杯”乒乓球赛，组织参加了全国水利乒乓球赛和部分盟市乒乓球赛。举办了全区“放歌水利、共建和谐”书法、美术作品展。

（6）抓好党员执政为民教育基地建设。在与呼和浩特市玉泉区西莱园办事处四里营东社区共建基础上，制定了《内蒙古自治区水利厅建立党员执政为民教育基地2009－2011年规划》，资助了5名贫困大学生，为社区办公室安装了磁卡电话、电暖气，解决了办公用品。（李建国）

辽宁省

【概况】 2009年，辽宁省累计完成水利投资100.79亿元；大伙房水库输水一、二期工程等重点建设项目如期完成年内计划任务；全年完成饮水安全工程2640处，解决150万农村人口的饮水安全问题；完成水土流失综合治理面积14.02万hm^2，征收水土流失补偿费4374万元；累计为城乡供水142.79亿m^3，比2008年增加0.01亿m^3；有效抗御了特大旱灾，实现了全省经济持续发展、社会和谐稳定的目标。

（刘芳）

【水政】 2009年，辽宁省各项水利立法和执法工作稳步推进。

建立健全地方水法规体系，立法工作不断加强。《辽宁省大伙房水库输水工程保护条例》如期顺利出台，为这项惠及千万百姓的重大民生工程提供了可靠而有效的法律保障；完成了《辽宁省取水许可和水资源费征收管理实施办法》的修改工作；组织起草了《辽宁省水能资源开发利用管理条例》，为改善辽宁省能源消费结构，改善生态环境，实现人与自然的和谐，实现经济社会可持续发展提供有力的法律保障；开展了《辽宁省地下水资源保护条例》修订工作。

水行政执法及水事纠纷调解工作稳步开展。2009年，辽宁省水政监察局会同省河务局重点开展了以加强河道管理力度、维护河道管理秩序、保障行洪安全、建造良好河道生态环境为目标的全省范围的河道整治专项执法活动，活动以河道采砂和河道清障检查为切入点，先后下发了《关于开展河道采砂专项整治行动的通知》及《关于开展河道清障专项执法活动的通知》两份文件，主汛期前，全省主要河段设障全部清除，主要河流上的采砂场撤离河道管理范围，河道专项整治工作取得了阶段性胜利。

深入推进水利依法行政，坚持不懈地开展水法宣传工作。为进一步规范行政许可工作，起草了《辽宁省水利厅行政许可监督检查和责任追究办法》。结合“世界水日”和“中国水周”的主题，充分利用互连网络、广播电视、报刊杂志等新闻媒体，投入宣传学习经费100多万元，召开各类座谈会20余场次，动用宣传车辆上千台次，发放各类宣传物品30多万份，普及范围涉及机关、校园、社区、厂矿、农户等。同时，省水政监察局汇同省防办对《中华人民共和国抗旱条例》进行了广泛的宣传。

大力加强水政监察机构和队伍的建设与管理。2009年，辽宁对全省水政机构、队伍及水政监察员基本情况进行摸底调查，全面掌握全省翔实准确的第一手资料。截至2009年底，全省共有水政机构23家，水政监察队伍83支，专兼职水政监察员共1692人，除少数市、县（区）外，其他地区均已成立水政监察队伍，为全省水行政执法工作提供了有力的队伍和人员保障。与此同时，为理顺省本级水行政执法管理体制，充分发挥法律法规赋予的执法管理职能，积极组织筹建省级水政监察执法队伍。（刘芳）

【水资源】 2009年，辽宁省各项水资源管理工作有序开展。

水资源费征收管理工作。完成了省政府201号令修订和水资源费分配比例调整工作。将原省政府201号令第二十六条修改为：征收的水资源费按照国家规定比例分别上缴中央和地方国库。省、市、县之间水资源费的分配比例，由省财政主管部门商水行政主管部门确定并公布。与省财政厅、物价局、人民银行沈阳分行联合转发财政部、国家发改委、水利部《关于印发水资源费征收使用管理办法的通知》，确定水资源费新的分配比例为：上缴中央国库10%，上缴省比例由30%下调为25%，市、县留成比例由70%下调为65%，同时，对水资源费就地缴库作了具体规定；开展了水资源费征收标准调整工作，起草了《关于调定水资源费征收标准的请示》和《关于调定水资源费征收标准的通知》；开展了水资源费征收专项检查工作。召开了各市主管局长和水资源办主任参加的水资源费征收工作会议，印发了《关于进一步加强水资源费征收工作的通知》，并分两组对各市、县水资源费征收工作进行了专项检查。

取水许可管理工作。2009 年省水利厅修订并颁布实施了《辽宁省取水许可和水资源费征收管理实施办法》《辽宁省水利工程供水价格管理实施办法》。完成了县（区、市）级自来水公司水源工程取水许可核查工作，对不符合取水许可审批程序和权限的进行了清理整顿。完成了全省农业取水工程取水登记和发（换）证工作；开展了全省地下水取水工程普查工作，对全省已建成的地下水取水工程进行分类普查，建立了数据库，制作了地下水取水工程图；完成了 2009 年度取水工程取水计划申请审核工作，全年总取水计划指标 8.77 亿 m^3，占许可水量的 81%。

节水型社会建设工作。指导各市做好 2009 年度节水型社会建设示范项目实施工作。按照省财政厅的要求，自 2009 年起节水型社会建设示范项目作为地方生产性项目，由各市组织实施，2009 年底前 13 个示范项目均已完成；在辽西地区选择部分县开展节水型社会建设试点，组织有关单位编制完成了建平县、凌源市节水型社会建设规划；收集并借鉴全国各省、市已出台的有关节约用水的法规、规章和规范性文件，起草了《辽宁省节约用水管理条例（初稿）》。

水资源保护工作。全面理顺了地下水管理体制。继续实施地下水保护行动计划，2009 年全省依法封闭地下水取水井 105 眼，削减取水量 255 万 m^3，均超额完成年度任务（100 眼、200 万 m^3）；开展了《大伙房水库输水工程保护条例》的制定工作，编制完成了大伙房水库输水工程受水城市地下水源地封井计划和实施方案；开展了《辽宁省地下水资源保护条例》修订工作，并起草了修订说明、修正案和对照表，并提交省政府法制办按程序报批；组织全省开展了城市污水处理回用现状调查工作，完成了现状调查表和调查报告并上报水利部；开展了全省饮用水水源地管理保护和入河排污口监督管理工作情况的调查，配合水利部开展了全省第二批饮用水水源地名录中观音阁水库的检查和本溪市入河排污口监督管理工作的检查。 （刘芳）

【水利规划】 2009 年，辽宁水利规划与项目前期工作全面推进。规划方面，一是配合松辽委、海委等流域机构，完成了辽河、松花江、海河流域的综合规划修编以及浑江流域综合规划大纲编制工作；二是完成了大中型病险水闸除险加固规划、重点地区中小河流近期治理等专项规划；三是全面启动了全省水利发展“十二五”规划的编制工作。各市根据本地特点，结合全省总体规划，因地制宜地开展了一批地方水利规划，为地区水利事业发展奠定了基础。项目前期工作方面，2009 年共完成重点水利项目前期工作 281 项，其中，批复规划 18 项、项目建议书 6 项、可行性研究 41 项、初步设计 153 项、实施方案 24 项；审查规划 2 项、项目建议书 6 项、初步设计 30 项、实施方案 1 项。此外，在各市水利部门的积极配合下，按计划完成了四川安县援建工程的技术服务等工作。为有效解决辽西北地区水资源严重短缺问题，省委、省政府决定实施辽西北供水工程。在省直有关部门和受水区等相关市、县的支持下，辽西北供水工程的必要性和工程方案得到了水利部专题调研组的充分肯定，为项目的加快推进奠定了良好基础。

水利投资及非税收入快速增长。2009 年辽宁省经济发展受到金融危机影响较大，但是全省水利投资继续呈现快速增长态势。截至 2009 年底，全省累计完成水利投资 100.79 亿元，比 2008 年增长 62%。其中，中央投资 28.16 亿元，增长 15.3%；省本级投资 13.29 亿元，增长 49.5%；市以下投资 29.40 亿元，增长 27%；各级贷款投入 29.94 亿元。2009 年，全省完成水利非税收入 17.85 亿元。其中：省本级划转水利建设基金 3.87 亿元，比 2008 年增长 5.2%；全省征收河道工程修建维护费 9.48 亿元，与 2008 年持平；全省征收水资源费 2.79 亿元，比 2008 年增长 11%；全省征收水土流失补偿费 8100 万元，比 2008 年增长 24.6%；全省征收占河与采砂管理费 3000 万元，与 2008 年持平；省本级新开征的水库移民扶助基金征收 5992 万元。 （刘芳）

【基本建设】 2009 年，辽宁省重点水利工程建设取得新进展。

大伙房水库输水工程。2009 年，大伙房水库输水一期工程进入收尾攻坚阶段，隧洞按期于 9 月完工并举行了通水仪式；二期工程克服工期紧、任务重、施工环境复杂等困难，完成总工程量的 90%以上，为实现 2010 年整个工程全线通水的目标奠定了坚实基础。

大伙房输水应急入连工程。2009 年共完成招标项目 17 项，管道铺设和主、支洞掘进全面推进，征地动迁工作按计划进行。

锦凌水库工程。2009 年该工程抓住国家扩内需、保增长的有利时机，扎实有效地开展前期工作，并于 5 月 20 日正式开工建设，实现了锦州人民和广大水利工作者筹划 20 多年的夙愿。

河道生态工程。2009 年全省完成典型河道生态示范项目 150 处，完成治理面积 2.89 万 hm^2。沈阳市强化规划与治理，水环境生态建设成效显著；辽阳市太子河、铁岭市新城区和营口水环境建设等项目进一步彰显以人为本、人水和谐的治水理念，得到了省委、省政府领导的高度评价。

病险水库除险加固工程。2009年全省列入《全国病险水库除险加固专项规划》的60座大中型除险加固项目全部开工，其中30座完成主体工程建设任务；规划内的173座重点小型病险水库除险加固项目中开工160座，其余13座完成了招投标工作。

石佛寺水库库区生态工程。为进一步改善辽河干流河道生态，实施了库区生态工程，2009年5月开始正式蓄水，生态效果明显。

三湾水利枢纽工程。2009年完成了主要设备采购和移民动迁工作，完成土石方开挖22.3万 m^3，混凝土浇筑9.5万 m^3，完成年度投资1.3亿元。

鸭绿江防洪护岸工程。共完成年度投资8000万元，前期完工的19个单项工程完成了竣工验收。

引白济阜一期工程于2009年10月末竣工通水，浑河闸应急除险加固等一批重点工程均按计划稳步推进。（刘芳）

【防汛抗旱】 2009年，辽宁遭受新中国成立以来最严重的旱灾，受旱面积一度达到213.44万 hm^2，造成粮食损失560万t，有79万人、24万头大牲畜因旱饮水困难。面对严重旱情，全省各地，特别是朝阳、阜新、锦州、铁岭、沈阳等市委、市政府以及各级水利部门按照省委、省政府的统一部署，加强领导，团结协作，积极动员社会各界力量开展抗旱救灾工作。抗旱期间，全省及时启动了《辽宁省抗旱预案》应急响应，省防办组织12个抗旱工作组深入旱区指导工作。全省应急投入各级抗旱救灾资金4.15亿元，完成应急人畜饮水工程347处，解决了18.8万人、9.2万头大牲畜的因旱饮水困难问题。党中央、国务院非常关心辽宁省的旱情，胡锦涛总书记、温家宝总理等中央领导对辽宁省抗旱工作先后作出重要批示，回良玉副总理亲临灾区指导抗旱救灾工作，国家有关部委对辽宁省的抗旱救灾工作给予了积极支持。在省委、省政府的坚强领导下，经过全省上下的共同努力，辽宁省有效地抗御了特大旱灾，实现了经济持续发展、社会和谐稳定的目标。

2009年，在积极应对旱灾的同时，根据国家防总要求和省委、省政府的部署，全面落实了各级各类防汛责任制，各地先后组织69次县级以上防汛抢险演练，组成27个检查组开展了防汛检查和督导，由于各项准备工作充分，全省实现了无人员因灾死亡、把灾害损失降到最小的防汛目标。（刘芳）

【农田水利】 2009年，辽宁围绕民生水利全面加强各项农田水利基本建设。

农村饮水安全工程快速推进。全省完成饮水安全工程2640处，解决150万农村人口的饮水安全问题。朝阳市将解决20万人口饮水安全问题纳入为群众办的15件实事之首；鞍山市经过多年不懈努力，农村自来水普及率已达到80%。

规划内的东港、营口、大洼等9座大型灌区和龙潭、三道、孤山等4座重点中型灌区改造工程全部开工；更新改造22座排水闸站；新增节水灌溉面积4.0万 hm^2，新增灌溉面积3.34万 hm^2，全省有效灌溉面积已达到146.74万 hm^2。

全年共完成重点河流堤防整修127km，治理跨界中小河流12条。新修加固城市防洪堤229km，完成重点河道险工险段治理35km。

农田基本建设"大禹杯"竞赛呈现出前所未有的良好发展势头。2009年共投入资金39.5亿元，比2008年度增长15.5%，投入人工0.85亿个工日，完成土石方6.75亿 m^3，增长8.3%，完成农建重点骨干工程1.09万项，比2008年增长8.2%。9个市荣获农田基本建设优秀组织奖，36个县（市、区）荣获优胜单位，8个县（市、区）荣获先进单位。

水库移民后期扶持方式进一步完善。2009年共投入移民后期扶持资金7.55亿元。其中，实施扶持项目1547个、投入资金4.86亿元，为44.76万人发放直补资金2.69亿元。及时组织协调并完成了锦凌水库、青山水库移民安置规划的审查与报批工作。（刘芳）

【水土保持】 截至2009年底，全省共投入水土保持资金8300万元（其中，中央投资5350万元，省级财政投入2950万元），出动人工2460.8万个工日，动用土石方10766万 m^3。全年共完成水土流失综合治理面积14.02万 hm^2，占全年计划的105%。其中，坡耕地治理0.67万 hm^2，坡面治理8.01万 hm^2，生态修复5.34万 hm^2，出动人工5468.8万个工日，动用土石方量2.52亿 m^3。

2009年，大凌河国家重点建设项目进展顺利。根据水利部批准的规划，在2008—2012年间，大凌河流域国家重点治理区计划投资1.4亿元，计划开展95条小流域，计划治理水土流失面积1400 km^2。2009年，辽宁省完成了对大凌河流域治理现场的调研和组织发动工作，落实了全年计划，共投资2500万元（国家2350万元，省匹配150万元）开展61条小流域，截至2009年底已完成水土流失治理面积240 km^2。

进一步加大水土保持监督执法工作力度。截至2009年底，局本级共完成省级水土保持方案审批107个，收缴水土流失补偿费4374万元，超额完成了省财政厅下达的收缴任务。制定了《辽宁省水土保持监督管理能力建设实施方案》，并对全省15个监督管理能力试点县进行调研，摸清了各试点县的监督执法现状，为下一步全省水土保持监督管理能力建设部署奠定了基础。加强了水土保持监测工作，省水土保持网站正式投入使用。（刘芳）

【城乡供水】　供水量指各种水源工程为用户提供的包括输水损失在内的毛供水量。2009 年，辽宁省总供水量 142.79 亿 m^3，比 2008 年增加 0.01 亿 m^3。其中地表水供水量 71.60 亿 m^3，占总供水量的 50.1%；地下水供水量 67.35 亿 m^3，占总供水量的 47.2%；其他水源供水 3.84 亿 m^3。在地表水源供水量中，蓄水工程供水量 35.35 亿 m^3，引水工程供水量 10.00 亿 m^3，提水工程供水量 26.25 亿 m^3，分别占地表水供水量的 49.4%、14.0%和 36.6%。在地下水源供水量中，浅层水 66.65 亿 m^3，占 99.0%；深层水 0.69 亿 m^3，占 1.0%；微咸地下水 0.01 亿 m^3。其他水源供水量中污水处理回用 3.81 亿 m^3，海水淡化 0.03 亿 m^3。用水量指各类用户取用的包括输水损失在内的毛用水量。2009 年全省总用水量 142.79 亿 m^3，比 2008 年增加 0.01 亿 m^3。其中农田灌溉用水量 86.31 亿 m^3，占总用水量的 60.4%；林牧渔畜用水量 7.59 亿 m^3，占总用水量的 5.3%；工业用水量 23.90 亿 m^3，占总用水量的 16.7%；城镇公共用水量 6.01 亿 m^3，占总用水量的 4.2%；城乡居民生活用水量 15.65 亿 m^3，占总用水量的 11.0%；生态环境用水 3.33 亿 m^3，占总用水量的 2.2%。

截至 2009 年底，全省保有取水许可证 1.39 万套，许可水量 136.92 亿 m^3，地表水 78.38 亿 m^3，地下水 58.54 亿 m^3。其中工业取水许可证 0.60 万套，许可水量 33.49 亿 m^3，生活取水许可证 0.18 万套，许可水量 15.53 亿 m^3，农业取水许可证 0.61 万套，许可水量 87.90 亿 m^3。　（刘芳）

【地方水电】　2009 年，辽宁省水电农村电气化建设工作快速发展。截止到 2009 年底，全省“十一五”水电农村电气化县建设项目共完成 42 个，占总规划的 72.4%；完成总装机容量 6.744 万 kW，占总规划的 57.8%；完成设计发电量 2.21 亿 kW·h，占规划设计发电量 59.8%；实际完成总投资 4.73 亿元，占规划总投资的 54.4%。国家批复的 9 个“十一五”水电农村电气化建设县中，已有 7 个县达到验收标准。

农村水电管理工作平稳开展。2009 年，全省农村水电管理工作主要以抓农村水电站安全生产运行为重点，以推进农村水电站的技术改造、提高水电站管理水平为目标，全省农村水电健康向前发展。截至 2009 年底，全省 167 座农村水电站具备办理电力业务许可证或豁免证明的电站共 131 座，其中已办理 96 座，正在办理 35 座，未验收电站 15 座，报废电站 6 座，无力维修停止发电的 15 座。　（刘芳）

【工程管理】　河道生态工程建设管理工作有序开展。2009 年完成治理面积 2.89 万 hm^2，超额完成年度计划任务。组织完成了辽河、浑河、太子河沿线沈阳、抚顺、本溪、辽阳、铁岭、盘锦 6 座重点城市 23 处排污口及排污通道清淤、清污工作任务，完成清淤长度 33.68km，完成清淤土方 154.83 万 m^3，完成投资 2791 万元。组织有关专家对辽河、浑河、太子河、大辽河沿线工程建设任务较重的 13 个县（市、区）河道堤防维修养护工程建设进行检查评比。

河道执法管理及行政事业性收费征管工作稳步推进。对《本溪满族自治县河道管理条例》《辽宁省矿业权审批管理调研工作情况汇报》《辽宁省大伙房输水工程保护条例》和省政府关于下放河道采砂审批权限等提出修改和答复意见。2009 年，全省共征收占河费 679 万元，采砂管理费 27 万元，超额完成了年初制定的计划指标；共征收河道维护费 5.6 亿元。同时，对相关企业进行了实地调研，为沈阳、鞍山、本溪、辽阳、朝阳、盘锦市等 66 家民政企业、中小企业办理了维护费政策减免，共减免维护费 1743 万元。2009 年，全省共实施河道行政许可 104 项，其中河道内建设项目许可 22 项，河道采砂许可 823 项，共办理采砂许可证 218 个，复函 7 件。　（刘芳）

【科技与教育】　2009 年，辽宁省完成了水利科技指导性计划项目的申报、评审工作，并以文件下发。全年全省共有 33 项水利科技项目列入厅指导性计划。为加强科技项目规范管理，制定并下发了《辽宁省水利科技计划项目管理办法》。

积极组织申报省科技厅、财政厅及水利部的有关科技项目。全年共申报科技厅项目 13 项，其中 3 项为 2008 年接转项目；申报省财政厅项目，已批准一项中央财政科技推广示范项目；申报水利部项目，已批准一项“948”引进项目。此外，组织申报省科技厅科技成果转化认定项目 3 个。

完成了辽宁水利科学技术奖的评审工作。全年共有 16 项科技成果获辽宁水利科学技术奖。在此基础上，推荐 8 项科技成果申报省政府科技进步奖，其中有 2 项成果获省政府科技进步一等奖，有 1 项获二等奖，有 3 项获三等奖。推荐 1 项成果申报水利部大禹奖，获三等奖。　（刘芳）

【多种经营】　2009 年，辽宁继续理顺经营管理体制，完善管理程序，调整财务核算方式，规范各项管理制度，并采取有力措施完成各种办法并落实到位。一是财务统一管理，分项核算，实行报账制；二是证照统一管理，使用申请，分项登记，实行集体管理制；三是公务用章统一管理，专人负责，实行台账登记制；四是投标文件、合同文件统一管理，重视通用条款、补充协议、安全生产责任书管理，实行“三轨”制。

截至 2009 年底，全省多种经营资产达 3600 万元，其中固定资产余额 270 万元。实收资本 2500 万元，所有者权益2600万元，货币资金50万元，确保了国有资产的保值增值，同时也保障了职工工资和“五险一金”的足额及时缴纳和发放，保证了职工福利的逐年提高。（刘芳）

吉 林 省

【概况】 2009年度，吉林省实现水利投入40亿元，同比增长33%；重大水利工程建设全面进入高峰期，五大重点项目累计完成总投资的51.5%，完成总工程量的50.8%。新开工和续建水利项目584个，比2008年增加70%。积极抗御严重干旱，有效灌溉农田128.47万hm^2，防洪减灾获得直接经济效益2.8亿元。民生水利建设成效突出，解决了118.94万农村人口饮水安全问题，提前一年完成了“十一五”规划任务；农田水利基础设施建设全面展开，启动16个小型农田水利重点县建设，6处大型灌区泵站列入全国更新改造计划。推进8个在建大型灌区续建配套和节水改造和5个节水灌溉示范项目，新开工4座中型灌区节水改造工程。治理水土流失面积11.33万hm^2。争取了6个小水电代燃料试点县，推进14个小水电电源工程建设，并有5座电站投产发电，全年完成发电11.85亿kW·h。水产养殖面积20万hm^2，繁育水产良种8亿尾，水产品产量达到15.5万t，实现创汇4000万美元。科研项目完成投入546万元，开展了12个项目研究，3项成果获省科技进步奖。建成2个国家级、4个省级水利旅游风景区。以上各项指标均完成或超额完成了年度计划。（陈静波）

【水政】 2009年，根据《吉林省水能资源开发利用条例》规定，2009年2月26日吉林省政府颁布实施了《吉林省水能资源开发利用权有偿转让若干规定》。这是继实施以来，吉林省水资源管理的又一重大突破，水资源管理法规体系更趋完善，促进了水能资源的有效保护和规范利用。起草完成《吉林省取水许可管理办法》（草案），报省政府法制办待批。对《吉林省实施〈中华人民共和国水法〉办法》等8部地方性法规进行了清理，对其中7部提出了修改建议。对《吉林省城市供水管理条例》等9部地方性法规和12个政府规章草案进行了立法审查和协调。开展了《吉林省河道管理条例》修订工作。制定了《吉林省水利风景区管理办法实施细则》。（陈静波）

【水资源】 2009年，吉林省水能资源科学管理工作快速推进。吉林省政府印发了《吉林省水能资源开发利用权有偿转让若干规定》。省水利厅制定并印发了《吉林省水能资源开发利用权有偿转让实施办法》《吉林省水能资源开发利用权招标、拍卖、挂牌出让若干规定》《吉林省水能资源开发利用权有偿出让金征收使用管理办法》等相关文件。《吉林省水能资源开发利用权有偿转让若干规定》的实施是继《吉林省水能资源开发利用条例》实施以来，吉林省水资源管理的又一重大突破，水资源管理法规体系更趋完善。水能资源开发利用管理工作上升到立法管理层面，为水能资源的有效保护和规范利用奠定了法律基础。该项工作得到水利部的充分肯定，吉林省在全国水电立法工作座谈会介绍先进经验。

2009年，吉林省水资源保护工作得到加强。省水利厅会同省环保厅完成了赤松河水功能区划，经省政府批复实施。开展了引嫩入白供水工程洋沙泡水库等3个饮用水水源保护区划，已完成专家评审。组织开展了入河排污口监督管理自查，形成《吉林省入河排污口自查报告》上报水利部。组织开展了石头口门水库、新立城水库、丰满水库等11个全省重要饮用水水源地调研，强化了水源地管理。积极有效应对和解决了新立城水库水体锰超标事件，推进了白城市地下水保护试点工作，积极探索粮食主产区地下水保护行动项目，进一步规范了水资源费征收工作。（陈静波）

【重点工程】 2009年，吉林省重大水利建设高效推进。支撑《增产百亿斤商品粮能力规划》的引嫩入白、哈达山水利枢纽、大安灌区、老龙口水利枢纽及中部引松供水支线工程等重点水利项目全面进入建设高峰期，累计完成投资44.8亿元、占总投资的51.5%，完成综合工程量5122.2万m^3、占总工程量的50.8%。其中2009年完成综合工程量2896.7万m^3，完成投资20.3亿元。其中：引嫩入白工程已完成建设任务的50%，供水管线一期已铺设完成；哈达山水利枢纽工程完成总投资的50%，二期围堰成功截流，输水总干渠完成总长度的40%，首台机组具备发电条件；中部城市引松供水干线工程项目建议书通过国家发改委审批，农安支线实现正常通水，玉米园支线已完工，德惠支线进展顺利；大安灌区渠首泵站已完工，输水总干渠完成总长度的50%；老龙口水利枢纽主体工程基本完工，3台机组具备发电条件。在建的8座大型灌区续建配套和节水改造工程累计完成综合工程量近400万m^3，新开工4座中型灌区节水改造工程。前郭县水田节水灌溉示范区完成综合工程量近100万m^3，乾安县旱田节水灌溉示范区已全面开工。（陈静波）

【规划计划】 配合水利部松辽水利委员会完成了流域综合规划修编阶段性成果的汇总、审核、上报工作。组织编制完成了《大中型水库病险水库除险加固规划》《吉林省大中型病险水闸除险加固专项规划报告》和《吉林省水生生物增殖放流规划（2010—2015年)》。完成了松花江干流、第二松花江和东辽河沿河各县五年的采砂规划的编制、批复。开展了《吉林省抗旱规划》编制工作，《全省中小河流建设规划》编制完成并得到省发展改革委员会批复。组织开展了67座大中型病险水闸安全鉴定、安全评价工作。开展了全省范围内河道采砂5年规划的编制工作。完成防洪、灌溉、供水、水土保持、地方水电和水产渔业等年度单项水利水电水产工程设计批复351项，项目储备进一步丰富。（陈静波）

【工程管理】 2009年，吉林省水利厅完成7项规划修编，有效发挥了规划设计对水利发展的引领作用。进一步加强全省入河排污口监督管理、建设项目水资源论证、地下水保护试点、节水型社会建设等水资源管理工作，水资源的节约保护力度不断加大。完成67座大中型病险水闸安全鉴定和11件涉河用河建设项目审查，稳步推进松干、嫩江河道围堤清障，从严管理河道采砂。进一步强化工程审计稽察工作，实现了全年无重特大安全生产事故。进一步落实水利工程管理体制改革后续工作，完成了部分水库水价测算和部分调水工程水价调整。继续推进全省水利工程建设管理工作的规范化、制度化，印发了《吉林省水利工程建设管理工作指南》，进一步规范了建设市场，规范参建单位行为。加快了工程验收进度，组织了曲家营子水库二期工程等11项工程的竣工验收。

（陈静波）

【抗旱】 2009年，吉林省中西部地区遭遇了历史上有气象记录以来严重的伏旱。旱情最重时，全省42座中小型水库干涸，农作物受旱面积299.47万hm^2。党中央、国务院和省委、省政府对吉林省旱情高度重视。国务院副总理、国家防汛抗旱总指挥部总指挥回良玉亲自询问吉林省的旱情和抗旱工作，对抗灾工作作出明确指示。并于8月18~19日深入旱情严重的地区，实地察看旱情灾情，指导抗旱减灾工作。吉林省政府8月11日下发了《关于切实做好抗旱工作的紧急通知》，8月14日召开抗旱减灾保丰收现场会，全面部署抗旱工作。8月13日启动农业干旱Ⅲ级响应、17日启动农业干旱Ⅱ级响应，成立由省财政、民政、农委、水利、供销、石油、电力等部门组成抗旱减灾保丰收工作服务组，赴旱区指导抗旱工作，研究解决抗旱中遇到的实际问题。省委书记王珉，省长韩长赋等领导深入抗旱一线，实地察看旱情，指导抗旱工作。要求做到无灾地方确保多增产、多增收，轻灾不减产、不减收，绝收地块不放弃、不弃收。全省水利系统把抗旱作为压倒一切的中心工作，协调防指成员形成抗旱合力，全面开展抗旱保粮攻坚战。全省累计投入抗旱资金6.3亿元，抗旱用电5082.9万kW·h，抗旱用油4.39万t，开动各类抗旱井18.6万眼，开动泵站282处、机动抗旱设施11.9万台套，出动抗旱运水车辆13.1万辆，日高峰有140多万干部群众战斗在抗旱第一线，共完成抗旱浇灌面积191.2万hm^2，临时解决农村2.3万人口和4万头大牲畜的饮水困难，为保持稳定的粮食生产能力提供了基础性保障。（陈静波）

【防汛】 2009年，吉林省按照依法防控、科学防控、群防群控的总体工作思路，立足防大汛、抢大险、救大灾，从早、从紧、从严、从实地开展了防汛各项准备。全面落实了以行政首长负责制为核心的各项防汛责任制。全省重点防洪城市、主要江河和所有的大中小型水库，都落实了防汛责任制。各重点工程、险工险段均落实了防洪包保和技术责任人，尤其是各地落实了小水库的防汛责任人，落实了紧急抢险和转移预案。各地防汛部门和大型水库共成立了有545名专家参加的67个防汛抗旱专家组。全省共储备防汛物资价值8167万元。落实群众抢险人员100万人。进一步修订完善了各类防洪预案。加快了应急工程建设进度，共完成应急工程建设25项，完成投资2700万元。

2009年全省江河湖库水势总体平稳。汛期，全省有12座中型水库开闸泄洪，浑江中上游、蛟河、牡丹江等部分中小河流水位有所上涨，15个县（市）的52个乡镇不同程度受灾。部分地区出现了局地暴雨灾害，由于防汛准备科学充分，应对及时有力，使受到威胁的1.33多万hm^2农田、5万多人免受洪水灾害，防洪减灾获得的直接经济效益达到2.8亿元，实现了安全度汛。拦蓄洪水1亿多m^3，有效防御洪水灾害的同时，加快了洪水资源化进程。

（陈静波）

【民生水利】 2009年吉林省民生水利建设成效突出。吉林省政府连续三年把解决农村饮水安全问题作为改善民生的重要实事，纳入年度重点工作目标责任制。2009年，全省共完成投入7.02亿元，完成综合工程量3220万m^3，建设水源工程1895处、管网工程1999处，铺设管网13.2万延米，解决了118.94万农村人口饮水安全问题，超额完成年初确定的解决97万农村人口饮水安全任务，提前一年完成了“十一五”规划任务。与此同时，加强了工程建设管理和运行管理，开展了全省农村饮水安全管理信息系统建设，开展了农村饮水安全工程水源地保护调研，农村饮水安全工作实现了从单纯建设工程向建设与管理并重的转变。

积极争取了6个小水电代燃料试点县，推进了14个小水电电源工程建设，5座电站投产发电，全年完成发电11.85亿kW·h，基本满足了山区、半山区农民生产生活用电需求。以水源地保护为重点的水资源管理进一步强化，黑土地保护和清洁生态型小流域建设全面加强，治理水土流失面积 11.33 万 hm^2，水利的生态主体作用更加彰显。建成 2 个国家级、4 个省级水利旅游风景区，为县域经济发展提供了新的增长点。

2009 年吉林省确定了“稳粮食、增收入、强基础、保安全、建制度、重民生”的农村工作主题，把农田水利基础建设摆上了重要日程。省政府出台了《关于进一步加强农田水利基础设施建设的实施意见》，加大了政策扶持力度。全省农田水利建设快速推进，争取国家投资 1.28 亿元，启动了 16 个小型农田水利重点县建设。完成大型灌区田间建筑物改造 782 座，渠道防渗衬砌 270km，整治渠道 323km。有 6 处大型灌区泵站列入全国大型灌排泵站更新改造规划，3 座开工建设。增打和维修抗旱灌溉水源井 2530 眼。积极深化了小型农田水利设施产权制度改革，通过拍卖、承包、租赁、股份合作等多种经营方式促进产权流转。 （陈静波）

【病险水库】 2009 年，吉林省病险水库除险加固工作快速推进。2009 年是吉林省完成列入国家专项规划病险水库除险加固任务的攻坚期。吉林省政府召开全省病险水库除险加固工作现场会，全面部署病险水库除险加固任务，并与相关县（市）签订了责任状。截至年末，全省病险水库除险加固累计到位资金 13.01 亿元，完成投资 10.19 亿元，完成除险加固水库 155 座、完工率 82%，超过了 2009 年底前完工率 60%的预期，为 2010 年全部完成建设任务奠定了坚实基础。 （陈静波）

【水土保持】 继续开展了黑土地保护、湿地治理和保护、水域自然生态保护区对建设等工作，水土保持项目快速增长，项目投入大幅增加。重点实施了国家农发办 11 个县 38 条小流域黑土地治理工程和扩大内需 25 个县 25 条小流域治理项目，黑土地水土流失得到有效遏制。水利部办公厅《关于确认全国第一批水土保持监督管理能力建设县的通知》确认吉林省 5 个县为第一批水土保持监督能力建设县。 （陈静波）

【节水型社会建设】 2009 年吉林省节水型社会建设工作取得积极进展。组织召开了全省节水型社会建设经验交流会，推进全省节水型社会建设进程。四平市通过全国第二批节水型社会建设试点验收。在充分调研的基础上启动了《吉林省用水定额》修订工作。起草完成《吉林省节约用水条例》，并报省人大待批。 （陈静波）

【水利风景区】 2009 年，吉林省深入开展水利风景区建设与管理工作，制定并印发了《吉林省水利风景区管理办法实施细则》，编撰了《水利风景区建设与管理资料汇编》。吉林市松花江清水绿带、松原市龙坑水利风景区被评为第九批国家级水利风景区。继续开展了省级水利风景区评审工作，认定长春市双阳湖水利风景区等 4 个景区为吉林省第四批水利风景区。 （陈静波）

【行业建设】 2009 年，吉林省水利行业自身建设进一步加强。全省水利系统深入开展学习实践科学发展观活动“回头看”工作，认真学习贯彻党的十七届四中全会和省委九届八次会议精神，严格落实党风廉政建设责任制，狠抓预防腐败监督体系建设，积极开展“树新风正气，促水利和谐发展”主题教育活动，不断加强软环境和政行风建设，使干部队伍素质和业务能力水平明显提高，为全省水利事业又好又快发展提供了坚强的组织保障。 （陈静波）

黑龙江省

【概况】 2009 年，黑龙江省新增水利投资总量首次突破 100 亿元，落实水利建设资金 109.15 亿元，比 2008 年翻了一番，为历史最多的一年。完成投资 72.84 亿元，占落实资金的 67%。新建、续建重点水利项目 128 项；新增水田面积 16.33 万 hm^2；改善水田面积 15.53 万 hm^2；新增水田工程节水灌溉面积 5.09 万 hm^2；新增旱田节水灌溉面积 18.67 万 hm^2；推广水稻节水控制灌溉面积 8.1 万 hm^2；解决 204 万农村人口饮水不安全问题，提前一年完成“十一五”饮水安全规划任务，全省农村自来水普及率达 57%；完成水土流失治理面积 16.89 万 hm^2。

省水利厅机关荣获“全国精神文明建设工作先进单位”；厅直机关全部晋升为省级文明单位，其中标兵率达 73%。 （赵书春 李季）

【水政】 出台了全国第一部农田水利方面的地方性法规——《黑龙江省农田水利条例》，必将对实施千亿斤粮食产能工程、推动农业现代化发挥重大作用。起草了《黑龙江省水库渔业管理办法》。经认真清理，保留涉水行政审批项目 40 项。深入开展以河道采砂管理、涉河工程建设、入河排污口、水资源费征收、水土流失防治、水事纠纷调处等为重点的水利综合执法，依法查处水事违法事件，维护了良好的水事秩序。 （赵书春 李季）

【水资源】 修订了《黑龙江省用水定额》，组织专家审定了《黑龙江省地下水超采区治理方案》。认真落实开发建设项目取水许可和水资源论证、防洪影响评价、水土保持方案审批制度，加强对江河源头、饮用水源地保护、水功能区的水质监测和监管。加大水利规费征收力度，恢复征收了停止近8年的河道管理维护费，全年征收水利规费2.7亿元。以哈尔滨、大庆2个国家级节水型社会建设试点为重点，大力推进节水型社会建设。（赵书春 李季）

【水利规划】 编制完成三江平原水利综合规划、黑龙江省中俄界河国土防护二期工程规划等13项规划，正在抓紧编制黑龙江省水资源综合规划、黑龙江省现代水利发展战略规划、黑龙江省西部地区旱涝保收田水利规划、黑龙江省东部煤电化基地水源工程规划等24项综合规划和专业规划。按照省政府和水利部的总体部署，启动了黑龙江省水利发展“十二五”规划的编制工作。（赵书春 李季）

【基本建设】 续建了亚行贷款松花江防洪工程、西山水库、桃山水库二期、小鹤立河水库、东城水库。开工建设了尼尔基引嫩扩建一期工程中的北引渠首、北引总干乌北段50km扩建，尼尔基灌区中的林甸、富裕牧场、富南、富西和兴旺等5个灌区工程，三江平原灌区中的绥滨、八五九、饶河、二九〇、虎林5个灌区，5处大型泵站更新改造工程，以及哈尔滨、佳木斯、伊春城市防洪和胖头泡蓄滞洪区围堤工程、九龙水库、林海水库、汪清水库扩建工程。续建98座、开工69座病险水库除险加固工程，完成37座病险水库除险加固主体工程。完成了对口支援四川省剑阁县的水利工程建设，总投资2538万元的11处乡镇集中供水站和3座震损水库全部完工并投入使用。（赵书春 李季）

【防洪抗旱】 2009年，黑龙江省气候极端异常，旱涝交替，夏伏连旱，汛情、旱情发生早、程度重、范围广、时间长。4月上中旬，嫩江、黑龙江上游发生历史最早的冰凌卡塞和冰坝；5月下旬发生特大干旱，受旱面积高达659.6万hm^2，为历史同期最多；6月，全省出现历史同期最大强度、最大范围降雨；8月，西部地区发生严重伏旱，受旱面积高达160.5万hm^2。党中央、国务院和省委、省政府高度重视该省防汛抗旱工作，各级党委、政府和防汛抗旱指挥部门抢前抓早，严格落实防汛抗旱责任制，强化各项防汛抗旱措施，先后启动Ⅱ级和Ⅰ级抗旱应急响应，清除河道行洪障碍497处，科学调度大顶子山航电枢纽、莲花电站等水利工程，充分发挥防洪效益。国家防汛抗旱总指挥部和财政部、水利部安排抗旱资金8000万元，省财政紧急拨付3000万元，各地共投入12.67亿元，大搞抗旱水源工程建设，确保了大灾之年全省粮食总产达到58亿kg。安全转移受洪水威胁人员4.2万人，无一伤亡，最大限度地减轻了灾害损失。（赵书春 李季）

【农田水利】 首次与中国人民解放军65301部队联合开展部队援建民生水利建设活动。出动兵力9674人，轮式车辆425台，工程机械20台，在6个地市摆开长达50多km的战线，动用土方25.7万m^3，植树31.7万株。此项活动受到省委、省政府的高度评价和社会各界的广泛赞誉。经与省物价局协调，全省农村饮水用电价格每千瓦时下调0.1元，每年可为农民让利2000万元。启动了20个小型农田水利重点县项目建设。据统计，全省秋季农田水利基本建设完成投资9.89亿元。新打灌溉水源井4500眼，新建、续建与改造小型蓄水工程108处，修复水毁工程447处，清淤渠道2290km。新增旱田节水灌溉面积5.7万hm^2，改善灌溉面积10.67万hm^2。（赵书春 李季）

【水土保持】 深入贯彻实施《中华人民共和国水土保持法》，积极推进水土保持重点工程建设，下达全省近期水土保持重点治理工程建设资金和国家农业综合开发东北黑土区水土流失重点治理工程资金1.37亿元。宾县、海林两个水土保持科技示范园区建成并被水利部命名为全国水土保持科技示范园区。尚志、碾子山区水土保持生态修复试点任务全部完成，海林石头沟、延寿城北清洁小流域试点建设进展顺利。启动了水土保持监测网络和信息系统建设二期工程。审批开发建设项目水土保持方案185个，验收开发建设项目水土保持工程设施6个，征收水土流失防治费837.66万元，查处水土保持违法案件56起。（赵书春 李季）

【城乡供水】 2009年黑龙江省12个地级城市，城镇总人口1802.91万人，其中市辖区人口1026.17万人，日需水734.7万m^3，日实际供水339.4万m^3，日缺水395.3万m^3，全省61个县（市），县（市）城区总人口776.74万人，日需水323.1万m^3，日实际供水82.1万m^3，日缺水241.0万m^3。2009年水利工程年供水量为255.49亿m^3。（赵书春 李季）

【地方水电】 建成2个水电农村电气化县工程，续建2个水电农村电气化县和2个以小水电代燃料试点工程，开工3个水电农村电气化县和1个以小水电代燃料试点工程。截至2009年末，全省建成农村水电站71座，装机达24.16万kW，全年发电量5.5亿kW·h，创历史最高水平。按照水利部要求，历时5年，完成全省农村水能资源调查评价工作，确定该省水能资源理论蕴藏量由844.3万kW增加到987.8万kW，可开发量收612.3万kW增加到1024万kW，

调查评价成果已由水利部公告。（赵书春　李季）

【工程管理】　在项目建设过程中，严格执行“四项制度”，加强对招标投标过程的监督和检查；建立施工质量责任制，严把工程质量关；加强安全生产监督检查，落实各项安全生产措施，坚决杜绝重特大安全生产事故的发生；加强工程竣工验收管理，确保工程及时投入使用，尽早发挥效益；加强工程建设纪检监察派驻制，对工程建设实行全过程、无缝隙的监督检查，确保资金安全、工程安全、生产安全、干部安全。（赵书春　李季）

【科技与教育】　水利部科技推广中心黑龙江推广工作站和水利新技术试验室在省水利科学研究院建成并投入运行；二龙山国家级水土保持科技园区建成并被国家命名，“水土保持学”专业被批准为省级重点学科；启动了水旱田灌排配套技术模式开发与应用中日科技合作项目。积极开展全省水利行业教育培训工作，组织开展了《水利工程与管理专业》本、专科远程教育，大力实施人才开发战略，加大人才选拔、培养和引进力度，全面提升水利人才队伍的整体素质和综合能力。（赵书春　李季）

【多种经营】　认真贯彻《国务院关于印发〈水利产业政策〉的通知》和《水利部关于进一步加强水利经营管理工作的若干意见》，大力发展水利经济，供水、发电、种植业、养殖业、水利渔业、水利旅游等产业开创新局面。水利经济总收入 18.61 亿元，利润 1.67 亿元，其中水利渔业收入 2160 万元，利润 281 万元。截至 2009 年底，全省建立水利风景区 97 个，其中国家级水利风景区 14 个。（赵书春　李季）

【签订《省部合作备忘录》】　2009 年 9 月 19 日，国家水利部和黑龙江省人民政府加快千亿斤粮食产能工程建设，推进黑龙江水利发展与改革合作备忘录签字仪式在北京举行。省委书记吉炳轩和水利部部长陈雷出席签字仪式并讲话。省长栗战书与部长陈雷在合作备忘录上签字。水利部副部长矫勇、胡四一、刘宁，部党组成员、办公厅主任陈小江，水利部相关司局和省水利厅厅长陆兵等参加签字仪式。《加快千亿斤粮食产能工程建设与水利发展改革合作备忘录》明确了省部合作加快黑龙江省水利建设的指导思想、工作目标、主要内容和工作机制。通过省部联动，优势互补，抢抓机遇，携手共进，必将有力推进该省水利事业大干快上。（赵书春　李季）

【水利改革】　社会融资效果显著，双鸭山市安邦河治理工程等城市滨水景观工程、牡丹江市林海水库等供水水源工程、林口县龙虎山水电站等小水电站工程社会融资 13.52 亿元。通过实行多层次督办，基本完成水管体制改革任务。落实“两费”4.2 亿元，占应落实的 86%，落实公益性养护经费 1.6 亿元，占应落实的 81%。完成了富锦幸福、桦川悦来等 10 个大型灌区的水价改革；开展了水利部农业水价综合改革试点工作。全省所有大型灌区全部成立用水户协会，并在民政部门登记注册，共成立用水户协会 110 个，控制灌溉面积 9.07 万 hm^2。（赵书春　李季）

上　海　市

【概况】　2009 年，上海市水务工作紧紧围绕上海“四个确保”的全市大局，以公共服务助力世博筹办，以加快发展保障民生改善，以深化改革推进职能转变，以党的建设引领行风正气，坚定信心、开拓奋进，较好地完成了年度各项目标任务，继续保持了水务改革、发展、稳定协调发展的良好局面。（邓一露）

【水政】　(1) 水务法制建设。积极推进水务地方性法规、规章的修订、起草工作，重点开展了《上海市防汛条例》《上海市节约用水管理办法》《上海市黄浦江防汛墙保护办法》《上海市水文管理办法》等地方性法规和政府规章的修订、起草工作。确定了《上海市防汛条例》的修订内容；起草了《上海市节约用水管理办法》的修订稿（草案）及其说明；完成了《上海市黄浦江防汛墙保护办法》的修订调研报告；启动了《上海市水文管理办法》的立法调研。

(2) 水务行政审批。据统计，1—12 月，上海市水务业务受理中心受理水务行政许可事项 42665 件，其中涉及水利行业 657 件、供水行业 40509 件（其中用水计划指标的核定或批准 40197 件）、排水行业 1499 件；各区、县水务行政许可机构（窗口）受理水务行政许可事项 4685 件，其中涉及水利行业 1420 件，供水行业 337 件（其中用水计划指标的核定或批准 302 件），排水行业 2928 件。

(3) 水行政执法。据统计，1—12 月，上海市水务执法机构共组织行政执法检查 9688 次，出动执法人员 25376 人（次）；市水务行政执法总队查处各类违法案件 445 件，罚款金额 566.953 万元；各区（县）水务局（建委）查处各类违法案件 772 件，罚款 482.947 万元。（邓一露）

【水资源】　(1) 水资源管理和水环境保护。①水源保护方面，上海市人大正式颁布了《上海市饮用水水源保护条例》，使全市所有饮用水水源地的保护均有法可依。②COD 减排方面，可望提前一年完成本市“十一五”COD 减排任务，全市城镇污水处理厂平均

COD出水浓度从2007年的100.3mg/L降至60mg/L。③污泥处理工程建设取得新进展，中心城区白龙港和竹园污水项目顺利实施，郊区新建嘉定安亭等3座污泥处理工程。④政策机制方面，出台了三项污水管网建设的财政补贴政策，起草完成了郊区集约化供水和节水的补贴政策意见。⑤污水监管方面，出台了污水厂网建设、污泥工程建设、农村生活污水处理的前期工作指导意见和相关技术规定，加强了污水厂运行的监管和考核。⑥取水许可工作稳步推进，提出了总量控制指标和分配方案及其管理规定，颁布了建设项目水资源论证分类管理的要求，为总量控制制度的实施创造了条件。⑦地下水采灌工作稳步推进，年取水总量控制到2553万m^3，回灌井的建设在多渠道推进，为2010年地下水采灌平衡奠定了基础。⑧环保三年行动计划稳步推进，一半以上的建设工程项目已经开工或者完成。⑨太湖流域水环境治理工作稳步推进，除两个远期项目外，一半项目正在建设或者完成，其余一半项目也已经完成前期，年内可以开工建设。⑩河道水环境治理和农村生活污水治理稳步推进，黑臭河道治理和村沟宅河治理任务超额完成，农村生活污水处理在试点基础上大规模推进。

（2）节水型社会建设。完成各类节水措施584项，全市最高日节水量7.85万m^3。更新改造居民便器水箱配件3.1万套，累计改造21.56万套。全市万元GDP取（用）水量降至84m^3，万元工业增加值用水量降至157m^3，中心城区工业用水重复利用率提高至82.1%。建成第二批18个节约用水示范小区、3所节约用水示范学校、3家节约用水示范单位，以及340个节水型小区（社区）、8所节水型学校（校区）、1个节水型工业园区、25家节水型企业（单位）。

（邓一露）

【水务规划】 认真开展规划编制工作，一是全国省市层面第一个污泥规划——上海市城镇排水污泥处理处置规划获市政府批准，由上海市水务局会同市发改委、环保局等相关部门组织实施；二是组织编制了上海郊区供水集约化规划，并经上海市政府原则同意；三是蕴藻浜和淀浦河综合整治规划基本完成，在进一步修改完善后上报上海市政府；四是全面启动上海水务“十二五”规划编制工作，完成滩涂“十二五”规划编制。

（邓一露）

【基本建设】 （1）扎实推进水务基础设施建设。2009年完成水务投资145亿元。加快水源地规划与建设，青草沙水源地主体工程基本建成；源江水厂一期、南市水厂改造一期工程正式投产，南市水厂、临江水厂深度处理工艺升级可于世博会前投入运行；推进郊区集约化供水，新开工3座郊区水厂，关闭5座乡镇水厂；第四轮环保三年行动计划水环境治理项目实现开工过半，竹园第一污水处理厂升级改造建成调试，西干线改造主体工程基本完成，竹园、白龙港污泥处理处置工程有序推进，污水收集管网敷设230km，城镇污水运行在线监测系统投入使用，全市城镇污水处理率达到78.9%，可望提前实现本市COD减排“十一五”目标；基本完成苏州河防汛墙改造，扎实推进太湖流域水环境综合治理项目；实施滩涂促淤3513.33hm^2、圈围造地2513.33hm^2，成陆213.33hm^2。

（2）竹园第一污水处理厂升级改造工程完工。12月26日进入清水调试和系统联动调试阶段，预计2010年4月前可投入试运行。升级改造后的处理规模为170万m^3/d，污水处理工艺由化学沉淀的一级加强处理升级到生物处理，出水水质标准执行《城镇污水处理厂污染物排放标准》（GB 18918—2002）中二级排放标准。

（邓一露）

【防汛抗旱】

1. 水情雨情

（1）降水量。2009年上海市平均降水量为1322.5mm，比常年偏多21.4%，比2008年增加6.8%，属丰水年。其中汛期（6月1日至9月30日）全市平均降水量为698.2mm，比常年偏多26%，比2008年增加3.6%。

（2）梅雨。2009年上海市于6月20日入梅，7月8日出梅，梅雨期历时19天，其中雨日为11天。梅雨期间，中心城降水量为160.9mm，比常年值偏少约3成。郊区崇明县降水量最大，达256.7mm，金山区降水量最少，为59.3mm。

（3）暴雨。2009年上海市较大范围暴雨有4次，7月22日暴雨集中在奉贤、金山、青浦和松江一带，雨量最大为金山区站，日雨量达122.9mm；7月30日暴雨集中在中心城、嘉定、宝山、青浦等地区，雨量最大为青浦区站，日雨量为120.2mm；8月2日暴雨为2009年上海地区雨强最大的一场暴雨，其中中心城、闵行、宝山等雨量超过100mm，奉贤区雨量达到172.9mm；8月10日，全市普降暴雨，青浦和松江部分地区雨量超过100mm。

2. 汛情 6月1日至9月30日，上海市汛期经受住了台风“莫拉克”外围影响、8次天文大潮汛、3次暴雨到大暴雨、7次局部暴雨、1次局部特大暴雨等的严峻考验。其中黄浦江上游米市渡潮位38次超过警戒线。汛期总体情况如下：

（1）降水量偏多。据徐家汇观测站资料统计，汛期累计降水量为810.5mm，比常年值642mm偏多近3成。其中梅雨量为159.3mm，较常年值（244.4mm）约少3成，但7月和8月降水量为501.2mm，较常年值偏多近7成。

（2）雷暴雨等强对流天气偏多。上海中心气象台先后发布暴雨红色预警信号1次、橙色预警信号6次、黄色预警信号15次、蓝色预警信号1次，市防汛指挥部发布防汛防台橙色预警信号4次（其中局部3次）、黄色预警信号14次、蓝色预警信号5次。

（3）台风影响较弱。汛期本市仅受到台风“莫拉克”外围影响，风雨有限，比常年偏少1个。

（4）汛期潮位不高。2009年汛期，黄浦江吴淞站、黄浦公园站潮位连续第4年均未超过警戒线，为多年罕见，米市渡站超警戒线38次（2008年为33次），最高为4.02m。（章震宇）

【郊区水利】（1）黑臭河道专项整治。2008—2009年两年累计完成黑臭河道整治681km，郊区城镇化地区河道基本消除黑臭。

（2）农村生活污水处理。2009年完成22445户农村生活污水处理计划，进一步促进了农村水环境面貌和人居环境的改善。

（3）村沟宅河整治。2009年完成村沟宅河整治计划1333.8km，涉及嘉定、浦东、原南汇、奉贤、松江、金山、青浦和崇明等8个区县，有效改善了村落整体面貌和排水状况。

（4）新农村水利基础设施建设。开展了金山区新农北圩、崇明县横沙、长兴低洼地防洪除涝工程建设，新建排涝泵站5座、方涵18座、泵闸2座，受益面积达2266.67hm^2；实施以灌溉泵站、灌排渠系等为重点的农田水利基础设施建设，新建改建灌溉泵站69座、排涝泵站15座、涵闸14座，为3373.33hm^{2}设施粮田和813.33hm^{2}设施菜地提供了保障，进一步夯实了农业增产、农民增收的基础。

（5）中央小型农田水利专项工程和重点县工程建设。积极组织实施中央财政补助小型农田水利项目建设，配合相关部门具体做好项目申报、立项审批、方案评审等工作。（邓一露）

【城乡供水】加快水源地规划与建设，青草沙水源地主体工程基本建成；源江水厂一期、南市水厂改造一期工程正式投产，南市水厂、临江水厂深度处理工艺升级可于世博会前投入运行；推进郊区集约化供水，新开工3座郊区水厂，关闭5座乡镇水厂；推进二次供水设施改造，提高了5604.8万m^{2}建筑面积、92万户、276万人口的饮水质量，保障了城乡供水服务；积极应对咸潮入侵、突发爆管、水质污染事件以及夏季持续高温的不利影响，强化监测调度、热线服务和应急处置，确保自来水安全服务供应和居民生活正常有序。（邓一露）

【工程管理】（1）水务工程建设管理。全年共审查水务工程初步设计93项，其中直接批复57项、转报批复36项；全年水务建设工程申报创建上海市文明工地和水务系统文明工地86个；全年受理水利水电工程施工企业资质初审9家，其中三级总承包资质3家、专业二级1家、专业三级5家。根据水利部要求，组织有关单位对《水利工程建设监理规定》等有关规定的修订提出了意见和建议。

（2）水利工程质量安全监督。1—12月，上海市水利建设工程质量监督中心站共监督水利工程项目244项，其中2009年受监项目123项，2008年结转未完工项目121项。2009年度受监重大工程有：后滩公园防汛墙、E18地块滨江绿地防汛墙、上海辰山植物园西南块隧桥水闸等。经核定，竣工项目单位工程合格率100%，优良率68%。监督过程中开具质量行为整改通知单57份，安全行为整改通知单45份，局部暂停整改指令1份。年内水利建设工程未发生质量安全事故。（邓一露）

【科学与教育】（1）科技成果。由上海市水务信息中心等单位承担的“水务公共信息平台关键技术及其应用研究”获得水利部大禹奖二等奖。

（2）推进国家“水体污染控制与治理”重大科技专项启动实施。上海市水务局作为上海市“水专项”协调小组成员单位，按照国家“水专项”办公室的要求，认真做好上海市承担项目及课题的管理和推进工作。截至2009年底，国家水资源开发利用（南方）工程中心、市水务规划院、同济大学、市环科院等单位负责或参与的“水专项”12个课题中，8个课题实施方案和预算获得国家批准并正式启动实施，并顺利通过了国家水专项办的中期督查。（邓一露）

【多种经营】（1）分步调整本市居民用户水价。6月11日，市发展改革委（物价局）同意分步调整本市居民用户水价。本市在市属供排水企业的服务区域内，自2009年6月20日起，每立方米自来水价格从1.03元调整为1.33元、排水费从0.90元调整为1.08元；自2010年11月20日起，每立方米自来水价格从1.33元调整为1.63元、排水费从1.08元调整为1.30元。调整后的居民用户水价实行单一制，排水费不再实行超基数加价。排水量仍按用水量的90%计量。

（2）特许经营管理。开展了“供排水行业特许经营制度下政府监管机制研究”工作，计划通过对本市供排水经营企业现状的调研，分析供排水行业特许经营管理的积极意义及存在的问题。年内，对由市水务局授予特许经营权（或签署特许权协议）的11家企业进行了调研，并初步形成了调研报告，在此基础上，下一步拟提出加强供排水行业特许经营管理的建议和措施，起草《上海市供排水行业特许经营企业监督管理办法》，进一步规范完善供排水行业特许经营管理。

（邓一露）

江 苏 省

【概况】 2009年，江苏水利系统认真贯彻省委、省政府扩内需保增长部署要求，抢抓国家加强基础设施建设机遇，突出安全、资源、环境、民生四大水利任务，大幅增加水利投入，加快水利建设，强化水利管理，顺利完成各项水利工作任务。2009年全省防汛抗旱防台工作取得全面胜利，减免灾效益达28亿元。中央扩内需新增水利项目建设加快推进，截至2009年12月底完成投资26亿元。重点水利工程建设超额完成投资82亿元，其中南水北调、重点区域治理工程进展加快，病险水库除险加固全面实施，治淮骨干工程、海堤达标主要工程基本完成。农村水利建设投资67亿元，比2008年增长30%；完成劳动工日0.6亿个、土石方6.5亿m^3；更新改造农村泵站593座、3.9万kW，改善有效灌溉面积30.67万hm^2；解决450万农村居民饮水不安全问题。太湖综合治理成效明显，全年未发生大面积“湖泛”生态灾害。水资源管理与保护力度加强，建立省级湖泊管理联席会议制度和考核制度，基本完成省管湖泊的勘界保护工作。节水型社会建设成效明显，全省万元GDP耗水量达到143m^3（不计火电用水），比2008年下降5%。水库移民后期扶持工作取得新进展，累计发放原迁移民直补资金2.03亿元，资金发放及时率100%。深化依法行政，强化规划管理，水利行业公共服务和社会管理能力进一步提升。机关作风和党风廉政建设紧抓不放，深入开展精神文明创建活动。

（朱海生）

【水政】 (1) 法制建设。2009年1月18日，《江苏省水文条例》经江苏省第十一届人大常委会第七次会议审议通过，自2009年3月22日起正式施行，为加强江苏省水文建设提供了强有力的法律保障；《江苏省水域管理办法》《江苏省农村饮水安全工程管理办法》《江苏省农村河道管护办法》报省政府审议；完成《江苏省水库管理条例》立法调研工作；完善《江苏省水行政处罚自由裁量权参照执行标准》，全部制定完成国家和省27部水法规中设定的行政处罚自由裁量权参照执行标准。

(2) 水政执法。不断强化队伍建设，对13个省辖市水政监察支队纳入或申报纳入参照公务员制度管理，调整成立支队1个、大队6个、中队13个，新增专兼职水政监察员891名，培训水政执法人员2700多人。创新执法机制，以开展“百湖执法大检查”专项活动为主线，“区域”与“流域”上下联动，管理和执法无缝对接，维护河湖健康生命。强化河道采砂管理，组织“迅雷”“清江”等大规模治理行动，有效遏制了非法采砂。截至2009年11月底，全省共出动执法巡查人员12万余人次，拆除违章建筑36021m^2，清除违章圈圩354.6hm^2，铲除违章种植162.3hm^2，查处非法采砂船只398条（次），拆除采砂设备285台套，罚款835万元，查处各类水事违法案件2785起，移交公安机关实施治安处罚15人，刑事处罚8人，对8个工程性采砂项目进行规范监管。全年征收砂石资源费2832万元，水保费175万元。

（任伟刚）

【水资源】 (1) 水资源管理保护。开展自来水水资源费审计稽察追缴工作，完成100家用水大户“两费”征收专项稽察；全年共征收水资源费、南水北调基金7.63亿元。进一步加强地下水管理，全省实际开采6.89亿m^3，压缩超采区600万m^3，完成南水北调受水区地下水开采量调查和全省地下水监测站网调整工作，按时发布地下水监测季报和年报。完善水资源论证、取水许可验收两项制度，审批取水许可申请313份、入河排污口7个，批准取水量3.74亿m^3；推进徐州市、射阳县成立水务局；编制《江苏省地表水（环境）功能区纳污能力和限制排污总量意见》报省政府审议；出台《江苏省水资源费征收使用管理办法》《关于加强建设项目节水设施“三同时”工作的通知》等水资源管理规范性文件；制定《县级水资源管理规范化建设指导意见》；推进县级水资源综合规划编制工作。基本完成无锡市水生态系统保护与修复试点。

(2) 太湖水环境综合治理。编制“太湖流域节水减排方案”，完成首批62项节水减排项目，形成年节水能力1.2亿m^3，减排COD 1.2万t。投资太湖综合治理5.7亿元，开展调水引流、捞藻清淤、河网整治、防控“湖泛”等应急治理措施，累计抽引长江水入湖5亿m^3，打捞蓝藻60多万t，新建藻水分离站6座，处理藻泥8000多t；超额完成生态清淤597万m^3，直接减少内源污染物有机质1.9万t、总氮4570t、总磷3800t；完成62条环湖河道的疏浚整治，疏浚土方609万m^3；实施“湖泛”治理应急预案，对太湖“湖泛”易发区以及所有饮用水源地进行逐日巡查，全年未发生大面积“湖泛”生态灾害。

(3) 节水型社会建设。超额完成年度节水型社会建设任务，全省万元GDP耗水量较2008年下降5%；载体建设实现全覆盖，创建完成省级节水型企业（单位）155个、节水型社区65个、节水型高校25所、节水型灌区16个；继续开展“八大行业”节水专项行动，新增年节水能力2.1亿m^3。全面完成南京、徐州、张家港3个国家级试点年度目标任务，新增南通、泰州为国家级节水型社会建设试点；11个省级节水型社会建设试点主要节水指标基本达到规划预期目标；全省推广循环用水、中水回用、废污水“零排放”等节水典型经验。12个市、县出台节约用水条例（办法），苏州开展用水审计试点。（任伟刚）

【水利规划】（1）年度计划和前期工作。做好淮河、长江、太湖流域综合规划修编工作；根据国务院批准的《江苏沿海地区发展规划》，形成《江苏沿海地区发展水利专项规划》等配套规划；配合流域机构研究提出《加强淮河流域综合治理近期工作意见》的修改调整意见经国务院常务会议通过；初步形成临海引江供水线论证专题成果，着手编制入海河道河口治导线规划；提出全省水系规划报批文本提纲，编制规划文本报省政府审批；完成中小河流治理建设规划和大中型病险水闸除险加固规划。切实推进走马塘工程、新沟河工程、新孟河工程、东太湖综合整治四项工程立项进程；积极推进入江水道、分淮入沂及洪泽湖大堤工程、里下河川东港整治工程、引江河二期工程、入海水道二期工程的前期工作；通过滁河、水阳江治理工程可研性报告；加快区域治理、民生水利等工程前期工作，批复实施26条中小河流初步设计。按时足额拨付国家四批扩大内需水利项目省级配套资金16.55亿元；下达2009年重点工程投资计划65亿元（不包括南水北调）；商定2010年81亿元水利重点工程项目投资安排，基本落实2010年用于水利工程建设的省级资金26亿元；切实做好扩大内需项目统计工作。

（2）加强规划管理。下发《江苏省水利规划管理办法》和《江苏省水工程建设规划同意书制度管理办法实施细则》；试行建设项目规划同意书制度。

（3）启动“十二五”规划编制。提出“十二五”规划编制工作方案和规划思路研究工作意见，开展“十一五”规划评估和“十二五”规划思路报告起草工作。（任伟刚）

【基本建设】 2009年完成重点工程建设投资82亿元，超额完成年度计划目标。①治淮骨干工程、海堤达标工程基本完成。②南水北调工程完成单项工程初步设计，三阳河潼河宝应站、刘山站、解台站、蔺家坝泵站、淮安四站及输水河道、骆马湖水资源控制工程全面完成，淮阴三站工程通过试运行验收，江都站改造工程进入扫尾，苏鲁边界的南四湖水资源控制工程姚楼河闸基本完成，大沙河闸、杨官屯河闸正抓紧实施；洪泽湖至骆马湖段的泗阳站、泗洪站、刘老涧二站、皂河站工程全部开工建设，截污导流工程完成投资10.11亿元。③27座大中型病险水库加固工程全面开工建设，17座已基本完成。④通榆河北延送水工程具备初通水条件。⑤超额完成区域治理、长江治理、里下河等地区灾后重建等工程建设任务。⑥扩大内需新增投资计划项目、太湖水环境综合整治走马塘工程、大型灌排泵站改造工程全面开工建设。⑦开展水利工程建设领域突出问题专项治理活动，做好服务管理，完善诚信体系，提高管理水平。淮河入海水道获得新中国成立60周年经典项目奖，治太工程梅梁湖泵站、九曲河水利枢纽获得2009年水利部优质工程大禹奖。（任伟刚）

【防汛抗旱】（1）雨水情。汛期，全省面平均降雨量738mm，比常年同期偏多8.7%。淮北地区面平均降雨量为613mm，比常年同期偏少6.9%；江淮之间面平均计算量689mm，与常年同期基本持平；沿江苏南地区面平均降雨量为839mm，比常年同期偏多23.5%。汛期降雨主要集中在5—8月，5月淮北地区降雨量为97mm，比常年同期偏多52%；沿江苏南地区6—8月累计降雨量为692mm，比常年同期明显偏多，为常年同期的1.47倍。9月、10月全省大部分地区降雨量明显偏少，其中淮北地区2个月累计降雨量为49mm，仅为常年同期的39.1%。

江苏省淮河以南地区6月27日入梅，7月15日出梅，梅期长19天；入梅、出梅日期偏晚，梅期长基本正常。沿江苏南、江淮之间梅雨量为196mm、105mm，分别较常年梅雨量偏少16.5%、53.3%；淮北地区同期雨量为133mm，比常年值偏少28.3%。

7月21—22日淮河上中游部分地区发生暴雨到大暴雨，淮河干流吴家渡站7月24日出现年度最大洪峰流量2840m^3/s，入洪泽湖最大流量为3376m^3/s。汛期，淮河上中游地区多次发生暴雨，淮河干流出现4次洪水过程。里下河地区多次出现较大范围暴雨，8月上中旬受第8号台风影响，里下河河网水位上涨较快，普超警戒水位，兴化站水位日涨幅最大达0.49m。8月12日，兴化站最高水位达2.23m，盐城、阜宁、建湖站最高水位也达到2.05m、1.73m、1.92m，分别超警戒水位0.35m、0.43m、0.12m。7月、8月，沂沭泗流域出现多次降雨，沂河、沭河、运河等河道出现洪水过程。长江干流及滁河等支流汛情平稳，太湖出现1999年以来最高水位，长江流域内局部地区出现洪涝；秦淮河流域出现洪水过程。

（2）科学调度。①防汛排涝。汛期，根据淮河上中游地区降雨情况，省防办调度三河闸开闸4次，累计泄洪25.4亿m^3，控制最大泄洪量为2000m^3/s，确保洪泽湖周边及淮河下游地区防洪安全。7月下旬到8月上中旬，里下河地区降雨集中，水位上涨较快，省防办及时调度江都、高港等泵站及沿海四大港闸抽排、自排里下河涝水34.9亿m^3。针对汛期沂沭泗地区上游来水情况，省防指预降骆马湖水位腾出库容；7月下旬至9月上旬，嶂山闸开闸4次，累计泄洪19.5亿m^3，调度石梁河水库泄洪3.7亿m^3，有效控制水位上涨。2009年7月下旬，太湖地区河湖底水较高，省防办调度沿江闸站抢潮排水，截至8月31日常熟枢纽泵站累计排水9.57亿m^3；太湖水位超警戒后，加大望亭立交闸、太浦闸泄洪力度，7月下旬至8月底两闸累计泄洪14.6亿m^3。②抗旱。冬春期淮北部分地区出现15～20年一遇严重旱情，2008年11月至2009年2月，省防办调度洪泽湖、骆马湖、微山湖水源31.8亿m^3，支持当地生产生活及改善区域水环境用水；及时调度高港枢纽、江都东闸引江补水，截至2009年6月底，累计引水33亿m^3，保障里下河及沿海地区水稻栽插用水；开启江水北调沿线江都、淮安、刘山、解台等泵站向淮北地区河库补水，至7月上旬累计翻水66.5亿m^3，解决抗旱水源。③防台。2009年第8号台风影响江苏，省防办及时商请流域机构开启嶂山闸泄洪，预降骆马湖水位，严格控制河网水位和水库运用。8月10日夜横山水库水位上涨迅速，省防办紧急调度加大泄洪流量到121m^3/s，确保水库安全。④应急治理水污染。迅速有效处置盐城城西水厂水污染、淮安市区二河段水源地水色异常、山东砷污染下泄事件。（任伟刚）

【农田水利】 （1）农村河道疏浚整治。编制《2011—2012年农村河道疏浚整治规划》；投资23亿元，疏浚县乡河道3577条，完成土方2.55亿m^3，整治村庄河塘4.4万个，完成土方1.95亿m^3，均超额完成任务；23个县（市、区）提前一年完成“十一五”规划任务，通过省级整体验收。

（2）小型农田水利工程建设。编制《县级农田水利规划》，审批75个“小型农田水利”项目，完成小型农田水利工程建设投资7亿元，修建机电泵站1771座、水源工程74处、防渗渠道1168.7km，成立农民用水合作组织21个。

（3）大中型灌区节水改造。编制修订全省《农业综合开发中型灌区节水配套改造规划》及《江苏省2009—2020年节水灌溉规划概要》；审批32个“灌区改造”项目；投资12亿元，实施25个大型灌区续建改造项目，改造后农业灌区节水30%～40%，降低生产成本225～300元/hm^2。

（4）圩区治理及丘陵山区水源工程建设。实施里下河和沂南、沂北圩区治理，更新改造938座圩口闸；新建改建塘坝、大口井1997座（面），新增蓄水量4010万m^3；完成泗洪县西南岗地区水源工程。

（任伟刚）

【水土保持】 编制《江苏省2009—2011年水土保持重点工程建设规划》并通过淮委技术审查；受水利部委托完成2个项目水土方案验收，配合水利部完成6个项目水保方案验收；配合淮委、太湖局开展2次水土保持监督执法检查；审批28项“水土保持方案”；实施小流域项目23个，投资3072万元，治理水土流失面积229km^2。（任伟刚）

【城乡供水】 （1）饮用水源地保护。贯彻落实江苏省人大《关于加强饮用水源地保护的决定》，审查通过《江苏省饮用水源地安全保障规划》；开展饮用水源保护整治行动，完成首批111个饮用水源地一、二级保护区和准保护区划分；初步形成江苏省备用水源地建设思路和方案，新增备用水源地7个；继续开展重点水功能区水质监测，按月发布水功能区水质通报和集中式饮用水源地水质旬报，对太湖重要水源地开展日报，基本实现水功能区监测全覆盖。

（2）农村饮水安全。编制《2011—2013年农村饮水安全规划》；完成“农村饮水安全”218个项目的可研审批，投资22亿元，解决了农村450万居民饮水不安全问题；完成集中供水365处。（任伟刚）

【工程管理】 （1）湖泊管理。建立省管湖泊联席会议和保护考核制度；完成里下河湖泊湖荡地区695km^2勘界定桩工作，省管湖泊勘界定桩工作全部完成并通过验收；对省管湖泊开发利用状况实施遥感动态监测，首次进行湖泊开发利用省级管理部门间会商；首批27艘省管湖泊巡查艇正式启用，完成第二批湖泊巡查艇招标工作；基本完成湖泊资料整编。

（2）涉河建设项目管理。继续开展沿江违法涉河建设项目整治；定期对流域性河道涉河建设项目进行检查，严肃处理查出的问题；拓宽项目监管渠道，把来信、来访、新闻报道等信息作为项目监管重要来源，违法行为一经核实，立即依法处理。

（3）水库安全管理。制定水库大坝安全管理应急预案，落实水库大坝安全管理责任制；建立水库安全运行管理稽察制度；编制《江苏省白蚁防治规程》，做好堤坝白蚁防治工作。加快推进小型水库除险加固进程，截至2009年底，批复小型水库除险加固项目449座、下达资金11.48亿元，446座水库开工建设，395座水库基本完成主体工程，120座水库通过竣工验收。批复投资列入国家东部规划的重点小型水库134座，87座已开工建设，完成投资约1.77亿元。

（4）大型灌溉排水泵站更新改造。制定《江苏省泵站安全鉴定管理办法》，做好泵站安全鉴定，完成水闸注册登记、安全普查和125座大中型水闸安全鉴定审定工作。

（5）管理考核。按照水利部《水利工程管理考核办法》和《江苏省水利工程管理考核办法》规定，组织或配合流域机构完成11个省三级以上管理单位的复核工作；制定《江苏省小型水库管护工作考核办法》，推进小型水库常态化管理；将争创国家和省级管理单位的达标创建单位，纳入水利目标管理范围。

（6）规范化管理。坚持水利工程管理月报、管理动态通报、违法涉河建设项目通报、湖泊巡查月报、湖泊管理季报五项制度；印发《江苏省沿海挡潮闸防淤减淤运行技术规程》；拟定《江苏省水域管理办法》和《江苏省水库管理条例》两个法规草案初稿；完成《全省区域骨干河道基本情况调查》《江苏省水利工程管理现代化评价指标》等研究；启动河道管理范围内建设项目信息系统、湖泊健康形态、湖泊管理技术涉河建设项目管理技术等专题研究；出台“湖泊管理与保护”等系列行业指导规范性文件。（任伟刚）

【科技与教育】 （1）重大课题。完成“沿海闸下港道淤积综合治理研究”“洪泽湖河湖分离方案对湖区及下游影响研究”“引江济太调水试验工程对太湖地区水环境影响研究”“里下河地区河湖能力研究”“民生水利发展研究”等课题；启动“河湖健康指标体系研究”“河道整治与水土资源配置研究”“泵装置特性分析及适用性研究”“农业灌溉水利用系数测算分析”“太湖地区农田面源污染调控技术”等课题研究。

（2）项目申报。经筛选论证，组织申报了3个水利部“948”计划项目；2010年有2个项目列入水利部“948”计划；研究确定2009年度省水利重点科技项目58个。

（3）项目结题。鉴定省科技成果23项、验收项目11个，“十五”以来科技项目结题率达到80%以上；配合水利部完成11个项目验收；9月，水利部对江苏省承担的21个科技项目执行情况进行专项检查，总体执行情况良好，有关管理经验在水利部科技工作座谈会上作典型交流发言。

（4）科技成果。评出2009年全省水利科技优秀成果奖28项，“江苏省大型灌区节水改造关键技术研究与应用”等8项成果获一等奖，9项成果获二等奖，11项成果获三等奖。推荐“复杂地质条件下大口径长距离钢筋混凝土顶管设计与施工研究”获大禹水利科学技术三等奖，“江苏省大型灌区节水改造关键技术研究与应用”“低扬程大型泵站装置特性研究”等项目获江苏省科技进步奖。

（5）信息化建设。规范信息化工作管理，定期召开信息化工作领导小组会议，组织做好信息化项目前期工作，开展全省水利信息化现状及需求分析调研，启动水利信息化发展“十二五”规划编制工作。加强学术交流，举办“长江下游江苏段涉水工程关键技术研究与思考”学术讲座和以“江苏水利现代化”为主题的首届水论坛；参展中国水博览会，获得“最佳组织奖”和“最佳设计奖”。（任伟刚）

【多种经营】 全省水利经营实现总收入117.37亿元，利润7.36亿元。

（1）水土资源开发。兴化市乡镇水利站截至2009年底经济林木总投入累计达181万元，累计意杨存量54万棵，营林面积275.33hm^2，经济总量约为677万元。洪泽县水利局造林756.67hm^2，堤防绿化覆盖率达90%以上。

（2）水利供水。日供水20万t，总投资3.8亿元武进区域供水二期工程重点项目——礼河水厂正式建成，并实现向武进城区管网并网供水。苏州相城区水务局2009年污水处理工程超额完成投资2.85亿元，用于新扩建污水厂建设、已建污水厂升级改造、污水管网及提升泵站建设和农村生活污水处理设施建设。

（3）水利建筑业。2009年，全省水利建筑业的收入达43.60亿元，占全省水利经营总收入的37.15%。

（4）水利旅游业。2009年，南京天生桥河、南京市珍珠泉、太仓金仓湖、南水北调宝应站、淮安樱花园、徐州市故黄河6家单位被评为第三批省级水利风景区；南京天生桥河、南京市珍珠泉、太仓金仓湖、徐州市故黄河等4家省级水利风景区被评为国家级水利风景区。徐州贾汪区水利局实施南湖、柴窝水库治理工程，一湖一库成为老百姓休闲、旅游新景点。淮安清晏园兴建河道总督府，打造运河文化，拓宽旅游渠道发展旅游业。

（5）水利资产经营管理。加强对水利国有集体资产的经营管理力度，防止资产的流失。苏州吴中区11个水利站全年房租收入360多万元。吴江市水利局水利站合并后，对闲置固定资产进行优化整合，实现房产租赁收入253万元。（任伟刚）

浙江省

【概况】 2009年，浙江省水利系统深入贯彻落实省委“创业富民、创新强省”总战略，按照保增长、保民生、保稳定的要求，把保障人民群众生命安全放在首位，全力做好防汛防台抗旱工作，努力将灾害损失降到最低程度。把加快水利发展作为工作重点，抢抓机遇，积极组织实施中央新增水利项目，有力推动了一批重大项目的开工和建设，为促进全省经济平稳较快增长发挥了积极作用。把发展民生水利放到优先领域，全面推进以改善民生为重点的水利建设，全年完成投资230亿元，一批水利项目产生新成效，造福人民群众。把深化管理改革作为水利发展的动力，进一步强化社会管理和公共服务职能，深化水利体制机制改革，加强水利队伍建设，促进全省水利的可持续发展。（朱新峰）

【水政】　2009年，为依法加强河道管理，组织调研并起草了《浙江省河道管理条例（草案）》，列入本届省人大常委会立法项目库。2—5月，全省组织开展了以“加大河道采砂监管力度，确保行洪和采砂作业安全”为主题的河道采砂整治活动，进一步规范采砂管理。4—10月，组织开展了省、市、县三级水政执法联合巡查活动，查处水事违法案件2563起。5月，参加了由水利部太湖流域管理局组织的太湖流域“一湖两河”水行政执法联合巡查活动，对违法建筑、填占太湖水域的涉水案件进行了查处，维护了良好的水事秩序。（朱新峰）

【水资源】　2009年，为规范水资源论证和取水许可审批，制定了《浙江省水资源管理规范化考核办法》《浙江省取水工程或者设施验收管理暂行规定》等管理制度。全年审查批复了7个省管建设项目的水资源论证，批准了11个省管取水项目的取水许可申请。组织开展了《浙江省水资源费征收管理办法》实施情况的监督检查，中央直属水电厂水资源费征收工作取得突破。推进取水实时监控系统建设，全省11个市、53个县（市、区）已完成905个取水实时监控点的安装工作，年监控取水量约17.5亿m^3，均比2008年增加45%以上。编制完成了《浙江省百库饮用水源安全保障工程实施方案》，在9座供水水库开展试点。扩大和完善水功能区监测网络，全省水功能区监测断面已达500个。基本完成全省水功能区污染物排放总量控制的核定工作。继续落实沿海平原地区地下水禁限采措施，杭嘉湖和甬台温地区全年完成封井266口，累计封井1195口，占应封井数的86%。组织修编《浙江省用水定额》，开展农业灌溉用水计量管理试点，加强节约用水工作。推进节水型社会建设，岱山县通过了节水型社会建设试点验收，成为该省首个节水型社会建设示范县。义乌、玉环、余姚县（市）被水利部列入节水型社会建设试点县。（朱新峰）

【水利规划】　2009年，组织编制了《浙江省加快水利基础设施建设实施方案（2009—2011年）》，编制了钱塘江干堤加固、海塘建设等专项规划，为落实扩大内需政策提供工作基础和项目储备。基本完成了《瓯江流域综合规划》《浙江省太湖流域综合规划》《钱塘江流域综合规划》和《曹娥江流域综合规划》等流域综合规划的修编工作。完成了《浙江省重点地区中小河流治理近期建设规划》《浙江省抗旱规划》《浙江省农村饮水安全工程规划》《浙江省大中型病险水闸除险加固专项规划》等专项规划的编制工作。制定了《浙江省水利发展“十二五”规划编制工作方案》，基本完成《浙江省水利发展“十二五”规划思路报告》，启动了全省水利发展“十二五”规划的编制工作。（朱新峰）

【基本建设】　（1）“强塘工程”。2009年，该工程各项目进展良好，年度建设任务全面完成。水库除险加固完成240座、累计完工475座，列入全国专项规划的45座大中型水库除险加固项目全部提前开工建设。海塘加固完成75km、累计完工100km，水闸加固完成61座、累计完工100座，堤防加固完成197km、累计完工363km。启动了200余座山塘的整治工作。

（2）河道、水环境整治。2009年，以农村河道、河沟和杭嘉湖平原河道为重点，深入实施万里清水河道建设。全年完成河道整治5800km，完成土石方7100万m^3，绿化河岸160万m^2，已累计完成2.5万km河道整治任务。加强河道保洁管理，全省河道保洁长度达2.8万km。组织编制了《浙江省太湖流域水环境综合治理实施方案》，加快推进太嘉河工程、平湖塘延伸拓浚工程、苕溪清水入湖河道整治工程、杭嘉湖地区环湖河道整治工程和扩大杭嘉湖南排工程等“五大水利工程”的前期工作。

（3）滩涂围垦。2009年，按照省政府提出的加快实施滩涂围垦的新要求，加大围垦建设力度，共完成圈围面积1.05万hm^2，其中，省级重点工程完成圈围9660hm^2，中小围垦工程完成圈围830hm^2，圈围面积再创历史新高。

（4）水利新增投资建设。2008年第4季度至2009年底，争取中央投资加上地方配套，该省共新增水利投资43亿元，有力加快了一批重点水利项目建设。至2009年底，该省新增水利投资第二、第三、第四批计划已全部落实，中央资金也已全部拨付到县级财政，投资计划已完成95%。在建项目正按“三个100%”的要求抓紧实施，确保如期完成建设任务。（朱新峰）

【防汛抗旱】　（1）汛情旱情。2009年，该省天气异常复杂，灾害损失较重。①梅雨期出现了非典型梅雨天气，梅雨量严重偏少，仅为117.5mm，比多年平均偏少五成多。②非汛期和盛夏出现持续阴雨天气。2月14日至3月上旬以及7月21日至8月中旬，出现了持续阴雨天气，全省降水量均比常年同期偏多6成。③遭受了第3号（莲花）热带风暴和第8号（莫拉克）台风影响。特别是“莫拉克”台风严重影响期间，全省普降大到暴雨，面雨量达177mm。泰顺县九峰站面雨量达1250mm，创该省台风降水历史记录。苍南县渔寮实测最大风速14级（43.2m/s）。鳌江南港发生了有实测资料以来的最大洪水，杭嘉湖地区中、北苕溪发生较大洪水，北湖蓄滞洪区堤防实施爆破分洪。④全年降雨量总体偏少，局部地区一度出现旱情。1月1日至10月15日，全省累计平均降水量1331.7mm，比多年平均偏少9.5%。进入伏季后，局部地区旱情有所露头。五是灾害损失较重。全省11市72县1481个乡镇967.3万人受灾，受淹县级以上城市14座，倒塌房屋10246间，因灾死亡8人，失踪1人。全省直接经济损失104.5亿元，其中，农业41.15亿元，工业31.98亿元，水利设施23.7亿元。

(2) 防汛防台抗旱工作。①扎实做好防汛准备。2009年初，省防指下发了《关于做好2009年防汛防台抗旱工作的意见》，明确防汛防台抗旱工作目标和重点。入汛前，召开了全省防汛防台抗旱工作会议，部署防汛防台抗旱工作。落实以行政首长负责制为核心的各项防汛责任制，明确各类水库、堤防和蓄滞洪区的防汛责任人。颁发了修订后的《浙江省防汛防台抗旱应急预案》，组织开展防御流域性洪水、台风、山洪灾害和水库抢险等的演练。做好防汛物资储备，加强抢险队伍建设。开展防汛检查督查，对发现的问题要求限期整改。组织开展基层防汛防台体系建设，提升基层防灾减灾综合能力。②科学应对台风、洪涝和干旱灾害。在防御"莫拉克"台风工作中，全省始终把确保人民群众生命财产安全放在首位，把防强降雨、防强风、防风暴潮作为重点。省防指先后启动了Ⅳ级、Ⅲ级、Ⅱ级和Ⅰ级应急响应，指导落实防台抗灾措施。突出抓好海上船只避风保安，有35591艘船只均回港或到安全区域。突出抓好危险区域人员转移，投入应急避险点4050个，安置群众38万人。突出抓好水库、河网的调度和保安，全省水库、河网预泄水量16.07亿m^3，拦蓄洪水33.03亿m^3，组织上万名管理人员对水库特别是小型水库和山塘进行安全巡查。突出抓好山洪与地质灾害防范，检查地质灾害隐患点4347处。突出抓好城市和平原防洪排涝，确保排水通畅。突出抓好抢险救灾，部门、地方紧密合作，解放军、武警部队发挥突击队作用，迅速组织抢险救灾，把灾害损失降到了最低程度。同时，积极应对各次持续阴雨和局地强降雨灾害，统筹兼顾抓好抗旱工作，努力减轻灾害损失。2009年，在防汛防台抗旱工作中，全省共投入抢险人员68.96万人次，投入抗洪抢险资金1.3亿元；转移群众100.28万人，避免人员伤亡435起17936人，解救被洪水围困群众40460余人次，减少受灾人员393.9万人；减少耕地被淹18.37万hm^2，避免粮食减收76.7万t，避免22座县级以上城市被淹受涝。据估算，全省减灾效益达88亿元以上，防灾减灾效益显著。（朱新峰）

【农田水利】 2009年，继续推进"全省千万亩十亿方节水工程"建设，组织实施了7个国家大中型灌区节水配套改造项目、3个节水灌溉示范项目和49个省级专项资金项目，完成渠道改造6000km，新增节水灌溉面积6.67万hm^2，新增节水能力1.7万m^3，提高农产品生产能力4.2亿kg。启动"全省百万亩喷微灌工程"建设，在35个县实施了66个示范项目，示范推广应用了1.1万hm^2。实施"全省大中型排灌泵站一期改造工程"，组织对诸暨浦阳江排涝站和德清排涝站进行改造。推进中央财政"民办公助"小型农田水利项目，组织实施10个国家第一批小型农田水利重点县建设。"全省圩区整治工程"前期工作基本完成，计划5年内建设现代化圩区13.33万hm^2（200万亩）。（朱新峰）

【水土保持】 2009年，省级水土保持管理部门共受理和批复各类开发建设项目水土保持方案报告书105项，比2008年增加30%，审批率为100%；协助水利部审批和审查15项。各市、县（区）共审批水土保持方案报告书或报告表2276项，比2008年增长35%。加强水土保持设施的验收工作，省级水土保持管理部门完成验收53项，比2008年增加50%，全省水土保持方案实施率达88%。强化水土保持监督检查，督促落实整改措施。推进水土流失治理，全年防治水土流失面积824km^2。制定了《全省生态清洁型小流域建设试点指导意见》，选择5个县（市、区）的7条水源地小流域，开展生态清洁型小流域建设试点。启动全省第五次水土流失遥感普查，为水土保持工作宏观决策提供依据。（朱新峰）

【城乡供水】 2009年，"全省水资源保障百亿工程"建设加快推进，常山芙蓉水库、丽水玉溪引水工程等9项工程已基本建成，其他工程进展较好。至2009年底，累计完成投资约71.5亿元，实现新增库容3.7亿m^3，年供水量6.02亿m^3，保护人口129.5万人，保护农田4万hm^2。"浙东引水工程"取得新进展，曹娥江大闸工程全面完成建设任务，萧山枢纽、舟山大陆引水二期工程开工建设，曹娥江至慈溪引水工程全面推进，其他工程进展较好。2003—2009年，该省通过实施大规模的"千万农民饮用水工程"，累计投入98.1亿元资金，使全省1364万农村人口用上了清洁卫生的饮用水，有力改变了广大农村特别是缺水地区饮水困难和不安全的历史，提前一年实现了省政府确定的规划目标，在全国率先基本完成农村饮水安全工作。在此基础上，加快建立农村饮用水工程长效运行管理机制。（朱新峰）

【地方水电】 2009年2月，全省组织开展了农村水电站安全生产大检查，确保电站安全运行。开展农村水电站安全管理年检工作，截至年底，全省运行25年以上老电站的检测工作已全部完成。启动实施"千站改造惠农保安"工程，有51个镇、村集体所有的农村老电站被列入改造项目，全年完成老电站更新改造装机5.3万kW。组织开展了17个县（市、区）的农村水电电气化县建设，新增水电装机9万kW。随着安吉老石坎水电站等13个子项目的完工投产，世界银行浙江省小水电贷款项目的实施工作已接近尾声。

（朱新峰）

【工程管理】　2009年，为确保各类水利工程安全运行，建立健全了安全管理责任制，明确责任人。修订了《浙江省水库大坝抢险管理暂行办法》，落实水库抢险责任主体和职责。科学编制大中型水库控制运用计划。加强海塘、水闸的维修养护与加固。全省水库、海塘及沿海水闸运行总体安全正常，全年没有发生一起大坝、海塘垮塌事故。加强河道堤防管理，新建立管理机构39家，全省河道堤防管理机构已有53个，担负着3000余km河道堤防的养护工作。深入推进水利工程管理单位体制改革，全省216个水管单位全部完成水管体制改革方案的编制工作，其中206个水管单位通过省级复验。

（朱新峰）

【科技与教育】　2009年，根据《浙江省水利科技项目管理办法（试行）》，下达省水利厅科技计划项目69个。做好省水利科技创新奖的评审和省科学技术奖的申报推荐工作，有20个项目获得省水利科技创新奖，2个科技项目入选“省科学技术奖”。组织申报省部级科技项目，争取到省科技计划项目1项，水利部“948项目”2项、公益性行业科研专项经费项目1项、水利科技成果推广项目1项。实施“水利人才教育培训工程”，全年培训干部职工5660多人，培训率达25%。加强水利专业技术队伍建设，全省水利系统有70人取得工程师任职资格，213人取得高级工程师任职资格。开展高层次、高技能人才培养，25人入选“省新世纪151人才”第三层次，1人被评为“省有突出贡献中青年专家”，1人荣获省政府“劳动模范”称号，2人荣获全国水利行业“技术能手”称号。

（朱新峰）

安　徽　省

【概况】　2009年是实施安徽省水利发展“十一五”规划的关键一年。安徽水利工作紧紧围绕省委、省政府“保增长、保民生、保稳定”的决策部署，立足科学发展观新实践，遵循新时期治水新思路，抢抓扩大内需政策新机遇，全力加快水利发展与改革步伐。全年共完成水利基本建设投资65亿元，比2008年增加26.7%，连续三年突破50亿元，创历史最好水平。水利管理水平进一步提升，各项水利改革不断深化，水利工作承接和延续了又好又快的发展态势。省水利厅荣获2009年度省政府年度目标管理考核优秀等次。

（李玮）

【水政】　省政府第223号令正式颁布实施《安徽省河道采砂管理办法》。《安徽省水文条例》和《安徽省节约用水条例》报省政府审议。清理《安徽省实施〈中华人民共和国水法〉办法》等5件涉水地方性法规和《安徽省〈蓄滞洪区运用补偿暂行办法〉实施细则》等7件配套政府规章。制定贯彻安徽省委、省政府《关于进一步加快全省水利建设和改革的意见》实施方案，督促各市县加快制定实施细则。深入开展第19届水法宣传月活动，扩大水法规的影响力。加强水行政执法培训，认真办理水行政复议答复案件。规范水规费征收工作，启动对省级管辖取水单位的水资源费征收。加大政务公开力度，省政务服务中心水利厅窗口全年受理办件498件并全部按时办结，全年共发布各类政府信息1600余条。

加强河道采砂执法管理。贯彻落实《安徽省河道采砂管理办法》，加强长江、淮河干流及面上其他支流河道采砂管理工作。坚持日常监管与集中打击相结合，在长江、淮河干流开展联合执法行动300余次，省本级开展的“清江行动”和明察暗访活动出动船艇175余次、出动执法车330余次，累计出动执法人员近2600人次，查获违规大中型采砂船1艘次、非法运输船20艘次、小型采砂船590余条次，拆除小型采砂船采砂机具近1200台套。

（李玮）

【水资源】　完善建设项目水资源论证制度，强化总量控制与定额管理，基本编制完成安徽省中西部重点地区水量分配方案。强化水功能区管理，开展水功能区水域纳污能力核算和地下水水功能区划工作，启动淮北重点地区地下水动态监测和监督管理体系建设。开展淮河、长江干流取水和排水工程普查登记并建立档案。加大取水许可监督管理，完善取水许可、取水计量日常监管机制。强化水资源保护，建立健全城市水源地水质监测和水污染突发事件联防、应急处置机制，配合淮委做好沙颍河、涡河和淮河干流等主要河流水污染联防，建立跟踪监测制度。完成淮北市节水型社会建设试点中期评估及相关专题验收，全面启动合肥市节水型社会建设试点。

（李玮）

【水利规划】　（1）规划编制取得重要成果。启动安徽省水利发展“十二五”规划编制工作，完成安徽长江、淮河流域综合规划修编主要任务，中小河流近期治理建设规划已批复实施。淮河重点平原洼地排涝规划、大中型灌区节水改造规划、大型灌溉和排水泵站更新改造规划通过水利部审查。编制完成大中型病险水闸除险加固、抗旱等专项规划。

（2）前期工作取得重要进展。治淮新三项工程中：淮河平原洼地治理外资项目初步设计通过淮委评审，西淝河等洼地治理应急工程已报送国家发改委，洪泽湖抬高蓄水位影响处理工程初步设计通过国家南水北调办公室初审。青弋江分洪道项目可研报告已报水利部，水阳江、滁河防洪治理近期工程可研报告通过中咨公司评估，长江崩岸治理应急工程可研报告通过水利部审查，下浒山和月潭水库项目建议书报国家发改委待批。引江济巢项目建议书水规总院已组织专家论证。 （李玮）

【基本建设】 （1）14项治淮骨干工程全面完成。全年完成治淮投资17亿元，是安徽省“861”年度目标任务的1.5倍，累计完成治淮投资224.8亿元，14项治淮骨干工程全部完成。淮北大堤加固、涡河近期治理、沙颍河近期治理三项工程通过竣工验收。截至2009年底，除白莲崖水库完成技术预验收准备工作外，其他13项骨干工程全部竣工验收。

（2）中央新增投资项目建设实现既定目标。2008年第四季度以来，国家分四批下达新增水利项目投资共49.6亿元，涵盖农村饮水安全、病险水库加固、骨干灌排工程等项目。截至2009年底，累计完成投资41.2亿元，占总投资的83.1%。

（3）病险水库除险加固工程顺利推进。全年新开工430座水库除险加固工程，占年度计划目标的105%。截至2009年底，全省累计实施1417座水库除险加固，其中国家规划内295座水库加固已全部安排实施，省计划小型水库开工1122座，累计完成投资42.4亿元，已验收或完成主体工程1014座。加快已完工程验收进度，全年验收国家计划内的大中型和重点小型水库100座，省计划内的小型水库665座。

（4）水利工程建设管理不断加强。组建省水利工程招标投标服务中心，以中央和省级投资为主的水利工程项目全部进场交易。开展监理和施工企业信用评价工作，评定26家监理企业信用等级。加强工程建设督查，实行在建项目管理人员公示制度。实施水利工程建设领域突出问题专项治理，明确29项具体工作措施。开展安全生产“三项行动”，推行建设安全监督，全省水利安全生产态势平稳。 （李玮）

【防汛抗旱】 （1）成功战胜2009年初安徽省北部发生的严重春旱。启动《安徽省抗旱预案》的Ⅰ级响应，采取抽、引、提、调等方式，累计引水、提水12.27亿 m^3，抗旱浇灌近200万 hm^2，奠定了大旱之年小麦丰收的基础。通过抗旱浇灌，挽回小麦损失47亿kg、82亿元，抗旱净效益53亿元。

（2）成功防御主汛期强降雨和台风袭击。特别是针对第8号台风“莫拉克”影响，强化预报预警，及时启动应急响应，科学调度工程，提前转移安置人员9.66万人。通过水利工程发挥的作用，减淹耕地7.7万 hm^2，防洪减灾效益达33亿元。

（3）成功应对夏种、秋种时阶段性旱情。合理控制河湖库水位，科学配置水源。夏种时，全省水利工程累计供水32亿 m^3；秋种时，全省动用9万眼机电井，开启318处泵站和30万台套机动设备，造墒浇灌农田66.67万 hm^2，保障了灌溉用水需求。

（4）加快防汛信息化建设。国家防汛抗旱指挥系统一期工程通过竣工验收，全国防汛抗旱视频监视系统、通信骨干网工程加快推进，提升了防汛抗旱应急管理能力。加强水利门户网站建设，省水利厅网站获得“全国水利行业优秀政府网站”称号。 （李玮）

【农田水利】 （1）灌区续建配套与节水改造取得重要进展。持续推进淠史杭、驷马山等大型灌区续建配套与节水改造，全年安排建设项目66个，完成投资3.6亿元，提高了灌区用水效率。新汴河灌区列入国家大型灌区续建配套与节水改造计划，淮南市朱集和含山县清溪两个中型灌区列入国家农业综合开发项目投资计划。

（2）大型泵站更新改造项目扎实推进。列入中部四省大型排涝泵站更新改造计划的33处泵站，全年完成投资5.6亿元，累计完成投资9.8亿元。实施4处大型灌溉排水泵站更新改造项目。抓好省级20个泵站技改项目，总装机400台套12884kW。全年新建改造泵站11.76万kW，巩固和改善了粮食主产区的水利基础设施。

（3）小型农田水利补助项目建设扎实开展。2008年度项目工程建设全部建成并发挥效益，完成投资中央财政14300万元、省财政4000万元，调动地方政府和群众自筹资金1亿多元。全面启动2009年小型农田水利建设补助项目建设，共安排19个重点县和18个专项工程项目。

（4）农田水利基本建设呈现恢复性增长。全省99个县（市、区）完成县级农田水利建设规划编制，其中通过县级人大或政府批准的64个。持续开展农田水利建设，2008年冬至2009年春，各地投入资金45.5亿元，修复水毁工程9000余处，新增防渗干支渠道1595kW，清淤疏浚河道和沟渠17200多kW，修建塘坝8370处、灌溉机井12420多眼，新建水池水窖近1000口。2009年入秋至年底，全省完成土石方2.5亿 m^3，修复水毁工程9800余处，改善灌溉面积26.7万 hm^2、改善除涝面积7.37万 hm^2。大力推进水利血防工作，全年实现灭螺面积400万 m^2，控制钉螺面积达1700万 m^2。 （李玮）

【水土保持】 全年投入各类资金1.36亿元，实施83条小流域综合治理，治理水土流失面积396.3 km^2，占省政府年度目标任务的132%。8个县区列入全国第一批水土保持监督管理能力建设县。全年审批各类开发建设项目水土保持方案报告书（表）319个，征收水土保持设施补偿费536万元。水土保持预防监督执法工作成绩突出，省水利厅被评为“全国水土保持监督执法专项行动先进单位”。 （李玮）

【城乡供水】　持续推进农村饮水安全工程建设，新解决316.41万农村人口饮水安全问题。全年完成投资15.7亿元，建成饮水工程1500余处，超额完成省政府下达的年度目标任务。截至2009年底，全省累计投入39.5亿元，解决950万农村人口饮水安全问题，占总计划的58%，比国家下达计划804万人超出146万人。强化工程验收，落实工程建后管理措施，确保工程建得成、管得住、长受益。组织编制《2010—2013年农村饮水安全工程规划》并报水利部。（李玮）

【地方水电】　(1) 推进农村水电建设。"十一五"水电农村电气化县建设和小水电代燃料扩大试点项目进展顺利。2009年新增农村水电装机10万kW，累计新增装机19万kW。完成5个小水电代燃料扩大试点项目建设任务，落实代燃料到户电价；全面完成水电供区二期农网改造投资建设任务，并积极争取完善工程投资。

(2) 加强水能资源开发利用管理。编写完成《安徽水电"十二五"规划思路》，完成全省水能资源调查评价工作，承担淮河流域综合规划中水力发电规划部分的编制工作。完成《安徽省淮河流域水力发电规划》和《安徽省发展小水电的原则意见和促进小水电发展的政策建议》。

(3) 强化农村水电安全监管。做好农村水电站安全管理分类工作，完成全省第一批农村水电站安全管理类别的评定工作。加强对农村水电在建项目的监督检查和验收管理，完成霍山县郑家湾水电站工程蓄水验收。（李玮）

【工程管理】　(1) 水管体制改革完成省级验收。全省567个水管单位中，281个定性为纯公益性质，286个定性为准公益性质。落实人员经费5.89亿元和维修养护经费3.1亿元，落实率分别为92%和78%。16个市水管体制改革工作通过省级验收，1个市正在进行扫尾。进一步理顺国有水利工程管理体制，活化了运行机制。

(2) 水利工程运行管理实现新提升。加强工程规范化管理，新增8个省级管理单位，累计65个水管单位达到省级管理考核标准。修订完善《安徽省水利工程管理考核办法》。加强面上水利工程管理研究，起草《安徽省中小型水工程管理办法》。启动水利工程精细化管理试点，推进由粗放型管理向规范化、精细化管理的转变。

(3) 加强河道管理。规范涉河建设项目审批，全年共审查、审批各类跨河桥梁、码头、造船基地等58个，组织评审24个涉河建设项目防洪影响评价报告。注重审批后的监管，加强跟踪督查，保证项目按批复要求实施。基本完成安徽长江、淮河干流岸线利用管理规划编制工作。开展全省流域面积5000km²以上或长度300km以上重点河流以及重要湖泊和水闸基本情况统计工作，完成180座水闸安全鉴定工作并报送水利部。协调省有关部门出台河道滩地临时占用补偿费标准。加强长江崩岸监测，分析近年来崩岸情况并汇总报水利部、长江委和省政府。（李玮）

【科技与教育】　推进水利科技创新，落实省部级重大水利科技项目6项，完成9项成果鉴定或验收，3项成果获省科技进步奖，淮北平原黄潮土区"四水"转化水文实验研究成果荣获大禹水利科技二等奖。加强科技推广工作，14项成果列入全国水利科技推广项目。加强科技交流活动，成功举办第五届安徽水利论坛。积极组织参加安徽省科普周、中国水博览会等，并获得2009年中国水博览会"最佳设计奖""最佳组织奖"。省水利学会荣获"全省科协系统百千活动先进集体""全省10个最具有影响力的科技团体"等称号。

启动"县级水利部门能力建设"三年实施计划，出台指导意见和考核办法，力争到2012年全省县级水利部门能力建设达到合格以上。选派干部32人参加各类调学培训，举办全省水利（水务）局长、防汛指挥长调度等各类业务培训班。新增190人获得各类高、中级专业技术资格，2人被选拔为第一批安徽省学术和技术带头人，2人享受国务院特殊津贴，1名技师享受省政府特殊津贴。（李玮）

【多种经营】　立足水土资源优势，大力拓展水利多种经营，壮大行业经济实力。全年全系统多种经营创收24.5亿元，其中省水利厅直属单位创收5.5亿元。积极发展水利旅游，新增淮河临淮岗工程、亳州市白鹭洲（茨淮新河阚疃枢纽）、凤台县淮上明珠（凤台县八一林牧场）、歙县霸王山摇铃秀水等四个水利风景区为国家级水利风景区，全省国家级水利风景区已达17个，其中佛子岭等风景区跻身国家AAAA级旅游景区。

协调出台水利工程农业水费免征营业税。完成省直属和跨市水利工程供工业和城镇生活用水价格调整准备工作。明确水管单位船闸过闸费为经营性收费。依法开征河道滩地临时占用补偿费。实行河费按超额累退费率减半征收，助推企业发展。全年征收水费和水规费5.8亿元。（李玮）

福　建　省

【概况】　2009年，福建省各级水利部门按照省委、省政府和水利部的统一部署，坚决贯彻落实中央保增长、保民生、保稳定的各项重大决策，紧紧抓住中央扩大内需和国务院《海西意见》出台两大机遇，以科学发展观为指导，以“建设民生水利，服务海西先行”为载体，以“四个立足四个着力推进”为目标，围绕年初确定的民生水利重点任务，通过思路先行、政策引导、有效运作，全面完成省政府下达的年度各项任务，水利基础设施建设实现重大跨越，水行政能力建设不断加强，水利服务海西发展的支撑保障能力明显提升，水利惠民建设取得显著成效。（蔡晶）

【水政】（1）加强水资源监管保护。①继续完善水资源论证制度。不断扩大论证项目的覆盖面，突破原来仅限于水电站开发项目的局面。新批3家乙级资质单位，暂停并要求整改6家丙级资质单位。②加强取水许可的监督管理。除继续做好取水许可证发换的扫尾工作外，各地普遍开展取水工程或设施的竣工验收工作，进一步规范办证程序，并注重取水许可的事后监督，推进取水计量设施安装。③认真做好水资源保护工作。启动以饮用水源保护区为重点的水功能区确界立碑加密工作，开展水库水源地水资源保护专题调研。④加大水资源费征收力度，继续推进水资源有偿使用制度。2009年全省超额完成了水资源费征收任务，实现水资源费征收入库新突破，达到2.68多亿元，其中省级征收1.05亿元。⑤继续推进节水型社会建设。莆田市节水型社会建设试点工作通过水利部中期评估，开展了节水专题研究编制并通过审查，完成了试点工作的年度目标。泉州市《节水型社会建设规划》已通过省厅审查并上报水利部。省厅确定的5个试点县进展顺利，已初显成果。

（2）加强河道采砂监督管理。积极开展全省河砂资源及利用情况调查，多次召开专题会议进行研究、落实和部署，派员到现场实地调查了解情况。并向省政府提交了《全省河砂资源及利用情况调查报告》及《关于进一步加强河砂资源管理的通知》（代拟稿）。

（3）全力推进水行政执法队伍能力建设。启动新一轮水行政执法队伍能力建设，积极与省控办、省交警总队沟通协调，解决了配置水政监察执法专用车辆的购车指标和统一标志，并通过省政府采购中心对购置车辆进行招投标。全省第一批8个水政监察支队和47个水政监察大队完成了水行政执法队伍能力建设任务通过验收。省级下达第一批1705万元的补助经费，发放了55辆水政监察执法专用车。截至2009年底，全省共有83支队伍为财政全额拨款，其中38支队伍已批准为参公管理。

（4）推进水利立法执法工作。①在积极推进《福建省水资源条例》立法过程中，不失时机地做好河砂管理、水资源费征收使用等方面的立法工作。②积极调处水事纠纷，全省全年共调处150多起水事纠纷，维护了社会安定和良好水事秩序。③加大查处水事违法案件的力度，全省共查处各类水事违法案件400多起，扩大了社会的影响面，树立了水行政主管部门的形象。④完善与规范水行政许可审批事项，实现水行政许可项目网上审批受理。进一步梳理了涉及福建省水利厅的法律、行政法规、地方法规、政府及水利部规章共9个方面、146款，设计制作了18种水行政许可文书、49种水行政执法文书、25种水行政复议文书。（蔡晶）

【水资源】截至2009年底，全省全年平均降水量1435.4mm，折合水量1777.66亿m^3，比2008年减少10.2%，比常年平均值减少14.4%，属偏枯水年。全省最大点降水量为福鼎管阳站2673.0mm，最小点降水量为厦门马垄站796.5mm。行政分区中，年降水量最大的是宁德市，为1637.4mm；最小的是厦门市，为1107.1mm。

全省水资源总量为800.81亿m^3，人均拥有水资源量2208m^3。其中地表水资源总量799.59亿m^3，地下水资源总量246.06亿m^3；地下水和地表水不重复量1.22亿m^3。产水系数0.45，产水模数64.80万m^3/km^2。行政分区中，地表水资源量最多的是南平市，为201.95亿m^3，最少的是厦门市，为7.21亿m^3，分别占全省地表水资源总量的25.30%和0.90%；地下水资源量最多的是南平市，为59.93亿m^3，最少的是厦门市，为2.03亿m^3，分别占全省地下水资源总量的24.36%和0.83%。

全省年供水总量201.44亿m^3。其中：地表水源供水量196.38亿m^3，地下水源供水量4.80亿m^3，其他水源供水量0.26亿m^3。年用水量201.44亿m^3。其中：农田灌溉用水量95.29亿m^3，工业用水量77.19亿m^3，城镇生活用水量15.25亿m^3，农村生活用水量8.17亿m^3。行政分区中，用水量最多的是福州市，为33.92亿m^3；最少的是厦门市，为5.74亿m^3。

根据对全省20座大型水库和114座中型水库资料（2009年新增统计27座中型水库资料）统计，2009年末总蓄水量77.30亿m^3，比2008年末总蓄水量79.10亿m^3减少1.80亿m^3。其中大型水库2009年末总蓄水量64.43亿m^3，比2008年末减少0.79亿m^3。

2009年，全省主要江河总体水质状况同2008年相比略有下降。对全省7个水系79个断面水质监测评价成果表明，2881km评价河长中，水质符合和优于Ⅲ类水的河长为2263km，占评价河长的78.55%；污染河长为618km，占21.45%，比2008年增加2.29%。水体的主要超标项目为氨氮、溶解氧、总磷、五日生化需氧量和高锰酸盐指数等。主要情况为：闽江水系水质状况与2008年相比基本持平，符合和优于Ⅲ类水的河长为1268km，占评价河长的93.16%；污染河长为93km，占6.84%，比2008年减少 0.35%。九龙江水系水质状况与 2008 年相比略有好转，符合和优于Ⅲ类水的河长为 294km，占评价河长的 63.09%；污染河长为 172km，占 36.91%。汀江水系水质状况与 2008 年相比明显下降，符合和优于Ⅲ类水的河长为 253km，占评价河长的 54.41%；污染河长为 212km，占 45.59%。晋江水系水质状况比 2008 年略有好转，符合和优于Ⅲ类水的河长为 146km，占评价河长的 68.22%；污染河长为 68km，占 31.78%，比 2008 年减少 3.31%。交溪水系水质状况与 2008 年相比基本持平，符合和优于Ⅲ类水的河长为 41km，占评价河长的 78.85%；污染河长为 11km，占 21.15%。木兰溪水系水质状况与 2008 年相比有所下降，符合和优于Ⅲ类水的河长为 52km，占评价河长的 50.00%；污染河长为 52km，占 50.00%。闽东诸河水系水质状况比 2008 年明显好转，评价的 158km 河长水质全部符合或优于Ⅲ类。闽南诸小河水系水质状况与 2008 年相比有所下降，符合和优于Ⅲ类水的河长为 51km，占评价河长的 83.61%；污染河长为 10km，占 16.39%。

（蔡晶）

【水利规划】 扎实抓好福建省水资源综合规划编制的收口工作，积极推进闽江北水南调规划，完成福建省重点地区中小河流近期治理建设规划，基本完成福建省抗旱规划的编制工作。

（蔡晶）

【基本建设】 2009 年列入省重点在建水利项目达 13 项，计划总投资 60.69 亿元，年度投资 14.27 亿元，列入省预备重点水利项目 6 项，计划总投资 28.57 亿元，年度投资 1.57 亿元，是历年来水利列入省重点项目最多的一年。全年累计完成投资 17.53 亿元，占年计划的 123%，到位资金 16.42 亿元，占年计划的 115%。省溪源水库全面建成并正式下闸蓄水，大大减轻了福州地区大学新校区和闽侯上街区域的防洪排涝压力，提高了大学新校区的防洪排涝标准。

（蔡晶）

【防汛抗旱】 2009 年，福建省汛情相对平稳，主要遭受了 6 场暴雨袭击、3 个热带气旋登陆、6 个热带气旋影响和秋冬季南部沿海局部地区干旱。灾害呈现出“雨季偏晚，年降雨量偏少；径流偏小，洪水量级偏低；蓄水偏少，局部发生旱灾；气旋较多，强度总体偏弱”的特点。受台风、暴雨、洪水影响，全省 9 个设区市 83 个县（市、区）、818 个乡镇、237.96 万人受灾，直接经济损失 30.87 亿元，其中水利设施直接经济损失 6.21 亿元，洪涝灾害损失与往年相比明显减少。最高峰时作物受旱面积 16.0.1 万 hm^2，受灾面积 8.47 万 hm^2，粮食损失 6.18 万 t，经济作物损失 4.83 亿元，37.83 万人因旱发生饮水困难。

2009 年，福建省深入落实“预警到乡、预案到村、责任到人”的防灾抗灾新机制，始终坚持“以人为本、及时预警、精细指挥、科学调度、梯次转移”的工作方法，强化应急能力建设，做到部署、人员、预防、抗灾、运作“五到位”，确保人民群众生命财产安全，洪涝灾害损失与往年相比明显减少。2009 年福建省防汛防台风工作的主要特点和做法包括：①及早部署。省领导在多次会议上都强调要做好防汛安全大检查，确保防汛措施落实到位，完善落实“预警到乡、预案到村、责任到人”工作机制。②落实责任。省防指公布了省防指组成人员，通报了全省 9 个重要城市、三大江、四大海堤、20 座大型水库和 22 座防洪重点中型水库防汛责任人，并在福建日报公布。各地各部门也先后确定并公布重点防洪目标的防汛责任人，接受社会各界的监督。③全面检查。全省各级各部门共有 12303 人次参加了汛前安全大检查，检查各类工程 9894 处。④完善预案。全省 84 个县（市、区）（未含金门县）的 15331 个行政村和居委会，全部修订完善落实村级预案。⑤加强会商。省防指先后 3 次召开防汛气象水利水文会商会议，及时将会商意见通报全省各地各部门并专门召开新闻发布会，通报全省备汛及汛情态势。⑥强化保障。全省共储备有抢险冲锋舟 794 艘、橡皮艇 164 艘、救生衣 70624 件、编织袋 602.86 万条。组织了防汛抢险队伍 6111 支 21.47 万人，开展了防汛抢险救生技术培训和实战演练。⑦开展闽台防灾减灾技术交流。省防指、福建水利电力职业技术学院与台湾进行了防台风减灾、水利科技、职业技术教育等方面的交流考察，取得了较好的成效。⑧创新机制。全面建成全省应急视频会商指挥系统，实现了全省省市县（区）乡四级视频会商，将视频会议情况实时传输覆盖到全省 15331 个建制村，使防汛抗旱等应急工作实现了组织保障到乡、预警信息到乡、视频会商到乡、指挥部署到乡和视频会议视听到村。⑨首次实施九龙江全流域生态调度，保障漳州和厦门两市的供水安全，得到省领导的充分肯定。⑩抗旱保供水。针对福建省中南部沿海夏秋干旱，省防指强化旱情监测、分析评估和通报，组织开展洛阳江应急供水工程和仰恩大学、南安石井、龙海、长泰、东山的应急调水工程建设，同时强化大中型水库蓄水用水的科学调度，组织开展多批次人工增雨，有力保障了群众生活用水和重点骨干企业生产用水，维护了社会稳定和经济持续发展。

（蔡晶）

【农田水利】 全省各地组织发动群众大兴农田水利工程建设，采取强化领导、落实责任，多元筹资、加大投入，重视监管、保证质量，深化改革、创新机制，加强宣传、营造氛围等措施，推进全省农田水利工程建设。

(1) 开展以水利水毁工程修复为重点的冬春修水利建设。2009年冬至2010年春水利建设和水利水毁工程修复任务全面超额完成。全省累计完成投资28.43亿元，完成土石方9977万m^3，投入劳力8561万工日，修复水利水毁工程5443处，解决农村饮水安全人口133.5万人，新增蓄水能力988万m^3，新增灌溉面积3700hm^2，发展节水灌溉面积3.69万hm^2，年增节水能力4692万m^3。

(2) 重点实施莆田东圳、泉州山美、龙海北引等3处大型灌区续建配套与节水改造，尤溪坂新、浦城东平、永春桃溪、永定灌洋、上杭湖里等5处重点中型灌区节水配套改造和漳州大水港泵站、泉州晋南泵站、莆田陂头泵站、南平建溪泵站、龙岩湖里泵站、福州莲柄港泵站等6处大型灌排泵站更新改造。

(3) 启动罗源、古田、涵江、德化、龙海、武平、建宁、宁化、建阳、光泽等10个县（市、区）第一批中央财政小型农田水利重点县建设，一定3年，每年平均每县中央财政补助800万元，省级财政按1∶1配套，补助800万元，财政补助额度在农田水利上前所未有。计划实现新增、恢复灌溉面积2106.67hm^2，新增节水灌溉面积1.01万hm^2，改善灌溉面积1.31万hm^2，受益人口达117.5万人。

(4) 全面完成永泰、罗源、屏南、蕉城、荔城、惠安、安溪、云霄、东山、连城、三元、明溪、武夷山、光泽县等14个第五批初级水利化县三年建设任务，完成投资4.14亿元。（蔡晶）

【水土保持】 (1) 大力推进水土流失综合治理工作。2009年全省共争取中央水土流失综合治理资金4700万元，比2008年增加3600万元。全年共完成水土流失初步治理面积1364.48km^2。①革命苏区县国家水土保持重点建设工程、中央增投项目顺利实施，水土保持示范区初具规模，培育了一批水土保持主导产业，有力地促进了农业增产、农民增收和农村经济发展。②积极探索建设生态清洁小流域、水库水源地保护和坡耕地水土流失综合整治等试点工程，充分发挥小流域治理在保护水源、保障饮水安全和提高农业基础设施建设方面的作用。③2009年是福建省政府确定支持长汀水土保持综合治理为民办实事项目工作最后一年，自2000年起，省委省政府每年整合水利、林业、发改委等相关部门资金1000万元用于长汀县水土流失综合治理。10年累计治理水土流失面积7.45万hm^2，减少水土流失面积4.31万hm^2。

(2) 积极开展水土保持预防监督。①积极配合省人大常委会执法检查组对《中华人民共和国水土保持法》和《福建省实施〈中华人民共和国水土保持法〉办法》执法检查的整改落实情况进行跟踪检查。②全省各地依法加强对开发建设项目等人为水土流失的监管，深入开展开发建设项目水土保持监督执法专项行动"回头看"活动。全年共组织监督执法检查2198次，检查开发建设项目1823个，查处各类违法违规案件118起。

(3) 持续开展水土保持宣传教育活动。①制定下发《全省水土保持国策宣传教育行动实施方案》，面向社会宣传有声有色。在《中华人民共和国水土保持法》颁布实施18周年之时，结合国庆60周年，省水利厅与福州市水利局联合在福州五一广场开展了宣传活动，福建省电视台、福建日报等新闻媒体对此作了专题新闻报道。②以青少年为主要对象的水土保持科普宣传活动不断深化。2009年开展了基点学校水土保持普及教育评估活动，授予了建瓯一中等30所学校（基地）为"首批福建省青少年水土保持普及教育基地"，各地以水土保持基点学校、素质教育基地建设为重点，开展一系列以"水土保持"为主题的校园歌手大赛、征文比赛、绘画现场赛等一系列活动，举办水土保持知识讲座和夏令营等教育活动，促进全省青少年普及教育行动经常化、制度化。全省受教育学生达25万人次。

(4) 夯实水土保持基础工作。①水土保持科教示范园不断完善，继南平建瓯市水土保持科教园被命名为全国第一批水土保持科技示范园后，福州金山、厦门集美、漳州漳浦等3个水土保持生态科教园顺利通过水利部的验收和正式命名。②全省水土保持监测网络和信息系统建设二期工程正式启动，9个监测分站已基本完成建设任务，15个野外水土流失监测点正在按计划稳步推进。（蔡晶）

【地方水电】 (1) 在建农村水电站监管工作态势良好。2009年继续把工程安全和质量作为监管工作的重点，采取有力措施，进一步加大对在建水电站工程的监管力度，努力提高监管水平和服务质量。2009年全省农村水电投产97处，新增装机容量19.7万kW，未发生重大安全生产事故，监管工作成效显著。

(2) 农村水电惠农工程建设进展顺利。①加快水电农村电气化建设，加强项目的现场核查和动态跟踪，建设进展总体顺利。尤溪、大田等6个县提前完成建设任务，通过省厅组织的专家核查。②积极落实小水电代燃料生态工程建设规划，推动上杭、华安、南靖等3个县纳入全国小水电代燃料生态工程建设计划，争取中央补助资金，顺利启动福建省小水电代燃料生态工程建设。

(3) 小水电清理整顿工作继续深化。①向省政府办公厅提交《关于全省327座违规小水电项目进一步分类处理的意见》，并在已有安全整改的基础上，以更加严格的环保标准对违规项目提出进一步的分类处理措施。②开展水电站最小下泄流量数据采集技术指导，促进第一批27座水电站按时完成在线监控系统安装任务。

（4）水能资源管理基础得到夯实。①继续认真做好农村水能资源调查评价，进一步完善部分河流及水电站数据和补充说明。②开展全省农村水电站基本情况摸底和径流式水电站情况调查，进一步了解农村水电站的基本情况。　（蔡晶）

【水利改革】　2009年5月，福建省水管体制改革总结大会在福州召开，标志着历时7年的全省水管体制改革工作基本完成。改革涉及的省直属、设区市、县各级所属287个水管单位，全部完成定岗定编，改革方案全部获得地方政府和有关部门批准，获得批准人员达5952人，人员经费落实率为93%，工程公益性部分养护维修经费落实率为74%，参保人员落实率为91%，内部机构和人事制度进行了改革，水管单位的管理水平得到明显提升。　（蔡晶）

【科技与教育】　（1）水利科技工作稳步推进。①争取到位省、部级科技与推广经费938万元，改善科研条件，落实水利部公益型科研专项1项和“948”技术类引进项目2项，完成2项“948”项目和2项水利部重点推广计划项目的验收。②推进重大科研攻关，组织开展闽江流域水资源及水环境系统等8项重大课题的攻关研究，取得中间研究成果。③评出2008年度福建省水利科学技术奖17项，其中一等奖2项、二等奖5项、三等奖10项。荣获2009年度福建省科学技术奖7项，其中二等奖1项、三等奖6项。④成立水利部科技推广中心福建推广工作站，开展10个基层水利科技成果转化推广示范点的授牌活动。⑤加快金门供水前期，着力推进两岸通水合作先行。做好两岸通水事宜考察调研，组织完成《金门供水项目可行性研究报告》省内预审，已上报水利部审查，国家发改委审批。

（2）认真贯彻《干部教育培训工作条例》，注意培养和造就高素质的干部队伍，共选派23人参加省委党校、行政学院、省直机关党校、省妇女干部学校以及省公务员培训中心的培训。进一步规范职工教育培训，2009年共举办各类培训班120多期，培训9175人次。　（蔡晶）

【多种经营】　尤溪县闽湖水利风景区、龙岩市梅花湖水利风景区被评为第九批国家水利风景区，全省共有8家水利风景区被评为国家水利风景区。　（蔡晶）

江　西　省

【概况】　2009年，全省列入中央和省级水利基本建设项目376个，完成投资64.067亿元，其中中央投资44.899亿元。全省恢复和新增有效灌溉面积1.395万hm^2，改善灌溉面积2.531万hm^2，新增节水灌溉面积2.02万hm^2，治理水土流失面积21.334万hm^2，新增农村水电装机容量25.24万kW，年发电量63.18亿kW·h，新增饮水安全达标人口226.36万人。　（刘茂福）

【水政】　2009年，《江西省水利工程条例》于7月31日经省十一届人大常委会第十一次会议审议通过，同年9月1日起施行。启动《江西省抗旱条例》《江西省水文条例》和《江西省水能资源开发利用管理办法》立法工作。进一步清理规范行政许可和审批事项，水利行政许可事项由33项精简为22项，行政审批事项由15项精简为7项，单项行政审批办理时限均精简30%以上。制定《开展规范水行政执法行为活动实施方案》和行政许可、征收、执法检查、强制执行和行政处罚流程图。建立健全《江西省水利厅行政执法责任制和评价考核制实施方案》《江西省水利厅水行政执法违法责任追究制度》《水事违法案件查处程序规定（试行）》和《文明执法制度》等相关执法制度，组织开展了水行政执法不规范行为专项整治活动。以“世界水日”、“中国水周”等集中宣传为契机，以《江西省水利工程条例》颁布实施为重点，加强了水法规宣传贯彻力度，不断提高宣传实效。各级水利部门以河道采砂、河道管理为重点，大力开展执法活动。启动执法基地建设，星子执法基地基本建成，配备完善了执法装备，全省共查处水事违法案件3309件，调处水事纠纷521起，挽回经济损失2859万元，维护了良好的水事秩序和社会稳定。（刘茂福）

【水资源】　2009年全省50%以上设区市完成水量分配细化技术方案编制工作，全省审查审批水资源论证项目200多个，主要河流及鄱阳湖水质水量监测网络基本完善，完成15个地下水监测站点建设，全省24个重点河段中的79%和25个主要供水水源地达到Ⅲ类水以上标准。九江、鹰潭、上饶和景德镇等市基本完成《水功能区水域纳污能力及限制排污总量意见》编制工作。萍乡市节水型社会建设试点工作通过水利部中期评审；景德镇市节水型社会建设规划获省政府批复；安义等8个第二批省级节水示范县区编制完成节水型社会建设规划，开展了全省湖泊普查，印制了《江西省重点湖泊名录》。组织编制了全省水资源公报、水资源管理年报和水务管理年报。全省发放有效取水许可证5680套，批准取水量2070亿m^3。

（刘茂福）

【水利规划】　2009年，鄱阳湖水利枢纽列入修编后的《长江流域规划》近期重点实施项目。开展《鄱阳湖水利枢纽关键技术课题》研究，推进了《鄱阳湖综合规划》和《鄱阳湖水利枢纽工程项目建议书》编制工作。峡江、浯溪口水利枢纽、五河重点段防洪应急整治、鄱阳湖区二期防洪第六个单项等一批项目前期工作进展顺利。《鄱阳湖蓄滞洪区安全建设可行性研究报告》已通过水利部水规总院审查。全省192条河流的流域综合规划报告工作编制完成，《江西省重点地区中小河流近期治理建设规划》和《江西省血吸虫病综合治理水利血防专项规划（2009—2015年）》通过水利部水规总院审查。基本完成鄱阳湖及五河尾闾河段岸线利用规划。制定了《江西省水工程建设规划同意书制度管理办法实施细则（试行）》。起草了《江西省水利发展"十二五"规划思路报告》。（刘茂福）

【基本建设】 2009年，峡江水利枢纽工程胜利奠基，浯溪口水利枢纽工程"三通一平"进展顺利。山口岩水利枢纽工程完成投资约2.72亿元，伦潭水利枢纽工程完成投资1.32亿元。国家专项规划内668座病险水库除险加固项目全部开工，2008年开工的72座病险水库除险加固项目大部分基本完工，2009年开工的96座病险水库除险加固项目进展顺利，完成投资14.13亿元。鄱阳湖二期防洪工程第五个单项累计完成投资6.12亿元，第六个单项开工建设；五河重点段防洪治理工程完成投资0.54亿元。1万～5万亩堤防除险加固建设加快推进，完成总投资0.9亿元。日贷城市防洪工程建设取得新进展。（刘茂福）

【防汛抗旱】 2009年全省总的特点是前洪后旱，5—7月降雨过程多，洪涝灾害频繁，局部地区灾情严重；8—10月晴热高温时间长，局部干旱特别是江河低水位造成严重影响。汛情主要特点是：

（1）降雨总体偏少，局部集中强度大。1—11月，全省平均降雨量1295mm，比同期多年均值少17%。其中，汛期4—9月降雨量880mm，比同期多年均值少19%。但降雨时空分布不均，局部出现历史罕见的特大暴雨。7月3日，崇义县聂都站6小时降雨量346mm，24小时降雨量528mm，为全省有记录以来实测最大值。

（2）"五大"江河水势平稳，部分支流水位高。汛期，赣江干流、抚河、信江、饶河、修河、鄱阳湖和长江九江段洪水属一般性洪水，但章江、袁河出现大洪水，7月2日袁河宜春站超警戒水位1.33m，为有记录以来第二高洪水位，7月3日章江南康市窑下坝站超警戒水位2.53m，超过历史最高洪水位0.27m。

（3）洪涝灾情范围广，局部灾情严重。据不完全统计，全省11个设区市、89个县、1110个乡镇受灾，受灾人口922万人，倒塌房屋7.5万间，造成直接经济损失52亿元，9人因洪灾死亡。最为严重的是"7·3"特大洪水造成大余县城平均淹没水深2m，最大水深达4m，交通、供电、供水、通信全部中断；崇义县聂都乡对外交通、通信中断，几成一座孤岛。

（4）秋冬连旱，江河水位屡创新低，造成城乡居民饮水困难。全省先后出现五轮晴热高温天气，特别是9—10月，降雨异常偏少，比同期多年均值少68%，赣江、抚河、信江、修河四大河流相继突破历史最低水位。尤其是赣江中下游影响最为严重，11月9日赣江南昌站水位12.82m，比历史最低值低0.72m，南昌、丰城城市供水受到威胁。干旱高峰期，全省受旱面积达37万hm^2，因旱饮水困难人口91万人。

在防汛抗旱工作中，全省上下始终把人民群众生命安全放在首位。①突出山洪灾害防御。在28个县开展了山洪灾害预警系统三期工程建设，全省共建成56个县山洪灾害预警系统，在山洪灾害防御中发挥了重要作用。②狠抓在建水工程安全度汛等薄弱环节。针对在建工程多的问题，汛前汛初组织开展在建工程检查，普查梳理出重点在建水工程501个。如建设中的山口岩水利枢纽工程，由于及时建立雨水情自动监测和防汛应急服务系统，在"7·2"库区特大暴雨中，一级围堰淹没深1.9m，由于提前转移人员和设备，施工人员和下游区域无一伤亡。③科学调度，防汛抗旱双赢。如"7·3"洪水通过控蓄错峰，使大余县城淹没水位降低了1.6m。汛后为应对江河低枯水位，省防总多次下达调度命令，保障了下游城市供水安全和工农业用水需求。（刘茂福）

【农田水利】 赣抚平原等12座大型灌区续建配套改造全面开工，廖坊水利枢纽新建灌区一期工程基本完成，丰产、白庙等2座中型灌区项目进展顺利，万长、高虎脑、高陂以及山田、白水门等9座中型灌区改造项目投资计划已下达。奉新赤岸果园等4个节水灌溉增效示范项目组织建设。17座大型排涝泵站和5座大型灌溉排水泵站更新改造项目建设全力推进。全省124个县级单位完成县级农田灌溉规划编制工作，安义等20个县列为国家小型农田水利建设重点县，2009年全省农田水利基本建设投入资金38.67亿元，农民投劳1.62亿个工日，修复水毁工程8273处，新增防渗渠道15107km，加固水库754座。同时严格小农水项目管理，严把工程建设质量关，建立了小型农田水利建设农民义务监督员制度。（刘茂福）

【水土保持】 以预防监督规范化和崩岗治理为重点，全面推进水土流失综合治理和预防监督。国家重点水土保持工程项目和农业综合开发水保项目建设进展顺利。全省审批开发建设项目水土保持方案1043个，完成407个开发建设项目水土保持设施专项验收，开展水土保持执法检查2317次，查处水土保持违法案件172起，取消6家不合格单位水保方案编制资格。

加强“崩岗侵蚀预测预报及防治模式研究”，编制完成《江西省崩岗防治规划》，制定了《江西省坡耕地水土流失综合整治试点工程实施方案》。南昌生态园被评为水利部第二批国家水保科技示范园区。大力推进水土保持监督管理执法能力建设。 （刘茂福）

【城乡供水】 2009年，以“农村饮水城市化”“城乡供水一体化”为重点，大力推进适度规模以上特别是“千吨万人”以上规模集中供水工程建设，日供水规模为10万t的乐平润泉供水工程于9月22日开工建设，工程建成后可解决40多万人的饮水安全问题。至12月底，全省已建成集中供水工程4951处，分散供水工程126处，解决了226.36万人口饮水安全问题。 （刘茂福）

【地方水电】 2009年，民生水电建设取得新成效。列入国家的24个水电农村电气化建设县累计完成投资15.6亿元，共投产装机约15.5万kW，崇义等5个小水电代燃料试点（扩大）项目，已累计完成投资6486万元。2009年新一轮政府机构改革中，全省农村小水电行业监督管理职能重新划入省水利厅，切实履行农村水电监管职能，农村水电的开发、建设和运行管理进一步规范，通过采取“回头看”等方式，有184座违规水电站得到清理整顿，违规水电站清理整顿任务基本完成。 （刘茂福）

【工程管理】 2009年，严格工程建设管理和基建程序，加大审计稽察力度。加强水利工程管理达标考核，推进水利工程管理规范化和现代化。上饶市大坳水库工程管理局被评为国家一级水利管理单位。进一步加强水利安全管理和质量监督，省水利厅设置了安全监督处，赣抚大堤加固工程荣获国家建设质量“大禹奖”。加强河湖岸线管理，编制了《江西省鄱阳湖区岸线利用管理规划报告》，启动了“五河”干流岸线整治利用规划编制工作。加强重大涉河建设项目管理。采用集中、打捆等方式，完成西气东输二线、“渡改桥”等40余项省管涉河项目审批。通过专项检查、督导、挂钩等措施，水利管理单位体制改革进一步深化。根据统筹城乡发展要求，继续推进城乡水务一体化改革，南昌、新余两市机构改革方案已获政府批准实施，安义、乐平等县（市、区）已设立水务局，基本实现涉水事务一体化管理。江西省水利投资集团公司履行省及省级以上水利国有资产出资人代表职责，正式确立出资人代表的法律地位，当年实现融资额度13.5亿元。20个重点县已新组建农民用水户协会130个，全省共发展农民用水户协会3500多个，农民参与用水管理灌溉面积60多万hm^2。赣抚平原、袁惠渠灌区等农业水价综合改革试点、末级渠系工程节水改造、农业终端水价改革等工作基本完成。河道采砂管理进一步规范。制定了《江西省河道砂石开采权招标拍卖管理办法》，调整了部分省管河道砂石资源费征收标准，对鄱阳湖河道采砂模式进行了由九江市政府统一经营管理探索，赣江和鄱阳湖采砂管理秩序明显好转。 （刘茂福）

【科技与教育】 召开了全省水利科技大会，设立“赣鄱水利科技奖”。“红壤侵蚀区坡面水土综合技术集成与示范”列入国家公益性行业科研专项，“JF—1型蒸发自动测试仪推广”项目列入水利部科技成果重点推广计划，“土壤氮循环及环境监测系统在农田灌溉试验中的研究与应用”列入水利部“948”计划。《江西省水库大坝安全评价体系的建立及应用研究》获省科技进步二等奖、省农科教突出贡献一等奖。《三峡工程运行后对鄱阳湖及江西“五河”影响与对策研究》课题已完成，《水土保持调控鄱阳湖径流泥沙技术研究》课题完成计划任务，《三峡工程运行前后长江九江段和鄱阳湖水情的研究》通过省级验收，全面启动鄱阳湖模型试验研究基地建设，积极筹建鄱阳湖水文水生态监测与研究基地。国家防汛抗旱指挥系统一期工程江西省水情分中心通过竣工验收，完成了省7个水环境监测能力中心实验室建设。加强中心组学习和双休日学习制度，建立和完善党风廉政建设责任分工和考核制度，开展了多种形式的廉政教育，举办了贤内助廉政培训和革命理想教育，积极开展违反廉洁自律规定四个问题专项治理和水利工程建设领域突出问题专项治理，制定了《江西省水利厅处级后备干部工作管理规定》，认真做好新“三定”方案的编制及实施，首次组织开展了优秀水利技术专家的评审工作，4名同志获首批优秀水利技术专家称号。3人被列为江西省青年科学家（井冈之星）培养对象，3人入选江西省新世纪百千万人才工程人选，省水科院博士后工作站成功运作。组织参加新中国60周年水利成就展，出版了《治水兴赣60年》画册，举办了第三届江西水利桂花节活动，大力开展了精神文明创建活动。厅机关荣获省直机关第六届（2009年度）文明单位。厅综治信访，人大建议、政协提案办理，政务督查等工作受到有关部门表彰。

（刘茂福）

【峡江水利枢纽工程奠基】 9月6日，江西省历史上规模最大的水利枢纽工程——峡江水利枢纽工程举行奠基典礼。水利部部长陈雷致辞。江西省委书记苏荣宣布工程奠基，省委副书记、省长吴新雄讲话，省委常委、常务副省长凌成兴主持开工典礼。峡江水利枢纽工程位于江西最大河流赣江的中游峡江县上游峡谷河段，控制流域面积6.29万km^2，是一座以防洪、发电、航运为主，兼顾灌溉等综合利用的大（1）型Ⅰ等水利枢纽工程。工程主要由拦河坝、泄水建筑物、发电引水系统、电站厂房、船闸、灌溉引水口等建筑物组成。水库最大坝高15.2m，正常蓄水位46m，总库容11.87亿m^3。工程静态总投资82.41亿元，总工期6年。

（刘茂福）

山东省

【概况】 2009年，山东省年平均降水量为689.3mm，水资源总量为284.95亿m^3，总供水量为219.99亿m^3，其中，跨流域调水工程供水总量为60.60亿m^3。全省总用水量219.99亿m^3，总耗水量146.23亿m^3。2009年是实施国家规划建设黄河三角洲高效生态经济区的开局之年，也是山东省水利建设任务最重、工程规模最大、完成投资最多的一年。在中央"一扩三保"宏观政策的推动下，全省全年水利建设总投资达150亿元。其中，共下达水利基本建设投资计划86.61亿元，完成投资110.39亿元。南水北调东线山东段、胶东地区引黄调水、治淮沂沭泗洪水东调南下、病险水库除险加固、重点河道治理、大型灌区续建配套与节水改造等重点水利工程建设，以及水资源节约保护、水利管理体制和运行机制、水库移民后期扶持等工作均取得重大发展。全省水利系统有6个单位获得"国家级文明单位"称号，其中省水文水资源勘测局局机关连续5年保持"全国文明单位"称号；有56个单位获得"省部级文明单位"称号，有316个单位获得"全省水利系统文明单位"称号。

（朱汉明）

【水政】 2009年，5月27日，省政府第46次常务会议讨论通过《山东省农村公共供水管理办法（草案）》；6月12日，省长姜大明签署省政府第212号令发布《山东省农村公共供水管理办法》，于2009年8月1日起正式实施，这标志着山东省农村公共供水管理走上法制化轨道。山东省水利厅共会签水利部、省人大及外部门法规性文件10件；起草《山东省用水总量控制管理办法》。全省有6个市和60多个县（市、区）按照综合执法和大水政的格局重新组建成立专职执法队伍，青岛、菏泽2市及50个县（市、区）成立水务警务区或水利公安派出所。继续大力推进水利与公安联合执法，全省已建立起各种形式的水利与公安联合执法机构81个，有正式警员190余人，协警240余人，配备警车70多辆。按照水利部的统一部署，自9月开始，在全省开展了为期3个月的专项执法检查活动。全年全省共查处水事违法案件约2906件，处理水事纠纷323起。全省全年共征收河道维护费9.21亿元，其中山东省水利厅直接征收1.33亿元。

（朱汉明）

【水资源】 （1）水量。2009年，全省年平均降水量689.3mm，比2008年771.8mm偏少3.2%，比多年平均679.5mm偏多1.4%，属平水年。全省天然河川径流量173.8亿m^3，比2008年偏少24.1%，比多年平均偏少12.3%。全省水资源总量为284.95亿m^3，比多年平均（1956—2000年）偏少5.96%。全省地下水资源量为180.87亿m^3。

（2）水质。全省实测142个水功能区（5个河干）。其中，水质达到Ⅰ类标准的有2个，占1.4%；水质达到Ⅱ类标准的有25个，占17.6%；水质达到Ⅲ类标准的有33个，占23.2%；水质符合Ⅳ类标准的有26个，占18.3%；水质符合Ⅴ类标准的有9个，占6.3%；水质为劣Ⅴ类的有47个，占33.1%。共评价河长5989.2km，地表水河流水质评价的全年期的超标（指达到《山东省水功能区划》中规定的水质目标）河长2056.3km，占总代表河长的34.3%；劣Ⅴ类代表河长为2886.9km，占总代表河长的48.20%。汛期劣Ⅴ类代表河长为2611.90km，占总代表河长的43.61%；非汛期劣Ⅴ类代表河长为2743km，占总代表河长的45.80%。山东省河流水质污染比较严重，主要超标污染参数为高锰酸盐指数、氨氮、化学需氧量等。

（3）水资源开发利用。2009年，全省总供水量为219.99亿m^3。跨流域调水工程总供水量60.60亿m^3，占地表水供水量的50.66%。黄河水仍为山东省沿黄各市的主要供水水源。全省总用水量219.99亿m^3，总耗水量146.23亿m^3，综合耗水率为66.5%。农业灌溉水有效利用系数提高到0.57；全省万元GDP取水量下降到80.76m^3；万元工业增加值取水量下降到17m^3。平原区地下水平均埋深较2008年同期上升0.07m。

（4）水资源管理。山东省在全国率先实行最严格的水资源管理制度，在淄博、临沂、菏泽等3个市实行试点。全省成立水务局或实现水务一体化管理的地级市2个，县（市、区）91个，占全省县（市、区）总数的65%。全省由省水文水资源勘测局直属的13个市级水文水资源勘测局全部实现了省水行政主管部门和当地市政府的双重管理。全省新建、改建、扩建大中型建设项目都落实水资源论证、取水许可及水资源有偿使用制度，累计发放并保有取水许可证4.13万份。完成了大汶河、小清河、沂河、沭河、北胶莱河、大沽河6条河流及马河、陡山、墙夼3座水库的水量分配工作和用水效率控制红线，完成对2004年发布的《山东省电力、造纸、冶金、化工、纺织（丝绸）行业产品用水定额》和《山东省农业灌溉用水定额》的修订工作，制订《山东省饮用水生产企业产水率指标体系》和《山东省煤炭、酿造、医药、机械行业产品用水定额》。

（5）水文站网。全省水文站网2009年保持相对稳定，与2008年基本相同。全省共有水位站16处，国家水文站149处，另有辅助水文站181处，泥沙站48处，蒸发站47处，雨量站802处，其中委托雨量站663处，重点水功能区水质监测站176处，地下水监测井2670眼，其中实际运行1961眼；土壤墒情站137处。

（6）水文测验。抽查评定水文站资料30站年，雨量站资料30站年，统计辅助站资料165站年，完成全省176处重点水功能区、27处主要城市重点供水水源地的常规水质监测工作。完成南四湖藻类监测和重点水功能区入河排污口核查与监测工作。共汇编水位资料127站年、流量资料113站年、泥沙资料43站年、降水量资料802站年、水面蒸发资料47站年、辅助站资料278站年，总计1410站年资料；整编地下水位资料1752站年。（朱汉明）

【基本建设】（1）南水北调东线山东段建设。南水北调工程山东段共11个单项工程、53个设计单元工程。截至2009年底，国家累计批复项目总投资99.09亿元，已开工7个单项工程，41个单元工程，累计完成投资约56.43亿元，其中2009年完成投资22.5亿元。7个已开工单项工程分别为：济平干渠工程、韩庄运河段工程、南四湖水资源控制及水质监测工程、穿黄枢纽工程、济南—引黄济青段工程、截污导流工程、南四湖—东平湖段工程。以两湖段工程、东湖水库及双王城水库开工为标志，南水北调东线山东段工程全线。

（2）胶东地区引黄调水工程。该工程自2003年12月19日开工，截至2009年底，累计完成投资20.53亿元。其中，待摊投资6.09亿元（支付迁占补偿费4.96亿元），固定资产投资1200万元，建筑安装工程投资10.06亿元，预付工程款1.45亿元，设备投资2.20亿元，预付备料款6024万元。按计划完成烟台门楼水库以上主体工程建设任务，实现了省委、省政府提出的年度建设目标。

（3）治淮沂沭泗洪水东调南下工程。刘家道口枢纽具备竣工验收条件，韩庄运河续建、南四湖湖内、分沂入沭扩大、沂河、沭河及邳苍分洪道治理、新沭河治理主体工程基本完成。南四湖湖东堤工程移民迁占与主体工程已完成，韩庄运河（湖口—台儿庄）续建工程累计完成移民征迁与工程投资3.90亿元，占批复总投资的90.2%；分沂入沭扩大工程累计完成工程与移民总投资1.52亿元，占批复总投资的92.2%；南四湖湖内工程累计完成移民迁占及工程投资完成7.05亿元，占批复总投资的80.1%；沂沭邳治理工程累计完成投资7.6739亿元，占批复总投资的93.4%；新沭河治理工程累计完成投资1.0678亿元，占批复总投资的92.8%；南四湖西股引河上段剩余工程累计完成投资3170万元，南四湖湖西堤省界插花段6.56km加固工程累计完成投资3380万元，占批复总投资的99%。

（4）大中型水库除险加固。2009年，山东省大中型水库除险加固共完成投资27.78亿元。其中，中央投资10.45亿元，地方配套17.32亿元。全省全年列入全国规划的135座（不含青岛市）大中型水库除险加固工程136个项目，已全部批复初步设计，136个项目已下达投资计划，并全部开工建设。其中，7个通过竣工验收，17个项目完成主体工程验收，1个通过技术预验收，111个项目正在实施。

（5）重点河道治理。山东省68条重点河道治理项目下达投资计划32条、16.41亿元。其中，开工24条，累计完成投资8.85亿元。马颊河干流重点治理、胶河干流防洪治理、烟台市内夹河综合治理、泗河湖口防汛应急工程、弥河临朐段治理、孝妇河治理等6个项目已基本完成。

（6）大型灌区续建配套与节水改造。山东省现有设计灌溉面积在2万hm^2以上的大型灌区50处（青岛2处）列入了国家大型灌区续建配套与节水改造规划。全省大型灌区总设计灌溉面积为288.41万hm^2，本年实际灌溉面积达到172.67万hm^2。50处大型灌区续建配套与节水改造工程累计完成投资37.17亿元。2009年完成投资14.07亿元。其中，中央投资5.17亿元，地方配套8.90亿元。继续实施2008年拉动内需大型灌区项目，2008年中央四季度新增投资安排24个大型灌区项目，总投资7.275亿元，其中中央投资2.425亿元。国家下达第四批扩大内需大型灌区投资计划21个，下达投资5.40亿元，其中中央1.80亿元。全省共投入节水灌溉资金6.1亿元，新发展各类节水灌溉面积13.33万hm^2，年新增节水能力1.2亿m^3。（朱汉明）

【防汛抗旱】

1. 水情、灾情

（1）汛情、洪涝灾害。2009年9月30日，全省大中型水库及南四湖汛末总蓄水量60.34亿m^3，比汛初增蓄9.2亿m^3，为2003年以来最小值。全省先后有51座（次）大中型水库超汛（中、末）限水位，52座（次）大中型水库溢洪，超限水深和溢洪流量均比往年偏小。受强降雨影响，南四湖、沂沭泗河等流域多条河流出现明显洪水过程，鲁北诸河多个水文站出现自20世纪90年代以来最大流量。受降雨分布不均影响，全省有14个市遭受程度不同的洪涝灾害，其中损失达1亿元以上的有10个；全省直接经济损失60.96亿元。

（2）旱情、旱灾。2009年，山东省发生大面积春旱，全省农作物受旱面积一度达到227.40万hm^2，其中重旱79.47万hm^2，属于30年一遇干旱，其中鲁北、鲁西北部分地方达到50年一遇。进入9月后，全省降雨持续偏少，全省农田受旱面积最高达120.33万hm^2，其中重旱12万hm^2。

2. 防汛　山东省各级认真落实以行政首长为核心的各项防汛责任制，并将重点防洪工程防汛责任人在《大众日报》等新闻媒体上予以公布，接受社会监督。省防办完成对《山东省防汛抗旱应急预案》的初步修订。成功抗御了烟台“7·17”、临沂“8·17”特大暴雨等局部严重洪涝灾害，实现了无一水库垮坝、无一河道决口、无一人因洪涝灾害死亡的目标。

3. 抗旱　全省各级共投入抗旱资金14亿元，新建水源工程22504处，增加蓄水能力1.1亿m^3，投入抗旱劳力883万人、机电井78万眼、泵站8496处，动用机动抗旱设备232万台（套）、装机1298万kW，机动运水车辆37万辆，抗旱用电47147万kW·h，抗旱用油79105t，抗旱挽回粮食损失820万t，挽回经济损失73亿元，有效地解决了58万人、80万头大牲畜的临时饮水困难。

2009年，山东省防汛抗旱减灾直接经济效益260亿元。

（朱汉明）

【农村水利】　2009年，全省总灌溉面积达到548.41万hm^2，比2008年增加4.80万hm^2；总有效灌溉面积达到489.70万hm^2，比2008年增加3.02万hm^2；旱涝保收面积达到353.73万hm^2，比2008年减少2.20万hm^2。全省节水灌溉面积达到214.37万hm^2，比2008年增加6.81万hm^2。山东省易涝耕地总面积295.63万hm^2，年末除涝面积达到262.34万hm^2。全省拦蓄、灌排水闸1742座。其中，大型水闸49座，中型水闸294座，小型水闸1399座。河道堤防总长度1.23万km，本年新增堤防长度545.11km，保护人口达到3489.76万人，保护耕地334.38万hm^2。

（1）农田水利基本建设。2009年，山东省累计投入农田水利基本建设资金134.5亿元，建成各类水利工程7.6万处，完成土石方7.4亿m^3，投入工日3亿个。修复水毁工程5885处，新增防渗渠道2320km，疏浚河道5368km，清淤渠道14381km；新建小型水库54座、塘坝2010处、水池水窖9183处，新增蓄水能力1.40亿m^3；新打灌溉机井43516眼，新增井灌面积12.94万hm^2，改善井灌面积65.52万hm^2；新增和改善除涝面积23.09万hm^2，改造中低产田19.73万hm^2；新增节水灌溉面积15.49万hm^2；治理农村水土流失面积1193.2km^2。全省有22个县（市）被确定为全国第一批小型农田水利重点县，规划建设项目全面启动实施。国家共安排山东省小型农田水利专项资金2.2亿元，安排小型农田水利重点县21个。全省承包、租赁、拍卖小型水利工程2663处，回收资金6468万元；个人、联户、股份合作新建小型水利工程4032处，总投资1.06亿元。

（2）农村饮水安全项目。全年共完成投资23.29亿元。其中，中央投资6.60亿元，地方配套16.69亿元。新解决380万农村人口饮水不安全问题，农村自来水普及率达到88%，继续走在全国前列，农村饮水安全工程全年总供水量13.71m^3。（朱汉明）

【水土保持】　2009年，山东省全年共投资7.80亿元，完成综合治理水土流失面积1806km^2，开展治理小流域309条、风沙片39片。建设基本农田4.28万hm^2，营造水保林5.57万hm^2、经济林和果园3.62万hm^2，建设塘坝、谷坊、水池、水窖等6762个。实施的中央新增投资扩大内需第一批60个项目于2009年3月底前完成；第四批项目2009年9月下达计划，共涉及16个市、25条小流域（风沙片）治理项目。

完成编制《山东省2009—2011年水土保持重点工程建设规划》。全省全年共审批水保方案1794项，收取水保“两费”6045万元，督促开发建设单位投入水土流失防治资金10.10亿元。全面启动南水北调东线山东段、胶东地区引黄调水工程沿线生态水系项目建设，沂蒙山区水土流失严重地区全部纳入国家重点治理范围。全省已建成集防洪、蓄水、观光、休闲于一体的国家和省级水利风景区77处。其中，国家水利风景区32处，数量居全国各省（直辖市、自治区）之首。开展了“好客山东——水利风景区欢迎您”活动。

（朱汉明）

【跨流域调水】　2009年，山东省引黄济青工程总供水量9418万m^3，实现水费收入1.31亿元。棘洪滩水库全年共向青岛供水6150万m^3。自1989年建成通水以来，引黄济青工程已累计向青岛市供水13.5亿m^3，为沿线供水4.3亿m^3，补充地下水10亿m^3。供水范围逐步扩大，供水市场得到进一步开拓。黄岛供水项目继续发挥效益，年度向黄岛供水1375万m^3；棘洪滩配套水厂向城阳、胶州供水1893余万m^3，向滨州渤海化工供水240.5万m^3，为博兴及工程沿线地区供农业水2000万m^3。2008—2009年度，调度运行为期46天，共计引黄河水7255.46万m^3。为缓解天津市、河北省水资源紧缺状况，按照国务院、国家防总的部署要求，自2009年10月份开始引黄济津济淀调水。截至12月31日8时，聊城市位山闸累计引水6.8亿m^3。

（朱汉明）

【水库移民后期扶持】　2009年，山东省机构编制委员会批准设立省水利移民管理局，为厅属行政支持类副厅级事业单位。山东省移民管理工作定期开展移民人口自然变化核查，截至2008年底，全省核减死亡、户籍迁出移民村等移民人口3.63万人，核查水库外迁移民人口资料1800余人次。2009年发放直补资金

9.24 亿元，后期扶持项目资金 1.92 亿元。全省共实施后期扶持项目 2648 个，完成投资 3.46 亿元；东平湖水库六年规划实施项目 269 个，完成投资 3.26 亿元。筹集小型水库移民帮扶基金 2.14 亿元，落实省级移民培训资金 230 万元，将订单就业培训范围扩大到潍坊、济宁、泰安、日照、临沂、菏泽等 6 市 10 县（市、区）。召开了全省水库移民信访工作会议，省、市、县三级移民办共接待群众集体访 53 批次 795 人次，批次、人次分别比 2008 年下降 72.1%、81.0%，全省大中型水库移民后期扶持工作没有发生群体性信访事件。创办连续性内部资料出版物《山东水利移民通讯》。（朱汉明）

【水利财务】　2009 年，批复部门预算收入 6.28 亿元，批复部门预算支出 6.28 亿元，共下达各项财政预算内专项资金 11.77 亿元，其中争取中央财政资金 9200 万元。山东省 4 个试点项目共建立农民用水户协会 20 个；组建了山东水务发展有限公司。共清理“小金库”12 个，涉及金额 541.92 万元。2009 年度累计实现水利规费收入 4.99 亿元。其中，省级河道维护管理费 1.33 亿元，省级水资源费 2.35 亿元，水土保持设施补偿费 0.39 亿元，行政事业性收费 0.9 亿元，水工程占用补偿费 240 万元，专业技术职称评审费 7.8 万元。全年报送政府采购项目 24 个，采购计划 956.68 万元，当年采购计划全部完成。（朱汉明）

【科技与教育】　2009 年，山东省水利系统承担国家级科技计划项目 31 项、省级重大科技项目 19 项。其中，获得山东省科学技术进步奖 6 项，省水利科技进步奖 63 项，山东省软科学优秀成果奖 12 项，列入水利部公益性行业科研专项 2 项。继续实施“3131 人才培养工程”，全省水利系统共申报 54 名人选，通过初审有 24 名符合评审条件。全系统涌现出有突出贡献省级中青年专家 10 人、享受国务院特殊津贴专家 57 人、厅级以上拔尖人才 141 人、学科带头人 94 人。（朱汉明）

【外经外事】　2009 年，组团出访 7 批、38 人次，随团出访 11 人次。共接待 9 个亚行代表团和专家技术援助团约 190 多人次，接待内外宾 600 多人次，完成笔译 180 多万字。以中德合作山东粮援项目、利用世行贷款淮河流域重点平原洼地治理项目、亚行贷款病险水库除险加固项目、利用世行 GEF 赠款改善淮河流域海域污染项目、山东省黄河三角洲日元贷款农业综合开发项目和利用世行贷款加强灌溉农业（三期）项目为龙头，利用世界银行贷款淮河流域重点平原洼地治理项目计划总投资 2.7 亿元，其中利用世界银行贷款 1100 万美元。利用亚洲开发银行贷款大中型病险水库除险加固项目前期工作，项目计划利用亚洲开发银行贷款对 9 座大中型水库进行除险加固，项目总投资 5.89 亿元，申请亚洲开发银行贷款额 2 亿元，中央补助 1.73 万元，省配套 1.24 亿元，地方配套 9.989 万元。（朱汉明）

河　南　省

【概况】　2009 年，河南省水利部门认真学习践行科学发展观，全面落实中央和省应对国际金融危机的一揽子计划，水利建设、改革、发展呈现出良好的发展态势，重点水利工程建设、病险水库除险加固、农村饮水安全、灌区配套与节水改造等都取得了显著成绩，圆满完成了各项目标任务，水利改革与发展迈上了一个新的台阶。（吴越）

【水政】　积极推动水利立法工作，配合省政府法治办完成了《河南省取水许可制度和水资源费征收管理办法》的修订工作，并于 2009 年 7 月 1 日起颁布施行。配合省政府法制办完成了《河南省河道工程维护管理费征收管理办法》的立法调研工作。不断加大水资源管理和保护力度，完成了《河南省地下水功能区划定》初稿和《河南省地下水超采区划定》报告的编写工作。全面强化省辖市公共供水企业取水许可管理，积极做好水资源论证工作，推行总量控制与定额管理相结合的用水制度。全面开展节水型社会、节水型企业、节水型单位创建活动，郑州、济源等节水型社会建设试点取得新进展。组织对全省范围内的入河排污口进行普查登记，全省共普查排污口 1612 个。全省受理水事案件 4632 起，执行 2882 起，强制执行 653 起，挽回直接经济损失 5600 余万元。认真组织了“五五”普法宣传教育和水利工程保护执法专项检查，深入落实行政执法责任制，维护了良好的水事秩序。（吴越）

【防汛抗旱】　认真落实防汛抗旱责任制，进一步修订完善防汛抗旱预案。做好防大汛、抗大旱的各项工作，科学调度水利工程，努力减少洪涝和干旱造成的损失，为河南省粮食丰收作出了积极贡献。一是夺取了春季抗旱浇麦斗争的全面胜利。去冬今春，河南省遭受了新中国成立以来最严重的冬春连旱，全省受旱麦田最高峰时近 366.67 万 hm^2，占麦播面积近七成。全省共投入抗旱资金 15.94 亿元，日最高投入抗旱人数 320 万人，行动机电井 91 万眼，投入机动抗旱设备 83 万台套，机动运水车辆 6.2 万辆次，累计浇灌面积 717.67 万公顷次，取得了抗旱斗争的胜利。抗旱期间，全省共调水、抽水、引水、放水 42.2 亿

m^3，366.67万hm^2受旱麦田平均每公顷折合水量近1200m^3，为河南省夏粮达到306.5亿kg、再创历史新高发挥了关键作用。二是认真做好防汛排涝和秋粮夺丰收工作。2009年7月，省委省政府决定实施“450行动计划”，实施一批防洪除涝工程，确保秋粮产量达到225亿kg以上。8月底，全省排涝工程已经超额完成建设任务，共新挖沟渠85.73km，清淤沟渠1.88万km，清淤河道734.34km，完成土方7423.72万m^3，维修建筑物9205座，新增和改善除涝工程面积186.28万hm^2，完成投资3.43亿元，工程完成率113%。据统计，2009年河南省秋粮产量达到232.5亿kg，全年粮食产量539亿kg。（吴越）

【重点项目】 重点项目前期工作积极推进，沁河河口村水库项目建议书已获国家发改委批复，工程可研报告已上报国家发改委审批，初步设计正在有序进行。淮河出山店水库工程项目建议书已经通过中咨公司评估，正在抓紧修改完善，工程可研报告已通过淮委预审查，正根据专家意见修改完善。《河南省粮食生产核心区建设规划》已经国家发改委批复。河南省水利发展规划（2010—2020年）、中小河流近期治理规划、大中型病险水闸除险加固规划以及抗旱规划已编制完成，水利发展“十二五”规划编制工作启动，修改完善了淮河流域重点平原洼地除涝规划。

国务院确定的治淮骨干项目基本完成，涡河、沙颍河近期治理工程于12月20日分别通过由淮委组织的竣工验收；燕山水库工程已具备验收条件，正在进行竣工验收准备工作。马家岩水库、张庄提排站、小洪河近期治理工程等重点水利工程正在按计划推进，圆满完成了年度计划任务。第三批359座水库全面开工建设，已基本完工244座，其中79座进行了终验或主体工程验收。（吴越）

【农村水利】 全年共解决487万人的饮水不安全问题，比2008年266万人多77.82%，超额完成了年度解决300万饮水不安全人口的目标。对32个大型灌区进行了续建配套与节水技术改造，在灌区改造中，我们积极探索创新灌区建设与管理理念，在全国率先提出了现代灌区示范区建设标准，利用大中型灌区续建配套节水改造项目和新增农资综合补贴资金启动了现代灌区示范区建设，着力打造鸭河口、杨桥等12个现代灌区示范区，将使河南省灌区建设与管理水平显著提高。省政府筹资12.51亿元建设了一批抗旱夺丰收应急灌溉工程，新增和恢复灌溉面积82.6万hm^2。（吴越）

【水土保持】 以国家水土保持重点建设工程项目为龙头，大力推进山丘区水土保持生态环境建设，完成治理水土流失面积700km^2，水土保持预防监督和监测工作再上新台阶。（吴越）

【地方水电】 小水电代燃料工程和水电农村电气化县建设扎实推进，新增小水电装机8000kW，稳步改善了山丘区农村生活生产条件。（吴越）

【科技与教育】 2009年开展了28项水利科技攻关研究项目。对2008年度完成的水利科技成果进行了评审，评选出河南省水利科技进步一等奖7项，二等奖4项。河南省科技厅评选出河南省水利厅河南省科技进步二等奖3个，河南省科技进步三等奖1个。不断加强水利对外交流与合作，积极推进与南非、埃及、肯尼亚等国河流治理及水资源保护合作交流。不断推进水利教育改革，厅属学校基础设施建设进一步增强，教学内容有了新的拓展，教学质量稳步提高。（吴越）

【水利移民】 积极开展移民迁安工作，圆满完成了南水北调中线水源地丹江口库区1.06万试点移民的迁安工作；按照省委、省政府提出的“四年任务、两年完成”的要求，库区15.1万移民前期准备工作已经全面展开。完成了南水北调中线干线阶段征迁任务，确保了黄河以北各段和郑州段的顺利开工建设，黄河以南各段前期工作顺利开展。全省大中型水库移民后期扶持工作进展顺利。继续加大全省大中型水库移民后期扶持力度，妥善解决小型水库移民困难问题。（吴越）

【水利改革】 省委省政府批准成立了省水利建设投资有限公司，为河南省公益性、准公益性水利项目建立了规范化投融资平台，为进一步加快水利建设创造了条件。水价改革稳步推进，非农业供水价格改革取得新进展。全面完成水管体制改革任务，全省共批复水管单位661个，批复事业编制24107人，解除了水管单位的后顾之忧，调动了广大水管单位的积极性，极大的促进了水利工程管理规范化、科学化、现代化建设。基本解决了水利勘测总队改制后的遗留问题，完成了水电公司、水电对外公司的改制基本程序。厅机关及厅属单位机构改革顺利推进，增加了机构编制，强化了管理职能，明确了职责分工，理顺了管理关系。（吴越）

湖北省

【概况】 2009年，湖北省强化组织领导，落实责任措施，有效应对、科学防控，努力把灾害损失控制在最低限度，通过有力有序有效应对水旱灾害，将损失减至最低。全省防汛抗旱减灾社会效益约为76.2亿元，其中抗旱效益17.5亿元、防洪效益58.7亿元，死亡人数同比十年均值减少70%。在抗旱方面，通过调度库塘放水、涵闸引水、泵站提水，共计调配用水10.7亿 m^3，有效遏制了旱情蔓延之势。入汛以后，全省水库累计安全调、泄洪水量11.69亿 m^3，水库防洪减灾效益明显，削峰率在75%以上，保护县级以上城市20座。在排涝方面，坚持田湖统筹，累计排水入江38亿 m^3，其中武汉城区排渍0.32亿 m^3，有效调控了湖泊水位，保证了25.33万 hm^2 农田免遭渍涝。

2009年全省江河堤防共储备砂石料196.23万 m^3，与2008年基本持平，共完成植树96.13万株，占计划85万株的112%；落实424.92万人饮水安全问题的投资计划，中央投资12.27亿元全部到位，省级配套完成三批投资计划1.7亿元。病险水库除险加固主体工程完工338座，完成投资30.5亿元，完成土石方1512万 m^3，混凝土257万 m^3。全省已治理水土流失 $1530km^2$，占年度计划治理任务的102%。全年新增水电装机容量15.16万kW。中央下达2009年电气化专项资金1620万元，全年完成投资10.7亿元。（张陆）

【水政】　分别向湖北省人大和湖北省政府申报了2010年立法计划项目。其中地方性法规立法项目为《湖北省抗旱条例》和《湖北省湖泊保护条例》；规章立法项目为《湖北省农村供水管理办法》《湖北省水库管理办法（修订）》（省人民政府令第234号）和《湖北省水资源费征收管理办法（修订）》（省人民政府令第285号）。湖北省政府以省政府第333号发布《湖北省河道采砂管理办法》，规定了河道采砂实行人民政府行政首长负责制、分级管理、规划制度、许可制度等，为打击非法采砂行为、保障河势稳定和防洪安全提供了重要的依据。（许燕飞）

【水资源】　加强了取水许可管理，全省共发放取水许可证6755套，吊销取水许可证64套。按国务院460号令《取水许可和水资源费征收管理条例》和水利部34号令《取水许可管理办法》的要求，对麻城电厂等建设项目取水工程进行了专项验收；组织专班编制全省水资源管理信息系统建设实施方案；编制完成了水资源公报、水资源管理年报、水务管理年报。同时，参与了水资源费征收、督办、协调，重点对陆水水库水资源管理体制进行了调研、协调，理顺了陆水水库的取水许可发证、水资源费征收的体制。（张陆）

【水利规划】　编制完成了《湖北省重点中小型水库防汛通信预警系统建设项目建议书》。按期完成了小型水库安全鉴定，为下一步编制《湖北省小型水库除险加固专项规划》奠定了基础，并为争取较多的小型水库列入全国专项规划做好项目储备。制定并印发了《湖北省水土保持监督管理能力建设实施方案》，确定了15个第一批全国水土保持监督管理能力建设重点县（市、区）。组织编制完成了《湖北省2009—2011年水土保持重点工程建设规划》并通过了长江委的审核和省发改委的批复。积极争取项目计划，包括2009年项目计划和2010—2013年湖北省实际存在的尚未列入国家规划的1318.2万人的农村饮水安全问题人口列入国家规划，全面落实省级配套资金和需省级垫支的中央投资。（张陆）

【基本建设】　（1）堤防加固整治。2009年，湖北省重点抓了荆南四河、汉江中下游及分蓄洪区堤防加固及应急整险工程建设。截至12月，共完成土方386万 m^3、占计划工程量340万 m^3 的113.5%，占年度目标责任计划110万 m^3 的350.9%；完成石方27万 m^3。其中荆南四河堤防加固工程2008年四季度新增投资计划1.6亿元，计划土方181.8万 m^3，石方15.1万 m^3，全部完成；2009年荆南四河堤防工程扩大内需中央预算内投资第二批计划1.6亿元，计划土方320万 m^3。

（2）病险水库除险。截至2009年12月底，国家共下达湖北省614座（大型12座，中型134座，小型468座）水库加固项目，总投资66.57亿元，下达座数和投资均占规划总数的94%。截至2009年12月31日，主体工程完工338座，其中大中型32座，小型306座。完成投资30.5亿元，占实际到位资金47.33亿元的65%，完成土石方1512万 m^3，混凝土257万 m^3。

（3）大中型灌区续建配套与节水改造。2008年全省安排30处大型灌区续建配套与节水改造项目，总投资84002万元，其中中央投资48151万元，省级6645万元；农业综合开发中型灌区改造项目2处，总投资3888.8万元，其中中央投资1940万元。2009年底30处大型灌区续建改造项目已完工。湖北省灌区水管单位体制改革任务已基本完成。大型灌区现已组建农民用水户协会1383个，涉及50个县（市、区）、5100个行政村，参与农户190万户。（张陆　马礼平）

【防汛抗旱】　去冬今春完成水利建设土石方近4万 m^3，其中加固中小河堤302km，修复水毁近2万处，应急整治了石首调关矶头等3处重点崩岸险情，按计划对403座跨年整险水库项目实施建设，新建小型水源工程2.3万处、新增蓄水能力2亿多 m^3，建成墒情监测点35个。修订完善了防汛抗旱应急预案、分蓄洪区安转预案、重点大型水库防洪抢险应急预案、重点城市防洪应急预案、在建水电工程度汛方案，以及江河湖库防洪调度预案。开展了新任防汛指挥人员的培训，加强了组织指挥机构建设；按照规范，落实防汛物料、抢险队伍、通信预警措施。通过夏汛冬防常年抓，牢牢把握了防汛抗灾主动权。（孙又欣）

【农田水利】 2008年度全省小型农田水利工程建设项目总投资3.54亿元，其中中央财政补助资金1.16亿元，省级配套0.6亿元。89处项目已全部完成建设任务，并通过省级验收，共新增改善灌溉面积4.33万hm^2，新增节水能力7699万m^3。2009年度小型农田水利工程建设项目总投资4.82亿元，其中中央财政补助资金1.89亿元，省级配套1亿元，已完成年度任务30%以上。

全省列入《全国大型灌溉排水泵站更新改造规划》的共25处，299座，1805台，32.10万kW，规划总投资19.71亿元，投资计划占全国的近1/10。25处泵站更新改造规划水利部核查工作已结束，安全鉴定全部完成，10处可研报告已通过审查，其中8处泵站已付诸实施，水利部核定概算投资7.05亿元，中央投资1亿元已下达，项目单位法人组建、项目招投标已全部完成。

2008年全省安排11处大型引江提水灌区续建改造项目，总投资34502万元，其中中央投资20351万元、省级2980万元；农业综合开发中型灌区改造项目2处，总投资3888.8万元，其中中央投资1940万元。2009年，湖北省安排有7处大型引江提水灌区续建改造项目，总投资9490万元，其中中央投资5700万元；安排农业综合开发房县中部坪坝灌区投资1300万元，其中中央投资800万元。（张陆）

【水土保持】 2009年湖北省中央扩大内需水土保持项目水土保持项目主要实施的是“长治”、水保世行贷款和国家水土保持重点工程，建设涉及黄冈、宜昌、恩施、孝感、荆州、随州和十堰七个市（州）的红安、麻城、浠水、罗田、夷陵、长阳、兴山、秭归、巴东、利川、恩施、宣恩、建始、广水、大悟、洪湖和房县17个县（市、区）。全省共治理水土流失1530km^2，占年度计划治理任务的102%。其中，完成坡改梯6124hm^2，种植水保林20730hm^2，发展经济林17252hm^2，修建小型水利水保工程6423处。全省共实施生态修复面积6.97万hm^2，落实治理成果管护面积80082.37hm^2。实施小流域治理103条，竣工86条。完成总投资54592.21万元，其中，中央投资25035.99万元、地方配套19824.84万元，群众投劳折资9731.38万元。群众投工965万工日，完成土石方量2801万m^3。（余建华）

【城乡供水】 2009年，湖北省委、省政府确定的农村饮水安全目标任务为400万人，省发改委、省水利厅实际下达424.92万人工程建设计划，项目总投资19.64亿元，其中中央投资12.27亿元、省级配套2.81亿元、县市及县市以下自筹4.56亿元。全省新建集中供水工程2478处，实际解决430万人的农村饮水安全问题，超目标任务的7.5%。自2005年开展试点以来，全省下达了1097.02万人项目投资计划，项目总投资45.78亿元。其中中央投资24.18亿元（含省贷款垫支4.64亿元），省级配套投资7.12亿元，市县及以下投资14.48亿元。全省已建成农村水厂近6000处，惠及1100多万人，占列入国家“十一五”规划人口785万的140%，相当于用3年时间完成了7年的任务。（陈协清）

【地方水电】 2009年，湖北省水能资源开发当年在建项目89处、总装机容量211.8万kW。全省最后两个大型项目竹山潘口水电站、鹤峰江坪河水电站正式开工建设。装机4万kW的恩施云龙河三级水电站工程、装机9万kW的恩施老渡口水电站工程、装机3万kW的恩施罗坡坝水电站工程、装机3万kW的利川云口水电站工程实现下闸蓄水目标，部分机组投产运行。全年共完成水电站建设投资428565万元，按资金来源分：财政资金5297万元，银行贷款322182万元，业主自筹101086万元。当年新增水电站33处，装机容量173915kW；当年减少水电站66处，装机容量13533kW。至2009年底，全省农村中小水电电源工程累计达到1718处，容量376.0335万kW。水电站固定资产总值累计达到1981322.24万元。全年发电量898439.09万kW·h，发电设备平均年利用小时数为2389h。（叶恒奎）

【工程管理】 制定了《湖北省水利工程建设领域突出问题专项治理工作方案》。安排部署全省水利工程建设领域突出问题专项治理工作。专项治理工作将用两年左右的时间，对2008年以来政府投资和使用国有资金的规模以上的水利项目特别是扩大内需水利项目进行全面排查。印发了《湖北省水利工程建设项目招标投标管理办法（修订稿）》；为进一步加强全省水利工程质量检测管理，规范水利工程质量检测行为，根据水利部有关规定，制定了《湖北省水利工程质量检测管理规定》；为进一步加强湖北省水利水电工程建设市场管理，规范招投标市场主体单位及相关执（从）业人员市场行为，修改完善并印发了第二稿的《湖北省水利水电建设市场主体信用管理办法（试行）》。（张陆）

湖南省

【概况】 2009年，湖南省投入水利建设资金80亿元。其中争取国家投入 32.46 亿元；省级财政投入 13.98 亿元，较 2008 年增长 75.2%，创历史最高水平；省级部门预算资金 12.31 亿元，较 2008 年增长 45.2%。2009 年，全省先后遭遇 5 次局部暴雨山洪，并发生全省范围的夏秋冬连旱，高峰时有 84 个县 41.6 万 hm^2 农作物受旱，100 万多人发生临时饮水困难。各级党委政府以人为本、超前部署，科学决策、沉着应对，防灾减灾效益显著，为实现省委、省政府防汛抗旱“四个确保”的工作目标和全省粮食连续六年丰收、粮食生产总量过 300 亿 kg 发挥了重要作用。 （许泽奇）

【水政】 2009 年，水行政管理得到进一步规范，依法治水、管水能力继续增强。《洞庭湖区水利管理条例》修订稿经省人大审议通过，2010 年 1 月 1 日正式实施。《湖南省水能资源开发利用权出让办法》完成前期工作，2010 年 1 月 15 日进行了公开听证。查处了株洲市惠天然房地产开发公司临湘江开发等一批重大涉水违法案件，调处了蓝山县、嘉禾县甫口河坝等一批跨区域水事纠纷，维护了水法律法规权威和正常水事秩序。全面清理了厅行政许可项目，精简 7 项，下放 2 项，水行政许可项目由 29 项减到 20 项。省水利厅行政许可窗口全年共收到许可申请 246 项，受理和办结 234 项，差错率为零。进一步扩大政务公开内容，加快政务公开网上办理，年内主要建设项目安排、项目招投标等实行了网上公示，接受社会和媒体监督。落实安全生产各项措施，深入推进安全生产年建设，加大安全生产隐患治理，全年无重特大安全事故发生。 （许泽奇）

【水资源】 （1）水质监测。2009 年，共对 93 个重点水功能区进行了水质监测，并根据水功能区水质目标进行水功能区水质达标评价和分析，为水功能区的管理和排污总量控制提供科学依据。按照水利部关于加强饮用水水源地监测，保障饮水安全的要求，加强对饮用水水源地水质监测，对市州城市饮用水水源地从每月监测一次提高到每旬监测一次。枯水期，湘江水位持续偏低，按要求每天 1 次监测株洲、湘潭及长沙等重要城市饮用水水源地水质水量，监测结果及时以快报、旬报、月报等形式发送到政府相关部门，保障饮水安全和社会稳定。2009 年 10 月，顺利通过了国家技术检疫监督总局对省中心进行的突击检查。监督结果表明，2009 年全省水质监测严格按照质量体系运行，监测资料科学、准确、可靠。

（2）水资源技术服务。2009 年，开展了《长江流域水资源规划》编制修订中《湖南省水资源保护规划》的编制及《湖南省地下水功能区划及开发利用保护规划》《湖南省暴雨洪水查算手册》《湘江流域水量分配方案》的研究工作。各地水文部门相继开展了各行政管理区域的《水功能区划》《水资源保护规划》、两型社会建设《节水规划》等规划工作；完成水资源论证、水文分析计算报告等成果 10 多个，取水许可水质分析评价项目 5000 多个，为全省水资源开发、利用、节约、配置等提供了科学依据。完成了《湖南省水资源质量状况通报》（月报）编制，及时、准确编发了 600 多期水源地监测通报和水污染事件监测快报，集中反映每月各流域水质概况，重要江河干流及主要支流、省界缓冲区、主要湖泊、水库和重点城市饮用水源区的水质状况，及时向各级政府部门提供了客观的地表水资源质量状况。完成了由水利部发布的 2008 年度《中国水资源公报》《中国水资源质量年报》和 2008 年《突发性水污染事件统计报告》（月报）、《全国地表水资源状况月报》《全国主要城市供水水源地水资源质量通报》（旬报）中的湖南水环境信息的编报工作；完成了由长江流域水资源保护局发布的 2008 年度《长江流域地表水资源质量年报》和 2009 年《长江水资源质量公报》（月报）、《长江流域省界水体水质通报》（月报）中的湖南境内成果资料的汇编工作。 （许泽奇）

【水利规划】 2007 年启动的流域综合规划，2009 年已完成阶段性工作，洞庭湖综合治理规划及湘江、资水、沅江、澧水、㵲水、酉水以及珠江流域部分的规划意见已经完成，并分别提交长江委和珠委纳入长江流域综合规划和珠江流域综合规划。根据国务院批复后的长江流域防洪规划和珠江流域防洪规划、水利部审查后的长江流域水资源综合规划和珠江流域水资源综合规划，分别对湖南省的防洪规划、水资源综合规划进行了修订，预计 2010 年全面完成湖南省防洪规划和水资源综合规划。根据省政府关于“打造中国的莱茵河”，推进湘江流域管理的要求，组织开展了湘江流域管理规划的编制工作。长株潭“两型”社会建设水利规划，是长株潭“两型”社会建设区域总体规划下 12 个专项规划之一，该规划于 2009 年编制完成并报湖南省“两型”办。 （许泽奇）

【防汛抗旱】 （1）洪涝灾情。2009 年汛期，全省先后发生 5 次洪涝灾害过程，导致 14 个市（州）115 个县 1316 个乡镇 952.9 万人受灾，倒塌房屋 6.14 万间，直接经济损失 67.88 亿元，其中水利设施直接经济损失 18.49 亿元。全省因灾死亡 41 人，失踪 5 人，2 个县级城市一度受淹（双峰、通道），损坏小（2）型水库 1 座。

（2）干旱灾情。2009 年全省以夏旱为主，主要发生在 8 月、9 月，部分地区还出现春旱及夏秋冬连旱。1—2 月，湘江中下游河道长时间接近历史最低水位，城市用水安全受到严重威胁。7 月下旬，湘西北、湘东南局部地区开始出现旱情，进入8月全省大部分地区旱情发展迅速，至9月16日干旱高峰期，全省14个市（州）84个县（市、区）41.6万hm^2农作物受旱，102.54万人、36万头大牲畜出现临时饮水困难。9月中旬后，湘江中下游河段水位急剧下降，中下游枯水发生时间之早、发展速度之快，均为历年之最。至11月26日，湘江长沙站实测最低水位24.85m，比历史最低水位（25.15m）还低0.35m。据统计，全省因旱灾导致农作物累计受旱面积达76.64万hm^2，其中成灾42.47万hm^2，绝收42.47万hm^2，造成粮食损失208.94万t、经济作物损失21.01亿元，林牧业和水产养殖业直接经济损失9.08亿元，减少水利发电3.68亿kW·h；全年共有169.12万农村人口、59.31万头大牲畜发生饮水困难。按旱灾等级划分标准评价，2009年属中等旱灾年。

（3）抗灾行动。整个汛期，省防指先后会商30余次，先后3次启动防汛Ⅲ级应急响应，全省各级相关防汛责任人都能按要求迅速到岗到位；对几次暴雨天气过程进行了准确预报，发布气象专题预报65期，各类暴雨预报消息172次，提供水情分析与预报40期；通过调度大型水库，减免受灾人口198.2万人，减免受淹耕地面积9.13万hm^2，实际减灾效益2.17亿元。各地突出抓好山洪灾害防御和水库防守保安，山洪易发区组织力量日夜巡查，加强各类水库、电站、尾矿库以及病险工程的值守，及时排查各类隐患和险情，先后转移群众45万多人，全省未出现水库、水电站、尾矿库垮坝，确保了工程安全。抗旱工作中，充分发挥大中型灌区的抗旱主力军作用，315处大中型灌区的实际灌溉面积93.33万hm^2，达到了灌溉设计面积的70%。各地适时开展人工增雨作业，全省共出动高炮40门、火箭18架，开展作业100次，发射人雨弹、火箭弹80枚，人工增雨作业累计影响面积达6000km^2，增加降水约0.8亿m^3。据统计，抗旱高峰期，全省投入抗旱劳力270万人，日开动机电井9.64万眼、泵站1.78万处、机动抗旱设备31.8万台，出动各类机动运水车辆2.12万辆。累计投入抗旱资金4.52亿元（其中中央6300万元、省级1000万元），完成抗旱灌溉面积106.44万hm^2，解决了169.12万人、59.31万头大牲畜的临时饮水困难。

（许泽奇）

【农田水利】 2009年，中央对湖南省农村水利投资10.89亿元，其中农村饮水安全项目7.48亿元，小型农田水利1.94亿元，大型灌区续建配套与节水示范项目7300万元，大型灌溉泵站更新改造项目5600万元，农业综合开发重点中型灌区节水配套改造项目1500万元，中央财政节水灌溉贷款贴息320万元。省级财政农村水利投资6.02亿元，其中农村饮水安全项目18592万元，小型农田水利项目3000万元，大型灌区续建配套与节水改造项目4135万元，大型灌溉泵站更新改造项目1120万元，农业综合开发项目900万元；年底又安排新增农资综合补贴资金3.25亿元，用于中型灌区骨干渠系节水改造和山平塘清淤扩容项目。财政的加大投入使2009年成为全省农田水利发展较快的年份之一。大中型灌区续建配套与节水改造加快推进，全面完成了2008年度中央下达湖南省四批共40处（次）大型灌区续建配套与节水改造项目建设。小型农田水利建设再掀高潮，全面完成了2008年度实施的小型农田水利项目总投资31070万元，共新建水窖1982个、新建和改造水源1183处、配套改造渠道2095公里、新建和改造机电泵站162座、农民用水合作组织125个。2009年度，全省启动101个小农水项目县和18个小型农田水利重点县建设，共下达小型农田水利项目投资计划41192万元，到2009年底，已完成综合工程量进度40%，完成综合投资进度45%。大型提灌泵站建设顺利启动，全省共有27处大型泵站纳入更新改造规划，总投资22.67亿元。2009年已开工建设8处，概算总投资8.03亿元。

（许泽奇）

【水土保持】 2009年，全省水土保持监督执法检查2033次，检查、督查开发建设项目1848个，对376个重点项目进行了水保设施验收。全省审批开发建设项目水土保持方案1359项，征收水土保持规费9800万元。提前完成了省政府安排部署的15条高速公路、5条铁路和湘江长沙枢纽工程水土保持前期工作任务。水土保持监督执法能力建设工作全面开展，全省有20个县市列为全国水土保持监督执法能力建设试点县。基层水土保持机构队伍建设步伐加快，已有104个县（市、区）设立了水土保持专门工作机构，其中副科级水土保持局66个、正股级水土保持站38个。2009年，水土保持工程建设取得新进展。全省小流域综合治理工程、坡耕地水土流失综合治理工程、农业综合开发水土保持项目、石漠化综合治理工程等国家水土保持重点工程完成总投资1.21亿元，其中中央投资8657万元，地方配套3384万元，其中省级配套2695万元。全省治理水土流失面积736km^2，共完成坡改梯653.33hm^2、水土保持林7640hm^2、经果林2753.33hm^2、种草726.67hm^2、封禁补植4.87万hm^2，建成各类小型水利水保工程3742处。省水利厅组织编制了《2009—2011年水土保持重点工程建设规划》并通过水利部和长江委审查批准。全省32个革命老区县已列入《全国革命老区水土保持重点工程规划》并已通过水利部审查，已明确湖南省投资规模45.25亿元。

（许泽奇）

【城乡供水】 2009年，根据中央关于农村饮水安全工作新要求，开展并完成了湖南省2009—2013年规划人口复核及规划制定工作，全省新增饮水不安全人口1800万人，加上2005年纳入全国规划中待解决人口740万人，到2009年底，共需解决饮水不安全人口2540万人。2009年度内，全省完成人饮总投资14.75亿元，完成年度计划的102.5%，其中中央投资83766万元，省级配套18592万元。兴建各类供水工程3033处，解决316.39万人饮水不安全问题，完成年度目标任务的105.46%。（许泽奇）

【地方水电】 2009年，水利部委托湖南省承担编写任务的《水电新农村电气化规划编制规程》顺利完成，并于9月顺利通过水利部审查。“四无”水电站的清理整顿为本年度湖南农村水电重点工作，3月，由联合督办部门抽调专人组成5个督察组，对8个市州的14个县进行了重点督察，对整改进度慢的26座违规水电站进行了现场督办，至年底全省2003处“四无”水电站已完成整改1991处，整改率达99.4%，余下12处中有的已列入国家除险加固范围，正在施工中，个别因业主经济实力等原因无法整改的，已按照有关文件要求采取了关闭、电网解列、空库等强制措施。2009年，全省有105个小水电代燃料项目纳入倒车2009—2011年规划，总投资61.25亿元，已有61个项目完成了初步设计。按照《小水电代燃料项目验收规程》规定，省水利厅于2009年6月，在新晃县黄雷召开全省小水电代燃料试点项目验收现场会，并分别于2009年6月、10月、12月先后完成了对新晃黄雷、桃源杨溪桥、汝城暖水、安化枳木等四个小水电代燃料扩大试点工程项目的验收工作。（许泽奇）

【水利科技】 2009年，湖南水利科研工作围绕民生水利和可持续发展水利进行规划和开展，取得了一批水利科研成果。利用水利部公益性行业科研专项计划，组织申报了“皂市水库大坝生态补偿关键技术研究”以及“中国南方水利防冰减灾关键技术研究”（与中国水利科学研究院联合）、“紫鹊界梯田原生态自流灌溉系统机理与保护措施研究”（与长江委长江科学研究院水保所联合）等3个项目，其中“皂市水库大坝生态补偿关键技术研究”项目获得批准，资金额为270万元，项目已完成合同签订工作。利用水利部“948”项目计划，在继续组织好近年已启动的“农村饮用水水质处理技术”等5项水利部“948”项目的同时，2009年度又成功申报引进“水王′多功能环保作业船”“水声呐宽条带水下地形勘测仪”等2项先进技术；组织了“700ZLQ型系列全调节立式轴流泵”“钢丝网水泥薄壳渡槽可靠度分析及加固技术优选”等2项优秀水利科技成果申报水利部重点水利科技成果推广转化项目，全部获得立项批准。在积极开展科研的同时，加大科技成果的推广转化力度，“新型土工复合膜及技术在水库大坝防渗中的应用”“山洪灾害监测预警系统在洪江市的应用”“水稻控灌中蓄节水灌溉技术推广”等项目已得到推广转化，并在大坝除险加固防渗、防洪减灾、农业高效用水等领域发挥作用。2009年，共组织了15项水利科技成果的鉴定、验收工作，其中5项达国际先进水平，7项达国内领先水平，3项达国内先进水平。有5项成果获省科技进步奖，其中“铜湾水电站岩质高边坡稳定性评价与处治关键技术研究”等2项成果获省科技进步二等奖，“水利水电工程地质信息系统研究与应用”“湖南省大型水库调度会商决策系统研究”等3项成果获省科技进步三等奖；“环形油腔定位插装式事故配压阀”等2项成果获得大禹水利科学技术三等奖。（许泽奇）

【多种经营】 2009年，全年实现水利经济总产值118亿元，利税6.8亿元。种植养殖、水电开发、城镇供水、水利风景区建设与水利旅游建设、水利建筑施工等已成为水利系统多种经营发展的重点和特色产业，2009年得到进一步发展。全年完成计费供水量220.8亿m^3，年末农村水电建站4096处，总装机达到488.33万kW，发电量134.89亿kW·h，水产品总量4.39万t，果产品1.24万t，经济林营林面积达到3.3万hm^2。建成水利风景区42个，其中国家级水利风景区20个，年旅游达331.43万人次。

广 东 省

【概况】 全省水利完成总投资234亿元，其中省级及以上82亿元，为历史之最，地（市）级80亿元、县级53亿元、乡镇群众自筹及其他19亿元。基建工程完成投资103亿元，其中中央投资14亿元、省级投资50亿元。全省水利主要效益：新增饮水安全人口380.65万人，新增有效灌溉面积4190hm^2，新增节水灌溉面积1.871万hm^2，新增治理水土流失面积2.503万hm^2，除险加固水库887宗，加固江海堤防739km，维修渠道5619km。

全省平均年降水量1578.6mm，比2008年减少26.3%，比常年（多年平均，下同）减少10.9%，属偏枯水年。时空分配不均：空间上内陆少于沿海，东部少于西部；时间上主要集中在汛期（4—9月）。前汛期（4—6月）降水量670.3mm，占全年42.5%，比常年减少12.9%，其中6月降水量303.0mm，占全年19.2%，比常年增加1.5%；后汛期（7—9月）降水量579.6mm，占全年36.7%，比常年减少7.9%；非汛期（1—3月、10—12月）降水量仅占全年 20.8%，其中 1—2 月和 10 月只有 19.6mm 和 30.1mm，分别占全年 1.3%、1.9%，比常年减少 83.8%和 58.5%。

全省水资源总量 1613.7 亿 m^3，比 2008 年减少 26.9%，比常年减少 11.8%。其中，地表水资源量 1604.1 亿 m^3，比 2008 年减少 27.0%，比常年减少 11.9%；地下水资源量 407.6 亿 m^3，比 2008 年减少 19.6%，比常年减少 9.4%。全省大中型水库年末蓄水量 139.8 亿 m^3，比年初减少 18.6%。全省用水总量 463.4 亿 m^3，其中：农业用水 233.1 亿 m^3，比 2008 年增加 0.8 亿 m^3；工业用水 136.1 亿 m^3，比 2008 年减少 1.0 亿 m^3；城镇公共用水 20.9 亿 m^3，比 2008 年增加 0.9 亿 m^3；居民生活用水 65.2 亿 m^3，比 2008 年减少 0.1 亿 m^3；生态环境补水 8.1 亿 m^3，比 2008 年增加 1.3 亿 m^3。全省人均综合用水量 483m^3，万元生产总值用水量 119m^3，万元工业增加值用水量 76m^3。全省水资源开发利用率 29.0%。

全省呈现江河水势总体平稳、台风登陆影响偏多、灾害损失相对较小等主要特点。东江、西江、北江、韩江四大江河水势总体平稳，主要控制站除西江高要站出现接近 5 年一遇洪水外，均未出现超警戒水位。先后受到“浪卡”“苏迪罗”“天鹅”“莫拉菲”“巨爵”等 5 个热带气旋正面袭击（“莫拉菲”和“巨爵”为台风量级）和“莲花”“彩虹”“芭玛”等 3 个热带气旋的严重影响。其中“莲花”“天鹅”“巨爵”带来的强降雨引发严重山洪地质等次生灾害。入汛以来，全省 21 个地级市的 98 个县（市、区）721 个镇 469.75 万人受灾，直接经济损失达 56.34 亿元，比 2008 年减少 79%，水利设施损失 10.53 亿元，比 2008 年减少 69%。8 月上旬，由于降雨量和江河来水量持续偏少，高温持续时间长，粤北局部地区开始显露旱象，随即迅速蔓延至全省大部分地区，导致在主汛期就发生罕见的大范围旱情并延续到年底。旱情最严重时，全省农作物受旱面积达 14.4 万 hm^2，其中相对较重的 3.67 万 hm^2、干枯 5733hm^2，饮水受影响群众 32.5 万人，其中饮水困难群众 16.75 万人。

（冯炳豪）

【水政】 加强政策研究，圆满完成东江三大水库水资源保护与管理调研任务。《广东省乐昌峡水利枢纽工程建设征地补偿和移民安置管理办法》正式出台，《广东省水资源费征收使用管理办法》《广东省小水电管理办法》《广东省水文条例》等立法工作加快推进。依法行政工作进一步深化。启动深化行政审批制度改革，对行政审批事项进行分类梳理，下放一批审批项目，简化审批程序。组织开展河道采砂执法专项行动，对省管河道范围的 2029 个堆砂场进行全面清理整治，对违法采砂行为起到极大的震慑作用。加强水土保持监督、重点水工程执法，打击各类水事违法行为，查处水事违法案件 300 多宗，切实维护正常水事秩序。

（冯炳豪）

【水资源】 水资源配置进一步优化。东江流域分水方案落实，成功实施东江、西江、北江等流域枯水期水量调度；韩江流域水资源分配方案、鉴江流域水资源分配方案和新丰江、枫树坝、白盆珠三大水库联合优化调度方案编制完成；广东省水资源综合规划报告通过专家评审，达到全国一流水平；全省主要流域信息互通和实时联系工作机制初步建立。节水型社会建设成绩突出。4 月 1 日起，全省上调水资源费征收标准，全面开征电力取水水资源费，对超额取水部分实行超定额累进加价制度；全省水库水资源保护工作会议召开，被水利部誉为“吹响了全省乃至全国水库水资源保护工作的号角”；开展节水型社会建设试点，推行阶梯水价、节水技术改造等，促进全省用水效率不断提高，人均用水量和万元 GDP 耗水量呈逐年下降趋势；深圳市节水型社会建设试点工作获水利部肯定，在节水型社会建设试点中期评估中获全国最高分，东莞市被列为第三批全国节水型社会建设试点城市。水环境建设步伐加快。珠三角各市加快河涌治理步伐，建立跨界河流联合防治机制；茅洲河流域综合治理被省政府列为贯彻落实《珠江三角洲地区改革发展规划纲要（2008—2020 年）》示范工程；中山市实施“碧水工程”，累计整治河涌 500 余 km，通过国家生态市考核验收。

（冯炳豪）

【水利规划】 水利规划取得丰硕成果。完成了珠江三角洲水资源保护开发利用一体化规划、启动了珠江三角洲地区水利现代化建设规划编制工作；广东省水资源综合规划报告通过专家评审，达到了全国一流水平；韩江潮州供水枢纽及河口五闸供水体系工程规划已经省政府批准，广东省重点地区中小河流近期治理建设规划通过了水利部审查；粤西地区、粤东地区和珠三角地区供水规划已经编制完成；广东省流域综合规划修编总体进展顺利。

（冯炳豪）

【基本建设】 广东抓住实施扩大内需政策战略机遇，全面打响水利基础设施建设攻坚战。乐昌峡水利枢纽工程建设关键节点取得突破，9 月 15 日实现大江截流，12 月 19 日成功浇筑大坝第一块混凝土。广州西江引水工程、珠海竹银水源工程、湛江鉴江供水枢纽工程、雷州青年运河改造工程、韶关湾头水利枢纽工程、梅州韩江梅江沿岸重点堤围加固达标工程、江门江新联围加固工程、肇庆景丰联围加固工程等建设步伐加快。中央扩大内需新增水利投资项目，分三批安排广东共 651 宗项目，总投资 28.67 亿元，其中中央水利投资 9 亿元。全省 293 宗城乡水利防灾减灾工程项目已全面开工，其中竣工验收 31 宗、完工 76 宗，广州、深圳、东莞、中山在全省率先实现所有项目完工。177宗大中型病险水库除险加固项目开工156宗，1218宗小型病险水库除险加固项目开工731宗。全省3043宗机电排灌议案项目建设任务基本完成。

（冯炳豪）

【防汛抗旱及防风防冰冻】 先后受到“浪卡”“苏迪罗”“天鹅”“莫拉菲”“巨爵”等5个热带气旋正面袭击（“莫拉菲”和“巨爵”为台风量级）和“莲花”“彩虹”“芭玛”等3个热带气旋的严重影响。其中“莲花”“天鹅”“巨爵”带来的强降雨引发严重山洪地质等次生灾害。通过加强责任体系、预案体系、应急指挥体系和抢险保障体系四大体系建设，努力提高科学决策和应急处置能力，全省实现无水库垮坝、无大堤围溃决、无群死群伤，因灾死亡人数、经济损失数量分别比近10年平均数下降2倍、1倍。积极组织抗旱防旱工作，始终把确保城乡居民饮水安全摆在首位，把解决群众饮水困难作为重中之重，有效遏制旱情蔓延，保障了全省及香港、澳门供水安全。全年全省累计投入抗旱153万人次，投入机动抗旱设备近11万台（套），抗旱资金2.57亿元（其中中央特大抗旱资金2500万元），浇灌面积15.67万hm^2，解决近40万人的临时饮用水问题。首次举行防御低温冰冻灾害综合演练，对广东应对低温冰冻灾害能力进行大检阅。规范三防信息的发布和新闻宣传工作，建立新闻发言人制度。与湖南省防汛抗旱总指挥部签订北江流域防汛抗旱合作框架协议。推进全省重点水利工程视频监控系统的建设，建成省三防指挥中心视频监控平台。新组建两支省属三防机动抢险队，使省属三防机动抢险队伍达到11支。建成省防汛物资中心仓库，成立省三防物资储备中心，三防抢险救灾能力得到提高。

（冯炳豪）

【农田水利】 加大农田水利建设投入力度，2008年第四季度中央下达扩大内需新增水利投资项目建设任务全面完成；完成农村饮水安全工程380.65万人的建设任务，比省政府下达的350万人目标任务多完成30.65万人；工程建设以来，累计完成农村饮水安全工程建设投资27.04亿元，其中中央补助资金6.68亿元，省级补助资金9.77亿元。梅县建成全国首个农村饮水安全工程动态监控管理地理信息系统，在全国处于领先水平。创新小流域综合治理模式，省市两级共开展50个小流域综合治理试点，《人民日报》以《广东省创新小流域综合治理模式》为题报道了广东小流域综合治理的理念和模式。积极探索小型农田水利工程建设项目管理的有效办法，实行农田水利项目竞争立项制度，广泛运用“民办公助”“以奖代补”等机制，充分发挥农村基层组织或用水户协会作为村民开展“一事一议”的载体作用，积极引导农民对直接受益的小型农田水利工程投工投劳，农民参与农田水利建设积极性不断提高。

（冯炳豪）

【水库移民】 水库安排移民住房改建3万户、13.8万人，移民区道路建设1200多km、桥梁20多座、建设饮水工程近300宗、小水利工程170多宗，架设输电线路达70多km，实施移民新村建设四通一平工程700多宗，村庄环境绿化美化3万多m^2等。移民新村成为社会主义新农村建设的亮点。省人大水库移民遗留问题议案如期结案，通过实施议案，完成2240条移民村住房改造和一大批基础设施的建设，有效维护水库库区和移民安置区的和谐稳定。

（冯炳豪）

【水土保持】 继续做好面上水土流失治理工作。全年共审批开发建设项目水土保持方案223个，对省内重点建设项目坚持特事特办，优先快办，做好水土保持补偿费的征收工作。开展“水利青年林”植树护绿活动。启动全省水土保持监测网络建设。建立水土保持管理信息系统。深圳市水土科技园被水利部命名为“全国水土保持科技示范园”。

（冯炳豪）

【地方水电】 全面启动小水电工程安全核查及分类定级工作，开展“千人万站”大核查活动，对全省9448宗小水电工程逐宗进行核查，实现“工程基础数据100%收集，工程照片信息100%采集，工程位置100%进行卫星定位”，彻底摸清全省小水电的家底，并在此基础上启动全省小水电站安全隐患整治工作。

（冯炳豪）

【体制机制改革】 水利投融资体制改革取得重大突破。①通过提高水资源费征收标准、建立堤围防护费省级调节基金。②利用水利规费所形成的现金流，依托省供水总局为承贷主体，建立了省级水利资金融资平台，在2008年融资80亿元的基础上，2009年再融资70亿元。一些市县也建立了类似的融资平台。佛山市贷款16亿用于佛山大堤等堤围建设，珠海市贷款9亿元用于江海堤围建设，汕头市贷款7.9亿元用于城乡水利防灾减灾工程建设。③创新BT建设模式，破解地方自筹资金难题。地方政府、水利部门、施工企业和金融机构多方联动，搭建融资平台，积极拓宽投资渠道。水利机构改革取得重大突破。水利厅增设了安全监督处，成立了政务服务中心、省水库移民工作局、水利水政监察局及四个流域分局，北江流域管理局升格为副厅级，水库移民工作局、水政监察局局长高配副厅级干部。顺利完成了厅属事业单位分类改革和厅机关新一轮机构改革，强化了水资源保护工作职能。20个地级以上市对涉水事务职能进行重组，成立了水务局，普遍实行水务一体化管理体制。

组织开展水管体制改革“回头看”工作取得良好效果。通过对部分水管单位进行明察暗访，对弄虚作假、人员经费和维修养护经费不落实的两个县进行制裁，防止问题反弹，促使“两项经费”及时足额到位，有效地巩固了改革成果。同时，出台了水管改革省级财力性奖补资金管理办法，促进地方积极处理和解决水管单位社保历史欠账问题。（冯炳豪）

【水利科技和水利信息化建设】 水利科技创新能力有新的提高。安排3000万元推动战略性、全局性和前沿性水利科技问题研究。围绕乐昌峡水利枢纽等重点项目开展科技攻关并发挥关键作用。积极开展与中山大学共建国家工程研究中心、博士后工作站等科研平台建设。水利信息化建设进一步加快。完成了重点水利工程视频监控平台建设，实现了全省重点防洪工程实时远程监控、视频信息互通共享。水利政务业务一体化协同平台科技成果达到国际先进水平，多项成果进入“2009年全国水利通信信息化十件大事”候选范围。东深供水改造工程入选中国建筑业协会等12家行业建设协会评选的“新中国成立60周年百项经典工程”，广州抽水蓄能电站入选“新中国成立60周年百项精品工程”。（冯炳豪）

广西壮族自治区

【概况】 2009年，全年完成固定资产投资102.54亿元。截至2009年底，全区已建江河堤防2805km，累计达标堤防603km，其中，一、二级达标堤防长度为97.43km，全区已建各类水闸2397座。全区已建各类水库4369座（含电力部门5座），水库总库容318.71亿m^3，其中，大型水库37座，总库容220.47亿m^3；中型水库185座，总库容53.66亿m^3；小型水库4147座，总库容44.58亿m^3。（尹绍清）

【水政】 (1) 水利立法。2009年，《广西壮族自治区河道采砂管理办法》列入自治区人民政府立法项目，并开展了立法调研，《广西壮族自治区河道采砂管理办法》将于2010年完成立法工作并颁布实施；《广西壮族自治区水利工程管理条例》已列入自治区人大2010年度立法项目；《广西壮族自治区人民政府关于加强水文工作的决定》已报广西壮族自治区人民政府待批；完成《广西水利工程设施管理引发诉讼调查》调研课题。

按照自治区人民政府的要求，对水利厅本级承担的行政审批项目进行清理，行政审批项目由原来的59项减少到42项。2009年2月，《广西壮族自治区依法行政考核办法》颁布实施后，共清理有关水利规范性文件16件，其中建议停止执行3件，修改3件，确认继续有效10件；及时修订并重新颁布实行《广西壮族自治区水利厅水法规规章及规范性文件制定管理规定》《广西壮族自治区水利厅行政审批监督检查制度》和《广西壮族自治区水利厅行政审批责任追究制度》等三项制度。

(2) 水利执法。2009年广西全区共排查出各类水事矛盾纠纷241起，其中2008年遗留水事纠纷68起，当年新发生173起。已调解224件，占水事纠纷总数的92.9%，挽回直接经济损失256万元。2009年是广西水事纠纷在全区“三大纠纷”中发案率最低、调解率最高、调处效果最好的一年，有效维护了良好的水事秩序。

水利综合执法试点工作取得重大进展。截至2009年12月，广西水利综合执法试点单位共50个，其中地级市7个，占全区地市级的50%；县（市、区）43个，占全区完全具备县级职能单位的47%。2009年8月底对第一批16个水利综合执法试点县进行验收，其中13个试点单位达到优秀等级，3个试点单位达到合格标准。（饶广春 侯永能）

【水资源】

1. 水资源管理

(1) 取水许可制度实施。按照《广西壮族自治区取水许可权限》，严格行政审批制度，按规定时限和程序审查批复了华润水泥（武宣）有限公司水泥熟料生产线等10项建设项目水资源论证报告书，批复玉林市郁江引水工程等4项取水许可申请，发放那马水厂等6项取水工程的取水许可证，是历年来水资源论证审批和取水许可发证较多的一年。组织开展了广西各地取水审批、入河排污口设置审批、水资源论证、取水计量设施安装和运行、水资源费征收使用等专项执法检查，对检查中发现的违法、违规问题责成责任单位纠正和整改。

(2) 用水定额编制。组织完成了《广西工业行业主要产品用水定额》和《广西城镇生活用水定额》编制与地方标准编写工作，已报送广西壮族自治区质量技术监督局审核。

(3) 节水型社会建设试点。北海市、玉林市是水利部确定的全国节水型社会建设试点城市。北海市试点规划已经自治区人民政府同意印发实施，完成了城区供水管网漏损控制专题研究并通过验收，8月通过了珠委对北海市节水型社会建设试点进行的中期评估。玉林市节水型社会建设试点规划报告于9月获自治区人民政府批复，玉林市开展了苏烟水库饮用水水源地保护工程建设，并对燕京啤酒（玉林）有限公司、广西玉柴机器股份有限公司、兴业海螺水泥有限公司等三家有代表性的企业开展了企业水平衡测试专题研究。

(4) 水资源信息化前期工作。完成了《广西水资源管理系统建设规划》《广西水资源管理系统建设总体方案》《广西水资源管理系统需求分析》编制工作，广西水资源信息管理网形成并进投入试运行。

2. 水资源保护

(1) 饮用水源保护和水功能区管理。实施主要城市饮用水水源地水质监测和公报制度，对广西36条主要河流共70个水质监测断面和15个城市饮用水源地水质监测并定期发布。定期通报重点水功能区水质状况。开展了《广西水功能区划》复核修订工作，提出广西水功能区划复核调整意见，完成《广西水功能区划修订报告》。

(2) 突发性水污染事件应急处理。印发了《广西壮族自治区水利厅突发性水污染事件应急预案》，调整水利厅突发性水污染事件工作协调领导小组及办公室，提高应对突发性水污染事件的能力。坚持水污染事件月报制度，配合政府及环保部门依法处理突发性重大水污染事件，参与处理了河池刁江砷污染、"6·14"右江隆安段水污染等突发性水污染事件。

(3) 入河排污口监督管理。配合自治区监察厅、建设厅、环保厅等单位开展了2009年饮用水水源保护区和入河排污口检查环保专项行动。组织开展了入河排污口调查，对2005年以来新设的入河排污口进行摸底调查，要求各污水垃圾处理设施建设项目承担单位按规定办理入河排污口设置申请、审批和登记等相关手续，进一步明确各级入河排污口设置和监督管理的职能与职责。加强对明阳生化科技股份有限公司入河排污口监管，责成该公司4号氧化塘排入大王滩水库排污口进行关闭封堵。

(4) 水资源保护工程建设。批复了苏烟水库水源地保护工程初步设计。指导、推进苏烟水库、龟石水库等饮用水源地保护示范工程项目建设。全年完成水源地保护和水资源保护工程项目投资1500万元。

(5) 农村饮用水源保护。印发了《关于加强广西壮族自治区农村水资源保护工作的通知》，要求各级水利部门配合政府及有关部门，划定农村饮用水水源保护区，开展水源地水质监测和供水厂出厂水水质监测工作，将乡镇企业的用水排水管理纳入水资源管理和入河排污口监督管理范围，禁止在饮用水水源保护区内设置入河排污口，对水源保护区范围内的排污口进行清除。 (水资源管理处)

【水利规划】 2009年，广西以全面开展流域综合规划修编为核心，以加快全区水资源综合规划为重点，开展了一批重要水利规划及重大专题研究，为全区水利发展与改革奠定了规划基础，为保障全区防洪安全、供水安全、粮食安全和生态安全，以及全面建设小康社会和构建富裕、文明、和谐新广西提供了规划支撑。

完成了《广西大中型病险水闸除险加固规划》《广西大型灌区续建配套与节水改造规划（2009—2020年）》《广西大型灌排泵站更新改造规划（2009—2015年）》《广西重点地区中小河流近期治理建设规划报告》《广西北部湾经济区沿海重点海堤建设规划》《广西抗旱规划》等有关规划，正在积极开展广西流域综合规划修编、广西水资源综合规划、西江经济带水资源综合利用实施方案、西江沿岸岸线利用规划等有关规划正在有序推进。 (尹绍清)

【基本建设】

1. 工程建设

(1) 在建工程。2009年广西在建水利基建工程共537项，包括南宁市防洪工程石埠堤、贵港市辖区河段防洪排涝工程、柳州市静兰堤、桂林市城市防洪排涝工程、梧州市长州防洪堤正阳堤扩建、梧州市长洲防洪堤南堤和北堤扩建、贺州市城区防洪工程、崇左市城区防洪工程、贵港市城区防洪工程沙江泵站、百色市城区防洪工程、河池市城区防洪工程、来宾市城区防洪工程、梧州市河东防洪堤桂江段应急加固工程、藤县城区防洪工程河西堤、平南县城区北岸防洪堤、桂平市郁江西堤、苍梧县城区防洪排涝工程等18项防洪堤工程；武鸣县仙湖水库、兴安县五里峡水库、北海市洪潮江水库、贵港市达开水库等519座病险水库除险加固，其中505座水库除险加固工程列入《全国病险水库除险加固专项规划》即大型水库8座，中型水库76座，重点小（1）型水库421座。

(2) 已建工程。2009年全区大、中型及小（1）型病险水库除险加固工程主体工程完成198座，即中央专项规划内病险水库195座、中央规划内病险水库2座、自治区财政投资病险水库项目1座，其中大型水库3座、中型水库13座、重点小（1）型水库182座。在已完成的项目中，竣工验收4项即港南区长明塘水库、柳江县官塘水库、鹿寨县龙岩水库、柳城县吉兆水库；完工验收113项，其中大型水库1项（北海市洪潮江水库）、中型水库2项（兴业县铁联水库、兴宾区富饶水库）、重点小（1）型水库110项。

2. 建设管理 广西壮族自治区党委、政府高度重视病险水库除险加固工程进展情况和安全度汛工作，多次派出检查组深入工程现场进行指导和督查工程建设，并于7月4日召开了全区在建病险水库除险加固工程安全度汛紧急会议，自治区人民政府马飚主席出席会议并对如何确保水库安全度汛作了重要讲话。按照自治区的部署和要求，自治水利厅全面建立了以各级行政首长负责制为核心的病险水库除险加固责任制，逐库明确了全区病险水库除险加固专项规划项目的责任人和责任单位；为确保水库安全度汛，自治区水利厅逐项研究、完善和落实在建病险水库除险加固工程安全度汛措施，并组织专家对190座病险水库安全度汛方案进行对接，对安全隐患进行一次拉网式排查；为确保工程质量，各项目均建立了项目法人负责、施工单位保证、监理单位控制、政府部门监督的工程质量全过程管理体系；为加快工程建设进度，自治区水利厅采取给全区 14 个市政府的主要领导写信，通报各市病险水库除险加固工程进展情况、水利厅党组成员带队长驻现场督察指导等一系列强有力措施，确保了工程建设进度。自治区水利厅积极主动配合国家审计署审计调查、水利部稽察督导和专项检查工作，对检查中发现的问题，及时督促项目全面整改，同时，组织对 10 个项目进行内部审计调查工作。2009 年全区完成病除险加固工程投资 27.22 亿元。

（潘祥明　侯永能）

【防汛抗旱】

1. 防汛

（1）雨情。2009 年全区年平均降雨量为 1202mm，与历年同期相比偏少 18%，属偏枯年份。全年共有 2 个热带气旋正面影响我区，汛期（4—9月）主要有 6 次较大降雨过程，其中降雨范围较大、较强的过程有 3 次。降雨主要集中在 5—7 月，3 个月的降雨量占全年雨量的 63.9%，7 月降雨量 313mm，比多年同期偏多 24.2%。

（2）水情。受强降雨影响，广西的桂江、龙江、融江、洛清江、大风江、钦江、南流江、黔江、浔江、西江等江河发生了超警戒水位以上的洪水，其中，柳江出现了近 20 年一遇的洪水，小环江、天河等部分站点超历史记录最高水位，洪水重现期超过百年一遇；西江干流汛期水势平稳。全区 45 座大型水库中，除部分径流水库外，其他水库均未超过汛限水位。

（3）洪涝灾害。2009 年广西先后发生了 6 次不同程度的洪涝灾害，其中 6 月 28 日至 7 月 5 日，广西遭受入汛以来强度最大的持续性大范围暴雨天气过程，柳江、桂江等主要江河出现大洪水。全区共有 14 个市 84 个县（市、区）729 个乡镇 555.58 万人受灾，受淹县城 3 座，直接经济总损失 35.63 亿元，其中农林牧渔业损失 16.22 亿元，工业交通运输业损失 6.69 亿元，水利设施损失近 7.00 亿元。

2009 年广西共有 14 个市 104 个县（市、区）914 个乡镇 762.13 万人受灾，受淹城市 3 个，因灾死亡 6 人，失踪 3 人，农作物受灾 32.22 万 hm^2，损坏水库 169 座，损坏堤防 599 处 95.36km，损坏护岸 829 处，损坏水闸 164 座，冲毁塘坝 614 座，损坏灌溉设施 5961 处，造成直接经济总损失约 42.66 亿元，其中水利设施直接经济损失 8.30 亿元。

2. 抗旱

（1）旱情。1—3 月广西出现了春旱，8 月又出现了夏旱，主汛期出现旱情，历年来少见，出现了洪涝向干旱急剧逆转。而且旱情发展迅速，并造成了严重的旱灾，全区 14 个市有 83 个县（市、区）受灾，农作物受旱面积 60.91 万 hm^2，还造成 100.06 万人和 61.3 万头大牲畜出现临时饮水困难。

（2）抗旱。2009 年投入抗旱人数 535.73 万人，投入抗旱设备 44.73 万台套，机动运水车 2.81 万辆，机电井 4.56 万眼，泵站 7566 处，消耗柴油 11908t，累计投入抗旱资金 2.50 亿元，抗旱浇灌面积 50.2 万 hm^2，临时解决 178.31 万人和 88.92 万头大牲畜饮水困难问题。同时，还配合珠江防总开展了珠江枯水期水量调度工作，确保了珠海和澳门等珠江三角洲地区的供水安全。

（王志怡　张为通）

【农田水利】（1）农田水利建设。2009 年广西壮族自治区党委、政府出台了《关于掀起水利建设新高潮的决定》，制定了冬春水利建设科学发展三年计划。2008—2009 年度冬春水利建设期间，自治区党委全体常委带头，所有省级领导干部参加了 5 个工作日的冬修水利劳动，带动全区干部群众上工人数达 3105 万人，完成投资 57.99 亿元，掀起了近几十年来投资规模最大、发动范围最广、参与面最多的冬修水利建设新高潮。全年清淤渠道 4 万 km，渠道防渗 2540km，新增恢复灌溉面积增加 4.267 万 hm^2，改善灌溉面积 12.03 万 hm^2，农田灌溉水利用率突破 0.40 大关。

（2）农田灌溉。2009 年广西灌溉面积 154.54 万 hm^2，其中有效灌溉面积 152.21 万 hm^2，有效实灌面积 122.59 万 hm^2，节水灌溉面积 68.59 万 hm^2（其中低压管道灌溉面积 0.368 万 hm^2、喷灌面积 0.522 万 hm^2、微灌面积 0.013 万 hm^2、渠道防渗灌溉面积 40.884 万 hm^2、其他工程节水面积 26.8 万 hm^2），除涝面积 20.88 万 hm^2。有效灌溉面积增加 0.402 万 hm^2，减少 0.333 万 hm^2。

（何少刚　侯永能）

【水土保持】（1）水土流失治理。2009 年广西以重点小流域水土保持综合治理工程为重点，通过示范带动作用，加快了水土流失综合防治步伐。年内完成水土流失治理面积 $1425km^2$，其中水利部门实施的小流域综合治理面积 $496km^2$。

（2）小流域综合治理。2009 年广西共实施了 74 项重点小流域水土保持综合治理项目，治理水土流失 $496km^2$，完成投资 11200 万元，其中中央资金 9200 万元，自治区部门预算资金 2000 万元；完成的主要措施为：坡改梯 $647hm^2$，营造水土保持林 $7730hm^2$、经济林 $2218hm^2$，封禁治理 $36559hm^2$，其他措施 $2454hm^2$，修建小型水利水保工程 588 处。

（3）水土保持预防监督。2009 年广西共有 117 项国家和自治区级开发建设项目依法编报了水土保持方案，审批率达 100%；共有 3 个大中型开发建设项

工程已完成土石方开挖 65.7%；电站厂房工程的土石方开挖已全部完成，土方填筑已完成 66.7%；公路工程土方开挖已完成 66.2%，土方填筑完成 60%。

（4）病险水库除险加固。2009 年 3 月 25 日，省政府召开全省病险水库除险加固现场会，并与各市（县）人民政府签定病险水库除险加固责任状，省水务厅也多次召开会议，部署病险水库除险加固工作，并派工作组分赴市县检查指导，使海南省病险水库除险加固进度明显加快。全省全年组织力量进行病险水库安全鉴定 680 座，列入《全国病险水库除险加固专项规划》的病险水库共有 188 座（中型水库 38 座，小型水库 150 座）。现已下达投资的 163 座水库已全部开工建设，其中 14 座中型水库、92 座小型水库主体工程已完工。163 座水库已累计完成土石方 352 万 m^3，混凝土 37 万 m^3，完成投资 6.3 亿元，占已下达投资 10.1 亿元的 62%。列入重点工作的 95 座水库已累计完成土石方 230 万 m^3，混凝土 22 万 m^3，完成投资 4.1 亿元，按计划完成 2009 年度工作任务。

（5）江海堤防建设。2009 年，海南省继续加大对江海堤防建设力度，积极筹措 11761 万元资金，对南渡江海口段右岸防洪堤、临高县文澜江临城段防洪堤、白沙县南叉河防洪堤第三期工程、陵水县城防洪堤、澄迈东水港防潮堤第三期、大塘河口护岸工程、昌江县新港防潮堤等进行加固，提高了防洪防潮标准，确保人民生命财产安全。有的市（县）把防洪堤建设和城市建设改造结合起来，取得防洪和美化城市景观的双重效益。2009 年重点江海堤防工程建设进展顺利，共有 11 项堤防工程开工建设。至 2009 年底，已累积下达计划投资 2.97 亿元（中央投资 12688 万元，省级配套 6370 万元，市县配套 10656 万元），其中 2009 年扩大内需新增中央投资计划 1.18 亿元（中央投资 3950 万元，省级配套 4799 万元，市县配套 3012 万元），完成土石方 62.18 万 m^3，混凝土 1.32 万 m^3。（杨新平　潘琼芳）

【抗旱防风防汛】　2009 年，海南省气候反常，汛期提前到来，降雨偏早、偏多，全年平均降雨量 2274mm，比多年平均降雨量多 29.4%。其特点一是汛期来得早，3 月开始出现强降水，防汛值班比常年提前两个月；二是灾害性天气多，全年共遭受第 200902 号“灿鸿”、第 200903 号“莲花”、第 200904 号“浪卡”、第 200905 号“苏迪罗”、第 200906 号“莫拉菲”、第 200907 号“天鹅”、第 200913 号“彩虹”、第 200915 号“巨爵”、第 200916 号“凯萨娜”、第 200917 号“芭玛”和第 200921 号“银河”等 11 个热带气旋以及 3 月下旬、5 月下旬、9 月下旬、10 月下旬 4 次强降雨过程影响，其中有 3 个热带气旋登陆海南岛，影响较大的有第 200907 号“天鹅”和第 200917 号“芭玛”。2009 年是海南省近十年来受台风影响最多的年份。据统计，全省全年因台风洪涝灾害造成 18 个市（县）208 个乡（镇）312.67 万人受灾，倒塌房屋 1777 间，死亡 10 人；农作物受灾面积 10.64 万公顷，成灾面积 7.15 万公顷，绝收 1.88 万公顷，减收粮食 5.45 万 t，死亡牲畜 1576 头，水产养殖受灾面积 5613.2 公顷，农林牧渔业直接经济损失 5.6 亿元，损坏小型水库 40 座，损坏堤防 76 处 6992m，冲毁塘坝 278 座，损坏水闸 50 座，损坏灌溉设施 1402 处。造成直接经济损失累计 10.2306 亿元，其中水利设施损失 3.26 亿元。

为做好 2009 年防风防汛工作，海南省水务厅坚持把人的安全放在第一位，充分发挥指挥协调作用，超前部署，积极防御，沉着应对，科学调度，加强指导，努力将风洪灾害造成的损失降到最低程度，没有一座水库因台风灾害而垮坝，没有发生重大人员伤亡事件，确保了人民群众生命财产安全。与此同时，海南省水务厅认真抓好省“三防”指挥调度中心和防汛物资储备仓库建设项目的相关筹建工作，于 9 月 27 日正式举行省“三防”指挥调度中心大楼动工奠基仪式。海南省“三防”指挥调度中心建设，是海南省“三防”能力建设的一个重要标志。（潘琼芳）

【农村饮水安全】　2009 年，海南省水务厅全力推进中央扩大内需水利项目建设，继续采用集中供水、城乡供水管网向农村延伸等方式，推进重点农村饮水项目建设。2009 年，中央共下达海南省两批新增饮水项目，总投资 13355 万元，其中，中央投资 9273 万元，省级财政投资 3337.3 万元，地市级（海口、三亚）财政配套 744.7 万元，计划兴建 420 项农村饮水安全工程，解决 26.81 万人饮水安全问题。2008 年 11 月，省财政和省农垦总局共安排投资 6511 万元，计划在 2009 年解决垦区 11.57 万人饮水安全问题。截至 2009 年 12 月底，全省农村和垦区安全饮水工程已累计完成投资 17000 万元，解决了 33.6 万人饮水安全问题，超额完成了省政府提出的 2009 年解决 27 万人饮水安全问题的目标任务。（潘琼芳）

【城乡供水】　1. 供水设施建设　2009 年，全省共有供水企业 30 家，供水厂 39 座，其中新建 2 座，扩建 2 座（即陵水县水厂与屯昌福泉水厂），建成未通水的 1 座。三亚新建海棠湾水厂一期设计供水规模 5 万 t/d（水厂、管网），投资 21888.47 万元，于 2009 年 12 月 30 日完成初步设计，计划 2010 年建成通水，远期日供水规模 10 万 t/d。新建琼海红星水厂，概算 8500 万元，设计供水规模 10 万 t/d，计划 2010 年底建成通水。截至 2009 年底，全省日供水规模 5000t 以上的企业 30 家，总供水规模 168.1 万 t/d，实际供水量 113.9 万 t/d，全省城镇自来水普及率达到 89.32%，截至 2009 年底，供水城市人口 270.5 万人，用水人口241.6万人。

2. 污水处理设施建设　为了落实国家“节能减排”产业政策的要求，海南省“十一五”规划提出了“到2010年上半年，全省所有市县都必须建成污水处理设施”的奋斗目标，至2009年底已有25个污水处理项目开工建设，总设计规模为63.8万t，总投资概算为25.6亿元，其中，中央6.9亿元、省级资金4.8亿元、市县配套资金13.9亿元。截至2009年底，已到位资金21.3亿元，完成投资16.95亿元，完成计划总投资的66.2%。其中，三亚红沙和三亚鹿回头2个项目已经完工；海口长流、澄迈金江、琼中、定安4个项目已试运行；海口白沙门二期、洋浦、白沙、屯昌4个项目于12月底建成；海口桂林洋管网、三亚海棠湾、东方、陵水、儋州、文昌、乐东、保亭、昌江、三亚荔枝沟、琼海、万宁、五指山、临高、澄迈老城15个项目将于2010年初竣工投产。

为确保建成后的污水处理设施能够正常、高效运营并达标排放，海南省政府污水处理采取打包委托运营的模式，将16座规模小的污水处理厂分为包括琼海、文昌、万宁、定安、陵水、琼中、保亭、五指山等市（县）8个项目，规模14.1万t/d的“东部项目包”；包括儋州、东方、澄迈金江、昌江、白沙、屯昌、乐东、临高等市（县）8个项目，规模14.2万t/d的“西部项目包”，并由省水务厅作为招募主体，通过公开招标招募两家运营商，采取委托运营方式，将这些项目交由运营商运营，运营期限为5年，运营期间不涉及项目资产权益变化。2009年10月20日，中标单位北控水务集团和北京桑德集团分别与项目市（县）政府正式签订委托运营协议。将污水处理设施打包委托运营，是对城市水务市场化模式的一次有益探索，代表了污水处理行业发展的新方向，得到了国家住房和城乡建设部、国家环境保护部的充分肯定。

（潘琼芳）

【水库移民后期扶持】　为了做好水库移民后期扶持政策实施工作，海南省水务厅组织各市（县）开展2009年度大中型水库移民后期扶持人口核减审查工作。对各市（县）上报的水库移民后期扶持人口，先由省水务厅初审，后由省发改委、省财政厅审定，并联合下达2009年大中型水库移民后期扶持人口指标，把后期扶持资金及时发放到移民手中。2009年，核定全省大中型水库移民后期扶持人口102556人，发放扶持资金6153.36万元。同时，认真抓好2008年度大中型水库移民后期扶持结余资金项目和小型水库移民困难扶持资金项目建设的指导工作。下达后期扶持结余资金项目30项、小型水库移民困难扶持资金项目31项，总投资1100万元，目前项目计划已全部完成。同时抓好2009年度移民后期扶持结余资金项目计划的组织实施。

（潘琼芳）

【农田水利基本建设】　(1) 集中财力重点抓好松涛、大隆、万宁、南塘等大中型灌区续建配套和节水改造工程的组织实施。2009年2月，省水务厅完成《松涛灌区2009年续建配套和节水改造工程可行性研究报告》并上报水利部，水利部于9月安排投资计划4000万元（其中中央资金2400万元，地方配套资金1600万元）用于松涛灌区2009年续建配套和节水改造工程建设。项目实施涉及松涛水利工程管理局、儋州市、临高县、澄迈县和海口市5个单位，这些项目正在抓紧组织实施。同时，水利部2009年安排2840万元，用于海南省三亚市大隆、万宁水库和琼海市南塘中型骨干灌区节水改造，项目正在按计划组织实施。

(2) 积极推进小型农田水利项目建设。2009年度全省18个市（县）共投入小型农田水利项目建设资金15039万元，其中：中央财政资金6200万元，省级配套资金5652万元，市县配套资金2484万元，群众投劳投资703万元。省财政厅下达投资指标给各市县，并已开始实施。在上述15039万元建设资金中，保亭等6个小型农田水利重点县项目投资12117万元（占80.6%），项目建设已完成50%；其余12个市（县）小型农田水利专项工程投资2922万元（占19.4%），工程也已全面开工。

(3) 深入开展农田水利基本建设。2008年11月6日全省冬修水利动员视频会议结束后，各市（县）精心组织，周密部署，积极动员各方面力量，迅速掀起农田水利基本建设高潮。全省完成投资96812万元，累计投入劳动工日1044.4万个，完成土方1800.81万m^3，石方95.63万m^3，混凝土61.4万m^3，维修清淤渠道11168条13464.9km，新增防渗干支渠道354条511.2km，修复水毁工程3858处，新增灌溉面积4800hm^3，恢复灌溉面积1.32万hm^2，改善灌溉面积5.36万hm^2。

（潘琼芳）

【热带气旋灾害】　2009年全省共受2个台风和9个热带风暴袭击和影响，特别是第200905号热带风暴“苏迪罗”，7月12日5时30分从文昌市龙楼镇登陆；8月7日第200907号热带风景“天鹅”沿海南岛环绕一圈；第200917号热带风暴“芭玛”10月12日10时从万宁市龙滚镇登陆后横穿海南岛，都给全省造成较大的灾害损失。从台风影响次数来看是近10年来最多的年份。2009年全省大部分地区都发生过局部性的强降水过程，日降水强度最大的是8月7日昌江县降水量424.8mm，南渡江定安以下和部分支流发生超警戒水位，部分地区还发生较大洪涝灾害，风洪灾害给全省造成严重损失。据省“三防”办统计，全省有18个市（县）208个乡（镇、办事处）312.67万人受灾，死亡10人，失踪12人，倒塌房屋1777间，农作物受灾面积10.64万hm^2，造成直接经济损失 10.23 亿元，其中水利设施损失 3.26 亿元。

2009 年 7 月 10 日上午 8 时，第 200905 号热带风暴“苏迪罗”在菲律宾西北部近海生成为热带低压气旋，11 日 14 时加强为热带风暴，逐渐靠近海南省东部沿海，12 日 5 时 30 分从海南省文昌市铺前镇登陆，登陆时中心附近最大风力 8 级，风速达到了 18m/s。之后向偏西方向移动，12 日上午 8 时 20 分再次在广东徐闻西南部沿海地区登陆后，进入北部湾北部海面。受热带风暴“苏迪罗”的影响，7 月 11 日全省各地出现明显降雨过程，特别是北半部地区普降暴雨到大暴雨。据省“三防”办统计，从 7 月 11 日 8 时至 12 日 8 时，临高县、琼海市、澄迈县分别降水 113.3、109 和 108.6mm，定安、屯昌、文昌、陵水、儋州等市县降水量超过 50mm，还有 7 个市（县）的降水量超过 25mm。其中，点雨量最大的是临高县博厚镇 183.9mm、马袅镇 181.3mm。

8 月 6 日，第 200907 号热带风暴“天鹅”开始影响海南省，在广东登陆后转向西南，7 日下午再次加强为热带风暴，之后沿海南省西部近海缓慢向南到西南方向移动，沿海南岛环绕一圈，8 日夜间转向偏东方向移动并从南部近海擦过进入南海北部海面。9 日上午 8 时减弱为热带低压气旋后向东北方向移动，逐渐远离。受其影响，8 月 6—9 日，全省北部、西部地区发生强降雨，局部地区降特大暴雨。据统计，6 日 0 时—9 日 0 时，昌江县、东方市、临高县、海口市的降雨量分别为 527.3、476.3、399.9、340.9mm，澄迈、儋州、乐东、白沙、定安等市（县）的降水量也超过 100mm。其中最大的点雨量为昌江县海尾镇 656mm、临高角 542.3mm、海口白沙门 518.4mm、临高东英镇 516.9mm 和海口南港火车站 511.6mm。由于风大雨大，给人民生命财产造成较大损失。渔船被打坏，一些村庄进水，水田被淹、水产设施被冲毁，农作物、水产养殖损失严重；水库来水迅速增加，水利工程损坏严重，全省有 5 座中型、21 座小型水库泄洪。据省“三防”办统计：全省共有 7 个市（县）100 个乡（镇）163.4 万人受灾，倒塌房屋 1025 间，转移人口 8.15 万人，死亡 6 人，失踪 12 人（不含柬埔寨籍船员 4 名）。农作物受灾面积 6.64 万 hm^2、成灾面积 4.65 万 hm^2；停产工矿企业 16 个，公路中断 29 条（次），供电线路中断 10 条（次）；损坏小型水库 29 座，损坏堤防 40 处 3.98km，损坏护岸 6 处、水闸 31 座，冲毁塘坝 65 座，损坏灌溉设施 167 处，损坏机电泵站 4 座、水电站 4 座。直接经济总损失 3.87 亿元，其中水利设施直接经济损失 1.01 亿元。

2009 年 9 月 29 日，第 200917 号热带风暴“芭玛”在菲律宾以东洋面生成，10 月 10 日 8 时进入南海，向偏西方向移动，于 12 日 10 时在万宁市龙滚镇登陆，登陆时中心附近最大风力 9 级，“芭玛”横穿海南岛，从儋州市进入北部湾。海南岛西北部地区普遍出现 8～10 级阵风，最大为昌江县十月田镇 11 级（32m/s）。这次热带风暴的主要特点：①海上停留时间长。该风暴从生成到进入北部湾历时 14d，先后 3 次登陆菲律宾，12 日再次登陆海南岛；②移动路径复杂多变。在进入南海前，移动路径诡异，进入南海以后，才基本稳定向偏西方向移动；③影响全省范围大。热带风暴在海南省东部沿海登陆后，从中北部横穿海南岛，全岛普遍受到影响。海南省大部分地区都有较强的降水过程。据气象部门统计，从 10 月 11 日 8 时至 13 日 8 时，有 74 个乡（镇）降水量超过 200mm，其中有 19 个乡（镇）降雨量超过 300mm，点降雨量最大的临高县博厚镇达 459mm。平均降雨量达到 300mm 以上的有临高县和澄迈县，分别为 369.8mm 和 307.1mm；降水量在 200～300mm 之间的有文昌、屯昌、昌江 3 个市（县）；琼海、万宁、海口、儋州、白沙、琼中、定安等市（县）的降雨量都在 100mm 以上。据省“三防”办统计，全省有 15 个市（县）158 个乡（镇）受灾，受灾人口 1637590 人，受灾农作物面积 4.57 万 hm^2，倒塌房屋 93 间，直接经济损失 23671 万元，因灾死亡 4 人，没有水库工程出险。

（潘琼芳）

【水旱灾害】

1. *洪涝灾害* 2009 年，全省平均降雨量 2274.8mm，比常年全年降雨量多 29.9%。屯昌县降雨量最多达 2847.5mm，其次为琼海市 2731.4mm、琼中县 2726.2mm、海口市 2714.2mm、万宁市 2659.1mm，最少为东方市 1124mm。

2009 年 3 月 1 日，受冷空气影响，海南省局部发生一次强降雨过程。澄迈县的降雨量是 1958 年以来同期最高纪录，3 月 1 日，该县各观测点降雨量分别是：加乐 237.0mm，文儒 184.9mm，金江 148.9mm，瑞溪 141.5mm，大丰 127.3mm，美亭 125.7mm，促进 96.3mm，老城 92.8mm。澄迈县的水稻、瓜菜和水产养殖受到较大损失。据统计，全县农作物受灾面积 3132hm^2，其中瓜菜 2115hm^2，水稻 190hm^2；水产养殖受灾面积 170hm^2，损失水产品 0.11 万 t；倒塌房屋 61 间。直接经济总损失 856 万元。

2009 年 9 月 10 日下午开始，受第 200913 号热带风暴“彩虹”影响，海南省北部地区发生明显降雨过程，据统计，10 日 14 时—11 日 10 时，降雨量最大是儋州市 179.4mm，定安县、昌江县、澄迈县、文昌市降雨量分别是 160.6、158.5、149.6、131.2mm，海口、琼海、东方、白沙、临高等市（县）的降雨量也超过 50mm，9 月 22—25 日，受南海热带低压气旋影响，全省出现大范围强降雨过程。

据气象部门统计，全省有16个市（县）降雨量超过100mm，其中屯昌县368mm、万宁市353mm、琼海市307mm。9月是海南省农作物和水产品重要生长时段，风暴及强降雨给全省造成较大的经济损失。部分农田、水产养殖设施受淹，水稻、瓜、果、菜及养殖水产品等减产较大，很多场养家禽被水冲走或因灾死亡，强降雨地区的小型水库、山塘水坝、灌溉渠道、乡镇公路损坏严重，海上养殖渔排也受到较大损失。为了安全，转移了大量低洼村庄群众和海上作业（包括渔船、渔排）人员，避免了人员伤亡。9月全省有10个市（县）103.16万人受灾，农作物受灾面积1.49万hm^2，倒塌房屋61间，转移人口4.6222万人，直接经济总损失1.2426亿元，其中水利设施直接经济损失4655万元。

2009年10月18日开始，受南海热带低压和气旋冷空气南下共同影响，海南省东南部地区出现持续性强降雨过程。据气象资料统计，18日8时—23日8时，有陵水、三亚、万宁3个市（县）降雨量超过300mm，其中陵水403.5mm、三亚393mm、万宁319.8mm。此外，琼海、琼中、保亭、文昌、海口、屯昌6个市（县）降雨量也在200～300mm。全岛共有58个乡（镇）降雨量超过300mm，其中24个乡（镇）超过400mm，有5个乡（镇）超过500mm，最大点雨量为万宁日月湾567.8mm，降雨持续至23日基本结束。由于降雨强度大，导致一些低洼地区积水成涝，部分农田受淹，三亚市等一些城市街道由于排水不畅而积水，交通、水利等基础设施也遭到较大程度的损坏。据统计，有9个市（县）69个乡（镇）118.1495万人受灾，倒塌房屋118间，一些市（县）的低洼地区群众被水围困，全省共安全转移群众13120人。农作物受灾面积2.23万hm^2，成灾面积1.33万hm^2，绝收面积3210hm^2，减收粮食0.84万t，死亡大牲畜145头，水产养殖损失面积580hm^2，计0.11万t，农林牧渔业直接经济损失0.48亿元。有5个工矿企业停产，公路中断10条（次），供电线路中断13条（次），通信线路中断5条（次），工业交通运输业直接经济损失0.31亿元。损坏小型水库11座，损坏堤防4处0.44km，损坏护岸30处、水闸40座，冲毁塘坝71座，损坏灌溉设施1257处、水电站1座，水利设施直接经济损失0.5亿元。直接经济总损失1.29亿元。

2. 旱情　由于降雨时空分布不均，1—4月部分市（县）降雨量较少，局部发生轻度旱情，3月上旬旱情较重，全省农作物受旱面积达800hm^2，其中重旱面积5733hm^2，有个别村庄饮水井出水不足，导致近万人饮水发生困难，全省因干旱造成经济损失0.43亿元。

（潘琼芳）

重 庆 市

【概况】　2009年，重庆市争取到位市级以上水利水电投资51.7亿元，同比增长13%；完成各类水利水电投资90亿元，年度完成投资为历史之最，投资增幅连续8年保持在20%以上，完成“十一五”规划投资的98%。截至2009年底，重庆市已建成各类水库2831座，总库容55.7亿m^3，其中：大型水库6座（全部为发电水库），总库容23.9亿m^3；中型水库59座，总库容14.8亿m^3；小型水库2766座，总库容17.0亿m^3。水利工程供水量达到24.7亿m^3（不计发电供水），水利工程年供水总能力达38.5亿m^3。新增有效灌溉面积1.4万hm^2，因建设占地等原因减少有效灌溉面积850hm^2，有效灌溉面积累计达到67.2万hm^2；旱涝保收面积累计达到33.64万hm^2；实际灌溉面积48.82万hm^2；新增节水灌溉面积0.94万hm^2，累计达到13.85万hm^2。（任春霞）

【水政】　颁布实施了《重庆市水文条例》，起草完成了《重庆市水资源保护条例》和《重庆市实施〈中华人民共和国水土保持法〉办法》等地方性法规，《重庆市水资源保护条例》《重庆市防汛抗旱条例》《重庆市河道管理条例》《重庆市河道采砂管理办法》《重庆市河道管理范围内建设项目管理办法》、《重庆市实施〈中华人民共和国水土保持法〉办法》等6个地方性法规和政府规章纳入重庆市政府未来5年立法规划。2009年4月，水利部在国家部委中率先出台了贯彻落实国务院关于推进重庆市统筹城乡改革和发展若干意见工作方案，为重庆水利发展与改革出台了一系列政策。各类水事纠纷得到了及时化解，立案查处重大水事违法案件88件，有法必依、违法必究更加深入人心。

（任春霞）

【水资源】　全市主要河流、水域水功能区确界、立碑工作全部完成，基本完成1000km^2以上河流水域纳污能力和限排总量的确定。取水许可监督管理进一步加强，全市新增取水户发证率达到100%。累计完成26个区（县）水质监测实验室的资质认证，对11个区县、110个农村饮用水水源地实施了每月监测。水资源费征收量大幅度提高。永川、铜梁、南川等3个区（县）的节水型社会建设试点工作成效显著。

（任春霞）

【水利规划】　按照2012年建立较为完善的水利规划体系的总体目标，完成和开展了48项规划的编制，比2008年增加17项，一批重要规划得到水利部、重庆市批复，大多数项目纳入国家专项规划并得以支持实施。制订了前期工作“倒计时”表，分解任务，定期督促，按月通报，南川金佛山、巴南观景口项目建议书分别通过国家发改委批复立项和水利部审查，“泽渝”二期37座中型水库前期工作顺利推进，国家规划内16座中型水库已有13座完成可研报告编制，其中11座通过长江委复核。目前，全市10大类近1000个水利项目达到储备条件，概算总投资380亿元。 （任春霞）

【基本建设】 全年完成重点水利工程投资55.4亿元，比2008年增长20.4%。开县鲤鱼塘水库向开县新县城供水；大足玉滩水库进展顺利，两年任务一年完成；“泽渝”一期、二期工程叠次推进，新开工建设中型水库7座，续建8座，基本建成8座。巫溪中梁、酉阳金家坝电站、长江两大提水工程等一大批重点水利水电工程建设稳步推进。秀山、西彭、茶园等8座污水处理工程竣工投产。建成城市达标堤防37km、乡镇堤防51km，60个重点集镇防洪安全基本达标。 （任春霞）

【防汛抗旱】 2009年，重庆市洪涝灾害中等，局部暴雨灾害频繁。入汛以后，先后出现9次较大范围的强降雨致灾天气过程，致使全市直接经济损失41.43亿元，其中水利工程设施损失9.22亿元。全市39个区县遭受洪灾，累积受灾人口920.28万人，因灾死亡69人，失踪5人，倒塌房屋60051间；农作物受灾面积约32万 hm^2，其中成灾面积20.28万 hm^2，绝收面积3.69万 hm^2，共损坏水库41座、水电站16座、堤防150处24.01km、护岸324处、灌溉设施4364处，冲毁塘坝2693座。

2009年，重庆市受旱程度总体为中等偏重，春旱中等，伏秋旱严重，有80%的区县发生较严重的伏秋旱。全市农作物受旱面积41.6万 hm^2，其中成灾20.2万 hm^2，绝收1.8万 hm^2；因旱直接经济损失6.9亿元。全市粮食产量因旱减产14万吨，其他经济作物损失1.86亿元。

在《重庆日报》公布了全市小（1）型以上水利工程防汛工作的行政、技术、管护责任人，进一步完善了水库防汛安全责任体系。按照“检查率、检查内容、整改落实”三个100%的要求，全年共组织20个防汛安全检查组，排查水库159座次、水电站10座次，逐一研究落实度汛措施，确保了工程安全度汛。始终把确保人民群众的生命安全放在首位，及时启动预案、科学调度洪水，成功战胜了渝东北地区“7.10”50年一遇暴雨洪灾、渝西地区“8.3”暴雨洪灾，最大程度地降低了灾害损失。

“6.5”武隆鸡尾山堰塞湖险情发生后，重庆市水利局第一时间组织各相关单位，派工作队赶赴现场，克服连日降雨、运输极为不便和施工条件极差等困难，24h作业，顺利完成了配合救人、防止次生灾害发生的艰巨任务。整个抢险救灾工作做到了“科学、快捷、安全、可靠”。

加快了以市防汛抗旱指挥系统为龙头的水利信息化建设，国家防汛抗旱指挥系统一期工程顺利通过竣工验收，计算机主干网络系统全面建成，软件一期工程研发进展顺利，启动了5个全国山洪灾害防治试点县建设；《重庆市水资源管理系统建设需求分析报告及实施方案》通过了水利部审查。 （任春霞）

【农田水利】 围绕新农村建设，深入开展农田水利基本建设，全市新增蓄水能力3234万 m^3、有效灌溉面积1.4万 hm^2，恢复改善灌溉面积7万 hm^2，发展节水灌溉面积1万 hm^2。以百万亩烟叶、柑橘、花椒、中药材、花卉苗木等农业产业化项目为载体，分别建成旱涝保收烟田、菜地、柑橘园1.33万 hm^2、0.67万 hm^2 和0.2万 hm^2。梅江等8个在建大型灌区续建配套和节水改造项目加快推进，红岩嘴等3处大型泵站全部开工建设，4个“九五”渠系配套工程基本完工。 （任春霞）

【水土保持】 围绕“森林重庆”建设，坚持水土保持“四沿”战略，充分整合各项水保资金，全年完成水系绿化面积1080 hm^2，治理水土流失面积850 km^2。完成764个水保方案的审批和30项开发建设项目水保设施的验收，征收水保规费4398.05万元。

（任春霞）

【城乡供水】 以集镇为重点，整镇（乡）销号的方式，完成饮水安全投资10亿余元，解决了221万城乡居民的饮水安全问题，有力助推了“健康重庆”、“宜居重庆”建设。累计解决800余万城乡居民饮水安全问题，提前1年完成国家“十一五”规划任务。开工建设了秀山、綦江等县城（含大学城）和西彭、万盛煤电园、南川电解铝等26个工业园区的供水项目，基本建成11个县城、10个园区的供水工程，日新增供水能力43万t。 （任春霞）

【病险水库除险加固】 围绕市政府确定的2009年病险水库全部销号的总体目标，逐一倒排工程前期工作和整治计划，多渠道落实整治资金，累计完成病险水库除险加固逾2200座，其中2009年完成405座，基本实现了整体销号，恢复蓄水5亿 m^3，恢复和改善灌溉面积超过10万 hm^2，保护了下游460个城镇、400余万人民群众的生命财产安全。 （任春霞）

【地方水电】 推进了22个电气化县和8个小水电代燃料试点县工程建设，实现代燃料户1.2万户，保护各类林地面积近1.2万 hm^2。全年农村中小水电新增53处，装机容量约19.1万kW，其中小型水电站52处，装机容量约12万kW。全年发电量达到61亿kW·h左右，其中小型水电站发电量约43.36亿kW·h。（任春霞）

【水利改革】 各区县在严格执行已核批水价的同时，完成了孙家口、鲤鱼塘等39座水库非农水价的核批工作，523座水库的原水水费收取率达100%，全市水利工程水费收入较调整前增加1亿元以上。水管体制改革通过水利部评估和抽查。各水管单位分类定性和“两定”测算到位，公益性人员基本支出经费、工程维修养护经费到位较好。有力推进了小型水利工程产权制度改革，1219座水库领取了国有土地使用权证，确权颁证土地面积达2.54万hm^2，盘活存量资产近19亿元。黔江小南海、江津清溪沟、合川双河、武隆山虎关、璧山大沟等5个水利工程入选国家水利风景名胜区。涪陵、长寿水务管理体制改革方案已经市编委批准同意，全市共计30个区县初步实现涉水行政事务一体化管理。已实现水务一体化管理的区县进一步整合了行政管理资源，充分发挥体制机制优势，全面履行水务管理职能，切实提高了水务管理和服务水平。重庆市水利投资有限公司充分发挥统筹城乡水利发展的融资平台作用，落实重点水利工程建设资金20余亿元。成功发行15亿元企业债券，在全国水利行业率先实现了向资本市场直接融资的重大突破。重庆市水利投资有限公司成立5年来，累计落实重点水利工程建设资金230亿元，公司资产总额增长至近300亿元，资产负债率为51.7%，有力推进了鲤鱼塘、玉滩大型水库、“泽渝”工程、城市堤防和污水处理工程建设。（任春霞）

【工程管理】 全市面上水利工程严格执行开工前、竣工前、违规违纪查处“三公示”制度，主动接受社会的监督。进一步完善并实行了水利财政资金“竞标”投入机制，真正体现“谁积极、支持谁”。“先建机制、后建工程”、“先建后补”、“以奖代补”等激励措施被水利部在全国推广。广泛推行了“一事一议”，激发群众出资投劳，成为水利投入的有益补充。在对重点水利工程推行全过程跟踪审计的同时，对建设工期超过2年且投资额在5000万元以上的水利项目也实行跟踪审计，并对审计出的问题进行了跟踪督办、切实整改，有效保证了资金安全。配合市财政局，开展了全市城乡饮水安全材料设备供应厂商资格入围招标工作，建立起规范有序的饮水安全材料设备市级准入制度，规范了材料设备市场，确保了产品质量，落实了售后服务责任。探索总结出“一个主导、三大创新、四化标准”的“134”饮水安全工程建设模式，按照此模式，全市已有320个乡镇实现了饮水安全“整镇销号”。

在继续实行巡监、专家核查、“飞检”和强制性检测的基础上，创新工程质量监测方式，辅之以主监制，认真做好了包括开县鲤鱼塘、大足玉滩等大中型水利水电工程在内的110余项工程的质量和造价监督管理工作。（任春霞）

【河道管理】 依法加强了在建涉河项目的监督管理，审批涉河建设项目63项，办证率和收费率均达到100%。全面推行了河道采砂权公开拍卖，砂石资源管理进一步规范。对主城区13个违法违规项目下达了清障令，维护了主城区两江四岸的正常建设和管理秩序。（任春霞）

【水库移民管理】 全面推进了大中型水库移民后期扶持工作，库区和移民安置区基础设施建设不断加快，后期扶持政策直接惠及39个区县、75万水库移民群众。有序开展了27座大中型水利水电工程实物调查、移民安置规划大纲和规划的审查、审核及移民安置验收工作，进一步完善了以区县政府为主、项目业主参与的征地移民安置管理体制，顺利推进了在建各大中型水利工程征地移民安置工作。（任春霞）

四 川 省

【概况】 2009年是四川水利灾后恢复重建的攻坚之年，是止滑提速，拉动内需的突破之年，四川水利面临前所未有的严峻形势：一是任务之重前所未有，灾后重建、扩大内需、加快发展任务迭加，年内完成总投资171亿元，是常年的3倍多；二是时限之紧前所未有，灾后重建3年任务2年完成，扣除汛期和春灌期，实际为3年任务1年完成；三是要求之高前所未有，灾后重建和扩大内需项目建设，中央和省极为重视，社会各界高度关切，人民群众强烈期盼，不容丝毫闪失；四是难度之大前所未有，招投标、财政评审耗时长，难协调，水利灾后重建资金切块下达，难争取，数以千计的工程同时上马，设计、施工、管理矛盾异常突出。

全省水利系统取得了四川水利发展的“两大突破”：一是水利投入实现历史性突破。全年完成各类水利项目投资196亿元，建成工程4000余处，其中灾后重建资金66亿元（含对口援建23亿元）、扩大内需资金36亿元、常年投入15亿、市县农田水利投入79亿元。二是主要发展指标实现历史性突破。新增有效灌溉面积3.8万hm^2，是常年的2倍；解决农村安全饮水885万人（含灾区587万人），是常年的3倍多。（四川省水利厅）

【水政与水资源】 2009年，全省水政水资源工作紧紧围绕四川省委、省政府“再造一个都江堰”的工作部署，大力推进水务管理体制改革，狠抓水资源管理，以专项执法检查为突破口，在水政、水务体制改革、水资源的管理、节水型社会建设等方面取得了优异的成绩。得到了水利部水资源司、政策法规司、长委水政水资源局、长江流域水资源保护局的肯定和赞扬，被中宣部、司法部表彰为全国“五五”普法中期督导先进集体，荣获了长江流域水资源保护工作先进集体荣誉称号、获得了省政府政务中心行政效能建设二等奖。

(1) 全省21市州、181个县（市、区）水务局全面组建。2009年，四川省水利厅把水务管理体制改革作为全省水利工作的重中之重，截至2009年12月31日，全省21个市（州）和181个县（市、区）全面完成水务局组建，9个市、54个县组建了由水行政主管部门管理的水务公司。实践证明，水务管理体制改革，实现了涉水行政管理管理职能的有效整合，减少了行政成本，提高了行政效能，有利于服务型政府、效能政府、责任政府的建设。

(2) 水力发电行业水资源费征收标准成功调高。2009年，四川省水利厅将调整水资源费征收标准列为了水政水资源工作的重要任务，积极加强了与省物价局、省财政厅的联系和沟通，赴有关市州开展了调研，对拟调标后的水资源费征收标准和总额进行了测算，在充分考虑了四川省工业、生活、水电等行业的取用水情况和四川省的经济社会发展水平后，省物价局、省财政厅和四川省水利厅选择了水电行业水资源费征收标准：由0.0025元/(kW·h)调整为0.0035元/(kW·h)，并从2010年1月1日起施行。三厅局联合印发了《关于调整水力发电行业水资源费征收标准及有关问题的通知》(川价发〔2009〕200号)。实现了年初厅党组确定的任务，四川省水电行业的水资源费征收标准也基本达到了全国中等水平。

(3) 水利法制建设取得新进展。2009年，重点对《四川省〈中华人民共和国水文条例〉实施办法》政府规章开展了立法调研和论证，通过近两年的努力工作，2009年12月8日，省人民政府第46次常务会议通过了《四川省〈中华人民共和国水文条例〉实施办法》，并以省政府第242号令发布，自2010年4月1日起施行。《办法》的颁布实施，进一步理顺了水文行业管理关系，完善和规范了水文行业管理，推动水文事业走上了法制化轨道。参与了《节约用水条例》《洪水影响评价管理条例》《四川省港口管理条例》《凉山彝族自治州大桥条例》《峨边彝族自治县水资源管理条例》等10多件法规和规范性文件的制定工作，办理法律法规征求意见稿60多件。配合省人大常委会，组成3个检查组，分赴成都等29个市、县（区）开展了《四川省水利工程管理条例》执法检查，提出了《条例》贯彻实施中存在的一些困难和问题，并提出完善建议。按照省政府的统一部署，对四川省水利厅制定或参与制定的71085件文件和《四川省〈中华人民共和国水法〉实施办法》等6部地方性法规进行了清理，分别提出了清理意见和建议。

（四川省水利厅）

【水文】 2008年，省水文局开发的《测站管理》软件2009年在全省普及使用，在历史上首次实现了实测水文资料数据库管理。各种信息传递专用软件的开发利用，提高了水文预测预报的精度与水平，在抗震救灾抢险以及防汛抗旱工作中发挥了重要作用。

1. 雨情 2009年汛期，四川省大部分地区降雨总量接近常年，大范围的强降雨过程主要出现在主汛期，但降雨空间分布不均，强降雨主要集中在嘉陵江和涪江之间，盆地西部暴雨过程偏少，8月长江南岸局部暴雨突出。

汛期5—9月总降雨量分布：川西高原北部、长江干流在600mm以下，盆地北部和东北部、盆地西南部、川西南山地在800mm以上，其局部在1200～1400mm之间，其余地区在600～800mm之间。总降雨量以青衣江花溪河洪雅县天宫雨量站1548.6mm为最大，嘉陵江清江河江油市雁门雨量站1524.4mm为次大。5～9月总降雨量与多年同期均值比较：省内大部分地区接近均值，嘉陵江上游、涪江中游及左岸偏大2～4成，局部偏大4成以上，岷江中上游龙门山一线、大渡河下游、川西南山地北部、长江干流偏小2～4成，沱江上游局部偏小4成以上。

2. 水情 2009年，汛期盆地内大部分江河来水量接近常年，嘉陵江、渠江略偏多，青衣江下游偏少4成，沱江上游、岷江下游偏少2成。嘉陵江上游支流清江河、长江南岸支流长宁河发生特大洪水，渠江州河支流前河出现大洪水，雅砻江、大渡河中游、嘉陵江上游干流及部分支流、渠江州河、涪江下游干流及支流梓潼河、岷江和沱江个别支流出现了超警戒水位的洪水。从汛期最大流量来看，盆地西部各江河及渠江巴河以中低水和低水为主，安宁河、大渡河、涪江为中水，嘉陵江、渠江州河为中高水和高水。汛期最大流量与多年同期均值比较：嘉陵江中游偏大48%，嘉陵江上游偏大21%，渠江州河偏大27%，安宁河、大渡河、涪江接近常年，其余江河偏小。其中岷江上中游、青衣江、沱江、渠江干流及巴河偏小30%以上，岷江下游偏小10%。最大流量与上年同期比较：安宁河、岷江中游、青衣江上游、沱江、涪江上游小于上年，其余江河大于上年最大值。

（范家惠）

【水利规划】 2009年7月，四川省水利厅流域综合规划领导小组办公室在省水利电力勘测设计院主持召开了加快四川省流域综合规划和四川省水资源综合规划编制工作会议，会议就四川省流域综合规划和水资源综合规划编制工作进行了总结，对工作滞后的原因进行了分析，会议议定事项：①落实工作责任，确保工作进度和质量。由省水利电力勘测设计院负责进一步加强四川省流域综合规划和四川省水资源综合规划编制工作，配强各规划工作的具体负责人，确保规划编制工作按计划完成；②明确了流域综合规划工作任务。根据水利部长江委对流域综合规划的工作要求并结合具体实际，要在2010年前完成岷江、沱江、渠江、涪江、青衣江、安宁河、雅砻江、鲜水河、大渡河、南广河、永宁河、东河等12条河流的流域综合规划报告，以及绰斯甲河、梓潼江、洲河、定曲河、水洛河、横江、赤水河、白龙江、阿柯河等9条河流的规划意见。（梅益）

【防洪抗旱】 2009年的防汛抗旱工作，受到极端气候和2008年大地震的影响，一度承受巨大的压力、面临严峻的考验。在党中央、国务院的关怀下，在国家防总、水利部的关心支持下，在四川省委、省政府的坚强领导和地方各级政府、部门的不懈努力下，全省广大军民团结奋战、顽强拼搏，努力把洪涝灾害损失降到了最低程度，最大限度地保障了人民生命财产安全。

1. 灾情 2009年，四川省洪涝灾情主要呈现出三个特点：一是山地灾害特别严重。由于强震及余震影响，很多地方山体破碎，岩层松动、植被破坏，遇暴雨洪水，极易发生山地灾害。2009年仅主汛期间，较大的滑坡、泥石流灾害就发生了近10起，共造成150余人死亡失踪，占全年总死亡的71%，其频率之高、损失之重，为四川省10年来之最。其中，康定县“7·23”和米易县“7·27”山洪泥石流灾害共死亡失踪83人。二是部分地区反复受灾。由于2009年降雨分布不均，四川省部分地区反复遭受洪涝灾害，如达州市，连续遭受“7·11”、“7·13”暴雨洪灾，时间间隔短，灾害损失重，共造成直接经济损失达12.1亿元。绵阳、广元、南充、乐山、雅安、眉山、宜宾、凉山等地也反复多次受灾。三是地震重灾区受灾严重。2009年，全省较大的降雨过程共有20次，其中10次主雨区覆盖了绵阳、广元等重灾区，这两市汛期洪涝灾害的直接经济损失达到了40.1亿元，占全省的36%。薄弱的防汛工程，反复的降雨影响，严重的洪涝灾害，对灾区的防汛工作构成了空前的考验。

据统计，汛期全省21个市（州）158县（市）2736个乡镇1627.4万人受灾，倒塌房屋8.8万间，死亡145人（其中因山地灾害死亡117人），失踪66人；农作物受灾面积66.05万hm^2；5座水库出险，堤防损坏2711处294.7km。共造成直接经济损失110.9亿元，其中水利设施直接经济损失21.8亿元。受灾最严重的是广元，其直接经济损失为22.7亿元，另外，绵阳、达州、南充等地的经济损失均在10亿元以上。

2. 防汛工作 四川省各级防汛部门始终坚持以防汛抗旱为主线，发扬特别能吃苦、特别能战斗、特别能奉献的水利精神，全面落实各项工作，取得了较为明显的防灾减灾成效。

（1）领导重视，靠前指挥。党中央、国务院、国家防总、水利部对四川省防汛工作十分关心，温家宝总理、李克强副总理等中央领导同志先后就四川的防汛工作作出重要批示，回良玉副总理、陈雷部长、矫勇副部长、刘宁副部长等亲赴四川省检查指导工作，鄂竟平副部长专门就四川省安全度汛问题召开视频会议，国家防总派出工作组常驻四川灾区，指导四川省抗洪抢险工作。四川省委、省政府主要领导对防汛抗旱工作高度重视。入汛以来，刘奇葆省委书记、巨峰省长等领导就做好防汛减灾工作做了近40条重要批示，钟勉等省领导对防汛工作作出全面部署，主持召开了5次专题会商会、1次水库防汛避险演练，并亲自率队前往地震灾区检查防汛工作。在遭遇险情时，蒋巨峰、李崇禧、魏宏、钟勉、张作哈等省领导多次深入一线指挥抗洪抢险工作。水利厅冷刚厅长、胡云副厅长在历次重大灾害过程中，第一时间深入重灾一线，查勘灾情，靠前指挥，精心研究对策，督导落实措施，确保群众安全。各地党委、政府都把防汛工作纳入重要议事日程。主要负责同志亲自动员部署，靠前指挥，及时发现新情况、解决新问题，有力有序地推进防汛抗旱和减灾救灾各项工作。

（2）创新思路，提高能力。四川省防汛抗旱指挥部、省水利厅在原来常规值守的基础上，创新工作思路，强化应急机制，着力提高应急救灾能力。省水利厅抽调全厅处级领导和专业技术干部组建8支抗洪抢险工作小组，每组均由1名厅级领导任组长，配备抢险车辆和相应物资，按照汛前制定的工作值守时间表，轮流值班，随时出动。汛期间，工作组共出动近20次。同时加强防汛应急抢险专业队伍建设，强化统一调度，确保灾害发生时群众能得到及时救助和妥善安置。

（3）提早部署，准备充分。3月初，防汛办组织召开了全四川省防汛抗旱指挥部办公室主任工作会议，分析了2009年防汛面临的严峻形势，初步确立了全年的工作重心，对相关工作作出安排部署。3月底，四川省防汛抗旱指挥部各成员单位组成了10个工作组分赴全省进行汛前大检查。4月，先后召开了自然灾害趋势会商暨防汛抗旱指挥部会议和全省防汛抗旱工作电视电话会议，对防汛工作各个方面作出了周密的安排部署。

汛前，全省震损水库的开工率达到了45%左右，

39个重灾县堤防项目开工率达一半以上。全省完成堤防护岸新建82.26km、水毁修复95.37km。此外，全省储备了包括编织袋、铅丝、冲锋舟在内的各类防汛物资总值2.36亿元，防汛抢险队伍8779支、37万人。成都、南充等四个水情分中心已完工并于今年汛期投入使用。举行了首届全省防汛系统冲锋舟操作手培训和全省洪涝灾情统计软件培训，提高了防汛抢险水平，强化了信息报送机制。各地先后进行了各类防汛演练共233次。 （四川省水利厅）

【农田水利】 (1) 加速推动灾后重建。2008年“5·12”特大地震，给四川农村水利工程造成巨大损失。2009年以来，四川按照“三年目标任务两年基本完成”总体要求，抓开工，抢进度，保质量。截至12月31日，解决了587.06万灾区群众的饮水困难(其中：39个国定重灾县解决了336.74万人)。全省2069座震损水库开工1689座，主体工程完工1254座（其中：39个国定重灾县1222座震损水库开工852座，主体工程完工595座)。恢复重建微型水利工程9237处，恢复水方72.87万m^3，恢复浇灌面积1573hm^2；恢复重建小型灌区枢纽100处、渠道612.2km、建筑物423处，恢复改善灌面1.06万hm^2，新增有效灌面1.54万hm^2。

(2) 奋力推进拉动内需。一是中央下达四川省三批拉动内需饮水安全项目，计划投资20.95亿元，解决419万人的饮水安全问题。实际解决了289.37万人的饮水安全问题。二是中央下达四川省泵站更新改造项目5处，计划投资6250万元（其中：中央投入5000万元，地方配套1250万元)。2009年底，5处项目在认真做好初步设计、审查批复、招投标的基础上，已于12月底前相继开工。三是6个牧区水利试点项目，计划总投资850.67万元（其中：中央资金600万元，地方配套250.67万元)。除石渠、金川两县因进入封冻季节不具备基本施工条件外，其余4个项目进展顺利，可按期完工。四是6个中央节水灌溉示范项目已完成投资103万元，建设渠道8.035km，均能在2010年3月底全面完工。

(3) 全力发展民生水利。一是全力抓好的农村饮水安全工程建设。解决了298万人的饮水不安全问题。二是全力抓好病险水库除险加固。全年共完成370座病险水库的除险加固。三是全力抓好灌区渠道配套和节水改造。实现新增有效灌溉面积2.32万hm^2，发展节水灌溉面积7.53万hm^2。四是全力抓好以集雨节灌工程为重点的小微水利建设。逐步建立以财政资金为引导、农民投资投劳为主体、社会资本广泛参与的多元投资体系。全年兴建和整治各类小微水利工程16700处，新增恢复蓄水552万m^3，解决247个旱山村8267hm^2旱地浇灌问题。五是全力抓好大中型水库移民后期扶持直发直补和项目扶持。截至2009年12月底，四川省享受大中型水库移民后期扶持人数507702人，其中直发直补390538人，项目扶持117164人。

(4) 注重政府主导，加大对农村水利的投入。2009年，仅省级财政资金就安排9.6亿元用于农村水利基础设施建设，其中：投入2亿元用于110个中型灌区万亩以下渠道配套；安排1亿元开展雨水集蓄利用工程建设；下达3亿元用于中央小型农田水利重点县和省级项目县建设。同时，四川省各级在财力十分吃紧的情况下，提高了预算内固定资产投资用于农业农村的比重，继续加大对农村水利建设财政支持力度，保证了对农村水利建设投入的增幅要高于财政经常性收入的增幅。 （四川省水利厅）

【基本建设】 截至2009年底，四川省在建大中型水利工程共计83项，其中新建大中型水利工程27项(包括紫坪铺水利枢纽、亭子口水利枢纽、武都水库、大桥水库灌区一期工程4项大型水利工程和二郎庙、永定桥等23座中型水利工程)，大中型病险水库除险加固工程47项，都江堰等大型灌区续建配套与节水改造工程9项。

1. 在建水利工程进展顺利

(1) 大型水利工程。紫坪铺水利枢纽工程灾后重建方案已上报水利部待批，各项工作正抓紧进行；武都水库灾后重建已按审查方案实施基本完成；大桥水库灌区一期工程主体工程已基本完成，正进行扫尾工作；嘉陵江亭子口水利枢纽工程于2009年11月25日正式开工建设。2009年在建大型水利工程均实现安全度汛，无重大质量、安全事故发生，工程建设顺利进行。

(2) 中型水利工程。截至2009年底，四川省在建中型水利工程共有23处。其中，黄鹿、黑龙凼、观音岩、龙潭、牛角坑、燕儿河、惠泽、天池湖、新华、红旗、晃桥、高堰沟、大洋沟、大佛、关门石等15座水库枢纽工程已基本建成，初期蓄水量约2亿m^3。黑龙凼、龙潭、黄鹿、牛角坑、晃桥、高堰沟、大佛、关门石、大洋沟等9座已通过蓄水阶段验收；玛依河、龙爪河、党仲等3座仍在进行枢纽主体工程的施工，其中龙爪河工程已实现低水位蓄水并引水到县城、解决了古蔺县城的缺水问题；白松茨巫、斯觉大堰、二郎庙、大海子、永定桥等5座工程自2008年6月以来相继开工建设。23处项目可新增和改善灌溉面积10.47万hm^2，其中有6座（观音岩、龙潭、关门石、党仲、二郎庙、永定桥）渠系配套工程还未开始建设，需全面进入灌区配套建设阶段。

上述大中型骨干水利工程建成后，将使四川省水利工程的供水能力大幅提高，有效灌溉面积显著增加，基本满足全省的生活、生产、生态用水需求。

2. 灾后重建有序推进

(1) 大中型震损水库。列入汶川地震四川省灾后重建规划报告的8个市(州)39个县(市、区)共有3座大型水库(紫坪铺、武都和鲁班水库,均为次高危)、26座中型水库(其中高危14座、次高危12座)需恢复重建。

截至2009年底,3座大型水库中,紫坪铺水库灾后恢复重建方案已经上报水利部,但根据水利部的要求需进行安全评价,水规总院已完成安全评价报告初稿,将与已经上报的方案一并审查;武都水库系震前在建工程,震后恢复重建进展顺利,已基本完成;鲁班水库灾后重建第一批项目已开工。列入国家统借统还的欧洲投资银行贷款的1座大型(鲁班水库的部分项目)及14座中型水库项目初步设计已经四川省水利厅全部审批;另外,由地方负责审批的12座中型水库中,11座实施方案已批复(另有1座通过应急抢险已完成震损加固)。26座中型水库中有23座已完成财政评审,11座完成招标并已开工建设、开工率42.3%。

(2) 堰塞湖后期处置。截至2009年底,四川省大部分堰塞湖后期处置已经接近尾声,需要进一步治理的29座堰塞湖中,14座已经治理完成、6座已经完成一期治理工作、3座正在进行治理、1座在招标过程中、2座正在编制处置方案、3座采取非工程措施。绵竹新增9处堰塞湖的年度应急处置和后期处置工作也已完成。堰塞湖2009年度处置任务全面完成,确保了安全度汛。 (四川省水利厅)

【城乡供水】 2009年,全省共解决了885.06万人的饮水安全问题。结合拉动内需项目,"民生工程"、"富民安康工程"、"大骨节病区建设"、"牧民定居行动"、"妇儿两纲"以及"联合国儿基会"等项目涉及农村饮水安全问题都得到了有效解决。实现了灾后重建和扩大内需两突破,工程建设和运行管理双丰收。

(1) 负重爬坡,迎难而上。2009年,四川省农村饮水面临前所未有的严峻形势。非常时期必有非常之策、强力之举。在2009年初以四川省政府办公厅名义将饮水重建和民生工程饮水建设任务下达到各市(州),纳入政府一级目标考核。从市、县政府到项目村,层层签定了目标责任书,明确了工作主体、实施主体和责任主体。四川省水利厅派驻了8个督导组,分片区督导农村饮水安全工作,并在全省水利系统抽调了近30名技术骨干支援重点建设县。全省按计划完成了灾后重建和扩大内需两大艰巨任务。其中:灾后重建农村饮水项目解决了587.06万灾区群众的饮水困难(其中39个国定重灾县解决了336.74万人),扩大内需解决289万人的饮水安全问题。

(2) 着眼长远,统筹兼顾。四川省水利厅与财政、发改委和卫生等部门联合在川中平原、盆地丘陵、川北山区、川西高原等不同区域开展了农村饮水安全专题调研,重点复核新增农村饮水不安全人数、成因及类型,并对近年来实施农村饮水项目的工程模式、建设投资、运行状况进行了研究。打破行政区划和地理界线,统一配置饮水资源,积极拓展供水市场,大力推行城乡供水一体化,涌现出了金堂东风、富顺板桥等供水人口达10万人的水厂,在丘陵和山区初步形成了一大批跨行政区域的骨干供水工程。

(3) 明确职责,强化管理。根据工程规模和特点,进一步落实了管护职责,建立健全了权责明晰的农村饮水安全工程管理体制。对较大集中工程,由水利部门组建机构实行统一管理。对较小集中工程,委托村民委员会或农民用水协会负责日常管理。对联户或单户供水工程,由受益户自建、自管、自用。

(刘华)

【水土保持】 (1) 强化管理,精心实施民生水保工程。2009年,全省已高质量完成水土流失综合治理面积2250km²,占水利厅下达目标任务的113%。

(2) 依法行政,从严开展预防监督管理。2009年,全省审批水土保持方案2924个,其中省级审批水土保持方案155个,全省开展水保设施竣工验收964个,其中省级验收31个。大、中型开发建设项目水土保持方案申报率由95%提高到98%、方案实施率由85%提高到90%。

(3) 把握机遇,积极争取国家项目投入。2009年已争取国家拉动内需水保项目5583万元(其中国家投资3500万元,地方投资2083万元);争取国家农发水保项目中央投资5650万元,较2008年增加285万元;新增了安岳、仁寿、游仙3个国家农发水保项目县。 (刘正斌)

【地方电力】 截至2009年底,四川地方电力总装机容量达988万kW,年发电量为361亿kW·h,全年完成建设投资77.19亿元,拥有高低压线路80.36万km,变电站(所)1079处,容量1521.86万kVA,配电变压器135519台,容量1226.49万kVA,年末固定资产达704亿元,发售电总收入94亿元,上缴税金10亿元,从业人员10.8万余人。

(四川省地电局)

【水利渔业】 2009年,四川省水产品产量达到140.4万t,比上年增产10.06万t,增长7.72%。其中:养殖产量131.36万t,增长8.22%,占总产量的93.56%;捕捞产量9.05万t,增长1%,占总产量的6.45%;全省人均水产品占有量达到15.78kg,

比上年增加0.99kg。

四川省渔业经济平稳较快发展，总产值达到238.46亿元，比上年增加21.03亿元，增长9.67%。其中：渔业（含养殖、捕捞、苗种）产值162.16亿元，比上年增长10.3%；渔业工业和建筑业（含水产品加工、渔用机具制造、渔用饲料、渔药制造、建筑及其他）产值22.22亿元，比上年增长0.7%；渔业流通和服务业（含水产流通、仓储运输、休闲渔业及其他）产值50.09亿元，比上年增长3.62%。全省农民人均水产业收入356元，比上年增长11.25%，人均增收36元。全省渔民人均实现纯收入6931元，比上年增加567元，增长8.91%。

（仁青　郑华章）

【科技与教育】　（1）科技项目。水利部“948”引进项目——“灌区移动式水质监测系统”完成并通过水利部验收。水利部科技成果重点推广计划项目——“都江堰灌区工业用水计量自动化系统”已完成。水利部“948”项目——“都江堰渠首水量平衡监测分析系统”顺利实施。水利部公益性行业科研专项经费项目——“四川震区灾后重建饮用水源安全保障技术研究”顺利实施。国家水体污染控制与治理重大专项课题《西南村镇库泊地表饮用水安全保障技术研究与示范》的子课题《村镇供水模式和相关净化工艺设备的研究与开发》顺利实施。“慈母山枢纽工程综合自动化系统”获水利部“948”项目立项。“汶川地震区新生水土流失环境效应研究”获水利部2009年公益性项目立项。

（2）示范推广。①《城乡饮水安全工程关键技术研究与应用》的推广，对改善农村居民用水状况，促进群众健康水平及发展地方经济和新农村建设都具有十分重要的意义。②在人民渠渠首推广应用的超声波流量计，用于低流量3m/s以下，且水质较好的环境内，经比测，实际效果很好，测得的数据精确、可靠。③《四川农村生活污水处理技术研究与应用》正在建设示范工程。④组织实施了《大西洋鲑的养殖示范推广》和《匙吻鲟养殖技术推广》。

（3）科技成果。“城乡饮水安全工程管理体系”获四川省人民政府科技进步三等奖。

（四川省水利厅）

贵　州　省

【概况】　2009年，贵州水利工作按照省委、省政府“抓机遇、打基础、扩内需、保增长”的各项决策部署，迎难而上，锐意进取，扎实工作，保持了水利又好又快发展的强劲势头。紧紧抓住扩大内需的大好机遇，全力打好以民生水利为重点的水利建设攻坚战，努力提升水旱综合防御能力，积极拓宽水利投融资渠道。在此期间，“黔中水利枢纽”一期工程和“滋黔”一期工程等一批大中型骨干水利工程相继开工建设，在缺水地区开展统筹利用地表水和地下水、实施长距离管道输水的高效集约用水项目建设试点，切实将现代水利理念付诸于水利建设实践中。2009年全省水利投入再创历史新高，全年共落实各类水利建设资金49.18亿元，与2008年水利建设投资40.4亿元相比增加投资8.78亿元，增幅达22%。

（李银钧）

【水政】　贵州省人民政府2009年3月24日以第111号政府令颁布《贵州省水土保持设施补偿费征收管理办法》，并于6月1日起正式施行。积极开展《贵州省水文管理办法》的立法调研工作。继续推进水行政处罚权、水利行政事业性规费征收权和水行政许可权“三权”统一工作，督促各级水政监督队伍统一行使“三权”。积极推进依法行政工作，印发了《贵州省水利厅行政许可实施程序规定（试行）》，设立了省水利厅行政许可服务窗口，省级水行政许可业务实现统一受理。在全省水利系统组织开展专项水行政执法检查活动，重点检查了水能资源使用权有偿出让金的征收管理工作。积极开展水法规宣传和普法教育工作，全省水利系统充分利用“世界水日”“中国水周”“全国法制宣传日”等节假日，开展丰富多彩的普法教育和水法规宣传活动，进一步增强了全社会依法治水、依法管水的意识，为广大群众自觉维护、遵守《中华人民共和国水法》奠定了良好基础。全年依法征收水资源费和水能资源使用权出让金2.61亿元。（李银钧）

【水资源】　坚持开展县级以上城市90个集中式供水水源地水质的监测工作，定期发布贵州省水环境状况简报（通报）。配合实行清水江流域水污染补偿机制，开展3个断面的水量监测工作。加强入河排污口设置的监督管理，会同环保部门要求所有煤矿对原有退水处理系统进行升级，各大火电厂、煤矿等已开始办理入河排污口设置的申请。

稳步推进清镇市节水型社会建设。开展了红峰湖、百花湖水环境保护和生态修复工作。完成《清镇市工业用水定额指标分析研究报告》的编制。清镇市通过节水型社会建设，用水总量控制达到了《清镇市节水型社会建设规划》的预期指标。发布了《2008年贵州省水资源公报》。

（李银钧）

【水利规划】　开展贵州省水利发展“十二五”规划编制工作，完成4项基础报告。完成《贵州省重点地区中小河流近期治理建设规划》《贵州省清镇市暗流河水资源开发利用规划》。完成《贵州省抗旱规划报告》《贵州省新增4亿斤粮食生产能力实施水利规划报告》《贵州省小型病险水库除险加固规划报告》等8个专题规划报告。组织各县开展县级农田水利建设规划编制工作。毕节地区编制完成《毕节地区水利重点扶持对口支援实施规划》。（李银钧）

【基本建设】 2009年11月30日，贵州省第一座大型水利枢纽，总投资73.04亿元的黔中水利枢纽一期工程正式开工建设。“滋黔”一期在建的10座中型水库继续获得国家投资支持，工程进展顺利。（李银钧）

【防汛抗旱】 2009年，建成全省水库水电站防汛应急通信网络和重点区域、重要工程的水雨情信息自动化测报系统以及计算机骨干网络体系，省防汛抗旱指挥系统一期工程完成，并启动二期工程建设。当年洪灾损失较常年减少五成，洪灾死亡人数为新中国成立以来最少年份，抗旱挽回经济损失12亿元，确保了在遭遇持续高温干旱天气的情况下，粮食总产量仍创历史新高。（李银钧）

【农田水利】 通过继续实施大中灌区配套、“三小”工程（小水池、小水窖、小山塘）、烟水配套工程，全省农村人均有效灌溉面积已由“十五”期末的0.025hm^{2}提高到2009年的0.039hm^2，提前一年完成了省委、省政府要求“十一五”期末达到0.033hm^{2}的目标。启动实施15个小型农田水利重点县建设；新建“三小”工程10.01万座；完成病险水库除险加固180座；共解决农村人口饮水安全问题310万人。2009年贵州省开展地下水水资源的勘探工作，通过利用地下水解决缺水地区人畜饮水和烟叶的灌溉等问题。水利部门实施的地下水开发利用工程项目达100处以上。在缺水地区实施长距离输水试点工程解决烟叶和农田灌溉问题。（李银钧）

【水土保持】 2009年全省继续开展水土保持重点工程、石漠化治理工程建设，全年治理水土流失面积1338.81km^2。（李银钧）

【地方水电】 继续开展小水电代燃料和农村电气化县等项目建设，全年新增装机容量38.4万kW。（李银钧）

【工程管理】 组织各地认真开展水管体制改革工作总结和评估，并下发《关于尽快完成水利工程管理体制改革验收的紧急通知》，督促各地开展改革验收工作；并配合水利部检查组完成检查及抽查工作。（李银钧）

西藏自治区

【概况】 “十一五”规划中中央下达的水利项目全部开工建设，落实投资36.74亿元，占“十一五”规划总投资的87.48%。其中，2009年落实投资17.21亿元，是西藏自治区历年来落实水利项目建设投资最多的一年，也是投资到位最快的一年。全年共新建续建项目153项，西藏自治区最大的水利枢纽工程旁多水利枢纽工程顺利开工；拉萨河拉萨市东郊水厂上游段、年楚河白朗段、昌都镇二期、八一镇河西区等一批防洪堤相继开工，共建设三级以上标准堤防27.31km；山南江北灌区进展顺利，雅砻灌区加快实施，墨达灌区完成主体工程，满拉灌区进入收尾及验收阶段，中小灌区建设加快步伐，全年新增和改善灌溉面积0.85万hm^2；尼玛、改则、贡觉、墨脱等县级电站有序推进；小流域综合治理及生态修复稳步推进，治理和生态修复面积194.27km^2。（李晓宇）

【水政水资源】 西藏自治区批准实施《西藏自治区水土保持设施补偿费水土流失防治费征收使用管理办法》《西藏自治区水文管理办法》，起草完成《水能资源管理办法》，全面实施《取水许可和水资源费征收管理办法》，全年颁发取水许可证80余套。努力推动规划同意书、水资源论证、工程建设防洪影响评价制度实施。首次颁布西藏自治区水土保持公告。通过对全区开发建设项目进行水土保持监督执法检查，带动了开发建设项目水土保持方案编制、动态监测等技术服务体系建设。完成35个重点开发建设项目水土保持评审，对9个自治区重点建设项目实行水土保持动态监测。（李晓宇）

【水利规划和前期工作】 西藏自治区政府常务会议通过全区水资源综合规划、城市饮用水水源地安全保障规划和重点地区中小河流治理规划。积极修编长江流域规划（西藏境内），相继完成雅鲁藏布江、澜沧江、怒江综合流域规划和冰湖防治规划。有序推进湘河、帕隆藏布、尼洋河等流域规划。拉洛水利枢纽及配套灌区工程项目建议书通过水利部水规总院审查。全年通过自治区审查的项目达132项，前期工作质量明显提高。同时，水文站网建设稳步开展，水文现代化进程不断加快，水文预测预报准确性和可靠性明显增强。水利科研工作稳步开展，藏东横断山区水土流失现状及防治技术等多项科研课题有序推进。（李晓宇）

【基本建设】 2009年，完成投资约17.22亿元，其中，农村安全饮水工程完成投资约4.56亿元，四大灌区及灌区节水工程完成投资约3.34亿元，城市防洪工程完成投资约1.57亿元，县水电站建设完成投资约1.50亿元，乡村电站及局域网完成投资约1.51亿元，“一江两河”流域综合开发项目完成投资约0.87亿元，水土保持完成投资约0.11亿元，病险水库除险加固工程完成投资约0.27亿元，旁多水利枢纽工程约3.5亿元。解决了41.43万人的饮水安全问题，建设三级以上标准堤防27.31km，新增和改善灌溉面积0.8万hm^2，新增解决4.16万人和改善解决4852人的生产生活用电问题，水土保持治理面积及生态修复面积194.27km^2，病险水库除险加固工程完工21座。同时，利用财政专项资金开展了乡村防洪工程和牧区水利工程建设，恢复完成了仲巴、当雄地震水毁工程。（李晓宇）

【防汛抗旱】 面对墨脱滑坡灾害，积极启动防汛应急预案，深入墨脱堰塞湖查勘现场，收集第一手资料，编制《墨脱山体滑坡应急处置方案》，建立监测、预警、警报系统，协助群众安全转移。水文部门深入勘查洪水过程，准确预测水情，防汛抢险部门积极投入应急抢险工作，顺利处置了墨脱堰塞湖险情。针对亚东、洛扎等县突发性山洪泥石流及边坝县、错那县冰湖溃决灾害，各地果断决策，积极行动，最大限度地减轻了灾害损失。面对6月严重旱情，西藏自治区启动《西藏自治区防抗干旱灾害应急预案》Ⅲ级响应，科学指挥、深入指导。各地精心组织、合理调度，加大抗旱应急水源建设，科学调配水源。满拉水利枢纽始终坚持把保灌溉、保生产作为首要任务，加大冲巴、满拉水库放水力度。通过自治区各级水利部门的共同努力，为自治区粮食产量达到92万t发挥了积极的水利保障作用，做到了大旱之年粮食不减产，农牧民收入不减少。（李晓宇）

【民生水利】 全年解决41.43万人农村饮水安全问题，农牧民安居工程基本实现通水，提前1年完成“十一五”规划任务。包括满拉水利枢纽工程在内，全年农村小水电发电量超过2.8亿kW·h。启动乡村堤防建设，在4个地区安排15个乡村堤防建设项目，建设乡村堤防25.59km。通过兴建小型农田水利工程，启动小型农田水利基本建设重点县建设，新增和改善灌溉面积1.12万hm^2。积极推进牧区水利试点工作。实施工布学、林西等病险水库除险加固工程。通过吸纳群众参与水利工程建设、河道采砂惠泽民生，为农牧民增加现金收入1.2亿元。（李晓宇）

【水土保持】 2009年，开展了全区水土保持监督执法专项行动“回头看”活动，其中包括林芝巴河老虎嘴水电站、省道306线米林至朗县公路改建整治、省道307线浪卡子至江孜段公路改建整治、甲玛铜多金属矿采选技术改造和雅砻灌区工程等项目。组织开展了西藏自治区水土保持监督管理能力建设活动，制定了工作方案，确定曲水县为全国第一批水土保持监督管理能力建设县。认真行使开发建设项目水土保持方案审批行政许可权，全年审批了加查县邦布岩金属矿采选工程等二十多个开发建设项目水土保持方案。起草了《西藏自治区水利建设项目水土保持方案管理暂行规定》，在水利行业内部率先规范了开发建设项目水土保持方案管理。起草了《西藏自治区水利建设项目水土保持方案管理暂行规定》，并与自治区各相关单位积极协调各行业的开发建设项目水土保持方案管理机制，与区发改委规范了采矿业开发建设项目的水土保持方案管理程序，将水土保持方案审批作为矿业项目核准的前置审批环节，大大推进了采矿业项目的水土保持预防监督工作。组织开展了《西藏自治区2009—2011年水土保持重点工程建设规划》的编制工作，通过了长江委审核并上报了水利部。（李晓宇）

【城乡供水】 2009年农村饮水安全投资达到4.56亿元。建设2329处农村饮水工程，其中管道引水1506处、保暖井627眼、家庭手压井10处（605眼）、机电井185眼、光伏井1眼、共解决了41.43万人饮水安全问题，不但超额完成了自治区政府下达的解决35万人的饮水安全任务，而且还提前1年完成了《西藏农村饮水安全工作规划》中所提出的122.2万人的饮水安全建设任务。（李晓宇）

【工程管理】 加大水利建筑市场规范和整顿，严把参建队伍准入关，完成38个水利水电施工企业、12个招标代理机构的登记备案和91家施工企业的资质年检，强化招投标行政监督，重点项目全程跟踪监督，严格招标施工合同管理，坚决整改质量不合格工程。积极开展安全生产大检查。继续推进大中型水利工程管理体制改革。加快农田水利基本建设新机制建设，全区用水户协会和各类用水群管组织累计达到386个。稳妥推进农村水电管理体制改革，农村水电站完好率进一步提高，发电量稳步增长。（李晓宇）

【水利援藏】 水利部派出大规模工作组深入自治区7个地（市）进行调研。2009年7月，水利部在林芝地区召开了第四次水利援藏工作会议，陈雷部长、矫勇副部长根据考察调研成果，分别在会议上发表重要讲话，对自治区水利今后一段时间的发展思路和目标任务提出了明确的指导意见。此次会议为今后水利援藏工作和西藏水利发展奠定了坚实的基础，具有重大的现实意义和深远的历史意义。援藏会议结束后，水利部有关司局、各对口援藏单位和有关省市纷纷组织人员赴藏考察，各受援单位也积极回访，强化沟通与联系，达成了一批意向性的援助项目。

（李晓宇）

云南省

【概况】 2009年，是进入21世纪以来云南省经济社会发展受到冲击最大、面临困难最多的一年，也是水利工作攻坚克难、抢抓机遇，取得重大成效的一年。面对全省干旱、地震等自然灾害频发并发的不利影响，省水利厅抓住扩大内需的历史机遇，实现全省水利投资了“四个历史新高”，即省级财政投入水利资金27亿元；省以上水利投资达到52亿元；全省完成水利投资达到105.5亿元；全年完成水利水电投资达206.8亿元。完成中低产田地改造0.85万 hm^2、干支渠防渗1500km和25万项“五小水利”工程，新增有效灌溉面积2.67万 hm^2、节水灌溉面积3.33万 hm^2。解决210万农村人口饮水安全问题，超额完成省政府确定的150万人的年度目标任务。全省完成水土流失综合治理面积3254km^2，农村水电新增装机容量220万kW。2009年确定的全省水利水电发展改革任务指标，除蓄水外，其余均完成或超额完成。

（闵磊）

【水政】 水利法治建设卓有成效，《云南省地下水管理办法》和《云南省取水许可和水资源费征收管理办法》正式颁布实施，《云南省水文条例》经省政府常务会议审议后已通过省人大常委会一审。执法依据的进一步完备，为实行最严格的水资源管理制度提供了坚实的法制保障。水行政执法力度进一步加大，加强取用水管理、水资源保护、河道管理、水工程管理、入河排污口设置以及擅自减免、拖欠水资源费等领域的执法。首次组织开展《云南省地下水管理办法》《云南省滇池保护条例》和那么果河六级电站等申请取水许可证的3次听证会。指导全省各地开展了地下水清理整顿工作，并在昆明等滇中严重缺水地区取得突破性进展。加强水事矛盾纠纷的预防和调处，确保全省不发生影响社会稳定和水利良好发展环境的重大水事纠纷。

（闵磊）

【水资源】 加强取水许可管理工作。按照管理权限，对雷打滩电站等4个申请办理取水许可证的项目进行了现场审验，办理了取水许可证；组织完成阿都水电站等8个项目的取水许可申请书的审核。进一步开展取水许可监督管理工作，加强取水口核查、取水量核实、取水计量检验、取水计划下达、取水总结，促进取水许可制度规范化建设。完成2008年度全省水务管理年报、2008年度全省水资源管理年报，并于规定时间内向水利部上报。稳步推进水资源论证工作。配合流域机构完成了云龙水库等10个建设项目水资源论证审查，并转报云龙水库等7个建设项目水资源论证审查请示；在行政许可时效内，及时开展迪庆州南极洛河水电站等30个建设项目水资源论证审查。出具了勐宋水库等20个工程的报告书的审查意见。作为水利部特邀的3个省级水资源论证管理单位之一，参加了《水利水电建设项目水资源论证编制技术导则》的编审。组织开展《云南省水资源管理信息系统建设》《云南省区域与流域水资源管理战略研究》；组织完成《省际重点水事矛盾敏感地区水利规划》《云南省水资源公报》（2008年）；启动了《云南省取水许可总量控制指标》编制工作；按照水利部的治水思路，在普洱市和牛栏江上游开展最严格水资源管理制度试点工作。加强资质管理。对西南有色昆明勘测设计（院）股份有限公司等2家申请建设项目水资源论证乙级资质单位进行了严格初审，上报水利部，并获得通过。按照水利部的要求开展第四批建设项目水资源专家遴选工作，对全省上报的25名专家认真评议，初审通过12名，上报水利部获得批准。完成4家建设项目水资源论证甲级资质单位资质年审初审工作。组织并完成了29家水文水资源调查评价资质单位和34家建设项目水资源论证乙级资质单位的年审工作。根据《云南省取水许可和水资源费征收管理办法》，变水资源费委托地税征收为各级水行政主管部门征收，变多个征收标准为统一征收标准，实现了水资源费征收管理体制的根本转变，全省2009年共征收水资源费3.67亿元。

（闵磊）

【水利规划】 按水利部的部署和要求，配合长江水利委员会开展了怒江、澜沧江、伊洛瓦底江流域综合规划编制以及长江流域综合规划修编工作；配合珠江水利委员会完善珠江流域综合规划修编工作，会同珠江委对红河流域综合规划进行了初审，珠江委已经印发审查意见。编制完成《云南省水资源综合规划》《云南省重点地区中小河流近期治理规划》《云南省大中型病险水闸除险加固专项规划》《云南省抗旱规划》等一批支撑全省今后一段时期水利发展的重要规划。召开云南省水利发展“十二五”规划编制工作布置会议，“十二五”规划思路初稿已报水利部。积极实施水工程项目规划同意书制度，拟定了《云南省水工程建设规划同意书制度实施细则（试行)》。

努力筹集规划和前期工作经费，2009年全省共筹集规划和前期工作经费3.31亿元，其中省级安排0.71亿元，重点用于牛栏江—滇池补水工程和大中型水库前期工作，州（市、县）安排2.6亿元。香格里拉县小中甸水库大（2）型工程可行性研究报告通过水利部审查；水利部水规总院对阿岗水库大（2）型工程进行了咨询、对文山德厚水库大（2）型工程进行了预审。（闵磊）

【基本建设】 按照中央“扩内需、保增长、调结构、促民生”的总体要求，结合云南实际深入分析研究国家固定资产有关政策，适时调整投资结构和投资重点，把解决涉及民生和保障粮食安全的农村饮水安全、病险水库除险加固、大型灌区续建配套与节水改造和大中型水源工程等水利问题放在更加突出的位置，加强对中央投资重点安排领域的项目和资金的申报。全年共争取中央投资24.9亿元，其中，中央预算内资金12.97亿元，中央财政资金11.93亿元。2009年全省第一批扩大内需项目已圆满顺利完成，前三批扩大内需中央投资水利项目3个“百分之百”已全部落实，第四批42个项目已全部开工，为保增长作出了积极贡献。“润滇工程”、牛栏江—滇池补水工程及病险水库除险加固工程等方面，取得了突破性进展。

牛栏江—滇池补水工程项目建议书通过国家发改委、水利部审查，可行性研究报告通过水利部水规总院评审；与昆明市人民政府签订了供水承购协议；落实了项目融资28亿元；控制性工程实验场地建设稳步进行。

国家下达投资计划的90个大中型病险水库除险加固项目，2007年前开工的70个项目已全部完工，有63个项目完成竣工验收。20件大中型、378件重点小（1）型病险水库除险加固工程快速推进，争取省委、省政府从国债省级转贷资金中安排3.65亿元，专项用于小（1）型病险水库主体工程除险加固，彻底解决小（1）型病险水库除险加固主体工程建设地方配套资金不足的问题。已有10件中型、102件重点小（1）型病险水库完成除险加固任务，在水利部组织开展的2008年全国病险水库除险加固工作考核中，云南省的考核结果名列全国第四。全省小（2）型病险水库共有2868座，病险率达67%。云南省小型病险水库除险加固专项规划3月已报水利部，争取中央病险水库除险加固资金补助。有条件的地方还自筹资金及早实施除险加固工程，目前，各地自筹资金完成了44座病险水库的除险加固，另有45座正在进行除险加固建设。

着力推进“润滇工程”建设，缓解工程性缺水严重的局面。全省始终将水源工程建设作为水利建设的重点，2009年又安排新开工了11座中型和中型降等为小（1）型水库。到2009年底累计完成投资58亿元，楚雄青山嘴等22件先期开工的大中型水库全部下闸蓄水，开始发挥供水和防洪效益，新增蓄水库容6.2亿m^3，新增和改善灌溉面积13.79万hm^2。2007年开工的隆阳红岩等11件工程全部完成度汛任务，正抓紧大坝填筑；2008年开工的开远大庄等10件工程全部截流，进入主体工程施工。（闵磊）

【防汛抗旱】 2009年，云南省发生了50年一遇的气象干旱和严重的秋冬连旱，汛期局部暴雨给部分地区带来大量的洪涝、滑坡和泥石流灾害，楚雄姚安发生了6.0级地震，干旱、洪涝和地震等自然灾害并发，历史罕见。面对严峻的旱情，省政府于2月紧急召开全省森林防火和抗旱工作电视电话会议，对抗旱工作进行了全面部署，春旱期间省政府追加1000万元经费，专项用于解决全省旱情严重地区人畜饮水困难。11月，省政府发出了关于切实做好当前抗旱工作的紧急通知，同时，为帮助各地做好2009年冬2010年春蓄水抗旱工作，省政府再次追加蓄水抗旱资金2000万元，用以奖代补方式支持各地抓好蓄水，确保供水安全。各级水利（水务）部门坚持以人为本，超前部署，科学决策，精心调度，各级地方党委、政府全力以赴，广大军民奋力抗灾救灾，全省共投入抗旱资金1.43亿元，投入抗旱人数680万人，临时解决了250万人、140万头大牲畜饮水困难，有效缓解了旱情，避免了城市可能出现的供水危机，确保县级以上城市居民生活用水，最大限度地保证农村人畜饮水安全。在汛期，各地先后启动防洪应急预案84次，下派抗洪救灾工作组550多个，积极组织抗洪抢险，2009年全省防汛抗旱减灾效益41.6亿元，最大限度的保障了汛期全省各族群众的生命财产安全。姚安地震发生后，灾区各级水利（水务）部门迅速行动，深入一线，重点排查了水库等水利工程设施，有效避免发生次生灾害，确保了地震灾区水库防洪工程安全和饮水安全。

云南省许多中小河流存在防洪基础设施薄弱、河道淤积萎缩严重、治理投入不足等突出问题，导致中小河流洪涝灾害频发，对城乡，尤其是重要城镇和农田保护区防洪安全构成了严重威胁。水利部、财政部贯彻落实中央1号文件精神，组织开展了全国重点地区中小河流近期治理建设规划编制工作，加快重点地区中小河流治理，云南省共有80条河流列入全国中小河流近期治理建设规划，其中有37条（段）列为试点项目，总投资9.3亿元，财政部已下达2009年专项补助资金1亿元，云南省重点中小河流治理项目已经启动。（闵磊）

【农村水利】 为实现小型农田水利建设从分散投入到集中投入转变，由单项突破向整体推进转变。2009年，国家在原小型农田水利专项工程建设的基础上，实施小型农田水利重点县建设，集中资金，整体推进，快速提升县域农业生产水利基础。云南省有14个国家重点县和11个专项工程国家立项建设，争取中央资金1.44亿元。省财政还安排1.12亿元，满足重点县中央投资1∶1的配套要求。省水利厅在全省实施省级重点县建设，使每年重点县的数量增加到40~50个。根据12个大型灌区改造和84个中型灌区的实际情况，积极调整建设思路，以建设促管理，以建设促改革，对效益比较好的大中型灌区项目建设实行优先立项、集中投入。5个大型灌区、1个中型灌区和4个节水项目已开工建设。针对大型灌区节水改造工程资金只能用于骨干工程建设、田间渠系建设长期缺位、效益发挥有限的问题，灌区转变思路，通过整合烟区水利、中低产田改造、以工代赈、农业综合开发、土地治理、小型农田水利重点县建设等多部门、多渠道资金，集中成规模配套田间渠系工程，与骨干工程形成灌排通畅的网络，规模效益显著。曲靖、祥云、平远灌区利用烟区水利资金，宾川、元谋利用农业综合开发资金集中成规模配套田间渠系。省水利厅把每年（0.67万hm^2）中低产田改造列为水利工作的重点之一，利用行业优势，主动积极为政府及其他部门出谋划策，在工程的规划、实施等方面提供水利技术指导。部省共建山区水利发展与改革示范区工作取得积极进展，从省至曲靖、楚雄两州（市）落实工作责任机制，编制《云南省山区水利发展与改革示范区规划（2009—2013）》，并由水利部组织审查通过，正抓紧批复。示范区建设的投资规模预计达90亿元，建设和改革各项工作开始启动，为云南山区水利建设翻开了新篇章。（闵磊）

【农村饮水安全】 实现全省广大农村人口喝上干净卫生的水，促进社会主义新农村建设一直是农村水利的工作重点，水利厅一直把解决好高氟、砷、苦咸水和重度污染水等严重影响群众身体健康的饮水不安全作为工作重点，并优先解决人口少于10万的少数民族、贫困地区的饮水安全问题。2009年，全省共投资12.65亿元用于解决农村人口的饮水不安全问题，投资和解决人数分别比2008年增长了116%和148%，投资力度和解决人数都创历史新高，解决了210万农村人口饮水安全问题，超额完成省政府确定的150万人年度目标任务。2006—2009年4年共解决685万人农村人口饮水安全问题，提前一年完成农村人口饮水安全“十一五”规划660万人的目标任务。（闵磊）

【水土保持】 “长治”、“珠治”、世行贷款项目和西南诸河流域水土保持重点工程进展顺利，全省共完成水土流失综合治理面积3254km^2，占计划3200km^2的101.7%，超额完成水土流失综合治理面积54km^2。实施生态修复面积8000km^2，占计划8000km^2的100%。积极推进生态清洁型小流域建设，深入开展水土保持监测评价工作。在“长治”“珠治”等重点工程建设过程中，创造性地提出建立施工计划制度，采取倒排工期的办法，将施工进度安排到周，做好进度控制；建立重点工程招标备案制，做好工程资金监管；建立工程进度周报制度；建立工程督察制度，省厅会同各州（市）成立了8个督察组，每半个月开展一次督察，做到不留空档，不留死角；建立宣传制度，以简报、网络媒体宣传等形式开展宣传，同时加大向上级部门和全社会的宣传力度。世界银行贷款水土保持项目完成第一批、第二批24条小流域的扫尾工作，全面开展第三批小流域的设计、审批及实施工作。在水土保持“两费”征收上取得突破性进展，全年省级征收水土保持设施补偿费2743.4万元，占计划1000万元的274.3%。（闵磊）

【城乡供水】 加强取水许可管理、入河排污口监督管理和水源地保护。玉溪市节水型社会建设规划已经省人民政府批复实施，曲靖市2009年度节水型社会建设试点工作通过珠江水利委员会中期评估。

指导完成《玉溪市节水型社会建设规划》的编制工作。规划通过水利部组织的专家评审，由玉溪市人民政府上报省人民政府，经省人民政府同意，已由省水利厅批复玉溪市实施。指导曲靖市水务局完成2009年度节水型社会建设试点工作和2008年节水型社会建设专题的上报、验收。细化各州（市）执行《云南省“十一五”节水型社会建设规划》的考核内容和指标，对各州（市）2009年水政水资源工作目标责任进行考核。开展入河排污口监督管理检查和集中式供水水源地保护检查工作。按照水利部部署，全省经过近两个月的检查，基本摸清云南省在入河排污口监督管理中存在的问题和困难，并接受水利部和长江流域水资源保护局的抽查。对东川区和大理市等地集中式供水水源地保护工作进行了实地检查。协助完成省政府滇池水污染防治专家督导组要求的相关工作；协助审查《云南省县级以上城市供水水源地安全保障规划》；协助阳宗海管理处开展饮用水安全调查、“三禁”工作检查和2009年1—5月水资源调度工作；完成对罗平县龙王庙水库污染情况调查、红河州大屯海水库砷污染情况调查。组织完成《云南省地下水利用与保护规划》《云南省州（市）界河水量水质监测站点方案》《云南省城市污水处理回用现状调查》；启动《21世纪前10年云南省地表水功能区水资源质量变化调查评价》编制工作。加强昆明市、红河州、大理州地下水清理整顿工作，完成地方政府下达的目标。按照省委、省政府要求，完成《七彩云南生态文明建设规划纲要》中《水资源保护与利用及水土流失治理规划》专题报告的编写和上报工作，完成《七彩云南生态文明建设规划纲要》有关章节的修改。

（闵磊）

【农村水电】 2009年，全省农村水电新增装机容量220万kW、完成农村水电投资超过100亿元，其中：财政资金投资量创历史新高，共争取中央电气化和小水电代燃料资金4220万元；解决了小水电代燃料省级配套资金1400万元。完成农村水电发电量370亿kW·h，初步估算将减少二氧化碳排放790万t。超额完成新增农村水电装机154万kW，农村水电投资90亿元，农村水电发电量290亿kW·h的目标任务。截至2009年底，全省中小水电装机容量首次突破1000万kW大关，达到1190万kW。“十一五”电气化县建设进展顺利，主要指标已达到验收要求，率先在全国开展的“十一五”水电农村电气化建设惠农试点工程初见成效，给受益区带来良好的生态效益和经济效益。小水电代燃料扩大试点工程项目区已有6000多农户享受到小水电代燃料优惠电价，第四批扩大内需小水电代燃料5个项目已开工建设，有效地改善了全省各族群众的生产、生活条件。积极推进农村水能资源管理的立法工作，《云南省农村水能资源开发管理办法》顺利通过了省政府法制办组织召开的立项论证会，被列入2010年立法项目。切实加强农村水电行业管理，认真部署及开展全省农村水电安全生产检查和违规水电站清查整改工作，对普洱、玉溪、楚雄、保山等6州（市）进行抽查和整改检查。做好农村水电节能减排工作。 （闵磊）

【工程管理】 工程建设管理中进一步强化水利建设市场主体信用和资质监管，加大工程竣工验收力度，积极开展了水利安全生产年及安全生产隐患排查治理督促检查活动，全省水利安全生产形势趋好，没有发生较大以上生产安全事故。对具备竣工验收条件的项目，及时组织竣工验收，做到完工审计1座，验收1座，发挥效益1座，全年共完成25个中型项目的竣工验收。及时组织完成各项目截流、大坝基础处理、水库下闸蓄水等阶段验收。与省发改委共同主持完成了德泽水库截流验收。按照上级各部委对云南省病险水库除险加固工程、润滇工程、扩大内需新增水利投资项目进行专项调查和稽察检查提出的要求，及时组织整改，全面完成整改工作，确保了中央投资项目建设的顺利进行。完成包括牛栏江一滇池补水工程在内的53个项目245个标段的招标投标备案和行政监督工作。组织审查并批复64个设计变更。组织在建项目财务负责人培训、施工单位“三类”人员（施工企业主要负责人、施工企业项目负责人、专职安全管理人员）培训、质量检测员培训，参加培训学习人员达700余人。完成全省水利行业施工单位、监理单位资质申请初审；完成水利行业造价工程师、监理人员资格申报初审及注册、换证工作。完成全省水利行业质量检测单位甲级资质申请初审、乙级资质评审工作，对具备水利工程质量检测乙级资质的19个单位的49个专业类别进行了资质认定。切实加强资格资质管理。

《云南省人民政府关于农村小型水利工程管理体制改革的意见》出台后，水利厅精心组织，试点先行，积极推进，就贯彻落实工作做了全面部署，具体安排了3个省级试点县和16个州（市）试点县的改革工作，并由厅领导带队组成指导检查小组多次赴各试点县指导检查试点工作。目前，16个试点县试点工作基本完成，3个省级试点县试点工作取得实效，共拍卖回收资金590万元，发放产权证9万多份，取得了许多可以借鉴的经验和做法。水管体制改革和水价改革得到深化。在巩固全省大中型水利工程管理体制改革成果的基础上，进一步落实小（1）型水库公益性管理人员经费1939万元，比2008年增加17%，落实维修养护资金1268万元，比2008年增加139%。水价改革工作取得显著成效，全省农业水价平均达到0.04元/m^3，非农供水价格正逐步达到供水成本。

（闵磊）

【科技与教育】 2009年，首次把科技工作纳入了水利工作目标考核，建立科技工作考核和统计制度。各州（市）水利（水务）局、厅直有关单位与水利厅签订的2009年水利水电建设管理目标任务责任书中，纳入了科技工作考核的具体内容：科技工作有机构、有人员、有经费；积极开展先进科技推广应用和研究工作；认真开展科技成果的总结和报奖工作；加强水利行业技术培训工作。组织开展首次全省水利科技工作检查，督促全省各州（市）、厅直属有关单位水利科技工作考核任务的组织实施工作。抓好科技项目的申报立项。对2009年各单位申报的19个科技项目进行初选，提出10个项目立项评审，其中安排下达6个项目，补助资金120万元。向水利部申报13项科技项目，云南省水文水资源局、云南省水利水电科学研究院各有1个科技项目被列为水利部“948”项目，国家分别拨款150万元和25万元。抓好科技项目的管理、验收和成果登记工作。对11个水利科技项目执行情况进行检查，了解掌握项目的实施进度、资金使用、存在问题以及下步打算等方面情况，督促项目按计划稳步推进。受水利部委托，对省水科院承担的水利部科技项目《云南省农村饮水安全保障体系研究与示范》进行验收。抓好科技推广工作，重点支持先进科技推广运用项目。3月在楚雄召开水利部“948”项目“云南山区小康水利”建设与管理推广应用的培训会议，参观南华县山区小康水利试点示范情况。抓好科技成果报奖工作，在2009年召开的省科学技术奖颁奖大会上，省水利厅上报的由省水文局完成的两个项目成果分别荣获省政府科技进步二等奖和三等奖。玉溪市星云湖抚仙湖出流改道工程“冷冻法在云南省水利工程中的运用研究”正在积极申报科技成果奖。 （闵磊）

陕西省

【概况】 2009年，全省水利建设完成总投资53.98亿元，占年度任务50亿元的108.0%；新修基本农田5.0万hm^2，占年度任务4.7万hm^2的106.3%；发展节水灌溉面积5.8万hm^2，占年度任务5.4万hm^2的107.4%；解决了258万人的饮水安全问题，占年度任务200万人的129.0%；治理水土流失面积6644.0km^2，占年度任务5000km^2的132.9%；新增小水电装机容量6.9万kW，占年度任务2万kW的344%；完成水产品产量8.4万t，占年度任务8.3万t的101.2%。陕西省水利厅在全省年度目标责任考核中获得“优秀单位”荣誉称号。 （石国栋）

【水政】 完成了陕西省《水能资源使用权有偿出让实施办法》和《渔业船舶监督检验管理办法》的调研修改，出台了《水文资料使用管理办法》《地下取水工程建设管理办法》，完成了中央、省级20多项法律、法规、规章和规范性文件的起草修改工作。先后组织开展了河道管理执法、供水用水安全集中整治等专项执法活动，妥善处理了一批水事纠纷案件，依法清缴各类涉水规费220万元，挽回水利工程赔偿补偿1810万元，清除无证违章采砂126处，拆除违章建筑物95处，有力维护了水法规的权威性和严肃性。大力推进政务公开，将行政许可、水行政执法、依法公示等公开内容在省政府网站等媒体公布，广泛接受群众监督，认真履行监督职能，依法督办了宝鸡、延安两起市级申请行政复议事项，均按照法律程序进行了调解，并办理结案。全年未发生一起违法或不当执法行为，也未发生一起以省水利厅为被申请人或被告的行政复议案件。 （石国栋）

【水资源】 （1）水资源管理信息化进程全面加快。年初启动了“陕西省取用水户水量实时监测管理系统”一期工程，分别组建了省、市两级项目法人机构，落实责任，截至2009年底，省市中心站建设已基本到位，操作平台软件已通过测试，监测点已完成数据测报、上传、汇总和调试工作。完成了陕西省黄河流域行政区界地表水监测站点建设实施方案和重点城市地下水监测信息系统实施方案审查，并向省财政厅报送了项目计划。向水利部申报了《渭河流域水资源调度系统及平台建设》项目并通过审查，为渭河流域水资源调度信息化奠定了基础。

（2）严格取用水管理制度。认真开展取水许可和建设项目水资源论证工作，全年审批了文泾水电站工程等6项取水许可，并转报流域机构审批略阳电厂等项目取水许可，办结了23个重大建设项目水资源论证报告初审和转报工作。对黄河流域各市区及宝鸡峡等大中型取水工程下达年度总量计划和月、旬调度计划，实行非汛期水量实时调度，确保了渭河干流不断流。

（3）节水型社会建设试点取得新成效。按照统一部署，全国节水型社会的试点市宝鸡、延安均成立了节水型社会建设领导小组，市委、市政府召开了节水型社会建设工作会议，完成了《节水型社会建设规划》的编制和审查，节水型社会步入实质性建设阶段。榆林市通过深化体制改革、完善制度建设、稳步推进工业农业节水试点、全面落实各项节水措施，2009年10月通过了水利部中期评估，试点建设取得初步成效。 （石国栋）

【水利规划】 以《流域综合规划》编制为重点，按照水利部和流域委确定的工作进度要求，在完成陕西省黄河和长江流域现状情况调查基础上，配合流域委完成了流域综合规划编制及汇总工作。完成了鄂尔多斯能源基地陕西省水资源开发利用规划、古贤水库枢纽工程陕西省受水区规划、陕西省地下水资源保护与开发利用规划等一批重要规划和专业应急规划的编制工作，关中水资源配置网络建设规划已完成初步构架。加大对设区市《水资源开发利用规划》编制工作的指导、检查和督促力度，铜川、渭南、榆林等市的规划报告已经相关部门审批；延安、咸阳、宝鸡、西安、商洛等市的规划报告已通过省水利厅审查。根据陕西水利发展需要，编制完成了《大型病险闸坝除险加固规划》《陕西省重点地区中小河流近期治理规划》等专项规划；组织审查并上报了《陕西省小水电开发建设规划》《秦岭水资源保护与开发利用规划》。启动了“十二五”陕西省水利发展与改革规划编制工作，结合全省水利建设实际，编拟了“十二五”规划编制大纲，于12月21日召开了“十二五”规划编制工作布置会，对规划编制工作进行了全面部署和动员。 （石国栋）

【重点水利工程】 “引汉济渭”工程前期工作取得重大突破性进展，项目建议书于6月11日通过水利部审定并报国家发改委审查，11月上旬和12月中旬，国家发改委委托中咨公司先后对项目建议书进行了第一阶段评估和复审，建议国家立项建设，项目前期准备和试验段工程建设有力推进，施工道路、供电、通讯等“四通一平”和秦岭隧洞1号、2号、3号、6号支洞全面开工，全年完成投资4.77亿元，主体工程具备了正式开工的条件。“引红济石”调水工程建设进度不断加快，全年完成投资1.36亿元，隧洞掘进6.1km，分别为年度目标的101%和102%，全长19.8km的主隧洞总进尺达到12.56km。西安李家河、榆林王圪堵、延安南沟门、咸阳亭口四大水库枢纽和定边扬黄供水续建工程全部通过国家立项审批，并正式开工建设。铜川龙潭、子长红石峁、延长安沟水库、安塞县城水源工程等一批服务区域经济社会发展的供水项目前期工作取得了阶段性成果。（石国栋）

【防汛抗旱】 1. 防汛 2009年，陕西省降雨时空分布不均，汛情总体平稳，洪涝灾害损失较严重，主要呈现三个特点：①降雨总量正常偏多，局地暴雨频繁。汛期全省出现大范围降水过程19次，发生短历时暴雨68站次（其中丹凤县留仙坪雨量站8月16日14—15时暴雨量63mm），日雨量大于50mm暴雨日334站日，大于100mm暴雨日7站日，最大日雨量为洛南县巡检站7月21日的146mm。汛期降水量分布为陕北地区250～500mm，关中地区300～750mm，陕南500～900mm，汉中市南部局地超过1000mm。点最大降水量为南郑县碑坝雨量站1123mm。②主要江河水情平稳，径流量普遍偏枯。受降雨影响，汛期省内共有54条河流73站出现洪峰485次，其中11条河流11站出现超警戒流量洪峰12次，1条河流1站出现超保证流量洪峰。主要江河未出现大的洪水过程，大部分超警戒流量出现在中小河流。黄河潼关站$2390m^3/s$、渭河临潼站$1240m^3/s$、汉江白河站$5250m^3/s$、嘉陵江略阳站$2360m^3/s$洪峰为汛期最大流量。主要江河径流量与多年均值相比普遍偏枯。③局地山洪时有发生，灾害损失较大。全省共有42个县区、353个乡镇、67.65万人受灾，倒塌房屋3141间，因灾死亡11人，紧急转移34672人。损坏小型水库3座、堤防112.92km，堤防决口71处、2.91km，损坏护岸22处、水闸1座、水文测站7个、机电井13眼、机电泵站7座、水电站1座、灌溉设施457处，冲毁塘坝20座。洪灾直接经济损失6.6亿元。

省政府与各市（区）政府签订了防汛抗旱目标责任书，继续实行省级领导分片联系防汛工作制度，重新调整了省防总成员单位及组成人员，落实重要江河、水库、城市防汛责任人114名，并在《陕西日报》进行了公示，督促各级落实防汛行政责任人6277名，落实技术责任人2905名，确保了防汛责任制的全面落实到位。全年落实防洪建设与修复资金3.46亿元，全面完成了新增投资渭河防洪治理33个单项工程，新修加固渭河干支流堤防39km，修复渭河堤顶路面25.6km。精心组织实施渭河近堤绿化林带工程，栽植苗木387万株，绿化林带524km。防洪工程水毁修复任务全面完成，修复加固堤防1005km，疏浚河道407km，分别为年度目标的101%和136%。汛前组成9个检查组，对11个市区进行了防汛安全大检查，全省共下发限期整改通知书701份，消除度汛隐患1104处。在抗御陕南等地短历时暴雨灾害中，各级防汛指挥机构快速传递雨水情，加强会商分析，科学指挥调度，紧急转移2.9万余人，解救洪水围困群众882人，避免伤亡1185人，全省实现了安全度汛目标。

2. 抗旱 2009年，陕西省共发生两次较为明显的阶段性干旱，旱情旱灾程度偏重。从2008年11月上旬至2009年2月下旬，陕西省发生了持续时间长、波及范围广的30年不遇严重旱情，冬春连旱共计97天，夏旱自6月上旬至8月下旬共计91天。旱情的主要特点：①冬春旱主要发生在冬麦区，受旱时间长，影响范围大。旱期90多天内，全省大部分地区降水与常年同比偏少8成以上，主要江河径流普遍偏枯3～8成。全省农作物受旱面积最重时达83.9万hm^2，其中，重旱26.8万hm^2，干枯0.4万hm^2，春耕白地缺墒面积39.9万hm^2。作物受旱面积占在田作物面积的59%，占耕地面积的35.2%。有19.17万农村人口和12.42万头大牲畜出现临时饮水困难。②夏伏旱发生在作物生长关键期，受旱范围较小，区域集中。进入6月份，陕北、关中大部分地区旱象抬头并日趋加重，7月上旬夏伏旱严重时，全省作物受旱面积55.6万hm^2，其中严重干旱0.7万hm^2。干旱导致全省4.12万农村人口、4.1万头大牲畜饮水发生临时困难。旱情发生前期以陕北、关中为主，后期以关中中东部为主。③抗旱应急水源贫乏不足。抗春旱期间，由于河流来水长时间偏枯，全省水利工程蓄水总量较往年同期偏少15%，有49座小型水库干涸，有近6000眼机电井因地下水位下降出水不足或吊空。入夏后受高温少雨影响，江河径流量与往年同期比偏枯3～9成，关中中东部地区抗旱保苗用水一度出现紧张局面，延安市延川县城由于城市供水水源严重不足，致使县城4万人生活用水受到影响。④旱灾损失重。全省农作物累计受旱面积147.9万hm^2，因旱少种面积5.1万hm^2，成灾面积43.8万hm^2，绝收面积5.1万hm^2。全省累计有114.8万人、37.3万头大牲畜发生饮水临时困难或受到影响。全年旱灾造成粮食作物减收100.9万t，造成经济作物损失14.0亿元。另有6.9万hm^2林木受旱，水产养殖因旱减产714.5t、经济损失892万元，因旱减少水力发电量589万kW·h。

面对30年一遇的冬春连旱和夏伏旱情发展，省防总先后6次发出通知及时安排部署，果断启动全省Ⅲ级、Ⅱ级抗旱应急预案，10次派出工作组到受旱地区检查指导，紧急筹措下达6100万元资金支持各地开展抗旱工作，请调5000余名解放军、武警官兵和民兵预备役人员为旱区群众应急送水，发动各方力量投入抗旱减灾。高峰期全省日投入抗旱人数407万人，开动机电井8.6万眼、泵站2000多处，投入机动抗旱设备2.35万台（套），全年灌溉农田170.4万hm^2，解决了4万农村人口的临时饮水困难，挽回粮食损失180万t，挽回经济作物损失15亿元，最大限度减轻了旱灾损失，为全省粮食生产连年丰收提供了

有力保障。（石国栋）

【农田水利】 全面加快13个大型灌区续建配套与节水改造步伐，启动了4大灌区9座泵站更新改造项目，完成年度投资3.7亿元，为年度目标任务的185%，在水利部综合评比中名列前茅。建成了2008年度的12个中央财政小型水利工程专项补助资金高效节水灌溉项目，启动实施了2009年度5个节水增效示范项目，全年发展节水灌溉面积5.8万hm^2，占年度任务的107.4%。编制了12个大型灌区续建配套与节水改造项目可研报告，完成了8个大型灌排泵站更新改造项目前期工作，为大型灌区可持续发展奠定了坚实基础。精心实施《全省小型农田水利基本建设规划》，及时下达了省级1亿元农田水利基本建设补助资金，提高了单亩补助标准，有效调动了各地大搞农田水利基本建设的积极性。启动了年度投资4.7亿元的中央财政小型农田水利15个重点县和总投资92.8亿元、年度投资7.3亿元的退耕还林口粮田项目建设。先后在蓝田、镇巴组织召开了全省夏季和冬春农田水利基本建设现场会议，各地精心组织，扎实部署，广泛发动群众投工投劳，全年新修改造基本农田5.0万hm^2，新建修复机井1811眼、抽水站142处，新增提、引、蓄水能力3770万m^3，分别占年度目标的106%、129%、142%和126%，农田水利建设各项目标任务全面超额完成。（石国栋）

【水土保持】 丹江口库区及上游水土保持工程建设稳步推进，省水利厅在汉阴县召开陕南国家扩大内需水保项目建设动员会，对160条小流域初步设计进行了技术审查，全面加快17个县77个项目区304条小流域治理进度，全面完成了年度建设任务，国家南水北调办、国家发改委委托评估组对陕西省克服困难采取超常措施完成建设任务的做法给予充分肯定。依靠自然修复与人工治理相结合，精心实施黄河水保生态、长治、渭河流域水土保持、黄土高原淤地坝建设等项目，全年完成水保投资12亿元，治理水土流失6644km^2、实施小流域综合治理265条、新建加固淤地坝1026座，分别为年度目标任务的102%、133%和137%。进一步加强水保预防监督执法工作，加大开发建设项目水土保持方案审批、方案实施监督检查、竣工验收等工作力度，较好地促进了水土保持“三同时”制度的落实，市级以上立项的生产建设项目方案审批率从原来的85%提高到95%，水土保持设施验收率从原来的30%提高到50%。按照省政府颁布的《陕西省煤炭石油天然气资源开采水土流失补偿费征收使用管理办法》，会同财政、物价、地税等部门联合制定下发了实施细则，积极启动开征工作，对统筹资源开发和生态建设起到了积极作用。

（石国栋）

【城乡供水】 坚持把农村饮水安全作为水利工作的重中之重来抓，在延安市召开了农村饮水工程陕北片推进会，对延安、榆林两市板块推进工作做了重点安排部署。组织各成员单位，抽调专家和技术人员，分成5组对农村饮水项目开展联合现场检查，对发现的问题督促限期整改。12月，对农村饮水安全工作开展了“回头望”，通过自查自纠，进一步提升全省农村饮水安全总体质量。加强岐山、淳化、志丹、印台4个国家级示范县和阎良、麟游、杨凌3个省级示范县建设，以点带面，整县整乡推进农村饮水工程建设。全年完成投资13.7亿元，建成各类工程4000多处，解决了258万人的饮水不安全问题，建成县级饮水安全水质监测中心52处，四项考核指标分别占到年度目标的171%、160%、129%和104%，其中，最为干旱缺水的延安市率先实现解决全市农村饮水安全问题。修订完善了县城供水应急预案，妥善处置了旬阳县城老龙沟隧洞引水工程因山体滑坡坍塌致使县城断水和延川县城因持续干旱发生“水荒”等临时供水困难，在最短时间内保证了县城居民应急用水需要。日元贷款13个子项目主体工程全部建成通水，年度完成投资2.0亿元，占目标任务的125%。

（石国栋）

【水库移民后期扶持】 全面落实了全省79万库区移民的后期扶持资金和项目实施计划，配合财政部门及时发放兑现直补资金3.6亿元，积极启动实施了523个后期扶持项目，使广大移民群众切实享受到了后期扶持的政策实惠。先后审批了各市区《大中型水库库区和移民安置区基础设施建设和经济发展规划》，并通过省发改委审定。对各地小型水库进行了认真核查，基本摸清了全省小型水库现状情况。对《陕西省小型水库移民后期扶助工作实施方案》进行了进一步的修改完善，并通过省政府2009年第12次常务会议审议。加强新建、在建水库移民安置工作，先后对引汉济渭工程黄金峡、三河口水库及白土岭水电站等移民安置规划大纲进行了审查，对城固马家沟水库、旬阳桂花水电站等移民安置工作进行了验收，促进了库区和移民安置区稳定和谐发展。（石国栋）

【地方水电】 扎实开展了全省农村水电站建设清查整顿工作，对在建和已建电站存在建设手续不完备、建设质量有安全隐患的电站进行清理检查和整改。规范水电前期工作程序，强化水电项目开工及施工过程监管，遏制了无序开发现象的发生。编制了《陕西省2011—2020年水电新农村电气化建设规划》并报水利部审查，《陕西省小水电开发利用规划报告（送审稿）》报陕西省政府审批。按照全省“十一五”电气化县建设实施方案，对相关项目建设进行检查指导，16个电气化县全面完成了年度建设任务，部分项目县已提前实现了“十一五”建设目标，全年新增小水电装机容量6.87万kW，为年度目标任务的344%。石泉县梧桐寺小水电代燃料项目通过市级初验并报省级验收，户县东流水小水电代燃料项目按计划完成了目标任务。（石国栋）

【水利科技】 编制了2009年陕西水利科技项目申报指南，共申报各类水利科技项目63项，在此基础上编制了2009年度水利科技计划。组织申报了水利部“948”计划项目1项、水利部公益性行业科研专项经费项目3项、陕西省重大科技创新专项资金项目1项、陕西省科技厅计划项目5项，为进一步加强水利科技计划管理奠定了基础。开展了提高大型灌区水资源利用效益，促进社会主义新农村建设的试验与示范项目、渭河下游一维洪水演进数学模型研究、大棚微灌技术推广研究、南水北调中线工程陕西水源区水土保持生态补偿研究、陕西黄河湿地生态环境与渔业高效技术研究、通用型智能水量计量仪的研究等项目的研究，促进了水利科技的转化与应用，取得了良好的社会效益和经济效益。（石国栋）

【多种经营】 全省完成水利经济总收入23.5亿元，全面完成了年度目标任务。针对水利建筑施工企业发展现状，对陕西省水利厅下属企业进行专题调研，找准了存在的问题，对水利经济发展好的经验做法进行交流推广。加强安全生产和稳定工作，指导协助省地下水管理监测局制管厂稳妥推进改制，协调解决原沙棘厂遗留问题。成立了全省水利风景区领导小组，印发了《水利风景区评价标准》和《水利风景区管理办法》，组织召开了全省水利风景区建设与管理工作座谈会，举办了水利风景区建设与管理工作培训班，龙驹寨和嘉陵江源头两个省级水利风景区申报为国家级水利风景区，汉城湖和雍城湖景区申报为省级水利风景区。为沙棘生产企业提供技术指导和咨询服务，完成了《沙棘》杂志出版发行和年审工作。（石国栋）

【渔业生产】 认真实施陕西省政府《七大工程促进农民增收规划纲要》，制定了陕西省水利厅《关于贯彻落实〈七大工程促进农民增收规划纲要〉实施意见》，多渠道争取发展资金，新储备水产良种工程、水生野生动物保护区建设等10个项目上报农业部项目库，洛南大鲵自然保护区等3个建设项目经农业部批准立项，汉台区黄颡鱼等3个良种工程项目进入农业部2010年项目储备，加强在建渔业项目建设管理，全年落实各类渔业资金2409.2万元，其中，中央级资金1278.7万元，省级资金1130.5万元，渔业基础设施建设步伐明显加快。加强水产品质量监管，深入推进落实水产品市场准入制度，制订了《2009年水产品质量安全专项行动实施方案》，认真开展水产苗种专项整治督查，依法进行水产品市场质量监督和抽检，检疫鱼苗21批次4亿余尾，完成省部级水产品质量市场抽检9批次，累计抽取水产品样品297个，确保了全省水产品质量安全，农业部抽检陕西省市场水产品质量合格率达到100%。积极推进无公害水产品生产基地认定和产品认证工作，扩大无公害水产品认证规模，完成无公害水产品产地认定60个，120个水产品通过农业部无公害认证，全省无公害健康水产养殖得到快速发展。加强水生野生动物资源保护与管理，陇县秦岭细鳞鲑自然保护区经国务院批准晋升为国家级，农业部批准凤县嘉陵江源头等2个国家级水生生物种质资源保护区，对2009年度渔业水域生态环境和病害疫情进行了新闻公报发布。认真开展水生生物资源养护和增殖放流活动，投入580万元增殖放流经济鱼类1.6亿尾，其中增殖放流大鲵5400尾。全省渔业经济继续保持了稳定健康持续的发展态势，全年完成水产品产量达8.4万t，渔业经济总产值13.95亿元，分别占年度目标的101%和107%。（石国栋）

甘 肃 省

【概况】 2009年，全省新增灌溉面积1.71万hm^2，发展节水灌溉面积5.92万hm^2，治理水土流失面积2096km^2，新修梯田7.93万hm^2，新增农村中小水电装机45.6万kW，其中农村小水电装机27.9万kW。解决了153万农村人口的安全饮水。全省水利建设总投资49.62亿元，其中，中央补助资金31.53亿元，省级配套和其他用于水利建设的资金12.13亿元。（赵继宗）

【水政】 （1）水法宣传。围绕《取水许可与水资源费征收管理条例》《中华人民共和国水文条例》组织了大规模的宣传和贯彻工作，在“世界水日”“中国水周”期间，围绕“共享的水、共享的机遇”宣传主题，组织开展了全省水法宣传教育活动。

（2）水利法制建设。完成了《甘肃省取水许可和水资源费征收管理办法》的调研论证工作，已报送省政府法制办审议，调研起草了《甘肃省石羊河流域地下水资源管理办法》和《甘肃省讨赖河流域水资源管理条例》，已形成初稿。

（3）水务管理体制改革。围绕改革体制、创新机制、健全法制和强化各级水行政主管部门对水资源统一管理职能的目标，指导金昌市、宕昌县、徽县完成了水务局组建工作。截至2009年底，全省有9个市（州）、58个县（市、区）成立了水务局。（赵继宗）

【水资源】 (1) 全面完成水调工作。一是组织实施了5次“全线闭口、集中下泄”和2次“限制引水下泄”黑河水量调度措施，累计下泄水量11.98亿m^3，做到了灌溉调水两不误。实施黑河水调10年来，已累计向下游输水100.07亿m^3，占10年黑河干流来水总量174.66亿m^3的57.3%。二是按照黄河水量调度预案，认真落实各项调水指标，做好逐月调度，对洮河、渭河、大通河用水情况开展了统计分析和核查工作，较好地完成了黄河及重要支流的水调任务。

(2) 水资源费征收管理工作。2009年共征收水资源费4100多万元。加强水资源费使用情况的监督检查，对酒泉、嘉峪关两市水资源费使用情况进行了现场督查。会同省物价局、财政厅调整了石油生产用水水资源费征收标准，石油生产用水地下水由0.15元/m^3提高到0.40元/m^3，地表水由0.10元/m^3提高到0.25元/m^3，自2009年1月1日起执行。依据水利部、财政部、国家发改委的通知要求，从2009年9月开始向省内的中央发电企业依法征收水资源费。

(3) 加强取水许可管理工作。在完成全省换发新版取水许可证工作任务的基础上，启动了取水许可资料整编和信息系统建设工作，完成了基础资料的汇总、核查和输录工作。对18个新建、改建、扩建取水项目组织开展了现场查勘和水资源论证，批复取水许可申请书8份，为张掖电厂二期等一批重大项目创造了立项条件，石羊河、黑河以及黄河流域内的工业项目普遍推行了水权转让方式。

(4) 积极推进节水型社会建设试点工作。①加大了对43个省级试点县工作的指导和投入力度，各试点县普遍因地制宜地开展了水价改革、计量设施安装、示范区建设、用水者协会组建等工作。②指导张掖市将节水型社会建设纳入常态管理，巩固试点期间所取得的成效，开展了节水型企业、校园和社区创建活动。③组织审查了《武威市节水型社会建设规划》，会同敦煌市、武威市认真落实试点方案确定的年度建设任务，重点开展了地下水监测、用水总量控制指标、取水计量和关井压水等工作。④指导张掖市、敦煌市完成了《试点期后西北地区节水型社会建设实践模式研究报告——以张掖为例》《敦煌市月牙泉地下水调查评价研究》两个节水型社会建设专题项目，通过水利部验收。⑤配合水利部、黄委会对敦煌市节水型社会建设试点进行了中期评估，水利部对敦煌市节水型社会建设给予较高评价。⑥对《河西地区节水型社会建设规划》《河西地区主要河流初始水权分配方案》作进一步修改和完善。

(5) 水资源管理基础工作不断加强。编发了《水资源公报》《水质简报》《重要城市水源地质量旬报》《地下水通报》和《水情信息》。完成了《甘肃省地下水超采区和禁采区划定成果》和《黄河流域取水许可总量控制指标细化方案》，并上报省政府。按照全省节能减排工作总体部署和责任分工，认真落实《水功能区划》管理规定，按照核准公布的全省第一批重要水源地名录，开展了重要水源地保护工作。会同省环保局启动了入河排污口调查及纳污能力核定和限排方案制定工作，调研制定了重大水污染事件预警预案及应急管理制度。

(赵继宗)

【水利规划】 ①编制完成了《敦煌水资源合理利用与生态保护综合规划》《敦煌周边水系地表地下水转换规律专题研究》《苏干湖水系循环与水量平衡调查研究》《敦煌重点目标生态建设与环境保护规划》《敦煌市党河灌区节水改造工程规划》《疏勒河干流灌区节水潜力及可下泄水量研究》，经多次修改后通过了水利部的审查，水利部正在与国家发展改革委协商联合上报国务院审批事宜；②完成了全省中小河流治理规划和近期建设规划，与流域机构和水利部进行了衔接汇总；③开展了甘肃省黄河流域（片）水资源综合规划和长江流域水资源综合规划编制工作，向流域机构提交了甘肃省黄河、长江流域综合规划和9个支流流域综合规划初步成果；④开展了岸线利用与管理、地下水利用与保护、河西节水型建设、第四批病险水库除险加固、全省抗旱等专项规划编制工作；⑤甘肃省水利发展“十二五”规划编制工作全面启动；⑥完成了引洮供水二期工程项目区水利工程现状、社会经济状况、土地资源普查及初步规划方案，完成总干渠、干渠工程的野外定线工作，勘察内业资料整理及建筑物设计工作有序进行。

(赵继宗)

【基本建设】 (1) 石羊河流域重点治理。全年累计改建干支渠337km，配套节水灌溉面积3.87万hm^2，关闭机井660眼，压减农田灌溉面积1.07万hm^2，西营专用输水渠主体工程建成，民勤蔡旗断面总过水量达1.74亿m^3，石羊河下游民勤盆地局地生态环境有了明显恢复和改善。

(2) 引洮供水一期工程。引洮供水一期工程完成隧洞掘进及一次支护19km，隧洞混凝土衬砌17km，暗渠钢筋混凝土浇筑5.8km，总干渠18座隧洞有9座贯通，占总干渠隧洞长度的53.3%。引洮供水一期配套工程建设全面启动，一干、二干2条干渠，总干一支、三到十支、一干一支等10条支渠，陇西城市供水管线，安定、陇通农村供水管线已开工建设。配套工程建设全面启动，干支渠和城乡供水工程开工建设。农村人饮调蓄水池及田间配套工程正在进行开工前的准备工作。

(3) 疏勒河农业综合开发项目。疏勒河农业综合开发项目中期调整建设目标基本实现，工程扫尾和竣工验收抓紧进行。双塔灌区续建配套与节水改造项目全面完成。解决了5.5万移民的饮水安全问题。多方筹集资金，完成骨干工程标准化建设 80 余 km，建设末级渠系 100 余 km，提高了灌溉水利用效率。流域“一基地、一站”建设工作全面完成，为水利高科技成果在流域转换搭建了平台。

（4）东乡南阳渠灌溉工程。东乡南阳渠灌溉工程全面移交临夏州管理，田间配套步伐加快，工程效益全面发挥。

（5）引大入秦工程。《引大入秦工程供水结构调整方案》经水利部审查后已获国家发改委批复。尖山庙调蓄水库建成并全面投入运行，引大工程白银城市供水项目武川水库主体工程已建成，供水项目黑武分干渠改扩建工程开工建设，皋兰县农村饮水安全项目三和水库建成运营，永登县城市居民生产生活供水项目翻山岭水库开工兴建，中川自来水厂和纯净水厂投产运营，供水结构调整项目建设取得重大进展。

（6）病险水库除险加固工程。截至 2009 年底，纳入全国规划的 131 座病险水库的投资计划已全部下达，有 97 座完成了除险加固任务，其余水库正在抓紧建设。经除险加固，一批险情突出、隐患严重的病险水库得到有效治理，共恢复有效库容 1.64 亿 m^3，水库灌溉、发电、供水等综合效益得到有效发挥。

（7）大中型灌区续建配套与节水改造项目。2009 年，全面完成了 2008 年列项实施的 13 处大型灌区续建配套与节水改造项目建设，共改建渠道 178km，建筑物 450 座，新增年节水能力 1500 万 m^3。2009 年列项的 10 处大型灌区当年全部开工建设，完成了建设任务的 75%。农业综合开发中型灌区节水配套改造项目进展顺利，马营河、榆林河灌区建设任务全面完成，刘川灌区完成年度任务，2009 年度列项的古浪河、白石 2 处中型灌区加快实施。

（8）大型泵站更新改造项目。2009 年，国家安排甘肃省大型泵站更新改造资金 1.375 亿元，其中，国家投资 1.1 亿元，地方配套 0.275 亿元，先期对兰州市三角城电力提灌、西岔电力提灌，白银市工农渠电力提灌，庆阳市巴家咀电力提灌等 4 处大型泵站实施更新改造，截至 2009 年底已完成建设任务的 60%。

（9）农牧区节水示范与 1 万～5 万亩灌区节水改造项目。组织实施了 2008 年度国家安排的 8 个农牧区节水灌溉示范项目，已全部建成受益，发展节水灌溉面积 10000hm²。2009 年度安排的 5 个农区、6 个牧区节水灌溉示范项目已全面实施，截至 2009 年底已完成工程量的 50%。安排靖远县复兴渠等 9 处 1 万～5 万亩灌区续建配套与节水改造项目已全部开工建设。

（10）中央财政小型农田水利项目。2009 年，全面完成了 2008 年度列项建设的 28 项中央财政小型农田水利项目，建成水源工程 46 处，改造泵站 3 座，衬砌各级渠道 123km，绝大部分项目已建成受益。安排了 11 个小型农田水利重点县、11 个中央财政小型农田水利专项工程实施县，落实中央财政小型农田水利补助费 11700 万元，省财政安排配套资金 2020 万元，市县财政整合配套资金 2330 万元，群众集资和投工投劳折资 4996 万元，项目全面实施。（赵继宗）

【防汛抗旱】 2009 年，甘肃省降水时空分布极为不均，发生了严重的冬春、夏伏干旱，给农业生产、群众生活造成了严重影响。据统计，干旱高峰期全省作物受旱面积 179 万 hm²，因旱有 41.5 万人饮水严重困难。入汛以来，全省共发生局地暴洪灾害 70 次，共有 44 个县（区）、364 个乡镇 143.5 万人程度不同受灾，农作物受灾 11 万 hm²，损坏堤防 205km、灌溉设施 579 处。

全省各级水利部门牢固树立”抗大旱、防大汛、减大灾“的思想，全力开展了抗旱防汛减灾工作，实现了大旱之年不减产、群众饮水有保障的抗旱目标和水库不垮坝、重要城市不进水、重点堤防不决口的安全度汛目标。为有效应对干旱，各级水利部门把解决群众饮水困难和农田灌溉作为抗旱工作重中之重，启动了二级抗旱应急响应，全力落实各项抗旱减灾措施。全省新建各类小型水源工程 2600 多处，维修清淤干支渠道 6100km，检修机电设备 5900 多台（套）、抗旱水利设施 2480 处，累计完成灌溉面积 279.6 万 hm²，解决了 120 万人、80 万头牲畜的饮水困难，最大限度地减轻了旱灾造成的损失。汛期，各级水利部门以水库水电站、河道险段、城市防洪、山洪防御为重点，认真组织开展了汛前大检查。严格落实防汛行政首长负责制，切实加强水库防洪调度管理。全省累计疏散转移受灾群众超过 2.1 万人（次），解救洪水围困群众 2061 人，避免可能造成群伤群死等重大山洪灾害 25 起，最大限度地保障了群众生命财产安全。

（赵继宗）

【农田水利】 2009 年，全省农田水利基本建设投入工日 4100 万个，出动机械 102 万台班，完成土石方 13000 万 m^3，新增灌溉面积 1.73 万 hm²，改善灌溉面积 6700hm²，全省各渠道用于秋冬农田水利建设的资金达 19 亿元。（赵继宗）

【水土保持】 2009 年，全省完成水土流失治理面积 2096km²，其中新修梯田 7.93 万 hm²，造林、种草、封禁治理和其他措施 13.03 万 hm²，建成各类淤地坝 120 座、各类小型水土保持拦蓄工程 4537 座（处、道）。

（1）500 万亩梯田建设工程顺利启动。编制了《甘肃省 500 万亩梯田建设工程规划》和《梯田建设技术手册》，制定了《甘肃省 500 万亩梯田建设验收试行办法》和《2009 年全省梯田建设实施方案》。9 月 22 日，甘肃省政府专题召开全省梯田建设工作电视电话会议，对梯田建设工作进行了全面安排部署。整合发改委、扶贫开发办、国土资源厅、农业综合开发办、水利厅等部门资金 4.32 亿元，在中东部 8 个市（州）、38 个县（区）新修梯田 7.93 万 hm^2，梯田建设规模、实施进度、工程质量有了新的突破。

（2）综合治理工程稳步推进。2009 年，甘肃省组织实施了国家水土保持重点建设工程、天水市耤河示范区（二期）、刘家峡库区水土保持综合治理一期工程、蒲河流域庆阳示范区、葫芦河流域平凉项目区、庆阳市砚瓦川示范区和 2008 年第四季度新增中央预算内水土保持项目。各项目区把治理水土流失与发展地方特色产业、改善区域生态环境有机结合，示范效应逐步显现，辐射带动面不断扩大。

（3）水土保持监督执法进一步强化。2009 年，全省共审批各类生产建设项目水土保持方案报告书（表）647 个，其中，省级 35 个，市（州）级 85 个，县（区）级 527 个。核定生产建设单位防治水土流失面积 1294hm^2，投入治理资金 7.1 亿元，治理弃土、弃渣 7332 万 m^3，验收水土保持设施 391 个，征收水土流失危害补偿费 5774 万元。在加强水土保持规费征收工作的同时，积极探索建立适合省情的水土保持补偿机制，在深入调查研究的基础上，制定了《甘肃省煤炭石油水电资源开发水土流失补偿费征收使用管理办法（征求意见稿）》，使水土保持生态补偿工作迈出了实质性步伐。（赵继宗）

【城乡供水】 2009 年，甘肃省建成集中供水工程 523 处，雨水集蓄利用工程 3787 处，小电井 2451 处，解决了 153 万农村人口的饮水安全问题，全省农村自来水普及率达到了 48%。（赵继宗）

【地方水电】 2009 年，甘肃省新建成中小水电站 41 座，总装机容量 45.6 万 kW，其中小型水电站 39 座，装机容量 27.9 万 kW。截至 2009 年底，全省累计建成中小水电站 713 座，总装机容量 237.9 万 kW，其中小型水电站 712 座，总装机容量 155.3 万 kW，实现发电 61.33 亿 kW·h。2009 年底在建中小水电站 128 座，总装机容量 146.07 万 kW，其中小型水电站 115 座，总装机容量 51.14 万 kW。（赵继宗）

【工程管理】 （1）灌溉管理。切实加强水利工程调度运行管理，2009 年甘肃省完成春灌 34.3 万 hm^2，夏灌 101.2 万 hm^2，秋灌 54.2 万 hm^2，冬灌 89.85 万 hm^2，最大限度地减轻了旱灾对农业生产造成的损失。

（2）灌区改革。①全省水管体制改革任务基本完成。2009 年，甘肃省水管体制改革省级验收工作全部结束。通过改革，全省 371 个水管单位调整为 359 个，其中，定性为纯公益类事业单位 47 个，准公益类事业单位 303 个，企业性质单位 9 个。全省共落实公益性人员经费 13850.3 万元，落实率达 68.5%；落实工程维修养护经费 4474.1 万元，落实率达 36.2%，全省公益性经费增加 16423.3 万元。2009 年全省水管单位现有在岗职工 18292 人，其中公益性人员 7740 人，比改革前减少 972 人。全省共分流人员 1047 人，在水利部门内部进行了妥善安置。全省水管单位应参保人员 13659 人，已参保 11541 人，参保率由改革前的 59%提高到 84.5%，解除了水管职工的后顾之忧。在水管体制改革中，各水管单位加大内部管理机制改革，积极推行全员聘用制、竞争上岗等，建立了形式多样的考核制度和分配制度，有效调动了职工的积极性。甘肃省水利工程管理和维修养护已逐步纳入公共财政框架，初步建立起了定性准确、权责明晰的水利工程管理体制和管理科学、经营规范、精干效能的水管单位运行机制，水管单位逐步走向良性运行轨道。②水价改革稳步推进。2009 年，全省水利工程供水平均水价比 2008 年提高 0.011 元/m^3，达到 0.103 元/m^3，其中农业灌溉平均水价为 0.098 元/m^3。全省万亩以上灌区平均水价为 0.110 元/m^3，其中农业灌溉水价为 0.104 元/m^3，工业平均水价为 0.53 元/m^3，城镇生活供水平均水价 0.63 元/m^3，农村生活供水平均水价 0.44 元/m^3。2009 年全省水利工程水费收入 5.94 亿元，比 2008 年增加 0.48 亿元，全省水费实收率平均为 90%。（赵继宗）

【科技与教育】 （1）科技。全年共评出甘肃省水利科技进步奖 19 项。组织省科技进步奖的申报，共推荐 11 项水利科研成果参加 2009 年全省科技进步奖评审，其中 1 项获一等奖、2 项获二等奖、1 项获三等奖。组织开展了 2009 年全省水利科研项目的申报，43 项水利科研项目通过评审立项。编制下达 2009 年全省水利科研项目计划 60 项。

（2）外事。受科技部委托，与联合国环境规划署合作举办了首届“非洲国家雨水集蓄利用技术培训班”，对撒哈拉以南非洲 7 个国家的 20 余名学员进行了技术培训；受商务部委托，举办了“发展中国家雨水集蓄利用技术培训班”，来自 24 个国家的 44 名学员参加了培训。积极开展水利外援项目，与澳大利亚国际发展署开展了“中澳生态与环境发展计划”框架下西北内陆河流域综合管理子项目的前期工作。2009 年，共组织 3 批水利管理人员和专业技术人员 25 人次，赴日本、南非、英国等国家学习考察。

（3）教育。2009 年，选派 15 名同志参加了省委党校、省行政学院、省直机关工委的任职和业务培训。组织水利厅机关全体公务员参加了依法行政、公务员法的学习培训。举办了全省可持续发展水利专题研究班，水利厅系统 95%以上的公务员、事业单位职员和专业技术人员按照省人事厅的要求完成了继续

教育培训。（赵继宗）

青 海 省

【概况】 2009年青海省全社会共投入水利建设资金30.8亿元，其中小水电投资（融资）9.2亿元，其他各类水利建设资金21.6亿元。这些资金的落实，使一些多年想干而没有能力干的项目得以实施，解决了一批水利基础设施建设和管理的历史欠账问题，为促进经济社会平稳较快发展提供了水利保障。（王绒艳）

【水资源】 水资源管理和水权制度建设迈出新步伐继续严格执行取水许可、水资源论证和有偿使用制度，认真落实总量控制和定额管理指标，加强跟踪监督，促进节约用水。进一步完善了《青海省黄河取水许可总量控制指标细化方案》，修订了《青海省用水额》，印发了《关于加强全省节水工作的指导意见》。启动了柴达木地区初始水权制度建设和格尔木市节水型社会建设试点，西宁市节水型社会建设试点通过水利部中期评估。实施了黑泉水库、贵德县岗拉湾等8个饮用水水源地保护项目建设。完成了全省水能资源调查评价工作，为合理开发水能资源提供了依据。水文和信息化建设不断推进，水资源、水环境监测预报水平和质量进一步提升。（王绒艳）

【重点工程】 （1）引大济湟调水总干渠工程。工程引水隧洞于2004年8月开工，进行人工钻爆施工，2006年10月TBM设备开始掘进主洞，截至2009年底进、出口主洞累计掘进10.2km。引水枢纽于2008年6月开工，目前已完成工程量的41%。累计完成投资8.23亿元。2009年完成1.2亿元。

（2）湟水北干渠扶贫灌溉一期工程。湟水北干渠扶贫灌溉一期工程顺利实现年度建设目标。自开工以来，累计完成投资6.7亿元，完成渠道总长61.03km（掘进隧洞40.64km，渠道14.79km，安装倒虹吸管5.6km）。其中当年掘进输水隧洞13.5km，开挖明渠6.5km，安装倒虹吸管2.27km，完成投资1.7亿元。

（3）病险水库除险加固。经过积极争取，截至2009年底，落实专项规划内病险水库除险加固工程资金5063万元，其中，中央预算内资金3413万元，省级配套1650万元，计划对17座病险水库进行除险加固处理。目前已基本完成12座，4座已完成主体工程，1座正在建设中。

（4）河道治理。格尔木河及湟水河互助、平安、乐都段治理工程进展顺利，已综合整治格尔木河、巴音河及湟水河互助、平安、乐都段河道24km。到2009年底已完成投资2156万元。

（5）西宁市盘道水库灌区一期工程。盘道水库灌区一期工程全面建设，明渠开挖全部完成，隧洞掘进6.6km，完成投资1.83亿元。

（6）水源工程建设。海南州恰让水库工程大坝处理等工作进展顺利，到2009年底已完成投资1385万元；扎毛水库工程抓紧三通一平征地、林木补偿等工作，已完成投资1600万元；下湾水库由海西州筹措资金3000万元已开工建设。（王绒艳）

【水利规划及前期工作】 （1）规划工作。①调水总干渠项目可研报告及相关附件全部编制完成。②青海省东部农村水资源综合利用亚行贷款项目（李家峡、公伯峡水库灌区工程）可研报告编制完成，前期技术援助工作稳步推进。③西宁市防洪及流域管理世行贷款项目获国家发展改革委员会和世行董事会批准，7月已开工建设。④湟水北干渠扶贫灌溉一期工程调概工作基本完成。⑤黄南州扎毛水库工程前期工作全部完成，已开工建设。还完成了柴达木循环经济试验区水资源综合规划、巴音河流域水资源综合利用规划、那棱格勒河流域综合规划、全省抗旱规划等9个专项规划。三江源地区和青海湖流域水资源综合规划编制工作正由黄委设计院抓紧推进。积极配合水利部、黄委、长委编制黄河、长江、澜沧江流域综合规划，协调流域机构支持青海省境内黄河龙羊峡以上河段、长江上游通天河河段、澜沧江上游河段水电梯级开发、防洪、水土保持项目纳入流域综合规划。

（2）前期工作。认真落实青海省水利厅与省国土厅签署的合作备忘录，支持做好黄河谷地百万亩土地整理项目的各项前期工作，并通过了国土资源部的审查。调水总干渠项目可研报告及其相关附件全部编制、审查完成，报国家发改委待批；东部农村水利综合利用李家峡、公伯峡灌溉项目通过亚行最终评估，拉西瓦、积石峡水库灌区可研工作基本完成；哇沿、马什格羊、夕昌等中型水库工程项目建议书通过黄委复核。完成了病险水库除险加固初步设计、大型灌区续建配套实施方案、农村饮水安全建设可研报告和初步设计、水土保持项目可研报告和初步设计及堤防项目的前期工作成果总投资250多亿元，共200余项，充实了项目库。（王绒艳）

【饮水安全】 2009年，积极争取国家和省级资金22791万元，其中中央投资18233万元，地方投资4558万元，安排项目60项，项目建成后，可解决22.6万人、70万头（只）牲畜的饮水安全问题，超额完成了青海省委省政府为民办实事的目标任务。

采取的主要措施：①加强组织领导。为贯彻落实中央扩大内需、促进经济政策，青海省水利厅及早准备、强化领导，并和各有关州县人民政府签订责任书，明确了任务和责任，确保了扩大内需饮水水安全项目建设顺利实施。②强化制度建设。为确保国家扩大内需农村饮水安全工程项目建设的顺利进行，青海省水利厅先后下发了《关于进一步加强2009年新增中央投资水利项目实施及管理工作的紧急通知》《关于切实加强2009年农村饮水安全工程新增中央投资项目建设管理的通知》《关于进一步加强扩大内需中央水利投资农村饮水安全项目建设管理的紧急通知》等。从项目立项、建设管理、资金管理、进度要求、报表制度、竣工验收、运行管理等全过程提出了规定和要求，从制度上保证了扩大内需水利项目有序规范进行。③认真督促落实。制订了“青海省农村牧区供水工程应急预案”范本。四是加大查处力度。针对中央扩大内需项目检查组对全省中央扩大内需政策落实及新增投资检查出的违纪问题，及时下发了批评通报，并再次强调了相关规定和要求。 （王绒艳）

【农田水利】 积极推进黄河谷地、海南和柴达木绿洲灌区续建配套与节水改造，投入灌区节水改造、小型水利建设资金23605万元，启动实施了小型农田水利重点县建设及特色农牧业高效节水灌溉示范项目，对70多项小型农田水利设施进行维修改造，改善灌溉面积0.53万hm^2。 （王绒艳）

【水土保持】 积极实施生态立省战略，大力开展淤地坝工程、水保生态工程、生态修复工程、黄河、长江源头水土保持预防保护工程、黑河源头生态环境建设保护工程和巩固退耕还林草成果基本口粮田建设等重点项目，全年投入水土保持生态建设资金12892万元，其中，国家专项资金9540万元，日本协力银行代款3352万元，治理水土流失面积136.61km^2。在具体工作中，结合青海省水土流失自然规律和社会经济发展规律，因时制宜地加大了水土保持预防保护力度，实施了黄土高原淤地坝坝系工程、黄河水保生态工程、水土保持生态修复工程、水土保持科技示范园建设、清洁型小流域试点等工程，进一步加强了水土保持监督执法工作，强化了水土保持监测，为综合治理工作提供了有利的支撑，全面推进了青海省水土保持生态建设工作，取得了显著成效。 （王绒艳）

【生态修复工程】 继续认真开展了长江、黄河源区水土保持生态保护工程二期建设项目年度修复建设任务。

1. 长江源区水土保持生态保护工程二期建设项目

（1）水土保持宣传工作。为了进一步提高长江源区广大干部群众水土保持法制意识和依法防治水土流失的自觉性，各州（市）、县人民政府、水务局在水保法颁布18周年纪念日、世界水日、中国水周、世界环境日和当地赛马会、物资交流会期间开展了形式多样、富有成效的水土保持宣传教育活动，在项目区设立水土保持宣传牌、门共29块（其中永久性大型宣传牌3块，大中型宣传牌24块，宣传门2座），散发宣传材料3000份。

（2）水土保持监督管理工作。加大对源区的预防监督管理力度，控制人为水土流失，全面落实“三权一案三同时”制度，结合全省2009年水土保持监督执法专项行动“回头看”活动，对源区内2008年专项行动中水土保持违法违规行为已下发限期整改通知书的各类开发建设单位进行了全面检查，特别是对影响较大的西格增建二线工程、青海玉树民用机场等违规等项目的整改工作引起了高度重视，并根据现场施工情况给予技术指导。

（3）生态修复示范工程。2009年下达长江源区水土保持生态保护工程二期项目资金1314万元（其中，中央资金904万元，地方配套410万元），按照下达的2009年度生态修复计划任务，在长江源区的玉树、称多、曲麻莱、治多、杂多、达日县和格尔木市完成生态修复围栏封育面积208km^2，完成封育管护面积5390km^2，在生态修复区设立标志（警示）碑118座。

（4）水土保持监测。建立监测网络，开展监测工作。2009年按要求，长江源区的玉树州、海西州、格尔木市、玉树、称多、曲麻莱、治多、杂多县都设立了监测点，对项目生态修复区植被种群变化、植被生长情况、植被覆盖度、产草量、水土流失等进行了观测，完成了年度监测报告。

2. 黄河源区水土保持生态保护工程二期建设项目

（1）加强水土保持宣传。2009年项目建设单位共印发水土保持宣传材料90000份、水土保持宣传画册400份、水土保持法规汇编500册，制作水土保持宣传展板37块，编发生态保护工程简报10期，在交通要道、乡镇人口密集区、生态修复示范区设立大型水土保持宣传牌23块、中型10块、小型3块，标志警示碑46个。

（2）水土保持监督执法。项目区各地以县为单位，利用2个月时间，对在建项目生成的水土流失情况、水土保持方案报批情况、水土保持方案落实情况进行了拉网式排查，对2007年以来黄河源区涉及水土保持的各类开发建设项目的数量、类型、项目分布情况进行了全面普查，针对检查中发现的问题提出了整改要求，并建立了专项档案随时进行跟踪调查。

（3）生态修复示范工程。2009年黄河源区预防保护二期项目拉动内需资金784万元，其中，国家投资444万元，地方配套340万元。完成工程围栏37km^2，封育管护面积2500km^2，完成计划任务的100%。

（4）水土保持监测。在2008年的基础上，为了进一步推进黄河源区生态修复示范区各水土保持监测点的工作任务，2009年，海南州、黄南州、果洛州及各项目实施县对辖区各生态修复区植被种群变化、植被生长情况、植被覆盖度、产草量、水土流失等进行了观测，完成了年度监测报告。（王绒艳）

【防汛抗旱】 2009年，青海省气候异常，水旱灾害交替发生，给工农牧业生产造成严重影响。受灾地区全力开展了防汛抗旱减灾工作，实现了农业不减产、群众饮水有保障的抗旱目标和水库不垮坝、重要城镇不进水、重点堤防不决口的安全度汛目标。全年投入防汛抗旱资金3900万元，及时修复应急度汛、抗旱应急水源和水毁工程388处，解决了2.67余万hm^2农田的应急灌溉和14万人、43万头（只）牲畜临时性饮水困难，最大限度地保障了人民群众生命财产安全。同时，积极开展春旱冬防，采取蓄、引、截等多种形式，广辟抗旱水源，完成水库蓄水近5亿m^3，农田冬灌7.27万hm^2，为东部农业区13个县配发“旱地龙”20t，药挤拌种应用面积1.33万hm^2，维护、检修农灌水利设施5000余项，储备抗旱设备1680余台套。（王绒艳）

【地方水电】 加快推进小水电农村电气化县和小水电代燃料生态保护工程建设，2009年通过社会融资9.2亿元小水电建设资金，建成了囊谦县白扎、称多县尕多等水电站，曲麻莱县、班玛县10kV输电线路建成运行，新增小水电装机10万kW，有效缓解了牧区群众用电紧张的矛盾。另外，还投资4432万元电气化县建设项目资金（其中国家投资2380万元），使得大通等10个电气化县和贵德等2个小水电代燃料生态保护工程稳步推进，其中曲麻莱输电线路和囊谦、称多、贵南县水电站已基本建成。（王绒艳）

【工程管理】 工程管理水平不断提升全省水管体制改革任务基本完成，人员经费基本落实，维修养护经费落实率为68.5%。通过开展水管体改“回头看”活动，督促各管理单位完善规章制度，落实责任体系，强化依法管水，推进目标管理。深入贯彻《青海省水利工程管理和保护条例》，积极开展全省万亩以上灌区、百万方以上水库工程管理考核达标活动，提高了工程运行管理水平。经综合考评，东大滩水库管理所等9个单位分别被评定为一级、二级管理单位。筹资100万元对5个基层水管站进行了维修改造。互助县北山森林公园被水利部命名为国家水利风景区。

工程建设管理得到加强年内制定出台了《水利工程质量监督管理规定》《水利工程建设程序管理办法》等6项制度，用制度促进水利建设市场监管方式的公开、透明。建成了青海省水利建设市场信用信息平台，加强了对水利建设市场主体信用和资质监管。深入开展质量、安全专项行动，严格执行“四项制度”，落实质量安全责任制，加大工程稽察和监督检查力度，全年未发生重特大质量安全事故。（王绒艳）

【水利改革】 水利各项改革逐步深入省厅政府机构改革顺利完成，进一步转变了职能，理顺了关系，强化了责任。组织完成了水管体制改革省级验收和总结评估工作，水利工程标准化、规范化管理活动深入开展。加快推进以农民用水户协会建设和管理为主的小型农村水利工程管理体制改革，乐都、湟中作为省级扩大试点县，已取得初步成果。积极探索建立水利投融资机制，重点在利用市场机制融资和利用国内外银行信贷资金开展水利建设方面深入推进。水利法治建设取得新成效，《青海省实施〈水文条例〉办法》《西宁市节约用水条例》颁布实施。启动了《青海省实施〈抗旱条例〉办法》《青海省实施〈水土保持法〉办法》（修订）等法律法规的前期论证调研工作。（王绒艳）

宁夏回族自治区

【概况】 2009年，全区水利投入20.4亿元，比2008年增加8.3亿元，其中：争取中央资金13.4亿元，是2008年的2.8倍、前三年平均数的3.2倍，市场融资2.4亿元；编制重点规划20余项，上报国家项目总投资达110亿元；全年引黄灌溉水量64.51亿m^3，比去年少引水3.09亿m^3；农村饮水安全工程超额完成任务，解决了38.8万最困难群众的饮水安全；列入专项规划内的54座病险水库基本建成；规划中的黄河标准化堤防工程超额完成；农田水利基本建设新增灌溉面积7060.6hm^2，改造中低产田4.27万hm^2，改善灌排条件面积13.33万hm^2；完成治理水土流失面积1020km^2。（张恭）

【水政】 （1）法规。以水法规建设为保障，出台了《黄河宁夏段水量调度管理办法》和《爱伊河管理办法》，制定了《宁夏水资源论证管理办法》，从源头上加强水资源管理。开展了《宁夏实施〈水文条例〉办法》和《水权转换管理办法》前期工作，编制印发了《水法规选编》。

（2）执法。开展了全区取水许可专项执法检查工作，对银川市、石嘴山市等市县取水情况进行了执法检查，对未落实取水许可制度、擅自取水和越权审批的单位，提出了整改意见。关闭了红城水地下水灌溉机井12眼，保护了有限的地下水资源。指导全区查处水事违法案件23起，挽回经济损失上百万元，依法处理行政复议案件2起，维护了《中华人民共和国水法》的尊严。配合黄委对宁蒙段入河排污口进行了专项执法检查，严格了入河排污口管理。举办了水政执法培训班，对100余名水行政执法人员进行了培训，提高了执法人员的业务水平和能力，做到以学促用，学用相长，确保水法规的贯彻实施。共受理行政审批事项184件，测评满意度为100%，已办结157件，提前办结率在85%以上。（张恭）

【水资源】 （1）水资源管理。以全面落实实行最严格的水资源管理制度为工作中心，首次组织召开了全区水资源工作会议，全面部署了水资源管理工作；以总量控制为核心，切实抓好水资源配置，适时制订了《宁夏黄河水资源县级初始水权分配方案》，经自治区人民政府批转执行，建立了自治区、市、县三级水权控制体系，率先在全国将初始水权分配到县；以提高用水效率和效益为目标，大力推进节水型社会建设，强化定额管理，在已出台的工业、城市生活用水定额的基础上，制定了《宁夏农业用水定额》；以水功能区管理为载体，进一步加强水资源保护。完成了《地下水功能区划》和《地下水开发利用和保护规划》；以水资源统一管理为中心，深化水资源管理体制改革，强化行政区域涉水行政事务统一管理，推进城乡水务一体化管理进程，新成立水务局8家，率先在全国完成县级行政区以上全部成立水务局；逐步健全和完善了我区水资源管理制度，管理理念不断创新，管理水平不断提高，水资源管理工作不断取得新进展和突破，使有限的水资源充分发挥了综合效益，强有力地支撑了自治区经济社会的可持续发展。全年征缴水资源费2780万元。

（2）节约用水。全面总结2006年以来节水型社会建设试点进展与成效，加快推进节水型社会载体建设，努力创建各行业节水典型示范。制定了《宁夏节水型社会载体（灌区、城市、企业、社区、学校）建设标准》及相应的考核标准，组织实施了华电宁夏灵武发电有限公司、宁夏医科大学、宁夏石化公司等节水型社会载体典型示范工作，支持和指导中石化、医科大学等单位开展节水改造。开展节水型社会建设专题研究，组织开展了《宁夏扬黄灌区农业高效节水综合示范》和《宁东能源化工基地循环经济综合节水体系研究与示范》等研究工作，完成了《宁夏城镇生活污水及工业废水资源化研究》《宁夏典型城市水源地保护研究》，基本摸清全区各行各业用水发展情况及水源地保护状况，完成了中色（宁夏）东方集团有限公司、宁煤集团大武口洗煤厂、华电灵武电厂、中石油宁夏化工厂等单位水平衡测试工作。在银川市自来水公司、大坝电厂等21家用水大户安装了超声波流量计，并建立实时监控信息管理系统，全面监测用水单位的取用水情况，为水资源费足额征收、总量控制与定额管理以及用水计划下达等工作提供基础性数据。（张恭）

【水利规划】 《宁夏水资源综合规划》和《黄河流域（宁夏段）综合规划》两大综合规划基本完成；《宁夏中小河流近期治理建设规划》《2009—2011年宁夏水土保持治理重点工程建设规划》已经水利部审批；《宁夏大型灌区续建配套与节水改造规划》《农业综合开发重点中型灌区节水改造规划修编》《中小型水库防汛通信预警系统项目建议书》《大中型病险水闸除险加固改造规划》《抗旱规划》已上报水利部；《贺兰山东麓防洪规划》《人才队伍建设规划》《水利科技中长期发展规划》《库井灌区规划》《宁夏（区）水资源详查报告》已经水利厅审查；《新建中型水库规划》《青铜峡河西灌区总排水干沟规划修编》已完成初稿；《地下水开发利用保护规划》《第四批小型病险水库除险加固改造规划》《2009—2015年农田水利工程建设规划》《2010—2013年全区农村饮水安全工程规划》《水文事业发展》等规划正在编制中；银川市西北水系规划设计工作已经启动。水利"十二五"规划思路及重点任务的初步意见已基本完成，十二五规划编制工作已全面启动。向国家上报的项目总投资110亿元，已获批实施项目5项：七项重点人饮、高效节水补灌、固扩十一泵站、盐环续建、大型泵站更新改造项目总投资32亿元。已报国家发改委待批项目2项：黄河近期重点治理项目、沙坡头南北干渠及灌区节水改造工程，项目总投资13亿元；水利部正在审查的项目1项：固原地区城乡人饮安全水源工程，项目总投资22亿元；列入国家总规划的项目4项：青铜峡灌区、固海灌区续建配套与节水改造工程、重点地区中小河流近期治理建设规划、2009—2011年水土保持重点工程建设规划，计划总投资43亿元。颁布试行了《宁夏水利建筑工程预算定额》，填补了长期以来没有地方水利工程定额的空白，是今后中小型水利项目审批和建设投资控制的依据。（张恭）

【基本建设】 盐环定扬黄续建工程按期完成了各项前期工作，2009年7月黄委批复了工程初步设计，批复总投资4.41亿元，2009年7月开工建设，落实中央投资2亿元。高效节水补灌工程于2009年3月水利部批复实施方案，核定工程总投资11.22亿元，下马关、兴仁供水工程已开工建设。大型泵站更新改造工程总投资9.8亿元，完成了三大泵站改造可研、初步设计批复，工程已开工建设，落实中央资金1亿元。固原地区城乡人饮安全水源工程项目建议书已上报国家水利部和发改委，水利部水规总院审查了建议书，秦家沟水库工程于2009年11月26日开工建设。青铜峡灌区、固海灌区续建配套与节水改造工程规划投资30亿元，2009年落实中央资金1.2亿元。水利部、国家农发办分两期立项批复了中宁县北滩灌区和西吉县葫芦河中型灌区节水改造工程，工程总投资3168万元。19条中小河流纳入《全国中小河流治理建设规划》，规划投资2.7亿元，水利部和财政部已安排1000万启动资金。54座病险水库除险加固“三年任务两年完”的目标基本实现，累计完成土石方690万m^3，混凝土6.47万m^3，完成投资31825万元，占总投资94%。制定《宁夏水利工程管理体制改革验收办法》，圆满完成了自治区水管体制改革任务并全部通过验收。严格执行《宁夏大中型水库农村移民后期扶持人口核定登记办法》等相关政策，全区共核减大中型水库移民191人，顺利完成移民人口核定任务，实现了扶持人口的动态管理，资金直补完成率100%，下达计划总投资3077.14万元，共88项，受益移民51083人。

（张恭）

【防汛抗旱】 （1）防汛。联合监察厅公示了全区防汛行政责任人，结合淤地坝专项行动和安全生产等首次组成联合督查组，对全区防汛工作进行了全面检查，查处安全隐患百余处，下达整改要求60多项，督促指导各地修复水毁工程200多处，督查清障4处，及时审批了重点水库汛期调度运行计划和防洪抢险应急方案。首次组织对全区50多名防汛抗旱行政首长进行了培训，增强了责任意识，提高了指挥能力。“7·7”“8·15”暴雨洪水暴发后，及时掌握雨情，通报汛情信息，迅速传达指令，成功战胜了贺兰山百年不遇和西吉海原五十年不遇暴雨洪水。

（2）抗旱。加强旱情监测，及时组织召开会商会，研究对策，为领导决策提供依据。协调武警宁夏总队、宁夏军区给水团组成抗旱小分队，组织各地抗旱服务队，出动车辆2万多台次，拉水18万t，有效缓解了21万人、32.6万头大家畜临时饮水困难。

（3）治河。黄河标准化堤防工程各地投入机械61万台班、人工420万工日，动用土方3000多万m^3、石方13万m^3，完成堤防建设376km，工程功能之多、战线之长、土方量之大、投资强度之高，是宁夏水利建设史上前所未有的，创造了黄河标准化堤防建设的“宁夏模式”。建成西北最大、宁夏第一艘反铲式挖泥船，8月12日，一次性试水成功，在短短的4个月的建设时间内，开创了工程船制造先河，创造了造船企业最短工期记录。同时引进铰吸式挖泥船对平罗四排口进行疏浚，累计疏浚土方26万m^3，缓解了河段险情，拓宽了黄河治理的路子。

（4）防凌。超前谋划，周密部署，落实责任，加强会商，研究对策，完善预案，组建队伍，储备物资，封堵建筑物，封闭渡口，拆除浮桥，全力抢险，夺取了2008—2009年度防凌工作全面胜利。

（5）山洪灾害防治试点县建设。争取隆德和大武口列入了全国103个试点县建设，落实国家投资400万元，建成水雨情监测点120处、预警点29处、指挥会商室2个，开发预警平台2个，建立了县、乡、村三级山洪灾害防治预案体系，为全区山洪灾害防治积累了宝贵经验。

（张恭）

【农村水利】 （1）饮水安全。解决农村饮水安全问题是自治区10项民生计划30件实事的首要任务，全年共完成投资4.63亿元，七项重点人饮安全工程建成五项，开工建设中小型集中供水工程46处，解决了38.8万困难群众的饮水安全，确保了人民群众的饮水健康。

（2）农田水利基本建设。以解决群众最迫切、最直接的“灌水难、排水难、吃水难、行路难”等热点难点问题为根本，以“黄河杯”竞赛为抓手，通过“政府推动、部门联动、宣传发动、项目带动、竞赛撬动、干群互动、人机齐动、学习促动”等措施，调动社会各方力量，实行渠、沟、田、林、路、庄综合治理，深入持续地开展农田水利基本建设大会战，无论从组织、机制、投入上，还是在规模、质量、效益方面，均实现了前所未有的突破，有效提高了农业综合生产能力，切实夯实了农业发展基础，有力地推动了新农村建设，为保障全区粮食安全、饮水安全、防洪安全和生态安全提供了重要支撑。青铜峡等7个市县被列为全国小型农田水利建设重点县。 （张恭）

【水土保持】 （1）小流域综合治理。共落实中央水土保持投资9763.2万元，较2008年增加122%。储备水土保持前期工作项目60多个，计划治理水土流失2009km^2。原州区杨忠堡等14个小流域综合治理工程实施方案和西吉县苏堡等3个坡耕地综合整治项目实施方案通过审查，其中5个项目获自治区发改委批复。彭阳县城阳等6个农业综合开发、海原县红井川等7个黄河水土保持重点防治工程项目共50条小流域综合治理初步设计通过审查并获批复。全年共完成治理水土流失面积1020km^2，新开工及续建小流域56条，开工建设11条小流域坝系，建成淤地坝100座，水土流失总治理面积超额完成2%，小流域综合治理数量较年初30条任务超额完成180%，淤地坝任务较年初20座任务超额完成400%。实施了国家农业综合开发水保三期项目、扩大内需小流域综合治理项目、退耕还林口粮田旱作基本农田等水土保持重点项目，涌现出彭阳县石沟小流域经济林种植节水灌溉、牧草种植加工和畜牧养殖综合治理等新亮点，实现了生态型治理向生态经济型治理转变。原州区河川沟、彭阳县小河、隆德县温堡等3条流域被水利部命名为“全国水土保持生态建设示范区”。

（2）水土保持预防监督。以大中型开发建设项目方案落实、小型开发建设项目方案编报和市县违规违法项目整改为重点，全面开展水土保持监督执法专项行动“回头看”活动。对有整改任务和遗留问题的164家建设单位进行了跟踪检查，95%以上的生产建设单位通过整改达到了治理要求，水土保持监督管理工作取得新突破，共审查审批太阳能光伏发电等5大行业37个开发建设项目水土保持方案，核准开发建设单位水土流失防治资金1.15亿元，落实水土流失防治责任3240hm²，征收水土保持补偿费1470万元。对输变电等8个开发建设项目水土保持设施进行了专项验收，对西气东输二线等20多个大中型开发建设项目水土保持方案落实情况开展了督查。制定了《宁夏水土保持监督执法能力建设活动方案》，石嘴山、灵武等6市县被水利部列为第一批监督执法能力建设试点市县，进一步提高了各地水土保持依法监督管理能力，规范了水土保持监督执法与管理工作，坚决遏制人为水土流失的发展。（张恭）

【城乡供水】 2008—2009年度，黄委会分配宁夏灌区耗水指标较常年减少5.41亿m³，减幅13.5%，全年安全行水220天，累计引水64.51亿m³，基本满足了47.67万hm²灌区农田的灌溉保障任务。在灵武、平罗、惠农3地发展井渠结合灌溉面积6533.33hm²，全年抽取浅层地下水494万m³，有效解决了渠道梢段的供水难问题。将七星渠、跃进渠、美利渠、羚羊寿渠及秦渠、汉渠、马莲渠纳入水利厅统一管理，对实现黄河宁夏段水量统一调度具有重要意义。在渠首灌域选择9个群众基础好的村级协会，选派延伸服务人员参与管理，做到地亩面积真实、水费分摊均衡、收费账目公开三个“透明”，得到用水户的高度信任。联合永宁县监察局、水务局、胜利乡政府及西干渠管理处对群众反映强烈的永宁县胜利乡征沙渠协会有关问题进行调查，要求协会对多收取的10多万元水费进行全额退赔，得到当地群众的欢迎。（张恭）

【工程管理】 起草了《关于加强水利工程建设管理的意见》《公益性水利工程建设项目法人组建管理办法》《水利工程质量检测机构监督检查管理办法》《重点水利建设项目稽察办法》等，推进水利建设管理步入规范化、制度化轨道。基本完成全区水利施工、监理等从业主体的基础信息采集，草拟了《水利工程建设行为主体不良行为认定和管理考核办法》，初步形成了水利工程建设从业行为信用考核评价体系框架。整顿建设市场主体，审查全区68家水利施工企业资质，对19家限期整改，11家停业整顿，1家注销资质。严格市场准入和退出机制，审查3家水利施工企业资质申请，审查批准检测单位资质1家，审查上报水利丙级监理单位资质3家，升级3家。（张恭）

【科技与教育】 （1）科研。开展国家“863”重点项目《宁夏半干旱区现代节水农业技术研究与集成》、自治区重点攻关项目《节水型社会建设载体研究》《爱伊河人工湿地净化技术》等8个课题研究。完成《末级渠系改造标准化与农民用水协会管理规范化研究》《宁夏主要作物灌溉制度与灌溉用水定额标准研究》等15个项目2009年度水利科技进步奖评审和自治区科技进步奖申报工作。落实重点水利工程带科研项目18项，资金总额340万元。《大柳树生态经济区及供水规划研究》获自治区科技进步二等奖，《黄河水土保持生态工程茹河流域固原一期项目建设实践与创新》《双向预应力技术在唐徕渠跨北塔湖大型渡槽工程中的应用研究》《太阳山供水工程刘家沟水库大坝基础帷幕灌浆技术试验与应用》3项获自治区科技进步三等奖；《宁夏扶贫扬黄灌溉一期工程水利骨干工程》获中国水利工程优质（大禹）奖；自治区水科所微灌系统首部枢纽装置获国家实用新型专利权。制定了《宁夏水利科技发展规划（2009—2015年）》，组织实施国家2009年公益性水利项目《宁南山区坝系水资源联合调度及高效利用研究》，获中央投资260万元；申报2010年自治区科技成果转化项目1项，获自治区投资20万元。

（2）教育培训。积极开展专业技术人员继续教育、水利技术推广和培训、工人技术等级培训、成人学历教育、公共课知识和计算机应用能力培训，不断提高水利职工的文化素质和业务技能，举办了基层水管员及农民用水协会培训班9期，培训人员973人次，举办水土保持技术研讨及业务培训班、水利行业建设工程造价员培训班、宁夏引黄灌区灌溉现状遥感技术及创新思维培训班11期，培训人员770人次。举办了同心东部综合供水工程蓄水建筑物防冻防渗技术研讨会、农村饮水安全及城市工业水处理研讨会，积极筹办引扬黄灌区渠道砌护研讨会；组织参加自治区第十一届优秀自然科学论文征集活动，推荐论文47篇，其中19篇获奖。（张恭）

【多种经营】 水管单位综合经营总收入达2.02亿元，实现利润1838万元，分别比2008年增长10%和8.8%，新增土地153.33hm²，施工企业实现产值1.6亿元，经济林栽植126.67hm²，工程咨询、工程监理、工程养护等技术服务范围逐步扩大。组织完成了“青铜峡唐正闸国家水利风景区”“银川市爱伊河国家水利风景区”复查工作，组织相关单位参加了水利部举办的水利风景区建设与管理论坛。根据《企业国有资产法》《事业单位国有资产管理暂行办法》，进一步对《水利经营性资产监督管理暂行办法》《企业负责人经营业绩考核办法》《国有资本保值增值结果确认暂行办法》进行修改完善。拟定了厅属水利企业年度绩效考核办法，促进国有资产保值增值，加快企业规范发展，完成了宁夏水利投资集团公司、银水房地产开发公司、宁东水务公司、太阳山水务公司、金积供水公司等5家水利国有企业的资产年检工作。

（张恭）

新疆维吾尔自治区

【概况】 2009年，新疆完成水利基本建设投资99.49亿元，其中，完成中央政府投资29.53亿元，地方政府投资18.66亿元，利用外资0.22亿元，贷款11.92亿元，企业、私人及其他投资39.16亿元。

截至2009年底，塔里木河流域近期综合治理项目已开工377项，完工287项，完成竣工验收188项。成功实施了向塔里木河干流下游的第10次生态输水。列入全国规划的147座病险水库除险加固工程已全部开工建设，完成投资12.3亿元，占下达计划总投资的72%。全区266座大中型病险水闸列入了全国病险水闸除险加固规划。

2009年，地方年度新增田间高效节水建设面积达25.33万hm^2，较2008年增长90%，累计田间高效节水面积突破66.67万hm^2。南疆地下水开发利用项目实施2年来，各地区用自治区下达的4.84亿元补助资金，新建机电井3445眼，配套752眼，新增提水量5.4亿m^3。南疆新建监测井263眼，建成地下水动态监测站网。解决了121万人的饮水安全问题，提前完成了“十一五”规划306.8万人的饮水安全工程建设任务。

全区抗旱总效益33亿元，防洪减灾经济效益32.4亿元；改良盐碱地面积4.4万hm^2，同比增长32%。

中国工程院钱正英院士主持完成了《新疆可持续发展中有关水资源的战略研究综合报告》的编写。

（廉晓强）

【水政】

（1）立法工作。《新疆维吾尔自治区实施塔里木流域水资源管理条例细则》（送审稿）经法制办审议通过。修订了《新疆维吾尔自治区水利工程施工招投标评标实施细则》，颁发了《新疆维吾尔自治区水利工程评标专家和评标专家库管理办法》《新疆维吾尔自治区水利工程建设市场主体不良行为管理办法》《新疆维吾尔自治区水利水电工程分部工程验收实施细则》《新疆维吾尔自治区水利水电单位工程验收实施细则》《新疆病险水库除险加固工作年度考核办法》

（李世镔　辛玉珍）

（2）水法规宣传。围绕“世界水日”和“中国水周”做好宣传工作，3月22日在《新疆日报》上发表了厅长署名文章，为水利厅的办公电话设置水利宣传彩铃等。6月29日在乌鲁木齐市各大公园和广场设立了水土保持宣传咨询点。在《新疆日报》上发表了题为“保护水土保持资源，改善生态环境，建设生态文明”的文章。在自治区、市政府机关及有关办公楼、部分高层住宅播放水土保持宣传短片。宣传活动中，发放水土保持宣传购物带3000个、宣传单20000多份，悬挂宣传条幅20余条，印制发送《水土保持文件汇编》3000套，通过内容丰富、形式多样的宣传活动。提高了全社会的水土保持意识。

（李世镔　尹云鹏）

（3）水政监察。塔管局、阿克苏共有5支水政监察队伍通过了验收，全疆通过能力验收的队伍达到18支。对沙雅县就塔里木河紧急调水期间发生群体性事件进行调查核实，并向自治区政府作专题报告。

（李世镔）

【水资源】 （1）取水许可管理。完成了全疆取水许可换发证工作，截至2009年底，全疆共发放取水许可证27812套，许可总水量373.59亿m^3，其中，地表水319.63亿m^3，地下水53.96亿m^3，2009年全疆各级水行政主管部门及流域管理机构共征收水资源费约8500万元，较2008年底增加约500万元，自治区本级实收水资源费近1755万元。

（2）节水型社会创建。继续推进哈密地区、乌鲁木齐市节水型社会建设试点工作。哈密地区继续强化兵地水资源统一管理，完善了哈密主要流域水量分配方案，积极探索以工补农、水权转让新机制，强化了“政府主导、市场调节、公众广泛参与”的节水型社会运行机制。顺利通过了水利部组织的节水型社会建设试点中期评估。乌鲁木齐市节水型社会建设试点工作有序开展，《乌鲁木齐的节水型社会建设规划》通过了水利部审查，经自治区人民政府批复实施。乌鲁木齐市进一步完善三级节水管理网络体系，加强了计划节约用水管理，强化了超计划累进加价水费征收力度。加快了城市供排水管网改造和污水处理厂建设，大力推广节水型器具，开展大型企业和社区中水回用试点示范工程建设，积极推动污水回用。

博尔塔拉蒙古自治州和吐鲁番地区已向水利部正式申报全国第四批节水型社会建设试点。积极推动库尔勒市、乌苏市、呼图壁县、奇台县、木垒县、和田县6个县市节水型社会建设试点工作。

（3）水资源规划、保护和论证。①按照水利部的统一部署，完成了自治区水资源管理系统建设总体方案编制工作；②督促南疆各地州按要求加强地下水动态站网建设，现巴州与克州地下水动态监测站网已建成并开始监测；③继续开展全疆入河排污口调查工作，建立以水功能区为核心的水资源保护管理制度，初步编制完成《全疆入河排污口调查报告》；④按时编制完成了自治区《水资源公报》《水资源简报》《水资源年报》《水务管理年报》《地下水通报》（3期）编报工作。组织对全疆水利、电力、石油化工、煤炭等行业的48个水资源论证报告进行了审查。

（李世镔）

【水利规划】 2009年，额尔齐斯河流域综合规划通过国务院批复。阿克苏流域规划任务书通过水利部批复，塔里木河流域综合规划任务书已基本完成。伊犁河、额尔齐斯河流域规划环评先后通过国家环保部初审。成立全疆水利发展"十二五"规划编制工作领导小组及规划编制工作。

全疆山区控制性水利工程建设方案通过自治区人民政府批复，全疆重点中小河流近期治理建设规划已纳入全国规划当中。全疆抗旱规划已基本完成，先后完成额敏河流域规划、新疆国境界河整治规划，并报水利部，经过水利部水规总院初审。完成全疆2009—2011年水土保持重点工程建设规划，并通过黄委审核。为维护我国的水资源主权，保护塔里木河的生态环境，加快中吉跨界河流水能开发步伐，在中吉组织开展库玛拉克河—萨雷扎兹河联合考察的基础上，2009年6月水利厅编制完成《中吉跨界河流库玛拉克河—萨雷扎兹河河段梯级规划报告》，并提出了在吉境内萨雷扎兹河联合建设水文测站的规划方案报告书已报水利部。开展了全疆"十二五"水电新农村电气化规划编制工作，完成全疆县级农田水利基本建设规划编制工作，启动了全疆牧区草原生态保护水资源保障规划修编工作。

先后完成了喀什噶尔河流域克孜河、盖孜河中游河段水电规划，玛纳斯河、和田河、伊犁河流域喀什河上游河段，库克苏河、巩乃斯河（含恰甫河）、阿克牙孜河中游、大吉尔尕朗河河段水电规划，阿克苏流域托什干河河段水电规划等一大批水电规划，有效指导了全疆重点河流水能资源的有序开发。 （洪毅）

编制完成了《全疆重点中型灌区节水配套改造规划》《全疆农业节水规划》《全疆牧区草原生态保障规划（修编）》及《全疆牧区灌溉饲草料地发展规划编（2009—2020）》；《新疆绿洲盐碱地改良利用规划》经自治区发改委评估后获得批复；编制了《南疆大型灌区续建配套与节水改造机电井建设规划（2009—2020）》；完成了《全疆地表水、地下水联合调度利用规划》初稿；组织完成了《北疆、东疆机电井建设及农田配套建设四年实施方案》。 （彭俊）

【基本建设】 1. 水利工程基本建设

（1）重点工程。2009年9月，国家重点水利工程乌鲁瓦提水利枢纽工程通过水利部组织的竣工验收。塔里木河流域近期综合治理工程项目进展顺利，2009年国家下达中央投资9亿元，完成投资12.12亿元，竣工验收50项。完成渠道长度876km，高新节水改造486.67hm²，机井300眼。塔里木河近期综合治理标志性工程博湖东泵站工程已通过机组启动验收；叶尔羌河中游渠首已基本完工并通水；下坂地水利枢纽工程首台机组安装已基本完成。巴州库塔干渠东干渠（上段）工程通过竣工验收。经过对塔里木河流域综合治理，全流域已实现了增节水24.06亿m^3的目标。截至2009年底，塔河项目累计完成投资87.31亿元，完成渠道长度4979km，高新节水改造2.87万hm^2，机井1760眼，平原水库改造7座。

（2）地州骨干工程。奇台县中葛根水库、乌鲁木齐市大西沟水库、乌恰县开普太希水库已实现截流，工程进入全面实施阶段；阿拉山口供水工程已具备通水运行条件；吉勒布拉克水电站、布仑口—公格尔水电站、吉音水库相继举行了开工奠基仪式；策勒县胜利水库二期工程通过竣工验收。

2. 病险水库除险加固工程 截至2009年底，列入全国规划的147座病险水库除险加固工程已全部开工建设，完成投资12.3亿元，占下达计划投资的72%，有79座完成了主体工程建设，17座水库完成了蓄水阶段验收。麦盖提县汉克尔水库、吉玛力仁水库除险加固工程通过了蓄水阶段验收，布尔津县托洪台水库、福海县哈拉霍英水库、疏附县红旗水库、奇台县东塘水库除险加固工程通过了竣工验收。

（辛玉珍）

【防汛抗旱】 （1）汛情。2009年，新疆发生的洪涝灾情主要是冬季冰凌洪水及春末、夏季局地强对流性降水天气过程引发的局地暴雨洪水及暴雨山洪泥石流所致。

2009初，受降雪和降温天气影响，伊犁特克斯河上游昭苏、特克斯县境内部分河段发生了冰凌洪水。进入3月份后，由于气温迅速回升，伊犁州直、塔城、博州的部分县（市）发生了升温融雪型洪水。3月16日，托里至裕民县沿线发生融雪型洪水，致使1名村民死亡。进入5月，伊犁州直尼勒克、新源、巩留、昭苏、察布查尔等县及塔额盆地、博州、喀什等地发生了短历时局地暴雨洪水。8月19日，柯坪县出现强对流降水天气，降雨历时1小时35分钟，降雨量达74.1mm（多年平均降雨量76mm），达到特大暴雨。强降水期间还伴有冰雹，最大雹径10mm，平均积雹厚度5～8cm，此次降雨降雹量级和暴雨持续时间等多项指标均突破历史极值。特大暴雨冰雹灾害共使6200多户农民不同程度受灾，农作物受灾面积0.19万hm^2，91户农户房屋倒塌，635户1880间房屋进水，畜禽死亡470头（只），3472m^2校舍受损，倒塌围墙300m，冲毁乡、村道路损坏9.2km、渠道14.3km、自来水管道7km、自压滴灌管工程172m，受损企业4家。直接经济总损失达

5540余万元，无人员伤亡。8月20日，温宿县博孜墩乡出现强降雨，引发的山洪将一辆民用小汽车冲翻到河道内，所载8人中5人逃生，3人死亡。9月9—10日，阿合奇县境内发生强降雨天气过程，山区出现雨夹雪，降水量达49.9mm，引发山洪及山体滑坡，造成50余处牧道受损，20余处转场牧道中断，306省道苏木塔什乡段中断，84户房屋倒塌，600余户被淹，死亡4人，直接经济总损失达1827万元，其中水利设施总损失为134.38万元。

全年，洪水共造成7个地州、24个县（市）、89个乡（镇）的10.3万人受灾，死亡8人，直接经济总损失近1.36亿元，其中水利设施损失0.58亿元。

（2）旱情。入春后，由于气温偏高，南疆、东疆大部分地区开春期提早，春灌提前，同时，受大风扬沙及河道来水、水库蓄水偏少等因素的影响，南疆喀什、和田、阿克苏等地出现了不同程度的旱情，春灌高峰期各类农作物未能适时灌溉面积达26.67余万hm^2。进入5月后，南疆地区气候异常，平原区气温偏高0.2～1℃，而高空气温远低于历年同期值，零度层高度最高5003m，没有出现长时间有利于积雪融化的高温天气过程，致使河道来水持续偏少。叶尔羌河、盖孜河、提孜那甫河、库山河四条河流5月至7月10日来水量20.1亿m^3，比历年同期少8.86亿m^3，是有水文记载以来同期来水量最少的年份。塔河三源流（阿克苏河、叶尔羌河、和田河）5月径流量仅为8.91亿m^3，比历年同期减少2.15亿m^3，为特枯月份。受源流来水减少及上游源流区抗旱灌溉引水的影响，塔河干流控制断面阿拉尔6月上旬来水只有0.06亿m^3，比历年同期少89%，6月中旬少92%。受此影响，塔河近年来发生的断流点向上游发展，断流河长较往年有所延长，断流河长达1100km，对下游农业生产和生态用水造成严重影响。

2009年，旱情发生时段主要集中于3月下旬至4月中旬，喀什、阿克苏两地旱情较为严重；6月下旬至7月中旬，旱灾主要分布于南疆的喀什、克州、阿克苏等地，北疆的中小流域区乌苏、沙湾、玛纳斯和呼图壁等县（市）。据统计，全区农作物受旱面积47.2万hm^2，其中喀什地区受旱27.33万hm^2，阿克苏地区8.87万hm^2，和田地区3.73万hm^2，塔城地区1.24万hm^2。全区严重干旱草场面积达596.67万hm^2，16.5万农牧民和37.8万头（只）牲畜受到严重干旱影响。

（3）防汛抗旱。2009年，防汛抗旱工作重点是加强了重点应急防洪工程的建设；抓好防洪预案的修订完善和开展防汛演练；强化汛前准备、检查及河道、行洪通道的清障、疏浚和应对突发性暴雨山洪、泥石流灾害等各项防御工作。多次召开电视电话会议，部署防汛抗旱工作，发生洪水灾情后，按照自治区防总的统一部署，及时启动防洪预案。

2009年共减淹耕地2.32万hm^2，减少受灾人口22万人，减免4座城市进水，避免山洪灾害人员伤亡8起，防洪减灾经济效益达15.5亿元。

抗旱期间全疆共投入抗旱人数45.26余万人，开机电井21825眼，投入抗旱资金27835万元，其中，中央特大抗旱补助费3300万元，自治区财政下拨1780万元，地县财政拨款11892万元，群众自筹10863万元。抗旱用电9.1597亿kW·h，用油655t，完成抗旱浇灌面积146.33万hm^2次，临时解决人饮困难18.96万人，畜饮困难78.58万头，挽回粮食损失89.25万t，经济作物损失19.7亿元，抗旱总效益达33.06亿元。（王新涛）

【农田水利】 截至2009年底，全疆共完成水利建设投资48亿元，新建防渗渠道4081km，新建灌区配套建筑物37209座，新建排水渠道893km，新打灌溉机电井3099眼其中，南疆五地州新打机电井2351眼，北疆、东疆分别为新打机电井521眼和227眼，配套机电井10161眼，新建高效节水灌溉面积25.33万hm^2，解决饮水安全人口90.5万人，新增灌溉面积5.18万hm^2，改造中低产田18.73万hm^2，改良盐碱地面积4.4万hm^2，改善灌溉面积29.37万hm^2。

1. 农业节水与灌溉 2009年，全疆完成新建农业高效节水灌溉面积25.33万hm^2。（彭俊）

（1）灌溉管理。全疆地方系统实灌面积354.64万hm^2，复播作物面积40.28万hm^2，全疆地方农业引用毛水量368.314亿m^3。2009年全疆总灌溉1640.07万hm^2次。全疆平均每亩毛灌溉用水量692m^3，作物综合亩次用水量（毛灌水定额）150m^3，农作物平均灌水4.6次。

（2）节水灌溉。全疆地方系统地膜保墒面积106.83万hm^2，全疆膜上灌面积87.68万hm^2。全疆地膜保墒面积已占当年农田实灌面积354.64万hm^2的30.1%。全疆地方系统沟、畦灌面积266.65万hm^2，全疆沟、畦灌面积占当年实灌面积的75.18%，其中：沟灌面积137.91万hm^2，占实灌面积的38.89%；畦灌面积128.74万hm^2，占实灌面积的36.3%，全疆地方系统渠系水利用系数为0.52。

（张荣）

2. 盐碱地改良治理 在已实施的10个盐碱地治理试点项目实施中，选择了6个项目区开展盐碱地改良试点项目成效监测评估工作。下发了《2009年盐碱地改良试点项目成效检测评估要点》，确定了盐碱地改良项目成效检测方案。

3. 地下水开发利用建设 2009年，自治区财政拨付南疆机电井建设资金2.71亿元，新打机电井1498眼，已有机电井改造配套375眼，新建监测井229眼。南疆五地州已全面完成了机电井建设任务。完成了2008年北疆六地州应急抗旱机电井建设的项目建设跟踪调查和验收工作。（彭俊）

4. 农村饮水工程　截至2009年底，自治区农村饮水安全工程完成总投资67343万元，其中：国家投资53874万元，自治区财政配套10556万元，地县配套2913万元。完成各类饮水安全工程169处，新建水厂120座，铺设供水管道11376km，解决了全区13个地（州、市）81个县（市、区）121.06万人的饮水安全问题。完成了2010—2013年新疆农村饮水安全工程规划人口调查复核工作。（郑灿）

5. 小农水建设　2009年6月，自治区第一批小型农田水利工程建设补助拨付了4000万元资金，项目覆盖14个地州40个县（市），其中盐碱地治理10个项目，小农水设施建设23个项目，末级渠系量测水设施建设7个项目。9月中央财政小农水补助资金1.81亿元到位。（彭俊）

【水土保持】　(1) 前期工作与审批。编制完成了2008年度和2009年度中央财政预算内专项资金水土保持（国债）项目实施方案2009年度的单项工程的实施方案及《新疆维吾尔自治区2009—2011年水土保持重点工程建设规划》。共审批生产建设项目水土保持方案110项，经批复的水土保持总投资为37680多万元，责任防治范围为260多km^2。

(2) 水土保持监督执法及验收。对昌吉州、伊犁州、克拉玛依市、塔城地区、阿勒泰地区、巴州等地（州）的水土保持监督执法工作进行检查督促，对检查中存在的问题下发了整改意见。在水利部水土保持监督执法专项行动总结大会上，乌鲁木齐市水务监察支队被评为全国水土保持监督执法专项行动中工作突出的单位，巴州水管处、塔里木河干流工程建设管理处、国电库车发电有限公司被评为工作突出的生产建设单位。

配合水利部完成了玛纳斯电厂三期工程和恰甫其海水利枢纽工程水土保持设施的验收，组织完成了乌鲁木齐河灌区续建配套与节水改造工程、库玛拉克河塔尕水电站工程、塔城地区哈拉布拉水库工程水土保持设施专项验收工作。加强了水土保持规费征收工作，自治区本级征收水土保持设施补偿费1000万元。

(3) 开展了水土保持监督能力建设。2009年6月9日，水利厅召开了自治区水土保持监督管理能力建设启动会。专门制定了《自治区水土保持监督管理能力建设总体方案》，确定伊犁州尼勒克县、乌鲁木齐市乌鲁木齐县、巴州库尔勒市作为全国第一批水土保持监督管理能力建设县（市）。

(4) 水土保持综合治理工作。组织对全疆（地方）2007年度中央预算内专项资金水土保持项目进行了自查验收和调查研究。组织完成了吉木萨尔县、伊宁县中央财政预算内专项资金项目的竣工验收工作。2007年度中央预算内专项资金水土保持项目完成投资820万元，治理水土流失面积90km^2。（尹云鹏）

【城乡供水】　2009年，全疆地方系统已建水库450座，其中，大型水库13座，中型86座，小型351座。已建成水库总库容101.6亿m^3，水闸总座数1019座，总井数45453眼，配套井数43105眼，配套机电井装机容量131.24万kW，报废井数1610眼，新增井数3245眼。井灌面积57.8万hm^2，其中纯井灌面积35.18万hm^2，春季开井率57.6%；渠道总长256458km，其中已防渗96178km。

2009年全疆地方系统全年水利工程供水量401.17亿m^3，其中：农业灌溉377.71亿m^3；工业生产4.54亿m^3，城镇生活4.14亿m^3；乡村生活1.85亿m^3；生态环境12.81亿m^3。另水电供水36.55亿m^3。（张荣）

【地方水电】　截至2009年底，新疆有农村水电的县共计74个，地方电力年末水力发电设备拥有量为380处107万kW，其中，大中型水力发电设备为2处38万kW，小型水力发电设备为378外69万kW。地方水电全年发电量为32.2亿kW·h，其中，大中型水力发电量9.4亿kW·h，小型水力发电量为22.8亿kW·h。全年共完成电力建设投资5471.6万元，主要用于小型水电站建设。

巩留县、新源县、昭苏县、和布克赛尔、沙湾县、裕民县、青河县、布尔津县、精河县、博乐市、若羌县、和静县、且末县、英吉沙县、叶城县、塔什库尔干县、石河子市被列入水利部下发的《关于印发〈2009—2015年全国小水电代燃料工程规划〉的通知》规划。（胡燕）

【工程管理】　2009年，水利厅对伊犁河特克斯山口水电站、雅玛渡水电站、额尔齐斯河喀拉塑克水利枢纽、塔里木河下坂地水利枢纽、布尔津河冲呼尔水电站、库车河铜场水库和头屯河水库7项重点水利工程除险加固建设项目进行了稽察。2009年11月3日，水利厅召开了全疆水利系统开展水利工程建设领域突出问题专项治理工作电视电话会议。

大型灌区续建配套和节水改造工程已完工174项，验收95项，新增灌溉面积6.26万hm^2，改善灌溉面积58.97万hm^2；新增粮食生产能力53919万kg，年节水17.15亿m^3，提高了灌区的供水保证率，改善了灌区灌溉条件。（辛玉珍）

2009年，全疆应收水费128671.1万元，当年实际征收水费为123867.0万元，比2008年增收6105.0万元，水费实收率为96.3%。全疆水费返还工程维修15996.3万元，比2008年减少1843.6万元，水费用于灌溉工程的返还率为12.9%，比2008年减少2.2%。

全疆116家水管单位完成了体制改革工作，落实水管单位公益性人员基本支出经费24292万元，落实率99.8%，落实公益性部分维修养护经费6025.8万元，落实率99.5%。 （张荣）

【科技与教育】 “沙漠、严寒地区长距离供水工程关键技术”获得2009年国家科技进步二等奖。新疆塔里木河流域管理局获得“中国产学研合作促进奖”。

自治区水利厅邓铭江同志获2009年自治区科技进步特等奖，“沙漠渠道工程关键技术研究”获2009年度自治区科技进步一等奖，“土石坝安全自动监测系统研发与应用”“塔里木河下游输水生态监测与修复”获2009年度自治区科技进步二等奖。

由自治区水利水电科学研究院承担的“新疆经济需水结构调整与控制技术研究和集成”和新疆水文水资源局承担的“干旱区地下水库建设关键技术研究”列入2009年度水利部公益性行业科研专项经费项目。在中国水博会“新疆水利六十年成就展”中，新疆展馆获中国水博会最佳设计奖、优秀组织奖。 （吴旭）

2009年，新疆水利水电学校和新疆喀什水利水电学校共培养专升本、大专、中专、技校学生2055人，共招收专升本、大专、中专、技校学生3065人。完成了河海大学乌鲁木齐教学中心2008届预科班学生的结业会考工作，38名预科生升入河海大学本科部学习。 （木合塔尔·乎加）

【多种经营】 全区水产品产量97037t，同比增加3645t，增长3.9%，其中：地方水产品产量73469t，增加2473t，增长3.5%；兵团水产品产量23568t，增加1172t，增长5.2%。渔民人均纯收入7800元，同比增加300元，增长4.0%。渔业经济总产值11.28亿元，同比增加0.32亿元，增长2.9%，其中，渔业产值10.1亿元（养殖8.0亿元、捕捞1.3亿元、苗种0.79亿元）。 （叶尚明）

大力实施水产品专项整治、水产健康养殖推进和水生生物资源养护行动，33个生产单位、136个产品通过无公害产地认定和产品认证，创建国家及自治区级健康养殖示范场30个，全年累计放流各类苗种1亿余尾（只），水产品总产量预计达9.8万t，较2008年增长4.7%；渔民人均收入达到7800元，较2008年增长4%。 （唐晓强）

新疆生产建设兵团

【水政水资源】 在“世界水日”和“中国水周”期间开展了为期一周的形式多样的纪念宣传活动，深入宣传水法规，弘扬法制精神。

编制完成《2008年度兵团水文统计年报》《兵团地下水监测工程可行性研究报告》《2008年度新疆水资源公报和管理年报（兵团部分）》，农六师五家渠市节水型社会建设试点顺利通过了由水利部水资源司和黄委水调局组织的第二批全国节水型社会建设试点的中期评估审查，《兵团区域内水法实施情况后评估研究报告》通过水利部政策法规司组织的审查。

（张国庆）

【水利工程】 截至2009年底，兵团拥有水库125座，总库容32.78亿m^3。其中大型水库11座，库容18.27亿m^3；中型水库30座，库容11.94亿m^3；小型水库84座，库容2.58亿m^3。已建成机电井14833眼，其中已配套14512眼。建设万亩以上灌区84处，其中50万亩以上灌区7处，30万～50万亩灌区5处，5万～30万亩灌区40处，1万～5万亩灌区32处。万亩以上灌区中输水干渠长度8903.78km，其中已做防渗的长度6009.73km；配水渠道（支渠、斗渠）长度39050.49km，其中已做防渗的长度21594.14km。堤防建设长度2446.46km，保护人口152.13万人，保护耕地42.55万hm^2。河道上建有水闸114座，其中大型水闸5座，中型水闸27座，小型水闸82座。 （易诚）

【水利基本建设】 2009年，兵团完成水利基本建设总投资32.69亿元，较上年增加6.18亿元。其中，完成中央投资19.61亿元，较上年增加8.97亿元；完成地方配套及其他投资13.08亿元，较上年减少2.79亿元。

全年完成投资：防洪3.27亿元、灌溉20亿元、除涝0.1亿元、供水4.7亿元、发电2.61亿元、水土保持及生态建设1.24亿元、机构能力建设0.004亿元、前期工作0.22亿元，其他投资0.54亿元。全年共完成土方7251.3万m^3，石方213.3万m^3，混凝土84.87万m^3，金属结构1.54万t。兵团水利建设重点工程主要安排了塔里木河流域近期综合治理、病险水库除险加固、灌区续建配套与节水改造、农村饮水安全、界河治理、新建38团水利工程、中哈霍尔果斯河友谊联合引水工程等建设项目。 （易诚）

【防汛抗旱】 1. 防汛

（1）洪灾。2009年进入春汛后，随着气温的升高，山区积雪加速融化，兵团部分地区发生了较严重的春洪，农四师的霍管处、八师的143团、十师的181团等团场发生了不同程度的冰凌洪水灾害。进入主汛期，全疆洪旱交替以旱为主的趋势较为突出，但强降雨过程引起的局地暴雨山洪时有发生。6月中下旬和8月上旬，沿天山一带发生了较强的降雨，农四师、五师、七师、八师等4个师的62团、64团、87团、143团等团场遭到局地暴雨山洪的袭击。

据统计，截至12月31日，全兵团共有农一师、四师、五师、七师、八师、十师共6个师16个团场，4340hm^2粮食作物遭受洪灾，3.55km的堤防遭到冰凌和洪水的严重毁坏，0.8km的公路被冲坏，洪灾共计造成直接经济损失0.32亿元。

（2）防汛抗洪情况。2009年，兵团有6个师16个团场遭受了程度不同的洪灾损失，灾前对防洪工作做了安排部署，兵团各级防汛指挥机构层层落实防汛行政首长负责制和防洪工作责任制，多次对水库安全进行抽查。年初，兵团组成了3个检查组，分别对13个师的10座大型水库、15座中型水库、40座小型水库进行了抽查，并要求各师进行自查，并将检查情况上报兵团防办，在思想上、物资上都做了充分的准备，在发生重大洪灾时，没有出现人员伤亡，并将损失降到了最低程度。灾情发生后，各级防汛部门防汛责任人到位，积极组织防洪救灾，慰问受灾群众。尤其在水库发生险情时，由于及早进行了物资就近储备，大坝上提前堆放了砂石料，为救灾提供了物质基础，争取了时间，领导亲临现场指挥，使救灾工作做到紧张、有序、及时，防止了更大险情的发生。国家防总、水利部、财政部对兵团的受灾情况十分关注，及时安排中央水利建设基金用于11个师的9段重点河道防洪堤、7个重点涵洞水闸和3座重点水库的除险加固工程。根据兵团防总要求和安排，各受灾师积极筹措各项资金投入重点水利工程的除险加固和水利设施的修复工作。截至2009年底，兵团重点水毁工程修复已完成。

鉴于2009年兵团防汛抗旱形势严峻，兵团防汛办从5月1日起开始值班，并于6月1日起实行24h值班制度，确保了有关信息指令的及时传递。

2. 抗旱

（1）旱灾。受降雨、河道来水偏少和时空分布很不均匀的影响，出现了两次较大范围的旱情。第一次是春旱，从北疆到南疆依次发生在3—5月的作物播种、出苗及冬小麦和林果的春灌返青期，期间共有26.67多万hm^2的作物受到了影响。第二次农田大面积的受旱是夏秋旱，出现在7—8月。受不断发生的极端天气影响，全疆大部分地区降水量较常年偏少20%，有的地区连续数月无降水，兵团几条主要灌溉引水的河道来水量严重不足，发生了程度不同的旱灾。据统计，兵团夏秋旱期间，农作物受旱面积最多时达32.45万hm^2，约占总播种面积的1/3，主要分布在一师、二师、三师，五师、七师、八师、十师、十三师和十四师的部分团场，其中三师遭遇了建师以来最为严重的干旱。

据统计，全年全兵团先后有32.45万hm^2农作物不同程度因旱受灾（其中重旱8.98万hm^2，干枯1.37万hm^2），32万人、55万头大牲畜发生了临时饮水困难。因旱造成的直接经济损失超过12亿元，为中度干旱年份，尤其是农二师塔里木垦区、农三师小海子垦区旱情最重，损失最大。

（2）抗旱。旱情出现后，兵团及兵团防总迅速调整工作部署，全力组织发动广大干部职工奋起抗旱救灾，水利、农业等防总成员单位紧密结合工作实际积极做了大量卓有成效的工作，全年共召开与抗旱有关的会议8次，批转相关文件10多份。年初，针对水情较差的实际情况，进一步调整了种植结构，全年共减少棉花种植面积6.67多万hm^2，增加粮食和林果种植面积近13.33万hm^2。

同时，易旱各师团都积极采取了以水定地、以地定水、调整种植结构、多播耐旱作物、大搞以渠道防渗为重点的农田节水建设、推广以滴灌为主的高新节水技术等防旱措施。全年共推广实践高新节水灌溉面积近66.67万hm^2，仅此一项就可比常规灌溉节水约12亿m^3，相当于兵团全年用水总量的1/10。在旱情严重和地下水资源丰富的区域适当更新改造了一批抗旱应急机井约600眼，最大限度保证了抗旱水源。

抗旱期间，全兵团共启动机井9507眼，累计投入机动抗旱设备4780台（套），机动运水车4220辆，抗旱用电6430万kW·h，用油827.2t。与此同时还采取了通过调整用水定额、实行限量供水、运用价格杠杆促进节水等管理措施，使有限的水资源基本保证了生产、生活和生态的用水需要。

兵团抗旱服务组织体系经过长期发展，已初步建立起以各师抗旱服务站为基础，以团场抗旱服务队为依托，连级抗旱服务小组为纽带的抗旱服务网络。目前，兵团共有师级抗旱服务站14个，团级抗旱服务队75个，兼职人员12710名。全年兵团抗旱服务组织实现抗旱浇地59.1万hm^2次，解决8.58万人和20.76万头大牲畜的饮水困难，挽回粮食损失4274万kg，挽回经济作物损失17034万元。

在旱情较为严重的时刻，兵团防办协助受旱单位采取各种办法实施应急调水，通过协调巴州水利局、额河建管局等单位从博斯腾湖、“635”工程、额尔齐斯河向农二师、农六师和农十师应急调水1.2亿m^3，较好地解决了主要作物关键生长期的用水问题。同时，在农三师小海子垦区发生严重旱情时，该师小海子水管处及时启用前海总干渠应急输洪水2258万m^3，有效缓解了旱情。 （张妍）

【重点工程】 （1）病险水库除险加固。截至2009年底，兵团有108座水库列入国家除险加固计划，包括大型水库8座，中型水库27座，小（1）型水库73座，总库容272625万m^3，总投资321870万元。其中，第一批规划项目共计55座，包括大型水库7座，中型水库20座，小（1）型水库28座，总库容

230280万m^3，总投资231749万元，2009年底投资计划已全部下达，其中，中央预算内专项资金153066万元，地方配套78683万元，主体工程已全部完成。专项规划内项目共计53座，包括大型水库1座，中型水库7座，小型水库45座，总库容42345万m^3，总投资96420.37万元，截至2009年底，累计下达投资94317.78万元，其中，中央预算内专项资金74278万元，地方配套20039.78万元，53座水库已经全部下达投资且开工，其中竣工验收5座，完工35座，在建13座。（李玲）

（2）塔里木河流域近期综合治理。2001年国务院批准了《塔里木河流域近期综合治理规划报告》，经过9年治理，目前塔河近期综合治理已临近尾声，工程效益初步显现，取得了阶段性成果，塔河下游绿色走廊生态环境状况得到显著改善，基本保障了灌区的灌溉用水，改善了灌区的生产、生活条件。

截至2009年底，已完成规划常规节水改造、高新节水、水库节水改造等44个单项工程前期工作，累计获得国家投资近17亿元，其中塔河中央专项资金约15.84亿元。截至2009年底，兵团塔河治理项目已完工36项，累计完成投资14.75亿元，完成下达计划投资的87%，累计完成渠道防渗改建1123km，建设高新节水灌溉面积1.65万hm^2，工程建设稳步推进。

（3）大型灌区。兵团现有灌溉面积135.06万hm^2，其中22个大型灌区（兵团独立灌区13个，兵地共建灌区9个）灌溉面积84.73万hm^2。国家从1998年实施大型灌区续建配套节水改造，截至2009年底，兵团已累计完成骨干渠道防渗改造1373km，改造渠系建筑物1666座，改造了一批影响灌区效益发挥的病险骨干工程和“卡脖子”工程，不仅解决了灌区渠道输水过程中的安全运行、节水等问题，而且为推进灌区管理体制改革，为兵团农业生产发展、粮食安全和边疆稳定奠定了坚实基础。（王新梅）

【水利工程管理】 2009年末，全兵团水利系统实有人数14403人，其中：师水利局机关13个，134人；场外水管机构19个，6091人；团场水管单位170个，8178人。水利综合经营总产值204103.75万元。全年兵团实灌面积1326493.33hm^2，较2008年增加28733.33hm^2，其中：农田999053.33hm^2，较2008年减少10166.67hm^2；草场22413.33hm^2，较2008年减少926.67hm^2；园林257040hm^2，较2008年增加27793.33hm^2；其他47993.33hm^2，较2008年增加11913.33hm^2。农业引用水量103.60亿m^3，较2008年减少9.79亿m^3，其中种植业用水120.89亿m^3，较2008年减少9.87亿m^3；养殖业用水0.71亿m^3，较2008年增加0.10亿m^3。农业引用水量减少的主要原因是2009年大河来水较往年大幅减少，新疆各地遭遇旱情，旱情严重的南疆农二师、三师较2008年共减少7.41亿m^3，北疆农七师、八师较2008年共减少4.5亿m^3。当年实收水费14.03亿元，较2008年增加1.46亿元；水费标准0.123元/m^3，较2008年增加0.021元/m^3；地方向兵团交水费0.018亿元，兵团向地方交水费1.58亿元。

（蔡建丽）

【大中型水库移民后期扶持】 兵团大中型水库移民后期扶持联席会议领导小组办公室在兵团本级和各师分别开展了大中型水库移民后期扶持政策实施情况自查工作。起草了《兵团大中型水库移民后期扶持政策实施情况总结》，对3年来已开展的水库移民工作情况进行了梳理、总结，最后上报国家发改委。国家下达的779万元资金（包括2008年度大中型水库移民后期扶持节余资金75万元）已全部下拨至各师，用于改善移民安置区生产、生活的53个项目的建设，范围涉及10个师及1个兵团直属团场，1.14万移民受益。

2009年1月，根据国家发改委函复的《兵团大中型水库和移民安置区基础设施建设和经济发展规划纲要》，与发改委联合完成了各师《大中型水库和移民安置区基础设施建设和经济发展规划》的批复工作。（蔡建丽）

【灌溉】 1.节水灌溉建设 截至2009年底，兵团喷灌、微灌应用面积达67.33万hm^2，其中，喷灌应用面积2万hm^2，微灌应用面积65.33万hm^2，新增喷灌、微灌应用面积7.33万hm^2。另外，还采用简易节水灌溉措施——软管灌面积1.2万hm^2，使全兵团的节水灌溉应用面积达到了68.53万hm^2（不含渠道防渗面积）。现代化节水灌溉技术已经广泛应用于棉花、番茄、马铃薯、小麦、玉米、葡萄、红枣、香梨、瓜类等农作物和特色经济林果的农业生产之中。

（郑子文）

2.引水灌溉 2009年，兵团水利工程供水量116.43亿m^3，其中，向农业供水111.15亿m^3，向工业供水2.1亿m^3，向城镇生活供水0.83亿m^3，向乡村生活供水0.75亿m^3，向生态环境供水1.6亿m^3。机电井提水量22.04亿m^3。

全年总灌溉面积135.06万hm^2，较2008年增加3.26万hm^2。其中：有效灌溉面积100.92万hm^2，较2008年减少0.05万hm^2；林地及园地灌溉面积27.75万hm^2，较2008年增加2.82万hm^2；牧草灌溉面积2.39万hm^2，较2008年减少0.07万hm^2。全年有效实灌面积99.9万hm^2，较2008年减少0.37万hm^2。节水灌溉面积82.14万hm^2，较2008年增加3.9万hm^2，其中：喷灌面积3.73万hm^2，较2008年减少0.36万hm^2；微灌面积65.74

万 hm^2，较 2008 年增加 5.02 万 hm^2；其他节水灌溉面积 12.67 万 hm^2，较 2008 年减少 0.77 万 hm^2。

（易诚）

3. 灌溉试验

（1）灌溉试验研究工作。2009 年，兵团灌溉中心试验站开展了“膜下滴灌小麦灌溉制度研究”、“膜下滴灌加工番茄需水规律试验研究”和“葡萄地下滴灌需水规律研究”项目，初步分析了膜下滴灌小麦、加工番茄生育期灌水量与产量的相关关系，分析了葡萄生育期需水规律，筛选了作物灌溉定额、需水关键期需水量。与水利部农田灌溉研究所进一步协作实施了“基于气象资料的膜下滴灌棉花实时灌溉预报”项目研究工作，试验数据进一步明确了作物各生育阶段腾发量与蒸发皿累积蒸发量的相关关系，验证了水面蒸发量作为重要的灌溉预报指标的可靠程度。初步成果为下一阶段研究工作提供了依据。同时，农一师、农八师、农十三师所属灌溉试验站继续开展了“农一师塔里木灌区膜下滴灌条件下棉花生育期需水量和灌水制度研究”、“膜下滴灌条件下土壤盐分变化规律的研究”和“果树节水高效灌溉制度调查研究”等项目的研究工作。

（2）农业灌溉水利用系数测算分析。2009 年 6 月，兵团灌溉中心试验站组织召开了兵团农业灌溉水有效利用系数测算分析工作会议，各师水利局测算分析工作负责人和主要技术人员共 24 人参加了会议，提出了 2008 年度测算成果质量要求，部署安排了 2009 年度农业灌溉水利用系数测算分析工作。7 月，兵团灌溉中心试验站完成了各师 2008 年度测算分析成果的审核、分析评价和汇总，编报了《新疆生产建设兵团 2008 年度农业灌溉水利用系数测算分析成果报告》。经测算，兵团 2008 年灌区毛灌溉用水总量为 115.12 亿 m^3，净灌溉用水总量为 60.51 亿 m^3，2008 年度农业灌溉水有效利用系数 0.5127。（李宁）

台 湾 省

【水政】 1.2009 年台湾农田水利施政方针（摘录）

（1）配合推动“健康、效率、永续经营”的全民农业政策。

（2）强化多功能农田水利建设，改善农业基础环境，发挥农田水利资源三生（生产、生态和生活）功能；建构农田水利地理资讯系统，提升灌溉管理效率；充分利用农田水利资源，发展水资源产业。

2.2009 年台湾农田水利施政重点（摘录）

（1）经营发展业务。推动农田水利会组织通则修正，赋予多角化经营法源。针对当前农田水利会之经营发展问题研拟解决对策。简化行政程序、检讨法令松绑，落实监督辅导农田水利会改进措施。加强农田水利会各项业务技术精进及经验交流。

（2）灌溉管理业务。推广旱作灌溉及现代化管理设施。推广水田生态环境保护及改进灌溉营运管理制度。灌溉渠道水质监测调查及灌溉水质管理业务辅导。

（3）工程业务。持续加强农田水利建设。配合振兴经济扩大公共建设投资方案，加速农村基础建设。

（范昭 谭颖）

【水污染防治与环境治理】 1. 农业灌溉用水遭受重金属污染 台湾环保主管部门为了解台湾西部农地重金属污染严重程度，针对桃园、新竹、台中、彰化四地区进行农地灌溉用水重金属污染检测调查。检测结果底泥污染严重。

根据底泥污染渠道流经区域，调查单位进一步进行“高污染潜势监视点”（重金属污染高风险地区）面积估计，桃园芦竹乡有 78hm^2，台中大里有 97hm^2、彰化包括和美及花坛 472hm^2，合计 647hm^2，其中 13hm^2 为风险最高地区。底泥污染应该是长时间累积所致，这些重金属包括铜、铅、锌、铬、镍等，在大雨或灌溉时溢流到旁边农地，造成农地污染。灌溉用水重金属超出标准 13.2%，以锌浓度较高。除了工厂恶意排放以外，现行放流水标准与灌溉用水标准差距过大，部分重金属放流水如果流经水量较小的渠道，因稀释作用不佳，容易导致农地受到污染。农地土壤重金属超出标准 18.8%，除了铜、锌、镍外部分农地铅含量也超标，对人体危害较大。凡是检验出遭重金属污染的农地已停耕，农作物已全部销毁。停耕地每公顷补偿 9 万台币，约有百公顷农地停耕。环保主管部门 2009 年投入 5000 万元对彰化地区约 100hm^2 污染农地进行整治，另将投入 1800 万元，对桃园地区污染农地进行整治。

2. 清水溪净化工程开闸 彰化农田水利会辖区利用回归水挹注灌溉的旧浊水溪又称“东螺溪”，也称为彰化母亲之河。但自浊水溪改道之后，失去自有水源，且需承纳沿岸家庭以及以畜牧业为主的事业废水，导致水质长期难以改善。彰化地方主管部门为改善旧浊水溪流域水质、发展游憩观光及生态教育，已完成上游八保二圳内三排水工程，透过连接八保二圳增加旧浊水溪水量；下游在旧浊水溪支系溪湖水完成旧浊水溪流域污染削减处理设施工程，设置拦污索、生态净化渠道等，以改善溪湖排水对旧浊水溪水质的影响。地方主管部门特斥资 4300 余万元经费在田尾乡、北斗镇及埤头乡交界处，亦即清水溪与旧浊水溪汇流处办理施设水质净化工程，可日处理 6000t 溪水，除污率在 65%～80%。2009 年 4 月 17 日上午正式开闸启用。

3. 汐止金龙湖即将进行清淤疏浚　汐止金龙湖原为七星水利会所有的灌溉埤池。由于近年来渐失灌溉功能，又被有关部门定为风景区，现已变成汐止地区民众休闲及运动的好去处。金龙湖上游有北峰溪，由于溪岸山林水土保持不佳，冲刷下来的泥土均淤积于金龙湖，造成金龙湖有陆化的危机。该会限于财力，虽每几年会清淤疏浚一次，但淤积速度远超过清淤疏浚成果。水利会平时已投入大量人力对该湖进行管理，例如清除布袋莲、水芙蓉、杂草垃圾等，已无力再清疏北峰溪冲刷下来的淤泥量。近期经地方主管部门多次查勘，定出了清淤计划，预计投入1亿元台币进行整治。

4. 彰化农田，种植绿肥，改善土壤　彰化农田水利会大村工作站辖区稻田里，寒冬中呈现一片“春意盎然”，格外引人注目。在二期作稻子收割后，许多农民重视景观绿肥及能源作物栽培，纷纷在农田里种植大小波斯菊、向日葵等各种不同的绿肥植物。二月份正值盛开期，放眼望去，花海一片，多彩多姿。等到春耕时，就耕锄埋入土中充当肥料，不但可以改善土壤，而且可以美化环境。（范昭　谭颖）

【台风与灾害】　1. 惊人台风“莫拉克”袭台　2009年8月7日第200908号台风“莫拉克”侵袭台湾，连续两天两夜超大暴雨。高雄山区降下累计雨量的“最大值”2392mm，屏东2569mm，台东1605mm，使台湾南部与东部地区发生严重水患。这场与1959年8月7日水灾不相上下的灾情，造成民众家园损失，土地遭受劫难。台湾灾害应变中心8月24日公布统计显示，“莫拉克”台风灾害已造成291人死亡、387人失踪、45人受伤。其中，伤亡最严重的高雄县有224人死亡、338人失踪、13人受伤；其次是台南县，有28人死亡、1人受伤；再次是屏东县，有22人死亡、24人失踪。被泥石流掩埋的高雄县甲仙乡小林村有129人死亡，311人失踪。

此外，桥梁与道路严重受损。据公路总局统计，冲毁南台湾8座桥梁，包括南投信义乡的寿山桥、高雄县旗山镇的新旗尾桥和旗尾桥、六龟乡大津桥和六龟大桥、三民乡民族桥及林园乡双园大桥，另外屏东雾峰乡第一号桥也遭冲毁断裂。据台湾中央大学桥梁工程研究中心统计，全台约有20座断桥，受灾程度比“9·21”大地震严重。

2. 台湾当局编列新台币1200亿元用于“莫拉克”灾后重建　根据台湾地区有关负责人的报告，200908号台风“莫拉克”灾后重建特别预算案为：2009—2012年度拟投入1200亿元台币用于灾后重建。大陆部分捐款规划用于重建南部地区的大桥。

按照新编制的预算方案，2009年、2010年、2011年、2012年度分别编列灾后重建预算356亿元、549亿元、223亿元及72亿元，以办理灾害救助、设施重建、家园重建、产业重建和灾害预防等各项工作，所需财源全数以举债支应。在重建阶段，行政当局将推动土地保育、流域治理的“区域规划方案”，铁路公路交通、桥梁、隧道抢修、重建的“基础建设方案”，协助灾民重建家园、就业的“家园重建方案”，以及提供产业纾困贷款、再造、转型的“产业重建方案”。

3. “八八水灾”重创台东县生态，250万只蝴蝶失踪　台东县生态学者赵仁方（知名蝴蝶生态专家）等人调查台东县内蝴蝶栖地，发现“八八水灾”后七成以上栖地遭破坏，近300万只蝴蝶只剩下50余万只，自然生态遭受重创；台东林管部门虽考虑复育栖地，但短期难见成效。赵仁方说，2009年“八八水灾”发生后，他和吕缙宇等志工设法进入山区各处蝴蝶谷探视，获得的讯息相当不理想。台东县内有七成的蝴蝶栖地被崩落的土石破坏，蝴蝶一下子失去栖地，生态大乱，又以紫斑蝶的栖地受创最严重。他们走访各处蝴蝶谷，发现紫斑蝶的数量明显减少，小纹青斑蝶等蝴蝶也受到影响。吕缙宇说，部分蝴蝶往更高山区栖息，可是更多的蝴蝶不知去向。

（范昭　谭颖）

【防灾抗旱】　1. 加强农田水利自动测报设施在防灾系统的应用　台湾有关主管部门拟定在2009年度规划利用既有自动测报设施与控制系统，整合纳入农田水利台风暴雨灾害防救应变系统，加强农田水利设施之保护及扩增灾害防救应变系统之功能。在农田水利设施中，依不同水源特性分类，主要有水库供水、河川取水、回归水利用及地下水抽灌等四类系统。上列前三类所施设之量水设施较具有防灾系统加值应用之空间，分别说明如下。

（1）水库供水系统。在台湾17个农田水利会中，主要仰赖水库供灌之水利会是桃园、石门及嘉南等3个农田水利会，石门及乌山头水库下游导水路以下干线均为重要大型之灌溉输水渠道，必须随时监控渠道水位，避免水量溢堤造成灾害。目前该渠道多已施设水位—流量自动测报设施，此次规划要进一步加强、整合纳入防灾体系。

（2）河川取水系统。农田水利灌溉设施中以河川取水为主。在17个农田水利会中，拦水坝多达1133座。在拦水坝侧旁之进水口设施极易在台风暴雨中受损，且台风期间人力常无法即时现场操控关闭闸门。除南投农田水利会之能高大圳及台东农田水利会之卑南上圳等外，尚有彰化、云林、高雄、屏东等水利会，其设置于河川上游之进水口等，可检讨设置整合纳入防灾体系，俾在台风暴雨侵袭前达到预警作用，侵袭中予以监控，侵袭后亦能即时掌握设施受损程度，达到强化防灾体系之功能。

（3）回归水利用系统。农田水利会每年所供应农田灌溉之120亿 m^3 水量中，约有10亿 m^3 来自上游农地灌溉后渗流汇入河川或区域排水之回归水再利用，此为农田灌溉节水措施之特色，主要地区有台中、云林、嘉南及高雄等农田水利会。

2. 桃园农田水利会2009年抗旱措施　自2009年2月9日“2009年度台北、桃园及新竹地区暨離岛马祖地区水源调度协调第一次会议”起，水利主管部门即开始对石门水库进行用水管制，至7月20日一期作结束。石门水库集水区在梅雨季节（5—6月）的降水情形不甚理想，仅319.5mm，约为历年（1964—2008年）平均537.38mm的59%，亦未有台风带来关键性的降雨，使得石门水库的水文状况每况愈下。主管部门对于石门水库的用水调度因此采取较往年更保守的操作策略，并未依据原制定的“石门水库运用要点”进行操作，而改以每旬邀集各相关用水单位协商下一旬的管制措施。至7月20日止，共计召开了16次水源调度协调会议，以滚动检讨抗旱措施办理成效，并拟定下一旬之因应策略。

桃园农田水利会系以每旬视水情状况减少供水若干日数；优先使用埤塘蓄水及河川水源，并加强埤塘调控；增聘掌水工加强水门管理等措施为主。至7月下旬收获期结束，由于各工作站第一线管理人员调配得宜，石门水库管理中心与桃园水利会密切联系，随时调丰济枯，增加有效雨量利用率，虽然农民迭有埋怨，所幸并无实际农损发生，一期作灌溉任务顺利完成。

（范昭　谭颖）

【科技动态】　1.《南投农田水利会志》重修刊行　《南投农田水利会志》历经3年多的编纂校定，于2009年正式印行，并于3月16日举办“《南投农田水利会志》发表会”，公开修志经过及研究成果。《南投农田水利会志》断代上自清代下迄2007年5月，涵盖270余年史事。凡70余万字，1000余页，记载浩繁。

2. 2009年度推动多项业务电脑化　台湾各农田水利会各项业务积极推动电脑化，以提高办公效率。新竹农田水利会在2009年加强推动电脑化的业务如下：

（1）人事室：差勤管理系统。

（2）财务组：租赁管理系统。

（3）工务组：预算书作业系统。

（4）主计室：校对土地资产账。

（5）总务组：事务部分包括临时人员薪资作业系统、会务委员管理系统、房屋管理系统、请购单管理系统、公务车管理系统、会议室管理系统。文书部分包括电子档案柜管理系统、公文影像系统档回溯等作业。

（范昭　谭颖）

【学术交流】　由中国水利水电科学研究院、台湾大学、美华水利协会共同主办，逢甲大学承办的第十三届海峡两岸水利科技交流研讨会于2009年11月23—24日在台中市召开。来自海峡两岸和美华水利协会的水利工作者们再度聚首，围绕共同关心的水利科技发展主题，讨论有关流域治理、水资源管理、水环境保护及震灾相关之水利水电问题。

由中国水科院杨晓东副院长为团长的大陆代表团一行35人赴台参加了交流。佘年博士、杨丰荣先生、汤立群教授分别代表美华水利协会、台湾地区和大陆作了题为《21世纪可持续发展技术——城市暴雨的低影响发展》《莫拉克台风带来的省思》《全国土壤侵蚀特点、分区及水土保持对策》的主题报告。会议还进行了分会场报告与讨论。

（范昭　谭颖）

人 力 资 源

Human Resources

【重要任免】

1. 中央干部任免

(1) 2009年1月22日，中共中央组织部组任字〔2009〕12号文通知，刘宁、陈小江同志任水利部党组成员。

(2) 2009年2月6日，国务院国人字〔2009〕18号文通知，刘宁同志任水利部副部长。

2. 水利部党组干部任免

(1) 2009年5月8日，部党任〔2009〕3号文通知，免去王静鸣同志的中共水利部海委引滦工程管理局委员会副书记、委员、纪委书记职务。

(2) 2009年5月20日，部党任〔2009〕6号文通知，任命李新民同志为中共黄河水利委员会山东黄河河务局党组书记（试用期一年），免去袁崇仁同志的中共黄河水利委员会山东黄河河务局党组书记职务。

(3) 2009年5月20日，部党任〔2009〕7号文通知，任命刘栓明同志为中共黄河水利委员会经济发展管理局党组书记，免去赵耀同志的中共黄河水利委员会经济发展管理局党组书记职务。

(4) 2009年6月5日，部党任〔2009〕8号文通知，任命王治同志为中共水利部海河水利委员会党组成员兼水利部海委漳河上游管理局委员会书记。

(5) 2009年6月5日，部党任〔2009〕9号文通知，任命何志华同志为中水北方勘测设计研究有限责任公司副总经理，免去谢熙曦同志的中水北方勘测设计研究有限责任公司副总经理职务。

(6) 2009年6月5日，部党任〔2009〕10号文通知，苏训同志任广西右江水利开发有限责任公司总经理（试用期一年）。

(7) 2009年6月8日，部党任〔2009〕11号文通知，任命刘伟平同志为中共水利部水利水电规划设计总院委员会书记，免去汪洪同志的中共水利部水利水电规划设计总院委员会书记职务。

(8) 2009年6月8日，部党任〔2009〕12号文通知，刘伟平同志任中水北方勘测设计研究有限责任公司董事长、中水东北勘测设计研究有限责任公司董事长，汪洪同志不再担任中水北方勘测设计研究有限责任公司董事长、中水东北勘测设计研究有限责任公司董事长职务。

(9) 2009年6月15日，部党任〔2009〕13号文通知，免去周月鲁同志的中共黄河水利委员会黄河上中游管理局党组书记职务。

(10) 2009年6月24日，部党任〔2009〕15号文通知，任命程夏蕾同志为中共农村电气化研究所委员会书记，免去陈生水同志的中共农村电气化研究所委员会书记职务。

(11) 2009年6月29日，部党任〔2009〕16号文通知，免去李鹰同志的中共中国水利报社委员会书记职务。

(12) 2009年7月17日，部党任〔2009〕18号文通知，任命陈永志同志为中共黄河万家寨水利枢纽有限责任公司委员会书记，免去王学鲁同志的中共黄河万家寨水利枢纽有限责任公司委员会书记职务。

(13) 2009年8月5日，部党任〔2009〕19号文通知，任命涂曙明同志为中共中国水利报社委员会书记。

(14) 2009年7月29日，部党任〔2009〕20号文通知，任命杨德富同志为中共水利部海委引滦工程管理局委员会纪委书记。

(15) 2009年8月12日，部党任〔2009〕23号文通知，免去栾卫国同志的中共水利部松辽水利委员会党组成员、纪检组组长职务。

(16) 2009年8月20日，部党任〔2009〕24号文通知，任命陈晓军同志为中共水利部长江水利委员会党组成员。

(17) 2009年12月11日，部党任〔2009〕26号文通知，任命王健同志为中共黄河水利委员会黄河上中游管理局党组书记。

(18) 2009年12月11日，部党任〔2009〕27号文通知，任命杨燕山同志为中共水利部水文局委员会副书记、纪委书记，试用期一年，免去卢良梅同志的中共水利部水文局委员会副书记、纪委书记职务。

(19) 2009年12月11日，部党任〔2009〕28号文通知，任命司毅铭同志为中共黄河流域水资源保护局党组书记，免去董保华同志的中共黄河流域水资源保护局党组书记职务。

(20) 2009年12月22日，部党任〔2009〕29号文通知，任命徐乘同志为中共水利部黄河水利委员会党组副书记。

(21) 2009年12月24日，部党任〔2009〕31号文通知，任命郭玉同志任中共水利部中国科学院水工程生态研究所委员会书记（试用期一年）。

(22) 2009年12月24日，部党任〔2009〕32号文通知，任命胡甲均同志为中共汉江水利水电（集团）有限责任公司委员会书记（试用期一年）。

(23) 2009年12月17日，部党任〔2009〕33号文通知，任命王翔同志为中共水利部淮河水利委员会党组成员。

(24) 2009年12月24日，部党任〔2009〕34号文通知，任命刘明同志为中共水利部松辽水利委员会纪律检查组组长，赵万智同志为中共水利部松辽水利委员会党组成员。

(25) 2009年12月24日，部党任〔2009〕35号文通知，任命张善臣同志为中共水利部小浪底水利枢纽建设管理局委员会书记，殷保合同志不再担任中共水利部小浪底水利枢纽建设管理局委员会书记职务，改任中共水利部小浪底水利枢纽建设管理局委员会副书记。

3. 水利部干部任免

(1) 2009 年 5 月 8 日，部任〔2009〕4 号文通知，董新光为国际合作与科技司副司长（挂职半年），温雪琼为水利部建设与管理司副司长（挂职半年），赖淑芳为水利部农村水电及电气化发展局副局长（挂职半年）。

(2) 2009 年 5 月 8 日，部任〔2009〕5 号文通知，任命赵万智为水利部松辽水利委员会副巡视员，免去其松辽流域水资源保护局副巡视员职务。

(3) 2009 年 5 月 8 日，部任〔2009〕6 号文通知，任命陈信华为水利部离退休干部局副巡视员。

(4) 2009 年 5 月 14 日，部任〔2009〕7 号文通知，任命吴强为水利部规划计划司巡视员。

(5) 2009 年 5 月 14 日，部任〔2009〕8 号文通知，任命乔世珊为水利部国际合作与科技司巡视员，免去其水利部综合事业局副局长、水利部水资源管理中心主任职务。

(6) 2009 年 5 月 20 日，部任〔2009〕9 号文通知，任命汪洪为水利部总工程师，免去刘宁的水利部总工程师职务。

(7) 2009 年 5 月 20 日，部任〔2009〕10 号文通知，任命周学文为水利部总规划师。

(8) 2009 年 5 月 20 日，部任〔2009〕11 号文通知，任命陈琴为水利部政策法规司副司长（试用期一年）。

(9) 2009 年 5 月 20 日，部任〔2009〕12 号文通知，任命段虹为人事司副司长（试用期一年）。

(10) 2009 年 5 月 20 日，部任〔2009〕13 号文通知，任命牛崇桓、佟伟力为水利部水土保持司副司长。

(11) 2009 年 5 月 14 日，部任〔2009〕14 号文通知，确定杨昕宇的职级为正局级、赵胜的职级为副局级。

(12) 2009 年 5 月 14 日，部任〔2009〕15 号文通知，确定安中仁的职级为副局级。

(13) 2009 年 5 月 14 日，部任〔2009〕16 号文通知，确定彭建明的职级为副局级。

(14) 2009 年 5 月 20 日，部任〔2009〕17 号文通知，任命张新玉为水利部水土保持司副司长（试用期一年），免去其水利部规划计划司副巡视员职务，免去佟伟力的水利部水土保持司副司长职务。

(15) 2009 年 5 月 20 日，部任〔2009〕18 号文通知，任命周月鲁为黄河水利委员会山东黄河河务局局长，免去袁崇仁的黄河水利委员会山东黄河河务局局长职务。

(16) 2009 年 5 月 20 日，部任〔2009〕19 号文通知，任命刘栓明为黄河水利委员会经济发展局局长（试用期一年），免去赵耀的黄河水利委员会经济发展局局长职务。

(17) 2009 年 5 月 20 日，部任〔2009〕20 号文通知，任命常剑波为水利部中国科学院水工程生态研究所所长（试用期一年）。

(18) 2009 年 6 月 5 日，部任〔2009〕21 号文通知，任命王治为水利部海河水利委员会副主任兼漳河上游管理局局长（试用期一年）。

(19) 2009 年 6 月 8 日，部任〔2009〕22 号文通知，免去王治的水利部政策法规司副司长职务。

(20) 2009 年 6 月 8 日，部任〔2009〕23 号文通知，任命刘伟平为水利部水利水电规划设计总院院长，免去汪洪的水利部水利水电规划设计总院院长职务。

(21) 2009 年 6 月 15 日，部任〔2009〕27 号文通知，免去周月鲁的黄河水利委员会黄河上中游管理局局长职务。

(22) 2009 年 6 月 24 日，部任〔2009〕29 号文通知，任命程殿龙为水利部水库移民开发局局长（试用期一年），免去刘伟平的水利部水库移民开发局局长职务。

(23) 2009 年 6 月 17 日，部任〔2009〕30 号文通知，袁建军任水利部直属机关工会主席，陈信华不再担任水利部直属机关工会主席职务。

(24) 2009 年 6 月 24 日，部任〔2009〕31 号文通知，任命庞进武为水利部规划计划司巡视员。

(25) 2009 年 6 月 24 日，部任〔2009〕32 号文通知，任命程夏蕾为农村电气化研究所所长、亚太地区小水电研究培训中心主任（试用期一年），免去陈生水的农村电气化研究所所长、亚太地区小水电研究培训中心主任职务。

(26) 2009 年 6 月 23 日，部任〔2009〕33 号文通知，确定鞠茂森的职级为副局级。

(27) 2009 年 6 月 29 日，部任〔2009〕34 号文通知，任命郭孟卓为水利部办公厅巡视员（列陈小江之后），免去其办公厅副主任职务；任命吴文庆为水利部办公厅副主任（试用期一年）。

(28) 2009 年 6 月 29 日，部任〔2009〕35 号文通知，任命李鹰为水利部政策法规司副司长（正司级，列赵伟之后）。

(29) 2009 年 6 月 29 日，部任〔2009〕36 号文通知，免去李鹰的中国水利报社社长职务。

(30) 2009 年 6 月 29 日，部任〔2009〕37 号文通知，任命孙雪涛为水利部水资源司司长（试用期一年），任命于琪洋为水利部水资源司副司长，免去高而坤的水利部水资源司司长职务。

(31) 2009 年 6 月 29 日，部任〔2009〕38 号文通知，任命郑通汉为水利部财务司巡视员，免去其水利部财务司副司长职务。

(32) 2009 年 6 月 29 日，部任〔2009〕39 号文

通知，免去程殿龙的国家防汛抗旱总指挥部办公室副主任职务。

（33）2009年6月29日，部任〔2009〕40号文通知，任命郑通汉为水利部综合事业局副局长（正局级，列王文珂之后）。

（34）2009年7月17日，部任〔2009〕42号文通知，李兰奇任黄河万家寨水利枢纽有限公司董事长（正局级，试用期一年），王文珂不再担任黄河万家寨水利枢纽有限公司董事长职务。

（35）2009年7月17日，部任〔2009〕43号文通知，陈永志任黄河万家寨水利枢纽有限公司总经理（试用期一年），王学鲁不再担任黄河万家寨水利枢纽有限公司总经理职务。

（36）2009年7月29日，部任〔2009〕45号文通知，任命王磊为水利部办公厅副巡视员。

（37）2009年7月29日，部任〔2009〕46号文通知，任命陈明为水利部水资源司副巡视员。

（38）2009年7月29日，部任〔2009〕47号文通知，免去郑通汉的水利部财务司巡视员职务。

（39）2009年8月5日，部任〔2009〕48号文通知，任命肖向红为水利部建设与管理司副巡视员，免去韦志立的水利部建设与管理司副巡视员职务。

（40）2009年8月20日，部任〔2009〕49号文通知，任命顾洪波为水利部综合事业局副局长。

（41）2009年8月5日，部任〔2009〕50号文通知，确定李远华的职级为副局级。

（42）2009年8月5日，部任〔2009〕51号文通知，任命高占义、宁堆虎为国际泥沙研究培训中心副主任（试用期一年）。

（43）2009年8月5日，部任〔2009〕52号文通知，任命董自刚为中国水利报社社长（试用期一年），免去其中国水利报社总编辑职务。

（44）2009年8月5日，部任〔2009〕53号文通知，任命栾卫国为水利部松辽水利委员会巡视员。

（45）2009年8月5日，部任〔2009〕54号文通知，确定牛金凤的职级为副局级。

（46）2009年8月20日，部任〔2009〕58号文通知，任命陈明忠为水利部国际合作与科技司巡视员，免去其水利部国际合作与科技司副司长职务。

（47）2009年8月20日，部任〔2009〕59号文通知，任命张旭、束庆鹏为国家防汛抗旱总指挥部办公室副主任（试用期一年），免去邱瑞田的国家防汛抗旱总指挥部办公室副主任职务。

（48）2009年8月20日，部任〔2009〕60号文通知，任命陈晓军为水利部长江水利委员会副主任（试用期一年）。

（49）2009年8月20日，部任〔2009〕61号文通知，免去陈晓军的水利部水资源司副巡视员职务。

（50）2009年9月1日，部任〔2009〕62号文通知，免去于琪洋的国际泥沙研究培训中心副主任职务。

（51）2009年11月11日，部任〔2009〕63号文通知，任命张文捷为水利部建设与管理司副司长（挂职三个月）。

（52）2009年11月25日，部任〔2009〕64号文通知，确定冯玉禄的职级为副局级。

（53）2009年12月11日，部任〔2009〕66号文通知，任命王健为黄河水利委员会黄河上中游管理局局长（试用期一年）。

（54）2009年12月11日，部任〔2009〕67号文通知，任命王磊为水利部规划计划司副司长（试用期一年），免去其水利部办公厅副巡视员职务。

（55）2009年12月11日，部任〔2009〕68号文通知，任命司毅铭为黄河流域水资源保护局局长（试用期一年）；任命董保华为黄河流域水资源保护局巡视员，免去其黄河流域水资源保护局局长职务。

（56）2009年12月11日，部任〔2009〕69号文通知，任命李彦东为水利部海河水利委员会副巡视员。

（57）2009年12月12日，部任〔2009〕70号文通知，任命马建华为水利部长江水利委员会副主任。

（58）2009年12月24日，部任〔2009〕71号文通知，任命熊铁为南水北调中线水源有限责任公司董事长。

（59）2009年12月24日，部任〔2009〕72号文通知，任命贺平为汉江水利水电（集团）有限责任公司董事长。

（60）2009年12月17日，部任〔2009〕73号文通知，任命王翔为水利部淮河水利委员会副主任（试用期一年）。

（61）2009年12月24日，部任〔2009〕74号文通知，任命赵万智为水利部松辽水利委员会副主任（试用期一年），任命郑沛溟为水利部松辽水利委员会副巡视员。

（62）2009年12月31日，部任〔2009〕76号文通知，免去杨燕山的水利部人事司副巡视员职务。

4. 临时和议事协调机构人员调整

（1）2009年2月13日，水人事函〔2009〕49号文通知，张印忠同志任中国水利职工思想政治工作研究会会长、中国水利文学艺术协会主席、中国水利江河体育协会理事长。

（2）2009年1月6日，水人事〔2009〕4号文通知，水利部寒区工程技术研究中心管理委员会组成如下：

主　　任：汪　洪

副 主 任：陈明忠　刘志明　王福庆　金正浩

成员单位：水利部规划计划司

水利部水资源司

水利部国际合作与科技司
水利部建设与管理司
水利部水土保持司
国家防汛抗旱总指挥部办公室
水利部水利水电规划设计总院
水利部松辽水利委员会
水利部科技推广中心
中水东北勘测设计研究有限责任公司

(3) 2009 年 3 月 4 日，水人事〔2009〕139 号文通知，水利部保密委员会和密码工作领导小组成员调整如下。

主 任（组 长）：陈 雷
副主任（副组长）：陈小江
成 员：罗湘成 周学文 赵 伟 高而坤
张红兵 刘雅鸣 高 波 孙继昌
张志彤 刘学钊 王 星 邓 坚
刘建明 汪 洪 匡尚富 杨得瑞

水利部保密委员会（密码工作领导小组）办公室主任由陈小江兼任，副主任由罗湘成兼任。

(4) 2009 年 3 月 2 日，水人事〔2009〕149 号文通知，大藤峡水利枢纽工程前期工作领导小组组成人员调整如下。

组 长：矫勇
副组长：陈章良
成 员：周学文 段红东 高 军 侯京民
孙继昌 刘伟平 汪 洪 岳中明
王秋生 曾 东 蒋家柏 高 旭
曹国生 潘 巍 钟想廷 梁 斌
韦纯良 吴秀永 唐成良 杨和荣

领导小组下设的协调工作小组组成人员调整如下。

组 长：岳中明（兼） 曾 东（兼）
副组长：段红东（兼） 蒋家柏（兼）
高 旭（兼）
陈泽健 杨 焱
成 员：黄 凯 刘志明 金 旸 胥加仕
廖志伟 汪明华 林小强 王 彤
姜继红 伍伟星 李亮光 彭发基
韦北平

(5) 2009 年 3 月 16 日，水人事〔2009〕162 号文通知，第三届大禹水利科学技术奖奖励委员会组成人员如下。

顾 问：胡四一
主 任 委 员：敬正书
副主任委员：高 波 顾 浩
委 员：郑守仁 陈厚群 雷志栋 高安泽
庞进武 周学文 张红兵 刘雅鸣
陈明忠 汪 洪 匡尚富 杨得瑞
张建云 王 乘 武文相 李赞堂

(6) 2009 年 5 月 12 日，水人事〔2009〕259 号文通知，蒋兆宏任水利部水文水资源工程技术研究中心管理委员会副主任，倪伟新不再担任水利部水文水资源工程技术研究中心管理委员会副主任职务。

(7) 2009 年 6 月 8 日，水人事〔2009〕304 号文通知，成立水利部南营房宿舍区改造项目领导小组，组成人员如下。

组 长：周 英
副组长：刘建明 何源满 杨昕宇
成 员：陈茂山 陈群香 高 军 侯京民
孙献忠 赵 卫 陈庚寅 巫明强
殷保合

(8) 水人事〔2009〕333 号对澧水流域水利水电综合开发领导小组成员调整如下。

组 长：矫 勇
副组长：徐明华
成 员：周学文 高 军 曾大林 孙继昌
魏山忠 程殿龙 刘伟平 胡玉林
陈吉芳 戴军勇 欧阳彪 石建辉

(9) 水人事〔2009〕334 号通知，对湖南澧水流域水利水电开发有限责任公司董事会、监事会组成人员调整如下。

1) 董事会
董 事 长：魏山忠
副董事长：戴军勇
董 事：胡玉林 王新才 王志宏 欧阳彪
石建辉

2) 监事会
召集人：周苗建
监 事：郭炳奎 杨伟云

(10) 2009 年 7 月 27 日，水人事〔2009〕377 号文通知，水利部南营房宿舍区改造项目基建办公室领导成员如下。

主 任：刘建明
常务副主任：杨昕宇
副 主 任：赵 胜 杨 涛

(11) 2009 年 7 月 29 日，水人事〔2009〕380 号文通知，水利部治理“小金库”工作领导小组组成人员调整如下。

组 长：周 英
副组长：张红兵 王 星
成 员：赫崇成 陈庚寅 段 虹 徐开濯
牛志奇

(12) 2009 年 8 月 4 日，水人事〔2009〕389 号文通知，水利部机关资源节约工作领导小组成员调整如下。

组　长：陈小江

成　员：陈茂山　孙雪涛　赫崇成　刘学钊　刘建明

领导小组办公室主任由刘秀华担任。

(13) 2009年8月14日，水人事〔2009〕408号文通知，水利部病险水库除险加固工作领导小组成员调整如下。

组　长：矫　勇

副组长：汪　洪　孙继昌

成　员：汪安南　张红兵　祖雷鸣　王晓东　王爱国　徐开濯　陈庚寅　刘伟平　张严明

领导小组办公室主任由徐元明担任，副主任由徐永田担任。

(14) 2009年9月3日，水人事〔2009〕437号文通知，水利部科学技术委员会组成人员调整如下。

名誉主任委员：索丽生

主任委员：胡四一

副主任委员：汪　洪　周学文　高　波

顾　　问：文伏波　石元春　朱伯芳　朱显谟　陈志恺　汪恕诚　何　璟　何孝俅　吴以鳌　张　仁　张光斗　张宗祜　张蔚榛　杨振怀　林伯诜　林秉南　周君亮　徐乾清　钱正英　龚时旸　曹楚生　谢鉴衡　谭靖夷　潘家铮　魏廷琤

委　　员：山　仑　马建华　马洪琪　王　浩　王秋生　匡尚富　朱尔明　朱振家　刘志明　刘国纬　刘昌明　李代鑫　李赞堂　吴中如　何文垣　汪　洪　汪易森　汪集旸　张长宽　张建云　张超然　张楚汉　张瑞凯　肖贡元　陈明忠　陈厚群　陈祖煜　陈效国　陈德基　林　昭　林泽新　茆　智　郑守仁　庞进武　周学文　胡四一　段红东　钮新强　钱　易　顾　洪　顾　浩　索丽生　高　波　高而坤　高安泽　徐瑞春　徐麟祥　曹征齐　曹寅白　董哲仁　蒋国澄　富曾慈　曾肇京　韩其为　雷志栋　薛松贵　薛禹群

秘书长：高　波（兼）

副秘书长：陈明忠（兼）　李赞堂（兼）

(15) 2009年9月3日，水人事〔2009〕438号文通知，水利部全面推进依法行政工作领导小组组成人员调整如下。

组　长：陈　雷

副组长：周　英

成　员：郭孟卓　段红东　赵　伟　孙雪涛　张红兵　刘雅鸣　高　波　孙继昌　刘　震　王晓东　王爱国　张志彤　刘学钊　王　星　何源满　田中兴　邓　坚　程殿龙　刘伟平

领导小组办公室主任由赵伟兼任。

(16) 2009年9月30日，水人事〔2009〕489号文通知，成立水利部水利风景区建设与管理领导小组，组成人员如下。

组　长：胡四一

副组长：陈小江　王文珂

成　员：段红东　赵　伟　孙雪涛　张红兵　段　虹　乔世珊　孙继昌　张学俭　王晓东　张汝石　张志彤　邢援越　梅锦山

领导小组办公室设在综合事业局，办公室主任由王文珂兼任，副主任由李晓华担任。

(17) 2009年10月19日，水人事〔2009〕504号文通知，国家节水灌溉北京工程技术研究中心管理委员会领导人员调整如下。

主　任：王晓东

副主任：孙雪涛　陈明忠　匡尚富　李仰斌

成员单位不变。

(18) 2009年10月19日，水人事〔2009〕505号文通知，水利部反恐怖工作领导小组成员调整如下。

组　长：陈　雷

副组长：刘　宁

成　员：周学文　张志彤　郭孟卓　孙雪涛　刘雅鸣　孙继昌　王晓东　王爱国　田中兴　王文珂　邓　坚　刘建明　束庆鹏

领导小组办公室主任由束庆鹏兼任。

(19) 2009年10月27日，水人事〔2009〕515号文通知，嫩江尼尔基水利水电有限责任公司第三届董事会、监事会组成如下。

1）董事会

董事长：王福庆

副董事长：杨崇义　张常荣

董　事：陆　兵　戈　锋　金志功　任红梅

2）监事会

主　席：栾卫国

监　事：周安增　刘　祥　姜殿英　张家骥

(20) 2009年10月29日，水人事〔2009〕521号文通知，水利部普法工作联席会议和普法办公室组成人员调整如下。

1）水利部普法联席会议组成人员：

郭孟卓　吴　强　李　鹰　于琪洋　赫崇成　段　虹　乔世珊　孙献忠

牛崇桓　姜开鹏　赵　卫　束庆鹏
徐开濯　李肇桀　凌先有　陈大勇

2）水利部普法办公室组成人员：

主　任：李　鹰（兼）
副主任：李中锋　付永杰　巩劲标　王美婷
　　　　付静波
成　员：王　毅　武媛媛　王国新　穆范椭
　　　　李春明　王瑞增　潘云生　李晓静
　　　　杨卫忠　吴多俊　张宝林　许德志

（孙高振　董琦）

【机构编制】

1. 水利部以水人事〔2009〕263 号文成立水利部治理“小金库”工作领导小组。

组　长：周　英（水利部副部长）
副组长：张红兵（财务司司长）
　　　　王　星（监察部驻水利部监察局局长）
成　员：郑通汉（财务司副司长）
　　　　陈庚寅（监察部驻水利部监察局副局长）
　　　　侯京民（人事司副司长）
　　　　徐开濯（审计室主任）

2. 水利部以水人事〔2009〕304 号文成立水利部南营房宿舍区改造项目领导小组。

组　长：周　英（水利部副部长）
副组长：刘建明（机关服务局局长）
　　　　何源满（离退休干部局局长）
　　　　杨昕宇（机关服务局副局长）
成　员：陈茂山（办公厅副主任）
　　　　陈群香（规划计划司副巡视员）
　　　　高　军（财务司巡视员）
　　　　侯京民（人事司副司长）
　　　　孙献忠（建设与管理司副司长）
　　　　赵　卫（安全监督司副司长）
　　　　陈庚寅（监察部驻水利部监察局副局长）
　　　　巫明强（离退休干部局副局长）
　　　　殷保合（小浪底水利枢纽建设管理局局长）

3. 水利部以水人事〔2009〕330 号文批复同意黄河水利委员会发起成立中国保护黄河基金会。2009 年 10 月 9 日，民政部以民函〔2009〕247 号文批复中国保护黄河基金会设立登记，明确该基金会属公募基金会，业务主管单位为水利部。

4. 水利部以水人事〔2009〕336 号文成立水利部出版社体制改革工作领导小组。

组　长：陈小江（部党组成员、办公厅主任）
成　员：陈茂山（办公厅副主任）
　　　　赫崇成（财务司副司长）
　　　　侯京民（人事司副司长）
　　　　刘学钊（直属机关党委常务副书记）
　　　　陈庚寅（监察部驻水利部监察局副局长）
　　　　郭国顺（黄河水利委员会党组成员、工会主席）
　　　　汤鑫华（中国水利水电出版社社长）
　　　　骆向新（黄河水利出版社社长）

5. 水利部以水人事〔2009〕338 号文批复同意无锡市宛山荡水生态科技园冠“水利部水生态（无锡）科技园”名称。

6. 水利部以水人事〔2009〕360 号文调整水利部老年大学校务委员会组成人员。

主　任：周　英（水利部副部长）
副主任：匡尚富（中国水利水电科学研究院院长）
　　　　何源满（离退休干部局局长）
成　员：汪安南（规划计划司副司长）
　　　　张红兵（财务司司长）
　　　　曾大林（人事司副司长）
　　　　刘学钊（直属机关党委常务副书记）
　　　　凌先有（离退休干部局副局长）
　　　　成京生（综合事业局党委副书记、纪委书记）
　　　　刘建明（机关服务局局长）
　　　　汪小刚（中国水利水电科学研究院副院长）

7. 2009 年 7 月 21 日，水利部以水人事〔2009〕368 号文批复同意中国大坝协会成立登记。2009 年 11 月 23 日，民政部批复准予中国大坝协会成立登记，并明确该会业务主管单位为水利部。

8. 水利部以水人事〔2009〕413 号文成立水利部治理水利工程领域突出问题专项工作领导小组。

组　长：陈　雷（水利部党组书记、部长）
副组长：董　力（水利部党组成员、中纪委驻水利部纪检组组长）
　　　　矫　勇（水利部党组成员、副部长）
成　员：陈小江（水利部党组成员、办公厅主任）
　　　　周学文（水利部总规划师、规划计划司司长）
　　　　赵　伟（政策法规司司长）
　　　　孙雪涛（水资源司司长）
　　　　张红兵（财务司司长）
　　　　刘雅鸣（人事司司长）
　　　　孙继昌（建设与管理司司长）
　　　　刘　震（水土保持司司长）
　　　　王晓东（农村水利司司长）
　　　　王爱国（安全监督司司长）
　　　　刘学钊（直属机关党委常务副书记）
　　　　王　星（监察部驻水利部监察局局长）

田中兴（农村水电及电气化发展局局长）
程殿龙（水库移民开发局局长）
刘伟平（水利水电规划设计总院院长）

9.2009年9月21日，水利部以水人事〔2009〕458号文将水利部南京水利水文自动化研究所由水利部水文局管理划转南京水利科学研究院管理。

10.水利部以水人事〔2009〕476号文成立全国水利发展十二五规划编制工作领导小组。

组　长：矫　勇（水利部副部长）
副组长：汪　洪（水利部总工程师）
周学文（水利部总规划师、规划计划司司长）
成　员：郭孟卓（水利部办公厅巡视员）
段红东（水利部规划计划司副司长）
赵　伟（水利部政策法规司司长）
孙雪涛（水利部水资源司司长）
高　军（水利部财务司巡视员）
刘雅鸣（水利部人事司司长）
陈明忠（水利部国际合作与科技司巡视员）
孙继昌（水利部建设与管理司司长）
张新玉（水利部水土保持司副司长）
王晓东（水利部农村水利司司长）
王爱国（水利部安全监督司司长）
李坤刚（国家防汛抗旱总指挥部办公室副主任）
田中兴（水利部农村水电及电气化发展局局长）
李兰奇（水利部综合事业局副局长）
邓　坚（水利部水文局局长）
刘伟平（水利部水利水电规划设计总院院长）
杨得瑞（水利部发展研究中心主任）
马建华（水利部长江水利委员会总工程师）
赵　勇（水利部黄河水利委员会副主任）
刘玉年（水利部淮河水利委员会副主任）
户作亮（水利部海河水利委员会副主任）
朱振家（水利部松辽水利委员会副主任、总工程师）
岳中明（水利部珠江水利委员会主任）
林泽新（水利部太湖流域管理局副局长、总工程师）

11.水利部以水人事〔2009〕485号文成立水利部水利风景区建设与管理领导小组。

组　长：胡四一（水利部副部长）
副组长：陈小江（水利部党组成员、办公厅主任）
王文珂（综合事业局局长）
成　员：段红东（规划计划司副司长）
赵　伟（政策法规司司长）
孙雪涛（水资源司司长）
张红兵（财务司司长）
段　虹（人事司副司长）
乔世珊（国际合作与科技司巡视员）
孙继昌（建设与管理司司长）
张学俭（水土保持司巡视员）
王晓东（农村水利司司长）
张汝石（安全监督司副司长）
张志彤（国家防汛抗旱总指挥部办公室常务副主任）
邢援越（农村水电及电气化发展局副局长）
梅锦山（水利水电规划设计总院副院长）

12.2009年10月，经商国家能源局、交通运输部同意，并报中央机构编制委员会办公室批准，水利部以水人事〔2009〕506号文批复南京水利科学研究院名称变更为“水利部　交通运输部　国家能源局南京水利科学研究院”。

13.水利部以水人事〔2009〕510号文批复同意南昌工程学院设立水利部南方水利职工培训中心。

14.水利部以水人事〔2009〕529号文成立水利部机关防总楼大修与临时安置工作领导小组。

组　长：矫　勇（水利部副部长）
副组长：陈小江（水利部党组成员、办公厅主任）
汪　洪（水利部总工程师）
刘建明（机关服务局局长）
成　员：陈茂山（办公厅副主任）
汪安南（规划计划司副司长）
郭永胜（政策法规司副巡视员）
高　军（财务司巡视员）
段　虹（人事司副司长）
祖雷鸣（建设与管理司副司长）
张新玉（水土保持司副司长）
顾斌杰（农村水利司副司长）
张汝石（安全监督司副司长）
周一敏（国家防汛抗旱总指挥部办公室副巡视员）
刘学钊（直属机关党委常务副书记）
陈庚寅（监察部驻水利部监察局副局长）
王杨群（综合事业局副局长）

蔡　阳（水文局副局长）
刘秀华（机关服务局副局长）
董安建（水利水电规划设计总院副院长）

15. 水利部以水人事〔2009〕535号文成立水利部第一次全国水利普查前期工作领导小组。

组　长：矫　勇（水利部副部长）
副组长：周学文（水利部总规划师、规划计划司司长）
成　员：郭孟卓（办公厅巡视员）
吴　强（规划计划司巡视员）
孙雪涛（水资源司司长）
赫崇成（财务司副司长）
段　虹（人事司副司长）
乔世珊（国际合作与科技司巡视员）
祖雷鸣（建设与管理司副司长）
张学俭（水土保持司巡视员）
顾斌杰（农村水利司副司长）
邢援越（农村水电及电气化发展局副局长）
蔡建元（水文局副局长、水利信息中心副主任）
李原园（水利水电规划设计总院副院长）
黄　河（发展研究中心副主任）

16. 水利部以水人事〔2009〕621号文对政策法规司和安全监督司主要职责和内设处室有关事项进行调整。

17. 水利部以水人事〔2009〕642—648号文分别批复长江水利委员会、黄河水利委员会、淮河水利委员会、海河水利委员会、珠江水利委员会、松辽水利委员会和太湖流域管理局主要职责机构设置和人员编制规定。

18. 水利部以办人事〔2009〕75号文成立中意合作华北平原地下水管理项目联合指导委员会。

主　席：高　波（水利部国际合作与科技司司长）
成　员：孙雪涛（水利部水资源司副司长）
段红东（水利部规划计划司副司长）
李原园（水利部水利水电规划设计总院副院长）

19. 水利部以办人事〔2009〕284号文印发水利部总工程师总规划师主要职责及分工的通知。

20. 水利部以办人事〔2009〕550号文成立中日合作水库运行管理能力建设项目联合指导委员会。

主　席：刘志广（水利部国际合作与科技司副司长）
副主席：祖雷鸣（水利部建设与管理司副司长）
侯京民（水利部人事司副司长）
成　员：成京生（水利部综合事业局党委副书记）
陈　楚（水利部人才资源开发中心主任）
蔡跃波（水利部大坝安全管理中心副主任）

21. 水利部以人事机〔2009〕1号文批复中国水利学会成立事业发展部。

22. 水利部以人事机〔2009〕2号文批复中国水利水电科学研究院成立水利史研究所。

23. 水利部以人事机〔2009〕3号文批复水利部发展研究中心综合研究室更名为投资与统计研究处，国际水利研究处更名为综合研究处（国际水利研究处）。

24. 水利部以人事机〔2009〕4号文批复水利部水利建设与管理总站稽察一处更名为稽察处，稽察二处更名为安全生产管理处。

25. 水利部以人事机〔2009〕5号文转发民政部对评估为AAA以上等级全国性行业协会商会授牌的决定的通知，中国水利工程协会在首批全国性行业协会商会评估中荣获AAAAA等级。

26. 水利部以人事机〔2009〕6号文批复中国水利水电科学研究院成立水电可持续发展研究中心。

27. 水利部以人事机〔2009〕7号文调整黄河水利委员会部分河务管理机构机关行政执行人员编制。

28. 水利部以人事机〔2009〕8号文转发关于认真学习贯彻《机构编制违纪行为适用〈中国共产党纪律处分条例〉若干问题解释》的通知，编撰《机构编制监督检查工作法规文件选编》。

29. 水利部以人事机〔2009〕9号文调整海河水利委员会部分参照公务员法管理单位机关行政执行人员编制。

30. 水利部以人事机函〔2009〕2号文转发《关于进一步加强党政群机关和事业单位网上名称管理工作的通知》。

31. 水利部以人事机函〔2009〕7号文向中央机构编制委员会办公室报送水利部2008年度机构编制统计年报。

32. 水利部以人事机函〔2009〕12号文向中央机构编制委员会办公室报送中央一级事业单位机构编制年中统计数据。

33. 2009年10月23日，民政部以民函〔2009〕266号文批复中国水利江河体育协会更名为中国水利体育协会。

（刘祥锋　杨丹　于植广）

【职称评审】

1. 水利部职称改革领导小组办公室先后对南京水利科学研究院、中国水利水电科学研究院、淮河水利委员会、黄河水利委员会、太湖流域管理局、小浪底水利枢纽建设管理局6家部属单位工程系列高级专业技术职务任职资格评审委员会进行了调整（详见表1）。

表 1　　水利部直属单位高级专业技术职务任职资格评审委员会调整情况

序号	批准文号	系列	单位	评委会主任	评委会副主任
1	职改办〔2009〕1 号 （高级、调整）	工程	南京水利科学研究院	张建云	左其华
2	职改办〔2009〕5 号 （高级、调整）	工程	中国水利水电 科学研究院	匡尚富	陈厚群
3	职改办〔2009〕6 号 （高级、调整）	工程	淮河水利委员会	肖　幼	顾　洪
4	职改办〔2009〕7 号 （高级、调整）	工程	黄河水利委员会	薛松贵	翟家瑞　陈吕平
5	职改办〔2009〕8 号 （高级、调整）	工程	太湖流域管理局	林泽新	朱　威
6	职改办〔2009〕18 号 （高级、调整）	工程	小浪底水利枢纽 建设管理局	张利新	崔学文

2. 2009 年水利部职称考试共有 4046 人次参加考试，其中计算机 1650 人次，专业理论 2396 人次，共有 3339 人次通过考试，占考试总人次的 82.5%。

3. 2008 年度水利部职称评审，部直属单位共申报 503 人（包括自行评审和委托评审），其中正高级 260 人、副高级 216 人、中级 27 人（详见表 2），涉及水利工程、经济、会计、档案、政工、卫生、新闻、出版、翻译、自然科学、社会科学等专业系列。

表 2　　水利部直属单位 **2008** 年度专业技术职务任职资格评审人数统计表　　（人）

	合计	水利工程	经济	会计	翻译	卫生	新闻	出版	档案	政工	自然科学 社会科学
正高	260	215			2	7	2	19	1		14
副高	216	8	63	28	1	26	20	6	16	44	4
中级	27	1					6		8	12	
合计	503	224	63	28	3	33	28	25	25	56	18

4. 2008 年度水利部职称评审，自行评审了水利工程、经济、会计、政工、卫生、档案 6 个专业系列共 428 人，其中：部属单位申报人员 412 人，外单位委托评审 16 人。各系列评审通过率保持在 70%左右。部属单位申报人员的评审结果见表 3。

5. 2009 年水利系统及部直属单位、地方水利部门职工职称情况统计见表 4。

表 3　　水利部 **2008** 年度水利工程等六个系列专业技术职务任职资格评审情况
（部属单位申报人员）

<table>
<tr><td>系列</td><td>水利工程</td><td colspan="2">政工</td><td>经济</td><td>会计</td><td colspan="2">档案</td><td>卫生</td><td rowspan="2">合计</td></tr>
<tr><td>级别</td><td>正高</td><td>副高</td><td>中级</td><td>副高</td><td>副高</td><td>副高</td><td>中级</td><td>副高</td></tr>
<tr><td>申报数（人）</td><td>215</td><td>44</td><td>12</td><td>63</td><td>28</td><td>16</td><td>8</td><td>26</td><td>412</td></tr>
<tr><td>通过数（人）</td><td>162</td><td>30</td><td>8</td><td>45</td><td>20</td><td>11</td><td>5</td><td>17</td><td>298</td></tr>
<tr><td rowspan="2">通过率（%）</td><td rowspan="2">75.3</td><td>68.2</td><td>66.7</td><td rowspan="2">71.4</td><td rowspan="2">71.4</td><td>68.8</td><td>62.5</td><td rowspan="2">65.4</td><td rowspan="2">72.3</td></tr>
<tr><td colspan="2">67.9</td><td colspan="2">66.7</td></tr>
</table>

表 4　　2009 年水利系统职工职称情况统计表　　（人）

项目	编号	水利系统职工队伍职称情况				部直属单位职工队伍职称情况				地方水利部门职工队伍职称情况			
		合计	高级	中级	初级	小计	高级	中级	初级	小计	高级	中级	初级
甲		1	2	3	4	5	6	7	8	9	10	11	12
合　计	1	344659	43585	119257	181817	34925	10845	12552	11528	309734	32740	106705	170289
司局级	2	726	672	48	6	487	482	4	1	239	190	44	5
处　级	3	11135	7750	2669	716	4144	3408	621	115	6991	4342	2048	601
处级以下	4	332798	35163	116540	181095	30294	6955	11927	11412	302504	28208	104613	169683

说明：甲栏 1＝5＋9，2＝6＋10，3＝7＋11，4＝8＋12；1＝2＋3＋4；5＝6＋7＋8；9＝10＋11＋12

（孙晶辉　陈东）

【专家管理】

1. 根据中共中央组织部、人力资源和社会保障部转发的《中央人才工作协调小组关于建立“特聘专家”制度的意见》（组通字〔2009〕36 号），制定印发了《水利部贯彻〈中央人才工作协调小组关于建立“特聘专家”制度的意见〉的意见》（人事培〔2009〕13 号）。

2. 根据中国工程院《关于提名和遴选中国工程院院士候选人的通知》（中工发〔2008〕86 号）要求，以人事培函〔2009〕1 号通知开展遴选工作，共向中国工程院推荐 4 名候选人，最终张建云当选中国工程院院士。

3. 根据中共中央组织部、中共中央宣传部、人力资源和社会保障部、科学技术部《关于开展全国杰出专业技术人才和专业技术人才先进集体表彰工作的通知》（人社部函〔2009〕153 号）要求，组织开展了推荐评选工作，向人力资源和社会保障部推荐 1 名候选人和 1 个候选单位，最终张建云被评为全国杰出专业技术人才，水利水电规划设计总院水战略研究部被评为专业技术人才先进集体。

4. 根据人力资源和社会保障部《关于开展 2009 年新世纪百千万人才工程国家级人选选拔工作的通知》（人社部函〔2009〕34 号）要求，以人事培函〔2009〕4 号通知开展推荐选拔工作，共向人力资源和社会保障部推荐 20 名候选人，最终丁秀丽、刘志雨、吴永祥、李原园、胡亚安、贾仰文、郭庆超 7 人当选为新世纪百千万人才工程国家级人选。

5. 根据中共中央组织部、人力资源和社会保障部、中国科学技术协会《关于开展第十一届中国青年科技奖候选人推荐与评选工作的通知》（科协发组字〔2009〕16 号）要求，以办人事函〔2009〕524 号通知开展推荐评选工作，共向中国科学技术协会推荐 9 名候选人，最终王建华获第十一届中国青年科技奖。

6. 根据《水利部 5151 人才工程实施意见》（水人教〔2006〕564 号）精神，以办人事〔2009〕291 号组织开展了第二批“5151 人才工程”部级人选推荐选拔工作，共评选产生 30 名人选，并以水人事〔2010〕31 号予以公布，名单如下（排名不分先后，以姓氏笔画为序）：

万育生　水利部综合事业局水资源管理中心
马东亮　淮河水利委员会淮河规划设计研究有限公司
王　煜　黄河水利委员会黄河勘测规划设计有限公司
王小毛　长江水利委员会长江勘测规划设计研究院
王振龙　安徽省·水利部淮河水利委员会水利科学研究院
卢永金　上海市水利工程设计研究院
卢金友　长江水利委员会长江科学院
刘永林　辽宁省水利水电勘测设计研究院
巩同梁　西藏自治区水利厅防办
何光同　福建省水利水电勘测设计研究院
吴一红　中国水利水电科学研究院
吴浩云　太湖流域管理局
李元红　甘肃省水利科学研究院
李和跃　松辽水利委员会
李智慧　山西省水资源研究所
杜雷功　中水北方勘测设计研究有限责任公司
杨　洁　江西省水土保持科学研究所
陆永军　南京水利科学研究院
陈　舟　浙江省水利水电勘测设计院
武兰春　河北省水利技术试验推广中心
姚文艺　黄河水利委员会黄河水利科学研究院
姜德文　水利部综合事业局水土保持监测中心
郦建强　水利水电规划设计总院水战略研究部
徐泽平　中国水利水电科学研究院
袁　群　河南省水利科学研究院
钱名开　淮河水利委员会水文局（信息中心）
董建伟　吉林省水利科学院
蔡　阳　水利部水文局
蔡正银　南京水利科学研究院

戴春胜　黑龙江省水利水电勘测设计研究院

7. 根据中共中央组织部、共青团中央《关于开展第十批“博士服务团”成员选派工作的通知》（组通字〔2009〕30号）要求，选派中国水利水电科学研究院龙爱华、南京水利科学研究院唐彤芝和珠江水利科学研究院孙加龙3位博士作为第十批“博士服务团”成员，分别赴新疆维吾尔自治区水利厅、福建省宁德市水利局和江西省水利规划设计院服务锻炼。

8. 根据中共中央组织部、教育部、科学技术部、中国科学院《关于做好2009年“西部之光”访问学者选派工作的通知》（组通字〔2009〕29号）要求，接收了1名“西部之光”访问学者任江龙，由中国水利水电科学研究院承担培养工作。

9. 根据人力资源和社会保障部《关于申报2009年度留学人员科技活动项目择优资助经费的函》（人社专司技函〔2009〕7号）要求，以人事培函〔2009〕9号通知开展申报工作，经评选后共向人力资源和社会保障部申报项目20个，最终4个项目获批准。

10. 根据人力资源和社会保障部《关于做好早期回国定居工作专家基本情况调查的通知》（人社专技司函〔2009〕30号）要求，对原人事部审批并发放了生活津贴的早期回国定居专家的基本情况进行了调查了解，并以人事培函〔2009〕29号报送人力资源和社会保障部。

11. 根据环境保护部《关于推荐第五届国家级自然保护区评审委员会委员的函》（环办函〔2009〕423号）要求，组织开展了推荐工作，经研究，向环境保护部推荐程晓冰为第五届国家级自然保护区评审委员会委员。

12. 根据国务院和水利部有关规定，以人事培〔2009〕15号文批准中国水利水电科学研究院2名专家提高退休费比例。

（孙晶辉　陈东）

【职业教育】

1. 深入开展新一轮大规模培训干部工作

（1）大力实施部管领导干部和公务员培训工程。一是选派干部外训。先后选派26名部管干部参加中央党校、国家行政学院和延安、浦东、井冈山干部学院的培训学习。二是认真抓好领导干部重点培训班。3月19日至4月2日，举办了“第五期司局级领导干部任职培训班”；4月15—22日，举办了“水利部第四期部管干部综合管理培训班”；10月15—22日，“水利部第五期部管干部综合管理培训班”，共培训司局级领导干部104人；4月8日至7月10日，举办了“水利部党校2009年春季处级干部进修班”（第28期）；2009年10月11日至2010年1月15日举办了“水利部党校2009年秋季处级干部进修班”（第29期），来自部机关和直属单位的118名处级干部参加了党校学习。三是开展了公务员培训。3月12—25日，举办了水利部第九期处级公务员任职培训班，来自水利部机关各司局、部直属单位的45名处级公务员参加了培训；5月15—22日和9月18—24日，分别面向主任科员、副主任科员及以下公务员举办了两期“青年公务员知识更新培训班”，共有来自部机关和流域机构的66名公务员参加了培训学习；7月16日，中国水利教育培训网首期网络培训班——Tell me More在线英语网络培训班开班，部机关28名公务员参加为期一年的在线培训。四是举办理论学习系列讲座。9月10日，举办庆祝新中国成立60周年“感受祖国新变化，展望水利新发展”主题报告会，此外还举办了2场部机关公务员和在京直属单位处级以上干部理论学习系列讲座，培训干部近1000人次。五是推动国际合作培训。通过国家外专局中青年干部中长期培训项目，选派了1名部机关正处级公务员赴美国杜克大学培训；组织了中澳发展奖学金项目的人选推荐工作，选派了1名公务员赴澳大利亚留学。

（2）继续实施地方水利领导干部专业能力建设工程。按照中组部调训计划，3月17—21日，国家防汛抗旱总指挥部第四期地市级防汛抗旱行政首长培训暨专题研究班在安徽省合肥市举办，来自28个省、自治区、直辖市重点防汛抗旱地区分管防汛抗旱工作的地市级行政首长，以及总参作战部、各大军区作战部和气象水文中心、武警总部作勤部的43名学员参加培训。10月26—30日，可持续发展水利专题研究班在北京举办，来自30个省（自治区、直辖市）的38名地方政府分管水利工作的领导干部参加了培训学习。

（3）全面推进水利专业技术人员知识更新工程。一是与人力资源和社会保障部联合组织高层次人才研修培训班。8月16—21日，在北京举办“水土保持新理念、新技术高级研修班”，共有来自全国水利系统的32名学员参加本次培训；11月3—9日，在南昌工程学院举办“水文现代化与水文新技术高级研修班”，来自全国水文系统负责水文技术的副局长、总工程师，以及有关单位从事水文工作、具有高级专业技术职务的业务骨干34人参加培训。二是加强高层次专家培养，组织举办高层次专业技术人才培训班。9月15—21日，在北京举办了“高层次专业技术人才研讨班”，来自部直属单位、各省（自治区、直辖市）水利（水务）厅（局）和新疆生产建设兵团入选新世纪“百千万人才”工程人员、水利科技英才和水利部“5151”人才工程入选人员等52名水利行业高层次专业技术学员参加本次研讨班。三是指导水利行业深入开展专业技术人才知识更新工程。2009年，水利行业共举办了451个专业技术人才知识更新培训项目，培训学员65034人次。

（4）组织人事干部专业理论培训。加强人事干部能力建设，分专题组织人事干部培训。8月18—21日，举办了“水利系统人事人才管理基础工作培训班”；8月27—30日，举办了“水利人事干部劳动工资管理培训班”；11月24—27日，举办了“水利人才及干部教育培训‘十二五’规划编制研讨班”；12月27—29日，举办了“机构编制管理工作培训班”，共培训水利系统人事干部292人次。

2. 加强基础和信息化建设

（1）加强制度建设。制定印发了《水利部关于做好新一轮大规模培训干部工作的实施意见》和《水利部关于在干部教育培训中进一步加强学风建设的实施意见》，对水利系统开展新一轮大规模培训干部工作做出部署；制定印发了《水利部机关公务员网络培训管理暂行办法》等制度办法，规范了培训管理。

（2）做好基础工作。完成了200余名部管干部和330余名部机关公务员2009年的培训登记和信息入库工作，进一步完善了干部学习档案；编制并印发了《水利部2009年面向行业举办培训班计划》和《水利部2009年面向部机关和直属单位举办培训班计划》；开展了“十一五”水利干部教育培训规划落实情况检查，了解了“十二五”规划进展情况，为编制“十二五”规划奠定基础。

（3）推动中国水利教育培训网建设。4月18日上午，在全国水利信息化工作会议上，水利部部长陈雷启动了开通按钮开通了中国水利教育培训网。中国水利教育培训网正式投入运行，并在部机关公务员中开展了网络培训自主选学工作。

（4）推进水利人事劳动教育信息系统建设。按照水利部电子政务平台建设的统一部署，与部信息中心共同继续推进水利人事劳动教育信息系统建设，完成了该项目追加的“薪酬管理”和“报表统计”业务功能开发，以及在部机关的更新部署和上线试用工作。

3. 加强行业指导与协调，推动后备人才培养工作

（1）指导中国水利教育协会工作。指导中国水利教育协会围绕我部重点工作，加强与水利院校的联系，做好水利后备人才培养的引导和组织工作。8月27日，在长沙成功举办“水利基层人才培养论坛”；11月7—8日，在湖北水利水电职业技术学院举办第三届全国水利高等职业院校“楚天杯”技能竞赛，20所水利水电类高职高专院校的260余名学生参赛；11月21—22日，在郑州水利学校举办了第二届全国水利中等职业学校“中原杯”技能竞赛，来自全国12所水利中等职业学校的113名学生参赛。2009年，面向基层举办了“市、县水利局长培训班”、“水文站站长培训班”、“乡镇水利站站长培训班”等10多期培训班，培训基层单位领导和专业技术人员1000余人次。继公布第一批12所“全国水利职业教育示范院校建设单位”和31个“全国水利职业教育示范专业建设点”后，开展了第二批水利职业教育示范院校、示范专业建设工作；开展了“全国水利院校学生实习基地”遴选工作。水利院校毕业生就业信息平台工作力度不断加强，全年共发布800多条供求信息。

（2）支持水利院校改革与发展。继续关心支持河海大学、华北水利水电学院、南昌工程学院、浙江水利水电高等专科学校的改革与发展。8月12日，水利部与河南省人民政府在水利部机关举行了共建华北水电学院协议书签字仪式，水利部部长陈雷与河南省省委副书记、省长郭庚茂分别代表水利部和河南省人民政府签署共建华北水电学院协议书。12月11日，水利部与湖北省人民政府在北京举行了共建三峡大学协议书签字仪式，水利部副部长胡四一与湖北省人民政府副省长郭生练分别代表水利部和湖北省人民政府签署共建三峡大学协议书。

（3）组织部属科研单位研究生招生工作。进一步加强了对研究生教育的指导，编制年度研究生招生计划。部属科研单位中国水利水电科学研究院、南京水利科学研究院、长江科学院2009年共招收研究生140人，其中博士研究生48人，硕士研究生92人。各单位的招生情况见附表1。

（4）加强水利行业培训机构建设。开展了第二轮定点培训机构复审工作，对40家水利行业定点培训机构进行了复审，共有38家通过复审。

（5）开展行业干部教育培训统计工作。针对职工队伍参加教育培训情况和各单位举办培训班情况，在全行业开展了教育培训统计。2009年水利系统、直属单位、地方水利部门职工教育培训情况分别见表2、表3、表4。

（孙晶辉　骆莉）

表1　水利部所属科研单位2009年研究生招生计划汇总　（人）

招生类别	招生单位	招生计划	实际招生规模
博士生	中国水利水电科学研究院	28（另增补4）	32
	南京水利科学研究院	14（另与河海大学联合培养3）	14（另与河海大学联合培养2）
硕士生	中国水利水电科学研究院	35	34
	南京水利科学研究院	18（另与河海大学联合培养10）	18（另与河海大学联合培养10）
	长江科学院	30	30

表 2

水利系统2009年教育培训情况

项目	编号	职工队伍总人数	职工学历教育情况			职工培训情况																	
						举办培训班情况					培训人次					培训类别			培训时间			培训投入	
			合计	国内学习人数	国外学习人数	培训班总数	国内长期班数	国外长期班数	国内短期班数	国外短期班数	培训总人数	参加国内长期培训	参加国外长期培训	参加国内短期培训	参加国外短期培训	政治理论培训	专门业务培训	其他	培训学时	人均受训学时	达标人数	投入总金额（千元）	人均投入金额（元）
甲		1	2	3	4	5	6	7	8	9	10	11	12	13	14	15	16	17	18	19	20	21	22
合计	1	1037434	19111	19045	66	12831	425	2	12310	94	649924	11497	167	635686	2574	183244	425360	41320	13277524	13	181893	381524.58	367.76
司局级	2	1077	9	9							2408	217		2154	37	1706	562	140	60585	56	439	2940.46	2730.23
处级	3	17210	633	619	14						27532	976	16	26263	277	14190	11861	1481	682523	40	6815	29700.24	1725.75
处级以下	4	1019147	18469	18417	52						619984	10304	151	607269	2260	167348	412937	39699	12534416	12	174639	348883.89	342.33
其中：专业技术人员	5	322523	9854	9824	30						285729	4671	128	279864	1066	68858	202919	13952	6023840	19	83267	176797.98	548.17
工人	6	517416	5747	5737	10						237738	4684	13	232726	315	49729	171443	16566	4520676	9	57395	98991.81	191.32

表 3

水利部直属单位2009年教育培训情况

项目	编号	职工队伍总人数	职工学历教育情况			职工培训情况																	
						举办培训班情况					培训人次					培训类别			培训时间			培训投入	
			合计	国内学习人数	国外学习人数	培训班总数	国内长期班数	国外长期班数	国内短期班数	国外短期班数	培训总人数	参加国内长期培训	参加国外长期培训	参加国内短期培训	参加国外短期培训	政治理论培训	专门业务培训	其他	培训学时	人均受训学时	达标人数	投入总金额（千元）	人均投入金额（元）
甲		1	2	3	4	5	6	7	8	9	10	11	12	13	14	15	16	17	18	19	20	21	22
合计	1	71982	1362	1356	6	2212	2	1	2203	6	79927	1781	21	77961	164	15905	61624	2398	2072502	29	15639	52912.72	735.08
司局级	2	493	1	1							1850	205		1630	15	1315	429	106	31144	63	162	1479.86	3001.74
处级	3	4246	57	55	2						10719	558	5	10091	65	5143	5129	447	293071	69	1539	9526.74	2243.70

续表

项目	编号	职工队伍总人数	职工学历教育情况			职工培训情况：举办培训班情况					职工培训情况：培训人次					职工培训情况：培训类别			职工培训情况：培训时间			职工培训情况：培训投入	
			合计	国内学习人数	国外学习人数	培训班总数	国内长期班数	国外长期班数	国内短期班数	国外短期班数	培训总人数	参加国内长期培训	参加国外长期培训	参加国内短期培训	参加国外短期培训	政治理论培训	专门业务培训	其他	培训学时	人均受训学时	达标人数	投入总金额（千元）	人均投入金额（元）
处级以下	4	67243	1304	1300	4						67358	1018	16	66240	84	9447	56066	1845	1748287	26	13938	41906.13	623.20
其中：专业技术人员	5	27225	527	525	2						34450	270	9	34097	74	4817	28627	1006	921678	34	6651	27359.25	1004.93
工人	6	32395	615	615							27350	719		26631		1810	24945	595	718428	22	6430	12102.04	373.58

表 4　　地方水利部门 2009 年教育培训情况

项目	编号	职工队伍总人数	职工学历教育情况			职工培训情况：举办培训班情况					职工培训情况：培训人次					职工培训情况：培训类别			职工培训情况：培训时间			职工培训情况：培训投入	
			合计	国内学习人数	国外学习人数	培训班总数	国内长期班数	国外长期班数	国内短期班数	国外短期班数	培训总人数	参加国内长期培训	参加国外长期培训	参加国内短期培训	参加国外短期培训	政治理论培训	专门业务培训	其他	培训学时	人均受训学时	达标人数	投入总金额（千元）	人均投入金额（元）
甲		1	2	3	4	5	6	7	8	9	10	11	12	13	14	15	16	17	18	19	20	21	22
合　计	1	965452	17749	17689	60	10619	423	1	10107	88	569997	9716	146	557725	2410	167339	363736	38922	11205022	12	166254	328611.86	340.37
司局级	2	584	8	8							558	12		524	22	391	133	34	29441	50	277	1460.60	2501.03
处　级	3	12964	576	564	12						16813	418	11	16172	212	9047	6732	1034	389452	30	5276	20173.50	1556.12
处级以下	4	951904	17165	17117	48						552626	9286	135	541029	2176	157901	356871	37854	10786129	11	160701	306977.76	322.49
其中：专业技术人员	5	295298	9327	9299	28						251279	4401	119	245767	992	64041	174292	12946	5102162	17	76616	149438.73	506.06
工人	6	485021	5132	5122	10						210388	3965	13	206095	315	47919	146498	15971	3802248	8	50965	86889.77	179.15

【技能开发】 （1）2009年12月16日，水利部在北京召开第六届全国水利行业技能人才表彰大会，表彰了10名“全国水利技能大奖”、72名“全国水利技术能手”、15家“全国水利行业技能人才培育突出贡献奖”获奖单位，周英副部长出席会议并作重要讲话；表彰会期间，还对获奖人员进行为期2天的培训。

（2）2009年2月，水利部以办人事函〔2009〕24号文印发了《关于征集水利行业技术工人技术技能论坛论文的通知》，征集论文200余篇。经专家评审，评出一等奖11篇，二等奖32篇，三等奖59篇。12月8日，获奖论文的作者参加了在湖北丹江口举办的全国水利行业技术工人技术技能论坛。

（3）2009年5月26日，人力资源和社会保障部与水利部以人社厅发〔2009〕69号联合颁布了河道修防工、渠道维护工、水文勘测工、闸门运行工、泵站运行工、水土保持治理工6个国家职业技能标准。

（4）2009年3月9日，水利部修订印发了《水利行业技师和高级技师考评办法》（水人事〔2009〕146号），进一步规范了水利行业技师和高级技师的考评工作。

（5）在2009年度水利行业特有工种技术工人职业技能鉴定中，共8898人取得职业资格证书，其中初级工1071人，中级工2508人，高级工2827人，技师2397人，高级技师119人。

（6）2009年9月27日，人事司召开水利行业技能人才评审委员会会议，对2008年度申报高级技师任职资格的159名技术工人进行了评审，119人取得高级技师任职资格。

（7）2009年5月18日，人事司在北京举办水利行业国家职业技能标准修订工作专家培训班，启动了水工监测工、水土保持监测工、灌排工程工3个工种的国家职业标准修订工作，20多名专家参加了培训。

（8）2009年11月10日，人事司在北京召开了水利行业职业技能鉴定培训教材及试题集编审工作启动会，根据新颁布的河道修防工、渠道维护工、水文勘测工、闸门运行工、泵站运行工、水土保持治理工6个国家职业标准，确定了主编、参编和主审，布置了有关工作。

（9）2009年6月23—26日，水利部人才资源开发中心在山西太原举办全国水利行业职业技能鉴定高级考评员资格培训班，共有83人取得了人力资源和社会保障部颁发的高级考评员胸卡；2009年11月17—20日，在河南郑州举办全国水利行业职业技能鉴定考评员资格培训班，共有76人取得了人力资源和社会保障部颁发的考评员胸卡。

（10）水利部人才资源开发中心于2009年4月27—28日在河南省郑州市举办水利行业高级技师考评工作培训班，来自部直属单位和地方水利部门的43人参加了培训。

（11）2009年10月11日至2010年1月10日，水利部人事司、建管司在黄河职业技术学院联合举办河道修防工技师专修班，来自全国水利行业的78人参加了培训并取得技师资格。2009年10月9日至2010年1月21日，水利部人事司、水利部水文局在扬州大学联合举办水文勘测工技师专修班，49人取得技师资格。

（12）水利部人才资源开发中心在中国水利人才网上建立水利行业职业技能鉴定职业资格证书网上查询系统。 （孙晶辉　童志明　张榕红）

【工资福利】 （1）水利部以水人事〔2009〕110号文转发中共中央纪委、中共中央组织部、监察部、财政部、人力资源和社会保障部、审计署《关于京外中央国家机关和中央企事业单位离休人员有关待遇问题的通知》（中纪发〔2008〕41号）。

（2）水利部以水人事〔2009〕194号文转发中共中央纪委、中共中央组织部、监察部、财政部、人力资源和社会保障部、审计署《关于调整京外中央国家机关退休人员待遇有关问题的通知》（中纪发〔2009〕3号）。

（3）水利部以水人事函〔2009〕94号文向人力资源和社会保障部申请调整水文职工野外津贴标准。

（4）水利部以办人事〔2009〕227号、办人事〔2009〕229号、办人事〔2009〕230号、办人事〔2009〕231号分别批复综合事业局所属四个企业、三门峡黄河明珠（集团）有限责任公司、汉江集团、陆水试验枢纽管理局、润华农水实业开发公司2009年工效挂钩方案（见表1）。

（5）水利部以办人事〔2009〕225号、办人事〔2009〕226号、办人事〔2009〕228号、办人事〔2009〕229号、办人事〔2009〕230号分别批复中水淮河工程有限责任公司、中水北方勘测设计研究有限责任公司、中水东北勘测设计研究有限责任公司、中水珠江规划勘测设计有限公司、黄河勘测规划设计有限公司、长江勘测规划设计研究院2009年工效挂钩方案（见表2）。

（6）水利部以人事综〔2009〕8号批复水利水电出版社2008年工资总额、以人事综函〔2009〕13号批复松辽水利委员会2008年人员和工资总额计划、以人事综〔2009〕45号批复小浪底水利枢纽管理局领导干部2009年总收入。

（7）水利部分别以人事综〔2009〕39号、人事综〔2009〕40号、人事综〔2009〕41号、人事综〔2009〕42号、人事综〔2009〕43号、人事综〔2009〕45号文批复中国水利报社、中国水利水电出版社、发展研究中心、海河水利委员会、松辽水利委

表 1　水利部直属事业单位所属企业 2009 年度工效挂钩基数表　（万元）

序号	单 位	挂钩形式	工资总额基数	实现利税基数	挂钩浮动比例	批准文号
1	北京中水新华灌溉技术有限公司 郑州水工机械厂 三门峡水工机械厂 重庆水文仪器厂	工资总额与实现利税挂钩	3531	3037	1∶0.74	办人事〔2009〕227 号
2	三门峡黄河明珠（集团）有限责任公司	工资总额与实现利税挂钩	9862	8010	1∶0.74	办人事〔2009〕229 号
3	汉江集团	工资总额与实现利税挂钩	43412	58473	1∶0.74	办人事〔2009〕230 号
4	陆水试验枢纽管理局	工资总额与实现利税挂钩	1747	—1231	1∶0.74	办人事〔2009〕230 号
5	润华农水实业开发公司	工资总额与实现利税挂钩	190	644	1∶0.74	办人事〔2009〕231 号

表 2　水利部直属事业单位所属企业 2009 年度工效挂钩基数表　（万元）

序号	单 位	挂钩形式	工资总额基数	实现营业收入基数	实现利税基数	挂钩浮动比例	批准文号
1	中水淮河工程有限责任公司	工资总额与实现利税和实现营业收入复合挂钩	2558	8051	1219	1∶0.7	办人事〔2009〕225 号
2	中水北方勘测设计研究有限责任公司	工资总额与实现利税和实现营业收入复合挂钩	7366	18947	1095	1∶0.7	办人事〔2009〕226 号
3	中水东北勘测设计研究有限责任公司	工资总额与实现利税和实现营业收入复合挂钩	7340	20601	2509	1∶0.7	办人事〔2009〕226 号
4	中水珠江规划勘测设计有限公司	工资总额与实现利税和实现营业收入复合挂钩	5808	14587	2112	1∶0.7	办人事〔2009〕228 号
5	黄河勘测规划设计有限公司	工资总额与实现利税和实现营业收入复合挂钩	12000	34159	2891	1∶0.7	办人事〔2009〕229 号
6	长江勘测规划设计研究院	工资总额与实现利税和实现营业收入复合挂钩	44067	151684	13905	1∶0.7	办人事〔2009〕230 号

员会 2009 年工资总额与人员计划。

（8）水利部分别以人事综〔2009〕7 号、人事综〔2009〕10 号、人事综〔2009〕11 号、人事综〔2009〕17 号、人事综〔2009〕18 号、人事综〔2009〕19 号、人事综〔2009〕20 号、人事综〔2009〕23 号、人事综〔2009〕24 号文批复南京水利科学研究院、中国水利水电科学研究院、水文局、机关服务局、综合事业局、发展研究中心、水利水电规划设计总院、中国水利报社、中国水利水电出版社离休人员津贴补贴项目分类。

（9）水利部以人事综〔2009〕12 号文转发关于严格执行国家法定节假日有关规定的通知。

（10）水利部以人事综［2009］15 号文转发《关于提高一级至四级残疾军人护理费标准的通知》

（项新锋　邓启龙）

【表彰奖励】　（1）水利部以水人事〔2009〕467 号文表彰 1001 名“长期奉献水利优秀人员”。

（2）水利部以水人事〔2009〕468号文表彰60名“全国水利系统奉献水利先进个人”（名单见附件1）。

（3）水利部、共青团中央以水人事〔2009〕624号文联合命名长江水利委员会水文局水文气象预报处水情室等10个青年集体为“2008年度全国青年文明号”（名单见附件2）。

（4）水利部以办人事〔2009〕145号文表彰148个“全国农村水电及电气化建设先进集体”和669名“全国农村水电及电气化建设先进个人”。

（5）水利部以办人事〔2009〕515号文通报表扬64名水利部网站优秀通讯员。 （项新锋 邓启龙）

【劳动统计】

（1）2009年水利部直属、地方劳动统计汇总情况见表1、表2。

（2）2009年水利行业技术工人统计情况见表3。

（项新锋）

表1 水利部直属单位劳动统计汇总表

单 位	2009年年末在岗职工人数合计（人）	2009年年平均在岗职工人数合计（人）	2009年在岗职工工资总额（千元）	2009年在岗职工年人均工资（元）
合计	72222	71746	3261166.42	45454.25
部机关（含水电局）	348	342	27618.00	80754.39
水利部综合事业局	7832	7686	225650.78	29358.68
水利部水文局（水利部水利信息中心）	461	457	24261.00	53087.53
水利部水库移民开发局	38	38	2838.00	74684.21
水利部水利水电规划设计总院	2711	2707	180138.00	66545.25
水利部南水北调规划设计管理局	22	23	1488.00	64695.65
中国水利水电科学研究院	1421	1409	107199.27	76081.81
中国水利报社	131	125	10144.15	81153.20
中国水利水电出版社	205	208	13326.00	64067.31
水利部发展研究中心	109	109	9457.00	86761.47
中国灌溉排水发展中心	101	87	6177.00	71000.00
水利部机关服务中心	342	340	17794.00	52335.29
水利部预算执行中心	17	17	1694.00	99647.06
中国水利学会	13	13	959.50	71074.07
水利部长江水利委员会	18692	18684	1065169.00	57009.69
水利部黄河水利委员会	28087	27985	986907.83	35265.45
水利部淮河水利委员会	1985	1994	105438.30	52891.05
水利部海河水利委员会	3306	3307	122774.00	37125.49
水利部珠江水利委员会	1408	1377	105194.00	76393.61
水利部松辽水利委员会	854	844	42786.87	50695.34
水利部太湖流域管理局	186	183	15264.00	83409.84
南京水利科学研究院	897	905	56041.00	61923.76
国际小水电中心	26	26	1329.00	51115.38
水利部三门峡温泉疗养院	47	45	1090.00	24222.22
小浪底水利枢纽建设管理局	2073	1946	90328.00	46417.27
湖南澧水流域水利水电开发有限责任公司	207	202	15936.23	78892.23
黄河万家寨水利枢纽有限公司	703	687	24163.49	35172.47

表 2　　2009 年地方水利单位劳动统计汇总表

单　位	2009 年年末在岗职工人数合计（人）	2009 年年平均在岗职工人数合计（人）	2009 年在岗职工工资总额（千元）	2009 年在岗职工年人均工资（元）
合计	983503	986670	20175543.53	20448.12
北京市水务局	11146	11459	547681.71	47794.90
上海市水务局	4403	4405	284231.50	64524.74
天津市水务局	10384	10291	368237.00	35782.43
重庆市水利局	17057	17303	406911.10	23516.79
河北省水利厅	49534	49778	958550.04	19256.50
山西省水利厅	39006	38833	635039.73	16353.09
内蒙古自治区水利厅	30509	30509	653193.00	21409.85
辽宁省水利厅	30285	30282	588477.80	19433.25
吉林省水利厅	32926	32923	488403.31	14834.71
黑龙江省水利厅	38390	38330	620372.02	16185.03
江苏省水利厅	39312	40220	1118119.66	27800.09
浙江省水利厅	20808	20317	653430.00	32161.74
安徽省水利厅	37617	37676	689067.19	18289.29
福建省水利厅	19417	19134	402979.00	21060.89
江西省水利厅	26045	25943	396706.18	15291.75
山东省水利厅	53592	53749	1148768.76	21372.84
河南省水利厅	63783	64542	848961.96	13153.64
湖北省水利厅	47160	48022	774963.32	16137.67
湖南省水利厅	62289	63733	1023099.63	16052.90
广东省水利厅	55988	54798	1284069.97	23432.79
广西壮族自治区水利厅	49548	49140	1075759.00	21891.94
海南省水务厅	10169	10026	101401.96	10113.90
四川省水利厅	50049	51489	1010180.67	19619.35
贵州省水利厅	16000	15961	327447.23	20516.10
云南省水利厅	24010	23823	554486.00	23275.73
西藏自治区水利厅	1986	1983	83432.28	42073.77
陕西省水利厅	48211	47994	796996.15	16606.16
甘肃省水利厅	31451	31294	647250.06	20682.88
宁夏回族自治区水利厅	9846	9302	264502.00	28434.96
青海省水利厅	7593	7714	201731.00	26151.28
新疆维吾尔自治区水利厅	29708	30813	687406.41	22308.97
大连市水务局	6347	5964	186190.00	31218.98
宁波市水利局	1992	2002	112868.00	56377.62
厦门市水利局	453	457	30289.00	66277.90
青岛市水利局	4392	4366	93174.89	21341.02
深圳市水务局	2097	2097	111166.00	53011.92

表3

2006年水利行业技术工人情况表

项目	合计	无等级人数	初级工			中级工			高级工			技师			高级技师		
			人数	获证人数	其中当年获证	人数	获证人数	其中当年获证	人数	获证人数	其中当年获证	人数	获证人数	其中当年获证	人数	获证人数	其中当年获证
	1	2	3	4	5	6	7	8	9	10	11	12	13	14	15	16	17
合计	620421	138315	116638	101584	5181	160317	151200	9071	179191	171376	11378	24909	24068	3423	1051	1020	100
部机关（含水电局）	6					1	1		4	4		1	1				
水利部综合事业局	5152	2126	960	656	96	1086	922	55	558	377	130	366	352	111	56	55	1
水利部水文局（水利部水利信息中心）	104		5	5		19	19	2	72	72	5	8	8				
水利部水库移民开发局	1	1															
水利部水利水电规划设计总院	781	79	183	5		334	71	1	143	129		40	40	3	2	2	
水利部南水北调规划设计管理局																	
中国水利水电科学研究院	358	24	14	14		48	48	2	170	170	3	92	92	10	10	10	1
中国水利报社	21		3	3		13	13		5	5							
中国水利水电出版社	7					3	3		3	3		1	1				
水利部发展研究中心	12					3	1		5	1		3	1		1	1	
中国灌溉排水发展中心																	
水利部机关服务中心	78					4			35	1	1	37			2		
水利部预算执行中心																	
中国水利学会																	
水利部长江水利委员会	9595	812	686	686	16	2007	2007	68	5032	5032	180	1011	1011	128	47	47	3
水利部黄河水利委员会	15666	1182	1532	1469	147	1867	1852	346	8692	8515	189	2178	2158	699	215	213	18
水利部淮河水利委员会	879	58	61	43		109	109	11	578	578	32	72	71	16	1	1	1
水利部海河水利委员会	1236	57	89	75	16	169	169	15	849	849	13	67	67		5	5	

续表

项目	合计	无等级人数	初级工			中级工			高级工			技师			高级技师		
			人数	获证人数	其中当年获证	人数	获证人数	其中当年获证	人数	获证人数	其中当年获证	人数	获证人数	其中当年获证	人数	获证人数	其中当年获证
水利部珠江水利委员会	173	41	17	17		29	29		69	69	2	17	17	4			
水利部松辽水利委员会	214	26	28	28	1	41	41	3	45	45	1	71	71	3	3	3	
水利部太湖流域管理局	14	1				4	3		9	9							
南京水利科学研究院	116		7	6		14	13		82	80	1	13	10	2			
国际小水电中心	2		2	1													
水利部三门峡温泉疗养院	35	8	2			16	16		9	9	3						
小浪底水利枢纽建设管理局	1294	701	91	30	2	202	120	22	215	118	13	75	75	7	10	10	
湖南澧水流域水利水电开发有限责任公司	11	10				1	1										
黄河万家寨水利枢纽有限公司	345	110	67	67		108	108		50	50		10	10				
北京市水务局	3892	519	610	534	24	1620	1612	45	1143	1141	24						
上海市水务局	1859	330	532	479	28	804	745	24	177	158	9	15	13	1	1	1	
天津市水务局	4870	872	552	539	28	945	937	48	2485	2442	69	16	16				
重庆市水利局	4740	758	1099	967	102	1757	1541	160	948	798	177	171	169	31	7	5	2
河北省水利厅	30561	4322	5979	5352		7224	6971		11127	10962		1904	1859		5	5	
山西省水利厅	22075	3011	7903	4251	280	5900	4567	352	3992	3374	322	1268	1110	203	1	1	
内蒙古自治区水利厅	21515	9707	1635	1473	108	1541	1427	113	4814	4609	460	3467	3464	613	351	347	41
辽宁省水利厅	17594	3436	3529	3494	68	5051	5023	158	5303	5178	294	263	255	32	12	12	
吉林省水利厅	19075	7861	5614	2713	565	3467	2867	259	1795	1741	132	332	332	52	6	6	2
黑龙江省水利厅	19004	10055	1948	1722	68	2435	1922	105	2969	2784	181	1585	1567	106	12	11	1
江苏省水利厅	20488	2376	4177	3568	186	6464	6175	334	7022	6771	505	423	415	36	26	23	1

续表

项目	合计	无等级人数	初级工			中级工			高级工			技师			高级技师		
			人数	获证人数	其中当年获证	人数	获证人数	其中当年获证	人数	获证人数	其中当年获证	人数	获证人数	其中当年获证	人数	获证人数	其中当年获证
浙江省水利厅	11196	6871	365	365	12	873	873	24	2118	2118	99	932	932	46	37	37	5
安徽省水利厅	25004	4976	5013	3852	9	6543	6218	5	8300	7950	4	172	131	43			
福建省水利厅	11418	3169	2354	2262	31	2965	2793	87	2725	2611	261	205	188	25			
江西省水利厅	17459	3386	3840	3456	69	4678	4590	294	4790	4627	211	755	739	30	10	10	
山东省水利厅	22630	7464	3262	3075	282	5342	5209	373	6329	6236	439	218	218		15	15	2
河南省水利厅	44538	2325	8747	8602	414	14445	14262	1054	18437	17904	1949	584	550	33			
湖北省水利厅	30589	3897	6714	6604	196	7132	7110	461	9874	9862	751	2883	2812	422	89	89	1
湖南省水利厅	47628	7387	10277	9977	387	16253	15868	908	13100	12826	652	597	597	17	14	14	
广东省水利厅	38054	15439	6869	6535	145	8706	8350	181	6901	6393	131	133	79	10	6	5	
广西壮族自治区水利厅	35930	7557	5843	5367	373	10534	9263	535	10422	8835	828	1523	1296	256	51	39	4
海南省水务厅	8964	5555	1925	1791	60	1079	1007	55	383	344	86	22	21	2			
四川省水利厅	28096	5576	4439	3915	210	8073	7488	654	8347	7712	958	1629	1603	306	32	32	10
贵州省水利厅	5854	2113	1036	967	28	1496	1437	40	1186	1002	33	23	22				
云南省水利厅	11253	1021	1606	1401	67	3750	3424	233	4639	4392	446	237	227	23			
西藏自治区水利厅	510	162	62	55	2	109	109	25	171	171	10	6	6				
陕西省水利厅	28764	2529	6207	5913	531	10202	10067	1026	9010	8884	983	816	804	30			
甘肃省水利厅	18165	1968	4552	3563	263	6528	5693	369	5061	4620	362	56	55	2			
宁夏回族自治区水利厅	4731	383	787	778	5	2156	2156	3	1342	1342	4	61	61	1	2	2	
青海省水利厅	3163	243	797	771	112	944	916	195	1095	1004	63	84	84	20			
新疆维吾尔自治区水利厅	14981	2405	3714	3366	197	3640	3587	349	4931	4887	305	278	277	85	13	12	6
大连市水务局	5337	3651	128	125	1	593	583	10	889	877	29	72	70	6	4	3	1
宁波市水利局	784	279	80	64	1	89	81	1	241	229	8	93	87	6	2	2	
厦门市水利局	237		18	17		52	49	1	159	156	1	7	7	2	1	1	
青岛市水利局	2488	1006	480	429	23	691	654	51	300	296	15	11	11				
深圳市水务局	875	470	198	137	28	158	80	14	41	24	4	6	6	1	2	1	

附件 1：

全国水利系统奉献水利先进个人名单

北京市水务局
段　伟　北京市水务局副总工程师
天津市水务局
李惠英（女）　天津市水利勘测设计院副院长
河北省水利厅
常宝军　河北省衡水市桃城区水务局副局长
赵　华　河北省衡水水文水资源勘测局马朗水文站站长
山西省水利厅
高福平　山西省引沁入汾和川引水枢纽工程建设管理局局长
侯建国　山西省张峰水库建设管理局局长
内蒙古自治区水利厅
李新民　内蒙古自治区水利水电勘测设计院副总工程师
辽宁省水利厅
李广波　辽宁省大伙房水库管理局局长
孙　松　辽宁省大连市自来水集团有限公司总经理
吉林省水利厅
姜瑞艳（女）吉林省通化市水利局局长
黑龙江水利厅
曲祥民　黑龙江省水利科学研究院院长
阙志夏　黑龙江省哈尔滨市水务科学研究院总工程师
上海市水务局
曹顺祥　上海市闵行区水务局局长
江苏省水利厅
宋　玉　江苏省防汛防旱指挥部办公室副调研员
洪国增　江苏省水利厅政策法规处处长
浙江省水利厅
蒋　屏　浙江省农村水利总站主任
安徽省水利厅
王　军　安徽省水利厅基本建设处处长
陈尚林　安徽省长江河道管理局测绘院院长
福建省水利厅
李祖发　福建省水利水电勘测设计研究院副总工程师
江西省水利厅
杨　洁（女）　江西省水土保持科学研究所副总工程师
山东省水利厅
马庆斌　山东省泰安市水利和渔业局农田水利站站长
贾乃波　山东省水利勘测设计院院长
河南省水利厅
李相朝　河南省濮阳市水利局副局长
潘广军　河南省洛阳市河渠管理处副处长
戚世森　河南省水利水电工程建设质量监测监督站副站长
湖北省水利厅
康秋月　湖北省潜江市水利局局长
易贤清　湖北省洪湖分蓄洪区工程管理局局长
湖南省水利厅
郭世民　湖南省水利厅建设与管理处处长
卢国云（土家族）　湖南省张家界市防汛抗旱指挥部办公室主任
袁伏乔　湖南省株洲市水利局局长
广东省水利厅
李少鹏　广东省水利电力勘测设计研究院总工程师
林叔忠　广东省飞来峡水利枢纽管理局局长
广西壮族自治区水利厅
严来光　广西壮族自治区水利厅技术中心主任
黄国义（壮族）　广西壮族自治区靖西县水利电业有限公司总工室主任
海南省水务厅
韩香丰　海南省水文水资源勘测局局长
重庆市水利局
牟维清　重庆市水利局农村水利处调研员
四川省水利厅
谭小平　四川省防汛抗旱指挥部办公室主任
王世容（女）　四川省都江堰人民渠第一管理处处长
杨良清　四川省乐山市水务局党组书记
贵州省水利厅
谯　夫（土家族）　贵州省铜仁地区水利局党组书记
云南省水利厅
陈　明　云南省水利厅办公室主任
西藏自治区水利厅
邓来清　西藏自治区日喀则地区水利局局长
陕西省水利厅
郑公社　陕西省水利厅农村水利处处长
王建杰　陕西省水利电力勘测设计研究院院长
甘肃省水利厅
杨　东　甘肃省武威市凉州区水务局局长
青海省水利厅
汤　浩　青海省水文水资源勘测局德令哈分局局长
宁夏回族自治区水利厅
哈岸英　宁夏水利水电勘测设计有限公司董事长
新疆维吾尔自治区水利厅
韩松岑　新疆维吾尔自治区水利厅喀什噶尔河流域管理处处长

李学军　新疆维吾尔自治区阿克苏地区水利局局长

新疆生产建设兵团水利局

段文才　新疆生产建设兵团农六师水利管理处处长

水利部机关及直属单位

王　浩　中国水利水电科学研究院水资源所所长

尹忠武　长江水利委员会长江勘测规划设计研究院副总工程师

霍世青　黄河水利委员会水文局水文水资源信息中心主任

江恩慧（女）　黄河水利委员会黄河水利科学研究院副院长

孙　勇　淮河水利委员会中水淮河规划设计研究有限公司副总工程师

马庆江　海河水利委员会华北水利水电开发总公司总经理

杨德生　珠江水利委员会水土保持处处长

韩俊山　松辽水利委员会副总工程师

徐　洪　太湖流域管理局防汛抗旱办公室常务副主任

杨　昆　国家防汛抗旱指挥部办公室防汛一处副处长

附件 2：

水利系统 2008 年度全国青年文明号名单

长江水利委员会水文局水文气象预报处水情室

黄河水利科学研究院泥沙研究所数学模型研究室

黄河小浪底旅游开发有限公司景区接待中心爱国主义教育基地展示厅

天津振津工程集团有限公司第十二分公司

长春水利电力学校专业教研室

山东省淄博市水利勘测设计院设计二部

湖北省汉江河道管理局潜江东荆河管理分局

重庆市水资源管理站

陕西水利水电工程集团有限公司第四工程公司

大连市自来水集团有限公司客户服务中心

新闻宣传、信息、出版、学术团体

Press, Information, Publications and Academic Societies

新闻宣传

【水利宣传】

1. 宣传工作

(1) 新中国成立60周年水利宣传。一是“中华人民共和国成立60周年成就展”水利参展工作。水利部成立了水利成就展领导小组。展览获得了圆满成功。多位党和国家领导人来到水利展区参观并给予高度评价。二是《经典中国·辉煌60年》水利专题采访报道工作。专题材料近4万字，有数据、有例子、有论述，基本上涵盖了水利建设60年的方方面面。水利60年新闻宣传效果显著。人民日报、中央电视台等20多家媒体以整版、专栏、专题等形式大力报道水利成就。三是《共和国部长访谈录》采访报道工作。陈雷部长访谈节目成功播出后，系统内外反响强烈，许多网站先后转载。四是水利报刊网站新中国成立60周年宣传报道活动。在水利部网站开辟“辉煌60话水利”专题；推出“水利60年成就视频访谈”；协调指导有关60年水利成就的各类展览；在中国水利报开辟辉煌水利60年大型征文，组织老干部撰写刊发回忆文章；统筹其他宣传工作。

(2) 水利工作宣传。一是继续推进“节水中国行”主题宣传报道。二是联合团中央学校部在全国高校开展了“2009年全国大中专学生志愿者节水调查专项活动”。三是加大了对水资源管理的宣传。四是加强了对防汛抗旱工作的配合宣传。五是加强农村水电宣传。六是协调组织了其他一系列宣传报道。分别组织了全国水利工作会议、水利规划计划工作会、全国冬春农田水利基本建设工作会、全国水利精神文明建设工作会、西部大开发10周年水利专题宣传等一系列重要会议和专题的宣传工作，其中我部领导访谈作为《人民日报》西部大开发十周年省部长访谈录的开栏之作首先予以刊发。

(3) 水利宣传工作行业指导与统筹。年初印发了《2009年水利宣传工作要点》，年中印发了《水利部关于围绕庆祝新中国成立60周年深入开展爱国主义教育活动的实施方案》，正式印发了《水利部网站信息发布管理暂行规定》，年终印发了《关于进一步加强水利新闻宣传工作的通知》。

2. 信息工作

(1) 水利政务信息工作。一是宣传信息处加强了与中办、国办沟通联系，提高了信息报送工作的针对性。二是宣传信息处加大了向部机关各司局、各流域机构、直属单位、各省水利厅（局）的约稿力度，提高了政务信息工作报送的计划性。三是精心编辑信息，主动寻找信息来源，提高信息的时效性和质量。四是进一步加强制度建设，完善水利政务信息工作的长效机制。

(2) 水利舆情监测报告。按照《水利舆情监测分析与报告制度》的相关要求，宣传信息处联合发展研究中心，以《水利舆情快报》为平台，建立了水利舆情监测、分析与研判工作的长效机制，实现了水利舆情工作的经常化、规范化。截至2009年11月27日，本年共编辑《水利舆情快报》83期，其中综合类28期，消息类10期，评论类17期，专题类28期。

3. 水利抗震救灾志组织编撰和水利报刊图书管理　2009年，宣传信息处积极组织水利抗震救灾志编撰工作，按照《汶川特大地震抗震救灾志》全志编委会及各分卷编委会的要求，召集有关单位分别开展了指导文件印发、编撰人员培训、编撰大纲起草及资料材料收集整理等相关工作，宣传信息处负责《图志》分卷的编纂工作。

在报刊图书出版管理方面，一是按照中办、国办和新闻出版总署的部署，结合水利部实际，认真做好报刊、图书出版的行政管理与行政协调工作；二是为中国水利水电出版社多次办理有关图书出版的审核文件，较好地保证了该社出版经营所需的政府服务；三是针对党政部门所属出版社体制改革，配合有关部门积极稳妥地推进出版社体制改革和机制转变。

（李中锋）

【《中国水利报》】　2009年，《中国水利报》编辑部以科学发展观为统领，认真贯彻落实全国水利厅局长会议和全国水利宣传工作会议精神，坚持正确的舆论导向，继续围绕水利中心工作，服务水利发展大局，精心策划，周密实施，开展了大量卓有成效的新闻采访报道工作，为促进水利科学发展、和谐发展作出了新的贡献。

1. 始终坚持围绕中心、服务大局　2009年，水利大事要事接连不断。《中国水利报》编辑部紧紧围绕中央水利工作方针和可持续发展治水思路，紧紧围绕防汛抗旱减灾、扩大内需水利建设、加快发展民生水利、加强水资源管理和保护、推进依法治水管水、学习实践科学发展观、庆祝新中国成立60周年等水利部中心工作和重大决策、重大部署、重大活动，统筹运用多种媒体、多种形式进行宣传报道，适时推出特稿《扬起水利科学发展新风帆》和《打好攻坚战，开创新局面》栏目，推出扩大内需促进经济发展系列评论、水利拉动内需16个版专号等，确保了水利中心工作在第一时间得到准确、全面、充分、深度报道。

2. 始终坚持贴近基层、服务民生　《中国水利报》编辑部深刻领会、准确把握民生水利理念，始终坚持“三贴近”原则，把病险水库除险加固、农村饮水安全、灌区续建配套与节水改造、水库移民安置和后期扶持等各项民生水利工作摆在新闻宣传报道工作的重中之重，将报道视角、报道重心放在人民群众最关心、最直接、最现实的民生水利问题上，相继开设了《民生水利，服务民生》《关注病险水库除险加固》《拉内需、促增长、保民生》《拉动内需看工程》《为人民加固平安》《畅谈民生水利》《民生水利进行曲》《推动民生水利新发展》等专栏和专题，发表了长委陆水局改革纪实《重生的凤凰》、陕西农村饮水安全工程建设典型等一批重头稿件。

3. 始终坚持勇于创新、敢打硬仗　一是按照水利部党组对庆祝新中国成立60周年宣传活动的统一部署，举全社之力，整合多种媒体资源，先后推出了“盛世华诞·水利巨变”系列特稿、流域及地方水利成就全方位展示、水利辉煌60年大型征文、工程建设激越特刊等10个系列和5项重大宣传报道。特别是“盛世华诞·水利巨变”系列特稿，精心策划，精心写作，于国庆节前后陆续推出，得到部领导和广大读者的一致好评。据统计，围绕庆祝新中国成立60周年宣传，《中国水利报》用于报道的版面达到近200个，发稿上百万字、图片数百幅。二是围绕阶段性水利重点工作和重大涉水突发事件，快速反应，深度解读，先后实施了抗御年初北方大旱特别报道、河南粮食丰收与水利作用深度透视、重庆投融资体制改革观察、武隆鸡尾山堰塞湖应急处置报道、抗击“莫拉克”台风特别报道；以社论和系列评论等形式，深入报道全国冬春农田水利基本建设工作会议及扩大内需水利建设，深入报道落实最严格水资源管理制度、部省签署备忘录等，以深度、理性、建设性的媒体思想力和影响力，牢牢把握水事新闻第一时间深度解释权，较好地发挥了思想引领和舆论引导作用。《重庆模式：水利投融资体制改革的样本》《丰收喜悦来之不易》《防抗大旱期待从容》等一组反映水利发展与改革的系列报道，《为了人民的福祉》《淤地坝里好播种》《政策强力支持，市场空间巨大》《且看洛川水务“凤凰涅槃”》等一批重头稿件，刊发后获得广泛好评，多件作品被中央各大新闻媒体转载。

4. 始终坚持主动服务、注重实效　报纸编辑部积极主动围绕部机关各司局、各单位、各流域机构的核心业务和各地重点水利工作，先后开设了《防汛抗旱进行时》《重点工程巡礼》《节水型社会》《人水法》等专栏、专刊，承办了中国节水大使遴选、节水中国行等宣传报道活动，对世界水论坛、流域防洪规划、建设领域突出问题专项治理、水管单位体制改革、水土保持生态补偿机制、农业水价综合改革、水利科技与国际合作、水文、农村水电、水利扶贫、安全生产、党建、纪检监察、精神文明及水利风景区建设、水文化、长江健康、黄河十年不断流、珠江压咸补淡等重要水事活动，组织实施了近百个专题的深度报道，力争全方位展示水利业务工作的方方面面，进一步促进了全社会对水利工作的理解和支持，水利新闻宣传工作的社会效益彰显。报纸先后涌现出以《防汛瞭望哨》《为人民加固平安》《扩大内需看工程》为代表的一批好专栏和以全国水利厅局长会议述评《水利攻坚总动员，民生水利续新篇》、全国水资源工作会议述评《以最严格的水资源管理制度推动发展方式转变》等为代表的一批优秀作品。特别是作为2008年水利抗震救灾特别报道的延续，在汶川特大地震一周年之际，报社又主动派出多名记者重访灾区，相继推出了以“聚力重建，减灾造福”为主题的12个版的水利防灾减灾与灾后重建特别报道，进一步增强了《中国水利报》在行业内外的亲和力、吸引力和感染力。

在水利新闻宣传报道实践中，中国水利报社广大编辑、记者发扬特别能吃苦、特别能战斗、特别能奉献的精神，坚持深入一线、深入采访、勤奋思考、勤奋创作，采写刊发了一大批内容深刻、报道及时、生动鲜活、客观真实的新闻作品。其中，《福建长汀：十年攻坚　重建生态》《重庆模式：水利投融资体制改革的样本》《丰收的喜悦来之不易》《一场影响深远的变革》等9件作品荣获全国水利好新闻奖，《创造奇迹的力量》等9件作品被评为全国水利抗震救灾优秀新闻作品，《江东灌区：有水兆丰年》等4件作品获得“节水中国行”优秀报道作品奖，《节水防污——滴水折射科学发展观》荣获第十九届全国人大新闻奖，《现场查勘唐家山堰塞湖》荣获第二十二届全国专业报新闻摄影作品年赛摄影奖，《节能减排，中国水电怎样节？如何节？》等10件作品分获第二十三届中国产经新闻奖的一、二、三等奖，《安全系民生　铁腕治违规》获得第五届安全生产新闻奖，庆祝新中国成立60周年《盛世华诞·水利巨变》系列特稿和《见证水利60年》征文分别获得中国经济报刊协会新闻大赛二、三等奖。据不完全统计，2009年，中国水利报社新闻作品共在10类社外组织的评奖活动中获奖，《中国水利报》、《中国水利》杂志、中国水利网站总计有44件（篇、系列、专辑）获奖，获奖作品数超过100篇，获奖人数超过100人次，稿件及作品质量之高、数量之多创报社历年之最。　（孟志康）

【《中国水利》杂志】　2009年，我国经历了进入21世纪以来经济发展最为困难也最为关键的一年，同时，也迎来了新中国60华诞。这一年，在党中央、国务院的正确领导下，各级水利部门深入学习实践科学发展观，坚决贯彻落实中央保增长、保民生、保稳定的各项决策部署，保持了水利又好又快发展的强劲势头。为做好宣传报道，《中国水利》杂志编辑部充分发挥机关刊物和品牌的优势，紧紧围绕党中央、国务院关于水利的重大决策部署和部党组的中心工作，关注民生，贴近基层，服务大局，开展了大量卓有成效的宣传报道工作，为水利发展与改革营造了良好的舆论氛围。

1. 围绕中心，服务大局　围绕党中央、国务院关于水利的重大决策部署和部党组的中心工作，关注民生，贴近基层，服务水利发展改革大局，始终是《中国水利》杂志宣传报道坚持的基本原则。在围绕中心工作、特别是涉及民生的饮水安全、农村水利、防汛抗旱、病险水库除险加固及大坝安全管理等方面，坚持以策划为主导，以服务为目标，积极做好宣传报道。如在办好"饮水安全""农村水利""防汛与抗旱""水利工程建设与管理"等常设栏目的基础上，有重点地抓好与民生紧密相关的饮水安全、水土保持、病险库除险加固等方面的报道。

(1) 2006年国务院颁布的《全国农村饮水安全工程"十一五"规划》明确提出"十一五"期间要解决1.6亿农村人口饮水安全问题。《中国水利》杂志在《全国农村饮水安全工程"十一五"规划实施中期评估报告》推出之际，出版了《农村饮水安全》专辑。

(2) 2005年开展的"中国水土流失与生态安全综合科学考察"活动历时3年，对我国的水土流失现状进行了全面的科学评价，提出了相应的对策，为国家生态环境建设方面的宏观决策提供重要科学依据。《中国水利》杂志推出了《中国水土流失与生态安全综合科学考察》专辑。

(3) 粮食安全关系国家的安危，为应对世界性粮食安全问题，论证水土资源、人口资源特别是水资源紧缺对粮食安全的制约和影响，探讨农业节水，策划了《农业节水与国家粮食安全》《农民用水户协会高效运行》专题等。

(4) 加大了对基层水利的报道力度，在抓好其他与基层相关栏目的基础上，重点抓好"市县水利对话局长"专栏，通过对市县水利局长的访谈和署名文章，加强对基层水利工作的报道。

2. 辉煌60年报道，突出杂志特色　2009年，我们迎来了新中国60华诞。60年的水利建设，为共和国的防洪安全、供水安全、粮食安全和生态安全作出了突出的贡献。60年的治水实践和积累的经验不仅是中华民族的宝贵财富，也是中国水利对世界的贡献。为了宣传报道好新中国60年来水利取得的成就，按照报社的统一部署和要求，杂志编辑部把庆祝新中国成立60年的宣传报道作为2009年全年宣传报道的重中之重，充分利用杂志的特点和优势，策划出版了《治水强国　兴水富民——中国水利60年》专辑。专辑内容系统、权威、翔实、生动、可读，架构独特，气势恢宏，突出总结了共和国60年特别是改革开放以来水利发展与改革取得的巨大成就，透视了水利发展思路、理念的变化，展示了水利为经济社会发展提供保障所作的成功探索和巨大贡献。《治水强国　兴水富民——中国水利60年》专辑出版后得到了广泛的好评。　（韦凤年）

信　息

【水利水电决策咨询信息工作】

1. 水利文献信息系统进展情况　经过近3年的建设实施，水利文献信息系统系统于2009年1月投入试运行，2009年12月试运行结束。水利文献信息系统建设全面达到设计指标，完成了内外网软硬件平台和应用系统开发的任务，提供了友好的用户访问平台和可靠的硬件运行保障；研究制定的6项标准规范明确了数据建设的各项要求，提升了文献资源的适用性和有效性；建设完成6大类19个子类数据库共2000多万条数据的建设任务，数据总量达到7TB。系统从2008年底开始逐步对参建单位提供文献查询、检索、信息订制和推送等服务，总体使用情况良好，到2009年底系统访问量已超百万次，提供文献下载30余万次。

水利文献信息系统的建设完成填补了水利数字图书馆的空白，极大地促进水利信息化和现代化建设的进程。一是改变了水利文献资源保存、管理、传播、使用的方式和手段，使得整个水利系统内文献资源的共建共享程度得到了提高，为水利科技创新和水利知识传播营造一个良好的环境，具有良好的行业和社会效益。二是水利文献信息系统的建设完成不仅拯救了一批极具收藏和参考价值的历史文献，而且通过引进和自建相结合的方式整合了参建单位的特色资源，提升了这些文献资源的使用价值。三是建立了专业化较强且具特色的水利资源数据库，通过专业化的检索工具和内外两套网络为用户提供了方便快捷、形式多样的查询和检索服务，提高了查准率和查全率，为广大的水利管理人员和科研人员提供了有效的决策依据和信息资料。

2. 中国水利学会水利水电信息专业委员会组织工作　水利部发展研究中心承担了中国水利学会水利水电信息专业委员会组织工作。2009年，该专委会在中国水利学会领导下，组织联系各会员单位，召开2009年专委会年会暨水利水电信息专业委员会学术研讨会，共有32个成员单位参加；会议围绕"水利系统文献信息资源共建共享问题"中文献数字化进程、水利系统文献信息资源共建共享、信息平台建设和信息服务等方面进行广泛交流研讨，对专委会2009年工作进行总结，并对2010年主要工作进行了具体部署。

（虞玉诚）

【水利系统报刊管理】　水利部部属正式科技期刊35个、报刊1个，主管单位是水利部，归口管理部门是水利部国科司和办公厅，日常管理工作由水利部发展研究中心负责。在期刊及报纸管理中，各级管理部门认真贯彻执行国家有关政策文件，遵守国家有关期刊的管理规定，做好上传下达，并与各期刊编辑部建立了通顺的工作关系，及时为编辑部解决办刊中的问题。期刊管理的工作包括有：每月对各期刊编辑部送审的样刊进行审查；组织部属期刊和报纸参加新闻出版署的期刊报纸年检；根据编辑部的申请协助办理期刊变更手续；以及日常的和突发性的期刊管理有关工作。

水利部部属报纸及期刊编辑部在主管单位及管理部门的指导下，认真贯彻执行国家有关政策文件，严格遵守国家期刊管理各项规定，编辑出版工作正常有序进行，全部通过了新闻出版总署 2009 年度的报、刊核验。

长期以来，水利部部属报纸及期刊在反映及报道国内外水利发展趋势与动态，宣传推广水利先进技术，交流探讨先进的管理经验等方面做了大量工作，为创建人水和谐作出贡献。　（张曼）

水利科技期刊、报纸一览表

（截止到 **2009** 年 **12** 月 **31** 日）

序号	刊名	主办单位	刊期	刊　号	创刊年	联系人	编辑部地址	邮编	电话	传真
1	中国水利	中国水利报社	半月	CN11-1374/TV ISSN1000-1123	1955.8	韦凤年	北京市海淀区玉渊潭南路 3 号	100038	010-63205046	010-63205046
2	水利水电技术	水利部发展研究中心	月	CN11-1757/TV ISSN1000-0860	1959.9	聂建平	北京市海淀区玉渊潭南路 3 号	100038	010-63205980	010-63205971
3	水利发展研究	水利部发展研究中心	月	CN11-4655/TV ISSN1671-1408	2000.8	尹美娥	北京市海淀区玉渊潭南路 3 号	100038	010-63205975	010-63205971
4	水文	水利部水文局、水利部水利信息中心	双月	CN11-1814/P ISSN1000-0852	1956.6	郭　莉	北京市西城区白广路二条 2 号	100053	010-63203599	010-63204559
5	水利建设与管理	中国水利工程协会	月	CN11-4446/TV ISSN1005-4774	1980.9	丁　雪	北京市西城区南滨河路 27 号贵都国际中心 B 座 1116 室	100055	010-63462073	010-63462073
6	水利技术监督	水利部水利水电规划设计总院	双月	CN11-3918/TV ISSN1008-1305	1993.1	杨君君	北京市西城区德外六铺炕北小街 2-1 号	100011	010-62056492	010-62056492
7	国际泥沙研究（英）	国际泥沙研究培训中心	季刊	CN11-2699/P ISSN1001-6279	1986.3	陈月红	北京市海淀区车公庄西路 20 号	100044	010-68786579	010-68411174
8	中国水利年鉴	中国水利水电出版社	年	CN11-3065/TV ISSN1009-7376	1991.5	王德鸿	北京市海淀区玉渊潭南路 1 号	100038	010-68545951	010-88388603
9	水利规划与设计	水利部水利水电规划设计总院	双月	CN11-5014/TV ISSN1672-2469	2003.1	耿延芳	北京市西城区德外六铺炕北小街 2-1 号	100011	010-82026259	010-82026259
10	中国水利水电科学研究院学报	中国水利水电科学研究院	季刊	CN11-5020/TV ISSN1672-3031	2003.4	周　洁	北京市海淀区车公庄西路 20 号	100044	010-68786238	010-68786262
11	国际沙棘研究与开发	水利部沙棘开发管理中心	季刊	CN11-5131/TV ISSN1672-4836	2003.5	土小宁	北京市海淀区复兴路甲 1 号	100038	010-63204364	010-63204364

续表

序号	刊名	主办单位	刊期	刊　号	创刊年	联系人	编辑部地址	邮编	电话	传真
12	中国水能及电气化	水利部农村水电及电气化发展局、四川省地方电力局	月刊	CN11－5543/TK ISSN1673－8241	2005.1	陈　玫	北京市西城区白广路北口水电综合楼625室	100053	010－63202317	010－63203410
13	水电站机电技术	中国水利水电科学研究院、中国水力发电工程学会、全国水利水电机电技术信息网	双月	CN11－5130/TV ISSN1672－5387	2003.5	沈紫坪	北京市西城区车公庄西路20号	100044	010－68523870	010－68523870
14	人民长江	长江水利委员会	月	CN42－1202/TV ISSN1001－4179	1955	常汉生	湖北省武汉市汉口解放大道1863号	430010	027－82828680	027－82828680
15	水利水电快报	长江水利委员会	半月	CN42－1142/TV ISSN1006－0081	1980	付湘宁	湖北省武汉市汉口解放大道1863号	430010	027－82820201	027－82828680
16	长江科学院院报	长江科学院	双月	CN42－1171/TV ISSN1001－5485	1984.10	陈绍选	湖北省武汉市汉口赵家条九万方	430010	027－82829859	027－82820002
17	中国农村水利水电	中国灌溉排水发展中心、农村水电及电气化发展局、武汉大学、中国国家灌溉排水委员会	月	CN42－1419/TV ISSN1007－2284	1958.7	徐占国	湖北省武汉市武昌区珞珈山武汉大学二区	430072	027－68776155	027－68776133
18	节水灌溉	中国国家灌溉排水委员会、中国灌溉排水发展中心、武汉大学、国家节水灌溉北京工程技术研究中心	双月	CN42－1420/TV ISSN1007－4929	1976.6	卢国荣	湖北省武汉市武昌区珞珈山武汉大学二区	430072	027－68776155	027－68776133
19	水利渔业	水利部中国科学院水工程生态研究所	双月	CN42－1247/S ISSN1003－1278	1983	常剑波	湖北省武汉市雄楚大街578号	430079	027－87189555	027－87189622
20	工程地球物理学报	长江水利委员会综合勘测局、中国地质大学(武汉)	双月	CN42－1694/TV ISSN1672－7940	2002.11	肖柏勋	湖北省武汉市洪山区鲁磨路388号	430074	027－67883682	027－67883681
21	人民黄河	黄河水利委员会	月	CN41－1128/TV ISSN1000－1379	1979.2	荆东亮	河南省郑州市金水路11号黄委会综合楼12层	450003	0371－66025672	0371－66022219

续表

序号	刊名	主办单位	刊期	刊　号	创刊年	联系人	编辑部地址	邮编	电话	传真
22	中国水土保持	黄河水利委员会	月	CN41-1144/TV ISSN1000-0941	1980.8	李西民	河南省郑州市金水路11号黄委会综合楼12层	450003	0371-66022338	
23	灌溉排水学报	水利部农田灌溉所、中国国家灌溉排水委员会	双月	CN41-1135/S ISSN1672-3317	1982	李香萍	河南省新乡市建设路173号	453003	0373-3393346	0373-3393308
24	人民珠江	珠江水利委员会	双月	CN44-1037/TV ISSN1001-9235	1986.6	李圆圆	广东省广州市天寿路80号	510611	020-87117933	020-87117927
25	治淮	淮河水利委员会	月	CN34-1030/TV ISSN1001-9243	1952.4	杜红志	安徽省蚌埠市凤阳西路	233001	0552-3092308	0552-3092310
26	海河水利	海河水利委员会	双月	CN12-1064/TV ISSN1004-7328	1982.6	李美婷	天津市河东区龙潭路15号	300170	022-24102602	022-24102614
27	水利水电工程设计	中水北方勘测设计研究有限责任公司、天津市水力发电工程学会	季	CN12-1246/TV ISSN1007-6980	1982	王晓红	天津市河西区洞庭路60号	300222	022-28702854	022-28702854
28	东北水利水电	松辽水利委员会	月	CN22-1097/TV ISSN1002-0624	1983	姜　智 赵淑清	吉林省长春市工农大路10号	130021	0431-5607668 0431-5607086	0431-5607173转
29	水土保持应用技术	辽宁省水土保持科研所	季	CN21-1532/S ISSN1673-5366	1984	党福江	辽宁省朝阳市龙山街四段235号	122000	0421-2911717转8404	0421-2917149
30	水利水运工程学报	南京水利科学研究院	季	CN32-1613/TV ISSN1009-640X	1979.9	王兴会	江苏省南京市虎距关34号	210024	025-85829135	025-85829130
31	水科学进展	南京水利科学研究院、中国水利学会	双月	CN32-1309/P ISSN1001-6791	1990.12	张建云	江苏省南京市西康路1号	210024	025-85829770 025-83786747	025-83737861
32	水资源保护	河海大学	双月	CN32-1356/TV ISSN1004-6933	1985.8	高渭文	江苏省南京市西康路1号	210098	025-83786642	025-83787381
33	水利经济	河海大学、中国水利经济研究会	双月	CN32-1165/F ISSN1003-9511	1983.11	郑垂勇	江苏省南京市西康路1号	210098	025-83786350 025-83787381	025-83787381
34	水利水文自动化	水利部南京水利水文自动化研究所	季刊	CN32-1711/TV ISSN1672-3279	2002.11	陆　燕	江苏省南京市雨花台区铁心桥街95号	210012	025-52898331	025-52891891
35	小水电	水利部农村电气化研究所	双月	CN33-1204/TV ISSN1007-7642	1984	赵建达	浙江省杭州市学院路122号	310012	0571-88082848	0571-88082848
36	中国水利报	中国水利报社	周二、四、六	CN11-0156	1986.10	南志群	北京市海淀区玉渊潭南路3号	100038	010-63205210	010-63205270

出 版

【水利水电技术标准出版要目】

1. 中国水利水电出版社 2009 年出版的水利水电技术标准

SL 432—2008 水利工程压力钢管制造安装及验收规范
SL 19—2008 水利基本建设项目竣工财务决算编制规程
SL 431—2008 城市水系规划导则
SL 434—2008 水利信息网建设指南
SL 436—2008 堤防隐患探测规程
SL 438—2008 水利水电工程二次接线设计规范
SL 429—2008 水资源供需预测分析技术规范
SL 424—2008 旱情等级标准
SL 142—2008 水轮机模型浑水验收试验规程
SL 439—2009 水利系统通信工程验收规程
SL 451—2009 堰塞湖应急处置技术导则
SL 191—2008 水工混凝土结构设计规范
SL 444—2009 水利信息网运行管理规程
SL 450—2009 堰塞湖风险等级划分标准
SL 446—2009 黑土区水土流失综合防治技术标准
SL 445—2009 漏电保护器农村安装运行规程
SL 443—2009 水文缆道测验规范
SL 452—2009 水土保持监测点代码
SL 448—2009 水土保持工程可行性研究报告编制规程
SL 447—2009 水土保持工程项目建议书编制规程
SL 449—2009 水土保持工程初步设计报告编制规程
SL 389—2008 滩涂治理工程技术规范
SL 242—2009 周期式混凝土搅拌楼（站）
SL 441—2009 水利水电工程建设征地移民安置规划大纲编制导则
SL 290—2009 水利水电工程建设征地移民安置规划设计规范
SL 442—2009 水利水电工程建设征地移民实物调查规范
SL 440—2009 水利水电工程建设农村移民安置规划设计规范
SL 453—2009 人才管理数据库表结构及标识符标准

甘肃省水利水电工程设计概（估）算编制规定
水利技术标准体系表

【水利水电科技图书出版要目】

1. 中国水利水电出版社 2009 年出版的水利水电科技图书

夹马口引黄灌溉工程现代化管理实践
张学会 白小丹 主编

国际共享河流开发利用的原则与实践（中国大坝委员会系列译丛） 国际大坝委员会 编
贯金生 郑璀莹 袁玉兰 马忠丽 译

水利水电工程施工安全技术规程标准应用指南
《水利水电工程施工安全技术规程标准应用指南》编写组 编

2008 年全国灌溉试验站网成果汇编
肖俊夫 主编

应知应会必读（电力工人技术等级暨职业技能鉴定培训教材（初、中、高级工及技师、高级技师适用）） 丁毓山 徐义斌 总主编
丁毓山 孙成宝 主 编

奋进中的甘肃水利 1978—2008
甘肃省水利厅 编

水利水电工程精细爆破概论（现代工程爆破前沿技术丛书） 张正宇 等 著

作物水盐联合胁迫效应与水分高效利用研究
史海滨 杨树青 李瑞平 等 著

塑料导爆管起爆系统理论与实践（现代工程爆破前沿技术丛书）
张正宇 赵根 张文煊 占学军 编著

大型水利综合类工程良性运行研究
穆范椭 赵玉红 著

生态河岸带综合评价理论与修复技术
夏继红 严忠民 著

水土保持规划设计的实践与发展——中国水土保持学会水土保持规划设计专业委员会成立十周年纪念文集
中国水土保持学会水土保持规划设计专业委员会 编

准公益性水电项目财政补偿政策研究
裴宏志 魏炳才 赵海深 田圃德 编著

2007 年水利先进实用技术重点推广指导目录
水利部科技推广中心 编著

重点小型病险水库除险加固项目财务管理和会计核算指南 水利部财务司 编

都江堰史 谭徐明 著

水闸工程通用法规标准选编（上、下册）
水利部建设与管理司
水利部水利建设与管理总站 编

绩效管理（引水工程现代化管理系列丛书）
王宏江 陈振飞 等 编

北方农业节水理论与技术研究
王殿武 迟道才 张玉龙 等 编著

黑河调水及近期治理后评价 唐德善 蒋晓辉 著

水利工程质量监督理论与实践指南（第二版）
石庆尧　编著

南水北调工程建设新闻集（2008年卷）
国务院南水北调工程建设委员会办公室综合司　编

基于WebGIS的降雨产流测报与实时水资源评价
贾仰文　赵红莉　牛存稳　等　著

北京市水文科学技术研讨会论文集
北京市水文总站　编著

浙江省防汛防台抗旱条例释义
浙江省人大常委会法制工作委员会　浙江省水利厅
浙江省人民政府防汛抗旱指挥部办公室　编

水经济价值及相关政策影响分析
汪林　甘泓　倪红珍　等　著

中国水利 Water Resources in China
中华人民共和国水利部　编

流域泥沙动力学模型　王光谦　李铁键　著

人水和谐量化研究方法及应用左其亭　张云　著

利用覆盖层建坝的实践与发展
中国水力发电工程学会水工及水电站建筑物专业委员会　编

气候异常之亚热带地区水文循环及生态需水量研究　贺国庆　李湘姣　著

《海堤工程设计规范》（SL 435—2008）实施指南（水利技术监督系列宣贯辅导教材）
《海堤工程设计规范》（SL 435—2008）编制组　编著

自由流淌的河流——经济上的奢侈还是生态上的必需？（生命之河系列丛书）　世界自然基金会　著
谷丽雅　侯小虎　马超德　等　译

水利工程建设注册监理工程师必读
水利部建设与管理司
中国水利工程协会　编著

混凝土坝理论与技术新进展　朱伯芳　著

农村饮水安全论文集
《农村饮水安全论文集》编委会　编

水电工程安全监测技术文集　邵乃辰　著

水利工程建设监理法规汇编水利部建设与管理司
中国水利工程协会　编

水土资源规划与管理（21世纪高等学校精品规划教材）　邵东国　主编

现代水利水电工程抗震防灾研究与进展
中国水力发电工程学会　编

洪灾综合风险分析的理论方法与应用研究
毛德华　著

病险水工程裂缝修补技术（中国水工程安全与病害防治技术丛书7）
肖翔　李振青　周晓雁　姚志毅　陈彦生　编著

中华人民共和国抗旱条例学习材料
国家防汛抗旱总指挥部办公室
水利部政策法规司　编

Rural Hydropower and Electrification in China (Second Edition) 中国农村水电及电气化
Edited by Hangzhou Regional (Asia-Pacific) Center for Small Hydropower

地方水利技术的应用与实践（第15辑）
浙江省水利学会　浙江省水力发电工程学会
浙江省水利科技推广与发展中心　编

2008水文发展年度报告　水利部水文局　编著

中国科学技术专家传略·工程技术编·水利卷1
中国科学技术协会　编

黄河变迁与水利开发　钮仲勋　著

湖南水资源安全战略与管理研究　邹君　著

广义水资源与适水发展　郑连生　主编

水文预报的理论与数学模型（第二版）
程根伟　舒栋才　著

西北旱区流域尺度水资源转化规律及其节水调控模式——以甘肃石羊河流域为例
康绍忠　粟晓玲　杜太生　等　著

治水无止境　陈惺　著

中小型水电站电气值班员考级试题解析
应明耕　等　编著

URBAN FLOOD PREDICTION AND ITS RISK ANALYSIS IN THE COASTAL AREAS OF CHINA（中国沿海地区城市洪水预测与风险分析）
Xiaotao CHENG（程晓陶）

水资源保护理论与实践
马永胜　刘东　王立坤　时秋月　著

饮用水水源地环境保护规划理论与实践
武鹏林　韩彩霞　杜咏梅　著

泵站更新改造实用指南
中国灌溉排水发展中心　编著

不同尺度灌溉水高效利用理论与技术
李远华　崔远来　著

官厅水库流域水生态环境综合治理关键技术研究与示范　李其军　刘培斌　著

2009—2015年全国小水电代燃料工程规划
《2009—2015年全国小水电代燃料工程规划》编写组　编

调水工程应用技术研究与实践
中国水利水电勘测设计协会　编

2009中国水利发展报告（含光盘）
陈小江　主编

滨江地区水资源保护理论及实践
崔广柏　徐向阳　刘俊　逄勇　著

数字抗旱预案与情景分析技术（水利信息化应用技术系列丛书之二）
丛沛桐　王瑞兰　李艳　吴卫熊　著

水工钢筋混凝土结构设计技术研究（中国水电顾

问集团西北勘测设计研究院）

白俊光　魏坚政　石广斌　著

再生水灌溉技术研究　刘洪禄　吴文勇　等 著

地方水利技术的应用与实践（第16辑）

浙江省水利学会　浙江省水力发电工程学会

浙江省水利科技推广与发展中心　编

黄河小浪底观测工作实践　李珍　主编

水利工程建设监理法规汇编（修订版）

水利部建设与管理司　中国水利工程协会　编

水生态环境危机应急预案编制和处理技术（广东省公务员和专业技术人员培训系列教材）

宋东辉　徐晶　编著

病险水库除险加固工程项目法人工作指南

王文毅　编著

松辽流域生态需水研究

陈敏建　丰华丽　李和跃　等 著

洪水危机应急预案编制和处理技术（广东省公务员和专业技术人员培训系列教材）

蒋伯杰　曾越　李杨红　主编

病险水库除险加固项目管理

傅忠友　吴雪雄　编著

水利基本建设项目竣工财务决算编制教程

安徽省淮河会计学会　编著

山西省生态用水态势及可持续评价研究

贺康宁　王治国　朱党生　张卫强　著

引黄情深——谢自立文集　谢自立　编著

各国水概况（美洲、大洋洲卷）

水利部国际合作与科技司　水利部发展研究中心

水利部长江水利委员会　编著

灯泡贯流式水电站

中水珠江规划勘测设计有限公司　编著

海河堤岸工程建设与管理　赵国强　主编

基于水环境与生态服务价值的水价理论与应用

赵然杭　著

淮河流域土石山区水土保持研究（中国水土流失防治政策与技术研究丛书）　张学俭　肖幼　主编

《水利水电工程边坡设计规范》（SL 386—2007）实施指南（水利技术监督系列宣贯辅导教材）

水利部水利水电规划设计总院

黄河勘测规划设计有限公司　编著

2008水情年报　水利部水文局　编著

水利水电工程试验数据计算分析方法

张龙　郭林涛　洪镝　编著

兴利除害　富国惠民——新中国水利60年

中华人民共和国水利部　编

中国河流泥沙公报2008

中华人民共和国水利部　编

再生水灌溉试验研究

齐学斌　樊向阳　赵辉　等 编著

中国农村饮水安全科技新进展

中国水利水电科学研究院　编

城市水环境与生态建设（城市水利丛书）

刘延恺　主编

水电设备的研究与实践——第十七次中国水电设备学术讨论会论文集

中国水力发电工程学会水力机械专业委员会

中国电机学会水电设备专业委员会

中国动力工程学会水轮机专业委员会　编

中国小水电60年

水利部农村水电及电气化发展局　编著

南水北调北京工程前期工作纪实　刘汉桂　主编

水资源综合调配模型技术与实践

蒋云钟　鲁帆　雷晓辉　等 著

现代水利的探索与实践：敬正书文存敬正书　著

低水头水工建筑物设计

李天科　刘经强　王爱福　主编

水资源探秘　姜文来　编著

汶川地震灾区大中型水电工程震损调查与分析

晏志勇　王斌　周建平　等 编著

太湖无锡地区水资源保护和水污染防治

王鸿涌　主编

山西省特大干旱年应急水源规划

山西省水利厅　编著

都江堰灌区“良治”管理模式及应用研究

李翊　编著

开发建设项目水土保持方案编写指南

郭索彦　苏仲仁　编著

中国流域水资源配置机理研究　叶舟　著

病害水工程维护与管理（中国水工程安全与病害防治技术丛书 8）　易晶萍　李飞　胡春燕　张正清

吕国梁　陈彦生　编著

泄水建筑物泄槽体型设计

中国水电顾问集团中南勘测设计研究院组织编写

张仕善　著

水利工程建设项目管理　彭立前　孙忠　等 编著

Modern Rockfill Dams—2009

Edited by Jia Jinsheng　Sun Zhiyu　Xu Zeping

Zheng Cuiying　Lu Xiaobin

现代堆石坝技术进展——2009

周建平　宗敦峰　杨继学　冯炜　主编

长江流域气候变化脆弱性与适应性研究（生命之河系列丛书）　徐明　马超德　著

国外流域综合规划技术（生命之河系列丛书）

李原园　马超德　编译

工程总承包项目管理应用手册（西酬水电站枢纽工程总承包管理专集）

中国水电顾问集团中南勘测设计研究院

河海大学　编

地方水利技术的应用与实践（第 17 辑）
浙江省水利学会　浙江省水力发电工程学会
余姚市水利局　编

长江水文测报自动化技术研究
王俊　熊明　等 编著

首届中国水文化论坛优秀论文集
首届中国水文化论坛组委会　编

大坝的安全监控理论和试验技术
吴中如　等 著

河北河湖名览　河北省水利厅　编著

2008 年度中国水利信息化发展报告
水利部信息化工作领导小组办公室　编著

引黄济青及其对我国跨流域调水的启示
水利部南水北调规划设计管理局
山东省胶东调水局　编著

安全员（水利工程建设行业施工管理技术岗位人员培训系列教材）
水利部建设与管理司　中国水利工程协会　编

病险水库土石坝加固设计 30 例
顾辉　陈卫国　编著

混流式水轮机转轮叶片裂纹监测研究
毛汉领　著

水工钢筋混凝土构件设计步骤例题及程序
张文　著

质检员（水利工程建设行业施工管理技术岗位人员培训系列教材）
水利部建设与管理司　中国水利工程协会　编

施工员（水利工程建设行业施工管理技术岗位人员培训系列教材）
水利部建设与管理司　中国水利工程协会　编

经济型喷微灌　奕永庆　编著

材料员（水利工程建设行业施工管理技术岗位人员培训系列教材）
水利部建设与管理司　中国水利工程协会　编

2008 年水利科技成果公报
水利部国际合作与科技司　编

水利信息系统运行维护定额标准（试行）
中华人民共和国水利部　编

脉冲液体射流泵技术理论与试验　高传昌　著

水工大坝混凝土材料和温度控制研究与进展
中国水力发电工程学会施工专业委员会
中国水电顾问集团成都勘测设计研究院　编
王仁坤　主编

工程总承包项目管理理论与实践（西酬水电站枢纽工程总承包管理专集）
中国水电顾问集团中南勘测设计研究院
河海大学　编

中国节水灌溉中华人民共和国水利部农村水利司
中国灌溉排水发展中心　编

工程建设管理（天津市引滦入津水源保护工程系列丛书　（第一卷））
天津市引滦水源保护项目办公室
天津市引滦水源保护有限责任公司　编著

工程设计（天津市引滦入津水源保护工程系列丛书　（第二卷））　天津市引滦水源保护项目办公室
天津市引滦水源保护有限责任公司　编著

察实情　求真知　出良策——水利部 2008 年调研报告集　水利部直属机关党委　编

工程施工与监理（天津市引滦入津水源保护工程系列丛书　（第三卷））
天津市引滦水源保护项目办公室
天津市引滦水源保护有限责任公司　编著

水工机械技术 2009 年论文集 Technology for Hydraulic Machinery
中国水电顾问集团华东勘测设计研究院
中国水力发电工程学会金属结构专业委员会
全国水利水电工程金属结构专业信息网　编

南水北调工程人文报道集
国务院南水北调工程建设委员会办公室　编

水利工程启闭机电气部分（水利工程启闭机实用技术系列培训教材）　水利部综合事业局　组织编写
陈同生　单方庆　张晓兰　编

土石坝地震工程学
顾淦臣　沈长松　岑威钧　编著

水力发电工程生态环境保护机制与技术的最新发展　孙小利　田忠禄　赵云　编著

水工围堰拆除爆破（现代工程爆破前沿技术丛书）　赵根　吴新霞　刘美山　陈敦科　编著

《水利系统优秀调研报告（第八辑）》
《水利系统优秀调研报告》编委会 编

水电工程安全监测与管理
吴世勇　陈建康　邓建辉　编著

变化环境下流域水资源评价方法　王浩　等 著

小型水库抢险实用技术与案例
浙江省水利厅　浙江省水利河口研究院　编

瀑布沟水电站　第一卷　建设管理
《瀑布沟水电站》编辑委员会　编著

瀑布沟水电站　第二卷　土建工程
《瀑布沟水电站》编辑委员会　编著

瀑布沟水电站　第三卷　机电安装及金属结构
《瀑布沟水电站》编辑委员会　编著

岗位管理体系（水利精细化管理系列丛书）
刘玉宝　黄力强　主编

中国水资源公报 2008
中华人民共和国水利部　编

农村水利发展与科技创新文集　张济洲　主编

人工湿地处理污水技术
李文奇　曾平　孙东亚　编译

非连续变形分析方法程序与工程应用 何传永 孙平 编著

管理标准体系（水利精细化管理系列丛书） 黄力强 刘玉宝 赵树茂 主编

寒区水循环及冰工程研究（寒区水科学及国际河流研究系列丛书 2） 戴长雷 主编

第4届亚太地区水文水资源国际会议论文集 田富强 倪广恒 主编

水利水电百家论坛 中国水利水电科学研究院 编

输水建筑物病险原因防治措施设计要点 余际可 范运田 余元君 编著

资料员（水利工程建设行业施工管理技术岗位人员培训系列教材） 水利部建设与管理司 中国水利工程协会 编

迎世博保障水安全和美化水环境的对策 刘晓涛 主编

2. 中国电力出版社2009年出版的水利水电类科技图书

三峡电站运行管理 李永安 张诚

锚固与注浆技术手册（第二版） 中国岩石力学与工程学会锚固与注浆分会 编 杨晓东 主编

中国水电60年——庆祝中华人民共和国成立60周年 中国水力发电工程学会

中国电气工程大典 第5卷 水力发电工程 中国电气工程大典编辑委员会 主编

改革开放三十年的中国水电 中国水力发电工程学会

水利水电工程项目管理理论与实践 张基尧 著

第二届水力发电技术国际会议论文集 本书编委会

高坝岩石力学 杨强 杨若琼 林鹏 刘耀儒 编著

混凝土建筑物修补材料及应用 黄国兴 纪国晋 编著

水电厂安全评价丛书 水电厂人员行为安全评价 程刚 主编

水电企业电力营销风险管理 涂扬举 马光文 等 编著

风力发电技术丛书 风电机组防雷与接地 张小青 编著

3. 黄河水利出版社2009年出版的水利水电类科技图书

喷灌技术研究与实践 黄修桥 主编

微灌技术探索与应用 仵峰 主编

水工与河工模型试验 黄伦超 等 主编

村镇供水工程 孙士权 主编

河流水沙科学分析系统Excel解决方案 孙赞盈 等 著

黄河河口水文测验 陈纪涛 等 著

三门峡水库运用方式原型试验研究 胡一三 等 著

瑞士及欧盟河流管理研究 尚宏琦 等 主编

河道治理工程及其效用 江恩慧 等 著

黄土高原小流域坝系监测方法及评价系统研究 党维勤 等 编著

黄河干流大型水库修建后上下游再造床过程 张晓华 等 编著

北方半干旱黄土丘陵区集雨补灌旱作节水农业技术 程满金 等 著

农艺节水技术研究与应用 武继承 主编

黄河水环境承载能力研究及应用 张建军 等 著

电热法黄磷电尘中镓的提取研究 许可 等 著

小流域坝系相对稳定研究 史学建 等 著

水闸安全鉴定技术指南 水利部建设与管理总站 等 编

基于高分辨率遥感影像的水土保持生态建设监测方法研究 吴卿 等 著

中国—澳大利亚含水层补给管理新进展 王维平 等 主编

质量检测工作基础知识 中国水利工程协会 主编

水土保持生态建设监测技术 吴卿 等 著

黄河防洪土方工程预算定额（试行） 黄河水利委员会 编

黄河下游（河南段）悬河稳定性评价 郭付三 等 编著

混凝土碳化理论与研究 袁群 等 编著

2005黄河河情咨询报告 黄河水利科学研究院 编著

滦河下游水库群联合调度研究 邱林 等 著

2006黄河河情咨询报告 黄河水利科学研究院 编著

中国雨水利用（精） 吴普特 等

中国乡村道路探索研究 陈锦晓 著

有机合成重要单元反应 郭保国 等

引大济湟跨流域调水工程总干渠水资源论证研究 孙照东

混凝土缺陷处理技术及应用 马建革 主编

土木工程新材料的技术应用 钱巍 主编

路基路面施工技术与案例分析 付慧 等 主编

常用模型沙基本特性研究 陈俊杰 等 编著

黄河下游沿黄城市地下水循环过程模拟及其环境演化 王观国 等 编著

钢筋钢纤维高强混凝土板冲切性能研究 谢晓鹏 著

沟壑侵蚀规律性及其发展潜力（翻译） 王基柱 译

黄河防洪砌石工程预算定额（试行）
黄河水利委员会 编

典型瓦斯地质灾害与防治 王志荣 等 著

水库防洪应急体系及洪水预报理论与实践
张运凤 等 编著

滑坡防治技术理论探讨与工程实践
商其平 等 编著

可编程序控制器应用技术 杨一平 主编

南水北调中线工程特殊岩土地质环境与环境地质概论 杨计申 等 著

公路工程监理技术 耿志斌 主编

工程勘察与评价 段鸿海 等 主编

建筑结构（第 2 版） 彭明 等 主编

混凝土结构设计原理学习指导与习题详解
李哲 编

深基坑支护工程可靠分析与数值模拟
黄志全 等 著

水利工程施工与质量控制简析 侯鸿飞 主编

汽车润滑材料 孙志强 等 编著

酸化土壤表面离子的反应动力学 王代长 编著

运筹模型与决策支持 李水旺 等 编著

实用 ANYS 在桥梁建设装备结构分析中的应用
袁昕 等 著

病险水闸除险加固技术指南
水利部建设与管理总站 等 主编

黄河问答录（精）中文 李国英 著

黄河答问录（精）英文 李国英 著

历览大河 王渭泾 著

生态文明与河流伦理 侯全亮 等 主编

4. 科学出版社 2009 年出版的水利水电类科技图书

山区河道型水库塌岸研究（华夏英才学术基金文库） 许强 黄润秋 等 著

中国塔里木河治水理论与实践 邓铭江 著

世界调水工程 欧阳琪 编著

云南李仙江居甫渡水电站施工技术
付俊雄 编著

黑河流域水—生态—经济系统综合管理研究
程国栋 著

东江水库分期控制运用 万俊 著

黄河开发与治理 60 年
河南大学黄河文明与可持续发展研究中心 编著

大型水电站蜗壳结构设计理论与工程实践
伍鹤皋 马善定 秦继章 编著

中国至 2050 年水资源领域科技发展路线图
中国科学院水资源领域战略研究组 著

地下水运动数学模型（水科学数学模型丛书）
杨金忠 等 编著

寒冷地区碾压混凝土坝施工技术及仿真
杨长征 等 编著

中国水资源和粮食安全与现代农业发展
张正斌 段子渊 著

淮河流域水环境综合承载能力及调控对策
夏军 程绪水 等 著

5. 河海大学出版社 2009 年出版的水利水电类科技图书

唐山港京唐港区粉沙质海岸泥沙研究与整治
董文才 主编

唐山港地连墙板桩码头 董文才 主编

堤防发展探略 陆建平 编著

太湖流域澄锡虞区域水环境综合整治研究
张利民 等 编著

江苏省集中式饮用水水源地环境安全战略研究
王慧中 等 主编

100 位水利名人（水文化教育丛书）
王如高 主编

100 例水灾害（水文化教育丛书） 颜素珍 主编

100 项水工程（水文化教育丛书） 吴胜兴 主编

100 条江河湖泊（水文化教育丛书）
吴胜兴 主编

100 首水歌曲（水文化教育丛书） 蔡正林 主编

100 种水用具（水文化教育丛书） 王培君 主编

100 处水景观（水文化教育丛书） 蒲晓东 主编

100 个城市与水（水文化教育丛书）
郑大俊 主编

100 个水传说（水文化教育丛书） 张建民 主编

100 篇咏水诗文（水文化教育丛书）
尉天骄 主编

城市水循环经济发展模式与对策
曹国圣 吴勇 著

长江北支深水大港战略研究 李洪斌 编著

【水利水电教材出版要目】

1. 中国水利水电出版社 2009 年出版的水利水电类教材

水环境保护（高等学校水利学科专业规范核心课程教材·水文与水资源工程）
武汉大学 雒文生 西安理工大学 李怀恩 主编

地下水水文学（高等学校水利学科专业规范核心课程教材·水文与水资源工程）
河海大学 束龙仓 合肥工业大学 陶月赞 主编

水文预报（第 4 版）（普通高等教育“十五”国家级规划教材） 河海大学 包为民 主编

工程流体力学（21 世纪高等学校精品规划教材）
李小芹 李岩 丁涛 主编

工程制图（高职高专土建类精品规划教材）
倪化秋 张俊 张多峰 卢德友 编著

水利水电工程CAD技术（普通高等教育“十一五”精品规划教材） 陈敏林 编著

水信息技术（高等学校水利学科专业规范核心课程教材·水文与水资源工程）

河海大学 谢悦波 主编

水泵运行原理与泵站管理（21世纪高职高专教育统编教材）

刘家春 杨鹏志 刘军号 马艳丽 编著

工程训练教程（高等学校“十一五”精品规划教材） 刘天祥 主编

地下水动力学（高等学校水利学科专业规范核心课程教材·水文与水资源工程）

南京大学 吴吉春 薛禹群 主编

水环境化学（高等学校水利学科专业规范核心课程教材·水文与水资源工程）

南京大学 吴吉春 张景飞 主编

水资源规划及利用（高等学校水利学科专业规范核心课程教材·水利水电工程）

河海大学 顾圣平 清华大学 田富强

合肥工业大学 徐得潜 主编

水利工程施工（第5版）（国家级精品课程教材 高等学校水利学科“十五”规划教材）

武汉大学 袁光裕 胡志根 主编

气象学与气候学教程（高等学校水利学科专业规范核心课程教材·水文与水资源工程）

河海大学 葛朝霞 曹丽青 主编

土壤学与农作学（高等学校水利学科专业规范核心课程教材·农业水利工程）

东北农业大学 主编

水工建筑物（第二版）（普通高等教育“十一五”国家级规划教材） 杨邦柱 焦爱萍 主编

水力学学习指导与习题解答（普通高等教育“十一五”国家级规划配套辅导教材） 赵明登 编著

Water Resources Engineering 水资源工程学（高等学校双语教材系列） 赵中极 赵晶 编

水工建筑物（第5版）（普通高等教育“十五”国家级规划教材 高等学校水利学科专业规范核心课程教材·水利水电工程） 天津大学 林继镛 主编

水利工程地质学原理（第二版）（21世纪高等学校精品规划教材） 左建 郭成久 等 主编

工程地质及水文地质学（第二版）（21世纪高等学校精品规划教材） 左建 温庆博 等 主编

水能利用（第四版）（普通高等教育“十一五”国家级规划教材） 黄强 主编

水利工程施工（高等学校水利学科专业规范核心课程教材·农业水利工程）

新疆农业大学 侍克斌 主编

水利工程测量习题与实验实习指导（高等学校水利学科专业规范核心课程配套教材）

武汉大学 邓念武 主编

工程地质与水文地质（高等学校水利学科专业规范核心课程教材·农业水利工程）

东北农业大学 张忠学 主编

水工钢筋混凝土结构学习辅导及习题（普通高等教育“十一五”国家级规划教材 高等学校水利学科专业规范核心课程配套教材）

河海大学 陈礼和 主编

水土资源规划与管理（第2版）（普通高等教育“十五”国家级规划教材 高等学校水利学科专业规范核心课程教材·农业水利工程）

河海大学 张展羽 俞双恩 主编

水工钢筋混凝土结构学（第4版）（普通高等教育“十一五”国家级规划教材 高等学校水利学科专业规范核心课程教材·水利水电工程）

河海大学 武汉大学 大连理工大学

郑州大学 合编

水利工程管理（高等学校水利学科专业规范核心课程教材·农业水利工程） 武汉大学 石自堂 主编

工程测量（全国水利水电高职教研会 中国高职教研会水利行业协作委员会 规划推荐教材 高职高专土建类专业系列教材）

蓝善勇 王万喜 鲁有柱 主编

水泵及水泵站（普通高等教育“十一五”国家级规划教材） 扬州大学 刘超 主编

水工钢结构（普通高等教育“十一五”国家级规划教材） 王建伟 彭明 满广生 主编

水力机械测试技术（21世纪高等学校精品规划教材） 刘在伦 李琪飞 编著

水泵及水泵站（第四版）（21世纪高等学校精品规划教材 普通高等教育“十五”国家级规划教材）

武汉大学 刘竹溪 刘景植 主编

水工钢结构（高等学校“十一五”精品规划教材） 赵占彪 刘丽霞 主编

节水灌溉理论与技术（高等学校水利学科专业规范核心课程教材·农业水利工程）

沈阳农业大学 迟道才 主编

水电厂自动运行（高等学校统编精品规划教材）

陈启卷 南海鹏 主编

2. 黄河水利出版社2009年出版的水利水电类教材

计算机辅助设计（土建、水利类业适用）（全国高等院校水电类精品规划教材） 王彦惠 主编

计算机辅助设计上机实验指导（土建、水利类业适用）（全国高等院校水电类精品规划教材）

王彦惠 主编

电力系统基础（普通高等教育“十一五”国家级规划教材：全国水利水电高职教研会推荐教

材）　罗云霞　等　主编

水利工程专业英语（全国高院水电类精品规划教材）　杨中华　主编

水电站电气设备（高职高专机电类专业统编教材）　黄庆丰　等　主编

城市水文学（全国水电类高职高专统编教材）　拜存有　等　主编

水电站辅助设备（全国水电类高职高专统编教材）　龙建明　主编

工程测量（全国高等院校水利水电类精品规划教材）　何习平　等　主编

工程测量实践指导（全国水电类高职高专统编教材）　张鑫　主编

机械制造技术课程设计指导（全国水电类高职高专统编教材）　李永敏　等　主编

工程建设监理（第2版）（普通高等教育“十一五”国家级规划教材；全国水利水电高职教研会推荐教材）　钟汉华　等　编

水电厂机电设备运行与管理（高职高专机电类专业统编教材）　龚在礼　主编

工程水文学（全国高等院校水利水电类精品规划教材）　宋孝玉　等　主编

水资源利用与管理（全国高等院校水利水电类精品规划教材）　左其亭　等　主编

水利水电工程专业基础知识应试辅导与习题集(2009)　本书编委会

中国水利概论（第2版）（普通高等教育“十一五”国家级规划教材；全国水电高职教研会推荐教材）　杨邦柱　等

水利水电工程造价与招投标（第2版）（普通高等教育“十一五”国家级规划教材；全国水电高职教研会推荐教材）　梁建林　主编

建筑材料（第3版）（二册）（普通高等教育“十一五”国家级规划教材）　崔长江　主编

电子技术基础（高职高专机电专业统编教材）
全国水利水电高职教研会组　编
肖春芳　等　主编

工程力学（普通高等学校“十二五”规划精品）　孟凡深　主编

土力学（第2版）（普通高等教育“十一五”国家级规划教育）　务新超　主编

建筑施工组织（全国高职高专建筑工程技术专业规划教材）　赵占军　等　主编

土力学（全国高职高专水利水电类专业规划教材）　张守民　等　主编

水轮机调节（第2版）（普通高等教育“十一五”国家级规划教材）　蔡燕生　主编

建筑力学复习与训练（全国高职高专建筑工程专业规划教材）　高健　主编

水力学（全国高等院校水电类精品规划教材）　孙东坡　等　主编

建筑材料（全国高等院校水电类精品规划教材）　龚爱民　主编

水电站（全国高等院校水利水电类精品规划教材）　张丽　等　主编

工程测量技术（全国高职高专水利水电类规划教材）　黄文彬　等　主编

工程地质及水文地质（全国高职高专水电专业规划教材）　王孔伟　等　主编

3. 科学出版社2009年出版的水利水电类教材

水利工程测量（北京市高等教育精品教材立项项目）　赵桂生　主编

4. 河海大学出版社2009年出版的水利水电类教材

水资源需求管理概论　姜弘道　主编

水力学（工程流体力学）　许荫椿　主编

【水利水电工具书出版要目】

1. 中国水利水电出版社2009年出版的水利水电类工具书

金华水旱灾害志　朱建宏　主编

小型农田水利工程验收管理手册
《小型农田水利工程验收管理手册》编委会　编著

汤河水库志　辽宁省汤河水库管理局　组织编写

地下水开发手册　［美］罗斯珂·摩斯公司　著
吴朝玉　译

堤防工程手册　毛昶熙　等　主编

中国水利统计年鉴—2009
中华人民共和国水利部　编

欧盟地下水指令手册
［丹麦］本德·威卢姆森（Bente Villumsen）编著
水利部国际合作与科技司
水利部国际经济技术合作交流中心　组织翻译

水利工程建设项目执法监察实用手册
监察部驻水利部监察局　编

水利水电建设工程总监理工程师实用手册
陈三潮　主编

水利土建工程施工与监理贯标操作实用手册
焦盛昌　主编

2. 中国电力出版社2009年出版的水利水电类工具书

中国南水北调工程建设年鉴2009
《中国南水北调工程建设年鉴》编纂委员会　编

中国水利水电建设集团公司年鉴2009
中国水利水电建设集团公司年鉴编辑委员会　编

中国水力发电年鉴（第十二卷）
中国水力发电工程学会　编

（王可欣）

学术团体

【中国水利学会组织与工作】

1. 组织建设

（1）召开第九次全国会员代表大会。中国水利学会于2009年5月25—26日在北京召开了第九次全国会员代表大会。水利部陈雷部长出席开幕式并作重要讲话，中国科协书记处书记冯长根到会祝贺并讲话。大会听取审议了八届理事会工作报告和财务报告，审议了《中国水利学会章程》修改报告，选举产生了中国水利学会第九届理事会，聘任了九届名誉理事长和名誉理事，并通过中国水利学会会费标准等文件。大会期间还召开了九届理事会第一次全体会议及九届一次常务理事会。

（2）加强自身建设。经水利部同意，中国水利学会秘书处于3月新设立了事业发展部，主要负责技术咨询与培训、会议服务与展览、奖励等相关工作。调整后学会秘书处内设机构由4个部门组成，即综合组织部、学术交流部、标准化部和事业发展部。根据工作需要，秘书处于6月新招聘2位工作人员。

（3）加强对专业委员会的管理。2009年间，河口治理与保护专委会、水利统计专委会、地基与基础专委会等召开了换届会议，选举产生了新一届委员会。

（4）指导省级水利学会工作。2009年8月21—22日，在北戴河召开了省级水利学会秘书长工作座谈会。2009年间，贵州、山东和福建等省水利学会召开了全省会员代表大会。

2. 国内学术活动　据不完全统计，2009年中国水利学会秘书处及各分支机构共召开各类学术会议60余次，参会人数逾6000人，出版论文集10余种。主要活动列于表1。

表1　中国水利学会**2009**年主要学术活动一览表

序号	会议名称	时间	规模（人）	地点	主、承办单位
1	2009水资源与可持续发展高层论坛	9月22—24日	300	武汉	中国工程院、教育部、水利部主办，中国水利学会等承办
2	全国大型泵站更新改造研讨暨新技术、新产品交流大会	12月4—7日	300	厦门	泵及泵站专委会与全国泵站科技信息网主办
3	城市水利学术研讨会及工作年会	11月2—3日	90	深圳	城市水利专委会主办
4	环境水利专委会2009年会暨学术研讨会	9月2—5日	70	长春	环境水利专委会主办
5	河口专委会2009年会	7月2—3日	50	郑州	河口专委会主办
6	2009年中国水利学会勘测专业委员会年会	11月22—24日	122	广州	勘测专委会主办
7	牧区水利专业委员会第三次全体委员大会暨学术研讨会	7月28—30日	150	锡林浩特	牧区水利专委会主办
8	泥沙基本理论专题会议	8月1—3日	60	天津	泥沙专委会主办，天津大学承办
9	第十届全国水工混凝土建筑物修补和加固技术交流会	10月26—28日	100	青岛	水工结构专委会、水工混凝土建筑物病害修补和处理信息网主办
10	2009年度工作会议暨水利工程规范化管理专题研讨会	11月16—17日	53	无锡	水利管理专委会主办
11	第四届全国水力学与水利信息学学术大会	10月10—12日	200	西安	水力学专委会主办，西安理工大学承办

续表

序号	会 议 名 称	时间	规模（人）	地 点	主、承办单位
12	中国水利学会水资源专业委员会2009年学术年会	12月5—6日	150	大连	水资源专委会主办，大连理工大学与中国水利水电科学研究院承办
13	滩涂湿地保护与利用专委会2009学术年会	11月25—27日	80	南通	滩涂湿地保护与利用专委会主办
14	通信专委会2009年会	12月10—11日	80	厦门	通信专委会主办，福建省水利厅信息中心承办
15	第六届全国水利工程渗流学术研讨会	10月17—19日	100	武汉	岩土力学专委会和工程管理专委会主办
16	全国地基基础工程与锚固注浆技术研讨会	11月11日	200	长沙	地基与基础工程专委会与中国岩石力学与工程学会锚固与注浆分会主办
17	水利信息化十二五规划专题研讨会	10月16日	90	长沙	水利信息化专委会主办
18	第三届渭河论坛	10月18—19日	100	西安	陕西省水利学会、全球水伙伴（中国陕西）等单位主办
19	2009年促进中部崛起专家论坛暨第五届湖北科技论坛水利分会场	11月3—4日	160	武汉	中国科协、中国工程院、湖北省政府主办，湖北省水利学会承办
20	全国水旱灾害应急管理培训班	3月30至4月4日	129	江垭	减灾专委会主办
21	水生态监测与保护培训班	12月18—22日	56	武汉	水生态专委会与水利部中国科学院水工程生态研究所主办
22	第八届全国微灌大会	8月8—9日	500	酒泉	农田水利专委会微灌工作组、甘肃省水利厅和酒泉市人民政府主办

9月22—24日，2009水资源与可持续发展高层论坛，其主题为“水资源与可持续发展”，全国政协原副主席、中国工程院院士钱正英出席会议，水利部部长陈雷出席会议并作重要讲话，中国水利学会理事长敬正书在开幕式上致辞。共有200余名代表参加了本次论坛，其中有国内相关领域的院士20余名，有国外代表50余人，包括美国、英国、俄罗斯、澳大利亚的8名水利界的科学院和工程院院士。

10月10—12日，第四届全国水力学与水利信息学学术大会，大会中心议题为“生态水利与环境的可持续发展”，分5个专题，即环境与生态水力学、工程水力学、河口岸边生态与环境、灾害水力学、信息技术在水利工程与研究中的应用；并组织了英语分会场和经理论坛。大会共收到论文218篇，6名专家应邀做大会主题报告。

10月17—19日，第六届全国水利工程渗流学术研讨会，近百名代表参加了会议，收到论文107篇。会议研讨了我国水利工程渗流专业在新理论、新方法与新技术方面取得的进展，与会代表交流了最新的研究成果和工程经验，探讨了进一步的发展方向。

10月18—19日，第三届渭河论坛，论坛主题为“渭河水与环境”，来自社会各界100多名专家学者就渭河水环境管理体制与机制、水污染、水生态、渭河健康生命等内容进行了探讨，形成了基本共识，并对渭河水环境问题提出了具体建议。

11月3—4日，中国科协“2009年促进中部崛起专家论坛暨第五届湖北科技论坛”水利分会场，主题为“发展民生水利，保障饮水安全”，160余名代表与会，中国工程院院士王浩等在会上作了特邀学术报告。该分会场被评为本次论坛优秀分会场。

3. 国际民间科技交流

（1）由中国水利学会牵头的科技部国际合作专项“石羊河流域生态环境修复研究与示范”进入实施第二年，进展顺利。项目组成员于11月赴加拿大进行了为期9天的技术考察和交流。

（2）中国水利学会成功申请加入世界水理事会(World Water Council)，成为首批加入世界水理事会的8个中国水利机构之一，并派人参加了世界水理事会第五次会员代表大会。

（3）完成2009年中国科协“赴欧洲社团组织管理”出访任务，团组成员访问了位于西班牙马德里的国际水利工程与研究协会（IAHR）总部，双方就未来合作进行了深入探讨。

4. 学术期刊管理和专著出版　中国水利学会主办的期刊有《水利学报》《水科学进展》《岩土工程学报》《泥沙研究》《灌溉排水学报》以及《中国防汛抗旱》。根据中国科技期刊统计结果，中国水利学会主办的《水利学报》参与中国科技信息所2009年期刊综合指标评价，在全国1868种统计源期刊中排名第七。《水利学报》还荣获“新中国60年有影响力的期刊”称号，主编陈炳新荣获“新中国60年有影响力的期刊人”称号。《中国防汛抗旱》出版了庆祝中华人民共和国成立60周年纪念增刊。

水资源专委会继《水知识读本（小学低年级适用）》分册于2008年出版后，《水知识读本（小学高年级适用）》分册于2009年出版发行。

5. 科学普及　中国水利学会及各分支机构结合世界水日、中国水周、全国科普日等主题活动开展了形式多样的科普活动。完成了对中国水利学会推荐、中国科协命名的第一批全国科普教育基地“水利部节水灌溉示范基地”和“水文水资源与水利工程科学国家重点实验室”的评估报告，通过科协评估认定。中国水利学会着手开展水利科普教育基地建设前期准备工作，到兄弟学会调研，起草了《全国水利科普教育基地管理办法》。

6. 科技奖励与人才举荐

（1）大禹水利科技奖。2009年，完成了第三届大禹水利科技奖奖励委员会的换届，并在新一届奖励委员会的领导下，完成了大禹奖的评审工作，共38项成果获2009年度大禹奖，其中一等奖8项，二等奖14项。

表2　2009年大禹水利科学技术奖获奖项目表

序号	获奖等级	项目名称	主要完成单位	主要完成人员
1	一等奖	多沙河流洪水演进与冲淤演变数学模型研究及应用	黄河水利委员会黄河水利科学研究院、武汉大学、华北水利水电学院	江恩惠、赵连军、张红武、韦直林、刘雪梅、谈广鸣、张清、陈书奎、赵新建、曹永涛、马怀宝、董其华、黄鸿海、余欣、郑春梅
2	一等奖	水利信息系统运行保障平台研究与应用	水利部水利信息中心	蔡阳、周维续、詹全忠、陈岚、付静、唐燕、张维华、王爱莉、钱峰、刘霞、李锋、杨旭、惠昕、许瑞雪、曹荣海
3	一等奖	黄河下游长远防洪形势和对策研究	黄河勘测规划设计有限公司、黄河水利委员会规划计划局	李文家、张同德、李海荣、安催花、何予川、张会言、王敏、胡建华、杜玉海、张志红、侯晓明、周丽艳、王红声、刘生云、王宝玉
4	一等奖	大型水泵叶片可调机组内置式液压调节器研制	湖北省公安县拓宇水利水电自动控制设备厂、武汉大学	黄诚、陈坚、黄凯歌、周龙才、黄金明、叶渊杰、秦绍芝、徐艳茹、吴有权、谢华、彭剑飞、宋元胜
5	一等奖	精量高效灌溉水管理关键技术与产品研发	中国水利水电科学研究院，国家节水灌溉北京工程技术研究中心	许迪、龚时宏、李益农、李久生、谢崇宝、刘钰、刘群昌、高占义、王少丽、程先军、黄斌、白美健、蔡甲冰、杨继富、李福祥
6	一等奖	水利与国民经济协调发展研究	中国水利水电科学研究院、清华大学、中国科学院数学与系统科学研究院	王浩、陈敏建、秦大庸、陈锡康、汪党献、李锦秀、赵建世、倪红珍、杨爱民、马静、唐克旺、裴源生、向立云、王研、刘玉龙
7	一等奖	长江流域水资源开发利用对生态环境影响及保护措施研究	长江水资源保护科学研究所、长江水利委员会长江科学院、长江水利委员会长江勘测规划设计研究院、水利部中科院水工程生态研究所	马建华、雷阿林、蒋固政、李迎喜、叶闽、李红清、黄薇、谈昌莉、陈文祥、李志军、雷晓琴、杨国胜、张杰、廖奇志、赵先富

续表

序号	获奖等级	项 目 名 称	主要完成单位	主要完成人员
8	一等奖	海河口防洪与综合利用开发关键技术研究	水利部交通部电力工业部南京水利科学研究院、水利部海河水利委员会、天津市交通委员会、天津港（集团）有限公司、天津临港工业区建设开发有限责任公司、交通部天津水运工程科学研究所	孙林云、户作亮、么铁柱、辛文杰、李　伟、张心德、孙连成、韩瑞光、韩信、刘建军、周益人、余厚新、潘锋、高永吉、韩西军
9	二等奖	黑河调水与近期治理后评价综合研究	河海大学、水利部黄河水利委员会黑河流域管理局、黄河水利委员会黄河水利科学研究院、黄河水利委员会规划计划局	唐德善、蒋晓辉、张俊峰、沈建红、颜素珍、王敏、谈小平、吴鸿亮、姜丙洲、余琳
10	二等奖	基于水分转化原理的淤泥固化资源化利用技术	河海大学、江苏聚慧科技有限公司	朱伟、张春雷、刘欢、赵仲辉、李磊、满志清、汪顺才、邬建明、钟小春、赵联芳
11	二等奖	特大跨度底轴驱动翻板水闸关键技术及应用	中国水电顾问集团华东勘测设计研究院、上海市水利工程设计研究院、上海市苏州河综合整治建设有限公司、中交第三航务工程局、浙江华东机电工程有限公司、上海交通大学、浙江大学	张春生、季永兴、陈文伟、卢永金、胡葆文、陈峰、卢新杰、郑永明、何刚强、郑荣平
12	二等奖	竖井旋流新型消能工理论与应用	中国水利水电科学研究院	董兴林、杨开林、韩昆、陈文学、王涛、郭永鑫、付辉、崔巍、郭新蕾、乔青松
13	二等奖	东北黑土区水土流失综合防治技术体系研究	水利部松辽水利委员会	武龙甫、沈波、阎百兴、范建荣、潘庆宾、李世泉、陈光、王岩松、高燕、任明
14	二等奖	大掺量磨细矿渣混凝土关键技术研究与应用	水利部交通部电力工业部南京水利科学研究院、绍兴市曹娥江大闸投资开发有限公司、南京瑞迪高新技术公司	黄国泓、徐青松、林军、李克亮、邵全卯、唐修生、傅森彪、陈健、祝烨然、王毅
15	二等奖	数字行程控制陶瓷涂层活塞杆液压缸的开发	江苏武进液压启闭机有限公司、河海大学	王泽华、沈建明、王厚军、汤云、林萍华、张晶晶、徐志峰、沈国军、蒋治平、朱琴玉
16	二等奖	水务公共信息平台关键技术及其应用研究	上海市水务信息中心、南京尚洋号科技有限公司、上海网跃信息技术有限公司	胡传廉、郑晓阳、高芳琴、吕文斌、金惠英、黄士力、沈建刚、周凡、叶晓峰、尉飞新
17	二等奖	重要生物类群对水域环境胁迫的生态响应	水利部中国科学院水工程生态研究所、中国科学院水生生物研究所、中国水产科学研究院东海水产研究所、中国水产科学研究院长江水产研究所、中国长江三峡工程开发总公司、华中科技大学	常剑波、王剑伟、庄平、陈大庆、陈永柏、黄道明、周建中、童金苟、朱滨、高勇
18	二等奖	水资源承载能力评价方法及其应用研究	中国水利水电科学研究院、清华大学	甘泓、王忠静、汪林、游进军、赵建世、袁鹰、王海锋、张海涛、王琳、廖四辉

续表

序号	获奖等级	项目名称	主要完成单位	主要完成人员
19	二等奖	淮北平原黄潮土区“四水”转化水文实验研究	安徽省·水利部淮河水利委员会水利科学研究院、河海大学	王振龙、郝振纯、吴太平、王加虎、高建峰、章启兵、马倩、李瑞、张永江、柏菊
20	二等奖	水利水电工程边坡关键技术应用和设计标准研究	黄河勘测规划设计有限公司、水利部水利水电规划设计总院、中国水利水电科学研究院	景来红、刘志明、陈祖煜、孙胜利、赵洪岭、雷兴顺、王新奇、李清波、李治明、宗志坚
21	二等奖	松嫩平原洪水资源利用及湿地水文驱动修复研究	大连理工大学、松辽水利委员会、东北师范大学、松辽流域水资源保护局	许士国、党连文、郎惠卿、李和跃、韩敏、李青山、王升忠、王昊、周林飞、张延坤
22	二等奖	长江荆江河段洪水预警公共信息平台的建设及应用	长江水利委员会长江科学院、中国科学院地理科学与资源研究所、中国土地勘测规划院、中国气象科学研究院	郭熙灵、谭德宝、万庆、李青云、李伯衡、徐祥德、程学军、黄奇、兰恒星、吴道喜
23	三等奖	黄河水环境质量监测关键技术研究	黄河流域水资源保护局	司毅铭、吴青、张曙光、周艳丽、李群、渠康、穆伊舟
24	三等奖	岩溶石漠化动态监测与管理技术应用示范研究	珠江水利委员会珠江水利科学研究院	余顺超、王敬贵、范建友、唐庆忠、刘超群、王琳、杨德生
25	三等奖	平凉市纸坊沟流域水沙特性及水土流失特点研究	平凉市水土保持科学研究所、西北农林科技大学	毛泽秦、段义字、王进鑫、屈风莲、张俊明、朱福海、吕和平
26	三等奖	甘肃省苦咸水调查评价和开发利用研究	甘肃省水文水资源勘测局	王双合、陈颂平、牛最荣、刘宗平、谷杏安、赵治文、丁再盛
27	三等奖	松花江干流水质模型及水环境管理信息系统	水利部松辽水利委员会、松辽流域水资源保护局、丹华水利环境技术公司(DHI中国)	党连文、韩俊山、王宏、马铁民、范晓娜、王教河、蒋宏伟
28	三等奖	三峡水库135米蓄水前后水环境质量变化及水样不同处理方式对水质参数监测值的影响研究	长江流域水资源保护局、长江流域水环境监测中心	臧小平、娄保锋、朱圣清、王彻华、刘辉、朱志勋、余明星
29	三等奖	新型分布式智能堤坝隐患综合探测系统	黄河水利委员会山东黄河河务局、复旦大学	刘建伟、张炳龙、赵世来、刘克强、崔建中、赵根祥、李长海
30	三等奖	天津市南部洪水预报及实时调度系统的建立与应用	天津市水利科学研究院、天津市水利局水源调度处、天津大学	周志华、魏素清、周潮洪、李大鸣、安宵、郭清平、韩民安
31	三等奖	寒冷地区露顶式弧门冬季运行设计与研究	中水东北勘测设计研究有限责任公司	刁彦斌、苏加林、崔元山、马会全、李正国、李大伟、葛忠权
32	三等奖	复杂地质条件下大口径长距离钢筋混凝土顶管设计与施工研究	无锡市水利局、上海勘测设计研究院、上海隧道工程股份有限公司、无锡市重点水利工程建设管理处	尤德康、黄春云、朱丽娟、袁美发、蒋光遒、徐国庆、张小稳
33	三等奖	混凝土芯砂石桩复合地基处理深圳河河口防洪堤深厚软基试验研究	深圳市治理深圳河办公室、水利部交通部电力工业部南京水利科学研究院、深圳市水利规划设计院、山东黄河工程集团有限公司	王富永、乐茂华、唐彤芝、曹广德、周立、吴良冰、赵维炳

续表

序号	获奖等级	项 目 名 称	主要完成单位	主要完成人员
34	三等奖	大伙房水库非常溢洪道转向冲击消能的研究与应用	辽宁省水利水电勘测设计研究院、大连理工大学、大伙房水库管理局	刘永林、夏晓军、刘亚坤、李广波、倪汉根、施济宏、王再兴
35	三等奖	黄河堤防工程放淤固堤设计的合理宽度研究	黄河水利委员会黄河水利科学研究院	潘恕、常向前、高航、赵寿刚、张俊霞、王笑冰、兰雁
36	三等奖	700ZLQ型系列全调节立式轴流泵	湖南省洞庭湖水利工程管理局、常德市南昏电排管理站、常德市宏图水利水电有限公司	刘卡波、戴宏岸、侯国鑫、谢根军、戴其龙、谢约钧、唐涛泉
37	三等奖	环形油腔定位插装式事故配压阀	长沙星特自控设备实业有限公司、哈尔滨电机厂有限责任公司、湖南省水利水电科学研究所	周泰经、朴秀日、余志强、熊伍华、徐良汉、杨翠花、仇学明
38	三等奖	已建堤坝工程风险分析和应急对策的研究	水利部交通部电力工业部南京水利科学研究院	姜树海、范子武、李雷、吴时强、徐旭、盛金保、魏蓬

(2) 人才举荐。中国水利学会推荐的王光谦教授当选中国科学院院士，张建云教授当选中国工程院院士。中国水利水电科学研究院王建华经中国水利学会推荐荣获第11届中国青年科技奖。

7. 政府委托任务

(1) 标准化。积极完成水利部标准化工作主管部门委托的水利标准化规划、计划、项目管理、宣贯等任务，提高了中国水利学会在行业标准化工作中的地位。组织召开了水利科技标准新项目启动会议，对180个项目进行了项目启动，完成了39项标准的发布工作。完成了中国科协“学会承接标准化工作改革创新试点”和水利部“《水利技术标准体系表》修订”等多个项目的验收。

(2) 职称考试。中国水利学会承担了2009年度水利部直属单位职称考试工作，共4378人参加了晋升职称考试。召开了“职称考试大纲和试题库修订专题研讨会”，修订了职称考试大纲和试题库。

(3) 工程教育专业认证。中国水利学会参加中国科协、教育部组织的工程教育专业认证工作，认证了西北农林科技大学、内蒙古农业大学的水文与水资源工程专业；申报了中国科协《水利工程教育专业认证》课题并获得批准。

8. 第四届中国水博览会　11月18—20日，第四届中国水博览会暨“辉煌历程——中国水利60年”成就展在北京展览馆隆重召开，全国人大副委员长蒋树声出席了开幕式，水利部部长陈雷等部领导参观了展览。本届水博览会参展国家和地区共18个，参展企业200余家，与会专业观众近万人。

水博览会期间同期举办了以“中国水资源可持续利用”为主题的第四届“中国（国际）水务高峰论坛”，内容涉及水价、农村饮水安全、节水灌溉、水利信息化与应急管理、水务投融资等，得到政府部门、中介组织、企业的广泛欢迎和参与。　（高菁）

【中国水力发电工程学会组织与活动】　学会在六届理事会领导下，在中国科学协、水电规划总院和全体理事和会员单位的大力支持下，深入学习实践科学发展观，增强为水电发展服务自觉性。通过学习，认真理解科学发展观的科学内涵和指导价值，认清学会工作的方向，围绕当前水电发展过程中备受关注的环境、移民、统一调度、上网电价、社会效益等热点问题，开展了广泛深入的交流和探讨，提出学会下一步工作重点和主要任务。通过学习，工作能力不断提高，服务水平不断提升，力争作政府、行业、会员单位广大会员贴心人，推动水电事业又好又快的发展。

1. 组织建设

(1) 以一年一度的“中国水电新春联谊会”为纽带，学会通过这个形式，搭建起全国全行业水电单位和新老水电工作者的交流和联络平台。2009年的中国水电新春联谊会是由水电学会与中国大唐集团公司联合举办。国家电力行业的领导和嘉宾以及来自全国各地的新老水电界同仁200余人出席了会议，国家发改委副主任、国家能源局局长张国宝出席大会并讲话，强调水电开发建设对我国能源工业的重要性。水电新春联谊会已经连续召开了15年。

(2) 组织召开了六届三次理事会和六届四次常务

理事会，审议并通过了《深入学习实践科学发展观 积极推进水电开发 促进经济社会可持续发展》的工作报告；通报了2008年度学会财务报告；通过投票表决的方式调整和变更了理事会常务理事和理事。

（3）按照中国科协要求，加强学会各专业委员会的管理和调整，2009年度学会的组织建设，除了加强学会总部人员的素质教育外，完成16个专业委员会（分支机构）变更报批材料和换证工作。同时成立了风险管理专委会，组织召开了“电力企业风险管理研讨会及风险管理专委会成立大会”。成立风险管理专业委员会的宗旨，就是要充分发挥学会的行业地位、技术力量和专家群体等优势，积极推行国家相关政策，把脉行业最新发展动向，为电力企业风险管理搭建广泛的学术交流和技术服务平台，并通过归纳、总结和借鉴国内外电力企业的风险管理经验，努力打造有中国电力行业特色的风险管控体系，帮助电力企业从根本上提高风险管理水平，使风险管理成为企业防范风险和实现经济增长的新亮点，为整个电力行业的健康、稳定和可持续发展作出新贡献。

2. 学术交流

（1）2009年4月，组织召开了第二届水力发电技术国际会议，来自国内外水力发电技术领域的专家、学者、工程技术人员和国内外各大制造企业的高层管理人员近400人参加了会议，就世界最新的水力发电技术和管理经验进行了广泛的交流探讨。会议共收到论文近300篇，并精选了大部分优秀论文出版了中、英文两册论文集。应印度方面邀请，学会协办了11月份于新德里举办的“第六届国际绿色电力会议和展览”，增进了中印水电交流，了解了印度阿鲁纳恰尔邦水电开发情况，并对我国西藏的水电开发提出了一些建议。

（2）为纪念汶川地震一周年，水电学会与抗震防灾专委会联合组织召开了“全国水工抗震防灾学术交流会”。共有来自全国各地高校、科研机构以及水利水电设计、施工和管理单位的专家、学者150余人参加，对社会各界极为关心的水坝、水电站在地震中的安全问题，进行了广泛深入的学术交流讨论，盘点中国水电在地震中的表现，总结水坝、水电站抵御特大地震的经验。

（3）组织参加了2009年第十一届中国科协年会学术分会场的宣传。与中国长江三峡集团公司共同举办了“三峡工程社会生态环境效应研讨会”，会议主要是讨论分析介绍三峡工程的生态环境效益，回答社会各界的疑问，并对我国水电的未来发展方向进行探讨。

（4）成功举办了“中国水电可持续发展座谈会”，来自全国水电开发、设计、施工、科研、高等院校等各有关方面的29个单位近60名代表出席了会议，主要探讨了如何更好发挥水电这一可再生能源在社会经济发展中的重要作用和巨大综合效益；如何实现各大流域的科学合理规划和有序开发；如何保护好生态环境，把水电建设成为环境友好型工程；如何做好移民安置工作和落实移民后扶持政策，把水电建设成为民生工程；如何更好更有力地做好水电宣传工作；如何推动抽水蓄能电站加快建设等方面。

（5）应台湾有关方面的邀请，水电学会于2009年4月和11月共组织了两次专家交流考察团，赴台参加“海峡两岸水利水电行业合作研讨会”和开展水利水电科技学术交流考察活动，期间双方互赠水利水电发展与技术成就方面的资料书籍，增进了海峡两岸水电同行的友谊和相互了解，为今后开展实质性互助合作夯实了基础。

3. 科研咨询

（1）学会与中国水利水电科学研究院和河海大学签订了“全面合作框架协议”，就水电科技研究、学术交流、课题合作、人才培养等多方面达成了共识。

（2）组织开展了龙滩水电工程正常蓄水位400米建设方案专家咨询课题，编写了《龙滩水电站正常蓄水位400米建设方案咨询报告》，为“龙滩400方案”能尽快建成出谋划策，提交有关部门决策参考。

（3）组织开展红水河流域梯级水电站优化调度研究课题，贯彻落实国家节能调度政策，充分利用红水河水资源，协调流域发电、防洪及综合利用关系，保障电网安全经济运行和澳门地区供水安全。

（4）组织20余位中国工程院院士和专家，开展国家“十一五”科技支撑重点项目“特大型梯级水利水电工程安全及高效运行若干关键技术问题研究”咨询课题，对该项目完成的质量、进度等进行技术咨询，对完成科技合同的阶段及终结成果进行阶段咨询及评估，对科技合同的技术报告及成果进行评审，为项目甲方提供技术支撑和决策支持。

（5）组织开展“乌江梯级水电站优化调度效益评价体系研究及软件开发”课题，完成了雅砻江下游梯级水电站投产并网若干重大问题研究课题，继续履行好新疆吉林台一级水电站技术咨询服务课题。

（6）受中国大唐集团公司委托，组织召开了MgO筑坝技术专题讲座。组织了《MgO膨胀材料的制备与性能》《龙滩下游碾压混凝土围堰外掺MgO试验及监测成果》和《溪洛渡水电站MgO混凝土技术研究》专题报告，并进行了MgO筑坝技术的讨论和探讨。

4.“潘家铮水电科技基金”工作进入良性运作

由水电学会会同中国水电顾问集团共同发起设立的潘家铮水电科技基金于2008年5月成立，今年分别召开了基金一届一次理事会和基金秘书长工作会议，审议通过了理事会名单、基金章程和实施办法、奖励办法等，明确了基金相关运作事宜。经过多方努力，水电学会申请的“水力发电科学技术进步奖”已经国家科技奖励办批复设立，将于2010年开始开展奖励评选工作，相关奖励由潘家铮水电科技基金作支撑。2009年12月，首届潘家铮水电奖学金颁奖典礼在河海大学隆重举行。已届82岁高龄的中国科学院、中国工程院院士潘家铮亲临大会，为首批39位获奖学生颁奖，并为400余名师生作学术报告。

5. 学会刊物的编辑出版及网站建设　编撰出版了《中国水电60年》一书，完成了《中国水力发电年鉴》第十三卷的编撰出版工作。2009年4月启用了新网站，新购置的独立服务器保证了网站的顺畅运行。改版后的网站不但由专人每天从行业热点新闻、水电建设、水电环保、水电移民、领导专家话水电、论文资源库等方面进行及时更新，而且还实现了对重要会议和活动的实时网络直播，丰富了网站内容，提高了宣传时效，进一步提升了水电学会的知名度和认知度。以下为中国水力发电工程学会各专委员2009年活动统计表（表1）。

（郝凤山）

表1　　中国水力发电工程学会各专委会2009年活动统计表

序号	专委会	活动名称/内容	时间/地点	规模（参加人数）
1	抽水蓄能	出版《抽水蓄能电站工程建设文集2009》	收录78篇论文	
		抽蓄年会暨学术交流会（每年一次）	芜湖	
		中国抽水蓄能网，正常运行和更新		
2	地质及勘探	地下水科学与工程学术研讨会（合办）	10月　南京	70
		下设4个学组，一年一次活动制度化		
3	电力系统自动化	专委会2009年年会暨学术交流会	7月　云南	64
		专委会年度委员会议	8月	
		2009年度发电机励磁系统学术年会暨技术研讨会	10月　大连	200
4	电气	2009年度电气学术交流会	6月　珠海	40
5	风险管理	电力企业风险管理研讨会暨风险管理专业委员会成立大会	10月　北京	45
		为河南国网宝泉抽水蓄能有限公司提供风险管理服务		
		与黄河上游水电公司进行风险管理模式探讨交流，寻求合作与服务	9月　西宁	
		开展“大渡河长河坝水电站风险管理服务”	11月	
6	高坝通航	积极协助申报“通航建筑物建设技术交通行业重点实验室”		
		组织开展高坝通航研究领域的研究成果总结和发展规划		
		组织专委会2名委员参加PIANC WG29工作组报告编写		
		通航建筑物专题学术研讨会	11月　南京	25
7	机械疏浚	参与水利部“百船工程”后水利疏浚工作评价项目工作，赴黑龙江、安徽、江苏、浙江、湖南、湖北等省调研，参与报告的编写		
		机械疏浚专委会工作会议	7月	
8	继电保护	2009年年会及继电保护课题研讨会	9月　云南	100
9	水工金属结构	出版了《水工机械技术论文集（2009年）》	收录83篇论文	
		液压启闭机新技术推广会议	4月　江苏	50
		水工金属结构专业委员会年会	7月　银川	100
10	混凝土面板堆石坝	组织11人专家组对湖北对鱼泉水电站大坝工程质量进行评议	6月　宣恩	
		第一届堆石坝国际研讨会，出版了论文集	10月　成都	350
		出版《面板堆石坝工程》期刊4期		

续表

<table>
<tr><th>序号</th><th>专委会</th><th>活动名称/内容</th><th>时间/地点</th><th>规模（参加人数）</th></tr>
<tr><td rowspan="3">11</td><td rowspan="3">施工</td><td>水电工程施工与装备技术交流会</td><td>5月 徐州</td><td>100</td></tr>
<tr><td>“水工混凝土材料与温度控制”交流会出版了论文集</td><td>7月 成都</td><td>150</td></tr>
<tr><td>应业主单位邀请，专委会派出专家参加大型水电工程技术咨询10余次</td><td></td><td></td></tr>
<tr><td rowspan="6">12</td><td rowspan="6">工程造价</td><td>组织有关委员单位或委员参与了《水电工程投资估算编制规定》、《水电工程复核概算编制规定》、《水电工程工程量计算规定》制订，《水电工程工程量清单计价规范》、《水电工程施工合同和招标文件示范文本》以及水电工程相关定额的修订工作</td><td></td><td></td></tr>
<tr><td>在三峡坝区和四川成都举办了2期水电工程造价专业人员培训班、资格考试</td><td></td><td>370</td></tr>
<tr><td>协助水规总院完成水电行业全国注册造价工程师注册、培训和年检管理工作</td><td></td><td>120</td></tr>
<tr><td>协助水规总院完成水电行业甲级工程造价咨询单位资质管理工作</td><td></td><td></td></tr>
<tr><td>共举办了6期水电工程造价专业人员资格继续教育培训班</td><td></td><td>800</td></tr>
<tr><td>出版《水利水电工程造价》季刊和《水利水电工程造价信息》半月刊</td><td></td><td></td></tr>
<tr><td rowspan="4">13</td><td rowspan="4">水电站控制设备</td><td>出版了《2009中国水电站控制设备论文集》</td><td></td><td></td></tr>
<tr><td>组织召开学术交流会</td><td>9月 长沙</td><td>50</td></tr>
<tr><td>2009年度共举行7期学习研讨班</td><td></td><td></td></tr>
<tr><td>积极调研、甄选专业技术人才培训基地</td><td></td><td></td></tr>
<tr><td rowspan="3">14</td><td rowspan="3">水电站运行管理</td><td>2009年水电站运行与水库调度技术交流会</td><td>11月 长沙</td><td>50</td></tr>
<tr><td>2009年水情水调新技术研讨会</td><td>11月 南京</td><td>76</td></tr>
<tr><td>水利水电工程风险分析及可靠度设计方法研讨会</td><td>2010年1月</td><td></td></tr>
<tr><td>15</td><td>水工及水电站建筑物</td><td>2009年工作会议暨全国首届利用深厚覆盖层建坝技术研讨会</td><td>4月三亚</td><td>59</td></tr>
<tr><td rowspan="2">16</td><td rowspan="2">水工水力学</td><td>京津委员座谈会（一年一度）</td><td>2009年初</td><td>50</td></tr>
<tr><td>第四届全国水力学与水利信息学学术大会</td><td>10月 西安</td><td>230</td></tr>
<tr><td rowspan="2">17</td><td rowspan="2">水力机械</td><td>第十七次中国水电设备学术讨论会</td><td>10月 浙江淳安</td><td></td></tr>
<tr><td>吸收“全国水力机械信息网”成为专委会信息网</td><td></td><td></td></tr>
<tr><td>18</td><td>水能规划及动能经济</td><td>主持参与了金沙江虎跳峡河段开发研究论证工作、水火电同网同价政策研究以及西藏水电开发利用研究等课题</td><td></td><td></td></tr>
<tr><td rowspan="2">19</td><td rowspan="2">梯级调度控制</td><td>专委会2009年年会</td><td>10月 成都</td><td>71</td></tr>
<tr><td>2009年主任办公会</td><td>6月 成都</td><td>15</td></tr>
<tr><td>20</td><td>抗震防灾</td><td>纪念汶川地震一周年，第二届全国水工抗震防灾学术会议</td><td>5月 成都</td><td>150</td></tr>
<tr><td rowspan="4">21</td><td rowspan="4">小水电</td><td>小水电清洁发展机制（CDM）项目能力建设培训班</td><td>5月 杭州</td><td>26</td></tr>
<tr><td>水利部农村水电系统安全监察员培训班</td><td>10月 杭州</td><td>87</td></tr>
<tr><td>水利部农村水电系统安全监察员培训班</td><td>10月 重庆</td><td>50</td></tr>
<tr><td>组织开展“水能资源开发生态补偿政策研究”“农村水电站安全保障关键技术研究”“全国水能资源利用区划的总结战略及支撑技术”等课题研究</td><td></td><td></td></tr>
</table>

续表

序号	专委会	活动名称/内容	时间/地点	规模（参加人数）
21	小水电	开展农村水电及电气化标准的修订制订工作，共10项		
		启动“第一届中国小水电论坛”论文征集		
		变更《小水电》为会刊，全年出版6期		
		参加水利部《中国小水电60年》编写工作		
22	信息化	出版了《中国水力发电工程学会信息化专委会2008年年会优秀论文专辑》	6月	
		2009年水电站计算机监控系统暨水轮机调速器技术培训班	10月北京	30
		2009年年会暨技术交流会	8月四川	99
23	大坝安全监测	专委会主任委员（扩大）会议	1月杭州	16
		大坝安全监测仪器应用培训班	5月杭州	83
		专委会管理学组2009年年会筹备会议	3月三亚	
		专委会年会暨学术交流会的论文评审会暨专委会主任工作会议	11月宜兴	
		专委会年会暨学术交流会	12月四川	115
		正常维护和更新专委会网站，实现《大坝与安全》期刊上网		

【中国水土保持学会组织与活动】

1. 组织建设

（1）加强制度和组织建设，规范学会管理，壮大学会队伍。完善了学会的制度建设并积极组织实施，特别是加强实施《中国水土保持学会分支机构的设立与管理办法》和《中国水土保持学会会员管理条例》；进一步规范了专业委员会和会员的管理，推进了学会会员重新登记工作，加强了中国科协个人会员管理系统使用工作。

（2）2009年12月，在深圳召开了中国水土保持学会城市水土保持生态建设专业委员会成立大会。该专委会的成立，为我国水土保持生态环境建设跨部门、跨行业的科技协作提供了技术平台，便于统一协调，整合资源，更好发挥全国学会的作用。

（3）重庆市、江苏省、河南省和新疆维吾尔自治区成立了水土保持学会，目前，已有20个省（直辖市、自治区）成立了水土保持学会。拓宽了学会的活动领域和覆盖面。

2. 网络建设　重建了学会网站，提高了网站的稳定性。通过增加网站的内容，及时发布信息，提高网络服务质量，为会员和社会公众提供良好的服务，学会网页点击率逐年提高，现点击率达30多万人次。

中国水土保持学会预防监督专业委员会网站（www.yfjd.org）正式开通并运行。网站设立了机构概况、公告通知、资质管理、人员管理、法规标准、成果展示、水土保持方案质量通报、留言板、方案编制技术论坛等栏目。

3. 学术活动

（1）2009年5月9—10日，中国水土保持学会与西北农林科技大学、陕西省水土保持学会在陕西杨凌共同组织召开了“全国水土保持与荒漠化防治特色专业建设研讨会”。研讨会围绕特色专业建设的人才培养方案及课程体系改革、课程内容改革及教材建设、实践教学改革、师资队伍建设及使用机制改革，高质量人才培养的管理机制改革与规划、招生与就业工作的分析与研究等内容进行了深层次研讨，为水土保持与荒漠化特色专业建设工作提供了建设性意见。

（2）2009年7月，学会作为协办单位，与地理学会在湖北武汉举办了主题为资源开发与水土保持生态保育的“第十届海峡两岸三地环境资源与生态保育学术研讨会”。来自海峡两岸的80多位专家学者参加了研讨会，并邀请了国内外知名教授和专家作了专题报告，总结、交流海峡两岸在该领域的研究成果。

（3）2009年7月28—30日，中国水土保持学会规划设计专业委员会在内蒙古自治区呼和浩特市召开2009年年会暨学术研讨会。会议除了审议专业委员会有关材料外，还围绕水土保持方案编制、高原沟道水土流失特点及治理措施等问题进行了学术研讨；研讨会收集论文53篇，其中有30篇论文在本次会议上进行了交流，评选出《砒砂岩区沙棘种植布局和技术》等12篇优秀论文；组织考察了露天煤矿开发建设项目水土保持工程和砒砂岩水土保持生态治理工程。

（4）2009年8月，学会与中科院水土保持研究所在陕西杨凌举办了“第十二届海峡两岸水土保持与生态修复”学术研讨会。会议围绕生态退化机理与修复、水土保持与全球变化等方面进行了学术交流。

(5) 2009 年 8 月 31 日至 9 月 6 日，中国水土保持学会沙棘专业委员会协助国际沙棘协会在俄罗斯成功举办了第四届国际沙棘协会大会。来自 15 个国家的 130 名代表参加了会议，会议以“沙棘——走向科学和产业发展的融合之路”为主题，突出了全世界共同探讨沙棘产业发展的热点、焦点和难点问题。会议讨论了如何加强国际合作、编制实用项目大纲、搞好学科间的融合等问题。

(6) 2009 年 9 月 21 日，中国水土保持学会科技协作工作委员会在北京召开了以“深化了解　加强沟通共同打造水土保持科技协作平台”为主题的学术研讨会。来自国内外 68 个水土保持科研机构和高等院校的 80 多位领导、专家代表出席了本次大会，围绕目前国内外水土保持产学研所面临的形势、机遇和挑战等问题展开了广泛而深入的交流与研讨。

(7) 2009 年 9 月 25—29 日，中国水土保持学会水土保持生态修复专业委员会在陕西西安召开了主题为“促进水土保持生态环境建设，加快水土流失防治步伐和植被恢复”的全国水土保持生态修复学术研讨会。会议围绕生态退化机理与修复、黄河水利水土保持生态修复、水土保持与区域生态经济发展、水土保持与植被建设、水土保持新技术与新方法等方面进行广泛的学术交流。

(8) 2009 年 10 月 19 日，中国水土保持学会工程绿化专业委员会与交通部公路科学研究院和北京林业大学组织召开了全国公路生态绿化理论与技术研讨会。研讨会围绕我国公路生态绿化现状和存在问题，公路生态绿化理论及新技术、新方法进行了交流；会后组织代表考察了门头沟龙凤岭水土保持科技示范园和京承高速公路工程绿化。

(9) 2009 年 11 月 17—18 日，水利部水土保持监测中心与中国水土保持学会预防监督专业委员会共同于湖南长沙召开了“全国水土保持监督管理工作座谈会暨中国水土保持学会预防监督专业委员会第七次会议”，会议选举产生了由水利部水土保持监测中心郭索彦为主任委员的第三届专业委员会。与会代表就近年来水土保持监督管理工作的进展、经验、做法、存在问题和建议等进行了交流。

(10) 2009 年 12 月 30 日，中国水土保持学会鄂竟平理事长在北京林业大学主持召开了“中国水土保持学会第三届第十次常务理事会扩大会会议”。中国水土保持学会吴斌秘书长汇报了中国水土保持学会 2009 年工作总结和 2010 年工作计划要点，会议聘任张焱任中国水土保持学会第三届理事会常务副秘书长，并审议通过 2010 年召开中国水土保持学会第四次全国会员代表大会及学术研讨会的提议。

(11) 完成 2009 年《中国水土保持科学》6 期的编辑出版工作，共刊出文章 126 篇。2009 年第 4 和第 5 期就中国水土保持 60 年成就、经验和发展对策，土壤侵蚀科学研究进展，泥石流防治，防沙治沙和水土保持监测方面发表了水土保持领域专家撰写的 5 篇文章。2009 年版《中国科技期刊引证报告（核心版）》中，《中国水土保持科学》影响因子 0.717，在农业工程类期刊中排名第三。

4. 科学普及与教育培训

(1) 2009 年 4 月 22 日，中国水土保持学会与地质学会共同在地质博物馆举办了主题为“认识地球　保障发展——了解我们的家园深部”的科普咨询宣传咨询活动。学会制作了水土保持生态修复的宣传板，并发放《水土保持科普读本》《中华人民共和国水法》《北京小流域治理概况》《水保论语帖》及《认识地球，和谐发展》的宣传材料，开展了水土保持、荒漠化防治等绿色环保宣传。

(2) 2009 年 4 月，中国水土保持学会泥石流滑坡专业委员会承担的科技部科技基础条件平台项目“中国数字科技馆”的二级栏目“山地灾害科普专栏”正式在网上公开运行。

(3) 在汶川“5・12”大地震一周年纪念日，中国水土保持学会泥石流滑坡专委会参加了四川省地理学会、成都市科学技术协会、成都山地所、四川科技馆共同承办的“纪念‘5・12’汶川大地震一周年科普讲座”。

(4) 2009 年 7 月，中国水土保持学会学生科技协会赴甘肃民勤，调查、研究与分析了甘肃民勤水土流失现状与危害，并利用掌握的专业知识向当地中小学生做了“节约水资源、保护生态环境、建设绿色家园”的宣传教育活动，发放了水土保持宣传挂图与相关宣传材料。

(5) 2009 年 12 月 12 日，中国水土保持学会学生科技协会在北京林业大学举办“我国面临的资源、环境问题与生物技术”科普讲座，阐述了我国人口压力、经济发展与自然环境、资源的矛盾，对比了我国与其他各国的资源利用现状，提出了以基因工程、酶工程等生物技术为途径的解决对策。

(6) 2009 年 12 月 30 日，“水土保持 60 年成就展”在北京林业大学开幕。

(7) 2009 年，中国水土保持学会完成了水土保持科普读物《中小学生水土保持科普读本》《农村水土保持技术手册》《开发建设项目水土保持科普知识手册》的编写修改工作。

(8) 2009 年，受水利部委托，中国水土保持学会联合水利部水土保持监测中心，举办了 5 期全国甲级编制开发建设项目水土保持方案资格证书单位持证上岗人员培训班，培训学员 1100 人。

(9) 2009 年，中国水土保持学会与中国水利水电勘测设计协会联合举办了3期注册土木工程师（水利水电工程）水土保持考前培训班，培训学员500余人。

（10）2009年，中国水土保持学会与中国水土保持学会规划设计专业委员会联合举办了3期水土保持规划设计三阶段规范培训班，培训学员500余人。

（岳金山）

【中国水利企业协会组织与活动】

1. 开展专题研究，为水行政建言献策　承担了水利部安全监督司的课题"水利安全生产目标责任体系研究"，为此成立了课题组、编写组，广泛收集了行业内外开展安全生产目标责任考核工作的资料，赴浙江、安徽、广东等地进行了实地考察调研；现研究报告初稿（送审稿）已完成。这项工作的开展为在水利行业进行安全生产目标责任考核奠定了基础。

2. 做好水利水电施工企业安全管理人员考核的各项工作　水利水电施工企业管理人员安全生产考核是施工企业安全生产许可证的前置条件之一，协会受部建设与管理司委托，承担了考核的相关具体工作，包括资料审查、考前和延期培训、考试组织、阅卷、制证和档案管理等。协会全力做好各个环节的工作，既保证了该项工作的顺利推进，同时也为广大水利水电施工企业进入水利市场创造了条件。全年共培训考核人员2400多人，办理安全证书延期600多人。

3. 开展水利水电施工企业关键岗位人员培训与行业自律　为了落实部建管司关于加强水利水电施工企业关键岗位人员教育的任务，帮助广大会员企业适应部分地区水利市场准入要求，2009年协会就施工员、预算员、质量员、安全员和材料员等"五大员"开展了培训和行业自律。协会抽调专人负责此项工作，组织专家编写考核大纲，建立试题库、取证人员档案库和培训师资库。目前，该项工作已经建立健全了相关工作体系，为继续抓好这项工作搭建了良好的平台。全年考核发证2000多人。

4. 成功举办首届水利水电企业高层论坛　为探讨水利企业如何应对全球金融危机，总结推广先进企业的发展经验，研究协会今后发展的方向和定位，协会于2009年4月在广州举办了首届"水利水电企业发展高层论坛"，部有关司局、协会副会长、常务理事以上单位的20多位领导出席会议。会议重点探讨了水利企业如何抢抓中央应对全球金融危机所采取的刺激政策带来的机遇，实现跳跃发展。部分与会企业还交流了彼此企业扩展产业链，特别是向产业链上游发展，实现多元化经营的经验和体会。论坛取得圆满成功。

5. 开展全国水利行业工程建设优秀项目经理评选　为配合中国施工企业管理协会、中国建筑业协会举办的"全国工程建设优秀项目经理"评选，提高水利水电项目施工管理水平，促进企业项目经理的素质提高，规范引导其从业行为，协会组织开展了"2009年度全国水利行业工程建设优秀项目经理"评选。共有200多名项目经理申报参评，协会对申报材料进行了认真的审查，组建了由部建管司、中国建筑业协会、中国水利工程协会、地方水利行业（企业）协会和施工企业代表组成的有行业代表性和权威性的评审委员会，189名项目经理获得"2009年度全国水利行业工程建设优秀项目经理"称号。

6. 召开工作会议，总结经验，表彰先进　3月在云南潞西市召开了一年一度的全国水利企（行）协系统工作会议，全面总结2008年的工作，部署2009年的工作重点，表彰"2008年度全国水利企（行）协系统先进集体"和"2008年度全国水利企（行）协系统先进工作者"。通过表彰先进和进行经验交流活动，极大地激励了广大企（行）协工作者的工作积极性，有力地推进了全国水利企（行）协系统的各项工作。

7. 加强协会自身能力建设，规范内部管理　重视建立健全各项工作制度，不断完善财务管理、考核奖惩等规章制度，协会工作规范化水平得到不断提高。2009年，协会又再一次按民政部要求开展了外部审计，并获得好评。7月，水利部党组明确冯玉禄同志为副局级，在报经水利部人事司批准，并征求协会副会长、常务理事意见后，调整了协会领导班子：原秘书长是国华同志因退休不再任秘书长，增选是国华同志、宁夏水利行业协会会长任福同志为协会副会长、常务理事，冯玉禄同志任协会秘书长、常务理事。

重视员工队伍发展建设和素质培养，加强员工政策理论和业务学习，鼓励员工接受学历教育。协会中青年同志在协会大力培养和实践锻炼中逐渐成长成熟，走上领导岗位。在协会工作中，充分发挥党支部的战斗堡垒作用和党员的先锋模范作用。

8. 组织企业家考察交流活动，推进企业合作　协会组织了全国水利企业家内蒙古商务考察活动，来自全国水利系统的130多名水利企业家和企业（行业）协会工作者赴内蒙古东北部地区考察草原地区水资源状况、水土保持情况，参观考察了内蒙古水务投资公司下属的满洲里锦园第二水源续建工程，并与内蒙古自治区水利厅、海拉尔市水利局、满洲里市水利局等部门进行了交流，探寻合作开发水资源的机会。

9. 引导、支持水利企业创名牌，提升知名度和市场竞争能力　引导、支持水利施工企业参加中国建筑业协会、中国施工企业管理协会举办的鲁班奖、国家优质工程奖、全国优秀施工企业、全国优秀施工企业家、全国优秀项目经理、建筑企业职业经理人资格、优秀中国工程建设职业经理人的评选和认证。2009年，水利行业有14名项目经理荣获"2008年度全国优秀项目经理”称号；8家企业荣获“2008年度全国优秀施工企业”称号；3名企业家荣获“优秀中国工程建设高级职业经理人”称号；10名企业领导人通过培训认证，获得“建筑企业高级职业经理人”资格。

10. 加大资讯服务力度，促进企业发展 企业经营决策与政策信息紧密相关，为帮助会员了解经济形势，关注热点问题和最新信息，及时把握党中央、国务院的政策精神，科学预测企业今后的发展方向，特向已缴纳会费的会员单位赠送《特供信息》。通过一刊一网，即《协会工作简讯》和中国水利企业网，通报协会相关活动，介绍会员单位动态，宣传会员单位业绩。

11. 代管协会、分会、专业委员会在各自业务主管部门的指导下，积极开展富有特色的专业活动

中国水利水电勘测设计协会的主要工作：①召开第九次会员代表大会。②编写了《关于建议水利水电行业推行以设计为龙头的工程总承包（EPC）建设管理模式的报告（初稿）》；编制了《水工建筑物抗震设计规范》《水土保持项目建议书编制规程》《地下水资源勘察规范》《水利水电工程建设用地设计标准》《水利水电工程水库库底清理设计规范》等多项技术标准。③以规范会员行为、维护会员合法权益为重点，搞好行业服务工作，包括信用评价、行业信息化建设和代表行业谈判团购等活动。④以完成政府主管部门委托的工作为中心，做好行业管理工作，包括规范市场准入、建立执业资格管理体系等。⑤加强培训交流，提升行业技术与管理水平。⑥加强自身建设，积极探索协会工作的新方法和新机制，包括制定并落实协会中长期发展规划、办好一网一刊及规范管理等工作。

中国灌区协会的主要工作：①申请承担灌区、泵站管理单位管理考核工作。②组织召开“全国水工渠道防渗研讨会”。③组织召开中国农业节水与国家粮食安全高级论坛暨农民用水户协会高效运行专题研讨会。④完成2008年度专项课题任务，协助中国灌溉排水发展中心开展了“灌区末级渠系水管组织节水管理技术应用和推广”的工作。⑤申请承担了水利部科技推广项目计划中“编写出版节水培训教材”的课题；该课题于2010年实施。⑥继续完善和建设协会网站，新版网站计划将于2010年正式开通。完成了协会会刊《灌区建设与管理》6期的编辑、印刷和发行工作。

灌排分会2009年的主要工作：①支持会员企业积极参与国家农业机械补贴项目；②举办2009中国节水灌溉高峰论坛；③编制“节水灌溉规划设计通用图形符号”行业标准；④组织中国灌排企业代表团赴澳洲进行技术与商务交流；⑤举办灌溉工程师培训班；⑥支持理事会成员的商务活动。

机械分会的主要工作：①发展会员，壮大分会力量。全年吸收新会员单位48名，使机械分会的会员单位总数达到了155家。②召开三届五次、六次理事会，召开第四次会员代表大会和四届一次理事会，完成分会换届工作。③征集资料，编制《水利工程启闭机取证企业名录》。④举办第二届水利水电机械企业论坛。开展“2000—2009年全国水利水电机械行业优秀成果和人物”评选活动。⑤协助、配合水利部行政管理部门，开展水利工程永久设备质量安全监督管理。⑥为会员单位服务，帮助企业解决各方面的困难。⑦完成了中国水利企业协会机械分会网站——“中国水利水电机械网”的改版工作。

劳动安全卫生专业委员会主要承接安全监督司的相关工作：①参与“水利安全生产目标责任体系”课题研究；②承办水利系统车管干部培训，组织编写培训教材，举办培训班；③举办多期水利施工安全技术标准培训班。

（曾令文）

【中国水利经济研究会组织与活动】

1. 围绕中心工作，开展课题研究

（1）关于水利现代化发展方面的课题题目为“区域经济协调发展与水利现代化的递次推进研究”，该课题为2009年度水利财政项目。事实证明，中国区域经济的发展都是与水利的发展密切相关的。实现区域水利与区域经济同步发展，以水利的发展支撑经济的发展，以水利的现代化保障经济的现代化，对中国东、中、西三个区域水利发展分别提出不同的发展目标以及保障措施和支持体系，就是研究这一课题的出发点和落脚点。

在研究过程中，该会组织专家分别到广东、江苏、山东、河南以及青海等省进行工作调研。了解这些地区的经济和水利发展情况、民生诉求以及期盼，积累了大量的素材，为这一课题打下了基础。

在研究报告中，提出了本项目研究的理论导向和政策依据；分析了中国区域经济的发展情况和水利发展水平；论证了区域水利现代化推进方式、方法；阐述了递次推进水利发展乃至实现水利现代化的保障措施；最后，对中国三大经济区域水利现代化作了展望并提出了政策建议。此课题研究报告已经完成并通过了专家的评审。

（2）关于地方水务管理体制改革方面的课题题目为“推进常州市水务一体化研究”，这是一个地方财政支持的项目。

从2000年起，水利部党组就提出要实施水务体制改革，尽快解决涉水事务特别是水资源统一管理问题，以克服多龙管水的弊端。2008年10月份，该会从一些渠道获得常州市武进区已经实现真正的水务一体化的信息后，在原水利部副部长翟浩辉的带领下，前往该地区调研，并写出调研报告。之后，调研报告

上报温总理，并在《中国水利》等期刊发表，社会反响很大。出于常州市对该会工作的信任，于是安排该会跟踪研究这一课题，以推动全市实现真正意义上的水务一体化。

课题研究报告认真地分析了常州市实行水务一体化已经具备的条件；总结了武进区实施水务体制改革的成熟经验和具体做法；对溧阳、金坛两市逐步实现涉水事务统一管理分别提出了实施办法和意见；对整个常州市全面实现水务一体化的管理体制提出了政策建议。

（3）该会还参与了中国农业节水和农村供水技术协会、水利部发展研究中心相关课题研究。

2. 抓住热点问题，进行工作调研 2009 年，该会选择了一个热点问题开展调查研究，即黄河水利委员会调水调沙问题。该会与中国农业节水与农村供水技术协会一道，在原水利部副部长、全国政协委员翟浩辉带领下，一行 4 人于 11 月 10—17 日赴黄委进行调研。在 7 天时间内，到小浪底、洛阳河务局、河南河务局以及沿黄的地方水行政主管部门，开座谈会，听取各方面反映，察看工程现场，写出了调研报告。

在调研报告中，一是报告了调水调沙的由来：治黄百难，唯沙为首。二是报告了调水调沙的做法：实行三条黄河联动，开展科学实验；转化试验成果，持之调水调沙；不断总结经验，解决调水调沙中可能发生的次生问题。三是总结了调水调沙的成效：使黄河主槽得到全线冲刷；黄河下游行洪能力和过沙能力普遍提高，河槽形态得到调整；为小浪底等水库排沙减淤、延长使用寿命探索了一条有效途径；改善了河口生态，增加了湿地面积；坚定了黄委广大干部职工治好黄河的决心，形成了蓬勃向上的团结奋斗精神。四是论述了调水调沙成功的启示：治理黄河必须抓住主要矛盾及其矛盾的主要方面；升华了先贤们的治黄理论，丰富了治黄方略；开辟了黄河泥沙入海的新途径，黄河岁岁安澜有望变成现实；以科学发展观为指导，正确运用现代化的手段，是新的历史条件下治理黄河的根本方向。

报告还提出了实现黄河长治久安的对策和建议：一是要继续推进和发展调水调沙，建议国家建立调水调沙专项资金并开展配沙技术科研攻关；二是要构建完善的调水调沙体系，建议早立项开工建设古贤水利枢纽；三是要全面地开展黄河下游治理，建议对滩地 189.5 万人口实行特殊的扶持政策；四是黄土高原积极实施多沙粗沙区拦沙工程建设，建议国家对此单独立项；五是应该从战略上思考建设南水北调西线工程，建议深入进行前期工作研究。

3. 搭建交流平台，组织学术研讨和举办培训班

一是参与组织了中国农业节水论坛。此论坛主办方是中国农业节水与农村供水技术协会。该会参与了策划并进行了有关文稿的准备工作。论坛举办成功，反响较大。二是参与组织了新华水务第二届水电论坛。该会与新华水务投资公司为主办方，由新华水务投资公司等具体组织实施。论坛取得了预期的成效。

另外，该会还主办了 2 个研讨会——水利财务与水价改革研讨会与水资源费征收与水价改革研讨会，承办了一个培训班——建立公益性补偿机制，推进水管单位体制改革培训班，该培训班由水利部财务司主办，该会承办。研讨会和培训班都取得了预期的效果。

4. 积极参加社团改革，坚定做好社团工作的决心和信心 水利部高度重视社团工作，2009 年 4 月中旬，水利部在长沙召开了社团工作座谈会；11 月初，水利部在北戴河召开了水利社团改革工作座谈会；12 月又在北京召开了社团管理办法修改会议。该会主要负责人参加这三次会议，对工作做了汇报，对加强社团发展提出了建议。

5. 推进《水利经济》上台阶，扩大杂志的影响力 《水利经济》杂志是该会的会刊，一直委托河海大学编辑部出版发行。一年来，该会为提升其对外影响力，提高期刊质量，增加发行量，做了大量工作，收到了显著效果。其稿源丰富，层次较高，发表的论文有不少被选入北大中文库。

6. 代管社团“黄河文化经济发展研究会”组织与活动

（1）2009 年 3 月 5 日，该会向胡锦涛总书记呈送了“关于我国垃圾处理重大产业方向与利用出口信贷扩大环保设备外销的两点建议”一文，总书记收到信后，批示给李克强副总理，李克强副总理批示：“请发改委会同建设部等部门按锦涛同志的批示精神认真深入研究”，发改委和建设部等部门组织专家组到全国一些省市和中德环保集团公司进行了调研并在北京举行了专家论证会，肯定了中德环保集团的技术和该集团公司的发展思路。在此基础上发改委拟了有关报告并上呈李克强副总理，提出将垃圾发电在我国经济发展第十二个五年规划中全面铺开，作为新的经济增长点。

（2）在青海举办“全国黄河流域经济社会发展与生态文明研讨会”。这次研讨会的主题是以邓小平理论和“三个代表”重要思想为指导，深入贯彻科学发展观，通过专题研讨和实地考察，感受黄河上游的壮美和保护母亲河的重要性，加快黄河流域生态文明建设，促进经济社会又好又快发展。来自北京、天津、陕西、内蒙古、河南、河北等地的 70 多人参加了研讨会。会议征收论文 21 篇，还特别邀请了中国环境规划院总工程师王金南为大会作了《中国环境的挑战与战略》的专题讲座，使与会者对我国目前环境的状况、环境危机有了更加深刻的认识，增强了保护我国生态环境的危机感和责任意识，会议取得了圆满成功，收到了预期的效果。

（3）中华环保联合会、全球人居环境论坛理事会、中国黄河文化经济发展研究会及无锡市人民政府共同主办的“2009全球人居环境论坛”于2009年11月20日在江苏省无锡市举行。这次论坛以“21世纪的水与人居环境”为主题，以“保障水安全，建设可持续的人居环境”为宗旨。来自国内外的500多名专家、学者、企业家和18个临湖临江城市的政府官员代表出席了论坛。全国政协副主席、中国黄河文化经济发展研究会名誉会长李金华为唯一当选本年度“全球绿色城市”的无锡市颁发奖牌，第十届全国人大常委会副委员长顾秀莲，联合国友好理事会主席、全球人居环境论坛副主席努尔·布朗，中国黄河文化经济发展研究会总顾问、原财政部部长项怀诚，国家环保部总工程师万本太，以及江苏省政府副省长徐鸣等5位嘉宾分别讲话。论坛向全世界发布了《21世纪的水与人居环境无锡宣言》，倡议亲水爱水、节约用水、全民行动、加强合作、科技创新。

（4）中国黄河文化经济发展研究会第三届会员大会暨第七次理事会议，于2009年9月5—6日在北京举行。中国黄研会名誉会长曾培炎、王汉斌、周铁农、李金华、伍绍祖为大会题词祝贺，全国人大副委员长周铁农参加了大会的招待晚宴并发表了讲话。参加开幕式的有中国黄河研究会名誉会长伍绍祖，总顾问项怀诚，特别顾问熊光楷，顾问怀国模、张宝忠、陆军、原焘以及水利部人事司侯京民副司长；伍绍祖、项怀诚向大会作了致辞。

参加会议的代表、理事共106位，他们既有来自北京、内蒙古、陕西、河北、河南、青海、天津等地的黄研会，也有来自上海、江苏、山东、广东、福建、海南及港台地区的理事代表。

中国黄研会副会长季军、唐麒麟分别代表上一届常务理事会向大会作了工作报告和修改章程的报告，全体与会代表通过了两个报告；大会投票选举原焘为新一届会长；季军等7人为副会长，季军兼秘书长；康庄等18人为常务理事；吴国忠等86人为理事。大会同时确定、宣读了名誉会长、总顾问、特别顾问和顾问名单。会后召开了第一次常务理事会，决定在中国黄研会内部设立办公室、法律事务部、文化交流部、会员联络部、经济合作部、网络信息部6个工作部门。

（林泽忠）

水 利 统 计

Statistics of Water Resources

水利综合指标

2009 年灌溉面积

($10^3 hm^2$)

地区	灌溉面积						农田（有效）实灌	旱涝保收
	合计	农田（有效）灌溉	林地	果园	牧草	其他		
总计	**65164.63**	**59261.45**	**1774.69**	**2088.61**	**1246.91**	**792.97**	**51806.51**	**42358.23**
北京	324.81	218.71	31.93	62.51	3.05	8.61	203.67	197.50
天津	381.63	347.38	10.43	17.34		6.48	287.13	232.28
河北	4976.94	4552.95	109.05	296.19	10.23	8.52	4149.83	3478.39
山西	1291.48	1260.99	16.80	12.93	0.24	0.52	1017.25	723.47
内蒙古	3689.36	2949.75	186.97	9.53	533.88	9.23	2335.23	1512.19
辽宁	1707.59	1509.58	18.92	99.16	2.95	76.98	1163.72	1012.39
吉林	1707.43	1684.80	4.17	1.17	6.67	10.62	1157.53	1035.85
黑龙江	3414.94	3405.86	2.48	3.19	2.23	1.18	3031.14	1962.17
上海	340.53	202.32	87.27	24.66		26.28	202.32	200.05
江苏	4051.18	3813.66	130.10	50.19	19.11	38.13	3479.66	3101.84
浙江	1550.52	1446.37	20.51	62.06	0.03	21.55	1408.61	1093.06
安徽	3517.81	3484.08	9.31	22.34		2.08	2969.63	2597.47
福建	1017.98	960.12	8.72	24.69	0.49	23.96	889.69	679.84
江西	1910.84	1840.43	14.69	39.83		15.88	1801.41	1485.39
山东	5484.08	4896.92	159.09	355.43	4.98	67.66	4236.15	3537.25
河南	5120.78	5033.03	30.73	50.59	0.18	6.25	4539.72	4051.21
湖北	2475.02	2350.10	22.97	38.32	0.26	63.37	2014.14	1776.97
湖南	2819.20	2720.68	30.70	36.59	1.96	29.27	2555.23	2228.50
广东	2252.87	1871.09	34.61	120.38		226.79	1704.68	1401.75
广西	1545.44	1522.14	4.67	15.43	2.27	0.93	1225.97	1166.82
海南	249.33	243.17	1.54	3.93		0.69	185.46	148.17
重庆	672.02	672.02					488.19	336.43
四川	2612.70	2523.66	12.91	25.66	47.09	3.38	2090.36	1741.53
贵州	1020.45	1016.04		0.25		4.16	695.87	633.73
云南	1641.55	1562.07	19.44	44.91	5.71	9.42	1327.33	924.75
西藏	382.19	235.15	27.76	2.08	110.07	7.12	235.15	14.29
陕西	1422.63	1293.34	5.81	111.75	1.47	10.26	1101.68	831.93
甘肃	1417.01	1264.17	108.05	22.96	21.82		1063.85	999.11
青海	371.33	251.67	19.84	0.88	98.94		205.61	151.54
宁夏	510.91	453.55	13.04	22.34	8.90	13.08	421.15	379.00
新疆	5284.11	3675.68	632.18	511.31	364.37	100.57	3619.16	2723.35

注 全国总计中不包括香港特别行政区、澳门特别行政区和台湾省资料，以下各表同。

（王瑜）

2009年灌溉面积（按全国水资源一级区划分） （$10^3 hm^2$）

区域	灌溉面积						农田（有效）实灌	旱涝保收
	合计	农田（有效）灌溉	林地	果园	牧草	其他		
总计	**65164.63**	**59261.45**	**1774.69**	**2088.61**	**1246.91**	**792.97**	**51806.51**	**42358.23**
松花江区	5440.46	5369.81	6.70	4.43	47.75	11.77	4422.01	3112.52
辽河区	3219.61	2766.42	85.85	96.81	192.99	77.54	2090.62	1575.82
海河区	8306.44	7545.59	234.54	455.64	29.28	41.39	6854.79	5608.01
黄河区	6018.50	5344.19	207.58	198.85	232.78	35.10	4556.75	3693.36
淮河区	11765.94	11170.04	167.29	335.92	17.75	74.95	9603.26	8511.44
长江区	15931.47	15246.19	249.39	216.74	57.25	161.89	13470.49	11515.94
东南诸河区	2211.98	2056.42	27.68	82.32	0.52	45.04	1959.35	1453.33
珠江区	4722.84	4296.30	42.84	147.66	2.97	233.06	3628.65	3123.26
西南诸河区	1146.33	966.38	33.88	21.91	112.49	11.66	864.45	447.60
西北诸河区	6401.08	4500.12	718.94	528.32	553.12	100.57	4356.15	3316.95

（王瑜）

2009年机电灌溉面积（按水资源一级区划分） （$10^3 hm^2$）

区域	机电排灌面积	机电提灌面积				纯排面积
		合计	机电井	固定站	流动机	
总计	**40016.33**	**35580.95**	**17480.25**	**11360.22**	**3199.92**	**4435.39**
松花江区	5278.64	4345.39	2502.82	492.73	91.94	933.25
辽河区	2426.39	2117.42	1451.03	350.66	21.79	308.97
海河区	7224.98	6972.78	5219.58	627.53	763.71	252.20
黄河区	4297.22	3503.56	2046.05	1264.84	102.60	793.66
淮河区	9954.13	9319.46	4650.97	2951.81	1447.97	634.67
长江区	6778.00	5774.21	548.54	4475.23	634.03	1003.79
东南诸河区	853.18	757.81	56.61	561.72	82.12	95.37
珠江区	1052.41	664.99	45.02	560.55	49.94	387.41
西南诸河区	46.76	46.17	10.81	31.79	1.92	0.59
西北诸河区	2104.65	2079.17	948.81	43.36	3.90	25.48

（王瑜）

2009 年机电灌溉面积 ($10^3 hm^2$)

地区	机电排灌面积	机电提灌面积				纯排面积
		合计	机电井	固定站	流动机	
总计	**40016.33**	**35580.95**	**17480.25**	**11360.22**	**3199.92**	**4435.39**
北京	203.02	202.51	129.62	9.58	1.26	0.51
天津	386.01	335.27	118.88	138.45	73.07	50.74
河北	4440.95	4244.60	3765.73	144.43	107.11	196.35
山西	950.67	950.67	597.99	352.30	0.38	
内蒙古	2975.02	2177.91	1615.03	210.38	2.59	797.11
辽宁	1371.77	1082.40	592.22	311.54	17.17	289.37
吉林	1492.29	1287.02	799.42	230.55	25.91	205.27
黑龙江	3507.10	2779.42	1529.87	271.79	69.02	727.68
上海	202.32	202.32		200.16		
江苏	3533.76	3140.11	227.31	2368.75	508.61	393.65
浙江	1048.17	975.47	55.79	804.11	68.60	72.70
安徽	2990.50	2465.98	434.86	1429.53	492.18	524.52
福建	149.91	120.01	33.20	59.84	16.18	29.90
江西	572.16	404.59	14.32	310.84	72.02	167.57
山东	4515.11	4467.75	2364.15	807.51	1145.97	47.36
河南	4064.24	4039.61	3550.85	230.77	128.77	24.63
湖北	1387.71	1107.23	128.64	788.54	182.89	280.48
湖南	1182.07	1012.62	11.09	799.23	192.57	169.45
广东	652.50	284.66	23.99	238.86	16.98	367.83
广西	272.23	264.28	5.40	226.62	28.22	7.95
海南	18.30	15.75	3.22	11.48	1.02	2.55
重庆	185.65	185.15	0.25	174.48	9.57	0.50
四川	270.13	237.21	4.53	224.89	7.64	32.92
贵州	75.14	72.10	2.39	64.51	4.89	3.04
云南	183.86	173.98	24.91	134.50	6.05	9.88
西藏	4.94	4.94	2.71	2.23		
陕西	838.07	837.94	464.50	355.36	8.66	0.14
甘肃	446.43	446.43	180.71	257.60	3.20	
青海	32.63	32.43	3.00	25.23	2.31	0.20
宁夏	179.48	171.87	31.64	135.69	3.35	7.61
新疆	1884.20	1858.72	764.02	40.47	3.73	25.48

（王瑜）

2009 年农田（有效）灌溉面积变化情况

（$10^3 hm^2$）

地区	本年农田（有效）灌溉面积		本年农田（有效）灌溉面积减少原因				
	新增	减少	工程老化、毁损	建设占地	长期水源不足	退耕	其他
总计	**1533.10**	**742.85**	**245.13**	**126.19**	**79.36**	**25.62**	**266.55**
北京	1.30	24.29	0.31	13.65	0.40	0.27	9.66
天津		0.68		0.65			0.03
河北	67.75	73.37	21.07	13.75	21.62	3.86	13.07
山西	29.29	22.86	2.96	2.04	3.23		14.63
内蒙古	126.68	48.19	31.69	2.29	9.02	5.19	
辽宁	33.27	16.63	3.81	1.51	4.74		6.57
吉林	42.48	11.79	1.53				10.26
黑龙江	310.51	27.16	9.32		1.62		16.22
上海		32.14		0.40			31.74
江苏	55.03	58.48	15.46	16.06	2.00	2.00	22.96
浙江	19.90	9.38	1.48	4.36	0.56	0.02	2.96
安徽	46.92	7.95	1.54	3.68	0.66		2.08
福建	8.64	3.97	1.28	0.52	0.51		1.66
江西	13.95	14.68	2.62	5.49	0.89	0.24	5.45
山东	70.14	39.93	15.71	8.74	4.72	1.38	9.39
河南	188.62	144.80	107.85	9.18	10.98	0.27	16.52
湖北	34.82	14.88	1.21	1.54	0.38	0.32	11.43
湖南	23.93	11.69	1.16	0.23	0.06	0.09	10.15
广东	22.06	14.42	2.65	6.80	0.93		4.04
广西	4.02	3.33	0.05	0.61	1.52	0.03	1.12
海南	0.15	3.10					3.10
重庆	14.01	0.85	0.03	0.80	0.02		
四川	40.75	23.79	2.24	15.52	0.37	1.99	3.67
贵州	102.33	3.72	1.11	0.79	0.05	0.36	1.41
云南	36.51	11.31	1.17	7.46	0.59	1.54	0.54
西藏	44.14	29.67					29.67
陕西	22.34	30.48	14.74	6.99	4.76	0.29	3.69
甘肃	16.76	7.32	2.25	0.07	1.90	0.02	3.08
青海	0.02						
宁夏	4.21	2.60	0.36	1.56	0.30	0.38	
新疆	152.58	49.39	1.54	1.50	7.53	7.36	31.46

（王瑜）

2009 年农田（有效）灌溉面积变化情况（按水资源一级区划分） （10^3 hm^2）

区域	本年农田（有效）灌溉面积		本年农田（有效）灌溉面积减少原因				
	新增	减少	工程老化、毁损	建设占地	长期水源不足	退耕	其他
总计	**1533.10**	**742.85**	**245.13**	**126.19**	**79.36**	**25.62**	**266.55**
松花江区	395.93	56.89	27.16	0.53	2.77		26.43
辽河区	68.94	24.33	10.37	1.51	5.83		6.62
海河区	111.88	130.34	34.37	32.28	27.09	5.08	31.52
黄河区	111.41	77.93	27.19	13.19	13.36	6.02	18.17
淮河区	270.22	188.65	118.34	22.14	12.08	2.45	33.64
长江区	265.51	135.98	16.27	40.27	2.99	3.64	72.82
东南诸河区	25.62	12.45	2.77	4.12	1.07	0.02	4.47
珠江区	55.29	23.08	3.47	8.71	2.54	0.07	8.29
西南诸河区	60.69	34.59	1.08	1.93	0.44	0.95	30.18
西北诸河区	167.62	58.62	4.12	1.51	11.18	7.38	34.42

（王瑜）

2009 年节水灌溉面积（按水资源一级区划分） （10^3 hm^2）

区域	合计	喷灌	微灌	低压管灌	渠道防渗	其他工程节水
总计	**25755.11**	**2926.71**	**1669.27**	**6249.36**	**11166.07**	**3743.71**
松花江区	2900.15	1227.03	67.32	225.40	151.15	1229.25
辽河区	1144.55	309.77	46.49	516.83	241.85	29.61
海河区	4265.08	465.08	57.95	2565.97	762.85	413.24
黄河区	3462.76	262.97	64.93	1129.93	1768.97	235.96
淮河区	3721.57	285.40	54.43	1085.79	1483.90	812.05
长江区	4194.10	123.64	29.65	397.56	3178.90	464.34
东南诸河区	1239.84	54.34	23.20	91.84	972.03	98.42
珠江区	1217.30	18.09	4.37	41.25	817.77	335.82
西南诸河区	238.95	1.00	1.07	7.66	200.33	28.89
西北诸河区	3370.80	179.38	1319.85	187.12	1588.33	96.12

（王瑜）

2009 年节水灌溉面积

（$10^3 hm^2$）

地 区	合 计	喷 灌	微 灌	低压管灌	渠道防渗	其他工程节水
总 计	**25755.11**	**2926.71**	**1669.27**	**6249.36**	**11166.07**	**3743.71**
北 京	276.55	90.36	16.05	136.48	32.81	0.85
天 津	248.57	5.27	2.21	148.70	92.32	0.07
河 北	2594.96	256.20	30.73	1815.39	279.05	213.59
山 西	812.12	143.66	28.98	466.00	172.60	0.88
内蒙古	2165.79	485.28	16.73	938.10	723.55	2.13
辽 宁	466.19	163.56	37.75	106.56	128.84	29.48
吉 林	250.87	220.75	0.38		20.28	9.46
黑龙江	2258.38	843.04	66.77	9.95	118.83	1219.79
上 海	150.30	2.04	0.11	88.29	59.86	
江 苏	1589.97	17.32	3.78	84.27	1049.66	434.93
浙 江	1004.69	26.37	17.96	71.63	775.88	112.85
安 徽	788.63	79.86	7.56	67.97	461.50	171.73
福 建	520.97	29.80	6.18	63.61	408.41	12.96
江 西	267.54	7.41	0.38	2.13	131.42	126.20
山 东	2143.72	148.95	46.33	1073.77	529.86	344.82
河 南	1467.18	114.25	10.24	604.34	494.64	243.71
湖 北	377.17	13.32	6.57	24.42	309.63	23.23
湖 南	301.28	20.10	1.58	4.71	251.75	23.14
广 东	194.82	8.74	1.50	8.16	172.76	3.66
广 西	685.90	5.22	0.13	3.68	408.84	268.03
海 南	111.14	0.76	0.47	0.57	70.92	38.42
重 庆	138.47	5.17	0.14	17.61	108.37	7.18
四 川	1174.24	37.57	9.84	50.42	1022.81	53.60
贵 州	386.31	3.93	7.55	19.90	287.46	67.48
云 南	526.69	6.01	1.70	44.95	420.08	53.96
西 藏	40.37		0.04	1.10	38.56	0.67
陕 西	847.20	39.49	15.37	215.49	480.15	96.70
甘 肃	820.60	45.61	34.95	96.72	558.73	84.58
青 海	77.92	1.99			72.14	3.79
宁 夏	250.10	5.25	5.58	18.43	185.94	34.90
新 疆	2816.47	99.42	1291.70	66.00	1298.43	60.92

（王瑜）

2009年除涝面积（按水资源一级区划分） （$10^3 hm^2$）

地 区	除涝面积				本年除涝面积	
	合 计	3～5年	5～10年	10年以上	新增	减少
总 计	**21584.32**	**9370.59**	**8423.36**	**3790.37**	**203.11**	**112.99**
北 京	149.77			149.77		
天 津	386.33	107.71	212.72	65.90		1.09
河 北	1647.51	801.78	759.94	85.79	0.18	
山 西	89.13	61.19	27.71	0.23	0.08	0.13
内蒙古	277.00	157.76	84.87	34.37		
辽 宁	983.17	72.55	190.60	720.02	1.43	13.28
吉 林	1021.32	141.20	353.41	526.71	0.20	
黑龙江	3315.97	2385.36	865.49	65.12	17.38	7.14
上 海	54.57	13.18	6.68	34.71	0.90	
江 苏	2811.29	829.22	1245.78	736.29	28.53	17.48
浙 江	496.61	129.41	191.70	175.50	2.14	1.70
安 徽	2251.38	942.69	1219.94	88.76	15.54	3.49
福 建	126.18	76.81	40.46	8.91	5.42	3.56
江 西	370.61	180.02	174.39	16.20	2.66	0.99
山 东	2623.40	1178.63	1314.36	130.41	21.40	7.23
河 南	1935.98	1371.42	557.73	6.83	77.20	49.43
湖 北	1216.61	229.35	497.19	490.07	15.79	4.59
湖 南	484.43	139.19	272.03	73.21	2.03	0.69
广 东	512.64	61.28	98.99	352.37	2.18	
广 西	208.76	120.20	87.49	1.07	1.04	0.15
海 南	11.21	8.16	1.07	1.98	0.48	1.57
重 庆						
四 川	92.64	50.91	39.47	2.26	1.35	0.05
贵 州	52.38	30.59	19.50	2.30	1.91	
云 南	249.15	169.86	71.04	8.25	4.74	0.08
西 藏	22.34	8.04	13.87	0.43		
陕 西	130.82	71.42	54.17	5.23	0.55	0.34
甘 肃	12.48	6.32	2.02	4.14		
青 海						
宁 夏	10.50	10.50				
新 疆	40.16	15.86	20.75	3.55		

（王瑜）

2009年除涝面积（按水资源一级区划分） （$10^3 hm^2$）

区域	除涝面积				本年除涝面积	
	合计	3～5年	5～10年	10年以上	新增	减少
总计	**21584.32**	**9370.59**	**8423.36**	**3790.37**	**203.11**	**112.99**
松花江区	4265.94	2597.48	1143.76	524.70	17.38	7.14
辽河区	1288.22	132.25	334.95	821.02	1.63	13.28
海河区	3218.15	1388.16	1493.88	336.11	16.90	5.93
黄河区	604.21	391.55	186.42	26.24	12.04	9.76
淮河区	6722.79	3211.59	2961.93	549.27	92.33	46.35
长江区	4126.06	1140.52	1873.19	1112.34	48.17	23.78
东南诸河区	397.12	182.13	159.27	55.72	7.25	4.95
珠江区	816.96	239.05	218.45	359.46	4.48	1.75
西南诸河区	103.37	70.65	30.76	1.96	2.93	0.05
西北诸河区	41.50	17.20	20.75	3.55		

（王瑜）

2009年农村饮水安全达标人口（按水资源一级区划分） （万人）

区域	饮水安全总人口	只达到基本安全人口	本年新增饮水安全达标人口
总计	**62720.64**	**25149.38**	**7294.91**
松花江区	2325.97	891.97	311.59
辽河区	2015.50	909.31	216.42
海河区	5722.58	1814.55	724.99
黄河区	5825.10	2690.72	726.08
淮河区	9436.56	3669.80	1168.10
长江区	22111.65	9280.08	2281.45
东南诸河区	4546.59	1306.27	440.22
珠江区	8384.70	3835.03	1004.10
西南诸河区	1291.06	342.98	146.83
西北诸河区	1060.93	408.67	275.12

（王瑜）

2009年农村饮水安全人口

（万人）

地区	饮水安全总人口	只达到基本安全人口	本年新增饮水安全达标人口
总计	**62720.64**	**25149.38**	**7294.91**
北京	329.40	42.24	
天津	262.76	16.19	39.15
河北	3230.57	742.40	514.11
山西	1649.97	876.73	151.77
内蒙古	993.59	993.59	143.45
辽宁	1619.67	562.73	159.29
吉林	960.65	221.14	109.77
黑龙江	1299.32	548.08	184.75
上海	332.78		1.59
江苏	4519.88	1390.37	376.23
浙江	3110.73	687.74	278.08
安徽	4325.37	1759.37	311.68
福建	1847.25	637.09	189.91
江西	1837.52	839.19	226.36
山东	3948.60	2030.10	588.39
河南	3875.65	1095.59	473.00
湖北	1935.73	523.95	318.48
湖南	3976.32	1820.89	246.09
广东	3431.45	1203.11	415.95
广西	3021.14	1857.85	389.46
海南	448.76	39.13	42.58
重庆	1277.62	506.11	221.80
四川	4779.20	2018.09	489.87
贵州	2331.66	1617.52	310.57
云南	2738.20	1162.85	302.24
西藏	189.39		41.43
陕西	2105.01	1045.52	331.85
甘肃	1000.85	481.39	153.84
青海	244.22	47.99	21.90
宁夏	313.87	116.03	38.82
新疆	783.52	266.39	222.50

（王瑜）

2009 年水土流失治理面积

（$10^3 hm^2$）

地区	水土流失治理面积	小流域治理面积	水土流失治理面积新增						水土流失治理面积减少
			小计	水平梯田	沟坝地淤地	种水保林	种草	其他	
总计	**104544.85**	**41139.25**	**4317.84**	**411.57**	**38.43**	**1647.11**	**469.86**	**1750.87**	**1372.78**
北京	511.80	511.80	57.50	0.62		0.45		56.43	
天津	45.63	23.73	1.40	0.04	0.02	0.08		1.26	0.60
河北	6230.72	3179.49	168.27	9.01	0.72	79.90	3.73	74.90	131.58
山西	5093.88	815.08	224.07	6.39	3.62	114.55	12.51	87.00	99.51
内蒙古	10567.42	3320.21	458.70	9.94	1.02	270.64	177.10		139.03
辽宁	6242.45	3506.40	140.43	10.06	0.91	52.38	2.33	74.75	6.01
吉林	3545.76	454.52	53.52	2.04	0.10	18.62	11.16	21.60	2.00
黑龙江	4594.68	1527.54	152.92	25.44	0.21	53.24	0.46	73.57	29.11
上海									
江苏	1037.44	329.82	37.13	2.08	0.41	12.20	0.65	21.79	6.81
浙江	2401.85	582.79	84.91	10.46	3.41	24.70	12.79	33.55	17.64
安徽	2102.32	915.37	44.01	6.60	1.85	13.75	3.16	18.64	0.41
福建	1437.87	874.94	81.98	4.90	0.84	11.47	2.74	62.03	30.11
江西	4334.85	818.95	213.34	3.37	0.42	59.93	8.13	141.49	13.99
山东	4593.19	1404.32	120.40	18.66	4.31	72.25	5.05	20.14	16.70
河南	4449.38	2761.12	155.24	15.28	2.49	51.56	0.94	84.97	53.84
湖北	4449.68	1735.29	205.51	36.22	0.86	93.43	5.02	69.98	25.05
湖南	2877.90	866.98	107.60	28.29	3.91	46.58	4.42	24.40	3.10
广东	1369.12	551.94	25.03	0.52	2.24	3.94	5.13	13.19	0.21
广西	1843.68	262.09	70.60	0.98	0.80	33.08	1.50	34.24	0.96
海南	32.48	0.39	1.33			0.40		0.93	
重庆	2266.50	1887.60	153.62	17.44	0.21	62.36	2.57	71.05	30.43
四川	6100.24	3668.62	235.77	26.75	4.01	51.57	15.68	137.76	13.74
贵州	2997.15	2655.36	134.30	5.03	0.01	49.59	7.23	72.44	
云南	5248.00	2797.16	325.02	26.26	2.33	104.07	3.51	188.85	9.05
西藏	40.41	3.56	24.94			14.63	10.31		
陕西	9142.78	3140.24	682.59	42.62	3.49	232.22	120.62	283.64	642.67
甘肃	7807.10	1866.37	209.60	79.34		55.79	23.56	50.91	86.28
青海	812.31	299.35	13.67	5.11		4.41	0.93	3.22	
宁夏	1974.40	230.41	101.51	18.11	0.15	45.58	21.66	16.01	7.87
新疆	393.90	147.83	32.95		0.10	13.75	6.96	12.14	6.08

（王瑜）

2009年水土流失治理面积（按水资源一级区划分） （$10^3 hm^2$）

区域	水土流失治理面积	小流域治理面积	水土流失治理面积新增：小计	水平梯田	沟坝地淤地	种水保林	种草	其他	水土流失治理面积减少
总计	**104544.85**	**41139.25**	**4317.84**	**411.57**	**38.43**	**1647.11**	**469.86**	**1750.87**	**1372.78**
松花江区	8878.32	2164.57	269.38	32.19	0.31	120.82	25.22	90.84	31.11
辽河区	10799.41	5050.44	264.40	14.83	0.91	122.10	47.60	78.96	35.68
海河区	9893.66	4621.44	368.57	13.25	3.50	155.18	17.15	179.48	180.36
黄河区	23714.57	6924.83	1054.87	137.97	7.58	427.79	255.95	225.58	653.57
淮河区	6717.13	2751.67	149.76	24.26	4.98	66.70	7.28	46.55	28.81
长江区	32059.09	14921.13	1620.19	155.10	12.39	541.35	52.45	858.90	366.13
东南诸河区	3817.95	1514.40	167.24	15.33	4.63	37.00	13.93	96.35	47.18
珠江区	5213.39	2008.94	221.22	10.20	3.85	86.25	8.43	112.49	3.26
西南诸河区	1692.84	715.07	110.54	8.37	0.15	41.44	12.07	48.52	2.32
西北诸河区	1758.50	466.77	91.67	0.07	0.13	48.49	29.77	13.21	24.36

（王瑜）

2009年已建成水库（按水资源一级区划分）

区域	已建成水库		大型水库		中型水库		小型水库	
	数量（座）	总库容（万 m^3）	数量（座）	总库容（万 m^3）	数量（座）	总库容（万 m^3）	数量（座）	总库容（万 m^3）
总计	**87151**	**70636662**	**544**	**55062419**	**3259**	**9213526**	**83348**	**6360717**
松花江区	2304	5779261	44	4923041	185	577085	2075	279135
辽河区	1241	4199797	41	3698196	121	361470	1079	140131
海河区	2094	3227656	34	2629698	150	428892	1910	169066
黄河区	2791	8419831	29	7400950	185	665837	2577	353044
淮河区	8929	6208321	57	4772453	290	880808	8582	555060
长江区	44948	24196415	174	18367944	1175	3027786	43599	2800685
东南诸河区	7183	5697272	47	4410155	292	775893	6844	511224
珠江区	14922	10670267	83	7560251	637	1823700	14202	1286316
西南诸河区	1944	639185	6	315140	76	191420	1862	132625
西北诸河区	795	1598657	29	984591	148	480634	618	133432

（王瑜）

2009 年已建成水库

地区	已建成水库		大型水库		中型水库		小型水库	
	数量（座）	总库容（万 m³）	数量（座）	总库容（万 m³）	数量（座）	总库容（万 m³）	数量（座）	总库容（万 m³）
总计	**87151**	**70636662**	**544**	**55062419**	**3259**	**9213526**	**83348**	**6360717**
北京	82	938716	4	880000	17	50388	61	8328
天津	28	261544	3	223900	11	32256	14	5388
河北	1068	1613691	22	1387295	42	146685	1004	79711
山西	731	567714	8	313503	57	164255	666	89957
内蒙古	494	1632362	11	1276416	79	281566	404	74380
辽宁	952	3598951	33	3279680	74	213052	845	106219
吉林	1642	3203667	16	2794657	99	272986	1527	136024
黑龙江	737	1751126	26	1295284	91	306888	620	148954
上海								
江苏	909	1894007	8	1672671	42	120431	859	100905
浙江	4207	3962040	31	3272912	149	417222	4027	271906
安徽	4809	2805865	13	2208693	105	323347	4691	273825
福建	3120	1839831	20	1206534	153	386229	2947	247068
江西	9809	2936794	26	1741258	240	566483	9543	629053
山东	6283	2268031	37	1293994	210	610210	6036	363827
河南	2352	4022690	23	3521310	108	302476	2221	198904
湖北	5801	10012741	63	8851376	253	711215	5485	450150
湖南	11824	3877723	26	2521122	300	741884	11498	614717
广东	7424	4286749	34	2830092	305	850714	7085	605943
广西	4370	3753260	38	2770864	185	536584	4147	445812
海南	995	952809	6	626658	72	219049	917	107103
重庆	2831	556862	6	239447	59	147756	2766	169659
四川	6752	2106476	11	1422070	109	288104	6632	396302
贵州	2069	3542482	16	3216672	62	171983	1991	153827
云南	5517	1289565	11	494760	181	448114	5325	346691
西藏	64	128948	3	108600	6	15437	55	4911
陕西	1012	765716	9	434860	58	226056	945	104800
甘肃	311	1029983	8	839280	38	141967	265	48736
青海	157	3419393	7	3380600	10	20594	140	18199
宁夏	224	260758	1	73500	28	128555	195	58703
新疆	577	1356169	24	884411	116	371042	437	100716

（王瑜）

2009 年万亩以上灌区

地　区	设计灌溉面积达到万亩		有效灌溉面积达到万亩					
					50 万亩以上灌区		30 万～50 万亩灌区	
	数量（处）	农田（有效）灌溉面积（10^3hm^2）	数量（处）	农田（有效）灌溉面积（10^3hm^2）	数量（处）	农田（有效）灌溉面积（10^3hm^2）	数量（处）	农田（有效）灌溉面积（10^3hm^2）
总　计	**6524**	**30018**	**5844**	**29562**	**125**	**10828**	**210**	**4747**
北　京	28	237	28	237			4	128
天　津	64	201	64	201			1	28
河　北	140	1250	140	1250	5	431	14	318
山　西	181	733	175	729	2	140	6	160
内蒙古	178	1317	160	1308	7	834	7	168
辽　宁	72	485	70	484	4	174	5	129
吉　林	146	387	137	378	1	42	2	42
黑龙江	335	701	218	658	1	60	2	55
上　海	1	45	1	45	1	45		
江　苏	221	1770	215	1748	5	218	26	606
浙　江	187	734	187	734	3	144	8	185
安　徽	430	1883	359	1862	9	1168	3	68
福　建	177	352	177	339	1	35		
江　西	310	743	310	741	2	87	11	162
山　东	616	3114	432	3032	16	1466	15	367
河　南	255	1773	189	1748	12	915	10	252
湖　北	389	2297	378	2293	8	606	24	532
湖　南	343	1121	343	1121	3	129	9	211
广　东	376	909	321	883	2	151	1	20
广　西	324	678	283	659			7	119
海　南	53	218	53	218	1	74		
重　庆	91	175	91	175			1	27
四　川	326	1609	299	1465	5	799		
贵　州	91	96	66	86				
云　南	197	643	197	643	1	43	11	247
西　藏	47	114	47	114			1	25
陕　西	191	1022	191	1022	7	613	5	105
甘　肃	200	946	178	935	3	142	12	269
青　海	61	140	61	140	1	36		
宁　夏	23	368	20	367	3	307	1	29
新　疆	471	3956	454	3949	22	2169	24	499

（王瑜）

2009年万亩以上灌区（按水资源一级区划分）

区域	按设计灌溉面积划分		合计		50万亩以上灌区		30万～50万亩灌区	
	数量（处）	农田（有效）灌溉面积（10^3hm^2）	数量（处）	农田（有效）灌溉面积（10^3hm^2）	数量（处）	农田（有效）灌溉面积（10^3hm^2）	数量（处）	农田（有效）灌溉面积（10^3hm^2）
总计	**6524**	**30018**	**5844**	**29562**	**125**	**10828**	**210**	**4747**
松花江区	501	1103	370	1052	2	102	4	96
辽河区	178	913	164	903	6	264	10	243
海河区	436	3569	422	3554	17	1654	24	593
黄河区	649	3629	586	3601	22	2031	16	387
淮河区	979	5183	729	5093	20	1853	42	1016
长江区	1917	7531	1830	7339	26	2214	56	1174
东南诸河区	343	1049	343	1036	4	179	8	185
珠江区	834	2023	732	1976	4	267	10	193
西南诸河区	127	351	127	351			4	92
西北诸河区	560	4667	541	4659	24	2264	36	768

（王瑜）

2009年堤防（按水资源一级区划分）

区域	合计			累计达标堤防长度（km）		本年新增达标堤防长度（km）	本年减少达标堤防长度（km）
	长度（km）	保护耕地（10^3hm^2）	保护人口（万人）		1级、2级堤防（km）		
总计	**291420**	**46547**	**58978**	**116739**	**26256**	**4515**	**653**
松花江区	20595	4422	2902	10519	1559	208	8
辽河区	25293	2542	2483	9522	2126	989	85
海河区	33792	5351	5863	6860	2613	27	6
黄河区	15525	10185	10013	4350	1361	430	91
淮河区	67064	11846	13482	31412	5605	820	48
长江区	74975	6367	12961	34522	8934	847	239
东南诸河区	18274	1708	4719	8813	1458	457	116
珠江区	22183	1851	4815	6520	1896	521	41
西南诸河区	4068	218	398	1162	142	60	10
西北诸河区	9652	2057	1340	3060	563	158	7

（王瑜）

2009 年堤防

地区	长度 (km)	保护耕地 ($10^3 hm^2$)	保护人口 (万人)	累计达标堤防长度 (km)	1级、2级堤防 (km)	本年新增达标堤防长度 (km)	本年减少达标堤防长度 (km)
总计	**291420**	**46547**	**58978**	**116739**	**26256**	**4515**	**653**
北京	1004	161	318	974	364		
天津	4213	402	947	967	492	12	
河北	22025	3300	3136	1205	816		
山西	4235	440	487	543	73	7	3
内蒙古	5788	1524	943	2060	757	113	8
辽宁	21555	1935	2019	8342	1357	994	85
吉林	7907	1250	1371	2487	1401	68	
黑龙江	12533	3018	1355	7176	170	26	8
上海	3597	202	622	3597	1014		
江苏	52656	5876	7334	29486	5906	275	14
浙江	13588	1639	3858	7302	1724	400	121
安徽	20377	2382	3282	6943	1399	246	2
福建	5873	333	1277	2942	226	103	55
江西	9791	761	1202	2512	487	86	16
山东	15038	6650	6606	9153	2335	429	40
河南	17239	8002	9058	6466	857	145	9
湖北	12721	1811	3129	4659	1970	53	37
湖南	5765	796	1617	3178	1718	116	56
广东	16761	1094	3493	5086	1761	429	18
广西	2805	270	824	603	97	63	22
海南	516	366	175	216	26	14	
重庆	689	73	468	425	59	105	
四川	3976	564	1407	1730	80	168	32
贵州	1558	165	330	322	39	12	1
云南	8385	380	675	1232	29	34	10
西藏	658	59	136	658	128	34	
陕西	6282	487	835	1566	326	249	67
甘肃	3505	217	438	1318	24	145	2
青海	640	123	81	122	51	7	
宁夏	577	310	309	511	19	32	40
新疆	9164	1957	1243	2958	551	150	7

（王瑜）

2009 年 水 闸

（座）

地区	合计	按过闸流量大小分			按作用分				
		大型	中型	小型	分洪闸	节制闸	排水闸	引水闸	挡潮闸
总计	**42523**	**565**	**4661**	**37297**	**2672**	**12824**	**14488**	**7895**	**4644**
北京	325	13	34	278	6	198	104	17	
天津	458	15	45	398	20	150	178	101	9
河北	1598	12	205	1381	80	729	408	331	50
山西	218	2	33	183	35	105	9	69	
内蒙古	112	5	16	91	33	20	3	56	
辽宁	1177	61	320	796	34	314	187	592	50
吉林	445	2	16	427	39	29	271	106	
黑龙江	586	5	41	540	80	44	440	22	
上海	389		52	337		276	59		54
江苏	3772	39	391	3342	128	2157	907	381	199
浙江	5197	13	272	4912	201	1547	1801	421	1227
安徽	2403	61	351	1991	283	885	1039	196	
福建	3749	19	209	3521	121	1009	1009	595	1015
江西	1181	30	271	880	128	313	407	333	
山东	1884	78	309	1497	115	1067	346	328	28
河南	2665	21	278	2366	165	1082	1056	362	
湖北	3724	14	541	3169	287	626	1517	1294	
湖南	2331	9	74	2248	148	270	1376	537	
广东	4517	91	532	3894	479	859	2148	543	488
广西	2397	26	88	2283	70	37	608	166	1516
海南	237	2	18	217	2	39	106	82	8
重庆	31	1	6	24	5	14	8	4	
四川	140	5	22	113	15	54	50	21	
贵州	1			1	1				
云南	1543	5	158	1380	107	672	306	458	
西藏	76	2		74			9	67	
陕西	110	1	3	106	2	8	83	17	
甘肃	70	3	14	53		2	3	65	
青海									
宁夏	14		14					14	
新疆	1173	30	348	795	88	318	50	717	

（王瑜）

2009 年水闸（按水资源一级区划分） （座）

区域	合计	按过闸流量大小分			按作用分				
		大型	中型	小型	分洪闸	节制闸	排水闸	引水闸	挡潮闸
总计	**42523**	**565**	**4661**	**37297**	**2672**	**12824**	**14488**	**7895**	**4644**
松花江区	1001	7	55	939	106	70	714	111	
辽河区	1278	65	332	881	64	327	187	650	50
海河区	3140	58	369	2713	153	1496	777	648	66
黄河区	803	16	93	694	51	218	205	329	
淮河区	7298	150	1006	6142	474	3253	2719	673	179
长江区	11845	80	1254	10511	805	3890	4480	2573	97
东南诸河区	7800	32	464	7304	309	1963	2271	1017	2240
珠江区	7753	121	694	6938	594	1113	3063	971	2012
西南诸河区	360	3	28	329	13	166	22	159	
西北诸河区	1245	33	366	846	103	328	50	764	

（王瑜）

2009 年农田排灌机械保有量 （10^3 kW）

地区	排灌机械保有量	配套机电井装机容量	机电排灌站装机容量	地区	排灌机械保有量	配套机电井装机容量	机电排灌站装机容量
总计	**87530**	**42356**	**45174**	河南	10207	8899	1308
北京	576	400	176	湖北	3252	216	3036
天津	1276	278	998	湖南	5012	63	4950
河北	9168	8333	835	广东	1607	86	1522
山西	1770	1144	626	广西	779	28	751
内蒙古	3929	3264	665	海南	26	3	23
辽宁	2322	1419	904	重庆	444		444
吉林	1456	1064	392	四川	1476	117	1359
黑龙江	3421	2333	1088	贵州	315	9	306
上海	218		218	云南	750	48	702
江苏	5086	591	4495	西藏	11	9	2
浙江	1298	15	1283	陕西	2032	1219	812
安徽	4692	972	3720	甘肃	1893	717	1176
福建	578	152	426	青海	113	18	95
江西	1362	38	1324	宁夏	612	78	534
山东	19044	8887	10156	新疆	2806	1960	847

（王瑜）

2009 年农田排灌机械保有量（按水资源一级区划分）

（10^3kW）

区域	排灌机械保有量	配套机电井装机容量	机电排灌站装机容量	区域	排灌机械保有量	配套机电井装机容量	机电排灌站装机容量
总计	**87530**	**42356**	**45174**	长江区	16437	1448	14989
松花江区	5591	3994	1596	东南诸河区	1419	167	1251
辽河区	3991	2892	1099	珠江区	3695	132	3563
海河区	19583	12944	6639	西南诸河区	121	23	98
黄河区	9146	5138	4008	西北诸河区	3618	2679	939
淮河区	23929	12939	10990				

（王瑜）

2009 年机电井

地区	机电井数量（眼）	灌溉机电井（眼）	配套机电井数量（眼）	灌溉机电井（眼）	配套机电井装机容量（10^3kW）	灌溉机电井（10^3kW）
总计	**5293133**	**4938212**	**4825571**	**4507988**	**49859**	**42356**
北京	53305	40126	50747	39818	479	400
天津	35120	26672	33167	25705	457	278
河北	960346	915511	932439	888536	9931	8333
山西	95939	86023	88463	80198	1300	1144
内蒙古	417813	394030	380779	359464	3591	3264
辽宁	138148	133571	128802	124084	1809	1419
吉林	165894	138222	134144	122525	1158	1064
黑龙江	323160	242078	314615	235552	2867	2333
上海	378		378		11	
江苏	41007	37275	29624	26067	661	591
浙江	15961	1998	15726	1766	129	15
安徽	192113	190289	129223	127761	1396	972
福建	25969	17858	19282	11376	211	152
江西	5359	5359	5305	5305	39	38
山东	1118096	1110783	966823	960328	8960	8887
河南	1272719	1251562	1197189	1178844	9373	8899
湖北	12419	12269	11634	11537	1301	216
湖南	6784	5764	4489	3482	65	63
广东	30794	27052	26137	26079	246	86
广西	5332	3177	4668	2530	51	28
海南	843	780	417	405	4	3
重庆	27191		26308		206	
四川	50704	12213	49414	11541	976	117
贵州	395	243	331	231	16	9
云南	2850	2764	2653	2567	197	48
西藏	401	378	401	378	51	9
陕西	169483	165217	154932	151669	1245	1219
甘肃	48273	44781	44140	40893	778	717
青海	1356	1356	1321	1321	18	18
宁夏	7552	7539	7363	7359	78	78
新疆	67429	63322	64657	60667	2255	1960

（王瑜）

2009年机电井（按水资源一级区划分）

区域	机电井数量（眼）	灌溉机电井（眼）	配套机电井数量（眼）	灌溉机电井（眼）	配套机电井装机容量（10^3kW）	灌溉机电井（10^3kW）
总计	**5293133**	**4938212**	**4825571**	**4507988**	**49859**	**42356**
松花江区	582231	470760	525032	431765	4678	3994
辽河区	297269	284425	280774	268551	3359	2892
海河区	1533127	1458428	1450419	1379817	14982	12944
黄河区	595760	574051	551271	533141	5427	5138
淮河区	1858963	1838114	1631832	1614891	13743	12939
长江区	215290	142511	193406	122669	3704	1448
东南诸河区	43132	20531	35642	13704	340	167
珠江区	37814	31703	32064	29705	317	132
西南诸河区	1077	1054	979	956	214	23
西北诸河区	128470	116635	124152	112789	3093	2679

（王瑜）

2009年机电排灌站（按水资源一级区划分）

区域	机电排灌站装机容量（10^3kW）	固定机电排灌站		流动机装机容量（10^3kW）	喷滴灌装机容量（10^3kW）
		数量（处）	装机容量（10^3kW）		
总计	**45174**	**446494**	**24474**	**16688**	**4011**
松花江区	1596	8455	535	189	872
辽河区	1099	6911	584	201	315
海河区	6639	15275	1330	4779	531
黄河区	4008	33958	3374	467	167
淮河区	10990	69267	3936	5993	1061
长江区	14989	218640	10661	4230	99
东南诸河区	1251	40503	873	290	88
珠江区	3563	51207	2993	521	49
西南诸河区	98	1430	89	9	0.4
西北诸河区	939	848	100	10	829

（王瑜）

2009 年机电排灌站

地区	机电排灌装机容量（10^3kW）	固定机电排灌站		流动机装机容量（10^3kW）	喷滴灌装机容量（10^3kW）
		数量（处）	装机容量（10^3kW）		
总计	**45174**	**446494**	**24474**	**16688**	**4011**
北京	176	2503	86	5	84
天津	998	1887	429	561	8
河北	835	3644	415	273	147
山西	626	8753	550	3	74
内蒙古	665	1804	210	5	451
辽宁	904	6087	541	175	188
吉林	392	4484	264	51	78
黑龙江	1088	4288	281	160	647
上海	218	7118	195	19	5
江苏	4495	65507	3228	1258	10
浙江	1283	58737	1014	235	34
安徽	3720	16059	1674	1928	119
福建	426	8581	342	28	55
江西	1324	26650	880	442	2
山东	10156	30747	1451	7887	818
河南	1308	8957	504	391	413
湖北	3036	17251	1995	1012	29
湖南	4950	54290	3896	1033	21
广东	1522	22207	1300	211	11
广西	751	20304	486	239	26
海南	23	1028	20	3	0.3
重庆	444	7794	297	147	0.02
四川	1359	30053	971	381	8
贵州	306	4179	174	132	0.5
云南	702	12242	620	70	12
西藏	2	14	2		
陕西	812	11458	786	15	11
甘肃	1176	7123	1152	11	13
青海	95	1003	93		2
宁夏	534	1090	530	4	0.1
新疆	847	652	91	10	746

（王瑜）

2009年水利工程年实际供水量

（$10^4 m^3$）

地区	合计	蓄水工程	引水工程	取水泵站	配套机电井
总计	**50434125**	**17618730**	**16767556**	**7624141**	**8423699**
北京	254972	53633	22760	6921	171658
天津	229204	3115	93250	75771	57068
河北	2169061	349680	251208	34556	1533617
山西	426512	86354	74410	51280	214469
内蒙古	2164688	458164	762609	132731	811184
辽宁	1355788	470874	184548	261608	438759
吉林	987423	527705	96875	102394	260450
黑龙江	2570375	321136	565928	385408	1297903
上海	1248858			1246305	2553
江苏	3946229	225948	1606418	2029263	84601
浙江	2086407	1160543	258627	651354	15883
安徽	1860822	1036988	243446	483350	97039
福建	1778691	928630	772664	56284	21113
江西	2085910	1282921	608865	177559	16565
山东	2734368	388911	1246312	232681	866463
河南	1730738	303902	495257	33881	897698
湖北	2242063	1397261	539070	294612	11121
湖南	2198446	1600217	353351	242112	2767
广东	3105529	1704333	1049099	325473	26624
广西	2414941	1511951	699379	180083	23528
海南	363749	258335	99418	3924	2071
重庆	247267	175880	42455	26710	2223
四川	1695661	621095	1051373	12471	10722
贵州	721356	486817	203512	28268	2760
云南	1442252	649903	696595	82536	13219
西藏	202449	144252	51727	1291	5179
陕西	836817	190390	215103	104078	327247
甘肃	1224472	360278	422330	171573	270291
青海	282703	100298	156370	10649	15387
宁夏	636769	9330	481126	135258	11054
新疆	5189605	809886	3423474	43758	912486

（王瑜）

2009年水利工程年实际供水量（按水资源一级区划分）

（$10^4 m^3$）

区 域	合 计	蓄水工程	引水工程	取水泵站	配套机电井
总 计	**50434125**	**17618730**	**16767556**	**7624141**	**8423699**
松花江区	4143011	1229142	756825	487686	1669359
辽河区	1820172	517007	236791	268412	797963
海河区	3891185	480157	925531	196110	2289386
黄河区	4235188	309078	2294286	583425	1048399
淮河区	5231516	1127264	1546142	1381439	1176671
长江区	14257931	6524102	3832691	3756085	145053
东南诸河区	3384113	2075307	952032	319990	36784
珠江区	6329853	3752440	1957156	560477	59780
西南诸河区	909952	375228	503758	24357	6609
西北诸河区	6231204	1229004	3762345	46160	1193695

（王瑜）

2009年蓄水工程供水量（按水资源一级区划分）

（$10^4 m^3$）

区 域	合 计	农业灌溉	工业生产	城镇生活	乡村生活	生态环境	其他	另：水电供水
总 计	**17618730**	**12382375**	**1922667**	**1403813**	**432666**	**216917**	**1260292**	**31292061**
松花江区	1229142	577665	128344	75921	120442	305	326465	1195481
辽河区	517007	372912	58512	74607	2759	2378	5838	94924
海河区	480157	178868	94616	171220	1418	20917	13118	205912
黄河区	309078	186840	47804	36567	9475	7608	20783	1825874
淮河区	1127264	842203	78086	95893	17071	22684	71328	427639
长江区	6524102	4716355	811593	362794	140373	36555	456432	20506443
东南诸河区	2075307	1165354	340450	275934	83947	52904	156719	1663932
珠江区	3752440	2909919	317358	279951	46686	33156	165370	4590074
西南诸河区	375228	341020	14478	12985	3997	1017	1732	170321
西北诸河区	1229004	1091241	31425	17940	6499	39393	42507	611461

（王瑜）

2009年蓄水工程供水量

(10⁴ m³)

地区	合计	农业灌溉	工业生产	城镇生活	乡村生活	生态环境	其他	另：水电供水
总计	**17618730**	**12382375**	**1922667**	**1403813**	**432666**	**216917**	**1260292**	**31292061**
北京	53633	8	80	53500			45	
天津	3115	1871	209			1035		
河北	349680	137550	71284	110811	325	19370	10339	195737
山西	86354	39290	15023	7140	993	3785	20123	1812214
内蒙古	458164	220980	107857	872	120250	8205		142903
辽宁	470874	332054	56177	71787	2759	2378	5718	48526
吉林	527705	135302	5122	60601	95		326585	854691
黑龙江	321136	282321	20428	18140	247			248930
上海								
江苏	225948	167807	18812	27404	9425	2440	60	25520
浙江	1160543	589746	221283	214708	62152	41551	31103	927471
安徽	1036988	849523	36379	26135	16538	2580	105833	718083
福建	928630	576271	130126	66002	22978	11348	121906	767006
江西	1282921	969484	198874	42587	12656	1960	57360	1189073
山东	388911	210431	63289	69247	9678	14260	22007	30897
河南	303902	155805	57617	24019	1897	7104	57461	294029
湖北	1397261	864161	206978	69303	35665	8886	212268	3075734
湖南	1600217	1327031	108660	85282	32630	13710	32905	12645680
广东	1704333	1216454	151412	216962	28724	6196	84586	1633632
广西	1511951	1373038	30180	27923	8213	25425	47171	2507655
海南	258335	212054	11393	12879	974	12	21023	99087
重庆	175880	116345	19032	25848	13100	194	1360	1223761
四川	621095	509897	35288	32132	10952	1078	31749	129668
贵州	486817	178156	257057	30279	7923	303	13099	1601247
云南	649903	496567	42550	69906	20298	9792	10790	496554
西藏	144252	144075	33	35	108		2.00	
陕西	190390	142042	19488	20908	4924	1685	1343	7643
甘肃	360278	310932	25861	4146	4069	15271		243756
青海	100298	51279	2260	90	752	800	45117	98824
宁夏	9330	5497	2490	183	251	609	300	
新疆	809886	766405	7424	14984	4094	16940	40	273740

（王瑜）

2009 年引水工程供水量

（$10^4 m^3$）

地区	合计	农业灌溉	工业生产	城镇生活	乡村生活	生态环境	其他	另：水电供水
总计	**17110751**	**14102110**	**1330466**	**639028**	**264304**	**429785**	**345058**	**8202468**
北京	22760	456	1401	16099			4804	
天津	93250	19306	35599	35064		3281		58500
河北	251208	201344	28283	4820	1060	14066	1635	37435
山西	74410	59574	7599	2135	4621	155	327	247630
内蒙古	762609	659910	9546	1630	555	90968		110351
辽宁	184548	117466	29279	34299	1887		1617	6040
吉林	96875	89235	3725	2710	1177	28		16540
黑龙江	565928	498091	20101	8732	104	38900		401204
上海								
江苏	1606418	1175053	151117	118730	67538	77345	16636	502
浙江	258627	131279	37113	22111	9309	49545	9270	116602
安徽	243446	211382	12792	7744	10857	531	140	86478
福建	772664	615027	85337	32560	16287	7315	16139	153243
江西	608865	510306	62287	11095	7615	1041	16520	368452
山东	1440140	1165787	121925	21775	12812	12098	105744	1000
河南	644625	539846	60603	10097	2099	15117	16863	460153
湖北	539070	434929	67685	21244	4333		10879	205294
湖南	353351	294334	21908	20761	9321	1624	5402	389492
广东	1049099	681484	202147	101563	12070	4765	47069	961997
广西	699379	656001	14428	12236	15593		1120	747875
海南	99418	34852	849	6037			57680	59630
重庆	42455	30162	5837	1836	4496	76	47	17023
四川	1051373	757125	171567	78702	11751	10278	21950	186985
贵州	203512	133803	53607	5250	6646	141	4064	62575
云南	696595	610985	31345	17843	28351	5325	2745	3148507
西藏	51727	43527	24	168	6123	1885		
陕西	215103	181698	12330	6674	8229	3405	2767	8723
甘肃	422330	335422	51816	15677	9137	10278		509
青海	156370	118556	14257	7340	5825	10077	315	104204
宁夏	481126	480819	9	25	273			
新疆	3423474	3314350	15951	14072	6235	71541	1326	245524

（王瑜）

2009年引水工程供水量（按水资源一级区划分）

（$10^4 m^3$）

区 域	合 计	农业灌溉	工业生产	城镇生活	乡村生活	生态环境	其他	另：水电供水
总 计	**17110751**	**14102110**	**1330466**	**639028**	**264304**	**429785**	**345058**	**8202468**
松花江区	756825	650222	29552	11442	1281	64328		430728
辽河区	236791	169109	29349	34299	2217	200	1617	20727
海河区	925531	723676	92269	68944	8474	19903	12265	313955
黄河区	2637482	2261844	194111	33409	20966	16470	110681	199871
淮河区	1546142	1314540	111109	47741	23675	25820	23256	1502
长江区	3832691	2835387	490527	243257	115094	90021	58405	3034140
东南诸河区	952032	685987	112184	50051	25660	52741	25409	213934
珠江区	1957156	1447820	230512	124095	35546	9539	109644	2340612
西南诸河区	503758	450025	15073	10631	22952	2621	2455	1377768
西北诸河区	3762345	3563499	25780	15159	8439	148141	1326	269230

（王瑜）

2009年机电井工程供水量（按水资源一级区划分）

（$10^4 m^3$）

区 域	合 计	农业灌溉	工业生产	城镇生活	乡村生活	生态环境	其他
总 计	**8423699**	**6668100**	**749929**	**373742**	**529268**	**69808**	**32851**
松花江区	1669359	1500120	71983	41326	54548	1185	197
辽河区	797963	647652	65288	30651	42522	8602	3248
海河区	2289386	1777654	218776	97420	167887	11509	16140
黄河区	1048399	703990	160403	83886	87844	10449	1827
淮河区	1176671	860621	138141	58143	110935	3487	5345
长江区	145053	83212	21733	14898	20541	838	3832
东南诸河区	36784	21045	7009	4860	2513	332	1025
珠江区	59780	34689	4110	7215	12812	11	943
西南诸河区	6609	6121	188	156	41	20	83
西北诸河区	1193695	1032997	62298	35187	29626	33375	211

（王瑜）

2009年机电井工程供水量

($10^4 m^3$)

地区	合计	农业灌溉	工业生产	城镇生活	乡村生活	生态环境	其他
总计	**8423699**	**6668100**	**749929**	**373742**	**529268**	**69808**	**32851**
北京	171658	99772	14501	18371	25931	4966	8118
天津	57068	33053	10060	987	12716	252	
河北	1533617	1209332	153521	58457	98753	5814	7738
山西	214469	159844	15609	9936	27471	617	993
内蒙古	811184	611108	103734	36309	43627	14108	2298
辽宁	438759	348592	41646	22864	23820	886	950
吉林	260450	230637	7667	10079	11870		197
黑龙江	1297903	1202775	32000	27343	35785		
上海	2553		259				2294
江苏	84601	26318	25883	14370	17102	350	577
浙江	15883	8052	4453	1361	1685	332	
安徽	97039	80340	5432	3579	7673	10	4
福建	21113	13016	2701	3549	822		1025
江西	16565	16103	287	164	11		
山东	866463	636696	108217	35986	81171	3143	1248
河南	897698	733113	68362	35775	55815	466	4166
湖北	11121	8326	924	798	1067		6
湖南	2767	1788	362	180	328	70	39
广东	26624	19093	1418	5153	630		330
广西	23528	10076	1005	1319	11128		
海南	2071	2041			10		20
重庆	2223	12			2210		
四川	10722	5994	169	391	4168		
贵州	2760	2029			226		505
云南	13219	6700	2598	2088	1475	31	327
西藏	5179	5175	2		2		
陕西	327247	166148	75489	46970	32038	4852	1750
甘肃	270291	199289	27524	13603	14322	15553	
青海	15387	4427	4197	3210	773	2769	11
宁夏	11054	8330	576	531	1255	319	44
新疆	912486	819921	41334	20368	15383	15270	211

(王瑜)

2009年取水泵站工程供水量

（$10^4 m^3$）

地　区	合　计	农业灌溉	工业生产	城镇生活	乡村生活	生态环境	其他
总　计	**7624141**	**5170681**	**1634795**	**264644**	**109374**	**76945**	**367702**
北　京	6921	1963	126	55	345	4392	38
天　津	75771	74231				1540	
河　北	34556	25921	2193	196	81	6165	
山　西	51280	44539	4005	961	1539	28	208
内蒙古	132731	104461	24589	2789		892	
辽　宁	261608	242843	11202	5445	1995	113	10
吉　林	102394	101877	122	368	27		
黑龙江	385408	379373	4324	1703	8		
上　海	1246305	171100	767871				307334
江　苏	2029263	1286881	534777	125675	52490	10085	19355
浙　江	651354	439009	105595	49507	15879	39499	1865
安　徽	483350	454669	14957	7837	4279	1027	581
福　建	56284	44345	4223	6102	1341	223	50
江　西	177559	163733	7717	5045	850	200	15
山　东	232681	214072	10970	2834	3342	944	520
河　南	33881	30918	1534	836	570	23	
湖　北	294612	244051	43265	2709	3331	794	462
湖　南	242112	211316	14866	6529	4759	958	3683
广　东	325473	222875	33095	30920	3939	4276	30368
广　西	180083	173887	1023	3445	1617		112
海　南	3924	3924					
重　庆	26710	19128	2201	1957	2739	71	614
四　川	12471	12454		9	8		
贵　州	28268	24767	475	1521	1245		261
云　南	82536	73241	4754	2576	1050	723	192
西　藏	1291	1281	8		2		
陕　西	104078	87887	7733	1908	4080	437	2033
甘　肃	171573	131133	30446	3263	3726	3005	
青　海	10649	9217	346	86		1000	
宁　夏	135258	134987	69	70	132		
新　疆	43758	40600	2308	298		552	

（王瑜）

2009 年取水泵站工程供水量（按水资源一级区划分） （$10^4 m^3$）

区域	合计	农业灌溉	工业生产	城镇生活	乡村生活	生态环境	其他
总计	**7624141**	**5170681**	**1634795**	**264644**	**109374**	**76945**	**367702**
松花江区	487686	481134	4446	2071	35		
辽河区	268412	249647	11202	5445	1995	113	10
海河区	196110	175582	5360	1075	1303	12752	38
黄河区	583425	493165	65728	8202	8869	5331	2130
淮河区	1381439	1282698	63852	21628	6772	1570	4920
长江区	3756085	1815275	1365717	158964	72310	17102	326717
东南诸河区	319990	167110	75707	29686	11513	34379	1595
珠江区	560477	441152	39483	36433	6513	4762	32135
西南诸河区	24357	21919	991	842	64	384	157
西北诸河区	46160	43001	2309	298		552	

（王瑜）

水利建设情况

2009 年水利建设施工和投产项目 （个）

地区	本年施工项目	本年新开工项目	本年部分投产项目	本年全部投产项目	地区	本年施工项目	本年新开工项目	本年部分投产项目	本年全部投产项目
总计	**10715**	**5992**	**1025**	**5499**	河南	558	293	87	200
北京	47	7	1	6	湖北	827	505	144	376
天津	49	22	6	28	湖南	339	259	201	129
河北	277	206	27	136	广东	523	181	23	157
山西	264	145	37	126	广西	547	199	23	241
内蒙古	217	122	20	82	海南	267	182	9	211
辽宁	202	96	22	82	重庆	815	460	20	618
吉林	186	88	6	76	四川	609	418	20	518
黑龙江	93	41	4	11	贵州	1105	875	29	921
上海	96	50		58	云南	396	146	44	89
江苏	293	191	14	155	西藏	47	26	5	24
浙江	224	80	12	57	陕西	254	125	28	85
安徽	353	89	30	94	甘肃	305	161	47	161
福建	225	170	22	130	青海	135	94	4	84
江西	389	140	9	46	宁夏	111	63	15	56
山东	480	271	47	265	新疆	482	287	69	277

注 本表只包括水利工程设施项目和机构能力建设项目，不包括建设投资计划安排的水利前期、规划及专题研究等项目。

（王瑜）

2009 年水利建设投资规模及进展

（万元）

地 区	在建项目实际需要总投资	累计完成投资	累计新增固定资产	本年新增	未完工程累计完成投资
总 计	**78208336**	**46208244**	**31295254**	**15546720**	**14912990**
北 京	1240946	1014345	873043	174926	141302
天 津	889200	411841	233208	145472	178633
河 北	2729202	1805353	1684399	509894	120954
山 西	2322028	1330967	473685	368460	857281
内蒙古	2231349	1112322	813101	343744	299221
辽 宁	3687783	1840383	1322610	572090	517773
吉 林	2115044	1167571	386803	159268	780768
黑龙江	2002729	724084	694249	267000	29835
上 海	1336595	1037463	630429	629882	407034
江 苏	3003764	2373063	1828082	865334	544981
浙 江	5410006	3387519	1319745	1190135	2067774
安 徽	2766576	2481403	2021025	1012100	460378
福 建	604104	348166	334461	201983	13705
江 西	2758996	1400466	305345	182372	1095121
山 东	4370007	2727161	2206714	1001307	520447
河 南	5451367	3027102	2704519	1495124	322583
湖 北	3235538	1726989	1470751	766104	256238
湖 南	2166143	1876328	1876328	853828	
广 东	4845174	2384709	647792	294537	1736917
广 西	2355722	1726929	1659773	521684	67156
海 南	524577	355695	355695	186612	
重 庆	3267923	2158027	905405	668540	1252623
四 川	2444548	911196	815211	480112	95985
贵 州	1760420	579957	447524	342706	132434
云 南	2715886	1359088	713266	404568	645822
西 藏	459594	285652	285652	126082	
陕 西	1990308	848375	707440	485948	140935
甘 肃	2276500	1326874	775926	325227	550948
青 海	282222	177485	87339	71921	90146
宁 夏	1572897	706451	682608	178072	23843
新 疆	5391186	3595280	2033129	721690	1562152

注　本表只包括本年正式施工的水利工程设施项目和机构能力项目。

（王瑜）

2009 年水利建设投资到位及完成情况

（万元）

地区	本年计划投资	本年到位资金	中央政府投资	地方政府投资	本年完成投资	中央政府投资	地方政府投资
总计	**17026927**	**17243218**	**6560403**	**7875199**	**18940321**	**8453697**	**8088050**
北京	111101	112745	40030	34273	188285	108662	42625
天津	324988	345022	105154	110868	253589	125442	110386
河北	513074	574210	245514	162109	601935	330734	238874
山西	714670	639619	116273	410935	869975	159132	542582
内蒙古	426592	451239	173819	179468	424325	169761	149761
辽宁	603106	568497	161661	277259	682484	205405	411489
吉林	405338	418228	153151	223206	387949	150182	196927
黑龙江	280504	275596	127673	143744	288050	166238	117633
上海	593921	443867	5252	438615	503894	4348	499546
江苏	907807	871247	201926	616514	1063675	297787	687467
浙江	1055674	1147568	132680	714363	1076766	121675	659100
安徽	495057	569914	322524	246091	743200	470142	271999
福建	274710	209879	56902	120254	201286	67246	98869
江西	576880	541291	301752	218576	640928	448999	164897
山东	912568	801984	246030	488652	1129908	451405	622402
河南	1081445	1119321	503654	161374	1503933	994408	159959
湖北	1003965	1037505	638129	212135	943195	659166	199046
湖南	467576	468912	282710	175952	854488	504255	343087
广东	1366260	1409312	118963	1220849	1044779	152504	827257
广西	578802	514117	337539	151188	551217	372266	161383
海南	106259	99659	55285	39174	186612	100721	58359
重庆	641725	913885	220370	404841	991599	276229	415991
四川	387866	435370	291303	92353	512161	342211	123935
贵州	385664	401695	170056	199832	358206	203414	134725
云南	565901	561829	216246	269230	642002	298625	281614
西藏	123338	123338	120718	2620	126502	123882	2620
陕西	411571	467083	269055	128994	474743	273501	142235
甘肃	400451	453766	330139	63193	364119	259574	47267
青海	101470	94702	54842	28698	81682	47616	25344
宁夏	219986	197233	125818	37856	179721	110624	36635
新疆	988658	974585	435238	301985	1069112	457544	314036

注 本年投资来源中只单列中央政府和地方政府投资，利用外资、企业和私人投资以及贷款等投资只包含在合计项目中。

（王瑜）

2009年中央水利建设计划投资

（万元）

地区	合计	中央投资				地方配套		
		中央投资	国家预算内拨款	水利建设基金	其他	小计	地方合计	银行贷款
总计	**10674744**	**6370307**	**4800307**	**120000**	**1450000**	**4304437**	**3207353**	**1097084**
北京	1600	1600			1600			
天津	71244	23862	19512		4350	47382	47382	
河北	261474	169575	135509		34066	91899	89166	2733
山西	167214	119789	94285		25504	47425	45140	2285
内蒙古	191567	155185	127164		28021	36382	36382	
辽宁	352167	204328	152678		51650	147839	128839	19000
吉林	333414	147659	115792		31867	185755	146100	39655
黑龙江	279657	162201	126826		35375	117456	114619	2837
上海	7819	3700	2100		1600	4119	4119	
江苏	391539	163493	108593		54900	228046	228046	
浙江	338420	115108	67708		47400	223312	223312	
安徽	387795	265547	214208		51339	122248	118909	3339
福建	243950	130796	54971		75825	113154	111115	2039
江西	447387	299694	204641		95053	147693	140328	7365
山东	499643	233183	141433		91750	266460	266460	
河南	379863	274664	211239		63425	105199	102574	2625
湖北	542812	348648	259899		88749	194164	181916	12248
湖南	396912	282045	187912		94133	114867	107781	7086
广东	312131	115402	90002		25400	196729	196729	
广西	437825	334549	253636		80913	103276	98205	5071
海南	128757	78547	48597		29950	50210	40210	10000
重庆	247714	168512	118312		50200	79202	64977	14225
四川	361307	268671	181432		87239	92636	86560	6076
贵州	223945	150834	107799		43035	73111	60644	12467
云南	329222	223104	129737		93367	106118	98150	7968
西藏	111334	108714	94775		13939	2620	2620	
陕西	299018	205206	170973		34233	93812	93162	650
甘肃	368490	290003	271408		18595	78487	75225	3262
青海	81783	55066	41453		13613	26717	26377	340
宁夏	144961	115643	95081	4300	16262	29318	29318	
新疆	559036	411940	348293		63647	147096	98662	48434
中央直属	1774744	743039	624339	115700	3000	1031705	144326	887379

（王瑜）

2009年中央水利建设计划投资(按项目类型分)

（万元）

工程类别	合计	中央投资				地方配套		
			国家预算内拨款	水利建设基金	其他	小计	地方合计	银行贷款
总计	10674744	6370307	4800307	120000	1450000	4304437	3207353	1097084
防洪工程	**3944607**	**2653533**	**1537833**	**115700**	**1000000**	**1291074**	**1206997**	**84077**
大江大河治理	1097605	711840	396140	115700	200000	385765	385765	
控制性枢纽工程	287268	103743	103743			183525	99448	84077
病险水库加固工程	2261658	1685000	885000		800000	576658	576658	
城市防洪堤								
行蓄洪区安全建设	46931	27557	27557			19374	19374	
重点海堤	155258	54086	54086			101172	101172	
国际界河	49750	39800	39800			9950	9950	
防汛通讯								
水文建设	44137	29507	29507			14630	14630	
防汛机动抢险队								
平垸行洪退田还湖移民建镇	2000	2000	2000					
水土保持及生态环境工程	**614299**	**422509**	**422509**			**191790**	**174666**	**17124**
重点治理	323851	171383	171383			152468	135344	17124
生态修复	290448	251126	251126			39322	39322	
水资源工程	**5568044**	**3093027**	**2638727**	**4300**	**450000**	**2475017**	**1557215**	**917802**
节水灌溉工程	36528	20200	20200			16328	16328	
人畜饮水	2373306	1520000	1520000			853306	853306	
大型灌区建设	488309	299800	299800			188509	188509	
重点水源工程	2219901	803027	798727	4300		1416874	499072	917802

续表

工程类别	合计	中央投资				地方配套		
			国家预算内拨款	水利建设基金	其他	小计	地方合计	银行贷款
小型农田水利设施	450000	450000			450000			
专项工程	**547794**	**201238**	**201238**			**346556**	**268475**	**78081**
基础设施建设	24088	22893	22893			1195	1195	
科研教育	12630	12630	12630					
前期工作项目	43215	43215	43215					
小水电及农村电气化工程	363687	60000	60000			303687	225606	78081
其他	104174	62500	62500			41674	41674	

（王瑜）

2009年中央水利建设计划投资(按流域分)

（万元）

地区	合计	中央投资				地方配套		
			国家预算内拨款	水利建设基金	其他	小计	地方合计	银行贷款
总计	**10674744**	**6370307**	**4800307**	**120000**	**1450000**	**4304437**	**3207353**	**1097084**
松辽流域	974491	523441	404549		118892	451050	389558	61492
海河流域	504600	324601	259081		65520	179999	174981	5018
淮河流域	1133746	578836	465347		113489	554910	551571	3339
黄河流域	2215422	1695222	1270678	102248	322296	520200	432812	87388
长江流域	2524798	1736782	1260182	4252	472348	788016	725150	62866
珠江流域	1176526	735031	505401		229630	441495	421855	19640
太湖流域	669784	284686	146361	13500	124825	385098	383059	2039
中央直属	1475378	491709	488709		3000	983669	128367	855302

（王瑜）

2009年水利建设投资完成额（按中央和地方项目分）

（万元）

地区	本年完成投资合计	中央项目完成投资	国家预算内投资	国家预算内专项	地方项目完成投资	国家预算内投资	国家预算内专项
总　计	**18940321**	**2068697**	**1458349**	**73712**	**16871624**	**10183409**	**1213892**
北　京	188285	145660	108473	15244	42625	34388	4316
天　津	253589	106891	89130	425	146698	68969	8835
河　北	601935	108505	76505	6698	493429	297942	19377
山　西	869975	4241	3481		865734	189207	5848
内蒙古	424325	18198	15884	1167	406127	200753	4247
辽　宁	682484	250	150		682234	432512	23785
吉　林	387949	4630	3722		383319	261649	12871
黑龙江	288050	531	531		287519	220151	169
上　海	503894	1094	1094		502800	402233	
江　苏	1063675	53094	31319	2936	1010581	799398	13273
浙　江	1076766	25463	5163		1051303	412799	19845
安　徽	743200	95537	91126	10808	647663	457066	81352
福　建	201286	560	508	508	200726	126426	21739
江　西	640928				640928	478401	146644
山　东	1129908	164709	125904	24771	965199	501346	141725
河　南	1503933	949744	633191	384	554189	430475	61442
湖　北	943195	275426	212140	8127	667769	494982	124363
湖　南	854488	42473	24617		812015	494827	23395
广　东	1044779	8207	8207		1036572	643206	6227
广　西	551217	14610	512		536607	420820	75107
海　南	186612				186612	143973	25589
重　庆	991599	9639	4230		981960	252969	40017
四　川	512161				512161	359339	15577
贵　州	358206	18838	8898		339368	273977	90473
云　南	642002	8779	3610		633223	431667	139371
西　藏	126502				126502	117057	
陕　西	474743	4170	2506		470573	295438	54743
甘　肃	364119	6739	6739	2644	357380	286102	23826
青　海	81682	671	671		81010	51648	4344
宁　夏	179721	39	39		179682	107400	10847
新　疆	1069112				1069112	496287	14543

注　国家预算内投资包括预算内拨款（指财政预算内经营性或非经营性资金支出）、预算内专项资金和水利建设基金。

（王瑜）

2009年水利建设投资完成额（按资金来源分） （万元）

地 区	本年完成投资合计	政府投资	中央	地方	利用外资	企业和私人投资	国内贷款	债券	其他投资
总 计	**18940321**	**16541747**	**8453697**	**8088050**	**75675**	**414027**	**1528610**	**63912**	**316349**
北 京	188285	151287	108662	42625			36998		
天 津	253589	235828	125442	110386	166		17595		
河 北	601935	569608	330734	238874		267	32060		
山 西	869975	701714	159132	542582		5544	155134		7583
内蒙古	424325	319522	169761	149761	13881	49907	31370		9645
辽 宁	682484	616894	205405	411489		1739	57331	1000	5519
吉 林	387949	347109	150182	196927	6508		34332		
黑龙江	288050	283871	166238	117633		4179			
上 海	503894	503894	4348	499546					
江 苏	1063675	985254	297787	687467			75261		3160
浙 江	1076766	780775	121675	659100		31597	237474		26920
安 徽	743200	742140	470142	271999					1060
福 建	201286	166115	67246	98869		9873	10342	420	14538
江 西	640928	613896	448999	164897		17530	5209		4293
山 东	1129908	1073807	451405	622402			50205		5896
河 南	1503933	1154367	994408	159959	162	500	316798		32106
湖 北	943195	858212	659166	199046	5009	368	72804		6803
湖 南	854488	847342	504255	343087		1211	2846		3089
广 东	1044779	979761	152504	827257		12854	44059		8105
广 西	551217	533649	372266	161383			8368		9200
海 南	186612	159080	100721	58359		22397	4800		335
重 庆	991599	692220	276229	415991	29327	42947	135501	61492	30111
四 川	512161	466146	342211	123935		2977	31753		11285
贵 州	358206	338139	203414	134725	13209	170	5753		936
云 南	642002	580239	298625	281614	5169	2328	32164		22103
西 藏	126502	126502	123882	2620					
陕 西	474743	415736	273501	142235		12050	3000		43958
甘 肃	364119	306841	259574	47267		10850	4443		41986
青 海	81682	72961	47616	25344			1500		7221
宁 夏	179721	147259	110624	36635		17258	2353	1000	11851
新 疆	1069112	771580	457544	314036	2244	167481	119158		8649

注 政府投资指中央及地方各级政府用于水利建设的各项财政资金（包括预算内非经营性基金、国债专项资金和水利建设基金等）和政府部门自筹投资等。

（王瑜）

2009年中央政府投资水利建设完成额（按资金来源分） （万元）

地区	本年完成投资合计	预算内拨款	预算内专项资金	水利建设基金	自筹资金	其他资金
总计	**8453697**	**6651275**	**694317**	**528613**	**4111**	**575381**
北京	108662	49901	15244	43328	189	
天津	125442	95407	4035	26000		
河北	330734	236551	26075	60436		7672
山西	159132	139913	5848	2644		10727
内蒙古	169761	158706	5414			5641
辽宁	205405	199755	5543		107	
吉林	150182	137572	2313			10297
黑龙江	166238	166238				
上海	4348	4348				
江苏	297787	262972	12944	4889		16982
浙江	121675	104828	4274			12573
安徽	470142	407750	43208			19184
福建	67246	52014	13324	1770		138
江西	448999	304569	105093	965		38371
山东	451405	372880	34591	43935		
河南	994408	613876	30842	336344		13346
湖北	659166	528033	69154	5905	70	56005
湖南	504255	397727	23395			83133
广东	152504	146006	6227	271		
广西	372266	269028	56376		3611	43252
海南	100721	82141	15861	50		2669
重庆	276229	195023	32600		134	48472
四川	342211	321938	15477			4797
贵州	203414	133006	51433	1171		17804
云南	298625	259149	38177			1300
西藏	123882	117057				6825
陕西	273501	198600	44591	135		30175
甘肃	259574	244704	7489			7381
青海	47616	39157	4344			4116
宁夏	110624	81004	5904	210		23506
新疆	457544	331423	14543	560		111017

（王瑜）

2009年地方政府投资水利建设投资完成额（按资金来源分） （万元）

地区	本年完成投资合计	预算内拨款	预算内专项资金	水利建设基金	自筹资金	其他资金
总计	**8088050**	**2648216**	**593286**	**526050**	**3334543**	**985954**
北京	42625	30072	4316			8237
天津	110386	20507	5225	6925	77729	
河北	238874	9426		41960	181281	6207
山西	542582	12451		31832	88823	409476
内蒙古	149761	3000		49517	72794	24450
辽宁	411489	209042	18242	80	159686	24440
吉林	196927	105812	10558	9116	61283	10158
黑龙江	117633	54275	169		63189	
上海	499546	398979			100567	
江苏	687467	525586	3265	21061	70579	66976
浙江	659100	76313	15571	216976	311987	38253
安徽	271999	42140	48952	6142	157332	17433
福建	98869	33763	8923	17140	32419	6625
江西	164897	24537	41551	1686	82873	14251
山东	622402	18801	131905	25139	424699	21858
河南	159959	40190	30985	11429	33226	44129
湖北	199046	38033	63336	2661	77819	17197
湖南	343087	81602		16720	231696	13069
广东	827257	490288		8621	316308	12040
广西	161383	55608	18732	21589	64962	492
海南	58359	33414	9728	2779	5707	6730
重庆	415991	14056	7417	8103	341552	44864
四川	123935	20844	100	980	70628	31382
贵州	134725	50688	39040	7537	33929	3531
云南	281614	35808	101194	950	100562	43100
西藏	2620				120	2500
陕西	142235	28484	10152	15982	4899	82718
甘肃	47267	20690	18981	978		6619
青海	25344	8669		150	1594	14932
宁夏	36635	15378	4943		11139	5175
新疆	314036	149760			155163	9112

注 本表的国家预算内专项资金是通过其他渠道下达的中央转贷地方国债资金。

（王瑜）

2009年水利建设投资完成额（按用途分）

（万元）

地区	本年完成投资合计	防洪	灌溉	除涝	供水	水电	水保及生态	机构能力建设	前期工作	其他
总计	**18940321**	**6287388**	**2482320**	**460735**	**6178105**	**720419**	**867355**	**106040**	**158802**	**1679157**
北京	188285	19190	8676		80493		9882	15323	16759	37961
天津	253589	70964	10100	7192	135066		298	2289	4340	23340
河北	601935	158413	41638	6750	340562	2198	29622	594	4183	17975
山西	869975	134226	108328		517373	53347	25242	1498	6116	23845
内蒙古	424325	111635	35831		206950	35580	27085	3369	756	3119
辽宁	682484	172618	24913		464067	1541	5179	2560	2400	9206
吉林	387949	105985	167208		93062	14356	2603	2370	2295	69
黑龙江	288050	108311	77901		90388	8553	1667	1230		
上海	503894	364018	14857	3407			24925	84	1010	95593
江苏	1063675	445270	157547	50875	289806		72831	8253	6324	32771
浙江	1076766	329702	34594	60286	293851	33167	6839	17466	6184	294678
安徽	743200	362018	48872	68869	157396	125	28412	2436	10642	64430
福建	201286	83889	9803	10969	66116	8854	1794	22	3731	16110
江西	640928	398762	57656	16160	124830	26610	12846	483	2221	1361
山东	1129908	554088	150809	15277	362693	2100	18812	3568	6245	16316
河南	1503933	268104	88233	3590	394377	7976	28108	8728	6959	697858
湖北	943195	308938	91144	79850	180128	19003	48909	9373	14530	191319
湖南	854488	396062	123863	112654	144108	16357	56448	2061	1500	1435
广东	1044779	641860	29951	9392	319647	27835	5936	4789	5292	76
广西	551217	349003	26597	198	116497	14367	6859	2457	6493	28746
海南	186612	58268	39482	500	18372	21568	33426	7409	1493	6095
重庆	991599	256082	146898		359573	130847	39201	2236	10670	46092
四川	512161	68578	98877		284422	33276	22123	1298	1068	2520
贵州	358206	48737	89830	5800	159186	10985	40244	2087	185	1153
云南	642002	183062	179593	4793	167521	28202	32659	1381	10335	34457
西藏	126502	15526	40263		45575	22568	2570			
陕西	474743	74733	55195	3140	210819	13839	104682	1560	420	10356
甘肃	364119	29638	115269		169530	13768	33940	911	340	724
青海	81682	11992	18291		27085	3634	10069	66	500	10046
宁夏	179721	20307	53242		91457		8296	93	1575	4751
新疆	1069112	137411	336859	1034	267154	169763	125849	48	24239	6755

（王瑜）

2009年水利建设投资完成额（按水资源一级区划分）

（万元）

地区	本年完成投资合计	松花江区	辽河区	海河区	黄河区	淮河区	长江区	东南诸河	珠江区	西南诸河	西北诸河
总计	**18940321**	**736701**	**811103**	**1609712**	**2812397**	**2061816**	**6142080**	**1177245**	**1956010**	**384142**	**1249115**
北京	188285			188285							
天津	253589			253589							
河北	601935			601935							
山西	869975			341347	528628						
内蒙古	424325	79860	109461	3418	208197						23389
辽宁	682484		682484								
吉林	387949	368791	19158								
黑龙江	288050	288050									
上海	503894						503894				
江苏	1063675					622079	441596				
浙江	1076766						114051	962715			
安徽	743200					414723	315234	13244			
福建	201286							201286			
江西	640928						640928				
山东	1129908			146334	250136	733438					
河南	1503933			74805	1039771	291576	97781				
湖北	943195						943195				
湖南	854488						852853		1635		
广东	1044779								1044779		
广西	551217						3125		548092		
海南	186612								186612		
重庆	991599						991599				
四川	512161						512161				
贵州	358206						295858		62348		
云南	642002						272514		112545	256944	
西藏	126502									126502	
陕西	474743				339605		135138				
甘肃	364119				196326		19982				147810
青海	81682				70013		2169			697	8803
宁夏	179721				179721						
新疆	1069112										1069112

（王瑜）

2009年水利建设投资完成额（按隶属关系分）

（万元）

地区	本年完成投资合计	中央属	省属	地市属	县属	其他
总计	**18940321**	**2068697**	**4693782**	**4906296**	**7119662**	**151884**
北京	188285	145660	42625			
天津	253589	106891	57183	89515		
河北	601935	108505	25170	322169	146090	
山西	869975	4241	618424	141425	105885	
内蒙古	424325	18198	128981	103440	146571	27135
辽宁	682484	250	226806	315688	139333	406
吉林	387949	4630	232207	47125	102904	1083
黑龙江	288050	531	39117	58911	175315	14176
上海	503894	1094	502800			
江苏	1063675	53094	370104	419035	211409	10033
浙江	1076766	25463	173301	312957	555423	9622
安徽	743200	95537	192741	281017	173391	515
福建	201286	560	1760	86395	108087	4484
江西	640928		40603	246557	349448	4320
山东	1129908	164709	230664	338481	395757	297
河南	1503933	949744	24967	270722	257543	956
湖北	943195	275426	49382	128920	489467	
湖南	854488	42473	175446	223670	412777	122
广东	1044779	8207	93535	280615	628199	34224
广西	551217	14610	211192	85668	239074	673
海南	186612		48361		138250	
重庆	991599	9639	288683	16357	676770	150
四川	512161		84222	70216	356403	1320
贵州	358206	18838	38987	152688	132244	15450
云南	642002	8779	39801	237909	353556	1957
西藏	126502		71732	44673	10097	
陕西	474743	4170	54435	264903	127387	23849
甘肃	364119	6739	80563	64701	212116	
青海	81682	671	21506	13227	45877	400
宁夏	179721	39	90710	13644	75328	
新疆	1069112		437775	275664	354960	713

（王瑜）

2009年水利建设投资完成额（按规模分） （万元）

地区	本年完成投资合计	大中型	小型	其他
总计	**18940321**	**4502610**	**14205434**	**232277**
北京	188285	116397	50034	21854
天津	253589	120672	124719	8198
河北	601935	118602	480455	2878
山西	869975	276345	542314	51316
内蒙古	424325	54905	368038	1382
辽宁	682484	389756	280981	11747
吉林	387949	173836	210530	3583
黑龙江	288050	49749	237071	1230
上海	503894		502834	1060
江苏	1063675	181131	878634	3910
浙江	1076766	126844	949035	887
安徽	743200	162371	571086	9743
福建	201286	15218	186068	
江西	640928	86177	554691	60
山东	1129908	350911	775736	3261
河南	1503933	940590	544199	19144
湖北	943195	247227	683207	12761
湖南	854488	42473	808854	3161
广东	1044779	97756	939221	7803
广西	551217	20348	530451	418
海南	186612	44570	142042	
重庆	991599	84875	893514	13210
四川	512161	69814	437659	4688
贵州	358206	75894	280521	1791
云南	642002	47501	589197	5304
西藏	126502	24544	101958	
陕西	474743	36809	436662	1272
甘肃	364119	79894	283314	911
青海	81682	12206	68910	566
宁夏	179721	9797	169885	39
新疆	1069112	445397	583612	40103

（王瑜）

2009年水利建设投资完成额（按建设阶段分）

（万元）

地　区	本年完成投资合计	筹建	本年正式施工	本年收尾	全部停缓建	单纯购置	前期工作
总　计	**18940321**	**352473**	**18322138**	**112391**	**23122**	**6191**	**124006**
北　京	188285	780	163315			287	23902
天　津	253589		248857			392	4340
河　北	601935		599609			70	2256
山　西	869975	1300	844694	20913			3069
内蒙古	424325		417940	6385			
辽　宁	682484	306	673026	2946			6206
吉　林	387949	90	385314			50	2495
黑龙江	288050		288050				
上　海	503894		502834			50	1010
江　苏	1063675	111507	939004	1355	2108	2784	6918
浙　江	1076766	3670	1072741		355		
安　徽	743200	6941	725958	558		188	9555
福　建	201286		201286				
江　西	640928	4801	633534				2594
山　东	1129908	574	1124975		3684		675
河　南	1503933	46	1452746	44545	390	618	5588
湖　北	943195	165405	764639			713	12438
湖　南	854488		853188			800	500
广　东	1044779	10853	988031	24354	15947	130	5464
广　西	551217	567	549423	889	259		78
海　南	186612		186612				
重　庆	991599	2591	982159				6849
四　川	512161	3341	507703				1117
贵　州	358206	3467	353575	400		105	660
云　南	642002	298	634914	674		4	6113
西　藏	126502		126502				
陕　西	474743	34913	429818	9002			1010
甘　肃	364119		363515	264			340
青　海	81682	120	80772	106	184		500
宁　夏	179721		179721				
新　疆	1069112	905	1047681		195		20331

（王瑜）

2009 年水利建设投资完成额（按建设性质分） （万元）

地 区	本年完成投资合计	新建	扩建	改建	单纯建造生活设施	迁建	恢复	单纯购置	前期工作
总 计	**18940321**	**11696786**	**1340636**	**5704611**	**1291**	**10202**	**54847**	**6191**	**125403**
北 京	188285	128587	660	41905				287	16846
天 津	253589	172786	505	75567				392	4340
河 北	601935	403085	326	196198				70	2256
山 西	869975	732272	27032	107603					3069
内蒙古	424325	295704	9009	119612					
辽 宁	682484	543006	23276	109201			7000		
吉 林	387949	292950	3307	89347				50	2295
黑龙江	288050	133597	35083	119370					
上 海	503894	283999		218835				50	1010
江 苏	1063675	271584	400921	366740	820			2784	20828
浙 江	1076766	870768	38961	162837			4200		
安 徽	743200	410899	33688	285274	329	1165	2102	188	9555
福 建	201286	143396	18424	37491			1976		
江 西	640928	186163	26570	427512			684		
山 东	1129908	530524	142967	455343					1074
河 南	1503933	1131583	5631	352043		6654	1816	618	5588
湖 北	943195	453790	63790	412807			313	713	11427
湖 南	854488	185294	16178	650238			1478	800	500
广 东	1044779	533926	260546	236713			1888	130	11576
广 西	551217	244543	30071	274476		2126			
海 南	186612	115051	6682	64788			90		
重 庆	991599	749805	103574	121397		257	8719		7847
四 川	512161	433238	13844	55778			8587		715
贵 州	358206	284034	29099	38466			6204	105	299
云 南	642002	435616	15727	184785			571	4	5300
西 藏	126502	119677		6825					
陕 西	474743	392426	3577	71761	142		6837		
甘 肃	364119	229391	760	131246			2383		340
青 海	81682	69530	1938	9714					500
宁 夏	179721	126080	18120	35521					
新 疆	1069112	793483	10370	245219					20040

（王瑜）

2009年水利建设投资完成额（按构成分）

（万元）

地区	本年完成投资合计	建筑工程	安装工程	设备工器具购置	其他费用
总　计	**18940321**	**12972462**	**1133765**	**1250000**	**3584094**
北　京	188285	87800	1907	33227	65351
天　津	253589	159494	30087	15118	48889
河　北	601935	381562	74985	60497	84891
山　西	869975	513663	13682	73423	269208
内蒙古	424325	325604	18502	34798	45420
辽　宁	682484	411875	23957	70876	175776
吉　林	387949	382530	331	537	4551
黑龙江	288050	212910	5548	55346	14246
上　海	503894	464647	49	1760	37438
江　苏	1063675	772291	125570	24461	141353
浙　江	1076766	828504	30707	13892	203663
安　徽	743200	443123	25240	51142	223696
福　建	201286	145730	18321	14166	23068
江　西	640928	541953	22162	18092	58723
山　东	1129908	818948	57150	61098	192712
河　南	1503933	656253	33169	57144	757367
湖　北	943195	565720	56366	81839	239270
湖　南	854488	532162	72465	125483	124378
广　东	1044779	740249	104294	51521	148715
广　西	551217	359977	41270	68705	81264
海　南	186612	126049	22195	19721	18647
重　庆	991599	609138	92496	54136	235829
四　川	512161	348755	43960	63613	55833
贵　州	358206	280391	27697	21603	28516
云　南	642002	511654	24776	12985	92587
西　藏	126502	126042		460	
陕　西	474743	374933	48740	12212	38858
甘　肃	364119	266036	43556	25169	29359
青　海	81682	68951	3512	1147	8072
宁　夏	179721	146524	7242	13406	12549
新　疆	1069112	768993	63830	112424	123865

（王瑜）

2009年水利建设本年完成工程量

（万 m^3）

地区	本年计划			本年完成		
	土方	石方	混凝土	土方	石方	混凝土
总　计	**207538**	**27197**	**4553**	**198846**	**25333**	**4641**
北　京	197	5	4	191	5	4
天　津	2891	31	72	3174	24	74
河　北	8784	336	68	9214	374	81
山　西	6665	594	111	6197	558	100
内蒙古	13588	654	78	14018	653	77
辽　宁	6796	398	109	6475	477	131
吉　林	5693	478	82	5632	449	74
黑龙江	1788	247	56	5702	283	76
上　海	2873	1050	57	2473	215	45
江　苏	13616	388	163	12949	390	161
浙　江	4583	2715	197	4410	3199	261
安　徽	4636	404	131	5149	555	177
福　建	985	571	38	745	478	25
江　西	4150	1750	290	4174	1711	273
山　东	19584	1229	263	20807	1168	266
河　南	13975	581	205	16347	670	226
湖　北	15182	1760	275	7808	889	301
湖　南	2096	325	98	4354	805	238
广　东	5393	874	264	5608	1417	249
广　西	1267	1192	183	1292	1233	173
海　南	1269	131	78	1204	125	73
重　庆	4009	2236	278	3952	2291	328
四　川	3948	1433	207	3933	1406	222
贵　州	4184	1596	129	3152	978	123
云　南	5230	1262	151	4643	1208	135
西　藏	809	328	37	798	321	35
陕　西	14330	1849	143	13830	1908	96
甘　肃	9098	485	319	9178	497	227
青　海	7660	1169	19	1681	44	17
宁　夏	6242	102	26	4703	83	23
新　疆	16018	1023	421	15053	919	349

（王瑜）

2009年水利建设累计完成工程量

（万 m^3）

地区	全部计划			累计完成		
	土方	石方	混凝土	土方	石方	混凝土
总计	**1060725**	**117890**	**21656**	**633610**	**77809**	**13828**
北京	5327	5	129	4197	5	126
天津	10750	56	99	5067	37	95
河北	34638	7362	614	29282	750	497
山西	23061	1805	491	17431	1315	347
内蒙古	57415	4703	1754	43867	2810	1093
辽宁	18719	2233	742	13896	1746	345
吉林	39944	2892	389	26133	2162	227
黑龙江	45208	1566	354	12870	856	166
上海	6991	1274	188	4254	421	159
江苏	38298	863	453	33996	738	362
浙江	21781	16061	1100	13848	11878	661
安徽	41328	2613	725	35035	1840	646
福建	3632	1415	112	1366	771	42
江西	145721	3582	1018	19057	2548	560
山东	72791	3780	725	61815	2863	504
河南	93916	2886	903	59086	1725	623
湖北	58124	4854	1233	30160	2206	594
湖南	23903	3845	667	23433	4117	569
广东	44595	6429	1905	24004	3231	1008
广西	6411	6992	957	4199	5700	689
海南	3381	525	169	3143	480	149
重庆	12872	8357	1018	8103	6127	659
四川	6929	3750	541	5738	2940	430
贵州	7093	3199	506	3944	1446	235
云南	16764	6269	565	11685	3756	345
西藏	1313	483	69	1194	443	57
陕西	35865	3986	446	22390	2897	190
甘肃	35918	3617	1115	25126	2700	768
青海	10595	1332	157	3182	119	33
宁夏	32936	889	260	18763	591	143
新疆	104505	10266	2254	67344	8591	1508

（王瑜）

2009 年水利建设

地 区	水库总库容（亿 m^3）	有效灌溉面积（万 hm^2）	除涝面积（万 hm^2）	发电装机容量（10^3kW）	排灌装机容量（10^3kW）	供水能力（万 t/d）
总 计	**269.80**	**192.92**	**54.65**	**4267.36**	**305.15**	**2311.20**
北 京						15.00
天 津						
河 北	4.33	1.47	0.60	15.53		7.55
山 西	1.61	6.10	0.02	7.20	7.40	30.97
内蒙古	13.11	0.93		2.60		319.44
辽 宁	9.67	0.41		75.01		113.29
吉 林	18.95	0.03		93.16		2.58
黑龙江	13.77	60.35		55.70	49.31	
上 海						
江 苏	0.47	1.18	2.23		2.15	
浙 江	9.50	0.47	21.26	135.73	0.39	679.12
安 徽	3.99	9.38	3.50	0.13	5.50	2.00
福 建	1.33	0.26	0.02	28.62	1.46	9.13
江 西	1.61	1.14		43.94	6.91	3.40
山 东	0.76	6.95	6.87	0.27	0.26	23.27
河 南	5.85	7.94	0.80	9.48	0.40	5.21
湖 北	16.72	10.40	15.60	123.08	141.16	8.87
湖 南	14.95	0.59		132.50	16.50	3.00
广 东	16.06	7.80	0.65	302.48	36.19	365.94
广 西	1.67	1.69	2.52	341.00		
海 南				88.89		1.36
重 庆	10.86	11.57		493.00	8.46	208.47
四 川	48.55	31.77		1299.24		75.13
贵 州	5.47	4.74	0.05	93.22	0.02	18.94
云 南	12.95	10.05	0.08	190.50		34.26
西 藏		1.04		9.55		
陕 西	0.87	11.45		55.99	7.27	265.41
甘 肃	0.01	0.32		54.58		10.32
青 海	0.30	2.01		9.40		1.32
宁 夏	8.68	2.15	0.47		21.77	20.91
新 疆	39.14	0.74		606.57		86.31

施工规模

改善灌溉面积（万 hm^2）	改善除涝面积（万 hm^2）	新建及加固堤防（km）	水保治理面积（万 hm^2）	饮水安全达标人口（万人）	节水灌溉面积（万 hm^2）
274.94	**72.60**	**5002.74**	**255.31**	**6715.80**	**34.39**
0.04				3.89	
		67.49		104.25	0.61
5.48	6.41	37.76	22.06	393.26	0.17
7.20		94.78	7.21	151.19	0.23
21.01		427.48	7.84	143.45	1.97
2.32		88.64	1.24	163.10	0.32
		68.69	0.78	108.84	
		163.87	0.54	142.17	
0.08	0.17				0.26
18.60	15.72	152.36	2.07	353.48	2.34
6.29	0.08	113.21	12.95	301.22	1.79
36.54	3.34	81.17	5.82	306.72	0.04
0.19	0.12	122.17	0.28	195.89	
2.94	1.61	19.25		132.25	0.08
23.55	6.19	484.12	9.14	479.23	1.05
12.13	6.43	74.52	10.25	386.15	3.43
13.34	19.01	113.26	20.45	301.67	0.98
4.89		10.88	0.70	78.18	
15.24	7.93	1847.35	10.63	715.01	0.03
5.77	2.52	51.91			
2.27	0.68	26.34	0.25	36.62	0.05
11.35		115.66	15.88	337.78	0.31
8.63		18.23	6.49	511.90	0.29
1.12	0.19	4.96	17.98	288.13	0.43
6.87	0.42	15.96	12.28	307.60	1.45
0.28		37.27	2.49	41.43	0.07
1.34		279.17	72.51	281.18	0.34
3.47		60.44	10.36	179.73	4.58
1.32		5.20	2.10	21.07	0.27
11.08	0.47	72.20	1.48	31.41	1.99
51.59	1.33	348.41	1.54	218.99	11.29

（王瑜）

2009 年水利建设

地 区	水库总库容（亿 m^3）	有效灌溉面积（万 hm^2）	除涝面积（万 hm^2）	发电装机容量（10^3kW）	排灌装机容量（10^3kW）	供水能力（万 t/d）
总 计	**50.96**	**55.05**	**28.61**	**912.68**	**89.77**	**740.58**
北 京						10.00
天 津						
河 北	0.13	1.37	0.60	4.00		7.55
山 西	1.42	6.10	0.02	4.01	7.40	30.97
内蒙古	0.27	0.06				262.68
辽 宁	0.87	0.13		75.01		7.52
吉 林	18.48			61.35		2.33
黑龙江				1.50		
上 海						
江 苏	0.47	0.69	1.74		1.06	
浙 江	4.31	0.17	0.46	87.45		149.92
安 徽	3.57	8.31	1.83	0.13	2.98	2.00
福 建	0.28	0.26	0.02	27.12		6.36
江 西	0.04	0.07		16.76	6.90	1.33
山 东	0.46	6.95	6.87	0.27	0.26	23.27
河 南	4.53	3.54	0.80	9.48	0.40	5.21
湖 北	5.54	5.09	15.42	41.22	65.95	5.37
湖 南		0.47		8.00		3.00
广 东	0.29	0.17	0.01	36.91	2.72	13.17
广 西	0.34	0.17	0.31	202.00		
海 南				88.69		1.36
重 庆	0.01	1.17		46.16	0.67	87.67
四 川	1.18	1.00		28.87		7.73
贵 州	3.80	3.73	0.05	70.19	0.02	8.82
云 南	1.39	0.37	0.03			10.83
西 藏		0.95		3.99		
陕 西	0.87	11.45		46.49		34.20
甘 肃	0.01	0.29		13.16		10.32
青 海	0.30	0.01		1.82		1.32
宁 夏	2.00	2.15	0.47		1.40	15.91
新 疆	0.40	0.40		38.11		31.75

新增效益

改善灌溉面积 （万 hm²）	改善除涝面积 （万 hm²）	新建及加固堤防 （km）	水保治理面积 （万 hm²）	安全饮水达标人口 （万人）	节水灌溉面积 （万 hm²）
184.55	**44.95**	**2385.49**	**209.09**	**5896.54**	**29.88**
		61.53		104.25	0.61
5.32	6.41	32.50	20.25	387.74	0.13
4.93		91.43	6.70	151.19	0.21
6.22		266.33	3.16	143.45	1.46
1.92		77.54	1.24	162.05	0.03
		65.45	0.78	108.84	
		132.83	0.54	142.17	
	0.17				0.26
14.16	7.71	63.81	1.06	353.48	2.18
6.11	0.04	39.20	1.83	203.92	0.27
35.37	3.34	35.89	5.72	296.72	0.04
0.13	0.12	70.42	0.28	173.43	
0.32	0.75	8.30		106.05	0.04
20.11	6.19	329.07	9.12	454.53	1.05
9.26	1.89	27.18	10.25	386.15	3.32
10.36	14.02	72.50	12.75	262.05	0.74
4.74		7.15	0.70	78.18	
0.35	1.36	121.26	1.64	288.64	0.02
4.30	0.78	37.18			
2.15	0.64	25.64	0.25	36.62	0.05
7.29		85.67	12.74	282.25	0.08
3.22		17.24	5.28	507.68	0.17
1.02	0.19	4.96	17.65	249.27	0.43
2.04	0.09	12.35	11.29	270.15	0.71
0.24		26.86	2.49	41.43	0.07
1.00		276.97	69.20	277.18	0.34
2.89		40.95	10.12	160.83	4.55
0.94		3.50	2.10	17.94	0.23
4.46	0.47	72.20	0.71	31.41	1.99
35.73	0.80	279.61	1.26	218.94	10.88

（王瑜）

2009 年水利建设房屋建筑面积及竣工房屋价值

地 区	本年施工房屋面积（m^2）	住宅（m^2）	本年竣工房屋面积（m^2）	住宅（m^2）	本年竣工房屋价值（万元）	住宅（万元）
总 计	**895613**	**133589**	**699639**	**87977**	**97727**	**11533**
北 京	561					
天 津	31186		26565		5693	
河 北	8484		7305		1330	
山 西	7811	153	7811	153	471	12
内蒙古	49375		48270		4485	
辽 宁	18119		14457		2960	
吉 林						
黑龙江						
上 海	1369		1369		257	
江 苏	25777	2617	13334	1765	2587	
浙 江	64597	22123	31138	20545	4564	4320
安 徽	14577	215	8262	215	3181	16
福 建	12294	2100	7025	1700	568	160
江 西	42125	37679	7977	3531	1421	276
山 东	37588	1658	32031	1658	8580	139
河 南	103218	794	72286	794	11043	79
湖 北	45895	6078	33869	4230	5326	1198
湖 南	5000	820	5000	820	86	37
广 东	16365	1967	3542	1747	297	72
广 西	221688	23342	218062	23092	22531	2311
海 南	1567	420	1567	420	158	42
重 庆	50714	11697	44346	10275	3268	771
四 川	35105	5040	33307	4915	2607	372
贵 州	4746	1637	3200	1287	228	66
云 南	16007	4528	12519	4022	1977	1060
西 藏						
陕 西	25625	4898	17919	984	3242	155
甘 肃	8442	1040	8442	1040	1578	68
青 海	1480	980	1089	980	10	
宁 夏	9310	1084	8379	1084	3470	145
新 疆	36587	2720	30567	2720	5810	235

（王瑜）

水利系统电力工业指标

2009年农村水电站全年新增发电设备

行政区划	合计		1万（含）～5万kW（含）		0.1万（含）～1万kW		0.1万kW以下	
	数量（处）	容量（kW）	数量（处）	容量（kW）	数量（处）	容量（kW）	数量（处）	容量（kW）
全国	**1213**	**3807072**	**90**	**2072695**	**357**	**1278712**	**766**	**455665**
北京								
天津								
河北	6	4720		320	1	2500	5	1900
山西	1	10600			1	10600		
内蒙古		100						100
辽宁	7	13850		4500	2	5680	5	3670
吉林	17	20230		3625	5	9215	12	7390
黑龙江	1	6500			1	6500		
江苏		1500				1500		
浙江	36	173372	4	75230	22	82100	10	16042
安徽	34	113190	2	78000	9	23735	23	11455
福建	98	196993	4	54600	28	102510	66	39883
江西	253	252366			30	109095	223	143271
山东	1	2645			1	2320		325
河南	4	10800		3500	4	7300		
湖北	33	173915	5	121000	13	43170	15	9745
湖南	86	262207	6	126500	34	106955	46	28752
广东	157	166366	2	50920	11	54310	144	61136
广西	52	131615	3	39900	28	75285	21	16430
海南	5	15865			3	14620	2	1245
重庆	27	55649			9	44817	18	10832
四川	140	403054	8	164900	55	180690	77	57464
贵州	63	144650	2	58300	26	72090	35	14260
云南	77	1088026	38	924300	34	153630	5	10096
西藏	13	2950					13	2950
陕西	33	105425	4	55600	9	41440	20	8385
甘肃	39	278719	8	179500	22	92930	9	6289
青海	24	101030	3	75500	7	22620	14	2910
宁夏								
新疆	5	69935	1	56500	2	13100	2	335
新疆兵团	1	800					1	800
部直属								

（曲鹏）

2009年农村水电年末发电设备拥有量

行政区划	合计		1万（含）～5万kW（含）		0.1万（含）～1万kW		0.1万kW以下	
	数量（处）	容量（kW）	数量（处）	容量（kW）	数量（处）	容量（kW）	数量（处）	容量（kW）
全国	**44804**	**55121211**	**1089**	**22047362**	**8810**	**22052829**	**34905**	**11021020**
北京	72	42920			12	25080	60	17840
天津	1	5000			1	5000		
河北	235	370178	7	148020	59	164497	169	57661
山西	169	172600	3	47300	32	81940	134	43360
内蒙古	36	53460			16	46210	20	7250
辽宁	166	307333	5	148550	46	116840	115	41943
吉林	203	390980	7	112325	74	222570	122	56085
黑龙江	70	241605	8	156500	25	67770	37	17335
江苏	134	52656			12	26967	122	25689
浙江	3167	3610103	71	1391555	626	1404520	2470	814028
安徽	800	828404	15	373340	120	262110	665	192954
福建	6647	6846790	124	2717320	1062	2477604	5461	1651866
江西	3492	2588517	33	555860	510	1094155	2949	938502
山东	85	69733			19	45510	66	24223
河南	540	354291	4	47900	90	226550	446	79841
湖北	1709	2697835	57	1238000	425	1073850	1227	385985
湖南	4096	4883357	85	1675112	945	2098285	3066	1109960
广东	9667	6526256	66	1480820	1107	2383488	8494	2661948
广西	2292	3453354	59	1083910	721	1811710	1512	557734
海南	314	297036	2	34900	78	168310	234	93826
重庆	1136	1381190	25	522900	245	557687	866	300603
四川	4141	6571132	143	2953100	988	2698240	3010	919792
贵州	1312	1954274	35	787250	287	895770	990	271254
云南	1655	7218555	239	4620750	689	2304882	727	292923
西藏	435	183996	1	20000	40	59250	394	104746
陕西	852	827345	14	256500	142	455180	696	115665
甘肃	712	1553481	42	729800	241	725534	429	98147
青海	206	593830	17	312000	85	242000	104	39830
宁夏	1	3200			1	3200		
新疆	378	690015	16	365300	80	243005	282	81710
新疆兵团	78	246485	8	163050	32	65115	38	18320
部直属	3	105300	3	105300				

（曲鹏）

2009 年农村水电站全年发电量 （万 kW·h）

行政区划	农村水电合计	1 万（含）～5 万 kW（含）	0.1 万（含）～1 万 kW	0.1 万 kW 以下
全　国	**15672470**	**6651553**	**6464291**	**2556626**
北　京	1393		773	620
天　津	1400		1400	
河　北	29127	3483	19634	6010
山　西	17470	4581	8590	4299
内蒙古	8375		6900	1475
辽　宁	69624	40063	23603	5958
吉　林	102322	26402	65180	10741
黑龙江	61922	39691	19524	2707
江　苏	8888		7877	1011
浙　江	745235	291752	295598	157885
安　徽	178884	70454	63450	44980
福　建	1718042	694406	634759	388877
江　西	632077	123958	284368	223752
山　东	9156		7165	1991
河　南	73964	10389	50219	13356
湖　北	687834	289352	313358	85124
湖　南	1348895	518109	573357	257429
广　东	1450533	378799	541659	530076
广　西	887357	310702	459765	116889
海　南	109395	13093	68010	28292
重　庆	452907	170354	190131	92422
四　川	2424496	1067224	1069761	287511
贵　州	655963	279025	286656	90283
云　南	2447550	1532724	819370	95456
西　藏	37425	6000	15079	16346
陕　西	255989	84921	137728	33340
甘　肃	613312	305053	278158	30101
青　海	272987	154985	105247	12755
宁　夏	800		800	
新　疆	227978	125793	90058	12128
新疆兵团	91402	60473	26115	4814
部直属	49769	49769		

（曲鹏）

2009 年新增输电线路、配电变压器

行政区划	高压线路（km）				低压线路（km）	配电变压器	
	合计	110kV 及以上	35（63）kV	10kV		数量（台）	变压器容量（kVA）
全 国	**26318**	**3770**	**3346**	**19202**	**44557**	**15806**	**2717898**
北 京							
天 津							
河 北							
山 西	35		11	24	26	7	3250
内蒙古							
辽 宁							
吉 林	149		44	105	1	446	129072
黑龙江							
江 苏							
浙 江	70			70	25	105	43387
安 徽	133	2		131	727	65	9860
福 建							
江 西							
山 东	16			16	3		
河 南					5		
湖 北							
湖 南	2583	311	647	1625	4148	850	267667
广 东							
广 西	3152	342	528	2283	4465	2516	635820
海 南							
重 庆							
四 川	7062	721	569	5773	14295	2580	454494
贵 州	5134	478	652	4004	11441	6392	764621
云 南	1143	213	41	889	2231	394	30585
西 藏	7			7	11	2	210
陕 西	3610	132	397	3081	5905	920	165322
甘 肃	2597	1404	278	916	938	1061	159201
青 海	207		6	201	282	101	7560
宁 夏							
新 疆							
新疆兵团	419	169	173	77	55	367	45559
部直属							1290

（曲鹏）

2009年末输电线路、配电变压器拥有量

行政区划	高压线路（km）				低压线路（km）	配电变压器	
	合计	110kV及以上	35（63）kV	10kV		数量（台）	变压器容量（kVA）
全　国	**515040**	**24985**	**62012**	**428043**	**1116782**	**364179**	**34629678**
北　京	66		17	49	34	49	19175
天　津							
河　北							
山　西	2899	40	452	2407	2358	1394	88205
内蒙古	123	3	114	6	47	29	5045
辽　宁							
吉　林	6357		1215	5142	4202	4818	609443
黑龙江							
江　苏						5	3580
浙　江	626			626	1148	2987	777637
安　徽	6237	70	851	5315	21137	2669	266104
福　建							
江　西							
山　东	18			18	4	7	2890
河　南	6140		918	5223	11798	2664	189325
湖　北							
湖　南	68934	3638	6815	58482	138811	41665	5377428
广　东							
广　西	92286	3191	12861	76233	134866	73500	6875376
海　南							
重　庆							
四　川	178172	8293	20336	149543	625439	135519	12264906
贵　州	52395	2070	5594	44731	85515	37908	2580072
云　南	12505	1392	1412	9701	15534	6377	638020
西　藏	7269		828	6441	3745	3070	153555
陕　西	6991	1610	768	4613	10248	1760	329189
甘　肃	50330	2923	6665	40742	50320	36200	2494163
青　海	2195		382	1812	1264	779	61560
宁　夏							
新　疆							
新疆兵团	21410	1750	2775	16885	10242	12475	1834437
部直属	86	5	8	73	70	304	59568

（曲鹏）

2009年新增供电变电站（所）

行政区划	总容量（kVA）	110kV及以上		35（63）kV	
		数量（处）	变压器容量（kVA）	数量（处）	变压器容量（kVA）
全国	**5842525**	**65**	**4168600**	**182**	**1673925**
北京					
天津					
河北					
山西	19155			2	19155
内蒙古					
辽宁					
吉林	6950			3	6950
黑龙江					
江苏					
浙江					
安徽					
福建					
江西					
山东					
河南	3250			2	3250
湖北					
湖南	1147750	9	753000	24	394750
广东					
广西	1154195	3	650000	42	504195
海南					
重庆					
四川	1173520	18	958800	21	214720
贵州	1437730	15	1139000	42	298730
云南	192350	3	170500	5	21850
西藏					
陕西	209445	9	118300	26	91145
甘肃	321230	5	276000	12	45230
青海					
宁夏					
新疆					
新疆兵团	176950	3	103000	3	73950
部直属					

（曲鹏）

2009 年末供电变电站（所）拥有量

行政区划	总容量（kVA）	110kV 及以上		35（63）kV	
		数量（处）	变压器容量（kVA）	数量（处）	变压器容量（kVA）
全国	**42465559**	**538**	**25642535**	**2748**	**16823024**
北京					
天津					
河北					
山西	121060	1	16000	23	105060
内蒙古	63050	1	600	14	62450
辽宁					
吉林	494710			61	494710
黑龙江					
江苏	2850			1	2850
浙江	246000	3	206000	1	40000
安徽	326975	5	170000	31	156975
福建					
江西					
山东					
河南	117850			28	117850
湖北					
湖南	6058440	87	4195650	260	1862790
广东					
广西	7916440	85	4521400	574	3395040
海南					
重庆					
四川	15218595	195	9007355	884	6211240
贵州	4750310	51	3242000	270	1508310
云南	1359100	17	978000	67	381100
西藏	39820			16	39820
陕西	506725	17	252200	73	254525
甘肃	2596329	28	1200880	320	1395449
青海	15170			8	15170
宁夏					
新疆					
新疆兵团	2562835	47	1802450	115	760385
部直属	69300	1	50000	2	19300

（曲鹏）

2009年完成投资（按资金项目分）

（万元）

行政区划	合 计	水电站	农村水电	电 网
全 国	**4563241**	**4100927**	**2552378**	**462314**
北 京				
天 津				
河 北	5027	5027	4774	
山 西	4078	4032	4032	46
内蒙古	296	240	240	56
辽 宁	1845	1845	1845	
吉 林	46264	33530	33530	12734
黑龙江	7496	7496	7496	
江 苏				
浙 江	63956	63956	63926	
安 徽	22459	18830	13119	3629
福 建	58401	58401	58401	
江 西	86515	86515	86515	
山 东				
河 南	17619	17619	17619	
湖 北	428565	428565	232091	
湖 南	549433	496452	160358	52981
广 东	231520	231520	231520	
广 西	251884	123629	99557	128254
海 南	11170	11170	4090	
重 庆	225736	200883	182883	24853
四 川	771883	689603	331408	82280
贵 州	188668	154211	153742	34457
云 南	1063268	981493	530144	81775
西 藏				
陕 西	71640	70985	58556	655
甘 肃	336487	327979	189721	8508
青 海	71048	70132	70132	916
宁 夏				
新 疆	5472	5472	5472	
新疆兵团	42510	11339	11203	31171
部直属				

（曲鹏）

2009 年完成投资（按资金来源分） （万元）

行政区划	本年完成投资	财政资金				银行贷款	业主自筹
			中央资金	省级资金	市县资金		
全　国	**4563241**	**172249**	**126513**	**35253**	**10483**	**1819780**	**2566652**
北　京							
天　津							
河　北	5027	1691	1691			430	2906
山　西	4078	3523	1520	2003			555
内蒙古	296	296	296				
辽　宁	1845	465	350	115			1380
吉　林	46264	6562	4965	1597		8631	31071
黑龙江	7497	856	500	356			6641
江　苏							
浙　江	63956	1586	715	527	344	18858	48513
安　徽	22459	5651	1040	4611		3482	13326
福　建	58401	2656	2250	406		23765	31980
江　西	86515	2012	1742	270		19680	64823
山　东							
河　南	17619	3038	2050	365	623	500	14081
湖　北	428565	5297	3970	722	605	322181	101086
湖　南	549433	36601	21963	7112	7526	167865	344967
广　东	231520	1557	586	446	525	79669	150294
广　西	251884	32150	29359	2672	119	103533	116200
海　南	11170	150	150			50	10970
重　庆	225736	14392	13930	195	267	131848	79496
四　川	771883	19930	11054	8602	274	349562	397571
贵　州	188668	5654	3524	1980	150	99934	78340
云　南	1063268	7581	6341	1240		373875	681812
西　藏							
陕　西	71640	1050	990	60		8099	62491
甘　肃	336487	4173	2860	1263	50	51483	280831
青　海	71049	1530	818	712		42069	27450
宁　夏							
新　疆	5472	758	758			2180	2534
新疆兵团	42510	13090	13090			12086	17334
部直属							

（曲鹏）

2009年末固定资产拥有量

（万元）

行政区划	合计	水电站	农村水电	电网
全国	**46616813**	**43064315**	**34160296**	**3552498**
北京	8454	8454	8454	
天津	2456	2456	2456	
河北	125623	125623	125623	
山西	67225	57222	57222	10003
内蒙古	41394	41394	41394	
辽宁	181322	181322	181322	
吉林	382431	293358	293182	89073
黑龙江	210463	210463	210463	
江苏	8289	7563	7563	727
浙江	2202871	2190181	2190181	12690
安徽	434362	382439	314199	51923
福建	3983731	3983731	3736889	
江西	1333777	1333777	1333633	
山东	28201	28201	28201	
河南	182499	176815	173354	5684
湖北	1981322	1981322	1519761	
湖南	5589258	5076525	2952008	512733
广东	5457533	5318839	5245628	138694
广西	2977510	2234968	1821183	742542
海南	162231	162231	162229	
重庆	1351075	1351075	866815	
四川	7040727	5744112	3784826	1296615
贵州	1324991	1192256	1137220	132735
云南	4513299	4344313	2990047	168986
西藏				
陕西	512290	506732	492077	5558
甘肃	1748117	1615345	861037	132772
青海	538265	528686	528686	9579
宁夏	691	691	691	
新疆	284753	275019	127872	9734
新疆兵团	421182	188729	188729	232453
部直属	3520470	3520470	2777350	

（曲鹏）

2009年有农村水电的县通电情况

行政区划	乡（镇）		户			总人口（人）	无电人口（人）
	行政区划数量（个）	农村水电网供电乡（镇）（个）	总数量（户）	无电户数量（户）	户通电率（%）		
全　国	**24071**	**5048**	**211655947**	**654671**	**99.69**	**723134351**	**2265586**
北　京	107		1296000		100.00	2903000	
天　津							
河　北	712		5537240		100.00	18086216	
山　西	445	30	2873769	756	99.97	10070244	3808
内蒙古	89		835487	425	99.95	2964133	2376
辽　宁	396		3700891		100.00	11929186	
吉　林	280	60	3458650		100.00	10354466	
黑龙江	376		3111200		100.00	11008381	
江　苏	67		1034746		100.00	3280690	
浙　江	1158	8	11869674		100.00	35477159	
安　徽	469	39	4515779		100.00	14894194	
福　建	893		7436808	509	99.99	26595023	1921
江　西	1415		11692579	4839	99.96	41752961	18636
山　东	520		9154949		100.00	29006739	
河　南	1061		10864835	15103	99.86	37583810	56897
湖　北	731		10500619	9889	99.91	35911837	27124
湖　南	2059	434	16600704	8199	99.95	56695380	22796
广　东	1238		18411888	3265	99.98	74235263	10709
广　西	1070	535	12606039	31767	99.75	45465792	122550
海　南	212		2252007	3437	99.85	8936104	13485
重　庆	767		10286841	9143	99.91	31391510	30598
四　川	4270	3089	25670175	179323	99.30	76753593	683864
贵　州	1412	674	9329210	14776	99.84	36422772	51596
云　南	1282	72	11879890	193490	98.37	42220396	835698
西　藏							
陕　西	1156	47	6544386	3505	99.95	21565945	12195
甘　肃	840		3914197	15607	99.60	15665791	61012
青　海	307	58	1325373	17277	98.70	4792476	52969
宁　夏			60604		100.00	260600	
新　疆	737		4323140	143361	96.68	15294468	257352
新疆兵团	2	2	568267		100.00	1616222	
部直属							

（曲鹏）

大　事　记

Memorabilia

2009年中国水利大事记

1月

6—7日 全国水利工作会议在广西壮族自治区南宁市召开，回良玉副总理出席会议并讲话，强调要进一步加快水利基础设施建设步伐提高水利保障能力，进一步解决涉及民生的水利问题大力发展民生水利，进一步加强水资源管理促进水资源集约开发、节约利用和有效保护，进一步加大水利改革攻坚力度构建水利科学发展的长效机制，要求各地区各有关部门要进一步加强对水利工作的领导，以高度负责的精神、只争朝夕的状态和求真务实的作风，抓好各项任务和措施的落实，推进水利发展与改革再上新台阶。陈雷部长作题为“打好水利建设攻坚战，开创水利发展与改革新局面”的工作报告，鄂竟平副部长作总结讲话。会议对全国农田水利基本建设先进单位进行表彰。

9日 全国防汛抗旱工作会议在黑龙江省哈尔滨市召开，陈雷部长出席会议并作题为“深入贯彻落实科学发展观，扎实做好新形势下的防汛抗旱工作”的讲话。

20日 水利部与青海省人民政府在京共同签署《加快青海藏区水利发展与改革合作备忘录》。

2月

5日 国家防汛抗旱总指挥部召开全国冬麦主产区8省抗旱异地会商会议，宣布启动Ⅰ级抗旱应急响应。这是《国家防汛抗旱应急预案》级别最高的应急响应机制，也是我国历史上首次启动Ⅰ级抗旱应急响应。

5—6日 全国水利规划计划工作会议在广东省召开，陈雷部长出席并作题为“做好新形势下水利规划计划工作　着力打好水利建设攻坚战”的讲话。

11日 国务院第49次常务会议通过《中华人民共和国抗旱条例》。该条例是新中国成立近60年来第一部关于抗旱工作的法规。

14—15日 全国水资源工作会议在广西壮族自治区桂林市召开，钱正英、汪恕诚同志出席会议并讲话，陈雷部长主持会议并讲话，提出实行最严格的水资源管理制度，明确水资源开发利用红线，严格实行用水总量控制；明确用水效率控制红线，坚决遏制用水浪费；明确水功能区限制纳污红线，严格控制入河排污总量。

23日 水利部召开深入学习实践科学发展观活动总结大会，水利部深入学习实践科学发展观活动取得显著成效，形成水利系统推进水利科学发展的共识。

28日 水利部与广西壮族自治区人民政府在京共同签署《加快广西壮族自治区水利发展与改革合作备忘录》。

3月

1日 水利部与陕西省人民政府签署《加快陕西省水利发展与改革合作备忘录》《共同推进陕西省安塞县水利对口帮扶工作合作备忘录》。

4日 水利部与湖南省签署《加强湖南省湘江流域和洞庭湖区治理、开发与保护合作备忘录》。

6日 全国政协副主席、科技部部长万钢同志一行到水利部，听取水利科技工作汇报，与部领导座谈。

16—22日 第五届世界水论坛在土耳其伊斯坦布尔举行，论坛的中心主题是“跨越水的鸿沟”，强调全球各地区参与水管理或受水影响的各方之间应加强沟通、交流和协调。水利部部长陈雷率中国政府代表团出席水论坛及部长级会议。

20日 国务院法制办、水利部联合召开《中华人民共和国抗旱条例》颁布实施新闻发布会。

4月

12日 全国水土保持工作会议在重庆召开，陈雷部长出席并作题为“深入贯彻落实科学发展观，开创水土保持生态建设新局面”的讲话。

13日 水利部定点扶贫工作座谈会在重庆市丰都县召开，陈雷部长出席并作题为“明确目标，加大力度，全力做好水利定点扶贫工作”的讲话。

14日 水利部与交通运输部签署《加强长江河道采砂管理合作备忘录》。

16日 回良玉副总理主持召开国家防汛抗旱总指挥部全体会议，研究分析2009年汛情、旱情形势，进一步安排部署防汛抗旱救灾工作。

18—19日 全国水利信息化工作会议召开，陈雷部长出席并作题为“明确目标，注重实效，全面提升水利信息化水平”的讲话。

19日 水利部与瑞士联邦环境、交通、能源和信息部签署《中华人民共和国水利部与瑞士联邦环境、交通、能源和信息部合作协议》。

20日 以“长江·河口·城市”为主题，第三届长江论坛在上海开幕，来自水利部、环境保护部、国家林业局等部委，长江干流青海、西藏、四川、云南、重庆、湖北、湖南、江西、安徽、江苏、上海等11个省（自治区、直辖市），以及20多个国家与地区的相关政府、机构、组织和企业的400余位国内外代表出席论坛。

24日 太湖流域防汛抗旱总指挥部成立。

5月

7日 天津市水务局成立，整合水利、供水、排水三大行业，统一优化配置全市水资源，实现全市涉水事务统一管理。水利部部长陈雷、天津市副市长熊建平为天津市水务局揭牌并讲话。

11日 由水利部和联合国工发组织主办的第五届“今日水电论坛”在杭州举行。

13日 水利部部长陈雷签署第37号、第38号部令，发布了《海河独流减河永定新河河口管理办法》和《黑河干流水量调度管理办法》。

16日 全国农村水电工作会议在杭州召开，陈雷部长出席并作题为“加强农村水能资源开发和管理 促进经济社会可持续发展”的讲话。全国农村水能资源调查评价成果正式发布，查明全国农村水能资源（单站装机容量在100～5万kW（含））技术可开发量为1.28亿kW，比1980年普查的0.89亿kW增加了44%。

21—22日 全国水文工作会议在沈阳召开，陈雷部长出席并作“深入贯彻落实科学发展观 全面提升水文支撑保障能力”的讲话。

6月

2日 全国首家省级水务厅——海南省水务厅在海口市举行成立揭牌仪式，水利部部长陈雷、海南省副省长陈成共同为海南省水务厅揭牌。

5日 重庆市武隆县铁矿乡鸡尾山发生严重山体滑坡事件，并形成堰塞湖。经过武警水电部队87名官兵连续24小时奋战，15时30分，4台大功率、高扬程潜水泵全部顺利排水。

8日 中国大坝协会成立大会暨第一次全国会员代表大会在京召开，钱正英同志出席会议并为协会成立揭牌，陈雷部长出席并讲话。

7月

2日 国家防总批复《辽河流域洪水调度方案》，要求内蒙古自治区、辽宁省、吉林省人民政府和水利部松辽水利委员会认真落实方案中确定的各项任务和措施，做好防御辽河洪水工作，确保防洪安全。这是国家防总首次批复关于辽河流域的洪水调度方案。

5日 广西柳江柳州站出现89.64m的洪峰水位，相应流量26700m^3/s，为1996年以来最大洪水。此次暴雨洪水共造成广西壮族自治区7个市45个县（市、区）317个乡镇203.48万人受灾，死亡3人，失踪4人，柳州市融水、融安县城部分低洼地区进水受淹，倒塌房屋3560间，农作物受灾10.09万hm^2，直接经济损失15.76亿元。

13日 水利部援藏工作会议在西藏林芝召开，陈雷部长出席并讲话，要求进一步加快西藏水利发展与改革步伐，为西藏实现跨越式发展和长治久安提供有力的水利支撑。

15日 西藏自治区迄今为止规模最大的水利枢纽工程——旁多水利枢纽工程正式开工。

22日 陈雷部长会见世界水理事会主席洛克·福勋，并签署《中华人民共和国水利部与世界水理事会合作谅解备忘录》。

8月

11日 受第200908号台风“莫拉克”影响，福建、浙江、上海、江苏、安徽、江西部分地区降大到暴雨，浙江、福建、安徽等地20余条河流发生超警以上洪水，造成浙江、福建、江西、安徽、江苏和上海等省（直辖市）133个县（市、区）934.4万人受灾，因灾死亡7人、失踪3人，倒塌房屋6743间，直接经济损失92.7亿元。

12日 水利部与河南省签署《加快河南水利发展与改革，推进粮食生产核心区建设合作备忘录》和《共建华北水利水电学院协议》。

15日 太湖水位涨至4.21m，超过警戒水位0.71m，为1999年以来最高水位，国家防总紧急召开防汛会商会议，针对太湖的汛情，启动国家防总防汛Ⅲ级应急响应。

21日 武警总部召开武警水电、交通部队纳入国家应急救援力量体系工作部署会议，陈雷部长出席并讲话。

9月

6日 江西省历史上规模最大的水利枢纽工程——峡江水利枢纽工程举行奠基典礼，水利部部长陈雷致辞、江西省委书记苏荣宣布工程奠基。

13日 中国建筑业协会、中国水利工程协会联合10家行业建设协会评选出新中国成立60周年百项经典暨精品工程，长江三峡水利枢纽工程、黄河小浪底水利枢纽工程、密云水库、淮河入海水道工程、东深供水改造工程和引滦入津工程荣获新中国成立60周年经典工程。

15日 国家防总启动枯水期珠江水量调度工作，实施集中补水压咸，保障澳门、珠海等珠江三角洲地区的供水安全。

19日 水利部与黑龙江省在京签署《加快千亿斤粮食产能工程建设、推进黑龙江省水利发展与改革合作备忘录》。

26日 陈雷部长在京会见来访的印度尼西亚共和国公共工程部部长迪尤科·科尔曼托一行，双方签署了《中华人民共和国水利部与印度尼西亚共和国公共工程部在水资源领域合作谅解备忘录》。

29日 水利部召开庆祝新中国成立60周年大会，全面总结60年来水利事业所取得的辉煌成就和宝贵经验，表彰奉献水利60年的老同志和作出突出贡献的先进个人。全国政协原副主席、水利部原部长钱正英，全国人大财经委副主任委员、水利部原部长汪恕诚，水利部原部长杨振怀出席会议。水利部党组书记、部长陈雷发表重要讲话，全面总结新中国成立以来水利事业发展的光辉历程和伟大成就，深刻阐述60年来水利发展与改革的宝贵经验和深刻启示，进一步明确继续推进水利发展与改革的总体目标和重点工作。水利部党组副书记、副部长鄂竟平主持会议。部党组成员、中纪委驻部纪检组组长董力宣读表彰决定。部党组成员、副部长矫勇、周英，副部长胡四一，部党组成员、副部长刘宁，部党组成员、办公厅主任陈小江，水利部老领导敬正书，翟浩辉、张印忠、屈健、王继兴、张春园、李昌凡、綦连安、周保志，水利部总工程师汪洪，水利部总规划师兼规划计划司司长周学文等出席会议。

10月

1日 经国务院批准，国家防总、水利部组织实施引黄济津济淀应急调水，从黄河流域调水到海河流域的天津市和白洋淀。这是进入新世纪以来黄河第5次向天津应急调水，第3次向白洋淀应急调水。

14—16日 世界水理事会第五次全体会员大会在马赛召开，水利部当选世界水理事会董事会成员。

16日 纪念李葆华同志诞辰100周年座谈会在京召开，全国政协原副主席钱正英出席并讲话，原国务委员、全国政协原副主席李贵鲜出席，陈雷部长出席并讲话。

19日 为应对长江中下游地区枯水局面，保障沿江及洞庭湖、鄱阳湖区域生活、生产和生态等用水需求，国家防总、水利部开始加大三峡水库泄量，首次对长江上游大型水利水电工程实施枯水期水量统一调度。

20日 第四届黄河国际论坛在河南省郑州市召开，来自61个国家和地区的1500名专家学者，围绕“生态文明与河流伦理”这一主题和相关议题广泛交流，论坛通过《第四届黄河国际论坛宣言——构建河流伦理》。

22日 武汉市水生态系统保护与修复试点通过水利部和湖北省人民政府验收，这是首个通过验收的试点城市。

28日 太湖流域水环境综合治理的骨干水利项目走马塘拓浚延伸工程开工仪式在江苏无锡举行，水利部部长陈雷出席开工仪式并讲话，江苏省委书记梁保华出席开工仪式并宣布开工。

11月

2日 第十三届世界湖泊大会在武汉召开，陈雷部长出席大会并作《实行最严格的水资源管理制度促进人与湖泊和谐发展》的主旨报告。

9—10日 国务院在河南召开全国冬春农田水利基本建设工作会议，研究部署今冬明春农田水利基本建设和农业农村工作。国务院副总理回良玉在会上强调，要把农田水利基本建设作为加强农业基础、促进经济平稳较快发展和解决民生问题的基础性工作来抓，紧紧围绕提高农业综合生产能力、防灾减灾能力和水土资源保护能力，多渠道增加投入，创新体制机制，激发农民和社会的积极性，全面掀起冬春农田水利基本建设的热潮，为保障国家粮食安全、防洪安全、饮水安全和生态安全提供有力支撑。

13日 首届中国水文化论坛在山东省济南市召开，陈雷部长出席论坛并作重要讲话。

18日 国务院批复《全国蓄滞洪区建设与管理规划》，明确要求用10年左右的时间，基本完成使用频繁、洪水风险较高、防洪作用突出的蓄滞洪区建设任务。

18日 第四届中国水博览会暨“辉煌历程——中国水利60年”成就展在京开幕。

19日 以“中国水资源可持续利用”为主题的第四届中国（国际）水务高峰论坛在北京开幕。

30日 贵州省最大的水利枢纽工程——黔中水利枢纽工程正式开工，水利部部长陈雷出席开工典礼并讲话，贵州省省长林树森讲话并宣布工程开工。

12月

2日 中国工程院正式公布2009年新当选院士名单，南京水利科学研究院张建云教授当选为中国工程院院士。

11日 水利部与湖北省人民政府在京签订共建三峡大学协议。

16日 第六届全国水利行业技能人才评选表彰活动颁奖大会在京举行，对全国水利技能大奖获得者、全国水利技术能手和全国水利行业人才培育突出贡献奖获奖单位进行表彰。

21日 水利部部长陈雷与法国生态、能源、可持续发展和海洋部国务秘书比斯罗在人民大会堂共同签署了《中华人民共和国水利部与法兰西共和国生态、能源、可持续发展和海洋部关于水资源领域的合作协议》。

24日 国家发改委、水利部在北京召开全国水资源综合规划编制工作领导小组会议，《全国水资源综合规划》通过八部委领导小组审议。

名　　录

Directory

名　录　　493～502 页

水利机关、事业单位通讯录

表 1

水利部部领导	办公室电话
陈　雷	010-63204981
鄂竟平	010-63203072
董　力	010-63202126
矫　勇	010-63202874
周　英	010-63202873
胡四一	010-63202395
刘　宁	010-63202986
陈小江	010-63202926

表 2

总工程师	办公室电话
汪　洪	010-63203608
总规划师	办公室电话
周学文	010-63202652
副总工程师	办公室电话
庞进武	010-63202768

表 3

单　位	办公室电话	单　位	办公室电话
办 公 厅			
综合处	010-63202622	宣传信息处	010-63202811
部长办公室	010-63202655	信访处	010-63202670
秘书处	010-63202634	档案处	010-63202611
规划计划司			
综合与统计处	010-63202107	计划一处	010-63202968
规划一处	010-63202746	计划二处	010-63202766
规划二处	010-63202782	司　秘	010-63202786
政策法规司			
法规处	010-63202931	水政监察处	010-63202919
政策处	010-63202916	司　秘	010-63202891
规章处	010-63204778		
水资源司（全国节约用水办公室）			
水资源规划处	010-63202908	节水处	010-63202913
水资源管理处	010-63202987	城市水务处	010-63202614
水资源保护处	010-63202930	司　秘	010-63202901
财 务 司			
价格处	010-63202796	基建财务处	010-63202990
资产管理处	010-63202680	机关财务资产处	010-63202804
资金预算处	010-63202800	司　秘	010-63202756
财务处	010-63202999		

续表

单　位	办公室电话	单　位	办公室电话
人 事 司			
综合与劳资处	010-63202739	机构编制处	010-63202728
公务员处	010-63202730	人才与培训处	010-63202734
干部处（干部监督处）	010-63202750	司　秘	010-63202722
国际合作与科技司			
综合与质量监督处	010-63202699	国际合作二处	010-63202706
国际合作一处	010-63202708	国际河流处	010-63202701
科技处	010-63202828	司　秘	010-63202825
建设与管理司			
综合处	010-63202682	市场监管处	010-63202716
河湖管理处	010-63202808	基本建设处	010-63202712
水库管理处	010-63202689	司　秘	010-63202686
水土保持司			
监测协调处	010-63202848	监督管理处	010-63203075
生态建设处	010-63202843	司　秘	010-63202839
农村水利司			
农田水利处	010-63202877	供水排水处	010-63202838
灌溉节水处	010-63202838	司　秘	010-63202869
安全监督司			
安全生产处	010-63202737	稽察处	010-63202832
综合处	010-63203205	司秘	010-63202225
国家防汛抗旱总指挥部办公室			
综合处	010-63202487	抗旱一处	010-63202293
防汛一处	010-63202486	抗旱二处	010-63202369
防汛二处	010-63202541	减灾处	010-63202623
防汛三处	010-63202489	技术信息处	010-63204777
防汛四处	010-63202509	司秘	010-63202492
直属机关党委			
办公室	010-63202895	直属机关团委	010-63202480
组织处	010-63202903	直属机关妇委会	010-63202067
宣传处	010-63202905	部审计室	010-63202816
直属机关工会	010-63202104		

续表

单　位	办公室电话	单　位	办公室电话
中央纪委监察部驻部纪检组监察局			
纪检监察综合室	010-63202310	纪检监察二室	010-63202854
纪检监察一室	010-63202857		
离退休干部局			
综合处	010-63202152	老部长秘书处	010-63202134
党委办公室	010-63202081	医疗保健处	010-63202159
财务处	010-63202177	秘　书	010-63202139
行政福利处	010-63202146		
农村水电及电气化发展局			
综合处	010-63202888	小水电代燃料处	010-63202948
水能资源处	010-63202947	农村电气化处	010-63202944
农村水电处	010-63202595	司秘	010-63202887

表 4

单　位	地　址	邮 编	电　话
综合事业局	北京市宣武区南线阁 10 号基业大厦	100053	010-63204497
水文局（水利信息中心）	北京市宣武区白广路二条 2 号	100053	010-63202423
水库移民开发局	北京市宣武区南线阁 10 号基业大厦	100053	010-63203346
南水北调规划设计管理局	北京市海淀区玉渊潭南路 1 号 D 座	100038	010-68781209
水利部机关服务局	北京市宣武区白广路二条 2 号	100053	010-63202077
水利水电规划设计总院	北京市西城区六铺炕北小街 2-1 号	100120	010-62387584
中国水利水电科学研究院	北京市海淀区玉渊潭南路 1 号	100038	010-68785301
中国水利报社	北京市海淀区玉渊潭南路 3 号	100038	010-63205208
中国水利水电出版社	北京市海淀区玉渊潭南路 1 号 D 座	100038	010-68545907
发展研究中心	北京市海淀区玉渊潭南路 3 号	100038	010-63205081
中国灌溉排水发展中心	北京市宣武区广安门南街 60 号院	100054	010-63203366
预算执行中心	北京市宣武区白广路二条 2 号	100053	010－63202359
中国水利学会	北京市宣武区白广路二条 2 号	100053	010-63202163
中国水利经济研究会	北京市宣武区白广路二条 2 号	100053	010-63202133
中国水利企业协会	北京市宣武区南线阁 10 号	100053	010-63202174
中国水利职工思想政治工作研究会	北京市宣武区白广路二条 2 号	100053	010-63204547
中国水利工程协会	北京市宣武区南滨河路 27 号贵都国际中心 B 座 1116 室	100055	010-63462133

表 5

单　　位	地　　　址	邮编	区号	总机	微波	电　话	传　真
长江水利委员会	湖北省武汉市解放大道 1863 号	430010	027	82828114	9131	82828245	82828300
黄河水利委员会	河南省郑州市金水路 11 号	450003	0371	66026111	9121	66022160	66023342
淮河水利委员会	安徽省蚌埠市东海大道 3055 号	233001	0552	3092114	9141	3093719	3093708
海河水利委员会	天津市河东区龙潭路 15 号	300170	022	24103114	9161	24102327	24102329
珠江水利委员会	广东省广州市天河区天寿路 80 号	510611	020	87117114	7009	87117780	38490438
松辽水利委员会	吉林省长春市解放大路 4188 号	130021	0431	5607114	9151	85607064	85653007
太湖流域管理局	上海市虹口区纪念路 480 号	200434	021	35054999	179210	65425171	65172349
南京水利科学研究院	江苏省南京市广州路 223 号	210029	025			85828113	85828888
国际小水电中心	浙江省杭州市南山路 136 号	310002	0571	87079113		87079113	87023353
小浪底水利枢纽建设管理局	河南省郑州市紫荆山路 68 号	450000	0371			65362118	65362129
北京市水务局	北京市海淀区玉渊潭南路 5 号	100038	010	68556688		68556606	68556648
天津市水利局	天津市河西区围堤道 210 号	300074	022			23333606	23333605
河北省水利厅	河北省石家庄市裕华区富强大街 3 号	050011	0311			86045596	86060478
山西省水利厅	山西省太原市新建路 45 号	030002	0351			4666309	2028223
内蒙古自治区水利厅	内蒙古自治区呼和浩特市呼伦贝尔南路 119 号	010020	0471			5259680	5259605
辽宁省水利厅	辽宁省沈阳市和平区十四纬路 5 号	110003	024			23863046	23862421
吉林省水利厅	吉林省长春市卫星路 3726 号	130033	0431			84994025	84994099
黑龙江省水利厅	黑龙江省哈尔滨市南岗区文中街 4 号	150001	0451			82622902	82640251
上海市水务局	上海市江苏路 389 号	200050	021	23111111		52398596	52398622
江苏省水利厅	江苏省南京市上海路 5 号水利大厦	210029	025	86338888		86338030	86616315
浙江省水利厅	浙江省杭州市梅花碑 7 号	310009	0571			87806153	87808508
安徽省水利厅	安徽省合肥市九华山路 48 号	230022	0551	2128114		2128008	4651790
福建省水利厅	福建省福州市鼓楼区东大路 229 号	350001	0591			87552325	87521455
江西省水利厅	江西省南昌市中山西路 68 号	330009	0791			8825678	8825677
山东省水利厅	山东省济南市历山路 127 号	250013	0531			86974222	86974007

续表

单 位	地 址	邮编	区号	总 机	微波	电 话	传 真
河南省水利厅	河南省郑州市纬五路10号	450003	0371			65571001	65951296
湖北省水利厅	湖北省武汉市武昌中南路17号	430071	027	87221114		87221618	87221626
湖南省水利厅	湖南省长沙市韶山北路370号	410007	0731			85483197	85551084
广东省水利厅	广东省广州市天寿路116号广东水利大厦	510835	020	81815362		38356290	38356001
广西壮族自治区水利厅	广西壮族自治区南宁市建政北路12号	530023	0771			5621596	5622454
海南省水务厅	海南省海口市海府路72号	570203	0898			65333082	65342321
重庆市水利局	重庆市渝北区龙溪街道新南路3号	401147	023			89079000	89079350
四川省水利厅	四川省成都市文武路69号	610017	028			86933694	86943009
贵州省水利厅	贵州省贵阳市西湖巷29号	550001	0851	5928985		5936302	5933280
云南省水利厅	云南省昆明市五华山光复楼	650021	0871			3631975	3621771
西藏自治区水利厅	西藏自治区拉萨市色拉路78号	850000	0891			6372247	6376319
陕西省水利厅	陕西省西安市尚德路150号	710004	029			87463020	87424604
甘肃省水利厅	甘肃省兰州市城关区广场南路13号	730000	0931			8824221	8823653
青海省水利厅	青海省西宁市昆仑路18号	810001	0971			6161004	6161005
宁夏回族自治区水利厅	宁夏回族自治区银川市解放西街426号	750001	0951			5045503	5043009
新疆维吾尔自治区水利厅	新疆维吾尔自治区乌鲁木齐市黑龙江路19号	830000	0991			5851639	5853903
大连市水务局	辽宁省大连市中山区丹东街135号	116001	0411	83981666-6110		82712518	82712628
宁波市水利局	浙江省宁波市卖鱼路64号	315016	0574			87362041	87285586
厦门市水利局	福建省厦门市湖里区枋钟路216号	361009	0592			5766816	5766818
青岛市水利局	山东省青岛市香港中路17号	266071	0532			85916197	85916100
深圳市水务局	广东省深圳市福田区莲花路1098号水源大厦	518036	0755	83072888		83072888	83072266
新疆生产建设兵团水利局	新疆维吾尔自治区乌鲁木齐市光明路196号	830002	0991			2890210	2890884

国内外水事网站摘录

网站名称	网址	中文名称、简介
Ministry of Water Resources, People's Republic of China	www. mwr. gov. cn	中华人民共和国水利部
	www. chinawater. com. cn	中国水利网
	www. watersite. com. cn	中国水势
China Institute of Water Resources and Hydropower Research	www. iwhr. com	中国水利水电科学研究院，面向全国的公益性和应用技术科研机构
Nanjing Hydraulic Research Institute	www. nhri. cn	南京水利科学研究院，全国性的水利、水电、水运技术综合科研机构
Changjiang River Scientific Research Institute	www. crsri. cn	长江科学院，中国以开发、治理长江水资源为主的综合性科研机构
Yellow River Research Institute of Water Resources	www. yrihr. com. cn	黄河水利科学研究院，中国以研究河流泥沙为中心的多学科、综合性水利科研机构
Changjiang River Basin	www. cjw. gov. cn	水利部长江水利委员会，长江水利网
Yellow River Basin	www. yellowriver. gov. cn	水利部黄河水利委员会，黄河网
Huaihe River Basin	www. hrc. gov. cn	水利部淮河水利委员会
Haihe River Basin	www. hwcc. com. cn	水利部海河水利委员会（水信息网）
Song-Liao River Basin	www. slwr. gov. cn	水利部松辽水利委员会
Pearl River Basin	www. pearlwater. gov. cn	水利部珠江水利委员会，珠江水利网
Tai Lake Basin	www. tba. gov. cn	水利部太湖流域管理局，太湖网
	www. jieshui. gov. cn	全国节水网
	www. wsagri. gov. cn	中国节水农业网
	www. hydroinfo. gov. cn	中国水文信息网
	www. eco. gov. cn	生态中国网
	www. chinawater. net. cn	中国水利科技网
	www. china5e. com	中国能源网，涵盖能源领域各方面信息的综合网站，积极倡导新能源、新技术的推广，推动中国经济、社会可持续发展
American Institute of Hydrology (AIH)	http: //aihydrology. org	美国水文研究所
American Society of Civil Engi-neers (ASCE)	www. asce. org	美国土木工程师学会
American Water Resources Association	www. awra. org	美国水资源协会
American Water Works Association	www. awwa. org	美国水工协会
Association of Water Technologies	www. awt. org	水技术协会
Australian Water Association (AWA)	www. awa. asn. au	澳大利亚水协会

续表

网站名称	网址	中文名称、简介
British Hydrological Society (BHS)	www. hydrology. org. uk	英国水文协会
Canadian Water Resources Association (CWRA)	www. cwra. org	加拿大水资源协会
Center for Water Research	www. cwr. uwa. edu. au	澳大利亚水研究中心
Global Rivers Environment Education Network (GREEN)	www. green. org	全球河流环境教育网
Global Water	www. globalwater. org	全球之水，全球性非营利慈善机构
Global Water Partnership	www. gwp. org	全球水伙伴，联合国支持下的国际民间组织，旨在促进水资源的综合管理，实现水资源的可持续利用
GWP China	www. gwpchina. org	GWP中国，全球水伙伴（中国），为地区级水伙伴组织
Institute of Water Research	www. iwr. msu. edu	密歇根州立大学水研究所，负责地表水、地下水水质与水量方面的研究与教学项目
International Association for Environmental Hydrology (IAEH)	www. hydroweb. com	国际环境水文学协会
International Association of Hydraulic Engineering and Research	www. iahr. net	国际水力学研究协会，从事水力学工程、研究人员及其有关的专家、学者组成的国际民间学术组织
International Association of Hydrogeologists (IAH)	www. iah. org	国际水文地质学家协会
International Commission on Irrigation and Drainage (ICID)	www. icid. org	国际灌溉排水委员会，国际民间学术性组织，旨在通过改善水、土、环境、灌溉、排洪、抗旱等管理，提高全球粮食产量
International Hydrological Programme (IHP)	www. unesco. org/water/ihp	国际水文项目，联合国教科文组织水资源领域的政府间科技合作项目
International Hydropower Association	www. hydropower. org	国际水力发电协会
Institute for Sustainable Water Resources	http: //iswr. eng. monash. edu. au	可持续水资源研究所，可持续水资源管理方面的科研、教学和硕士培养点；重点研究城市的可持续发展
FAO Water	www. fao. org/nr/water	联合国粮农组织农业用水管理机构，旨在提高用水效率、生产率及可持续利用
International Soil Conservation Organization (ISCO)	www. tucson. ars. ag. gov/isco/	国际土壤保护组织，旨在提倡水土资源的可持续高效利用
International Water History Association	http: //www. iwha. ewu. edu	国际水利史协会，旨在鼓励和推动从历史的角度来理解和研究水与人类的关系

续表

网站名称	网址	中文名称、简介
International Water Management Institute	www. iwmi. cgiar. org	国际水资源管理研究所，重点研究农业水资源利用和发展中国家的水资源需求问题
Ministry of Water Resources，Government of India	www. wrmin. nic. in	印度水资源部
Environment Canada National Water Research Institute	www. ec. gc. ca/inre－nwri	加拿大环境部水研究所，加拿大最大的淡水研究机构，致力于水资源可持续利用及水生态科学研究
U. S. Environmental Protection Agency Office of Water	www. epa. gov/ow	美国环保署水办公室，提供水质、管理、河口、志愿者监督、饮用水和地下水、湿地、流域等方面的信息
Stockholm International Water Institute（SIWI）	www. siwi. org	斯德哥尔摩国际水研究所，政策性智囊团，为国际社会解决日益严重的水危机提供咨询
Sydney Water	www. sydneywater. com. au	悉尼水网站
The World's Water	www. worldwater. org	世界之水，专门向从事全球淡水问题研究的组织、机构和个人提供与水有关的最新信息、数据和网站资料
U. S. Water News	www. uswaternews. com	美国水通讯，提供最新的水资源、污水处理及相关技术和产品信息
UNESCO-IHE Institute for Water Education	www. unesco-ihe. org	联合国教科文组织水教育机构
World Water Assessment Program	www. unesco. org/water/wwap	联合国教科文组织水质评定计划
Universities Council on Water Resources	www. ucowr. siu. edu	大学水资源理事会，在水资源教育研究及公共服务方面处于领先地位的大学和机构
Urban Water Institute	www. urbanwater. com	城市水研究所，1993年成立于美国加州的非盈利性公共教育组织，提供水经济学、水管理和资源政策有关的信息
Water Education Foundation	www. water-ed. org	水教育基金会，提供水资源信息及研究资助
Water Environment Federation	www. wef. org	水环境联合会，国际性水环境教育与技术组织
Water Environment Research Foundation	www. werf. org	水环境研究基金会，提供资金，提供水质改善、污水处理及雨洪利用的独立科学研究
Water Infrastructure Network	www. win-water. org	水基础设施网，由官员、相关专业的学者、专家及服务提供商组成的联盟
Water Online	www. wateronline. com	水在线
Water Quality Association	www. wqa. org	水质协会，设计制定水质安全标准

续表

网站名称	网址	中文名称、简介
Water Recycling	www. waterrecycling. com	水回收，污水、雨水处理再利用
Water Resources Consulting Services	www. waterengr. com/wrcs	水资源咨询公司，提供地表水资源、水文学、水力学及相关法律诉讼的咨询服务
Water Science for Schools	http：//ga. water. usgs. gov/edu	校园水科学，为孩子们提供有关水的多方面信息、图片和数据
Water Technology Online	www. watertechonline. com	水技术在线
Water UK	www. water. org. uk	英国水网站
WL Delft Hydraulics	www. wldelft. nl	荷兰王国的水利科学研究和开发咨询机构
World Association of Soil and Water Conservation	http：//waswc. ait. ac. th	世界水土保持协会
The World's Water	www. worldwater. org	世界之水，旨在向个人、团体和公共机构提供全球淡水资源方面的信息和资料，以帮助保护淡水资源和解决相关问题
World Water Council	www. worldwatercouncil. org	世界水理事会，向世界各国提供有关水问题论坛场所的全球性组织
World Water Wars	www. worldwaterwars. com	世界水战争，饮用水及农田灌溉用水极度缺乏；保护水这一生命要素不被滥用和不当使用
World Wide Water	www. world-wide-water. com	全球水网站，主要从事水及污水处理、尤其是脱盐处理方面的咨询服务
GEMS-Water Global Environment Monitoring System	www. gemswater. org	全球环境监测系统之水环境监测

附　　录

Appendices

附　录　　503～526 页

2009年中国水资源公报（摘录）

中华人民共和国水利部

2009年，我国气候异常，一些地区降雨之多、台风之强、旱情之重为历史罕见。旱情来得早，去得晚，范围广，影响大，特别是冬麦主产区年初的冬春连旱，东北西部、华北北部和西北东部的夏伏旱，江南大部、华南大部和西南局部的秋冬连旱，对农业生产带来严重影响。全年有9个台风在我国沿海登陆，发生强风、暴雨、高潮同时出现的最不利形势。受多次大范围、高强度降雨过程影响，全国有210多条河流相继发生超警戒水位以上洪水。在党中央、国务院的正确领导下，水利部门坚持以人为本，超前部署，科学决策，精心调度，各级地方党委、政府全力以赴，广大军民奋力抗灾救灾，最大程度地减轻了洪涝干旱台风灾害损失。

一、水资源量

降水量　2009年，全国平均年降水量591.1mm，折合降水总量为55965.5亿m^3，比常年值偏少8.0%，比2008年减少10.0%。从水资源分区看，松花江、辽河、海河、黄河、淮河、西北诸河6个水资源一级区（以下简称北方6区）面平均降水量为315.7mm，比常年值偏少3.8%，比2008年减少2.3%；长江（含太湖）、珠江、东南诸河、西南诸河4个水资源一级区（以下简称南方4区）面平均降水量为1079.7mm，比常年值偏少10.0%，比2008年减少13.5%。10个水资源一级区中，除松花江区降水量比常年值偏多6.7%外，其他水资源一级区均不同程度比常年值偏少，其中辽河区和珠江区分别比常年值偏少23.3%和12.6%。与2008年比较，只有松花江区和黄河区的降水量分别增加15.6%和1.5%，其余8个区的降水量有不同程度的减少，其中珠江区和辽河区分别减少25.1%和17.2%。

地表水资源量　2009年全国地表水资源量23125.2亿m^3，折合年径流深244.2mm，比常年值偏少13.4%，比2008年减少12.3%。从水资源分区看，北方6区地表水资源量比常年值偏少13.1%，比2008年增加3.7%；南方4区比常年值偏少13.5%，比2008年减少14.9%。在10个水资源一级区中，所有水资源一级区地表水资源量均比常年值偏少，其中辽河区和海河区分别偏少49.7%和46.5%。与2008年比较，松花江区和黄河区地表水资源量增加，其余8个水资源一级区减少，其中松花江区增加62.0%，辽河区减少32.7%。从行政分区看，东部地区地表水资源量为4513.0亿m^3，折合年径流深423.5mm，比常年值偏少13.0%；中部地区地表水资源量为5373.2亿m^3，折合年径流深322.1mm，比常年值偏少14.8%；西部地区地表水资源量为13239.0亿m^3，折合年径流深196.6mm，比常年值偏少13.0%。2009年，从国境外流入我国境内的水量为154.9亿m^3，从我国流出国境的水量为5193.3亿m^3，从我国流入国际边界河流的水量为1090.7亿m^3。全国入海水量为13960.9亿m^3。

地下水资源量　2009年，全国矿化度不大于2g/L的浅层地下水计算面积为854万km^2，地下水资源量为7267.0亿m^3，比1980—2000年平均值偏少9.9%。其中，平原区地下水资源量为1688.2亿m^3，山丘区地下水资源量为5863.9亿m^3，平原区与山丘区之间的地下水资源重复计算量为285.1亿m^3。2009年北方6区平原地下水总补给量为1423.4亿m^3，是我国北方地区的重要供水水源。在北方6区平原地下水总补给量中，降水入渗补给量、地表水体入渗补给量、山前侧渗补给量和井灌回归补给量分别占51.5%、35.4%、8.0%和5.1%。

水资源总量　2009年全国水资源总量为24180.2亿m^3，比常年值偏少12.7%。地下水与地表水资源不重复量为1055.0亿m^3，占地下水资源量的14.5%。全国水资源总量占降水总量的43.2%，平均单位面积产水量为25.5万m^3/km^2。北方6区水资源总量4711.2亿m^3，比常年值偏少10.4%，占全国的19.5%；南方4区水资源总量为19469.0亿m^3，比常年值偏少13.3%，占全国的80.5%。2009年各省级行政区水资源总量见表1。

表1　2009年各省级行政区水资源量　单位：亿m^3

省级行政区	降水总量	地表水资源量	地下水资源量	地下水与地表水资源不重复量	水资源总量
全国	**55965.5**	**23125.2**	**7267.0**	**1055.0**	**24180.2**
北京	73.6	6.8	17.8	15.1	21.8
天津	72.0	10.6	5.6	4.7	15.2
河北	868.4	47.5	122.7	93.6	141.2
山西	779.4	47.7	76.1	38.1	85.8
内蒙古	2679.0	263.4	214.4	114.8	378.1
辽宁	800.7	138.0	87.6	33.0	171.0

续表

省级行政区	降水总量	地表水资源量	地下水资源量	地下水与地表水资源不重复量	水资源总量
吉林	1038.9	252.8	97.3	45.2	298.0
黑龙江	2843.2	845.6	313.4	144.0	989.6
上海	83.9	34.6	9.9	7.0	41.6
江苏	1051.7	306.0	110.8	94.3	400.3
浙江	1655.0	917.4	208.0	13.9	931.3
安徽	1665.4	685.9	185.4	47.2	733.1
福建	1777.7	799.6	244.7	1.2	800.8
江西	2323.9	1144.7	312.9	22.2	1166.9
山东	1079.9	173.8	180.7	111.2	285.0
河南	1247.9	208.3	188.1	120.5	328.8
湖北	1982.2	794.4	263.4	30.8	825.3
湖南	2654.5	1393.8	351.7	6.7	1400.5
广东	2803.3	1604.1	407.6	9.6	1613.7
广西	3061.7	1484.3	256.8	0.0	1484.3
海南	777.0	474.6	106.3	6.0	480.7
重庆	848.4	455.9	81.9	0.0	455.9
四川	4363.3	2330.6	580.0	1.6	2332.2
贵州	1673.4	910.0	249.0	0.0	910.0
云南	3691.2	1576.6	582.6	0.0	1576.6
西藏	6426.1	4029.2	871.5	0.0	4029.2
陕西	1443.6	393.7	132.4	22.8	416.5
甘肃	1040.3	201.8	123.6	7.2	209.0
青海	2669.3	873.9	392.3	21.1	895.1
宁夏	121.8	6.0	22.1	2.4	8.4
新疆	2369.0	713.7	470.5	40.6	754.3

二、蓄水动态

大中型水库蓄水动态 2009年对全国515座大型水库和3006座中型水库进行统计，水库年末蓄水总量为2815.5亿m^3，比年初蓄水总量减少346.2亿m^3。其中，大型水库年末蓄水量为2532.7亿m^3，比年初减少287.1亿m^3；中型水库年末蓄水量为282.8亿m^3，比年初减少59.1亿m^3。

在各水资源一级区中，珠江区和长江区水库年末蓄水量减少较多，分别减少198.8亿m^3和160.7亿m^3，黄河区则增加49.2亿m^3。北方6区水库年末蓄水量比年初共增加6.5亿m^3，南方4区水库年末蓄水量比年初共减少352.7亿m^3。各省级行政区水库年末蓄水量与年初比较，青海、黑龙江、浙江、海南等9个省（自治区、直辖市）水库蓄水量增加，共增加蓄水量91.0亿m^3，贵州、广西、湖北、湖南、广东等19个省（自治区、直辖市）水库蓄水量减少，共减少蓄水量437.2亿m^3，内蒙古、西藏2个自治区水库蓄水量变化不大。

北方平原区浅层地下水动态 2009年，北方17个省级行政区对77万km^2平原地下水开采区进行了统计分析，年末浅层地下水储存量比年初减少16.6亿m^3。按省级行政区统计，地下水储存量增加的仅有6个省级行政区，其中黑龙江和安徽增加较多，分别增加23.0亿m^3和4.6亿m^3；储存量减少的有11个省级行政区，其中河北减少最多，为11.2亿m^3，甘肃、新疆、北京、辽宁、内蒙古、吉林减少幅度在

3 亿～7 亿 m^3 之间。按水资源一级区统计，6 个水资源一级区中，松花江区、淮河区和黄河区地下水储存量增加，分别增加 17.9 亿 m^3、4.3 亿 m^3 和 1.1 亿 m^3；海河区、辽河区、西北诸河区有不同程度的减少，分别减少 19.6 亿 m^3、14.8 亿 m^3 和 5.5 亿 m^3。

平原区地下水位降落漏斗　2009 年，21 个省级行政区对地下水位降落漏斗（以下简称漏斗）进行了不完全调查，共统计漏斗 78 个，漏斗年末总面积 6.4 万 km^2。在 41 个浅层（潜水）漏斗中，年末漏斗面积大于 500km^2 的有 12 个，年末漏斗中心水位埋深大于 20m 的有 23 个。2009 年末与年初相比，浅层漏斗面积扩大的有 20 个，中心水位下降的也有 16 个；深层漏斗面积扩大的有 14 个，中心水头下降的有 12 个。

三、水资源开发利用

供水量　2009 年全国总供水量 5965.2 亿 m^3，占当年水资源总量的 24.7%。其中，地表水源供水量 4839.5 亿 m^3，占总供水量的 81.1%；地下水源供水量 1094.5 亿 m^3，占总供水量的 18.4%；其他水源供水量 31.2 亿 m^3，占总供水量的 0.5%。与 2008 年相比，全国总供水量增加 55.3 亿 m^3，其中地表水源供水量增加 43.1 亿 m^3，地下水源供水量增加 9.7 亿 m^3，其他水源供水量增加 2.5 亿 m^3。在地表水源供水量中，蓄水工程供水量占 32.4%，引水工程供水量占 36.0%，提水工程供水量占 28.7%，水资源一级区间调水量占 2.9%。在地下水供水量中，浅层地下水占 80.9%，深层承压水占 18.7%，微咸水占 0.4%。在其他水源供水量中，污水处理回用量 24.0 亿 m^3，集雨工程水量 6.9 亿 m^3，海水淡化水量 0.3 亿 m^3。

2009 年全国海水直接利用量 488.8 亿 m^3，主要作为火（核）电的冷却用水。各水资源分区中，南方 4 区供水量 3289.8 亿 m^3，占全国总供水量的 55.1%；北方 6 区供水量 2675.4 亿 m^3，占全国总供水量的 44.9%。南方 4 区均以地表水源供水为主，其供水量占总供水量的 95%左右；北方 6 区供水组成差异较大，除西北诸河区地下水供水量只占总供水量的 18.7%外，其余 5 区地下水供水量均占有较大比例，其中海河区和辽河区的地下水供水量分别占总供水量的 63.8%和 54.7%。各省级行政区中，南方省份地表水供水量占其总供水量比重均在 90%以上，而北方省份地下水供水量则占有相当大的比例，其中河北、北京、山西、河南 4 个省（直辖市）地下水供水量占总供水量的一半以上。2009 年各省级行政区的供、用水量见表 2。

表 2　2009 年各省级行政区供水量和用水量　单位：亿 m^3

省级行政区	供水量				用水量				
	地表水	地下水	其他	总供水量	生活	工业	农业	生态环境	总用水量
全　国	**4839.5**	**1094.5**	**31.2**	**5965.2**	**748.2**	**1390.9**	**3723.1**	**103.0**	**5965.2**
北　京	7.2	21.8	6.5	35.5	15.3	5.2	11.4	3.6	35.5
天　津	17.2	6.0	0.1	23.4	5.1	4.4	12.8	1.1	23.4
河　北	37.5	154.6	1.6	193.7	23.4	23.7	143.9	2.7	193.7
山　西	23.3	32.9	0.0	56.3	10.0	10.5	34.4	1.3	56.3
内蒙古	93.5	87.5	0.3	181.3	14.1	20.9	138.7	7.6	181.3
辽　宁	71.6	67.4	3.8	142.8	24.4	23.9	91.1	3.3	142.8
吉　林	68.6	42.5	0.0	111.1	14.1	23.6	71.2	2.3	111.1
黑龙江	180.2	136.0	0.0	316.3	18.8	55.7	237.4	4.4	316.3
上　海	124.9	0.3	0.0	125.2	23.1	84.2	16.8	1.2	125.2
江　苏	540.4	8.8	0.0	549.2	51.4	194.5	300.1	3.2	549.2
浙　江	192.3	5.0	0.5	197.8	37.6	55.3	97.3	7.5	197.8
安　徽	265.3	26.1	0.5	291.9	29.0	93.7	167.2	2.0	291.9
福　建	196.4	4.8	0.3	201.4	22.1	77.2	100.8	1.3	201.4
江　西	230.9	10.4	0.0	241.3	26.1	53.2	157.2	4.8	241.3
山　东	119.6	97.0	3.3	220.0	34.9	24.7	156.4	3.9	220.0
河　南	94.3	139.0	0.4	233.7	35.8	53.5	138.1	6.3	233.7
湖　北	271.5	8.8	1.1	281.4	30.9	100.8	149.4	0.2	281.4

续表

省级行政区	供水量				用水量				
	地表水	地下水	其他	总供水量	生活	工业	农业	生态环境	总用水量
湖　南	301.8	20.6	0.0	322.3	46.1	83.5	189.3	3.5	322.3
广　东	440.8	21.0	1.6	463.4	90.4	136.2	228.7	8.1	463.4
广　西	289.0	11.6	2.7	303.4	48.4	54.0	195.3	5.7	303.4
海　南	41.0	3.5	0.0	44.5	6.4	3.9	34.0	0.1	44.5
重　庆	83.5	1.8	0.1	85.3	18.2	47.6	19.0	0.5	85.3
四　川	204.6	16.4	2.4	223.5	36.3	61.6	123.6	2.0	223.5
贵　州	93.2	7.0	0.2	100.4	14.9	34.1	50.8	0.6	100.4
云　南	145.7	4.3	2.6	152.6	23.6	22.4	103.5	3.2	152.6
西　藏	28.3	2.6	0.0	30.9	2.0	1.4	27.4	0.0	30.9
陕　西	50.9	33.1	0.4	84.3	14.8	11.4	57.2	0.9	84.3
甘　肃	94.7	24.0	1.9	120.6	10.8	13.1	93.8	3.0	120.6
青　海	23.9	4.7	0.1	28.8	3.4	3.0	21.6	0.8	28.8
宁　夏	67.0	5.2	0.0	72.2	1.7	3.7	65.3	1.6	72.2
新　疆	440.2	90.0	0.7	530.9	14.9	10.1	489.4	16.5	530.9

用水量　2009年全国总用水量5965.2亿m^3。生活用水748.2亿m^3，占总用水量的12.6%；工业用水1390.9亿m^3，占总用水量的23.3%；农业用水3723.1亿m^3，占总用水量的62.4%；生态环境补水103.0亿m^3（不包括太湖的引江济太调水4.9亿m^3和浙江省的环境配水19.3亿m^3），占总用水量的1.7%。与2008年比较，全国总用水量增加55.3亿m^3，其中生活用水增加18.9亿m^3，工业用水减少6.2亿m^3，农业用水增加59.7亿m^3，生态环境补水减少17.2亿m^3。

总用水量增加10亿m^3以上的有安徽、黑龙江、四川、湖北和新疆，主要以农业用水增加为主。在各省级行政区中用水量大于400亿m^3的有江苏、新疆、广东3个省（自治区），用水量少于50亿m^3的有天津、青海、北京、西藏、海南5个省（自治区、直辖市）。农业用水占总用水量75%以上的有新疆、宁夏、西藏、甘肃、内蒙古、海南、青海、黑龙江8个省（自治区），工业用水占总用水量30%以上的有上海、重庆、福建、湖北、江苏、贵州、安徽7个省（直辖市），生活用水占总用水量20%以上的有北京、天津和重庆3个直辖市。

用水消耗量　2009年全国用水消耗总量3155.0亿m^3，耗水率为53%。农田灌溉耗水量2094.6亿m^3，林牧渔业灌溉/补水耗水量273.7亿m^3，工业耗水量320.5亿m^3，城镇生活耗水量132.6亿m^3，农村生活耗水量258.3亿m^3，生态环境补水耗水量75.3亿m^3。

废污水排放量　2009年全国废污水排放总量768亿t，其中大于30亿t的有江苏、浙江、安徽、福建、河南、湖北、湖南、广东、广西和四川10个省（自治区），小于10亿t的有天津、山西、内蒙古、海南、西藏、甘肃、青海、宁夏和新疆9个省（自治区、直辖市）。

用水指标　2009年，全国人均用水量为448m^3，万元国内生产总值（当年价）用水量为178m^3。农田实灌面积亩均用水量为431m^3，万元工业增加值（当年价）用水量为103m^3，城镇人均生活用水量（含公共用水）为212L/d，农村居民人均生活用水量为73L/d。与2008年相比，全国人均用水量、农田实灌面积亩均用水量、城镇及农村人均生活用水量基本持平；按可比价计算，2009年万元国内生产总值用水量和万元工业增加值用水量分别比2008年减少了7%和8%。

从水资源分区看，南方4区各项用水指标均高于北方6区，其中万元工业增加值用水量高出1.8倍，农田灌溉亩均用水量高出近40%。各水资源一级区中，人均用水量最高的是西北诸河区，最低的是海河区；万元国内生产总值用水量最高的是西北诸河区，较低的是海河区、辽河区、东南诸河区和淮河区；农田实灌面积亩均用水量最高的是珠江区，较低的是海河区和淮河区；万元工业增加值用水量较高的是西南诸河区和长江区，较低的是海河区、辽河区、淮河区和黄河区。2009年各省级行政区的用水指标值见表3。

表 3 **2009年各省级行政区主要用水指标**

省级行政区	人均国内生产总值（万元）	人均用水量（m³）	万元国内生产总值用水量（m³）	农田实际灌溉亩均用水量（m³）	人均生活用水量（L/d）		万元工业增加值用水量（m³）
					城镇生活	农村居民	
全　国	**2.519**	**448**	**178**	**431**	**212**	**73**	**103**
北　京	6.879	206	30	271	239	205	24
天　津	6.240	194	31	293	134	65	12
河　北	2.428	276	114	216	154	50	30
山　西	2.154	165	76	211	104	46	30
内蒙古	4.023	750	186	366	150	50	46
辽　宁	3.490	331	95	494	208	70	35
吉　林	2.632	406	154	389	195	46	79
黑龙江	2.167	827	382	509	143	61	163
上　海	7.823	657	84	524	368	115	157
江　苏	4.423	713	161	510	231	89	118
浙　江	4.434	384	87	394	219	149	53
安　徽	1.639	476	290	362	176	84	230
福　建	3.305	557	169	714	208	99	157
江　西	1.719	546	318	566	205	91	168
山　东	3.580	233	65	222	146	56	15
河　南	2.048	247	121	188	154	50	54
湖　北	2.245	492	219	448	215	57	199
湖　南	2.023	504	249	489	227	111	173
广　东	4.075	483	119	734	304	138	76
广　西	1.592	627	394	969	329	146	188
海　南	1.917	518	270	998	337	98	130
重　庆	2.292	299	131	239	243	69	163
四　川	1.734	274	158	367	194	49	108
贵　州	1.026	264	258	482	200	50	273
云　南	1.354	335	247	492	187	70	107
西　藏	1.530	1069	699	406	99	40	421
陕　西	2.173	224	103	312	224	48	32
甘　肃	1.285	458	362	558	179	52	110
青　海	1.945	518	266	584	184	61	63
宁　夏	2.148	1162	541	924	103	32	68
新　疆	1.993	2475	1242	693	181	66	64

注　万元国内生产总值用水量和万元工业增加值用水量指标按当年价格计算。

四、水体水质

河流水质　2009年，对全国16.1万km的河流水质状况进行了评价。全国全年Ⅰ类水河长占评价河长的4.6%，Ⅱ类水河长占31.1%，Ⅲ类水河长占23.2%，Ⅳ类水河长占14.4%，Ⅴ类水河长占7.4%，劣Ⅴ类水河长占19.3%。全国全年Ⅰ～Ⅲ类水河长比例为58.9%，与2008年基本持平。全国10个水资源一级区Ⅰ～Ⅲ类水河长比例由高至低排序，依次为：西南诸河区95.3%、西北诸河区94.7%、东南诸河区68.5%、珠江区67.8%、长江区63.7%、黄河区44.0%、辽河区42.6%、淮河区38.9%、松花江区36.3%、海河区35.3%。与2008年相比，黄河区、东南诸河区Ⅰ～Ⅲ类水河长比例略有上升，松花江区、长江区有所下降，其他水资源一级区Ⅰ～Ⅲ类水河长比例变化不大。

湖泊水质　2009年，对全国有水质监测资料的71个湖泊的2.7万km^2水面进行了水质评价。全年水质为Ⅰ类的水面占评价水面面积的0.8%、Ⅱ类占38.0%、Ⅲ类占19.6%、Ⅳ类占14.8%、Ⅴ类占12.8%、劣Ⅴ类占14.0%。对上述湖泊进行营养化状况评价结果为：贫营养湖泊有1个，中营养湖泊有24个，轻度富营养湖泊有27个，中度富营养湖泊有19个。国家重点治理的“三湖”情况如下。

太湖：若总磷、总氮不参加评价，梅梁湖、竺山湖和西部沿岸区水质为Ⅳ类，占评价水面面积的16.8%；五里湖和东太湖为Ⅲ类，占7.6%；其余湖区为Ⅱ类，占75.6%。全湖总体水质为Ⅲ类。与2008年相比，竺山湖水质好转，由劣Ⅴ类变为Ⅳ类，湖区Ⅱ类水面大幅增加。若总磷、总氮参加评价，东太湖和五里湖水质为Ⅳ类，占评价水面的7.6%；贡湖和东部沿岸区为Ⅴ类，占18.5%；其余湖区均为劣Ⅴ类，占73.9%。全湖总体水质为劣Ⅴ类。与2008年相比，劣Ⅴ类水面面积略有增加。湖区的营养状况是：贡湖、湖心区和东部沿岸区处于轻度富营养状态，占评价水面面积的60.1%，其余湖区均处于中度富营养状态。

滇池：耗氧有机物及总磷、总氮污染均十分严重。无论总磷、总氮是否参加评价，水质均为劣Ⅴ类。营养状态与2008年相同，处于中度富营养状态。

巢湖：西半湖污染程度明显重于东半湖。若总磷、总氮不参加评价，东半湖评价水面水质为Ⅲ类，西半湖为Ⅳ类，总体水质为Ⅳ类。若总磷、总氮参加评价，东半湖评价水面水质为Ⅳ～Ⅴ类，西半湖为劣Ⅴ类，总体水质为劣Ⅴ类。湖区的营养状态是：东半湖处于轻度富营养状态，西半湖处于中度富营养状态。

水库水质　2009年，对全国有水质监测资料的411座水库进行了水质评价。其中全年水质为Ⅰ类的水库31座，Ⅱ类185座，Ⅲ类118座，Ⅳ类38座，Ⅴ类19座，劣Ⅴ类20座。全国全年Ⅰ～Ⅲ类水质的水库比例为81.2%。在进行营养状况评价的394座水库中，无贫营养水库，中营养水库283座，富营养水库111座。

省界水体水质　2009年，监测评价省界断面305个。全年水质为Ⅰ～Ⅲ类的断面占评价断面总数的46.6%，Ⅳ～Ⅴ类断面占29.5%，劣Ⅴ类断面占23.9%。主要污染项目是化学需氧量、高锰酸盐指数、氨氮、五日生化需氧量。与2008年相比，全国Ⅰ～Ⅲ类省界断面上升了2个百分点。各水资源一级区中，西南诸河区、东南诸河区Ⅰ～Ⅲ类水质省界断面占其评价断面总数的80%以上，海河区劣Ⅴ类水质断面占其评价断面总数的近60%。

水功能区水质达标状况　2009年，全国监测评价水功能区3411个。按水功能区水质管理目标评价，全年水功能区达标率为47.4%，其中一级水功能区1171个（不包括开发利用区），达标率为56.3%，二级水功能区2240个，达标率42.8%。

从水体类型看，河流类水功能区评价河长13.5万km，达标率为54.2%；其中河流一级水功能区评价河长7.0万km，达标率65.9%；二级水功能区评价河长6.5万km，达标率41.5%。湖泊类水功能区评价湖泊水面面积2.8万km^2，达标率为60.6%；其中一级水功能区评价湖泊水面面积2.2万km^2，达标率63.8%；二级水功能区评价湖泊水面面积0.6万km^2，达标率48.8%。水库类水功能区评价水库蓄水量748.0亿m^3，达标率为72.1%。其中一级水功能区评价水库蓄水量584.4亿m^3，达标率76.6%；二级水功能区评价水库蓄水量163.6亿m^3，达标率56.3%。

集中式饮用水水源地水质状况　2009年，对全国638个地表水集中式饮用水水源地的水质合格状况进行了监测与评价，其中河流类饮用水水源地、湖泊类饮用水水源地、水库类饮用水水源地分别占60.0%、3.6%、36.4%。按全年水质合格率统计，合格率在80%及以上的集中式饮用水水源地有407个，占评价水源地总数的63.8%，其中全年水质合格率达100%的水源地有292个，占评价总数的45.8%；全年水质均不合格的水源地有49个，占评价总数的7.7%。

地下水水质　2009年，北京、辽宁、吉林、上海、江苏、海南、宁夏、广东8省（自治区、直辖市）采用《地下水质量标准》（GB/T 14848—93），对所辖区域的562眼监测井的水质监测资料进行了地下水水质分类评价。

评价结果显示：水质适合于各种用途的Ⅰ～Ⅱ类监测井占评价监测井总数的5.0%，适合集中式生活饮用水水源及工农业用水的Ⅲ类监测井占22.9%，适合除饮用外其他用途的Ⅳ～Ⅴ类监测井占72.1%。

主要污染项目是总硬度、氨氮、矿化度等。8个省级行政区中，上海、海南的监测井水质以Ⅱ类、Ⅲ类为主；北京Ⅲ类监测井与Ⅳ～Ⅴ类监测井各占一半；江苏Ⅱ类、Ⅴ类监测井各占1/4，Ⅳ类监测井占1/2；吉林、广东、辽宁、宁夏的监测井水质以Ⅳ～Ⅴ类为主，其中宁夏Ⅴ类监测井占90%。

五、重要水事（略）

2009年全国水利发展统计公报（摘录）

中华人民共和国水利部

一、水利固定资产投资

2009年，全社会共落实水利固定资产投资计划1702.7亿元（含南水北调143.0亿元），较2008年增加6.1%。分投资来源看：中央政府投资657.1亿元，较2008年增加0.8%；地方政府投资785.4亿元，较2008年增加12.3%；利用外资3.5亿元，较2008年减少80%；国内贷款192.1亿元，较2008年增加7.9%；企业和私人投资37.5亿元，较2008年增加21.0%；其他投资27.1亿元，较2008年增加3.8%。分投资方向看：防洪工程建设投资744.2亿元，较2008年增加12.1%；水资源工程建设投资732.6亿元，较2008年增加2.6%；水土保持及生态环境保护投资66.4亿元，较2008年减少20.7%；水电及专项工程投资159.5亿元，较2008年增加12.1%。

全年共落实中央水利建设投资计划592亿元（不含小型农田水利建设中央财政专项补助资金45亿元），比2008年增加166.61亿元，增幅达39.2%。其中：国家预算内拨款480亿元（含南水北调45亿元），较2008年增加37.4%；水利建设基金12亿元，与2008年持平；重点小型病险水库除险加固中央财政专项资金80亿元，较2008年增加20%；中小河流近期治理20亿元。

全年正式施工的水利建设项目10715个，在建项目投资总规模7821亿元，较2008年增加17.1%。当年中央投资的水利建设项目4593个，较2008年增加26.1%，在建投资规模3340.6亿元，较2008年增加2.2%。当年新开工项目5992个，比2008年增加35.6%，新增投资规模2048.5亿元，比2008年增加了1倍。

全年水利建设完成投资1894.0亿元，较2008年增加805.8亿元，增幅达74.0%。其中：建筑工程完成投资1297.2亿元，较2008年增加66.0%；各类安装工程完成投资113.4亿元，较2008年增加68.2%；机电设备及各类工器具购置完成投资125.0亿元，较2008年增加108.3%；其他完成投资（包括移民征地补偿等）358.4亿元，较2008年增加99.9%。

在全部完成投资中，防洪工程建设完成投资674.8亿元，水资源工程建设完成投资866.0亿元，水土保持及生态工程完成投资86.7亿元，水电、机构能力建设等专项工程完成投资266.5亿元；七大江河流域完成投资1612.9亿元，东南诸河、西北诸河以及西南诸河等其他流域完成投资281.1亿元；东部、东北、中部、西部地区完成投资分别为625.1亿元、135.8亿元、555.6亿元、577.5亿元，占全部完成投资的比例分别为33.0%、7.2%、29.3%和30.5%。

在全年完成投资中，中央项目完成投资206.9亿元，地方项目完成投资1687.1亿元；大中型项目完成投资450.3亿元，小型及其他项目完成投资1443.7亿元；各类新建工程完成投资1169.7亿元，扩建、改建等项目完成投资724.3亿元。

全年水利建设项目部分投产项目1025个，全部投产项目5499个，共新增固定资产781.3亿元。全年完成投资新增固定资产1554.7亿元，固定资产形成率为82.1%。截至2009年底，在建项目累计完成投资4620.8亿元，投资完成率为59.1%，比2008年上升1.5个百分点；在建项目累计新增固定资产3129.5亿元，固定资产形成率为67.7%，比2008年增加2.1个百分点。

全年水利建设完成土方、石方和混凝土方分别为20.8亿m^3、2.7亿m^3、0.5亿m^3。至2009年底，在建项目计划实物工程量完成率分别为：土方59.7%、石方66.0%、混凝土方63.9%。

二、重点水利建设

大江大河治理　全年在建江河治理工程1027处，累计完成投资1089.6亿元，项目投资完成率达65.1%。新增达标堤防长度4515km，其中，一、二级堤防新增达标长度947km。当年河道整治长度1788.5km，完成1460.3km。治淮骨干工程建设已累计完成投资96.7%，累计完成工程实物量97%以上。在19项治淮骨干工程中，已有13项竣工验收，17项全面完成，2项正在加快实施。启动太湖综合治理，开工建设太湖走马塘拓浚延伸工程；洞庭、鄱阳“两湖”治理二期、黄河下游及宁蒙河段治理、漳卫新河治理工程等重点项目进展顺利。

水库枢纽工程　全年在建枢纽工程334座，累计完成投资695.3亿元，项目投资完成率54.5%。其中，水库枢纽工程176座，累计完成投资477.3亿元，项目投资完成率52.2%。辽宁三湾、吉林哈达山、黑龙江桃山水库二期、福建仙游金钟、江西山口岩、四川永定桥等工程进展顺利；江西峡江、四川亭子口、贵州黔中、西藏旁多等工程已开工建设，形成新一轮骨干工程建设格局。当年在建病险水库除险加固工程3671座，累计完成投资461.2亿元，项目投资完成率达67.8%；当年安排中央投资168亿元，用于大中型和重点小型水库除险加固任务，基本完成除险加固任务1314座。

水资源配置工程　全年在建各类水资源工程投资规模1282.2亿元，累计完成投资727.4亿元，项目投资完成率56.7%。南水北调东、中线一期工程主体工程有20项单项工程的67个设计单元工程开工建设，在建规模697.8亿元，累计完成投资389.4亿元，当年完成投资147.9亿元，在建项目进展顺利。辽宁锦凌、广西漓江补水等重大工程开工建设，吉林引嫩入白供水工程、海南大广坝水利水电二期（灌区）、甘肃引洮供水一期等工程建设顺利，润滇、泽渝等部分西南中型水库已建成，发挥效益。

农村水利　全年农村饮水安全工程在建投资规模583.8亿元，累计完成投资508.6亿元。当年新增农村饮水日供水能力601万m^3，解决7295万人的饮水安全问题。截至2009年底，农村饮水安全人口已达6.3亿人，农村自来水普及率达48.1%。中央安排76.6亿元用于大型灌区节水改造、节水灌溉示范项目及牧区水利试点为重点的农村水利设施建设，在建规模1193.3亿元，累计完成投资467.1亿元，当年完成投资194.8亿元。新增有效灌溉面积153.31万hm^2，新增节水灌溉面积223.81万hm^2。实施长江流域水利血防项目98项。当年安排中央投资15亿元，用于99处大型灌溉排水泵站更新改造。

农村水电　当年安排中央投资3亿元用于25个省（自治区、直辖市）和新疆生产建设兵团的424个水电农村电气化建设项目。当年安排小水电代燃料中央投资3亿元用于19个省（自治区、直辖市）和新疆生产建设兵团的108个项目。当年全国农村水电站建设共完成投资255亿元，新增电站1213座，投产发电设备容量380万kW。当年在建电站2069座，装机容量1290万kW。全国农村水电电网建设共完成投资46亿元，新增110kV及以上变电站容量417万kVA。新增35kV变电站容量167万kVA；配电变压器容量272万kVA。新投产10kV及以上高压线路2.6万km，低压线路4.5万km。累计解决80万无电人口用电问题。

水土保持　全年水土保持及生态工程在建规模达287.2亿元，累计完成185.1亿元。全国新增水土流失综合治理面积4.3万km^2，其中小流域治理面积新增1.8万km^2。当年新增封育保护面积2.5万km^2。实施3200条小流域水土流失综合治理，新建黄土高原淤地坝210座。当年新修水平梯田41.2万hm^2，新增沟坝淤地面积3.8万hm^2，新栽种水保林面积164.7万hm^2，新增种草面积47.0万hm^2。长江上中游、黄河上中游、丹江口库区及上游、首都水源区、晋陕蒙砒砂岩区、京津风沙源、岩溶石漠化区、东北黑土区水土保持治理工程稳步推进。

行业能力建设　全年水利行业能力建设完成投资21.0亿元。其中：防汛通信设施（含视频会商系统）投资2.4亿元，水文设施投资5.9亿元，科研教育设施投资1.4亿元，水利前期投资9.2亿元，其他投资2.1亿元。

水利信息化建设进入全方位、多层次推进的新阶段。省级以上水利部门中，局域网数量达到616个；接入网络的各种类型PC机数量达到58524台，服务器设备2124套；建成连接水利部、七个流域机构的政务内网，流域机构对直属二级单位的政务外网覆盖率达到97.7%，省级水行政主管部门对地市级水行政主管部门的政务外网覆盖率达到67.8%；因特网接入总带宽3612MB。省级以上水利部门已配备的各类在线存储设备的存储能力达215317.6GB；各类水利信息采集点63324个，工程视频监控点2645个；流域机构和省级水行政主管部门视频会议系统有23家实现了对下一级单位的全覆盖；各级网站公开的行政许可事项达816项以上，网上办理的行政许可事项达到了374项；省级以上水利部门正常运行的各类业务应用系统917套，涵盖了水利行政和业务的各个方面。

三、主要水利工程设施

堤防和水闸　全国已建成江河堤防29.14万km，累计达标堤防11.67万km，堤防达标率为40.0%；其中一、二级达标堤防长度为2.63万km，达标率为75.9%。全国已建成江河堤防保护人口5.9亿人，保护耕地4700万km^2。全国已建各类水闸42523座，其中大型水闸565座。在全部已建水闸中，分洪闸2672座，排涝闸14488座，挡潮闸4644座，引水闸7895座，节制闸12824座。

水库及枢纽　全国已建成各类水库87151座，水库总库容7064亿m^3。其中，大型水库544座，总库容5506亿m^3，占全部总库容的77.9%；中型水库3259座，总库容921亿m^3，占全部总库容的13.0%。全国大中型水库大坝安全达标率为70%，比2008年提高2.5%。

农业灌溉　全国有效灌溉面积万亩以上的灌区共5844处，农田有效灌溉面积2956.2万hm^2。按有效灌溉面积达到万亩划分，其中，50万亩以上灌区125处，农田有效灌溉面积1082.8万hm^2；30万～50万亩大型灌区210处，农田有效灌溉面积474.7万hm^2。截至2009年底，全国农田有效灌溉面积达到5926.1万hm^2，占全国耕地面积的49.4%。全国工程节水灌溉面积达到2575.5万hm^2，占全国农田有效灌溉面积的43.5%。在全部工程节水灌溉面积中，渠道防渗节灌面积1116.6万hm^2，低压管灌面积624.9万hm^2，喷、微灌面积459.6万hm^2，其他工程节水灌溉面积374.4万hm^2。万亩以上灌区固定渠道防渗长度所占比例为24.7%，其中干支渠防渗长度所占比例为35.2%。

机电井和泵站　全国已累计建成各类机电井

529.3 万眼，其中，安装机电提水设备可正常汲取地下水的配套机电井 482.6 万眼，装机容量 4986 万 kW。全国已建成各类固定机电抽水泵站 41.4 万处，装机容量 4301 万 kW。全国累计建成灌溉配套机电井 450.8 万眼，装机容量 4236 万 kW，固定机电排灌站 44.6 万处，装机容量 2447 万 kW，流动排灌和喷滴灌设施装机容量 2070 万 kW。

农村水电　2009 年末，全国共建成农村水电站 44804 座，装机容量 5512 万 kW，占全国水电装机容量的 28%。全国农村水电年发电量达到 1567 亿 kW·h，占全国水电总发电量的 31%。

水土保持工程　全国水土流失综合治理面积达到 104.5 万 km^2，其中小流域治理面积 41.1 万 km^2，累计实施生态修复面积达 74.7 万 km^2，累计建成黄土高原淤地坝 9.1 万座。全国水土保持监测网络和信息系统建设二期工程启动实施。

水文及信息化　2009 年末，全国共有各类水文测站 39799 处，其中：国家基本水文站 3183 处，水位站 1407 处，雨量站 15750 处，水质站 6097 处，地下水监测站 12522 处，蒸发站 11 处，实验站 49 处，墒情站 780 处。全国共有 10294 处拍报水情测站，1110 处水文预报测站。已建成水环境监测（分）中心 271 处，水质监测基本覆盖了全国主要江河湖库。

四、水资源利用与保护

据初步统计，2009 年，全国水资源总量 23763 亿 m^3，比常年值少 14.3%，比 2008 年减少 13.4%；全国平均降水量 583.1 毫米，比常年值少 9.3%，较 2008 年减少 15.2%。年末全国 500 座大型水库蓄水总量 2468 亿 m^3，比年初减少 289 亿 m^3。

2009 年，全国总供水量 5933 亿 m^3，其中地表水源占 81.1%，地下水源占 18.4%，其他水源占 0.5%。全国总用水量 5933 亿 m^3，比 2008 年增加 23 亿 m^3，其中，生活用水 750 亿 m^3（其中城镇生活占 59.2%），占总用水量的 12.7%；工业用水 1388 亿 m^3，占总用水量的 23.4%；农业用水 3687 亿 m^3，占总用水量的 62.1%；生态环境补水 108 亿 m^3，占总用水量的 1.8%。与 2008 年比较，生活用水增加 21 亿 m^3，工业用水减少 9 亿 m^3，农业用水增加 23 亿 m^3，生态环境补水减少 12 亿 m^3。全国人均用水量为 446m^3。与 2008 年比较，万元 GDP 用水量 217m^3（2005 年可比价），比 2008 年减少 7.6%；万元工业增加值用水量 116.8m^3（2005 年可比价），比 2008 年减少 8.3%。

据对全国 15.4 万 km 河流水质评价结果，水质符合和优于Ⅲ类水的河长占总评价河长的 58.8%。

进一步推进水功能区监督管理。落实最严格水资源管理制度，编制水功能区限制纳污红线实施方案。水利部会同国家发展和改革委员会、环境保护部协调完善了《太湖流域水功能区划》，联合征求国务院有关部门和流域内两省一市意见，形成了报批稿。组织开展 21 世纪前 10 年全国地表水功能区水资源质量变化调查评价，为落实水功能区限制纳污红线提供有力支撑。各流域水资源保护机构加强省界水质监测工作，定期向流域内有关政府通报省界水质状况。江苏、辽宁、河北等省相继完成水域纳污能力核定工作，并向省级人民政府和环保部门提出限制排污总量意见。加强饮用水水源地安全管理，完成对第一批《全国重要饮用水水源地名录》内水源地的监督检查，撰写调研报告报送国办和中办，对第二批列入名录的重要饮用水水源地开展检查。水生态系统保护与修复工作稳步推进，武汉市水生态系统保护与修复试点第一个通过验收，新批复西安浐灞成为水利部水生态系统保护与修复试点，试点城市数量达到 10 个。

五、防洪抗旱

2009 年，全国洪涝灾害损失少。全国农作物受灾面积 874.816 万 hm^2，成灾面积 379.579 万 hm^2，受灾人口 1.11 亿人，因灾死亡 538 人，较常年减少近八成，倒塌房屋 55.59 万间，直接经济损失 845.96 亿元。四川、湖南、广东、广西等省（自治区）受灾较重。全国因山洪灾害造成人员死亡占全部死亡人数的 79.9%，因台风造成经济损失占全国洪涝灾害直接经济损失的比例为 22.6%。

全国多次发生区域性严重干旱，东北西部、内蒙古东部、华北北部、西北东部等地区旱情比较严重。全国农田因旱受灾面积 2925.88 万 hm^2，成灾面积 1319.71 万 hm^2，直接经济损失 1206.6 亿元。全国因旱累计有 3421 万城乡人口、1099 万头大牲畜发生临时性饮水困难，89 座城市出现供水紧张。全年中央下拨用于防汛抗旱的水利建设基金和特大防汛抗旱经费 25.25 亿元，其中，水利建设基金 3.996 亿元，特大防汛经费（含唐家山堰塞湖淹地补偿）9.9811 亿元，特大抗旱经费 11.28 亿元。各级政府和防汛抗旱指挥部门坚持以人为本、科学防控、科学决策、科学调度，实现了年初确定的目标任务，最大限度减少了灾害的影响和损失，取得了显著成效，为经济社会平稳较快发展提供了安全保障。

六、水利改革与管理

水利规划和前期工作　七大流域均已完成综合规划编制工作，会同国家发展和改革委员会对全国及流域水资源综合规划进行了审查，国务院批复了淮河流域防洪规划，全面部署"十二五"规划编制工作。全年共批复各类规划 25 项，其中，国务院批复 4 项重大水利规划，国家发展和改革委员会批复 7 项规划，水利部和财政部联合批复 1 项规划，水利部批复 13 项规划。国家发展和改革委员会共批复项目前期工作 46 项，其中项目建议书 16 项，可行性研究报告 21 项，批复项目总投资 894.28 亿元。

水利立法与水政管理　出台行政法规 1 部，《中华人民共和国抗旱条例》；出台部规章2件，《海河独流减河永定新河河口管理办法》和《黑河干流水量调度管理办法》。长江中下游干流河道采砂规划划定33个开采区，2009年度审批采砂经营许可权2个，许可年度采砂总量200万t，许可采砂船数量5艘。水利部共受理行政复议案件19件，办结14件。水利部共计准予延续水行政许可1141件，涉及9类水行政许可事项，其中建设项目水资源论证机构资质认定2件，建设项目水资源论证报告书审批4件，水利水电建设项目环境影响报告书（表）预审26件，水利工程建设监理单位资质认定212件，水利工程质量检测单位资质认定201件，开发建设项目水土保持方案审批288件，开发建设项目水土保持方案验收审批166件，水土保持生态环境监测资质认定156件，启闭机使用许可证核发86件。全年共查处水事违法案件53627件，已结案49687件，结案率92.65%，挽回直接经济损失21643.53万元。共调处水事纠纷8179件，挽回直接经济损失8531.71万元。

水务管理 全国已组建水务局或由水利局承担水务管理职能的县级以上行政区共计1741个，占全国县级以上行政区总数的71.4%。在组建的1286个水务局中，省级水务局4个，副省级水务局7个，地级水务局189个，县级水务局1086个。水务系统共有自来水厂3478座，供水管道总长28.3万km，自来水供水能力11499万m^3/d，年供水总量235.5亿m^3。污水处理厂1045座，排水管道总长13.65万km，污水处理能力5536万m^3/d，年污水处理总量129.3亿m^3。水务系统共有水务企业1827家，年末固定资产总值929.9亿元，年销售收入294.5亿元，年利润1.3亿元。水务系统城市水务投资总额635.1亿元。全国城市（县城）水源地共5833个，水源年供水能力829.9亿m^3。全国城市（县城）年污水处理回用量21.5亿m^3，除城市污水处理回用外的其他非传统水资源利用量334.5亿m^3。实行水务管理地区水利工程水价0.009～5.0元/m^3，地表水征收水资源费0.01～1.5元/m^3，地下水征收水资源费0.01～4.71元/m^3。全国城市（县城）年污水处理回用量21.5亿m^3。

建设管理与改革 水管体制改革取得阶段性成果。经过精简撤并，全国现有国有水管单位11371个，管理人员32.8万人，分别较改革前下降12%和44%；全国水管单位“两费”测算全部完成，99%的单位完成分类定性；落实“两费”131.3亿元，落实率达88%，其中，落实人员经费79.15亿元，落实率为94%，落实维修养护经费52.15亿元，落实率为81%；实行管养分离（包括内部管养分离）的水管单位7460多个，占水管单位总数的66%。安置分流人员7.3万人，落实社会保障政策人员34万人。全国共有水利水电工程施工总承包特级资质企业10个，水利水电工程施工总承包一级资质企业165个。取得一级注册建造师水利水电工程专业资格7200人。2009年批准取得水利工程施工监理专业甲级资质单位21个，乙级资质单位28个，丙级资质单位97个；取得水土保持工程施工监理专业甲级资质单位7个，乙级资质单位7个，丙级资质单位28个；取得机电及金属结构设备制造监理专业乙级资质单位3个；取得水利工程建设环境保护监理专业资质（不分级）单位28个。2009年批准取得岩土工程类质量检测甲级资质单位64个，取得混凝土工程类质量检测甲级资质单位77个，取得金属结构类质量检测甲级资质单位18个，取得机械电气类质量检测甲级资质单位8个，取得量测类质量检测甲级资质单位34个。

农村水利改革 全国成立的农民用水户协会累计达到5万多家，其中位于大型灌区范围内有1.7万多家。在全国大型灌区中，由协会管理的田间工程控制面积占有效灌溉面积的比例达40%以上。

水土保持管理 全国共审批开发建设项目水土保持方案2.4万个，其中水利部审批国家大中型项目水土保持方案288个，涉及防治责任范围5672.2km^2。全年完成167个大中型开发建设项目的水土保持设施验收。全面完成全国水土保持监督执法专项行动，对10.48万个项目进行了执法检查，对2.68万个违法违规项目提出了整改意见，全国水土保持方案申报率由50%提高到75%，验收率增加了20%。全面启动了全国水土保持监督管理能力建设。

水价改革 全国21个省（自治区、直辖市）出台了水价管理办法或实施细则。2009年全国农业灌溉用水平均水价0.0733元/m^3，36个大中城市工业供水平均水价3.43元/m^3，自来水供水平均价格1.77元/m^3。农村水电上国家电网平均电价0.28元/(kW·h)，上农村水电网平均电价0.23元/(kW·h)。

水电改革和管理 全国11个省（自治区、直辖市）开展了水能资源使用权有偿出让，9个省（自治区、直辖市）制定了出让实施办法。11个省（自治区、直辖市）出台了水能资源开发利用的规范性文件。12个省明确由水行政主管部门负责水能资源统一管理。全国95%的违规水电站完成了整改任务。

水利安全监督 全国共开展水利安全生产执法行动5694起，查处违法违规活动221起，完成了95%的违规水电站清查整改任务。全国水利企事业单位共排查出一般安全生产隐患15566项，整改14876项，整改率95.6%，累计落实重大安全生产隐患治理资金1.7亿元。水利行业共发生32起死亡事故，死亡43人。全年共派出76个稽察组，完成309个水利建设项目的稽察，项目覆盖28个省（自治区、直辖市），涉及工程总投资232亿元，累计提交稽察报告326份，下发稽察整改意见通知237份。

水利移民　在建水利工程规划安置移民人数135.3万人，已累计安置118.4万人，其中当年安置23.9万人。尼尔基、百色、皂市、西霞院等在建部属重点水利工程征地移民已基本完成，共涉及6个省10个县37个乡（镇）237个村（居委会）3.30万户12.22万人，累计实际搬迁移民13.16万人。

水利科技　全年国家安排3.1亿元资金用于水利科技项目，其中，组织立项国家科技支撑计划1项，水利公益性行业科研专项82项，“948”计划、国家农业科技成果转化资金专项、水利部科技成果重点推广计划等各类科技计划项目74项。水利科技项目成果获国家科技进步奖6项。截至2009年底，水利系统共有国家级和部级重点实验室7个，工程技术研究中心12个。落实中央级科学事业单位修缮购置专项资金9645万元。水利行业现行有效标准达614项，在编水利技术标准443项。

国际合作　成功举办或参与多边国际交流活动80次，签署双边水利合作协议4份。组织召开双边政府间固定交流机制会议8次。目前正在执行国际金融组织贷款项目2个，贷款总金额2.5亿美元。利用世行贷款2亿美元开展淮河流域重点平原洼地治理项目已完成世行评估。正在执行的赠款项目15个，赠款总金额1.0亿美元。

七、水利行业状况

职工与工资　全国水利系统从业人员106.62万人，比2008年减少1.83%。其中，全国水利系统在岗职工103.74万人，比2008年减少1.73%。在岗职工中，部直属单位在岗职工7.20万人，比2008年减少0.32%，地方水利系统在岗职工96.54万人，比2008年减少1.84%。全国水利系统在岗职工工资总额264.74亿元，比2008年增加12.96%。全国水利系统在岗职工年平均工资25633元，比2008年增加15.76%，其中，部直属单位在岗职工年平均工资54227元，比2008年增加19.30%，地方水利系统在岗职工年平均工资23488元，比2008年增加14.87%。

勘察设计　2009年全国具有水利行业工程设计甲级资质的单位70家，拥有勘测设计乙级资质的单位282家，职工总人数7万多人。据水利部直属勘察设计公司、流域机构直属（控股）勘察设计院和各省（自治区、直辖市）水利勘察设计院的40家甲级单位上报资料统计，2009年勘察设计项目收入中，水利主管部门下达的指令性项目占15%，市场经营性项目占63%，工程咨询、施工监理等项目占22%。40家勘察设计单位2009年共完成地质钻探68.27万标准米，平硐3.14万标准米，竖井3.39万标准米，坑槽23.52万标准立方米，工程测量3.94万标准平方公里，物探72.91万标准点。

水利风景区　累计批准国家级水利风景区370个，其中，水库型景区214个，自然河湖型60个，城市河湖型39个，湿地型24个，灌区型18个，水土保持型15个。

2009年全国水利发展主要指标见表1。

表1　2009年全国水利发展主要指标

指标名称	单位	2005年	2006年	2007年	2008年	2009年
1. 灌溉面积	万 hm²	6189.8	6255.9	6341.3	6412.0	6516.5
2. 农田（有效）灌溉面积	万 hm²	5656.2	5707.8	5778.2	5847.2	5926.1
其中：本年新增	万 hm²	101.3	134.3	134.4	131.8	153.3
3. 机电井灌溉面积	万 hm²	1704.6	1679.9	1689.4	1716.3	1748.0
4. 机电排灌面积	万 hm²	3786.7	3756.3	3871.5	3927.7	4001.6
其中：提灌面积	万 hm²	3351.7	3309.1	3426.5	3465.9	3558.1
5. 节水灌溉面积	万 hm²	2133.8	2242.6	2348.9	243.6	2575.5
6. 万亩以上灌区	处	5860	5894	5869	5851	5844
其中：30万亩以上	处	287	285	294	325	335
万亩以上灌区农田（有效）灌溉面积	万 hm²	2641.9	2802.1	2834.1	2944.0	2956.2
其中：30万亩以上	万 hm²	1431.0	1461.3	1466.7	1540.1	1557.5
7. 当年解决农村饮水安全人口	万人	1104	2945	4468	5378	7295
8. 除涝面积	万 hm²	2134.0	2137.6	2141.9	2142.5	2158.4
9. 水土流失治理面积	万 km²	94.7	97.5	99.9	101.6	104.3

续表

指 标 名 称	单位	2005年	2006年	2007年	2008年	2009年
10. 水库	座	84577	85249	85412	86353	87151
其中：大型水库	座	470	482	493	529	544
中型水库	座	2934	3000	3110	3181	3259
水库总库容	亿 m^3	5623	5841	6345	6924	7064
其中：大型水库	亿 m^3	4197	4379	4836	5386	5506
中型水库	亿 m^3	826	852	883	910	921
11. 全国水利工程总供水量	亿 m^3	5633	5795	5819	5910	5933
12. 堤防长度	万 km	27.8	28.1	28.4	28.7	29.1
保护耕地	万 hm^2	4412.1	4548.6	4551.8	4571.2	4654.7
堤防保护人口	万人	54174	55403	56487	57289	58978
13. 水闸总计	座	39839	41209	41110	41626	42523
其中：大型水闸	座	405	426	438	504	565
14. 已配套农田机电井眼数	万眼	428	437	439	444	451
装机容量	万 kW	3887	4072	4089	4151	4236
15. 年末全国水电装机容量	万 kW	11652	12847	14523	17090	19686
全年发电量	亿 kW·h	3952	4163	4870	5614	5055
16. 农村水电装机容量	万 kW	4309	4720	5386	5127	5512
全年发电量	亿 kW·h	1357	1484	1635	1628	1567
17. 当年完成水利建设投资	亿元	746.8	793.8	944.9	1088.2	1894.0
按投资来源分：						
（1）预算内拨款	亿元	133.1	193.2	270.0	390.4	929.9
（2）预算内专项	亿元	179.2	184.7	195.7	160.5	128.8
（3）水利建设基金	亿元	30.3	36.1	67.8	60.5	105.5
（4）国内贷款	亿元	94.2	80.7	83.4	96.9	152.9
（5）利用外资	亿元	19.3	14.3	9.5	10.5	7.6
（6）自筹资金	亿元	242.2	212.3	219.9	235.4	333.9
（7）其他投资	亿元	48.5	72.5	98.6	134.0	235.6
按投资用途分：						
（1）防洪工程	亿元	292.8	288.1	318.5	370.1	674.8
（2）水资源工程	亿元	223.1	317.7	405.1	467.8	866.0
（3）水土保持及生态建设	亿元	39.2	42.2	60.3	76.9	86.7
（4）水电工程	亿元	65.5	57.3	66.5	77.4	72.0
（5）行业能力建设	亿元	32.7	20.2	8.9	10.6	26.5
（6）其他	亿元	93.6	68.3	85.6	85.4	167.9

说明 1. 本公报不包括香港特别行政区、澳门特别行政区以及台湾省的数据。

2. 部分供用水数据来源于《2009年中国水资源简报》。

3. 万亩以上灌区处数及灌溉面积按有效灌溉面积达到万亩进行统计。

4. 农村水电统计自2008年统计口径调整，由以往水利系统水电变更为装机5万及5万千瓦以下水电。以往统计包括水利系统综合利用枢纽电站数据等。1000千瓦以下水电站均为打捆上报。

中华人民共和国
2009年国民经济和社会发展统计公报（摘录）

中华人民共和国国家统计局

2010年2月25日

2009年，全国各族人民在党中央、国务院的领导下，以邓小平理论和“三个代表”重要思想为指导，深入贯彻落实科学发展观，认真贯彻积极的财政政策和适度宽松的货币政策，全面落实应对国际金融危机的一揽子计划和政策措施，国民经济形势总体回升向好，各项社会事业取得新的进展。

综 合

初步核算，全年国内生产总值335353亿元，比2008年增长8.7%。分产业看，第一产业增加值35477亿元，增长4.2%；第二产业增加值156958亿元，增长 9.5%；第三产业增加值 142918 亿元，增长 8.9%。第一产业增加值占国内生产总值的比重为 10.6%，比 2008 年下降 0.1 个百分点；第二产业增加值比重为 46.8%，下降 0.7 个百分点；第三产业增加值比重为 42.6%，上升 0.8 个百分点。

全年居民消费价格比 2008 年下降 0.7%，其中食品价格上涨 0.7%（表 1）。固定资产投资价格下降 2.4%。工业品出厂价格下降 5.4%，其中生产资料价格下降 6.7%，生活资料价格下降 1.2%。原材料、燃料、动力购进价格下降 7.9%。农产品生产价格下降 2.4%。农业生产资料价格下降 2.5%。70 个大中城市房屋销售价格上涨 1.5%，其中新建住宅价格上涨 1.3%，二手住宅价格上涨 2.4%；房屋租赁价格下降 0.6%。

表 1　2009 年居民消费价格比 2008 年涨跌幅度

%

指　标	全国	城市	农村
居民消费价格	−0.7	−0.9	−0.3
食品	0.7	1.0	0.1
其中：粮食	5.6	5.7	5.5
肉禽及其制品	−8.7	−8.5	−9.2
油脂	−18.3	−17.9	−18.8
鲜蛋	1.5	1.3	2.0
鲜菜	15.4	15.0	16.7
鲜果	9.1	9.0	9.5
烟酒及用品	1.5	1.7	1.3
衣着	−2.0	−2.2	−1.6
家庭设备用品及服务	0.2	0.3	0.0
医疗保健及个人用品	1.2	1.1	1.5
交通和通信	−2.4	−2.7	−1.8
娱乐教育文化用品及服务	−0.7	−1.2	0.6
居住	−3.6	−4.6	−1.5

年末全国就业人员 77995 万人，比 2008 年末增加 515 万人。其中城镇就业人员 31120 万人，增加 910 万人，新增加 1102 万人。年末城镇登记失业率为 4.3%，比 2008 年末上升 0.1 个百分点。

年末国家外汇储备 23992 亿美元，比 2008 年末增加 4531 亿美元。年末人民币汇率为 1 美元兑 6.8282 元人民币，比 2008 年末升值 0.1%。

全年财政收入 68477 亿元，比 2008 年增加 7147 亿元，增长 11.7%；其中税收收入 59515 亿元，增加 5291 亿元，增长 9.8%。

农　业

全年粮食种植面积 10897 万 km^2，比 2008 年增加 217 万 km^2；棉花种植面积 495 万 km^2，减少 80 万 km^2；油料种植面积 1360 万 km^2，增加 76 万 km^2；糖料种植面积 188 万 km^2，减少 11 万 km^2。

全年粮食产量 53082 万 t，比 2008 年增加 211 万 t，增产 0.4%。其中，夏粮产量 12335 万 t，增产 2.2%；早稻产量 3327 万 t，增产 5.3%；秋粮产量 37420 万 t，减产 0.6%。

全年棉花产量 640 万 t，比 2008 年减产 14.6%。油料产量 3100 万 t，增产 5.0%。糖料产量 12200 万 t，减产 9.1%。烤烟产量 280 万 t，增产 6.7%。茶叶产量 135 万 t，增产 7.1%。

全年肉类总产量 7642 万 t，比 2008 年增长 5.0%。其中，猪肉产量 4889 万 t，增长 5.8%；牛肉产量 636 万 t，增长 3.6%；羊肉产量 389 万 t，增长 2.4%。生猪年末存栏 46985 万头，增长 1.5%；生猪出栏 64507 万头，增长 5.7%。牛奶产量 3518 万 t，下降 1.1%；禽蛋产量 2741 万 t，增长 1.4%。

全年水产品产量 5120 万 t，增长 4.6%。其中，养殖水产品产量 3635 万 t，增长 6.5%；捕捞水产品产量 1485 万 t，增长 0.1%。

全年木材产量 6938 万 m^3，比 2008 年下降 14.4%。

全年新增有效灌溉面积 147.1 万 km^2，新增节水灌溉面积 182.6 万 km^2。

资源、环境和安全生产

全年土地整理复垦开发补充耕地 26.9 万 km^2。

全年全国国有建设用地供应总量 31.9 万 km^2，比 2008 年增长 44.2%。其中，工矿仓储用地 11.9 万 km^2，增长 44.1%；房地产用地 10.3 万 km^2，增长 36.7%；基础设施等其他用地 9.7 万 km^2，增长 53.0%。全年全国 105 个重点监测城市综合地价比 2008 年上涨 5.0%，其中商业地价上涨 5.6%，居住地价上涨 7.9%，工业地价上涨 1.6%。

全年水资源总量 23763 亿 m^3，比 2008 年减少 13.4%；人均水资源 1784.9m^3，减少 13.8%。全年平均降水量 583.1mm，减少 10.9%。年末全国大型水库蓄水总量 1805 亿 m^3，比 2008 年末少蓄水 156 亿 m^3。全年总用水量 5933 亿 m^3，比 2008 年增加 0.4%。其中，生活用水增加 2.9%，工业用水减少 0.6%，农业用水增加 0.6%，生态补水减少 9.8%。万元国内生产总值用水量 209.3m^3，比 2008 年下降 7.6%。万元工业增加值用水量 116.4m^3，下降 8.2%。人均用水量 445.7m^3，下降 0.1%。

国土资源调查及地质勘查新发现大中型矿产地 398 处，其中，能源矿产地 107 处，金属矿产地 177 处，非金属矿产地 109 处，水气矿产地 5 处。有 65 种矿产新增查明资源储量，其中，石油 11.2 亿 t，天然气 7234 亿 m^3，原煤 503.6 亿 t。

根据第七次全国森林资源清查结果，截至 2008

年，森林面积 19545 万 km^2，森林覆盖率 20.36%，活立木总蓄积量 149.13 亿 m^3，森林蓄积量 137.21 亿 m^3。

全年完成造林面积 588 万 km^2，其中人工造林 389 万 km^2。林业重点工程完成造林面积 447 万 km^2，占全部造林面积的 76.0%。全民义务植树 24.8 亿株。截至年底，自然保护区达到 2529 个，其中国家级自然保护区 319 个。新增综合治理水土流失面积 4.8 万 km^2，新增实施水土流失地区封育保护面积 2.7 万 km^2。截至 2009 年底，已确权集体林地面积为 10093 万 km^2，其中发放林权证的面积为 7573 万 km^2。

全年平均气温为 9.8℃，共有 9 个台风登陆。

初步测算，全年能源消费总量 31.0 亿 t 标准煤，比 2008 年增长 6.3%。煤炭消费量 30.2 亿 t，增长 9.2%；原油消费量 3.8 亿 t，增长 7.1%；天然气消费量 887 亿 m^3，增长 9.1%；电力消费量 36973 亿 kW·h，增长 6.2%。全国万元国内生产总值能耗下降 2.2%。主要原材料消费中，钢材消费量 6.9 亿 t，增长 22.4%；精炼铜消费量 753 万 t，增长 39.7%；电解铝消费量 1439 万 t，增长 14.4%；乙烯消费量 1066 万 t，增长 8.0%；水泥消费量 16.3 亿 t，增长 17.0%。

七大水系的 408 个水质监测断面中，Ⅰ～Ⅲ类水质断面比例占 57.1%，比 2008 年提高 2.1 个百分点；劣Ⅴ类水质断面比例占 18.4%，比 2008 年下降 2.4 个百分点。七大水系水质总体上持续好转，部分流域污染仍然严重。

近岸海域 299 个海水水质监测点中，达到国家一、二类海水水质标准的监测点占 72.9%，比 2008 年上升 2.5 个百分点；三类海水占 6.0%，下降 5.3 个百分点；四类、劣四类海水占 21.1%，上升 2.8 个百分点。

在监测的 612 个城市中，有 504 个城市空气质量达到二级以上（含二级）标准，占监测城市数的 82.4%；有 100 个城市为三级，占 16.3%；有 8 个城市为劣三级，占 1.3%。在监测的 327 个城市中，城市区域声环境质量好的城市占 4.9%，较好的占 70.0%，轻度污染的占 23.9%，中度污染的占 1.2%。

年末城市污水处理厂日处理能力达 8664 万 m^3，比 2008 年末增长 6.9%；城市污水处理率达到 72.3%，提高 2.1 个百分点。集中供热面积 35.6 亿 m^3，增长 2.0%。建成区绿地率达到 34.4%，提高 1.1 个百分点。

全年各类自然灾害造成直接经济损失 2524 亿元，比 2008 年下降 78.5%。全年农作物受灾面积 4721 万 km^2，增加 18.1%。其中，绝收 492 万 km^2，增加 22.0%。全年因洪涝灾害造成直接经济损失 655 亿元，增加 0.5%；死亡 902 人，下降 10.8%。全年因旱灾造成直接经济损失 1099 亿元，增加 2.58 倍。全年低温冷冻和雪灾造成直接经济损失 172 亿元，死亡 40 人。全年因海洋灾害造成直接经济损失 100 亿元，下降 51.3%。全年累计发生赤潮面积 14102km^2，增加 2.7%。全年实际发生各类地质灾害 1.0 万起，直接经济损失 18.3 亿元，死亡 331 人。全年大陆地区共发生 5 级以上地震 24 次，成灾 8 次，造成直接经济损失 27.4 亿元，死亡 3 人。全年共发生森林火灾 8808 起，下降 37.7%。

全年生产安全事故死亡 83196 人，比 2008 年下降 8.8%。亿元国内生产总值生产安全事故死亡人数为 0.248 人，下降 20.5%；工矿商贸企业就业人员 10 万人生产安全事故死亡人数为 2.4 人，下降 14.9%；煤矿百万吨死亡人数为 0.892 人，下降 24.5%。全年共发生道路交通事故 23.8 万起，造成 6.8 万人死亡，27.5 万人受伤，直接财产损失 9.1 亿元；道路交通万车死亡人数为 3.6 人，减少 0.7 人。

注：1. 本公报中数据均为初步统计数。
2. 各项统计数据均未包括香港特别行政区、澳门特别行政区和台湾省。
3. 部分数据因四舍五入的原因，存在着与分项合计不等的情况。
4. 国内生产总值、各产业增加值绝对数按现价计算，增长速度按不变价格计算。
5. 万元国内生产总值用水量按 2005 年不变价格计算。

2009 年国土资源公报（摘录）

中华人民共和国国土资源部

2010 年 4 月

一、土地资源

全国农村土地整治新增农用地 30.5 万 km^2，新增耕地 26.9 万 km^2。全国批准建设用地 57.6 万 km^2，比 2008 年增长 44.6%。全国建设用地供应 31.9 万 km^2，比 2008 年增长 44.2%。全国重点城市综合地价呈平稳上升态势。全国重点城市土地抵押面积和抵押贷款双增长。2009 年批准的用地中住宅用地占 10.8%，交通用地占 27.4%，水利设施用地占 7.6%，能源开发用地占 13.7%，工矿仓储用地占 21.5%，其他用地占 19.0%。

截至 2009 年末，全国 84 个城市土地抵押面积 21.7 万 km^2，抵押贷款 25856.0 亿元，比 2008 年分别增长 30.9% 和 42.8%。全年抵押土地面积净增 5.1 万 km^2，抵押贷款净增 7749 亿元，比 2008 年分别增长 35.5% 和 59.7%。全年新增土地抵押贷款率 50.0%。

二、矿产资源

地质勘查投入小幅增长，新发现大中型矿产地 398 处。石油新增探明地质储量 11.2 亿 t，天然气新增探明储量7234亿m^3，铁矿新增查明资源储量35.2亿t。危机矿山和深部找矿探明41个大型矿床，70个中型矿床。年末有效勘查许可证3.24万个，有效采矿许可证9.50万个。探矿权、采矿权招拍挂出让价款和个数同比下降。

三、海洋资源

全国海洋生产总值31964亿元，比2008年增长8.6%。海洋产业增加值18742亿元，海洋相关产业增加值13222亿元。继续加大海洋油气勘探开发力度，海洋油气产量持续增长。全年实现增加值748亿元，比2008年增长8.5%。

共发生风暴潮、海浪、海冰、赤潮及其他灾害132次，造成直接经济损失100.23亿元，死亡（含失踪）95人。

全年共审批发放海域使用权证书5327本，确权海域面积17.84万km^2，征收海域使用金78.63亿元。

四、国土资源调查

颁布实施《土地调查条例实施办法》。农村土地调查全面完成，全国2859个调查单位汇交了数据成果。基本农田上图工作规范推进。城镇土地调查基本完成。

农村集体土地所有权权属调查已完成近90%；土地所有权发证140万本，发证率66%。第二次全国土地调查相关成果已经在新一轮土地利用总体规划修编、国土资源综合信息监管平台建设等方面转化应用。

在严重缺水地区、地方病区和西南岩溶石山地区布设地下水勘查施工探采结合井150多眼，解决了20万群众的饮水安全问题。在冬小麦主产区实施应急抗旱打井找水工程，累计成井46眼，解决了5万多人的饮水和5万多亩冬小麦应急灌溉。鄂尔多斯盆地探明水源地30处，圈定富水靶区5处。

五、地质环境保护与地质灾害防治

全国共发生各类地质灾害10446起，造成人员伤亡809人，造成直接经济损失约17.7亿元。中央财政设立特大型地质灾害防治专项资金，全年投入资金8.0亿元。成功避让地质灾害209起，安全转移1.4万人，避免直接经济损失1.6亿元。颁布《矿山地质环境保护规定》，全年中央财政专项资金投入36.1亿元，地方财政投入23.3亿元。地下水监测和重点地区地面沉降防治得到加强。地质遗迹、地热和矿泉水资源保护管理稳步推进。

截至2009年末，共完成三峡库区地质灾害防治工程490处（段），其中崩塌、滑坡治理工程255处，库岸防护235段，搬迁避让2万余人；对255处地质灾害隐患点进行专业监测，在3053处隐患点建立了群测群防体系。在四川、陕西、甘肃等地震灾区，共启动1965处重大地质灾害隐患点勘查，涉及人数93万余人；完成314处重大隐患点治理工程，保护人员21万余人；对1999处隐患点实施搬迁避让工程，搬迁人员14万余人。

全国共有各类地下水监测点2.4万个，覆盖主要平原（盆地）区，监测控制面积约110万km^2。在北京平原区、济南岩溶泉域和乌鲁木齐河流域建立了国家级地下水监测示范区。

全国共批准建立国家地质公园138个，批准具备国家地质公园资格44个。我国共有22个地质公园经联合国教科文组织批准加入世界地质公园网络。评审了3个“中国温泉之乡”、2个“中国矿泉水之乡”和1个“中国优质矿泉水水源”。

2009年中国水旱灾害公报（摘录）

国家防汛抗旱总指挥部　中华人民共和国水利部

一、洪涝灾害

1. 总体灾情

2009年，全国有29个省（自治区、直辖市）136个县级以上城市、1708个县（市）、16412个乡（镇）遭受洪涝灾害，受灾人口1.11亿人，因灾死亡538人，倒塌房屋55.59万间，直接经济总损失845.96亿元。全国农作物洪涝受灾面积874.816万hm^2，其中成灾379.579万hm^2，绝收120.544万hm^2。全国因洪涝停产工矿企业41095个，铁路中断26条次，公路中断20354条次，机场、港口关停142个次，供电中断7386条次，通讯线路中断3092km。全国和各省、自治区、直辖市水利设施受灾情况全国因洪涝损坏大中型水库37座、小型水库651座，损坏堤防28527处、8295.90km，损坏水闸5067座，水利设施直接经济损失148.34亿元。

2. 灾情特点

（1）洪涝灾害损失偏轻，因灾死亡人数较少。全国因洪涝农作物受灾面积874.816万hm^2，因灾死亡538人，直接经济总损失845.96亿元，分别较1990年以来的多年平均值偏少37.15%、80.74%和24.90%，其中因灾死亡人数为1950年以来最少。

（2）受灾地区相对集中，局部灾害损失严重。浙江、四川、湖南、山东、广东、江西、广西、安徽、重庆、湖北等10省（自治区、直辖市）受灾人口9026.71万人，占全国洪涝灾害受灾人口的81.31%，直接经济总损失627.81亿元，占全国洪涝灾害直接经济总损失的74.21%。四川、重庆、湖南、云南、贵州、湖北、广东、甘肃、福建等9省（直辖市）因灾死亡432人，占全国洪涝灾害死亡人数的80.30%。

（3）山洪灾害造成的人员死亡比例高，局部灾情重。2009年全国因山洪灾害死亡430人，占洪涝灾害死亡总人数的79.93%。其中，四川省因山洪灾害死亡117人，占全国山洪灾害死亡人数的27.21%。

（4）台风登陆数量多，损失较重。2009年共有9个台风登陆我国，较多年平均（7～8个）偏多。台风灾害造成全国10个省（自治区、直辖市）1943.56万人受灾，农作物受灾面积114.569万hm^2，其中成灾47.193万hm^2，因灾死亡43人，倒塌房屋2.54万间，直接经济总损失达190.90亿元，其中水利设施直接经济损失38.74亿元。

3. 主要洪涝灾害过程（略）

二、干旱灾害

1. 总体灾情

2009年，全国因旱作物受灾面积2925.880万hm^2，其中成灾1319.710万hm^2，绝收326.880万hm^2，有1750.60万农村人口、1099.40万头大牲畜因旱发生饮水困难；89座城市先后出现不同程度供水短缺，1669.98万城市居民用水受到影响。全国因旱粮食损失348.49亿kg，经济作物损失433.44亿元，林业、牧业、渔业直接经济损失143.26亿元，减少水力发电57.82亿kW·h，干旱灾害直接经济损失1206.59亿元。2009年属旱灾偏重年份，因旱作物受灾面积明显大于1991—2008年平均值（2513.382万hm^2），成灾面积与1991年以来的平均值相当；因旱粮食损失位居1991年以来的第6位，大于平均值（282.24亿kg）；因旱经济作物损失明显大于1998年以来的平均值（329.71亿元），位居第3位；林业、牧业、渔业直接经济损失143.26亿元，位居2003年有资料以来的第1位。

2. 灾情特点

（1）阶段性过程多，持续时间长。2009年，我国发生了多次阶段性严重旱情过程，主要包括年初黄淮海冬麦主产区冬春连旱，东北西南部、西南南部春旱，西北部分地区、华北北部和东北西部夏伏旱，江南、华南和西南部分地区伏秋旱。冬麦区大部旱情于2008年12月中旬开始露头，一直持续到2009年2月中旬，部分重旱区受旱时间甚至超过3个月，为历史同期罕见。北方大部的夏伏旱一直持续到秋收。江南、华南、西南地区的旱情从入伏发展到秋末晚稻收割期和秋播期，部分地区旱情从8月初开始一直到2009年底仍在持续发展。

（2）受旱范围广，农业损失重。2月上旬冬春旱高峰期，全国作物受旱面积1073.3万hm^2，较多年同期多566.7万hm^2，为近6年来同期最大。其中，河南、河北、山西、山东、安徽、江苏、陕西、甘肃等8省冬麦主产区作物受旱面积达1020.0万hm^2，占8省在田作物面积的43.0%，占全国同期作物受旱面积的95.03%，重旱面积达361.5万hm^2，干枯面积接近26.3万hm^2。8月中旬夏伏旱高峰期，全国作物受旱面积达1274.7万hm^2，较多年同期多333.3万hm^2。其中，辽宁、吉林、黑龙江、内蒙古、河北、山西等北方6省（自治区）作物受旱面积达1169.5万hm^2，占全国同期作物受旱面积的91.75%，重旱面积457.9万hm^2。

（3）江河来水少，供水影响大。由于海河流域北系上游主汛期降水严重偏少，潘家口及白洋淀上游多座大中型水库汛末蓄水严重不足，天津城市供水再次出现紧张局面，白洋淀再度面临干淀威胁。入秋以后，湘江、赣江、西江、北江、洞庭湖和鄱阳湖等南方主要河流湖泊来水严重偏枯，一些河段出现历史同期最低水位，对沿江沿湖部分群众生活、生产用水和湖区渔业、航运、生态环境等造成严重影响。珠江流域汛后来水量为近70年来最枯的一年，下游咸潮上溯加剧，严重威胁澳门、珠海等珠江三角洲地区的供水安全。

3. 主要干旱灾害过程（略）

三、防汛抗旱行动与减灾成效

1. 防汛抗旱行动（略）

2. 减灾成效

（1）有效保障了防洪安全。全国没有一座水库因洪水垮坝，没有一处重要堤防决口。全国洪涝灾害死亡人数比常年减少8成，是1950年以来最少的一年。

（2）全力保障了用水安全。通过实施引黄济津济淀济青应急调水、三峡等长江上游大型水利水电工程枯水期水量统一调度、珠江枯水期水量统一调度、黄河小浪底水库调度、东北地区应急抗旱调水、引江济太应急调度、塔里木河干流抗旱应急调水，以及湘江、赣江枯水期应急水量调度等，确保了天津、长江中下游、珠海、澳门及洞庭湖、鄱阳湖等地区的供水安全。

（3）减灾效益显著。共减少洪涝灾害受灾人口4027.19万人，减淹耕地面积269.417万hm^2，避免粮食减收2759.80万t，避免214座城市进水，解救洪水围困群众467.91万人，减灾经济效益达627.18亿元。2009年洪涝灾害直接经济总损失与当年GDP的比值为0.25%，是1990年以来的最低值；完成抗旱浇地面积3000.0万hm^2，抗旱挽回粮食损失499亿kg、经济作物损失405亿元，解决了1979万农村群众和1131万头大牲畜的饮水困难，大旱之年粮食产量再创新高，实现连续6年增产。

（4）有效缓解了生态用水紧张局面。通过实施水量应急调度，在确保供水安全的同时，改善了太湖、白洋淀、洞庭湖、鄱阳湖以及黄河河口和珠江三角洲地区生态环境，缓解了长江中下游地区因枯水期提前而带来的水环境问题。

2009年中国河流泥沙公报（摘录）

中华人民共和国水利部

本期《泥沙公报》的编报范围包括长江、黄河、淮河、海河、珠江、松花江、辽河、钱塘江、闽江、塔里木河和黑河11条河流。内容包括河流主要水文控制站的年径流量、年输沙量及其年内分布，重要河段的冲淤变化，重要水库的淤积和重要泥沙事件。

本期《泥沙公报》所编报的11条主要河流代表水文站2009年总径流量为11410亿m^3（表1），比多年平均年径流量14090亿m^3偏小19%；代表站总输沙量为2.67亿t，比多年平均年输沙量16.9亿t偏小84%。其中，2009年长江和珠江代表站的径流量分别占代表站总径流量的69%和18%；黄河和长江代表站的输沙量均占代表站总输沙量的42%；2009年黄河和塔里木河代表站平均含沙量较大，分别为5.42kg/m^3和1.32kg/m^3，其他河流均小于0.4kg/m^3。与2008年比较，2009年代表站总径流量和总输沙量分别减小14%和18%。

表1　　2009年主要河流代表水文站与实测水沙特征值

河　流	代表水文站	控制流域面积（万km^2）	年径流量（亿m^3）		年输沙量（万t）	
			多年平均	2009年	多年平均	2009年
长　江	大通	170.54	9034	7819	41400	11100
黄　河	潼关	68.22	349.9	206.5	111000	11200
淮　河	蚌埠＋临沂	13.16	290.7	177.8	1170	177
海　河	石匣里＋响水堡＋张家坟＋下会	5.22	15.62	2.402	1870	0.203
珠　江	高要＋石角＋博罗	41.52	2849	2078	7590	1610
松花江	佳木斯	52.83	653.4	510.6	1270	1940
辽　河	铁岭＋新民	12.76	32.80	12.54	1690	27.6
钱塘江	兰溪＋诸暨＋花山	2.30	200.2	160.9	270	143
闽　江	竹岐＋永泰	5.85	573.9	390.9	656	44.8
塔里木河	阿拉尔＋焉耆	15.04	72.78	34.08	2340	448
黑　河	莺落峡	1.00	15.70	20.93	225	12.2
合　计		388.44	14090	11410	169000	26700

一、长江

2009年长江干流主要水文控制站实测水沙特征值与多年平均值比较，年径流量偏小4%～13%，年输沙量偏小44%～93%，年平均含沙量偏小42%～91%。与2008年度比较，2009年长江干流各站年径流量减小6%～12%；宜昌站和沙市站年输沙量分别增大10%和3%，其他站减小13%～32%；宜昌站和沙市站年平均含沙量分别增大19%和8%，其他站减小7%～24%。

与多年平均值比较，2009年长江主要支流岷江高场、乌江武隆和汉江皇庄各站年径流量偏小5%～27%，嘉陵江北碚站偏大2%；各站年输沙量偏小61%～95%。与2008年度比较，2009年北碚站和皇庄站年径流量分别增大15%和37%，高场站和武隆站分别减小5%和26%；支流除武隆站年输沙量减小64%外，其他站增大7%～107%。

与多年平均值比较，2009年洞庭湖区主要水文控制站实测径流量偏小16%～89%，年输沙量偏小60%～99%；鄱阳湖区各站年径流量偏小20%～49%，年输沙量偏小44%～82%。与2008年度比较，2009年洞庭湖区除桃江站年径流量增大8%外，其他站减小8%～30%；新江口、沙道观和弥陀寺各站年输沙量增大19%～21%，藕池（康）和藕池（管）站基本持平，其他站减小4%～93%；2009年鄱阳湖区除万家埠站年径流量增大6%外，其他站减小2%～27%，年输沙量除万家埠站增大28%外，其他站减小4%～63%。

2009年长江三峡水库库区淤积泥沙约1.47亿t，水库排沙比为20%。1998年9月至2009年10月，荆江河段持续冲刷，洪水河槽总冲刷量为5.43亿m^3。2009年重要泥沙事件包括长江河道继续实行采砂管理和岳阳市新沙洲河段发生崩岸。

二、黄河

2009年黄河干流主要水文控制站实测径流量与多年平均值比较，唐乃亥站偏大31%，其他站偏小2%～58%；与2008年度比较，唐乃亥、兰州和头道拐各站增大3%～51%，龙门站和潼关站基本持平，其他站减小2%～9%。2009年黄河干流主要水文控制站实测输沙量与多年平均值比较，偏小17%～97%；与2008年度比较，唐乃亥站增大271%，其他站减小3%～56%。

2009年黄河主要支流各水文控制站实测径流量与多年平均值比较，偏小20%～97%；与2008年度比较，洮河红旗站基本持平，无定河白家川、延河甘谷驿和渭河华县站增大8%～50%，其他站减小8%～82%。2009年黄河主要支流水文控制站实测输沙量与多年平均值比较，偏小71%～100%；与2008年度比较，白家川、甘谷驿、北洛河洑头和渭河华县各站增大4%～341%，其他站减小12%～92%。

1987年黄河上游龙羊峡、刘家峡水库联合运用以来，黄河内蒙古河段典型断面主槽萎缩，河床淤积抬高；与2008年度比较，2009年三湖河口和头道拐断面发生较大的冲淤变化，石嘴山和巴彦高勒断面仅局部有冲淤。2008年10月至2009年10月，黄河下游河道总体冲刷，冲刷量为0.920亿m^3。2009年黄河下游全年引水量92.51亿m^3，引沙量2058.7万t，平均引水含沙量2.23kg/m^3。

2008年10月至2009年10月，三门峡水库总体冲刷0.608亿m^3；潼关高程与上年度同期相比，汛前略有降低，汛后略有抬高。2009年度小浪底水库共淤积泥沙1.567亿m^3，库容减至101.6亿m^3。

三、淮河

2009年淮河流域主要水文控制站实测径流量与多年平均值相比较，除沂河临沂站偏大2%外，其他站偏小41%～59%；与2008年度比较，各站减小13%～50%。

与多年平均值比较，2009年淮河流域主要水文控制站实测输沙量偏小71%～99%；与2008年度比较，干流息县、鲁台子、蚌埠和支流颍河阜阳各站输沙量减小55%～80%，沂河临沂站增大825%。

2009年韩庄运河、中运河及骆马湖堤防工程省界段完成清淤量221万m^3，2007—2009年底累计完成清淤量545万m^3。

四、海河

2009年海河北部水系主要水文控制站水沙特征值与多年平均值比较，实测年径流量偏小49%～96%，年输沙量偏小接近100%。与2008年度比较，2009年海河闸站实测径流量增大31%，永定河雁翅站增大20%，其他站减小17%～56%；2009年桑干河石匣里站实测年输沙量减小98%，其他站年输沙量接近于零。

2009年海河等河口清淤总量为98万m^3，2009年引黄调水海委穿卫枢纽站引黄水量为7.191亿m^3，带入泥沙60.3万t。

五、珠江

2009年珠江流域主要水文控制站实测径流量与多年平均值比较，偏小14%～49%；与2008年度比较，各站减小24%～56%。

2009年珠江流域主要水文控制站实测输沙量与多年平均值比较，除柳江柳州站偏大66%外，其他站偏小69%～99%；与2008年度比较，除柳州站增大116%外，其他站减小60%～89%。

六、松花江与辽河

1. 松花江

2009年松花江流域主要水文控制站实测径流量与多年平均值比较，偏小13%～37%；与2008年度比较，除第二松花江扶余站减小5%外，其他站增大73%～209%。与多年平均值比较，2009年扶余站和哈尔滨站实测输沙量分别偏小67%和74%，其他站偏大29%～80%；与2008年度比较，扶余站年输沙量减小51%，其他站增大84%～638%。

2. 辽河

2009年辽河流域主要水文控制站实测径流量与多年平均值比较，偏小57%～91%；与2008年度比较，各站减小35%～53%。与多年平均值比较，2009年除老哈河兴隆坡站输沙量未施测外，其他站年输沙量偏小86%～99%；与2008年度比较，各站年输沙量减小70%～81%。

七、东南河流

以钱塘江和闽江作为东南河流的代表性河流。

1. 钱塘江

2009年钱塘江流域主要水文控制站实测径流量与多年平均值比较，偏小2%～21%；与2008年度比较，各站增大1%～27%。2009年各站实测输沙量与多年平均值比较，偏小42%～65%；与2008年度比较，兰江兰溪站减小27%，曹娥江花山站和浦阳江诸暨站分别增大59%和9%。

2. 闽江

2009年闽江流域主要水文控制站实测年径流量与多年平均值比较，偏小25%～52%；与2008年度比较，除建溪七里街（二）站实测年径流量增大4%外，其他站减小11%～17%。2009年各站实测年输沙量与多年平均值比较，偏小71%～95%；与2008年度比较，闽江干流竹岐站和大樟溪永泰（清水壑）站基本持平，七里街（二）站和富屯溪洋口站分别减小15%和11%，沙溪沙县（石桥）站增大47%。

八、内陆河流

以塔里木河和黑河作为内陆河的代表性河流。

1. 塔里木河

2009年塔里木河流域主要水文控制站实测径流量与多年平均值比较，偏小22%～70%；与2008年度比较，各站径流量减小16%～52%。2009年塔里木河流域主要水文控制站实测输沙量与多年平均值比较，偏小60%～84%；与2008年度比较，各站输沙量减小35%～68%。

2. 黑河

2009年黑河干流莺落峡站和正义峡站实测径流量与多年平均值比较分别偏大33%和19%；与2008年度比较，分别增加8%和2%。2009年莺落峡站和正义峡站实测年输沙量与多年平均值比较分别偏小95%和58%；与2008年度比较，分别减小91%和19%。

2009年中国水土保持公报（摘录）

中华人民共和国水利部

一、水土流失状况

1. 大江大河流域土壤侵蚀量

2009年，全国11条大江大河径流量：除黑河径流量高于多年平均径流量外，其他各流域径流量均低于多年平均径流量；与2008年相比，长江、海河、淮河、珠江、辽河、闽江、塔里木河有所下降，松花江、钱塘江有所上升，黄河、黑河变化不大。各流域土壤侵蚀量：与多年平均侵蚀量相比，长江、黄河、海河、淮河、珠江、松花江、辽河、闽江、塔里木河、黑河均低于多年平均值，钱塘江变化不大；与2008年相比，淮河、松花江有较大上升，长江、黄河、海河、珠江、辽河、塔里木河、黑河有较大下降，钱塘江、闽江变化不大。

表1 2009年全国主要江河流域土壤侵蚀量

流域名称	计算面积（万 km^2）	多年平均		2008年		2009年	
		径流量（亿 km^3）	侵蚀总量（亿 t）	径流量（亿 km^3）	侵蚀总量（亿 t）	径流量（亿 km^3）	侵蚀总量（亿 t）
长江	142.26	7659.10	23.87	6682.11	9.79	6113.31	7.82
黄河	49.15	364.70	16.00	204.80	1.56	206.50	1.37
海河	18.20	16.90	2.01	5.07	0.04	2.40	0.0006
淮河	20.10	285.44	1.58	305.58	0.18	177.84	0.23
珠江	41.52	2866.10	2.20	3462.30	1.25	2078.40	0.46
松花江	52.83	613.00	0.19	248.10	0.04	510.60	0.30
辽河	22.00	35.02	1.53	23.94	0.18	12.54	0.05
钱塘江	5.56	202.70	0.11	153.93	0.13	160.94	0.12
闽江	5.85	577.10	0.12	442.03	0.01	390.90	0.008
塔里木河	11.73	148.95	1.30	162.30	0.97	115.90	0.36
黑河	4.39	15.64	0.16	19.44	0.05	20.93	0.01

注 1. 基础数据来自《2009中国河流泥沙公报》。

2. 土壤侵蚀量受降雨分布、地表状况等影响，年际变化较大，短系列不宜用于效益分析。

2. 国家级重点防治区水土流失状况

（1）辽宁冶金煤矿重点监督区水土流失状况。辽宁冶金煤矿重点监督区位于辽宁省中东部，涉及沈阳市苏家屯区、东陵区、新城子区，鞍山市千山区、海城市、岫岩满族自治县，抚顺市东洲区、抚顺县，本溪市溪湖区、南芬区、本溪满族自治县，辽阳市弓长岭区、灯塔市、辽阳县，营口市盖州市、大石桥市，共6个市16个县（市、区），面积26190.0km^2。根据监测：区内有矿点2111个，扰动土地面积434.8km^2。其中，金属类矿点443个，占矿点总数的21.0%，扰动土地面积216.9km^2，占总扰动土地面积的49.9%；非金属矿点1668个，占矿点总数的79.0%，扰动土地面积217.9平方公里，占总扰动土地面积的50.1%。

（2）新安江预防保护区水土流失状况。新安江预防保护区安徽省部分，位于安徽省南部，涉及宣城市绩溪县、黄山市屯溪区、黄山区、徽州区、歙县、休宁县、黟县和祁门县等8个县（区），面积10699.63km^2。根据监测：区内土地利用以林地为主，其中：有林地6572.41km^2，灌木林地1986.89km^2，茶园498.37km^2，其他林地547.43km^2；水土保持措施主要包括水土保持林、梯田、水平阶、横坡耕作和等高密植等，其中：水土保持林1984.60km^2，梯田140.02km^2，水平阶40.20km^2，横坡耕作23.03km^2，等高密植6.99km^2。区内尚有少量顺坡耕作的土地，是水土流失的主要策源地。

（3）泾河北洛河上游治理区吴起县水土保持效果监测。吴起县位于陕西省延安市西北部，总面积3783.10km^2。根据监测：2000年，土地利用类型主要为草地和耕地，分别占总土地面积的71.0%和22.9%，表现为农牧复合的土地利用特征；2009年，主要土地利用类型转变为草地和林地，分别占总土地面积的53.29%和33.03%，表现为林草/林牧复合的土地利用特征。从植被覆盖度看，2000年植被覆盖度多在15%以下，从东南向西北方向植被覆盖度越来越小，南部和东部零星分布着覆盖度在30%以上的植被；2009年植被盖度显著增加，大部分地区植被覆盖度在30%以上，其中44%的县域面积上植被覆盖度大于45%，覆盖度在15%以下的面积比例由89.18%锐减到0.01%。从土壤侵蚀来看，2000年土壤侵蚀强度以强烈以上为主，占总土地面积的83.78%，其中极强烈和剧烈侵蚀分别约占34.75%和23.01%。2009年土壤侵蚀强度以中度和强烈为主，占总土地面积的75.26%，极强烈和剧烈侵蚀面积明显减少，分别减少到13.06%和1.05%。

3. 典型监测点水土流失观测结果

2009年，全国水土流失动态监测与公告项目典型监测点和典型小流域监测工作进展顺利，各地也进一步加强监测点的观测工作。北京、天津、河北、山西、山东、吉林、安徽、福建、湖北、湖南、广东、广西、云南、贵州、四川、陕西等省（自治区、直辖市）开展了径流泥沙观测场的地面观测，取得了大量的观测数据。

二、水土流失防治情况

1. 全国总体情况

2009年，全国共完成水土流失综合防治面积6.82万km^2，其中综合治理面积4.32万km^2，封育保护面积2.50万km^2。综合治理面积中，新修水平梯田41.16万hm^2，沟坝地3.84万hm^2，营造水土保持林164.71万hm^2，种草46.99万hm^2，其他工程175.09万hm^2。当年竣工综合治理小流域2672条。新建淤地坝1362座，新修小型蓄水保土工程19万座，共完成土石方量22.84亿m^3。截至2009年底，全国累计完成水土流失综合治理面积104.54万km^2，其中小流域综合治理面积累计达到41.14万km^2。

表2 **2009年全国水土流失综合治理面积**

省（自治区、直辖市）	累计治理面积（万km^2）	当年新增治理面积（万km^2）	重点小流域累计治理面积（万km^2）	实施小流域数（条）	
				当年竣工	正在实施
全国合计	**104.54**	**4.32**	**41.14**	**2672**	**4120**
北京	0.51	0.06	0.51	52	52
天津	0.05		0.02		
河北	6.23	0.17	3.18	119	200
山西	5.09	0.22	0.82	77	112
内蒙古	10.57	0.46	3.32	144	169
辽宁	6.24	0.14	3.51	337	609
吉林	3.55	0.05	0.45	43	59
黑龙江	4.59	0.15	1.53	50	168
江苏	1.04	0.04	0.33	550	551
浙江	2.40	0.08	0.58	77	129
安徽	2.10	0.04	0.92	42	56
福建	1.44	0.08	0.87	78	90
江西	4.33	0.21	0.82	54	114
山东	4.59	0.12	1.40	167	242
河南	4.45	0.16	2.76	82	194
湖北	4.45	0.21	1.74	94	187
湖南	2.88	0.11	0.87	58	63
广东	1.37	0.03	0.55	8	10
广西	1.84	0.07	0.26	50	58
海南	0.03				
重庆	2.27	0.15	1.89	47	70
四川	6.10	0.24	3.67	114	138
贵州	3.00	0.13	2.66	100	112

续表

省（自治区、直辖市）	累计治理面积（万 km^2）	当年新增治理面积（万 km^2）	重点小流域累计治理面积（万 km^2）	实施小流域数（条）	
				当年竣工	正在实施
云　南	5.25	0.33	2.80	100	227
西　藏	0.04	0.02		1	1
陕　西	9.14	0.68	3.14	193	305
甘　肃	7.81	0.21	1.87	7	174
青　海	0.81	0.01	0.30	14	14
宁　夏	1.97	0.10	0.23	12	14
新　疆	0.40	0.02	0.14	2	2

2. 国家水土保持重点工程实施情况

（1）中央预算内水利基本建设投资水土保持项目。工程范围涉及除北京、天津、上海、海南外的28个省（自治区、直辖市）、新疆生产建设兵团和大连计划单列市。年内完成水土流失综合治理面积3171.31km^2。其中，基本农田（包括坡改梯）25089.06hm^2，水土保持林44868.48hm^2，经果林21427.24hm^2，种草7395.94hm^2，封禁治理155982hm^2，其他坡面措施62367.96hm^2。建设小型蓄水保土工程10583座（处），设计蓄水量894.15万m^3。

（2）国家水土保持重点建设工程。工程范围涉及北京、河北、山西、内蒙古、辽宁、安徽、福建、江西、山东、河南、陕西和甘肃12个省（自治区、直辖市）71个县，年内完成水土流失综合治理面积2157.07km^2。其中，基本农田（包括坡改梯）18575.29hm^2，水土保持林46835.36hm^2，经果林21728.07hm^2，种草8301.08hm^2，封禁治理120267.85hm^2。建设淤地坝及小型蓄水保土工程93619座（处）。

（3）京津风沙源治理工程。工程范围涉及北京、天津、河北、山西、内蒙古5个省（自治区、直辖市）75个县，年内完成水土流失综合治理面积1532.40km^2。其中，基本农田（包括坡改梯）4112.11hm^2，水土保持林62632.67hm^2，经果林7285.15hm^2，种草3457.50hm^2，封禁治理75752.07hm^2。建设小型蓄水保土工程114224座（处），节水灌溉工程690处。

（4）国家农业综合开发水土保持项目。工程范围涉及山西、江西、湖南、重庆、四川、陕西、宁夏、吉林、黑龙江等9省（自治区、直辖市）及黑龙江省农垦总局的133个项目区132个县。年内完成水土流失综合治理面积2155.73km^2。其中，坡改梯43413.33hm^2，水土保持林17413.33hm^2，经果林9740hm^2，种草1846.67hm^2，封禁治理86753.33hm^2，其他56406.67hm^2。

（5）21世纪初期首都水资源可持续利用规划水土保持工程。工程范围涉及河北、山西2个省，年内共完成水土流失综合治理面积542.22km^2，其中，坡改梯2692hm^2，水土保持林10153hm^2，经果林2968hm^2，种草17hm^2，封禁治理38392hm^2。完成小型蓄水保土工程348座（处）。

（6）晋陕蒙砒砂岩区沙棘生态工程。工程范围涉及陕西和内蒙古2个省（自治区）5个县，治理面积360.53km^2，治理小流域33条。培育优选沙棘实生苗8700万株，良种沙棘扦插苗190万株。当年种植成活率达到80%以上，治理度增加4.5%，植被覆盖率增加4.1%。

（7）丹江口库区水土保持重点防治工程。工程范围涉及陕西、湖北、河南3个省。年内完成水土流失综合治理面积4516.19km^2。其中，基本农田2313.14hm^2，坡改梯11808.38hm^2，水土保持林110985.57hm^2，经果林21481.75hm^2，种草1289.77hm^2，封禁治理288852.64hm^2，其他坡面措施14887.72hm^2。完成小型蓄水保土工程13591座（处）。

3. 水土保持生态修复工程实施情况

截至2009年底，全国累计实施封育保护面积74.7万km^2，通过封育保护40多万km^2得到初步修复。

4. 防治效果

年内各项水土保持措施对于减少土壤流失、增加土壤入渗、拦蓄坡沟泥沙和地表径流发挥了不同程度的作用，效果明显。新修基本农田可减少土壤流失量2380万t，可增加降水有效利用量34382万m^3；新建淤地坝工程可增加拦泥库容41044万m^3，新增滞洪库容15301万m^3；新建小型蓄水保土工程可增加保土能力219万m^3，新增蓄水能力32460万m^3。

三、生产建设项目水土保持

1. 水土保持方案审批情况及实施情况

2009年，全国共审批生产建设项目水土保持方案2.24万个。其中，水利部审批国家大型生产建设项目288个，涉及水土流失防治责任范围5672.24km²，计划投入水土流失防治资金259.62亿元；各省（自治区、直辖市）审批生产建设项目水土保持方案2.22万个，涉及水土流失防治责任范围16092.91km²，计划投入水土流失防治资金564.57亿元，工程设计拦挡弃土弃渣量36.32亿m³。

2009年，水利部组织验收了167个项目的水土保持设施；各省（自治区、直辖市）组织验收了4686个项目的水土保持设施，实施返还治理项目1231个。

表3　2009年各省（自治区、直辖市）生产建设项目水土保持方案实施情况

省（自治区、直辖市）	生产建设项目水土保持方案审批							实施返还治理示范工程		
	审批数量（个）				水土保持总投资（万元）	防治责任范围（hm²）	设计拦挡弃土弃渣（万m³）	项目（个）	面积（hm²）	投入资金（万元）
	合计	省级	地级	县级						
合　计	**22194**	**2804**	**4599**	**14791**	**5645748.98**	**1609290.76**	**363176.01**	**1231**	**157809.58**	**49744.87**
北　京	143	62		81	183462.75	7390.70	37.00			
天　津	11	11			8001.81	4477.72	158.09			
河　北	472	146	70	256	195387.30	42415.80	11398.30	10	143.80	335.10
山　西	234	63	31	140	94989.00	7489.00	6736.00	91	1551.00	3323.00
内蒙古	373	47	145	181	185404.10	58492.50	47391.30	29	1702.30	1407.80
辽　宁	550	140	137	273	155029.62	23551.67	8347.01	34	763.10	410.00
吉　林	520	59	51	410	17073.00	6327.00	5520.00			
黑龙江	185	86	28	71	73143.75	29865.23	266.99	46	159.50	55.50
江　苏	121	27	11	83	102761.60	3742.05	976.63	22	154.60	861.90
浙　江	2276	96	691	1489	315410.00	37694.00	3575.00	23	1764.00	855.00
安　徽	319	56	93	170	117520.00	11302.00	3615.00	9	46.00	425.00
福　建	486	63	65	358	135001.50	12975.80	3984.70	29	393.30	574.40
江　西	1064	26	233	805	112759.58	24213.66	7620.30	100	739.82	2029.40
山　东	1846	24	164	1658	71691.90	15949.84	739.04	123	2335.30	2445.90
河　南	457	105	83	269	144908.80	34381.63	4745.64	92	3754.35	2763.45
湖　北	665	43	92	530	119499.94	13446.45	4003.59	52	652.70	1037.70
湖　南	1175	88	175	912	568496.00	26109.00	1620.00	230	2210.00	3675.00
广　东	1304	246	464	594	427669.00	30705.00	21692.00			
广　西	927	103	385	439	142336.70	30454.50	5285.60			
海　南	177	13	155	9	55459.40	9381.40	48.90	1	12.00	30.00
重　庆	794	90		704	378017.00	22360.00	41861.00	46	6370.00	2401.00
四　川	2924	155	362	2407	228190.10	23856.60	25064.50	64	2725.60	2772.70
贵　州	1266	402	311	553	492134.14	184310.69	5032.93	11	727.00	215.00
云　南	1809	217	528	1064	786957.00	79278.00	48030.00	73	4724.50	2113.20
西　藏	42	42			16033.08	3629.66				
陕　西	972	113	139	720	273097.45	723133.00	94389.45	59	92120.00	764.90
甘　肃	647	35	85	527	71003.96	129440.00	7332.56	77	34670.00	15545.62
青　海	94	58	3	33	47343.50	7673.86	3166.92	4	22.36	5156.30
宁　夏	96	48	16	32	75411.00	4926.00	414.00	3	48.35	347.00
新　疆	245	140	82	23	52556.00	318.00	123.56	3	20.00	200.00

2. 生产建设项目水土流失监测

2009年，共有200多个部批水土保持方案的大中型建设项目开展了水土保持监测，涉及铁路、公路、航运、水利水电、电力建设、输油（气）管线、矿冶化工等行业。

根据监测：69个典型项目共扰动土地面积13741hm^2，新增水土流失量373万t。经过实施水土保持设施，各项水土流失防治指标明显上升，其中，扰动土地整治率88%，水土流失总治理度84%，土壤流失控制比0.87，拦渣率92%，林草覆盖率32%，林草植被恢复率79%。

四、重要水土保持事件（略）

索　　引

Index

索　引　　527～530 页

索 引

《中国水利年鉴》编辑出版工作人员

总 编 辑　胡昌支

编辑部主任　王　丽

责任编辑　王　丽　王德鸿　李金玲　吉鑫丽　王可欣
王海琴　崔志强　冯红春　吴　娟

美术编辑　冯　强

技术编辑　王国华

微机排版　中国水利水电出版社微机排版中心

责任校对　张　莉

出版印制　刘　萍

全国水利水电
企事业单位风采

北京市水文总站

北京市水文总站成立于1963年，长期从事首都水文、水情、水资源、水环境的监测与评价工作，现有在职职工169人。

一、思想政治教育深入

水文总站党委提出了“以邓小平理论、‘三个代表’重要思想和科学发展观为指导，以不断加强和改进党的建设为基础，以推动和保障现代化水文可持续发展为主题，以提高水文职工的思想道德和科学文化素质为主线”的党建和精神文明建设工作目标。在市委市政府、市水务局党组的领导下，开拓思路，不断探索，全面推进“两个转变”，积极实践“两个支撑”，使党的基层组织建设和精神文明建设得到了切实的加强。

二、业绩成果行业领先

总站水文工作从只重视水量监测转变为水量、水质并重及地表水与地下水并重，水文业务逐渐从以水文测报、水文计算为主扩展为监测、分析、评价、预测预报等多方面。水文从服务水利逐步面向服务于社会。进行全市地下水普查，摸清了地下水开采程度和污染状况；完成了全市地表水调查评价和水环境承载能力分析；开展了全市水资源保护规划、地下水超采区限建规划等；参与了全市人工降雨、降雨调蓄利用和病险水库加固的论证分析及预测预报；配合市重点工程和各区县建设，进行建设项目水资源论证、水环境影响评价、洪水影响评价；结合新农村建设，组织指导新农村治污和雨洪利用项目开展等。

制定了突发水污染事故应急预案和应急技术手册，明确各部门应对突发事故的职责与应对措施。与市环保局共同建立了全市水环境水质监测信息发布联动机制，实现了水务、环保两系统在全市水环境信息“五统一”的公示制度，开创了信息发布的新模式。

开展完成了《北京市降雨产流测报系统研究》《典型垃圾堆放场地下水模拟及控制技术研究》《城市河湖水华预警系统研究》《密云水库富营养化防治技术研究》等10余项重点科研项目。建成了北京市水文自动化系统、水质自动监测系统、地下水自动监测系统和水资源基础信息管理系统，逐步形成了以信息技术应用为特征的现代水文新格局。

2008年水文总站党委以“奥运之年的水务安全”为核心，明确工作责任和重点，加强应急演练，做好各种调水计量和监测工作，围绕水环境安全，强化敏感水域、重点区域的水质监测，为奥运期间迎汛安全、水环境安全提供了可靠的数据保障。2009年，在迎接新中国成立60周年的水文信息保障工作中，制定了《国庆期间水文水质安全保障监测方案》，建立健全突发水污染事故应急监测机构，明确了各个部门的职责和任务，一旦发生突发事件，立即前往事发地点开始监测，确保了安全迎汛、供水安全、水环境安全。

三、领导班子团结有力

通过理论中心组学习提高了总站领导班子成员的领导水平和执政能力。中心组学习已成为总站领导成员学理论、议大事、转观念、出思路的重要阵地。在领导班子工作制度上，制定了《领导干部分工》《党委议事规则》和《领导班子议事规则》，按照职责分工，各负其责，重大问题集体讨论，共同决策。每年职代会评议领导班子优秀合格率都在90%以上。

四、建立健全工作制度

总站定期召开班子民主生活会，对照检查执行《党员领导干部廉政从政的若干准则》的情况开展批评和自我批评，进一步增强了领导班子成员为民、务实、清廉的思想认识和拒腐防变的能力。在以往制度的基础上，2007年后又相继建立了《党员联系群众和服务群众制度》《党员议事制度》《党员学习培训制度》和《“三会一课”制度》。坚持《领导干部调查研究制度》和《领导干部接待日制度》，开展了职工思想状况调查活动，及时掌握职工思想状态，并完成了《了解水文职工思想状况 全面推进思想政治工作》报告。

五、精神文明创建扎实有效

2007年总站重新修订了《北京市水文总站科室考核办法》。办法的实施使精神文明建设与业务工作有机结合起来，并将党办、工会、共青团、办公室等作为精神文明考核责任科室，做到了以制度形式规定党政工团齐抓共管的工作格局。

总站开展了向谢会贵、崔政权等先进人物学习的争先创优活动，开展党日活动、文体活动；先后为救助失学儿童、贫困地区和受灾地区募捐2万余元，参加义务植树、献血等活动；坚持慰问离休干部、生病职工、一线水文职工和遗属等。在生产、交通安全等方面，总站经常开展多种形式的防火、防盗、防交通事故的宣传教育活动。计划生育、综合治理工作连年达标并受到上级机关的嘉奖。

北京市水文总站连续5年被评为"首都文明单位"，近年来还获得"全国水利系统文明单位"、"全国水文系统先进集体"、"奥运保障先进集体"、"南水北调建设先进集体"等荣誉称号。

山西省潞城市水务局

山西省潞城市水务局（以下简称为"水务局"）是潞城市人民政府的职能部门，成立于1997年5月，负责全市的农田水利基本建设、防汛抗旱、饮水解困、水政水资源管理等各项工作。下属单位有史回灌区管理局、抗旱服务队和凿井队等。

近年来，局领导班子始终坚持用邓小平理论、"三个代表"重要思想和科学发展观武装全体干部职工。作为潞城市水行政主管部门，水务局全体职工在局领导班子的带领下，始终发扬"献身、负责、求实"的水利行业精神，以构建廉洁水务、高效水务、和谐水务为目标，积极践行创优水务环境、服务人民群众、创新治水理念、构筑现代水务的工作思路，各项工作取得了显著成绩。

一、三个创新

（1）城西水系工程实现了由城市排洪转向景观实用的创新，该工程总投资5000余万元，对原来的排洪渠进行了全面改造，形成集城市泄洪、气候调节、中水利用、休闲娱乐为一体的景观工程，实现污水分流收集，防洪标准提高到50年一遇。

（2）农村供水实现了由分散经营转向集中管理的创新，依托市抗旱服务队成立市集中供水中心，负责全市农村集中供水工作维护与运行管理等，指导全市乡镇供水、农村供水工程管理以及工程材料设备的采购与供应等工作，保证人畜供水质量，农村供水资源得到合理运用，供水工作更加规范。

（3）水资源工作实现了由重点征费向全面保护的创新，不断强化取水许可制度，严格遵循"先审批、后开源、再验收"的程序，扩大取水远程监控范围，增强力度，实现了水资源信息化管理。同时，水利安全生产、防汛抗旱、水土保持监督、河道采砂监督、渔政监督等五项工作得到进一步强化。

二、三项重点任务

（1）投资550万元，完成20个村1.5万人的饮水安全工作，超额完成5000人的农村饮水安全任务，并对全市94个移民安置村进行饮水状况调查，规划了11个移民安置村7352口人的饮水安全工作。

（2）加大投资力度，完善水资源远程监控体系建设，新建监控点10个，更新改造远程监控设备13套，完成水资源费征收3022万元，比2008年翻了一番还多。

（3）投资480万元，完成水保综合治理面积24km^2，完成水保林679hm^2，经果林91hm^2，封禁治理1440hm^2，建设谷坊8座，修田间道路7km，梯田改造191hm^2，超额完成当年国家重点水保工程任务。

水务局先后荣获2006年水利系统全国第三批水土保持生态环境建设示范城市、山西省水土保持红旗县、2007年度和2008年度全省农田水利基本建设红旗县（市）、2007—2009年水资源信息化建设工作先进单位、2009年度全国水利系统先进集体等称号。特别是2007年新一届领导班子成立以来，潞城水务进入了前所未有的发展阶段，城西水系改造工程、农村安全饮水全覆盖工程、国家重点水保建设工程等一大批水利工程的建设和水务一体化更是标志着潞城水利事业步入了健康、和谐、发展的轨道。

水利实践永无止境，水利发展任重道远。在潞城市委、市政府的坚强领导下，在全体干部职工的不懈努力下，全局上下决心以科学发展观为指导，深入贯彻落实党的十七大精神，积极进取，勇于创新，不断开创水务工作的新局面，努力构建廉洁水务、高效水务、和谐水务新形象，为水务事业又好又快发展作出新的贡献。

山西省滹沱河坪上水利工程管理局

山西省滹沱河坪上水利工程管理局（以下简称为“管理局”）成立于2006年6月，负责坪上应急引水工程的建设和管理。

坪上应急引水工程是山西省兴水战略重点工程之一，工程建设的主要任务是向忻府区、定襄县和原平市提供城镇生活和工业用水，年设计供水量7200万m^3。该工程的顺利建设和运营将为忻、定、原地区的可持续发展奠定坚实的基础，造福一方百姓。

2009年12月，顺利实现坪上应急引水工程试通水到忻州，这标志着工程建设已经完成阶段性的工作任务，忻定盆地人民常年饮用高氟水的历史即将结束。

一、迎难直上，科学决策，凝心聚力搞好建设

坪上应急引水工程线路全长108km，地质条件复杂，施工方案和支护方案多变，涉及4个县（市、区），12个乡镇，61个自然村，几万个农户，穿越铁路8次，公路42次，河道、渠道20次，各种电缆光缆60余次，涉及的部门有土地、林业、水利、铁路、公路、电信、电力、劳动、保险、军队等，征地、协调、施工难度非常大。面对困难坪上管理局上下一心，“严把质量管理、安全生产为先、科学规划管理”，确保工程建设稳步扎实向前推进。

在工程建设管理中，制定了包括综合管理类、财务管理类、工程技术类、后勤管理类等几个方面共29项规章制度，明确了每个部门每个岗位的工作职责，规范了工作程序，提高了工作效率，创新了管理模式。截至目前，坪上应急引水工程累计单元工程质量评定958个全部合格，其中优良863个；已验收分部工程45个，其中38个达到优良标准，自开工以来从未发生质量事故和安全生产事故。

二、领导干部以身作则，身先士卒勇做表率

坪上应急引水工程投资大，项目多，必须建立完善的管理制度，严格把控施工管理中的各个环节，才能有效调配资金，防止浪费及腐败现象的发生。管理局成立以来，局领导没有配备专车，单位车辆统一由办公室按事情轻重缓急调度，领导干部分发餐具和职工一起在食堂排队打饭，从不开小灶，客饭一般都在单位食堂招待，不准搞特殊。

三、工程党建双管齐下，感人事迹层出不穷

管理局成立了党支部，2009年获准设立了党委，党员人数占全体职工的28%，狠抓党风廉政建设、精神文明单位创建以促进工程建设。并结合工程实际，深入调研，开展讨论，以科学发展观统领全局各项工作的思想，把反腐倡廉教育列入干部教育培训规划，严禁与承包商进行不正当交易，工程支付需经十多人审核签字，严格执行各项管理制度，杜绝权力集中，从根本上保证了施工安全、资金安全、干部安全。

两年来，党委组织学习41次，工地发展党员4人，办科学发展观版报园地20多期。三个支部及党小组相互展开竞赛，涌现出不少感人的事迹。山区工地位置偏远，气候多变，冬天最低气温达－27℃，夏天紫外线强光直射，条件艰苦。全体干部职工远离亲人，坚守工地一线，住窑洞，生炉子取暖，一呆数十天；征地移民冒雨放线、领导干部卧雪指挥，爬管沟、钻隧洞，无论新春贺岁还是中秋佳节，工地上都不乏工作人员忙碌的身影，有的同志甚至把婚礼办到了工地食堂。

开工建设两年多，坪上管理局荣获了多项荣誉，得到了各级组织的认可与肯定：山西省水利厅授予“2007—2008年先进基层党组织”“2007—2008年兴水战略先进集体”“先进财务管理单位”称号，水利部、人力资源和社会保障部授予“全国水利系统先进集体”称号，山西省劳动竞赛委员会授予“五一劳动奖状”。

坪上管理局时刻牢记“兴水战略，造福民生”的使命，以早日让忻州人民喝上优质矿泉水为动力，宏扬“献身、负责、求实”的水利行业精神，同心协力攻克难题，争取早日完成坪上应急引水工程建设任务，为山西省重点工程建设创出业绩，为水资源的可持续利用及民生水利建设贡献力量。

内蒙古自治区呼伦贝尔市水利局

一、改革融资体制 实施项目带动

近几年，呼伦贝尔市大胆探索发展新思路，提出以水资源综合开发利用和优化配置为主线，以水利前期工作为基础，在建立多元化投入机制，用好国补水利资金的同时，以市场为导向，优化配置水资源，实现了水的最大经济效益。从1991年至今，共争取水利投资96.67亿元（其中争取地方水利投资21.06亿元）其中“十五”期间达到606490.33万元，是“九五”投资的13.1倍，是“八五”投资的56.03倍。

近几年，呼伦贝尔市水利局大胆创新工作思路，改革融资体制，采取政府投入与市场机制相结合的方式，建立以政府投入为主导、农户自愿投入为基础、民间资金、其他经济组织主动参与的多元化投资融资机制和体系。通过市场化运作，2006—2008年全市通过社会融资办水利资金达到9.77亿元。

为了解决能源重化工等工业项目对水的需求，呼伦贝尔水利人实施了项目带动兴水之策。以解决农村饮水安全、大中型灌区续建配套与节水改造、病险水库除险加固、重要水源工程建设、重点流域治理等问题，以水土保持为重点，认真抓好重大项目的前期工作。红花尔基、毕拉河口、扎罗木得水利枢纽、尼尔基水库下游大型灌区等一大批大型水利工程对全市经济社会发展具有重要影响。

二、建设防洪体系　夯实为民基础

1998年以来，呼伦贝尔市争取堤防、国境河流治理和枢纽及河道整治工程建设资金61805.97万元（其中国投37859万元）。加固堤防234.781km，新建堤防282.329km。使245万人口、10.13万hm^2耕地得到防洪工程的保护。西部大开发标志性水利重点工程尼尔基水利枢纽工程于2006年7月16日首台机组正式成功并网发电。2002年10月30日，总投资1.24亿元的扬旗山水利枢纽工程破土动工。水库总库容9299万m^3，每年可为扎兰屯市供水3963.66万m^3。红花尔基水利枢纽工程由受益企业投资兴建，于2007年4月开工建设，现已下闸蓄水，为解决洪涝灾害发挥了重要的调节作用。全市46座水库已有19座水库通过水利部和自治区水利厅的大坝安全鉴定，大批病险水库经过除险重新“康复”，目前已批复投资10977.51万元（国投7351万元）的8座水库，全部完成建设任务。11座小水库有10座列入《全国病险水库除险加固专项规划》中，于2009年全部竣工。全市13个旗市区均建有国家级节水灌溉示范项目区，到2009年末全市已推广节水灌溉面积17.79万hm^2。有灌溉条件保证下的农田，每年可减少粮食损失3.29亿kg以上。人畜饮水“380”工程和人畜饮水解困工程实施以来，现已覆盖106个乡镇、412个村，解决了88.43万人、78.53万头只牲畜的饮水安全问题。

呼伦贝尔把一个水利建设工程变成集防洪、城建、交通、绿化、旅游、商贸等诸多功能为一体的综合治理建设项目，这是治水史上的又一次飞跃。

三、强化管理职能　治理水土流失

自1999年以来，在牧业四个旗实施了饲草料地节水灌溉示范项目建设。到目前，已建成国家级饲草料节水灌溉示范项目16处，为解决牧民增收与草场超载矛盾作出了有益的探索。同时为遏制呼伦贝尔草原退化、沙化，恢复生态环境提供了水利支撑和保障。截至目前，已建成饲草料地节水灌溉面积1.83万hm^2、2070处，基本实现了旗旗有国家级节水示范区，苏木（镇）至少有一处旗级节水示范区。到2009年4月末，全市水土流失治理面积累计达到36.08万hm^2，封育保护面积103.10万hm^2。

为了建设好、管理好、使用好水工程，近几年，呼伦贝尔市全面推进依法行政、依法治水，坚持以人为本，始终服从、服务于公共利益的原则，对各项水事活动进行了卓有成效的管理，为可持续发展水利提供了强有力的政策支撑和法律保障。国管水利工程体制改革工作取得实质性进展，全市6个旗市12个水管单位均已完成了水管单位管理体制改革任务，并落实了两费两定。

四、精神文明建设硕果累累

市水利局坚持以科学发展观统领水利工作全局，解放思想，实事求是，开拓创新，社会主义精神文明建设取得了长足发展。

呼伦贝尔盟防汛办公室于1998年荣获“全国抗洪先进集体”称号，扎兰屯市水利局荣获“全国水利系统先进单位”称号。全市共有1个单位、2名个人获得水利部授予的先进集体和先进工作者称号。2009年呼伦贝尔市水利局获得“全国水利系统先进集体”荣誉称号。

内蒙古自治区水利科学研究院

内蒙古自治区水利科学研究院（以下简称为内蒙古水科院）是内蒙古自治区党委、政府重点支持的从事灌溉技术、水利工程技术、环评监测技术、水土保持技术研究以及水资源利用研究的公益性综合科研院所，内设4个行政科室、5个研究所、1个科技推广部、1个水土保持生物技术开发中心和1个综合试验示范基地，现有职工153人，其中正高工24人，副高工35人，工程师17人，助工41人，科研人员占全院职工总数的82%。

一、以可持续发展理念统领全局工作

面对不断变化的水利工作形势，内蒙古水科院始终坚持与时俱进、不断创新的动态发展理念。根据全国水利工作的新任务新要求，以自治区经济社会发展为依据，结合自身特点，创新发展思路，创新体制机制，创新工作方法，创新精神文化，全方位多角度深入贯彻落实科学发展观，力求不断推进水利工作全面、协调、可持续开展。

二、科研、技术服务业绩成果显著

“科研立院，科技强院，人才兴院”是内蒙古水科院一直以来秉承的宗旨。多年来，内蒙古水科院团结进取，开拓创新，科研水平取得了长足的发展。自1978年恢复建制以来，先后承担国家及自治区科研项目400余项，其中包括国家863计划课题、国家科技支撑计划项目、国家农业科技成果转化资金项目、国家科技成果推广项目，自治区水利科技攻关、星火计划、丰收计划和成果推广等项目，为国家及自治区水利建设和经济社会建设的重大难点问题提供了关键性的技术支撑。多年来共获得国家、水利部、自治区和盟（市、厅）各级奖励102项，其中，国家科技进步一等奖1项，国家自然基金四等奖1项，中国科学院科技进步一等奖1项，水利部科技进步一、二、三等奖11项，自治区科技进步一、二、三等奖38项。获得国家实用新型专利3项，主（参）编国家、行业和自治区地方标准13项，出版专著12部，发表科技论文360余篇。2009年，综合试验示范基地成为全国第12个水利部科技推广示范基地，为科研试验、示范、推广提供了新的广阔平台。

与以色列农业发展中心土壤水与环境研究所、清华大学、中国农业大学、中国科学院、水利部南京水文所以及山西、山东、辽宁、黑龙江等省级水科院建立了持续、良好的合作关系，多次邀请以色列农业研究中心水环境专家驻院进行项目合作。此外，2008、2009年院专家分赴巴西、意大利等国积极参加了国际水利学术交流会议。

目前已拥有建设项目水土保持方案编制、监测2个甲级资格证书，建设项目水土保持评估验收资格，建设项目水资源论证甲级资质，水文、水资源调查评价甲级资质，水利工程设计乙级资质，工程检测试验土建二级资质。技术服务范围不断向电力、化工、煤炭、铁路、公路等建设领域延伸。“十五”以来，共承担科技服务项目700余项，科技服务收入由2005年的2000万元增加到2009年的3000余万元，

三、强化内部管理体制机制，力创规范运行有机化整体

相继制定了《科研项目管理办法》《科研奖励管理办法》《技术服务项目管理办法》《技术资料档案管理办法》《资质证书管理办法》《技术合同管理办法》及《科研项目对外科研合作与外聘科研人员管理的暂行办法》等一系列科研、技术服务管理制度，实现业务工作全程规范化管理。积极调整结构，深化人事、财务制度改革，制定了《绩效考核暂行管理办法》《职称内聘管理办法》和《考勤制度》，聘用专业的审计律师事务所按季度对财务进行内部审计和指导，规范了科研项目经费及科技服务收入的使用。多次召开安全生产及维稳工作会议，出台《安全生产“三项行动”实施方案》《“安全生产月”活动实施方案》及《涉密计算机及办公网络安全管理制度》，定期在全院范围内排查安全隐患。这些制度、办法的出台，对全方位调控管理，多角度规范运行起到了积极的推动作用。

四、人才培养引进与精神文明创建扎实有效

自2004年以来，积极引进专业技术及行政管理方面博士、硕士、本科生38人，培养各类专门人才83人。

每年组织100余人次参加水利专业技术培训，1人作为国内访问学者到清华大学进修深造。科技人才培养投入300余万元。2008年3月被水利部评为全国水利科技工作先进集体，2010年1月被水利部评为全国水利系统先进单位。

辽宁省沈阳市河务管理处

沈阳市河务管理处现有职工7人，全处职工确立了防洪保安全的工作目标，心系群众，认真履行自己的职责，为沈阳市防汛工作目标的实现贡献了力量。

一、防洪工程高标准完成

在该处的努力下，沈阳市的防洪工程投资呈逐年上升趋势，特别是2002年以来，每年市财政在防洪方面的工程建设投资都在6000万元以上。在保证省级工程资金配套的同时，安排了大量的防汛工程建设内容，通过工程措施和非工程措施，已初步完善了全市的防洪体系建设。2000年以来，先后进行了蒲河整治、柳河整治和北沙河整治。2009年根据防洪工作的实际需求及时确定了工程计划，并抓紧组织县区实施工程建设。从设计、审查、施工、验收4个环节入手，坚持高标准、严要求，提高了工程建设管理水平和资金使用效益，80%以上的工程项目当年建成并发挥作用。投资1200万元，实施了19项河道险工整治工程和4项小型水库除险加固工程；投资1750万元，实施了柳河、北沙河、长河、东西马莲河整治、辽中城市防洪及团结闸围堤加固工程；投资670万元，实施了5项辽河砂基砂堤防渗工程；投资540万元，实施了3项农业产业化工程；投资700万元，实施了浑河排污口（小沙河）整治工程；投资956万元，新建1座4000m^{2}的市级防汛物资储备仓库。

二、抗洪抢险走在前列

2005年浑河、辽河先后发生了1995年以来的最大洪水，沈阳市范围内多个县区同时出现险情，该处在第一时间深入到鸟岛和谟家堡闸等抢险现场，协助进行抢险，直到险情得到控制。在2007年预报强降水过程中，该处全体同志密切关注天气情况，反馈防汛信息，做好各方面的协调调度工作。

三、河流生态建设成效显著

及时召开全市动员大会，下达《关于全市河流河道生态工程建设的实施意见》，落实工作责任。将辽河、浑河、柳河等9条河流纳入河道生态建设范围。要求县区紧密结合地方经济社会发展规划，针对不同河流、河段的特点选择治理方案，合理确定各类项目布局，因地制宜编制工程设计。结合实际情况，确定了2008年秋季至2009年春季优先实现城市段河道和跨河桥梁上下游可视范围景观化的目标。积极争取各个方面的政策支持和资金扶持，采取集体建设、土地使用权者自行营造、承包、租赁、合作等多种形式开展河道生态建设，很好地完成了省厅下达的建设任务。获得了省厅生态建设评比第一名的好成绩。

四、城市防洪面貌焕然一新

2000年以来，加大了浑河城市段建设的力度，完善了防洪体系建设，右岸防洪标准达到了300年一遇，左岸防洪标准达到了100年一遇，对沿线的滩地居民及企事业单位进行了动迁，滩地先后建成了五里河公园、沈水湾公园、罗士圈公园、浑河晚渡等6个公园，其余滩地也全部进行了绿化建设。在河道上先后建设了7条拦河闸、坝，形成40km连续梯级水面，实现浑河通航，可通航里程达到31km，此外还对护岸进行生态改造，建设湿地及岛屿。浑河城市段沿岸成为集水文景观、地文景观、天象景观、生物景观、工程景观、文化景观于一体的综合性水利风景区，成为市民休闲度假的好场所，于2008年被水利部评为国家水利风景区。

五、河道管理稳步推进

2009年共投入665万元资金，建设辽河、浑河堤防标准段20.13km，维修养护堤防254km，大型河流堤防建设水平位于全省首列。遵循条块结合、以块为主、区域管辖、政府负责的指导思想，成立了由主管公安工作副市长任组长的治砂工作领导小组，公安、国土、水利等多个部门协同配合，采取法律、行政、经济等多种手段，严厉打击盗采砂石行为。同时，对经省水利厅审批的辽中县和法库县砂场加强巡视和检查。从加大力度、规范行为、强化监督三个基本环节入手，建立起一支高素质的执法队伍，不断提高河道依法行政水平，使涉河违法案件发案率逐年下降。同时，将河道审批工作纳入市政府行政审批大厅管理，组织编制了《浑河城市段岸线利用规划》《浑河城市段水域通航规划》《沈阳西部新城区防洪补充规划》《蒲河流域雨洪资源开发利用规划》《沈阳市重点河流河道生态建设规划》等一系列规划，为今后工作打下了良好的基础。

上海市水利管理处

上海市水利管理处（原上海市河道水闸管理处，以下简称为“水利处”）是上海市水务局下属的负责上海市水利行业管理的事业单位，主要职能是负责拟定涉及水利的技术质量标准等并监督实施，组织全行业的精神文明建设、行风建设等工作。近年来，水利处以邓小平理论和“三个代表”重要思想为指导，认真学习贯彻落实科学发展观，全力推进现代水利建设、河道水环境治理、农村生活污水处理、村沟宅河整治和水利行业管理等工作。2002 年起连年被评为全国水利文明单位和上海市文明单位，2008 年被评为全国精神文明建设工作先进单位，2008 年河道水闸行业被评为规范服务达标先进行业。

（1）加强河道水环境治理，推进环境友好型社会建设。继苏州河干流基本消除黑臭之后，相继完成了中心城区所有黑臭河道以及近郊六镇 24 条、72km 的黑臭河道整治，以及郊区城镇化地区 681km 黑臭河道专项整治任务，开展了第四轮环保三年行动计划中的河道整治工作。整治后的河道基本实现了“水清、岸绿、景美”的阶段性目标，有效地改善了上海城市的人居创业环境。

（2）加强河道水闸管理，推进和谐社会建设。每年汛期坚持开展“百闸千人”安全月活动，年累计引清调水约 120 亿 m^3；完成了《上海市病险水闸除险加固专项规划报告（2010—2014 年）》报告的编制工作；为办好世博会，完成了 138 座水闸和 116 座结合部排涝泵站闸（站）容闸（站）貌改观工作。两年来，相继完成了 20 余座病危水闸改造，以及超过 60km 河道的坍塌险段应急护岸工程建设，为防止水土流失，确保人民生命财产安全作出了积极贡献。

（3）加强水利基础设施建设，推进城乡经济发展。2008 年全面完成了郊区“万河整治行动”，累计完成 2 万余条、1.67 万 km 的中小河道治理任务；2009 年启动了农村生活污水处理和村沟宅河整治工作。服务农业产业结构调整，相继完成了百万亩设施粮田和 2 万 hm^2 设施菜地水利基础设施建设。为改善郊区环境、促进农业增产、农民增收作出了积极贡献。

（4）加强行业管理，不断提高社会管理能力。不断提高行业管理能力，相继研究制定了《上海市跨、穿、沿河构筑物水利管理技术规定》等 50 余项水利管理规章、规程、制度，并组织培训和加以实施；围绕更好地“服务人民、奉献社会”，积极组织推进行业文明建设，水利行业有 6 个单位被评为上海市文明单位，基层服务得到社会广泛好评。

（5）加强学习、深入教育，树立人水和谐理念。坚持党委中心组学习，建立健全党员保持先进教育管理的长效机制，深入开展学习实践科学发展观活动，组织干部职工深入学习党的基本理论、基本路线、基本纲领和基本经验教育，贯彻落实中央水利工作方针，大力弘扬“求真、务实、献身”的水利行业精神，积极培育爱岗敬业、勇挑重担、敢打硬仗的良好作风，为连年完成“万河整治行动”计划、黑臭河道整治等一批艰巨任务打下了扎实的思想基础。

（6）围绕中心、服务大局，努力提高公共服务水平。在水环境整治方面，持续不断地开展河道水环境整治，为市民提供优美的宜居环境；在防汛防台方面，围绕保证公共安全，着力科学调水，确保人民生命财产的安全；在行业管理方面，加强水闸收费窗口、调水防汛窗口、河道管理窗口建设，提高为民服务水平。调查显示，95%以上的市民认为河道水环境明显好转。

（7）团结协作、建章立制，营造风正气顺的良好氛围。以创建“四好班子”为目标，实行党委统一领导，注重发挥班子成员的集体智慧，完善党委“三重一大”集体决策制度，形成了用制度管人、管事、管权的良好工作机制。坚持走群众路线，加强调研、督促、指导、服务，积极探索新的治水思路。落实党风廉政责任制，班子成员无刑事案件及违法违纪情况，全处始终保持了团结和谐、积极向上的精神风貌。

（8）加强管理，落实责任，争做遵纪守法的模范。“用平安铸就成功，用快乐实现难忘”。广泛开展“迎世博，讲文明、树新风”等主题教育活动，全面落实《公民道德建设实施纲要》，编制《上海市水利管理处制度汇编》，认真抓好“五五”普法教育和安全生产、综合治理等工作，在水利工程建设投资逐年递增、建设任务十分繁重的情况下，全处没有发生一起严重违章违法事件和重大责任事故，被市有关部门评为平安单位。

(9) 加强领导、完善体系，形成强有力的组织领导格局。水利处党委专门成立了精神文明创建工作领导小组，并把创建工作作为考评“四好班子”的主要内容，完善了保障机制、考核奖励机制、服务标准体系和社会监督体系，做到精神文明与物质文明建设相结合、单位创建与行业创建相结合、行业创建和行业党建相结合、内强素质与开展公益性活动相结合，全行业干部职工爱岗敬业、乐于奉献，精神文明创建工作始终保持良好的发展状态。

江苏省水文水资源勘测局

江苏省水文局党委坚持以科学发展观为指导，立足水利谋发展，充分发挥水文站网优势、监测优势、技术优势和人才优势，按照“更全、更准、更快、更新”的要求，提供缜密高效的技术服务，坚定不移地走大水文发展之路。立足新的更高的平台，以更加优质的水文水资源信息支撑水资源的可持续利用。根据水安全、水资源、水环境的实际需要，统筹水量水质监测及预警，真正做到科学布局，站网优化，数据准确，监控高效。增强水文为公共服务意识，拓宽服务内容，完善服务手段，提高服务时效，为社会提供更加全面、更加快捷的服务。省局党委以创新为动力，以服务谋发展的工作思路，为全省水文事业带来了一年一个台阶的滚动式大发展。

江苏省水文局在继续做好为防汛防旱和工程建设管理服务的同时，主动开展水资源、水环境、水生态等监测、分析和评价，为全省水资源统一管理和保护做了大量工作。2007 年太湖蓝藻暴发引发无锡市供水危机以来，水文局组织太湖沿线水文职工，对太湖所有水源地、调水引流沿线、环太湖出入口门等重要水域的水量水质，实行每日跟踪监测和巡查，编发水质快报，及时掌握水量、水质和蓝藻的变化趋势，并对太湖湖体和主要水源地实行日巡查制度，为实施太湖湖泛预警和有效处置提供及时准确的信息服务。为掌握苏北 6 市用水状况，水文局连续多年对苏北运河沿线扬州等 6 个市的 34 个市际断面进行全年逐日计量监测，为苏北供水价格调整以及各市用水计划的制定和监督考核，提供了宝贵资料和基本依据。为积极推进和实施省政府环境资源区域补偿制度，水文局对太湖流域所有河流县以上行政交界情况进行调查。从 2008 年 1 月起，陆续在太湖流域 10 条河开展环境资源补偿断面的水量（流向）监测。2009 年 1 月起，又增加 20 处市际交界断面的监测，无锡、常州分局还受所在市政府委托，开展 24 处县际交界断面的监测。

江苏水文人坚持以改革统揽全局，以创新促进发展，为水文事业发展注入新的活力。近年来，水文部门先后进行了二次内部人事制度改革，全面推行竞争上岗，实行内部全员岗位聘用，坚决打破大锅饭，建立岗位绩效工资制度，充分调动了职工的生产积极性，有力地推进了水文事业健康、稳步发展；在基层工作方式改革方面，他们根据站网的不同性质、作用和类别，研究不同的测验方法、精度控制、建设标准和管理形式。减少驻测，发展巡测，推广桥测、间校测，扩大委托，普及遥测和长期自记，逐步实现运用遥测数据替代人工观测报汛，运用自动采集数据进行资料整编；《江苏省水文条例》明确了水文部门 6 项行政许可职能，建立了水文资料使用审查等 10 项制度，有力地推动了全省水文系统管理体制运行机制改革。2009 年 1 月成立泰州、宿迁水文分局，全省全部按行政区划设立了市级水文机构。同时，积极推进市级水文机构实行以省为主，省市双重领导管理体制改革。无锡、常州、淮安水文分局挂牌成立了市级水文机构、溧阳市挂牌成立了县级水文机构。为适应管县体制改革，以县为单位设立了 28 个水文水资源监测中心，研究和探索县级水文机构的设置和建设。

江苏省水文局在全系统广泛开展爱岗敬业、无私奉献教育活动，开展“文明水文站”、“达标水文站”和文明单位创建活动，涌现出一大批“文明水文站”、“达标水文站”。其中，7 个测站被授予全国文明水文站，23 个测站被授予省级文明水文站，10 个分局被评为市级或全省水利系统文明单位，12 个监测中心（科室）被评为省级机关或省级“青年文明号”，另外还获得其他个人或集体荣誉称号。

江苏省南京市三汊河河口闸管理处

南京市三汊河河口闸管理处（以下简称为“管理处”）是隶属于南京市水利局的正处级全额拨款事业单位，主要负责对三汊河河口闸的调度、运行与维护，对秦淮河流域内水资源实施统一调度，近两年增加了对外秦淮河水利风景区以及南京水利展示馆的管理。

管理处按照南京市水利局党组关于“高标准、树新风、保安全、重改革、树形象”的工作总要求，围绕“建一流工程，创一流管理”的总目标，不断强化内部管理，优化对外服务，高标准地履行了各项管理职能，充分发挥了河口闸工程、六闸联控调水系统水环境改善的效益，提升了城市形象，为南京市获得“联合国人居特别荣誉奖”作出了重要贡献，也先后获得了包括中国水利优质工程大禹奖、国家水利风景区、国家级水管单位在内的国家、省、市多项荣誉。

一、严格管理，确保单位职能有效履行。

管理处全面系统地构建管理制度体系，加强制度规范和执行，强化计划管理，对工程检查与观测、工程养护与维修、工程控制运用、安全管理、环境管理、档案管理、教育培训管理等实行高标准、严要求，按照不低于相关技术规范及管理考核标准进行管理，做到标准立足高，执行立足实，检查立足细，监督立足严，协调立足快，整个管理过程做到事前有计划、事中有检查、事后有总结，确保管理职能的有效履行。2009 年 9、10 月，南京市三汊河河口闸管理处以优异成绩分别通过了国家级、省级水管单位考核验收，实现南京市水利工作新突破。

二、优化服务，增强和谐发展保障功能

发挥职能载体，管理处充分利用河口闸水环境改善的功能，强化、优化、细化、深化六闸联控调水工作；建设文化载体，管理处在市水利局领导下，创建了国内一流的水利展示馆——南京水利展示馆，免费向社会开放，向同行开放；利用工程载体，管理处充分利用这座现代化的水闸作载体，在向国内外同行介绍工程建设和管理的同时，也为他们提供了一个了解南京乃至江苏水利的平台。目前，管理处每年接待近百批全国同行以及社会各界人士，已成为江苏水利重要的对外窗口。

三、文明创建，打造奋发进取优秀团队

精神文明建设是管理工作的重要内容，能有效地促进单位管理水平的全面提升，也是队伍建设的重要手段。管理处系统谋划，建立健全精神文明建设体系，规范有序实施，系统开展活动，加强思想政治教育，强化对外宣传，树立良好形象，特别是重点加强载体建设，针对不同的群体，通过创建“文明单位”“工人先锋号”“青年文明号”及“巾帼文明岗”等活动，将精神文明建设与提升干部综合素质相结合，将精神文明建设与构建单位和谐奋进的氛围相结合，激发了干部职工爱岗敬业，奋发向上的精神，构建了积极向上、团结和谐、追求佳绩、不断创新的氛围，打造了一支遵章守纪、奋发进取的优秀团队，为管理处实现又好又快发展提供了有力的支撑。

四、创新驱动，助推管理水平显著提升

管理处定编 12 人，目前在岗 10 人，占部颁标准人数的 23%，“一人多能、一人多岗”，实施了全员竞争上岗。河口闸虽然是获“大禹奖”的创新工程，但管理处没有吃老本，根据工程运行情况，对国内独有的工程进行了独创性的完善和提升；再次机制创新，实行了彻底的管养分离。养护维修真正达到高标准、严要求，形成了管理处和养护单位的互相促进、争相提高的良好局面；通过手段创新，全面规范各项管理工作。管理处全面实施了 ISO 9001 质量管理体系的贯标工作，以合理的质量方针、明确的管理目标统领全处工作，让工作有规章可依、有流程可循、有记录可查，提高了管理过程的控制力和执行力。通过管理的创新，助推管理水平的显著提升，初步实现了管理处的科学发展。

南京市三汊河河口闸管理处以进一步完善软硬件设施、提升工程管理水平、提高对外服务标准、强化文明建设为抓手，构建以品牌创建为目标、以履行职能为基础，以奉献社会为导向、以和谐文化为内涵、以全面发展为要旨的河口闸文化管理体系，将管理处建成国内一流的管理单位，打造南京市及江苏省水利品牌。

江苏省无锡市水利局

无锡水利系统紧紧围绕防洪保安、水资源供给、水环境保护三大任务，从单一的农村水利向城乡并举发展，从工程水利向环境水利过渡，从传统水利向现代水利迈进，把服务经济社会发展，保障和改善民生作为目标定位，坚持“科学治水、生态治太”的治水理念，加快推进安全水利、资源水利、环境水利和民生水利建设，防洪能力显著增强。

一、构筑屏障保安澜

按照科学防洪、专业防洪、工程防洪的总体要求，自 2004 年开始，率先启动城市防洪大包围建设，先后投资 20 亿兴建了 8 大水利枢纽工程、32km 外围堤防和 17 座口门建筑物，受益面积 136km^2，防洪标准和排涝标准分别达到 200 年和 50 年一遇。城市防洪工程体系自 2007 年汛期开始发挥工程效益以来，成功抵御了多次强降雨及“麦莎”、“莫拉克”等台风的影响，为防御自然灾害、保障经济社会可持续发展发挥了巨大的功能效益。

二、兴水之利润民生

按照国务院关于太湖治理的总体部署，无锡市水利局先后实施了包括生态清淤、调水引流、蓝藻打捞与后续处理、城乡河道整治等一批以太湖水环境综合治理为重点的水利工程项目。2007 年以来，共计完成太湖生态清淤面积 41.12km^2，完成生态清淤量 1411 万 m^3；梅梁湖泵站、大渲河泵站实现调水引流 27.4 亿 m^3，持续稳定地改善了水源地水质。在河道管理方面，出台了《无锡市河道管理条例》，全市落实“河长制”管理的河道达到 1280 条，“河长制”管理经验从无锡走向全国。为修复农村河道生态，2003 年起，全市开展了大规模的清洁“家河”行动，清洁“家河”的经验在全国得到推广。2005 年开始实施村庄河塘疏浚整治，完成村庄河塘疏浚整治 6789 条，并落实了长效管理。自 2008 年以来，全市以农村水利“三大工程”建设为龙头，全力创建农村河道综合整治示范村、万亩圩区达标建设、农村水利现代化示范园区建设，取得显著成效。

三、科技领军谋发展

(1) 以高科技带动水利大发展。在水环境治理中，在国内率先采用环保绞吸式挖泥船进行生态清淤，引进国外先进技术对淤泥实行固化处理，实现了资源化利用。在蓝藻打捞与处理工作方面取得了机械化打捞、藻水分离和资源化利用的三大技术突破，研制开发了具有国际领先水平的机械化打捞船，在国内率先成功推广应用藻水分离技术，实现了蓝藻的机械化打捞、工厂化处理和资源化利用。

(2) 以信息化引领水利现代化。已建成的水文遥测系统、水利工程运行监测及视频监视系统、防汛决策支持系统、水利地理信息系统、办公自动化系统、移动水利通信系统等在近年来的防汛工作中发挥了重要作用，实现了水情、雨情、风情的自动监测；水利工程运行参数实时监测及视频监视系统实现了对各类水利工程闸、站运行技术参数的自动监测及视频监视，可以对各节制闸、船闸，泵站及机房的工作状态进行实时监控；目前，我们正以“感知水利”物联网技术为龙头，全面提升防汛防旱决策指挥、水环境治理、水资源管理的信息化和智能化水平。

四、严格管理强素质

以理论武装为先导，理论学习与调查研究相结合。紧紧围绕组织多层次、全方位的理论知识与业务培训，班子领导和机关干部下基层活动已渐成制度并形成常态，近五年共组织完成了 150 余项水利专业调研课题，为水利事业的发展提供了新思路，开辟了新视野。主动与国际先进的管理理念接轨，从制度化、规范化、标准化、科学化的“四化”标准入手，在全国水利系统内部率先推行 ISO 9001 国际质量管理体系。把推行部门权力内控机制建设作为水利系统廉洁从政的着力点，通过对社会关注的水利工程建设领域涉及的权力查找风险点，优化流程控制，最终达到事前控制、预防腐败的效果。在全市水利系统内开展了丰富多彩的结对共建、扶贫帮困、普法宣传及文体活动。目前，全市水利志愿者队伍超过 300 人，在河道保洁、水法规宣传等方面发挥了重要作用，同时也营造了全社会关心水利、参与水利、共建水利的良好氛围。

安徽省安庆市水利局

安庆市水利局以科学发展观为指导，认真贯彻落实中央水利工作方针，践行水利部治水新思路，着力构建“人水和谐”新安庆。

一、深入开展思想政治工作

坚持以党的建设促进和谐单位建设，以党的建设推动精神文明建设。先后开展的“三个代表”重要思想学习教育、保持共产党员先进性教育、学习实践科学发展观等活动，均取得了显著成效，广大干部职工不断解放思想，与时俱进，理清了发展新思路，树立了科学发展、和谐发展、奋力崛起的新理念。以加强领导班子建设为重点，扎实推进了干部、人才队伍建设；以加强反腐倡廉及勤奋工作教育为重点，从源头上预防和惩治腐败，确保了工程、资金、干部“三个安全”，为安庆水利事业持续健康发展提供了坚强的政治组织保障。

二、水利事业长足发展

2004年至今，全市完成各类水利投资32亿元（其中国家投资15.3亿元），水利工程防灾、抗灾、减灾能力不断增强。

近五年来，市本级安排2000多万元用于水利前期工作，在规划设计领域引入市场机制，采取招标方式选择设计单位。全面推行水利建设“四制”，建管工作始终走在全省先进行列，在历次稽查、审计中，未发现重大违规、违纪行为，也无质量、安全事故发生，得到主管部门的充分肯定。全面实施取水许可制度，开展涉水项目水资源论证工作，对城市入河排污口开展调查、论证与监控，开展供水源地和重点水功能区的水质监测，完成地表水功能区确界立牌工作，实行水资源状况评价和年度公报制度。五年来，解决87万农村人口饮水不安全问题，完成111座小型水库除险加固，实施水利血防工程改善了疫区人居环境。加强水土保持监督检查，审批各类生产开发建设项目水土保持方案210个，依法征收水土保持补偿费600多万元。五年来，完成水电投资5.19亿元，新增小水电装机47处43700千瓦，小水电供电覆盖7个县（市）27个乡镇，乡、村通电率100%。推进科教兴水战略，取得了多项科技成果。市政府出台《水利工程水费计收管理实施细则》《内河河道管理办法》等规范性文件；我局就执法、收费、管理工作制定一系列规章制度，水规章体系更加完善。加强水利执法工作，查处水事案件，建立了良好的水事秩序；加大规费征收力度，加强水政监察规范化建设。积极开展水利多种经营，发展水利经济。

三、防汛及应急管理能力迅速提高

建立了完善、规范、高效的领导、技术、应急保障、带班值班责任制。2007年、2008年先后完成了村级防御台风及山洪灾害应急预案和江心洲应急抢险预案示范文本修编；大力开展预案演练，近两年均超额完成了演练任务。通过汛期引江济湖、汛后拦蓄雨洪资源等手段，在科学论证、预测的基础上实施洪水适度风险管理。安庆市防汛抗旱指挥中心信息化程度为全省最高，有防汛抗旱广域网及局域网、水情信息服务、防汛抗旱异地会商、远程视频监控、安庆水利信息网、办公自动化、地理信息综合应用等12套系统。成功组织了泰利、凤凰、莫拉克等台风防抗工作；在2006年大龙山矿难救援行动中，组织防汛抢险应急分队出色完成了百米竖井排水清淤任务；2008年初，安庆市遭受了罕见雨雪冰冻灾害的袭击，市委、市政府借助市防汛办的应急能力和防汛抗旱指挥中心的工作环境和先进设备，指挥全市防抗工作，防汛办队伍整体应急能力也得到了进一步的锻炼。

四、加强班子和队伍建设

局党组一班人相互理解，默契配合，发挥了战斗堡垒作用，保证了全局系统各项工作全面协调发展。全局上下凝心聚力，顾全大局，各项工作进展顺利，干部职工多次受到党委、政府、部门表彰，在市委年度领导班子考核中，优秀率均在95%以上。加强干部队伍廉政建设，实行工作人员挂牌上岗制度，推行“首问负责制”，接受社会、群众的监督。

五、遵守法律法规，依法行政

近年来，安庆市水利局加强制度建设，先后制定了财务、办文、办会、办事、人事、行政、信访、机关管理、水利执法等30余项管理制度与工作规范，理顺机关财务、机关事务和对下属单位的管理关系，使机关管理走上规范化轨道。健全、完善的制度，保证了各项工作依法按章、公开透明地进行，同时也起到了爱护职工、保护干部的作用。五年来，我局无违规违纪问题的发生，无重大安全责任事故，未发生较大影响的投诉、上访事件。

六、加强水利精神文明建设

坚持开展职工文化体育活动，丰富了职工业余文化生活。建成并常年开放职工健身中心，配置全套健身、形体、乒乓球设施，鼓励职工开展体育锻炼。开展文明创建活动，机关办公楼实行物业化管理，使保洁、保安、绿化常态化，积极组织申报市级文明单位、花园式单位。多次组织职工文艺节目参加省厅艺术节汇演，选送优秀节目赴省厅慰问演出，曾荣幸地选送黄梅戏参加了水利部春节联欢活动。加强城市防洪景观工程、外滩公园、安庆江堤文化墙、桥头公园日常管理，将“水文化工程”打造成为市委、市政府重要接待参观场所，安庆历史文化名城宣传载体以及青少年爱国主义教育基地。

福建水利电力职业技术学院水利工程系

福建水利电力职业技术学院水利工程系多年来坚持学院提出的“立足行业、面向海西、服务地方”的办学定位，走以“提高质量、改善结构、特色取胜”为主的内涵式发展之路，以“献身、负责、求实”水利精神认真践行科学发展观，努力构建“校企合作，工学结合”的人才培养模式，不断提升专业人才培养质量，获2009年度全国水利系统先进集体称号。

一、专业建设成效位居全省同类院系前列

水利工程系是福建水利电力职业技术学院最早成立的专业系之一，目前专业数从2003年建院之初的3个发展到现在的12个，（即水利水电建筑工程、水文与水资源、水电站动力设备与管理、水利水电工程管理、机电一体化技术、建筑工程技术、工程造价、工程监理、建筑设备工程技术、道路桥梁工程技术、工程测量技术、市政工程技术），基本形成了特色鲜明的水利、建筑类两个专业群；现有全系在校班级42个，学生1915人。

根据学院部署，2005年以来该系组织力量，广泛开展专业建设与人才需求调研，不断增设拓展与行业企业急需、同社会经济建设相适应的新专业，努力引进和培养师资，优化人才培养方案，深入开展专业课程建设与改革，加强校企合作，实施工学结合，积极探索“工学交替”、“项目导向”“顶岗实习”等教学模式，强化学生实践能力训练，提高人才培养质量，成效显著。水利水电建筑工程和建筑工程技术分别被福建省教育厅确定为2007年、2008年度省级精品专业；水电站动力设备与管理在2009年初由中国水利教育协会批准为首批全国水利高职教育示范专业。同时，水工专业及专业群、建筑专业及专业群在2008年7月被确定为学院省级示范性高等职业院校重点专业（群）建设项目。

二、师资队伍建设水平领先全省同类院系

水利工程系教职工以创建“省级示范性院校”“省级文明学校标兵”为动力，与时俱进，乐于奉献，师资队伍建设成绩斐然。目前在岗教师与教辅人员63人，其中副教授（高级工程师）16人，讲师、实验师22人，外聘企业兼职教师16人（其中教高与高工11人）。取得行业工程师及各级注册土木工程师、建造师、结构师、造价师、监理师、会计师、高级职业资格鉴定考评员等资格的教师达42人次，双师型教师占专业课教师总数的91.3%。85%以上的青年教师被委派到科研、设计、生产、管理单位或部门一线参加过业务培训和实践锻炼，90%以上的专业课教师参加过各类现场管理实践等工作，有较强的工程实践经验。该系现拥有两个省级优秀教学团队，1名中国水利职业教育先进工作者、1名福建省职业教育先进个人、1名省级高等学校教学名师、1名省级优秀教师、2名福建省优秀水利教育工作者、2名福建省水利中青年科技学科带头人。

三、教科研成果和出版教材位居全省同类院系领先地位

2005年以来，全系教师发表各级各类学术论文110多篇，承担各级教学及教改研究课题、科研课题90余项。全系共承担《水工建筑物》等15门院级精品课程建设，水利工程制图、工程地质与土力学、工程力学、水电站、水工建筑物5门课程被福建省教育厅评为2008、2009年度省级精品课程；共有49人次参加“全国高职高专水利水电类精品规划教材”“全国高职高专土建类专业系列教材”“全国高职高专市政类精品规划教材”的编写工作，共主、参编并出版教材67本。其中，担任主编的《工程地质与土力学》《水文及水利水电规划》《水电站》等教材均享有广泛赞誉，获得省内外兄弟院系师生的好评。

四、实验实训条件建设取得重大突破

该系的“建筑技术实训基地”、“水利水电建筑工程实训基地”分别获得2006年度国家财政资金支持（投资300万元）和2009年度福建省财政资金支持（投资220万元）的职业教育实训基地建设项目，新建起一批如工程造价实训室、工程质量检测实训室、施工放样及建筑施工实训室、楼宇智能化实训室、建筑模型教学室

等实验实训场所。另外，该系改革人才培养模式，积极开展校企合作，推行工学结合，突出学生实践能力培养，加强实训、实习基地建设。现拥有中国水利水电第十六工程局有限公司、福建省第一建筑工程公司等17个校外实习基地，建有校内工程测量、水电站等13个实验实训室和材力与建材实验、水工观测等8处实训场，增强了办学实力，推动了“教、学、做”为一体的教育教学改革。

五、社会服务能力明显增强

近5年来，水利工程系各专业团队主动为社会、行业、企业开展工程勘测设计、监理等业务咨询、技术服务90余项。该系常年组织开展测绘、水利、土建、制造类共22个工种的初、中、高技术等级的职业资格鉴定和部分工种技师鉴定。目前开发有16个培训模块，面向省内、外水利水电行业和企事业单位常年开办小水电运行管理、排涝泵站运行管理、城镇供水工程管理、水文测报与水库调度、工程质量检测、水利管理技术、AutoCAD高级应用等各类专业技术培训班，完成各类各级职工培训及职业资格鉴定达5568人次。

六、毕业生就业形势喜人，社会声誉好

水利工程系近三年毕业生初次就业率均达到92%以上，且就业质量高。培养的学生敬业爱岗并具有较强的实践能力，从2004年秋季开始，按照学院的要求，该系每年均举办学生技能比武月活动，组织开展工程测量、建筑材料试验、施工图预算编制、工程CAD及其应用、水力机组检测、Pro－e、钢筋工程施工等项目的技能竞赛，均取得良好实效。以水利工程系学生为主体的学院代表队在2007年、2009年全国水利高等职业院校“黄河杯”“楚天杯”技能竞赛中荣获团体总分第二名；在2008年全国水利高等职业院校“杨凌杯”技能竞赛荣获团体总分第六名；在2008年福建省首届计算机绘图技能竞赛中荣获团体总分第一名；在福建省历届高职学生技能竞赛中均获得好名次。有3个班级荣获福建省三好班级；有3个班级荣获三明市三好班级；有4人荣获省级三好生或省级优秀毕业生等称号；有5人荣获国家奖学金殊荣；有19人荣获省水利厅“十佳学生”称号。

江西省水文局

2009年，江西省水文局在做好服务防汛抗旱、水环境和生态环境保护、水资源管理、水利建设的同时，不断拓展服务领域、服务空间和服务手段，特别是在保护鄱阳湖一湖清水、推进鄱阳湖水利枢纽工程建设方面作出了积极的努力，提供了可靠和有效的技术支撑。

一、在防汛抗旱减灾服务中体现“植根水利、急水利所急”

(1) 不断加强水文设施建设，夯实服务防汛抗旱的基础。江西省水情分中心建设工程全面通过竣工验收；江西省暴雨山洪监测系统共建有水雨情自动监测站1432个，基本覆盖全省重要村镇、旅游景点和人口密集区；年内完成中央扩大内需基础项目中的赣州、吉安水环境实验室的改造工作；景德镇等5个市水文局冰冻灾害恢复重建工程通过验收；完成了第一期14个地下水监测站井的站房建设；江西防汛抗旱水文预测预报中心建设进入实质阶段并列入全省水利重点工作；鄱阳湖水文水生态基地建设工程已经纳入江西省水利厅推进鄱阳湖生态经济区发展的重点项目。

(2) 着力服务在建水利工程。为确保在建的萍乡山口岩水利枢纽工程安全度汛，江西水文部门于汛前及时建立了山口岩水文测报预报应急服务系统。在2009年7月2日出现的暴雨洪水过程中，及时准确的水文预报支撑了省防总成功实施调度，确保了工程安全和人员安全，减免直接经济损失约2000万元，为在建水工程安全度汛积累了经验。

(3) 准确测报灾害性山洪。2009年7月3日，赣南普降特大暴雨，崇义县聂都站24小时降雨量528mm，创江西实测日暴雨记录。当地政府根据水文预报迅速组织防灾，提前转移群众17万余人，在2.69万间民房被冲垮、700余处山体滑坡的情况下，没有出现群众死伤，减少直接经济损失约10亿元。

(4) 积极主动应对严重旱情。2009年9月后，江西局部地区出现50年一遇的秋旱，全省水文迅速组织应急小分队，开展供水水源地、灌区、湖区水文测验，中小河流水文站加测流量，增报蒸发量，实施每天滚动预报，适时发布一周主要江河枯水预报。确保了南昌市的供水安全，为调水缓解旱情、赣江通航等决策提供了依据。

二、不断拓宽服务领域，体现“服务社会、想社会所想”

（1）推进水文服务成果化。全年为社会提供了约8000多站年的水文数据资料和分析成果；完成了《江西省水资源公报》《水资源管理年报》的编制；按月编制了《鄱阳湖水资源动态监测通报》《江西省界河水资源动态监测通报》；全年承担了10余项重大项目水资源论证报告书的编制。编制了《江西省峡江水利枢纽水资源论证报告书》《江西省峡江水利枢纽工程防洪评价报告》，为工程立项做了大量扎实可靠的前期水文论证。

（2）积极服务鄱阳湖生态经济区建设。2009年12月，成功承办了鄱阳湖水生态保护与监测论坛，提升了鄱阳湖在国家平台上的研究地位。为适应鄱阳湖监测的新要求，增加了湖区流速流向监测项目，加强湖流特性与湖泊水生态现状及演变趋势研究，并开展鄱阳湖藻类试点监测，填补了江西省藻类监测项目的空白。科学编制《鄱阳湖生态水利枢纽工程前期水文论证》报告，积极开展《鄱阳湖水利枢纽对鄱阳湖的水质影响与对策研究》《鄱阳湖水利枢纽对防洪的影响与对策研究》《鄱阳湖水利枢纽对泥沙淤积的影响与对策研究》《江湖关系研究》四大课题水文部分的研究分析工作。

三、内强素质，推进新时期江西水文队伍建设

（1）开展典型模范引路活动。2009年，刘铁林、潘书尧、温珍玉三位同志分获全国、全省和赣州市五一劳动奖章，这是全省水文系统干部职工长期艰苦奋斗、服务社会的结晶和缩影。江西省水文局积极组织开展向先进人物学习的活动，掀起了争做优秀职工、争创文明队伍的热潮。

（2）落实“三定”方案增添水文队伍活力。全省水文系统全面推行了以“定责、定岗、定员”为主要内容的“三定”方案，通过深入落实干部轮岗制、上挂下派和干部谈话制度，不断探索建立适应水文管理特点的奖惩激励机制，创造水文和谐向上的工作环境，努力建设一支政治坚定、业务精湛、行政高效、作风过硬、人民满意的水文公务员队伍。

（3）建设学习型队伍。2009年，省、市水文局两级党组织不断丰富中心组理论学习的形式和内容，推行双休日学习制度，开展了多种形式的技能学习活动。全省水文技能竞赛、专业知识考试和技能测试近40场次，有54位职工坚持参加水利工程和软件工程硕士研究生班学习，派出了3位市局一把手到扬州大学进修，为江西水文走大水文之路提供了各层次人才保障。

江西省上饶市大坳水库管理局

近年来，江西省上饶市大坳水库管理局（以下简称为“管理局”）围绕“跨越更高层次”的工作目标，推出并践行了“四创同建”和“四管并进”的新理念。以创建国家一级水管单位、省级文明单位、市级平安单位、市直“十佳”文明机关即“四创同建”为载体；以制度化、素质化、潜能化、人性化管理即“四管并进”为手段，推动各项工作落到实处。2003年管理局进行了产权制度改革，剥离出让了经营性资产，保留了维护防洪、灌溉效益的公益性资产，成立了直属市政府的正县级大坳水库管理局，内设四科一室，在编在岗28人。其中大专以上学历24人，中级以上职称11人，党员13人。

一、推行“四创同建”，积极追求高层次工作目标

“四创”内容有异、侧重有别，但彼此在外延和内涵上都是更高、更深、更细的延伸，均包含了硬件与软件、过程与成果、经常与细节的要求。在硬件上，升级改造了水情测报、大坝观测、水库调度、网络报讯、视屏监控等自动化运行设备，建立了局域网，做到一人一机，实现了办公自动化，自动化水平居省内领先，达到国内先进水平。筹资新建了库区生产一线颇具人性化的调度房和职工宿舍，成功运作了四星级和平国际酒店，办公条件为市直一流。软件上，立足于建队伍、尚文化、优环境，要求员工思想上要“三立”（立德、立言、立行）、工作时要“四高”（高标准、高风格、高干劲、高效率）、落实中要“五事”（想干事、肯做事、会办事、能共事、不出事），培育了具有大坳特色的单位文化，成为“四创”亮点之一。细节上，按照细节决定成功的理念，在注重经常性的同时，不懈怠任何一个细枝末节。如在局班子与员工之间签订了“四块三级安全责任状”，实行了督班、巡班、带班、值班“四级值班制”等，取得了显著成绩，连续五年在全省大中水库运行管理综合考评中名列第一，连续三年被评为省水管先进单位，还被评为省文明单位、省水管体制改革先进单位、市平安单位、市直“十佳”文明机关，2009年荣获国家一级水管单位、人社部和水利部联合表彰的全国

水利系统先进单位。

二、积极推进体制机制改革，充分激活深层次工作潜能

水管体制改革是一件攸关水管单位长远发展和职工长远利益的大事好事。管理局由于2003年推行了产权制度改革，已经实现了经营性资产和公益性资产的分离，因而推行水管体制改革难度更大。为此，管理局积极沟通，争取支持，理顺了水管体制，2006年管理局由自收自支事业单位调整为全额拨款的事业单位，2007年全省水管体制改革验收时被考核为优秀，同年被评为先进单位。在内部管理上管理局于2005年在全市率先推出了竞争上岗、全员聘用的人事制度改革。2008年拟进行新一轮竞聘时，适逢人社部部署了因人设岗、竞争上岗的事业单位岗位设置管理，于是管理局转推此项改革，并争取到了有利于职工事业发展的设岗方案。

三、强化"四管并进"，着力提升全方位管理水平

出台了137项10多万字的规章制度以促进日常管理制度化、工作运转规范化。在积极培育员工的择业观念、从业精神、敬业品格、守业操行等单位文化的同时，重视教育和培训工作以提高员工素质。如要求每个员工每年必须完成2万字读书笔记和100道自问自答题以满足一人多专、一岗多能。在竞争上岗、全员聘用的同时，实行附之以经济激励的工作量化考核机制，不断挖掘员工潜能、提高工作效率。通过决策民主化、办事透明化以增强员工的参与意识；通过坚持不懈、诚心全意为员工做实事以增强员工的主人翁意识，把人性化管理落到实处，管理水平得到全方位提升。

山东省南水北调东线山东干线有限责任公司

南水北调东线山东干线有限责任公司成立于2004年12月，负责南水北调东线一期工程山东省境内干线工程建设和运行管理，负责工程所需资金筹措、使用和贷款的偿还，承担授权范围内国有资产的保值增值。公司紧紧围绕国务院确定的东线工程2013年通水目标，抢抓机遇，强化措施，推动南水北调工程建设全面提速，取得了显著的阶段性成果。

一、思想政治教育深入，干部队伍坚强有力

坚决贯彻落实中央和省委的路线、方针、政策，认真开展先进性教育和学习贯彻科学发展观活动，又好又快建设南水北调工程。坚持集中学习日制度，每月进行一次政治和业务学习，领导亲自讲课。每年开展一次主题党日活动，到党员教育基地举行新党员入党宣誓仪式和党员重温入党誓词活动，为汶川、玉树、舟曲等灾区踊跃缴纳"特殊党费"。从2005年开始，面向全国3次公开招聘人才，共引进各类优秀人才89名。选拔公司中层和科级干部实行竞争上岗，使优秀人才脱颖而出。与大专院校联合培训、选拔泵站运行值班人员80名，为今后工程的运行管理储备人才。贯彻民主集中制原则，坚持重大事项集体研究，健全完善各项制度、规章，做到按规章制度办事、按规章制度管人。

二、建设管理规范有序，工程建设进展顺利

目前山东境内11个单项工程已开工建设8项；续建配套工程的前期工作已全面部署和展开。结合当地实际，协调解决了方案优化和功能改善等前期工作问题，顺利实现济南市区段工程与小清河综合治理工程结合实施，两湖段调水和航运结合实施，中水截蓄导用工程与防洪除涝、灌溉、生态保护结合实施，取得了显著的综合效益。截至2010年7月底，干线主体8个单项工程已全部开工建设，累计完成投资66.4亿元。严格按照基本建设程序和国家有关文件和规定，强化项目法人制、建设监理制、招标投标制和合同管理制"四项制度"。加强投资控制，严格资金管理，按照合同要求和规定的程序做到适时、适度、合法付款，并严格控制工程设计变更。高度重视征地移民规划和实施方案，深入、细致地做好实物清点和土地、林地的分类界定；严格执行国家政策和标准，补偿资金及时到位，及时兑付到群众手中。

三、积极探索管理模式，建成项目效益显著

根据国家水利工程管理体制改革有关要求，已建成项目运行管理实行管养分离，济平干渠工程初步发挥综合效益。自2005年以来，通过济平干渠累计泄排洪涝水近8000万 m^3，减少农田涝灾面积1.3万 hm^2，向小

清河提供生态用水2亿多m^3，成为小清河稳定的“活水”来源，明显改善小清河水质和周边生态环境。沿线两侧共植树56万余株，绿化草皮超过300万m^3，形成宽近100m、长90km的景观绿化带，打造了一条绿色生态长廊，在改善地方生态环境方面发挥了明显作用，构成了一幅人水和谐的美丽画卷。为确保第十一届全运会期间小清河良好水质和充足水源，通过济平干渠从东平湖向小清河应急调水3600万m^3。

四、注重自主创新，科技成果丰硕

完成了“大型渠道设计与施工新技术研究”“济平干渠渠道设计与土石方优化调配研究”等十多个项目研究。共荣获国家科技进步奖二等奖2项、国家发明专利6项，使用新型专利13项，水利部大禹水利科学技术二等奖1项，省科技进步一等奖2项。自主研制的大型渠道机械化衬砌成型技术成果得到了及时转化与应用，在南水北调中线工程和平原水库、大型灌区建设等工程中得到推广，并销往巴基斯坦、委内瑞拉等国。“济平干渠渠道设计与土石方优化调配研究”成果的应用实现了全线挖填平衡。

五、加强廉政建设，确保“三个安全”

高度重视加强党风廉政建设和反腐败工作。认真贯彻民主集中制、职代会民主管理制度等，进一步推进民主管理。在工程建设中实行了“工程合同”与“廉政合同”同签制度，在签订工程建设合同的同时，签订工程廉政责任书，确保山东省南水北调工程建设“工程、资金、干部”三个安全，实现了“工程优良、资金优化、干部优秀”三个目标。

六、文明创建活动扎实有效，职工队伍凝聚力强

建立健全精神文明创建工作组织领导体系、保障机制、考核奖励机制、服务标准体系和社会监督体系，精神文明创建活动扎实有效。积极开展水文化研究，发挥文化建设铸魂、塑形、凝心、聚力的作用。组织文体活动，活跃职工生活，增强凝聚力。促进职工之间的沟通和交流，积极倡导诚信、互助、友爱的人际关系，实现职工自我和谐，单位内外和谐。

河南省水利厅规划计划处

在河南省水利厅厅党组和厅直机关党委的正确领导下，厅规划计划处认真贯彻执行党的路线、方针、政策，紧紧围绕“践行科学发展观，推动水利可持续发展”这一主题，出色完成各项工作任务。

一、学习狠抓不懈，思想政治教育与业务学习两不误

规划计划处始终把党员干部的政治理论学习和业务学习作为开展全年各项工作的基础，开拓性地开展了党员干部的政治理论学习和业务学习：制定有学习计划和学习纪律，做到年有计划、季有安排、月有落实、年终有总结。深入开展“新解放、新跨越、新崛起”大讨论活动，深入开展学习实践科学发展观活动和讲党性修养、树优良作风、促科学发展活动，积极组织党员干部认真学习邓小平理论、“三个代表”重要思想和科学发展观，认真学习党的十七大和十七届三中全会精神及省委全会精神，并将学习融通贯穿于日常工作中。在加强政治理论学习的同时，班子成员带头自觉学习涉水法律法规，熟悉掌握国家政策，并组织干部职工学习，鼓励干部职工参加业务培训，提高了全处职工的业务素质，提高了依法行政的能力和水平。

二、领导班子率先垂范，增强了凝聚力和战斗力

处领导班子成员身体力行，率先垂范，要求别人做到的自己首先做到，用人格的力量去影响和带动“一班人”。关心党员群众生活，做到了婚庆喜事视贺到家、遇有困难关怀到家、生病住院探视到家、爱护职工关心到家，使广大党员群众切实感受到组织的温暖；规划计划处领导班子充分发扬民主，广泛听取党员和群众的意见、建议和呼声，切实保障党员干部的民主权利，努力做到“善于理顺群众情绪，让群众有话敢说”“善于调动群众热情，让群众有话想说”“善于疏通和拓展渠道，让群众有话能说”“善于广开言路，让群众有话都说”。以上措施大大增强了处领导班子在群众中的感召力、号召力，提高了凝聚力、战斗力。

三、践行科学发展观，出色完成各项工作任务

2008年和2009年前三季度，规划计划处工作十分繁重，处班子采取“5＋2”、“白加黑”的工作方法，保

证了各项目标任务的完成。

作为责任处室，组织精兵强将，组织协调有关技术人员集中办公、封闭作业，编写完成了5万多字的水利项目规划报告。按时完成了我省专项规划内359病险水库前期工作，工作进度位列全国前茅。组织抽调技术骨干168人，在余震不断的情况下高标准、高质量地按期完成了《河南省援建江油市病险水库除险加固勘察设计协议书》所规定的185座水库的地质勘察及初步设计任务。

规划计划处努力争取水利建设资金。2008年11月初，中央“扩内需、保增长”的十项措施出台后，规划计划处争取到中央投资10.99亿元，占水利新增投资的1/10。2008年共争取全省水利基建投资56.6亿元，其中中央投资28.1亿元，省级投资12.1亿元。2009年已争取水利基建投资计划38.5亿元，其中中央投资23.3亿元，地方投资15.2亿元。

配合四个流域机构完成了已有水利专业规划的搜集整理工作；编制完成了6项专业规划；编制完成30条重要支流的规划报告；组织编制了中小河流近期治理及2009年拟开工项目的初步设计，并及时对数十条河流进行了初步审查；组织编制了《河南省淮河流域重点平原洼地除涝规划报告》及《河南省淮河流域重点平原洼地除涝可行性研究报告》。

加快推进重点项目前期工作。《沁河河口村水库工程项目建议书》已于2009年2月27日经国家发改委批复，《沁河河口村水库工程可行性研究报告》已于2009年9月9日经水利部正式签发上报国家发改委。《淮河出山店水库工程项目建议书》已于2009年8月17日通过中国国际咨询公司现场评估，《淮河出山店水库工程可行性研究报告》已于3月21日通过淮河水利委员会预审。《北汝河前坪水库项目建议书》已于2009年4月13日通过水利部水规总院预审；《淮河流域重点平原洼地治理工程外资项目可行性研究报告》于2009年9月10日通过了国家发展改革委投资项目评审中心评估。

四、坚持党风廉政建设，增强党员干部拒腐防变能力

规划计划处认真组织学习中纪委、省纪委廉政建设有关规定，将党纪政纪条规及相关廉政知识作为日常政治业务学习的重要内容，纳入党员干部培训课程。几年来全处干部职工廉洁奉公，无违法违纪现象。

河南省南阳市鸭河口灌区管理局

鸭河口灌区（以下简称“灌区”）是河南省最大的水库自流灌区，系全国十大灌区之一。近年来，灌区坚持走“两改一提高”的发展路子，先后被水利部确定为国家级节水改造项目投资重点、全国大型灌区综合改革试点、全国水利工程管理体制改革试点、信息化建设试点和末级渠系改造试点，荣获全国水利系统先进集体、全国农村水利先进集体、大型灌区精神文明建设先进集体、全省水利文明单位、省级卫生先进单位等荣誉称号。

一、以节水改造为重点，灌区工程建设取得辉煌成就

1998年，灌区续建节水改造项目顺利通过国家立项、启动实施以来，灌区管理局始终以扩大灌溉面积、提高输水能力为中心，严格基建程序，确保了工程质量和施工、资金安全。已累计完成灌区节水改造批复投资2.327亿元；协调地方多部门联动，集中投入，全面建设五级渠系配套面积2.67万hm^2。结合工程建设，争取地方投资1500万元，硬化干渠检查道40km；并实行以渠植树、以林护堤，对骨干工程渠堤进行全面绿化，种植各类速生林、景观树80余万棵。通过节水改造建设，实现新增节水灌溉面积2.33万hm^2，年新增节水能力9600万m^3，改善灌溉面积7.27万hm^2，使灌区实际浇地能力达10.67万hm^2，比改造前扩大1.83万hm^2，相当于又新增一座大型灌区；受到水利部“两改一提高”调研组、大型灌区建设与管理调研组，河南粮食核心区建设国务院水利调研组，省人大常委会水利工作视察组等领导和专家的充分肯定。并在2009年9月9日全省灌区工作会上赢得了与会的省政府和部厅领导及全省200名代表的高度评价。

二、以标准化规范化为目标，灌区管理水平得到全面提升

近年来，灌区坚持建管并重，以干渠管理标准化、支渠管理规范化为目标，先后制定了《鸭河口灌区干渠、分干渠标准化建设与管理办法》《灌区支渠管理规范》等一系列制度，对两条干渠实行了事业单位、企业化管理，对支渠工程全面推行了定渠段、定人员、定任务、定标准、定收入、定奖惩的“六定”责任承包管

理，促使骨干渠道坡洁水畅，工程标示规范醒目，检查道路平坦畅通，闸容闸貌新颖别致，管理庭院花草葱郁，土方工程完好率达到了90%以上、建筑物完好率达到95%以上，输水能力提高了13%，灌溉水利用系数由0.33提高到0.46。

三、以水管体制改革为主线，灌区发展活力倍增

灌区率先在南阳圆满完成了水管体制改革。全灌区9个水管单位全部定性为准公益性事业单位，共批复全供事业编制457名，离退休职工557人全部纳入财政全额预算管理，共落实人员经费近2000万元，比近5年年均应收水费总额高出600万元；并落实工程维修养护经费619万元。同时改革了工程投入与建设机制、水价和收费体制、机构人事分配制度，探索了末级渠系多元化管理办法，及时组建了维修养护公司、供水公司、机关服务中心等，妥善安置分流人员146人。并转换经营机制，成功地实施了工业供水，年增收190万元；盘活市区闲置土地资源，共新增职工住房208套，总面积3.4万m^2，新增办公面积5700m^2。

四、以战胜2009年特大旱情为标志，抗旱夺丰收取得重大胜利

面对2009年的特大旱情，灌区精心组织，科学调度，优质服务，供水达1.8亿m^3，灌溉小麦10.07万hm^2，复灌14.84万hm^2次，实现大旱之年大丰收，平均亩产497kg比全市平均亩产高出137kg，灌溉因素共增产小麦2.1亿kg，增加社会效益3.86亿元。灌区以占南阳1/6的耕地，生产了南阳1/4的粮食、1/2的棉花，为实现南阳粮食总产超百亿斤作出了重大贡献。

五、以构建和谐灌区为目的，法制建设迈上新台阶

近年来，紧紧围绕两个转变、两个提高、两个确保的目标，加强灌区法制工作，做到了法制建设与全局性工作同安排同部署，层层签订目标管理责任书，建立健全普法教育网络体系，开展形式多样的宣传教育活动，大大提高了职工法律素质和意识，增强了领导干部和执法人员依法决策、行政、依法办事的观念。灌区多年未发生违规违纪问题，无重大安全责任事故，未发生较大影响的投诉和上访事件，成为了市级治安模范单位。

六、以活动为载体，灌区精神文明建设富有成效

管理局制定了《鸭灌职工文明守则》等，自下而上形成了始终重视和常抓不懈精神文明建设的工作局面。经常性地开展丰富多彩的文化体育活动，道德模范进万家活动，讲文明树新风活动，争创文明单位（科室、站所、职工）细胞建设活动，献爱心送温暖活动，争创先进单位、争当岗位标兵活动和行风评议活动以及思想政治教育、党员先进性教育、讲正气树新风和学习实践科学发展观教育活动等，形成了一个学习型机关，营造了良好的发展氛围。

河南省泌阳市水利局

近年来，泌阳市水利局积极践行可持续发展治水思路，着力打造民生水利、法制水利、和谐水利，统筹水利业务和水利精神文明建设。

一、以人为本，提高素质，努力打造一流的水利干部队伍

明确提出“建一流班子，带一流队伍，干一流工作，创一流业绩”的目标。坚持以“三个代表”重要思想武装干部职工头脑，学习贯彻十七届三中四中全会精神，“科学发展观”学习实践活动；参与社会公益活动，访贫问苦。每年都制定详细的年度学习计划，结合学习型机关创建活动，组织好各种专题教育和重点学习，并积极创造条件，支持和鼓励干部职工参加上级组织的业务培训。加强管理，切实增强干部队伍战斗力。做到管理严，作风实，标准高，局风正。领导班子严于律己，率先垂范。坚持在工作做实、底子打牢的基础上，求变化，谋发展。

二、履行职责，强化服务，扎实推进水利各项工作顺利开展

（1）农业节水灌溉有了新发展。主要在河灌区发展硬化渠道工程，在南部贫水区发展地埋管道节水工程，在北部山丘区推广小管出流节水工程。特别是针对王召乡、崇义镇贫水区部分群众浇地难，经济基础差的实

情，积极争取上级支持，先后投入资金近850万元，连续3年在王召乡埋设管道460km。解决了两个乡镇30余个行政村，3666.67hm^2浇地难的问题。几年来，全市水利建设共新打配机井2500眼，新修硬化渠道420km，敷设地埋管道520km，发展改善节水灌溉面积1万hm^2。

(2) 防洪除涝工程建设进一步加强。先后修复了西向石河、仙神河及丹河水毁工程30余处；对仙神河、丹河堤防等险工险段进行了除险加固，开挖整治西向石河、景明石河、北截排、南渠河等骨干排涝河道85km，清淤疏浚田间排涝河道510km，对北部低洼易涝区进行了综合治理，改善除涝面积1.07万hm^2。对逍遥、八一、高圪塔三座病险水库进行了除险加固。使逍遥、八一两座水库的防洪标准分别由10年一遇、300年一遇提高到500年一遇，全市防洪保障体系进一步加强。

(3) 水土保持生态环境建设取得新成效。几年来，在山丘区共打水保深井17眼，建淤地坝一座，建提水站3座，修蓄水池4座，鱼鳞坑整地333.33hm^2，营造水保林333.33hm^2，封山育林131.67hm^2，发展经济林1000hm^2，完成水土保持治理面积50km^2，通过兴建小型水保工程、营造水保林等措施，不断加强小流域综合治理，促进了区域生态环境的改善。同时，结合经济林园区建设，积极推广小管出流节水技术，发展小管出流微灌面积1000hm^2，生态效益和经济效益显著。

(4) 农村饮水安全工程建设步伐加快。几年来，以国家饮水安全项目为带动，坚持“先急后缓、先重后轻、突出重点”分布实施的原则，逐年加大农村饮水工程建设力度，在全市12个乡、镇（办事处）253个行政村，共打配饮水深井134眼，埋管150万m，安装压力罐114台，解决了15万人的饮水安全问题。

(5) 引水补源网络体系日臻完善。针对该市崇义、王曲、王召等乡（镇）地处青风岭漏斗区水资源贫乏实际，积极实施补源工程建设，共开挖补水河道50km；同时通过硬化和完善配套渠道，引广利干河水灌溉，实现以灌代补。经过近几年的努力，基本上在南部贫水区形成了沟沟相通、纵横相连的补水网络，较好地缓解了贫水区水资源紧张局面。

三、多措并举，齐抓共管，不断开创精神文明建设新局面

该局始终把加强精神文明建设作为改善干部职工精神面貌、不断加大精神文明建设的投入，改善基础设施条件。在创建过程中注重以点代面，点面结合，形成精神文明创建的整体合力。精神文明创建活动的健康深入开展，使全局干部职工的精神面貌发生了可喜的变化，涌现出了一批敬业爱岗、勤政廉政的先进个人，全局上下形成了团结进取、奋发向上的新局面。

河南省郑州市中牟县水利局

多年来，中牟县水利局大力弘扬“自力更生、艰苦创业、团结协作、无私奉献”的红旗渠精神和“献身、负责、求实”的水利行业精神，精诚团结，务实创新，埋头苦干，获得了全国农田水利建设先进县、全国饮水安全工程建设示范县、全国小型农田水利重点县、铸造了中牟县连续19年获得农田水利基本建设省“红旗渠精神杯”和市“中州杯”的丰碑。

一、扎实推进民心工程建设，不断改进群众生活条件

坚持把保障饮水安全作为新农村建设的重要内容之一，大兴农村安全饮水工程，科学安排规划项目实施，逐步解决农村饮水不安全问题。积极引入高科技管理系统，采取先进的一体化自动加氯消毒、变频自动控制技术和管理，实现了数字化、微机化管理。累计完成投资7103.5万元，建成集中供水工程4处，全县13个乡镇、170个村庄、18.62万人的饮水不安全问题得到彻底解决。2009年起，该局计划用3年时间完成26.6万人的饮水不安全问题，实现农村饮水安全户户通。

二、抓好现代农田灌溉工程建设，积极改善农业生产条件

不断加大农田灌溉工程建设力度，大力抓好灌区建设。实施了三刘寨灌区配套、杨桥骨干配套等工程项目，累计建成“一优双高”万亩开发区15个，开发总面积9466.67hm^2。增加科技含量，进一步做好新技术的推广应用。大力引进推广喷灌、滴灌、渗灌等高新节水技术，建设节水增效灌溉示范区2个，发展节水灌溉面积400hm^2。积极推广自行组织开发的、技术水平居国内领先地位的农田灌溉智能控制系统，推广应用面积已达666.67hm^2，年可节约灌溉用水96万m^3。加大打井配套力度，全县共有机电井近15000眼，井灌区农田可

在 7 天内轮灌一遍。同时，把农田灌溉智能管理系统应用推广到节水灌溉工程中，实现了农田灌溉半自动化。

三、注重生态工程建设，实现水资源可持续利用

按照沟、渠、田、林、路综合的标准，在县南部开展中低产田改造项目。共改造中低产田 1.28 万 hm^2，基本农田的地力和综合生产能力得到了明显提高，防治了水土流失，涵养了地下水源，创造了一个良好的生态环境。投资 4000 多万元，建成并投入运行了日处理规模 2 万 t 的县城污水处理厂，给人民群众创造一个良好的生活环境，实现人与水、人与自然的和谐相处。

四、加强防洪保安工程建设，为经济建设保驾护航

先后投入资金 3200 多万元，实施了贾鲁河治理及配套、淮河湖洼及支流治理、七里河治理等项目，分期分批对重点河道进行根治，努力提高河道防洪能力。完善县防汛指挥系统，加强防汛及科技应用知识培训，提高基层防汛队伍整体素质，以适应新形势防汛抗灾工作需要。健全和改善农田排涝体系，提高农业防洪抗灾能力。共清淤土方 60.72 万 m^3，改善除涝面积 4000hm^2。如今的中牟基本上达到了沟沟相通，沟河相连，排水畅通，防洪除涝体系基本完善，为县域经济发展和人民生命财产提供了防洪安全。

五、深化改革为水利发展注入持久活力

针对灌区灌溉面积衰减问题，对灌区灌溉用水计量、用水协会、灌溉收费等管理模式进行了探索。坚持“远近结合、集中与分散相结合，少打井、多延伸管网和水源工程要远离污染源”的原则，大力开展集中供水工程建设，确保了水质、水量和供水保证率。大力推行小型水利工程投资机制和管理体制改革。鼓励引导农民组织起来，联户购买抗旱设备，大力推行灌溉用水 IC 卡管理。通过技术改造、综合整治等措施，不断进行内部挖潜，拓展和延伸现有产业。大力推行小型农田水利工程产权制度改革，鼓励单位和个人投资建设，形成“水利为社会，社会办水利”的良性运行机制。积极推动水利产业化进程，充分体现水的商品属性，最大限度地吸收商业性资本进入水资源的开发与利用，推动股份合作制水利工程建设的普及。

湖北省黄冈市水利局

一、思想政治教育扎实推进

黄冈市水利局积极开展政治理论学习，坚持以邓小平理论和“三个代表”重要思想为指导，把学习贯彻科学发展观同水利建设、干部队伍建设、政风、行风建设相结合，始终把政治理论学习作为工作中的一个重要内容并制度化。通过学习丰富了知识，开阔了视野，提高了干部、职工的思想素质和政策理论水平，增强了理论指导实践和勇于创新的工作能力。

二、业绩成果行业领先

(1) 源头控制，建立统一的水资源管理体系。建立有效管理、有偿使用的节水、护水机制，编制完成了《黄冈市水功能区划》，全市从此结束了“水无定性、水无定量”的历史。加强水质监测，严格执行取水许可审批制度，发放取水许可证 1043 个，审批取水量 36.75 亿 m^3，做到了取、用、排水的有章可循、有量监管。

(2) 全面防御，建立科学的防洪减灾体系。加强水库除险、中小河流治理、长江干支堤的加固综合防洪保安工程体系建设。全市在投资 20 多亿元完成黄广大堤、长江干堤后，争取总投资达 4.22 亿元的长江回水堤防整险加固工程，提前保质保量顺利完成，形成了完整的长江堤防保护圈。水库除险工程创历史新高，全市专班做规划，争项目，共有 106 座病险水库纳入国家补助投资计划，批复总投资 18.65 亿元。加大五大支流及华阳河、长河流域治理，加强骨干泵站建设，全市争取泵站更新改造总投资 2.989 亿元，新增装机 4720kW，新增排涝达十年以上标准农田 6.8 万 hm^2。三年来，全市水库调蓄洪水 10.2 亿 m^3，闸站抽、排水 4.9 亿 m^3，综合减灾效益 310 亿元。

(3) 生态修复，建立水土资源保护体系。积极抓好小流域综合治理，搞好水土保持，通过“长治”、“国债”、“世行贷款”等项目投入达 5100 万元，建成了一批水土保持示范工程。全市综合治理水土流失面积 2100km^2，提高了水资源环境质量，增强了防御自然灾害的能力。

(4) 服务“三农”，民生水利建设造福基层。黄冈市政府多年来将饮水安全纳入了全市十件实事之一，三年来，全市建成饮水安全工程1743处，完成管网入户供水受益人口158.5万人。水库移民后扶工程建设势头良好，自移民项目启动以来，共核定大中型水库移民26.53万人，投入资金3.51亿元，修建公路890km，建成饮水1100处，兴修水利工程3810处，改厕建沼气2780处，生产开发430处。“民办公助”项目建成水源工程45处，渠道116km，改善和恢复灌溉面积2367hm^2，改善排涝面积1000hm^2，新增节水能力473.8万m^3。

(5) 多争项目，积极服务全市经济发展大局。项目兴市，争取到的农村饮水安全工程、水库除险加固工程、库区移民后扶、民办公助建设资金均居全省第一位，长江回水堤防整险加固工程是建局以来的最大项目。同时，把服务招商引资和项目建设作为加强政风行风建设和实践科学发展观的重要内容来抓，服务保障项目落户，受到了服务对象单位的好评。

(6) 专班驻点，改革展现新局面。全市核定水管单位86个，落实编制2802人，落实人员经费4431.6万元，维修养护费176.68万元，妥善分流2994人。全市86个单位5796人全部进入职工养老保险。局属12个改制单位，有9个单位落实了编制和财政供给。同时通过改革，集中解决了拖欠职工工资、保险费等历史遗留问题。

(7) 依法行政，规范河道采砂管理。把加强内河采砂管理作为水行政执法工作的重中之重，不断加强水政执法和规范河道采砂管理。三年来，累计出动执法艇346次，巡查2657人（次），查处违章案件82起，严厉打击非法采砂活动，河道安全度汛得到了有效保障。

(8) 援建灾区，无私奉献受赞扬。汶川地震后，该局及时派出技术员22人次，赴四川省汉源县规划建设水利工程，在地震结束后不到一年时间，建成了55.79km的汉源县跃进堰输水工程，得到了当地党委、政府和群众的高度评价，受到了湖北省援建办的表彰，接受锦旗12面。

三、领导班子团结有力，坚持依法行政

制定了规范水利招投标等18项规章制度，公开透明，严格按制度办事，近年来没有发生违规违纪事件，无重大安全责任事故，未发生较大影响的投诉和上访事件。

黄冈市水利局被水利部评为“长江采砂执法先进单位”，被授予省、市级水利建设、抗洪救灾、改革工作、党风廉政、移民后扶、招商引资、两案办理、社会治安、计划生育先进单位等荣誉称号18项。

湖北省襄樊市引丹工程管理局

引丹工程是南水北调源头丹江口水利枢纽综合开发利用效益的重要组成部分，灌区自然面积2980km^2，设计灌溉面积14万hm^2，有效灌溉面积10.4万hm^2。工程从根本上改善和增强了灌区农业生产的基础条件，保证了粮食安全，提高了岗地人民生活质量，有效促进了新农村建设，被灌区群众称颂为“生命渠”“幸福渠”。

一、改造拉动灌区增收

“十一五”期间，抢抓国家加大大中型灌区投入的机遇，引丹工程管理局（以下简称为引丹局）按照“立足当前，除险加固保灌溉；立足长远，节水改造保可持续利用；统筹兼顾，全面提高保发展”的基本思路，积极开展灌区节水改造，灌区群众减负增收，工程增效成绩明显，各项事业得到持续稳定发展。

(1) 加快老损渠道的整治和设备更新。2000年，引丹灌区纳入了国家大型灌区续建配套与节水改造规划，概算总投资15.66亿元，对总干渠和三干渠24.8km渠道进行了节水改造和配套建设。在投入不足的情况下，引丹局坚持全灌区一盘棋，优先实施关系灌区总体安全、关系农民利益的项目，力争建一片、成一片、发挥效益一片，使工程节水增效的成果惠及到灌区千万农民。此外，在建设中树立“工程是精品，精品是风景”理念，注重打造水利景观工程，处处留意与乡村文明结合，为当地农村营造水清岸绿、美丽和谐的人居环境创造了条件。把一项项水利工程建成了民生工程、效益工程、景观工程，群众满意工程。

(2) 积极争取项目支持和落户。南水北调引丹补偿“一洞一井”项目，灌区人畜饮水解困项目，灌区信息化建设和末级渠系改造项目、法国开发署清洁能源引丹灌区小水电打捆项目灌区电气化乡镇建设及“增效减排”项目、“引丹入樊”建设项目等一批项目正在积极争取中，已成为引丹灌区可持续发展的核心动力。

二、改革驱动灌区增效

(1) 强化工管，落实到位。在强化工程管理上，该局提出了“抓管理求效益，以改革促发展”的工管理

念，更加注重制度建设执行，推动工程管理走上规范化、制度化轨道。出台了《引丹工程标准化管理（百分制）考核办法》《安全管理三检周报制度》《供水管理八项规定》等21项规章制度；成立了工管检查考评小组；以保证工程完好率为目的，以提高工程综合效益为目标，对各级渠道及建筑物的日常维护实行定渠段、定人员、定标准、定任务的四定管理方式进行管理，实现了工程由被动管理向主动管理的转变，充分调动了职工工作积极性；对各工管负责人实行目标考核。

（2）改革创新，注重效益。创建学习型、创新型、节约型、安全型、生态型、和谐型的“六型”引丹。围绕灌区总干渠构建：一渠清水，两条绿荫；渠库相连，梯级开发，一水多用；配套完善、设备健全，计量科学；种植结构合理，饮水安全；引丹结瓜，渠塘连片。通过“重点发展水电、大力发展林业、巩固渔业养殖、发挥资源优势、着力项目挖潜”的发展战略，引丹工程管理局成功进行了水管体制改革，实施了管养分离。利用渠道跌差和灌溉充库，实现水电开发；组建了机电修造厂和工程维修队，节省资金，创产增收；林业绿化实现由单一经济型向生态型、效益型、景观型转变。与此同时，还发展了渔业、畜牧业、商业等9个门类的经营。

三、文化促动灌区和谐

“以美好的愿景鼓舞人，以昂扬的精神凝聚人，以优秀的文化激励人，以良好的环境培养人”，引丹局注重加强灌区文化建设，增强队伍凝聚力和向心力。传承和发展“科学发展、开拓创新，艰苦奋斗、团结奉献”的新时代引丹精神，持续加强行风建设，推进优质服务，灌区行评群众满意率达100%；经验交流会；推动灌区精神文明建设，广泛宣传，树立标杆，营造了比学赶超的浓厚氛围。

湖北省农村饮水安全工程建设管理办公室

湖北省农村饮水安全工程建设管理办公室（以下简称为“省饮水办”），现有正式干部12人，由教授、高工、研究生和大学本科生组成，全部为中共党员，是一支特别能吃苦、特别能战斗、特别能奉献的队伍。

省饮水办自2006年正式组建以来，始终坚持“献身、负责、求实”的工作理念，克难奋进，开拓创新，年年超额完成省政府下达的目标任务。目前，全省共投入资金46.18亿元，建设农村水厂5136处，惠及1100万人，占列入国家“十一五”规划人口785万的140%，相当于用三年时间完成了七年的任务。“建得成、管得好、用得起、长受益”的实践经验，被国家发改委、水利部、卫生部向全国推广，人民日报、新华社、中央电视台等国家新闻单位多次对湖北省农村饮水安全工程建设管理情况进行了报道。

一、团结拼搏

省饮水办坚持狠抓政治学习，增强宗旨意识，激发起大家“做优秀公务员，当群众早饮‘放心水’的好公仆”的工作热情。狠抓业务培训，先后举办了11期全省饮水工程技术培训班，累计培训3900多人次，提高了业务素质。狠抓岗位责任落实，饮水办综合、规划计划和建设管理三个组都制定了责任目标，并分工到具体人员，同时建立了正副主任分片包干责任制，省饮水办在全省水利系统年年被评为先进单位。

二、开拓创新

省饮水办坚持以科学发展观为指导，在规划设计、工程建设和长效运行机制建立等方面，做了很多卓有成效的工作。率先完成了全国总体规划湖南省1609.6万人的县级“十一五”工程规划。编写了“农村饮水安全现状调查”、“农村饮水安全规划实施评估”等8项技术文件的详细提纲，弥补了国家相关工作领域的不足。力抓适度规模工程建设，首创“千吨万人”饮水工程，突破过去小规模低效益的局限，成为国家强化项目管理的专用术语。大力推广生物慢滤技术，被水利部称为“小工艺解决了大问题”。抓好示范县建设，鄂城区等8个县市区饮水工程城乡一体化、丹江口市等15个县市山区饮水工程规模化、潜江市等5个县市饮水工程信息化管理的经验在全国推广。狠抓工程建设质量，2007年前竣工受益的398处集中供水工程经受住了2008年初特大冰冻雪灾的考验，保证了群众饮水安全。积极探索、建立“政府主导、责任主体落实、群众参与、灵活有效”的长效机制，受到水利部的肯定。

三、不辱使命

面对“十年任务五年完成”的艰巨目标，两年多来，省饮水办全体干部不管寒冬酷暑、刮风下雨、冰冻雪灾，深入基层检查督办、调研、指导，全力推进工程建设。共建成农村水厂5136处，铺设管道22万km，惠及人口1100万人；仅用108天的时间，建成日供水万吨级的钟祥市大柴湖水厂，让10万丹江口库区移民告别了长期靠压把井取用苦咸水的历史。其成功经验被省委政研室以“柴湖镇十万移民的幸福工程”为题印发全省各级党委政府学习借鉴。湖北省在2007年解决了83万人饮用高氟水的问题，在2008年解决了294万人饮用血吸虫病疫区水和104万人饮用苦咸水的问题。省饮水办为民办实事、解民忧的精神，受到了社会各界的高度赞誉。人民日报以“安全水润心田”为标题，报道了湖北省把农村饮水安全工程作为统筹城乡的大事来抓，确保工程建得成，管得好，农民用得起，长受益。群众赞颂这是党和政府的德政工程、人民群众的幸福工程、社会各界的满意工程、荫及子孙的长效工程。

湖北省水利水电勘测设计院

湖北省水利水电勘测设计院（以下简称湖北院）成立于1956年，现有职工945人，其中在职职工634人，离退休人员311人。在职职工中各类专业技术人员441人，其中正高职高级工程师50人，高级职称151人，国贴、省贴专家、湖北省有突出贡献的中青年专家及湖北水利拔尖人才、湖北省水利十大科技英才共20余人。全院拥有各类甲级资质15个，是湖北水利的技术支撑。先后荣获全国水利系统和湖北省文明单位、全国五一劳动奖状、湖北省青年文明号等国家和省部级荣誉称号10余个；荣获各类工程勘察设计奖90余项，其中国家级、省部级以上10余项；有20余人荣获省部级以上“先进工作者”“劳动模范”“五一劳动奖章”等奖励。全院呈现出设计一流、业绩突出、和谐稳定、发展良好的局面。

一、加强班子建设，提高科学管理能力

院党委每年举办6期中心组学习班，派出20人次参加省委党校举办的领导干部理论进修班，50余人参加干部短期培训班。职工参学率达100%。院党委以科学发展观为指导，不断提高科学判断能力、科学发展能力、驾驭全局能力和应对复杂局面的能力。坚持集体领导、分工负责的民主集中制原则，认真开展创建党建工作先进单位活动，不断发挥党支部的战斗堡垒作用。坚持把创建活动与保持共产党员先进性、学习实践科学发展观长效机制结合起来，与促进本部门本单位中心工作结合起来，支部责任落实、工作规范、业绩显著。出台了《干部人事管理办法》，修订了《职工收入分配办法》，建立了干部评价机制体系，形成了充满活力的选人用人机制，理顺了职工收入分配关系，极大调动了职工积极性，在水资源保护、水环境修复等技术研究和应用方面取得了突破性进展；建立了项目管理和经济目标责任制。近三年来，领导班子抓住水利建设大投入、大发展的机遇，全院承担了湖北扩大内需投资1/3以上的勘测设计任务。2008年全院合同额突破2亿元，货币年收入突破1.5亿元，职工收入水平显著提高，办公条件日益完备，职工生活和工作质量大幅提升。

二、服务水利大局，提供全省水利技术支撑

湖北院人才密集，技术优势明显，是全省科技兴水的排头兵和主力军，始终肩负着全省主要水利工程前期工作的重任。建院以来，湖北院共承担了省内长江堤防80%的勘测设计工作量，设计完成国内外大、中型水库50余座，大型泵站20余座，船闸30余座，中、小型电站50余座，流域和地区规划50余项。特别是近几年来，湖北院调整治水思路，转变治水观念，创新治水实践，始终保持工作重点服务于湖北创建“平安水利、民生水利、生态水利”的大局。一是贯彻保民安民的设计理念，为病险水库除险加固、堤防等江河防洪工程建设提供技术支撑。二是贯彻泽民惠民的设计理念，为节水灌溉工程建设提供技术支撑。为湖北构筑饮水安全保障体系，展开以治水为中心的农田水利基本建设，完善灌溉设施，保证粮食安全作出了突出贡献。三是贯彻富民裕民的设计理念，为水资源的开发利用提供技术支撑。有效解决了生产、生活、生态用水需求，确保了电力供应、水产养殖、生态旅游项目经济效益的有效发挥。四是贯彻益民利民设计理念，为优化生态环境，实现人水和谐提供技术支撑。承担了武汉市大东湖生态水网构建、梁子湖生态修复、四湖流域综合整治等诸多水生态环境工程的规划设计。五是贯彻保障民生的设计理念，为重点水利工程提供技术支撑，以最强的专业队伍、最精的设计技术，最优的服务质量投身于南水北调及引江济汉等重点工程的建设中。

三、推进文明创建，打造企业文化建设

一是加强组织领导。成立了以党委书记为组长、班子其他成员为组员的精神文明建设领导小组，并下设文

明办，制定了工作计划，提出了目标要求，落实了工作经费。二是落实各项制度。对照创建条件，细化标准，落实措施，并通过院网公示活动的内容和落实情况，自觉接受广大职工的监督，自觉听取各方面好的意见和建议，确保创建活动取得实效。持之以恒的精神文明创建活动，极大地丰富了全院企业文化，塑造了湖北院良好形象，推动了全院科学发展的软实力。三是促进和谐稳定。以培训、考试、竞赛等多种形式促进职工学法、知法、守法，特别注重结合行业特点，把法律法规及行业规程规范贯彻落实到工作之中；认真执行职代会制度和安全生产、计划生育、廉政建设一票否决制度；认真做好信访工作，制定了《信访工作条例》，及时有效地化解各类矛盾和问题。近五年来，湖北院没有发生违法违纪问题，无安全责任事故。

湖南省双牌水电站

湖南省双牌水电站1963年建成投产，46年来发电量超过200亿kW·h，为湘南工农业生产及地方经济的发展作出了突出贡献；先后获得了全国水利经济先进集体、全国水利系统先进集体、全国水利文明单位等国家、省市荣誉90多项。

为提高企业经济效益，增强企业抵御风险的能力，双牌水电站在抓好安全发电的同时，全站干部职工积极探索，努力实践，大力发展附属产业，走出了一条“一业为主、多业并举、滚动发展”的路子。1999年，电站组建了国有控股公司——湖南省双牌明珠有限责任公司，负责第三产业的开发。公司成立以来，自办了纯净水厂，先后引进了双牌电解铝厂、双牌氯酸钾厂、冶炼厂、焊剂厂等企业。2004年，电站以职工入股的形式，投资327.6万元，组建了民营的湖南双牌远望水电发展有限公司，负责对外水电安装维修和水电站代修代管业务。公司成立后，先后完成了常德石门所街水电站设备安装和东安、江华、道县、宁远等地的水电设备安装维修等工作。2008年，电站根据实际情况，支持原轧钢厂转产为适销对路的氯酸钠厂，该项目已于2007年10月建成投产，总投资1800万元，年生产能力1万t，年销电能7000万kW·h，电站可增加电费收入900万元。2004—2008年，电站附属产业共创产值1.47亿元，实现利税3979万元、利润2770万元，主附产业呈现齐头并进的良好局面。

多年来，水电站在发展经济的同时，正确处理好发电与防洪和灌溉之间的关系，做到以社会责任为重，做好防洪和灌溉。汛期，提前腾空库容，降低下游洪水水位，为湘江错峰；枯水季节，蓄水确保下游2.13万hm^2农田的灌溉用水。据初步估算，电站每年实现社会综合效益8000多万元。

2004年下半年，永州地区及水库流域发生了严重干旱，电站减少发电，蓄水保灌溉，为抗旱储备了4300万m^3的水量，确保了灌区2.13万hm^2农田的灌溉用水，实现了社会综合效益3000多万元。2008年6月8—13日，双牌水库流域连续5天普降大到暴雨，降雨量232mm。最大入库洪峰流量7660m^3/s，最大出库洪峰流量6900m^3/s，出现了建站45年来的第二大洪峰流量，防汛形势十分严峻。水电站迅速启动防汛预案，做到超前防范，科学调度，充分发挥水库流域水情自动测报系统、卫星气象云图系统和洪水调度系统的作用，加大预警预报预测力度，对流域水情进行科学调度，提前开闸泄洪，腾空库容，确保防汛工作万无一失，保障人民群众生命财产安全，把灾害损失降到最低限度，得到国家防总、省领导、省防办和永州市委、市政府的充分肯定和高度评价。

2008年初，湖南省发生了50年一遇的冰冻天气，面对永州电网全部失压和水库水位偏低的情况，电站组织了一支由32人组成的防冻抗灾工作抢险队，每天加强对发电设备设施的巡查，确保设备安全。由于熔冰等相关工作到位，电站没有发生断线和倒杆倒塔现象，基本保证了永州电网的正常运行，确保了党政部门和重要单位供电。冰灾过后，电站又以最快速度搞好灾后重建工作，由于成绩突出，湖南省电力公司为电站发来了感谢信，赞扬电站“谱写了抗击冰冻灾害的壮丽诗篇，为保住湖南电网作出了重要贡献”。

近年来，双牌水电站在不断壮大水利经济的同时，积极参与社会公益活动，不忘用发展成果回报社会。向希望工程、灾区、特困群体共捐款100多万元，捐衣物5000多件；深入灾区贫困村，结成扶贫帮困对子，帮助他们脱贫致富；为社会提供300多个就业岗位，安排了500多名下岗失业人员。电站因此多次被永州市政府授予“建整扶贫工作先进单位”。

双牌水电站坚持以科学发展观为统揽，发扬“献身、负责、求实”的水利行业精神和“团结、务实、创新、发展”的企业精神。经过近50年励精图治，如今一个充满朝气、充满活力、充满希望的双牌水电站展现在人们面前。

湖南省娄底市水利局

娄底市水利局坚持以科学发展观为统领，以争创一流业绩为目标，积极践行可持续发展治水思路，大力弘扬“献身、负责、求实”的水利行业精神，求真务实，开拓创新，以加快水利建设、加强水利管理、深化水利改革为重点，努力实现人与自然和谐共存，为娄底市经济社会发展提供了有力的水利支撑和保障。

一、认真履行国家方针政策赋予的新使命，创造促进发展的好业绩

娄底市水利局在全市大力推进“四种水利”建设，即政策水利、民营水利、经营水利、外资水利。水利对农业生产的贡献率逐年递增，保障经济社会发展的能力得到不断提高。全市 10 座中型水库中的 9 座、722 座小型水库中的 53 座列入国家除险加固规划。每年有 100 座小型病险水库得到应急处理。共建成日供水 100t 以上乡镇供水工程 495 处，总供水量达 4.5 万 t/日，解决了 40 万人、20 多万头牲畜的饮水困难。城市防洪堤建设已完成 10.5km，其中市本级涟水河防洪堤 4.4km 按 50 年一遇的防洪标准，实行“堤、园、路、街”四位一体建设。投资 7.7 亿元的 5 县（市、区）城市防洪工程亚行贷款项目推进有力。近年娄底连年遭受旱涝灾害，先后有 80 多座水库出现较大险情，由于娄底市水利局领导及时靠前指挥，科学调度，都实现了化险为夷。通过推行小型水利设施产权制度改革，盘活水利存量资产近 2 亿元，恢复和改善灌溉面积 13300hm^2 有余，新增灌溉面积 3300hm^2 有余。2008 年底争取中央新增项目投资 4240 万元，所有项目于 2009 年 3 月全部完成，向国家和人民交上了一份满意的答卷。

二、积极回应广大人民群众寄予的新期待，赢得改善民生的好口碑

娄底市水利局站在改善民生的高度，在防汛抗旱、病险水库治理、农田水利建设、农村饮水工程建设、城市防洪工程建设、水土保持治理、水行政执法、农村水电、移民后期扶持等方面进行积极探索，形成了一套较为完善的水利建设与管理的新治水体系，成效显著。平均每年完成病险水库除险加固和应急处理 100 座，三面混凝土渠道硬化 300km，“六小”水利工程维修整治约 5 万处，治理水土流失面积 30km^2。通过加强预测预报，修订完善各类防汛抗旱预案，实施防汛抗旱数字化指挥系统，全面提高了防汛抗旱应急能力，战胜了历次干旱和洪涝灾害，实现了连续 15 年不垮一库一坝的防汛成绩。

三、切实满足经济社会发展提出的新要求，树立并维护稳定的好形象

对全市 18 处县管中型水管单位进行了定性，其中纯公益性事业单位 15 个、准公益性事业单位 3 个，共核定人员编制 514 人，落实人员经费 899.1 万元。不断增强水利系统各级党组织和领导班子的凝聚力、创造力、战斗力，党风廉政建设持续深入，同时规范水利工程招标评标制度，实行项目法人制、招标投标制、工程监理制、合同管理制和政府采购制，确保了工程、资金、干部三个安全，局机关无一人违纪违法犯罪，也没有发生泄密和安全事故。通过租赁、承包、拍卖、股份合作等形式，对全市 12 万多处小型水利工程进行了产权制度改革，不但盘活存量资产近 2 亿元，恢复和改善灌溉面积 1.3 万 hm^2 有余，新增灌溉面积逾 3300hm^2。娄底市是湖南省最大的移民市，共有大中型水库移民（含三峡移民）31.5621 万人。娄底市水利局克服移民数量大、超容量后靠安置比例高等许多困难，扎实稳妥推进移民后扶工作，全市每年 1.9 亿元的补贴资金均能及时发放到位，没有出现上访事件。通过规范水行政审批、加强水行政执法、推进政务公开，进一步转变了水行政主管部门职能、管理方式和工作作风，提升了社会管理和公共服务水平，提高了执行力和公信力，减少信访问题、突发事件的发生。

广东省增城市水利局

2009 年，增城市水利局按照市委市政府的总体部署，紧紧围绕“建设贯彻落实科学发展观示范市”的总目标，创新思路，开拓进取，在城乡水利防灾减灾建设、水管单位体制改革、农村水利设施管理、全国小型农田水利重点县建设等方面做了大量卓有成效的工作，推动了增城水利事业的快速发展，获得了“全国水利系统

先进集体”称号。

一、水安全保障体系进一步巩固

2009 年增城市水利局通过深入学习贯彻科学发展观，采取了下放建设主体权限到镇街、建立水利建设责任状机制、实行半月水利建设情况通报、科室挂镇街检查督促、实施水利建设考核与奖励机制、密切与镇街沟通解决建设困难等一系列可行措施，全力推进水利建设工作。完成广东省、广州市下达的城乡水利防灾减灾工程 6 项，推进重点基建项目建设 23 项，城乡水利防灾减灾水平得到进一步提高。

二、水管单位体制改革完善

按照国家、广东省和广州市的总体部署，增城市科学制定《增城市水利工程管理体制改革实施方案》，大力推动水管单位体制改革，顺利完成了 8 个市管工程单位和镇街水利管理工作的改革，市管理工程单位定性为财政核拨事业单位，81 名市管工程在职人员全部纳入财政核拨，镇街水利管理职能划入农技中心，同样定性为财政核拨事业单位，全面解决了水管单位性质不明确、经费不落实、队伍不稳定等问题，从体制上为做好各项管理工作提供了保障。

三、水利工作创新力度进一步加大

2009 年增城市坚持“以创新促发展”的工作理念，加大水利工作的创新力度，努力探索水利工作的新模式。率先在全市开展了农村水管员工作，以购买服务的形式，每村聘任一名水管员负责农村水利设施的管理工作，对聘任的水管员进行了多次大规模的培训，添置了雨衣、电筒、铜锣、工作日志等日常工作装备，使水管员在设施维护、抢险救灾、水事查处等方面发挥了“宣传员、巡查员、协调员、疏导员、联防队员、气象信息员”的作用，促进了农村水管工作的规范开展，得到省水利厅和广州市水务局的充分肯定，《中国水利报》将农村水利管理经验进行了宣传。

四、农田水利建设进一步加强

增城市高度重视农田水利建设工作，大力开展农田标准化建设，2009 年完成农田标准化改造 0.12 万 hm^2，多年累计完成 1.17 万 hm^2。由于增城市农田水利设施建设基础扎实，2009 年广东省水利厅将增城市纳入全国小型农田水利重点县，分 3 年共投入建设资金 9600 万元，每年由国家、省、市、县四级财政投入 3200 万元支持增城农田水利建设。其中 2009 年的建设任务为改善灌溉面积 1410hm^2，灌渠改造 4 宗共 21.4km，排渠改造 3 宗共 10.3km；2010 年的建设任务为改善灌溉面积 1586.67hm^2，改造水陂 2 座，灌渠改造 9 宗共 47.5km；2011 年的建设任务为改善灌溉面积 4066.67hm^2，灌排渠改造 22 宗共 47.3km。增城市水利局高度重视，迅速组织开展建设工作，目前各项目建设正按计划如期推进。

五、水利设施管理水平进一步提升

为了加强对水利设施的管理，促进水利设施管理工作更加规范、科学，增城市水利局积极探索，不断完善水利设施管理办法，努力提高水利设施的管理水平。制定了《增城市水利建设资金试行竞争性扶持的实施意见》，引入竞争激励机制，将管理养护项目纳入竞争性扶持范围，明确了竞争性扶持的条件和评审程序，不再对每宗水利设施安排年度维修养护资金，而在年度部门预算中安排切块管理养护资金，由镇村各管理单位按程序申报，通过竞争评审确定管理养护项目和资金，从而充分发挥属地镇村的积极性，提高了我市基层水利设施管养水平，让有限的水利管理维护资金发挥最大的效益。积极探索“管养分离”的管理路子。积极探索水利设施养护工作社会化之路，减少管理机构人员过多、维护工作成效不高的问题。

六、水利现代化水平进一步提高

在当今信息技术高速发展的时代，增城市水利工程管理工作也紧跟时代步伐，不断向信息化、自动化的方向发展。建设了水文遥测遥控系统，在全市建立起各类水文遥测站、数据接收站、专用中转站、卫星云图接收站 53 个，基本实现了水文信息的自动采集、接收、处理、传输和监控。在联安水库、白洞水库、增塘水库、百花林水库等 4 座中型水库建设了大坝自动化监控系统，自动监测水库大坝的运行情况。在增博大围建设了自动化监控工程，实现了在总控制中心对全围 13 座涵闸进行联合自动控制。同时，努力推进广州市水利数据中心增城分中心水利数据收集整编与入库及水利工程测量项目的实施，为实现水利管理工作现代化打好基础。

广东省东江流域管理局

广东省东江流域管理局（以下简称为“东江局”）自 2007 年 1 月成立以来，在广东省水利厅的正确领导下，坚持以邓小平理论和“三个代表”重要思想为指导，深入贯彻科学发展观，认真落实中央水利工作方针和广东省水利厅党组的治水思路，紧紧围绕“打造一支过硬的流域管理队伍、建设一个科学的水量水质监控系统、建立一套高效的管理机制、构筑一个良好的工作环境”的发展目标，扎实开展流域管理各项工作，为东江流域经济社会和谐发展作出了积极的努力。

一、加强干部队伍建设

开展了队伍建设专题调研，形成了《内强素质，外树形象，努力打造一支高素质的流域管理队伍》的调研报告，为加强队伍建设提供了可靠依据；先后成立了局党委、工会、团支部等党群组织，为开展工作提供了组织保障；先后开展了学习贯彻党的十七大精神、学习实践科学发展观等活动，提高了干部职工的思想政治水平；邀请有关专家到我局开展水资源业务培训，积极派员参加上级组织的各项培训活动，有效提高了干部队伍的业务水平；开展了抗震救灾献爱心、老区革命传统教育等形式多样的党员活动，牢固树立干部职工的服务意识；先后制定了 10 多项内部管理规章制度，编印了《东江流域管理手册——党政事务篇》，促进内部管理制度化、规范化；加强党组织建设，不断充实壮大党员干部队伍。东江局成立至今未发生违规违纪、安全责任事故和上访事件，初步树立起流域管理部门的良好形象。

二、积极开展调查研究

组织开展了流域水资源管理、水利工程管理、河道采砂管理等多个专题调研，并先后形成了《东江流域管理手册——水资源管理篇》和《东江流域管理手册——工程管理篇》；同时，收集整理有关流域管理的材料和论文 58 篇，形成《东江流域管理手册——专家研讨篇》，为开展流域管理各项工作和配合广东省水利厅编制《广东省东江流域水资源分配方案》（以下简称为分水方案）、制定《广东省东江西江北江韩江流域水资源管理条例》（以下简称为《条例》）提供了翔实可靠的依据。

三、认真实施分水方案

2008 年 8 月 18 日，分水方案经广东省政府办公厅批准正式颁布实施；8 月 25 日，水利部批复同意在我省东江流域开展水资源分配和调度试点工作，试点期限为 3 年。东江局正式启动了分水方案的实施工作。这意味着东江流域将成为广东省乃至我国第一个实施水量、水质双控制的流域，为我国南方丰水地区合理配置水资源，建设资源节约型、环境友好型社会提供有益的示范和借鉴。为了尽快贯彻落实分水方案，东江局重点做了以下工作。

（1）率先实施了枯水期水量调度工作。组织编制了广东省东江流域枯水期水量调度计划和实施方案，并在广东省率先开展了枯水期水量调度工作，并定期发布《东江流域枯水期水量调度情况通报》，有效保障了 2008 年冬至 2009 年春枯水期东江中下游的供水安全，首次调度受到流域各地各单位的好评。面对 2009 年东江流域的严峻形势，东江局提前开展了水量调度工作，严格控制东江流域新丰江、枫树坝和白盆珠三大水库出库流量，至 2009 年 10 月 1 日枯水期水量调度工作正式启动时，增蓄可调水量超过 7 亿 m^3。

（2）主动开展东江水量水质监控系统建设前期工作。为保障分水方案的有效实施，东江局于 2007 年 10 月提前启动系统建设的前期工作，按照“超前设计、科技领先、全面监控、实用完善”的建设目标，先后组织编制完成了项目可研工作大纲、建议书和可行性研究报告，目前正待批立项。

（3）首创编发了《东江流域水资源动态》。东江局每季度编发《东江流域水资源动态》，全面反映流域降水量、径流量、蓄水动态、取水动态、水资源质量以及重要水事等，成为流域各地各部门了解掌握东江流域水资源基本情况的重要窗口，对推进东江流域水资源的统一调配和精细化管理起到了积极的作用。

（4）积极争取水利部“948”项目。水质遥感监测系统技术。该项目将通过构建适合东江流域河库水环境的定量遥感模型，建立“广东省东江流域河库水质遥感监测系统”，是对水质常规监测手段的有益补充，实施后将会强化对东江河库水质的规模化监测和宏观管理。

四、认真贯彻落实水利法规

东江局认真组织开展了“水法宣传东江行”等一系列具有东江流域特色的宣传活动；开展了东江干流河道采砂开采权招投标和采区现场管理工作，加强河道采砂管理，规范河道采砂秩序，确保东江干流河道安全；加强网站管理和信息更新报送，建设三防视频会议系统，流域管理水利信息化水平不断提高；开展东江流域管理中心、水量水质监控中心、防汛物资惠州仓库的筹建工作。

广西壮族自治区河池市天峨县水利局

一、思想政治教育扎实有效开展

一是结合学习实践科学发展观活动，采取集中学习、个人自学、举办报告会等形式，深入学习“三个代表”重要思想和科学发展观一系列重要论述以及中央、区、市、县有关水利工作的方针政策，不断强化政治理论学习。共安排学习辅导课和报告会20场次，全体党员学习时间均达30课时以上，一般干部写心得体会5000字以上，领导干部写心得体会文章10000字以上。二是强化理论联系实际，通过组织党性强、作风好、素质高，有一定政策理论水平的干部职工深入基层开展调研，撰写了45篇水利调研文章，并将理论成果付诸实践，在实践中推动思想政治教育深入开展。三是从改善民生的角度出发，通过开展“党组织服务年”等一系列主题教育实践活动，深入农村一线为民办实事105件。

二、民生水利事业蓬勃发展

2007年以来，该局认真贯彻执行中央、自治区关于加快水利现代化发展，进一步扩大内需、促进经济较快平稳发展的重大决策部署和自治区、市、县人民政府关于加快水利基础设施建设工作会议精神，确立了以“科学治水、发展水利、改善民生”为主题，以项目建设为载体的水利发展工作思路，并紧紧围绕建设社会主义新农村和构建社会主义和谐社会这个中心，突出改善农村生产生活条件和提高农业综合生产能力，水资源管理、农村饮水安全、小型农田水利及防洪工程建设、农村水电建设和水土保持等各项水利工作均实现新的突破，先后被授予“河池市社会主义新农村建设指导员工作先进后盾单位”、“全区水利系统抗击冰冻灾害工作先进集体”等多项荣誉，天峨县也由此分别被评为“2007—2008年度全国农田水利基本建设先进单位”和“2008—2009年度自治区农田水利基本建设先进单位”。今年8月，天峨县又被列为2009年度中央财政小型农田水利重点县。截至2009年9月，全县已累计完成水利项目投资7216.42万元。仅在2008—2009年冬修水利项目建设中，完成总投资2882.17万元，其中中央资金1534万元，自治区本级部门预算投入资金448万元，是建国以来天峨县获得中央、自治区水利项目资金投入最高的一年，全县民生水利工作得到了新发展。

(1) 水资源节约和保护全面推进，水利社会管理能力得到提升。几年来，调处水事纠纷、查处水事违法案件结案率达100%，每年征收水资源1500多万元，用于水资源保护与管理，有力促进天峨县水利事业的发展。

(2) 农村饮水安全工程全面实施，重点水源工程建设取得重大进展。2007年以来，在农村饮水安全项目方面共投入3003.35万元，争取中央资金1703万元，自治区、县配套及群众自筹1300.35万元，实施的266处人饮工程全部竣工并交付使用，4.5万农村人口喝上了“安全水”“放心水”。在重点水源工程建设中，实施中央财政支持小型农田水利项目8处，新建水源工程21处，工程直接受益人口1.22万人；水库清淤15万m^3，工程受益人口0.55万人，完成投资1211.1万元，全县农村小型水源工程项目建设得到了跨越式发展。

(3) 小型农田水利建设呈现新气象，农业综合生产能力不断提高。2008年以来，新建成登里、同科2座山塘，新建地头水柜967座，新增蓄水容量5.8万m^3，建成拦水坝26座，渠道硬化398.8km，渠道清淤117.7km，新增和改善灌溉面积1353hm^2，大大提高了农业生产综合能力。

(4) 农村水电持续稳定发展，小水电开发管理实现新突破。按照“十一五”规划，全县可开发小水电装机容量达2.535万kW。年内待开工水电站1座，新增装机容量2400kW；水电装机量1500kW的索法一、二级小水电站正积极筹划实施当中，实现了农村水电管理的新突破，全县小水电建设正按照“十一五”水电农村电气化规划稳步推进。

(5) 水土保持工作取得新成效，水利生态环境建设步伐加快。在实施珠江上游南北盘江石灰岩地区水土保持综合治理工程八贯河项目区中，完成项目区内仁顶、老鹏、长岗岭等小流域水土保持综合治理工程，综合治理面积达 34km²，水利生态环境得到有效改善。目前，全部项目已通过县市级初步验收，仁顶、老鹏已通过自治区专家组的验收，全面完成投资 1018.03 万元，试点带动作用明显。

（6）水利改革继续深化，体制机制创新力度加大。水管体制改革成果巩固提高，全县 3 个国营小型水利工程完成了分类定性，管养分离、人员分流、社会保障等改革，小型水利工程管理体制改革稳步推进。年内基本完成小型水利工程产权制度改革 58 处、小（2）型水库管理体制改革 5 处，累计组建农民用水户协会 63 个，新型小型水利工程管理体制机制已日趋完善。

三、领导班子凝聚力和向心力得到全面增强

局领导班子以身作则，团结一心，奋发有为，充分发挥了领导班子突出的核心作用。班子团结和谐，决策民主，凝聚力强。班子成员分工协作，勤奋敬业，战斗力强。坚持原则，严格自律，清廉正派。修订和完善了《廉政建设规定》《财务管理办法》等 12 项规章制度，并严格执行领导干部廉洁从政的各项规定，努力做到以制度管人，照章办事。在工作和生活上带头发扬艰苦奋斗、勤俭节约、严于律己、克己奉公的优良传统。

四、遵纪守法模范单位创建及精神文明创建成效显著

创建遵纪守法模范单位，一是加强组织领导，先后成立了党风廉政建设、行风建设、法制宣传教育工作、水利建设与资金管理等工作领导小组，制定实施方案并抓好落实。二是注重教育学习，把遵守国家法律和水利管理法规等内容纳入干部职工教育培训中，使其成为干部职工教育培训的必修课。三是注重制度建设，健全日常内部管理制度基础上，制定和完善《学习制度》《考勤请假制度》等相关制度。加强对专项资金的管理；在水利建设、水政管理、水保执法等工作中严格按照国家和地方颁布的法律法规执行。精神文明创建工作，一是领导重视，健全机构，制订方案。在各类学习教育活动中，专门成立了以局主要领导为组长的活动领导小组，制定详细的创建计划和工作方案，将每项工作落实到个人，并设定完成时限。二是全局团结一心，奋发有为，具有较强的团队精神。出台制定工作考核办法等各项规章制度和管理办法，明确了内部管理和奖惩的依据，为内务管理走向规范化、制度化奠定了基础。三是敬业精神和服务意识不断增强，四是水利文化建设不断巩固发展。以人为本，尊重职工、信任职工、关心职工，在本单位积极营造浓厚的学习、宣传和教育氛围，以宣传栏、板报、简报等形式开展文化建设。

广西壮族自治区贺州市龟石水利工程管理处

贺州市龟石水利工程管理处（以下简称龟石水管处）是龟石水库及其附属工程的综合管理单位，隶属贺州市国资委、贺州市水利电力局，是以电养水、自收自支的准公益性事业单位。其管辖范围主要是龟石水库（库容 5.95 亿 m³，大（2）型水库）、大坝、龟石水力发电站及龟石灌区主干渠等。

龟石水管处现有领导班子成员 7 名，职工 313 人，其中在岗职工 146 人，离退休 167 人。在工作过程中，领导班子团结协作，开拓创新，求真务实，作风民主。凡遇重大事项，均共同商量、研究解决；做到了大事讲原则，小事讲风格，扎实开展工作，引领发展大局。

一、科学控水创造效益

龟石水利工程是贺州市最大的水利枢纽工程，肩负着防洪、抗旱、逾 2 万 hm² 灌区灌溉用水和城区供水任务。龟石水管处结合年内各个时段内总降水量和来水量的数据，结合气象卫星云图等情况提前做好防洪或抗旱准备。在关键时刻充分发挥龟石水库的调控作用，工程管理科和灌区管理站联合提出用水计划，加强用水管理，科学调水，全力确保贺州市城区供水和灌区灌溉用水。

据统计，2003—2009 年（特别是在 1994 年、2002 年、2008 年、2009 年），龟石水库有效削减洪峰 3.33 亿 m³；为灌区灌溉供水累计达 17.85 亿 m³，为地方的经济发展和农村稳定作出了卓越贡献；共向贺州市、钟山县、旺高工业区等提供原水近 5000 万 m³。

二、安全生产成效显著

龟石水管处坚持"安全第一"的方针，实行安全生产责任制和安全生产奖惩制度。认真贯彻执行电力安全生产规程和"两票三制"，开展"操作无差错"劳动竞赛、百日专项安全活动和安全生产月活动，建立设备专

人负责制，加强设备巡视检查制度，杜绝设备跑、漏、冒现象和不安全因素，确保了机组、线路的安全发供电，连续多年实现了无人为责任事故和设备责任事故发生。据统计，2003—2008 年，累计发电 2.59 亿 kW·h，售电 2.33 亿 kW·h，售电收入 6957.87 万元。

三、项目建设稳步推进

2003—2008 年，在灌区续建配套与节水改造工程项目建设方面，累计争取国债资金 3573.22 万元，并完成了灌区续建配套与节水改造工程 49.662km，完成了水利信息化一期工程建设；恢复灌溉面积 745.6hm²，新增灌溉面积 1040hm²，节水 5554 万 m³，实现了安全供水无间断。

在信息化建设和发电机组技术改造方面，累计投入 200 多万元，完成了水库水情自动测报系统和水库洪水预报系统建设，实现了灌区水情测报、防洪调度自动化；建立了龟石水管处计算机网络，实现了资源共享；安装了 24 小时自动摄录监控系统和红外线防盗系统，实现了水库遥测、灌区重点部位遥控、发电中控室遥视和生活区、办公楼数字监控；进行了发电机组的调速器更新、励磁系统和轴瓦更新改造等技改项目，确保了发电机组的安全发供电。

在大坝除险加固工程项目建设方面，争取专项资金 352.4 万元，进行了大坝除险加固一、二期防渗补强灌浆工程。2009 年，争取了第三批扩大内需中央投资计划共计划 6053.24 万元，实施龟石水库除险加固工程建设，计划在 2010 年内完成建设并通过验收。

四、文明建设硕果累累

在发展经济建设的同时，龟石水管处努力抓好全处精神文明建设。一是继续健全管理规章制度，加强内部管理；二是加强党员思想建设，充分发挥党员的模范带头作用；三是抓好普法和社会治安综合治理工作，提高职工法治意识；四是积极开展了创建全国精神文明建设先进单位活动。

龟石水管处在班子的团结带领下，在全体职工的共同努力下，两个文明建设取得了丰硕成果，为地方的发展稳定作出了积极贡献，创造了良好的经济效益和社会效益，先后荣获“水利工程管理先进单位”“五好工程管理单位”“花园式庭院”“社会治安综合治理模范单位”“爱国拥军模范单位”“全国大型灌区精神文明建设先进集体”“全国精神文明创建先进单位”等荣誉称号。

广西水利电力勘测设计研究院

广西壮族自治区水利电力勘测设计研究院（以下简称广西水电设计院）自 1984 年恢复建院，至今已走过 25 个不平凡的春秋，由最初组建时的 40 多人，发展到现在拥有 400 多名干部职工，300 多名工程技术人员，8 名获得政府特殊津贴的专家和 115 名高级工程师的强大队伍；同时，拥有水利全行业设计、工程勘察等 10 多个甲级专业资质。

广西水电设计院坚持以邓小平理论和“三个代表”重要思想为指导，学习实践科学发展观，坚持与时俱进，不断开拓创新，将“三个文明”建设不断推向前进，生产产值连续多年年增长率均达到 20%以上。先后承担了 500 多项水利水电工程的规划、勘测、设计、咨询工作，所承担的水利水电项目不但遍布整个广西，而且走出区外，跨出国门。共获得包括国家、省部级在内的科技进步奖和优秀工程勘察设计奖 70 多项；还先后获得“广西五一劳动奖状”“自治区文明单位”“全国水利系统文明单位”“自治区先进基层党组织”“全国工人先锋号”“广西抗震救灾工人先锋号”“全国水利水电勘测设计行业 AAA 级信用等级企业”等荣誉称号；100 余人分别荣获全国五一劳动奖章、广西五一劳动奖章、全国水利系统先进工作者、全国勘测设计行业优秀科技工作者等先进个人和标兵的称号。广西水电设计院的蓬勃发展为我国水利事业乃至经济社会的发展，作出了不可磨灭的贡献。

近年来，广西水电设计院顺应工程勘察设计单位“改企建制”的新形势，尊重市场经济规律，本着“一业为主，两头延伸，多种经营”和“立足广西，面向全国，跨出国门”的经营方针，努力拓展勘察设计市场，取得了很好的成果。仅 2007 年至今就在区内外开展了 200 多项规划勘测设计项目及专题项目，完成了 60 多座大中小型病险水库除险加固设计任务，在国外开展了多个项目的设计。该院承担的广西水利发展“十一五”规划、广西防洪体系规划、广西珠江水系水资源保护规划等几十项政府专项规划报告，因审时度势，科学规划，精心编制，为政府实施科学治水提供了科学依据，取得了较好的经济效益和社会效益，单是广西珠江水系水资源保护规划方案的实施每年就可减少水污染造成的损失约 6 亿元，为广西经济社会的发展贡献了力量。

该院承担的百色水利枢纽工程是国家重点大型工程，地质条件复杂，设计工作难度大，经过该院职工十几年的艰苦攻关，2005 年 8 月，百色水利枢纽大坝下闸蓄水，2006 年 11 月最后一台机组并网发电，各项指标均达部颁标准。百色水利枢纽的按时完工，解除了革命老区右江河谷的水患，将南宁市的防洪标准提高到了百年一遇，同时还可以为广西电网源源不断地输送大量的清洁能源。

“5·12”四川汶川特大地震发生后，广西水电设计院全体职工积极投身水利抗震救灾工作，积极开展捐赠献爱心、组队支援四川灾区等系列活动，力尽所能，用实际行动谱写了一曲抗震救灾的壮歌。在第一时间迅速抽调 12 名专家组成广西水利抗震救灾先锋队开赴四川绵阳灾区一线，进行震损水库应急除险方案编制工作，并在先锋队中成立了临时党支部；完成了绵阳市三台县和盐亭县共 28 座震损水库的应急除险方案编制任务，受到了水利部前方指挥部的高度评价。

广西水电设计院在“三个文明”建设中取得显著的成绩，今后将继续坚持以“三个代表”重要思想为统领，深入学习实践科学发展观，使全院各项工作在现有的基础上跃上新的台阶，达到“升位、创新、求实、发展”的新目标。

海南省松涛水利工程管理局南丰电站

海南省松涛南丰电站（以下简称为“电站”）是松涛水库枢纽工程的一个重要组成部分，是松涛工管局直属的事业报账单位，为松涛水库库容治理，防汛抗旱提供重要经济保障。电站固定资产原值为 2953 万元，固定资产净值为 850 万元；现设站长、党总支书记各一名，副站长两名，有职工 74 名，工程专业技术人员 8 名，其中高级工程师 1 名，工程师 2 名；设有站办公室、生产办公室、生产车间、治安保卫股。

电站于 1960 年 4 月动工兴建，1969 年 1 月土建工程全面竣工。装机 3 台均系立式发电机组，总容量为 2.49 万 kW，其中 1 号和 2 号机组容量均为 1 万 kW，3 号机组容量为 0.49 万 kW。1 号机组 1967 年 3 月开始安装，1968 年 8 月 1 日试机成功，9 月 15 日正式发电；2 号机组于 1970 年 8 月发电；3 号机组于 20 世纪 90 年代初扩建，1994 年 7 月 4 日发电。主变压器 2 台，单台容量 1.5 万 kV·A。电站管辖松涛水库灌溉输水涵一座及 110kV 变电站一座，该变电站是松涛电网与省电网的并列点。

电站建成投产后累计发电超过 31 亿 kW·h，不仅取得了较好的经济效益，还为海南电力系统培养输送了不少优秀人才，受到上级政府和主管部门的高度赞扬和表彰。曾先后荣获“全国电力工业大庆式企业标兵”、“广东省先进企业”和“水利部先进企业”等称号。

电站坚持以邓小平理论和“三个代表”重要思想为指导，以“三个增加、四个改善、五个一流”为工作目标，深入落实科学发展观，努力践行“八荣八耻”社会主义荣辱观。认真贯彻“安全第一，预防为主，综合治理”的安全生产方针，落实好国家安全生产电视电话会议精神及水利部安全生产视频会议精神与省厅、局安全生产会议、文件精神。坚持“以人为本、安全发展”理念，抓好设备管理，抓好规程、制度贯彻，抓好每月一次的安全生产会及劳动竞赛评比会，搞好站、车间、班值三级管理。实行安全生产问责制，一级抓一级，层层抓落实。认真落实好安全生产管理工作。使安全生产工作取得了前所未有的显著成绩。在 2004 年初取得了 30 多年来第一个连续安全生产 1000 天记录的基础上，又于 2005 年取得了连续安全生产 1500 天记录。截至 2009 年 12 月 31 日已连续安全生产 1290 天，现正向第二个连续安全生产 1500 天迈进。

电站加强职工的思想政治教育及业务技术培训，努力培养“四有”职工队伍，使每名党员都是一面旗帜，在思想、工作、学习和社会生活中继续保持先进性；每位职工都是电站主人，较好地发挥了主人翁作用。职工的思想认识及技能水平显著提高，为安全生产保驾护航。当强台风“达维”疯狂肆虐之时，电站坚决而严格地执行工管局的指令，第一个成功地“黑启动”，点亮了海南西部的第一盏灯，使海口电厂两台各 125MW 机组免遭损坏，为防洪防汛及抗风救灾作出了重大贡献。

文明生产工作也取得了可喜成绩。职工的精神面貌发生了可喜变化，劳动竞赛活动扎实有效，增产节支成绩显著。生活区、变电站及厂房周边环境面貌基本上得到了有效整治，厂容厂貌焕然一新。厂房窗明几净，发供电设备洁亮无污，职工文明礼貌，受到来站检查指导工作的国家电监会及省网领导高度评价。为贯彻落实好科学发展观，建设绿色电站、和谐电站，造福电站、职工，电站在资金短缺情况下，靠党员带头，干部职工参股与电站合股投资，开山劈岭改造环境，种植槟榔。经过几年的辛勤努力，精心管理，现成活万株槟榔。电站以创建文明班组、文明岗位、文明职工、文明家庭为主题，开展比学赶帮超活动，做到有计划安排、有检查落实、有评比奖罚。激发了广大职工的工作积极性、主动性和创造性。爱岗敬业的人越来越多，好人好事层出不穷，先后涌现了一批文明班组、文明职工、文明家庭。1人荣获全国女职工建功立业标兵。站党总支被省直机关工委表彰为2006—2008年度先进基层党总支。电站2005年12月、2009年12月连续两次荣获全国水利系统先进集体称号。

四川省都江堰东风渠管理处

四川省都江堰东风渠管理处是四川省水利厅直属大型水利工程管理单位，担负着成都、眉山两市19个县（市、区）的灌溉任务，以及向成都市输送工业、生活、环保用水，向黑龙滩、龙泉山灌区输水，灌区内丘陵塘库蓄水和灌区防洪、工程维护任务。近年来，按照党中央、国务院的水利方针，省委省政府“治水兴蜀”和水利厅党组“再造一个都江堰”的核心目标，在厅党组的领导下，抓住机遇，深化改革，锐意进取，不断加强水利工程建设和信息化建设，提高水利工程管理水平，为灌区的工业、农业、生活、城乡环境用水提供了优质服务，促进了灌区经济社会发展，得到行业、灌区服务对象和地方政府的肯定，为社会主义新农村建设、成都市城乡一体化建设和灌区经济社会发展作出了贡献。特别是去年地震发生后，确保了成都市生活工业用水，灌区输供水。精神文明建设成绩显著，荣获“省级文明单位”“省级最佳文明单位”“全国精神文明创建工作先进单位”等荣誉称号。2009年荣获“全国水利系统先进集体”。

一、思想政治教育深入

四川省东风渠管理处围绕厅党组“再建一个都江堰灌区”核心目标和“事业兴、行业强、职工富”的奋斗目标，狠抓物质文明、精神文明、政治文明、生态文明建设，促进了单位和灌区的和谐发展，为实现省委、省政府“治水兴蜀”和“两个加快”的目标奠定了坚实的思想政治基础。

二、精神文明创建扎实有效

建立健全了精神文明创建工作组织领导体系、保障机制、考核奖励机制、服务标准体系和社会监督体系，职工具有较强的团队精神、敬业精神和服务意识。党的建设紧紧围绕全处工作大局，加强党员思想、组织、作风、制度和党风廉政建设，做到为民、务实、清廉；充分发挥党员的先锋模范带头作用，培养有激情、能干事、干成事的高素质干部职工队伍；领导班子创“四好”活动连续6年受到厅党组的表彰。在水利厅第二批学习实践科学发展观活动中，强化理论武装，深刻剖析检查，突出实践特色，为职工办好事、办实事，为灌区民生水利办实事，得到了全体干部职工和灌区服务对象的广泛认同，活动满意度测评满意和基本满意达97.5%，无不满意评价，同时也得到了省直工委和水利厅深入学习实践科学发展观活动领导小组的充分肯定。

三、领导班子团结有力

领导班子和干部职工队伍团结进取，奋发向上，无私奉献，积极探索新的治水思路，有较强的凝聚力和战斗力；班子成员职工支持率高，形成了风正、心齐、团结、和谐的工作环境。处级领导班子举旗帜、抓班子、带队伍，做到了“四个特别”，大事讲原则，小事讲风格，增强了凝聚力，向心力、协调配合能力。中层干部有较强责任感和领导能力、业务工作能力，保持了政令畅通，令行禁止，职工有较强的工作主动性和积极性，保证了各项目标任务的顺利完成。

四、业绩成果贡献突出

在安全及时输供水，确保灌区用水的需要方面，东风渠管理处承担了成都市自来水六厂等重点工业企业供水的任务，还肩负本灌区19个县（市、区）19.45万hm^2农田的灌溉任务，灌区平均每年从都江堰引水43.8亿m^3，向成都市生活及工业供水6.62亿m^3、供灌区农业用水14.1亿m^3、向龙泉山和黑龙滩两水库灌区输水5.68亿m^3、向成都市中心城区提供环境用水5.47亿m^3，通过灌排兼用河道安全排水11.9亿m^3。

在加强工程建设，提高工程管理水平方面，1986—2008年，东风渠灌区续建配套与节水改造工程，主要对灌区重点病害工程和卡脖子渠段进行了治理，取得了阶段性成果。渠道整治187.9km，已完成整治渠道占丘陵灌区人工渠道341.7km的55%。东风渠灌区的岁修工作，以枢纽水闸维修养护、丘陵人工渠道清淤、计量制口改造、水毁工程的修复、打通渠堤道路为重点。截至2008年底，已改造计量用水制口639处，占分水制口 1726 处的 37%；新打通渠堤通道 50 余 km；渠堤绿化 25.4 万 m^2；完成末级渠系试点改造两条 9.4km。近十年来，岁修工程投资 6876 万元。岁修重点工程在都江堰灌区评选中优质率达 98%以上。

充分利用有利资源，集中有限的财力，在岁修工程中打造了一批示范工程，如总干渠南北枢纽闸改造工程、麻石桥枢纽闸改造工程、渠首枢纽闸改造工程、新南干渠勤劳枢纽闸、眉彭干渠生态渠段工程以及清水河梁江堰闸群改造工程等。信息化建设也卓有成效，自 2002 年 6 月以来，先后投资 500 余万元，建成水情信息采集系统一套，包括分中心一处，站点 19 个，计量制口 100 余处；闸门监控系统 7 套，视频点 13 个，控制点 11 个；局域网 1 个，上网计算机 90 余台；网站 1 个。

四川省内江市乐至县水务局

乐至县水务局始终把"服务社会、服务经济、服务民生"作为水利部门的重要职责，依法行政，争先创优，水利建设和改革取得跨越性发展。

一、抓班子，带队伍，增强班子凝聚力和战斗力

局党委提出了"围绕中心抓党建，抓好党建促发展"的工作思路，积极开展"班长抓班子、班子带队伍、增强执行力、促进发展"为主要内容的创"四好班子"活动。坚持周五定期政治学习制度，单位制度健全、管理规范，全局职工认真学法、守法、执法。局党委果断提出以规范服务型基层组织建设为抓手加强作风建设，以制度建设为切入点，规范活动阵地、工作内容、工作制度和服务方式。

二、抓管理，促服务，全面推进依法治水

完善制定了《乐至县水务局水行政执法责任制实施方案》，建立了领导责任制，明确了各级水行政执法责任，做到任务落实到位、责任落实到人，并将其作为考核领导干部政绩的内容之一。以纪念"世界水日"和"中国水周"活动为契机，组织上街咨询和下乡宣传 10 余次，电视字幕标语宣传两周 100 余小时；印发各种宣传资料，书写宣传标语，向社会各界宣传水法律法规和节约、保护水资源的科学知识，营造全民学法、知法、守法的浓厚氛围，充分调动广大群众珍惜、节约、保护水资源的意识，为依法治水营造了良好社会环境。为水政监察支队配备了照相机、计算机等必要的器械装备；完善执法体系，执法工作做到力量集中，标准统一，执法效能和合法性进一步得到提高；共查处各类水事违法案件 14 起，无错案发生，结案率达到 100%，未发生行政复议案件。严格执行取水许可制度，水土保持"三同时"制度，水利建设项目法人制、招投标制、质量监理制和合同管理制。开展定期与不定期的执法监督检查，依法查处水事、水保、渔政和水污染案件，保护水利建设成果。

三、抓安全，保稳定，保障经济社会和谐

层层建立领导责任制，落实目标任务，强力推进完成了棉花沟等中型水库，桂花湾、简家河等 71 座小型水库的除险加固，提高了泄洪能力及抗洪能力。2008 年"5·12"汶川大地震后，县水务局第一时间作出反应，及时组织 5 个工作组赴各水库开展灾情调查，加班设计、研制方案，相继完成了胡家沟等 85 座震损水库应急修复和简家河等 75 座震损水库灾后重建。

加强饮用水源保护，依法划定饮用水源保护区，设立保护标志；组织清理、取缔施肥养鱼、网箱养鱼、投饵养鱼等违规水面租赁承包合同。对过去饮用水源水库承包合同，开展水环境综合治理，组织打捞、清除水葫芦、水生浮物等工作，开展执法监督检查，严格禁止向饮用水水源投放污染物、设置排污口等污染水源的行为。

四、抓项目，夯基础，增强防旱减灾应急能力

积极开展项目争取，多渠道筹集资金，加速水利基础设施建设。坚持集中与分散相结合，地下水与地表水相结合，采取多种途径，累计解决了旱片地区 28.11 万群众饮水安全。加速灌区渠系配套建设，提高了渠系水利用率。积极发展小型、微型水利，节约农村劳动力、方便群众生产生活用水。加速生态环境建设，综合治理水土流失面积 $31km^2$，改善了农村生产、生活条件。

五、抓改革，谋发展，提高效率增活力

整合水利、供水、排水三大行业，同时归并城乡防汛、供水、排水和污水处理、地下水管理、计划用水和节约用水等五大职能，实施城乡水务一体化管理。按流域、(片区) 合理设立 15 个水库管理单位，分片管理，统一负责全县 104 座水库的管理工作。水库管理单位全部拿入了事业性质的管理范畴，实行定编、定员和财政差额预算的规范化管理，完善内部管理制度，落实管理养护经费，确保了水利工程正常运行。县水务局归口管理全县村镇供水，理顺了村镇集中供水工程管理体系，加强了村镇供水事业的行业管理，防止了国有资产流失。积极推广“参与式”管理供水工程模式，以村、社或院为单位，建立用水者协会。全面推行“两部制”水价实施，实现农业水费征收到位率 98.5%的好成绩，除确保水管单位正常运行外，每年能从农业水费中安排一定的资金用于水利工程建设、维修整治与病险水库除险加固建设。推进小型、微型水利工程产权制度改革，共回收资金 387.84 万元。运用小型水利工程经营权，租赁、承包、经营现有水利工程，盘活现有水利工程，加快水利基础设施建设。全县建立农民用水者协会 25 个、分会 606 个、用水小组 6528 个，吸纳会员 26 万余户，管理面积 1.9 万 hm^2，解决了多年来农村水利管理“主体”缺位，责任、权利、义务界定不清，效率和效益发挥不理想等问题。建立“以奖代补”的奖励机制，运用“村民自治”“一事一议”政策，引导人民群众、社会力量参与农田水利建设的积极性。

六、创文明，树形象，与时俱进创辉煌

坚持文明单位创建工作“一把手”负责制，成立了由局党委书记、局长任组长，各股室站负责人为成员的文明单位创建工作领导小组。把创建目标、标准和责任，细化分解落实到具体的人头上，形成一级抓一级，层层抓落实，党政工青妇齐抓共管的良好工作机制。坚持把文明单位创建工作纳入党政议事日程，与经济工作一同部署，一同检查，一同考核，做到了年初有计划，半年有检查，年终有总结。把文明创建与党建、保先教育、科学发展观等活动结合起来，不断深化干部职工意识，引导干部职工自觉投身到创建活动中去。结合水利部门工作特点，寓身边的人、身边的事、身边的典型于文明单位建设全过程，坚持以“群众满意”为标准，精心打造水利人形象，营造良好的创建氛围。强化环境建设，积极打造机关文明形象，绿化、美化办公环境，完善文化体育设施；各种保洁设施一应俱全，办公楼及周边环境清洁卫生。局机关三个文明建设协调发展，全面提升了职工队伍的文明素质和文明服务形象。

四川省泸州市泸县水务局

四川省泸县水务局始终坚持以邓小平理论和“三个代表”重要思想为指导，深入学习实践科学发展观，加强领导班子和干部队伍建设，不断优化治水思路，抢抓发展机遇，全面推进改革，加快水利建设发展。经过全局干部职工的共同努力，近年来获省级最佳文明单位、四川省水利建设先进县、四川省防汛抗旱先进集体、泸州市十佳优质服务机关等 20 多项荣誉。“三个文明”建设取得丰硕成果。

一、务实创新的领导班子

近年来，领导干部深入基层，形成有价值调研稿件 100 余篇，其中中央级新闻媒体采用 6 篇，省级新闻媒体采用 32 篇。在病险水库除险加固配套工程中推广混凝土防渗和混凝土 U 形槽，获泸州市科学进步一等奖，在全省推广应用。在堤坝白蚁防治中成功研制 SC90—91 灭蚁灵饵条获省科学技术进步一等奖。微型水利稻鱼轮作模式，得到全国、省、市专家高度肯定，中央电视台曾作专题报道，在全省广泛推广。小型水利管理体制改革经验，在 2006 年作全国大会经验交流。在深入学习实践科学发展观活动总结表彰大会上，泸县水务局党委成为全县 70 多个县级部门中唯一受表彰的部门，连续被县委评为“四好”领导班子。

二、坚强有力的干部队伍

泸县水务局现有干部职工 116 名，高级工程师 5 名，工程师 32 名，市级科学拔尖人才 2 名。加强业务技能学习培训，不定期开办农村饮水安全等专题培训和讲座，与泸州职业技术学院联办水利大专班，共培训专业技术人才 2000 余人次；建立健全激励管理机制，全面推行中层干部竞争上岗和部门负责人述职考评，健全人才教育、管理、激励、绩效考评等制度，搭建人才建功立业发展平台；建立健全优秀人才引进机制，通过公开

招考、择优调用等方式不断优化人才队伍结构。泸县水务局连续5年党建工作、经济工作被县委评为一等奖，被评为泸州市十佳优质服务机关，连续2年被评为四川省防汛抗旱先进集体。

三、团结活泼文明的单位

积极开展讲文明，树新风活动，投入40余万元绿化、美化、净化环境，通过政府采购20余万元办公设备，改善办公条件，提高为民办事效率。大力援助灾区重建，在“5·12”汶川大地震中，先后派出援建专业人员7人，干部职工为灾区人民共捐款捐物50余万元；积极开展机关行政效能建设，严格劳动纪律，坚持执行首问责任制；积极开展文体活动，深入开展“爱国卫生”“青年文明号”等创建活动；积极开展“部门帮村、党员帮户”结对帮扶工作，共投入80多万元帮助联系的下湾村找到了一条发展稻田养鱼的致富路。泸县水务局在县委县政府开展的群众评议机关活动中，连续多年被评为优质服务机关，2008年被市委市政府评为“部门帮村、党员帮户”先进集体，2009年成功创建省级最佳文明单位。

四、严格执法的模范团队

泸县水务局认真开展水行政法律法规宣传，充分利用每年“世界水日”、“中国水周”等时机，通过宣传车、有线电视、报刊等各种形式，加强对《中华人民共和国水法》、《中华人民共和国水土保持法》等水行政法律法规的宣传。通过与广播电视台联办《水利之声》等专题节目，把水利相关知识普及到群众，使广大群众对涉水相关法律法规有了深刻了解；严格开展水行政执法，始终坚持做到有法必依、违法必究、执法必严，坚持按照《水政监察条例》等规定的职责和权限，亮证执法，操作规范。通过严格执法，规范了全县现有的1000余取水用户，办理水土保持方案1000多件，打击违法捕鱼500余人次；扎实抓好水利维稳安全工作，建立领导机构，层层签订责任书，健全各项规章制度，加大安全生产督促检查，加大安全隐患整改，加强矛盾纠纷排查、化解。多年来，未发生一起重大安全责任事故，未发生具有较大影响的投诉和上访事件。领导干部率先垂范，始终保持清正廉洁，从未发生违法、违纪、违规事件。相继荣获四川省病险水库除险加固工作先进集体，连续被县委县政府评为安全生产先进单位和信访维稳先进集体。

五、成效显著的战斗集体

积极开展水利工程项目规划、储备。抽调专业技术人员，集中人力、物力、财力，完成了抗旱水源等7个规划163处，规划投资47亿余元。狠抓项目建设，严格执行在建项目招标投标制、项目法人负责制、县级报账制等一系列管理制度，确保在建水利工程资金和人员安全。近年来，完成水利建设投资5.4亿余元，建成水利工程10769处，蓄引提能力快速增强。农村饮水安全工程通过项目带动共打井21.3万口，累计修建集中供水站49处，解决了89万多农村人口的饮水安全问题。新建防护堤21km，累计治理水土流失面积176.3km^2，每年减少土壤侵蚀150余万t，年保水400万m^{3}以上。妥善分流富余人员250余人，无一上访，化解债务1600余万元，开展了以建立农民用水户协会为主的灌区管理体制改革，建立农民用水户协会29个，吸收会员25.9万多人。优化配置水资源，统一管理城乡涉水事务，强力推进水务管理体制改革，完成了水利局改革，组建了泸县水务局，成立了泸县顺通水务有限公司。泸县连续4次荣获四川省水利建设先进县称号，农田水利基本建设工作连续5年被市政府评为一等奖。

四川省成都市双流县水务局

近年来，双流县水务局以科学发展观为指导，积极践行可持续发展治水思路，按照四川省委、成都市委要求，紧紧围绕县委“一主线三战略五加强”的发展思路和“空港现代田园大城市”的发展定位，发扬“献身、负责、求实”的行业精神，坚持以城乡水务一体化建设为主线，以节水型社会建设为平台，以城乡饮水安全、农村用水保障、水环境治理、防汛保安四项工程为抓手，着力破解饮水、用水、治污、节水、管水五大治水难题，构建西部领先的城乡一体的全域水务规划体系、节水高效安全的供水体系、生态良好的水环境安全体系、防汛抗旱的减灾体系，实现安全、科学、高效用水，以水资源的可持续利用支撑双流县经济社会的可持续发展，先后获得全国水利建设先进单位、全国水利系统先进集体、全国渔政工作先进单位、四川省水利建设先进县等100余项殊荣。

一、着力构建城乡一体的水务规划体系

按照城乡统筹的要求，结合城乡建设和产业发展，先后投入1140余万元，编制完善水资源综合规划、农田水利规划、节水型社会建设规划等9个规划，基本形成覆盖城乡的水务规划体系，并加强规划执行监管，切实做到以科学规划引领城乡水务一体化建设。

二、纵深推进西部领先的城乡供水一体化模式

探索出“以岷江水厂管网供水为主，以小型集中供水设施供水为辅，以分散庭院式供水为补充”的供水新模式，建成贯通全县镇村的供水管网1194km，在西部率先形成城乡供水一体化格局，累计解决32万人饮水安全问题，城乡自来水普及率达59.72%、村通自来水率达75%。2011年将基本解决42.28万人饮水安全问题。

三、大力实施农村用水保障工程

加快灌区配套、节水改造和病险水库除险加固等建设，成功申报为全市唯一的中央财政小型农田水利重点县，大力实施现代农业用水保障工程，全县农业有效灌溉面积占耕地面积的比重达89.6%，亩均灌溉用水量从620m^3降至475m^3，有力促进了农业增效、农民增收、农村发展。2009年新增农用地规模经营面积达0.38万hm^2，全县农民人均纯收入8127元，增长14%。

四、加快城乡排水一体化进程

按照“全域双流”理念，从工程措施、非工程措施和长效管理机制入手，完成23条小流域治理工作，在全县建成污水处理厂（站）28座、主管网273.79km，实现镇级污水处理厂（站）全覆盖，总处理能力达12.35万t/日，初步建立网格化的河道水环境长效管理机制，水环境得到明显改善。

五、全面推进节水型社会建设

从工业、农业、生活、生态四方面入手，加大节水工艺改造，推进中水回用，大力推广农业节水灌溉技术，全县万元工业增加值用水量从360m^3降到93m^3，节水器具普及率达60%以上，2008年被水利部确定为四川省唯一的全国节水型社会建设试点县。

六、稳步推进水管体制改革

加快投融资体制改革，成立水务投资公司，融资缓解建设资金短缺矛盾。2009年融资8.03亿元。在全市率先将小型提灌站运行管理费用584.7万元纳入财政补助，同时县财政每年安排1500万元实施农业水费财政转移支付，农民人均可增收34.75元。探索群众参与工程建管新机制，在全市率先成立县级农民用水户协会，并以水库灌区、行政村为单元组建分会60个，发展会员39441人，形成县镇村分级管理工作格局。

七、狠抓班子队伍和精神文明建设

加强班子建设，局领导班子充分发扬“三协”精神，团结协作，求真务实，开拓创新，荣获县委“四好班子”称号。局机关实行行政效能风险管理，逐步建立起科学、精减、高效的机制创新平台。扎实推进反腐倡廉建设，强化工程招投标和质量监管，确保工程安全、资金安全、干部安全。大力实施干部队伍教育培训，强化干部作风建设，干部队伍思想政治和业务素质不断提高。成功组织职工技能大赛等活动，精神文明建设扎实开展。

四川省自贡市水务局

一、水务体制改革取得突破进展

按照水利部《深化水务管理体制改革指导意见》的要求，积极进取，不断创新。一是整合了涉水行政管理职能，实现了水务从原水、自来水、污水处理、中水回用的一体化管理目标。二是打通了水务产业链，提出了自贡市供排水总公司、自贡荣威水务公司、自贡市供水事务管理处等5个企事业单位资产重组方案，并报经省

市政府审定，从而为盘活水利资产，构建水务市场，以及搭建水利投融资平台作好了相应准备。三是调整了水利工程供水价格，其水价调整方案已通过听证会并报请市政府同意。同时，还完成了水资源费的调标工作，出台了调标文件，使全市水资源费的征收额度得到较大的提高，为以水养水，滚动开发水资源奠定了良好的基础。四是初步理顺了水利工程管理体制，出台了《自贡市水利工程管理体制改革意见》，特别是依法理顺了长期未决的双溪水库管理体制问题，实现了市级直管主要水源的目标。

二、水资源的优化配置得到进一步加强

针对严重缺水现实，该局按照“先生活、后生产、再生态”的原则，严格推行取水许可及有偿使用制度，科学配置、优化调度有限的水资源。近 4 年中，共组织调水 2.21 亿 m^3，满足了城区近 50 万人及 150 多家骨干企业的生活及生产用水。同时，还参与排污管道建设及釜溪河金子凼堰闸改造，组织实施旭水河 15 道堰闸整治，强化了入河排污口的监管，并成功实施河道调水补充城市景观用水，使釜溪河再现城市山清水秀风貌，为全市创建优良人居环境作出了突出贡献。

三、水利基本建设成效显著

据统计，近 4 年中，共组织完成各项水利投入 5.1 亿元，先后完成了双溪水库管道引水工程、富顺城区自来水扩建工程、南郊供水系统改造工程、沱江堤防工程建设，以及地方电力农网改造等工程项目；组织实施 109 座三类病险水库的除险加固。常年组织开展农田水利基本建设，共新建各类渠道 300km，修复和整治 1000 余 km，新建集中供水工程 44 处，治理旱山村 40 个，治理水土流失面积 339km^2，累计新增有效灌溉面积 0.93 万 hm^2，发展节水灌面 1.33 万 hm^2，解决了 23.4 万人的饮用水困难，特别是在组织农村小型及微型水利基础设施建设中，创新投入机制，普遍推行“谁投资、谁建设、谁所有”原则，积极采取以奖代补，先干后补的市县财政投入办法，从而极大地调动了广大农村群众的积极性，促进了全市农田水利建设的蓬勃开展。

四、水利多种经营硕果累累

近 4 年来，利用供水、水域、水库用地为依托，大力发展水利多种经营，先后组建了由水利部门直接管理的供水实体单位，组织实施了向城区提供生活及工业供水业务，累计实现供水收入 4619 万元。同时，通过招商引资的形式，积极发展水库旅游，做大做强水库旅游产业，目前双溪水库、木桥沟水库、尖山水库等旅游景区备受游客青睐，年均接待游客 20 万人次，年创旅游综合收入 750 万元。

五、项目前期工作成效显著

按照“起点要高、覆盖要广、突出重点”的要求，先后完成了《自贡市水利农机“十一五”规划》《自贡市水资源综合规划》《自贡市城市水资源专项规划》《自贡市城市饮用水水源地安全保障规划》《自贡市抗旱规划》等的编制工作。这些规划的制定，促进了水利事业的可持续发展。同时，按照“开工一批、完工一批、加快一批、储备一批”的要求，加大了项目前期工作力度。

自贡市水务局在局党组、局行政领导及全体干部职工的努力下，积极探索新时期的治水思路，解放思想，锐意进取，坚持“三个文明”一起抓，全面完成了各年度的工作任务，为水利建设作出了突出贡献。

云南省水文水资源局曲靖分局

近年来，云南省水文水资源局曲靖分局（以下简称“曲靖分局”）在上级党政的正确领导和关心支持下，坚持以邓小平理论和“三个代表”重要思想为指导，以深入学习实践科学发展观为动力，以构建和谐水文为目标，以建设水文现代化为主导，牢固树立“大水文”观，因地制宜地开展好各项水文服务工作。

一、加强党的建设，发挥群团组织的带动作用

每年认真组织全体党员开展“学习实践科学发展观”等一系列活动，学习贯彻国家和各级党政的有关政策法规，切实坚持“三会一课”制度，积极参与地方和水务系统的党务活动；认真加强入党积极分子的培养工作，做好组织发展工作，近 7 年共吸收 23 名新党员。现在 54 名职工中有 27 名党员（其中离退休职工 4 名），领导班子全部是党员，16 个科（室、站）主要负责人 11 个是党员，主要业务骨干也基本是党员，党员队伍成

为支撑单位发展的主力军。同时，充分发挥工、青、妇等群团组织的作用，认真做好老干部工作。认真落实老干部政策，对80岁以上的老人给予特别安排；特别是每年在春节和“敬老节”召开老同志座谈会，听取老同志、老干部的意见和建议；对残疾人、军烈属、遗属、困难家庭在重要节日给予慰问；同时建立了给老同志过生日、生病住院探望、有情况必访等制度。这些年未发生一起刑事案件和安全事故，无涉毒人员和邪教组织人员，没有发生任何群体性事件和人员上访。

二、以学习实践科学发展观为动力，建设社会主义文明

为了振兴水文，推动其又好又快发展，开展了“团结干事”“三个代表重要思想学习教育”“先进性教育”“解放思想大讨论”“科学发展观学习教育”等一年一个主题的学习教育活动，收效很好。认真组织实施了“一面旗、一团火、一盘棋”的“三个一”主题实践活动，紧紧围绕“读好一本书、写好一篇心得体会、过好一次民主生活会、相互谈好一次话、开好一次党员大会、为扶贫挂钩点做一件好事实事”的“六个一”学习实践，狠抓落实。在活动中，查找了水文事业发展、党员干部作风、体制制度保障等方面的不足，制定了整改方案并逐一落实。积极开展献爱心活动，近几年在捐资助学、捐资助贫、支援汶川等地灾区捐款共达40多万元，人均近万元。努力开展精神文明创建工作，自2004年起，从治理脏乱差入手，积极开展精神文明建设，2007年获得了市级“文明单位”称号。

三、强化体制机制建设，努力提升曲靖水文的地位

2002年曲靖分局由科级单位升格为处级，完善了内设机构，理顺了工作关系；按照人事制度的管理要求，进行了人事制度改革，推行了设岗定员、双向选择、竞聘上岗，切实做到人尽其用，调动了职工工作的积极性；按照水文事业发展的需要，2004年完善了“双重管理”机制，加挂“曲靖市水文水资源局”的牌子，强化了横向联系，提升了曲靖水文的地位。

四、加强基础设施建设，全面提升曲靖水文的能力

2003年曲靖分局多方努力，在仅得到上级补助800多万元的情况下，全面改造了8个基本站为花园式的测站，更新了测验设备、安装了自动化测报系统；机关全面推行办公自动化系统，基本解决职工住房条件（人均住房在30m^{2}左右）。同时，投资2000多万元的“巡测基地”也进入装修阶段，年内可望完工，全面提升了曲靖水文能力。

五、加强素质培养促发展，搞好团结协作是关键

曲靖分局努力克服经费紧张、任务重的现状，除坚持每周一次的学习制度外，还积极创造条件，出资10多万元让职工参加各种短长期培训和函授学习，职工素质大幅提高。在现有54名职工中，硕士生4人，本科学历24人，专科15人，有高级职称3人、中职21人，基本适应现实工作的需要。各科室、测站互相配合，全面协作，高质量圆满完成各项任务。

六、分解落实目标管理责任制，狠抓规章制度落实

每年均与省局签订工作目标管理综合责任书；同时与地方党委签订了党风廉政建设责任书、社会治安综合治理等十余个责任书。曲靖分局层层分解、落实到人，保证了全部工作的顺利完成。曲靖分局近年来在内部管理上，制定了“六项制度”“两项规定”，几经修改完善，并付诸实施，狠抓落实，收效良好。“职工考勤制度”“请销假制度”等都与年终考核挂钩，形成了良好的机关作风。

七、做好水文宣传，拓展服务领域

宣传上，在每年办好《水质月报》《水质通报》《水情简报》《水资源公报》的基础上，主动加强与曲靖电视台合作，制作专题电视宣传片《务实创新的曲靖水文》和《源头水困》等；加强与报刊及杂志《人民珠江》等新闻媒体的联系，结合水文工作特点，积极宣传水文在防汛抗旱、水资源开发、管理、保护等方面的贡献，大力宣传广大水文职工的无私奉献、爱岗敬业精神，为社会各界全面了解水文、关心水文、支持水文起到了促进作用。在拓展服务领域方面，立足做好本职工作，积极服务地方经济社会建设，每年均完成20余项有偿服务项目。通过这些对外服务项目，一方面宣传水文，扩大影响；另一方面，对外服务的良好效益，大大弥补经费不足的矛盾；更重要的是锻炼了职工，培养了队伍，大大增强了水文的支撑能力。

陕西省水利厅城乡供水建设管理处

陕西省水利厅城乡供水建设管理处（以下简称“供水处”）主要职能是：研究制定全省城乡供水的方针政策、发展规划和规程标准；负责贯彻执行城乡供水的法律法规；组织审批城乡供水项目规划与设计；提出全省城乡供水项目建设资金的安排意见；指导、监督全省城乡供水项目建设和管理；组织城乡供水的科学研究和新技术推广。

“十一五”以来，陕西城乡供水共筹集资金62亿元，其中利用日本政府低息贷款77亿日元（约合人民币5.6亿元），引进双边、多边无偿援助资金2000万元。建成各类农村饮水工程1.4万处，解决了900多万人的饮水问题。全省农村饮水安全和基本安全的人口比例由2005年的53%提高到85%，农村自来水普及率由34.4%提高到57%。同时，对全省84个县城的供水设施进行了扩建改建，新增日供水能力20万t，增加供水人口100多万。

多年来，陕西省水利厅供水处坚持以人为本，自觉践行科学发展观，开拓创新，与时俱进，逐步形成了“陕西城乡供水模式”即一部法规统管城乡供水、一本规划整合六路资金、一个文件使农村供水统一执行农灌电价。初步实现了城乡供水一体化、项目管理信息化、项目实施规范化、水质监测网络化、运行管理垂直专业化。

配合省人大出台了《陕西省城乡供水用水条例》，为城乡供水管理提供了制度依据，从立法上实现了城乡供水一体化管理，在全国尚属首例。编制了《陕西省“十一五”农村饮水工程规划》，规划落实到项目，项目明确到村，由省政府下发统一执行。通过共同执行一本规划，实现了中央预算内资金、省财政专项资金、省基建资金、以工代赈及扶贫资金、水利基金的捆绑使用，减少了重复审批，提高了资金使用效益，树立了资金整合的典范。

抓住全国政协在陕西省调研的机遇，争取国家发改委专门为陕西省出台农村供水电价专项优惠政策，农村供水用电执行农灌电价，每度电0.19～0.23元。利用城乡供水统管优势，将县城管网向周边延伸，以城带乡、以镇带村，大力发展跨区域集中供水工程。目前已建成40万人以上的农村集中供水工程3处，10万人以上农村集中供水工程5处，万人以上农村集中供水工程100多处。印发了《陕西省村镇供水工程初步设计要点》《陕西省水窖工程建设技术指南》和《村镇供水工程运行管理手册》，出台了《陕西省村镇供水工程运营管理（暂行）办法》，规范了建设和管理 。

创建了“陕西省城乡供水网”，组织开发了“陕西省农村饮水工程信息管理系统”，并嵌套了办公平台、短信平台。委托西安理工大学编制了《陕西省城乡供水工程信息化管理系统规划》，计划用3年时间建立“陕西省城乡供水信息化管理系统”。在全省101个县区建立了农村饮水安全水质监测中心，并对200多名水质化验人员进行了培训，实行持证上岗，初步形成了全省城乡供水水质监测网络。

积极探索形成了“政府主导、专业垂直管理、供水协会参与”的管理模式。建立县、乡两级垂直专业管理机构，设立维修基金，吸纳群众参与，实现了农村饮水工程可持续发展。

近年来，陕西省水利厅供水处先后获得“陕西省‘十五’地方病防治先进集体”等奖励，多次被评为水利厅“优秀处室”“水利厅文明处室”，13人次获得省级“先进个人”“先进工作者”表彰，1人获得“全国水利工作先进个人”称号。

陕西省水利厅供水处将按照“科学规划，超前建设，政府主导，多方筹资，强化管理，完善服务，理顺水价，良性运行”的思路，进一步振奋精神，抢抓机遇，奋勇争先，努力建立起水源可靠、设施配套、水质优良、管理科学、服务规范、效益显著的城乡供水体系，促进社会经济的又好又快发展。

陕西省西安市西北郊城市排洪渠道管理中心

陕西省西安市西北郊城市排洪渠道管理中心（以下简称城排中心）隶属于西安市水务局，属处级全额拨款事业单位，编制人员38人。负责西安市皂河、漕运明渠、幸福渠31.23km城市排洪河（渠）道的工程运行管理和漕运明渠排水系统、汉城湖（团结水库）水环境综合治理工程建设管理工作。

五年来，完成了漕运明渠10.54km综合治理工程，使漕运明渠的排洪能力由原来的12m³/s提高到38～

66m^3/s，彻底改变了漕运明渠沿线区域遇雨必涝、遇涝必淹的状况。完成了汉城湖（团结水库）水环境综合治理工程征地拆迁和工程建设任务，形成了56.67hm^{2}清水水面和68.73hm^{2}以汉文化、水文化为主题的园林绿化景观。先后完善各项规章制度25项，并制定完善了《西安市西北郊城市排洪渠道管护办法（试行）》。经历多次城市雨洪的考验之后，工程设施仍然安全运行。

（1）强化学习，加强作风建设。城排中心创立了形式制度化、内容规范化、学习考核化、心得手写化、成效具体化的“五化”学习原则。在强化作风建设方面，引导和教育干部职工忠于职守、勤于思考、发奋图强，以彰显主观努力为己任；履行职责、创新观念、智慧工作，以争创一流业绩为己任；严于律己、宽以待人、遵规守法，以体现团队意识为己任，不断提高干部职工把握事物发展规律和驾驭工作的能力。

（2）狠抓管理，工作成效显著。一是明确目标，夯实人员责任。在工作中突出一个“实”字；在工期目标上，细化分解，调整思路，形成了系统的、全面的、务实的工作“思路”。二是强化措施，注重施工质量。“景区美观，设施安全，长期高水位运行无质量缺陷”是狠抓工程质量的根本点和出发点。除抓好库岸回填、块石质量、砂浆拌和、规范施工、工序验收等常规措施外，通过跳仓作业，确保砌石厚度和伸缩缝平整无缝隙；通过岗前培训，确保规范施工落实到位；通过配足人员，按照15个技普工配一个技术人员的要求，确保监督管理到位。三是加强管理，确保建设工期。做到了制度执行到位、人员岗位到位、责任目标到位；细化措施，分解任务，督促各项目部按时限上足机械、人员；积极协调解决，认真做好施工环境保障工作。四是创新设计，打造精品工程。按照“高起点规划、高品位设计、高标准建设”的原则，以水工程建设为载体，突出水域生态，唱响古汉文化，不断创新园区的景观道路、库周绿化、亲水平台、园林小品、雕塑喷泉、配套设施方案。五是创新体制，确保效益显著。汉城湖（团结水库）水环境综合治理工程是西安市政府首个利用银行贷款修建的水利工程，项目的实施，为政府储备土地76.4hm^2，通过“招、拍、挂”形式出让土地，既可收回工程投资，又为政府创造可观的经济回报，同时，有效地拉动了区域经济的快速健康发展。六是强化考核，提升管护水平。城排中心认真落实管护责任，制定了《西安市西北郊城市排洪渠道管理办法》《渠道管护办法》《渠道漂浮物打捞制度》《渠道管护及保洁工作考核制度》及《渠道百分制考核办法》等，明确标准，加强管理同时加大管护考核力度，在确保干净整洁的基础上，维修养护好工程设施，及时消除防汛度汛和工程隐患，确保工程标准不降低。

（3）廉洁奉献，加强队伍建设。全体党员干部职工认真落实廉洁自律六项规定、领导干部和机关作风“十禁规定”的自觉性空前高涨，实现了工程安全、资金安全、干部安全的目标，真正成为了一支团结奋进的队伍，成为了一支敢打硬仗的队伍，成为了一支廉洁奉献的队伍。

（4）扎实工作，确保目标实现。城排中心始终严格遵守国家法律法规和水利管理发面的各项制度，加强制度体系建设，未发生违规违纪问题，无重大安全责任事故，未发生较大影响的投诉和上访事件。在内部管理、人员任用、工程建设、征地拆迁等方面本着廉洁、公正、负责、求实的态度，切实把好制度关、用人关、招标关、管理关、结算关和落实关，认真做好工程项目建设管理工作。

（5）精神文明创建扎实有效。一是始终坚持安全、文明、环保施工。坚持安全生产月检查制度，加强施工安全监督和管理，落实安全生产责任制，防止和杜绝不安全生产事故的发生。坚决克服麻痹思想和侥幸心理，在思想上高度重视，在行动上狠抓落实，完善各项安全预控措施，层层落实安全生产目标责任制。同时狠抓文明施工、环保施工，做到材料堆放整齐，场内道路平整，防尘措施到位，洗车设备齐全。二是四城联创工作形成长效机制。在巩固创卫成果的同时，四城联创工作常抓不懈，深入开展，长效机制初步形成。始终坚持拆迁不忘四城联创，协调不忘四城联创，建设不忘四城联创，管理不忘四城联创，机关不忘四城联创。

站在新的历史起点上，坚持以邓小平理论和“三个代表”重要思想为指导，深入贯彻落实科学发展观，以河、渠、湖管理为抓手，以创建优美环境为重点，以防洪保安为核心，以壮大单位经济实力为最终目标，不断强化管理责任，提升工程标准，拓宽发展思路，确保工程设施和人民群众生命财产安全。努力实现城排中心科学发展、率先发展、全面发展的目标，为西安建设人民满意城市提供坚强的防洪安全保障。

陕西省宝鸡峡引渭灌溉管理局

陕西省宝鸡峡引渭灌区是陕西第一大灌区，灌溉面积20万hm^2，在陕西农业生产中具有举足轻重的地位，被誉为“陕西第一大粮仓”。近年来，宝鸡峡引渭灌溉管理局坚持以邓小平理论和“三个代表”重要思想为指导，全面落实科学发展观，大力弘扬“献身、负责、求实”的水利行业精神，以服务灌区为宗旨，以建设经济强局、构建“和谐灌区”为目标，坚持“两手抓、两手都要硬”的方针，各项工作全面推进，始终保持了团结稳定、持续发展的良好态势，单位面貌焕然一新，荣获2009年度全国水利系统先进集体荣誉称号。

一、创新灌溉管理，服务灌区群众

面对近年来农灌用水市场疲软的状况，局领导班子成员带领相关科室负责人深入田间地头做了大量的调研工作，提出了有针对性的建议，不断巩固和拓展用水市场，推出"三联三抓"措施，即总站联县（区）、管理站联乡（镇）、管理员联村组的对口共抓。2009年全年总站联系县（区）12个，管理站联系乡镇150个，灌溉管理员联系村组600余个，有力地促进了灌溉用水工作。其次是把加强基层用水组织建设摆在突出位置来抓，率先在两个管理站开展段斗干部重新登记试点，进一步理顺管理单位和管水队伍的关系。针对村组用水组织不健全、供水管理不规范、群众浇地组织难、管理服务跟不上等突出问题，大力推广专业浇地队管理服务模式，全局共组建专业浇地队500多个，极大地提高了斗（村组）专业浇地队覆盖面，恢复灌溉面积0.13万hm^2，有效解决了当前农村浇地无人组织、群众浇地难的问题，全年超额完成了省水利厅下达的水量任务，为灌区农业生产和社会经济发展作出了重要贡献。

二、抢抓发展机遇，大干项目建设

管理局领导班子紧紧围绕中央"扩内需、保增长、调结构"的战略部署，抢抓发展机遇，大上项目建设，克服气温低、时间紧、强度大、任务重、抗旱急等困难，各项工作统筹兼顾，集中大干，昼夜抢干，主要领导隔日检查，分管领导长驻工地，提前保质保量地完成了扩大内需项目建设任务，获得水利厅"先进集体"荣誉称号。2009年共计完成灌区续建配套与节水改造项目投资5110万元，衬砌干支渠55km，改造建筑物159座；完成灌区维修养护经费1000.62万元，全面完成了年度维修养护任务，对改善灌区工程设施状况，实现灌区可持续发展发挥了积极作用。

三、挖掘自身潜力，壮大经济实力

面对水管单位社会效益巨大而自身经济效益差、职工收入低的现状，局领导班子不等不靠，带领全局干部职工，克难攻坚，团结奋进，积极发展水电产业，助推局属企业发展，经济实力进一步提升。以灌区内三座水电站为框架，组建了发电公司，实行规模化经营，进一步发掘水电潜能，合理调配水源，实现了水资源的最大利用。2009年发电1.2亿kW·h，发电收入3600多万元，连续三年超过了农灌收入。加大对局属企业的指导，帮助其制定发展规划，解决发展中的问题；主动及时地提供市场信息，帮助企业发展和提高人员结构、设备规模、资质等级、业务领域、市场竞争、社会信誉等方面；率先在企业实行了领导干部年薪制，鼓励和引导供水系统的能人进入企业，形成人人向往企业、人人乐干企业的良好氛围。同时，积极开展土地资源开发、城镇工业供水、水利旅游的前期工作，努力构建多点支撑的经济格局，局属企业自身效益、开拓市场的能力有了较大提升，灌区的综合经营能力进一步增强。

四、狠抓精神文明，构建和谐灌区

局党政领导班子从讲政治的高度，按照"拓宽领域，创新载体，注重内涵，提升档次"的原则，始终把精神文明建设放在十分重要的地位，做到了与物质文明建设同部署、同落实、同检查、同考核、同奖惩。并把创建文明单位活动作为贯彻"两手抓"方针、落实科学发展观、构建和谐灌区、促进"三个文明"共同进步、协调发展的重要载体和抓手，使创建活动做到了经常化、制度化、规范化，受到水利厅党组的高度评价。近年来全局涌现出了29个厅市级文明单位，4个省级青年文明号，2009年管理局被水利部重新命名为全国水利系统文明单位，全局文明单位覆盖率达到88%以上。

目前，全局干部职工在管理局新一届领导班子带领下，深入贯彻落实科学发展观，把农灌提升、发电增效作为加快发展的第一要务，把项目建设、壮大企业作为加快发展的第一战略，把灌区体改、政策支持作为加快发展的第一动力，把资源开发、灌区维权作为加快发展的第一支撑，把确保安全、维护稳定作为加快发展的第一责任，把改善民生、增加收入作为加快发展的第一目标，为建设富强文明和谐的现代化灌区而努力奋斗。

甘肃省疏勒河流域水资源管理局
昌马灌区管理处东北干渠灌溉管理所

东北干渠灌溉管理所是甘肃省疏管局昌马灌区管理处下属的渠系灌区管理单位。现有职工26人，内设2

个乡镇水管站、3个渠系管理段，管理支渠以上国有骨干工程25条157km，灌溉面积1.53万hm^2，年均斗口供水量8550万m^3，年征收水费822万元，多年来水费入库率保持在100%。管理所连续5年超额完成生产任务，连续4年荣获甘肃省疏管局先进单位，管理所各项管理指标在全流域、全省同类灌区中都处于领先水平，为灌区经济社会发展作出了积极的贡献。

一、推行"阳光水务"，加强行风建设，提高灌区服务质量

一是建立了公开透明的水务工作体系，水务公开体系和水务监督体系，实行了管理制度公开，工作方法公开，工作过程公开，工作结果公开的工作方法。二是积极开展以"四公开"（计量、水量、水价、水费四公开），"四到户"（配水、计量、收费、开票到农户）为主要内容的"阳光水务"活动。探索、制定和实施了"十日会"灌区民主管理制度、"全天候无假日"值班制度、水务公开制度等"八项工作制度"。服务具体，工作透明。三是强化灌区民主管理，灌溉期每十天召开一次渠系灌区用水户代表会，通报上旬引水、配水及灌溉情况，解决灌溉中存在的问题；与用水户代表核对"十日"水量记录；安排下一旬配水计划和灌溉工作；征询用水户的意见，解决或解答用水户提出的问题或疑问；商定本渠系灌区有关水利工作。四是建立了"明白卡"制度，向农户印发了用水"明白卡"，主动接受农户监督。五是建立健全了行风监督长效机制，完善了行风监督、服务对话和回访制度，坚持每年开展一次行风评议活动。六是开展了与灌区协会、村组"结对子"活动，及时帮助用水户解决灌溉用水中的困难和问题，加强了感情交流和信息交流。

二、加强田间用水管理体制改革

管理所在全灌区建立和完善农民用水户协会参与式管理的用水管理体制。坚持"服务而不包办，指导而不干预"的工作原则，帮助协会不断完善了"三健全、四落实、五公开、六规范"的工作机制和工作制度。协助乡政府每年对各协会工作进行一次评估整顿和协会干部的业务培训，无偿地帮助协会搞好田间工程的规划、勘测、设计和施工管理。近年来，各用水协会的人员、经费、报酬样样落实，管理制度健全，工作程序规范，用水秩序良好，田间水利工程配套完好，水费入库率100%，各用水协会在田间用水管理中发挥了巨大的作用，为创建和谐文明灌区作出了积极贡献。

三、加强业务管理，提高灌区管理水平

采取积极主动的工作措施，切实抓好计划管理、水量调度、计量管理、供水平稳、灌区服务等五项基础工作。实行了"七个坚持"工作方法，提高了灌溉效率，降低了农户用水成本。2008年田间斗口亩均灌溉定额比5年前降低91m^3。工程管理，实行分类定级达标管理办法，实行划段定点管护责任制和责任追究制，坚持工程"三季维修"制度，科学调度运行，保证了工程的完好率，现干、支渠衬砌率达100%，田间工程衬砌率达60.5%，工程安全输水保证率达到98%，各类工程完好率达到98%以上。水费征收管理，积极推行水票制供水制度，建立了管理所、水管站、协会三级农户水量水费台账记载管理办法，灌区农户形成了"用水交费"的习惯。

四、积极创建文明单位

经过多年的探索、实践和不断总结，管理所精神文明建设工作形成了以"十项指标"为重点内容的目标管理责任制度和"四结合四挂钩"的检查考评办法。健全了各项工作机制，积极开展了各项创建工作。一是将职工政治理论和法律知识的学习与教育作为职工思想道德建设的基础性工作来抓，列入工作考核。二是每年组织一次主题鲜明的职工思想道德教育活动。三是不断完善职工思想文化阵地建设，积极营造先进的思想文化氛围和严肃规范的业务管理氛围。四是积极开展"创建学习型单位，争做知识型职工"活动，狠抓职工的专业技术教育。六是积极创建"花园式驻地"，创建了绿化、美化、净化、亮化的工作场所和生活区域，内外环境整洁优美，为职工创造了良好的工作和生活环境。七是加强综治安全工作，近些年未发生过刑事案件、治安案件和安全事故。管理所先后荣获甘肃省疏管局和玉门市"文明单位"称号。

青海省西宁市水务局

一、创新思路绘宏图

组织专门力量，深入到各区县重点河流水系及工程现场，对全市水资源及开发利用现状进行全面调查摸

底，对全市水资源总量、水资源分布及时空变化、开发利用程度、水利基础设施现状和水的供需状况、城区灾害沟道的现状等基本情况有了一个较为全面准确的了解和掌握。根据调查情况，分析了西宁市的水利现状，提出了存在的问题及解决的办法，以及西宁市水利建设的重点和主攻方向，编制完成了《青海省西宁市水资源调查评价与规划》《西宁市水资源调查评价与开发利用及优化配置研究》《西宁市河道治理规划》《西宁市城区灾害沟道治理规划》《西宁市农村人畜饮水工程建设规划》等，为西宁市水利发展描绘了一张宏伟蓝图。

在深入调查研究的基础上，结合西宁实际，提出了按照人水和谐的理念，重点抓好“一、二、三、四、五”的工作思路。一是突出一项任务，坚持以人为本，把解决人民群众的饮水安全问题作为水务工作的第一任务。二是实现两个转变，即由控制洪水向给洪水以出路、管理洪水转变，由单一抗旱向全面抗旱转变。三是确保三个安全，即工程安全、资金安全、干部安全。四是推动四种水利，即政策水利、经营水利、民营水利和外资水利。五是着力加强五大保障体系建设，即保障农村饮水安全和城市供水安全；保障防洪安全、保障粮食安全和增加农民收入、保障生态安全和保障经济发展用水安全。

二、抢抓机遇谋发展

西宁市水务局抢抓西部大开发战略的实施机遇，不断加快水务基础设施建设步伐。在近 8 年的时间内，全市共实施完成各类水务项目 1000 余项，累计完成投资 30 亿元。2009 年，又争取到西宁防洪及流域管理利用世行贷款项目，总投资为 13.27 亿元。水务工作取得了以下 6 项突破。

(1) 水务体制改革。组建成立了西宁市水务局，实现了从水源到供水、供水至排水、排水至治污的水资源一体化管理。

(2) 城市防洪减灾体系建设。完成西宁城区段河道治理 31km，城区南北两山 23 条灾害沟道中完成 20 条沟道的治理，6 座病险水库完成除险加固。通过城市河道水系的综合治理，有效地改善了城市人居环境和生态环境。

(3) 城市污水处理。继西宁市第一污水处理厂（8.5 万 t/日）和第二污水处理厂（4.25 万 t/日）建成后，又开工建设了第三污水处理厂（10 万 t/日）和城南新区污水处理厂（2.25 万 t/日）一期工程；大通县污水处理厂（1.5 万 t/日）和湟中县、湟源县污水处理厂（0.5 万 t/日）正在建设中。城市污水搜集管网日趋完善，污水处理工作起步高、进展快、效果明显。到 2008 年底，全市工业废水达标排放率达到了 83.79%，生活污水处理率达到了 63.6%。

(4) 城市供水工程建设。成功利用市场融资开工第七水厂建设，通过优质地表水的引入，地下水超采引发的生态问题将得到缓解。新建和完成供水管网改造 120km，城市自来水普及率达到 99.2%。

(5) 农村水利。8 年来累计解决近 39.63 万人农村饮水困难，全市 935 个行政村人畜饮水困难基本得到解决；改造完成重点灌区干渠 470.19km、支斗渠 1584.1km，改善农灌面积 3.34 万 hm^2，发展节水面积 0.6 万 hm^2；治理水土流失面积 824.53km^2。

(6) 水源供水。完成了设计总库容 1988 万 m^3 的盘道水库工程建设；节水型社会建设试点工作已通过水利部组织的中期评估。

三、强化管理树形象

大力开展水法规的宣传教育活动。不断建立健全水利建设与管理的政策、法规，先后完成了《西宁市实施〈水土保持法〉办法》《西宁市水土保持方案管理规定》《西宁市水资源管理办法》等办法的制定和修订，坚持依法行政，依法治水。强化工程管理，严格执行基本建设程序，按照公开、公平、公正的原则，规范地实行水利建设工程项目招投标制，全面推行“四制”管理，确保了工程质量。注重提高班子的整体素质，认真学习理论，自觉做到勤政廉洁，团结务实，在全系统树立了良好的形象。加强职工队伍建设，大力弘扬“献身、负责、求实”的水利精神，按照“外树形象，内练素质”的目标和要求，强化内部管理，建立健全各项工作制度。采取多种形式加强职业教育培训工作，不断提高职工素质。强化行业作风建设，水行政审批工作实行“一站式”服务，简化办事程序，提高工作效率；成立城市供排水应急抢险分队。

四、精神文明结硕果

不断加强行业作风和精神文明建设，深入开展了以“情系民生、人水和谐”为理念的机关品牌创建活动，针对局机关和局属事业单位租房办公、条件艰苦、设备简陋、设施落后的实际，千方百计改善办公条件，建起了 21 层的水务综合大楼，使干部职工的办公条件得到了历史性的改善。组织广大职工开展丰富多彩的文化体育活动，活跃职工文化生活。

新疆维吾尔自治区乌鲁瓦提水利枢纽工程建设管理局

乌鲁瓦提工程是国家“九五”重点建设项目，是南疆地区重要的民生水利工程，也是目前喀拉喀什河流域唯一的控制性骨干工程，承担着灌溉、防洪、发电和生态保护等多种任务。承担着工程建设和管理的乌鲁瓦提水利枢纽工程建设管理局（以下简称为建管局）在自治区水利厅党组的正确领导下，坚持以邓小平理论和“三个代表”重要思想为指导，深入贯彻落实科学发展观，开拓进取，扎实工作，为推动水利事业快速发展作出了积极贡献。该工程被和田人民誉为“幸福工程”。

一、加强思想政治教育，夯实文化建设的基础

一是领导重视，在深入学习十七大精神、科学发展观等活动中，建管局都成立了相应的领导小组，专门负责制定学习方案，监督学习过程，检查学习效果，保证学习不走形式，达到学习的目的。二是形式多样，除党委中心组学习、支部学习外，对重要的内容采取封闭式学习，如举办十七大学习培训班、深入学习贯彻落实科学发展观暨反分裂斗争再教育活动学习培训班，对党员干部进行封闭培训；同时利用板报、橱窗等进行大力宣传。三是内容丰富、系统完整，对学习培训内容进行了统筹安排，根据各个时期上级要求的学习内容，结合单位实际，不断丰富学习内容，以达到学以致用，以党的最新理论成果武装全局广大党员干部职工。四是学习纪律严明，广大党员干部在培训过程中按时参加学习，从未出现无故缺席、迟到、旷课现象，出勤率高，能够认真听讲，认真作笔记，讨论过程中积极踊跃发言，发扬了良好的学风，保证了学习成效。

二、乌鲁瓦提工程建设做法可鉴，经验宝贵

乌鲁瓦提工程建设管理为水利建设累积了很多经验。一是科技攻关，解决了严寒地区高混凝土面板砂砾石坝修筑的一系列技术难题，“高混凝土面板砂砾石坝关键技术研究”获国家科学技术进步二等奖，“乌鲁瓦提水库调度与减少泥沙淤积的研究应用”获和田地区科学进步二等奖。二是通过精心组织和严格管理，有效控制了工程质量和概算，确保了工程质量、安全、进度和效益相统一。三是在新疆水利建设领域率先实行了项目法人责任制、招标投标制和建设监理制，为推进新疆水利工程建设管理体制改革发挥了重要的示范作用。四是培养和造就了一大批优秀的技术人才和管理人才，为新疆水利事业的改革与发展提供了重要的技术和人才支持。五是把水库移民工作与扶贫、牧民定居、落实民族政策有机结合，扎扎实实做好移民安置工作，使移民生产生活条件明显改善。

三、大力加强领导班子建设，全面推进单位各项事业

建管局努力建设一支“团结拼搏、开拓创新、奋发有为、永争一流”的领导班子。在工作中严格落实民主集中制、坚持讲求实效，一切从实际出发，正确处理“一个声音”和“畅所欲言”的关系，不搞一言堂。每年召开职工代表大会对各种提案进行表决，由工会负责督促落实，形成了一套完整的民主管理体系。在工作中，局领导做到身先士卒，靠前指挥，充分发扬奋发向上、无私奉献的精神，形成了较强的凝聚力和战斗力。

四、建立健全各项规章制度，实行科学管理

为切实实现用制度管人、管事，建管局建立健全各种规章制度，并编制成册，形成各有关部门和人员各司其职、密切配合、齐抓共管的工作新格局，推行目标管理，实行全员安全生产风险抵押制度，让人人参与单位建设，关注单位的安全发展，使单位焕发出了勃勃生机。

廉政建设方面，坚持以领导干部为重点，加强思想道德教育和党纪条规教育，认真组织党员干部学习相关内容，不断增强党员干部拒腐防变的“免疫力”；充分利用职代会、局务公开、合理化建议箱等形式拓宽群众监督渠道，及时有效处理群众反映的问题。建立了高效、协调、规范、文明的管理体系和良好的单位形象。

五、精神文明建设工作

精神文明建设工作始终坚持以科学发展观为统领，以促进发展、服务社会为己任，根据与自治区水利厅签订的《精神文明建设目标管理责任书》的要求，围绕“十个好”的标准，制定了建管局精神文明单位创建方案。一是充分利用公民道德建设月、民族团结教育月等为契机，大力开展宣传教育活动；教育引导广大干部职

工统一思想，提高认识，倡导“讲文明、树新风”活动；深入开展马克思主义“五观”及“四个认同”教育，利用各种方式大力宣传民族团结的重大意义，全局上下唱响了民族团结的主旋律，营造了良好的文化氛围。重大节日期间各民族干部职工相互走访拜问，增进感情，做好困难职工帮扶慰问工作，增强单位的凝聚力和向心力。二是加强自身建设，建管局成立了铜管乐队和篮球队，每年积极参加和田地区的各种文体活动和体育比赛。三是加强环境建设和管理，建管局制定了环境建设的长远目标，规定每年利用春季和冬季种植一定数量的花草和树木，使环境年年都有改善，给职工创造了一个优雅的工作和生活环境。

新疆维吾尔自治区哈密地区水利局

一、理顺水资源管理体制，实行区域水资源统一管理

为加强哈密区域水资源依法统一调度和管理，实现水资源科学利用和合理开发，2005 年 7 月，哈密地委 、行署 、兵团农十三师联合出台了《关于哈密区域水资源统一管理的意见》，组建哈密区域水资源管理委员会，对区域内社会各业水资源开发利用实行统一规划、统一调配、统一审批，实行计划用水，结束了兵、地水资源开发利用长期存在的分割局面，实现区域水资源管理的重大突破。

二、全面建设节水型社会

哈密是资源型缺水地区。为实现经济社会可持续发展，哈密地区水利局率先开展节水型社会建设，2003 年 8 月被自治区水利厅确定为全疆第一个节水型社会建设试点地区，2006 年 10 月被列为全国第二批节水型社会建设试点地区。

农业节水突出以定额管理、总量控制为核心。根据哈密实际，从农业灌溉定额入手，深入研究农业高效节水机制，测定并由政府正式发布了大枣、葡萄、哈密瓜、饲草料等 9 个主导农作物合理灌溉定额，初步建立了节水型农业定额管理体系，在此基础上，着力推行“地有定额、户有总量”的量化管理，全面推行“定额管理、总量控制、计量收费、超定额加价”的水量分配运行机制。效果十分明显，年节水量达到 2550 万 m^3。

工业节水坚持“单位产品有定额、企业有总量”的量化管理，按照“按单位产品定额核定企业用水总量，按企业发展规模配置定额水量”的原则，全地区规模以上工业企业和重点工业企业定额管理达到 100%。其他工业企业定额管理达到 90%以上。有效控制了现有工业企业的用水量。同时指导地区电力、建材、有色金属加工等重点企业开展水平衡测试，加快节水工艺改造，提高水的循环利用。节水效果十分显著，使部分重点行业用水指标达到了国内先进水平。

城市生活用水坚持“人有定额、户有总量”的量化管理。指导城市供水单位按人口个体用水定额核定用户用水总量，核定率达 95%，城市建设与管理推广应用节水型器具。新建住宅小区 100%推广使用 4—6 升节水便器，行政机关、宾馆、公共设施新建、改建和扩建均采用节水器具。清理整顿城区洗车业，市区 43 家有水洗车全部改为无水洗车或微水洗车。

三、以高效节水为中心，强化农田水利基本建设

哈密地区水利局把大力推广高效节水灌溉技术、普及标准沟畦灌、实现干、支、斗三级渠道全防渗三项基础性工程建设作为农田水利基本建设的突破性工程来抓。已建成以滴灌为主的高效节水灌溉面积占地区总灌溉面积的 61%，实现年节水量 1.07 亿 m^3。

实现了地区干、支、斗三级渠道全防渗目标，渠系利用系数由 0.42 提高到 0.60。对全地区 1.87 万 hm^2 大田作物灌溉方式进行标准沟畦灌溉改造，消除了大水漫灌现象。

四、建立农业节水补偿机制，保障经济社会发展用水

紧紧围绕地区经济发展战略，建立并实施了农业节水支持工业发展，工业反哺农业节水的补偿机制。在哈密区域三大流域对农业灌区实行高效节水、渠道防渗，将节约出来的水量配置到工业上，受益企业采取予缴水费的形式投入水库建设，对灌区农业节水予以补偿。初步形成了政府调控、市场化运作、农民受益的有效资源转换机制。目前利用受益企业预缴水费开工建设的哈密市射月沟水库（全疆第一家）已建成，伊吾峡沟水库、哈密市四道沟水库、巴里坤西黑沟水库正在建设中，工程总投资 3.6 亿元。这些水库的建成将为地区工业化发

展提供水资源基础保障。

五、严格工程建设管理，大兴民生水利

哈密地区水利局始终把民生水利摆在重要位置。为保证各项民生水利工程的落实，实行领导分项目负责制，从项目前期、建设管理到运行管理，局干部职工深入到第一线抓落实，带领全地区水利系统干部职工，开拓创新、埋头苦干，农牧民的用水条件得到极大改善。切实发挥工程应有效益是水利工程建设的核心。地区水利局加强水利工程建设管理，做到工程质量、安全、进度和效益相统一，严格执行“四制”，实行项目法人负责、监理单位控制、施工单位保证和政府质量监督相结合的质量管理体系，所建工程全部达到预期目标，没有发生一起质量或安全事故。

六、加强文明单位建设，树立行风建设形象

哈密地区水利局全体干部职工精诚团结、爱岗敬业、恪尽职守，团结和带领全地区水利系统干部职工，从抓班子、建机制入手，以精神文明创建工作为载体，全面推进精神文明建设。以亲民爱民为民为契机，切实为基层办实事，深入民族乡镇重点针对最直接、最贴近民族乡村的人饮安全、农田水利建设等问题，深入到各自的联系点进行走访民族困难户，真心实意的帮助解决生产和生活中的实际困难。以实际行动为地区水利系统干部职工树立了良好的榜样。在水资源管理、依法行政、工程建设管理、运行管理等方面的服务普遍得到基层单位的好评，在树立以“团结协作、求真务实、民主决策、勤政廉政”为主要特征的哈密水利精神方面作出了表率。

新疆生产建设兵团伊犁哈萨克自治州
奎屯河流域水利工程灌溉管理处

新疆生产建设兵团农七师奎屯河流域水利工程灌溉管理处（以下简称奎管处），具有国家水利水电建设总承包一级资质，全处下设 31 个行政单位，现有职工 1253 人，离退休人员 1442 人。奎管处坚持“四个文明”建设一起抓的方针，按照水利系统管理要求，抓管理，增效益，树文明新风，建和谐环境，水利建设与管理取得了令人瞩目的成绩。

一、水利管理和建设再上新台阶

奎管处水管、建筑、水电业等生产经营积极适应社会主义市场经济的发展，改革进取，诚信经营，科学管理，质量第一，经济社会效益稳步提高。2009 年实现总产值 6.3 亿元，国有资产保值率 118%。奎管处每年从核拨水管经费中拿出 150 万～200 万元，用于奎屯河、古尔图河及泉沟水库的工程检修维修。同时，农七师每年投资 400 多万元，用于个别特大洪水和泥石流等自然灾害造成的工程修复，以及规模较大的水利工程更新改造治理和完善，确保了工程安全有效运行。

在工程管理上，采取处、所、站三级责任目标管理，以防洪抢险，管好工程引好水，为灌区服务和发展水管经济，开展工程水文监测为工作重点。对水利工程各段的管理采取定编、定岗、定员、定责、定费用，大型建筑物设专人管理负责，沿线设点，常年进行工程管理和看护。汛期，负责所管地段工程的运行、检修、巡护、测配水及防洪抢修工作；春秋季枯水期，按照分段负责管理方式，开展工程维修和大修工程施工；冬季，分段包干破冰，向下游水库引水。健全并完善了《奎管处水利工程管理制度、办法、职责汇编》《奎管处管理人员、技术工人岗位目标和住点工作目标考核管理办法》《奎屯河流域河道管理办法》等 100 多项规章制度。同时强化制度的宣传学习、检查监督、量化考核、贯彻落实，做到“用制度管权、用制度管事、用制度管人”，促进和提高了规范化管理水平。

近年来，奎管处坚持以水管为主业的同时，发展多种经营。不断拓展建筑施工外部市场，积极参与自治区及兵团重点水利工程项目的招投标；利用管理的奎屯河、古尔图河两河水能，开发水电业，古尔图河 3 个梯级电站装机容量 3.05 万 kW，已运行发电供电；发展了泉沟水库渔业，为职工增收，为单位增效。

二、精神文明创建活动丰富多彩

制定了《奎管处 2006—2010 年精神文明建设规划》，做到目标明确，措施具体，责任落实。每年年初都将创建经费以预算的方式在党委会上确定下来，各基层单位也用同样的方式确定精神文明创建费用，通过对所连

辖的古尔图水管所、奎屯河团结站等单位的文明生态小康连队建设活动，为职工营造舒适的生活环境。每年坚持开展“文明职工、文明科室、文明社区”创建活动；积极开展兵团共建、拥军优属活动；和乌苏市国营牧场、周边乡镇建立多年的共建单位关系，开展各种共建活动。

处党委始终把“爱国守法、明礼诚信、团结友善、勤俭自强、敬业奉献”的公民基本道德规范和干部职工的行为准则联系在一起，在全处组织开展学习社会主义荣辱观“八荣八耻”和社会主义核心价值体系活动，筑牢团结奋斗的共同思想基础。2006 年以来先后投入 950 多万元解决了职工在医疗、住房、出行等方面的问题。

三、思想政治教育深入开展，党的建设全面提升

认真贯彻落实中央和兵团、农七师水利工作方针，积极以水利管理为龙头，开展党的基本理论、基本路线、基本纲领和基本经验教育，将党的建设落实在基层建设中。2009 年，3 个支部被评为师级“五好支部”。2006—2008 年，奎管处荣获“全国精神文明建设先进单位”“全国文化先进社区”“自治区、兵团级文明单位”和“水利建设与管理先进单位”。

黄河水利委员会山东黄河河务局
济南黄河西外环浮桥有限公司

济南黄河西外环浮桥公司于 2000 年 8 月成立，2001 年 6 月浮桥建成运营，现有在职职工 66 人。多年来，该公司靠优质服务赢得客户，靠诚信经营打造品牌，靠创新机制拓展市场，靠科学管理发展企业，靠文明创建塑造形象，靠严抓细管确保安全；做到了思想政治教育深入，业绩成果行业领先，领导班子团结有力，模范遵守法律法规，精神文明建设扎实有效。浮桥建成运营不到 10 年，就取得了经济收入过亿元、盈利超过 5000 万元、上缴国家税收突破 1000 万元的辉煌业绩。

一、坚持优质服务，强力打造企业品牌

该公司把打造企业品牌、树立企业形象作为企业发展之基，要求广大员工牢固树立服务意识，正确把握服务定位，不断推动服务创新，努力提高服务质量，做到用先进的服务理念、良好的职业道德、丰富的服务内容、科学的服务机制、快捷的服务方式为客户提供优质的服务。大力开展了“四比”“三零”“四声”“三个一”“三不让”活动和以亲情服务为主要内容的文明服务明星评比活动。

二、坚持诚信经营，积极回报国家奉献社会

该公司始终坚持以人为本、诚实守信、遵纪守法的经营理念，严格执行国家的物价政策，坚持按标准收取过桥费，诚恳接受广大客户的监督，坚持准时足额上缴国家税收，依法维护消费者的合法权益和国家利益，积极营造科学消费、和谐消费的市场环境。该公司热心公益事业，先后出资 400 多万元，帮助地方村镇修建了沥青路、架设了照明线路等，每年为当地村民减免过桥费 300 多万元，为促进地方经济发展和社会和谐作出了突出的贡献。

三、坚持自主创新，增强企业发展活力

该公司对管理制度进行了创新，形成了覆盖面广、可操作性强的现代企业管理制度体系，被省交通厅作为范本在全省浮桥行业中进行了推广。积极进行了科学技术创新，先后研发成功了“浮桥电动安全拆接装置”“全自动、组合式浮桥安全破冰装置”等，填补了全国浮桥行业的技术空白，先后荣获了 3 项黄委会应用技术创新成果一等奖、3 项山东黄河应用技术重大创新成果奖和科技进步奖。对企业经营策略进行了创新，承揽了黄河大桥托管业务，企业无须投入一分钱每年就可收入托管费 1000 万元以上，并可分流黄河职工 160 多名，为企业创造了新的经济增长点，增强了企业的发展活力。

四、坚持构建企业文化，大力弘扬企业精神

该公司非常重视与市场经济相适应的企业文化建设，真正从战略的高度建设企业文化，把企业文化建设作为企业经营管理的核心和发展之本、和谐之基，在传承优秀传统文化精髓的基础上，积极打造用刚性制度规范人、用柔性管理凝聚人、用新的理念提升人的企业文化。以企业文化提升管理力，铸就发展力，打造竞争力。

在企业的发展方面，建立了“以人为本、科技兴企、自主创新、科学发展”的企业文化。在企业经营管理方面，建立了“胸怀服务社会的理想，坚守诚信为本的理念，铸造客户满意的品牌”等企业文化。在安全生产工作方面，建立了“宁可少挣钱、也要保安全”“没有安全就没有干部的政治生命，没有安全就没有员工的家庭幸福，没有安全就没有企业的健康发展”的安全文化。

淮河流域水资源保护局淮河流域水环境监测中心

淮河流域水资源保护局淮河流域水环境监测中心（以下简称为“中心”）多年来在水利部、淮委和水保局的正确领导下，以贯彻《中华人民共和国水文条例》为契机，以学习科学发展观为指导，按照建设社会主义和谐社会的总体要求，认真履行法律法规赋予的各项职责，不断完善和加强流域水质监测工作，为淮河流域水资源保护工作提供技术支撑，促进了流域水资源保护工作的开展，并取得了良好的社会效益。

一、全面完成各项监测工作

（1）淮河流域水质监测。开展省界水质水量监测工作，监测频率每月两次，监测项目22项，每年监测省界代表断面近1200个测次，获得水质监测成果数据2.7万多个；每年对淮河干流、京杭大运河重点控制断面和南水北调东线输水干线断面700多个测次，获得水质监测成果数据1.5万多个；每年入河排污口1000多个测次；对30个站点开展水情水质动态监测；开展洪泽湖、骆马湖藻类监测工作。每年车辆运行超过30万km，共获得监测资料超过5万个，为每月编制各类水质状况通报提供了依据。

（2）洪泽湖、骆马湖藻类监测。中心于2008年开始开展洪泽湖和骆马湖藻类监测与生态评价，并建立了洪泽湖、骆马湖水华预警模式，为保护洪泽湖、骆马湖的水资源与水生态，控制水华的发生提供了技术支撑。

（3）抗震救灾应急水质监测。在汶川地震灾区共完成了前方指挥部计划安排的对57个水源地的5轮检测，并对当地部门和灾区群众所送大量水样进行了检测分析，取得了良好的社会效益。为前方指挥部和灾区地方部门及群众提供监测数据4000多个，出色完成所承担区域的监测任务及指挥部临时下达的各项任务，受到各级领导的好评，被中华全国总工会授予“工人先锋号”集体荣誉称号；被水利部授予“全国水利系统抗震救灾先锋”荣誉称号。

（4）依法通报和处理省界缓冲区突发性水污染事件。2008年8月在例行的省界监测中发现大沙河砷超标，并对大沙河省界断面水质砷超标情况进行调查，在12月进行连续水质现场应急监测，水质测次最高时达到1小时一次，累计监测断面530个（次），取得水质监测数据1300个，为通报和处置污染提供了依据，为应急防污调度决策工作提供了有力支持。2009年1月、2009年7月下旬监测中发现邳苍分洪道省界断面水质砷超标，并进行调查。同时及时将调查情况抄报了水利部、环保部和相关省水利和环保部门。

（5）强化管理，着力提升检测能力。中心按照质量控制的要求，在确保实验室内质量控制的同时，加强了野外采样、运输过程的质量控制，质量控制项目覆盖了监测中心开展检测的全部项目。2009年4月，监测中心顺利通过计量认证复查评审。本次计量认证复查评审，中心根据这几年开展监测的情况，在充分论证的基础上申报了水（含地表水、地下水、饮用水、污废水及再生水、大气降水）、底质与土壤、生物、大气、噪声五大类共176项参数。评审组抽取了27项参数进行了现场考核，考核成绩一次性全部合格，标志着中心的监测能力和水平达到行业领先水平。

（6）积极开展技术研究，取得丰硕科技成果。在完成指令性工作任务的同时，中心积极开展新技术、新方法的研究，并承担完成大量专项科研课题。近年来主要完成的技术成果有：《淮河流域闸坝对河流生态的影响评估》、《饮水安全监测体系研究》等，其中，《电感耦合34种元素测定》作为水利部行业标准颁布施行，获得中国水利水电科学研究院优秀标准、规范奖和淮河水利委员会科技进步奖；《湖泊“水华”预警模式研究》、《淮河干流优控POPs分布特征及生态风险分析》获得淮委科技进步奖。

二、团结务实，奋发向上

工作中领导班子全体成员发挥个人的特长，实现优势互补，既是搭档又是朋友，以诚待人，互相信任。对出现的问题和分歧，采取积极态度主动解决，不回避问题，不掩盖矛盾，不搞一团和气，使班子成员的特长得以充分发挥。在工作中根据每个人的工作能力，安排到合适的岗位发挥职工的长处；对新分配大学生，给他们创造多种学习条件和良好的锻炼环境，使他们更快地熟悉和掌握监测技术。领导经常征求干部群众意见，对合理化建议和要求件件有落实、事事有回应。领导班子有较强的凝聚力和战斗力，引领全体职工团结进取，奋发向上。

三、加强精神文明建设

多年来中心严格遵守国家法律法规和水利管理方面的各项规章制度，规范管理。近5年来本单位未发生违规违纪问题，无重大安全责任事故，为社会出具的监测数据未发生投诉事件；在精神文明建设上认真扎实开展文明创建活动，既搞思想道德教育，又搞科学文化建设。在学习教育中，职工综合素质明显提高，服务意识增强。监测中心先后获得淮委科学技术二等奖1次、三等奖2次、四等奖3次，2006年被评为“全国水利系统水资源工作先进集体”。

水利部水文局网络中心

水利部水文局网络中心（以下简称为“中心”）是水利部水文局（水利信息中心）的下属机构，负责水利信息网网络、水利部电子政务系统、国家防汛抗旱指挥系统、水利部网站及异地会商视频会议系统的运行管理维护工作，是水利信息化技术支持和服务保障部门。中心始终以培养一支有理想、有道德、有文化、有纪律的和谐团队为己任，始终以提升技术实力及服务水平，建设一流网络中心，支撑服务水利信息化为工作目标。

中心把职工的思想政治教育工作放在首位，始终坚持以邓小平理论和“三个代表”重要思想为指导，深入贯彻落实科学发展观，坚决贯彻落实中央水利工作方针，在职工队伍中营造了一种树正气、比奉献、赶先进、讲团结、求发展的工作氛围。

一、业绩成果行业领先

中心积极践行科学发展观，努力落实各项工作，围绕防汛工作重点，逐步构建“防汛、网络、网站、电子政务、系统应用、运维”相互支撑业务框架和“一线、二线、厂商”立体化维护模式，强化应急处置和保障，不断完善信息化运行保障体系，为水利信息化提供强有力的支撑和保障。在历年的防汛抗旱指挥系统、水利电子政务及水利部网站等信息系统的运行保障工作中成绩显著，有力地支撑了防汛抗旱等水利业务工作的开展。特别是在2008年的抗震救灾中，职工克服困难，做好水利抗震救灾的技术保障，为水利抗震救灾工作作出了应有的贡献。中心多次获得有关部门的表扬和表彰，2006年、2007年连续两年获水文局文明处室、2008年获水利部抗震救灾先进集体，主要人员获先进个人，2009年获“2008年中央国家机关青年文明号”，水利部网站在政府网站绩效评估中逐年提高，列中央部委前十，得到各级部门及领导的表扬。

（1）防汛抗旱。多年来，中心始终将防汛抗旱工作作为重中之重，精心准备、严密组织，有力地保障了国家防汛抗旱指挥系统的稳定运行，从未发生重大故障，同时防汛抗旱相关信息的收集及时、准确，30分钟到报率已提高到96.68%，为防汛抗旱提供了科学的决策依据，为防洪减灾作出了重要贡献。

（2）全面投入抗震救灾。在“5·12”地震发生后，中心全体干部职工大力弘扬“献身、负责、求实”的水利行业精神，有力、有序、有效地投入到抗震救灾工作中，紧急成立抗震救灾工作组，建立了网络保障、宣传报道、异地会商保障“三位一体”的应急保障工作机制。在抗震救灾网络、信息畅通，技术保障和宣传报道以及各项服务工作中作出了大量卓有成效的工作，为水利抗震救灾工作作出了应有的贡献。

（3）全力保障和谐奥运。建立奥运应急保障机制，加强7×24小时值班制度。并从健全安全工作机制，规范网站管理制度；完善技术防范措施；落实信息安全责任；加强网站安全防护，部署防篡改系统；加强网站监督检查；建立快速反应机制，提高应急处置能力六个方面，确保了网络畅通、信息安全、人员到位、责任明确，实现了奥运期间整个水利信息网络运行零事故，为北京奥运会和残奥会的成功举办作出了应有的贡献。

（4）全方位配合国庆60年水利活动。中心在庆祝新中国成立60年之际，密切配合有关部门，周密策划、精心设计、全力推出“辉煌60话水利”大型宣传专题，并首次组织举办“辉煌60话水利视频访谈录”栏目。该专题同时被中国政府网链接。这是水利行业网站建设中的亮点，起到了带头示范作用，为推动站群健康发展指明方向。

二、领导班子团结有力

中心认真贯彻民主集中制原则，领导班子团结，求真务实、开拓创新，以身作则，工作认真、负责，工作上、困难中都冲在最前面，起到了良好的模范带头作用，在群众中具有高威信、高影响力。

三、促进规范管理

建立了岗位目标管理责任制、教育培训制、值班制、责任追究制、年度考核等制度，开发了水利信息系统运行保障平台，将业务流程化、规范化管理。为健全工作制度，还制定了《防汛值班工作手册》、《网站工作手册》等。

四、精神文明创建扎实有效

建立了健全的精神文明创建工作组织领导体系、保障机制、考核奖励机制、服务标准体系和社会监督体系，把文明服务摆在各个岗位的首要位置，坚持“以优质服务树行业新风”为宗旨，认真履行文明服务承诺。中心职工都具有较强的团队精神、敬业精神和服务意识。网络中心干部职工以严谨的工作作风，科学的管理调度，完善的工作机制，迅速的应急响应，克服了一个又一个困难，完成一次又一次重要使命，用实际行动在工作岗位上树立了团结奋进、求实创新、无私奉献的良好形象，成为水利信息化中一支敢打硬仗、战之必胜的主力军。

南京水利科学研究院大坝安全与管理研究所

南京水利科学研究院大坝安全与管理研究所是专门从事大坝安全与管理领域科学研究的科研机构，也是水利部大坝安全管理中心的主要技术支撑机构，拥有一支专业配套，知识结构与人才梯队合理的专业技术团队。多年来，锐意进取、勇于创新，为推进我国水库大坝安全与管理领域技术进步提供了强有力的科技支撑，以优异的工作业绩和良好的精神风貌展示了新时代水利行业科技人员的风采。

一、紧紧围绕水利部中心工作，服务大坝安全行业管理

先后主持参与拟订《水库大坝安全管理条例》、《水库大坝注册登记办法》、《水库大坝安全鉴定办法》、《水库大坝安全评价导则》、《水库大坝安全管理应急预案编制导则》等一系列水库大坝安全管理法规与技术标准，为推进水库大坝安全管理法规体系建设发挥了重要的技术支撑作用。

按照水利部部署，周密组织，按期全面完成全国病险水库除险加固专项规划中所有“三类坝”安全鉴定成果的核查工作，共核查水库3813座；开发“病险水库除险加固项目信息月报系统”，负责病险水库除险加固项目信息管理、数据汇总及系统维护；积极参与全国病险水库除险加固工作专项检查。

结合全国水库大坝注册登记及资料汇总工作，开发建设了全国水库大坝基础数据库信息系统，实现了全国水库大坝基础数据的便捷查询、统计，为水利部决策提供信息支撑，为行业管理提供服务平台，为工程安全与应急管理提供技术保障。

配合水利部中心工作，针对水库大坝安全、风险管理、病险水库除险加固、体制改革等热点和焦点问题，先后开展西部地区水库大坝安全现状、全国小型水库安全状况、病险水库除险加固实施进展等一系列调研；参加完成青海沟后、新疆八一、甘肃小海子、内蒙岗岗、贵州马颈坳、广西卡马等大量水库溃坝或重大险情原因调查与机理分析；参与1998年特大洪水、2007年云南普洱地震、2008年四川汶川特大地震以及近期西南特大干旱、青海玉树地震等突发或重大事件应急处置。

受水利部委托，定期组织大坝安全管理、大坝安全监测、大坝安全评价、大坝风险评估和风险管理等与大坝安全技术相关的专业培训；2003年，受商务部委托，承办了大坝安全监测与管理国际培训班。

二、全力支援“5·12”汶川地震抗震救灾工作

2008年“5·12”汶川特大地震发生后，在部党组的坚强领导下，南京水利科学研究院在第一时间作出反应，迅速动员，全力支援抗震救灾工作。大坝安全与管理研究所派出4位专家奔赴四川抗震救灾第一线，排查震损水库与堰塞湖险情，现场会商提出具体应急处理方案建议，指导、协助地方制定应急抢险方案、群众转移预案和应急度汛方案，作出突出贡献，其中2位同志被水利部授予抗震救灾先进个人荣誉称号。

三、开展国际合作与交流

多次组织召开国际国内大坝安全管理学术研讨会，代表中国政府与加拿大国际开发署合作实施“中国大坝

安全监测与管理工程”，促进了我国大坝安全管理技术与理念与国际接轨。同时，与世界银行、国际大坝委员会等国际性组织建立了良好的合作关系，多次开展项目合作与技术交流。

四、为水库大坝安全提供各类技术咨询

在国内首次对陕西羊毛湾水库大坝安全进行了全面分析论证，在全国建成的第一个土石坝现场实时安全监测自动化系统，填补了国内在该领域的空白。先后完成新疆乌鲁瓦提、海南松涛、海委岳城、黄河万家寨等一百多座重要水库大坝的安全评估与技术咨询，以及北数十座大型水利工程的自动化监控系统和信息化管理系统的开发建设。

五、开展科学研究，推动大坝安全管理技术进步

先后承担完成了数 10 项各类基础性科研项目的研究，多次获得省部级科学技术进步奖，出版《大坝风险评价与风险管理》等多部学术专著。目前承担了 20 多项包括国家科技支撑计划项目与课题、“973”课题、科技部公益研究专项、水利科技创新项目与“948”技术引进等各类纵向项目的研究。

全国水利系统劳动模范

吉林省水务投资集团有限公司
中部城市引松供水分公司总经理　王文学

王文学现为吉林省水务投资集团有限公司中部城市引松供水分公司（以下简称为引松分公司）总经理、党支部书记，高级工程师。自 2006 年 6 月上任以来，他带领公司干部员工创新思维、强化责任、科学实践，为解决吉林省中部用水短缺问题作出了积极的贡献。

一、临危受命，勇挑重担，克难攻坚

吉林省水务投资集团有限公司中部城市引松供水分公司，主要承担吉林省中部城市引松供水工程的建设任务。该工程是吉林省有史以来的一项规模最大、投资最多、受益面最广、对吉林省中部地区经济和社会发展作用最大的水利工程。王文学在众多候选人中脱颖而出，接受使命，带领全体职工，仅用 2 年的时间，完成了吉林省中部城市引松供水工程农安、玉米工业园 2 条供水支线的立项、可研、初设、征地拆迁、施工及供水运营。节省投资 15%，工程质量优良品率达到 97.8%。创造了吉林省“十一五”期间 5 大重点水利建设项目最早完工、最先运营、最节省资金的奇迹，得到了省政府的认可、领导的好评和员工的爱戴。

二、以人为本，创新管理，科学发展

引松分公司成立后，首先确定了“团结、敬业、务实、高效”的企业精神，建立健全了 30 多项规章制度，坚持落实用人制度上的长效机制，实行岗位任务目标责任制考核办法，按办法考评员工，兑现效益工资。

其次，实行“全员竞聘上岗”。经过紧张的定岗、选岗、聘用、竞聘过程，取得了很好的效果。

三是超前思维，提早做好运营管理准备。王文学同志带领公司供水管理处全体工作人员到大连供水有限公司和天津市引滦工程管理局学习运营管理经验，取长补短，组建了运营保障管理机构，采取委培形式委托长春水电学校集中培训了 25 名运行值班人员，聘请专家到泵站为他们现场讲解水泵等泵站设施的原理及正确的维护和使用方法。同时，从长春市水务集团调入技术人员充实供水运营的技术力量。编制了《特许经营合同》《供用水合同》范本，制定了泵站的运行管理制度和操作规程试用本。

四是科学管理，分工协作，统筹安排。农安和玉米工业园支线工程是整个供水工程中最复杂的两条支线，涉及几十个部门和单位，王文学亲自协调省国土资源厅、省林业厅、高速公路管理局、长春公路段、沈阳铁路局有关占林占地、穿越等事项，各部门积极行动，用最短的时间完成了项目的前期工作任务，工程顺利开工。

在保证工程质量和安全的前提下，合理缩小两条支线临时占地宽度；优化线路，大量减少管线穿越住宅及地上附属物，优化鹅头岭泵站施工围堰布置及施工方案。通过严格的管道压力计算，协调设计单位，优化设计费用等思路，节约投资近5000万元，加之其他有效节约，累计节约投资近1亿元，创造了吉林省水利工程节省资金之最。

三、开拓进取，乐观向上，无私奉献

他热爱自己的工作，以单位为家。不计较个人得失，从来不要加班费，但是员工的加班费却一分都不少。当工程进展到关键时期，为赶进度、保质量，他基本上天天跑工地。他第一个进隧洞查看险情，确保中部城市供水工程自建设以来一直都能达到安全无事故。

山东省东营市广饶县水利工程公司经理　徐建全

徐建全1988年7月参加工作，1994年9月加入中国共产党，在水利施工一线工作了20多个年头。先后担任了施工项目经理、公司业务经理，2002年晋升为高级工程师。在多年的工作中，徐建全为拓宽企业发展之路，为广大职工谋利益，为水利事业作贡献，充分发挥了一个党员干部的先锋模范作用。

一、奉献不言苦　追求无止境

徐建全作为一名长期从事水利工程项目施工建设的水利工作者，深知水利建设行业的艰辛。他凭着对水利事业的执著追求和敬业精神，踏踏实实、干事创业，以实际行动在水利建设的岗位上，创造了不平凡的业绩，实现了自己的人生价值。2006年3月被山东省水利企业协会授予“优秀企业家”称号；2008年11月，被中国水利企业协会评为“2007年度全国优秀水利企业家”；2009年12月，被人力资源和社会保障部、水利部评为“全国水利系统劳动模范”。

二、狠抓质量管理　争创精品工程

“以质量求生存，以信誉谋发展”。作为一名施工企业的负责人，他在工作中对待施工质量始终是高起点、严要求。他亲自主持制定了“科学管理、规范操作、诚信服务、争创精品”的十六字质量方针，狠抓质量管理体系的建设和完善，从严从细加大质量管理和控制力度，在抓好原来技术质量措施的基础上，不断引进新工艺新技术，确保质量水平不断提高。他担任项目经理期间负责施工的多项工程被山东省水利厅、省公路局评为优质工程。公司被中国水利企业协会授予“2007年度全国优秀水利企业”光荣称号，同时荣获中国农林水利工会颁发的“全国农林水利产（行）业劳动奖状”。

三、深化改革探新路　与时俱进求发展

2006年，徐建全凭借所拥有的知识才能和长期从事工程施工所积累的丰富经验，大胆创新，进行企业深化改革，打破现有的管理模式，更新观念，摸索新的发展道路。充分分析当前各方面形势，结合公司自身优势深化企业改革，加强企业管理，自担任公司经理以来，他与公司广大干部职工拼搏奋斗、开拓进取，开创了公司发展新局面。公司年产值逐年稳步提高，2009年产值突破亿元大关，各项任务指标创新高，使公司发展又上新台阶。

四、情系群众　增强干群凝聚力

公司的发展离不开广大干部职工的辛勤努力，作为公司负责人，他时刻挂念着群众疾苦，始终致力于解决职工生产生活问题，倾听职工呼声，切实维护职工合法权益。他结合实际情况，在政策允许的范围内，适时适当地调整职工工资，确保了职工的合法收入，进一步激励广大干部职工爱岗敬业、扎实工作，坚定了广大职工为水利事业奋斗终身的决心，为公司的发展增添了无限动力。

他立志在今后的工作中进一步发挥模范带头作用，率先垂范，带领公司全体职工拼搏奋斗、开拓进取，开创水利建设新局面，为水利事业作出新的贡献。

陕西省水利电力勘测设计研究院院长　王建杰

一、献身科技敢攻坚

王建杰主持完成了三原西郊水库工程对桥渡建筑物采用下承式预应力桁架拱结构，其设计计算采用有限元分析法，施工采用整体预应力张拉。由于设计技术领先，运用安全可靠，功能完善，目前该建筑物设计已被省内外其他许多工程所借鉴和采用，效果良好。对抽水站建筑物采用新型的斜拉式自藕潜水泵装置，填补了国内泵站技术领域的一项空白，对同类工程具有较大的借鉴价值。大型潜水泵的自耦技术、泵车设计加工技术、坡道转弯设计、机电装置密封绝缘设计等等，在国内均属首创，同时也为这一新技术的应用完成了理论到实践的转变和跨越。该工程荣获陕西省第十三次优秀工程设计一等奖，其斜拉式自耦潜水泵站技术获得了2006年陕西省职工经济技术创新成果三等奖。

他组织新疆下坂地水利枢纽工程设计，该工程地基有148m的深厚冰碛覆盖层，基础防渗处理采用85m深、1m厚防渗墙下接4排帷幕灌浆的垂直防渗型式，从而形成沥青混凝土心墙——防渗墙——帷幕灌浆封闭的防渗体系，有效地控制了渗漏量和渗透比降，解决了这一国际性的技术难题。

二、忠诚事业多贡献

王建杰在水利厅工作期间，先后组织制定了陕西省水利中长期发展规划和重点水利建设项目立项审查，协调组织完成了全省13个流域、区域江河开发利用规划的制定、修编工作；审查各类不同阶段的项目300余项；主持完成了全省“十五”水利发展计划；主持完成咨询评估类项目310余项以及45项大中型水利水电工程。他在国家及省部级核心期刊发表技术论文数十篇，主持完成的“陕西省渭河综合治理防洪规划”“陕西省一线两带水利发展规划”“陕西省引洮济渭规划研究报告”均荣获陕西省优秀工程咨询成果二等奖；协助主持完成的“陕西省渭河流域综合治理规划”于2005年得到国务院正式批准；主持完成的“陕西省南水北调总体规划”中的“引乾济石”工程已经建成，“引红济石”工程已经开工建设，“引汉济渭”工程正全面进行开工前的设计论证工作；主持完成的“陕西省水利发展与改革十一五规划报告”及6个专题研究报告已批准实施。

他自2005年在陕西省水电设计院工作以来，他先后主持了陕西省引红济石、引汉济渭、江河防洪、大中型水利水电工程等重点项目的规划、设计工作，确保项目顺利推进，取得了良好的效果，为全省经济社会的发展作出了重大贡献。他大力倡导推进技术进步，强化专业化建设，取得了较大成效。

工作中，他一贯坚持深入生产一线，研究生产技术管理环节中存在的问题，明确提出加强前期工作策划和事前指导，深化项目管理，建立、健全并逐步完善了生产管理和技术质量管理两大主控体系。随着两大主控体系及其8个配套管理办法的逐步完善与实施，全院生产组织更加有序，项目进程不断加快，进度、质量、服务三位一体、有机结合，生产效率和自身经济效益连年提高。同时，全院在设计水平及成果质量等方面也均有明显提高。近两年，全院有十多个重点项目在技术创新方面有较大突破，知名度、影响力及经营地域、领域不断扩大。

王建杰同志先后荣获“全国水利系统奉献水利先进个人”“全国水利系统劳动模范”“陕西十大社会责任功勋企业家”等荣誉称号。

淮河水利委员会淮河水利水电开发总公司总经理　李向东

李向东，中共党员，现任淮河水利水电开发总公司总经理。他20多年来耕耘在治淮战线上，大力弘扬“献身、负责、求实”的水利行业精神，勤奋工作，扎实苦干，带领公司取得了较好的经济效益和良好的社会效益，成为淮河流域水利工程建设的一支重要施工力量。

一、以敏锐的洞察力确立公司主营业务

2002年，李向东主持淮河水利水电开发总公司工作，面临着公司主营业务不明晰，市场不开阔，经营不景气，人心浮动的状况，作为公司主要负责人，李向东深感肩负的责任重大。他以敏锐的市场洞察力看到了水利工程施工市场的广阔前景，利用公司自身的优势，抓住治淮机遇，调整了公司经营项目结构的比重，加大对水利工程施工投资力度，确定了水利工程施工作为总公司的主营业务，将水利工程施工作为公司的发展方向，提出了用3—5年时间将总公司打造成流域内的一支专业水利施工队伍的发展目标，很快使总公司走出了困境。随后公司紧紧抓住治淮高潮这一难得的历史机遇，提出了“抓住机遇、立足治淮、拓展市场、壮大实力”的经营战略，树立了“以质量求生存，以信誉拓市场，以安全促发展”的施工管理方针和管理理念，公司的经营一年上一个台阶。

二、以强烈的事业心奔波在水利市场

为了取得业主的信任，赢得市场，他经常东奔西走，找市场找项目，狠抓工程质量。他具有较强的事业心、使命感和责任感，爱岗敬业，埋头苦干，甘于奉献，工作精益求精。他每天的工作时间都安排得很紧，而且从来没有什么节假日。超负荷工作和长年在外奔波劳累使他的痛风病经常发作，异常疼痛，但他仍然坚持工作。

三、以饱满的工作热情和顽强的拼搏精神服务治淮

2007年7月，淮河流域发生近50年最严重的洪水，蚌埠段防汛水位持续数天超出警戒线，防汛形势非常严峻，公司在建的淮北大堤涡下段加固工程及淮北大堤加固工程怀远段的加固堤段面临严峻考验。淮河的安全度汛关系到沿淮各地区的经济建设和人民的生命财产安全。他带领大家立即赶到现场，投入到抗洪抢险之中，和防汛人员24小时战斗在抗洪第一线。

他经常到施工第一线，检查工程质量、安全等岗位责任制的落实情况，教育员工要严把质量、安全关，努力建设优质工程，和现场技术人员一起研究施工方案。近年来公司负责施工的工程项目全部保质保量如期完成，多次受到建设单位表扬。

四、公司业绩蒸蒸日上，各项工作稳步前进

总公司在李向东的正确领导下，各项发展逐步步入正轨，从单一经营到多方面经营，规模由小到大，施工机械设备逐步齐全。近年来中标合同金额逐年递增，施工质量总体水平不断提高，总公司所承建的工程质量均达到优良质量标准，参建的蚌埠闸扩建工程荣获水利部“文明建设工地奖”并申报鲁班奖。公司实现了经营管理上等级、上水平，经济效益和社会效益双丰收。2009年3月，公司晋升为水利水电工程施工总承包一级资质。

李向东爱岗敬业，始终保持谦虚、谨慎的优良作风，政治立场坚定，思想作风过硬，工作作风务实。他严格履行淮委提出的“干部安全、资金安全、工程安全”三个安全制度，始终牢记党的宗旨，努力实践科学发展观，发挥党员的先锋模范作用，为水利事业的发展作出了积极贡献，于2008年获“蚌埠市先进生产者”称号。公司在淮北大堤工程企业信誉评价中获得第一名，先后获得“全国农林水利系统和谐企业”“安徽省环境保护优秀施工单位”等称号。

海河水利委员会华北水利水电工程集团有限公司总经理　马庆江

马庆江1984年进入水利系统工作，1989年起从事水利工程建设与管理工作，现任水利部海河水利委员会防汛机动抢险队（以下简称为抢险队）队长兼华北水利水电工程集团有限公司（以下简称为华水公司）总经理。

一、优秀的领导能力，使华水公司取得多项骄人业绩

在马庆江上任的2000年，华水公司的年产值仅为1900万元，在他的带领下几年间产值不断攀升，2010年产值达11.85亿元。公司于2004年、2005年被天津临港工业区评为

“重合同守信誉”单位；2005年获水利部“全国优秀水利企业”荣誉称号；2006年企业资质上升为水利水电工程施工总承包壹级资质；2007年通过了“质量、环境、职业健康安全”认证；2006—2008连续三年获水利部“效绩评价优良企业”。

二、坚定的政治立场及过硬的工作作风赢得了广泛赞誉

多年来，身为企业领导者，他坚持实事求是的工作作风，始终能保持清正廉洁的本色，处处以职工利益为重，从不以权谋私。他无私奉献，身先士卒，与职工同甘苦共患难，赢得了公司职工的信赖和各方面的广泛赞誉。

三、大胆探索机制创新，为打造一流水利企业付出心血

华水公司成立于1992年，由海委机关转制而来，1997年开始承接水利施工项目，基础工作薄弱。为规范运转，公司以“ISO 9002”和“质量、环境、职业健康安全”认证为契机，先后修改和制定了《成本核算制度》《合同评审制度》等53项规章制度，使公司逐渐走上了规范化、制度化的轨道。

四、千方百计拓展经营市场，取得了显著经济效益

2002年后，流域内水利项目减少，企业陷入了前所未有的困境。马庆江带领职工迎难而上，积极开拓市场，寻找新的经济增长点。此时恰逢天津滨海新区大发展，马庆江提出了向滨海新区进军的发展思路，经过不懈努力，赢得了业主的信任。公司的经营跨出了水利系统，找到了“吹填造地”这个潜力巨大的市场，先后承揽了临港工业区、天津港东疆保税区吹填、天津市海挡外移、曹妃甸工业区、南水北调等20余项系统外工程。

2008年后，在确保滨海新区的经营市场稳健发展的同时，马庆江带领人员又把目光转向了天津南港工业区的开发建设，先后承揽了起步区吹填造陆、二期东塌埝工程等。创造了有目共睹的经济效益和社会效益。

五、更新技术及设备、组建集团公司，为可持续发展奠定基础

为了做大做强华水公司，在已有5艘中小型挖泥船的基础上，2006年公司又多方筹资5000万元，建造了“海华2号”大型挖泥船，提升了设备能力。他鼓励技术人员在工艺技术上大胆革新，开发出了超软基处理等新技术，极大降低了生产成本。

2009年在海委各级领导的支持和兄弟单位的协助下，完成组建华北水利水电工程集团有限公司，注册资本提升至1.7092亿元。

六、严把施工质量和安全关，树立了良好的企业品牌

马庆江提出：“质量是企业的生命，安全是企业的保障。”他始终以对国家和人民的利益高度负责的精神把质量和安全作为企业的头等大事来抓。多年来，华水公司承揽的工程从未出现过工程质量和安全事故，多项工程被评为优良工程，“华水”的品牌形象正在逐步确立，得到了建设单位的普遍认可。

小浪底水利枢纽建设管理局电厂厂长　李明安

李明安同志1982年毕业于陕西机械学院水电站动力设备专业，1982—1999年在东北电业管理局太平哨发电厂工作，从基层的发电运行值班员逐步成长为生产副厂长兼总工，1999年调至小浪底建管局水力发电厂任副厂长，2004年任电厂厂长。

作为一名共产党员，他时刻牢记共产党员的责任和使命，拥护中国共产党的领导，高举邓小平理论伟大旗帜，以“三个代表”重要思想为指导，深入落实科学发展观。作为一名党员领导干部，他时刻提醒自己要充分发挥党员领导干部的先锋模范作用，工作务实、高效，廉洁自律，遵守法纪。

作为小浪底水利枢纽运行的管理者，他积极践行可持续发展治水思路，紧紧围绕小浪底建管局“管好民生工程，谋求多元发展”的发展方向，运行管理好小浪底水利枢纽。他坚持安全生产为首要，工作中要求严格，身为领导干部，他平易近人，贴近群众，经常深入生产一线调查了解情况，职工的困难就是他的困难，电厂广大职工亲切地称他为我们的主心骨。在他的带领下，电厂的工作氛

围和谐、融洽，各项工作稳步进行。

他牢固树立民生工程理念，坚持黄河水资源统一调度原则，精确调度，科学指挥，确保枢纽安全运行，枢纽各项设计开发任务得到充分发挥。黄河下游连续10年实现安全度汛，圆满完成10次调水调沙任务，实现黄河连续10年不断流。特别是在2008年10月至2009年2月，黄河中下游地区发生特大干旱，他带领电厂职工，以高度的政治责任感，服务于大局，精确执行调令，先后13次调整下泄水量，有效地支援了河南、山东两省抗旱救灾工作。充分利用水能资源，发挥小浪底水力发电厂在河南电网中调峰、调频、事故备用的作用，提高了河南电网的安全性和供电质量，在2006年“7.1河南电网系统振荡事故”中，小浪底水力发电厂处置正确、果断，及时开机，为电网的恢复起到了关键作用，受到了河南省省直工委的表彰。

在小浪底水利枢纽的配套工程——西霞院反调节水库工程开工初期，他又主动提出“提前介入，无缝接机，达标投产”的目标，由电厂技术人员承担机电设备安装施工监理，参与设备安装调试，顺利实现“无缝接机”，使西霞院工程成为首个水利行业“达标投产”的工程。

李明安同志带领的集体是一个锐意进取的集体，小浪底水力发电厂2003年荣获中电联颁发的“一流水力发电厂”称号，成为水利行业第一个获此殊荣的单位。2005年、2007年两次获得河南省电力公司“满意电厂”称号。2006年通过中电联组织的职业健康安全管理体系认证。2005年电厂党支部、团支部双双获得河南省“五好党支部”“五好团支部”荣誉称号。他本人在2004—2005年度被评为局“优秀党务工作者”，2005年、2006年、2008年三次被评为“小浪底建管局年度优秀处级干部”。在人才培养方面，一大批青年业务骨干和技术人才在生产工作中脱颖而出，有4人获得局“技术拔尖人才”称号，9人获得局“优秀专业技术人员”称号，40人获得局技术津贴。2008年电厂被评为小浪底建管局“人才培养工作先进集体”。

作为业务上的行家里手，他主持了小浪底水力发电厂5号水轮发电机转子动不平衡处理，参加了小浪底水轮机裂纹分析与处理、小浪底高含沙水流水轮机抗磨蚀研究等多项技术攻关，成功解决了枢纽安全运行技术难题，并获得小浪底建管局科技进步奖。他参与的“西霞院工程排沙底孔门槽安装小组”获得全国优秀质量管理小组称号，“小浪底建管局水力发电厂筒阀发卡及关闭不严问题QC小组”获得水利系统部级优秀质量管理小组称号，并公开发表论文12篇。

在今后的工作中，他将继续秉承“献身、负责、求实”的水利精神，情系黄河保安澜，带领电厂全体员工同舟共济，团结拼搏，奋勇争先，为把小浪底建管局水力发电厂打造成为水利行业枢纽运行管理的典范而不懈努力。

全国水利系统先进工作者

北京市昌平区响潭水库管理处主任　沈维明

沈维明，1968年3月出生，中共党员，北京市昌平区响潭水库管理处党支部书记、主任，工程师。

他带领全体职工经过十几年的探索创新，响潭水库从一个过去只有11名职工、年产值200万元、单一水库管理模式的单位，发展壮大成为现在拥有120名职工，年产值上亿元，具有创新经营管理模式和治水理念的单位，实现了“清洁小流域治理—水源涵养—地表水利用—污水处理—再生水回用—达标水利用”的循环水务经济。

一、政治坚定

沈维明认真学习政治理论，坚持以马列主义、毛泽东思想、邓小平理论和“三个代表”重要思想为指导，坚持党的基本路线，贯彻落实科学发展观，廉洁奉公、率先垂范，始终保持着奋发有为、开拓进取的昂扬斗志。

二、业绩显著

(1) 清洁小流域治理。在全国率先提出了治理清洁小流域。治理清洁小流域57.5km^2，建成了人工生态湿地；构筑了生态修复、生态治理、生态保护三道水土保持防线，在流域沿线建设了6座小型污水处理站。

（2）兴建地表水厂。兴建了北京市第一座农村集中供水地表水厂，日供水能力可达 1 万 m^3。与北京市供水集团合作，缓解了南口城乡 10 万人的日常饮水问题，有效地保障了南口地区的供水安全。

（3）改建新型污水处理厂。2007 年 11 月，响潭水库接管北京南口机车车辆机械厂的污水厂并对其进行改造。2008 年底，改建完成了新型污水处理厂，设计处理污水 3000t/天，将工业污水直接处理成景观环境用水。另一座日处理能力 12000t 的污水处理厂也将于 2009 年底建设完毕；经过改造，建成了 $2000m^2$ 的湿地；该污水处理厂将集中处理以“三一重工”为代表的南口工业区企事业单位的污水。

（4）生态湿地建设。2009 年 9 月，在南口镇的东南部建设一处生态湿地，占地逾 $30hm^2$，将原来的垃圾场变成了湿地公园。

三、作风过硬

沈维明到响潭水库工作以来，始终把群众利益放在首位。他在政治上、思想上和行动上始终同党中央保持一致，他作风正派，真抓实干，廉洁自律，在职工中享有较高的威信。他有较高的政治责任感，在实践中不断学习，完善自己，勇于接受新鲜事物，注重培养和挖掘人才，把水库及水利事业的发展作为自己的追求，以实际行动起到了先锋模范作用。

四、能力突出

（1）建章立制，规范管理。他接手响潭水库以后，打破旧框框，建立了各类人员岗位责任制和目标管理责任制，制订了详细的《响潭水库管理制度》等，并带头严格执行。

（2）奖优罚劣，奖勤罚懒。他打破吃“大锅饭”的平均主义分配方式，制订了明确的奖罚细则，兑现起来决不手软。

（3）抓后备队伍建设。他招聘一批本科、专科毕业生和有实际经验的技术人员，工作中着力培养和启用他们，为他们提供施展才能的机会。通过实践锻炼，为响潭水库培养了一批业务精通、吃苦耐劳、管理现代化的技术人才。

五、爱岗敬业

沈维明爱岗敬业，长年工作在基层一线。响潭水库 2005 年被市水务局推荐为“保护母亲河行动”先进集体，成为北京市青少年水土保持户外教室，2006 年被市水务局评为“2006 年北京市水务系统文明单位”，成为全国水务循环经济模范单位、全市花园式单位，得到了水利部、市政府、市水务局领导的认可。沈维明被评为“文明职工”。

天津市宝坻区水务局局长　张素旺

张素旺，1974 年毕业于天津水利学校并留校任教，1987 年到宝坻县水利局工作，2003 年开始走上局领导岗位，2006 年起任宝坻区水务局局长。在新时期水务发展的大潮中，他带领全局干部职工，以创新的精神和过硬的作风，谱写了一曲兴水强区的壮丽乐章。

一、顽强拼搏，献身基层水务

张素旺自 1987 年到基层水利工作后，从技术人员到局排灌站副站长、农水科科长、工程科科长、水资源科科长，再到副局长、局长，在每一个岗位上，他都取得了突出的成绩。

20 多年来，他跑遍了宝坻的每一个乡镇、每一处闸站，被人们称为宝坻水利的活地图。他先后主持编制了《宝坻区水务发展“十一五”规划》《宝坻区农村水利发展规划》《宝坻区水资源利用规划》《宝坻区城乡水环境治理规划》等多项规划。围绕水务发展，他全面分析了宝坻在水资源方面的优势和不足，提出了一系列超前的思路和措施，并被区政府采纳，特别是“打造潮白新河生态带，带动两个新城（宝坻新城、京津新城）周边经济全面发展”的思路，得到区领导的高度重视和肯定，“一河双城、相向拓展”已成为今后宝坻发展的总体框架。

二、创新理念，促进科学发展

面对宝坻水务新的形势和任务，他带领全局干部职工，结合宝坻实际，提出了以水资源的可持续利用为目标，着力构建城乡供水、防洪除涝、节水型社会和水环境保护四大体系，促进工程水利、资源水利、民生水利、生态水利协调发展的治水新思路，并进行了不懈的实践和探索，取得了明显的成效。

几年来，先后组织实施了里自沽灌区续建配套与节水改造工程、东老口扬水站扩建、潮白新河里自沽蓄水闸除险加固、京津新城扬水站和大套扬水站工程，农业蓄供水和城乡排涝能力有了全面提高。宝坻区2006年、2008年连续两次被评为全国农田水利建设先进县。同时，更加注重资源水利、民生水利和生态水利建设，进一步创新了水资源管理机制，积极推进雨洪资源利用。加快了农村饮水安全及管网入户工程建设，极大地改善了农村饮水条件。加强了水环境治理，先后完成了城区水环境治理工程和胡各庄橡胶坝工程，使城区展现出“水清、岸绿、景美”的新面貌，为打造循环水系和亲水型城市创造了条件。

三、播撒汗水，铸就事业辉煌

作为基层水务战线的领导，张素旺同志带头弘扬“献身、负责、求实”的水利行业精神，为宝坻水务发展付出了大量的心血。他坚持抓制度，促管理，努力完善各项管理制度，强化问责机制，引导干部职工争创一流，全面促进了各项工作的开展。在市水利系统组织的区县水利业务工作考核中，宝坻区水务局历年均名列前茅。

为抢抓机遇，促进水务发展，他亲自带队，宣传宝坻水务，协调争取项目和资金，2006年以来，通过国家扶持、市级财政拨款和区县自筹，累计完成水利建设投资8.17亿元，相当于“十五”期间水利工程建设投资的两倍多。同时，全面加快了水利投融体制改革、水管体制改革和小型农田水利工程产权制度改革，增强了水务发展的活力。在他和全体干部职工的共同努力下，水务的领域不断拓展，水务的功能不断强化，水务的投入不断增加，水务的基础更加巩固。

河北省衡水市桃城区水务局副局长　常宝军

一、“一提一补”水价调控机制的提出

在节水型社会试点建设工作中，经过多年的艰苦探索和实践，常宝军同志发现并提出了“一提一补”水价调控机制，并在实践中取得了很大成功。这个理论的发现解决了困扰节水型社会建设的几个问题：一是总量、定额如何确定的问题；二是节奖超罚如何顺利兑现的问题；三是管理成本高，工作量大的问题；四是多种水源优化配置的问题。这个理论充实和发展了水权水市场理论，是总量控制在实践中成功的典范。主要做的几项工作：①将甘肃省张掖市地表水节水型社会理论成功的运用到了井灌区节水型社会建设，成功建设了分水到户的种高村试点模式。②为解决总量、定额确定难的问题，提出并实践了浮动定额控制和浮动总量控制机制，就是以平均用水量代替总量或定额进行控制，实践中取得了很好的效果。③为解决节奖超罚兑现难的问题，提出了提高水价收取罚款预备金的方法，从而为发现“一提一补”节水调控机制打下了基础。④提出并实践了“一提一补”节水调控机制，在节水型社会建设理论创新方面做出了突出贡献。在常宝军的领导和组织下，全区成功完成了52个试点建设工作，为在全区推广打下了基础。经初步测算：每年节水约300万 m^3，节约资金150万元。取得了很好的社会效益和经济效益。

二、“一提一补”节水调控理论的总结

①总结了“一提一补”机制的概念；②提出了理论计算公式；③明确了实践中的程序、方法；④总结了这种机制的基本原理和理论内涵。水利部原部长汪恕诚在2009年全国水资源管理工作会议上将这种机制比喻为“一朵非常漂亮的浪花”；在2007年全国节水型社会建设会议上，水资源司原司长高而坤对这种机制进行了论述，并给予了很高的评价；2008年河北省省委政策研究室、河北省水利厅、河北省水利科学研究院联合对这种机制进行了为期5天的调研，并给省委省政府提出了在全省进行推广的建议。近两年，中国水利报、《中国水利》杂志、河北日报及全国的多种媒体对这种机制进行了介绍。先后有水利部、甘肃省、陕西省、北京市、

内蒙古、宁夏等省市的专家和学者对这种机制进行了考察，河北省水利厅李清林厅长在落实科学发展观的实践活动中，利用5天的时间对此进行了考察，对这种机制给予了很高的评价。

三、水政水资源管理工作成绩突出

从1989年成立水政水资源管理办公室起，常宝军一直担任主任或副主任，多年来全面负责管理办公室的一切事务。从筹建办公室，到开展各种业务工作，和其他同志一起，勇于探索，积极进取，取得了突出的成绩，受到了省水利厅和衡水市水务局的多次表彰，2006年桃城区水务局获得了水利部颁发的“全国水资源管理先进单位”的荣誉称号。

河北省秦皇岛市水务局局长　魏连增

魏连增同志能够紧紧围绕全市水务发展目标，以科学发展观为统领，认真履行工作职责，坚持高起点、高标准推进全市水务工作，取得了显著成绩，促进了全市水务事业的跨越式发展。2004年以来，秦皇岛市水务局先后获得全国水资源工作、省级节水型社会建设、农村水利工作、“十五”期间水土保持预防监督管理工作、水库移民工作、河道采砂管理工作、市级精神文明工作、农业产业化、扶贫开发、维护稳定工作标兵单位称号，北京奥运会足球比赛秦皇岛赛区先进单位。他组织卢龙县、抚宁县参加省农田水利建设“海河杯”竞赛，分获一等奖。抚宁县获得“全国农田水利建设先进县”称号。他本人也被评为全国水利系统先进工作者、秦皇岛市“树、创、促”主题实践活动先进个人、秦皇岛市优秀党员称号。

一、加强学习，与时俱进，不断提高自身素质

魏连增结合“三个代表”、先进性教育、学习实践科学发展观等活动的开展，不断加强马列主义、毛泽东思想、邓小平理论、“三个代表”重要思想和党的路线、方针、政策等政治理论的学习，加强可持续发展水利、现代科技和市场经济管理等业务知识的学习，进一步提高了思想政治觉悟，增强了政治敏锐性及新时期适应市场竞争和驾驭全局的能力。

二、开拓创新，真抓实干，推进全市水利事业发展

全面有序地推进全市防灾减灾工程建设。截至2009年底，先后投入资金1.7亿元，完成了小水库除险加固75座，维修加固堤防165km。面对近几年出现的旱灾，积极协调调配水源，先后多次为农业灌溉调水4.9亿m^3，尽最大努力保障了城乡生产生活用水。在农村水利建设工作中，自2004年以来投入资金10095万元，解决了26.72万人的饮水困难和安全问题；大力发展节水工程，结合农业产业结构调整，先后投资11230万元，组织实施了卢龙县引青灌区、抚宁县洋河灌区续建配套及末级渠系改造工程，建设了山海关区大樱桃、海港区小苇子港等节水示范项目，全市增加及改善灌溉面积4.19万hm^2，新增节水灌溉面积1.04万hm^2。充分利用雨洪资源，在全市整体推进集雨工程建设，共发展水池、水窖31972个，有效缓解了山区用水紧张状况；以桃林口、洋河、石河三大水源地上游为重点，开展水土保持综合治理，先后投资4943万元，完成了大英窝、燕河、龙泉庄等13条小流域综合治理，治理水土流失467.6km^2，收到了明显的生态效益、社会效益和经济效益。投资1.86亿元，完成了引青东西线对接、引青东线扩建二期工程。成功应对了2007年6月洋河水库出现的藻类暴发。

为保障2008年北京奥运期间供水安全，他组织调整了供水水源方案，建立了科学供水协调机制，实行了24小时巡视看护制度，保证了奥运暑期供水水质安全。先后投入资金1.6亿元，组织对大马坊河、护城河、大汤河、小汤河、石河、戴河等进行了综合治理，共修建橡胶坝9座，治理河长26km，河道清淤36万m^3，建设了汤河带状公园等亲水景观。2008年在全省率先完成了19家水管单位的体制改革，并通过了省级验收。在移民工作中，先后协调投入资金1587万元，解决问题538个，有力维护了移民整体稳定；不断加大桃林口水库返库移民劝返力度，5年来，全市移民劝返工作实现了重大突破。

三、加强干部队伍建设，提高机关工作效能

加强领导班子、党组织和干部队伍建设，不断深化干部人事制度改革，严格干部选拔任用，营造了想干

事、敢干事、能干事、干成事的浓厚氛围。加强机关效能建设，认真落实政务公开各项制度，积极弘扬“奉献、负责、求实”的水利行业精神，干部队伍精神面貌、工作作风明显改善，凝聚力、战斗力进一步增强，水务系统的社会形象明显提升。

四、严于律己，加强党风廉政建设

一是带领班子坚持发扬艰苦奋斗、勤俭节约的优良传统和作风，反对奢侈浪费，不讲排场，不比阔气，做到自重、自警、自励、勤政为民、廉洁奉公。二是加强管理，堵塞漏洞，完善各项规章制度。三是严格执行民主集中制，凡涉及工作计划和发展计划的制订、干部任免和调动、财务开支计划、工程项目建设和招投标、经济实体兴办等重大事项，提交班子集体研究决定，做到民主科学决策。四是在工程项目建设中，认真执行项目法人制、工程招投标制、建设监理制和合同管理制等制度。五是坚持政务公开，将人事任免、重大工程建设项目等情况公开，自觉接受群众的监督。

山西省吕梁市水资源管理委员会
办公室主任　王国卿

多年来，王国卿在自己所从事的水资源管理、农村水利等工作岗位上，王国卿认真履行职责，积极创新方法，连续16年被评为市水利局先进工作者，连续10年考核优秀。23次受到市委、市政府和省水利厅表彰奖励，有两项成果获山西省科技进步二等奖，2003年省劳动竞赛委员会记一等功一次。2007年，他被市委、市政府授予青年学科带头人，2008年市委、市政府授予市直机关百名优秀科所站长，2009年被省水利厅评为2007—2008年全省兴水战略先进个人，2010年被人力资源和社会保障部、水利部授予“全国水利系统先进工作者”。

王国卿2006年担任水资办主任以来，他出色完成了各项水资源管理工作目标任务。2007—2009年连续3年水资源管理工作在全省名列第一，2009年山西省水利厅表彰吕梁“2007—2008年水资源费征收和地下水保护行动第一名”。

一、加大水资源费征收力度，为实施兴水战略提供资金

层层制定了水资源费征收目标责任制，市水资办工作人员实行水资源费征收分片负责。2007年征收水资源费3210万元，2008年完成征收5612万元，2009年征收水资源费16456万元，连续3年全省第一。水资源费的逐年增长，促进了水资源的节约保护，同时为实施兴水战略提供大量资金。

二、开展水资源信息化建设，水资源管理向现代化迈进

多方筹集资金，开展全市水资源信息化建设，建成了市水资源远程监控信息中心和13个县级水资源远程监控信息中心，安装了332处工业取水井远程监控设施，实现了对主要工业用水户取水井的远程监测，为水资源现代化管理奠定了良好基础。

三、狠抓水资源优化配置，积极服务区域经济建设

组织编制完成了《吕梁市水资源综合规划》《柳林泉岩溶水资源保护规划》《吕梁市能源基地建设水资源规划》《吕梁市控制地下水开采规划》，编制了各年度《吕梁市水资源公报》，为建设项目水资源优化配置提供了科学依据；组织了石楼电厂、柳林高红工业园区、兴县煤电铝基地等20多个重大项目水源分析和水资源论证审查，并及时办理了项目取水许可手续。

四、倡导节约保护水资源，强化全社会节水意识

制定《吕梁市水资源宣传工作考核办法》，组织编制电视宣传片《吕梁节水，势在必行》，在高速公路设置了8条大型宣传标语；制作发放水资源宣传挂历和一次性节水宣传纸杯等宣传品，强化全社会节约保护水资源意识；开通《吕梁水资源网》，宣传普及节水和水资源保护知识；制定并实行节水考核制度，2006—2009年全市万元地区生产总值平均取水量由 163m^3 下降至 68m^3。

五、深入调查研究，指导工作实践

他经常深入基层，认真开展调查研究，为贫困山区群众寻找水源，撰写调查报告，起到了指导工作实践、提高工作水平的作用。他先后完成了水利建设和水资源开发利用保护规划报告 20 多项，牵头完成的“杏花洪积扇水资源紧缺对策研究”和“柳林泉水资源评价及开发研究”两项成果获得山西省科技进步二等奖，同时先后在《中国水利》《地球科学》《地质学报》《水资源保护》《地下水》《山西水利》等刊物上发表论文 10 余篇。

内蒙古自治区鄂尔多斯市达拉特旗水利局局长　林金栋

林金栋，汉族，1967 年 6 月出生，中共党员，大学文化程度。他历任旗委办公室秘书、副科秘书、办公室副主任、吉格斯太镇党委书记，现任内蒙古自治区鄂尔多斯市达拉特旗水利局局长。他以严谨、求真、务实的作风，扎实的工作，取得了出色的成绩，赢得了大家的认可。他有激情，有胆识，有魄力，有干劲，非常清廉，赢得大家普遍好评。

一、抓自身建设，政治坚定

打铁须得自身硬。他始终将自己摆在一个学习者的位置上，认真学习邓小平理论和“三个代表”重要思想，深入贯彻落实科学发展观，坚决贯彻执行党的路线、方针、政策，坚决贯彻落实中央水利工作方针。他不满足于在乡镇实地所学，为了系统掌握水利工程方面的专业理论知识，他努力自学，参加各种形式的业务培训，取得优异的成绩。“活到老，学到老”是他的人生追求，他深知有现代意识及掌握现代技术人才的重要性。在他的呼吁下，水利局逐年挤出资金，购置电脑，培训人才，用以提高职工专业理论知识水平和现代化办公水平。

二、抓工程建设，业绩显著

他爱岗敬业，开拓进取。他带动水利系统广大干部职工发扬“献身、负责、求实”的行业精神，克服重重困难，在项目争取、项目建设、项目管理等方面取得重大突破。一是年度水利工作责任目标全面完成，并取得显著成效；二是平稳度过黄河凌汛，战胜了四十年不遇的凌汛；三是水利工程管理体制改革顺利完成，解决了水利系统职工的工资待遇，强化了水利工程管理；四是项目争取取得重大突破，特别是一些涉及民生、对全旗经济发展有支撑作用的好项目正逐步落实；五是城镇供水稳步推进，农业生产基础设施条件逐年改善，发展基础进一步夯实。在林金栋同志的正确领导下，该局 2007 年被评为“全国防汛抗旱先进集体”。2008 年，该旗水利工作荣获全市旗区一等奖并被旗委、政府评为实绩突出单位。

三、抓制度建设，作风过硬

林金栋同志坚持全心全意为人民服务的宗旨，严格遵守国家法律，品德高尚，廉洁自律，团结同志。制度是做好工作的有效保证，是改进机关工作作风、提高工作效率、规范各项管理、树立机关形象的必要手段。林金栋到水利局后制定完善了一系列制度，目前以制度规范事、以制度约束人的管理机制全面形成。制度出台后，他严格要求自己，带头遵守各项规章制度，使该局保持了良好的工作作风。

四、“促发展、保民生”给群众带来实惠

“我们干工作、做事情目的就有一个，看能否给群众带来实惠，能否给群众带来方便。”一句朴实的话语道出了一名新时期领导干部的风采和一名共产党员的人生追求。在他带领下，该局几年来共完成人畜饮水工程 285 处，解决了 14.6 万人、120 万头（只）牲畜的饮用水问题，累计投入资金近亿元。正如一位受益群众所讲的，“水利局林局长给我们解决的不仅是我们的现实生活问题，更主要的是解决了我们后辈子孙的生存问题。”

几年的水利生涯，他无怨无悔。他把自己的青春年华和聪明才智献给了他热爱的水利事业，他用共产党人的无私奉献精神和脚踏实地的工作作风，孜孜不倦地实践着他的誓言。

内蒙古自治区乌兰察布市集宁区
水务局局长　范如铖

范如铖同志1985年由乌盟师专毕业，分配到集宁市委党校工作，1992年3月调集宁市政府办公室，先后任秘书、办公室副主任、市长助理兼市场建设管理委员会主任等职，2003年4月任集宁区水务局局长。他多年来一直为全区工作实绩年度考核先进个人。所在单位连续6年荣获区委、政府年度工作实绩突出奖，连续4年荣获乌兰察布市水保生态综合治理先进单位。在他的带领下，集宁区水务局还先后荣获了全盟水务工作二等奖、自治区农田草牧场水利建设三等奖、自治区水资源管理先进单位等十多个自治区和市级先进奖项。

一、爱岗敬业，开拓进取

他刻苦钻研业务知识，经常利用休息天和节假日到水利工程搞得好的地区学习、取经，亲自带领技术人员翻山越岭找水源，选项目；同时积极向上级水利部门争取项目，千方百计筹措建设资金。

国家于2000年开始实施京津风沙源治理项目，他敏锐地感觉到，要抓住机会，借国家实施项目的东风把集宁周边生态环境治理好。几年来，通过积极争取上级资金，累计实施了水保工程9440hm^2，开发水源908处，建节水工程783处。结合市区两级政府实施“万亩先锋示范林”工程的有利时机，他带领专家和技术人员仔细分析、深入调研，通过在市郊老虎山、白泉山、卧龙山打机电井、建高位蓄水池、铺设输水管道、安置喷灌设施、实施高标准水保治理等措施，进行了城市水保工作的成功尝试。2009年又重点对110国道两侧、白泉山、卧龙山及周边荒山荒坡、公路立交桥等地进行高标准水保工程治理，全面推进了城市水保绿化工作。

二、殚精竭虑，倾心为民

面对集宁区水资源短缺、调蓄能力低、水利基础设施建设欠账多、城乡防洪标准低等现状，他一方面紧紧抓住国家加大水利建设投入的机遇，努力争取项目和资金；另一方面多方筹措、积极协调，先后在马莲渠乡大十号、霸王河，白海子镇章盖营、黄土场等村新打机电井94眼，安装软管微喷50余hm^2，新上大型指针式喷灌机8套，建截伏流工程1处、引水工程2处，维修大口井2眼，配套机泵112台（套），共计铺设地埋管道113km，动用土石方85万m^3，并在霸王河新建的蔬菜大棚全部安装了微灌设备，增加节灌面积1149hm^2。累计解决了蒙古营、白海子、大十号等79个自然村3.9万人，4.5万头（只）牲畜的饮水安全问题。

为了缓解集宁区水资源缺乏和供用水矛盾，充分利用地表水，他多方奔走，积极争取，请上级领导和水利专家进行实地考察，全力实施了两大水利工程。一是将具有严重隐患的尼旦河水库和小东号水库列入国家病险水库除险加固计划，投资1100多万元进行除险加固。二是积极争取银行贷款、上级支持、地方自筹等渠道筹资1亿多元，于2009年8月上马了霸王河水库新建工程。

三、立足本职，恪尽职守

为了严格水资源管理，他从整顿自备井入手，严格取水许可制度，全面推行一牌、一证、一表、一账、一坐标（即水源井编号牌、取水许可证、计量仪表、取水登记台账、井位坐标点）的“五个一”管理办法，对全区范围内的自备井进行普查和整顿，维护了正常的水事秩序。同时制作了《集宁区自备井区位图》《集宁区地下水位动态图》《集宁区年平均降水范围》等图表资料，为规范集宁区水资源管理奠定了良好的基础。

四、清正廉洁，无私奉献

作为一名党员领导干部，他廉洁自律，无私奉献，在各项工程中认真实行“三专、四制、一封闭”制度。工作中坚持民主集中制，广泛听取干部职工意见，自觉接受群众监督，严格办事程序，严明工作纪律。范如铖同志以高尚、无私的情怀和强烈的事业心、责任感，践行着一个共产党人的诺言，用自己对水利事业无比的热爱诠释了一个为了事业不知疲倦、不断奉献、求实负责的水务系统排头兵的良好形象。

辽宁省盘锦市盘山县水利局局长　金中坤

金中坤，朝鲜族，现任盘山县水利局党委副书记、局长。被辽宁省政府授予农田基本建设“大禹杯”竞赛先进个人，被盘锦市政府授予公务员二等功，被盘山县政府授予抗洪抢险“记功一次”等荣誉称号。

金中坤同志带领党政领导班子成员，用科学发展观统领水利发展全局，以项目建设为契机，以加快中低田改造，搞好水利基础设施建设为重点；承诺降低亩用水量和亩用水成本，实现节约用水；承诺2009年解决全县剩余的5.3万人安全饮水问题；确保饮水安全、农业用水安全、防洪安全。实现机关建设文明化、“大禹杯”竞赛持续化、堤防建设标准化、水资源利用合理化、目标管理达标化。

一、坚定理想信念，带头树立公务员新形象

金中坤同志坚持利用工作空闲学习党的路线、方针和政策，坚定共产主义信念，在平时的工作中，时时刻刻用公务员的标准严格衡量、约束自己的言行。对水利系统内整理出的10项行政职权，统一制作了《职权目录》和《流程图》。同时制定了《水利局行风建设实施方案》和《公开招投标制度》，进一步规范了水利工程建设项目的监督管理，促进了廉政建设。金中坤在2007年度被市政府授予先进公务员称号，并荣获二等功。

二、勤政务实，开创水利工作新局面

在推进水管体制改革方面，金中坤成功地完成了基层水利科站的改革上收工作。在抗旱灌溉管理方面，在2005—2009年的5年间，他战斗在抗旱节水的第一线，通过充分利用地表水、合理调度境遇水、抢蓄桃花水、积极争取指标水、有效利用回归水、全面实现节水灌溉等手段，确保了全县水稻的丰产丰收。在防洪和河道堤防建设方面，金中坤顶着来自各方面的压力（领导说情、亲戚朋友的关系、黑恶势力的恐吓等），调集20多台机车，带领工人清除河道内的围堰（横堤）15km，动用土方5.5万m^3，清除蟹池350余hm^2，扒掉打更房子12座，彻底解决了盘山县境内河道行洪障碍的问题。在农田水利基本建设方面，全面推进境内的三座水库除险加固工程建设，连续21年获得全省农建大禹杯，并获得全国农田水利建设先进县。在农村饮水和水库移民后期扶持工作方面，几年来共打农村饮水井18眼，铺设引水管线172km，建水厂7座，解决农村饮水不安全人口9.5万人，完成投资6600万元；大力实施水库后期移民扶持工作，三年来向上争取移民项目91个，投入资金1489万元。

三、保持共产党员先进性，发挥先锋模范作用

在学习实践科学发展观的活动中，在以“党员干部进千家万户”为主要内容的“联心助户”活动中，金中坤同志带领全体党员扎扎实实、富有实效地做好每一件事，也取得了良好的社会效应。

金中坤同志将“奉献不言苦，追求无止境”作为对生命价值的追求，恪守党的宗旨，严于律己，时刻牢记党的教导，不断提高自己的思想政治觉悟和业务技能水平，继续为盘山水利事业的持续发展不断地努力。

吉林省通化市水利局局长　姜瑞艳

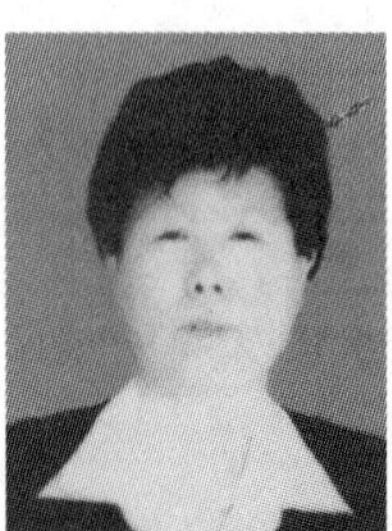

姜瑞艳，1955年9月出生，大学文化，民建会员。现任吉林省通化市水利局局长、市政协常委。

姜瑞艳同志在水利战线奋战了30余年，从一名普通干部走上主要领导岗位。30余年的奉献，30余年的敬业，她为水利事业的发展作出了突出的贡献，赢得了广大干部职工的称赞。

一、修堤筑坝造福山城人民

姜瑞艳热爱水利，心系水利。多年来，她勤勉敬业，一心扑在水利工作上。特别是

担任水利局局长后，她更是夜以继日地工作，在她的脑子里，只有“工作”二字。她时刻都在考虑如何加快全市水利基础设施建设，如何更多地争取水利工程建设项目，如何及早解决民生问题等。每天她工作都在十几个小时以上，甚至双休日、节假日都不休息，忘我工作是她的真实写照。

通化市浑江干流城区防洪堤防，多年来没有达到防洪标准，危及广大市民生命和财产安全。为了彻底解决这个问题，她积极申报工程项目，多次到国家和省争取项目和资金，克服了诸多困难，取得了显著成效。2005—2009年，在她的积极努力下，共完成堤防整治工程建设投资1.89亿元，先后完成维修加固堤防13.8km。结合防洪工程，修建了沿江景观公园12万m^2，外悬游览路15km，使市区堤防全部达到了50年一遇以上防洪标准，不仅极大地提高了城市防洪标准，而且为山城人民提供了良好的休闲健身场所。在此之前，通化市浑江干流城区段两岸堤防凹凸不平，如今，堤路结合，宽敞平整。通化市浑江干流城区段防洪堤防，得到了有效治理。

为支持全市重点企业——通化钢铁公司的发展，姜瑞艳同志主动到该企业调研，帮助解决实际问题，投资250万元，完成造地86.67hm^2，解决了通钢物资储备库用地问题。姜瑞艳的敬业精神，得到了市委市政府和省厅的高度评价，被广大干部职工誉为干事的好领导，敬业的“老黄牛”。

二、饮水解困惠及广大农民

通化市现有农村总人口121.9万人。长期以来，广大农民群众饮水不安全问题始终得不到解决，严重危及农民群众的身心健康。为了及早解决农村饮水安全问题，姜瑞艳多次带领相关同志深入到各乡镇村屯实地调研，掌握第一手资料。在此基础上，她组织有关人员科学编制饮水安全规划，积极争取工程建设项目，2001—2009年，共争取饮水安全工程资金1.91亿元，全市共建成637处农村饮水安全工程，解决了45.6万人的饮水安全问题。

为进一步贯彻落实市委、市政府关于切实解决民生问题的部署，姜瑞艳带领相关人员及早谋划“十一五”规划内剩余人口农村饮水安全工程项目前期工作，力争尽快解决剩余农村82.12万人的饮水安全问题，计划在2013年前，全部解决剩余的农村人口饮水安全问题，全面实现村村通上自来水，人人喝上安全水的目标。

几年来，在姜瑞艳的努力下，通化市的重点水利工程建设项目逐年增多，好项目、大项目频繁上马，通化市实现了水利建设项目的新突破。由于业绩突出，2009年，姜瑞艳同志被通化市推选为吉林省妇女代表参加省第六届人代会；获得全国水利系统先进工作者殊荣。

黑龙江省绥化市水务局局长　洪金库

洪金库2003年底开始担任黑龙江省绥化市水务局局长、党组书记。7年来，他爱岗敬业，献身水务，立足实际，深入学习贯彻落实科学发展观，坚决贯彻中央新时期治水方针和工作部署，在理论和实践结合上下工夫，不断创新，开拓进取，绥化市的水务工作实现跨越式发展。

一、防汛抗旱及农村饮水安全

坚持防汛抗旱两手抓，切实加强抗旱水源工程建设，大力推广节水抗旱技术，大力加强防洪工程建设，加强防汛指挥系统建设，率先实现市县两级防汛指挥信息自动化联网，连续5年战胜了历史罕见的旱涝灾害，确保了粮食安全、城乡用水安全和防洪安全。几年来，累计解决饮水困难人口98.7万人，饮水安全人口82.1万人，自来水入户村屯1703个，集中连片建大网的做法，得到上级肯定。

二、节水灌溉及水保建设

重点水田大县末级渠道硬质化防渗工程建设形成区域示范规模，完成干、支、斗防渗渠道硬质化工程总长220km；大力推进水田控制灌溉技术，面积达3.33万hm^2，在全省推广；旱田节水增效示范项目区工程110处，新增旱田节灌效益面积10万hm^2。组织实施东北黑土区农发水保项目建设工程，抓住国家加大投资保护黑土地的机遇，在明水、望奎、海伦、庆安、兰西等5县开展重点治理，累计新增治理水保小流域120条，完成治理面积3.4万hm^2。

三、市域经济及节水型城市建设

立足于加快发展市域经济，大项目建设取得突破性进展。针对红兴水库库区防渗问题，制定招商引资办法，加快城市供水工程建设。狠抓水库消险工程建设和中小河流治理工作。全市共有11座中型水库和7座小型水库被列入国家水库消险加固规划中，到2011年年底全面完成消险加固任务。按照国家和省厅要求，组织力量完成了全市13条重点中小河流近期治理规划。以节水型城市建设为目标，积极推进节水改造工作。累计筹集资金近亿元，改造城区自来水管网30km，解决了3万多户居民吃水难问题。加大了“一户一表”工程的推进力度，旧楼水表改造已完成安装1.5万余户。这项工作得到了省建设厅的肯定，并将这一工作方法在全省范围内推广。

四、依法治水，改革攻坚

成立市水政监察支队，加大水行政执法力度，强化政府行为，加大对呼兰河、努敏河和通肯河的河道采砂监管力度，同时对鸡讷公路建设项目的水土保持方案编制工作进行了监督。加大改革攻坚力度，水务一体化和水管体制改革工作取得实质性进展。实现水务一体化改革，城区自来水和节水办及城区排污工作实现归口管理。完成了市直永安、津河2个灌区的水管改革工作，共分流人员44人，实现灌区内部“消肿”的目标。同时，完善了保障措施，对分流人员由市财政发放生活补助费，并解决社会保障问题。对15名退休人员直接纳入社保管理。

五、扶贫工作及廉政建设

围绕解决群众关心的热点难点，重点解决了弱势群体的生产生活问题，“一帮一”扶贫工作受到表彰，带头深入水利新农村建设一线，大力弘扬求实、负责、献身的水利行业精神。大力加强党风廉政建设，定期开展警示教育活动，有力地促进了机关党建、纪检监察和文明单位建设。绥化市水务局于2008年获得了全国水利文明单位的荣誉称号。

江苏省靖江市水利局局长　刘放

一、心系民安

刘放把防汛防旱工作当作头等大事抓紧抓实，周密制订各类防汛防旱预案，认真做好防汛物资储备，及时对险工险段进行除险加固，全力确保安全度汛。每当遇到高潮位、台风、暴雨时，他总是坚守在防汛抗台第一线。2005年8月7日，靖江遭受第9号强台风“麦莎”的袭击，长江江面最大风力达到11级，台风正逢农历天文大潮，他没有丝毫懈怠，顶着狂风，冒着暴雨，沿着江堤一个闸一个闸地巡视，一个涵洞一个涵洞地检查，整整两天一夜没合眼。

二、情系民众

1997—2003年，刘放全程参与部署并主持了靖江市长江堤防达标工程建设，实施主江堤及港堤护坡89.63km，改建加固水闸35座，翻建和修理涵洞137座，铺设滨江公路100km，实现了靖江66万人民依江安居的夙愿。2005—2008年，他全面组织实施了以清洁河道、清洁村庄为主要内容的农村“双清”工程和城区河道综合整治工程。农村“双清”工程共建成村级河道达标村169个，疏浚整治乡级河道89条、村级河道3957条；城区河道综合整治工程共整治河道32条，建设闸站9座。2009年，他组织实施了孤山灌区节水配套改造工程，新建节制闸1座、提水泵站1座、桥梁4座、涵洞6座，拆建排水闸站8座，疏浚河道20.54km，大大提高了靖江低洼地区的防洪排涝能力。在他的努力下，靖江水环境面貌发生了显著变化，河道的引排调蓄能力和水生态自净能力得到恢复和增强。工程建设是前提，管理是关键，为了巩固河道整治成果，他积极建言，提请市政府出台了《靖江市农村河道长效管理考核办法》，并探索推行了河道保洁与村庄保洁、绿化管护、农村公路管养“四位一体”综合管护的新机制，实现了管护工作的科学统筹。

作为专家型、业务型领导，他对工程质量要求非常严格，对不按设计要求施工的，坚决责成返工，绝无商量的余地，保证了工程质量。正是由于严格把关，2008 年 4 月，靖江市农村河道疏浚工程在江苏省率先通过省级验收，被评为“优秀”等级。

2006 年、2008 年，靖江市两次被水利部、财政部表彰为“全国农田水利基本建设先进市”，2008 年获得“江苏省农村河道疏浚整治先进市”的荣誉称号和“泰州市水利建设先进市”一等奖。

三、服务大局

涉水事务行政审批是水利部门的重要职能。作为长江岸线主管部门的负责人，刘放积极策应江苏省委、省政府沿江开发大局，把涉水项目审批作为自己工作的重中之重，率先在全市推行“打包式、保姆式 ”服务。平时再忙，他都会抽出时间专程赴泰州市水利局、江苏省水利厅、水利部长江水利委员会等部门办理有关审批手续。每次都能在较短的时间内成功办结各类批文，服务质态、审批速度、审批成效均位于全市各职能部门前列。因此，靖江市委、市政府在沿江开发招引项目的涉水事务审批工作方面对他委以重托、寄予厚望。近年来，他先后帮助近 30 家沿江落户企业成功办结了岸线占用批文。

四、清正廉洁

无论是工程建设还是资金安排，刘放都是集体讨论决定，从不个人说了算。走上领导岗位以来，他严格执行领导干部廉洁从政的各项规定，时刻保持自省、自警、自励。2009 年 8 月，他被靖江市委、市政府表彰为“全市勤政廉政好干部”。

浙江省绍兴市绍兴县水利水电局局长　葛美芳

葛美芳从事水利工作以来，求真务实，开拓创新，绍兴县水利事业取得了显著成绩。近年来，他每年考核都是优秀，并多次获得县级优秀党员、先进工作者、公务员嘉奖等荣誉，2005 年被评为绍兴市抗洪救灾先进个人，2008 年被绍兴市人大常委会授予代表活动积极分子。他所在的绍兴县水利水电局先后两次荣获浙江省水利“大禹杯”金奖。2005 年和 2008 年，先后被人事部、水利部、财政部评为全国水利系统先进集体、全国农田水利基本建设先进单位。

一、治水为民，不负使命

葛美芳到县水利水电局上任后，在不到半年时间里，他走遍了全县 400 多座重点山塘水库、近 100km 沿海堤塘和 1000km 多的平原河道，在深入调研、全面了解和掌握水利情况的基础上，创造性地提出了“堵、疏、蓄、排、引、节、防、管”的水利建设“八字要诀”，并从水工程建设、水资源保护、水环境治理、水安全保障等方面入手，全面系统地组织开展水库保安、水资源管护、防洪排涝、河道整治、滩涂围垦、小农水建设、农村饮用水等规划和建设。同时，他还积极争取上级支持，组织实施了“滨海闸枢组工程”“排涝快速通道”“标准海塘”等事关全局和长远的重点水利工程建设，为绍兴的长治久安打下坚实基础。

二、锐意改革，勇立潮头

从 2007 年起在全县范围内组织开展了以改善水质为核心，以清水、护水、利水、用水、管水“五水”工程为重点的“新时期治水工程”建设。并提出了“三个层面、三大要求”的治水思路。即：按照“保证生活、保障生产、保护生态”的要求，大力推进农村治水；按照“畅通水系，调活水体，营造水景”的要求，大力推进城市治水；按照“建管并重、防治并举、内外并抓”的要求，大力推进面上治水。设立 17 项指标、38 个断面，每月进行水质测定、考核。这一思路和做法在 3 年来的治水实践中收到了明显成效。与此同时，葛美芳还对全县水利监管体制、机制进行一系列改革与探索。先后完成了局属事业单位水管体制的改制，深化了计量取水收费改革，并建立了河道溪流全覆盖保洁全方位管护长效管理机制等。

三、情系群众，求真务实

葛美芳把事关群众切身利益的民生水利作为首要大事来抓。为解决南部山区部分村群众的饮用水问题，针对“资源性、季节性、水质性”缺水的实际，他提出了“汤浦延伸水、集镇水厂水、库下用库水、个别自取水”的建设方针，通过扩建新建饮水项目、山塘水库扩容整合、连片供水和定点取水相结合、加强建后管理考核等途径，提前实现了农村饮用水全覆盖的目标，让山区群众喝上了放心水。在工作中，他总是亲力亲为，善作善成。2007 年，绍兴县口门丘治江围涂工程进入堵口合拢的关键阶段，葛美芳昼夜在工地坐镇指挥，直到堵口成功。口门丘围涂的成功，为绍兴县历时 40 年的治江围涂史画上了圆满的句号。“献身、负责、求实”的水利人精神在他身上得到了生动阐释。

四、勤政廉洁，永葆本色

作为单位的党政“一把手”，他坚持发扬民主、以人为本，用科学发展的理念指导水利实践；在内部管理上，他主持制定了一整套工作制度，并带头执行，接受监督。在日常生活中，他为自己立下了“势利不争、宠辱不惊、得失不计、褒贬不躁”的“四不”准则，自觉做到以廉修身，严于自律。

江西省水土保持科学研究所副总工程师　杨洁

杨洁，1958 年 8 月生，无党派人士，在读博士，江西省水土保持科学研究所副总工程师，南方红壤区侵蚀与防治技术研究重点实验室主任，教授级高级工程师，留学归国学者，江西省新世纪百千万人才工程第一、二层次人选、享受国务院特殊津贴专家、全国水利科技工作先进个人、全国水利系统奉献水利工作突出贡献先进个人、水利部 5151 工程部级人选，江西省首届首席水利工程师。现兼任江西省无党派高知联理事，江西省水土保持学会理事，南方亚热带水土保持学会理事，中国水土保持学报编委，江西群力科技创新促进中心副秘书长。

一、勤奋耕耘　水保事业

杨洁默默耕耘红土地水土保持生态科技事业 20 余年，先后主持和参加了国家重点科技攻关项目、水利部科技成果重点推广项目、水利部公益性行业项目、省农业重点科技攻关项目、自然科学基金项目、人事部留学人员资助项目等 30 余项重大科研项目的研究。主持完成了江西省水保科研所土化实验室和生物技术实验室的规划和建设，使江西省水土保持科学研究进入到分子水平上的基因工程领域。参与了国家水土保持科技示范园——江西水土保持生态科技园的规划和建设，并得到水利部陈雷部长和江西省委苏荣书记的高度评价，积极推进江西五大岩性科研创新基地及五大产业研究基地的规划和建设。参与筹建了南方红壤区土壤侵蚀和防治技术研究重点实验室，目前该实验室正组织申报省级重点实验室；以她为领衔专家的“水土保持和水资源保护与利用”创新团队正申报省级优势创新团队。作为专家组长，她先后审查和完成了全省水土保持综合规划和大型基本建设项目水土保持方案的编制工作和监测工作，此外，受邀参加了 2005 年中国科学院、中国工程院和水利部联合组织的中国水土流失与生态安全综合科学考察（江西片），并完成了 4 个考察专题报告。

二、累累硕果，不懈努力

多年的辛勤耕耘，换得累累硕果。她先后获国家、省部级科技奖励 10 余项，其中江西省科技进步二等奖 1 项，国家发明专利 1 项（第一发明人），水利部大禹水利科学技术奖 2 项，江西省科技进步三等奖 2 项，中国水土保持科学技术三等奖 1 项，江西省农科教突出贡献二等奖 1 项、三等奖 1 项，江西省水利厅科技进步三等奖 2 项。这些研究成果在江西省乃至全国南方相关省市的水土流失区得到广泛应用，改善了农业生产条件和生态环境，产生了巨大的生态效益、社会效益和显著的经济效益。此外，近年来，她先后在国内外核心期刊和各类大中型专业学术报告会上发表或交流专业论文和专业技术报告 60 余篇并获广泛关注。为更好地服务于绿色生态江西建设和鄱阳湖生态经济区建设等重点战略部署，目前，她正带领创新团队积极推进水利部公益性行业专项经费项目《水土保持措施调控鄱阳湖径流泥沙技术研究》《红壤侵蚀区坡面水土综合整治技术集成与示范》和《水蚀地区坡面水土流失阻控技术研究》等的研究，推进鄱阳湖生态经济区重点基地——江西水土保持生态科技园二期工程建设。

河南省濮阳市水利局副局长　李相朝

李相朝，河南省长垣县人，中共党员，1962 年 8 月出生，大学本科学历，高级工程师。1982 年到原安阳地区水利局工作，1986 年 4 月至 2004 年 6 月历任濮阳市水利局设计院副院长、院长，濮阳市水利局总工程师，2004 年 6 月至今任濮阳市水利局副局长。

参加工作 28 年来，李相朝同志一直在水利第一线工作，为濮阳市水利事业和经济社会发展作出了突出贡献。李相朝同志先后参与、设计了濮阳市综合治理黄河背河洼地工程，第一、第二濮清南引黄工程及金堤河治理工程，特别是在第三濮清南工程建设中任技术总负责人和前线指挥长，历尽千辛万苦，建成了濮阳市又一引黄大动脉，解决了濮阳市西北部 4.25 万 hm^2 高亢沙区严重干旱缺水问题。

1999 年春，他提出了治理濮水河的建议及治理的具体设想并主持了濮水河治理的规划论证和设计工作。工程完成后，原来的臭水沟变成了美丽如画的靓丽风景线。

渠村引黄闸一直承担濮阳市城市用水、农村灌溉任务。由于上游天然文岩渠污染严重，致使排入黄河的大量污水直接进入渠村引黄取水口，严重污染了濮阳市居民生活、工农业用水水源，对 50 万城市居民的生命健康和 190 多万亩农田灌溉构成了严重威胁。濮阳市委、市政府任命他任指挥部办公室主任，具体负责工程实施。他带领手下一班人不畏辛劳，加班赶工，仅用 4 个月就完成了项目建议书、可研报告、初步设计、施工图设计以及环境影响评价等工作，并顺利通过了有关部门的审查。工程建设中，他采取超常规措施全力推进工程建设，仅用 15 个月就完成了在正常情况下需要 3 年才能完成的建设任务，2006 年底渠村引黄闸改建工程完工通水，全市居民从此告别了吃污染水的历史。

2009 年春，濮阳市遭受了 50 年一遇的特大干旱。面对旱情，他组织技术人员昼夜加班，选项目、定方案，建设了一大批见效快、实用性强的小型水利工程，解决了多年没能解决的卡口段工程和“最后一公里”问题，保证了当年的夏粮丰收。

天然文岩渠濮阳入黄卡口段清淤是 2009 年 7 月河南省政府提出的“450 行动计划”中的一项重点工程。他担任该项工程的前线总指挥，自开工之日起就坚守工地，靠前指挥，克服水多泥淤、汛期施工等重重困难，昼夜不停，经过半个月艰苦奋战，圆满完成了 5.8km 河道的清淤疏浚任务，为上游焦作、新乡两市的洪涝水打通了入黄通道，向河南省政府和上游人民交了一份满意的答卷。

李相朝同志 2009 年被评为全国水利系统奉献水利工作突出贡献先进个人、全国水利系统先进工作者，1996 年被授予全国水利系统优秀干部，1996 年被命名为河南省水利系统优秀专家，1997 年、2002 年被评为河南省水利优秀科技工作者，1998 年、2003 年被命名为濮阳市优秀专业技术拔尖人才，1995 年被授予濮阳市青年科技奖，1996 年被评为濮阳市跨世纪学术和技术带头人，1995 年被授予濮阳市科技先进工作者，1997 年被评为濮阳市先进农业科技工作者，1998 年被评为濮阳市先进农村经济工作者，2000 年被评为濮阳市农业农村工作先进工作者，2001 被评为濮阳市优秀人大代表，2002 年被评为濮阳市防汛抢险救灾先进个人。

河南省水利水电工程建设质量监测监督站副站长　戚世森

戚世森 1989 年 7 月毕业于郑州工学院，到河南省水利厅工作，先后从事抗旱、人畜饮水、乡镇供水、节水灌溉、南水北调、水利工程建设质量监督等方面的工作。1999 年 12 月获单列岗位高级工程师任职资格，2007 年 12 月获得教授级高级工程师任职资格，现任河南省水利水电工程建设质量监测监督站副站长、河南省南水北调中线工程建设稽察专家组组长。

因工作成绩突出，他于 1993 年被河南省山区人畜吃水工程指挥部评为“人畜吃水先进工作者”，1996 年被河南省人民政府授予“人畜饮水工作先进工作者”荣誉称号，2009 年被评为“全国水利系统奉献水利工作先进个人”。

一、勤奋好学，具有较强的职业技能和业务水平

2002年河南省发生大旱，中央决定连续4年每年给河南5000万元用于解决人畜饮水困难问题。为此，河南省成立了山区人畜吃水工程指挥部。在指挥部工作期间，他结合工作实际，有针对性地开展了《山丘区人畜饮水工程模式研究》，解决山区打井成井率低、物探找水难问题的《激发极化法找水解释软件》，充分利用现有井、提高现有井出水量、既解决吃水难问题又减少工程投资的《碳酸盐岩井综合洗井技术研究》，这三项课题分别获得了河南省星火三等奖、河南省水利科学技术进步一等奖和河南省科学技术进步三等奖。

为解决河南省主要农作物的节水灌溉制度问题，合理确定灌水量，他参加了“河南省主要农作物节水灌溉制度研究”项目，并获河南水利科学技术进步一等奖；进行的“三门峡苹果渗灌技术研究”，获河南省科学技术进步三等奖。他于2004年10月提出了建立“水利工程质量监督管理系统”的设想，于2004年11月开始组织实施。该系统开发历时2年完成，达到国内领先水平，获得2007年河南省科学技术进步三等奖。2007年5月，在水利部淮河水利委员会举办的“淮河流域工程建设质量与安全论坛”上，他独著的《对水利工程外观质量评定中几个关键环节的探讨》被评为优秀论文。

二、开拓进取，大力推广节水灌水新技术

2000—2001年，他在河南省农田水利水土保持技术推广站任供节水科副科长，主要从事节水灌溉技术的推广工作。2000年4月，完成了《河南省节水灌溉“十五”发展计划及2015年发展规划》的编制工作，该规划成为河南省“十五”期间节水灌溉发展的主要依据。他主持了河南省国家级、省级节水灌溉示范工程项目的实施方案编制及设计工作，共完成设计项目46处，实施方案及设计成果分别通过水利部评审及河南省水利厅组织的评审，项目实施后取得了很好的经济效益和社会效益，有力地促进了我省节水灌溉技术的全面推广。

三、爱岗敬业，勇于创新

2001年2月，他任河南省南水北调中线工程建设协调小组办公室综合室副主任，负责河南省南水北调中线工程建设的前期工作。根据水利部调水局的统一安排部署，2001年，组织河南省水利勘测设计院、省直相关单位及地市相关设计单位进行了资料收集，分析论证工作，编制完成了《南水北调中线工程河南省供水区城市水资源规划报告》；参与组织了南水北调中线工程河南段总干渠线路考察、焦作市煤矿采空区渠线方案比较等活动，圆满完成了各项任务。

2004年6月，他到河南省水利水电工程建设质量监测监督站任副站长后，通过学习，了解并掌握了水利工程质量监督工作的主要内容和依据，并将所学习的内容应用在工作中，逐渐形成了抓好水利工程质量监督工作的思路。每年亲自带队深入一线实地检查了解在建工程情况。通过检查发现了在建工程质量管理中存在的漏洞和死角，以及参建单位的一些不规范行为。他提出了建立“河南省水利工程外观质量评定专家库”的建议，在全国率先组织编写了《水利工程外观质量评定培训材料》。

2007年经过一年多调研的基础上，他制订并颁布了《河南省水利工程质量监督档案资料目录》。提出并组织编写了《河南省水利工程质量监督规程》，并根据工作实际提出了建立了河南省水利工程质量预警机制。

戚世森在水利部门工作20多年来，模范遵守国家法律法规和水利管理方面的规章制度，坚持全心全意为人民服务，恪守职业道德规范，顾全大局，作风正派，清正廉洁，团结同志，多次年度考核为优秀等次，多次获得地市级以上表彰奖励。

河南省新乡市新乡县水利局局长　秦宜哲

秦宜哲同志2002年3月任新乡县水利局局长，从基层党委书记到业务部门负责人，他迅速转换角色投入新的工作。面对新乡县紧邻市区、人多地少、水资源匮乏、工业发展较快、新农村建设异军突起的县情和水情，他清醒地看到，水利已不再是过去单一的农业水利，而是国民经济和人民生活的支撑；水利已不再仅仅是服务于浇地和排水，而是已上升为经济建设的基础产业。他秉承“献身、负责、求实”的水利行业精神，为自己定下了“奋斗、探索、创新”的工作要求，在他的艰苦努力和影响带动下，新乡县的水利建设不断取得新的成绩，受到河南省副省长刘新民，水利部农水司李代鑫司长、姜开鹏司长，中国

工程院院士考察团，水利厅老厅长考察团等有关领导和专家的肯定，6次获得新乡市“大禹杯”奖杯和河南省“红旗渠精神杯”奖杯或奖牌。县水利局被水利厅评为一级河道管理单位、全省水利文明单位、全省水利系统水政监察队伍文明执法示范窗口等先进单位。秦宜哲连年考评为优秀并多次受到省厅和市县政府表彰。

一、学以致用，创新理念

秦宜哲将政治理论学习落脚于不断调整水利发展定位，树立新的发展理念。2003年他提出要建设“大水利”和“生态水利”，服务经济和社会发展全局。2006年，农村饮水安全工程开始，他提出要努力发展民生水利，服务社会主义新农村建设。理念的创新，引领了新乡县水利事业的发展方向。

秦宜哲与时俱进，科学发展，将农业节水灌溉、工业节水减污、生活节约用水、工程统筹兼顾、项目延伸监督、施工安全生产作为新乡县水利工作的主旋律，全面诠释了“红旗渠精神”的深刻内涵。由他根据县情提出的河道清淤“带水作业”，几年间减少企业停产损失超亿元；由他独创的饮水安全工程“农民签收”制度，实现了专业监理的法律性和农民监督的透明性互补结合，受到时任河南省副省长刘新民的表扬。

二、扑下身子，破难攻坚

多年来，无论是水系景观综合治理，还是人民胜利渠右堤决口堵复，无论是文岩一支清淤，还是饮水工程施工现场，无论是应急抗旱，还是指导防洪保安，无论是滴水成冰的严冬，还是在汗流浃背的盛夏，秦宜哲总是栉风沐雨，亲临一线解决实际问题。他深入干群，化解矛盾，以维护农村社会稳定为己任，将水利工程质量与群众的满意结合起来，充分显示了他驾驭复杂局面，解决疑难问题，应对突发事件的能力。

三、携手并肩，团结奋进

秦宜哲同志经常和大家强调“短板效应”，在工作安排上，他注重民主，工作开展上，他注重团结，班子成员心情舒畅，责任心强；工作联合上，他注重协调，工作配合上，他注重透明，经常与发改、财政、卫生、城建、审计等部门保持沟通，邀请有关部门共同检查工程。他注重全局，使水利工作融入全县发展大局，取得了工作的主动。几年来，新乡县的水利长足进步，与他着眼全局，注重团结密不可分。

四、一心为公，党员楷模

为了工作，秦宜哲同志从来没有休息过完整的节假日，更不及照顾年迈的父亲和身体较差的妻子，堪称基层党员干部的楷模。秦宜哲被授予“全国水利系统先进工作者”的光荣称号。

河南省焦作市修武县水利局局长　屈继诚

屈继诚同志1963年出生，现任修武县水利局局长。该同志自2003年调入水利局任职以来，该县连年夺得河南省农田水利基本建设“红旗渠精神杯”和焦作市农田水利基本建设“愚公杯”，2008年获得全国农田水利基本建设先进县。该同志2003—2009年连续7年获得省水利系统先进个人，连年荣获县优秀党务工作者，2007年被授予全国调处水事纠纷创建平安边界先进个人，2008年获得省水利系统优秀职工，2009年获得全国水利建设先进工作者。

一、善于思索，科学发展

该同志善于思索，注重用科学的发展理念引领水利建设，提出了打造民生水利、生态水利、和谐水利，推进可持续发展水利的治水理念。首次全面系统地提出了适时进行人工降雨，开发天空水，搞好河道治理，充分利用地表水，打井补源并举，节约用好地下水，结合农业结构调整，种植耐旱作物，尽力开发土壤水，以及洪水也是资源，变洪水猛兽为洪水资源的新理念。并根据修武县北山南岗中间洼的地形特点，因地制宜，分类施治。

二、农水建设成绩显著

山区水利建设。重点实施了马鞍石水库除险加固工程和青龙洞水库二级坝修建工程。特别是在马鞍石水库除险加固项目上，屈继诚同志坚持不懈地向上级部门争取项目，2003—2008 年，经过 5 年的努力，项目终于得以批复，项目总投资 2220 万元。工程的实施，对山区吃水、防洪、灌溉、旅游及全县经济社会发展，都将发挥更大的推动作用。同时，通过打井、修渠、架设管道等水利建设，解决了西村、岸上、方庄 3 个乡镇 91 个行政村 3.85 万人的饮水困难，被群众称赞为“救命水”“解困井”“致富源”。

节水灌溉建设。屈继诚同志大力推行管灌、渠灌、微喷灌等措施，使该县在节水化农业县建设进程中迈出了一大步。先后建成了郇封镇 4 万亩、高村乡 2.5 万亩、周庄乡 1 万亩、城关镇 1 万亩等地埋管道节水园区，使得南部岭区从过去的灌溉老大难，发展成为灌溉最便利的地区，灌溉成本由过去的每亩 40 多元降为每亩 10 多元，群众劳动强度明显降低，农业装备水平显著提高。

饮水安全工程建设。该同志紧紧抓住国家解决农村饮水安全的历史机遇，把解决群众的饮水安全问题作为一项民心工程，德政工程，抢抓机遇，快速推进，饮水安全工作走在了全省前列，投资 4113 万元，解决了 86 个村 10.62 万人的饮水安全问题，结束了群众长期饮用高氟水、苦咸水的历史。

河道治理。针对南部岭区地下水位逐年下降，地下水采补失衡问题，该同志发动群众积极开展引水补源工程建设，开挖疏浚补源河道 154km，把中部丰富的水源引入岭区，改变了地下水位逐年下降的趋势。针对中部低洼易涝区旱涝交替、灾害不断的自然状况，重点实施了大沙河、新河、山门河沿线干支河道的开挖疏浚工程，形成了小沟通大沟、大沟通河流完善的灌排体系，实现了旱能浇、涝能排、渍能退，奠定了平原农业丰收的基础。

屈继诚同志患有胰腺炎，严重时曾几度住院治疗。但他经常不顾身体，以忘我的工作热情和勇争一流的工作作风长年战斗在水利建设一线，为广大群众办实事，赢得了上级的认可和群众的好评。

山东省水利勘测设计院院长　贾乃波

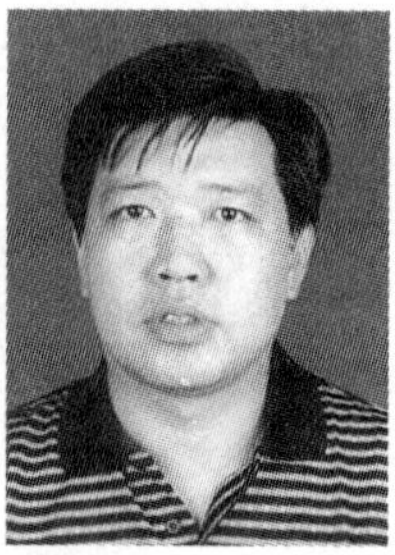

贾乃波，1965 年 3 月生，工程硕士，中共党员，工程技术应用研究员职务，现任山东省水利勘测设计院院长，享受国务院政府特殊津贴专家、全国水利系统先进工作者、全国水利科技工作先进个人、全国南水北调工程规划设计先进个人、山东省有突出贡献的中青年专家、厅级专业技术拔尖人才、山东省优秀科技工作者，山东省水利系统“3131 人才培养工程”水利专家。

一、理论水平高，业务能力强

贾乃波自 1985 年大学毕业以来，一直从事水利工程规划设计研究工作，理论基础扎实，专业技术水平高，业务能力强，实践经验丰富，具有高尚的职业道德和强烈的社会责任感，是山东省水利规划设计领域的学术带头人。先后主持完成了南水北调东线山东段工程总体规划、可行性研究；南水北调东线山东供水区城市水资源规划；南水北调东线胶东干渠工程规划；南水北调东线山东段东平湖至济南输水工程项目建议书、可行性研究及初步设计；山东省胶东地区引黄供水工程项目建议书、可行性研究及初步设计；沂沭泗河洪水东调南下工程可行性研究、韩庄运河续建工程可行性研究及初步设计；湖东堤工程可行性研究及初步设计；刘家道口枢纽工程可行性研究及初步设计；山东省 21 世纪初期水资源可持续利用总体规划；东平湖移民遗留问题处理总体规划；聊城市位山灌区续建配套与节水改造规划；西藏年楚河干流治理工程规划设计等几十项国家和省重点水利工程项目的规划设计研究工作。

二、不断创新，探索新技术

多年来，该同志结合工作与科学研究实际，积极探索采用新技术、新材料、新工艺，推广应用了多项国内外先进技术，解决了一系列重大技术难题。先后获得国家发明专利 3 项、实用新型专利 12 项，多项成果获国家级、省部级奖励。其中主持完成的大型渠道混凝土机械化衬砌成型技术与设备研究，填补了国内在该领域的研究空白，研究成果居国际领先水平，对南水北调工程建设具有重要的现实意义，促进了我国水利科学技术进步，获 2007 年国家科技进步二等奖。参与编制我国第一部南水北调专用技术标准《渠道混凝土衬砌机械化施工技术规程》，主持编写了国标《灌区规划规范》。目前正在进行国家科技支撑计划—大型渠道设计与施工新技术研究、山东省自主创新重大科技专项计划—南水北调工程关键技术研究、水利部“948”项目——大型渠道清污技术和水利部“948”项目——水下淤积快速测定与三维图像构建技术引进等国家级、省部级科学研究课题 4 项。

三、开拓市场，提高经济效益

自2004年担任院长以来，在巩固提高水利勘测设计主专业的基础上，按产业化要求，加强专业和功能扩展，积极培植新的经济增长点。在做好省内重点水利工程的基础上，积极开拓行业外、省外及国外市场。近年来完成国家、省重点工程在内的勘测设计任务400余项，承揽外委任务200余项，产品质量合格率100%。经济效益持续增长，职工收入明显提高，工作和生活环境得到很大改善，院综合实力大幅度提升。在完成生产任务的同时，依托工程项目开展科技创新，提高设计产品的科技含量。几年来，全院先后荣获国家科技进步奖2项，省部级科技进步奖、优秀勘察设计奖56项，厅级科技进步奖、优秀勘察设计奖120余项，优秀计算机软件及软科学成果奖18项。

湖北省洪湖分蓄洪区工程管理局局长　易贤清

一、豪情：力挽困局，用“精神”铸“脊梁”

易贤清，湖北省分蓄洪区工程管理局（以下简称为洪工局）党委书记、局长。上任之初，他面对的是个一缺人才资金、二缺规范管理、三缺发展后劲的“三缺”单位。他打造洪工文化，将形成于基层管理段的“爱岗敬业、求严创新、艰苦奋斗、乐于奉献”的“黄丝南精神”和“脚踏实地、雷厉风行、顽强拼搏、优质高效”的“半路堤作风”，挖掘、培育、引申为洪工精神和洪工作风在全局推广，以共同理念凝聚职工力量。他带头学习，亲自督办职工学历教育，不遗余力打造学习型机关，以知识素质武装职工队伍。他将“精神”化“动力”，引领干部职工发展水利经济、积极投身堤管工作，用“节节攀升的收入”稳固洪工人前行的“后方”，将“稳固的基层团队”插上了事业腾飞的“翅膀”。

10年时间，一支团结紧、作风硬、技术精的基层水利队伍逐步形成，洪工局实现“锐变”。先后获得“荆州市文明创建工作先进系统”“荆州市先进基层党组织”“荆州市五一劳动奖状”“全省水利系统文明单位”“湖北省绿化先进单位”“湖北省最佳文明单位”“全国精神文明建设工作先进单位”等荣誉。

二、激情：争创一流，强“管理”创“品牌”

福田寺防洪闸应急整险工程，在他的督办下，主体工程仅用5个月就完成建设。如今，整险加固后的涵闸自动化程度和管理水平被公认为“荆州管理第一闸”，每年平均完成排水量40亿m^3，为四湖地区防汛抗灾和经济社会发展发挥了重要作用。

易贤清坚信，管理能出生产力。为加强堤防工程管理，他积极推行工程管理机制改革，在全省同行业中率先辞退主隔堤群众管养员，建立了基层干部职工堤段养护承包制和检查考核奖惩机制；为改善庭园环境，他为管理段配备专职庭管员。经过多年发展，全局工程管理工作实现了制度化、规范化、经常化、精细化，主隔堤管理跻身于全省堤防系统先进行列。

三、温情：家长局长，谋“发展”聚“人心”

易贤清爱搞“突然袭击”，常常没打招呼，就出现在管理段检查工作。然而，他检查的第一个地方总是食堂，做的第一件事就是摸摸饭菜是不是热的。

近年来，随着国家对分洪区投资锐减，为在困境中求生存、在挑战中争发展空间。易贤清带头上堤植树，大力发展以林业产业化为龙头的规模型经济。现在，50万株林木、733.33hm^2护堤林、200hm^2渔池成为洪工局“绿色银行、财源基地”，全局经济步入了良性循环轨道。他拓宽发展思路，鼓励基层职工利用自身资源，发展“五小”（小口粮田、小鸡舍、小猪圈、小鱼池、小经济作物种植）福利型经济，使职工年终福利由不足500元增长到1.2万元。他积极招商引资，先后引进社会资金2000余万开发闲置资源，分流富余人员，让分流职工离局不离岗。通过大力发展水利经济，全局每年创收近900万元。

四、真情：勤政廉洁，树“正气”惠“百姓”

他严于律己、廉洁奉公，以身作则带出了一班勤政廉洁、团结务实、坚强有力的领导班子，更身体力行培育出一个敬业奉献的水利团队。全局先后涌现出了“全国‘五一’劳动奖章”获得者刘方荣，“荆州市劳动模范”易法明、江滟，生命献大堤“金堤卫士”黎树林等众多先进个人。

他饮水思源，常怀感恩之心。多年来，他始终以一名水利工作者的“反哺”情怀，倾心服务“三农”，积极支援新农村建设，发挥文明单位的辐射和带动作用。先后筹措资金1000余万元，为主隔堤沿线老柘、唐堡、支刘、包铺、大河、小河等村镇修渠、筑路、建码口、送生产资料、送水产养殖技术，全力支持地方经济发展。

湖南省水利厅水利建设与管理处处长　郭世民

郭世民，高级工程师，1982年大学毕业至今从事水利工作27年，现任湖南省水利厅水利建设与管理处处长、党支部书记。

一、勤于学习，政治坚定，是献身负责的模范

郭世民同志，勤于学习，勤于思考，经常结合工作开展调查研究，撰写调研报告和理论文章。善于营造良好的学习氛围，带领大家学政治、学法律、学业务、学技术。2009年3月，由于学习创建活动卓有成效，水利建设与管理处党支部被评为湖南省省直机关学习型党支部。

他政治坚定，思想进步，始终坚定地与党中央保持一致。1996—2000年，他受命担任湖南省水府庙电站副站长、站长等职，面对一些不法分子经常来电站打砸抢等极其复杂和艰难的局面，他不顾个人安危，保护电站干部职工和国家财产，带领大家与不法分子作斗争，维护电站及水库库区的稳定，赢得了上级领导、电站干部职工和周边干部群众的交口称赞。

二、作风严谨，能力突出，是求真务实的模范

郭世民同志为人诚恳，谦虚谨慎。他担任几个单位的一把手，都能带好班子，联系群众，说实话、办实事、求实效，为单位营造和谐奋进、团结协作的良好氛围。他以协商通气、团结共事为座右铭，坚持大的事情和原则问题事先协商、集体研究、民主决策、会议决定制度；他作风严谨，拿不准的问题，哪怕是一篇文章、一个文字、一个数据，都会一丝不苟，严格把关。

郭世民同志具有良好的专业技术素质，在堤坝隐患探测和除险加固技术应用等方面颇有成就。他是改革开放后湖南省水利系统首批评聘的高级工程师，目前仍在病险水库除险加固技术和业务管理岗位发挥着重要作用；他工作思路清晰，把握大局和协调能力强，能创造性地开展工作。

三、勤奋工作，业绩显著，是执政为民的模范

1996—2000年，郭世民同志先后担任水府庙电站副站长、站长、党委书记，稳定了水府庙电站及周边局势，使水府庙电站逐步走出了困境。2001—2002年，他担任水政水资源处处长，争取出台了几个重要的水法规规章，在全省范围内开征了水资源费，并初步构建了以省水政监察总队为龙头的全省水行政执法体系，2002年他被评为全国水政工作先进个人。2003—2005年，郭世民同志担任水土保持处处长，组织加大开发建设项目水土保持监督检查力度，水土保持方案编制和规费征收额均成倍增长，建成了全省第一期水土保持监测网络和信息系统。2004年他被评为湖南省水利厅先进个人，2005年被全国水土保持学会评为水土保持工作先进个人。2006年至今，郭世民同志担任水利建设与管理处处长，带领大家经常加班加点和超常规工作，完成了全省水库大坝安全普查、注册登记和国家专项规划内634座病险水库除险加固项目的所有前期工作，一年时间的工作量超过以往10年。2009年1月他荣获湖南省人民政府颁发的三等功奖励。

四、清正廉洁，甘于奉献，是立党为公的模范

在水府庙电站工作期间，郭世民组织开展近3000万元投资的大坝除险加固工程建设，没有谋取任何私利。在湖南省水利厅几个业务处室工作，特别是近几年，由水利建设与管理处管理的国家投资项目有600多个、资金达30多亿元，他没有插手和干预过任何工程建设事项，没有利用自己的职权为自己的家人和亲朋戚友谋取一点利益。2004—2005年，面对妻子患癌症和儿子高考冲刺的艰难境遇，他一个人默默地承受压力，常常晚上守候妻子病房，白天回到工作岗位，不耽误自己的工作。

郭世民同志以自己的人格魅力和实际行动，展示了一个党员干部勤政为民的风采，以自己的突出表现赢得了水利系统干部职工的广泛赞誉，无愧为一个奉献水利工作、贡献突出的先进个人。

湖南省常德市安乡县安昌大垸水利管理委员会主任　何跃清

何跃清，1958年出生，中共党员，大专学历，工程师职称，现任安乡县安昌大垸水利管理委员会主任。

一、热爱水利事业的专家

他对水利事业充满热爱和激情，在乡镇任副乡长期间主持修建的罗洲电排、驿新电排被誉为是投资最少、质量最优的花园式电排站。他历任安澧大垸主任、安保大垸主任、安昌大垸主任。在任安澧大垸主任期间，不断呼吁和争取，历经4年时间，集中全县义务工1万多个，培修一线临洪大堤28km，土石方量超过500万m^3，投入资金800多万元，提高了安澧大垸一线堤防的抗洪能力。在任安保大垸主任期间，经充分调查研究，最终将乡镇电排站水费纳入财政笼子，由县财政统收统付，从根本上解决了电排水费征缴困难的难题。他积极向上争取资金，对情况最危急的刮家洲电排和大庆闸进行了更新改造，提高了排渍抗灾能力。

二、勇猛善战的指挥员

他总结多年的水利工作经验，对大垸主任的角色进行了精辟的概括，他认为大垸主任就是低水位时的指挥长，高水位时的参谋长，高危水位时的抢险队长。1998年特大高洪时，安澧大垸夹甲大堤由于土质的问题，有1300m堤段较矮小，无法抵御高洪的冲击，他边向领导反映，边采取措施，连夜调集近4000劳动力抢筑子堤，和时间赛跑、和高洪赛跑，子堤挡水达1.3m，措施得力、及时，确保了堤垸的安全。2003年调安保垸工作后，又遇历史罕见高洪，当时陈家嘴镇上游闸在洪水高压下出现闸门漏水，情势十分危急，如处理不当有可能形成溃垸性大险，在现场他临危不乱，果敢决策，最终成功控制住险情，化险为夷。

三、精于管理的好当家

他严于律己，率先垂范，带头维护班子团结；作风朴实，平易近人，为人真诚，关心体贴下属，群众威信较高。在长期的工作中，他善于制度化管理，他认为，一支战斗力强的队伍必须用铁的纪律和制度作保证；他善于民主化管理，不搞一言堂，但通过民主决策的事，必须坚持执行到底；他善于人性化管理，对干职嘘寒问暖，认真帮他们解决生活中的困难。同时，在堤防管理上，他创新工作方法，开展了“三改一提高”活动，即：一改以前大垸主管乡镇负责为大垸负责，二改以前乡镇水管站聘请人员养护为大垸工作人员直接负责，三改以前定期检查为定期与不定期相结合的检查方式；一提高：提高管理水平。通过改进工作方法，加大管理力度，使所在大垸的堤防管理工作短时间内有了显著进步。

四、一位廉洁自律的好干部

他一贯认为，钱财乃身外之物，自己的生活有政府给予的工资和津补贴，不愁吃穿，同时，他经常教育家人，手中的权力是党和人民赋予的，是用来为人民办事的，不是用来谋私利的，他求得了家人的理解和支持，共同筑起了一道防腐的大墙。在水利工程建设上，他坚持民主决策，推行工程招投标，从不用手中权利为亲朋好友谋取私利。严格工程质量管理，近6年来，圆满地完成了三十多项重点水利工程建设任务，多个工程项目被评为省、市优良工程，真正做到了常在河边走，也能不湿鞋。

湖南省岳阳市水务局局长　段方金

段方金，2004年8月从云溪区区长调任岳阳市水务局局长。2005年，市水务局被评为全国水资源管理工

作先进单位；2005年以来水行政执法年年被评为全省先进，2007年荣获全省水利建设竞赛“芙蓉杯”，山洪灾害防御和抗旱救灾、水土保持、水土保持国策宣传教育、河道管理、水利科技、质量监督等工作也先后被评为全省先进；2008年荣获全市建设民本岳阳先进集体，计划生育、招商引资、新农村建设帮扶、政务公开、安全生产、建议提案办理、行政执法、实事承办等工作先后被评为全市先进。段方金于2009年被评为全国水利系统先进工作者，2007年被评为全市招商引资先进个人，连续3年被评为全市实事承办先进个人，2009年被评为全市项目建设和项目服务工作先进个人。

一、勤于学习

段方金理想信念坚定，政治理论和水利专业技术学习系统、认真、刻苦。在岳阳市水务局工作的5年多时间里，已积累水利业务知识资料近十万字，并就水利建设与管理、节水型社会建设、水资源管理、防汛抗旱等在部、省、市级刊物上发表论文10多篇。

二、勇于实践

先后跑遍了全市58个万亩大垸、1000多km一线防洪大堤和全部大中型水库和大部分小型水库以及所有的大中型排灌泵站、重点涵闸，掌握了大量的专业技术情况。在他的指导倡导下，形成了由水利学会、设计院、防汛办、建管科及基层水管单位组成的科研体系，市水务局被评为全省水利科技先进集体。段方金带领一班人，积极探索，突出岳阳市丰水地区特色、石化地区特色、管理特色和制度特色等，节水型社会建设稳步推进，取得初步成效，在2009年8月中期评估中受到水利部、省水利厅的高度评价。

三、敢于开拓

在洞庭湖综合治理、大中型排灌泵站更新改造、病险水库除险加固、水利血防灭螺、小型农田水利建设、农饮安全等方面积极争取中央和省市支持，投资的份额和工作实绩均位列全省前列。特别是在水利管理上，积极探索，摸索出了一些较成功的经验。在项目管理上积极推广铁山灌区农民用水户协会管理模式，全市共建立农民用水户协会60个，涉及4个县（市）区24个乡（镇）407个村，参与农户9.8万户，受益面积2.69万hm^2。在项目资金上建立了“报账制”管理模式，在资金拨付上严格实行“报账制”，按工程进度和质量拨款，有效遏制了截留、挪用资金现象的发生。在项目建设上探索了新的实施方法。如以奖代投机制、以人大决议案形式督办水利建设。

四、善于管理

在制度建设、依法行政、班子建设、队伍管理上都成效明显，单位工作被省、市连年评为先进集体，段方金连续3年立功受奖。在段方金负责的这5年多时间里，全局大力开展创建服务型机关活动，工作作风不断改进，内部管理不断规范，全局没有发生一起违纪违法行为。建立内部自律机制，建立健全了内部管理各项规章制度，管理更加完善，形成了靠事业凝聚人心，靠团结推进事业发展的良好局面。

湖南省水文水资源勘测局高级工程师　李正最

李正最作为一名水文科技工作者，先后在基层水文测站、地市水文机构和省水文局工作，熟悉水文基层情况，熟练掌握了水文及相关专业国标和行标，有很强的分析研究和解决问题的能力。他多年从事和主持水文信息采集技术管理工作，近年来主持和参与了《洞庭湖河湖疏浚综合效益研究》《三峡工程与洞庭湖关系研究》《湖南省山洪灾害防治研究》等10多项重点科研课题，有8项成果获省、厅以上科技进步奖；公开发表学术论文80多篇，参编学术著作2部，有20多篇论文获省、市自然科学优秀论文奖。他先后被聘任为水利部建设项目水资源论证评审专家、中华人民共和国水文年鉴审查专家、科技部国际科技合作重点项目计划项目评审专家、湖南省科技成果评审专家、中国水利学会青年科技工作委员会委员。

一、提高测报质量，创新管理思路

李正最作为业务技术负责人始终坚持以提高测报成果质量为主题，创新管理思路和管理方法。先后主持编制了《水文测验整汇编补充规定》《湖南省水文监测资料质量评定标准》和《湖南省水文站网建设及技术装备管理评分办法》。为稳定与提高水文资料成果质量，他组织处室有关人员踏遍三湘四水，坚持汛前、汛中和汛后 3 次检查测站，并在检查形式、内容上每次检查各有侧重，确保了测报工作的安全，防汛抗旱水文信息的准确可靠，确保了湖南水文年鉴资料质量稳居全国先进行列。

二、加强实地调研，精心编制方案

近年湖南省水文测站建设正在朝规模适度、功能齐全、造型美观的方向发展，大大提高了水文在地方的地位，扩大了影响。这与李正最组织技术人员加强实地调研，精心构筑建设方案是分不开的。近年他还组织和参与完成了《湖南省水文测站更新改造方案》《湖南水文实验站网建设规划》《湖南地下水站网建设规划》《湖南水土保持水文监测站网建设规划》的编制，组织了 30 多项国家和省重点工程的防洪评价、水资源论证和水文专题分析等工作，为湖南省水资源的合理开发、高效利用、优化配置、全面节约、有效保护和综合治理，提供了准确及时、形式多样、内容丰富的水文信息成果，取得了显著的社会和经济效益。

三、勇作除险救灾的急先锋

2008 年初湖南发生了历史罕见的雨雪冰冻灾害，李正最迅速组织有关人员一方面及时联系测站调整测报程序、启动应急方案，并在第一时间克服道路阻隔，通信、水、电和交通中断等困难，深入一线现场指导测站测报作业，确保测报信息的准确和测报工作的安全；另一方面及时收集上报水文设施损毁情况，坚持 3 天 1 次动态报灾，并牺牲春节休假时间编报冰毁恢复方案，为争取水文设施冰毁恢复经费作出了努力。

“5·12”汶川特大地震发生后，他主动请缨担任应急监测队队长并首批入川。在环境恶劣、余震不断、保障极差，特别是在老鹰岩堰塞湖的勘测过程中曾一度被困与外界隔绝五天四晚，生存条件受到严重挑战，他带领湖南水文应急监测队一边组织自救、一边坚持勘测。他在震区总结的堰塞湖勘测方法和成果得到了全国水利抗震救灾指挥部水文专业组的高度肯定，并被制作成堰塞湖勘测模板推荐到其他应急监测队参考。他带领的湖南水文应急监测队被评为“全国水利抗震救灾先锋”，本人被评为“全国水利抗震救灾先进个人”。2009 年，他被人力资源和社会保障部、水利部联合评为“全国水利系统先进工作者”。

广东省化州市水务局局长　陈春雨

陈春雨现任化州市水务局党组书记、局长。2008 年被评为广东省优秀共产党员、茂名市防风抗洪抢险先进个人，2009 年被评为全国水利系统先进工作者、广东省水管体制改革先进个人、广东省实施人大水库移民议案先进个人。

一、争取项目，落实资金

化州市大部分水利设施建于 20 世纪六七十年代，隐患严重。陈春雨积极向上级争取项目、争取资金，努力改变化州市水利基础设施建设落后的状况。近几年争取了化州东堤加固工程、合江拦河闸重建工程、林尘拦河闸改建工程、城市防洪工程、宝树水库加固工程等省级大型水利项目 5 宗，解决农村饮水难项目 14 宗，落实农村饮水安全专项资金补助人口 62.8 万人、小型水库除险加固项目 56 宗、水库移民扶持项目 97 宗、机电排灌项目 53 宗，为化州市争取省级以上水利专项资金共 5.2 亿元。

二、踏实干事，奋力争先

每次台风暴雨来临时，他总是迅速走上防灾抢险第一线，紧急动员受灾群众转移，指挥冲锋舟解救被洪水围困人员，使洪涝灾害带来的损失降到最低程度，并及时抓好水毁工程修复，得到了省、市各级领导和灾区干部群众的赞扬。化州市水务局被评为广东省、茂名市防风抗洪抢险先进集体。他积极奔走，争取化州市 2.6 万大中型水库移民列入了省人大议案计划，6.5 万水库移民列入国家、省水库移民后期扶持计划，近年来完成改造旧村 94 条，建设新村 6 条，完成村内混凝土道路 65km，建设球场 40 个、文化室 6 间，使移民村容村貌得到大大改观，移民住上了宽敞明亮的楼房。化州市水务局被省政府评为实施省人大水库移民议案先进集体。

化州市小型水库修建于 20 世纪五六十年代，工程老化。陈春雨带领水利干部职工筹集资金，每年都按计划一批批对小型水库进行除险加固。目前已除险加固 62 宗，恢复灌溉面积 0.83 万 hm^2，保障 38.8 万人防洪安全。市水务局被省政府评为实施人大小型水库除险加固议案先进集体。近年水利工程管理问题日趋突出，水管单位干部职工长期发不出工资。陈春雨以满腔热情、强烈的责任感抓好体制改革，取得了优良成绩。化州市水管单位上岗 406 人，离岗退养、自谋职业、分流到经营性单位 308 人。市水务局被省政府评为水管体制改革工作先进单位。

三、完善制度，规范管理

陈春雨以高度的责任感和强烈的规范意识，对项目建设、专项资金实行严格的制度化、规范化管理，坚持做到"一个项目、一个专户，一项工程、一份合同，一批支付、一批发票，一项竣工、一套资料"，专项资金"由财政局统一设专户、统一报账、统一支付"，做到"依据清楚、程序清楚、财务清楚"，建立水务、财政两局联审制度，做到工程安全、资金安全、生产安全，受到上级监督、审计部门的好评。

四、依法行政，合理开发

陈春雨依法加强对全市水利资源的管理和开发利用，扭转了过去无证、随意、破坏性开发的混乱局面。2008 年起对河砂开采权依法实行公开拍卖。公开拍卖前全市河砂开采点 121 个，现在依法发证 51 个，减少了 60%。仅河砂开采权拍卖一项，两年就为市财政增加收入 3100 多万元。

广西壮族自治区南宁市武鸣县水利局局长　邓生电

邓生电，汉族，中共党员，1961 年 1 月出生，广西南宁市武鸣县人，1978 年 11 月参加工作，曾任广西武鸣乡镇党委副书记、镇长、党委书记，2001 年任武鸣县水利局局长、党委书记。该同志认真贯彻落实党的路线方针政策，自觉学习，忠实践行"三个代表"重要思想，深入学习实践科学发展观，团结、带领全县水利干部职工开拓进取，扎实工作，全面推进可持续发展水利，各项工作取得了显著成效，获得了一系列荣誉：荣获 2001—2003 年度、2004—2005 年度、2007—2008 年度南宁市优秀共产党员，2003—2008 年度连续被评为南宁市先进生产（工作）者。

一、认真学习政治理论，政治立场坚定

他坚持以邓小平理论和"三个代表"重要思想为指导，自觉学习党的十七大和十七届三中、四中全会精神，坚持立党为公、执政为民，在思想上、政治上、行动上始终同中央、区、市和县委、县政府保持高度一致。

二、开拓进取，出色完成各项工作任务

顺利完成农田水利基础设施建设。坚持工程质量第一的原则，采取有力措施，推进农田水利基础设施建设。2006—2009 年，组织实施新农村水利建设、农田水利建设大会战，累计完成投资 23914.3 万元，完成 $1m^3/s$ 以上渠道节水改造 348km，小型水利 $1m^3/s$ 流量以下渠道防渗硬化 688.2km，水源工程 130 处，水毁修复工程 10 处，万亩电灌站技改 1 座，水库除险加固动工 25 座，农村饮水安全工程 90 处。恢复和改善灌溉面积 3.46 万 hm^2，有效解决 14 万群众的饮水困难问题，全县农田旱涝保收面积达到 58.1%，农村人饮自来水普及率达 80.6%。

积极推进水利工程管理体制改革。2005 年完成了全县水管单位的分类定性等工作，国营水管单位纳入财政差额拨款预算管理，初步建立国营水管单位良好发展机制。抓紧抓好防汛抗旱工作。严格实行行政首长负责制、部门分工负责制和岗位责任制，落实各项防汛抗旱措施，确保水库安全度汛。严格执行水政水保法律法规。认真落实水法律法规，加强水资源的统一管理，加大水事纠纷调处、水事违法案件查处。

三、牢记党的宗旨，积极为群众办实事办好事

努力实践党的全心全意为人民服务的宗旨，坚持群众路线，密切联系群众，关心群众疾苦，积极为群众办

好事实事。2007 年，了解到府城、仙湖等镇村的群众饮水不安全问题后，积极发动村民多渠道筹集资金 1215 万元，兴建府城集中供水工程，新建调节水池 6 座、调节水塔 1 座、400m^3/h 滤池一座，铺设输配水管道 130.4km，解决了府城、仙湖两个镇共 1 个社区、18 个行政村和 1 个农场共 54000 多人的饮水不安全问题。

四、坚持党性原则，公正廉洁，勤政为民

坚持党性原则，自觉抵制各种诱惑，遵纪守法，自觉遵守社会道德行为规范，坚决同违法违纪行为作斗争。层层落实党风廉政责任制，强化警示教育；勇于开展批评和自我批评，带头遵守本单位的各项规章管理制度；真抓实干，作风务实，带头深入基层调研，为基层工程水库、电站群众排忧解难。

广西壮族自治区水利电力职业技术学院
机电工程系主任　梁建和

梁建和教授任教于广西水利电力职业技术学院，先后获得全国水利系统先进工作者、国家制造业信息化优秀教育培训工作者、广西高校自治区级教学团队带头人等荣誉称号。

30 年来，他坚持不懈，用行动和汗水诠释着自己的人生格言：做一支洁白的蜡烛，点燃自己，照亮别人；将青春和岁月化作滴滴雨露贡献给水利教育事业。

一、献身教育终不悔 创新不息写传奇

1980 年，梁建和毫不犹豫地走上了教育岗位，以高昂的斗志、饱满的热情、高度负责的工作态度、顽强拼搏的精神和扎实的工作作风致力于水利教育事业，以无私奉献的行为生动实践“献身、负责、求实”的水利行业精神；他从一名中专生到大学硕士生导师，由教育战线上的一名新兵到机械行业的学术专家，谱写了人生传奇。

作为一名教师，梁建和深知自己肩负的重任，他孜孜以求，成为广大师生的良师益友。早在 1987 年他创办了校内汽车修理厂，成为工学结合的先行者；2000 年率先组织多媒体课件 3D 设计与制作，推出广西第一个三维动画教学课件；2004 年大胆推进行为导向教学法，并融入丰富的实践经验和人生阅历，寓教于乐，得到师生的一致好评。

二、甘为人梯建团队 德高望重领头羊

作为系主任，梁建和重视每位教职员工的成长和发展，以实干、奉献、敏锐、创新、豁达的精神，感染身边的每一个人，使机电系呈现积极向上、团结拼搏的氛围，先后获得自治区文明小区、自治区示范性实训基地、国家制造业信息化十佳教育培训基地等称号。他于 2009 年被评为自治区级优秀教学团队带头人。

梁建和良好的素质、高尚的品德、突出的能力，得到同行的认可，被聘为全国水利高职教研会机电专业组副组长、机械行业职业标准委员会职教系统副主任兼广西专家委员会主任、广西大学工程硕士导师、广西机械学会常务理事、北京理工大学出版社广西高职教育专家委员会主任等。作为领头羊，他成功组织开展了广西高职高专机械与电子信息类系主任论坛，瞄准我国高职发展方向编写出版了三批共 66 册具有鲜明高职特色的系列教材。

三、天道酬勤结硕果 乐于奉献照人心

他的主要学术和教学科研成果有：国际发明专利 1 项、国家发明专利 1 项；广西壮族自治区级教学成果一等奖 1 项；广西水电科技进步奖 2 项；自治区优质专业 3 项、精品课程 4 门、优秀教材一等奖 1 项；教学课件获全国二、三等奖 2 项、全区一等奖 4 项；近年来主编主审高职高专教材 9 本，公开发表论文 20 篇。

四川省乐山市水务局局长　杨良清

杨良清 2005 年 1 月调任四川省乐山市水利局党组书记、局长。连续 5 年被市委评为优秀公务员。2009 年 6 月，荣获水利部“奉献水利工作先进个人”称号。

一、加大项目投资，千方百计加快水利设施建设

抢抓机遇，主动出击，多方奔走，积极汇报，累计争取部、省水利投资12.55亿元，2005—2008年，全市累计建成各类水利工程15229处；蓄引提水能力达14.54亿m^3，有效灌溉面积10万hm^2；节水灌溉面积达3万hm^2，渠系水利用系数0.5；整治病险水库100座，水库蓄水量达到2.4亿m^3。犍为、沐川、峨眉山、峨边、马边、金口河等6个县（市、区）建成全国水电农村电气化县。

二、争取政策支持，确保水务事业可持续发展

多次向市委、市政府主要领导及分管领导汇报工作，经市委、市政府研究，审议通过了《乐山市人民政府关于加快水利发展的决定》；自2005年起，将依法征收的水资源费、河道砂石资源费、水土保持设施补偿费和水土流失防治费等水利规费，按照“取之于水，用之于水”和“收支两条线”的原则，全额纳入财政预算管理，专项用于水利项目建设；从2007年起市财政设立水利专项资金，三年累计安排3600万元，全额用于水利工程建设；实现事业人员与公务员待遇基本一致。

三、完成水管体改，水管单位焕发生机和活力

他带领局领导班子成员，按照“以人为本、成果共享”的科学发展观要求，将全市水管单位分类定性为纯公益性或准公益性事业单位。组建工程管理单位34个；核定编制887个，其中正式编制624人，控制编制263人，分流安置人员244人。落实了1971万元的基本支出和771万元的工程维修养护费，彻底解决了水管单位人员的基本支出和维修养护经费。妥善解决了5780万元的改革成本，其中仅市级直属4个水管单位就解决了1361万元体改成本，成功实现水管单位轻装上阵。水管单位在职人员、退休人员和分流人员，均按有关法律和政策参加了所在地的养老、医疗、失业等社会保险。

四、实施“一龙管水”，提前完成水务体改目标任务

选择沐川县作为全市水务管理体制改革的试点单位，率先启动，于5月18日正式成立沐川县水务局和沐川县水务投资有限公司。在此基础上，6月18日，乐山市水务局暨乐山市水务投资有限公司正式挂牌成立。新成立的市水务局，对全市城乡涉水事务实施统一管理；新组建的水务投资有限公司，作为市政府的一个投融资平台，公司性质为国有独资公司，将主要从事城乡供水、污水处理、水利工程建设、江河堤防整治等政府指定的投资工程建设。目前，全市水务管理体制改革任务已全面完成。

五、推进水费停征，实行市县财政转移支付

按照中发〔2009〕1号文件关于“探索农业灌溉工程运行管理财政补贴机制”的要求，主动向市委、市政府提出了停征农业水费的建议。经8月12日市委第15次常委会议研究批准，自2009起全市停征农业水费，按照“三七”比例，实行市、县财政转移支付。

六、坚持以人为本，妥善解决历史遗留问题

一方面，有效解决了水产技术推广站、甘江渔场、肖坝堤防、引青济岷管理处、水电培训中心等历史遗留问题，妥善安置了人员或了断身份；另一方面，部分职工在沐川冶炼厂的集资款得到分期兑付，化解了社会矛盾，维护了职工的合法权益，受到了广大职工的称赞。

四川省巴中市平昌县水务局局长　杜志敬

一、刻苦钻研，务实奉献

杜志敬自1981年参加工作以来，独立完成了双滩子电站和高坑电站的设计、施工，完成了7座小（1）型水库的病险整治设计，主导设计并实施了12处场镇供水工程和31处农村饮水工程。在利华水库病害整治中，探索、尝试采用土工织物布作为大坝防渗材

料，仅此一项就节约30多万元，并获得了巴中地区行署科技进步三等奖、县人民政府科技进步一等奖。

2001年，牛角坑水库建设正式启动，时任常务副局长的杜志敬临危受命，从选址、勘测、设计、立项、批复到开工无不浸透着他的艰辛。工程开工后，他组织调配资金、工程进度质量监管、协调关系。

二、倾尽全力，恪尽职守

2004年担任水利局党委书记、局长后，他更是以水的精神、水的品质影响着身边的每一位水利人。

杜志敬十分注重项目争取，在任局长的5年多来，平均每年争取无偿项目资金7000万元以上，2009年突破亿元大关，依托项目建设了大批水利工程：新建25处场镇集中供水工程和145个村级供水工程，解决了16.83万人“饮水难”问题；牛角坑水库枢纽和干渠一期全面竣工；24座中小型病险水库、800多口病险山平塘得到了有效整治；城区防洪堤一期全线达到300高程；双桥水库项目前期工作基本完成，开工在即……

望京乡场镇位于严重缺水的高梁上，场镇近4000居民学生常年四处背水、买水，水价高达75元/m^3。2004年11月，杜志敬带领技术人员耗时半个月，钻深山、穿荆棘，四处找水源、选坝址；次年4月，当清澈的自来水通到农家时，老百姓欢呼雀跃，感恩之情难以言表。

2007年7月，平昌县遭遇特大洪水袭击，身为县防汛指挥部常务副指挥长的他，连续7个昼夜战斗在抗洪一线，指挥抢险、解困群众。由于组织到位，指挥有力，措施得当，全县未出现一例垮坝伤人事件。“5·12”汶川大地震导致平昌县15座水库出现严重病害。2008年5月17日深夜，忙碌了一整天的杜志敬突然接到得胜镇莲花水库出现险情的报告；他迅速召集技术人员连夜赶赴现场，分析险情，制定排险方案；通过3昼夜的奋战，排除了险情，保障了下游群众的生命财产安全。

三、深入调研，科学决策

杜志敬经常抽出时间深入基层调研。通过长期的调查研究，他提出了“对全县小型水利工程成立农民用水协会管水，中小型水库成立水库管理所专人管理，逐步推行城乡水务一体化管理”的“三步走”思路，得到了各级领导肯定。2007年平昌县率先在巴中市开展小型水利工程管理体制改革，已组建农民用水协会2350个，改革山平塘3570口；成立了10个中小型水库管理所；2009年8月，平昌县水务局正式成立。

风雨三十载，杜志敬在水利事业上燃烧青春，抒写忠诚，为平昌水利事业发展作出了突出贡献。他常说，党给了我工作，给了我很多荣誉，我惟有更加努力工作，用自己的行动回报社会、回报人民。

四川省都江堰人民渠第一管理处处长　王世容

王世容，中共党员，工程硕士，四川省都江堰人民渠第一管理处（以下简称为“人一处”）处长、党委副书记。2008年人一处被全国妇联评为“全国三八红旗集体”，处党委也被省直机关工委评为抗震救灾先进基层党组织；2009年2月王世容荣获中华全国总工会“全国女职工建功立业标兵”称号；2010年1月被评为“全国水利系统先进工作者”，她还多次荣获省厅优秀共产党员等称号。

一、抓学习，不断加强自身修养

为了驾驭新情况、新任务，她把学习作为加强和提高自己的头等大事来抓。努力把政治理论学习、业务知识学习和推动实际工作结合起来，不断提高运用马克思主义的世界观和方法论来观察和处理问题的能力，同时，学习现代化管理学的方法和理论、市场经济的基本知识以及法律法规等知识，不断地掌握新知识，把握新规律，从而全面提高自身素质和领导能力，更好地适应新形势的发展。

二、抓发展，积极拓展单位新的经济增长点

王世容求真务实抓发展，创业意识浓。她积极探索民间资金向水利资本转化的有效途径。对综合经营企业、实体中的优良资产进行重组，全处职工本着“平等、互利、自愿、协商、一致”的原则出资，参与经营。2008年参与组建了水利水电责任公司，不断拓宽供水市场。通过对多年亏损的汽修厂实行股份制改造试点和对机械厂实行工效挂钩等一系列改革措施的推行，有效促进了综经企业经营效益的提高；对人民渠宾馆实行对外出租实现扭亏为盈；实行全年不断流岁修，为单位增加直接经济效益200万元。通过一系列举措，单位在遭

受“5·12”特大地震灾害的情况下仍实现职工年均收入不降低。

三、抓服务，构建和谐灌区，实现“三满意”工程

王世容坚持优化管理、优质服务的原则，在灌区内实施“用水户、地方政府、水管单位”三满意工程，认真实践文明示范窗口的12项承诺。在春灌、防洪、岁修和发展水利经济工作中，主动放弃休假日，工作在第一线，在灌区用水服务中，认真履行水利部文明示范窗口单位的庄严承诺，搞好灌区供水服务，受到灌区人民群众交口称赞。她积极推动农民用水户协会的成立，为全面推动灌区计量用水工作开展奠定了基础。在此基础上，她大胆创新供水新思路，试行不断流岁修，探索全年不间断供水新思路，在保证工程建设的前提下最大限度地发挥水利经济效益。

四、抓抗震救灾，心系灌区人民

“5·12”特大地震使人一处水利工程设施遭受严重损毁，王世容顾不上都江堰亲人的安危，顾不上自己在地震中线形骨折的右脚，带领全体干部职工全力投身抗震救灾。在遭受重创的人民渠第一管理处震后10分钟，班子召开了第一次应急会；震后1小时，全体干部职工火速赶赴一线；震后当晚，安排职工紧急搭建临时抗震棚，震后24小时，迅速摸清253km渠道的灾情；震后奋战8天8夜，抢修保通输水渠道；震后10天，全面恢复供水，受到部、省领导好评。紧接的灾后重建工作任务之重、时间之紧、要求之高、难度之大前所未有，王世容带领全处职工上下团结，克服困难，争项目，跑资金……在灾后重建之年仍然实现全处经济的稳步增长，她用实际行动谱写着水利女性的英雄乐章。

贵州省安顺市猫猫洞水库管理所所长　邓实权

邓实权，1994年10月参加工作，1998年加入中国共产党。1994—1996年水利勘测设计院技术员、1996—1998年镇宁县募役小学挂职副校长（支教）、1998—2004年在王二河工程指挥部工作、2004—2007年王二河水库管理所副所长（主持工作），2008年11月任猫猫洞水库管理所所长。

一、内强管理，外树形象

自从到水利勘测设计院报到的第一天起，他的人生轨迹就与水利工程建设管理结下了不解之缘。水利是国民经济的命脉，作为水利基层一线的普通一兵，邓实权深知水利基层一线的管理人员，既是党和国家方针、政策的贯彻落实者，也是水利工程设施运行管理确保效益发挥的具体实施者。工作中，他始终以全心全意为人民服务为宗旨，坚持以“三个代表”重要思想为指导，树立和落实科学发展观，以“内强管理、外树形象”为抓手，团结和带领广大职工，兢兢业业地为水利事业默默地奉献热血、青春。真正做一名“三个代表”重要思想忠诚的实践者，有力地推进了水利基层管理单位的精神文明、政治文明和物质文明建设工作，受到了干部职工、灌区老百姓的称赞和上级组织的多次表彰肯定。

二、坚持学习，严于律己

在十多年的工作实践中，他始终将自己摆在一个学习者的位置上，坚持学习，严于律己，在实践中磨炼、提高自己。他不满足于在贵州工学院学习时所学，为了系统掌握水利工程方面的专业理论知识，他除了自学，参加各种形式的业务培训外，还结合新时期水利工程管理工作需要，报名参加了电大法律专业本科班的学习，并以刻苦的精神和优秀的成绩完成了学业。

三、坚持原则，加强管理

在王二河水利工程建设初期，作为工程指挥部组成人员之一，他把质量当生命，坚持原则，加强管理，狠抓工程建设管理各项工作，2002年4月，为保证建设工程安全度汛，他公而忘私，告别即将临产的妻子，不分昼夜，坚守工地，与工人同吃同住，每天工作16小时以上，及时掌握工程建设中存在的问题、协调不同施工单位及周边关系，协助制定处理措施，为工程建设赢得了质量、安全保障和信誉。王二河水利工程建成蓄水后，作为一名管理者，他公而忘私，周密部署，团结和带领全体职工，克服人员少，管理范围广、防汛任务艰

巨等重重困难，圆满地完成了水库大坝监测、防汛抗旱和补水调度等工作任务。

四、科学抗旱，率先垂范

2008年初，面对50年不遇的雪凝灾害袭击，邓实权，积极响应市委、政府的号召，按照“科学抗雪凝、切实保民生”的要求和部署，团结和带领广大职工全力以赴抗灾救灾，打了一场“迎战冰凝冻雨”的硬仗。雪凝期间，他积极应对、率先垂范，靠前指挥，制定了“四早”（早检查、早维护、早安排、早处理）“两确保”（确保工程安全运行、确保下游四个梯级电站顺利发电）工作方针。有效保障了一个蓄水近1亿m^3的水库大坝枢纽及其他设施的安全，实现水利工程设施安全管理，正常运行，顺利发电缓解安顺供电紧张局面，为夺取抗凝灾害全面胜利作出了积极贡献。

贵州省水利工程管理局主任工程师　马明先

马明先自1986年调到贵州省水利工程管理局工作至今，一直从事水利工程管理工作，2004年任贵州省水利工程管理局主任工程师（副处级），2006年3月至2008年3月被省委组织部抽派挂职任铜仁地区水利局科技副局长。自工作以来，他求真务实，爱岗敬业，出色地完成了各项工作任务，为贵州水利工程管理工作作出了突出贡献。

一、全省病险水库治理功不可没

全省水库大多属“边勘测、边设计、边施工”的三边工程，马明先承担组织全省病险水库治理专项规划，在规定时间内，主持完成了全省918座［其中：中型22座，小（1）型209座，小（2）型687座］病险水库上万字的专项报告材料。他抓住中央实施西部大开发的有利时机，为以贵州为首的西部省份争取到了“西部地区可考虑部分重点小（1）型”的政策倾斜，使贵州省有中型水库22座，小（1）型水库166座［约占中央小（1）型补助计划数的一半］列入了中央第一和第二批规划（概算总投资80695万元），为2007年贵州省196座小（1）型以上病险水库除险加固项目全部纳入全国规划奠定了坚实基础。

1999—2006年，国家累计下达贵州省病险水库除险加固中央补助项目129座（中型22座、小（1）型107座），概算总投资7.33亿元（其中中央补助4.84亿元，需地方匹配2.49亿元），这些项目已全部建成并发挥显著效益；2007年列入全国专项规划的196座小（1）型以上病险水库，在2007—2008年已下达投资治理了140座，余下的将在2009年全部下达投资进行治理。

马明先协作参与编制了《贵州省病险水库治理建设管理办法》《贵州省病险水库主体工程验收办法》等，为贵州省病险水库除险加固工作扎实有效推进作出了重要的贡献。

二、挂职工作成效显著

挂职任铜仁地区水利局科技副局长期间，马明先为全地区争取了56座（次）小型病险水库治理资金8000余万元，从发挥现有工程效益上将解决铜仁地区工程性缺水推上一个新台阶；亲自编写完成全区病险水库治理、河道整治等专项规划报告及技术审查，为该地区水利扶贫建设提供了项目储备；主持完成近30座病险水库治理实施方案设计及初步设计、安全鉴定等前期工作审查和项目计划安排，及时组织完成近10座完工项目的竣工验收，使工程尽快发挥效益；主持参与乌江中部和铜仁东部两个大型灌区续建配套分期实施工程项目的选定和实施方案的审查；积极开展招商引资开发小水电项目建设的清理和发电运行验收工作；通过积极协调地区人事局等相关部门出台配套政策，顺利完成全区水管人员统一招考录用和乡镇水利站上收工作，大力实施和推广农民用水户协会等，使全区水利工程管理体制改革按部、省要求按时完成。

三、积极参与和协助抓好全省水利工程安全管理和经营管理工作

组织完成了水库大坝度汛安全预案的编制，编撰完成并经省政府颁发了《贵州省水库大坝安全管理办法》。在技术管理上，结合全省基层水管单位管理人员技术力量薄弱现状，组织管理单位人员岗位培训1300余人次。在水利工程经营管理上，具体拟定了《贵州省国家管理的水利工程目标考核办法》，使工程管理单位的自身效益得到了明显提高。据2008年统计，全省小（2）型以上水利工程总收入上亿元，是1980年收入的近40倍，是1985年收入的15倍。

西藏自治区防汛机动抢险队工程师　小巴桑

小巴桑出生于1968年4月，中共党员，1991年7月从陕西省水利学校毕业后，就一心扑在水利专业工作上，先后在西藏自治区水利技术服务总站、西藏自治区水利规划设计研究院、西藏自治区防汛机动抢险队工作。

一、共产党员的信念是政治坚定的保证

在思想上，小巴桑一直坚持四项基本原则，坚持党的路线、方针、政策，拥护中国共产党的领导，始终与党中央保持高度一致。立场坚定、旗帜鲜明地反对民族分裂主义，维护祖国统一和民族团结。在工作中小巴桑吃苦耐劳，兢兢业业，无怨无悔，不断学习业务知识，深刻认识水利事业的重要性和必要性，以强烈的事业心和责任感，把全部的精力投入到工作中去，在平凡的工作岗位上干出了不平凡的业绩。“5·12”汶川大地震发生后，小巴桑积极参加捐款和交纳特殊党费活动，在第一时间为灾区人民献上了自己的爱心。

二、爱岗敬业是工作成绩出色的基础

1998—1999年，小巴桑在仁布县勇水库除险加固工程中担任技术总负责人，他在工程实施过程中解决了很多技术难题，受到了参建各方的好评。

2000—2003年，小巴桑是芒康县莽错水库除险加固工程设计及驻工地代表，在工作期间，他不怕吃苦，也不提个人的要求，该工程大（2）型水库隧洞（2.5m×2.8m）总长808 m，库容270万 m^3，隧洞成形困难。在施工期间，遇到了隧洞顶部塌陷、旧空洞引起隧洞边顶拱变形、边墙沉陷、地下水丰富、岩遇水变软等问题。施工难度之大，技术含量之高、安全问题之突出，在水电工程施工史上实属罕见。在遇到施工难题时，小巴桑及时研究，准确部署。在施工过程中，他还不断优化设计施工方案，积极创新技术，严格施工现场管理，对指导现场生产起到了非常有效的作用。同时，隧洞高边坡基础处理等工作也顺利完成。

2004年5月，因工作需要小巴桑调入自治区防汛机动抢险队，他积极熟悉防汛业务知识，工作中，本着对党对人民负责的态度，立足“防大汛、抢大险”，做到科学防汛，不断强化机械队管理，积极拓展市场创造效益，并带领队员奋战在海拔5800m的除险现场，为保护人民生命财产安全做了大量工作。

在2005年8月，为彻底消除冰湖对下游群众造成的威胁，小巴桑主动向队领导请缨，去海拔5200～5800m的地区开展工作。2006年4月，小巴桑再次随队上冰湖，经过3个月的艰苦奋战，通过开挖导流、明渠泄水的方式，使皮达湖水位下降10.46m，龙巴萨巴湖水位降低5.6m，两湖间累计完成土石方开挖10.1万 m^3，冻土开挖5.5万 m^3，基本排除了两湖险情，确保了下游人民群众的生命财产安全，使当地的农牧业生产得以恢复。

三、宗旨意识是为群众服务的前提

在工作上，小巴桑始终坚持刻苦钻研、兢兢业业的工作态度。1998年、2000年、2002年小巴桑分别被所在单位评为先进工作者；2003年4月小巴桑被西藏自治区水利厅评为先进个人。

陕西省宝鸡市水利局局长　常崇信

常崇信认真学习邓小平理论和“三个代表”重要思想，坚定地贯彻执行党中央的方针政策，努力践行科学发展观。结合宝鸡实际，把水利部提出的资源水利、民生水利、生态水利、可持续发展水利等治水思路落到实处，使水利为宝鸡经济社会发展提供了强有力的水保障。

一、依托实际，注重实践

他提出“水资源优化配置，水生态环境良好，水安全保障有力，水文化特色明显的现

代水利”的宝鸡治水方略，在全市水资源配置上实施“南水北调、北水西用、东水西用、西水东引、开发泾水，突出节水”的举措。他参与多项水利工程规划和建设，主持实施的“渭北旱原农业综合开发工程项目”和“‘432’农业综合开发工程”分别获陕西省科技进步二等奖和陕西省政府农业科技推广奖。负责调研论证起草以市政府名义颁布节水型城市规范性文件9件。参与宝鸡市全国节水型城市建设水利部门的组织实施，宝鸡市被授予全国节水型城市。2008年被水利部列入全国第三批节水型社会试点，负责制定全市节水型社会规划、方案，组织节水型社会各项具体措施的组织实施，探索水权制度改革的路子，节水型社会建设已取得阶段性成果。

二、建设基本农田，实施农村安全用水

他提出并实施了“总体规划，分步实施，集中连片，规模治理”的农田基本建设思路和“平田修地，渠系配套，优植作物，增产增收”举措。每年改造增加农田面积0.33万 hm^2，优质基本农田的建设为全市在耕地减少情况下，粮食等农产品产量质量创新高和农民增收奠定了基础。2008年，宝鸡市获陕西省政府“水利振兴杯”表彰奖励，常崇信被评为全省优秀水利局长。

以适度集中为导向，实施农村安全用水。提出并实施“因地制宜，适当集中，扩大规模，捆绑资金，提高效益”的农村安全供水工作方略。近年开工建设农村供水规模在万人以上的达13处，5000人以上33处，每年解决不安全用水人口20多万人，全市累计解决农村不安全用水人口200.6万人，建成12个县区农村饮水安全检测中心，大大提升了农村供水的保证率和水质标准。

三、以改革为抓手，创新乡镇水务站模式

2007年提出把乡镇水利站建设成以水行政部门管理为主的乡镇水务站，作为县局派出机构，山区每8000人设1名，平原每10000万人设1名水管员，负责乡镇全部涉水事务的观点得到市政府采纳。全市乡镇经编制部门批准，为公益性基层水利服务组织，全额事业单位。平原按乡镇设站，山区按流域设站，全市共设立97个水务管理站机构，落实基层水利服务工作岗位290个。

四、创新平台，发展水利科技

连续多年负责举办“宝鸡水论坛”，主编出版《宝鸡水利论策》（卷一）、（卷二）、（卷三），主编《宝鸡江河水库大典》。

五、身先士卒，抢险救灾重建

“5.12”汶川大地震后第一时间到达全市最大的冯家山水库和王家崖水库、宝鸡峡枢纽等重点水利工程检查灾情。制定灾后重建规划，组织实施，高质量地完成了震损水库除险加固、堤防及农村安全饮水等灾后重建任务。成绩突出，被水利部评为全国抗震救灾先进个人。

常崇信连续多年公务考核为优秀。2008年被市委市政府评为招商引资先进个人，每年根据工作实际，撰写调研报告、论文等10多篇，发表在省级及以上刊物上。近年来先后由陕西人民出版社等出版了研究“三农”问题的专著《耕耘黄土地》《沃野拾穗》《农业产业化理论与实践》，主编出版了宝鸡首部大型水利画册《水润宝鸡》，编著出版了《在水一方》《在水之湄》等水利职工散文集。宝鸡水文化建设走在全国地市前列。

陕西省延安市安塞县水利水土保持局局长　孟海军

孟海军，生于1959年12月，1976年12月参加工作，1979年6月加入中国共产党，大专学历，2004年任安塞县水利水土保持局局长。带领全县水利工作者开拓创新，求真务实，艰苦创业，2008年，安塞县水利水土保持局荣获陕西省政府颁发的水利振兴杯嘉奖，获得陕西省“夏季农建先进单位”的荣誉称号。

一、勤于学习，坚持不懈地充实提高自身素质

从事水利工作以来，他始终将自己摆在一个学习者的位置上，坚持学习，严于律己，在实践中磨炼、提高自己。随时记录工作笔记，目前已累计记写学习笔记达17万余字。

同时，为了更好地适应新时期水利工作，他积极参加省、市举办的各类业务培训班，努力提高业务水平和管理能力。

二、尽职尽责，用务实高效的工作诠释人生价值

（1）加快农村饮水安全工程建设，让群众共享水利事业发展成果。按照“先急后缓、先重后轻、突出重点、分步实施”的原则，大力开展农村饮水安全攻坚战。2004 年以来，累计建成各类饮水工程 351 处，解决了 6.08 万农村人口的饮水困难问题，赢得了全县广大人民群众的一致赞誉。

（2）加大基本农田建设力度，持续解决农民增收问题。彻底改变以往高山、远山修建农田的做法，紧紧围绕房前屋后、村庄周围、沟道整治新修农田，深受农民群众欢迎，并取得了明显成效。2004 年以来，累计新修基本农田 0.47 万 hm^2，使全县基本农田累计达到 1.77 万 hm^2，农民人均 0.14 万 hm^2。

（3）加大病险淤地坝治理力度，保障群众生命财产安全。经过近几年的治理，累计完成病险淤地坝除险加固 80 座，新建各类淤地坝 25 座，有效遏制了水土流失，大大改善了人居环境和生态环境。

（4）抓工程建设，把质量当生命。经他负责的大大小小几十项工程没有一项不合格。几年来，他总结摸索出了一套“四早五定三把关”的施工经验，即早安排、早勘测、早设计、早施工，坚持定方案、定任务、定人员、定资金、定时间，严把设计、审核、验收关。严格实行工程建设法人制和项目责任制，积极配合实施监理制。

（5）创新机制，推动水利事业科学发展。他带领全体干部职工，把小型水利工程产权制度改革作为提高农村水利基础设施条件的突破口，科学制定水价，实行计量收费，确保水利工程长期发挥作用。制定出《安塞县水利水土保持工程建设管理暂行办法》、《安塞县农村饮水安全工程管护暂行办法》和《安塞县淤地坝管护暂行办法》，规范了水利工程管理。

（6）主动争取项目，加快水利事业发展。他先后十几次到省、市对接，争取更大支持。目前，“四大项目”全部开工建设，已新建各类饮水工程 139 处，解决了 1.99 万农村人口的饮水困难问题；发展山地果园节水灌溉面积 130hm^2，山地大棚 98 棚；其中徐家沟应急引水工程已经基本建设完工，并受到李源潮部长、陈雷部长调研视察时的高度评价。

三、爱岗敬业，默默奉献青春年华

作为县水利工作的领导，他心不浮、气不躁，身先士卒，率先垂范，工作向高标准看齐，生活向低标准看齐。多年来，他一直坚持在工作上自我加压，勇挑重担，把全部精力都投入到工作中去。一分耕耘，一分收获，县水利局自他上任以来，连续 5 年被评为先进单位，他自己也年年被评为优秀。

多年来，他积极帮扶济困，主动承担王窑白渠村一名贫困学生的学费，汶川大地震后，他两次捐款 800 元，并缴纳特殊党费 1000 元。

陕西省汉中市宁强县水利局局长　张怀宏

宁强县水利局局长张怀宏，自 2006 年 7 月上任以来，在县委、县政府的正确领导和上级业务主管部门的关心支持下，围绕全县水利发展的目标和治水新思路，以饱满的工作热情、求真务实的精神风貌，努力践行“三个代表”重要思想，为全县的水利事业谱写了新的篇章。

一、深入灾区，倾心为民，全力投入抗震救灾工作

水利是社会公益性极强的行业，又是一个艰苦的行业，作为一名水行政主管部门的一把手，张怀宏同志带头弘扬“献身、负责、求实”的水务行业精神，立足本职、倾心为民、切实解决农村发展中突出的水利问题。特别是“5·12”汶川地震发生后，他全力组织抗震救灾，身先士卒，带头冲进机房，忙着加固机房，检修线路，下午 5 点，地震发生两个半小时后，县城供水即恢复了正常。第二天清晨，他便带领技术员到各乡镇核实灾情。决定对所有出现险情的水库、塘坝采取降低水位、空库运行；按预案将 300 多名受溃坝威胁的群众撤离到安全地带；落实水库监测人员，驻坝巡堤，实行 24 小时监控；在现有通信设施的基础上又为每个水库配备了卫星电话；并及时向上级主管部门做了汇报，争取上级支持。同时迅速组织人力机械，克服困难，对险段日夜紧急进行加固处理。已严重震损的小堰

沟水库坝体裂缝不断加宽延长，他当机立断，立即召开党员大会，号召所有党员干部冒雨紧急赶赴抢险第一线，争分夺秒地展开了大坝保卫战。经过 2 个多小时的奋力拼搏，水位终于降了下来，险情解除了。震后短时间内，在全县安装临时供水点 100 多处，仅在县城就为避险群众安装供水点 25 处。时值“三夏”农忙，他又组织抢修突击队，日夜奋战，抢修受损渠道、抽水站，放水灌溉农田 400hm^2 有余，及时保证全县插秧用水，为大灾之年夺取秋粮丰收打下了坚实基础。

二、深入调研，与时俱进，创新水利发展体制机制

紧紧抓住灾后重建和国家实施农村饮水安全工程的历史机遇，加大项目规划申报和资金争取力度，力争所报项目全部立项实施。为从根本上解决县城供水质量和安全问题，他深入基层，走访职工，广泛听取社会各界意见，亲自执笔撰写了《关于自来水公司经营发展情况的调查报告》，梳理出当前县城供水中存在的水价偏低，债务沉重，成本过高，欠账过多，负担沉重等五大问题，有针对性地提出了建立良性水价机制，完善的水源和管网体系、高质量的水处理能力、高效的管理运行体制、精干的职工队伍等整改措施和奋斗目标。

高标准规划，高质量建设。首先，根据全县灾后重建实际，委托汉中市水利勘测规划设计院对县城供水进行统一规划。其次，统筹灾后重建、农村饮水安全工程等各类资金，捆绑使用，力求发挥最大效益。第三，按照“优设计、高质量、出精品、求效益”的方针，对 2009 年内开工建设的七里坝新区、东山观羌博园、循环经济产业园、高寨子集镇等纳入县城规划范围的供水工程。第四，加强管网巡查，及时维修故障，确保正常安全供水。第五，报请县政府出台了《宁强县农村供水工程建设管理办法》，开始以村为单位，逐步组建供水协会，完善制度，规范管理，确保农村饮水工程长久效益发挥。

三、清正廉洁，无私奉献，充分发挥干群合力

在他的带领下，班子成员保持和发扬艰苦奋斗的精神，不以权谋私，不吃拿卡要，在工程建设等重要事务中坚持民主决策，按规章制度办事，规定每季度对局机关经费开支、各种专项款进行一次内审监督，广泛听取干部职工的意见，自觉接受群众的监督。发票报账必须三人签字即经手人、分管领导、法人代表方可核销。

甘肃省武威市凉州区水务局局长　杨东

杨东，中共党员，生于 1965 年 6 月，大学文化，现任武威市凉州区水务局局长，正高级工程师。

近 30 年间，他始终把全心全意奉献水利事业作为自己理想的起点、信念的支点、事业的轴心，践行科学发展观，谋事，顺势而谋；干事，与时俱进。先后被市区授予“青年岗位能手标兵”“新长征突击手”“跨世纪学术技术带头人”“优秀领导干部”“全市拥军优属先进个人”等荣誉称号，被确定为甘肃省“555 创新人才”，被评为“全国水利系统奉献水利工作突出贡献先进个人”和“全国水利系统先进工作者”。

一、立足岗位，在实践中增长才干

凉州区干旱缺水，农田灌溉用水管理情况复杂。他经过多年的不断探索，总结出了“总量控制，计量供水，定额配水，分时到户”的供用水模式。推行了“公开配水面积、配水时间、配水流量、收费标准，接受群众监督”的四公开一监督的科学用水制度。

20 世纪 90 年代初，围绕“土渠不跨世纪”的农田水利基本建设目标，在设计单位主持工作的他带领技术人员，试验探索形成了“U”型壳槽、混凝土薄板、浆砌卵石三种节水衬砌型式，编制了《田间配套工程定型图册》等资料，提供了规范、科学的建设模式。同时，在实施石羊河流域重点治理工程建设中也发挥了积极的作用。

他主持建成了凉州区抗旱防汛指挥等自动化系统，在水资源管理中发挥了重要作用；主持完成的《石羊河流域自流灌区水利信息化建设与研究》等多项科研项目获得了省科技进步奖，撰写的《石羊河流域节水型社会建设模式探讨》等十多篇论文在国家级刊物上交流。

二、科学严谨，治水兴水造福百姓

他准确把握国家投资政策，坚持服务民生，先后争取国家投资 5.5 亿多元，完成 3 座水库除险加固，改建

干、支渠道395km，配套末级渠系3071km，解决了49万农村人口饮水问题，全区渠系水利用率提高了4.6%，凉州区被授予了“全国农田水利建设先进县（区）”等称号。他坚持依法治水，严厉打击非法取水、采砂、破坏水利设施等行为，有效防范和化解了多起水事纠纷。针对水利工程投资多的现状，他坚持以防范约束、制度建设、监督检查为主要手段，保证了项目顺利实施。

三、胸怀大局，全力推进流域治理

“不谋全局者，不足谋一域”。石羊河流域上游向下游民勤调水工作难度很大，他不折不扣实施规划，坚持抗旱、防汛、调水“三不误”，超额完成了年度和时段调水任务。他主持完成了凉州区第一个《水权配置实施方案》及与之相配套的十余个细则办法，将水权逐级明晰到17.95万用水户；在石羊河流域率先建立农民用水户协会427个，实现了参与式管理；对全区4800眼机井全部安装了智能化取水计量设施，解决地下水长期无序开采的问题；农业灌溉全面推行水票（卡）制，探索了各行业之间水权置换模式。

四、以人为本，建好班子带好队伍

作为“班长”，他坚持按制度办事，以身作则，率先垂范。注重队伍建设，支持青年干事创业，重视人才引进和培养。关心职工生活，解决基层同志在生活中的实际困难，积极参与扶贫济困等社会公益事业。2008年凉州区水务局被甘肃省委、省政府授予“省级文明单位标兵”称号。

新疆维吾尔自治区水利厅喀什噶尔河流域管理处处长　韩松岑

韩松岑，自1982年大学毕业以来，在水利基层单位工作了27年。他热爱社会主义，热爱党，热爱水利事业，有强烈的事业心和责任感，为地处新疆南疆喀什地区、克孜勒苏柯尔克孜自治州的喀什噶尔河流域水利事业的发展，作出了积极的贡献。

一、流域水利管理

在流域水利管理上大力倡导“团结治水，团结管水，团结用水，共同发展”的治水思路，在水资源配置上提出了“分水公道，水账清楚，民主监督，优质服务”的分水原则，在调解水事纠纷上制定了“尊重历史，面对现实，互谅互让，展望未来”的协调准则，有效地缓解了地州间、兵地间紧张的水事关系，使水事矛盾和纠纷发案率有了明显降低，2006年获得“全国水利纠纷调解优秀工作者”的光荣称号。在流域改革与管理方面，积极推进水资源的统一管理，在水资源的配置上，实行全处配水目标承包责任制，试点水权水市场改革，推进供水到户及水价改革，试行农民用水者协会自主管理机制。

二、推进流域水利基础设施建设

首先抓好前期工作，在管理处经济十分困难、无力解决前期经费的条件下，千方百计筹措前期经费。在他的努力下，12年来，共筹措前期经费3000余万元，完成了《喀什噶尔河流域规划》和防洪、大型灌区、水土保持、水能资源等专业规划，以及规划中20余项《项目建议书》和《科研报告》，为水利基础设施建设奠定了扎实的基础。目前已争取并实施的国家及自治区投资项目近2亿元，使流域的水利基础设施有了很大改善，流域骨干水利工程基本配套完善，供水保证率和防洪减灾能力有了较大的提高，为流域灌区150万各族群众，特别是少数民族群众脱贫致富提供了保障。

三、单位建设和职工生活改善

一是通过多项改革措施和市场经济手段，在水价不调的前提下，提高管理处经济收入，使全处目前年收入达1600万元，比1999年翻了一番。二是从1999年以来，新购2.67hm^2土地，基本建成了花园式机关小区，已被建设部批准为新疆南疆三地州第一个低能耗节能减排示范小区。目前已建成3.2万m^2职工住宅和5500m^2的办公楼。小区绿化美化面积达30%，使职工办公生活条件有了极大的改善。三是积极创办经济实体，年利润达100余万元，同时解决职工子女就业60余名。四是保证了职工工资达标发放，收入增加。完成了职工养老统筹等“五金”交纳，使职工老有所养。因此韩松岑也多次荣获自治区水利厅“全心全意依靠职工办好事业的党政好领导”光荣称号。

四、加强民族团结

他以身作则，高度重视少数民族团结，牢固树立“三个离不开”的思想，从工作和生活方面自觉尊重民族风俗习惯，充分依靠和信任少数民族同志。他在任处长以来，提拔少数民族中层干部30余名，解决少数民族职工子女就业50余名，注重培养民族处级后备干部（处级后备干部中少数民族同志占了80%），已积极推荐提拔了3名少数民族干部进入处级岗位。在民族古尔邦节、肉孜节期间，亲自带领汉族同志到少数民族同志家中拜年做客，并把它作为加强民族团结工作的一项内容长期坚持下去。关心帮助少数民族困难职工的生活。韩松岑在12年的工作中，9次年终工作考核被水利厅评为优秀，多次获得自治区、水利厅、地州先进荣誉称号。

新疆维吾尔自治区阿克苏地区
水利局局长　李学军

一、呕心沥血治塔河

2001年国务院实施塔里木河流域综合治理以来，李学军全身心地投入到塔河治理项目工作中。10年来，他亲自率领水利专家和技术人员，狠抓塔河治理项目的勘测设计工作，为抢抓国家、自治区投资机遇付出了艰辛的努力。阿克苏地区塔河项目总投资25.22亿元，共有153项单项工程，建设任务十分繁重。在李学军的带领下，地、县（市）水利战线各族干部职工发扬能吃苦、讲奉献、善战斗的精神，超常规的开展各项工程建设，目前已累计完成投资17亿元。

基层上报的审批项目，他及时迅速组织专家组评审，以高效的服务让基层快速运作，2004—2008年连续5年被评为综合治理项目建设管理先进个人，2004—2007年连续4年荣获自治区塔委会塔河流域水资源调度先进个人，地区水利局也连续5年荣获塔管局塔里木河流域近期综合治理工程建设一等奖。

二、抛洒热汗干事业

在洪灾面前他总是坚持靠前指挥，实地协调，用智慧和汗水同团队勤奋工作在防洪指挥的第一线，有效地保护了阿克苏各族人民群众的生命和财产安全。

李学军亲自带领技术人员先后深入到兄弟地州和内地有关省市重点围绕棉花膜下滴灌工程造价、建设资金筹措、工程规划设计等8个方面问题，进行了细致的摸底调研，并及时撰写出科学、切实可行的调研报告，在他的建议下，地区很快制定出台了《阿克苏地委、行署关于加强节水型农业建设的实施意见》。

组织专家编写出了好学易懂、便于操作的培训教材，同时，采取现场示范观摩的方法，组织各县（市）分管水利的县（市）领导、水利局长、技术骨干、已实施和拟实施棉花膜下滴灌项目的乡（镇、场）长、水管站长、棉花膜下滴灌工程的运行管理人员230余人，在田间地头手把手地进行授课培训，有效提高了项目建设和工程运行管理技术人员的综合素质和实际操作能力，为地区加快和普及农业高效节水工作提供了技术保障。

截至2010年，全地区已推行农业高效节水面积11.07万hm^2。同时建立健全了棉花膜下滴灌技术行政推动机制和效益驱动机制，亩均棉花增产籽棉50～100kg。2007—2009年阿克苏地区也因此连续3年获得了自治区人民政府农田水利基本建设“天山杯”先进地州的荣誉称号。

三、廉洁自律树楷模

他认真学习，模范执行中央、自治区、地区关于廉洁自律和廉政建设的一系列规定。重点水利项目的建设管理、资金管理能够合法、合规、按程序进行办理，不以权谋私、不搞权钱交易。认真落实责任制，切实履行好党组副书记、局长在党风廉政建设中的职责。他狠抓水理重大项目党风廉政建设责任制的落实，重点加强了塔河综合治理、改水防病、地下水开发、节水项目、大型灌区节水改造、水库除险加固、重点堤防工程等水利工程项目的党风廉政建设和反腐倡廉工作。从5个方面10个环节加大水利项目监管力度，有效防止不正当交易和商业贿赂行为的发生。他组织力量积极开展财务监督检查和审计工作，合法合规的管好用好各类水利资金。他坚持不懈地认真治理农业灌溉中出现的以水谋私损害群众利益的问题，树立了立党为公、执政为民、权为民所用、情为民所系、利为民所谋的良好形象。

新疆维吾尔自治区喀什地区莎车县
水利局局长　刘建宏

刘建宏，汉族，1989年参加工作，现任莎车县水利局党委副书记、局长。作为一名普通的共产党员，他二十年来始终把水利工作作为为民谋利、治理生态、实现农业丰收和可持续发展的生命之源。

一、牢记宗旨，服务人民

刘建宏同志自参加工作以来，始终以一名共产党员的标准严格要求自己，用艰辛和勤劳抒写着对党的忠诚，以自己的青春年华和实际行动谱写了一曲边疆基层水利干部的奉献之歌。他所在的单位，百分之九十以上为少数民族干部，他注重“双语”学习，政治立场坚定，积极维护民族团结，旗帜鲜明地反对民族分裂，在工作、生活中尊重维吾尔族干部职工的风俗习惯。任职6年来，他积极筹措资金对全县二十多个基层水管单位职工的办公及生活住房条件进行改善，凝聚了人心，稳住了人心。特别是在他任职以来，在全地区率先建起了水费征收大厅，采用计算机收费，公示各用水户的水费征收标准、用水量、灌溉面积、应交水费，实现了农民群众用放心水、交明白费，搭车、截留、挪用水费现象得到有效遏制，大大减轻了农民群众年不合理水费负担上百万元。

二、爱岗敬业，无私奉献

刘建宏同志负责全县农田灌溉、防汛抗旱、农村饮水安全、病险水库除险加固、塔河综合治理、推广高效节水灌溉、抗旱打井建设等工作，一年365天有300余天都在农村水利工作一线奔波。他在近十年的工作中，紧紧抓住国家实施西部大开发大好机遇，努力改善水利基础设施条件，亲自参加设计、施工、管理叶尔羌河首座永久性防洪工程，并参与“九五”“十五”“十一'五”全县农村人畜饮水安全项目的实施，基本解决全县40万农村各族群众吃水难、长期饮用涝坝水的问题。全县12座中小型病险水库在他任职期间得到除险加固，水库隐患得到排除。他负责的塔河综合治理项目涉及30个单项工程，投资大，建设任务重，目前20个主要骨干单项工程已完工并投入运行，节水效益、生态效益非常明显。2008年、2009年，在他的带领下打抗旱丰产井300眼，确保了在大旱之年全县70万亩夏粮仍能继续增产。

三、管好用好一滴水，增产增收一方田

莎车县年降雨量仅为40mm，蒸发量却在2500mm以上。为确保全县农业生产增产增收，刘建宏同志牢固树立抗旱夺丰收思想，坚持以节水为主、开源与节流并重的方针，在喀什地区率先实行“总量控制、定额管理、超额加价、节约归己、适当奖励”的二十字灌水制度。近五年，全县毛灌水定额每年平均下降20m^3，实现年节水2000万m^3。

四、积极争取项目，加强水利设施建设

莎车县是喀什地区乃至全疆耕地面积、灌溉面积最大，人口最多的县，经济欠发达，属国家级扶贫开发重点县。刘建宏同志二十年来上百次去乌鲁木齐、塔管局、黄委对接、审查水利项目100多个，极大地改善了水利基础设施条件，减轻农民负担，有力地促进了“三农”工作。

为了水利事业和谐发展，为了莎车县70万各族群众幸福安康地生活，刘建宏同志默默地工作着、努力着。莎车县水利局于2008年被评为全国农田水利基本建设先进单位，1998年至今，他本人多次被喀什地区和莎车县评为“先进个人”和“优秀共产党员”，2007年被评为全国防洪抗旱模范。

新疆维吾尔自治区额尔齐斯河流域开发工程建设管理局高级工程师　杰恩斯汗

杰恩斯汗同志作为一名优秀的少数民族干部，具有较高的政治觉悟和理论素养，专业技术功底扎实，工作中吃苦耐劳，认真负责，群众基础较好，关心爱护职工，是新疆额河建管局这一优秀战斗集体的突出代表。

一、不畏艰辛，勇于奉献

1998 年北疆供水工程总干渠工程开工建设，杰恩斯汗担任工程测量监理。作为测量技术人员，他不但要忍受严寒酷暑的折磨，还要时刻提防野兽的突然袭击，工作、生活条件异常艰苦，在这样的条件下他为工程提供了第一手翔实、准确的测量数据。1998 年 3 月，他带领技术人员到总干渠白山嘴隧洞进行测量控制网的校核，当时天气寒冷，进场道路被大雪覆盖，车辆无法进入。在此情况下，他毅然带领大家背着仪器踏着齐腰深的积雪徒步进入测区，累了就在雪地上躺会，冻了就凑在一块儿互相取暖，最后圆满完成了测量任务，为白山嘴隧洞按期开工争得了宝贵时间。

在总干渠的竣工验收中，杰恩斯汗负责的总干渠 1B—8B 标段的测量控制状况良好，平面控制、高程控制、断面尺寸等各项测量指标均能满足设计要求。2000 年冬季恰逢阿勒泰地区遭受罕见的雪灾，公路严重堵塞，管理所给养供应不上，情况十分危急，他不顾个人安危，带领一班人，冒着暴风雪给管理所送去补给。

二、科学施工，精心管护

2003 年总干渠岁修工程任务重、工期紧，为保证工期，他与施工工人们一起吃住在工地，现场指挥、精心安排，协调各方力量，岁修工程最终以较高的质量按期完成。特别是在 2005 年岁修工程中，由于停水时间比往年晚了近一个月，他及时优化施工方案，合理调配施工力量，带领现场人员忘我地工作在工程一线，克服了许多难以想象的困难，保质保量地完成了维修任务。在他和站所运行人员精心管护下，总干渠渠道结构稳定，运行状况良好，发挥出巨大的社会效益和经济效益。

他通过深入的调查研究，在干渠沿线有电区域架设电动水泵，在渠道和林床有高差的区段铺设虹吸管自流灌溉，这两项措施有效地降低了绿化工作管理成本，同比可降低油耗 50%，每年节约绿化费用约 20 万元。

三、业务扎实，廉洁自律

杰恩斯汗作为一名工程建设管理人员，业务技能扎实、综合管理能力强，身为国家公职人员，无论身在何处、任何职、从事什么工作，都是一心为了工程，始终把国家利益、集体利益放在首位，始终坚持公平、公正的处事原则和优质服务的工作态度，始终坚持额河建管局廉政“三不准”的规定，始终能够做到廉洁自律、洁身自好。

四、情系水利，默默奉献

杰恩斯汗身为一名水利工作者，能够以大局为重，为水利事业任劳任怨。工作十多年来，长年累月在野外工作，牺牲了很多与家人团聚的机会，为了工作，该同志在爱人临产时，还坚守在水利工地上。也许对家人来说他不是一个好儿子、好丈夫、好父亲。但在职工心中，他是一名好兄长、好领导，是一名优秀的共产党员，一名优秀的水利工作者。杰恩斯汗不畏艰险、乐于助人、一心为公、敢于负责的优秀品质，充分展现了额河水利人“锲而不舍、追求卓越”的组织精神，他的事迹在北疆供水工程的战线上广为流传，他用自己的实际行动践行着一名共产党员的誓言，他用自己一腔的热情为新疆的水利事业默默地工作着、奉献着，不断激励着新疆额河水利人向着更高、更快的工程建设目标前行。

新疆生产建设兵团农六师水利管理处处长　段文才

他没有响亮的豪言壮语，也没有显赫的丰功伟绩，然而在兵团的水利战线上，他却是一名公认的实干者。

把一个年亏损300多万元、负债累累的水管单位转变为年收支基本平衡再到略有盈余，他只用了3年时间。推动五库整合，建设标准化站所，实施水管单位量化考评……他以远超过普通年轻人的热情和魄力，全身心投入兵团水利事业，不遗余力地推动着基层水管工作向科学化、规范化、标准化迈进。他就是新疆生产建设兵团农六师水利管理处处长段文才。

一、踏实工作，勇创新局面

2005年1月，根据工作安排，段文才调任农六师水利管理处处长。当时，他已经53岁了，不少职工以为他这样的年纪来到一个新单位，恐怕不会再有什么新作为了，可他没有多说什么，只是以自己的实际行动告诉广大干部职工，只有大力发扬“献身、负责、求实”的水利精神，踏踏实实干好本职工作，才能摆脱当前的困境，走上改革发展的正轨。到2008年，全处经济实现盈余，水管机制改革逐步推进，旅游业呈现恢复性增长，职工收入明显提高……一年年新的变化，让职工群众熟悉了他，信任了他，认可了他。

二、结合实际，推动水管改革

水管处所辖的猛进水库是五家渠市的一座中型拦蓄水库，由于受水资源环境制约，猛进水库没有自主调节的水资源，主要依靠二次调节，水库调蓄能力有限，制约了五家渠灌区农业用水调节和防洪保障功能。针对这一问题，段文才认真学习研究水利部及自治区、兵团有关水利体制改革的文件和政策精神，结合农六师五家渠市水利管理工作实际，积极配合师市党委和水利部门，大力推进水管体制机制改革进程。到2007年，终于促成师市中西片灌区5座水库的统一管理体系。2008年，五家渠灌区遭遇1974年以来最严重的旱情，段文才从年初就提出了内强管理、外树形象、全面引水、科学调配的工作思路，配备和完善了基层水管队伍，不断完善水管工作运行机制，深入推进“抓作风建设、促工作落实”主题实践活动，有效提高了基层水管单位的执行力和工作效率，并配合师市有关部门实行百里调水工程，确保了灌区农业生产不因为水的供应短缺而遭受全局性严重影响。

三、身先士卒，甘于奉献

段文才担任水管处领导，少有豪言壮语，更多的是勤勤恳恳带头做事，他深知，喊破嗓子不如做出样子。因此，在每一次防汛抗旱、抗击雪灾、义务劳动中，他总是以身作则，身先士卒，坚持一线工作、靠前指挥，与职工群众风雨同舟、同甘共苦。正是他的这种务实干练、积极乐观的精神，深深打动了每一个普通的水利工作者，在他的带动影响下，水管处渐渐形成了一种敢于负责、甘于奉献、团结务实的工作氛围。

四、不断学习，勤于思考

段文才本身并非水利“科班出身”，虽然过去曾担任农业生产单位领导，也兼管农场的水管工作，但从事水利管理工作以来，他仍深感专业知识的不足，总是千方百计从书本上、从实践中、从技术人员身上不断学习。他勤于思考，注重将理论知识和实际工作相结合，几年下来，他就从一个水利行业的“门外汉”，变成了一个水利管理工作的行家里手，以自己的勤奋好学精神和专业管理水平赢得了职工的信任与尊敬，成了兵团水利行业中公认的实干家。

全国文明单位

黄河水利委员会（机关）

一、基本情况

水利部黄河水利委员会（以下简称为“黄委”）是水利部在黄河流域和新疆、青海、甘肃、内蒙古内陆河区域内（以下简称流域内）的派出机构，代表水利部行使所在流域内的水行政主管职责，为具有行政职能的事业单位。目前全河在职职工28000余人，其中专业技术人员近1万人，离退休职工12000余人。黄委机关坐落在郑州市，设有16个职能部门，共有在职职工283人。黄委下属17个单位分布在流域各省区。

近年来，黄委机关精神文明建设取得了丰硕的成果。1994年至今，黄委机关连续保持了河南省“省级文明单位”的荣誉称号。2002年至今，黄委机关连续保持了水利部全国水利文明单位的荣誉称号。黄委机关先后被授予“全国精神文明建设工作先进单位”“全省先进基层党组织”“全国抗震救灾英雄集体”“全国文明单位”等荣誉称号，获得全国“五一”劳动奖状、“第四届中华宝钢环境奖”，被评为“全国模范职工之家”。

全河独立创建的178个单位中，有全国文明单位1个，全国精神文明建设工作先进单位和全国文明行业创建先进单位窗口3个，省级文明单位72个，全国水利文明单位8个，地市级文明单位65个，县级文明单位7个；各级文明单位创建率已超过84%。

二、文明创建工作的基本做法

机制健全。多年来黄委党组对于精神文明创建工作非常重视，做到了“三有五到位”：创建有机构、有规划、有经费，精神文明创建工作组织领导到位、人员配备到位、资金筹措到位、工作安排到位、措施落实到位，形成了党组统一领导，党政工团齐抓共管，职能部门各负其责、密切配合、统一协调的领导体制和工作机制。

目标明确。黄委精神文明建设要为“维持黄河健康生命”营势造场：就是要通过扎实有效的精神文明建设工作，把广大干部职工的积极性、创造性调动到实现维持黄河健康生命的奋斗目标上来；培养、造就一支具有丰富现代科学知识和管理知识、充满活力、有创新意识的新型治黄科技队伍；树立全面、协调、可持续发展观，形成与维持黄河健康生命要求相适应的思想观念和精神状态；为维持黄河健康生命、顺利推进黄河治理开发事业营造良好的舆论环境。

载体丰富。黄委党组高度重视理论武装工作，专门制定《关于中心组理论学习的若干规定》，坚持每年制定中心组年度学习计划，坚持每月一次中心组学习，构建以中心组学习为龙头、以处以上干部为重点、广大干部职工踊跃参加的理论学习格局，以提高职工文明素质为核心，思想道德建设不断深化；发挥先进感召作用，大力弘扬黄河精神；传承和发展黄河水文化，黄河号子被确认为国家级非物质文化遗产；爱国主义教育基地、黄委文明单位、文明处室、文明工地、职工之家构建文明细胞建设新格局；寓教于乐，文化体育活动丰富多彩；以人为本，职工工作生活环境不断改善；政务公开，强化民主管理和依法行政；以《黄河报》、黄河网、黄河电视台、《黄河政工》为主阵地，营造良好的舆论氛围；大力支持、积极参加地方文明单位创建工作，积极参加各类社会公益活动，树立良好的社会形象。

三、精神文明创建工作有力地促进了治黄事业的发展

一是以中央科学发展观和水利部治水新思路为指导，在总结长期治河实践经验的基础上，提出了维持黄河健康生命的治河理念，并以此为中心构建了“1493”治河体系，为今后黄河治理开发与管理确立了方向和目标。二是实践人与自然和谐相处的理念，努力破解黄河面临的四大问题（洪水威胁、水资源供需矛盾、水土流失以及水污染），为更大范围、更深层次地开展黄河治理开发实践打下了良好的理论基础。三是大胆探索，勇于实践，全河水资源统一管理与水量统一调度、黄河调水调沙、标准化堤防建设、利用并优化桃汛洪水过程冲刷降低潼关高程试验、小北干流放淤试验、中游粗泥沙集中来源区治理等一系列重大治黄措施的成功实践，开拓了治黄新领域。四是连续成功举办4届黄河国际论坛，成功打造了一个世界流域水资源管理、水技术开发融会贯通、携手共进的平台。五是不断创新管理体制和运行机制，黄河实现连续十年不断流，建立重大水污染事件应急反应机制，治河科技含量与现代化水平明显提高，依法治河深入推进，各项管理工作进一步规范强化，持续增长、具有黄河特色的经济发展模式逐步建立，经济发展态势良好。

湖南省水利厅（机关）

湖南省水利厅机关在水利部党组的正确领导和部精神文明建设指导委员会的高度重视与直接指导下，坚持以党的十七大精神为指导，全面落实科学发展观，积极丰富和发展文明创建，努力争取文明创建新荣誉，有力地推动和保障了水利建设跨越式发展，实现了文明创建与水利事业建设双丰收。先后被评为“全国老干工作先进集体”“湖南省为民办八件实事先进集体”“湖南省工会系统先进集体”，2005年、2008年连续两届被中央文

明委授予“全国文明单位”荣誉称号。

一、三管齐下，激发文明建设活力

一是认识再深化。组织开展了“获得最高荣誉了，文明创建怎样深入”、“如何解放思想，推动文明创建向高标准高层次上发展”的大讨论，使职工群众感到：精神文明创建是实现可持续发展水利、构建人水协调水利体系的重要基础，必须常抓不懈。进一步完善了党组书记、厅长任领导小组组长，总揽文明创建工作，分管厅领导具体抓，其他党组成员各司其职的文明创建领导体系。厅机关全体干部团结一心，形成创先争优的工作氛围。二是内容再拓展。划拨专款建立党员学习室、职工阅览室，添购了学习资料，装修了机关图书室，开通了网上电子图书馆，优化了干部职工的办公环境；投资100余万元改造了多功能会务中心；扩建完善了职工食堂、职工医院、综合服务大楼、幼儿园、机关招待所、老干部活动中心等配套服务设施；集资兴建了“润沁园”职工住宅小区318套职工住房等，始终保持文明建设形式和内容的统一、协调发展。三是机制再完善。完善和修订了《湖南省水利系统文明单位评选和管理办法》，将文明创建作为统一的工作目标，同研究、同部署、同检查、同落实，做到了创建年初制定计划、年中检查督促、年终考核评比。坚持每2年评比表彰一批文明单位，有力地促进了文明创建在全省水利系统的蓬勃开展。厅直系统先后有2个单位被评为全国水利文明单位；3个单位被评为全省文明单位；有1个单位被评为湖南省省直文明标兵单位；23个单位被评为全省水利系统文明单位。

二、以人为本，突出文明建设湖湘特色

一是注重典型示范。相继推出了党的十七大代表何江波，全省“十大杰出女性”“全国水利劳动模范”荣誉获得者胡雪霜，抗御雨雪冰冻灾害优秀共产党员、五一劳动奖章获得者曹述军等一批先进人物。在典型的感召下，全厅先后涌现了19位学习何贵平同志先进个人、5名水利劳模（全国水利系统21人）、10余名湖南省“芙蓉百岗明星”、18个文明家庭。特别是防汛抗灾中，涌现出了一大批优秀共产党员、先进集体、先进个人，厅机关受到了省政府的表彰。二是突出湘水文化特色。举办了湖南现代水利建设论坛、长江论坛、廉政文化论坛和以建设社会主义核心价值体系为主要内容的三湘水文化论坛；成立了水利政研会，创办了《水利人》杂志，搭建了水利人的文化平台；坚持“月月乐”的活动，积极开展轻松、明快、有益的全民健身活动，进一步丰富了机关的文化生活。三是着力服务民生。创办了“职工消费合作社”，让干部职工吃上了“放心菜”，喝上了“放心水”；坚持开展“双联双助”活动，每年“双节”期间，密切了党建、干群关系。注重人文关怀，关心离退休人员生活，先后被评为全省老干工作先进集体、水利部老干工作先进集体和全国老干工作先进集体。

三、和谐发展，文明建设取得新成效

一是促进了作风转变。坚持每年突出一个主题，先后开展了主题鲜明的“水利管理年”“调查研究年”“作风转变年”等系列活动。开展了反商业贿赂、建言献策等活动，倡导“五个带头八个表率”，规范“八项”管理，出台“十条禁令”，营造了廉洁从政的良好氛围。开展创建学习型、效能型、服务型、廉洁型、法治型“五型”机关活动，进一步树立和维护了机关良好形象。二是提升了队伍素质。目前，机关有正高级职称专业技术人员3名，高级职称专业技术人员16名，中级职称专业技术人员35名，硕士研究生16人，博士研究生4人，大多数干部职工具有本科以上学历。2005年以来，有15项成果获省科技进步奖；1项获水利部大禹水利科学技术奖。三是推动了水利发展。创新山洪灾害防御机制；先后投入资金161多亿元，建成各类水利工程182.7万处，解决了183.82万人的饮水不安全问题；治理病险水库1874座，超额完成了省政府“八件实事”任务，受到了省政府的表彰；建立了水利建设市场诚信系统，规范了水能资源开发利用管理，水利经济实现总量突破120亿元。四是改变了机关面貌。湖南省水利厅一直保持着省级“园林式单位”称号，连年被评为计生工作先进单位；2007—2009年连续3年被省委评为综合治理先进单位，被授予平安单位荣誉称号。

江苏省江都水利工程管理处

江苏省江都水利工程管理处是江苏省水利厅直属的工程管理单位，现有在职职工531人，管理着4座大型抽水站、12座大中型节制闸等水工程，具有灌溉、排涝、泄洪、通航、改善生态环境等综合功能，既是江苏省江水北调工程的龙头，也是国家南水北调东线工程的源头。

多年来，在上级组织的关心和帮助下，始终坚持以人为本，深入开展文明单位创建活动，先后被评为“水

利部文明服务示范单位”“江苏省文明单位”和“全国创建文明行业工作先进单位”，2005年喜获“全国文明单位”殊荣。近年来，获得了“全国五一劳动奖状”“全国工人先锋号”“全国水利系统先进集体”等荣誉称号，2009年蝉联“全国文明单位”称号。

一、健全机制，规范管理，文明创建基础更加坚实

加强组织领导。坚持党政工团齐抓共管，把文明创建工作与全处各项工作同布置、同督查，做到年初有计划、年中有检查、年底有总结，每年都开展30多项群众喜闻乐见的创建活动。

不断完善制度。及时修订和完善《处三个文明建设目标考核办法》《处文明服务示范岗位考核标准》《处文明办公管理规定》《处职工文明守则》《处职工日常行为“十不”规范》等文明创建制度，并汇编成册，便于职工学习和执行，做到有章可循。

注重检查督促。采取平时抽查和年终考评相结合的办法，对下属单位和职工开展创建考评活动，及时总结经验，找出不足和差距，并给予奖惩，促进创建水平不断提升。

二、强化载体，全员参与，文明创建氛围更加浓厚

以党建活动为载体，不断弘扬主旋律。紧紧围绕党建主题，深入开展党员干部素质教育、思想政治工作经验交流、支部共建、纪念“七一”、扶贫帮困献爱心、党员义务奉献日等活动。

以文体活动为载体，做到寓教于乐。利用“五四”青年节、“三八”妇女节、“八一”建军节、敬老节、植树节、建处40周年等契机，以歌咏、演讲、棋牌、球类等比赛，或以茶话会、文艺晚会、参观学习等形式开展丰富多彩、健康有益的文体活动，丰富了职工的业余文化生活。

以争创活动为载体，促进工作水平提升。注重宣传和鼓励职工立足本职岗位，努力争先创优，在下属单位中先后涌现出“全国学习型班组”“全国三八红旗集体”“全国模范职工小家”等一批先进集体。

三、内强素质，民主管理，文明创建内涵更加丰富

加强文化建设，树立良好风尚。通过创办“引江信息网”，印发《职工文明守则》，编写出版《江都水利枢纽志》，创作处歌，制作电视专题片和画册，开展廉政文化进工地、进机关活动，举办水文化讲座等，营造了党风正、政风清、民风淳的良好风气，杜绝了违法违纪案件的发生。

加强教育培训，提高职工素质。创造性地开展了“每月一课、每月一试和每年一考”等“三个一”活动，以学历教育、继续教育以及各种技能比武等为途径，不断提高职工综合素质。3年来，先后有20多名职工获得省部级以上表彰。荣获水利部“水利行业技能人才培育突出贡献奖”、“江苏省学习型组织标兵单位”等称号。

加强民主管理，营造和谐氛围。坚持职代会制度、现场办公会制度和合理化建议制度。坚持实行民主监督、政务公开，在工程建设和大宗设备采购过程中，建立公开、透明的管理制度，对重大事项实行“阳光操作”。

四、围绕中心，推动发展，文明单位形象充分展示

不断加强工程管理，充分发挥社会效益。2009年，北方出现旱情，江都站连续运行193天，抽江水北送33亿m^3，缓解了北方的旱情。工程建成40多年，已累计抽水1100亿m^3，引水1000亿m^3，排涝320亿m^3，泄洪9000亿m^3。

认真实施加固改造，不断提高现代化水平。紧紧抓住南水北调江都站改造机遇，大力引进新技术、新设备、新材料，不断提高工程现代化水平，目前已先后荣获国务院南水北调办“青年文明号”、“文明工地”、“文明建设管理单位”和“江苏省工人先锋号”等称号。

积极探索体制改革，不断提高单位综合实力。管理处维修养护中心充分利用自身人才技术优势，跨省、跨行业开展机电安装、科研设计、运行管理等技术服务，既锻炼了队伍，又创造了经济效益。

注重加强环境建设，努力打造源头工程新形象。按照“园林化”的标准，以建设环境优美的“城市水利公园”为目标，不断加大环境建设力度，先后获得“国家水利风景区”“全国绿化模范单位”“江苏省爱国主义教育基地”等荣誉称号。每年接待中外来宾和社会各界人士数万人来管理处参观学习。

浙江省水利水电勘测设计院

1994年以来，浙江省水利水电勘测设计院（以下简称为“设计院”）深入持久地开展文明创建活动并取得

了可喜成果。1999 年以来连续 5 届被评为“省级文明单位”，连续 4 届被评为“全国水利文明单位”，2005 年荣获“全国精神文明建设先进单位”称号。

一、争创一流，综合实力位居省级院前列

一是全方位服务于浙江水利，充分发挥技术支撑作用。承担并完成全省防洪安全、水资源供给和水环境三大保障体系建设的一系列水利规划报告和“水资源保障百亿工程”全部 20 个项目的勘测设计任务，积极参与了“千库保安”“万里清水河道”“千万农民饮用水工程”以及防汛、防台、抗旱等工作。为浙江水利走在全国前列发挥了技术支撑作用。二是经济实力显著增强。适时调整经营战略，不断拓宽业务领域，走出省外、跨出国门，承接了一大批水利水电开发项目的勘测设计任务，合同额、财务收入屡创新高，人均产值、人均收入等经济指标在省级院中名列前茅。三是质量和科技水平不断提高。始终坚持“精心设计，优质高效，持续改进，顾客满意”的质量方针，持续完善质量管理体系，不断提高成品质量。3 年来获得省、部级优秀勘测设计、优秀咨询成果和科技进步奖 44 项，国家级优秀勘测设计、优秀咨询成果奖 7 项。2006 年被中国勘察设计协会授予“全国优秀勘察设计院”称号。

二、求真务实，领导班子坚强有力

院党政领导班子按照“为民、务实、清廉”的要求，持续加强班子自身建设，理论素养、思想境界、业务水平、工作作风和创新能力不断提升。近年来，设计院实施质量品牌工程，制订和实施人才建设规划，建立党建和思想政治工作机制等，引领各项事业全面发展。单位连续 5 年被水利厅考核为优秀，院长也同时被考评为“优秀一把手”，院党委连续 2 届被水利厅授予“先进基层党组织”称号。

三、持续深化，创建工作扎实有效

坚持创建工作常抓不懈。一是始终把创建工作列入全院的重要工作。制定创建规划，细化工作计划，落实创建责任，以完善的组织体系保证创建工作的力度，以全院职工的广泛参与保证创建工作的广度，以丰富有效的载体保证创建工作的深度。二是突出重点，不断深化。始终坚持把职业道德建设作为创建工作的重要内容。加强教育，完善制度，规范员工的职业行为，不断提高服务水平。先后获得“省职业道德建设十佳单位”、“勘察设计诚信单位”称号，并在全国水利系统精神文明建设工作会议上作经验交流。三是与企业文化建设紧密结合。弘扬“诚信、精心、创新”的企业精神，把企业文化建设和文明创建工作互动互补，共同推进。四是工、团共创。工会、共青团充分发挥自身创建优势，积极开展活动，院工会先后被省委组织部、总工会和全国农林水工会授予“模范职工之家”和“劳动奖状”，规划团支部荣获“全国‘五四’红旗团支部”称号。

四、强化教育，干部职工素质显著提高

一是主题教育系统化、经常化。围绕职工思想和工作实际，系统开展了“爱岗敬业讲奉献，心系企业做主人”、“弘扬企业精神，凝聚团队力量”“全员经营理念”和“优良服务理念”等主题宣传教育。通过学习讨论、知识竞赛、征文、演讲、辩论赛等激发职工的敬业奉献精神，涌现了一大批先进模范人物。二是以人为本，重视人才建设。制订人才建设规划，实施院“1123”人才工程，营造良好的育人用人环境。实施全员培训和导师带徒制度，促进了队伍整体素质的提高。三是注重干部能力建设。一方面通过系统的管理培训，强化素质提升。另一方面实行竞争上岗、综合考评，建立起科学完备的干部选拔、任用和评价机制。四是承担社会责任，抗震救灾表现突出。汶川地震后，设计院干部职工累计捐款达 33 万余元，50 余人为灾区献血；10 余位职工参加四川震损水库除险应急方案编制工作，承担并出色完成了援建青川县水利建设项目的规划设计任务。

五、以人为本，单位和谐进步

一是高度重视并持续深化思想政治工作。按照“经常、深入、实效”的要求，开展思想状况调查，了解分析职工动态，有的放矢地做好工作；坚持开展“谈心月”活动，增进了交流，促进了和谐。二是民主管理制度健全。实施院务公开，定期召开职工代表大会，职工知情权、参与权、监督权得到保证。高度关注并及时解决职工关心的热点问题，受到职工的普遍好评。三是关心弱势群体，建立职工困难档案，持续开展“送温暖”活动，3 年补助困难职工达 134 人次，补助额达 20.1 万元。四是发挥示范作用，积极做好社会共建，3 年累计捐款 60 余万元；在智力、财力、物力上大力支持，积极做好与街道、社区和淳安县双溪村文明共建，先后获得杭州市“文明结对共建突出贡献单位”和杭州市“社区共建十佳标兵单位”称号。五是综治、安全生产和计划生育工作扎实。没有发生安全事故和综治案件，连续 3 年被水利厅考核为安全生产先进单位，被杭州市评为综

治先进单位，每年被上城区评为计生工作先进单位。

四川省都江堰管理局

四川省都江堰管理局（以下简称为“管理局”）作为特大型灌区管理单位，承担着灌区工程建设、管理和68.67万 hm^2 农田、2000多万城乡人民、50多家重点工业企业及生态环境的用水任务，现有职工1010人，其中在岗职工665人。在文明单位创建工作中，始终坚持“三个文明一起抓，三个成果一起要”的方针，围绕水利发展抓创建，抓好创建促发展，获得和保持了四川省文明单位、四川省最佳文明单位、全国水利系统文明单位和全国文明单位等荣誉称号。

一、组织领导有力，创建工作扎实

制定创建规划，确立争创“全国文明单位标兵”的目标，成立了领导小组及办公室，建立健全了一把手亲自抓、分管领导具体抓、党政工团分工负责、部门负责人具体落实的工作机制，设立了精神文明建设专项资金，制定了评比标准和考核制度，把创建活动纳入工作目标责任制，与业务工作目标一同布置、一同考核、一同奖励，使创建工作目标明确、责任到人，奖惩过硬，增强了职工的创建意识，实现了从“要我创”到“我要创”的转变。特别是在“5·12”特大地震中，管理局损失严重，于是将抗震救灾与创建活动结合起来，激发了职工坚守岗位、奋力自救的主人翁精神和战斗意志，展示了都江堰人的良好素质。

二、思想教育深入，道德风尚良好

围绕水利中心工作，抓好队伍建设。以“纵向联动、横向互动”和党课大家讲、先进典型自己讲等方式，认真组织学习了邓小平理论、“三个代表”重要思想和科学发展观，创造性开展了保持共产党员先进性教育、社会主义核心价值体系教育、深入学习实践科学发展观等活动，队伍素质明显提高。在地震灾害中，大部分职工强忍失去亲人和家园的悲痛，舍小家顾大家，自觉坚守岗位，确保了灌区供水和防汛安全。全局党员虽然自身损失严重，但仍交纳特殊党费计13000多元。

三、学习风气浓厚，文化建设先进

开展创建学习型党组织、学习型机关活动，具有创新特色的研究式、反思式和差距式学习方式在省直机关得到推广，单位和职工的学习力、创新力得到提升。实施职工健康工程，通过定期体检，开展运动会、登山、书画摄影、演讲赛、辩论赛等健康有益的活动，特别是抗震救灾期间还邀请心理专家对职工进行心理安抚，为保证职工身心健康起到了很好作用。搞好爱国主义教育基地建设，通过制定规划、建设博物馆、编印《都江堰水利发展与文化丛书》、举办“都江堰建堰2260年纪念会暨国际学术论坛”等活动拓展文化建设领域。围绕构建和谐都江堰的主题，搞好了单位文化体系建设，2007年获得了“全国水利企业文化优秀奖”。

四、加强民主管理，严格遵纪守法

推行“双满意工程”，在灌区认真开展创建文明行业和民主评议政风行风活动，严格执行“五个必须，五个不准”的用水纪律，遵守对社会的7项承诺，建立了灌区代表大会制度和基层用水管理组织280个，保证了灌区正常用水秩序，做到了使灌区人民和用水户满意。在单位通过完善职代会、举行开放式民主生活会等形式，推动职工参与民主管理，改善工作条件和提高待遇，积极为职工办好事、实事，做到使广大职工满意。开展平安创建活动效果突出，单位和职工均未发生过治安刑事案件和安全责任事故，先后被评为全省水利系统综合治理模范单位和安全生产先进单位、成都市消防工作先进单位、省计划生育先进单位。

五、内外环境优美、环保卫生达标

搞好节水型灌区建设，积极推行节约用水、计量用水、合同供水，灌区年均节水已达到3亿 m^3；搞好水环境友好型灌区建设，选择试点，对山、水、田、林、路、镇统筹规划，逐步建成信息系统化、灌溉自动化、技术网络化、管理科学化和供水、用水、治污、旅游等有机结合的现代生态水利园区，努力建设生态型灌区。开展创造优美环境活动，加大了渠道、机关和生活区的绿化、美化、香化力度，保持了全国部门造林绿化400佳单位、成都市爱国卫生红旗单位。积极参与创建文明小区的活动，开展“十佳整洁办公室”评选活动，营造清洁舒适的工作生活环境。

六、业务水平领先，工作实绩显著

树立“三种理念”，全面推进都江堰水利现代化：在供水管理上，树立以人为本理念，实现水资源的优化配置和科学调度，实行优质服务，灌区工业供水保证率达100%，农业用水保证率达98%以上，即使是遭遇2006年百年不遇的特大干旱和2008年的“5·12”特大震灾，也确保了灌区农田的适时满栽全种和成都市的生活、生产、生态用水。在工程建设上，树立人水和谐的理念，搞好续建配套与节水改造，加强末级渠系改造，推进“数字都江堰”工程，先后被评为全国水利建设与管理先进单位、全国水利信息化工作先进集体。在水利改革上，树立强局富民的理念，积极推进水管体制改革、职工聘用制改革、水价改革、综经项目经营方式改革，单位经济实力不断增强，年经济总收入超亿元，职工收入年均递增10%左右。

湖南芷江春阳滩水电有限公司

湖南芷江春阳滩水电公司（以下简称为“春电公司”）坚持科学发展，着力践行“超越自我，不断创新”的理念，突出管理创新、方法创新、内容创新，推动企业全面发展。2005年被中央文明委授予全国文明单位；2008年再次荣膺第二批全国文明单位荣殊。

一、健全机制　文明创建有地位

思想是行动的先导。近年来，春电公司先后举办了社会主义核心价值理论体系的大讨论活动、科学发展观理论研讨会等一系列活动，为文明创建打下了良好的思想基础。

抓机制建设，为文明创建夯实工作基础。公司不断建立健全文明创建机制，形成党政主要领导挂帅抓，分管领导配合抓，专门班子具体抓的工作格局，并制定了文明建设远景规划和年度计划，使创建工作目标明确，措施得力，确保了机制、人员、经费三落实。同时，公司各部门与公司签订文明建设目标管理责任制，创建工作与业务工作一同布置，一同考核，一同奖罚。

二、大写“关爱”　文明创建促和谐

春电公司经常组织员工学习，引导员工树立正确的世界观、道德观和价值观，努力培育关爱职工、关爱他人、关爱社会的人文环境。

讲礼仪，提高文明程度。春电公司把文明礼仪建设作为文明单位建设整体工作的一个重要方面，坚持从自己做起，从家庭做起，从小区做起，从单位做起。他们着力规范文明用语、礼貌待客。倡导员工“八要八不要”、“三管住”，培养自律风范，争做文明礼貌的好职工。

讲和睦，构建和谐春电。春电公司始终坚持“人性化”管理，把亲情、友情和上下关爱之情贯穿文明建设的全过程。

以情感人，增强向心力。对于弱势群体给予关爱。公司退休的老职工，按照新的退休政策，工资普遍不高，公司便给他们每人每月补助200～300元。每年还组织退休人员去外地参观，70岁以上老职工，过生日时，公司为他们点歌、祝寿，送去200～500元礼金。2008年、2009年春节公司为重症病人、困难职工等发放困难补助金职工2年内为弱势群体捐款5万多元。

理解关心，增强亲和力。多年来，春电领导班子以员工的“忧”“乐”“苦”为工作的“风向标”。员工生病住院，他们亲临病房，送去一份温馨，员工生活与工作遇到困难，他们主动关心，积极为他们排忧解难。

三、勇担责任　爱心奉献新农村

勇担社会责任，企地共建新农村。

近年来，春电公司与大洪山乡白水滩村结成了文明共建新农村对子单位，先后为他们筹资6万元修建了码头、学校，架设了用电线路，培训了25名用电管理人员。2008年7月，免费为该村抢修输电线路。8月，组织了送科技、送知识、送爱心活动，向该村小学学生赠送了书包和学习用具，并为该校订阅了100份中国精神文明报《未成年人思想道德建设专刊》，为该村、组干部和党员、群众赠送500余套科技知识和法制书籍。同时，帮助该村修复被洪水冲毁的250余m鱼塘堤坝。为白水滩小学和村、支两委办公楼，村计生活动室等安

装了 28 个钢质护窗。

热心公益。多年来，春电公司先后为附近两县 3 乡镇 8 村修码头，维修学校，支援公路建设，支助扶贫资金近 200 万元，投入 17 万元，职工捐款 6 万元为上坪乡长征村修建了一座幸福桥，投入 100 万元修建了一条 6km 长的水泥公路。四川汶川发生大地震，职工主动捐款 5.2 万元，上交特殊党费 1.5 万元，义务献血 1.8 万 cc。

热心助学。公司党委把教育培育未成年人纳入党委重要议事日程，设立关心下一代人成长教育机制。制定奖励措施，除每年儿童节为 16 岁以下少年儿童发放资金外，还规定，职工子弟考上清华、北大发给助学金 1 万元，一般本科院校 3000 元，大专院校 1000 元。

四、文化强企　全面发展谱新篇

人因理想而伟大，企业因文化而繁荣，春电公司实践“文化兴企”“文化强企”的理念，与时俱进推进企业文化的提升工程，营造了“企业有生气”“领导有正气”“职工有士气”的发展环境。

抓美化环境，让企业亮起来。2007 年，公司投入了 30 万元改造厂房中央控制室和水轮机值班室，改善了运行值班人员的工作环境，投入 20 万元改造了食堂，为职工营造了一个舒适的生活场所。2008 年，公司投入 63 万元将公司生产生活区域内的所有房屋建筑、围墙、设备全部进行了清洗、粉刷、维护，促进了企业绿化、亮化、美化、文化工程。开通局域网，建成了数字化电视系统和功能齐全的文化网络，一个绿、亮、清、美，独具春电特色的现代化水电企业正展现在世人面前。

抓科技创新，让企业强起来。现已经国家发改委批准立项，投入 600 万元的自动化改造工程已经全面启动，一次设备自动化改造工程已经顺利完成，发电机监控自动化改造工程已经启动。

抓活动开展，让企业活起来。每年坚持举办两次文艺演出、两次体育运动周，以及演讲赛、抢答赛、书法比赛、趣味运动会等。真正使企业文化成为打造和谐文明、推动企业全面发展的有效载体。

云南省文山壮族苗族自治州水务局

在长期的精神文明建设过程中，文山州水务局班子形成了以精神文明建设为载体，促进水利科学发展的共识，以强有力的组织保证，促进精神文明建设的不断推进。

局党委成立了以局主要领导为组长的精神文明建设指导小组，修订完善了《文山州水务系统“十一五”精神文明建设规划》《文山州水务行业文明公民守则》《文山州水务行业职业道德规范》《文山州水务行业文明职工标准》等制度，使精神文明建设走上了制度化、规范化和科学化轨道。

一、思想政治建设抓紧不放

精神文明建设就是要不断提升人的思想政治素质和道德素质。文山州水务局党委以开展“三力建设”、解放思想大讨论、深入学习实践科学发展观等活动为契机，采取多种方式，不断深化思想政治和道德教育，干部职工的思想观念、服务水平、贯彻落实科学发展观的能动性、“爱岗敬业、诚实守信、办事公道、服务人民、奉献社会”的职业道德风尚和“献身、负责、求实”的水利行业精神在全州水务系统得到进一步弘扬和继承。

二、学习教育培训不断强化

为不断提高文山州水务系统干部职工的文化水平，文山州水务局以文山州水务局职工培训学校为主，水利学会、电力工程学会为辅，切实加强干部职工的教育培训，局职工培训学校长期坚持与河海大学、云南广播电视大学等高等院校联合举办培训班，为全州水务系统，尤其是县、乡基层水务单位培养了一大批高学历的水务干部职工。2000 年以来，通过在职教育培训，全州水务系统获得大专以上学历的有 378 人。同时，积极创建学习型、实干型、创新型、团结型、廉洁型的“五型班子”，积极开展社会主义核心价值体系学习教育，把文山州水务局学习社会主义核心价值体系总体概括为“心系群众人为本，情满河川志更坚，献身负责求实效，只见公仆不见官”。

三、干部队伍建设得到加强

一是以好的作风选人，选作风好的人。凭实干实绩用干部，用能干事、会干事、干成事的干部，用最紧缺、最需要、最适合的专业人员，好中选好，优中选优。二是人尽其才，物尽其用。建立完善了考核评价激励机制，搭建干事创业的平台，评价干部看“显绩”，也看“潜绩”，真正褒奖成绩突出的干部，支持勇于担当的干部，鼓励一心干事的干部，鞭策无所事事的干部，教育跟风行事的干部，营造良好的用人环境。三是高度重视和大胆启用技术人才，采取“走出去，引进来”的办法，严把入口，疏通出口，加强州、县设计队伍建设，巩固提升专业技术水平，培养造就一批思想过硬、业务精湛的专业人才队伍，为全州水利事业发展提供技术支撑和保障。四是充分发挥文山州水勘院“蓄水池”的作用，使技术干部形成梯次结构，培养一批业务骨干，形成行业带头人。

四、业务能力建设成绩显著

全州水务系统按照文山州水务局党委提出“加强党建促作风，围绕项目抓落实”的工作思路，务实抓好文山水利建设管理工作，队伍建设不断加强，行风明显好转，大项目拉动大发展，一批水利工程竣工验收、相继开工和加强运行管理，水利投融资体制改革成效明显。近几年来，文山州水利建设事业呈现出投资加大、建设加快，基础增强、管理加强，效益提高、民生改善的良好态势，每年都圆满或超额完成云南省水利厅下达给文山州水务局的各项水利水电建设管理目标任务，特别是近年来在云南省水利厅的目标任务考核中，文山州水务局的考核结果都排在全省靠前。在抓好业务能力建设的同时，按照“一岗双责”的要求，高度重视党风廉政建设工作，2005 年，文山州水务局党风廉政建设工作被文山州委评为三等奖；2006 年，文山州委、州人民政府组织州属 22 个部门开展行风评议，文山州水务局综合满意率达到 90.89%，排在前 6 名；2007 年，州属 39 个部门参加行风评议，文山州水务局排在前 11 名。文山州水务局 2008 年度社会评议部门行风测评结果排列全州 51 家参评单位的第 9 名，党风廉政建设工作被中共文山州委评为二等奖；2009 年度党风廉政建设工作考核为合格等次。

五、精神文明建设常抓不懈

自 1999 年以来，文山州水务局先后被评为县、州、省级文明单位。2001 年，被水利部评为“全国水利系统先进集体”“全国水利系统规划计划先进集体”“全国第三批农村水电初级电气化县建设先进集体”；2002 年，被人事部、水利部评为“全国水利系统先进集体”；2004 年，被水利部评为“全国水利系统文明单位”；2005 年，被中央文明委评为“全国精神文明建设工作先进单位”，被水利部、人事部评为“全国水利系统先进集体”；2007 年，文山县暮底河水库管理局获水利部授予的“全国水利系统文明工地”称号。

丽江黑白水电力股份有限公司

丽江黑白水电力股份有限公司（以下简称为“公司”）位于丽江市，担负着丽江市古城区、玉龙纳西族自治县的供配电任务，公司资产总额 3.6 亿元，职工 529 人，其中中共党员 186 人。

公司历来注重“三个文明”建设协调发展，把创建“全国文明单位”工作提高到企业发展战略高度，确立了党委统一领导，党、政、工、青、妇齐抓共管，职工积极参与，不断创新的创建工作格局。在连续 13 年保持“云南省文明单位”、2003 年获“全国精神文明建设工作先进单位”“全国模范职工之家”，2005 年获首批“全国文明单位”等荣誉。在此基础上，不断总结经验，创新思路，注重落实，2009 年再次荣获“全国文明单位”。

一、创新载体形式，实施六大战略

文化立企战略。以社会主义核心价值体系为指导，建设“和谐企业”为核心价值观的文化体系，编撰《公司志》，定期编写《公司年鉴》，通过内部报纸《黑白水电力》，使之成为宣传先进，统一思想，凝聚职工的文化阵地，形成了全体职工高唱《黑白水电力工人之歌》，攻坚克难，奋勇前进的良好氛围。

和谐兴企战略。建立健全法人治理结构，完善职代会制度，开展企务公开，建立和谐劳动关系，坚持依靠职工办企业，实现了改革成果共创共享；注重加强民族团结，在职工中形成了互帮互助、共同发展的和谐局面，2006 年获“全国双爱双评先进企业”；坚持“安全第一，预防为主”，建立健全安全管理制度，做到安全文明生产。

文明建企战略。始终把巩固发展“全国文明单位”成果作为重要工作来抓，建立四级联创机制；广泛开展《公民道德建设实施纲要》教育，开展“三讲一树”教育，组织职工到红色教育基地、先进企业学习考察，增强职工的爱岗敬业精神；持之以恒开展创建青年文明号、文明示范窗口、岗位能手、十星级班组等创建活动；

认真执行“内部问责制、首问首办责任制、限时办结制、供电服务承诺”4项制度和文明服务公约，提高客户满意度。公司十星级班组建设管理成果获省电力行业协会创新成果二等奖，福慧营业收费班组被省总工会授予“工人先锋号”。

人才强企战略。始终把以人为本，关心人、尊重人、培养人作为创建工作基础，确立了人与企业和谐发展的目标。以学习型党组织、学习型领导班子、学习型站所、学习型班组为载体，培养讲原则、重感情、团结和谐，有凝聚力和战斗力的领导班子，培养经得起市场经济等各种考验的职工队伍。

技术创新战略。制定并实施《十一五技术创新规划》，提高供用电营销服务环节的科技含量，建设供用电管理信息系统，推行远程集抄系统、办公自动化系统、远程电能质量自动监控系统等科技手段，保证了供配电网络的安全稳定运行。不断提高自主创新能力，实现了变电站综合自动化控制，营业收费网点计算机收费管理。公司《电网综合自动化》建设项目获市科学技术进步奖。

市场营销战略。落实供用电社会服务承诺，坚持优质、高效、规范、便捷的服务方针，自觉接受政府、社会和客户的监督，用服务赢得市场。公司供区内执行电价合格率100%，农村电费张榜公布率100%，供电可靠率98.8%，大中客户满意率为100%，居民用户满意率为99.7%。

企业各项经济指标稳步增长，在财政部门组织的“企业效绩评价”中，年年保持优良以上。

二、将文明之花播遍玉壁金川

认真开展“六个一”活动，用良好的服务风气塑造和展示文明单位、文明职工的形象，用文明之风带动文明风尚。组织职工走进村镇，宣传、倡导文明风气，每年发放各类宣传材料2万多份。多形式开展共建活动，与驻地部队、武警等单位结成精神文明共建单位。各供电所与辖区内一村一校一户开展结对共创和帮扶工作，2009年分别向丽江市华坪女子高级中学和玉龙县大具中学捐资10万元和60万元，引起了广泛共鸣和共识，播种文明之花行动有力带动了精神文明建设的深入。

三、深入学习实践科学发展观，主动承担社会责任

公司每年投入资金加强电网建设，不断提高供电能力和供电可靠性。积极践行丽江水能富市战略，成功探索金安桥供电模式，为金沙江中游水电开发服务提供了借鉴和经验。认真做好如奥运圣火丽江传递、滇西北生物资源多样性保护活动等重大活动保供电。

认真贯彻科学发展观，科学测算，合理调度，平衡峰谷，最大限度保证工农业生产和居民生活用电，得到了党委政府和广大群众的一致好评。认真开展节能降耗和科学用电宣传，实施以电代柴4727户，有效保护了天然林。为配合丽江国际旅游城市建设，公司主动承担购入电价和路灯电价间的差价，每年承担差价亏损90余万元。持续开展农村电网改造工作和无电人口通电工作，累计完成农网建设改造投资1.28亿元，使农村平均电价由改造前的0.88元/kW·h降至0.52元/kW·h，累计减轻农民负担1879万元，促进了新农村建设。大力支持公益活动，先后向受灾地区、贫困山区、失学儿童、慈善会、见义勇为基金会捐款捐物100多万元。

西藏自治区满拉水电厂

在雄伟的青藏高原，雅鲁藏布江的支流年楚河畔，镶嵌着西藏水利一颗璀璨的明珠。那里没有人群和车流的喧嚣，但却处处洋溢着时代的气息；那里没有城市的繁华，但却闪烁着创造繁华的光芒，这就是曾先后荣获区直青年文明号、全国水利精神文明单位、西藏自治区精神文明单位、全国文明单位称号的水利发电企业——西藏满拉水电厂。

西藏满拉水电厂是西藏满拉水利枢纽工程的重要组成部分。满拉水利枢纽工程是“八五”期间国家62个援藏项目中投资规模最大、综合效益最为显著的项目，是年楚河流域农业开发的骨干工程，工程是以灌溉、发电为主，兼有水土保持等效益的大型水利枢纽工程。满拉水利枢纽工程的正常运行，对于发展年楚河流域“一市两县”（日喀市、江孜县、白朗县）农牧业经济，提高群众生活水平，改善能源短缺状况，增强民族团结，促进日喀则地区乃至全区经济社会发展具有十分重要的意义。

满拉水电厂位于西藏自治区江孜县龙马乡甲布拉村，处于雅鲁藏布江支流年楚河的上游，水库坝址距下游日喀则市118km，距江孜县城28km。满拉水电厂装机容量20MW，设计年平均发电量为0.61亿kW·h；工程大坝设计洪水标准为100年一遇，校核洪水标准为2000年一遇。工程于1994年开工，1999年12月8日电

厂1号机组正式并网发电，四台机组先后投人运行。

一、加强硬件建设，推动企业发展

满拉水电厂始终坚持“安全第一，预防为主，综合治理”的方针，保持电厂运行以来无人身伤亡事故和设备重大、特大事故的良好生产格局。满拉水电厂依靠自身技术力量先后完成技术改造14项，设备更新改造9项，机组大修6台次，从而保障了满拉水电厂机电设备运行的安全稳定性。有针对性的改造提高了水电厂的自动化运行水平，改善了运行人员的工作环境和条件，使水电厂的运行更加安全、稳定、可靠。

二、加强制度建设，构建和谐企业

根据企业的行业特点，满拉水电厂着力构建有自身特色的企业文化，通过增强员工的凝聚力、向心力、战斗力，有力促进了精神文明建设，不断推进和谐企业建设。为了进一步规范完善水电厂各项规章制度，保证电厂生产、经营活动能够高效协调运转，实现企业管理制度化、规范化，强化现代化管理，规范和提高管理水平，在遵循国家及西藏自治区有关政策法规的前提下，结合电厂实际，编写了《西藏满拉水电厂运行规程》《西藏满拉水电厂检修规程》等规章制度。每年还与各部门签订《安全目标责任书》，充分调动了干部职工的积极性，使他们相互支持、相互配合、各尽其职、各负其责，使企业建设走上科学化、制度化、规范化的轨道。

三、强化学习氛围，夯实文化阵地

近年来，水电厂坚持对干部职工进行各类科学文化知识和业务技能培训。一是鼓励职工进行再教育深造，凡取得学历的职工，学习费用由单位全额报销。二是充分利用湖北丹江口汉江集团的对口援藏条件开展培训，学习应用其先进的技术和现代化管理经验，使企业管理有了更好提升。三是积极营造学习氛围，在全厂上下形成了全员学习、终身学习的良好风气。

为了丰富干部职工的业余文化生活，水电厂坚持开展群众性文体活动，多来年的努力使满拉职工拥有了丰富多彩、健康向上的精神文化生活。

四、加强组织领导，增强创建力

满拉水电厂在实践工作中创造了“艰苦不怕吃苦，缺氧不缺精神”的满拉精神。在创建文明单位的工作中得到了上级单位的大力支持与帮助。电厂在满拉水利枢纽管理局党委的直接领导下，始终把“文明创建”作为企业发展的长远建设、系统工程来抓，从组织建设、制度建设、队伍建设，到目标责任落到实处，坚持统揽规划、重点部署，逐项落实。以“三个代表”重要思想为指导，认真贯彻落实科学发展观，内强责质，外树形象，开创了精神文明建设新局面。这个以防洪、灌溉和发电为主要职能的国有企业，在大电网与小水电运行机制存在矛盾的前提下，坚持以业为主，经济社会效益兼顾；强化发电、水电技能培训、小水电开发、水利多种经营等多种方式，促进企业全面发展。坚持立足高起点、高标准，瞄准市场，深化改革，努力打造优秀品牌。

随着建设的推进和水电厂投入运行，满拉人勇于开拓进取，勇创一流业绩，不仅继承发扬了艰苦奋斗，自强不息的创业精神，而且还把爱党、爱国、建设新西藏的时代精神，稳定团结、注重发展的民族精神，崇尚科学、立足高标准的进取精神，依靠制度、强化管理的创优精神，坚持改革、勇创市场的拼搏精神，爱岗敬业、注重团队建设的集体主义精神和以人为本、热爱生活的和谐精神融入满拉精神之中，使其在新的历史条件下更具有鲜活的生命力，为献身、负责、求实的水利行业精神赋予了新的内容。

五、加大环境建设，树立优美形象

满拉水电厂平均海拔4200m，多年来，针对满拉恶劣的自然环境，电厂先后从区内引进适合高海拔地区种植的多种优质花木、草坪，坚持建设一片，绿化一片，抓好环境的绿化、美化。满拉水电厂占地面积为11700㎡，在厂领导的带领下，全厂干部职工植树种草，经过几年的精心选材和悉心养护，目前，绿化面积已达45%以上。

六、励精图治，文明创建新跨越

精神文明创建工作的扎实开展，有力推动了水电厂各项工作的整体推进，促进了企业的业务水平和经济效益的整体提升，为西藏的经济和社会发展作出了重要贡献。截至2009年6月，西藏满拉水电厂先后获得日喀则地委行署、区水利厅、江孜县委、县政府授予的多项荣誉，其中，2006年被区直团工委评为“青年文明号”，同年被水利部评为2004—2005年全国水利“精神文明单位”，2007年被西藏自治区文明办评为西藏自治区“精神文明单位”，2009年1月20日被中央文明委评为全国“精神文明单位”。

“宝剑锋从磨砺出，梅花香自苦寒来”，成绩总属于过去。任重道远的满拉人正在绘就明天美好的发展蓝图，相信通过满拉全体干部职工的团结向上、奋发拼搏，坚持“艰苦不怕吃苦，缺氧不缺精神”的满拉精神，满拉的明天一定会更好。

全国精神文明建设工作先进单位

淮河水利委员会（机关）

淮河水利委员会（以下简称为淮委）党组始终坚持“两手抓，两手都要硬”的方针，深入贯彻落实科学发展观，积极践行可持续发展治水思路，坚持以培育“四有职工”为根本，以党风政风行风建设为重点，深入持久地开展群众性精神文明创建活动，为推动治淮科学发展、构建和谐单位提供了坚强的思想保证、精神动力和智力支持。淮委（机关）自2002年来，一直保持着“全国水利文明单位”的荣誉；自2004年以来，淮委连续荣获第六、第七、第八届“安徽省文明单位”的称号。

加强组织领导，创建“全国精神文明建设工作先进单位”工作扎实有效。淮委党组按照立党为公、执政为民的要求加强班子建设，领导班子坚强团结，班子成员勤政廉政，发挥模范带头作用，领导治淮科学发展的能力不断提高。坚持精神文明建设的领导机制和工作机制，把精神文明创建工作列入议事日程、纳入年度目标，与业务工作同部署、落实、检查、考核和奖惩，做到年初有目标，年中有检查，年终有考核。建立完善领导、投入、管理、考核、奖惩、监督等长效机制，制定了《治淮文明建设工地评审和管理办法》等制度，创建工作日趋规范化和科学化。发挥和保持职工群众参与创建活动的积极性，创建工作保持旺盛的生机和活力，坚持精神文明行业创建与参与地方创建活动有机结合，相得益彰。军民共建、文明小区和卫生绿化等创建活动富有成效，结对帮扶、“青年文明号”和志愿者服务等社会反响良好。创建工作的覆盖面和影响力不断扩大，创建活动的载体和内容不断创新。

坚持科学发展，创造一流工作业绩。用科学发展观指导实践、推动工作，加强对治淮战略问题的研究，深化对淮河特性和治淮发展规律的认识，推动治淮科学发展的能力不断提高。坚持以人为本，依法防洪，科学防控，实现了由“控制洪水”向“管理洪水”的转变，取得了2003年和2007年淮河防汛抗洪抢险的胜利。加快治淮建设的进程，治淮前期工作成果显著，实现了国务院确定的2007年基本完成治淮19项骨干工程建设的目标。临淮岗洪水控制工程等一批工程项目先后被授予“中国建设工程鲁班奖”、“中国土木工程詹天佑奖”。大力推进节水型社会建设，加强流域水资源管理，落实最严格的水资源管理制度，维护河流健康生命。率先完成淮河流域水功能区纳污总量核定，开展水污染联防和水质跟踪监测，有效应对和处置了多起水污染事故，保障了人民群众饮水安全。加强生态环境保护，流域水土保持取得明显成效。

注重思想教育，形成良好道德风尚。坚持用马克思主义中国化最新成果武装党员、教育群众，组织开展保持共产党员先进性教育活动和深入学习实践科学发展观活动成效明显，广大党员干部学习实践科学发展观的自觉性和坚定性不断增强。加强社会主义核心价值体系建设，巩固干部职工团结奋斗的共同思想基础。做好新形势下干部职工的思想政治工作，关心群众生产生活，保证了改革的深化和单位的稳定。干部职工爱岗敬业，保持着昂扬向上的精神面貌，单位的凝聚力不断增强。制定了《淮委机关公务人员礼仪规范》等道德规范，践行社会主义荣辱观和“献身、负责、求实”的水利精神，开展“知荣辱、讲文明、树新风”等多种形式的道德实践活动。支援汶川“5·12”水利抗震救灾工作受到全国总工会和水利部的表彰。开展创先争优活动，2004—2008年，全委有30个先进集体、76人次受到省、部级以上的表彰。

加强文化建设，着力构建和谐单位。加强干部职工队伍建设，采取培训、在职教育、选拔学术技术带头人等有效举措，干部职工的思想道德素质和科学文化素质不断提高，培养造就了一支政治强、业务精、作风硬的治淮干部职工队伍。加强水文化的研究和宣传，淮河治理的社会影响力不断提升。开展普法教育、和谐心理教育成效明显。开展“艰苦奋斗、勤俭节约”和预防职务犯罪等专题教育活动，极大地增强了党员干部拒腐防变的能力，保证了资金安全、工程安全、干部安全和生产安全。组织开展丰富多彩的文体活动，培育健康文明的生活方式。组织举办形势报告会、科技讲座和读书演讲比赛，激发干部职工投身治淮建设的热情。每年举办一届职工运动会，经常组织球类比赛、文艺汇演和才艺展示等活动，寓教于乐。

强化内部管理，创建安全文明环境。坚持和完善政务公开和行政许可制度，规范行政行为，依法保障群众的知情权、参与权、表达权和监督权。健全和落实群众利益维护机制、矛盾纠纷排查调处机制和信访问题调查处理机制，维护社会稳定。推进民主管理，坚持用制度管权、管事、管人。开展“创建文明机关、争做人民满意机关工作人员”和“创建节约型机关”活动，机关效能建设、作风建设和廉政建设取得明显成效，展现“为民、务实、清廉、高效”的机关形象。认真落实社会治安综合治理责任制，杜绝违法违纪案件和重大安全责任事故的发生。内部管理规范有序，内外环境清洁整齐，职工的工作、生活环境条件不断改善。落实卫生管理、防疫制度，办公区和生活区实现绿化、净化和亮化工程，连续4年被评为市级物业管理先进单位，办公楼于2007年获“安徽省物业管理优秀示范大厦”。

淮河水利委员会（机关）将以更大的决心，朝更高的目标，务更实的作风，开拓进取，扎实工作，推动治淮事业科学发展，不断深化、巩固、扩展和提升精神文明创建工作，为争创全国文明单位而奋发努力！

松辽水利委员会（机关）

水利部松辽水利委员会（以下简称松辽委）是水利部在松花江、辽河流域和东北地区国际界河（湖）及独流入海河流区域内派出的流域管理机构，代表水利部依法行使所在流域内的水行政管理职责，为具有行政职能的事业单位。

1997年，松辽委荣获首批全国水利系统“文明单位”称号。经2004年复审，松辽委再次被确认为全国水利系统“文明单位”。2002年、2004年，松辽委分别获得2000—2001年度、2002—2003年度吉林省精神文明建设“标兵单位”荣誉称号。2009年，松辽委被中央文明委授予“精神文明建设工作先进单位”称号。

一、抓创建，精神文明创建工作水平不断提高

健全组织，实行“一把手工程”。根据工作需要及时调整松辽委精神文明建设领导协调委员会和办公室成员，委党组书记、主任为第一责任人，直属机关党委书记为专职责任人，确立了以提高职工素质为重点，树立行业形象为目标，创建文明单位为内容的工作思路，基层单位也成立相应的组织。

工作到位，实行一岗双责。领导干部把精神文明建设列入领导目标责任制，把业务工作与精神文明建设作为统一的目标，一起安排部署、一起推进落实、一起检查考核、一起总结表彰，做到两副担子一肩挑，两项责任一起负，一级对一级负责，有关部门密切配合，群团组织具体参与，真正形成了“上面管、中间抓、下面做和全员都参与”的格局。

创新载体，赋予活动新内涵。在精神文明创建活动中，把中央关于树立科学发展观等新精神、新要求及时贯彻到活动中，不断赋予精神文明创建工作新的内涵，切实提高精神文明创建工作总体水平。

二、抓教育，干部职工思想道德素质和能力得到明显增强

抓理论灌输。把理论学习作为首要任务来抓，坚持用科学理论武装全委干部职工。为了规范学习，委党组制定下发了《松辽委党组关于加强和改进各级理论中心组学习的意见》和《松辽委党组理论中心组学习实施细则》，年初制定理论学习计划和政研工作安排意见，对全年的理论学习和政研工作进行安排和布置，针对不同层次人员的学习提出具体要求。

抓主题教育。充分利用各种宣传阵地和窗口，围绕重大节日和纪念日开展知识竞赛、有奖征文，纪念建委25周年系列活动，纪念改革开放30周年系列活动；组织开展对汪洋湖等同志先进事迹学习活动；坚持对青年进行经常性的理想、信念、民主、科学教育；制定职工健康活动五年规划；组织开展主题教育活动，积极参与赈灾募捐、捐资助残、访贫问苦、义务献血等献爱心活动，引导广大干部职工学习先进，争创先进，激发广大干部职工热爱水利、献身水利，弘扬“献身、负责、求实”的水利行业精神。

三、抓载体，松辽委精神得到进一步弘扬

构筑开放式、多层次的学习体系。在委内开展创建学习型机关、学习型党组织活动，制定实施方案，逐步建立了以在职学习为主、脱产学习为辅，非正规学习教育为主、学历教育为辅，主动自学和组织学习并重的多

渠道、广覆盖学习网络，形成以素质教育为核心，以知识更新为重点的终身教育学习体系。

坚持阵地建设。积极办好《东北水利水电》、《松辽论坛》等期刊和松辽委网站建设；利用职工思想政治工作研究会，开展思想政治工作研究，基层单位推荐的论文逐年增多；充分利用委内外宣传工具，对干部职工开展形势任务、艰苦奋斗、理想信念、职业道德和安全生产等方面教育。

四、抓作风，思想作风得到进一步转变

加大内部监管力度。严格执行水利部党组《关于改进水利部直属机关党员领导干部民主生活会的实施意见》，对领导班子民主生活会，抓好三个环节，确保民主生活会质量；实施了干部选拔任前公示制度，把一批德才兼备的年轻干部选拔到了领导岗位；以工作实绩为依据，强化各级班子和处级干部的考核工作。

建立和完善各项规章制度。进一步完善党组内部的议事和决策制度，研究制定《松辽委党组党风廉政建设责任制实施办法》，《松辽委监察审计联系制度》和《松辽委领导干部经济责任审计联席会议制度》，加强对干部的 8 小时以内和以外的监督管理；研究制定《松辽委加强和改进思想政治工作实施办法》，推行思想政治工作责任制。

五、抓业务，流域管理工作取得丰硕成果

流域水利规划和前期工作取得重要成果。组织开展了《松辽流域水资源综合规划》等 30 余项流域水利专业、专项规划，为流域水资源和江河的合理开发、有效保护与综合管理提供了科学依据。前期工作成效显著，共审批前期工作项目 140 余项。

防汛抗旱工作水平显著提高。充分发挥流域机构的防汛综合协调职能，在流域防洪能力的时空合理配置、为超标准洪水安排出路、流域洪水测报、干支流防洪骨干工程洪水调度、区域抗洪关系协调、旱情紧急情况下水量调度等方面发挥了流域机构的重要作用。

水资源管理得到不断加强。根据流域经济社会发展目标和水资源承载能力，坚持总量控制与定额管理相结合，强化取水许可和水资源论证审批等措施，通过水资源统一管理和优化配置，促进水资源利用效率和效益提高，保障水资源可持续利用。

水生态环境保护工作坚持不懈。东北黑土区水土流失综合防治试点工程顺利完成并通过竣工验收，累计治理水土流失面积 1804km^2。水资源保护工作取得显著成效，不断加强水质监测和水功能区管理，组织完成了流域水功能区划，提出了《松花江、辽河流域纳污能力及限制排污总量意见》，完成了松辽流域 2854 个入河排污口普查登记，建立了入河排污总量控制机制。

精神文明重在建设。松辽委将继续秉承着“献身、负责、求实”的水利行业精神和“团结治水、求实奉献、服务松辽、争创一流”的松辽委精神，以科学发展观为统领，以创建全国文明单位为新目标，积极进取、开拓创新，不断推进精神文明建设，在松辽大地上再奏文明建设新的凯歌。

中国水利水电科学研究院

一、领导班子

中国水利水电科学研究院（以下简称研究院）领导班子是一个团结民主、创新务实、战斗力强的班子，一贯高度重视精神文明创建工作，立足全局、通盘考虑，加强领导、加大投入，自觉坚持“两手抓，两手都要硬”的工作方针。在文明创建工作中，研究院在继续保持中央国家机关文明单位标兵、首都文明单位、全国水利系统文明单位等荣誉称号的基础上，再接再厉，荣获“全国精神文明建设工作先进单位”。经过 10 多年的不断探索和改进，形成了一套横向到边、纵向到底、覆盖全院的精神文明创建工作体系，并始终坚持“四个不变”，即单位主要领导担任精神文明建设领导小组组长、副组长的分工不变，党委工作部门主抓精神文明创建活动的责任不变；党、政、工、青、妇、科技、后勤、社区等部门各负其责的要求不变，全院干部职工参与创建活动的格局不变。

二、发展规划

本着“齐心协力干工作、众人一心谋发展、理解支持促和谐、目标一致创一流”的思想，以国家经济社会

发展对水利水电科技需求为重点，提出了今后一个时期的战略发展目标和总体发展思路，即："瞄准一个目标，抓住两个重点，提高三种能力，建成四大基地，搞好五个建设，达到六个一流。"立足当前、着眼长远，组织编制了《中国水科院"十一五"至2020年发展规划》，完善了不同发展阶段的各项指标体系；结合实际、突出重点，编写完成了人才发展、学科发展、实验室发展、科技企业发展、基建发展、信息化发展等六大发展规划。在2008年10月至2009年2月开展的深入学习实践科学发展观活动中，研究院进一步形成了科学发展的共识，解决了影响和制约研究院科学发展的突出问题，构建了有利于研究院科学发展的体制机制。

三、院风学风

为鼓励自主创新，近年来制定了《科技英才评选奖励办法》《重大科技创新成果奖励办法》《科学技术进步奖奖励办法》《开放研究基金项目管理评审办法》等一系列制度，加大了对原创性和自主知识产权等科技项目的支持力度。同时，努力发挥以7位院士为带头人物的先进典型的示范激励作用，不断鼓舞自主创新斗志。近两年，研究院先后荣获全国水利抗震救灾先进集体、全国水利科技工作先进集体；3名专家荣获全国水利科技工作先进个人，1名专家获"全国水利系统奉献水利先进个人"荣誉称号；继续开展"科技英才奖""管理、服务岗位突出贡献奖""资助青年科技人才参加国际交流活动"等院级评先创优活动，一批在科研、管理、服务岗位上取得突出业绩的人物和集体受到表彰和奖励。

四、文化建设

以50年院庆为新起点，以打造特色鲜明的水科文化为目标，积极组织开展水利科研单位文化建设研究。2009年成立了专项课题组，申请了院开放式科研专项基金，通过发放调查问卷、召开座谈会，走访国内具有代表性的水利科研机构等，大力加强对水利科研单位文化的研究，努力建设水利科研人共有的精神家园。该项研究成果荣获中央国家机关党建研究会2009年度调研课题二等奖、全国水利系统2008—2009年度"优秀思想政治工作研究成果"一等奖。

五、主题活动

2008年，深入开展"迎奥运、讲文明、树新风"活动，900多名职工参加"迎奥运讲礼仪做表率"知识竞赛活动，100名职工参加了北京奥运火炬传递现场观看活动。在汶川地震发生后，全院3782人次向灾区捐款109万余元、捐赠棉衣被1350件。2009年，以纪念新中国成立60周年为契机，组织300多名党员职工参观"辉煌六十年"成就展，各基层党组织以不同形式开展了"为科学发展服务、向共和国生日献礼"主题党日活动。每年利用重大纪念节庆日，举办职工文艺汇演、摄影书法美术展、集邮展、青年演讲比赛等。

六、实事举措

整体搬迁科研综合新楼、修缮旧办公楼，使干部职工办公条件得到改善；坚持改造道路、更新树木草坪，营造绿色洁净优美的社区环境；建立视频技术防范监控系统、配备消防设施，确保安全稳定可靠的生活保障体系；坚持慰问离退休职工、老党员、困难职工，每年春节前夕为全院2000多名在职和离退休职工发放福利品，把温暖送进职工心中；开办老年大学，拨专款支持文娱、文学、运动、棋牌4个离退休职工活动俱乐部活动，让离退休职工的生活同样精彩丰富；与研究院周边学校结成共建单位，为职工子女求学提供方便，组建集团虚拟网，近千名职工享受移动通讯优惠。从2000—2009年底，研究院共为群众办实事94件，既进一步提高了文明单位的创建水平，也满足了职工群众对物质精神文化的需求，职工群众不仅成为精神文明的建设主体，也是精神文明成果的受益主体。

北京市北运河管理处

北京市北运河管理处是直属于北京市水务局领导的水利管理事业单位，主要职责：一是负责温榆河、北运河、运潮减河、通惠河106km河道、14座大中型水闸的管理；二是负责北京城市雨污水排放、防洪迎汛和沿河工农业用水调剂、水政监察，三是负责主管河道污水治理、生态水环境建设，为流域经济社会发展提供水务支撑。

北运河管理处十分重视文明单位的创建工作，在北京市水务局"民生水务、科技水务、生态水务"理念指导下，以建设“生态北运河、资源北运河、平安北运河、和谐北运河”为目标，努力培育“献身、负责、求实、创新”的运河人精神，建设一支开拓进取、勇攀高峰的干部职工队伍。自1997年至今，先后11次被评为首都水务系统文明单位，7次被评为首都文明单位标兵，2006年被评为全国水利文明单位，2002年、2009年两次被评为全国精神文明建设工作先进单位。

一、“三级教育管理体系”打造高素质干部职工队伍

一是领导干部教育管理体系。以提高理论素养和执政能力为目标，加强领导班子和干部队伍建设。充分发挥理论中心组学习的核心引领任用，重点抓学习教育、抓制度建设、抓干部的培养选拔和管理使用，全面提高领导干部的理论素养和执政能力。

二是党员教育管理体系。以先进性建设为核心，加强党组织建设和党员队伍建设。创新基层党建工作，建立党员教育管理的长效机制，坚持每年对党员进行轮训制度。党建工作实行“双册”管理，实行党员责任区制度。发展党员率先在全局实行了“双推双公示”制度和理论考试制度。

三是职工教育管理体系。以素质教育为核心，加强职工队伍建设。向职工发出“多读书、读好书”倡议，开展了“日读一文、月写一得，季读一书，年调一题”活动，举办素质教育大讲堂，积极开展劳动竞赛和经济技术创新活动，号召职工“学习一门新知识，掌握一门新技能，应用一项新技术”，每年组织机闸工、水文工、电工等岗位培训，积极开展创建学习型单位、争做学习型职工教育活动。

通过加强队伍的分级教育管理，干部、党员、职工的大局意识、责任意识和创新意识不断提高，形成了和谐发展、拼搏奉献的良好氛围。

二、水务中心工作成效显著

几年来，北运河管理处更新治河理念，引进社会资金8000余万元，多元投资共同维护河道健康生命。坚持科学治污，采用生物、生态等多种方式进行污水口治理示范工程。全面启动危闸改建工作，创新设计理念，融入历史文化因素，杨洼闸、北关分洪枢纽改造工程全面完工，成为当地一道优美的水利风景线。辛堡闸改造被列为北京市2010年为民办实事之一，榆林庄闸改造进入前期工作，大规模病险危闸改造为北运河安全迎迅体系和水资源利用体系创造了有利条件。

2008年，专门成立了“平安奥运行动”指挥协调领导小组，实行全员岗位安全责任制，圆满完成奥运火炬在北运河上传递的水环境保障任务。2009年，发挥保障奥运形成的良好体制机制，成功应对极端天气，确保重点河段水清岸绿，圆满完成了国庆60周年水务保障任务。

北运河流域水系综合治理工作是北京市人大重点督办的议案，北运河管理处发挥综合治理办公室职能，积极推动治理工作，为北京建设世界城市提供水务保障。

三、企业文化凝心聚力促发展

一是“全民健身”有朝气。开展了“与奥运同行、展运河风采”全民健身活动，组织了全处“迎奥运全民健身风采展示”活动，实施了“二二三”健身计划。

二是职工文化生活丰富增活力。舞蹈“运河谣”“我的大运河”“好日子”等在北京市水务局演出中屡获殊荣，参加了慰问全国水利厅局长会议的文艺汇演，成功举办了建处30年“运河之春”、“纪念改革开放30周年”大型文艺汇演，在全处职工中征集并制定出北运河处徽、《我骄傲我是运河人》的处歌。

三是主题教育紧扣时代脉搏。利用奥运会、国庆60周年等重大活动，坚持对干部职工进行革命传统教育、国情市情教育、水利发展史教育、爱岗敬业教育等一系列思想教育活动。举办了“为水而歌”摄影比赛，开展了“歌颂祖国、歌颂党”群众歌咏活动，举办了“我与祖国共奋进”青年论坛活动，开展了“改革开放30周年”、“纪念建国60周年”等主题征文活动。

四是服务群众聚人心。积极开展了干部、党员、群众“三级”谈心制度，建立困难职工档案，坚持领导干部联系职工制度、联系老干部制度，坚持重要节日走访慰问，及时解决职工生活难题。

五是文明共建助推发展。开展“三进两促”活动，支持新农村建设，送水务知识、技术进农村，与杨洼村开展主题党日活动，为辛集村修建环村公路。热心支持社会公益事业，综合治理工作落实到位。

通过一系列文明创建活动的深入开展，激发了全处干部职工的工作热情，增强了单位的凝聚力，在全处形成了“我工作、我奉献、我快乐”的和谐氛围，大家把“献身、负责、求实、创新”的运河人精神转化成内在的推动力，有力地促进了水务建设事业的发展。

福建省水利水电勘测设计研究院

福建省水利水电勘测设计研究院拥有工程勘察、工程设计、工程咨询等15个甲级资质证书、建筑工程设计、环境影响评价等10个乙级资质证书，并于2001年通过GB/T 19001质量管理体系认证，曾获“中国勘测设计综合实力百强单位”、“全国工程建设管理先进单位”、全国和省部级“推行全面质量管理先进单位”，曾获国家科技进步一等奖、国家重大发明二等奖、联合国科技之星发明创新奖等重大奖项，历年来获省部级科技进步奖64多项，优秀勘察设计奖56多项。

1996—2002年连续3届荣获福建省“文明单位”称号，从1998—2005年连续4届荣获水利部“文明单位”称号、2005年10月和2008年12月连续被中央文明委授予第三届和第四届“全国精神文明建设工作先进单位”殊荣。

一、开拓经营范围，生产业绩突出

近两年来，该院大中型水电站设计项目减少，院党委把创建活动与生产经营活动相结合，坚持用科学发展观统领勘测设计工作，全院上下统一思想，调整经营策略，拓宽经营范围，立足福建省内市场，拓宽省外、国外市场，在防洪、排涝、围垦等水利工程方面下工夫，重视抽水蓄能、风电等市场的挖掘，针对市场现状采取了有力措施，取得较好的生产工作业绩，目标产值年年超历史新高。

2009年该院全年签订主要合同70多项，全年合同额约1.4亿元，是年计划的230%，勘测设计财务收入超亿元，上缴国家利税达到1300万元，产品合格率达100%。同时在勘测设计项目、勘测设计收入、科技成果、深化改革、党的建设、精神文明建设、治安综合治理、安全生产、完善项目管理、质量管理、改善工作环境和增加职工收入等方面都取得了显著成绩。2008年以来获国家工程勘察铜奖1项、全国优质工程银质奖1项，获中国电力优秀设计奖1项，获福建省科技进步奖7项、福建省优秀咨询一等奖1项、福建省优秀勘测设计1项，福建省QC奖3项。

二、领导高度重视，创建工作扎实

该院党委能够认真学习、贯彻、实践邓小平理论和“三个代表”重要思想，全面贯彻落实科学发展观，坚定执行党的路线、方针、政策，院党委和领导班子成员深刻地认识到，设计院的和谐发展离不开有力的精神支撑，所以始终十分重视精神文明创建工作。首先建立领导机制，成立院创建工作领导小组；其二，落实人员和创建活动专项经费，做到组织领导、人员机构、资金投入、管理办法、监督激励五个落实，为创建工作打下良好基础；其三，重视创建活动。领导班子团结，作风民主，勤政廉政，在创建活动中以身作则，发挥模范带头作用。其四，把创建工作纳入生产工作目标责任制，使之与生产业务目标同部署、同考核，做到目标明确，使创建工作真正落到实处。

三、强化思想教育，树立道德新风

该院党委在创建活动中，抓住建设社会主义核心价值之根本，大力弘扬以爱国主义为核心的伟大民族精神，以改革创新为核心的时代精神，强化思想政治工作，推动全院上下形成共同的理想信念、道德规范和价值取向，树立正确的世界观、人生观、价值观，打造创建活动的共同思想基础。近年来，该院干部职工发扬“一方有难，八方支援”的美德，特别在汶川大地震和今年青海玉树大地震中，向灾区捐款40万余元；无偿献血多达268人次；为了抗击西南诸省罕见的百年旱情，2010年3月该院派出4名技术精湛、业务能力强的地质专家驰援广西德保县执行抗旱找水任务。

四、注重学习风气，和谐文化建设

作为科学技术密集型的设计单位，院党委十分重视干部职工科学文化知识的学习，每年都统筹安排不同层次的干部职工进入各类院校再学习、再深造，形成全员学习，终身学习的良好风气。坚持以人为本，发挥工、青、妇群团组织的桥梁和纽带作用，斥巨资完善文体活动设施，组织干部职工开展各种文体活动，不断提升创建活动的质量和水平。

五、加强民主管理，严格遵纪守法

院党委始终坚持民主管理制度，落实院务公开、党务公开，坚持和完善职工代表大会制度，规范工作程序，强化内部管理，建立严格的监督约束机制，充分保障干部职工的知情权、参与权、表达权和监督权，保障干部职工的合法权益。干部职工遵纪守法，实现“三安两优”：工程安全、资金安全、干部安全和工程优质、干部优秀。

陕西省江河水库管理局

陕西省江河水库管理局（陕西省渭河流域管理局、陕西省三门峡库区管理局）是隶属陕西省水利厅管理的副厅级事业单位，业务受水利部黄河水利委员会指导和管理，是渭河的流域管理机构和陕西省三门峡库区的专管机构。近年来，陕西省江河水库管理局积极践行人水和谐的治水新理念，以“维护河流健康、构建和谐单位”为目标，以文明创建工作为主要载体，全面实施人才开发、项目带动、经济强局“三大战略”，促使两个文明建设持续、健康、协调发展。

一、转变治河理念，引领科学发展

在可持续治水思路的指导下，以“渭河健康、环境改善、安澜惠民、持续发展”为主旨，坚持依法治河、科学治河，先后提出了“维护渭河健康生命”、构建“健康渭河、生态渭河、文化渭河、和谐渭河”等理念，提出了近期渭河健康生命的四大主要标志“河道基流有保障，潼关高程不抬升，城市堤防不决口，河道污染不超标”，提出并已着手建立健全治理渭河的流域防洪减灾保障技术支持体系、水资源管理与调度技术保障体系、渭河治理和生态保护应用研究体系、渭河水文化体系等四大体系。

二、完善治河方略，加快治理步伐

始终胸怀流域，坚持以“治秦先治水，治水先治渭”为先导，以根治渭河和把渭河的事情办好为目标，高度重视事关渭河安澜和流域人民福祉的规划研究工作。主持或参与编制了包括《渭河流域重点治理规划》《陕西省渭河流域综合治理五年规划（2008—2012）》《陕西省绿色生态渭河建设规划》《渭河近堤绿化林带工程建设规划》在内的一系列涉渭重大规划。这些治渭规划加快了渭河治理步伐，为促进流域经济社会可持续发展提供了重要的决策依据。

三、履行管理职能，服务流域发展

以积极实施流域统一管理为重点，不断加强渭河水量统一调度，在连续几年流域内旱情严重的情况下，全力协调，依法调度，促使渭河、北洛河年度取水均未超总量控制指标，实现了渭河全年不断流。以流域防洪保安为纽带，通过技术标准制定、协商座谈交流、联合技术演练等方式，不断强化流域防汛技术服务职能，配合地方政府成功抗击了“3.8”“5.10”等多次大洪水。涉渭立法研究工作成效显著，该局先后起草或参与了《陕西省渭河水量调度办法》、《陕西省渭河生态保护管理办法》、《渭河水污染补偿办法》等涉渭法规和政府规章。不断加强涉河建设项目许可管理，以规范的管理、高效的服务赢得了许可相对人的普遍赞誉。

四、创新体制机制，激活发展动力

着眼构建流域管理与区域管理相结合的体制机制，创新方式方法，初步搭建了流域与区域防汛技术协作机制、渭河水量调度协调协商机制、突发水事污染应急处置机制、流域水文气象信息共享机制。2006 年在库区全面实施国家水管体制改革；2008 年 8 月开始实施省级水管体制改革，通过改革激活了工程管理体制机制。近年来先后建成标准化堤防 135 km，河道示范工程 36 处，栽植花木 26 万株，其中 3 处工程被黄委评为黄河示范工程。

五、强化自身建设，促进和谐稳定

积极实施“固本强基”工程，推行党员承诺制，深入开展党风廉政教育，确保了干部安全、资金安全和工程安全；不断加强人才队伍建设，人才队伍的素质和层次有较大提升。不断加强精神文明建设，管理局先后连续7次夺得陕西省水利厅“爱水杯”，2003—2005连续三年荣获陕西省委、省政府“创佳评差”竞赛活动最佳单位称号，2006年被陕西省政府授予“陕西省先进集体”称号，2010年1月被中央文明委授予“全国精神文明建设工作先进单位”称号。

六、注重合作交流，改善发展环境

着力加强对外开放和交流，积极与大专院校及科研机构开展广泛合作，与长安大学、西安理工大学共建研究生培养基地。在共青团陕西省委、陕西省水利厅的支持下，2007年起启动开展了“陕西省保护母亲河行动——渭河健康生命行”大型公益活动，以渭河水文化、渭河水资源、渭河水环境为主题，先后举办了三届“渭河论坛”，影响广泛；成立了渭河水文化研究会，开展了书画联谊笔会、书画摄影展、媒体记者渭河采风、奥运林、巾帼林等一系列活动，使各级政府、社会公众对渭河的认知度与日俱增，有力推进了渭河综合治理工程的实施。

甘肃省疏勒河流域水资源管理局

近年来，甘肃省疏勒河流域水资源管理局高度重视精神文明建设，从贯彻落实科学发展观、全面推进流域水利事业可持续发展的大局出发，把精神文明建设摆到更加突出的位置，强化措施、常抓不懈，全局行业文明风尚得到充分展示，精神文明创建工作取得了丰硕成果，先后获得了“全国精神文明建设工作先进单位”“全国水利文明单位”“甘肃省文明单位”等荣誉称号，所属单位荣获“全国五一劳动奖状”“全国巾帼文明岗”“甘肃省青年文明号”等荣誉称号，全局共有58个基层单位分别荣获省、市、县级和水利行业“文明单位”称号。

一、基本概况

甘肃省疏勒河流域水资源管理局于2004年12月正式成立，隶属甘肃省水利厅，为正厅级事业性质的准公益类水利管理单位，承担着玉门市、瓜州县27个乡镇、5个农垦团（场）的农业灌溉、甘肃矿区等单位的工业供水和辖区生态供水任务，灌溉面积8.93万hm^2，是甘肃省最大的自流灌区。

二、主要工作

（1）坚持把学习党的最新理论成果作为精神文明建设首要任务，不断深化理论武装工作。始终坚持开展以理论学习中心组的学习为龙头，以处级以上领导干部为重点，广大干部职工踊跃参加的理论学习活动，大力倡导理论联系实际的学风，在增强学习的系统性上下工夫，在推进学习成果转化、解决工作中存在的实际问题上下工夫，切实增强了政治理论学习的实效性。特别是在开展先进性教育、学习实践科学发展观活动中，分别采取组织自学、集中学习、专题辅导、研讨交流、开展主题活动等多种形式，在全体党员干部职工中重点开展了以中国特色社会主义理论体系和党的基本理论知识为主要内容的政治理论学习，提高了干部职工的理论水平和整体素质。

（2）坚持把建设社会主义核心价值体系作为精神文明建设的主线，不断提高干部职工思想道德素质。按照建设社会主义核心价值体系的要求，突出思想教育内涵，不断引导干部职工树立正确的世界观、人生观、价值观，自觉抵制各种腐朽落后思想的侵蚀。深入贯彻落实《公民道德建设实施纲要》，加强干部职工社会公德、家庭美德、职业道德教育，提高职工道德素质。热心支持社会公益事业，重点开展了移民区建设帮扶活动，每年坚持向灾区、灌区内困难群众、单位困难职工开展“送温暖、献爱心”活动，鼓励职工积极参与道德实践，提高道德水平。2004年，甘肃省疏勒河流域水资源管理局被甘肃省委宣传部、省经贸委、省总工会评为“全省职工职业道德建设十佳单位”；2009年，被中华慈善总会评为“中华慈善突出贡献单位”。

（3）坚持把弘扬“献身、负责、求实”的水利行业精神作为精神文明建设的重点，不断加强行业作风建设。大力弘扬“献身、负责、求实”的水利行业精神，把作风建设贯穿于精神文明建设工作的全过程，贯穿于工作各个领域，以优良的作风促政风、带行风，形成凝聚人心的强大力量，树立“服务群众、奉献社会”的良好形象。通过开展打造“阳光水务”活动，认真实施民主评议政风行风活动，扎实开展“作风建设年”活动，积极推进党务政务公开等方式，着力维护灌区群众用水权益，在社会上树立起秉公办事、敬业奉献的行业形象，依法行政、廉洁自律的单位形象，文明优质、热情服务的窗口形象，得到了社会各界的认可和好评。

（4）坚持把满足干部职工日益增长的精神文化需求作为精神文明建设的重要途径，不断推进水利文化建设。以举办各类文体活动为载体，以加强文化设施建设为基础，大力倡导和谐理念，促进和谐文化发展，推动流域水利文化建设。在纪念改革开放30周年、新中国成立60周年等重要节庆活动期间，通过举办职工运动会、职工文艺汇演、演讲比赛等文体活动，歌颂疏勒河流域水利建设与管理工作取得的辉煌成就，展现了干部职工良好的精神风貌。通过为基层单位统一购置配发图书，建设健身房、娱乐室、运动场等活动阵地，文化设施建设得到进一步加强。群团组织充分发挥了在水利文化建设中的积极作用，分别举办了职工摄影作品展、青年职工读书活动和女职工手工艺作品展等文化活动，从不同层面丰富了干部职工精神文化生活，提升了文化品位。

（5）坚持以水资源的可持续利用保障流域经济社会的可持续发展为目标，不断加强生态文明建设。按照全面、协调、可持续发展的基本要求，统筹疏勒河流域内经济社会与水利发展、统筹水利发展与生态保护的关系。在全流域大力宣传人与自然、人与水和谐相处的理念，不断完善有利于节约保护水资源的法律法规和政策措施；强化流域河道治理工作，划定了重点恢复区、重点修复区和重点水源保护区；加强与科研院的合作，建立了流域水资源、气象、水文等监测系统，加强对生态环境监测；每年持续向下游河道、生态保护区排放生态用水，为城市绿化、灌区防风林带、农田洗盐排碱免费供水，保障了流域生态建设用水，维护河流健康生命，努力实现流域内人水和谐，推动全流域走上生产发展、生活富裕、生态良好的文明发展道路。

新疆水利水电勘测设计研究院

新疆水利水电勘测设计研究院（以下简称新疆院）建院于1956年。主要承担新疆主要河流规划及大中型水利水电工程的勘测、规划、设计、环评等工作，是新疆水利水电前期工作的主力队伍。具有承担大江大河流域规划、灌区规划、大中型水利水电工程的勘察、设计、咨询、监理、环境影响评价、水土保持、水资源论证、岩土工程施工、工程招标代理项目的甲级资质，形成了系列配套的技术服务体系。目前全院有在职职工1238人，其中专业技术人员724人；有教授级高级工程师51人，高级职称209人，中、初级职称464人；各类注册师178人。

一是坚持抓组织领导，做到两个落实。建立了一支专兼结合的工作队伍，明确分工，责任到人；建立健全了规章制度、岗位职责、考核标准、奖惩办法等，每年与基层单位签订目标管理责任书，把领导干部抓精神文明建设的成效与年终领导干部述职、民主评议干部、评选双文明先进单位、先进领导干部和奖金发放等结合起来，实行一票否决，突出了各级领导干部在精神文明建设中的领导作用和应履行的职责。制定规划、措施，年初制定年度工作计划，提出活动的内容要求和当年的工作目标及相应的保证措施、责任人、检查时间、考核奖惩办法等，并按照院制定的管理办法和考评表进行管理和考核，坚持做到同步规划、同步布置、同步实施、同步检查、同步表彰。

二是坚持以人为本，做到两个加强。加强党委的领导核心作用，重视抓好自身政治理论学习；认真贯彻民主集中制原则，认真开好民主生活会，注重抓好领导干部廉洁自律工作。加强职工队伍素质建设，坚持不懈地对职工进行思想道德教育；通过开展青年文明号、评选“十佳青年”和每年一度的专业技术人员职务晋升答辩会，提高职工爱岗敬业，钻研技术，奋发向上的敬业精神；深入开展民族团结教育活动，切实做好社会稳定工作；重视对职工进行崇尚科学，反对封建迷信教育；广泛开展向先进模范人物学习活动。

三是运用多种载体，丰富创建活动。强化规章制度建设，建立科学规范的工作程序和秩序，通过开展“管理效益年”和“规章制度年”活动，制定了符合实际情况的具有可操作性的规章制度，有效地提高了管理水平；全面推行质量体系认证，强化质量保证工作。新疆院在2000年获得ISO 9001质量认证证书，2003年完成了2000版改版换证工作；通过开展“社会承诺”和优质服务活动，使职业道德建设落实在具体工作中。

四是三个文明相互促进，共同发展。近年来，新疆院紧紧抓住西部大开发机遇，围绕自治区“三河一区一带”的治水思路，努力践行科学发展观，以经济建设为中心，锐意改革，开拓进取，不断创新，加快水利水电前期工作进度，在极短的时间里，先后承担并完成了引额济乌一期一步工程、恰甫其海水利枢纽工程、吉林台一级水电站工程、博湖东泵站工程、引额济乌西延干渠工程等国家及自治区重点项目的勘测设计任务，这些工程现已开始发挥效益。喀腊塑克水利枢纽工程、伊犁河南岸、北岸干渠工程、特克斯山口水利工程和叶河中游渠首等工程也将竣工，造福于新疆各族人民。长期以来新疆院积累了在高寒地区和干旱、半干旱地区、多泥沙河流、多地震发生地区、长距离输水等特殊自然环境条件下修建大中型水利水电工程的勘测设计经验，解决了一系列技术难题，多项科研成果在国内处于领先水平，如长距离输水、明渠穿越沙漠、高水头倒虹吸设计等。

新疆院坚持科技进步和设计优化，强化职业道德，牢固树立为社会、为业主服务的思想，精心勘测，精心设计，累计获国家级、部级、自治区级优秀勘测设计项目达到120余项，其中近5年就达近60项。乌鲁瓦提水利枢纽工程高混凝土面板沙砾石坝关键技术研究和沙漠、严寒地区长距离供水工程关键技术分别获国家科技进步二等奖，新疆北疆供水工程关键技术研究获水利部大禹水利科学技术一等奖，新疆渭干河克孜尔水库工程获第三届“中国土木工程詹天佑奖”和“中国建设工程鲁班奖”，一大批优秀勘测设计人才也脱颖而出。随着经济效益的持续增长，职工精神面貌也发生了可喜变化，在捐款、捐物、扶危济困、送温暖等活动中，新疆院职工都积极参加，表现出了较高的思想觉悟。

多年的创建工作取得了丰硕的成果，凝聚和提炼出“特别出能吃苦、特别能战斗、特别能忍耐、特别能奉献”的新疆院精神，曾被建设部评为“全国工程建设管理先进单位”，连续4年被自治区建设厅和勘察设计协会评为“自治区勘察设计行业综合实力20强单位”，1999年进入“全国勘察设计行业综合实力百强单位”行列，2000年被国家环保总局评为“全国建设项目环境影响评价先进单位”。自1995年以来新疆院连续保持了“自治区级文明单位”和“自治区民族团结进步模范单位”荣誉称号，1999年以来连续保持了“全国水利文明单位”荣誉称号，2005年以来连续保持了“全国精神文明建设工作先进单位”荣誉称号，还多次被评为自治区勘察设计行业和自治区水利系统“思想政治工作先进单位”“先进基层党组织”。下属单位地质所2000年以来连续保持了“自治区级文明单位”先进行列，院水工所坝工室2000年被自治区团委命名为“自治区级青年文明号”。

青岛市水利局

近几年来，青岛市水利局坚持以邓小平理论和“三个代表”重要思想为指导，认真贯彻落实党的十七大精神，以科学发展观为统领，狠抓精神文明建设，有力推动了全局工作又好又快发展，为全市经济社会又好又快发展提供了水资源安全保证和防汛安全保证。2005年、2009年，连续两届被中央文明委命名为“全国精神文明建设工作先进单位”，连续多年被省委、省政府评为省级文明机关。

一、切实加强领导，健全和完善精神文明建设工作长效机制

一是健全领导机制。做到了年度有计划，季度有安排，月月有内容。成立了由局长任组长、分管局长任副组长的精神文明建设工作领导小组，建立了主要领导亲自抓，分管领导靠上抓，机关党委总协调，基层单位抓落实的领导机制。

二是建立考评机制。制定了考评细则和考核办法，把精神文明建设工作考核结果作为评价工作实绩的重要内容。坚持定性分析和定量分析相结合、上级考查和基层评价相结合、领导考核和群众测评相结合，切实提高了考评工作的科学性和可操作性，促进了精神文明建设工作总体目标的实现。

三是建立协同机制。在党政齐抓共管的基础上，充分发挥基层处室和工、青、妇等群团组织的作用，形成了人人参与、共同创建的良好氛围，有力地保证了精神文明建设工作持续健康的发展。

四是建立投入机制。共投入资金200多万元，建立了党员活动室、老干部活动室、职工学习室、文体活动室等，为做好各项精神文明建设工作提供了必要的物质保证。

二、加强思想政治工作，不断提高干部职工干事创业的积极性

一是加强政策理论学习。制定了“每月一课，每季一讲、半年一考”的学习制度，采取集中学习与分散学习相结合、集体学习与个人学习相结合、领导带头学和个人自觉学相结合、业务讲座与联系工作相结合的学习方法，取得了很好的效果。

二是加强思想道德建设。广泛开展群众性思想道德教育和实践活动，大力倡导“爱国守法、明礼诚信、团结友善、勤俭自强、敬业奉献”的道德规范，大力弘扬胡锦涛总书记倡导的“八个方面的良好风气”，形成了“爱岗敬业、诚实守信、办事公道、服务人民、奉献社会”的良好氛围。

三是加强党的基层组织建设。按照“一岗双责”的组织模式，将支部建在了处室，各处室负责人既是行政负责人又是党支部书记，做到既抓好业务，又带好队伍，为全市水利事业又好又快发展提供了坚强的组织保障。

四是深入开展学习实践科学发展观活动。坚持高标准、严要求，坚持把学习教育贯穿始终，坚持时间服从质量，坚持突出实践特色，真正做到了“两不误、两促进”，顺利完成了学习实践活动各个阶段、各个环节的

各项任务。

三、加强基础性建设，不断丰富精神文明创建活动的内涵

一是创建“情真似水”的水利服务品牌。确定了“深入贯彻落实科学发展观，努力推进全市水利事业可持续发展”的共同愿景，确立了“献身、负责、求实”的核心价值观和“创建高绩效机关，做人民满意公务员”的机关精神，丰富了机关品牌“情真似水”的内涵。

二是大力开展“创建高绩效机关，做人民满意公务员”工作。努力构建“施政成本低，法制意识强，管理绩效高，服务品质优”的机关建设模式，积极开展“创建高绩效机关，做人民满意公务员”工作，推进了机关工作的制度化、规范化、科学化。

三是开展了系统文明单位的评选工作。截至2008年底，全市水利系统共有5个单位获得全国水利系统文明单位称号，33个单位获得全省水利系统文明单位称号，同时命名表彰了58个全市水利系统文明单位。

四是开展丰富多彩的创建活动。坚持开展春季运动会、篮球赛、乒乓球赛、广播体操比赛、重大节日联欢会、水利工地一日劳动等活动，陶冶了干部职工的情操，丰富了精神文明建设工作内容，为推动全市水利事业又好又快发展奠定了坚强的思想基础。

四、加强民主管理，不断推进水利行风建设

一是加强机关民主管理。制定了《青岛市水利局关于加强民主管理工作的实施意见（试行）》，成立了局民主管理领导小组和局民主管理工作小组，实施民主理财，设立了局长信箱，实行了局党组成员接待日制度，收到了很好的效果。

二是加强政务公开工作。制定了《青岛市水利局关于进一步推行政务公开及提高行政效率的实施意见》，进一步增强了工作透明度，提高了工作效率。按照《信息公开条例》的要求，将需要公开的事项通过网络、报刊等多种形式及时向社会进行了公开。

三是加强廉政和行风建设。先后制定下发了《青岛市水利局党风廉政建设和反腐败工作实施意见》《青岛市水利工程招标投标工作监察办法》等规章制度，从制度上、源头上杜绝各种腐败现象的滋生，保证了工程优良、干部优秀，向社会展示了良好的水利人形象。

天津市宁河县水务局

天津市宁河县水务局是县政府的水行政主管部门，负责全县抗旱防汛、水资源管理、城乡供水和节约用水等工作。

近年来，宁河县水务局党委始终坚持以人为本，围绕“献身、负责、求实”的主题，以塑造“团结拼搏、干事创业、科学发展”的宁河水务人精神为目标，扎实推进精神文明建设，有力地促进了业务工作跨越发展，为宁河水务事业再上新水平，提供了强大的精神动力。

一、提高思想认识，不断加强精神文明建设的组织领导

宁河县水务局党委高度重视精神文明建设，始终把精神文明创建作为全局的一项大事来抓。获得全国精神文明建设工作先进单位后，局党委自加压力并以此为契机，与时俱进，开拓创新，再上新水平。为此，局党委成立了精神文明建设工作领导小组，负责创建活动的组织领导和指导；明确了各基层单位和科室的责任，形成了以党委为核心，党、团、工、青、妇齐抓共创，合力共建的良好局面。在精神文明建设工作中，开创了人人关注、人人参与的良好局面。

二、深化教育引导，狠抓职工队伍整体素质的提高

按照“以人为本，内强素质，外塑形象”的管理理念，宁河县水务局党委把精神文明建设的着眼点和落脚点放在提高职工队伍整体素质上，突出抓好党员、干部、职工的思想道德教育和专业技术培训，不断提高全员整体素质：一是狠抓了干部职工的理想信念教育，二是认真贯彻落实《公民道德建设实施纲要》和《水利职工职业道德》，三是狠抓了党员干部教育。

在抓好思想道德教育的同时，加强对专业技术人员培训。组织了《水法》和专业知识培训班4期，培训人

员 600 余人次。重视职工政治素质和业务能力的培养和提高，涌现出了多个见义勇为、拾金不昧的先进典型和岗位标兵、先进个人，在全系统形成了“知荣辱、树新风”的良好氛围。

三、突出水务特色，创新精神文明创建活动载体

在精神文明创建中，宁河县水务局党委注重突出水务特色，不断创新活动载体、内容、形式，开展了丰富多彩的精神文明创建活动。一是开展“创文明行业，建满意窗口”活动。在窗口单位以“服务人民、奉献社会”为切入点，开展优质规范服务承诺活动。二是开展文明单位、文明科室、文明岗位评选活动。制定了文明单位、文明科室、文明岗位创建实施细则，进一步规范了服务行为，切实服务“三农”，保障农业增产、农民增收。三是开展典型事迹学习交流活动。宁河县水务局党委坚持每年在“七一”前召开优秀党员表彰会，并将他们的先进事迹通过《党务工作交流》在全系统中进行学习交流、宣传，将“党员示范岗、文明示范岗”评选活动中涌现出的先进典型在各支部和干部职工中学习交流，使干部职工看有对象、学有榜样。四是大力弘扬水文化。宁河县水务局党委以纪念改革开放 30 年和庆祝建国 60 周年为契机，组织“激情水利水务 30 年”演讲活动，举办宁河水利水务发展图片展，撰写题为《宁河水利水务辉煌 60 年》的文章并在《中国水利报》刊登。在水务系统编辑印发《工作人员行为规范》手册、《水务文化长廊》内部学习资料，为干部职工提供学习交流平台。五是积极开展丰富多彩的文体活动。充分利用“五一”“七一”“十一”等重大节日，举行水务系统乒乓球赛、拔河比赛、演讲比赛等群体性文体活动。投资十多万元建了职工图书室、文体活动室，购置了健身文化娱乐器材及近千册书籍，极大地丰富了职工文化生活，营造了健康向上的和谐氛围。

几年来，宁河县水务局在精神文明建设中，不断创新，与时俱进，也收获了可喜的成绩，先后获得天津市精神文明建设活动先进集体、天津市水利系统文明单位、天津市爱国拥军模范集体、天津市公安局集体嘉奖、天津市爱国卫生红旗单位、全国精神文明建设工作先进单位等荣誉。

河北省唐山市陡河水库管理处

陡河水库是唐山唯一地表水饮用水源地，不仅承担重要的防洪任务，还负责市区生活、工业供水，向曹妃甸新区、南堡开发区、环城水系以及陡河灌区供水。多年来，陡河水库管理处处党委紧密联系实际，以鲜活多样的载体，大力加强精神文明建设，并取得显著成效。连续 16 年保持省级文明单位荣誉称号，2008 年又被评为全国精神文明建设先进集体。

一、坚持“五个结合”，精神文明建设工作扎实推进

一是坚持精神文明建设与以人为本的发展理念相结合。以实现人的全面发展为目标，通过“环境建设熏陶人、科学理念引导人、特色活动激励人、道德建设塑造人、先进典型鼓舞人、教育培训武装人、政务公开取信人”等措施，推进精神文明建设工作增进党群干群关系和团队的凝聚力。

二是坚持精神文明建设与落实规章制度相结合。通过完善和加强各项配套制度，如动态管理制度，“一岗双责”责任制等，强化激励约束，调动党员干部的积极性、主动性和创造性，增强工作效果。

三是坚持精神文明建设工作与文化建设相结合。投资 280 多万元，配备多媒体教学设备，完善了图书馆、荣誉室、党员活动室，整合修缮了职工食堂、塑胶篮球场、台球室、乒羽球室和健身场。

四是坚持文明创建与解决职工群众的实际问题相结合。近年来，解决职工反映强烈的问题 20 多件，设立帮扶基金，为困难职工捐款济困 30 多万元。四川汶川、青海玉树发生强烈地震后，全处干部职工累计捐款 11 万元，被唐山市政府评为“抗震救灾先进集体”。

五是坚持文明创建工作与思想政治工作相结合。以完善和强化政工队伍为依托，健全思想政治工作网络体系，设立“思想政治工作接待日”，畅通沟通渠道，加强党群干群交流。每逢传统节日，领导干部都要到基层走访，嘘寒问暖。这些举措，凝聚了人心，增强了党组织的亲和力。

二、开展“五项活动”，职工队伍整体素质提高

一是扎实开展“学理论，增干劲”活动。以邓小平理论、“三个代表”重要思想和科学发展观理论统领精神文明建设，采取多种方式开展学习活动。引导干部职工全面准确地理解和把握科学发展观的精神实质和丰富内涵，增强职工的创业意识，激发大家团结一致、不畏艰险的拼搏精神。

二是广泛开展“创文明，固基础”活动。以文明科室、文明窗口、文明职工等基础创建、细胞创建为载体，加大创建力度，激励创先争优，引导职工广泛参与，努力营造“文明是形象根基”“文明也是生产力”的浓厚氛围，以促进职工队伍思想进步、作风转变。

三是大力开展“手牵手，促和谐”活动。与当地小学校定期开展联谊共建活动，组织开展以“纯洁母亲河，保护水源地”为主题的“小手拉大手”教育活动。以“小手”拉“大手”，营造全民保护水源地活动的良好氛围。每年投资20多万元支持帮扶周边农村加强基础建设，积极构建和谐融洽的库群关系。

四是深入开展“育盆景，建花园”活动。分层次、类别培育各类先进典型、积极分子、学雷锋标兵63人次，通过“育盆景，建花园”的方法，以先进典型的示范作用去带动、引导、激励全处职工争先创优，努力营造见贤思齐的良好氛围，促进一片红目标的实现。积极开展基层党组织工作，真正做到把党员的先进性体现在岗位上，以党员的实际行动，引领广大职工共同参与文明和谐新库区建设。

五是积极开展“强文体，提素质”活动。寓教于学，认真开展岗位读书竞赛活动；寓教于乐，广泛开展群众性体育活动。通过各种文化体育活动，使广大职工在潜移默化中陶冶情操，提振士气。

三、实现“五个突破”，水库各项事业全面发展

一是防洪保障能力取得新突破。认真践行科学发展观，成功开发“陡河水库流域淹没预警指挥系统”软件。为防洪御险提供了强有力的支持，达到了全省首创、全国领先水平。

二是供水安全保障取得新突破。扩大监测范围，提高监测频次，延伸“警戒线”。及时分析调水对水库水质的影响，并根据情况采取相应调控措施。投资2800多万元，建设“唐山市陡河水质监测中心”建设项目，对陡河水库及陡河河道水质实施有效跟踪监测，及时掌握水质状况，确保饮水安全。

三是管理工作取得新突破。爱岗敬业、遵章守纪、争创文明在全处蔚然成风。

四是生态环境建设取得新突破。近年来，在水库周边植树18000余株，改造庭院绿地4000多平米，培育花卉2万多盆，凤山绿化率达到100%，连续多年保持“全国部门造林绿化400佳”、唐山市“花园式单位”等荣誉称号。

五是经济效益取得历史性突破。通过优质服务、科学调度、强化计量、依法收费等多种措施的联合运用，经济效益连年递增，屡创历史新高。

内蒙古黄河工程管理局

内蒙古黄河工程管理局（以下简称管理局）负责黄河三盛公水利枢纽工程的管理运行工作。该工程兴建于1959年，1961年建成运行，是黄河干流最大、最宏伟的一首制大型平原闸坝引水龙头工程，担负着全国三个特大型灌区之一河套灌区、鄂尔多斯南岸灌区的农业灌溉，以及包钢工业用水和沿黄城市生产、生活用水任务。工程运行近50年来，为沿黄地区国民经济及社会发展发挥了巨大的社会效益、防洪效益、经济效益和生态效益，为自治区经济发展和社会稳定作出了重要贡献。

自2006年以来，管理局先后荣获“全国水利系统2004—2005年度精神文明建设先进单位”“全国水利系统文明建设工地”“全国水利建设与管理先进集体”等荣誉称号；2009年1月，又被中央文明委授予“全国精神文明建设先进单位”。

一、强化组织领导，完善长效机制，创建活动深入持久

管理局坚持精神文明“重在建设”的原则，以加强思想动员为抓手，建立了由党政领导挂帅，各级干部、专职人员分工负责、党政工团齐抓共管，人员、经费、责任层层落实的长效组织领导机制，先后出台了《精神文明建设例会制度》等，为创建活动深入持久开展提供了制度保障；累计投资390多万元在工程周边植树140.3万株，为印度洋海啸灾害、贫困大学生、“5·12”抗震救灾以及教育基金累计捐款14.68万元，充分展示了黄管水利人大爱无疆的精神。

二、加强思想教育，理论武装头脑，创建活动扎实有效

坚持用科学发展观理论体系指导实践，武装党员，教育群众，推动工作。管理局局党委从自身抓起，发挥“火车头”作用，认真坚持中心组学习制度，每年组织学习不少于10次。坚持文明单位创建与党员教育统筹兼

顾，学习教育活动年初有计划、年末有总结、交流有思想、学习有记录，取得了明显成效，有力促进了两个文明建设的开展。

加强社会主义理想信念教育，认真开展社会公德、职业道德和家庭美德“三德”教育，践行社会主义荣辱观和“献身、负责、求实”的水利行业精神，以诚信教育和职业道德教育为主线，制定了《黄管局公民道德建设实施细则》、《三讲一改一树活动方案》和《2006—2010年职工职业道德教育实施意见》等多个道德规范，通过思想教育常抓不懈，全局上下形成了积极进取、健康向上的精神风貌，涌现出了多名干部职工见义勇为、扶危救困的先进典型。据统计，近年来先后有27人受到县级表彰，1人受到市级表彰，1人受到全区水利系统表彰。

三、推进文化建设，构建和谐载体，创建活动形式多样

制定了“五年发展规划”和“干部职工教育培训大纲”，全局上下学术气氛浓厚，共有100多篇论文、科研成果在各种国家级、省部级学术刊物刊登发表，很多新技术、新设备在工作中得到推广和应用。通过举办培训班和“走出去和请进来”多种教育方式，提高职工队伍的科学文化和核心竞争力。积极开展数字信息化建设，先后投资建成具有同行业领先水平的办公局域网、现代化电教室和多媒体会议室，全局先进文化建设和科研水平不断提高。

实施了三盛公水利枢纽除险加固工程项目，提高了工程防洪减灾的能力。2005年，黄河三盛公水利风景区被水利部批准为国家水利风景区，2008年被评定为国家AAA级旅游区，成为城市水环境和水文化建设中一道亮丽的风景线。启动实施了三盛公二期水电站项目建设，为合理开发利用水能资源，加快建设资源节约型、环境友好型社会，推动地方经济可持续发展具有重要意义。开展乒乓球比赛、举办春节联欢会、召开职工运动会等文体活动，广泛开展群众性精神文明创建活动。

四、加强内部管理，发挥辐射作用，创建活动有力有序

制定了《机关文明责任区管理办法（试行）》，深入推行ISO 9000质量标准体系，强化管理效果的落实，积极开展档案管理标准化升级工作。

结合工作实际制定了《政务公开实施办法》，实行重大事项向职代会报告审议制度，积极落实《信访工作办法》，保障职工的合法权益和利益诉求。坚持以人为本的理念开展实事工程，职工群众工作和生活条件不断改善，物业规范化管理不断加强。

投入约13万元物资并投工投劳援建了磴口县补隆淖东一支一闸工程，切实解决了该地区农民130hm^{2}田地的灌溉难问题，被当地回族农民亲切称为“城乡共建、鱼水情深”工程；在工程范围内先后修筑柏油公路18.4km，不仅增强了防汛抢险的机动性，同时也方便了广大市民和农民通行，真正成为群众满意的民心工程、实事工程。

五、坚持科学发展，提高服务水平，开创水利事业新局面

贯彻落实科学发展观，在工程管理与建设、优化调度供水、依法防凌防汛、科学应急防控，实现工程数字化监控管理等方面充分发挥了水利枢纽工程的防洪减灾作用。2008年在水利厅和内蒙古防汛抗旱指挥部的正确指挥下，通过启动内蒙古河套灌区总干渠、沈乌干渠分凌减灾方案，取得了黄河上游防凌历史上首次分凌1.7亿m^{3}的重大胜利。

牢固树立为灌区服务的观念，严格执行上级计划用水指标，通过科学调度管理，优化配置水资源。截至2009年为灌区累计引水达2805.517亿m^3，年均引水量50多亿m^3。河套灌区灌溉面积由1990年的45.8万hm^{2}增加到2009年的57.4万hm^2，为加快推进地方工业化、城镇化和农牧业产业化进程提供了有力的保证。

开展工程用地确权划界工作，共划回工程用地1.29万hm^2，有力保护了工程辖区水土资源。近几年，水利经济、水管单位体制改革、水权转让、水价到位等工作均取得了重大进展，职工的收入稳步提高，物质生活水平不断改善，各项工作不断取得新业绩。

湖北省洪湖分蓄洪区工程管理局

湖北省洪湖分蓄洪区工程管理局（以下简称洪工局）为湖北省水利厅与荆州市双重管理的正县级事业单

位，下设 3 个工程建设与管理单位、3 个经营单位，现有干部职工 468 人。主要承担洪湖分蓄洪区工程的建设与管理，并运用所属工程为四湖地区国民经济和社会发展服务。

近年来，洪工局认真贯彻“三个代表”重要思想和党的十七大精神，牢固树立科学发展观，始终以文明创建工作总揽全局，以创全国精神文明建设工作先进单位为创建目标，紧紧围绕“平安水利，和谐家园”的创建主题和“德为上、礼为先、和为贵、民为本”的创建理念，锐意改革，开拓进取，取得了可喜成绩。先后获得“荆州市文明创建工作先进系统”“荆州市先进基层党组织”“荆州市五一劳动奖状”“全省水利系统先进集体”“全省水利系统文明单位”“湖北省绿化先进单位”“湖北省最佳文明单位”“全国精神文明建设工作先进单位”等荣誉称号。

一、塑造洪工新形象，建设文明队伍

洪工局认真总结基层干部职工在长期工作实践中形成的价值观、工作理念、团队作风，将“爱岗敬业、求严创新、艰苦奋斗、乐于奉献”的精神和“脚踏实地、雷厉风行、顽强拼搏、优质高效”的作风，升华为洪工人的精神和作风，并成为了洪工文化的核心内容。不断深化社会主义荣辱观教育，着力夯实队伍思想基础，努力建设学习型和创新型团队，涌现出了“全国水利系统先进工作者”“全国五一劳动奖章”“湖北省劳动模范”“荆州市劳动模范”“湖北省青年岗位能手”等众多先进人物。充分发挥工会、老干、共青团等群团组织作用，积极为职工开展丰富多彩的文体活动；全面开展文明单位、文明管理段、文明楼栋、文明家庭等细胞建设活动；大力开展了“弘扬延安精神，学习身边典型”“三算账、三比较”“我为洪工事业添光彩”“感恩教育”等主题教育活动，形成了浓厚的创建氛围。

二、坚持工作高标准，创造一流业绩

近年来，洪工局党委把“高标准、创一流、有新意、无止境”作为工作理念，扎实推进各项工作。工程建设严格实行“五制”，着力打造精品工程，实现了“工程质量、工程进度、工程资金、工程安全”的优化控制。近年来，共完成基本建设投资 3.36 亿元，其中 85％的工程被评为优质工程。工程管理按照“工程设施景点化，工程控制自动化，庭院环境园林化，管理行为规范化”的目标，创新管理体制，建立长效机制，使堤防、涵闸和通信信息化管理水平跻身于全省先进行列。

三、夯实经济基础，构建和谐洪工

洪工局充分利用现有资源，大力发展水利经济，形成了规模经济、福利经济和家庭致富经济三轮齐驱、协调发展的格局，努力实现强局富民目标。为实现主隔堤沿线 733.33hm^2 护堤林效益的最大化，每年有计划地改造平台，植树 7 万余株；利用主隔堤沿线 200 余 hm^2 鱼池，拓展特种水产养殖；大力招商引资，引进广东东利公司开发旧办公楼，发展酒店服务业，引进广东温氏集团落户主隔堤，发展养殖业；基层管理段积极发展以“小粮田、小菜地、小猪圈、小鸡舍、小鱼池”为主要内容的“五小”福利经济，年人均福利达到了 1.2 万元以上；各实体积极探索资本运作的新路子，集中力量发展优势项目，取得了较好的经济效益。全局每年创收近 900 万元，不仅弥补了财政经费的不足，而且促进了各项事业的蓬勃发展。

近年来，洪工局先后投资近 900 万元，对各级机关庭院、基层管理段、涵闸进行园林化设计，分步建设，实施了绿化、美化、净化和香化工程，各管理段建成了花园式管理单位，主隔堤达到了“面如镜、肩如绳、无沟缺、堤身净”目标；为管理段修建沼气池、安装卫星电视和安全饮水设备；为部分职工安装天然气；对管理局、分局两级机关的通信设备和办公环境进行改造，实现了办公自动化、通信语音程控化、用户上网宽带化。干部职工的收入不断提高，工作、生活条件不断改善，形成了和谐文明的良好局面。

四、倾心服务三农，支援新农村建设

洪工局积极争取国家投资，加强基础设施建设，全力支援当地新农村建设。近些年来，争取国家投资近 3.36 亿元，修建了 310 多 km 安转公路（乡村公路）及其 330 多处配套建筑物和 13 座大型桥梁涵闸。争取省级投资 1000 多万元，改造了福田寺防洪闸、节制闸，提高了防洪排涝能力，促进了四湖地区经济发展。洪湖、监利分局经常为主隔堤沿线各乡村困难户送生产生活资料，帮助其解决生产生活中的困难，提高他们的生产能力和生活水平。为帮助当地鱼池承包户增产创收，近年来，洪工局利用自身优势，不仅为他们提供资金、技术上的支持，而且为他们的农产品寻找销售渠道。

湖南省澧县艳洲水利水电工程管理局

湖南省澧县艳洲水利水电枢纽工程位于澧水尾闾，工程总装机容量5.1万kW，年设计发电量1.8亿kW·h，具有水力发电、农田灌溉、水陆交通、城市供水等功能。艳洲水利水电工程管理局（以下简称艳电）自1994年组建以来，立足“文化艳电、和谐艳电、实业艳电”，坚持以企业发展促进文明创建，以文明创建提升企业发展，不仅建成了集团企业，而且实现了健康发展。集团企业拥有固定资产5亿多元，年产值达到2亿多元，年上缴利税达到2000多万元，解决社会就业1000多人。艳电先后被评为“全国绿化模范单位”“全国优秀水利企业”“全国精神文明建设工作先进单位”，局长、党委书记余章贵被授予“全国优秀水利企业家”和“全国劳动模范”的荣誉称号。

一、坚持文化兴企　精心营造文化艳电

艳电秉持“文化兴企，文化强基”的理念，多方面狠抓文化建设。一是着力搭建文化平台。挤出专项资金近百万元，兴建了艳电诗墙，配套了党员电教室、图书室、阅览室、健身房等文教场所，开辟了《艳电人》季刊、“艳电之声”广播站、宣传橱窗等宣传阵地，提供了系统、完备的文化阵地。二是努力丰富文化内涵。坚持把党的基本理论、基本纲领、基本经验和社会主义核心价值体系的宣传教育，把公民道德规范、公民诚信与文明礼仪的学习教育，把民主与法制、科学文化知识的宣传普及和业务技能的培训等纳入文化建设，通过多种形式，系统进行熏陶，平均每年培训员工1000多人次。三是致力锤炼特色文化。发动员工讨论确立了“奉献社会、产业报国”的企业宗旨，锤炼了“开拓奋进、奉献光热、立业争先、创造卓越”的企业精神，设计制作了站徽、站旗，谱写了站歌，编撰了近5000字的《艳电文明规范》，形成了艳电文化主体。近几年，又发动员工打造二层单位核心文化，编辑出版《热土壮歌》诗集和《艳电人》综合文集，进一步完善了企业文化体系。四是全力开展文化主体实践活动。以“贯彻落实党的十七大精神，促进艳电事业又好又快发展”等为主题，坚持狠抓政治理论学习，以“坚持‘八荣八耻’理念等为主题，坚持狠抓思想道德建设；以“创建学习型企业、争当学习型员工”为主题，坚持狠抓业务培训工作；以“庆国庆”、“迎奥运”等为主题，坚持开展各类规模较大的企业运动会和文体活动，进一步陶冶了员工的道德情操，坚定了员工的共同理想，培育了员工共同价值观。

二、坚持以人为本　潜心构造和谐艳电

艳电坚持“以人为本、和谐发展”的理念，多方面、多途径创建和谐企业。一是坚持以身作则，提升队伍形象。按照“团结务实，勤俭清廉”的要求，班子成员及骨干严格自律，团结一心谋发展，求真务实干事业，多次被市、县评为“优秀基层党组织”，并被授予“常德市十佳领导班子”。二是坚持依法治企，严格民主管理。除严格执行国家对企业的各种法律法规外，制定完善了5大类、48种规章制度，始终坚持用制度管人管事，有力增强了员工遵纪守法、遵章依规的自觉性。按要求建立健全综治工作网络，认真落实各项综治措施，保证了稳定的工作、生产、生活环境。坚持民主决策、民主管理，重大事项均由职代会讨论决定，日常管理吸收职工代表参与。厉行局务公开，通过各种形式，定期、不定期公布局务、厂务信息。三是坚持以人为本，打造和谐家园。充分尊重职工的主人翁地位，规范决策程序，畅通信息渠道，保证局务公开，确保职工的知情权、参与权和监督权。不断改善职工生产生活条件和福利待遇，员工工资福利待遇每年都保持一定比例的增长。认真落实卫生防疫和员工定期健康检查制度，扎实抓好人口和计划生育工作，各项指标均达标。及时为员工排忧解难，帮助员工走出困境。四是坚持联点共创，努力奉献社会。累计挤出资金20多万元，先后与澧南镇双荷村等10多个点村、澧阳镇护城社区等3个社区结成帮扶对子，为他们提供资金、技术和文化扶持，真正做到“共驻共建”。

三、坚持加快发展　致力打造实业艳电

艳电坚持“电力为主，多业并举”的发展战略，多方面增强企业综合实力。一是抢抓机遇建成枢纽工程。面对水电企业的激烈竞争，艳电不等不靠，抢抓历史机遇，筹资4亿多元全面完成了艳电一期、二期工程的建设，工程被评定为国际清洁能源项目。二是开拓奋进建成集团企业。积极响应澧县县委、县政府“工业强县”的号召，全力招商引资，近几年引资1亿多元，建成8个合资合作企业，具备集团企业框架。三是与时俱进探

索科学管理。纵深探索现代企业管理制度，大力推行三级责任目标管理控制体系，不断完善动力与压力并重的双重激励机制，努力强化动态转换和绩效考核手段，着力发挥企业文化的激励与引导效能，厉行班子成员公开述职和民主测评制度，坚持中层骨干民主评议和末位淘汰制度，实施员工竞争上岗和优胜劣汰制度，实现了企业管理的规范化与科学化。同时，加大安全生产力度，电力生产创连续安全运行 16 年的纪录。其管理经验与发展模式曾 3 次被湖南省水利厅和水利部典型推介。

今后，艳电将再接再厉，不断巩固并努力提升创建成果，全面实施第 4 个五年发展规划，开辟艳电科技园，促成企业上市，努力谋求艳电事业更好更快发展，不断为社会作出更新更大的贡献。

宁夏回族自治区七星渠管理处

宁夏七星渠管理处成立于 1978 年，是宁夏水利厅直属的自收自支事业单位。现有职工 177 人，下设组织人事科、办公室等 7 个职能科室和工会、团总支 2 个群众团体，5 个管理所，3 个综合经营实体。担负着宁夏中部干旱带 5.87 万 hm^2 和卫宁河南灌区 2.16 万 hm^2 农田灌溉供水，以及七星渠、高干渠 121km 渠道管理和防汛重任，同时，承担着为中部干旱带 30 多万人、20 多万牲畜饮水的供水任务。

近年来，管理处全面贯彻落实科学发展观，紧紧围绕节水型社会建设大局，努力践行“北部节水，中部调水、南部开源”的分区治水方针，以服务灌区、促进发展为目标，坚持不懈地深化精神文明创建工作，提升创建水平，为水利事业又好又快发展提供了强有力的精神动力和智力支撑。

（1）加强领导，落实责任。成立了由处党委书记任组长的精神文明建设领导小组，明确处、所党政一把手为本单位精神文明建设的第一责任人，健全完善组织机构，构建了党政工团齐抓共管的工作格局。

（2）创新载体，丰富内容。围绕水利中心工作，创新活动载体，不断丰富创建内容。以“三个一流”（一流业务标准、一流职工队伍、一流工作业绩）为目标，组织开展了“四塑”活动（以社会主义核心价值体系为核心，抓好“四德”建设，在思想上塑魂；以提高业务能力为重点，抓好业务知识学习，在业务上塑骨；以提高管理水平为目标，抓好精细管理，在管理上塑筋；以新时期治水方针为内容，抓好水文化建设，在文化上塑血），举办了爱国歌曲歌咏比赛、春节团拜会、第十届职工运动会，丰富了职工文化生活，展示了干部职工健康向上的精神风貌，树立了单位的良好形象。

（3）细化措施，扎实推进。坚持五年一规划，一年一安排，一季度一检查，半年一考核，把精神文明建设的目标任务细化分解落实到各单位。采取一起抓（党政工团分工不分家，两个文明建设齐抓共管）、双责任（精神文明建设和供水管理一起纳入到各单位和各级干部的工作考核之中，实行“一岗双责”），三结合（精神文明创建活动同供水管理紧密结合，同加强“四德”教育、提高干部职工的道德素质相结合，同加强行业作风建设、塑造水利行业新形象相结合），四同时（文明单位创建同业务工作同时部署、同时检查、同时考核、同时奖罚），五经常（处所两级领导干部深入一线帮助指导工作要经常，有针对性地开展思想教育要经常，表扬典型要经常，开展活动要经常，总结提高经常）的方法，创新创建工作体制和机制，推动各项事业协调发展。

（4）强化培训，提升素质。切实加大职教工作力度，投入职教资金 28.3 万元，科技资金 32.39 万元，举办各类培训班 51 期次，培训职工 3961 人次，培训率达 100%。干部职工中取得大中专学历的占职工总数的 34%；有 5 名职工取得高级技术职称，47 名取得中级职称，51 名取得初级职称。建立了一支政治素质好，业务水平高，奉献精神强，作风扎实，敢打硬仗、能打胜仗的干部队伍。

（5）注重实效，扎实做好思想政治工作。坚持解决职工的思想问题与实际问题有机结合，抓好“一渠两线四小建设”（七星渠，文化线、生活线，小果园、小菜园、小食堂、小活动室）。先后投资 330 多万元，改造了所段房屋，配备了电视、冰箱、饮水机、煤气灶等设备，极大地改善了基层所、段、点职工的生产生活环境，使全处精神文明创建工作内容丰富、常建常新。

（6）精细管理，增强活力。全面实施灌溉精细化管理，合理统筹自流灌区和扬水灌区用水，全力以赴抗旱保灌，优先保证了中部干旱带三大扬水灌区供水，年均供水 3.5 亿 m^3，占全区中部干旱带用水的 60%。实施渠道造林绿化和渠道养护精细管理，坚持美化绿化渠道与整修渠堤、发展庭院经济三结合，先后投资 163 万元，美化所段点 30 多处、绿化渠道 60km、整修标堤 85.2km，打造了环境绿化、庭院美化、居室文明的工作生活环境。

（7）拓宽经营领域，增强发展后劲。做到一手抓水费收缴工作不动摇，一手抓综合经营不松劲，千方百计拓领域，抢抓机遇揽项目，创新模式促发展，多种经营取得新突破，土地开发工作取得新进展，打造了千亩土地综合开发基地，培育了新的经济增长点。2009 年实现供水收入 1605 万元，综合经营利润 86.96 万元，为管理处各项工作顺利开展提供了资金保障。

2006 年，管理处获自治区“五一劳动奖状”，2007 年被中央综治办、水利部授予“全国调处水事纠纷、创建平安边界先进集体”；2006—2007 年连续 2 年被黄河上中游管理局评为取水许可管理先进集体，2005—2009 年连续 5 年被水利厅评为先进单位，2008 年获全国精神文明建设工作先进单位荣誉称号。处党委于 2006 年被自治区党委命名为全区先进基层党组织，2009 年 6 月被水利厅党委评为直属先进党组织。2009 年，先后有 6 名职工分别被评为全区见义勇为先进个人、全区首届“十杰百优行业青年标兵”、水利厅优秀共产党员、优秀党务工作者、第五届十杰青年。管理处档案管理达国家二级，正式出版了《宁夏七星渠志》。精神文明建设取得了丰硕成果。

新疆维吾尔自治区喀什地区
叶尔羌河流域管理局

新疆喀什地区叶尔羌河流域管理处成立于 1958 年，2004 年 5 月更名为喀什地区叶尔羌河流域管理局，并加挂喀什地区叶尔羌河灌区管理局牌子。历经 50 年的艰苦创业，在各级领导的关怀支持和各族人民群众的不懈努力下，全局广大干部职工团结奋斗、艰苦创业，水利建设与管理事业取得长足发展，叶尔羌河流域灌溉面积已发展为 50.2 万 hm^2，成为位居全国第四、全疆第一的特大型灌区。

一、单位现状

叶尔羌河流域管理局系喀什行署派出机构，驻莎车县，现有在职职工 428 人。下设职能科室 10 个，局属基层水管单位 9 个，局属企业 5 个。

叶尔羌河流域管理局肩负着整个灌区的灌溉管理、工程管理、规划设计、工程建设、水政水资源及河道管理、科学研究等方面的重任，其主要工作任务是按流域管理委员会形成的决议和分水比例，向各用水单位优化配置水资源，对灌区进行规划，研究灌区的发展治理方案措施，对流域性的骨干水利工程进行建设与管理，直接从事部分勘测设计、水利经济企业的经营、灌区水盐监测与灌溉试验研究等。

二、工程简概

叶尔羌河灌区已建成流量为 $100m^3/s$ 以上的大型引水枢纽 6 座，水库 40 座，总库容 14.47 亿 m^3，渠道总长 31300km，防渗渠道已达 33%，为灌区灌溉管理工作发挥了重要作用。

叶尔羌河流域是一个水电资源很丰富的地区。目前流域已修建中小型水电站 10 座，总装机容量 5.93 万 kW，年发电量为 3.4 亿 kW·h。随着国家西部大开发政策的实施，从 2001 年起叶尔羌河流域塔河综合治理项目开始实施，国家对叶尔羌河流域投资 22 亿元进行的塔河综合治理，大大改善了流域的基础设施条件。

卡群引水枢纽工程于 1987 年建成，是控制叶尔羌河上中游灌区的一项大型骨干水利工程。枢纽的设计洪峰流量为 $7890m^3/s$，校核洪峰流量 $13500m^3/s$，设计引水流量 $340m^3/s$，灌溉效益巨大，运行良好，被国内水利专家誉为“新疆的都江堰”。

2007 年 9 月 28 日，总投资 2.37 亿元的叶尔羌河中游渠首水利枢纽工程破土动工。中游渠首工程是叶尔羌河流域规划中的第四级引水枢纽，控制灌溉面积 13.69 万 hm^2，设计洪水 $3860m^3/s$，总引水规模 175 m^3/s。工程设计洪水标准为 50 年一遇。是新世纪在叶尔羌河流域上，继已经投入运行的喀群等四大渠首工程后，又一个较大的经国家立项批准开工建设的重点水利枢纽工程。

三、精神文明建设成果丰硕

与时俱进，真抓实干，紧紧围绕新的治水思路，围绕灌区中心任务，以“全心全意为灌区各族人民办实事、办好事、办大事”为宗旨，以全面提高我局职工素质，增强职工队伍凝聚力为目标，大力加强思想政治教育，深入开展创建精神文明建设工作，在党的建设、综合治理、精神文明建设、业务工作等方面，叶尔羌河流域管理局取得了巨大进展和显著成绩。1999 年 11 月被命名为自治区级文明单位，2003 年 10 月叶尔羌河灌区先后荣获自治区水利厅、水利部大型文明灌区称号，2008 年 1 月荣获新疆维吾尔自治区“百佳”文明单位，2008 年 8 月获得全国水利系统精神文明单位称号。2009 年 1 月获得全国精神文明建设工作先进单位称号，精神文明创建工作又上新台阶。2008 年 10 月荣获自治区一级水利工程管理单位，2008 年 12 月档案目标管理荣获自治区一级标准单位，这些成绩的取得，标志着叶尔羌河流域管理局各项事业在健康有序地发展，精神文明建设工作在不断提高。

四、设计成果丰硕

叶尔羌河流域管理局科技成果显著。1999 年，叶尔羌河卡群渠首工程、提孜那甫河红卫渠首工程分别荣获自治区水利厅优秀工程勘测设计一等奖和二等奖，《新疆叶尔羌河防洪规划报告》荣获中国工程咨询协会优秀工程咨询成果三等奖；2003 年《叶尔羌河平原绿洲四水转化研究报告》荣获国家科技进步二等奖；2004 年 3 月《新疆叶尔羌河防洪规划报告》荣获第十二届优秀工程设计项目二等奖；2007 年 10 月《叶尔羌河平原绿洲耗水研究》荣获大禹水利科学技术奖；2005 年《谈叶尔羌河流域可持续发展的途径与措施——流域水资源合理配置》获得中国科协学术年会优秀论文。

五、美好前景

随着全面建设小康、加快社会主义新农村宏伟目标的提出，叶尔羌河流域面临新的发展机遇。新一版的《叶尔羌河流域规划修编（2005 年）》的完成，使叶尔羌河流域的基础设施条件的改善成为可能。总投资 18.82 亿元，位于帕米尔高原的国家和自治区重点工程——新疆下板地水利枢纽工程建设进展顺利，2010 年 6 月第一台机组发电投入运行。总投资 80 亿元的阿尔塔什水利枢纽工程即将开工建设，阿尔塔什水库库容 22.4 亿 m^3，预计叶尔羌河山区规划电站装机容量达 69 万 kW·h，将产生防洪效益、灌溉效益、生态效益，为流域各项事业和谐发展发挥积极作用，为社会主义新农村建设提供坚实保障。

全国水利工程体制改革工作先进集体

天津市东丽区水务局

东丽区水利局认真贯彻落实《国务院办公厅转发国务院体改办关于水利工程管理体制改革实施意见的通知》（国办发〔2002〕45 号）精神，按照天津市人民政府批转市水利局、市发展改革委、市财政局、市编办拟定的《天津市水利工程管理体制改革实施方案》（津政发〔2004〕121 号）及水利部、财政部颁发的《水利工程管理单位定岗标准》、《水利工程维护养护定额标准》总体部署和要求，认真制定改革方案，积极稳妥地推进水管单位体制改革。2007 年在全市率先完成了此项工作，2010 年 3 月，东丽区水利局被水利部授予“全国水利工程管理体制改革先进集体”荣誉称号。

一、加强领导，充分准备

为推进水管单位体制改革有序进行，东丽区水利局成立了以主要领导为组长的水管单位体制改革领导小组，并积极与区财政、人事、编委等部门协调，加强组织推动。根据国家和天津市政府水管单位体制改革有关文件和会议精神，东丽区水务局多次组织学习讨论，结合自身实际，组织人员认真进行水管单位定岗定员及工程维修养护测算，积极搞好调研，研究制定水管单位体制改革实施方案，并经区委常务会、区政府常务会议研究通过，为实施改革做好充分准备。

二、理顺关系，实现新突破

东丽区共有 6 个水管单位，分别为第一排灌管理所、第二排灌管理所、河道管理所、水务建设开发中心、地下水资源管理中心、水利工程建设管理中心。本次改革涉及东丽区第一排灌管理所、东丽区第二排灌管理所、东丽区河道管理所和东丽区水务建设开发中心四个单位。多年来，四个水管单位积极履行职责，努力完成了防汛排涝、调水蓄水、工程建设、管理维护等任务，为东丽区经济建设和水利事业发展作出了较大贡献。但是，由于两排灌所为自收自支事业单位，在职人员经费、公用经费、水利工程日常维修养护经费等无来源，在职职工基本工资不能足额按时发放，下岗人员增多，在岗人员一岗多责，职工队伍不稳定；大部分排水泵站已运行30～40年，设备老化严重，均带“病”运行，河道无日常养护资金，给东丽区防汛除涝安全带来很大隐患。此次改革使水管单位的人员经费、维修养护经费得到落实，极大地激发了职工的工作积极性。

(1) 重新理顺了管理机制。重新调整四个单位管理职责，将管站不管河、管河不管站的管理方式，调整为以流域、河系为管理单元，并将管理所重新分类、重新定性，而且结合实际工作需求重新调整了编制。按照水利部、财政部下发的《水利工程管理单位定岗标准》，结合单位实际重新确定岗位，包括管理类岗、泵站河道闸涵运行类岗、辅助类岗，人员实行竞聘上岗，定岗定责，岗前培训，并建立了严格的目标责任制，把职工管理与绩效考核结合起来，建立起了符合单位实际，充满生机与活力的水利工程管理体制。

(2) 推行管养分离，建立补偿机制。将水务建设开发中心作为从水利工程管理单位剥离出的经济实体，参与区管水利工程的维修、养护工作，独立核算，自负盈亏。2008年下半年水管单位已经实现了管养分离。为切实加强全区河道的养护，经区政府批准建立了编制为50人的河道保洁队，实行市场运作和属地管理的运行机制，弥补水管单位人员的不足，实现管养分离。逐步理顺水价，对农业排水和非农业排水（污）水价在补偿成本、费用、税金、合理计提利润的基础上重新进行确定。

(3) 完善新建水利工程管理体制，依法加强工程安全管理。在制定建设方案的同时制定管理方案，核算管理成本，明确工程的管理体制、管理机构和运行管理经费来源，实现新建水利工程建设与管理的有机结合。加强对水利工程的安全保卫工作，明确水利工程的土地权属和管理保护范围，把依法决策、依法行政、依法管理贯穿于整个水务活动之中。

通过此次改革，使东丽区建立了符合科学管理、规范管理的水管体系，实现了流域水资源、水工程、水环境等一体化的统一管理；理顺了管理体制和运行机制，基本建立起机构合理、人员精干、运行高效、服务优质的水利工程管理体制；建立了专业化、市场化、社会化的水利工程建设维修养护体系和合理有效的水费计收方式及规范的资金投入、使用、管理与监督机制，为东丽区水利科学发展、率先发展提供了体制保障。

辽宁省铁岭市水利局

一、精心组织，全面改革

2002年9月17日国务院批准发布了《水利工程管理体制改革实施意见》，2005年8月4日《辽宁省水利工程管理体制改革实施意见》（以下简称《实施意见》）正式下发。铁岭市水利局将《实施意见》转发有关县（市、区），通知做好水管体制改革准备工作。2005年10月15日，辽宁省水利厅召开全省水利工程管理单位定岗和维修养护经费测算工作会议，会后铁岭市水利局及时向市政府分管领导进行了汇报。按省《实施意见》要求，铁岭市明确各级政府是水管体制改革的责任主体，对其负总责，各级水行政主管部门对改革负部门责任，各水管单位对改革负具体责任，并明确了各自职责。

铁岭市水利局成立了水利工程管理体制改革工作领导小组，负责全市水利工程管理体制改革工作。小组下设办公室（渔业与建设管理科），具体负责日常工作。相关单位将改革任务层层分解，责任落实到人。及时出台《铁岭市水利工程管理体制改革实施意见》，明确目标任务、方法步骤、具体要求、完成时限，以南城子水库管理局为试点进行摸底测算，还同市财政局共同派人参加水利部在大连市举办的水利工程管理体制改革“两定”测算培训。指导局直相关单位和各县（市）区水行政主管部门编制实施方案，明确政府、有关部门和水管单位的改革责任，成立相应组织机构，安排专人负责具体工作。

根据国务院、省政府文件及水利厅会议要求，铁岭市水利局于10月17日召开专题会议进行部署，要求各水管单位按水利部、财政部颁发的《关于印发水利工程管理单位定岗标准（试点）》和《水利工程维修养护定额标准（试点）的通知》规定进行测算，召开专题会议以会代培，使具体工作人员进一步掌握了测算方法，为全市水管体改摸底测算打下良好基础。期间，协调市、县两级水行政主管部门配置了相关设备，安排56人参加测算，到11月底全面完成测算工作，并将成果报省水利厅。之后按省《实施意见》要求指导参加水管体改的37个单位制定改革实施方案，并经同级政府同意后实施。

二、突出重点，稳步实施

2006年以来，铁岭市水利局先后五次召开水管体改专题会议，安排部署改革任务。根据全市水管体改进展情况，对重点工程、试点单位等及时指导。以市直单位、河道管理所为工作重点，以南城子水库管理局为试点单位稳步推进。2007 年 6 月和 8 月，先后组成 4 个检查组分赴 7 个县（市）区监督检查，到相关部门、单位进行现场考察座谈，对加快水管体改工作提出要求，以确保全市水改工作顺利实施。还与市编制、财政部门多次沟通，最终结合事业单位人事制度改革批准直属南城子水库为准公益性事业单位，市直两个河道管理所并入市河务处，为公益性事业单位，核定了人员编制及“两费”。

三、目标考核，一票否决

为进一步推进全市水改工作，铁岭市水利局于 2008 年初研究决定，将水利工程管理体制改革纳入全市水利工作年度目标，并及时印发了《关于全面完成水管体制改革任务的通知》，要求各县（市）区在年内完成 50％水管体改任务，同时明确了奖惩措施，将水管体制改革工作完成与否同“大禹杯”竞赛、水利项目审批、资金安排、水利评优挂钩，并实行“一票否决”制。2009 年 3 月 27 日铁岭市水利局再次召开专题会议，印发《关于 2009 年全市农田基本建设“大禹杯”竞赛“一票否决”办法的通知》，明确将水利工程管理单位体制改革列为重点实施“一票否决”制单位，要求做好水管体改“两费”落实工作。同时加强督促，定期检查，发现问题，及时指导，沟通协调，确保实施。年终工作目标考核时先看水管体改实施情况，坚决做到一票否决。如西丰县水务局直属 3 个国有水库定性为准公益性事业单位，2 个河道管理所定性为纯公益性事业单位，应定编制 57 名，实际定编 72 名，不仅全部落实“两费”163 万元，工程维修养护费 126.5 万元，还为职工缴纳了社会养老保险和医疗保险，解决了职工的后顾之忧。

四、整体推进，及时验收

为进一步做好水管体改工作，做到整体推进，2009 年初，铁岭市水利局在全市水利工作会议上提出全市水利工程管理体制改革目标任务。2009 年 10 月，铁岭市水利局成立水管体改验收工作领导小组，及时印发省水利厅关于开展水管体改验收工作的通知，10 月 25 日再次通知提出验收时限。11 月 25 日前，有关单位完成自评工作，并报送相关材料申请验收。11 月 26—30 日铁岭市水利局会同市编制、财政、人事部门组织验收，37 个水管单位验收结果：有 24 个单位评价优良，13 个单位合格。12 月 10 日将改革验收情况报省水利厅。

铁岭市 37 个水管单位参加改革，经各级编制部门正式文件批复，定性为纯公益性单位 18 个，准公益性单位 19 个，占应分类定性单位的 100％。定编定岗工作取得阶段性成果，全市应定公益性编制 912 人，已落实 917 人，占应定编制的 100.5％。

全市参加改革的 37 个水管单位，全部实行内部管养分离，“两费”已落实 3780.2 万元，其中管理人员基本支出 2508.5 万元，工程维修养护费 1271.3 万元。有 16 个单位 782 人参加了社会养老保险，其中市水利局两个河道所并入市河务处，48 个公益性管理岗位竞争上，还参照公务员管理，执行了公务员工资标准。南城子水库 15 个管理岗位竞聘产生，其余人员实施双向选择，优化组合，通过成立工程维护队等实现人员全部安置。

辽宁省抚顺市清原满族自治县水务局

2007 年以来，辽宁省抚顺市清原县认真贯彻执行国家《水利工程管理体制改革实施意见》和《辽宁省水利工程管理体制改革实施意见》，统一思想，坚定信心，强化领导，攻坚克难，统筹安排，全面实施水利工程管理体制改革，取得了较好的成效。目前，县管 5 家水管单位体制改革全面完成，核定编制 97 人，落实财政渠道人员经费和维修养护经费 390.14 万元，其中人员经费 194.67 万元、维修养护经费 79.47 万元。

一、争取支持，强化领导

2007 年，省水利工程管理体制改革会议以后，立即向县委、县政府作了汇报，得到县委、县政府的高度重视，成立了由副县长任组长，县体改办、编办、水务局、财政局、人事局、劳动和社会保障局、税务局、物价局、法制办等部门负责人为成员的清原县水利工程管理体制改革领导小组，组建了办公室。在实施过程中，局领导班子成员利用各种时机，以多种方式就水管体制改革工作的进展情况、遇到的困难和问题等及时向县领导汇报、请示，争取领导支持。县主要领导在县直水管单位定性定编、落实经费上给予了充分理解、大力支持和特别关照，有力促进了改革的进程。

二、统一思想，坚定信心

实施水管体制改革，是国家为了实现水利工程良性运行、支持经济社会可持续发展作出的一项重大决策。水管体制改革工作启动后，成立了专门的领导班子，明确了职责分工。为保证改革工作顺利开展，局党委多次召开专题会议，认真学习和贯彻上级水管体制改革精神。通过会议、座谈、网站、板报等形式广泛宣传水管体制改革的重要意义，使全县上下尤其是水利系统对县情、水情的认识不断深化和统一，信心更加坚定，责任意识、危机意识、攻坚意识和机遇意识不断增强，水管体制改革得到了稳步推进。

三、突出重点，务求实效

在改革中，坚持实事求是，在重点环节上寻找突破口，努力攻克改革的难点，务求改革实效。

（1）认真起草《实施方案》。按照国家、省水管体制改革实施意见的要求，在深入调查研究、广泛听取意见、反复修改完善的基础上，研究起草了《清原县水利工程管理体制改革实施方案》（以下简称《实施方案》），并得到了县政府批复。《实施方案》既贯彻了国家的政策精神，又在管理体制、经费落实、管养分离、社会保障等方面结合了清原实际，作出了明确规定。目前，全县5家水管单位全部制定了改革方案。

（2）认真进行分类定性定编。在实施过程中，会同县编办、县财政局深入到水管单位进行调研，认真研究水管单位的功能、职责、人员经费等方面的情况，客观理性地提出水管单位定性定编建议。县管5家水管单位，其中清原镇河道管理所、南口前河道管理所定性为纯公益性事业单位，小孤家水库、金家水库、后楼水库定性为准公益性事业单位。

（3）“两项经费”得到落实。通过两年多不懈努力，县管3家水库管理单位由原来的自收自支单位全部定性为准公益性事业单位，核定差额拨款事业编制70人，核定人员经费194.67万元，核定维修养护资金79.47万元。小孤家水库建于1970年，承担着下游333.33hm^2农田灌溉和向清原镇内10万人口提供生产、生活用水的准公益性任务，自成立以来就被定为自收自支单位。由于定性不准，经费无保障，导致职工工资长期拖欠，工程管理水平低下。2008年12月县编委将该单位定性为准公益性事业单位，核定财政全额拨款事业编制27人，编制内在职人员和离退休人员经费全部纳入财政预算，核定维修养护经费29.2万元。改革后，职工队伍思想稳定，工程面貌焕然一新，管理水平明显提高。

（4）认真实施内部改革。水管体制改革要以建立长效发展机制为目标，为此积极指导水管单位开展以全员聘用制为主要内容的人事劳动分配制度改革，逐步推进管养分离，不断提高管理水平。3家水库管理所在完成定性定编后，立即着手拟定了内部改革的实施方案和竞聘上岗、未聘人员分流安置办法，推行聘用制、实行管养分离，通过改革，工程管理、运行、维护、经营人员各得其所，充分调动了广大干部职工的积极性、主动性，提高了管理水平，实现了水管单位的良性运行。

荣获2006、2007、2008年度全省农田基本建设“大禹杯”竞赛优胜奖，2007、2008年先后被抚顺市委、市政府、清原县委、县政府授予“为农服务先进单位”和“农业和农村工作先进单位”称号。

黑龙江省牡丹江市海林市水务局

海林市水务局按照《国务院办公厅转发国务院体改办关于水利工程管理体制改革实施意见的通知》（国办发〔2002〕45号）和黑龙江省人民政府办公厅《关于黑龙江省水利工程管理体制改革实施方案》（黑政〔2003〕20号）的文件要求，坚持以科学发展观为统领，积极开展了水利工程管理体制改革工作。在市委市政府的大力支持下，通过财政局、人事局、社保局等单位的配合，现已全部完成所属事业单位的改革任务。

一、加强领导，积极稳妥推进改革

成立了以主管农业副市长为组长的水管体制改革领导小组，成员包括水务局、财政局、人事局、社会保障局、纪检委等单位组成，办公室设在水务局，负责办理改革的日常工作，办公室主任由局长兼任。还成立了由纪检、工会、职工代表组成的监督小组，确保改革工作公开、公平、公正、有序进行。同时，通过召开不同层次座谈会和全体职工动员大会，传达贯彻国家、省、市水管体制改革精神，使职工全面领会掌握了改革政策，广大职工都能自觉、主动地参与改革，得到了职工的支持。

二、认真制定实施方案，确保全员参与

按照海林市机构编制委员会于2009年下发的《关于理顺市水务局直属事业单位管理体制的批复》（海编发〔2009〕3号）文件的要求，林海市水务局认真制定《水管体制改革实施方案》，做到严格遵守法律法规，按照公开、平等、竞争、择优的原则，打破身份界限，从现有职工中竞争上岗，择优选聘，全面实行聘任制。竞争上岗实行量化加分，步骤为理论考试、面试、基本条件加分、局党委评分的加分方式，最终形成综合得分，并进行了公示，公示无异议即办理相关聘用手续，试用期一年，试用期满考试合格的予以聘任，不合格的予以解聘。通过改革实现人员分流不下岗、不脱岗，都能得到妥善安排。

三、科学定岗定编，全面实施改革

通过制定科学的实施方案，实现了水资源管理站、水土保持监督站、河道管理站、城区堤防管理站、柴河堤防管理站、水利勘测设计室6个事业单位，原有编制和岗位不变，均为市财政全额拨款；新成立灌区水库管理站，副科级建制，编制10人，市财政全额拨款单位；撤销了原乡镇水务站，将原有乡镇水务站承担的水利行业管理、服务相关职能，划转乡镇农业综合服务中心承担，随即划转23名管理人员，按照划转乡镇后水务站承担职责任务的公益属性，划转到乡镇农业综合服务中心人员的经费形式为财政全额拨款。经上述调整，市水务局所属事业单位个数由原有的15个，调整为7个，单位个数减少了8个，精简了53.3%；水务局所属事业单位编制总数由129名，减为64名，精简了50.4%；通过改革实际变为全额拨款的人员有87名，灌区服务站人员减为42名（按企业化管理）。

四、理顺资金渠道，逐步调整到位

对调整经费形式的水务局所属事业单位，采取先调整编制性质，经费资金三年内逐步解决到位的方式。2008年海林市财政局下发了《关于水务系统重新核定经费预算的批复》（海财发〔2008〕32号文件）。市财政于2009年按经费总额的60%已全部兑现到位，到2010年底前，水管事业单位财政全额拨款全部兑现到位。

江苏省江都水利工程管理处

江苏省江都水利工程管理处（以下简称管理处）是省水利厅直属的工程管理单位，现有在职职工515人。管理的工程包括4座大型抽水站、12座大中型水闸、3座船闸、2座涵洞等水工建筑物，集泄洪、灌溉、排涝、通航、发电、改善生态环境等多种功能于一体，既是江苏省江水北调工程的龙头，也是国家南水北调东线工程的源头。工程建成40多年来，发挥了巨大的工程效益，为苏北地区国民经济可持续发展和社会事业进步作出了巨大贡献。2003年6月，该处被确定为全国水利工程管理体制改革试点联系单位，在省水利厅的正确领导下，结合工程管理实际情况，在吃透水情、掌握工情、立足处情的基础上，进行了积极有效的探索，2005年11月顺利通过省水利厅组织的验收。

一、强化宣传教育，营造浓厚改革氛围

水管单位体制改革是一项长期而复杂的系统工程，必须统一思想，提高认识，创新思维，转变观念。为此管理处始终坚持把思想政治教育工作放在工作的首位，努力形成和谐的改革氛围。及时组织职工学习上级文件精神，真正把水管单位体制改革的精神学好、学透。在改革阶段，还专门邀请有关方面的专家学者开展讲座，着重就水管体制改革的目的、意义和作用做全面的阐述，进一步调动广大职工参与改革的积极性。处属各单位部门定期召开学习会，学习上级有关改革的文件和指示精神，统一思想认识，为改革工作顺利开展打下了良好的思想基础。

二、加强团结协作，制定切实可行方案

水管体制改革工作，需要领导班子之间形成合力和干部职工队伍的支持。为此管理处成立了以一把手为组长，分管领导参与的改革领导小组，下设各专业小组，明确各自的责任，协调好各部门之间的关系。对于水利体制发展改革的大政方针，处领导坚持带头学，经常召开学习会进行研究，把握好改革的原则和方向。在进行改革过程中，遇到重大问题，班子成员坚持集体讨论研究，确保改革方案形成的民主化、科学化。处改革小组

成员坚持联系点制度，定期不定期的深入基层，加强有关政策的宣传，倾听民众对改革的看法，稳定职工的思想。

在改革过程中，坚持走出去，学习借鉴其他试点单位的成功经验和做法，制定出切合实际的改革思路，即以邓小平理论和“三个代表”重要思想为指导，以精简、统一、效能为原则，以富民强处为目标，以优化配置、激发活力、降低成本、提高效率为出发点，改革目前单位性质不清、体制不顺、机制不活、经费不足、效益衰减等弊端，逐步建立起适应社会主义市场经济体制需要、符合水利现代化要求和自身发展规律的管理体制和运行机制。根据单位实际和各方的意见，对单位科学定性、科学定岗、科学定员，做好人员支出经费和工程养护经费测算。在此基础上，还出台了《工程管理体制改革实施方案》《“管养分离”实施方案》《工作人员工资分配办法》《中层领导职位竞争上岗暂行办法》等一系列规定和措施，为改革工作的顺利开展奠定了基础，指明了方向。

三、狠抓方案落实，确保改革取得实效

改革的最终目的是要能取得实效。管理处作为省重点水利工程管理单位，受益范围广泛，社会效益显著，被省厅确定为纯公益性事业单位，经费由省财政直接拨付。但在内部管理机制上需进一步进行改革，现已取得明显成效。

一是整合了机构设置。管理处原有15个基层单位、8个处机关部门以及3个专门机构，本着“精简、高效”的原则，将基层单位减少到10个，机关科室减至7个，分别减少33.3%和37%。二是实行了定编定岗。根据省厅核定的内部管理岗位设置数，设定运行管理岗位481个，与原来515名相比，精简11%以上；中层干部设岗数由原来的63名，减至52名，精简17%。三是深化了内部改革。打破干部终身制，通过实行公开选聘、竞争上岗的用人制度，促进了领导班子整体结构的优化和整体素质的提高；实行全员岗位聘用制度，按照“公开、平等、择优”的原则，实行双向选择、按岗聘用；对工作人员按照岗位职责、工作实绩、贡献多少等内容进行考核；实行工资总额与业绩挂钩，按岗定酬，档案工资与实绩收入分离的分配制度，改革后的职工工资分为基本工资、岗位工资、考核工资、目标管理工资四个部分；有序进行人员岗位交流，推行末位淘汰制，妥善处理人员分流问题。四是推行了管养分离。管养分离分三步走：第一步，内部分离，合同管理，2004年，成立了维修养护中心，人员实行事业编制，内部合同管理，今后新进人员全部为企业编制，实行协议工资制；第二步，一处两制，独立运行，将维修养护中心转变为企业与管理处分离，仍以承担本处养护任务为主；第三步、事企分开，资产剥离，成立维修养护公司，将之与管理处完全剥离，最终走上社会化、市场化、专业化道路。

由于宣传到位、改革措施符合单位发展实际和职工的切身利益，改革工作得到了职工的充分支持。未发生违纪违规事件及安全事故，单位的工作健康发展，工程效益正常发挥。管理处先后荣获“全国文明单位”“全国五一劳动奖状”“全国工人先锋号”等国字号荣誉称号20多个，省级以上荣誉近100个。

安徽省宣城市广德县水务局

广德县位于安徽省东南部，与苏浙沪三省八县（市）交界。全县总人口50.5万，总面积2165km^2，耕地面积2.8万hm^2，有中型水库2座、小（1）型水库16座、小（2）型水库64座、当家塘坝1.6万余座。从2003年开始，广德县水务局在县委县政府的正确领导下，在省市主管部门的指导支持下，坚持以科学发展观为统领，解放思想、创新思路、积极探索、大胆改革，在全省率先实施水管体制改革，于2004年底顺利完成，并于2009年2月通过省级验收。改革成果得到了水利部、省水利厅和市水务局的高度评价。

一、领导班子团结有力，贯彻落实《实施意见》

2002年9月，国务院《水利工程管理体制改革实施意见》（国办发〔2002〕45号）（以下简称《实施意见》）文件出台后，广德县水务局积极实践新时期治水新思路，认真贯彻落实《实施意见》，组织全县水管单位职工认真学习，提高了广大干部职工对贯彻落实《实施意见》重要意义和紧迫性的认识，为改革营造了良好的氛围。同时，注重加强两个队伍建设，局党政班子团结奋进、坚强有力，职工队伍有良好的工作作风、较强的战斗力。出色地完成了各项水利工作任务。几年来，先后荣获“全国水利系统先进集体”“全国农田水利基本建设先进县”“全国农村饮水安全示范县”“全国水利工程管理体制改革先进集体”“全省水管体制改革先进集

体”“全省水库除险加固工作先进集体”“全市抗洪抢险先进集体”“全县人民满意单位”（连续两年）“县级文明单位”等荣誉称号，先后获得全省农田水利基本建设“江淮怀”金奖、全市农田水利基本建设“水阳江杯”一等奖等奖项。

二、大胆实践勇于创新，水管改革成绩突出

改革前，广德县有卢村水库管理处等18个水管单位，受诸多因素影响，体制不顺、机制不活、管理粗放、效益衰减已成为水管单位普遍存在的共性问题，已严重影响工程的安全运行，制约着广德县水利事业的发展。改革体制，减员增效势在必行。

卢村水库体制改革前，管理处职工196人，全年总经费来源不足170万元，截至2002年底，已累计拖欠职工工资72万元，累计负债332万元，机构臃肿、人员过剩、债务沉重，难以维持正常运行。2003年，根据国务院《实施意见》文件精神，广德县水务局积极探索水库管理新模式，大胆实践，勇于创新，在全省率先对卢村水库管理处进行第一步改制。2004年完成了卢村水库第二步改革任务和张家湾水库、四合水保站的机构改革任务，通过改制改革，达到了“减员增效、职能清晰、管理科学、经营规范”的目的，实现了管养分离，确保了水库正常运行和可持续发展。同时，制定了《广德县小型水库工程管理办法》，进行了大胆改革，将全县16座小（1）型水库的管理权全部收回实行县级管理，成立水库管理所，聘请专职管理员，并将水利工程的建设和经营全面推向市场，积极吸纳社会资金再投入水利建设与管理，初步实现了“以水养水”和可持续发展。与此同时，建立健全了《广德县小型水库管理制度》《广德县小型水库管理人员考核办法》《广德县小（2）型水库除险加固建设管理办法》等近30项规章制度，并加强监督落实。

2008年，为建立职能清晰、权责明确、管理规范的水利工程管理体制和运行机制，广德县进一步深化改革，取得了良好成效。一是实现中型、小（1）型水库统一管理。在巩固水管体制改革成果的基础上，以2座中型水库为依托，将16座小（1）型水库资源进行整合，成立全县水库管理中心，将卢村水库改革后的富余人员安置到管理岗位，既解决了待业人员再就业问题，又彻底解决了小型水库“有人用、无人管”的问题，逐步实现水库工程的统一管理、统一开发、统一利用和有效保护。二是将小（2）型水库下放乡镇管理。对已实施除险加固的小（2）型水库向乡镇移交管护任务，并与乡镇签订管护责任书，按照“三有”要求，落实管护任务。三是对小型水利工程建管实行“产权清晰、权责明确”的农村现代水利管理模式。以承包、租赁、转让等方式，落实经营管理的责任主体。积极鼓励和吸引更多的民间资本和外商资本进入水利综合开发，调动社会办水利的积极性，建立多元化的农村水利投资体系。积极鼓励和引导组建农民用水者协会和行业协会，实现用水户参与管理、协调供用水关系，实行民主协商、自主管理，逐步形成水利管理的良性机制。

福建省泉州市惠安县水利局

惠安县位于福建东南沿海，辖16个乡镇，是个水资源贫乏的水利大县。2004年以来，惠安县水利局认真贯彻落实上级关于水利工程管理体制改革的各项精神，结合本县实际情况，理清改革方案，完成惠女水库管理局、菱溪陈田水库管理处和美峰水库管理站等4个单位的改革工作，理顺了体制，基本完善了运行机制，责、权、利和人、财物形成新的统一，工程面貌得到了改观，职工的精神状态发生了新的变化，工程管理水平有了进一步提高，经济效益日趋显现。

一、做好政策宣传和组织发动工作

根据上级的各项精神，县水利局及时组织有关人员进行学习，使改革工作深入人心，及时了解干部职工对改革的起初想法，吸取他们的良好建议，使改革工作得以顺利开展。

二、抓好改革方案的研究制定工作

为保证改革的顺利推进，县水利局牵头协调各水管单位按照国务院、省、市水管单位体制改革的实施意见，认真进行人员经费、工程维修养护经费测算，编制完成改革方案的实施意见，认真进行人员经费、工程维修养护经费测算，编制完成改革方案并报县委、县政府同意实施。

三、落实各项改革工作

菱溪陈田水库管理处现为副科级自收自支事业单位，核定编制150人（惠委编〔2004〕13号），现在职

120 人、离退休 63 人、供养 23 人。主要承担菱溪、陈田、梅山水库以及林辋溪团结闸的工程管理，既有防洪、排涝和农业灌溉等公益性功能，又兼有供水、发电等经营性功能，定性为准公益性事业单位。由于目前供水、发电收入基本能满足人员办公经费和工程维修养护费用，维持现有编制和经费来源不变，工程运行和建设费逐年编制计划由县农业专项资金拨付。

惠女水库管理局现为正科级自收自支事业单位，核定编制 237 人（省编委＜64＞编事字第 385 号），现在职 102 人、离退休 84 人、供养 46 人。主要承担惠女水库与灌区、洛阳桥闸和山美水库惠安灌区以及美峰、东楼、竹田坑、西山塘、下埔塘、互助、锦芳等 7 座水库的管理任务，既有防洪、灌溉等公益性功能，又兼有发电、供水等经营性收入，定性为准公益性事业单位，经费来源维持自收自支不变，工程运行与建设费用逐年编制计划并从县农业专项资金拨付。

福建省宁德市蕉城区水利局

为了解决水管单位及基层所站在新时期、新形势下存在的问题，贯彻落实国务院《水利工程管理体制改革实施意见》和《福建省水利工程管理体制改革实施方案》的精神，福建省宁德市蕉城区积极推进水利所站体制改革。自 2006 年 6 月以来，成立了以原副区长黄家盛为组长的水利工程管理体制改革领导小组，蕉城区水利局按照实施方案的要求，积极做好宣传、调查摸底、两费测算等基础性工作，同时与编办、财政、人事等相关部门进行多方协调磋商，取得了各部门的支持配合，基本完成了水管体制改革任务。通过改制，完善了运行机制，责、权、利、人、财、物形成了新的统一，工程面貌得到了改观，职工精神状态稳定，工程管理水平有了进一步提高，水管体制改革取得明显成效。

一、水管单位基本情况

新中国成立以来，蕉城区新建了一大批水利工程，形成了较为完善的防洪、挡潮、灌溉、排涝、供水、发电等水利工程体系，在抗御水旱灾害，保障供水安全、促进经济社会发展方面都发挥了重要作用。蕉城区水利基层所站按工作性质可分为两类：一是水利工程管理单位，包括 3 个万亩灌区引水工程管理所、2 个万亩海堤工程管理所和 1 个中型水库管理处，负责所辖水利工程设施、运行管理和维护，确保工程安全运行；二是乡镇水利水电管理站，其主要职能是作为水利局派出机构，延伸区级水行政主管部门的管理职能，具体承担辖区内水利设施的管护及防汛抗旱工作，配合有关部门做好区域水资源规划配置、水环境建设保护及节水技术推广、水行政执法等各项任务。

随着水利事业的日益发展，水利工程管理存在的问题也日趋突出，进行水管体制改革是实现水利工程管理单位可持续发展的关键。根据《福建省水利工程管理体制改革实施方案》精神，蕉城区金涵水库管理处、五里洋海堤管理所、五里洋引水渠道管理所、西陂塘海堤管理所、马坂引水渠道管理所、金溪引水渠道管理所等 6 个单位被确定为水管体制改革单位，原核定编制 61 人，单位性质为事业单位，经费来源除五里洋海堤管理所为财政全额拨款外，其余均为自收自支。

全区乡镇水利站 l4 个、试验站 1 个，正式人员 40 人（其中财政全额拨款 14 人，差额拨款 6 人，自收自支 20 人）。由于工资等无法保障，大部分人员不能坚持正常上班，在正式人员未按编制就位、分布失衡的情况下，负责人由临时工顶岗的水利站有 5 个，因此也造成单位法人无法登记、单位银行开户无法年检、水利补助资金无法有效监管等问题。各乡镇水利站基本处于瘫痪或半瘫痪状态，严重影响了基层水利设施管护和防汛措施的落实。

二、水管体制改革主要做法

一是加强组织领导，确保体制改革工作顺利开展。根据国务院、省政府关于水管单位体制改革的精神，区政府于 2004 年 9 月成立了水利工程管理体制改革领导小组，将体改工作摆上区政府工作议事日程，区水利局相继成立了水利工程管理体制改革指导小组，为水利体制改革提供组织保证。

二是加强调研，科学制定体改方案。为了保证水管单位和水利站体制改革方案编制的合理性和科学性，在区政府办牵头下，区水利、财政、人事、编办等部门工作人员深入水管单位及各乡镇开展调查摸底工作，严格按照通知精神要求，对 6 个水管单位和全区 14 个水利站分门别类、明确定性，制定具体方案，重新测算水管单位人员编制。区政府多次召开水利、体改委、财政、编办、人事、劳动和保障、发改局等有关部门参加的审查会，对改革方案进行审查，并对如何建立起适应社会主义市场经济体制的水管体制、运行机制和实现改革预期目标进行广泛的探讨。

三、水管体制改革取得成效

水管单位及基层水利站在防汛抗灾、促进农业发展、建设社会主义新农村的新形势下，任务繁重。鉴于其公益性质，且与广大农村改革、发展、稳定的关系密切，蕉城区委区政府高度重视。2007 年 2 月 4 日，在深入调研、广泛征求意见的基础上，区长办公会议专题研究蕉城区水利管理体制改革有关问题。会议议定：马坂、金涵、五里洋引水渠道管理所现有在岗正式人员和退休人员共 33 人的工资，全部由财政按全额拨款事业单位标准核拨，医保、社保等按规定执行；各乡镇水利管理站的正式在职人员（含退休人员）共 29 人工资由区财政按金额拨款事业单位标准核拨，医保、社保等按规定办理。西陂塘海堤管理所、金涵水库管理处属准公益性事业单位，保持自收自支事业单位性质不变。

2007 年 11 月 8 日，福建省宁德市蕉城区水利工程管理体制改革工作通过省市水利主管部门的验收。水管体制的改革，解决了干部职工的后顾之忧，确保了水利工程运行管理的有序开展，水利工程的效益得到了显著提高，促进了地方经济社会的发展。

山东省济宁市水利局

一、基本情况

济宁市是一个水利大市，境内水利工程众多，有大中型河道 8 条，流域面积 $50km^2$ 以上的小型河道 93 条，堤防长 2400 余 km，建成水库 251 座（其中大中型水库 5 座）、各类水闸 1050 座。国有大中型水管单位共 25 家，有职工 821 人，其中财务独立核算的水管单位 15 家。

二、改革成效

长期以来，水利工程管理体制不顺，水管单位人员工资无保障，生存发展困难影响和制约了水利事业良性发展。水管体制改革以来，济宁市根据国家和省政府的统一部署和要求，抓住机遇，迎难而上，精心组织，全力推进，取得了水管体制改革的历史性突破。

一是管理体制彻底理顺。2008 年底，全市独立核算的 15 家国有水管单位体制改革基本完成，核定全额事业编制 717 人。其中市直 5 个水管单位全部定性为全额事业，定编 399 人，一次由差额或自收自支事业编制转为全额编制 346 人。打破了多年来制约工程管理的瓶颈，夯实了管理工作的基础。二是“两项经费”有效落实。全市 2009 年公益性人员基本支出实际到位 2983.9 万元，为财政认可数额的 90%，其中市直水管单位财政资金全部到位，维修养护经费各级财政予以认可，并实行分年到位安排。三是“管养分离”逐步实现。改革后，市梁济运河管理处成立了 98 人的维修养护中心，为实行“管养分离”进行了积极的探索。全市水管体制改革的积极成果，激发了管理单位的生机与活力，调动了干部职工的积极性和主动性，为强化工程管理工作奠定了坚实基础。

三、主要做法

（1）加强领导，制定政策。市政府成立了由分管副市长任组长，编制、财政、发改、水利、人事、劳动和社会保障等部门负责人为成员的水利工程管理体制改革领导小组，市政府印发了《济宁市水利工程管理体制改革实施意见》，市水利局相应成立了改革工作领导小组。各县、市、区及局直水管单位也成立了相应机构，出台了改革工作实施意见。

（2）开展调研，摸清情况。为掌握管理单位的情况，组织开展了水利工程管理调研，全面了解基层情况，摸清水管单位的现状和存在的问题。算透三笔账：一是管理单位收支账，收支基本平衡；二是国家重点工程投资账，近几年，济宁市国家投资在 56.82 亿元以上，改革不到位，国家将不予安排；三是岗位人员账，按照“两定”标准，并结合实际，确定了工作岗位数和人员数，在争取部门支持时，做到了有理有据。

（3）科学定性，合理定编。“两定”测算是水管体制改革的基础性工作，工作量大、政策性强、技术复杂，测算成果的质量关系到编制的核定和“两费”的落实。为此，各单位都把“两定”测算作为工作的重点，及时组织学习，吃透精神，安排专人负责，按照“两定”标准认真测算。按照精简机构、方便管理的原则，将原来的6个水管单位整合为5个，定性为公益类事业单位。按标准测算应定员520人，本着“因事设岗、以岗定责，以工作量定员”，实行一人多岗、一岗双责，核定人员399名。市编委、财政部门认为水利部门拟定的定性、定编方案科学、合理，完全符合国务院、省政府改革精神和济宁市实际。市编委根据测算结果，以济编〔2008〕38号文，对市水利局所属水管事业单位机构编制进行了批复。

（4）争取支持，协同改革。为了顺利开展水利工程管理体制改革工作，积极争取领导和有关部门支持。一是及时向市领导汇报国家和省对水利工程管理体制改革的要求，以及其他地市改革进展情况。二是向市编委、人事、财政等部门介绍改革的重要性和必要性。三是2008年市水利局3次召开局党委会议，专题研究水管单位体制改革工作。通过深入细致的工作，取得了有关领导和人事、编制和财政等部门的理解、配合、支持。

（5）内部改革，规范有序。按照水管体制改革精神，各单位将实行管养分离。目前梁济运河管理处的工程养护中心，仍属自收自支的事业单位，原有人员身份不变，只出不进，待条件成熟后，将工程养护逐步推向市场，走向专业化、社会化和市场化的维修路子。各单位正在不断深化内部改革，加强岗位目标考核，实行竞争上岗，管理工作逐步走向规范化、制度化、科学化的轨道。

（6）狠抓关键，落实资金。水管体制改革落实经费是关键，多年来，市直水管单位除洙赵新河管理处48人为全额事业外，其余均为差额或自收自支单位，其基本支出主要靠水管单位规费收入，经费渠道不畅。通过积极协调，畅通了经费渠道，落实了经费支出，其中市直水管单位基本经费每年2043.7万元由财政局按月分期支付。

为依法管理、规范管理、科学管理，济宁市政府出台了河道、水库等一系列水利管理规范性文件，济宁市水利局出台了水利工程管理考核、工程维修养护等办法，极大地促进了工程管理工作，提高了工程管理水平。

河南省水利厅水利工程管理体制改革办公室

河南省委、省政府高度重视水管体制改革工作，省水利厅党组在省委、省政府的正确领导下，经过各级有关部门的共同努力，截至2008年底，全面完成了水利工程管理体制改革任务。

一、多汇报、多宣传、多沟通，争取省领导的重视和支持，赢得有关部门协同配合

水利厅积极主动地向省领导汇报国务院、水利部关于水管体制改革的政策及河南省水利工程管理现状，争取省领导的重视和支持。省委徐光春书记、郭庚茂省长、省委常委、常务副省长李克多次询问水管体制改革工作进展情况和存在的问题，并作出重要指示。刘满仓副省长多次召开省长办公会，研究部署水管体制改革工作，并多次深入基层水管单位进行调研。水利厅还经常到省编办、财政厅、发改委、劳动保障厅等有关部门进行汇报沟通，争取支持。省编办、财政厅、发改委、劳动保障厅高度重视，积极主动地参与调研、考察培训以及改革方案的编制、修订和审核。

二、加大检查督导力度

为全面推进水管体制改革工作，建议省政府成立了督察制度，由省水利厅副厅长带队，发改委、编办、财政厅、劳动保障厅等有关部门组成4个督查组，分片包点，对市县进行督查。为进一步督促市县抓紧完成水管体制改革任务，从2009年2月开始，省水利厅派出38个督导组，深入基层单位检查指导，督促市县加快改革步伐。建立了改革进度旬报制度，每隔10天统计一次各市改革进度，并编发一期水管体制改革通报，发送到水利部、省委省政府有关领导和省直有关部门、各省辖市政府、水利局，表扬先进，鞭策落后，促进全省水管体制改革工作的开展。

三、制定并落实奖惩措施

起草并报省政府下发了《关于全面完成水利工程管理体制改革任务实施意见的通知》（豫政办〔2008〕83号），将水管体制改革与“红旗渠精神杯”竞赛挂钩，依据各地改革进展情况进行竞赛排名。将水管体制改革与项目申报和经费分配挂钩，对于改革进展缓慢的市县，在向中央申报安全饮水项目和农业百强县时不予转报，并对基建、岁修、水保、农水等项目和经费不予安排；对完成改革任务好的市县，在申请中央、省级投资时予以优先安排。通过采取以上办法，促使各地高度重视，采取措施，加快改革步伐。

四、理顺小型水库管理体制

为探索小水库管理运行新机制，拟文下发了《省水利厅关于加强小型水库工程管理体制改革工作的通知》（豫水体改〔2008〕2号），平顶山、三门峡等市采取有效措施，加大工作力度，将原乡镇管理的237座小型水库改制为县管的23个小型水库管理中心，批复财政全供事业编制267名，理顺了小型水库管理体制，建立健全了长效管理机制。其他小型水库较多的市正在按照要求开展小型水库改革工作。

改革后全省共批复水管单位661个，其中省属7个、市属70个、县属584个；全省共批复事业编制24107人，其中财政全供19328人、财政差供3605人、自收自支1174人。全省已纳入2009年财政预算的公益性人员基本支出经费4.44亿元，占应落实总数的99.9%；纳入2009年预算的公益性工程维修养护经费3.87亿元，占应落实总数的80.3%。水管体制改革工作已步入全国先进行列。

通过4年多的艰苦努力，河南省已按照国务院、水利部的要求，初步建立起符合社会主义市场经济体制要求的新的水利工程管理体制和运行机制。一是理顺了管理体制，明确了管理职责；二是畅通了工程管理和维修养护经费渠道，为工程的正常运行提供了强有力的经费保障；三是解决了职工工资拖欠问题，社保政策基本得到落实，职工队伍稳定；四是进行水管单位内部改革，建立了竞争机制和分配激励机制，调动了水管单位职工的积极性；五是优化了管理人员结构，提高了管理队伍素质；六是逐步实行管养分离，建立市场化、专业化、社会化的水利工程维修养护体系，提高工程管理水平，保证工程安全运行和工程面貌的改善；七是通过水价改革，逐步建立起水价形成机制和水费计收机制。

河南省漯河市水利局

漯河市水利局自2005年漯河市水管体制改革以来，认真贯彻执行《国务院体改办关于水利工程管理体制改革实施意见》，坚持精简高效原则，合理设置机构，科学分类定性定编，狠抓水管单位“两定”工作和“两项经费”的落实，在全省率先完成水管体制改革工作任务，为推进全省水管体制改革作出了突出贡献。

漯河市原有水管单位11个，在职职工451人。根据省政府的要求，结合漯河市实际，采取人员经费及工程维修养护经费两步走的方式，积极稳妥推进漯河市水管体制改革工作。截至2008年底，全市共确定财政全供事业单位9个、财政定补单位2个，核定总编制328人，落实公益性人员经费560万元，落实水管单位公益性工程维修养护经费1816万元，全面完成水管体制改革任务。2009年4月，顺利通过全省水管体制验收。

（1）加强培训，准确定测。水管体制改革是一项复杂的系统工程，涉及水管单位分类定性、定岗定编、经费落实、管养分离、分流安置、社会保障等广泛内容，政策性强、环节多、操作复杂。为准确把握文件精神，更好地推进工作，漯河市水利局安排负责体制改革的有关人员，到省里接受专门培训，学习改革中分类定性、定岗定员、两费测算及实施方案编制等知识，占据政策上的主动性，让水管体制改革有理有据。通过学习培训，使职工对水管体制改革的紧迫性、重要性有了新的认识，对于如何开展这项工作有了一个较为清晰的思路，从而为改革的顺利进行打下了良好的基础。同时，市水利局还派出工作组，深入到各水管单位，深入开展调查研究，摸清家底，了解人员经费、工程管理方面存在的实际问题，掌握了第一手资料，为水管体制改革的全面铺开奠定了有力的基础。

（2）加强沟通，密切配合。水管体制改革内容涉及面广，任务艰巨而繁复，需要多部门的通力合作。水利部门充分发挥自身优势，注重多途径宣传。拿出翔实的资料，全面总结水管单位在防洪除涝、灌溉引水、供水安全作出的显著成绩，赢得了政府和有关部门的理解与支持，为水管体制改革争取更有利的发展空间。在整个改革过程中，漯河市县政府和编制、财政等部门都给予大力的支持，确保了改革的顺利推进。

（3）建章立制，公平竞争。在水管体制改革过程中，制定了一套公正的竞争上岗实施办法，明确各岗位职责和申报条件，严格资格审查，规范工作程序，实施“阳光”作业，实行封闭命题、公开竞争和择优聘用。整个竞争上岗过程严格遵循“公开、公平、公正”的原则，提高改革中各个环节的透明度，自觉接受上级领导、职工群众和社会各界的监督。

（4）以人为本，妥善安置。水管体制改革给水管单位带来的阵痛是不可避免的，人员富余是其中的一大难题。漯河市水利局坚持以人为本，关心职工、尊重职工、理解职工，及时搞好服务和引导，特别是对落聘人员实施人文关怀，有情操作，让其得到妥善安置。对富余分流人员，先后组建了五个堤防养护公司，使单位分流富余人员得到妥善安置，确保了社会的和谐稳定和水管体改工作的稳步推进。

（5）以点带面，重点突破。为了全面推动水管体制改革工作，漯河市按照“统一部署、市县联动、重点突破”的原则，市本级率先推进，促进漯河市改革工作。无论是第一阶段单位定性定编人员经费落实，还是第二阶段工程养护经费的落实工作，漯河市都在市直单位率先推进。市本级水管单位体制改革的率先突破，对各县市区水管体制改革工作的开展起到了很大的推动作用。

通过水管体制改革，漯河市水管单位理顺了管理体制，精干了管理队伍，落实了经费，极大地提高了水管单位广大职工工作热情和积极性，工程管理水平明显提高，全市水利工程管理工作正在逐步走向良性发展轨道。

湖北省潜江市水利局

潜江市是湖北省的农业大市和水利大市，水利在全市经济社会发展中发挥了重要的基础和保障作用。2004年以来，市水利局认真贯彻落实国务院办公厅《水利工程管理理体制改革意见》（国办发〔2002〕45号）和湖北省政府办公厅《湖北省水利工程管理体制改革实施方案》（鄂政办发〔2003〕97号）文件精神，切实加强组织领导，及早安排部署，全面推进水管体制改革。

一、基本情况

潜江市水利系统原有人员1169人，其中，事业单位人员769人，企业单位人员400人。全市参加水管体制改革的人员共计364人（按照有关文件精神，企业单位的400人、原由财政供养的23人、离退休人员100人及镇处水利站282人，共计791人不参与水管体制改革）。

二、水管体制改革的总体情况

（1）切实加强组织领导，落实工作责任。一是强化领导，全力支持改革。水管体制改革的核心问题是人的问题、钱的问题，离开领导的重视与支持，改革将无法开展。国办发〔2002〕45号和鄂政发〔2003〕97号文件出台后，市委、市政府领导高度重视，市委常委会、市长办公会专题研究水管体制改革，并成立了由分管农业的副市长为组长、分管副秘书长为副组长，市编办、财政局、人事局、劳动和社会保障局、水利局等相关单位负责人为成员的水管体制改革领导小组。二是协调配合，形成合力。水管体制改革是一项系统工程，涉及面广，牵涉部门较多。为此，积极采取调研、座谈等各种形式，及时组织相关部门进行沟通、交流、协调，积极调动各方面积极因素，支持改革，形成工作合力。三是强化责任，狠抓工作落实。组建了水管体制改革工作专班，具体负责改革日常工作，对改革的各个环节、各个事项责任到人，分月调度，逐一落实，确保改革有条不紊，有序推进。

（2）广泛深入调研，科学制订方案。一是认真调查摸底。改革专班深入各水管单位，采取一看、二查、三听的方式，认真调查，广泛搜集关于改革的各种意见、想法、建议。二是科学制订方案。在深入调研，多方征求意见的基础上，市水利局、编办、财政局共同起草了《潜江市水利工程管理体制改革实施方案》，经多次讨论酝酿后，报市政府出台。该方案就改革的目标和原则、改革的主要内容和措施、改革的配套措施等作出了具体而明确规定，在涉及改革的几个核心问题上，出台明确的政策规定。同时，各水管单位的改革方案均提交职工讨论通过，做到民主制订改革方案，职工对改革方案的认同率基本达到100%。

（3）全面实行“三定”，切实落实“两费”。一是单位定性。将全市所有水管单位分为两类：一类是承担防洪、排涝等水利工程管理运行维护公益性任务的水管单位，定性为纯公益性事业单位，全市共有老新泵站、幸福泵站、四湖水利工程管理处、水改办公室等4个；另一类是承担防洪排涝等准公益性事业单位，全市有兴隆灌区管理局、谢湾灌区管理局2个。二是人员定编。根据水利部、财政部共同制发的《灌区、泵站岗位设置及定员标准》，结合潜江市水利工程管理现状，按照“因事设岗、以工作量定员、一人多岗、精简效能、从严控制”的原则，核定全市水管单位编制280人（不含原财政供养人员23人），其中纯公益性事业单位147人、准公益性事业单位133人。三是经费定来源。市政府决定，在农业排涝水费取消前，排涝水费由市财政统一征收，纳入预算管理。从2006年1月起，将水管单位人员经费纳入市财政统一负担。纯公益性水管单位其编制内在职人员经费、公用经费等由市财政负担，工程日常维修养护经费在水利工程维修养护岁修资金中列支，工程更新改造费用纳入基本建设投资计划，由计划财政部门安排。准公益性水管单位其编制内在职人员经费、公用经费等基本支出，由市财政负担，更新改造费用纳入基本建设投资计划、财政部门安排；经营性部分的工程日常维修养护由水管单位在征收的经营性水费中解决，更新改造费用在折旧资金中列支，不足部分由计划、财政部门安排。

(4) 深化内部改革，完善社会保障。一是全员竞争上岗。除水管单位一把手由局党委按程序考核任命外，其余人员一律实行公开竞聘。竞聘采取理论考试、民主测评和局党委考核相结合的办法，从高到低择优聘用。二是切实抓好水管单位内部改革和上岗人员管理。对上岗人员实行全员聘用制，聘期一定3年不变，期满后可续聘或解聘，对聘期内年度考核一年不合格或连续两年为基本合格者单位提前解聘。制定了《潜江市涵闸泵站年度工作考核办法》《潜江市流域水利管理站年度工作考核办法》《潜江市市管渠道管理办法》，对上岗人员实行跟踪考核。通过实行人员聘用制，转换了用人机制，初步实现人事管理由身份管理向岗位管理的转变，提高了职工的工作积极性和风险意识。三是改革了分配制度。严格实行岗位工资制度，对上岗人员实行量化考核，人员工资与工作效绩挂钩，以岗定薪，岗变薪变，工资与工作效益挂钩，合理拉开了人员收入差距。四是妥善安置落岗分流人员，对符合内退条件人员，按相关政策办理内退手续，工资待遇按档案工资的70%左右执行。对下岗分流人员全员办理养老保险和医疗保险的同时，创造条件引导分流人员再就业。通过采取向外推荐就业、鼓励个人创业、重点扶持兴业等办法，使80%的分流人员找到了新的就业岗位。

(5) 推行管养分离，实行工程养护市场化。水管体制改革后，组建了市水利水电工程处，优先录用管理单位下岗落聘人员，并从社会上招聘了部分技术人员，具体负责水利工程的维修养护工作，严格实行了管理和维修养护机构、人员、经费分离，基本实行了水利工程维修养护市场化。

(6) 推进水价改革，增加水管单位自我发展能力。根据《湖北省关于规范水利工程农业水费收取和使用的管理意见》(鄂办发〔2002〕35号)、《湖北省水利工程水价管理暂行办法》(省政府2004年259号令) 等水价改革制度及法规，广泛宣传，因势利导，着力推进水价改革。一是合理确定水费征收范围和标准。将农业灌溉水费转为经营性水费，其中基本水费水价0.016元/m^3，计量水费0.024元/m^3，按平均每亩耕地用水量150m^3 水计算，每亩按6元计收。在计收形式上，农业灌溉水费由兴隆、谢湾两大灌区管理局分别与用水单位或村签订供水合同，委托流域水利管理站代收。二是建立了“灌区管理局＋农民用水协会＋农户”的管理模式。从2003年开始，在全市范围内以水系、渠系为单元组建用水者协会，海选协会会长、副会长和理事，建立协会章程和各项管理制度，全面推广农民用水户参与用水管理，成效十分明显。通过水价改革，全市水费实收率超过90%，比改革前提高近20个百分点。

三、改革的主要成效

(1) 精简了人员，优化了结构。通过实施水管体制改革，录用上岗人员280人，分流人员20人。上岗人员中40岁以上的85人，30～40岁的142人，30岁以下的63人，实现老、中、青优化结合。同时通过竞争上岗，把政治合格、业务过硬的工作骨干保留下来，上岗人员整体素质提高，技术力量增强。

(2) 落实了经费渠道，保障工作正常运转。改革后，市政府将水管单位上岗人员纳入市财政供养，提高了工资待遇，所有在编人员全员办理了社会养老保险和医疗保险，解决了后顾之忧。

(3) 明晰了事权，提高了工程效益。改革前，水利工程管理事权不明，职责不清，应当由政府负责的职责没有得到足够的重视。有排涝任务时，政府一声令下，泵站便无条件开机排水，汛期过后便无人问津。改革后，明晰了职责和事权，水管单位有了政策和资金保障，水利工程得到及时维护，效益得到充分发挥。

(4) 建立了激励机制，队伍形象得到改观。改革前，由于缺乏有效的激励机制，职工职责不清、责任不明，养成一种惰性心理和不求上进的精神状态，工作热情不高。改革后，对水管单位实行年度工作量化考核，实行岗位工资制，职工工资与绩效挂钩，建立了赏罚分明的激励机制，大大提高了职工的积极性和主动性，使职工精神面貌和队伍形象得到很大改观。

湖北省漳河工程管理局

湖北省漳河工程管理局（以下简称“管理局”）隶属于湖北省水利厅，负责管理漳河水库枢纽工程及其灌区渠道工程。所辖漳河水库是一座以防洪灌溉为主，兼有城市供水、水力发电、水利旅游、水产林产等综合功能的大（1）型水库。水管单位体制改革后，管理局在防汛抗旱、发展水利经济、精神文明建设等方面取得了长足进步，先后荣获“全国防汛抗旱先进集体”“全国精神文明创建工作先进单位”“全国水利系统文明单位”“全国大型灌区精神文明建设先进单位”等荣誉称号。

一、圆满平稳完成水管单位体制改革

实现全员合同管理。管理局组织对全局846个岗位（事业编制岗439个，含维修养护人员69名；经营性岗位407个）实行竞争上岗，与竞争上岗的事业编制人员签订了聘用合同，与经营性岗位人员签订了劳动合同，对未聘人员进行多途径分流安置，切实转换了用人机制，实现了单位人员管理由身份管理向岗位管理的巨大转变。

实现事企分开管理。管理局除机关、事业机构外，另设有水电开发公司、禹龙水利水电工程公司、水产开发公司等8个具有独立法人资格的企业，实现了单位内部事企分开。同时按照水管体制改革精神，撤销了原漳河子弟学校、职工医院等社会职能机构，将漳河派出所移交当地公安部门，进一步明晰了单位职能。

实现工程管养分离。管理局在枢纽工程管理处和灌区总、二、四干渠管理处4个副处级单位分别设置了工程维修养护所，维修养护所独立办公，独立财务核算。工程管理单位与养护所签订维修养护合同，明确工程维修养护职责、标准和考核办法，实现了工程管养分离。

两项经费得到落实。水管单位体制改革工作完成后，管理局各项费用核拨步入了制度化轨道，2005年落实经费1409万元，经费得到逐年提高。经费不足的部分由单位自主落实，主要依靠多经创收，历年来单位两项经费落实率达100%。

二、切实做好工程建管和防汛抗旱工作

加强工程管理和建设。一是参照水利部《水利工程管理考评办法》，制定并执行局工程管理目标考评办法及考核评定标准。二是编制工程巡视检查记录表和工程监测表，强化工程检查和监测。三是狠抓白蚁防治工作。四是认真落实工程维修、建设计划。从1996年开始，管理局先后完成漳河枢纽工程、车桥水库、乌盆冲水库、杨家冲水库的整险加固和各年度灌区续建配套与节水改造等工程项目。工程防洪能力和渠道输水能力大大提高，漳河水库防洪能力达到500年一遇，彻底摘掉病险水库帽子。灌区恢复灌溉面积0.46万hm^2，改善灌溉面积1.54万hm^2。

做好防汛抗旱工作。及时编制水库防洪与兴利调度方案，做好防汛抗旱信息资料的收集、整编、上报；召开年度防汛抗旱指挥长会议和灌溉调度工作例会，落实防汛抗旱任务和经费；组建防汛抢险突击队，备足备齐防汛物资，坚持汛安全大检查。漳河先后抗御了1996、1998、2007、2008年的特大洪水和2000、2001、2005、2006年的特大干旱，为保障灌区、库区及其流域范围内人民生命财产的安全、国民经济的发展和社会的稳定发挥了重要作用。

加快水利信息化建设。先后完成了水雨工情自动监测系统、洪水调度自动化系统、计算机局域网、漳河水利通信专网、城市供水遥测系统、灌区水资源监控系统等系统建设，开展灌溉动态调度系统的研究，建设关键控制闸群自动监测、控制系统，实现灌溉系统的实时监控和优化运行，做到了库区灌区重要工程、段面和关键点工情、水情、雨情的实时监测监控，做到有情况早发现、早报告、早处理，促进了工程管理和防汛抗旱工作的开展。漳河（复合型）水库群预报调度自动化系统项目被评为湖北省科技进步二等奖。

三、推进水利经济又好又快发展

管理局按照“以水为主，综合开发，多种经营，全面发展”的经营思路，积极开拓供水市场，年均提供城市生产和生活用水8000万m^3，提供发电用水3.5亿m^3；大力发展小水电，争取并实施国家小水电代燃项目，完成了从李家洲电站到鸡公尖35kV新线路的架设，积极实施代燃发电机组改造工作，年均发电量达3500万kW·h以上；全面推进生态旅游，加快观音岛、观音寺景区建设，完成漳河半岛酒店改造，积极融入鄂西生态文化旅游圈发展，漳河风景区已成为国家AAA级风景区和省级风景名胜区；加快林产品结构调整，狠抓柑橘品种改良和柑橘示范园建设；深化水产加工发展，在原风干鱼生产线基础上，引进漳河“渔家快捷”系列水产品生产线，水产发展产销两旺，集养殖、加工、销售于一体。全局水利经济营业收入年均增长保持在15%左右。

四、加强文明和谐单位建设

学习贯彻党的十七大，十七大三中全会和四中全会精神，深入开展学习实践科学发展观活动、“作风与能力年”建设活动和腐败风险预警防控体系建设，着力提高广大党员干部政治理论素养和科学决策水平；加强职工教育培训，关注改善民生，提高职工收入，切实解决广大干部职工关心的住房、医疗、子女就业等方面的热点、难点问题，积极消除社会不安定因素。

湖南省常德市水利局

2004年以来，常德市水利局按照国办发〔2002〕45号和湘政办发〔2004〕8号文件精神，结合国家和省市要求，把水管体制改革作为全市水利发展的大事、要事来抓，作为给水利人办好事、实事来抓，坚持无情改革、有情操作、多管齐下、全力推进，于2008年底全面完成了全市水利工程管理体制改革任务，彻底扭转了过去那种人浮于事、无钱干事、干事无保障、退休无保障的局面。

一、争取领导督改革

为了切实推进改革工作，迅速成立了常德市水利工程管理体制改革领导小组，由市委分管副书记任组长，常务副市长和分管副市长任副组长，市政府办等相关单位负责人为成员，市水利局局长兼任办公室主任并负责具体工作。同时，巧借政策东风，积极主动地向市委、市政府主要领导汇报，不厌其烦地与区县（市）负责人主动沟通，取得了共识，获得了认可，赢得了支持。各区县（市）均成立了相应的领导小组，认真审定改革实施方案，层层召开动员大会，研究部署改革工作，并派出改革工作小组进驻各水管单位，与基层单位职工面对面，统一了思想认识，消除了对立情绪，激发了参与热情，夯实了思想基础。

二、深入调研抓改革

为确保改革工作有章可循，常德市水利局组织相关人员深入各区县（市）和有关水管单位，认真开展调查摸底工作，全面了解了水管单位的人员结构、工程运行维护经费来源及单位开支等基本情况，经多次研究形成了《常德市水利工程管理体制改革工作实施意见》，经市长常务会议审议和市委常委会研究通过，于2006年9月14日以两办的名义正式行文，为有序推进改革提供了依据。为进一步规范改革工作，2007年11月，印发了《常德市减轻湖区农民负担综合改革工作方案》。同时，进一步加大了督导力度，及时督促各区县（市）的100多个工程单位于2008年9月底全部出台了正式的改革实施方案。

三、合理定性促改革

按照“因事设岗，以岗定责，以工作量定员”的原则，会同市编委办、市财政局在区、县（市）上报编制方案的基础上，逐一审核把关，并正式行文对各区、县（市）水管单位公益性编制进行宏观总量控制批复。各区、县（市）结合定岗标准，合理设置岗位，总数全部控制在市里批复核定的编制总量之内。在“两费”的落实上，严格执行国家有关政策，凡是需要财政负担的资金，要求各区、县（市）务必纳入县级财政预算，并足额拨付，一步到位；如因特殊情况难以一步到位的区、县（市），务必明确时限，分步到位。2009年3月底，全市纳入改革范围的135处水管单位按照这一要求，将人员经费和维修养护费支出列入了县级财政预算，落实到位经费率达100%。

四、有情操作活改革

编制核定之后，将竞聘上岗作为水管单位内部改革的一件重头戏来抓，严格按照“公平、公开、公正”的原则，采取考试与考核相结合的办法，认真组织考试考核，严格按设定岗位数和成绩名次确定上岗人员，有效调动了上岗人员的工作积极性，提高了工作效率。同时，坚持无情改革、有情操作，对分流人员各地也采取了软着陆、给出路，采取多种渠道妥善安置富余人员，有经营性岗位安置的，尽量安置工作岗位，没有经营性岗位安置的，除继续给予基本养老保险和医疗保险等基本社会保障外，还给予必要的生活费补助。截至2009年3月，全市7600多名水利职工（包括退休人员）“两保”参保率达到100%，不少单位还缴纳了住房公积金，切实解决了基层干部职工的后顾之忧。

广东省湛江市吴川市水利局

吴川市水管体制改革工作在地方市委、市政府的直接领导下，在湛江市水利局和省水利厅的大力支持和积极指导下，吴川市水利局（以下简称“水利局”）全体干部职工经过三年半的努力，顺利完成水管体制改革任务，省水管体制改革小组对水管体制改革取得的显著成效给予了充分肯定。

一、实施体制改革前的基本情况

水管体制改革前，吴川市有水管单位 13 个，均为自负盈亏的事业性质企业管理单位。共有人员 741 人，其中在职人员 509 人，离退休人员 232 人，截至 2008 年 7 月底，13 个水管单位共拖欠工资 2656.48 万元，共欠缴社保费 1071.53 万元。水利工程管理单位财务收支困难，职工多年领不到工资，水利工程管理单位接近瘫痪状态。

二、实施水管体制改革取得的主要成效

（一）领导重视，机构健全

吴川市委、市政府非常重视水管体制改革工作，从 2005 年 6 月起先后成立了“吴川市水管体制改革工作领导小组”“吴川市水利工程管理体制改革定员工作领导小组”“吴川市水利工程管理体制改革竞岗考试工作机构”，水利局也成立了水管体制改革工作领导小组和体制改革竞岗考评小组，各个水管单位同时成立了水管体制改革工作小组。

市委书记、市长多次召集市编办、水利、人事、财政、发改、劳动和社会保障、社保、物价等部门召开会议，统一思想，提高认识，把水管体制改革作为政府的头等大事来抓，为顺利开展水管体制改革工作提供了坚强的保证。

（二）大力宣传，深入摸底

水利局及各个水利工程管理单位层层召开会议，认真贯彻落实上级水管体制改革文件精神，使广大干部职工充分认识水管体制改革的目的和意义。利用横标、专栏和电视台来广泛宣传水利工程体制改革精神，形成了良好的氛围。水利局与政府有关职能部门深入各水管单位进行调查摸底，摸清水管单位的收支现状，寻找经济来源渠道，对机构岗位作详细测算，为顺利完成水管体制改革任务打下坚实基础。

（三）措施落实，经费保障

在完成了测算工作后，先后制定了《吴川市水管体制改革实施步骤和时间安排》《吴川市水利工程管理体制改革实施细则》《吴川市水利工程管理体制改革具体实施方案》《吴川市水利工程管理体制改革竞岗办法》和《吴川市水管体制改革下阶段工作时间安排表》等一系列文件及竞岗条件、考评程序等措施。制定的每项措施全面、准确，易于操作和执行。对每个职工的基本情况进行了三次公示，做到每个职工的个人基本情况不错不漏。

水管体制改革工作量大，需要经费多，市政府及水利局先后共投入资金 48 万元，其中，市财政拨入体改经费 4 万元，水利局投入体改经费 44 万元。

（四）抓住关键，确保通过

水管单位存在的主要问题就是经费来源没有保障，农业水费征收困难。水利局充分利用财政部门核算水管单位经费收支差距不大的这一有利因素，积极挖掘水利行业各方面经济来源的潜力，排除各级领导对解决水管经费会加重财政负担的顾虑，提出了水利规费落实财政收支两条线，水管单位各项经费由财政提供保障。

在确保解决水管单位实际问题的同时，一是着力从压缩编制方面入手，采取兼岗压缩人员，以最低取值定编，三座水电站不设置运行管理人员编制。二是撤销非公益性机构水电器材供应站和喷灌技术服务公司，降低支出，其退休人员划归河道堤防管理处，在职人员参加水管单位竞争上岗，由水利局统一调配，使水利系统基层单位人人享受改革成果。

（五）共同努力，成效显著

1. 单位定性和人员定编

水管体制改革后，水利各项规费落实财政收支两条线，三座水电站的发电收入也上缴市财政集中支付。全市 13 个水管单位，除撤销水电器材供应站和喷灌技术服务公司两个单位后，其余 11 个水管单位全部定性为纯公益性水管事业单位。核定纯公益性编制 398 人。

2. 两项经费

水管体制改革后，11 个纯公益性水管事业单位机构、人员经费 720 万元和水利工程维修养护经费 2450.55 万元，两项经费在市财政年度预算中安排解决。

3. 人员分流和社会保障

体制改革后进入 11 个纯公益性水管事业单位的工作人员 364 人；办理离岗退养 8 人；办理退休享受财政

全额供给 20 人；申请自谋职业 45 人，其每年工龄一个月工资的经济补偿金由财政一次性解决，在单位工作期间欠缴的社保费由财政分三年解决；不在编不在岗作辞退处理 51 人；原机电排灌管理总站招收明确用于梅录宾馆的 21 名人员直接划转企业性质的机电排灌服务部。

4. 管养分离和水价改革

水管体制改革后，全市 11 个水管单位专职负责水利工程管理、水土保持和面上水利工程建设设计工作。

工业用水、农业用水水价和水资源费经市人民政府和物价部门批准执行。体制改革后，市政府为了让农民减负和发展吴川经济，暂不考虑对水价进行改革。

11 个水管单位全部定性为纯公益性事业单位，彻底解决了水管单位两费问题，对水利事业稳定、协调、健康发展和水资源的持续利用提供了可靠保证，效果显著。

广东省茂名市茂南区水务局

从 2005 年 6 月开始，广东省茂名南区开展了水利工程管理体制改革工作，至 2006 年 12 月底完成，2007 年 9 月先后通过了市级、省级验收，水利工程管理体制改革取得了明显成效。一是精简了机构和人员，水管单位由 19 个精简到 16 个，在职人员由 244 人精简到 165 人；二是落实了水管单位经费，改革后全区所有水管单位经费由区财政统一核拨或核补；三是建立了管养分离制度，水利工程维修养护逐步走向社会化、规范化；四是焕发了水管干部精神面貌，建立了全员合同制和工程管理责任制，增强了职工的主人翁意识和责任感；五是保障了群众生产用水，有效解决了该区农民的生产用水难题。2009 年、2010 年分别被授予广东省和全国水利工程管理体制改革先进集体荣誉称号。

一、加强领导，落实责任，确保改革顺利推进

①成立机构。由区委、区人大、区政府分管领导任水利工程管理体制改革领导小组正副组长，成员由区委办、区府办、水务局等有关部门领导组成。②领导重视。在改革实施过程中，区委、区政府主要领导经常检查询问改革进展情况，召开现场办公会，提出指导意见，出面理顺关系，及时解决改革中遇到的实际问题。③落实责任。建立了水管体制改革责任制及改革责任追究制度，明确了区政府和各有关部门及责任人的责任，并把改革进展情况纳入责任单位和责任人的年度考核中，确保了改革顺利进行。

二、摸清底子，创新机制，努力破解改革难题

一是深入基层调查摸底。2005 年 6 月下旬，区水务局组织联合调研组深入到基层水管单位调查摸底，区政府先后两次召开常务会议，专门讨论并通过了《茂名市茂南区水利工程管理体制改革实施方案》和《茂名市茂南区水利工程管理体制改革实施意见》，为体制改革的顺利开展奠定了基础。二是创新投入机制。该区争取省水利厅把其列为改革试点，在经费上扶持；争取茂名市政府支持，每年代缴高州水库水费约 100 万元；继续征收农业水费，农业水费由 750 元/hm^2 调整为 375 元/hm^2；将水资源费、工业水费、河砂管理费等法规性收费划为水管单位经费，每年增收约 100 万元；区财政在十分困难的情况下，每年补贴给水管单位经费 100 万元；争取各级支持解决工程维修养护资金 705 万元。三是推行管养分离，落实权责统一。目前该区试行分级养护法、村民养护法、公司养护法、内部养护法四种办法。逐步形成了管养分离、权责统一、管理规范的新体制。

三、强化宣传，分类指导，加快体制改革进程

(1) 宣传造势，营造良好的改革环境。该区投入宣传经费 10 多万元，采取多种形式进行宣传发动，在报纸、广播、电视辟专栏、搞专题，印刷宣传册，组织宣讲队，深入宣传水利管理体制改革的重要性、必要性、具体做法和措施等，营造出良好的改革氛围，广大水管干部职工积极参与改革，关心改革，支持改革，确保水管体制改革的稳步推进。

(2) 抓好培训工作，加快改革进程。区水利工程管理体制改革小组共举办了 6 期水管体制改革培训班，对区水务局的经办人员、列入改革对象的水管单位领导共 60 多人全部进行培训，指导他们正确理解《改革方案》，避免在改革工作中走弯路。

(3) 核定机构编制，分类指导水管体制改革。一是对区水务局所属的水管单位（包括各水管所）进行全面

彻底的体制改革。全系统19个水管单位全部列入改革范围，重新科学核定机构和编制。对纯公益性事业单位及执法单位实行财政核拨，准公益性水管事业单位实行财政核补。二是对隶属各镇政府管理的8个水管会，经征求其意见，仍归属镇政府管理，人员工资补助标准由原来每人每年5000元增加到6000元，由区财政统一划拨，工资不足部分由所在镇解决。

四、以人为本，结合实际，妥善安置富余人员

(1) 办理退休。已达到国家规定退休年龄的人员，办理退休手续，待遇按照国家政策规定执行。

(2) 离岗退养。距法定退休年龄5年以内的人员，经本人申请，单位同意，主管部门审核，区人事局批准后办理离岗退养手续。单位承担缴交养老保险和医疗保险费，并按月发放500元生活费至法定退休年龄。达到退休年龄时，按社会养老保险规定办理退休和计发养老金。

(3) 自谋职业。自愿不参加竞争上岗人员，由单位一次性支付辞职费（按国家和省现行规定的月基本工资及各项津贴、补贴乘以工龄），其社会养老和医疗保险费由本人所在单位缴交。此前按国家规定计算的连续工龄视同缴费年限，今后再就业时可累计工龄。由于政策实惠，不少职工报名自谋职业，最后经研究批准其中42名职工自谋职业，从而大大减轻了竞岗压力。

(4) 竞争上岗。竞争上岗采取笔试、演讲答辩、民主测评和组织考察相结合的竞岗方式。竞争下岗的合同制工人，依法解除劳动关系，合同期满的人员，解除劳动关系的补偿按合同规定执行，合同期未满的人员，在解除其劳动关系时，所在单位应为其补足养老保险和医疗保险至合同期满，并按其工作年限发放经济补偿金。竞争下岗的固定工人和干部，为其补足养老保险和医疗保险至法定退休年龄，并按规定发放经济补偿金。

广东省梅州市蕉岭县水务局

一、政府支持，为水管体制改革打下基础

广东省蕉岭县水务局首先制定了水管体制改革工作计划，取得了县委、县政府的大力支持，把水管体制改革工作作为县委、县政府的一项惠民工程来抓，形成以政府为主导、部门联动、县镇配合、水管单位为依托的全社会广泛参与的水管体制改革。

县委、县政府先后出台了《关于印发蕉岭县乡镇综合配套改革实施方案》（蕉委发〔2007〕7号）、《关于调整堤围防护费征收标准的通知》（蕉府〔2005〕38号）、《关于同意蕉岭县水利工程管理体制改革实施方案的批复》（蕉府函〔2006〕29号）、《关于加强小型水库工程管理的通知》（蕉府〔2007〕30号）、《印发蕉岭县水库安全生产管理责任制规定的通知》（蕉府〔2007〕31号）等一系列惠及水管体制改革的文件，从政策上为水管体制改革工作提供了可靠保障。县编委、财政、社保、物价等相关部门，根据县委、县政府的文件指示精神，为水管体制改革提供了大量的协助和支持，县水务局及时成立了蕉岭县水利工程管理体制改革领导小组，下设三个工作机构，分别负责岗位设置规划、维修养护经费测算和改革方案综合，为蕉岭县取得水管体制改革的成功打下了坚实的基础。

二、上下联动，及时调整改革思路和做法

(1) 明确水管单位定性。按照广东省体改方案单位定性标准，将8个乡镇水利所、县堤管所、水管所、排灌站等11个单位定性为纯公益事业单位，将水利工程管理中心、多宝水库、红坑水库、黄竹坪水库、龙潭水库等5个水管单位定性为准公益性事业单位，将路亭电站、新村电站2个单位定性为企业。

(2) 严格定岗定员。按水利部定岗定员标准，结合该县水利工程分布特点，将18个水管单位原有在职人员657人，重新设岗定员为406人。

(3) 妥善分流富余人员。一是距法定退休年龄5年内的职工自愿办理离岗退养；二是管理中心承包转制电站，以劳务输出形式安排富余人员到转制电站上班；三是职工自愿解除劳动合同，单位按有关标准给予补偿等形式，共妥善分流富余人员251人。

(4) 创新“五统一”管理模式。为保持水利干部职工队伍的稳定，保证各项水利工程正常运作，该县将纯公益、准公益、企业三个类型的企事业单位，即水库管理、灌区管理、电站管理、维修养护单位由县水利工程管理中心（副科级事业单位）进行统一管理，工作统一安排，人员统一调配、使用。财务管理上，将上级拨

款、经营收入等统一核算，职工工资待遇、补贴统一发放。管理中心在确保各水利工程运行安全的前提下依据各单位状况下达年度生产任务，采取预留效益工资的办法，将工资与安全、生产任务直接挂钩，确保了干部职工队伍的稳定和水利工程的良性运行。

（5）实行水利工程的分级管理。县水利工程管理中心负责管理中型的多宝水库和重要的小（1）型水库中的黄竹坪、龙潭、红坑、北坑水库及长潭东西灌区，黄竹坪南北灌区、东联灌区；各镇人民政府负责管理所在地的冷水坑、浒竹、水口、百丈礤 4 宗小（1）型水库和 33 宗小（2）型水库及辖区内的山塘；水行政主管部门负责管理石窟河蕉岭段堤围，其他堤围由所在镇、村负责管理；各镇、村委会及业主负责管理所在地或所属民营建设的小水电站、蓄（引）水山塘工程。

（6）加强对镇、村负责管理的小型水库的管理督察。除提供技术力量的大力支持外，切实做到水库管理人员、工资、经费、责任的“四个落实”，即：每一宗水库配备一名专职管理人员；专职管理人员工资由县、镇（村）共同负担，每人每月工资 200 元以上；各水库管理责任单位每年拿出一定经费用于水库的维护和管理，防汛物料费由县财政拨付；县与各镇、各镇与水库管理人员签订管理责任书和防汛预案等，年终对管理人员进行考核。

三、筹措经费，为水管体制改革提供保障

改革方案的出台，需要充裕的财力做后盾。作为欠发达地区的山区县，该县采取两条腿走路的办法：一是加强水管单位的经营管理，内部挖潜，做好职工的思想政治工作，调动职工的工作热情，爱岗敬业，珍惜每一滴水，发好每一度电，用好每一分钱成为广大职工的自觉行动，心往一处想，劲往一处使，千方百计为单位多创造财富，节约支出，连续 2 年来，在雨量偏少的情况下，经过全体职工的共同努力，仍然取得了比较理想的经济收入；二是加强政策层面的支持，在理顺乡镇水利所人员工资改由县财政拨款，适当调整提高堤围防护费、电站供水水费的基础上，增加财政投入力度，县政府决定县财政每年下拨 100 万元，用于补贴县水管单位职工工资和水利工程维修养护。

四、提高福利，促进水利事业和谐发展

水管体制的改革给职工带来看得见、摸得着的实惠。经过多方努力，对前几年拖欠的职工养老金、失业险、工伤险进行了积极的补交，欠缴费用从原来的 410 万元清缴到剩 140 万元，体制改革后至今，职工社保金、医疗保险等由水利工程管理中心统一按时足额缴交，解决了职工的后顾之忧；2007 年 1 月、2008 年 1 月、2009 年 1 月先后三次调整了职工工资，使水利系统职工工资达到当地职工平均水平。

广西壮族自治区桂林市荔浦县水务局

自 2002 年国务院办公厅转发《关于水利工程管理体制改革实施意见》（国办发〔2002〕45 号，以下简称《实施意见》）以来，荔浦县水务局作为水利部及广西壮族自治区水利厅确定的水管体制改革试点单位之一，认真贯彻落实中央水利工作方针和新时期治水思路，大胆实践，勇于创新，在上级水利部门的大力支持和荔浦县委、政府的高度重视下，于 2004 年顺利完成水管体制改革工作，取得了明显的成效。

一、基本情况

荔浦县位于广西东北部，全县行政区域面积 1758.68km^2，辖 13 个乡镇，2008 年末总人口 37.64 万。全县有中型水库 2 座，小（1）型水库 10 座，小（2）型水库 31 座，小山塘 340 座，提引水工程 400 处，形成了 6 个万亩灌区。全县水利工程的有效灌溉面积 1.4 万 hm^2，占全县水田面积的 96%。该县原有大江、古信两个水利电力工程管理处，是集供水、养殖、防洪、发电、工程维修养护工作为一体的国营单位，共有职工 148 人。由于历史的原因，水利管理单位存在定性不科学，管理体制不顺，权责不明，内部运行机制不活，工程运行和维护经费不足，水利设施老化，效率低下等问题，导致古信、大江两个水利单位成为亏损单位，人员工资不能足额发放，影响了水利队伍的稳定，水管体制改革刻不容缓。根据《实施意见》和区政府办公厅下发的《实施方案》，从 2003 年 4 月开始，该县对国营水管体制进行了全面的改革，按照“水电分离、管养分离”的原则，进行了准确的定性，划清了职责，明确了岗位，理顺了管理体制。

二、扎实推进水管体制改革

荔浦县的水管体制改革分三个阶段进行：第一阶段为组织准备阶段，时间在2003年8月底之前，主要工作是传达布置、成立机构、制定工作计划、全面疏理、宣传、分期培训、制定方案；第二阶段为具体实施阶段，时间为2003年10—12月，主要工作是分类定性定编定岗及经费测算，明确经费渠道，完成管养分离，人员分流，开展水管单位内部运行机制改革，确保水管单位的日常维护；第三阶段为完善和总结阶段，时间为2003年12月底以后，主要工作是完善水管单位内部运行机制的改革，实现规范化管理，并进一步完善和总结水利工程管理体制改革工作。

(1) 科学界定性质，明确权责关系，保障运行经费。根据《实施方案》，撤销了大江、古信两个水电处，成立荔浦县水利电力工程管理处、水力发电管理站、灌区维修养护站。改制后的水利电力管理处定性为准公益性事业单位，其主要职责是负责大江、古信（两座中型水库）及高洞水库的调度运行、日常管护及灌区的管理服务工作。人员工资、运行经费和工程维修经费纳入财政统一管理，实行财务"收支两条线"，由县水务局会同财政核定拨付、监督使用。水力发电管理站定性为企业，负责大江、古信、茶城、古楼、龙虎等5座电站的安全运行、生产经营管理以及茶城、马岭、杜莫三个供水站的生产经营管理工作。资金来源为电站、供水站经营收入。灌区维修养护站定性为企业性质的经营性水管单位，业务隶属于县水利电力工程管理处，负责灌区内水利工程的维修工作和大江、古信、高洞水库库面养殖、鱼塘经营管理。资金来源是财政预算内维修养护经费投入和自主经营性收入。

(2) 科学设岗定编，引入竞争机制，增强内部活力。按照"因事设岗、以岗定员"的原则，综合考虑财政、水管单位、干部职工及各方面情况，科学合理地确定了改革后的编制人数。核定水利电力工程管理处编制48名，水力发电管理站编制90名，灌区维修养护站编制10名。在设岗定员工作中，县水利体制改革领导小组出台了领导岗位竞聘上岗、一般干部职工合同聘用制的实施方案，按照"公开、公平、公正"原则竞聘上岗，择优聘用，尽最大可能做到人尽其才，物尽其用。

三、取得的主要成效

(1) 实现分流不下岗目标。水利体制改革后，原148名职工人人有工作，无一人下岗，稳定了水利队伍，广大水利干部职工的工作积极性得到进一步提高，每年都能够较好完成各项工作任务。

(2) 进一步提高农田灌溉面积。水利体制改革后，虽然水利队伍人员大幅减少，但全县水利设施管护到位，确保农田正常灌溉用水，农田种植面积呈增加态势。2003年，全县农田种植面积为13452hm^2，2005年达到13671hm^2，2008年达到13794.8hm^2。

(3) 促进全县农业增产、农民增收。水利体制改革后，农田灌溉实现科学用水，节约用水，能够确保在干旱之年夺取丰收。2009年1—9月，荔浦县实测降雨量为934.7mm，比2008年同期偏少352.4 mm，截至9月底，全县43座水库有效库容仅3046.5万m^3，比多年同期减少两成，全县出现较为严重的旱情，在科学抗旱中，水利设施发挥了积极作用。

在今后的工作中，荔浦县水务局将坚持在上级水利部门的具体指导和荔浦县委、县政府的正确领导下，积极贯彻落实中央水利工作方针和新时期治水思路，全力推进水利工程管理体制改革，为促进荔浦县经济社会又好又快发展作出新贡献！

广西壮族自治区柳州市柳城县水利局

柳城县水利局多年来认真践行"三个代表"重要思想，树立和落实科学发展观，积极贯彻中央治水工作方针和自治区水利厅新时期的治水思路，坚持走水利可持续利用支持经济社会可持续发展的道路，以水利建设和管理的良好业绩促进柳城县经济和社会发展。

一、思想政治教育深入

近年来柳城县水利局组织开展了"三讲"教育、"三个代表"学习教育活动和社会主义荣辱观教育、思想解放大讨论、行政效能建设、学习实践科学发展观活动，组织水利系统干部职工深入学习党的基本理论、基本路线、基本纲领和基本经验教训，坚持以邓小平理论和"三个代表"重要思想为指导，深入贯彻落实科学发展观，坚决执行党的路线方针政策，全面提高水利系统干部职工队伍的思想素质。

二、领导班子团结有力

多年来，县水利局领导班子认真落实中央水利工作方针，积极探索新的治水思路。在工作中作风民主，以身作则，廉洁奉公，领导班子和干部职工队伍团结协作，奋发向上，甘于奉献，改革创新，锐意进取，有较强的凝聚力和战斗力。职工支持率高，几年来，单位没有违法违纪行为和刑事案件发生。

三、工作业绩行业突出

根据国务院、自治区及柳州市有关水利工程管理体制改革的文件要求，柳城县水利局积极向县委、县政府汇报水管体制改革文件及会议精神，得到了高度重视和大力支持，从2003年开始由县政府组织，县水利局具体负责开展柳城县国营水利工程管理体制改革。由于领导重视，机构健全，措施得力，改革成效显著。经过初步调查、出台实施方案、测算人员及编制、审核测算方案、成立机构及下达人员编制、组织竞争上岗、安置分流人员，解决离退休人员生活费及遗属抚养费、经费列入财政预算等工作步骤，截至2005年底，柳城县国营水利工程管理体制改革任务已基本完成，初步实现了改革的目标。撤销了柳城县原乡镇水管所，在县水利局设立二层机构——柳城县乡镇水利工程管理站负责管理全县国营水利工程，单位定性为财政全额拨款的事业单位，核定事业编制70名。目前基层水管单位已按新的管理体制运行，人员经费全部落实到位，国营水利工程管理目标责任制得到全面落实，工程安全运行得到保障，水库面貌大为改观，工程设备设施维护完好，运行调度协调规范，管理高效，灌溉效益明显增加，工程运行资料档案收集完整，灌区群众满意。

四、切实坚持以人为本

（1）妥善安置分流人员，全面落实退休人员生活费及抚养遗属的经费来源。在水利体制改革过程中，柳城县水利局充分考虑了原水管所分流人员、退休人员及水管所抚养遗属的利益，积极向县政府争取，将原水管所87名退休人员、34名遗属全部纳入财政供养，原水管所48名分流人员全部安置到乡镇水厂工作，解决了他们的后顾之忧。职工思想稳定，对改革成果非常满意。

（2）落实各项社会保障措施。乡镇水利管理站作为财政全额拨款单位，不需再上缴养老保险金，所有工作人员全部办理了失业保险和医疗保险。分流到乡镇水厂的人员，全部签订劳动合同，按规定缴纳了养老保险、失业保险、医疗保险和工伤保险，全面落实各项社会保障措施。

（3）建立健全规章制度，水利工程管理工作有思路、有目标、有计划、有措施、全面落实岗位责任制。柳城县水利局在完成水管体制改革工作后，立即组织新成立的柳城县乡镇水利管理站。根据《广西水利工程管理考核办法》制定了《柳城县乡镇水利管理站岗位职责》《柳城县乡镇水利管理站水利工程管理制度》《柳城县乡镇水利管理站工程管理目标责任书》及《柳城县乡镇水利管理站水库、泵站、引水工程工作职责及年度考核评分实施方案》等各项规章制度。实行目标管理责任制和量化考核，把水库大坝及放水设施、溢洪道维护、灌区管理、安全运行、运行日志记录、环境卫生等工程管理任务分解到人，明确目标要求，制定管理目标量化考核办法，配套相应的奖惩措施，规范管理各项工作。同时不断改善办公条件，配备现代设备和工具，提高工作效率，减轻劳动强度，大大提高了水利工程的管护水平及服务质量。

五、模范遵守法律法规

柳城县水利局历届领导班子都很注重干部职工的法制教育，积极组织干部职工参加普法教育和水利法律法规学习活动，提高干部职工的法律意识，使全局职工自觉遵守国家的法律法规和规章制度。单位各项制度健全，管理规范，近5年内未发生违规违纪问题，无重大安全责任事故，未发生产生重大影响的投诉或上访事件。由于成绩突出，2005年被柳城县委、县人民政府命名为柳城县文明单位和先进文明机关。2007年被柳州市委、市政府命名为市级文明单位，多次荣获市、县普法先进单位，连年荣获县维护社会稳定先进集体、安全生产先进单位等荣誉。

海南省文昌市水务局

海南省文昌市水务局坚持以邓小平理论和“三个代表”重要思想为指导，深入贯彻落实科学发展观，积极开展水利工程管理体制改革工作，较好地完成了改革任务，基本建立起职能清晰、权责明确的水利工程管理体制，水管体制改革各项工作全面落实，取得显著成绩。

一、基本情况

文昌市有中型水库8座，小（1）型水库25座，小（2）型水库56座，总库容32671万m^3，灌溉面积2.44万hm^2。全市有市属水管单位9个，分别是湖山水库、东路水库、龙虎山水库、石壁水库、宝芳水库、竹包水库、天鹅岭水库、坡柳水闸和水土保持站，共有职工332人，其中在职职工250人。改革前，9个水管单位全部为自收自支的事业单位，职工工资无法按时足额发放，养老金等社会保险费无法缴交，养老、医疗等得不到保障。改革后，9个水管单位全部定性为准公益性事业单位，人员基本支出经费和工程维修养护经费从2007年起全部列入财政预算，实行定额补贴，职工历年拖欠的社会保险费（共488万元）也由财政补缴。水管单位退休人员全部按新的养老金标准领取退休金，最高的达1700元，最低的在900元以上。退休及在职职工全都享受与事业单位职工一样的医保待遇，真正解决了职工“老有所养、病有所医”的问题。

二、进行定岗定编，职工十分满意

（1）对水管单位进行定性。据对文昌市9个水管单位2002—2004年财务收支情况进行测算，都不具备自收自支条件，9个单位全部定性为准公益性的财政差额拨款的事业单位。

（2）对水管单位进行定岗定员。根据水利部、财政部印发的《水利工程管理单位定岗标准（试点）》进行测算及“一人多岗、兼职管理”的精简原则进行定岗，9个单位共定岗定编177人，其中湖山水库23人，东路水库23人，龙虎山水库21人，宝芳水库12人，石壁水库22人，竹包水库21人，天鹅岭水库17人，大坡水库（水土保持站）16人，坡柳水闸22人。

现在，水管单位职工已按编上岗，上岗职工每年可领取到财政差额补贴，水管单位职工对“水改”相当满意，工作热情高涨。

三、坚持以人为本，“两费”落实率高

（1）落实人员基本支出经费。177名在编人员每年的基本工资经费128.22万元、社会保险经费61.58万元全部列入市财政年度预算，由市财政进行补贴。对职工历史拖欠的社会保险费488万元，待水管单位职工到龄退休时，也由财政拨款补缴。自2007年以来，市财政的差额拨款补贴都按时足额到位，保证了职工工资的正常发放及社会保险费的正常上缴，职工十分满意，思想稳定。

（2）落实工程维修养护经费。工程维修养护经费每年60万元也列入市财政预算，市财政每年按时足额拨付，保障了工程的正常维修及安全运行。

四、分流人员得到妥善安置，职工思想稳定

根据水改方案，文昌市9个水管单位共需分流安置73人，现已全部分流并得到妥善安置。分流安置方式一是自然退休减员；二是通过水管单位之间相互调动进行分流，把人员超编较多的单位的超编人员调动到缺编单位；三是3年内到龄退休人员及病残人员全部办理内退。对分流人员，由单位负责缴交社会保险费，并发给文昌地区最低生活补贴327元/月。现在，分流人员已按改革方案妥善安置，实现了平稳过渡。

五、内部机制正常运行

文昌市水管单位定编定岗及落实“两费”后，立即着手内部运行机制改革。一是推行竞争上岗和聘用制度。中层干部实行所长聘任制，干部、工人实行双向选择，优化组合，择优聘用，竞争上岗。中层干部正、副职可以自荐或由群众推荐，经所聘用领导小组考核后，提出合适人选，并征求受聘者同意后，报市水务局审批备案，由所长聘任。班组其他人员由班组长根据申请人的志愿、工作优劣及班组定额择优录用。二是实行工资与绩效挂钩，奖优罚劣。职工仍执行档案工资制度，但实行工资总额与工效挂钩。年初水管单位对各班组定下经济指标任务，全部完成经济指标任务的，按档案工资标准足额发放工资；不完成经济指标任务的，按完成任务的百分比发放工资，年终按完成任务的比例发放奖金。

六、管养分离工作逐步推进

根据文昌市水管单位目前的实际情况，很难做到将维修养护业务从水管单位内部完全分离出来，因为还没有专门的维修养护队伍。文昌市的管养分离工作分二步走：第一步，在3年内，在对水库科学定岗和核定人员

编制的基础上，组建内部专业养护队伍，养护队伍由从水库分流出来的职工和水库在岗人员兼职组成，承担本单位的引水渠系、库区、灌区渠系的养护任务；第二步，在5年内，建立独立核算的维修养护企业，在工程维修养护资金正常拨付，及时到位的前提下，将维修养护业务从水管单位完全剥离出来，面向市场，通过招标选择专业化的维修养护企业。

海南省三亚市水务局

历届市委、市政府高度重视水利工程建设，投入大量的人力、物力、财力兴修水利，相继建成了一批“保民生、促发展”的重点水利工程，逐渐形成了覆盖全市东、中、西部的防洪、供水、灌溉保障体系，为三亚社会经济协调发展提供了强有力的支撑。

2008年以前，制约三亚市水利发展的瓶颈，一是水管单位的性质不明，责、权、利不清，体制不顺，缺乏应有的激励机制和约束机制；二是大部分水管单位举步维艰，职工工资、生活待遇与社会平均水平差距较大；三是水管单位地处偏远的地区，社会化程度低，水利工程老化失修的问题较为突出。

从2002年开始，为建立水利工程完好、职能配置科学、队伍精干高效、管理严谨有序的水利工程良性运行机制，三亚市全面启动了水管体制改革。全市涉及改革的水利工程有赤田、半岭、水源池、福万、汤他、抱古等六座中型水库，分属五个水利工程管理单位。按照“有利于稳定、有利于发展、有利于保护职工利益”的原则，在市委、市政府的统一部署和市各部门积极配合下，三亚市水务局扎实稳妥地开展了水管体制改革工作。

（1）以政治思想教育打前阵，强化改革意识，增强职工水管体制改革的责任感。改革不是砸大家的“饭碗”，而是在破除旧的管理体制的同时，更好地维护职工的切身利益，促进水利事业良性发展。在改革中，市水务局坚持以邓小平理论和“三个代表”重要思想为指导，以科学发展观为统领，认真做好职工的思想政治工作，让改革成为每个水利工作者的自觉行动。实践证明，政治思想教育充分调动了水管单位职工参与改革的积极性和创造性，是水管体制改革成功的必行之路。

（2）以强化组织领导为基础，实行协调联动机制，有力推动改革深入发展。三亚市委、市政府高度重视水管体制改革工作，市长亲自挂帅担任水利工程管理体制改革领导小组组长，并由市水务局牵头，市发改、财政、编制等部门组成改革工作小组，具体负责改革的实施工作。市委书记、市长多次在会议上和下基层调研期间，明确要求抓好水利工程管理体制改革工作，推动管理体制与机制创新。市各部门也积极配合，协调联动，主动抓落实，为推进改革提供了坚实的组织保证。在改革实施过程中，市水务局领导班子一切从维护改革大局和群众利益出发，从不因私废公，落实各项改革措施，有力地推进了水管体制改革工作。对此干部职工都拍手称赞，进一步增强了集体认同感和凝聚力。

（3）以解决重点、难点问题为突破口，攻坚克难，推动改革顺利进行。水管体制改革工作涉及各个部门，事关水利事业健康发展，事关水利工作者的切身利益，而公益性岗位的编制数额及运行管理经费的改革更是牵一发而动全身的重点和难点工作。市水务局以此为突破口，经过卓有成效的工作，于2006年编制并报市政府批准实施水管单位体制改革方案。2007年，市政府优先安排98万元运行管理经费，2008年，三亚市编制委员会批准公益性岗位219个，同年完成全市中型水库水管单位公益性岗位的竞争上岗和定岗定编。与此同时，从2008年开始，市财政局每年安排350万元作为水利工程运行管理经费和480万元作为水利工程维修养护经费。

（4）以维护职工切身利益为出发点，真抓实干，促进水管体制平稳过渡。涉及改革的五个水管单位均被确定为准公益型水管单位，实行工资总额及经费包干，纳入财政差额补贴。五个水管单位原有干部职工497人，在充分考虑老水利工作者和年轻职工之间的差别、公益性岗位和非公益性岗位之间的差别、在岗职工和待岗职工的差别等情况下，经过认真测算，并通过竞争上岗、分流安排等措施，最终确定公益性岗位定员219人，分流到非公益性岗位或待岗离岗247人。同时，市政府从2008年起分3年安排预算资金386.5万元，解决各水利工程管理单位拖欠的养老、医疗、工伤、失业、生育等“五项”社会保险费，为改革的顺利进行解除职工后顾之忧。

（5）以加大资金投入为保障，加强管理维护，确保水利工程良性运行。从2008年开始，市财政每年优先安排约1000万元作为水利工程改造加固经费，为水利工程及时维护提供资金支持，保障了水利工程的运行安全。同时，采取“农民用水，政府买单”的方式，每年安排资金85万元，对全市六宗中型水库及灌溉渠道的日常维修养护进行财政补贴，农民不再交纳基本口粮田的农业水费，解决了困扰水管单位的农业灌溉收费难的问题，增强了水管单位的发展后劲。

2008 年 7 月，三亚市水管体制改革全面完成，为水管单位构建起规范的管理机制，水库管理逐渐步入良性循环。

重庆市巴南区水利局

一、巴南区水利基本情况

巴南区水利农机局成立于 1972 年，1995 年区划调整更名为“巴南区农机水电局”，2001 年机构改革更名为“巴南区水利农机局”，2009 年 12 月 31 日机构改革更名为“巴南区水利局”。全系统在职职工 166 人，全局内设 6 个行政科室、11 个事业单位和鱼洞、一品、东泉、接龙、木洞 5 个水库管理处。另有南彭水库、下涧口水库、滩子口水库、玉滩电站 4 个直属单位。全区已建成各类水利工程 5015 处，其中水库 92 座［中型 2 座，小（1）型 16 座，小（2）型 74 座］，山平塘 4249 处，石河堰 108 处，引水堰 224 处，固定电力提灌站 335 处 412 台 13269kW，年蓄、引、提水能力 12040 万 m^3，有效灌溉面积 1.7 万 hm^2。

二、近年来所开展的主要工作

（1）重点水利建设。重庆市“泽渝”一期工程之一丰岩水库（中型）总投资 3.17 亿元，其中市及中央补助 1.97 亿元，该区自筹 1.2 亿元，目前大坝枢纽已完工，并下闸蓄水。同时，针对重庆主城鱼洞城区防洪安全隐患严重的实际，该区启动了总长近 18.3km 的城区防洪护岸工程，总投资 20 亿元，其中一期工程 5km 已建成投入使用。二期工程 13.3km 全线开工。

（2）病险水库除险加固。全区 92 座水库中，经鉴定为病险水库的达 56 座，目前已全部进行了除险加固，这些病险水库的整治销号，大大减轻了防洪压力，充分发挥了水利工程的效益。

（3）农村饮水安全工程建设。全区新建了南泉、姜家等 18 个场镇供水站，实现了每一个场镇建设一个标准自来水厂的目标，解决了 17.2 万场镇居民饮水安全；修建了鱼洞金竹村、界石桂花村、二圣集体村等 201 个村级集中式供水工程，解决了 27.66 万农村群众的饮水安全问题。该区修建的饮水工程规划建设标准高，运行效果好，是该区新农村建设和统筹城乡发展的一个亮点，有力助推了“健康巴南”“宜居巴南”建设。

（4）水生态环境建设。建成了惠民、忠兴污水处理厂和鱼洞城区黄溪河综合治理工程。惠民污水处理厂设计能力 2000t/d（终期 10000t/d），总投资 2000 万元；南彭忠兴污水处理厂设计能力 500t/d（终期 2000t/d），总投资 800 万元。工程已建成投产，较好地解决了迎龙湖水质污染问题。黄溪河综合治理工程使黄溪河污染得到了较彻底的治理，群众较为满意。

（5）大力开展水利重大项目前期工作。观景口大型水库位于东温泉镇，总库容 1.4 亿 m^3，概算总投资 20 亿元。龙岗中型水库是重庆市泽渝二期项目 2010 年必须开工建设的全市 5 个项目之一，已全部完成前期工作，近期可开工建设。该区目前还开展了高洞子水库、木洞滨江路等项目前期工作，为水利发展储备了足够多的项目。

三、水管体制改革情况

（一）切实落实“两定”

该区国有水库均按流域建立了水管单位，区编委《关于设置水库管理机构的通知》（巴南编委发〔2004〕38 号），全区水库管理单位全部明确定性为全额拨款的公益性事业单位，5 个水库管理处定编 25 人。

（二）着力落实“两费”，并加强管理

“两费”是落实管护人员基本支出经费和维修养护经费的“两费”。按照区级部门财政预算标准，区财政仅 2008 年全额预算人员工资、办公经费达 178.9 万元，预算区直管水库看库经费 30.72 万元，安排小水利维修专项资金 10 万元，从 2008 年起，区财政每年按中型水库 5 万元/座、小（1）型水库 3 万元/座、小（2）型水库 2 万元/座的标准，定额安排 202 万元资金注入水利工程管护资金。区财政每年定额安排资金的 80%用于支付管护人员工资报酬、日常开支及劳动保险等人员基本支出经费，剩下的 20%资金和进入资金中的其他资金共同用于水库日常清淤补漏、冬春修、抢险应急等工程维修养护经费。

（三）积极开展确权划界工作

由于历史的原因，过去该区水库存在用地手续不完善、产权不明、水库的界限不清、用地被侵占、水质污染、水利工程功能丧失及资产流失等现象。该区筹集资金230万元，用于水库确权划界工作。目前全区92座水库均已办理土地使用权证书或房地产证书。

（四）开展水价改革

为实现水资源的可持续利用和保护，落实“以水养水”政策，区物价部门价格认证中心对该区水利工程城镇供水（原水）直接成本进行了认证，测算出综合成本平均为0.50元/m^3。本着核定价格“分期实施、逐步到位、全区同价”原则，经区政府审订通过了《巴南区水利工程城镇供水价格》。该区南彭水库、下涧口两座中型水库的原水价格已由市物价部门核定为0.56元/m^3。

（五）全面开展终止水库及河流承包经营活动工作

区委、区政府高度重视此项工作，自2007年10月份启动以来，按照区政府《关于终止水库及河流承包经营活动的通告》（巴南府发〔2007〕51号），《关于开展终止水库及河流承包经营活动有关工作的通知》（巴南府发〔2007〕52号）文件精神，该区安排资金650万元，相关部门、镇街密切配合，严格把握政策，解除了79座水库及38段河流的承包养殖合同，占应解除合同的100%，消除了养殖污染，受到了广大群众的一致拥护。

（六）盘活水利资产、实现“以水养水”，促进水利事业的持续发展

该区组建重庆渝江水利开发公司对各乡镇供水站进行统一管理。现管有乡镇供水站13个，拥有职工近100人，年经营收入2000万元，该公司是国有独资法人企业，在区水利工程管理站管理下运行。各乡镇供水站是公司独立核算非法人的分支机构。公司对各乡镇供水站实行财务统管和“报账制”，管理考核实行成本控制和目标考核。成本控制内费用开支由各供水站控制使用。

参照水投集团成功的资产运转模式，将4座小型直管水库资产交资产评估机构评估后，于2007年向农业发展银行贷款4800万元，专项用于饮水安全、病险水库整治等水利项目建设资金配套。

西藏满拉水利枢纽管理局

满拉水利枢纽工程是“八五”期间国家62个援藏项目中投资规模大、综合效益显著的水利枢纽工程。冲巴湖水库工程，原于1986年勘测设计、建设施工，1989年投入使用。满拉水库、冲巴湖水库的投入运行，为日喀则地区年楚河流域的农牧林生产以及康马县、江孜县、白朗县、日喀则市建设和人民生活水平的提高作出了卓越贡献。

西藏满拉水利枢纽管理局于1997年1月30日经西藏自治区机构编制委员会批准成立，属准公益性水利工程管理单位，为自治区水利厅下属全额事业单位。满拉水利枢纽管理局（以下简称满管局）下属有满拉水库管理所、冲巴湖水库管理所及满拉水电厂，其中满拉水电厂为国营企业。截至2009年11月，满拉管理局有职工102人，其中局机关干部20人，电厂职工62人，局、电厂合同工及临时工20人。主体力量来源于1997年以后的大中院校毕业生，该部分人员现已成为满拉水库、冲巴湖水库和满拉水电厂运行管理的主体核心力量。

根据国务院《水利工程管理体制改革实施意见》的要求，2005年西藏自治区人民政府发布《西藏自治区水利工程体制改革实施意见》（藏政办发〔2005〕14号），以下简称《实施意见》，同时成立了由自治区政府副主席任组长的西藏自治区水利工程管理体制改革领导小组。现将满管局自开展水管体制改革工作以来的事迹简要陈述如下。

自《实施意见》颁布实施之后，在“试点先行、以点带面、稳步推行”的原则指导下，满管局被自治区人民政府确定为自治区水管体制改革首批试点单位。为认真贯彻落实《实施意见》的具体要求，管理局成立了由行政管理主要负责人任组长的水管体制改革领导小组，制定工作方案，精简机构、精选人才，及时更新管理理念，为水管体制改革工作的开展打好了前期基础。

一、认真学习，广泛宣传水管体制改革

全面贯彻落实水管体制改革，首先要深入学习、广泛宣传，提高广大干部职工对水管体制改革重要性和紧迫性以及重要意义的认识，树立改革意识，为改革营造良好的氛围。管理局采取行之有效的宣传方式，充分利用现代手段，采取广大干部职工喜闻乐见、易于接受的形式对《实施意见》及水管体制改革进行宣传。宣传的

主要内容一是让各单位各部门了解《实施意见》及水管体制改革的主要内容以及相关国家法规及政策，二是使全局职工特别是水管部门的职工，认清改革的目的、改革方向及改革具体措施，积极争取他们的理解、参与，保证《实施意见》的顺利实施。

二、不断加强水管体制及制度建设，确保水库安全运行

管理局结合单位实际，为进一步把水管体制改革工作落到实处，确保两座水库的安全运行，先后制定了《满拉、冲巴湖水库安全运行管理规定》《满拉、冲巴湖水库巡视检查制度》《满拉、冲巴湖水库管理所岗位目标责任管理办法》《汛期防汛度汛工作责任制度》等22项相关制度，并随制度的制定、执行，水库管理工作逐步走向正规化、制度化、规范化。自水库运行以来，未发生一起安全责任事故。

三、实行科学联合调度，理顺上下游关系，最大限度发挥水库的社会效益

满拉水库、冲巴湖水库自投入运行以来，为保证下游三县一市10余万人口6.5万hm^2农田（草场及林地）灌溉、人畜饮用水安全及城市防洪作出了巨大贡献。为了充分履行满管局的水管职能，更加合理的利用两座水库的水资源，实现两座水库科学联合调度，满管局利用3个月时间充分调查、研究，收集水库下游受益区基础资料，在对口援助单位的大力支持下，于2007年底完成了两座水库联调方案的编制工作，并于2008年开始为期2年的试运行，在试运行期间，满管局还不断加强与属地水行政主管部门的沟通协调，开展水利工程管理、水资源节约及水量平衡的宣传教育工作，做好听取意见反馈及解释工作。通过联调方案的试行及沟通协调，2年来，不但实现了2座水库水资源的合理调配，满足了下游受益区灌溉、生活用水及防洪抗旱需求，而且密切了与属地水行政主管部门关系。为下游受益区的社会稳定、经济发展及农牧业增产、农牧民增收、特色产业开发打下了坚实的水源基础。2年来，满管局水管体制改革工作取得了初步成效。

四、高度重视信息化、自动化工作

争取资金，引进设备，先后开发了水情自动测报系统、办公OA系统、枢纽工业电视监视系统、电厂发电运行信息系统等，对不断提高水利枢纽自动化、信息化水平、减轻高海拔地区人员劳动强度、提高工作效率，保证枢纽安全稳定运行发挥了关键作用。

五、结合水管体制改革，加强精神文明建设，解决基层职工的切身困难

随着水管体制改革工作的深入开展，满拉人在局党委的带领下，勇于开拓进取，勇创一流业绩，不仅继承发扬了艰苦奋斗、自强不息的创业精神，而且还把爱党、爱国、建设新西藏的时代精神，稳定团结、注重发展的民族精神，崇尚科学、立足高标准的进取精神，依靠制度、强化管理的创优精神，坚持改革、勇创市场的拼搏精神，爱岗敬业、注重团队建设的集体主义精神和以人为本、热爱生活的和谐精神融入满拉精神之中，使其在新的历史条件下更具有鲜活的生命力，为献身、负责、求实的水利行业精神赋予了新内容。与此同时，满管局下属企业先后被水利部、自治区以及国家文明办评为精神文明单位。

六、切身考虑职工难题，确保职工利益

通过水管体制的改革和精神文明单位的创建，满管局已于2007年解决了职工关心多年的医疗保险、住房公积金、失业保险、养老保险等重点难点问题，受到了上级部门以及广大干部职工的一致好评。

陕西省水利工程
管理体制改革领导小组办公室

2002年国务院办公厅转发《水利工程管理体制改革实施意见》后，由于水管体制改革涉及面广，政策性强，操作复杂，省水利厅和省政府领导非常重视，成立了陕西省水利工程管理体制改革领导小组，组长由主管省长兼任，成员有省编办、省财政厅、省发展改革委、省水利厅等9个部门，办公室设在省水利厅，办公室主任由李润锁副厅长兼任，抽调专人开展工作，负责全省水管体制改革的政策制定、组织领导、沟通协调、督促检查以及改革验收等。

一、积极开展政治理论学习

组织职工深入开展党的基本理论、基本路线、基本纲领和基本经验教育，坚持以邓小平理论和“三个代表”重要思想为指导，深入贯彻落实科学发展观，坚决贯彻执行党的路线、方针、政策；认真学习中央水利工作方针和水利部党组新时期治水思路，大胆实践，勇于创新。

二、领导班子团结有力

认真落实中央水利工作方针，积极探索新的治水思路；领导班子和干部职工队伍团结进取，奋发向上，甘于奉献，改革创新，有较强的凝聚力和战斗力；班子成员严格遵守国家法律法规和水管体制改革方面的各项规章制度，制度健全、管理规范，近5年内本单位未发生违规违纪等问题，未发生产生较大影响的投诉或上访事件。

三、工作业绩突出

积极贯彻落实《水利工程管理体制改革实施意见》，努力推进水利工程管理体制改革，完成了改革任务，初步建立了职能清晰、权责明确、符合省情的水利工程管理体制和水管单位运行机制，水管体制改革各项工作基本落实，取得显著成绩。

(1)“两定”测算和分类定性工作全面完成。全省227个水库、灌区、堤防管理单位中，“两定”工作全面完成，共测算管理运行人员14794名。目前，已有227个单位“两定”方案得到本级政府或政府相关部门的批复，占到总数的100%，其中117个水管单位定性为纯公益性单位，110个水管单位定性为准公益性单位，共核定事业编制13157名。全省143个城市供水、水力发电管理单位，已转制为企业，按照产权清晰、权责明确、管理科学的原则，初步建立了现代企业制度。

(2)“两费”基本落实。全省落实公益性工程管理经费和维修养护经费42105万元，占应落实数44247万元的95.2%。为了规范维修养护经费使用管理，省财政厅和省水利厅按照预算管理、规模控制、统筹安排、保障运转的原则，联合制定的《陕西省省级水利工程维修养护经费使用管理暂行办法》(陕财办农〔2008〕150号)颁发实施，年落实省级水利工程维修养护经费6000万元，初步建立起了稳定的水利工程维修养护经费投入机制。

(3) 管养分离和社会保障得到落实。按照管养分离“三步走”思路，各大中型水管单位已开始实行内部管养分离，一些水管单位已彻底分离，对其实行独立核算。全省水管单位已分流安置富余人员3106人，改革过程平稳有序，职工满意度高、思想稳定，没有出现因职工安置等问题而上访的事件发生。社会保障得到进一步落实，全省水管单位已参保人数15781人。

(4) 改革验收工作全面结束。按照《陕西省水利工程管理体制改革验收工作指导意见》，各市积极行动，为验收做好各项准备工作，完成了单位自验、县级初验、市级验收，并全部通过了省级抽验。省属5个水管单位改革也顺利通过了省编办、省财政厅、省水利厅联合组织的验收。全省已通过上级部门验收的水管单位227个，占应验收单位的100%。

四、改革成效显著

一是理顺管理体制，明确管理职责。通过改革，规范了管理运行与维修养护的关系，实行事企分开，建立了职能清晰、权责明确的水利工程管理新体制，实现了水利工程规范化管理，促进了水利事业的可持续发展。二是畅通了水利工程管理和维修养护经费渠道。通过改革，建立了有政策保障、相对稳定的公益性工程管理运行和维修养护经费投入机制，既解决了工程设施的正常管理和维修养护，实现水管单位良性运行，又保障水利工程的安全运行。三是职工工资得到保证，社会保障得到落实，职工队伍稳定。通过改革，基本解决了工资拖欠问题，职工社会养老和医疗有了保障，解除了职工的后顾之忧，职工生活条件也大大改善，福利待遇有所提高，使工程技术人员能招得来、稳得住、留得下。四是优化管理人员结构，提高管理队伍素质。通过改革，解决了水管单位因人设事，因人设岗，工作效率低下，人浮于事的问题。通过竞争上岗、考试考核、目标管理、职工转岗培训等措施，职工素质明显提高。五是工程管理水平提高，工程面貌大大改善。通过改革，建立了市场化、专业化、社会化的水利工程维修养护体系，达到精干管理主体、剥离辅助，降低管理成本，提高工程养护水平的目的。六是建立水价形成机制和水费计收机制。通过改革，农民水费负担明显降低，水费回收率有所提高，管理单位水费收入明显增加，同时节约了水资源，保证水资源的合理使用。

陕西省西安市水务局农村水利与水土保持处

西安市水务局农村水利与水土保持处（以下简称农水处）重视思想政治教育工作，积极开展政治理论学习，深入开展党的基本理论、基本路线、基本纲领和基本经验教育，坚持以科学发展观为指导，认真落实中央水利工作方针，积极探索新的治水思路，大胆实践，勇于创新；领导班子和干部职工队伍团结进取，奋发向上，甘于奉献，改革创新，有很强的凝聚力和战斗力；严格遵守国家法律法规，制度健全、管理规范，近10年内未发生违规违纪等问题。

西安市水务局农水处主管西安市水利工程管理体制改革工作。国务院《水利工程管理体制改革实施意见》印发实施以来，该处始终把水利工程管理体制改革作为一项重要工作来抓，结合全市水利工程管理工程的实际，从编制方案和抓试点工作入手，采取分步实施和典型引路相结合的方法，落实责任，强化措施，稳步推进，全面完成了水利工程管理体制改革工作任务，初步建立起符合西安市市情、水情、精干高效的水利工程管理体制和运行机制。

一、立足提高认识，强化组织领导

水利工程管理体制改革是一项复杂的系统工程，涉及问题多，牵扯面广，政策性强，需要政府有关职能部门共同积极配合才能完成。对此，市政府成立了西安市水利工程管理体制改革领导小组，领导小组下设办公室，办公室设在市水务局农水处，统筹指导全市水利工程管理体制改革工作，为水利工程管理体制改革提供了有力的组织保障。农水处多次召开专题会议，安排部署，提出了明确的时间表；同时，明确了工作人员，落实了工作经费，使水管体改工作扎实有序地稳步推进。

二、瞄准主要矛盾，实现重点突破

在认真学习和领会中央、省级《实施方案》精神实质的基础上，结合全市实际情况，农水处认真研究出台了《西安市水利工程管理体制改革实施意见》，为全市水利工程管理体制改革提供了有力的政策依据。在《实施方案》中，不仅将抗旱灌溉作为公益性事业对待，把灌区管理单位划入第一类纯公益性水管单位，而且明确了工程维修养护经费的来源，同时在全省、乃至全国率先提出了对农业灌溉水费进行补贴的概念，实现了西安水管体改的重大突破。

三、创新工作思路，强化落实措施

为了进一步加快水利工程管理体制改革步伐，推动全市水利工程管理体制改革工作均衡进展，确保全市水利工程管理体制改革工作顺利完成，西安市水务局农水处积极开拓思路，制定了“以体制换资金，以体制换项目，以稳定促体改，以和谐促发展”的水利工程管理体制改革工作思路。在此基础上，双管齐下，强化落实措施，一方面提请市政府组成联合检查组对各区县的水利工程管理体制改革进展情况进行专项检查；另一方面，与区县政府一把手面对面研究改革方案，落实完成改革任务的具体时限。同时，进一步建立健全激励机制，把推进改革与项目结合起来，把改革工作纳入各类评优创先活动的重要考核内容，奖优罚劣；及时对改革进展情况进行通报，表扬先进，鞭策后进，极大地推动了西安市水管体制改革工作开展。

四、抓好试点示范，高效推进改革

为积极稳妥推进全市水利工程管理体制改革工作，西安市水务局农水处积极做好两个省级试点单位改革工作，并认真总结和推广试点改革经验，以点带面、全面推进。试点之一的西安市沣惠渠管理中心在全省率先完成体改工作，曾代表陕西省在全国体改经验交流会上进行交流发言。

五、率先完成任务，改革成效显著

西安市38个参加改革的单位中，32个定性为纯公益性财政全额拨款事业单位，6个定性为准公益财政差额拨款事业单位；共核定编制1169人，其中纯公益性财政全额拨快单位839名，占72%，准公益性财政差额拨款单位330名，占28%；落实了基本经费和工程维修养护经费；单位内部改革顺利进行；全市共成立工程养护公司（队）7个，初步建立了专业化、社会化的工程维修养护体系，提高了维修养护水平；全市所有涉改单位的社会统筹、医疗基金、住房公积金等均按国家政策执行到位。

2008年8月25—26日，陕西省水利工程管理体制改革工作验收组对西安市水利工程管理体制改革工作进行了全面验收后认为，通过推进水利工程管理体制改革，西安市各水管单位定性定编更加科学，管理职责更加明晰，岗位设置更加合理，工作运转更加协调，管理经费有效得到保障，内部机制逐步建立健全，管理设施进一步改善，服务意识不断增强，管理水平得到有力提升，工程面貌和职工精神状态焕然一新，改革效果显著，达到了预期目标，完成了水利工程管理体制改革任务。验收组成员按照考评测评标准，逐项对照打分，西安市水管体制改革验收考核达到优秀等级，率先通过省级验收。

甘肃省水利厅水利管理局

国务院办公厅印发《水利工程管理体制改革实施意见》以来，甘肃省水利厅水利管理局（以下简称为省水管局）作为甘肃省实施水管体制改革的责任部门，坚持以邓小平理论和“三个代表”重要思想为指导，深入贯彻科学发展观，积极谋划，精心部署，勇于开拓，克难攻坚，全力以赴开展了水管体制改革工作，成效显著。

一、增强信心，排除困难，坚定改革决心

局党委开展了“继续解放思想，推动灌区科学发展”大讨论，并数次召开工作会议，从解决灌区实际问题入手，研究改革切入点，部署体改具体工作，同时，不断增强职工做好改革工作的信心，消除模糊思想和畏难情绪，增强责任意识、主动意识和创新意识。先后开展大规模调研8次，讨论10次，召集全省体改会议2次，结合全省371个水管单位、2.1万水利职工的实际，确定了具有代表性的31个试点单位先行改革，取得经验后分步推进的工作方案。

二、加强组织领导，明确责任，制定改革方案

按照水利部和省政府关于水管体制改革的总体部署和要求，省水管局结合工作实际，先后制定了《甘肃省水利工程管理体制改革试点工作指导意见》《甘肃省水利工程管理体制改革方案》等指导性文件，使水管体制改革有条不紊、高效率、高质量地稳步推进。在制定改革方案的同时，狠抓组织领导，实行主要领导亲自抓，分管领导具体抓，主办科室明确，责任到人的工作机制，做到了各负其责，各司其职，互相配合，团结协作。2008年10月，省水管局以省政府名义筹备了全省水管体制改革工作会议，水利部、省政府领导到会讲话，对水管体制工作提出了严格要求，各级领导的重视，有力地促进了全省水管体制改革的顺利开展。

三、完善制度，强化措施，不断推动改革进程

为加快改革工作步伐，结合全省各地实际，不断加强和完善改革措施，建章立制，制定印发了《关于贯彻落实水利工程管理体制改革实施意见》《关于加快工作进度确保完成水管体制改革任务的通知》《关于进一步落实水管体制改革工作责任制的通知》等23个重要文件，加强对改革工作的指导。在省委、省政府的领导下，省人事厅、省财政厅、省发改委、省水利厅等部门多次深入基层水管单位调查研究，指导检查各地水管体制改革工作。一是建立了水管体制改革信息通报制度，在甘肃水利信息网设立了水管体制改革专栏，及时推广改革经验和做法，指导和推进全省水管体制改革。二是实行水利项目投资与水管体制改革挂钩的办法，对水管体制改革工作开展得较好的地方和单位，给予投资倾斜。三是根据各地改革进展的实际和水利部总体要求，制定具体改革工作时间表，细化具体工作措施，狠抓责任落实和任务落实。

四、抢抓机遇，锐意进取，确保改革取得明显成效

灌区管理模式的改革，既面临着巨大的挑战，也是一次难得的机遇。省水管局党委带领职工抢抓机遇，努力拼搏，艰苦探索，大胆实践，摸索出了一条适合全省水管单位发展的新路子。水管单位通过抢抓改革机遇，面貌焕然一新。截至2008年底，全省14个市（州）及359个水管单位全部制定并经同级政府批准了水管体制改革实施方案，其中：定性为纯公益类事业单位47个，主要包括河道堤防管理单位及部分水库灌区管理单位；定性为准公益类事业单位303个，主要包括灌区、水库；定性为企业性质单位9个，主要包括水库电站及城市供水公司。公益性人员经费落实率达到94.1%，工程维修养护经费达到73.9%，总体达到改革预期目标，改

革任务基本完成。

五、坚持以人为本，维护职工队伍和社会稳定大局

水管体制改革涉及全省359个水管单位，约2.16万名水利管理职工的切身利益。针对公益性“两费”落实难的问题，局领导召开会议重点研究，并多次会同有关部门深入到落实率低的市（州）、县（区）检查督导，督促各地政府和财政部门尽其所能，及时足额落实“两费”，对确实一时难以落实的，可先解决公益性人员经费，保障职工工资按时足额发放，稳定职工队伍。同时，普遍加大水管单位内部运行机制改革，积极推行人事机构、劳动工资制度等改革，精简不合理机构设置，全面实行聘用制，水管队伍建设得到了明显加强。

青海省水利厅水利管理局

青海省水利厅水利管理局是参照公务员法管理的行政管理类单位，主要担负着全省已建各类水利工程的业务归口管理，承担着青海省水管体制改革工作领导小组办公室的日常工作。近年来，水利管理局以“抓改革、重管理、求实效、促发展”为核心，从转变水利管理理念入手，在改革中找出路，在创新中求发展，走出了一条思想观念大转变、社会形象大提升的科学发展之路，用实际行动诠释着“管好用好水利工程、为青海经济社会发展提供水利支撑”的工作宗旨，为全面推进水利服务民生做出了应有的贡献。

一、抢抓机遇，水管体制改革稳步推进

一是抓改革方案出台，加强检查指导。水利管理局明确专门的办事机构和人员，进行广泛宣传动员，主动争取相关部门和水管职工对改革工作的理解和支持。及时组织开展水管单位现状调查和专题调研，着手起草《青海省水管体制改革实施意见》，督促各地成立水管体制改革领导小组，为水管体制改革提供了政策和组织保障。多次组织工作组，赴各地开展专题调研，对“两定”、“两费”测算和实施方案编制等基础工作进行督促、检查、指导，使水管体制改革工作逐步走向正轨。二是抓基础工作，主攻难点。在对全省国有水管单位人员和经费现状进行认真梳理的基础上，积极与编制、财政等相关部门沟通协调，做好水管单位分类定性、人员编制核定工作。同时针对青海省的经济状况，采取确保人员经费基本到位，工程维修养护经费逐步到位等措施。在改革过程中，重点抓了条件较好的地区先行改革，树立典型，积累经验，以点促面，全面推进。三是抓配套政策法规，强化管理。在改革实施过程中，先后配合省人大、省政府制定出台了《青海省水利工程管理和保护条例》《青海省水利工程供水价格管理办法》和《青海省水利工程管理体制改革验收办法》等一系列配套政策法规；建立了工程管理考核制度，强化水利工程规范化管理，推广典型经验，加强人员培训，促使水利工程管理工作规范化、法制化和现代化。稳步推进水价改革和小型农村水利工程管理体制改革，积极引导农民用水户协会发展，增强基层水利发展活力。经过几年的努力，截至2008年底，全省基本完成了水管体制改革任务，纳入改革范围76个国有水管单位人员经费基本落实，维修养护经费落实率达到70%。

二、提升形象，服务民生能力切实增强

按照“统一政策、分级实施、稳步推进”的原则，72个水管单位定性为纯公益性事业单位，4个水管单位定性为准公益性事业单位，落实公益性人员编制1233人、“两费”5222万元，水管单位年财政拨款增加2520万元，比改革前增加215%。按照分级管理原则，逐一理顺国有水利工程管理体制，明确管理权责，健全管理制度，为管好用好水利国有资产、确保工程安全运行、促进工程效益发挥和水资源的合理利用提供了可靠的体制保障。水管单位基本支出按事业单位标准纳入财政预算，水费收入实现“收支两条线”管理，人员经费和工程维修养护经费有了正常来源渠道，改革使水管单位重新焕发出生机活力。

在科学定性定编的基础上，建立了水管单位内部良性运行机制，各地积极推行岗位职责制、全员聘用制、绩效考核制等一系列内部机制改革，落实了社保政策，稳定了职工队伍，打破了职工思想涣散、工作积极性不高、工程管理处于半瘫痪状态的僵局。通过加强《青海省万亩以上灌区、百万方以上水库工程管理单位考核实施细则》等一系列措施的落实，水利工程规范化、法制化、现代化管理的水平进一步提高。同时，从2007年起，水利管理局还承担了基层水管单位基础设施建设工作，省水利厅每年都从水资源费中筹措200万元资金扶持10所水管站房的维修改造，截至目前，已实现604.29万元的建设规模，16个水管站房得到更新改造，新建办公楼5752m^2，基层水管单位职工的办公生活条件得到了改善。

三、锐意创新，水管工作形势喜人

在水利改革与管理发展过程中，水利管理局以科学发展观为指导，不断增强改革创新和支撑发展意识，坚持改革创新、依法行政、建管并重、规范化管理的新理念，认真履行水利管理职能。以“管理立局，科技强局，人才兴局，和谐稳局”为总体工作思路，在观念上创新，与时俱进，实现了水利管理工作年年有新亮点，岁岁有突破，连续3年目标责任考核为优秀；在思路上大胆创新，因地制宜，提出了新时期全省水利管理工作的总体思路和总体要求；在制度上强化内部管理，初步建立了推进水利管理科学发展的体制机制，坚持“三个文明”一起抓，取得了显著成绩，有力地推动了全省水利管理事业的又好又快发展。2005—2007年被青海省精神文明建设指导委员会授予省级“文明单位”荣誉称号，连续3届被水利部精神文明建设指导委员会授予全国水利系统“文明单位”荣誉称号。

宁夏回族自治区唐徕渠管理处

唐徕渠始建于秦汉时期，距今已有2000多年的历史，是宁夏最古老、最大的灌区之一。唐徕渠管理处先后被水利部、自治区命名为“文明单位”等荣誉称号。

一、风雨千秋，浩气长存

唐徕渠引水口原在青铜峡出口处左岸“一百零八塔”下，经历代维修、扩建，盛进衰退总在发展。1960年青铜峡枢纽截流后，唐徕渠变无坝引水为有坝引水，流经青铜峡、永宁、银川、贺兰、平罗6个市、县（区）。干（支）渠全长314km，设计最大引水流量152m^3/s。现承担着青铜峡（河西）灌区6个市县、34个乡镇、175个行政村、6个国营农场8万多hm^2农田的灌溉和银川东南北水系、爱伊河、沙湖、星海湖等湖泊生态湿地的补水任务，占宁夏引黄灌区总面积的1/5。灌区农作物以小麦、水稻、玉米为主，是全国重要的商品粮基地，素有“塞上乳管”之称。

二、岁承月载，长渠流润

汉开唐浚，引水灌溉，领先华夏，乃民生之福祉，百姓之幸事。新中国成立前夕，干渠全长212km，正闸最大进水流量每秒65m^3，灌溉控制面积3.07万余hm^2，灌溉设施大部分为草、土、木结构，既无安全可言，更无适时灌溉之功效。从1950—1982年的32年间，党和政府组织社会力量，先后对唐徕渠上游渠道的63个弯道进行了4次大规模的裁弯，干渠引水流量大大增加。灌溉面积较1963年的3.12万hm^2扩大到了1.4倍，1981—1985年灌区平均产粮20.6万t，较1949年新中国成立时的4.5万t增加了3.6倍。1986—2006年的20年间，党和政府更加重视水利事业，加大对唐徕渠的投入，仅续建配套与节水改造工程和水权转换项目共投入9753多万元，新建、改造各类配套建筑物1298座，唐徕渠全断面砌护100多km，进一步更新了唐徕渠工程设施和灌溉设施，形成了灌排通畅、相互配套的灌溉水利网。现在的唐徕渠灌区已呈现出“沟渠纵横，灌排配套，条田成档，锦壤春耕，麦海翻浪，稻香鱼肥，瓜菜满园”的江南景色。

三、治水利民，荣辱负重

唐徕渠灌区多年平均年降水量205.2mm，年蒸发量1626mm，干旱少雨，地下水位高，盐碱化严重，可以说无灌溉就无农业。多年来，唐徕渠管理处坚持在改革中求发展，在发展中求创新，树率先之志，创率先之业，率先在全自治区水利系统完成了中层以下全员岗位竞聘，第一个组建了维修养护大队，初步实现了水管理单位“管”与“养”的分离；积极推广科学灌溉，进一步提高了灌溉效率。先后实行“以亩定量，计量收费”，支渠管理承包制，大力推行水稻旱育稀植等控灌节水技术，将浇灌次数由传统方式中的42次减少到28次，每公顷节约用水6000m^3；优化水量调度，进一步提高了灌溉能力。采取提前放水，集中水权、科学调度，井渠结合，编组轮灌，联合调度，加强沟通、内部挖潜等措施，确保了灌域8万多hm^2农田的灌溉和银川东南水系、爱伊河、沙湖、星海湖等湖泊生态湿地的补水任务。尤其是2003年以来，黄河引水大幅度减少，供用水矛盾非常突出。针对严重的缺水局面，唐徕渠管理处以“长渠流润、广布善泽”为宗旨，组织广大干部职工发扬“爱岗敬业、高度负责、艰苦奋斗、献身水利、求实创新、服务社会”的唐徕精神，抗旱保灌，实现了“减水不减收”的目标，唐徕渠下游的平罗、惠农等县（区）粮食亩均增产7.5～15kg。从1997—2009年干渠连续 12 年实现了安全运行无事故的好成绩，灌区农业持续丰收，为宁夏“三农”发展和稳定，发挥了不可低估的威力，真可谓“传承宁夏农业之文明，唐徕渠当居首功”之佳话。

新疆维吾尔自治区水利厅头屯河流域管理处

头屯河流域管理处（以下简称为“管理处”）是新疆维吾尔自治区水利厅派驻头屯河流域的水行政管理机构，承担着向包括宝钢八一钢铁集团公司和近 2.87 万 hm^2 农田在内的部分乌鲁木齐市和昌吉市的工农业、城镇和绿化生态用水的供水任务。管理处成立于 1957 年，目前全处在职职工 200 余人，为第二类准公益性的水管单位，2009 年全年实现总收入 2670 万元。截至 2007 年，全处形成水利固定资产 2.5 亿元。头屯河流域是自治区龙头企业的集中区域和重要粮油副食品的生产基地。为了努力推进新疆跨越式发展和长治久安，实现流域内水资源开发利用的社会、经济、环境三效益的统一，头屯河流域管理处始终以水利经济建设为中心，以服务服从于流域经济发展为大局，作为全疆首批试点单位，积极开展水管体制改革工作，在三个文明建设中取得了显著的成绩。

一、加强流域水资源的统一管理工作，为灌区工农业生产和流域可持续发展提供强有力的保障

管理处认真履行流域管理单位的职责，于 1998 年组建了全疆首支水政监察队伍。在不断加大《中华人民共和国水法》宣传力度的基础上，在全疆率先开展了流域内河道采砂管理、上游水土保持治理、水工程保护、用水管理等工作，在水行政执法、水污染防治、水资源管理科技化以及河道防洪疏浚等方面取得了显著成绩，树立了流域管理权威，有力地保证了流域内水资源的合理开发利用。

二、加强供水管理，提高科技水平，为水管体制改革工作打下坚实的技术基础

管理处积极探索供水管理模式的变革。通过强化流域管理职能，实行用水计划审批制度，淡化灌区用水比例，合理调配水资源。目前已实现灌区内水量的统一调度和流域内水库的联合运行。在供水管理工作中，先后引用了漏斗式全沙排沙技术、工业智能浊度仪、供水管理系统和实时供水调控系统、水利防汛抗旱信息系统等先进的管理方法和技术设备，并成立了全疆首家供水计量示范区。同时积极与科研院所、大专院校合作进行相关课题的研究，先后有 12 个项目获自治区以上奖项，其中，获得国家科技进步奖和水利部科技进步奖各 1 项，获奖达 45 人次。

三、积极开展供水成本核算和水价调整工作，为水管体制改革工作打下经济基础

通过多年来积极进行相关基础准备工作，经自治区发改委批准，农业水价由 1998 年的 0.0453 元/m^3 调整到 0.054 元/m^3；工业水价由 1998 年的 0.30 元/m^3 调整到 0.45 元/m^3；绿化水费由 0.12 元/m^3 调整到 0.18 元/m^3。水价的调整工作促进了管理处水利经济的发展壮大。

四、加大工程建设和项目规划实施力度，夯实水管体制改革工作的工程基础

积极开展水库清淤工作。通过采用以水力冲砂为主、机械清淤为辅等切实可行的办法，使水库兴利库容恢复了 50%以上，达 1000 万 m^3，供水保证率大大提高。近些年来，管理处抓住国家西部大开发的有利机遇，共争取了国家资金和自筹资金近 1.87 亿元，将其投入到头屯河流域规划、大型灌区续建配套（共 11 期）、水库除险加固、水土保持等工程项目建设中，从根本上改善了管理处水利工程条件，有效提高了供水保证率和水资源利用率，为全流域工农业生产提供了强有力的水工程保障。

五、积极开展供水“四到户”和农民用水终端水价制改革工作，为水管体制改革工作打下灌区基础

首次突破性地对灌区末级渠系支、斗、农渠的运行成本进行测定，推行一价到户和一票到户工作，公平了用水环境，有效遏制了搭车收费行为，为农民减轻水费负担 26.5 元/亩。目前头屯河灌区实行末级终端水价制改革的灌溉面积覆盖率达 100%，农民用水者协会的发展势头和运行状况良好。此项工作开全国先河，先进经验被《中央电视台》《人民日报》《中国水利报》等多家主流媒体报道并将经验向全国推广。

六、积极稳妥地推行水管单位体制改革工作

在做好大量前期思想动员、制度配套、岗位优化等准备工作的基础上，从 2002 年起管理处率先进行了人

事制度改革工作，自上而下，共成功进行了三轮面向所有科级职位和一般岗位的公开竞聘（争）上岗工作。同时在全处基层单位全面推行分配制度改革工作。目前，所有中层科级干部和一般职工均是通过竞争上岗的。全处的人力资源管理工作已由身份管理转变为岗位管理，职工的竞争意识大大增强。当前，管理处正在积极准备做好事业单位岗位设置实施方案批复后的实施工作。

头屯河流域管理处通过积极稳妥地推进水管体制改革工作，使三个文明建设取得了新的成绩，单位领导班子团结，全处经济稳步发展，职工精神面貌良好，各族职工和睦相处，职工的工作生活环境和收入有明显的改善。管理处先后荣获“自治区级文明单位”“全国水利系统文明单位”“全国大型灌区精神文明建设先进集体”“全国农林水利系统和谐事业单位”“全国职工书屋”“全国水管体制改革工作先进集体”等近百项荣誉称号。涌现出了一批以勇救落水维吾尔族儿童而壮烈牺牲的朱丰儒烈士为代表的先进人物。

新疆维吾尔自治区博尔塔拉蒙古自治州
博河流域管理处

一、抓住关键，深化措施，明确目标

（1）强化组织领导工作。成立水管体制改革领导小组，建立分工负责机制。由新疆博河流域管理处（以下简称为“管理处”）一把手任组长，分管领导任副组长，人事、财务、灌溉工程、审计等科室通力配合，实行分工负责和沟通协调机制，为改革顺利实施提供了组织保证。

（2）强化基础性工作。管理处对灌区水利工程进行了全面系统的调查研究，同时制定出台了“水管体制改革程序、步骤、措施、各阶段目标任务”，对落实水管体制改革的每一项工作做了认真部署，使水管体制改革各项工作稳步推进。

（3）强化宣传教育工作。召开动员会、专题研讨会，强化学习日制度，开展水管体制改革政策法规的学习讨论，同时充分利用内部刊物“博河通讯”、“电子邮箱”等网络媒体，开展大规模、多层次广泛宣传。

二、分步骤、分阶段，稳步推进水管体制改革

1. 做好分类定性等七项基础性测算

测算定岗 115 个，较现有岗位 201 个减少 86 个，在测算定岗的基础上，测算定员 267 人，较现有 288 人减少 21 人。

测算年工程维修养护经费 665.07 万元。

测算年生产经营收入 1712.22 万元。截至 2007 年 12 月 31 日，管理处水利工程公益性资产共计 7803.95 万元；经营性资产共计 13847.46 万元，测算年公益部分水利工程财政补贴额为 579.32 万元。

管理处被划为准公益性水管单位。定性为事业单位。

2. 建立健全管养分离体制，改革成效初露端倪

改革初始，管理处注册资金 405 万元，组建了主要从事水利工程维修养护为主的博河水利施工处，基本实现了水利工程管理与维修养护机构、人员、经费分离，实行独立经济核算，水利工程管养分离雏形日渐凸显。通过管养分离实践，博河水利施工处已具有堤防工程专业承包三级资质，从业人员 44 人。

3. 规范岗位设置，实行人员聘用制度

制定《博河流域管理处岗位设置方案》，明确内部机构设置和岗位数量结构。拟定内设机构 14 个，拟设置岗位总量 267 个，经州劳动人事和社会保障局核准岗位总量 288 个（过渡性岗位 21 个）。制定《博河流域管理处中层干部竞聘上岗工作实施方案》，2007 年 2 月在博州纪检、组织、人事、水利局的全过程监督下，圆满完成中层干部竞聘上岗，以中层干部竞聘上岗作为管理处全面实行聘用制的良好开端，各基层管理站每年开灌前对职工进行系统培训，按工作岗位实行公开竞聘，竞聘率达 90%。

4. 建立健全目标责任制度和考核制度

为提高工作质量和工作效率，对职能科室实施年度重点工作责任分解，与各基层水利管理站签订生产经营、安全生产、行风建设、精神文明建设及党支部工作目标管理责任书。为使各项工作目标落到实处，各科室及基层水利管理站将工作目标任务分解到班组和个人。为加强考核工作，制定了《博河流域管理处先进集体、先进工作者和先进个人考核评比实施细则》和《博河流域管理处年度考核管理制度》。

5. 积极稳妥地实施人员分流

编制出台《博河流域管理处水利工程管理体制改革人员分流安置实施方案》。为配合人员分流安置方案的实施，编制出台《博河流域管理处“十一五”多种经营发展规划》、《2006 年、2007 年、2008 年多种经营实施方案》、《博河流域管理处水利工程管理体制改革期间人员分流暂行规定》等与水管体制改革相关的配套文件。

成立专业的水利工程维修养护企业——博河水利施工处，分离 44 人；成立多种经营公司——博河绿水源水产有限责任公司，分流 17 人；内部退养 10 人，内部待岗 8 人，清退挂靠人员 7 人。按照水管单位定员标准，管理处已圆满完成了水管体制改革人员分流任务。

6. 制定水价逐步到位的调整方案，建立有效的水费计收方式

管理处现行平均水价为 0.025 元/m^3，拟调水价比现行水价提高 0.037 元/m^3。2010 年拟调水价标准 0.0434 元/m^3，2015 年拟调水价标准 0.062 元/m^3。

博河流域实行水资源统一管理、统一调配，供水和水费计收实行分级管理，由管理处直接向灌区乡、镇、场（团场）水管所配水和计收水费；乡、镇、场（团场）水管所直接向用水户配水和计收水费。管理处与乡、镇、场（团场）水管所实行用水计量、按方收费，建立起了规范的水费计收方式。

三、积极与相关部门协调，妥善解决改革中存在的有关问题

1. 落实社会保障政策

管理处现有在职及离退休人员共计 420 人，其中，已纳入养老保险社会统筹的共 160 人（企业 46 人、事业合同制职工 114 人），还有 260 人（在职 178 人、离退休 82 人）未纳入养老保险社会统筹。

自 2009 年 1 月起将管理处全员纳入养老保险社会统筹，已退休 82 人按原发放的退休金标准计发养老金，在职人员自 2009 年 1 月起按企业标准缴纳养老保险费，以往工作年限视同缴费年限。

2. 落实“两项经费”

依据测算结果，管理处每年“两项经费”总额为 579.32 万元，其中，年公益性人员基本支出 339.63 万元，年公益部分的工程维修养护费 239.69 万元。鉴于目前自治州财力状况，州财政采取定额补助形式，每年纳入州财政预算 200 万元，缺口部分积极争取上级财政部门补助。

淮河水利委员会沂沭泗水利管理局水利管理处

淮委沂沭泗水利管理局水利管理处（以下简称水管处）现有职工 13 人，均具有大学本科以上学历，12 人为中共党员，9 人具有高级工程师以上技术职称，其中教授级高工 2 人，是一支整治素质高、专业技术水平过硬、团结奋斗、积极向上的战斗集体。根据上级部署，2002 年，沂沭泗水利管理局开始开展水管体制改革工作，水管处具体负责全局水管体制改革日常工作，责任重大，任务艰巨。水管处全体职工积极探索，勤奋工作，圆满完成了各项改革任务。

一、认真学习，积极探索，做好水管体制改革各项基础工作

改革初期，水管处多次组织职工参加水利部举办的《实施意见》、“两定标准”等培训班学习，两次组织到黄委、海委等兄弟单位考察学习，并多次深入基层水管单位进行调研，深入细致做好各项改革基础工作。根据水管单位实际情况，提出了分类定性意见；对水管单位岗位定员进行了系统测算，为人员分离、岗位定员奠定了基础；组织基层水管单位人员开展了工程普查和经费测算，为上级审定水管单位经费预算提供了翔实的基础资料；按照上级有关文件要求，结合水管单位实际，及时编制了《沂沭泗局直属水利工程管理体制改革实施方案》；制定了《沂沭泗局水管体制改革试点工作指导意见》，出台了《沂沭泗局直管工程维修养护项目管理办法（试点）》等 6 项水管体制改革配套规章制度，为水管体制改革的实施打下了坚实基础。

二、恪尽职守，勇于创新，构建工程管理与维修养护新机制

为保证工程管理和维修养护工作的规范运作，在水管体制改革试点成功后，水管处积极开展了新体制下的运行机制研究工作，制定了直管水利工程维修养护项目管理办法、监督检查办法、验收管理规定、合同示范文本、经费使用管理有关规定、经费使用管理责任制度、工程价款结算支付办法等，初步构建了较为完整和规范的管养分离运行机制。此外，水管处还积极协助各直属局、水管单位根据各自实际情况，制定了具体的实施细

则和内部管理制度，如：工程维修养护项目检查考核制度、维修养护合同审查及管理办法等，建立了目标责任考核制度，使工程维修养护工作得以有序实施。

三、精心组织，加强指导，促进工程维修养护工作顺利开展

水管体制改革实施以后，水管处每年都认真组织各直属局编制水管单位工程维修养护实施方案，并做好方案的审查工作；先后20余次深入基层水管单位开展专项检查，及时了解掌握工程维修养护中出现的新问题，并提出整改意见和建议；水管处还定期组织召开工程管理与维修养护工作例会，对前一阶段维修养护工作进行总结交流，研究下一步的工作，保证了工程维修养护工作的顺利开展。

四、大力宣传，及时总结，保证水管体制改革顺利实施

为调动广大职工改革积极性，营造良好的改革氛围，及时解决改革中发现的问题，交流推广好的经验和做法，水管处充分利用座谈会、局网站、板报等形式广泛宣传改革工作，其中在《中国水利报》、各类网站上共发表宣传报道35篇，并被各有关媒体转载；在省部（委）级刊物上发表论文6篇；制作了10期水管体制改革板报展览，编写了52期水管体制改革简报；撰写10余篇不同阶段水管体制改革工作汇报材料；编写了6篇水管体制改革工作总结报告；完成了《沂沭泗局水管体制改革试点单位队伍能力建设典型调研情况的报告》《淮委试点水管单位维修养护定额标准分析报告》，有力地促进了沂沭泗局水管体制改革的顺利进行。

五、顾大局、舍小家，几度风雨不言苦

寒来暑往，几度春秋，水管处全体职工以润物细无声的模范言行感召着周围的同志努力工作，从不计较个人得失，树立了“党员身份亮出来、平时工作看出来、关键时刻站出来”的新时期党员形象。有的同志由于长年忙于水管体制改革工作，一年多都未回老家看望年过70的母亲；有的同志为了赶写材料，经常夜宿办公室；有的同志常常克服孩子小没人带的困难，带队去基层监督检查工作。在水管处这个集体中像这样的感人事迹实在是不胜枚举，因为他们的心中和脑海里始终装着的是水利事业。

辛勤努力换来了丰硕成果，2006年沂沭泗局所有水管单位全部完成水管体制改革工作，并顺利通过了淮委的验收和水利部的抽验，初步建立了符合沂沭泗直管工程管理实际和社会主义市场经济要求的水利工程管理体制和运行机制，职工积极性和责任意识进一步加强，工程管理和维修养护水平有了明显提高，工程完整和安全得到保证，工程面貌显著改善。

全国水利工程体制改革工作先进个人

天津市北三河管理处处长　杜学君

杜学君现任天津市北三河管理处处长，主持行政全面工作。在水管体制改革的新形势下，他认真履行职责，恪尽职守、务实苦干、开拓进取、勇于创新，团结带领干部职工做好河务管理工作，取得了显著成绩。

一、抓学习、重实践，提高自身素质

杜学君政治思想坚定，始终坚持自觉加强政治理论学习，以邓小平理论、“三个代表”重要思想和科学发展观内涵严格要求自己，不断提升党性修养，加强宗旨意识。结合如何深化水管体制改革与创新的新课题，他在解放思想大讨论和学习实践科学发展观活动中，做到边学习、边实践、边提高。经常深入基层一线开展调查研究，帮助基层职工解决实际问题，做好服务，当好群众知心人。特别在水管体制改革进程中，把领导干部的学习与实践作为必修课，带头学，带头讲，带头运用。

二、抓管理、严要求，提高管理水平

杜学君认真研究推动河务管理工作的新形式、新内容、新方法，把四大体系建设落实到具体工作实践中。

一是强化制度体系建设。建成了适应河务工程管理需要的“五大制度体系”，建立与形成了较完备的工程技术档案，使工程管理工作有的放矢，有章可循。二是强化工程管理。积极探讨与推行工程日常维修养护考核责任制。履行合同管理方式，以考核为手段，以落实责任承包为内容，责任到人，量化管理，奖罚分明。三是做好防汛度汛工作。建立健全了分级分部门负责防汛管理责任体系。形成处领导包河系、部门领导包河流、管理人员包河段的三级防汛管理检查格局，充分利用有利时机，组织开展防汛大检查。细化了各项预案和操作规程，加强了防汛技术指导和应急处置能力，建立了取排水口门责任制度，确保了度汛安全。四是有效开展水资源管理工作。夯实水资源管理基础，逐步建立河系内信息交流共享机制。在确保度汛安全的情况下，妥善处理防洪与蓄水的矛盾，3 年来利用节制闸成功蓄水 3.51 亿 m^3。五是认真开展水政执法工作。大力开展《中华人民共和国水法》、水行政法规的宣传普及，加大水政巡查执法力度，建处 3 年来共查处采砂、取土、违章建筑等水事违法案件 190 余起，受理群众举报信访案件 56 起，有效维护了水环境安全。

三、抓教育、育人才，带出过硬队伍

杜学君一直把职工教育培训作为培养人才、更新知识、提高水平的重要工作，做到教育管理、培养使用有机结合。一是坚持不懈开展各种形式的培训。3 年来，举办了各类专业培训班、培训职工达到 1000 余人次。二是开展有特色的“师带徒”培训。在水闸运维、发电机检修、闸门检修、电气焊以及公文写作等 5 个专业上，带出了一批骨干力量。三是注重研究做好青年知识分子教育培养，多次深入基层所站召开青年知识分子、青年职工的座谈会，引导他们树立正确的价值观、苦乐观，使他们健康成长。四是在管理实践中用共同的事业追求和价值观，凝聚人心，规范行为，锻炼队伍，组织干部职工坚持在实践中总结、探讨，提出了“规范、高效、和谐、奉献”的河务管理理念并得到不断完善。

河北省黄壁庄水库管理局纪委书记　杨宝藏

杨宝藏现任河北省黄壁庄水库管理局纪委书记，高级政工师，水利部政研会特约研究员，中国水利报社通联站站长。

他注重学习，勤于钻研，有较高的政策理论水平，刻苦钻研业务知识与法律法规，政策理论水平较高。在各种报刊发表水利管理、改革、发展和思想政治工作等方面文章 50 余篇，获水利部优秀政研论文一等奖 1 次，二等奖、三等奖 3 次，5 次获厅优秀论文奖，先后取得市厅级荣誉称号 6 项。

他认真组织，精心筹划，积极落实改革方案。为确保方案实施，他多次组织不同形式的座谈会，广泛征求各方面的意见，为方案的实施统一了思想和行动。兼任管理局制度建设办公室主任，结合水管体制改革，组织开展了 3 次建章立制工作，亲自起草局规章制度 42 项、部门与岗位职责 51 项、党务工作制度与职责 52 项、档案管理制度与财务管理制度 46 项，并 2 次汇编成册，共计 20 多万字，印发职工学习和执行，为实施水管体制改革和管理规范化打好了基础。2005 年，管理局在水管体制改革中实施定编定岗定员和职工聘用制、干部聘任制、岗位责任制、末位淘汰制等“三定四制”改革方案，改革内部机构设置，精简机构，理顺职能。作为改革办主任，他起草了改革的实施方案并认真组织改革各项活动，推行中层干部竞聘上岗制和职工双向交流轮岗制，并起草制定“三定”方案，公开标准、程序，在 40 天时间里，连续工作，吃住在水库，使这项水库 50 年历史上最大规模、最大力度的一次人事制度改革圆满进行，70%的中层干部和 30%的职工得到了岗位交流，80%的机构职能进行了调整和理顺，使水管体制改革迈出了重要一步。在整个改革方案实施过程中，他亲自起草的文件、方案、报告等达 25 份 5 万余字。

杨宝藏组织了全局的各种学习教育培训活动，大大提高了水库职工素质。组织起草编印了水库《五十年大事记》《组织沿革》《水库画册》，增进职工对水利的感情。结合水库管理实际，自编《水库安全知识》《水利与防汛基本知识》《公文处理知识》《廉政警示教育》等 6 本共 40 万字的培训教材，培训职工 2900 人次。组织开展了“三讲”“先进性教育”及科学发展观活动等 20 多项教育主题活动，并联系水管体制改革实际，引导职工深刻认识新形势下改革的重要性、紧迫性；组织党员开展 40 多次各具特色的党内活动，开展了全局职工历史知识、党史知识、法律知识、计算机知识等 9 次大型知识竞赛活动，组织开展了 10 届政研会和 3 届水库管理研讨班，交流论文 420 篇，促进了全局学习风气的增长和职工素质的提高。举办简报、板报、橱窗等宣传 80 多期，拍摄水库重要活动、风景等图片上万幅，组织撰写各种宣传水库的文章 20 多篇并在各种报刊发表，使

水库的知名度不断提高。

杨宝藏遵纪守法，争先创优。工作中讲原则、讲纪律、讲正气，为人诚实，严于律己，能严格遵守国家法律法规，参加工作以来，未出现过任何违法违纪行为。上进心强，工作大胆而稳重，敢于创新，为河北省黄壁庄水库管理局取得全国水利系统先进集体、1998—2007年省级文明单位、河北省绿化先进单位、国家水利风景区等12项省部级荣誉称号做了大量的基础性工作。

辽宁省铁岭市水利局渔业与建设管理科科长　杨玉久

杨玉久同志任辽宁省铁岭市水利局渔业与建设管理科科长以来，积极贯彻党的水利方针和政策法规，坚持四项基本原则，并以经济建设为中心，认真履行岗位职责，全面做好本职工作，特别是在铁岭市水利工程管理体制改革中发挥了重要作用，表现突出。

一、精心组织，及时进行摸底测算

杨玉久任水利局渔业与建设管理科科长时，按省水利厅会议安排和具体要求，依据水利部实施意见、实施方案以及相关定岗定员等测算标准，及时向局领导汇报传达省厅会议精神，安排部署具体任务，全面开展水利工程管理体制改革摸底测算工作。她以南城子水库为试点，先期进行定岗定员和工程维修养护费测算，拿出成果样本在全市推广。期间她深入各县（市）、区及时了解工作进展情况，对工作量大的安排专人定点协调指导，并对测算结果逐一核实。她带头加班加点，有时忙到深夜。在她的细心指导下，全市38个水管单位顺利按时完成了摸底测算工作，按要求时限将测算结果上报省水利厅。

二、及时指导，全面落实水管体制改革任务

为做好全市水利工程管理体制改革工作，在省水利厅召开专题会议后，她及时提出工作建议，与主管领导、局长研究具体落实方案。实施中常与省水利厅有关部门领导通报工作进展情况，沟通工作中遇到的具体问题，并得到及时指导。全市有水管体制改革任务的县（市）、区分别组建相应机构，安排专人组织开展具体工作。在她的精心指导下，市直3个水管单位率先完成了水管体制改革实施方案的编制，将原辽河所、柴河所撤并到市河务处，定性为纯公益性事业单位，定岗定编48名管理岗位，人员经费纳入财政预算，其余人员经费由河道维护费纳入预算外列支，工程维修养护费由财政核发。南城子水库定性为准公益性事业单位，重新核编85名，其中管理人员15名，其余维修人员70名。管理人员经费和工程维修养护费视水库年收入由财政纳入预算外逐年核定，以此推动县（市）、区水管体制改革进程。工作中她把好的实施方案和县区成功做法向进展缓慢的县（市）、区及时推荐，及时沟通协调指导，有力地推动了全市水利工程体制改革工作，截至2008年底，全市38个水管单位均完成体改任务。

三、积极配合，迎接水利部和省政府督察

市水管体制改革工作实施过程中，她先后作为省典型在全省水管体改工作座谈会上专题汇报，还分别接受上级检查和督察。2007年接待省总工会调研、全国总工会水管体制改革调研、省政府水管体制改革工作督察。2008年接待水利部水管体制改革工作检查组和水利部水管体制改革督察组。她认真对待每次的检查和督察。通过上级调研和督察，及时反映了本市水管体制改革的情况，而且进一步推动了本市水管体制改革的工作，杨玉久为全市水利工程管理体制改革作出了突出贡献。

辽宁省抚顺市清原满族自治县水务局局长　于宪林

于宪林现任辽宁省清原满族自治县水务局局长。他在工作中认真学习"三个代表"重要思想和党的十七大精神，深入贯彻落实科学发展观，坚持以人为本，坚决贯彻国务院和省水管体制改革精神，积极推进水管体制改革工作，较好地完成了全县水管体制改革的各项任务。目前，全县5家水管单位现阶段的改革任务已全部

完成。

2007 年，县政府成立了由主管副县长任组长，于宪林任副组长的县水利工程管理体制改革领导小组。在实施过程中，他利用各种时机，以多种方式就水管体制改革工作的进展情况、遇到的困难和问题等及时向县领导汇报、请示，争取领导支持。县主要领导在县直水管单位定性定编、落实经费上给予了充分理解、大力支持和特别关照，有力促进了改革的进程。

水管体制改革工作启动后，他主持成立了县水务局水管体制改革工作领导班子，由他主抓此项工作，负总责，局领导分工负责，由各科室和下属各单位负责人组成工作班子，明确了目标任务，落实了工作经费，建立了协调制度，做到了事事有着落，处处有回音。

为保证改革工作顺利开展，他多次主持召开局领导班子专题会议，认真学习和贯彻上级水管体制改革精神，进行研究和部署。通过会议、座谈等形式广泛宣传水管体制改革的重要意义，使全县上下尤其是水利系统对县情、水情的认识不断深化，认识不断统一，信心得到坚定，责任意识、危机意识、攻坚意识和机遇意识不断增强，水管体制改革得到了稳步推进。

在实施过程中，按照国家、省水管体制改革实施意见的要求，他带领工作人员在深入调查研究、广泛听取意见、反复修改完善的基础上，起草了《清原县水利工程管理体制改革实施方案》并报请县政府，得到了县政府批复。实施方案既贯彻了国家的政策精神，又在管理体制、经费落实、管养分离、社会保障等方面作出了明确规定，为全县水管体制改革奠定了坚实基础。会同县编办、县财政局深入到水管单位进行调研，认真研究水管单位的功能、职责、人员经费等方面的情况，客观理性地提出水管单位定性定编建议。县管 5 家水管单位，其中清原镇河道管理所、南口前河道管理所定性为纯公益性事业单位，小孤家水库、金家水库、后楼水库定性为准公益性事业单位。核定差额拨款事业编制 70 人，核定人员经费 194.67 万元，核定维修养护资金 79.47 万元。

水管体制改革要以建立长效发展机制为目标，为此他积极指导水管单位开展以全员聘用制为主要内容的人事劳动分配制度改革，逐步推进管养分离，不断提高管理水平。3 家水库管理所在完成定性定编后，立即着手拟定了内部改革的实施方案和竞聘上岗、未聘人员分流安置办法，推行聘用制、实行管养分离，通过改革，工程管理、运行、维护、经营人员各得其所，充分调动了广大干部职工的积极性、主动性，提高了管理水平，实现了水管单位的良性运行。

由于于宪林在工作中取得了突出成绩，2006 年先后被抚顺市人事局授予优秀公务员，被省政府评为农建“大禹杯”竞赛先进个人，2007 年被市政府评为“为农服务”先进个人，被省政府评为农建“大禹杯”竞赛先进个人。

辽宁省盘锦市盘山县河务管理所所长　张安杰

张安杰同志现任辽宁省盘锦市盘山县河务管理所所长，从事水利工作 20 余年，工作业绩突出，曾被辽宁省人民政府、辽宁省人事厅、水利厅授予“先进工作者”荣誉称号。

工作中他深入学习实践“三个代表”重要思想，严格遵照执行党的十七届四中全会及中纪委会议精神，认真学习和实践科学发展观，把学习践行科学发展观与当前各项工作结合起来，着力提升自身综合素质，提高工作水平，做好本职工作。深入领会水管体制改革相关文件精神，并贯彻落实到平常的工作中。不断提高理论水平，提高知识层次，增强做好本职工作的能力。在水管体制改革工作过程中，坚持全心全意为人民服务、恪守职业道德规范、顾全大局、作风正派、清正廉洁。工作中不徇私情，处理各种问题得当合理，得到上级领导和职工好评。并结合盘山县河务管理工作的实际，客观地做出探索实践。

坚决贯彻国务院水管体制改革的文件精神，认真领会其精神实旨，并结合盘山县水管单位现状，科学合理地制定水管单位管理体制改革实施方案，严格遵照“两定”标准，做好“两费”测算，并提出适合盘山县实际的水管单位体制改革的建议和意见，制定并落实了各种制度，积极推行管养分离，并在主管局的大力支持下，协调各相关部门，做好人员及费用的核定，使盘山县水管体制改革工作得以开展，为全省水管单位体制改革工作起到推波助澜的作用。

管养分离一直是水管体制改革工作的重中之重，首先要落实资金问题，然后又要做好人员安置工作。对此，张安杰一直积极主动做好群众工作，化解好群众矛盾，为职工排忧解难，想职工所想，急职工所急，根据分流人员专长，合理安置人员，力求让职工满意，并协调劳动及社会保障部门，为分流人员办理相关保险，解除了职工的后顾之忧，在职工中树立了较高威信，同时制定了相应的具体措施，并分阶段进行实施，确保改革如期完成。

模范遵守国家法制法规和水管体制改革工作的各项规章制度，在做好单位定性的前提下，严格按要求测算定岗定员，不谎报虚报，数据力求做到科学合理，政策落实公平公正，在整个改革的全过程中，未出现过任何违纪违法行为。经过几年的努力，盘山县水管单位体制改革工作取得了可喜成绩，实现了人员、机构、经费三分离。管养分离的原则是按照上级要求，结合实际，充分考虑现有工程、人员状况、机构设置情况，按照水利部《水利工程管理单位定岗标准》合理界定管理和维修养护职责，确定管理和养护人员数量，将工程的养护修理工作岗位从工程管理工作中分离出去，实现管理与养护的分离。同时正确处理了责、权、利的关系，明确了管理单位的权利和责任，又在内部建立起有效的激励机制，使管理责任、工作效绩和职工的切身利益紧密挂钩。建立了符合社会主义市场经济和盘山县实际要求的水管体制和运行机制。

张安杰在水管体制改革工作中不断提高自己，完善自己，成为一名政治修养过硬、业务水平精湛的水利人。

浙江省衢州江山市峡口水库管理局局长　江勇

江勇同志自任浙江省衢州江山市峡口水库管理局局长以来，以创新求发展，以务实促建设，靠刻苦钻研和勤奋实践，使水库管理工作跨越新台阶。

一、抓改革，求创新，健全水库管理机制

江勇同志上任第一件事就是抓水库改革。他经常深入基层调研，组织外出调研，以水库管理体制改革为契机，多方协调，于2009年12月底全面完成了白水坑水库和峡口水库管理体制改革任务。由于方案严密周全，标准要求严格，水管体制改革成为衢州市既彻底效果又好的水库单位之一。同时江勇同志针对工作中的难点问题，以敏锐思维，务求机制创新，大胆提出“三项改革”，即：改梯级水库的多头管理为统一管理；改事企不分的管理体制为事企分开、产权明晰的现代管理体制；改因人设岗为因岗定员。同时建立“三个管理”机制，即：人本管理机制、成本管理机制、控制管理机制。强化“三个导入”，即：导入“敬业、尚德、务实、创新”的企业文化，凝聚人心；导入“强化基层基础建设”的工作方法，抓细抓实；导入“单元控制职责到人”的管理模式，强化管理。付诸实施后，成效显著，其经验被省市水利部门予以推介。在灌区工程规范管理和维护费上，按照渠道工程规模实行市财政补贴加自资原则，加强工程维护，同时也出台了有效管理办法和细则，创造了新的规费，使每年工程养护费用得到保障。

二、抓落实，强管理，全面推进项目建设

发展是硬道理。江勇以勤奋务实的工作作风，亲力亲为，带领全局干部职工奋力拼搏。通过制定与完善“十一五”水库建设规划、积极争取与科学实施水库建设项目、认真开展项目“百日攻坚”“百日竞赛”等活动，促使水库项目建设跨越式地发展。3年内，全局共投入建设资金1亿多元，完成灌区节水改造与续建配套和水库大坝除险加固的2个重点项目，极大地改善了水库灌区水利条件。为确保每项工程进度质量，在工程项目实施过程，江勇同志经常深入工程施工现场，了解工程建设情况，并与工程技术人员一起严格督查强化管理，为抓工期，促进度，保度汛，他经常放弃节假日、双休日，与项目实施小组成员一道加班加点。由于他精心组织、科学调度、严格管理、措施到位，水库除险加固及渠道节水改造等项目的工程进度、质量位居全省领先，并且实现了安全生产零事故。

三、抓核心，严制度，有效提升队伍素质

干部职工队伍建设如何，直接关系到全局工作的成效如何。江勇深入调研，全盘考虑，通过开展企业文化主题活动、务实敬业讲奉献活动、树标杆勇争先比作为等活动，全面整改，合理调配，有效地增强了干群之间

的战斗力、凝聚力和向心力。及时狠抓作风建设和制度建设，全面规范干部职工干事行为。他亲自主持完善了出勤考核、工作目标责任、学习工作考核、安全生产责任、廉政建设及奖惩等24项制度，全面推行工作责任追究制和安全生产责任追究制。通过制度建设，规范了干部职工的干事行为，强化了服务意识，增强了责任感，有效提升水库管理队伍素质。

福建省龙岩市黄岗水库管理中心主任　饶敏敏

饶敏敏现任福建省龙岩市黄岗水库管理中心书记、主任，高级经济师，电气工程师，二级注册建造师，本科学历。他认真学习邓小平理论和“三个代表”重要思想，深入贯彻落实科学发展观，围绕“海西应先行，闽西当前锋”的主题实践活动，坚决贯彻执行党的路线、方针和政策，政治立场坚定。时刻牢记全心全意为人民服务的宗旨，恪守职业道德规范，顾全大局，作风正派，品行端正，清正廉洁，团结同志，关心群众。

（1）理论水平较高。饶敏敏重视提升理论水平，在深入细致调查，认真研究分析的基础上，独立撰写并在国家级刊物上发表《水利工程非农业供水价格核算问题》《水管事业单位体制改革探索——以黄岗水库为例》《重要中型水库设立水政监察机构的探讨》《新增城区供水与部分功能终止的水价核算问题探讨》等多篇论文，其中《水利工程非农业供水价格核算问题》发表在全国中文核心期刊《中国水利》上。

（2）多种形式反复推敲修改方案。主持撰写《黄岗水库体制改革方案》《黄岗水库管理中心人员聘用制实施方案》及《黄岗水库管理处提前退休实施方案》等改制主要材料，在改制过程放弃了中午、周末休息时间反复推敲修改方案，并通过公示、张贴、传阅、开座谈会讨论等方式征求职工意见，大修改次数23次，小修改114处，做到改制方案既符合国家政策，又能满足多数职工意愿。

（3）找准问题，提出方案。通过大量调查研究，撰写分析材料，明确指出黄岗水库管理体制存在以下问题：义务与权利不对称，收入无法保证基本支出，工程存在安全问题亟待处理，内部管理已不适应现代化要求。能针对性地提出合理化方案。

（4）改制思路清晰，措施有力。结合水库实际和政策依据，把握事企分开、管养分开的改革总思路，通过向编制、人事、财政等部门反复陈述，以“逆向改革”的非常方式，重新设立市黄岗水库管理中心，确定6名事业编制、市财拨付经费，承担农业灌溉、抗旱和防洪等公益性任务。另其余干部职工分流到新的“黄岗水库水电有限公司”，作为管理中心的下属企业，承担发电、供水等经营性职能。改制前单位财务亏损200多万元，改制后管理中心和离退休人员费用由财政拨款，而改制后黄岗水库水电有限公司通过对其经营的水电站全面技改，增加装机容量25%，当年扭亏为盈，增加收入26万元。

（5）主动做好群众思想工作。能透过现象抓本质，抓住问题要害、主要矛盾及矛盾的主要方面，主动做群众工作，深入走访谈心，耐心细致做好解疑释惑，使职工从不理解、不愿意改革到理解、支持、拥护改革。

（6）遵纪守法，模范执行各项规章制度。在工作上身先士卒，以身作则，模范遵守国家法律法规，成绩突出，充分发挥一名共产党员的先锋模范带头作用，在群众中享有较高威信，多次荣获省、市水利系统“先进工作者”称号。

江西省南昌市南隔堤堤防工程管理处处长　徐小平

徐小平，1978年4月参加工作，1989年3月加入中国共产党。历任南昌市新洲堤防管理站站长，南昌市南隔堤堤防管理处处长，现任南昌市昌北防洪排涝工程管理处处长。

一、勇挑重担

2004年，徐小平调南隔堤管理处，时逢南昌市大力建设花园城市，市政府把胡惠元堤工程、城南护城河工程、南隔堤拓宽延伸等重点工程建设管理任务交给南隔堤管理处。

徐小平上任后，带领大家精心构思，科学谋划，多方筹措建设资金，仅用一年多的时间就完成南隔堤（大道）拓宽工程建设任务。使道路与堤融于一体，不仅使昌南城区防洪标准整体达到防御百年一遇洪灾的水平，而且还大大改善市区路网结构和交通压力。

二、科学管理

创一流工程需要一流的管理水平，徐小平以水利工程管理为契机，以提高工程管理科技水平为手段，以制度建设为平台，全面加强工程管理，促进了工程管理规范化、制度化和现代化。

投资200余万元，用不到一年的时间建成了水利工程视频监测系统，实现了防汛排涝和景观水位远程自动监测、自动调度、自动控制，使自动化管理水平在全国同行业中处于领先地位。

2005年前，和大多数基层水管单位一样，该管理处定性不明，定编不够，管理粗放，养护经费无来源。徐小平上任后抓住全市水利工程管理体制的机遇，多方协调，主动沟通，积极争取，使南隔堤管理处一举定性为纯公益性单位，并由副科级单位升为正科级单位，定编29人，确定工程年度养护经费近300万元，实现工程良性运行，国有水利资产保值增值。不仅如此，他还以水管体制改革为契机，健全各项制度，深化内部改革，细化岗位责任，制定奖惩考核标准，提高全体干部职工的积极性。同时，还积极改善办公条件和办公环境从工程现场到办公大楼环境，都按绿化美化的标准严格执行，按照生态景观的要求抓实施，使工程景观和庭院景观非常自然的融入到南昌市现代文明花园城市中。

三、廉洁自律

在水利工程建设和管理的长期实践中，徐小平时刻牢记党的教导，严格要求自己，把每个城防工程都作为精品工程来建设，确保工程质量。他任劳任怨，率先垂范，带出了一支会干事、干实事、干成事、好共事、不出事的一流水利职工队伍。

“己身正，不令而行；己身不正，虽令不从”。这几年南隔堤管理处水利投资大、建设项目多，但徐小平时时保持清醒头脑，始终做到廉洁自律、克己奉公。凡要求职工做到的，他首先做到。徐小平从不直接参与招投标、设备采购、工程验收等活动。在徐小平同志的影响下，南隔堤管理处团结和谐，上下保持着廉洁自律、艰苦奋斗的优良作风。

四、品德过硬

徐小平坚持以邓小平理论和“三个代表”重要思想为指导，认真学习实践科学发展观，积极实行可持续发展的治水思路，弘扬井冈山精神。2004年，他主持南隔堤堤防工程管理处工作以来，带领全体干部职工开拓创新、锐意进取，加快水利建设，深化水利改革，强化水利管理。2008年5月创建了江西省首家“省一级水利工程管理单位”。并荣获“2007年度全省水利建设与管理先进单位”称号。徐小平还荣获2006年度“南昌市优秀共产党员”称号，2006年获得南昌市“五一”劳动奖章，2009年获得江西省“五一”劳动奖章。

江西省赣州市大余县水务局局长　周凤来

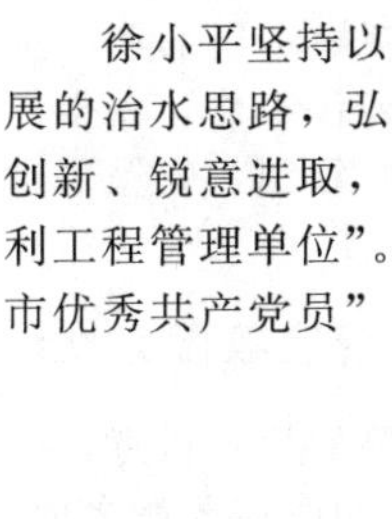

大余县水务局局长周凤来结合大余水库工程的实际，按组织准备、全面实施、验收总结三个阶段，积极稳妥地推进大余水利工程管理体制改革，通过进一步理顺水利工程的管理体制，明确了单位性质，做到了定编定岗定员，落实了人员、维修养护经费和社会保障政策，实施了水价改革和管养分离。该县的水管理体制改革工作荣获2008年江西省水管理体制改革领导小组颁发的“先进单位”称号。

一、理顺体制，突出管理责权

水管体制改革前，该县水库管理单位主要负责大型水库油罗口、中型水库跃进水库的管理。周凤来上任后在原来较好的管理基础上，继续按水管体制改革要求，理顺水库管理体制，精简机构，定岗定编定员。争取县政府出台了《关于同意将垅洞里水库划归县行政主管部门管理的批复》文件，将中型水库垅洞里从青龙镇政府接管过来使全县中型以上水库划归县水库工程管理局实行行业化管理。由该局具体负责管理大型水库油罗口及中型水库跃进、垅涧里三座水库的日常管理维护、水库防汛和安全运行等专业管理工作，明确了各水库的行政和技术责任人，使以上三座水库的日常管理、防汛调度等工作有章可循，做到行业化、规范化管理。

二、实现“三定”，突出资金保障

水库管理单位人员编制少、专业人员少、维修养护经费少和人员经费没保障。周凤来主动用好用足水管体制改革政策，积极争取县委、县政府的关心和县编办、财政等单位的支持，该县政府及时出台了《大余县水利工程管理体制改革实施方案的通知》，明确县水库工程管理局为纯公益性水管单位，人员编制从原来的18人增加到35人，其中单位负责岗2人，行政、后勤财务与资产管理岗4人，技术管理岗29人；水库工程管理局也从原来的自收自支的单位转为财政全拨单位，人员经费、公用经费、离退休人员经费等有保障，人员经费每年达到61.6万元；实行了管养分离，工程的维修养护经费也由县财政解决，公益性工程维修养护经费每年达到78.5万元。

三、强化管理，突出水库效益

通过改革，大中型水库有专门的管理单位、管理单位有专业管理人员、管理人员有专项经费保障，水库管理单位人心稳定，油罗口、跃进、垅涧里三座水库管理日趋规范化、专业化。汛期期间安排人员管理水库大坝、收集各水库的水雨情，遇有洪水提前编制洪水预报供上级决策防洪减灾做好充分准备。特别是在2008年的“6·16”水灾和2009年“7·3”特大洪灾中，各水库管理人员沉着应对，服从上级防汛部门的调度，充分利用水库的蓄洪、滞洪功能，两次水灾中水库减少下游损失在5.1亿元以上。通过水管体制改革，近几年先后争取国家、省、市县8325万元，对这三座水库进行了全面除险加固，消除了水库安全隐患。在2007—2009年3年中大余县下游的南康市几次发生河水污染事件，下游人民饮水遇到困难，在上级防汛抗旱部门的统一指挥下，县水库工程管理局积极配合，及时从油罗口、跃进和垅涧里水库向下游紧急调水，多次及时解决水污染问题，赢得了良好的社会效益。为防止水库水质污染，水库工程管理局安排专人负责水库水质监管，终止了三座水库的水面养殖承包，制止了库区上游兴办污染企业，有效保证了“下游市区不断水，百姓不喝污染水”。

河南省郑州市中牟县水利局局长　黄刘建

黄刘建同志作为河南省郑州市中牟县水利工程管理单位体制改革领导小组的第一责任人，将水管体制改革与全局工作结合起来，狠抓水管体制改革落实到位工作，在全局形成了上下一盘棋、一条心抓改革的格局，营造了水管体制改革的良好氛围，确保了水管体制改革顺利推进。

一、加强学习，做到认识到位，为水管体制改革顺利实施营造氛围

水管体制改革对水管单位来讲是一次摆脱困境、走上良性发展轨道的重大机遇。因此，思想上重视，好的环境至关重要。为做到心中有数，在全县水管体制改革开始之前，黄刘建同志通过多种方式，收集相关资料进行学习。经过他的学习和掌握，工作正式启动时，各项工作的安排部署得心应手，工作中少走了弯路，为水管体制改革顺利实施奠定了坚实基础。水管体制改革以后，他又从营造改革良好环境入手，多次召开职工座谈会、办公会，就水管改革的意义、单位面临的形势及改革的目标等向大家作不厌其烦的解释说明。把政策宣传到每一位干部职工，让每一位干部职工都充分了解改革内容、懂得改革方式，切实做到了人人皆知，得到干部职工的大力支持。

二、积极争取，得到领导支持，为水管体制改革顺利实施奠定组织基础

水管体制改革是一项系统工程，责任涉及多个部门，为使水管体制改革工作顺利进行，他主动协调，争取领导重视，赢得各方支持。一是争取领导重视。为得到领导支持，他多次找县委、县政府主要领导同志汇报情况，争取县委、县政府对水管单位体制改革的高度重视、特别关怀和政策支持。二是积极协调，打好基础。水管体制改革涉及部门较多，在推进水管体制改革中，多次和人事、财政等有关部门沟通协调，综合考虑、全面分析、深入研讨相关问题，妥善处置了历史遗留问题。2008年底，中牟县水务局的水管体制改革工作全部完成并顺利通过省级验收。

三、以人为本，维护职工利益，为水管体制改革顺利推进起到有力保证

为制定一个既符合水务局实际，又能确保广大水利职工利益的方案，黄刘建组织相关人员到外地学习水管体制改革的成功经验，并借鉴了他们的先进做法。同时，自下而上征求水管单位干部职工意见，结合本县水利工程管理现实中存在的问题，认真贯彻落实以人为本的科学发展观，关心职工、尊重职工、理解职工，及时做好引导服务和协调工作，确保了职工队伍和群众情绪的稳定。出台了《中牟县水利工程管理体制改革实施方案》，积极落实水管企业人员的养老保险、医疗保险、失业保险等社会保障政策，解决了维修养护人员的后顾之忧，得到了广大职工的拥护，确保了水管体制改革的顺利实施。

湖北省黄冈市水利局局长　陈庞强

在湖北省黄冈市水管体制改革工作中，陈庞强带领班子成员，与广大水利干部职工一起，积极探索，克难攻坚，奋力推进改革进程，全市水利工程管理步入良性运行轨道，于 2008 年 12 月 24 日顺利通过省级验收。

一、率先垂范，深入基层调研

湖北省水利工程管理体制改革动员会后，陈庞强迅速在黄冈市水利系统深入开展学习和宣传，举办培训班学习传达改革精神，部署水管单位调研及经费测算工作。陈庞强为改革方案的出台做了大量的工作，联合市体改办（现合并到市发改委）、市编办、市财政和市水利等部门相关负责同志组成调研专班，分水库、堤防、泵站、灌区、水闸等五个专题，对全市水管单位进行了全面深入的调查研究，专题研究水管体制改革实施方案多达 29 次，为政府准确核定各水管单位的性质和人员编制及单位“两费”提供了依据。

二、多方协调，积极争取支持

为了达到思想认识的高度统一，把国办发〔2002〕45 号和鄂政办发〔2003〕97 号文件精神落到实处，陈庞强经常有针对性地组织各县（市、区）水利局局长召开改革形势分析会，及时针对改革中出现的问题进行整改，极大地推动了全市水管体制改革工作。为确保改革成功，陈庞强作为水利局一把手，多次与市委、市政府、财政、编办、劳动、人事等部门协调，组成了由政府牵头，编办、财政局、水利局等部门有关人员参加的检查督办组，对全市各地贯彻国办发〔2002〕45 号、鄂政办发〔2003〕97 号和黄政办发〔2004〕15 号文件精神情况进行了跟踪检查督办。同时结合检查情况进行了讲评，提出了要求，有效地推动了黄冈市水管体制改革工作。

三、典型引路，破解改革难题

为积极稳妥地推进水管体制改革，确定了黄冈市白莲河水库管理处、蕲春县赤东湖泵站、黄梅县梅济闸为市级试点单位。并以黄冈市河道堤防管理处、市白莲河水库管理处这 2 个省、市试点单位的改革为突破口，积累经验，逐步推进改革。2004 年 6 月底，市直就完成了对市河道堤防管理处、市白莲河水库管理处的“两定”工作，及时将市堤防管理处的年度经费纳入了财政预算。市白莲河水库管理处的改革也于 2008 年 5 月完成了职工竞争上岗和人员分流工作。

四、多措并举，加快改革步伐

在外部动力上，陈庞强把推进水管体制改革与省水利计划投资挂钩，哪个地方水管改革政策文件不出台，“两费”不落实，在计划申报上不予支持或向省厅提出暂缓拨付投资，改革进展快的优先安排，这对促进基层水管体制改革起到了一定作用。在内部动力上，在水利年度评优上坚持水管体制改革一票否决制，水管体制改革不到位的，取消评先资格。通过水管体制改革一票否决制的激励机制，带动了黄冈市一些县市水管体制改革的紧迫感、荣誉感，取得了一定实效。

五、狠抓改革，确保工程运行

在抓好水管体制改革过程中，陈庞强要求各县（市、区）水利局长坚持一手抓改革，一手抓工作，在水管单

位班子成员中分别成立了一套抓单位改革和一套抓日常工作运转的两套人马，并以改革为契机，在职工中大力开展了爱岗敬业评先创优和改革期间工作与单位职工竞争上岗挂钩等活动，极大地激发了职工的工作热情，既保证了单位改革工作顺利有序的推进，又保证了水利工程的正常运行，确保了水利工程防汛抗旱的安全运行。

湖南省娄底市水利局人事教育科科长　黄湘平

从2002年开始，湖南省娄底市水管体制改革工作经过6年的艰苦攻坚，已经全面完成了18处中型水管单位体制改革工作，建立起了一个管理科学、运行规范、充满活力的新水管体系，2009年4月顺利通过了湖南省水利厅的检查验收，并被评为优秀单位。这些成绩的取得，很大程度上得益于娄底市水管体制改革工作领导小组办公室主任、娄底市水利局人事科教育科长黄湘平自始至终、不厌其烦的辛勤努力。

一、争取重视，勤当助手

国务院办公厅、湖南省政府关于水利工程管理体制改革的相关文件下发后，他认真学习、反复钻研、深刻领会、吃透精神，深入各县（市、区）、乡镇、水管单位进行调查研究，摸准实情，综合形成调研报告，将水管体制改革列入新农村建设的重要内容，摆上政府工作的议事日程，作为事关经济社会发展的大事来抓。他根据市里的安排，代为草拟了以市政府名义下发的《关于加快推进全市水管体制改革工作的通知》等多个文件，明确了改革的指导思想、目标任务和时间要求，为各地开展这项工作提供了切实可行的政策依据。各县（市、区）相应成立了领导机构，改革有条不紊。真正做到了组织到位，分工明确，责任落实，形成了层层抓落实，上下联动，左右协调的领导格局。

二、督促落实，力当抓手

本市所辖5个县（市、区）中有一个国家级贫困县和一个省级贫困市。改革之初，他根据各县（市、区）经济发展上存在的地区差异，提出了“从实际出发、因地制宜、分类指导”的改革原则，区别不同情况，确定改革目标。改革之中，他针对各地思想认识有差异、工作进度不理想等情况，提出了在保障措施上采取“三挂钩一奖励”的办法，这一办法被改革领导小组采纳后，他联合市委、市政府督查室，经常深入一线督促，严抓落实，把收集掌握改革动态从每月一次增加到每周一次，最后到每天一次，加速了改革进程，提升了改革实效。各地“三项改革”迅即全面铺开，出现了你追我赶、好中求快的喜人局面。

三、协调各方，乐当推手

水管体制改革是一项复杂的系统工程，归根结底是要解决“钱从哪里来，人到哪里去”的问题，做到事有人管有钱办、人有事做有钱养。他带着对水利发展高度负责的态度和对水利职工无限热爱的情感，四处奔走，协调各方，想方设法争取政策支持，切实解决钱的来路和人的去留问题，使牵一发而动全身的改革顺利告竣。在他的不懈努力下，各县（市、区）在将“两费”纳入财政支付的基础上，还引导成立用水户协会，出台了水费征收管理的文件，对于分流后的富余人员，既极力用优惠政策鼓励他们进修学习、自谋职业，允许提前离岗退养、停薪留职，又积极整合资源，实行内部消化，还采取协调社保部门减免一点、争取政府补助一点、单位自筹一点的办法，逐个落实未聘人员的养老保险、医疗保险、失业保险等各项社会保障，并每月给予220元左右的生活补贴，确保富余人员下岗不失业、离岗不缺钱，18处中型水管单位1237人（含离退休职工）已全部落实了社保政策，最大限度地维护了职工的切身利益。

广东省韶关市水利局建设与管理科科员　周学宇

周学宇同志任职于韶关市水利局建设与管理科，自韶关市水管单位改革工作启动以来，对水管体制改革进行了全程跟踪，取得了满意的效果。

根据省政府办公厅《印发广东省水利工程管理体制改革实施方案的通知》，起草了《韶关市水利工程管理

体制改革实施意见》，并于2006年6月以韶关市政府名义印发，明确了韶关市水管单位体制改革的目标、原则和改革的内容，对全市的水管单位体制改革提出了指导性的意见。指导、督促各县（市、区）出台水管体制改革方案。

对各县（市、区）划分水管单位的类别和性质，逐宗按照水利部文件要求进行检查、核实，做到定性准确。组织举办水管体制改革"两定"测算的培训班，目的是让"两定"测算工作更准确。对于各县（市、区）报来的"两定"测算成果进行认真仔细的审核。组织对韶关市水管单位改革工作进行调研，组织召开多次水管单位体制改革座谈会，以督促各县（市、区）加快水管单位改革进度。对各县（市、区）在水管体制改革中所遇到的问题积极想办法，和各县（市、区）共同解决。敦促各县（市、区）的编办出文落实水管单位的性质及定编人数、财政出文落实人员经费及工程维修养护费。指导各县（市、区）编制验收的资料，特别是验收总结报告的编写工作，做到每宗仔细检查。对水管体制改革工作都能及时向省里汇报进展情况，并按要求填报各类表格。组织了韶关市水利工程管理体制改革领导小组成员单位对各县（市、区）的水管体制改革工作进行初验，并向省水利厅提出最终验收的申请。顺利组织省终验小组对各县（市、区）的水管单位体制改革工作进行终验的各项工作，使韶关市的水管体制改革工作全部获得通过。

广东省肇庆市德庆县水利局局长　杜恒荣

一、成立机构，抓协调联动

作为加强水管体制改革工作的领导，德庆县水利局局长杜恒荣促成了德庆县水利工程管理体制改革领导小组的早日成立。在改革过程中，杜恒荣能切实协调好各有关部门，使各专责工作小组能按照各自职责，积极配合，相关单位能调派得力干将组成工作组，深入各水管单位认真做好水管单位清产核资、人员竞争上岗、人员分流等工作，确保了水管体制改革工作顺利完成。

二、抓宣传发动，统一认识

杜恒荣能切实做好县级领导、基层干部的思想认识工作，利用大小会议、墙报、宣传资料等各种形式，宣传水管体制改革的重要意义和有关政策法规。

三、抓好组织实施，改革任务顺利完成

一是抓好调查摸底。从县人事局、县财政局、县水利局、县劳动和社会保障局抽调人员组成工作组，深入到各工程管理单位调查摸底，摸清工程状况，在此基础上对工程管理单位进行分类定性。二是抓好实施方案的制订。在2006年下半年，组织人员编制完成了《德庆县水利工程管理体制改革实施方案（初稿）》，三是抓好组织实施工作。2007年11月8日，德庆县召开了全县水利工程管理体制改革工作动员大会，杜恒荣在12日率领工作组深入到基层各水管单位召开动员大会，为水管体制改革工作的全面铺开奠定了基础。此后至2008年3月，德庆县水管体制改革工作顺利完成。

四、坚持以人为本，维护职工切身利益

本着稳妥、慎重的原则，以维护职工利益为基本出发点，坚持"精减、效能、统一""双向选择、优胜劣汰""公开、公正、公平"的原则，水管体制改革取得了显著成效。

一是精简了机构，水管单位管理职能得到整合。通过这次水管体制改革，德庆县10个水管单位撤并为8个，人员编制由原来在编在职318名精简到116名，定岗定员110人，空编6人，因病编外安置3人，遣散80人，符合条件办理退休3人，提前退休122人。整合了县机电排灌总站、大桥联围管养站和大桥电排站的职能，设立副科级管理单位县堤围管理处，加挂县机电排灌总站、大桥电排站和德城大堤管理站牌子，县水土保持站与县堤围管理处合署办公，使水管单位管理职能得到整合，管理效能得到充分发挥。

二是理顺管理体制，明确了管理责任。根据分类定性原则，德庆县将1个水管单位定性为纯公益性水管事业单位、6个水管单位定性为准公益性水管事业单位和1个水行政执法单位。明确了纯公益性水管事业单位在核定

的财政资金足额到位的情况下，不得从事经营性活动；准公益性水管事业单位在核定的财政资金足额到位情况下，不得兴办与水利工程无关的多种经营项目，使水管单位经营性部分与公益性部分分离开来，实现了事企分开。

三是实行全员竞争上岗，人员结构得到优化。各水管单位在编在职的318位干部职工，通过竞争上岗，有110名干部职工重新上岗，人员结构得到了优化，职工队伍中具有大专学历以上人员27名，具有中专学历人员36名，具有初级职称以上的专业技术人员45名。

四是经费得到落实，解决了老大难问题。通过这次改革，全县水管单位经费实现了县财政统一核拨或核补，8个水管单位在职的110人及纯公益性水管单位41名退休人员工资全部实现了财政统发，已退休及提前退休人员工资由县财政核补，年核补金额173万元。

广东省揭阳市揭西县水利局副局长　李庆裕

李庆裕1981年开始从事水利工作，参加工作近三十年来，他始终以一名共产党员、技术人员的身份严格要求自己，干一行、爱一行，专一行、精一行。服从组织安排，分别在基层水利管理所、工程管理股、县三防办等岗位从事技术业务和工程管理工作，相继担任过工程管理股副股长、股长、三防办副主任、水利局副局长等职务。他无论是从事专业技术工作还是机关行政工作，都能认真学习、勤于钻研、吃苦耐劳、忘我工作，充分体现了一名共产党员的先进性和人民公仆的精神。

水管体制改革工作涉及面广，历史欠账多，工程运行、管理存在较大的问题。为切实有效地推进揭西县水管体制改革，他紧紧围绕水利工程管理体制改革这一中心工作，坚持重点突破、分类指导、整体推进的办法，严格按照水利工程管理体制改革工作要求，做好各方面工作，为揭西县水管体制改革工作的顺利完成打下坚实的基础。

在改革过程中，他多次亲自带队到各个水管单位现场调研、摸底、整理资料，掌握了水管单位的第一手材料，多次集中水管单位领导班子及工程管理人员研讨水管体制改革工作，通过反复研究，周密推敲，深刻领会了上级的文件精神，积极构思既符合上级要求又适应全县水管体制改革的总体方案，主动向县政府领导汇报水管体制改革工作进度情况。为更好地实施水管体制改革，有效地促进揭西县水管单位的生存和发展，李庆裕亲自带队到梅州市学习水管体制改革先进经验和做法。通过借鉴兄弟市的做法，从而使揭西县体制改革更有效、更创新、更加切实可行。

为科学、合理地编制实施方案，他组织各水管单位技术人员研究分析《水利工程维修养护定额标准（试点）》，提出了切合实际的修改意见。根据当地实际情况，重新调整了定额标准中的部分单位工作量单价。例如定额标准中散抛石单价确定了一个工程统一价格，根据各工程不同运距及原材料价格等重新确定出各工程不同的散抛石价格。通过积极研究，不断创新，使水管体制改革实施方案能比较符合当地实际。

水管体制改革工作量大，面临的困难和问题也较多，他能正确认识自身工作的价值，坚持原则，耐心细致地做好各方面的工作，特别是向县领导积极出谋献策，提出多个实施方案进行比较，使许多问题顺利得到解决。如水管水单位定性问题，他通过反复研究，做了大量深入细致的工作，经过与相关部门多次调研评估，积极协商，最后将全县10个水管单位均确定为县水利局下属正股级纯公益性事业单位，核定编制人员230人。全县水管单位全部实行“收支两条线”管理，在职人员和退休人员工资与事业单位工作人员的工资一样由县财政统发，每月按时拨付到个人账户，管理经费逐月拨付。实现了水管单位人员经费的重大突破。再如他采取公平、公正、合理、合法的竞岗方式分流县排灌总站富余人员，确保了水管单位人员队伍的稳定。

多年来，李庆裕始终能以党员的标准严格要求自己，公道正派，一身清白，严于律已，克己奉公，埋头苦干，忘我工作，在平凡的工作岗位上贡献自己的全部精力，在人民群众中树立先锋模范形象，是新时期的一名水利先进工作者。

广西壮族自治区百色市德保县水利局局长　黄承湘

黄承湘同志作为广西壮族自治区德保县水利局的主要负责人，坚持以邓小平理论和“三个代表”重要思想

为指导，全面贯彻落实科学发展观，认真贯彻执行国家有关发展农村水利、水电及电气化的方针、政策，始终把本县水利水电的长足发展作为头等大事抓紧抓好。根据本县水利基础设施、水利工程建设管理滞后、工农业生产用水紧张、电力电量严重不足的实际，他狠抓水利工程建设和水利工程管理，使德保县的水利工程管理体制改革工作取得了突破性的进展。

一、深入调研，为水管体制改革提供支撑

为确实推进德保县水利工程管理体制改革工作进程，黄承湘带领县水管体制改革工作调研组深入本县各个水利工程管理单位，实地走访了全县三个国营水利管理所及8座国营水库工程、6座小（2）型水库，采取座谈、个别谈话等形式详细了解水利工程管理现状，为改革提供依据。

二、身先士卒，致力开展改革工作

在充分调查研究论证的基础上，黄承湘亲自带领工作组撰写全县水利工程管理调研报告和德保县水利工程管理体制改革工作实施方案，详细分析全县水利工程管理体制现状及其造成管理机制滞后的原因，根据本县实际情况，提出水管改革的方向和制定科学的改革方案，扎实推进德保县水利工程管理体制的进程。

三、情动县级领导，争取改革工作的有力支持

由于原有的管理体制已不适应日益发展的工农业生产发展的需要，全县各个水利工程管理几乎处在瘫痪或半瘫痪的状态，水利工程得不到应有的维护，工程运行效益低，水费征收难，水管单位职工工资发放难，甚至无一分收入，生活极度贫困，备受他人的歧视，思想波动大，如不及时进行改革，势必造成全县水利工程置于全线瘫痪的局面。黄承湘的汇报深深感动了与会县委、县政府的所有领导。

在黄承湘同志的不懈努力下，德保县水利工程管理体制改革工作取得了突破性的进展，2004年7月，德保县水利工程管理体制改革实施方案正式出台，水管单位性质、人员编制、人员经费及工程维护等各项改革顺利开展。德保县水利工程管理体制改革工作走在了整个百色市个各县区的前列。

海南省琼海市水务局局长　梁昌卫

梁昌卫政治立场坚定，拥护中国共产党的领导，坚决贯彻执行党的路线、方针、政策。勤政为民，宗旨意识强，积极维护群众根本利益，及时化解群众的水事纠纷，工作刻苦认真，具有高度敬业精神。经常深入农村，深入基层，加强调查研究，实事求是解决实际问题，在群众中具有较强威信。

高度重视水利工程管理体制改革工作。本着对琼海市水利事业科学发展、干部职工队伍的切身利益及稳定高度负责的精神，积极稳妥不断推进水利工程管理体制的改革工作。

深刻领会国务院水利工程管理体制改革文件精神，深入水利基层第一线调研，脚踏实地、实事求是地完善琼海市水利工程管理体制改革方案。并积极加强与市委、市政府和有关部门的沟通、协调，争取有关领导和部门对琼海市水管体制改革工作的支持。

坚持以人为本，竭力保障水利基层干部职工的切身利益，确保队伍稳定。通过基层调研，摆事实、讲政策、讲原则，积极与市委、市政府领导和有关部门沟通，争取市政府同意对水务基层水管事业单位增加财政补贴。在原每年财政补贴136万元的基础上，每年再增加财政补贴150万元，每年达到286万元。使水务系统基层水管事业单位在职人员人均财政补贴达到1万多元，职工社会保障政策落实到位，职工满意度高、思想稳定。同时，全额落实好管理养护经费。

继续深化水管单位内部改革，全面推行竞争上岗。2008年10月开始对5个中型水管单位领导班子进行换届选举，历经半年多的时间，全面完成领导班子换届选举工作。同时，5个中型水管单位正式职工254人，全部采取聘用制，实现事业单位人事管理由身份管理向岗位管理，由行政任用机制向平等竞争聘用机制转变，充分调动水管单位干部职工的积极性。

积极探索灌区管理新模式，发展、巩固农民用水户协会，逐步推行灌区两级管理。

水管体制改革工作已于2008年11月顺利通过省水务厅组织验收。琼海市已初步建立起职能清晰、权责明确的水利工程管理体制，水管单位管理科学、经营规范。水管体制改革工作取得明显成效。

依法行政，廉洁自律。他坚持民主集中制，坚持集体领导，重大事情都由班子会议讨论决定。完善、规范办事程序，全面推行政务公开，增强权力运作的透明度。重视党员干部职工队伍的党风廉政建设，并以身作则，坚持原则，带头执行党风廉政建设的各项规定，从未出现违规违法行为。

重庆市黔江区水利工程管理处主任　庞春

在水管体制改革工作中，重庆市黔江区水利工程管理处主任庞春，发扬“献身、负责、求实”的水务行业精神，充分发挥“领头羊”作用，圆满地完成水管体制改革任务，受到水利部表彰，被授予“水管体制改革先进个人”。

一、把握政策，营造环境

水管体制改革是一项系统工程。庞春同志认真学习国务院水管体制改革相关文件，准确理解和把握文件精神。同时，抓好政策的宣传工作，增强广大干部职工搞好水管体制改革的积极性，营造了良好改革的氛围，确保单位的稳定。

二、它山之石，可以攻玉

面对水管体制改革的艰巨任务。为了避免和减少“走弯路”，庞春同志虚心求教，委派人员学习观摩，总结、借鉴他人的成功经验。认真研究制定、精心组织编制体制改革方案，严格把关落实具体措施。加班加点，艰辛、扎实地工作，高质量完成“三定两费”体制改革方案等各项基础工作，夯实了水管体制改革基础。

三、克难奋进，求真务实

在水管体制改革中，庞春同志不仅注重发挥组织协调作用，而且充分发挥个人较强的沟通协调能力，积极主动、不厌其烦地向区政府等相关部门反映、汇报单位情况和体制改革方案。有时在得不到理解时依然不畏困难、多方沟通协调，受到了单位干部职工的热情拥护，得到了政府的重视和各级有关部门的大力支持。经过艰苦努力，圆满完成了体制改革任务，为单位发展打下了坚实的基础。

四、强化管理，完善机制

建立健全了各项管理制度，实施目标管理量化考核，推行中层干部聘用制；积极探索新的管理模式，因地制宜地推行“生产责任承包”，不断完善分配机制、激励机制、约束机制，内部管理不断走向制度化和规范化。单位荣获“重庆市一级水利工程（水库）管理单位”。

五、抢抓机遇，顺势而为

抢抓机遇，大作“以水养水”可持续发展战略文章，积极开展增资立项，以项目带发展。集中集体智慧，先后提出的舟白水厂供水工程、小南海补水工程均被纳入黔江区“十一五”重点工程，获得重庆市水利局、黔江区政府在政策、资金方面的大力倾斜和支持。为单位发展提供了新的经济增长点，增强了单位发展后劲，可持续发展有了必要的保障。

六、以人为本，和谐发展

采取多种形式拓宽教育培训渠道，大力实施人才发展战略。关心职工，解决职工的热点和难点问题，不断提高职工收入，开展各项有意义的文体活动，活跃单位气氛，增进广大干部职工相互间的理解信任，增强了单位的凝聚力。做到单位发展和职工自我发展、职工致富的有机统一。

重庆市江津区水务局局长　刘辉

重庆市江津区长期以来受计划经济的影响，水利工程管理存在政企不分、机制不活、体制不顺、权责不明等问题，管理体制改革迫在眉睫。2007年刘辉主持水务工作以来，江津顺利完成水管体制改革和水务体制改革，为水利事业全面协调可持续发展奠定了坚实的基础。

一、推进体制改革，落实人员编制

江津区是重庆市水利工程最多的区县之一，其中水库213座，山坪塘9142口，其他水利工程967处，管理体制改革任务异常艰巨。2007年，按照“精简、统一、高效”的原则和全面协调、可持续发展的要求，刘辉严格坚持“一申报、二复核、三审定”的定编设岗程序，协调区编委对全区水利工程管理单位进行了定编定员。一是将原有212个水管单位削减为48个，核定编制169名；二是将区水利工程管理站和区防办分别确定为小型水源工程和堤防工程的区级管护单位；三是将镇街水利水保站作为镇街水利工程的管护单位，机构人员纳入镇街农业服务中心管理；四是将四面山水利工程、清溪沟水库两个中型水库管理所由过去准公益性差额拨款事业单位定性为纯公益性全额拨款事业单位。江津区水管体制改革成功迈出了第一步。

二、进行两费测算，落实管养经费

据初步测算，江津每年水管单位人员公用经费和工程维修养护经费支出需要1337万元（其中人员经费521万元，维修养护经费816万元）。为了争取区委、区政府支持，刘辉同志多次向领导汇报，并提出了人员经费由区财政全额拨款解决，维修养护经费由区财政预算资金、水利建设基金和争取上级水利建设资金进行解决的建议。在他的不懈努力下，江津区水管体制改革得到了区委、区政府和区级相关部门的大力支持。管养经费的落实为改革的顺利推进提供了资金保障。

三、推行管养分离，落实社会保障

推行水利工程管养分离，是精简管理机构，提高养护水平，降低运行成本的关键。在刘辉的主持下，从2007年底开始，江津区引入竞争机制和创新管理机制，大刀阔斧开展水管单位内部改革。2008年4月，按照公开、公平、公正的原则，区镇水管单位负责人通过竞聘上岗，水管单位工作人员全面实行聘用制。各单位相继建立了职责分明、奖惩过硬、运转协调的管理机制，推进人事、劳动、分配等相关制度改革。

通过全面实行管养分离，江津区初步建立了职能清晰的管理体制、管理科学的运行机制，拥有了一支懂管理、会经营、善维修的队伍，基本解决了水利工程管理长期存在的体制不顺、机制不活、机构臃肿、效率低下等突出问题。

四、进行确权划界，启动水价改革

为了理清水利工程的权属问题，更好地发挥水利工程的综合效益，在刘辉的协调下，2008年1月，区政府办公室出台了《关于开展水利工程用地确权登记工作的实施方案》，明确了水利工程权属划分和主体原则，确保了本区水利工程用地确权登记工作的顺利开展。

为实现以水养水的目的，在刘辉的协调下，江津区供水实行了分类定价。工业生产、城镇生活用水根据实际计量收取；水力发电用水水费原则上按电厂上网电价的12%～24%计收。水价改革进一步规范了用水管理，为水利工程筹措了可观的管护经费。2008年江津区水费征收达到200万元，占应征水费的90.2%。

为了充分调动广大农民群众和社会力量对水利投入的积极性，解决水利工程在管理和使用中的问题，在刘辉同志的主持下，江津区推行了以“明晰所有权、放开建设权、搞活经营管理权”为主要内容的小型水利设施产权制度改革。已有1178处水利工程实行了产权制度改革，共回收资金3049万元用于水利工程建设与维护。

四川省巴中市通江县水务局局长　杨永超

杨永超，大学文化，中共党员，现任四川省通江县水务局党委书记、局长。

着眼长远，抓住水利工作重点。该同志深入实践水利科学发展观，经过深入基层调研，认为通江县工程性缺水的根源不在于“建”，而在于“管”，使现有工程管理跳出“部门管不了、政府管不好、群众不愿管”的怪圈；理顺全县116座小型水库的管理体制，充分发挥其功能，是符合通江目前无大规模资金兴建水利工程支撑经济社会又好又快发展的现实选择；落实“建是基础、管是关键”的工作理念是水利工作的重点，是缓解通江饮用水难的有效举措。经过缜密的思考，在深入调研的基础上，先后撰写了《通江县水利工程管理的调查与思考》《通江县水利工程管理的几点建议》《通江县小型农田水利工程管理的探索》等大量的调研文章，向县委、县政府进言献策，2008年3月，县人民政府出台了《通江县小型水利工程管理体制改革的实施意见》，明确了改革的思路、内容、目标、任务、举措。

以人为本，严格落实各项政策。妥善处理清退人员和历史遗留问题是水管体制改革的难点，该同志知难而进，以人为本，广泛征求水库管理单位和清退人员的意见，主动与县财政局、劳动保障局、人事局、监察局等单位一道对全县9座小（1）型水库工情、收支、资产、人员、经营和运行管理等情况进行了全面摸底调查，亲自参与制定了切实可行的工作方案。根据有关文件精神和工作方案，共清退原区委区公所、乡镇人民政府和区水利水保站2007年12月30日前聘用的临时人员59人；按照公开、平等、自愿、竞争、择优的原则，选聘18名同志到9座小（1）型水库管理所工作。严格执行工资性补偿、养老保险、医疗补助等政策，共落实补偿资金629443元；对符合基本养老保险条件的19名临时人员办理完善了基本养老保险等相关手续，补缴单位基本养老金31.5007万元，此举不仅解决了清退人员的后顾之忧，保持了社会稳定，而且使整个改革得以顺利推进。

强化管护，实现工程永续利用。改革后，全县共成立了9座小（1）型水库管理所，隶属于县水务局，定性为纯公益性事业单位，核定财政全额拨款事业编制18名，落实人员经费403218元（每人每年工资及“五金”30802元、办公经费7000元）、工程维护经费4.5万元（每座水库每年日常维护费5000元），水费和经营性收入纳入县级财政统一管理使用；对全县116座小（2）型水库由乡镇人民政府直接管理，每座水库落实1名管理人员，其水费和经营性收入纳入乡级财政管理，人员经费、劳动保障费、运行经费、日常维护经费由乡镇财政在其所缴收入中实行综合预算，县财政实行定项补助，每座小（2）型水库每年落实日常维护费用2000元，实现小型水库管理机构、人员、责任、制度“四落实”，确保了水利工程安全有效运行。

在水管体制改革中，该同志认真领会国家、省、市水利工程管理体制改革有关精神，结合通江实情，勇于创新，强力推动，如期完成了水利工程管理体制改革任务，实现了全县“工程有人管、有水放得出、有水用得上、安全有人问”的水利工程管理工作新局面，理顺了水利工程管理体制，为全县经济社会快速发展提供了水利支撑。

四川省广元市苍溪县水利局局长　陈大凯

陈大凯同志把学习理论同研究解决人民最关心最直接最现实的利益问题、本部门改革发展稳定的重大问题紧密结合起来，着力提高总揽全局、协调各方能力和水平。他坚持学习马克思主义理论，学习党的路线、方针、政策和国家法律法规，同时广泛学习现代化建设所需要的经济、政治、文化、科技、社会等各方面知识，不断优化知识结构，提高综合素质，增强创新能力，使自己成为学习型的领导干部。

一、着力构建三大体系，保障水资源可持续利用

防汛减灾体系：制定完善了全县防汛抗旱应急预案，建立和完善了抢险救灾网络，提高了抢险救灾工作的快速反应能力。水资源供给体系：全县村镇自来水普及率达到60%以上，46.21万人饮水不安全人口逐步实现饮水安全，2007年被列为全国百个农村饮水安全示范县。水环境、水生态保护体系：合理配置流域水资源，初步实现了“山绿、水清、景美”的目标。

二、着力打造水利产业，加快水利经济发展

城乡供水产业：充分发挥乡镇集中供水站的供水能力，拓展供水市场。有序发展地方小水电产业。坚持科学规划，严格规范，保证了东河流域水能资源的有序、高效开发利用。东河六级梯级电站已建成两级，其余四级正在建设中，预计2010年底前全面投产发电。水利旅游产业：加快库区绿化和水系绿化，初步形成了具有山水特色的水利旅游网络。水利特色种养产业：在保证水质和正常供水的前提下，利用水利工程水面和周边土地资源，以发展名、特、优、新品种和无公害产品为重点，大力发展特色种植业和养殖业，积极打造水产品生态绿色品牌。

三、推进改革，创新水利建设投入与管理机制

国有水利工程管理体制改革：为了提高水管单位干部职工的积极性，解决现行水管单位中存在的突出问题，他多次向县委政府的主要领导汇报，争取他们的支持，与其他各单位沟通协调，争取他们的理解，通过积极争取，使苍溪县水管单位体制改革顺利推进。农村小型水利体制改革：加快各类用水合作组织的建立，以"一事一议"和县级财政以奖代补的方式，积极引导和组织农民投工投劳兴建、维修、管护小型农村水利工程，调动了农民管好用好现有小型水利工程、投资兴建水利工程的积极性。水利工程供水价格改革：按照"补偿成本，合理收益，优质优价，公平负担"的原则，根据不同情况，对水利工程供水实行统一政策、分类定价、分级管理的工程水价管理体制和灵活的价格调节机制。水务体制改革：他借上级水利主管部门改革之势，主动多次向县委政府主要领导汇报，引起县委政府主要领导高度重视，在短时间内成立了水务体制改革领导小组，从方案的制定、审查到组织协调其他相关单位，他都亲自参与，科学制定了县水务体制改革方案，顺利通过县政府常务会、县委常委会的审查，得到市编委的批准。

几年来，陈大凯同志从来没有星期天、节假日，总是把自己的工作岗位放在基层。"5·12"汶川特大地震发生后，他带领工程技术人员深入到每座水库察看灾情，与工程技术人员一起制定应急除险方案。他忘我地为全县水利事业奔波，全县大部分村组干部、群众都能记住他的名字、熟悉他的声音，在全县干部群众中享有很高的威望，连续四年被干部职工评选为"优秀公务员""优秀领导干部"。

该同志自担任水利局党组书记、局长以来，模范遵守国家法律法规，严格执行党风廉政建设责任制，贯彻为民、务实、清廉的要求，在全局推行"阳光政务"，在水利工程建设过程中，严格遵守和执行工程招投标的各项规定，有序有力地推进了全县的水利工程建设特别是灾后恢复重建工作。

贵州省六盘水市盘县水利局总工程师　唐本富

贵州省六盘水市盘县水利局党组成员、总工程师唐本富，自参加工作以来，一直奋战在水利工程建设与管理工作岗位上，创造性地完成水利工程管理体制改革任务，让盘县水利管理工作焕发活力。

一、认清当前改革形势，明确改革思路

新中国成立以来，盘县建成中小型水库30座，其中，中型1座，小（1）型5座，小（2）型24座，小（1）型引水灌溉工程1处，共计蓄水2801万m^3。工程运行几十年来，充分发挥了灌溉、生态、防洪、养殖、旅游、供水等综合功能。由于历史原因，在管理中存在管理体制不顺，水费征收困难，人员不足，管理松散，经费不足，一些工程呈现出逐步萎缩现象，使效益得不到充分发挥。

根据国务院、省、市有关文件精神，唐本富积极探索、大胆创新，确立"求生存、谋发展、强服务"的改革思路和"输血、造血、献血"三步走的工作方针，全面推进盘县水利工程管理体制改革。于2004年开始实施，经过3年多的不懈努力，改革工作取得了明显的成绩，于2008年11月，由市水利局以综合评分87.5分的成绩通过验收。

二、创新思路，五措施推进水管体制改革工作

唐本富，认清当前水利发展的形势，剖析盘县水利工程管理体制中的症结，理清思路，采取措施推进改革

工作顺利进行。一是切实加强领导，健全机构。经过多方协调，成立由县政府、编委、人事局、财政、水利局等单位组成的水管体制改革领导小组，制定了改革方案。二是摸清底数，做好清产核资工作。他率队深入水管单位调查研究，听取基层的意愿，掌握改革的第一手资料。三是抓工程分类定性和人员定编定岗。工程分类为县管工程和乡镇管理工程，县管工程定性为准公益性和公益性水管单位，乡镇管理的小型水利工程全部定性为纯公益性水管单位。四是落实两项经费。人员经费和公用经费全部列入预算，在2008年底随着人员编制逐步落实到位，乡镇水利工程维护费列入年度县级财政预算。五是实行内部改革，妥善安置人员与社会保障。原有的4个国营水管所，实行聘用制，水管单位事业人员不存在分流，企业人员实行内部安置，全部进入社会保障。

三、巩固水管体制改革成果，促进水利可持续发展

他为了巩固改革成果，抓好水利工程管理工作，让沉寂的水利工程焕发活力，促进水利可持续发展。一是引导水管单位多渠道争取投资，完善配套工程，搞好农业灌溉、防洪保安，充分发挥供水、发电、养殖、旅游等综合功能，拓宽服务渠道。二是转变管理模式，优化人员结构，建立精干高效的管理体制，改革收入分配制度，使水管工作走上了良性发展的轨道。三是深入调查研究，撰写学术论文《盘县乡镇供水水价研究》《盘县水库除险加固建设管理》等9篇，分别在《水利经济》、《水利工程建设与管理》等国家、省专业刊物上发表。

近年来，水利建设投资和规模创历史新高，贵州省盘县水利建设将进入大发展、大会战的黄金时期，将带来压力与挑战，唐本富在困难面前毫不畏惧，迎刃而上，毅然挑起建设与管理重担，为水利事业奉献智慧和力量。

贵州省水利工程管理局主任科员　邓卿

邓卿考入贵州省水利工程管理局后，在负责办理单位文秘综合工作及协助参与办理其他各项业务工作的同时，他还是全省水利工程管理体制改革具体工作的主要承担者，为全省水管体制改革工作取得显著成效作出了重要的贡献。

一、深入学习文件，准确把握政策

邓卿深刻认识到水利工程管理体制改革工作既直接关系到水利工程良性运行机制的建立，又与广大水管职工的切身利益息息相关。通过学习国办发〔2002〕45号文及贵州省实施意见、“两定标准”、事业单位人员养老保险及社会保障等方面的相关资料，他对水管体制改革各个层面的政策要求都有了全面而深刻的认识，为后来解决工作中遇到的各种问题打下了坚实的基础。

二、加强督促指导，确保改革进度

在改革工作推进过程中，由于财政困难，加之一些地方领导认识不到位，致使有的县（市）改革工作进展缓慢。有一次，为了帮助某偏远县协调解决改革方案迟迟未出的问题，他们连夜兼程，到深夜三点多才到达目的地。第二天准时与当地政府领导及相关部门负责人进行了座谈，协助解决相关问题，使该县很快就出台了改革方案。

三、开展宣传培训，助推改革发展

在改革工作推进的几年中，他负责拟写、编印、发送了近50期简报。为了便于各地负责改革工作的同志准确把握有关政策，他还协助和参与编写了比较具体的、操作性很强的水管体制改革工作培训材料。在改革工作推进的后期，针对水管单位新录用管理人员较多的情况，他积极向领导建言，牵头组织举办了数期“水管单位岗位职能培训”，对那些管理水平不高特别是新录用的管理人员进行了水利工程管理系统知识的培训。

四、做好解释协调，及时化解矛盾

邓卿对上访人员一律热情接待，耐心安抚，并在解释有关政策时努力做到深入浅出，通俗易懂，直至上访人员明白，让他们挟怨而来，满意而归。对那些问题处理不当而导致水管职工上访的，及时致函与地、县水利

部门沟通，分析问题的症结，提出合理处理建议或意见，尽快化解矛盾，帮助地方政府和主管部门解决问题，帮助水管职工满足合理诉求。

五、带病坚持工作，及时报送情况

为了及时掌握各地水管体制改革的进展情况，水利部要求报送进展情况，先是季报，后改为月报。贵州省参加改革的小（1）型以上水管单位就有近400个，而有的统计表需要填报的指标多达130余项。邓卿在承担局里文字材料撰写、文书档案管理、协助处理行政后勤事务等大量工作的同时，还要一个人肩负全省水管体制改革进展情况的汇总统计上报工作。2008年10月，他因急性阑尾炎突发，需要手术而住进了医院。未待身体完全康复，他又返回了工作岗位，及时完成了水管体制改革进展情况的报送工作。

六、做好总结评估，全面完成任务

2008年，根据领导安排，邓卿拟文向省农村改革试验试点工作领导小组办公室申报了“深化农村水利管理体制改革试验”课题，被列为全省第四轮农村改革试验课题之一。在2009年初，按照水利部的要求，在督促各地完成改革验收的同时，邓卿组织各地认真开展了水管体制改革总结评估工作，并及时拟写了全省水管体制改革总结报告上报水利部。

贵州水管体制改革工作取得今天的显著成效，离不开那些默默地奋斗在自己的工作岗位上，为推进水管体制改革承担了大量的工作，作出了巨大努力的同志们。而邓卿正是这些同志中的一位。

云南省玉溪市元江哈尼族彝族傣族自治县水利灌区管理局局长　李光荣

他从一名普通的技术员逐步锻炼成长为部门的业务骨干并成为今天县水利部门的主要领导人之一，他对水利建设事业的执著追求和满腔热情，用水利人特有的精神，为元江水利建设事业作出了突出的贡献，特别是在元江县水利工程管理体制改革中，对水利灌区管理局的改革与发展作出了极其重要的贡献，他就是元江县水利局副局长，水利灌区管理局总支书记、局长李光荣。

李光荣，哈尼族，大学学历，中共党员，1988年参加工作，曾任元江县水利局水管站站长、局机关支部书记、羊街乡副乡长，2005年至今任元江县水利局副局长、水利灌区管理局总支书记、局长。

在他来水利灌区管理局之前，全局累计债务1187万元，同时，职工工资不能正常发放，职工各项社会保险得不到保障，工程养护维修经费不能正常投入，职工情绪极为低落。面对困难重重的单位，他没有被困难吓倒，他想，困难再多，只要团结协作，谋求发展，开拓创新，办法总比困难多。于是，他带领全局干部职工谋求发展的道路，针对管理局存在的各种问题和困难，一方面积极向县委、县人民政府和有关部门反映，争取政策；另一方面，结合用水管理单位体制改革的契机，重新建章立制，深化内部改革；第三，大胆提出摆脱和走出困境的工作新思路，即定脱困目标。在短短三年的时间内，他带领全局干部职工大刀阔斧地进行全面改革，使得改革的工作取得明显成效。①通过制度建设和制度创新，最大限度压缩可控成本和非生产性支出，单位效应逐年递增，职工的服务理念、服务质量和服务水平明显增强；②深化人事用工制度和分配制度的重大改革，彻底打破传统的事业单位档案工资制，全面实行以收定支，实行新的分配制度并以岗位、技能、责任、绩效有机结合，合理拉开差距，使连年亏损的局面得到扭转和控制；③彻底落实了承担公益性岗位33人的财政补助经费（130万元/年）；④妥善清退安置了121名临时工，实现了减员增效；⑤先后两次对水利工程供水价格作了调整并适度提高；⑥妥善解决了历年尾欠职工养老、失业等保险补交方案，同时，补交补办了原尚未参保的系统工13人的各项社会保险，截至2008年底，职工所欠养老保险全部补交；⑦积极争取资金，确保工程的良性运行，共协调资金158.3万元；⑧完成了磨房河水库、街子河水库档案达标工作；⑨在顺利完成了水管单位体制改革考核验收工作的基础上，正在抓紧完成水管单位体制改革总结评估工作。

通过他的积极带领和努力工作，灌区的各项工作取得了长足发展，彻底解决了职工的后顾之忧，实现了职工工资按月发放，职工各项社会保险按政策足额缴纳。职工的精神面貌发生了巨大变化，工程管理得到加强，职工管理水平和服务理念得到进一步提升，灌区的各项工作呈现出良好的发展势头。

李光荣就是这样，在工作上恪尽职守、以身作则、开拓创新、谋求发展；在生活上宽宏大度、平易近人、和蔼可亲、处处为人师表。他这种情系职工，敬业奉献的崇高品质在干部职工中树立了良好的形象。同时，也充分体现出一个共产党员的先锋模范作用，得到全体干部职工的敬佩和上级领导的信任。

云南省迪庆藏族自治州香格里拉县
水利水电局局长　楚玉龙

楚玉龙，藏族，大学本科学历，1979 年 12 月参加工作，1994 年加入中国共产党，现任香格里拉县水电局局长兼桑那水库管理局局长。上任以来，在全县的水利水电工作中，思想解放、实事求是、思维敏捷、经验丰富、作风踏实、严格自律、工作出色、成绩优异，各方面表现突出。

特别是在开展水管体制改革工作中，认真贯彻落实国务院办公厅转发国务院体改办《关于水利工程管理体制改革实施意见》的通知（国办发〔2004〕45 号）文件精神，结合水库实际，制定出台了《香格里拉县桑那水库管理局管理体制改革实施方案》，建立了符合社会主义市场经济要求的水利工程管理体制和运行机制，为振兴香格里拉县经济作出更大的贡献。

一、信念坚定，政治素质高

楚玉龙同志具有较高的政治理论水平，人们都亲切地叫他“楚马列”。他认真钻研党的路线、方针、政策，努力提高工作的原则性、系统性、预见性和创造性；他注重学习和了解领导科学、行政管理、市场经济、法律、等方面的知识，并运用所学的知识指导工作实践；他坚持贯彻局领导班子的集体决策和部署，在思想和言行上自觉地与县委政府保持高度一致，表现出一名党员干部应有的政治素质。

二、驾驭全局的能力强

楚玉龙同志担任水利水电局局长以来，在实际工作中识整体、顾大局，知人善任，任人唯贤，善于协调、平衡和处理各方面关系，表现出较强的驾驭能力、应变能力、协调能力和抓落实能力。他把为基层和群众解决实际问题纳入了重要职责范围，对一些能立即办的事情，从不拖拉，马上解决；一些暂时无法解决的，汇报上级领导和部门，并向群众解释清楚；对一些需要多方协调的问题，积极做好了与相关部门协调工作，专题进行解决。

三、勇于开拓，工作实绩突出

楚玉龙同志作为水利水电局局长，十分注意研究新情况，解决新问题，能够创造性地开展工作。结合理论学习，全面分析了全县水利水电建设和发展的优势和不足，在此基础上，主持制定和上报了全县水利水电建设、人畜饮水、水土保持、水政水资源管理、防汛抗旱等的各项规划和报告，提出了促进县域经济发展的一系列意见建议，得到了县委、县政府的充分肯定，并逐步付诸实施。

四、勤恳务实，敬业精神强

楚玉龙同志一心扑在事业上，不计个人得失，无私奉献，能够充分发挥党员干部的先锋模范作用。他以身作则干在前头，努力做到对问题抓得准、看得清，不留任何纰漏。对局机关的重点工作、重要会议、重要活动，他都事先认真研究部署，保证了局机关的重点工作和重大事项的顺畅运行。

五、廉洁自律，群众威信高

楚玉龙同志始终坚持以党员的标准严格要求自己，从不以权谋私。他自我约束能力强，时刻带头执行廉洁自律的各项规定，自觉抵制各种不正之风。他善于讲民主、讲团结，自觉接受干部群众的监督。他公道正派、清正廉洁、求真务实的作风和品德，赢得了干部职工的信赖和好评，在干部群众中树立了良好的形象。

陕西省桃曲坡水库灌溉管理局局长　武忠贤

武忠贤 1982 年 1 月从西安理工大学农田水利专业毕业，来到位于渭北黄土高原半山区的桃曲坡水库（位于陕西省铜川市耀州区）工作，他扎根山区 27 年，为基层水利事业作出了突出贡献。2000 年他担任桃曲坡水库管理局局长之后，带领全局广大干部职工进一步解放思想，与时俱进，先后被授予“陕西省文明单位”和“省级创佳评差最佳单位”。武忠贤也多次荣获省级、部级表彰奖励。

一、把握重点，稳步推进，改革过程公正透明

为了全面落实体改政策，合理回避矛盾，保持整体稳定，武忠贤同志亲自担任体改工作领导小组组长，带领领导小组成员全面摸底调研，针对管理局现状，先后十余次调整《改革实施方案》的细节和内容，确立了“公开、公正、民主”的改革总体原则。《改革实施方案》从草稿到讨论稿直至正式成文下发，经历了上下 3 次全局范围的大讨论。在改革过程中公开政策条件，公正竞争用人，民主科学决策，坚持因事设岗，公开招聘，双向选择，充分体现了改革的民主化、透明化。

武忠贤局长牢牢把握住了这次改革的关键环节——人员招聘上岗工作，将其具体划分为公布岗位、公开报名、资格审查、公示、演讲、答辩、打分、测评等 10 多个程序，每个程序都有职工代表参与，整个招聘环节衔接紧密，过程公正透明，组织紧张有序，使改革取得了良好成效：严格按照上级批复进行机构和岗位设置，明确了各单位的职能和性质，规定了各岗位的工作职责，理顺了管理模式；有 222 人通过公开招聘竞聘上岗，体现了“能者上、平者让”的人事工作原则，激发了职工的工作热情。

2007 年 9 月 21 日，在上级部门的验收会议上，管理局这次改革以组织严密，政策合理、过程透明、局势稳定等特点得到了省编办、省财政厅、省水利厅的高度评价。

二、规范管理，提高效率，实现灌区工程管理可持续发展

灌区管理客观存在“重建设，轻管理”的问题，2009 年 4 月，武忠贤在陕西省水利系统率先组织开展了灌区维修养护改革，一方面努力争取到省政府财政划拨水利工程维修养护经费，一方面认真开展维修养护改革，全面落实维修养护人员和责任，建立起符合局情的工程维修养护体制，形成专业化、规范化、日常化的工程维修养护队伍和承包管理、考核兑现工程维修养护机制，实现灌区工程维修养护向日常化、专业化转变。同时坚持工程管护与植树绿化相结合，建设绿色长廊，干支渠绿化率达到 60%以上。

在陕西省，桃曲坡是第一家做到人员、经费彻底“分离”的灌区单位。

三、以人为本，奋发进取，体现桃曲坡企业文化

他认真总结管理局几十年来的发展经验，撰写了论文《关于桃曲坡企业文化的思考》，热烈开展研讨交流活动，集中集体智慧，形成了企业目标、企业核心价值观等以构建“文明、富裕、和谐桃曲坡”为主题的企业文化。又主持制定了《企业员工行为规范》，印制成小册子发到每位职工手中，塑造了良好的企业形象和职工形象。

招聘工作沿袭之前的成功经验，坚持以“公开、公正、公平”为总的原则，过程环节经过了合理设计和科学优化，采取人人进行竞职演讲的方式。职工在企业文化的规范下踊跃报名，积极参与竞聘，招聘过程和谐、有序，呈现出全面竞争的态势。

陕西省西安市水务局副局长　刘博

刘博，中共党员，1976 年 12 月参加工作，历任西安市户县光明乡乡长、党委书记，户县人民政府副县长、常务副县长、副书记，现任西安市水务局副局长。

西安市水利工程管理体制改革涉及 9 个区县，38 个下属单位，共 1229 人需要重新分配调整，涉及管养分

离，两项经费、内部改革人员分流与社会保障，水价改革等五大内容。初涉水务工作，面对如此大的人员机构调整，改革困难可想而知。他的第一步计划，深入区县体制改革单位，了解第一手资料，因为他相信，只有深入基层，才能切实把这项工作搞好，才能真正保障职工利益。在那一段时间，白天听改制单位职工反映情况，帮助区县水务职能部门解决困难，晚上不顾繁杂的工作和劳累，又进入了新的工作状态，搜集资料，参考先进地区经验，思考全市解决方案。在一个多月时间里，体制改革涉及到全市 9 个区县，他全部跑完。在这时，基层单位中存在的问题、困难及下一步工作计划已在他脑海中有了一个清晰的脉络，而对基本情况的了解甚至具体到人。

水利工程管理体制改革涉及事项多、难题多，搞好这项工作离不开上级领导的支持。为把这项工作做好，他在吃透问题的情况下，多次向市政府领导反映体制改革中存在的问题，汇报全国进展情况及中央要求，争得领导在政策上和工作上的支持：在政策上，把所有灌区纳入财政全额供养；在工作上，陪同市政府领导逐区县了解体制改革情况，督促进程，大大加快了改革进度。

水利工程管理体制改革包含多项内容，因此涉及市财政局、市机构编制委员会办公室等多个部门，协调关系、多部门配合成为影响工作进度的重要因素。在这项工作中，市编办对每一个人都会认真审核，因为刘博对情况非常清楚，对每一位同志的情况都了如指掌，经过他的细致工作，所报 1000 多人全部得到解决，未落下一人，这在全市各行业的改革中也是绝无仅有的。市、县两级财政都比较困难，刘博据理力争，让所有经费与管护费全部得到落实。

在刘博及其市级相关部门的全力配合下，西安市水利工程管理体制改革的进度可以说是突飞猛进，7 月底全市水管体制改革方案通过政府审议，11 月顺利通过市水利工程管理体制改革领导小组验收。不仅如此，西安市在工作中的创新之举得到了中、省相关领导的高度评价。

刘博作为党的一名干部，他怀着对党的一片赤诚之心和对人民群众的热爱，始终对工作充满激情。在户县政府工作时，积极争取承办了全国特定项目体育运动会、陕西省和西安市的农民运动会，2001 年被评为“全国体育先进个人”，受到江泽民、李岚清等国家领导人的接见。他在户县县委任职时主管新农村建设工作，对于农村和农民怀有一份深深的眷恋和热爱之情。刘博几乎每月都把全县的新农村建设示范村跑一遍，了解建设进度，帮助解决出现的问题，在他离任之时，21 位新农村建设示范村村干部给他送上一面“情系百姓”的木制匾牌，爱戴与崇敬之情饱含其中。在他调市水务局工作后，作为一名主管全市农村水利工作的领导，更是深知责任重大，解决全市 400 多万农村群众的饮水安全问题是他担负的另外一项重要工作。哪里庄稼需水，哪里就能看到他忙碌的身影，苦水村、江村、官刘村等饮水困难村庄留下了他的足迹。

甘肃省水利厅讨赖河流域水利管理局副局长　张崇

甘肃省水利厅讨赖河流域水资源管理局（以下简称省水利厅讨管局）水管体制暨事业单位改革试点工作完成了改革的既定任务，实现了改革的主要目标，通过了省级验收。这期间省水利厅讨管局党委委员、副局长、纪检委书记张崇作为全局改革试点工作领导小组副组长兼办公室主任全程主持了水管体制改革的各项工作，为水管体制改革试点工作的顺利推进作出了积极努力和贡献。

按照水管体制暨事业单位改革试点工作的总体要求，结合单位实际，张崇全面主持启动改革前期工作。在进行大量调查研究的基础上，先后研究制定了《甘肃省水利厅讨赖河流域管理局机构和人事制度改革方案》和《甘肃省水利厅讨赖河流域管理局水管体制改革实施方案》。围绕流域机构定性、定编、定资金支付渠道等重点问题，在省水利厅的具体指导和大力支持下，多次前往省有关部门进行汇报、协调、沟通工作，并得到了省相关部门及领导的充分理解和大力支持。方案在省水利厅的指导下，进行了反复修订和完善。在他的不懈努力下，方案相继得到批复。张崇结合实际组织制定了改革实施工作方案，从指导思想、目标任务、实施内容、进度安排、保障措施等 5 个方面作出了具体安排，为试点工作的顺利实施提供了保障。

为了积极稳妥地推进改革，自全局双重改革试点实施工作启动以来，张崇高度认识改革的重要意义，围绕改革前期工作，特别是干部职工等待观望改革、面对自己何去何从的问题，张崇在职工引导和教育方面做了大量深入细致的工作。进入内部实施阶段以来，张崇按照局党委的统一部署和“认真学习、吃透精神、广泛讨论、提高认识”的总体要求，在每一步及其各个环节中，在学习相关文件的基础上，引导各单位广泛开展了深入细致的讨论活动，在“认识改革、思考改革、明确改革”方面下了大的功夫，在吃透精神的基础上统一了思想认识。围绕改革进程，及时掌握职工改革期间的认识程度和思想动态，广泛听取群众对改革的意见和建议，对职工普遍关心的问题，做好耐心细致的解释工作，力求做到文件内容人人清楚，改革精神深入人心，对于全面正确把握改革进程发挥了重要作用。在改革实施过程中，张崇始终坚持“公开、公正、公平、竞争、择优”的原则，充分发扬民主，保证职工的知情权、参与权、选择权和监督权。有关办法、职责、方案均在职工中展开了热烈地讨论，广泛征求了职工的意见和建议。

提前做好人员分流安置及社会保障政策落实是这次改革试点工作中的一个重点和难点。本次改革实施过程中，管理局编制由80人减为70人，减员10人。作为主管人事的副局长，张崇未雨绸缪，从改革启动后的2004年起就予以了高度重视，几年来严格控制新进人员，通过职工正常退休等措施，自然减员10人。因此，改革实施中无落聘和分流人员，确保了职工队伍的稳定。

改革期间，张崇很好地处理了改革与工作的关系。他倡导全局干部职工在关注改革进程的同时，始终要把精力用到工作上，各项工作都按照正常情况推进，切实做到了局党委在水管体制改革动员会上要求的“秩序不乱、纪律不懈、人心不散、工作不断”，保证了改革与工作两不误。

甘肃省酒泉市玉门市水务局局长　张勇

一、思路决定出路，定位决定地位

灌区水管单位体制不顺、机制不活、水费欠账多、机构臃肿、经费入不敷出，管理粗放等问题日益突出。

2007年，张勇一上任，就带领局班子一班人展开了深入的调研，进灌区、访农户、听民声、纳民意，全面摸清了灌区实情，对今后一个时期的发展进行了重新思考。经过调研，张勇对当前的水管工作作出了重新定位，他提出了以灌区水管体制改革为抓手，以“阳光水务”“民生水利”和“现代水利”三大工程为支点，全面促进灌区水管工作的提档升级。按照这一思路，张勇带领一班人又提出了“工作提速，服务提质，发展提效，争创一流”的工作方针，并确定了“一年打基础，两年上台阶，三年大翻身”的总目标。

二、千方百计解难题，亲力亲为抓落实

张勇亲自安排亲自抓，一方面积极争取市委、市政府支持，协调编制人事、财政、社会保障、发改等部门全力配合；另一方面精心安排，狠抓改革方案的落实，特别是难点问题和关键措施的落实。在两费落实上，他一边安排水管单位内部清产核资，精打细算，科学测算，一边主动向上汇报，逐个做市政府领导、财政等相关领导的工作，反复争取，最终两费问题得到圆满解决，每年落实市财政公益性人员经费65.4万元，维修养护费85.73万元。在社会保障方面，对解聘和内退人员采取多种措施进行妥善安置，为4名内退人员做好了转制前后的养老保险待遇的衔接工作。组织协调，多方筹资30余万元，职工缴纳10多万元，解决了23名职工的参保问题，从而落实了47名在职职工的工伤、医疗、养老、失业等社会保障问题，解决了职工的后顾之忧。为了解决灌区工程建设投入不足，如何长效发展的问题，他大胆创新，率先提出建立“水利基金”的办法，制定出台了《玉门市水利基金筹集与管理办法》，每年由市财政筹资50万元，从水费中拿出20万元注入基金库，从而建立起了水利建设的长效投入机制。

三、弯道超越的勇气，智慧技巧的成功

一是宣传造势先行。借助乡镇召开的农民运动会、物资交流会等有利时机，向用水户宣传水利改革政策和知识，提高用水户对水价调整的认识。二是指导完善、规范协会运行。对两个灌区12个农民用水者协会采取统一要求、分类指导、典型示范、严格考核奖惩等办法逐步进行了完善规范，同时，水管单位与用水者协会签定了供用水合同，明确了供需双方的责、权、利。水管单位和协会均实行“水量、水价、水费”三公开制度，接受群众的监督，提高了供水缴费的透明度。三是供水计量改进。在全市机电井上安装IC卡智能水表，并全

面开征农业灌溉机电井提取地下水水资源费。四是完善斗口计量，按方收费制度。改变了以往单一的管水员上门入户收费模式，推广定点收费、定时收费、流动站收费及创建大厅收费，加强了水管单位与用水户的亲和力和黏合度，促进了水费收缴工作的顺利开展。五是制定激励政策，清收尾欠水费，鼓励增收，确保水费足额入库。六是在灌区全面实施了水权制度改革，对用水户按法定灌溉面积核定了灌溉用水量，确定了水权，发放了水权证，同时，建立了水权流转和交易制度。七是督查规范跟进。深入灌区和受益乡村，访用户，讲政策，听建议，对水价执行等情况进行督察。

经过2年的努力，玉门市率先完成了市属灌区水管体制改革，新的水价顺利实行，水权制度全面建成，灌区管理所运行规范、管理透明，水管人员尽职尽责抓管理、全心全意搞服务，建立起科学、有序的管理运行机制。

青海省水利厅水利管理局工程管理科科长　唐元海

唐元海，中共党员，现任青海省水利厅水利管理局工程管理科科长。从事水利工作27年，始终牢记全心全意为人民服务的宗旨，在自己的岗位上取得了优异的成绩。

一、勤学苦练，扎实工作，练就一身硬本领

先后负责并参与完成100多项水电工程项目的勘测设计任务；一方面他积极学习、了解和掌握国家及青海省在水利建设和管理方面新的方针、政策，熟悉和了解新的治水思路和实施“十一五”水利发展规划对水管工作提出的要求；另一方面他能结合本职工作，学习和掌握国家及青海省有关水管体制改革、水价改革、农村水利改革的相关政策。

二、迎难而上，全力以赴，推进体改不懈怠

省厅成立了专门的工作领导小组，办公室就设在水利管理局。局领导组织精兵强将具体负责开展水管体改工作，2005年，他任工程管理科科长，具体负责水利工程管理与水管体制改革等方面的业务工作。当时水管体制改革工作正处于攻坚阶段，水利管理规范化建设迫在眉睫，大坝安全管理亟待加强，乡镇站管理急需规范，这些任务都要求尽快取得突破。

面对困难和压力，他对自己提出了更高要求，他清醒地认识到：重担是压力，团结是基础，努力是前提。他上任伊始，便立即带领科室成员投入工作，深入实际，调查研究，沟通协调。经过努力，完成了全省水管体改人员编制及“两项经费”的测算工作，组织编写了关于全省水管体改人员编制及“两项经费”测算情况报告，对全省水管单位2002—2005年人员结构及变化情况进行了深入细致的调查分析，为做好水管单位的定性定编工作提供了可靠依据。

先后参与制定了全省“两定”改革实施方案、《青海省水利工程管理和保护条例》《青海省万亩灌区百万方水库工程管理考核实施细则》和《青海省水利工程管理体制改革验收办法》等改革配套政策法规。

在全省上下的一致努力下，水管体改工作取得了明显成效，改革任务已基本完成，纳入改革范围的76个国有水管单位人员经费基本落实，维修养护经费落实率达70%。这在整个西北地区来说，也是走在前面的。正是有了领导的支持和协助，有了责任和信心，才有了这收获的喜悦。

三、硕果累累，趁势而上，水管工作任重道远

成绩是检验工作最好的证明。近几年，除在水管体改工作中取得的突出成绩外，他还先后组织参与了全省水利工程运行管理、乡镇站管理、河道管理、农民用水户建设和水管体制改革等5个现场经验交流会的筹备工作，从会议地点、会议主题、会议文件起草、交流材料选编到会务工作安排都做了大量扎实细致的工作，5个现场会举办得非常成功，达到了交流经验、寻找差距、相互借鉴、共同促进的目的，赢得上级领导和各级水务部门的一致好评，同时也提升了水利管理工作的地位。由他负责并参与的水利工程管理考核、水费征收、海东地区小型水利工程产权制度改革、农民用水户协会建设等调研工作也都取得了很大进展，得到了上级领导和基层单位的一致好评。经过全省上下的一致努力，目前，青海省的水利工程管理现状已逐步好转，水管体制改革形势喜人，工程规范化管理迈出了崭新步伐。

由于工作成绩突出，他被评为全省水利系统“江河源杯”先进个人，并多次荣获局先进工作者，他负责的工程管理科也多次赢得厅、局表彰。

青海省海西蒙古族藏族自治州德令哈市水务局局长　王生吉

王生吉，1987年12月毕业于青海省水利学校，研究生学历，1988年1月参加工作，1997年加入中国共产党。曾任海西州乌兰县希赛灌区主任、德令哈市灌区管理所主任、市水务局副局长，现任德令哈市水务局局长。

由于成绩突出，王生吉年度考核中曾连续3年评为优秀等次，2006年被评为全市优秀共产党员，在他的领导下，德令哈市水务局2008年年度考核中获得优秀奖，同年，德令哈市被评为全省水利先进县。

一、政治坚定，体现了共产党员先进性

他始终将自己摆在一个学习者的位置上，认真学习贯彻执行党和国家的路线、方针、政策，全心全意为人民服务。多年来他的脚步踏遍了德令哈市农村牧区山山水水，深入了解德令哈市农牧区经济生活现状和水利基础设施建设情况；奔波于省州各部门，争取对口项目和资金，争取早日落实建设。

作为一名共产党员，他不断克服困难，艰苦奋斗，从无到有，不断壮大，团结奋进。他以身作则，常常放弃节假日来工作，加班加点，不计报酬，废寝忘食，呕心沥血，公而忘私，以自己的实际行动感染着周围每一个人。

二、班子团结，将团队精神进行到底

在他的带领下，班子成员保持和发扬艰苦奋斗的精神，不以权谋私，在工程建设等重要事务中坚持民主决策，按规章制度办事，广泛听取干部职工的意见，自觉接受群众的监督。严格的办事程序，严明的工作纪律，使局机关干部职工的作风、办事效率大为改观。2005年以来，争取实施的人畜饮水工程达20多个，累计解决了21587人，8万余头（只）牲畜的饮水问题；完成了德令哈市两座水库（黑石山水库、怀头他拉水库）的除险加固工程，保障了水库下游重要设施和人民生命财产安全，提高了水库的兴利效益；进行了巴音河河道综合治理工程，不仅保障了河道两岸人民生命财产安全，还美化了环境，为德令哈市创建国家卫生城市打下了良好的基础；实施了各类灌区改造项目8个，改善了0.2万hm^2农田和0.8万hm^2草场的灌溉条件；此外，还实施各类小型水利工程项目多个；现在，德令哈市的怀头他拉水库灌区续建配套与节水改造项目已完成下达资金计划，工程将改善0.22万hm^2农田和0.4万hm^2草场的灌溉条件；黑石山水库灌区续建配套与节水改造项目也即将落实，该工程将改善1.39万hm^2农田的灌溉困难问题。

三、艰苦奋斗，积极推进水管体制改革

自水库建成以来，一直实行“自收自支”政策，人员经费不足，干部群众的工资得不到保障，工作积极性受到挫折；养护经费不足，灌区水利工程得不到维护。2008年底完成了两座水库管理单位定性和人员定岗定编定员工作，落实了“两项经费”，使德令哈市的水利工程管理工作迈上了一个新台阶，72名水管人员工资经费纳入财政预算，解决了职工的后顾之忧，水利工程维修养护经费也有了保障。

为保证基层水利工程管理的效益最大化，积极推行用水户参与水利工程运行管理的管理方式，以村为单位，支持成立农民用水户协会，由村民自主管理各村的水利工程。截至2009年底，德令哈市已成立农民用水户协会16个，这项工作走在了全省前列，2008年10月，在全省水利经验交流会上，由王生吉就农民用水户协会先进做法做了专题经验交流发言，得到上级部门的肯定和赞扬，并在全省推广学习。

四、制度规范，形成良好的用人激励机制

建章立制，规范管理。打破旧框框，建立了人员岗位责任制和目标管理责任制。作为领导他带头严格执行各项规章制度；奖优罚劣，奖勤罚懒；抓后备队伍建设，着力培养、使用年轻人，放手使用，给他们以锻炼才干机会，从而培养了一批懂业务、会管理、能吃苦的专业技术人才。

新疆维吾尔自治区水利厅头屯河流域管理处处长　孔繁新

孔繁新同志担任新疆头屯河流域管理处处长职务十几年来，兢兢业业，殚精竭虑，以超前的思维，积极谋划管理处的各项水利事业，带领职工在三个文明建设中取得突出成绩，单位水管体制改革工作走在了全疆水利行业前列。他本人也被评为“全疆水利系统先进工作者”“水利部大型灌区精神文明建设先进个人”和“全国水管体制改革工作先进个人”等光荣称号。2006年被评为提高待遇高级工程师。

头屯河流域管理处作为自收自支的老水管单位，水利工程大多年久失修，人员结构复杂，岗位设置不合理，水费收入较低，单位负担重。加之，头屯河灌区工农业用水矛盾十分突出，如何做好供水结构的调整，协调各方面的用水需求，使有限的水资源发挥更大的效益，是管理处迫切需要解决的问题。水管体制改革工作势在必行。

1999年孔繁新到任后，把全部的精力和热情投入到了单位的改革和发展中去。他知难而上，勇挑重担，以改革的精神和处党委一班人认真谋划，紧紧抓住国家西部大开发的有利机遇，拉开了头屯河新一轮建设的宏伟篇章。第一，孔繁新紧紧抓住工程建设和项目管理工作，夯实工程基础。他主持实施并亲自参与头屯河水库清淤工作，水库库容恢复了近50%，使濒临淤废的水库起死回生，此项工程被灌区人民誉为救命工程。紧接着，他以超前的思维和发展的眼光，积极开展项目前期规划和储备工作。12年来管理处共争取国债资金和自筹资金近1.87亿元，先后组织实施了头屯河流域规划、大型灌区续建配套工程共11期、水库除险加固工程、小流域水土保持治理等一系列工程项目建设，从根本上改善了管理处水利工程条件。第二，孔繁新积极探索和持续深化灌区供水管理改革工作。他开拓思路，大胆创新，在全流域实行计划供水，淡化分水比例，合理调配全流域水资源。2001年开始在全灌区成功推行供水“四到户”和农民用水终端水价制改革，此项工作受到了国家发改委和水利部的关注和表扬，将头屯河经验向全国推广。第三，孔繁新积极推动水价调整工作，夯实经济基础。在他的带领下，经过不懈努力，灌区工农业和绿化水价得到了大幅度的提高，单位水利经济不断发展壮大，夯实了单位的经济基础。第四，孔繁新积极推动和不断深化水管体制改革工作。管理处被作为全疆水管体制改革工作试点单位后，他与处党委一班人统一认识，以与时俱进的思想，在全处范围内由上至下积极稳妥地开展了以人事制度、分配制度为主要内容的改革，从2002年起共成功进行了3轮面向全处科级职位和一般岗位的公开竞聘（争）上岗工作，全处所有科级干部和一般职工均是通过竞聘走向工作岗位的，同时在全处基层单位全面推行分配制度改革工作。目前，全处的人力资源管理工作已由身份管理转变为岗位管理，职工的竞争意识已普遍建立。

孔繁新作为行政一把手，始终关注民生。截至2007年，基本解决了单位职工的福利住房问题；自2001年以来，职工（含离退休职工）全部参加了社会养老统筹、医疗保险等7项保险，同时建立了全处职工定期体检制度；积极落实国家和自治区有关富民惠民政策，提高和改善了职工的生活水平和工作学习条件等。目前管理处各项事业欣欣向荣，三个文明建设成绩显著，近十几年来，取得近百项荣誉。

新疆维吾尔自治区博尔塔拉蒙古自治州博河流域管理处处长　张新利

一、以真诚之心团结带领班子

张新利担任博河流域管理处党委书记以来，十分注重班子间的团结，在各类管理中，他时时讲团结合作，以团结合作为根本，保证班子每一个成员都能够心往一处想，劲往一处使。他以科学民主的管理理念，宽厚真诚的待人之心，博得了班子成员的一致认同。他坚持分工负责制，不独揽权力，反对一言堂，做到分工不分家，使班子成员尽职尽责、有所作为，做到了补台不拆台。近2年博河流域管理处先后荣获全国水利建设与管理先进集体、自治区行风建设示范窗口、自治区级文明单位等多项荣誉称号。

二、坚定信心，稳妥推进单位改革

采取“先挖渠，后分流”的办法，解决分流人员的去向，在科学定岗定员的基础上，制定出台了《水利工程管理体制改革人员分流安置实施方案》、《水利工程管理体制改革期间人员分流暂行规定》等改革配套文件。通过人员分流，从事水管和公益服务的人员由原来的 340 人减少到现在的 298 人，成立多经公司分流 18 人，内部退养 11 人，自谋职业 6 人，清退人员 7 人。

积极推行管养分离。改革初始，组建了从事水利工程维修养护为主的施工企业，实行独立经济核算，分离人员 44 人。2007 年开展了中层干部竞聘上岗，共计 16 个岗位。并按照“因事设岗，按岗聘用”原则推行了职工聘用制度。

公益性人员基本支出和公益性水利工程维修养护经费纳入财政预算，采取定额补助形式；职工自 2009 年 1 月起全员纳入养老保险社会统筹，在职人员以往工作年限视同缴费年限，不再补缴养老保险，已退休人员的养老金，按原发放的退休金标准由社保基金支付，在职人员退休后仍然执行事业单位工资制度，使职工得到最大的实惠，解除了职工后顾之忧。

三、以客观规律办事，向管理要效益

首先，他亲自挂帅，跑前期、争项目、要资金，4 年来累计申请中央、自治区预算内资金近 3 亿元，立项 16 项，实施完成 11 项。其次，他认真调研，彻底摸清家底，找出问题所在，理清发展思路，大胆地提出整合资源，成立多种经营实体，实行股份制管理的设想，制定出台了“十一五”多种经营发展规划，在规划指引下，2006 年成功组建“博河绿水源水产有限责任公司”，分流安置 18 人。利用资源优势，扩大特色品种试养，公司利润翻了两倍多。

打破“大锅饭”格局，实行承包和租赁等灵活经营方式，2007 年砂石料收入首次突破 100 万元大关，而且职工入股购置的铲车、砂石料振动筛等施工机械实现利润 20 多万元，一举改变了职工生活困难的局面。

四、把职工的冷暖始终放在心上

4 年来为 26 个配水点架线打井、安装太阳能供电设施及电视卫星接收设备，33 个渠首、配水点安装了电视转播器、增添了新彩电，所有配水点进行粉刷、铺设地砖、改造老化线路等，彻底改善了配水点生产生活条件。

先后出台《调整一线职工油料补贴及移动话费补贴办法》《职工个人住房公积金贷款实施细则》《防洪抗旱期移动电话话费补贴暂行办法》。

在他的关怀下，2006—2008 年分别给三位长期临时工调整工资两次，遗孀遗属生活补助费调整一次。近 2 年为职工累计捐款 6 万多元，看望病人 40 多人。

新疆维吾尔自治区和田地区水利局局长　黄恺黔

和田地区位于新疆维吾尔自治区最南端，属典型的干旱荒漠性气候，多年平均降水量仅 35mm，而多年平均蒸发量高达 2480mm，干旱缺水是制约和田地区经济社会发展的重要因素，然而如何科学合理地管理利用好水资源，提高水利管理工作水平，始终是水利部门的首要任务。作为和田地区水利局局长，黄恺黔一直十分重视水管工作，关心水管单位的改革发展，自国务院和自治区出台水利工程管理体制改革实施意见和方案以来，他就致力于地区水管单位体制改革的各项工作，全力推动改革任务的完成。

一、高度重视，全力推动

和田地区是国家扶贫开发的重点地区，农牧民收入水平较低，农业灌溉水价也一直偏低，各级水管单位运行日益困难，负担十分沉重，改革势在必行。根据国务院和自治区关于水利工程体制改革一系列文件精神要求，为确保该地区水管体制改革工作的顺利开展，在借鉴疆内外水管体制改革试点单位典型经验的基础上，黄恺黔积极开展调查研究，结合实际，制定了工作要点，确定了时间任务，亲自带领专业技术人员分赴 7 县 1 市，走遍了和田所有乡镇水管站（所），掌握第一手资料，并对以往定岗定员、水利工程维修养护经费测算和财务测算等数据重新复核和修改，使各项数据更加符合实际，为编制完成《水利工程管理体制改革实施方案》奠定良好的基础。

按照自治区水利厅的要求，为尽快做好9个水管单位《水管体制改革实施方案》的编报和审批工作，他积极与行署及各县市政府进行沟通，争取各级政府及相关部门的支持，经不懈努力，最终取得了各级政府的批复和上级主管部门的审核和确认。

二、严格落实各项内部改革措施

该地区于2008年10月完成定岗定员工作，实际在岗人员2637人，编制部门最终核定为2406人，其余人员内部分流安置。2009年3月完成了全员竞聘上岗工作。同时，结合地区水管单位工作实际，制定了《和田地区水管单位人事制度改革实施方案》《水管单位工作人员聘用制暂行办法》等。

三、积极争取补助资金，确保水管单位的良性发展

通过黄恺黔的多次沟通和努力，在地区财政部门的大力配合下，完成了水管单位公益性人员的经费测算和公益性维修养护费的测算，后经自治区相关部门审查核准，最终确定公益性人员884人，年人员基本支出经费3001.64万元，维修养护费546.16万元。目前，公益性人员经费和公益性维修养护费均已落实，大大缓解了水管单位的经营困难。

四、倾力推动水价改革

2006年测算的水成本价为0.0710元/m^3（渠首价），2009年以前执行的平均水价仅为0.024元/m^3（渠首价），并且10年来未进行调整。黄恺黔清醒地看到，水价的长期低位运行，势必最终导致整个水管部门的瘫痪，为此，他多次向地委、行署领导进行宣传和汇报，2009年5月经行署批准，水利工程农业供水价格平均调增0.005元/m^3。

随着《水利工程管理单位体制改革实施方案》的逐步落实，水管单位各方面都发生了重要变化，基本实现了改革目标，促进了水管单位的良性发展，充分调动了全体水管人员的工作积极性，进一步增强了水管单位的发展活力和后劲，为促进和田地区水利事业的持续健康发展奠定了坚实的保障。

大连市庄河市朱限水库灌区管理局局长　梁忱祥

梁忱祥系庄河市朱限水库灌区管理局局长兼党委书记。在水管体制改革工作中，他能以国家、省、大连市有关文件精神为指导，按照建立职能清晰、权责明确的管理体制和管理科学、经营规范的运行机制的要求，增强单位的生机和活力，确保水利工程安全运行的指导思想来实施。在实施过程中，坚持公开、平等、竞争、择优的原则，坚持有利于水管体制改革平稳顺利进行、有利于劳动人事制度改革的原则，使朱限水库体制改革工作开展的扎实有效，取得圆满成功。

要将在册职工267名的队伍，定编85人，改制分流184人，在困难面前，他没有退缩，也没有向上级提出任何条件，而是顶住了各种人情风、说情风，甚至恐吓和人身攻击，严格按照上级要求完成了几乎不可能完成的任务。为朱限水库水管体制改革作出了突出贡献。

（1）认真做好前期准备工作。作为水库主要领导，他高度重视体制改革工作，首先带头学习各级文件，吃透上级精神，主持安排水库办公室、财务科、人事科积极配合审计、人事、水务部门做好朱限水库的基本情况、收支情况、国有资产、人员结构以及运行管理中存在的主要问题等全面摸底工作，为水管体制改革工作顺利稳妥进行提供了可靠的依据。

（2）制定实施方案，改革工作全面展开。为了把握好改革的方向和主流，维护社会稳定，他多次组织有关人员召开专题会议，全面分析朱限水库的特点和未来发展趋势，按照《庄河市水工程管理体制改革人员定岗分流实施方案》制定出《朱限水库灌区管理局岗位竞聘实施办法》。制定过程中，缜密研究，认真分析，广泛征求各方意见和建议，经过认真修改、补充和完善，使其更加具有科学性、合理性和可操作性，为朱限水库体制改革工作全面开展奠定了重要基础。

(3) 召开全体职工大会，统一思想，提高认识。朱限水库有在册职工 267 人，通过全体职工大会，他向与会的全体职工传达了各级文件精神及《朱限水库灌区管理局岗位竞聘实施办法》，经过动员学习，广大职工统一思想，对改革的重要性、必要性和紧迫性有了更进一步的认识，明确了改革的目标和任务，对改革表示支持和理解，为水管体制改革工作顺利开展创造了有利条件。

(4) 科学设岗，实行岗位竞聘，择优录用上岗人员。经人事部门核定，本次改革定员 85 人，除领导 5 人，军转干部 1 人不参加岗位竞聘外，其余 79 个岗位均按任职条件参加竞聘，择优录用。

(5) 积极做好下岗待聘职工思想工作，保持稳定大局。体制改革以后，由于部分下岗待聘职工对政策不理解而上访，为了避免事态扩大，巩固改革成果，他多次接待下岗职工，并召开专门会议，认真答复每位上访者，最后取得了下岗待聘职工的理解。这是一项艰巨而复杂的工作，他顶着巨大的压力，本着高度负责的精神，稳定了进一步上访的势态，有效地维护了社会稳定。

由于他和领导班子的细致工作，使得改制圆满成功。改制后的水库岗位设置合理，职责清晰。通过近一年的运行，效果非常好。

新疆生产建设兵团农七师水利工程灌溉第二管理处处长　刘文利

2006 年 1 月，刘文利被七师党委任命为新疆生产建设兵团农七师水利工程灌溉第二管理处（以下简称水利二处）处长，3 年多的时间里，水利二处总产值从 2006 的 1.57 亿元增加至 2008 年的 2.26 亿元，水管主业配水量连续 3 年超额完成师引配水任务，年均超额 8000 万 m^3，人饮供水从 2006 年的 185 万 m^3 增加到 2008 年的 210 万 m^3，职均收入从 2005 年的 13100 元增加到 2008 年的 17329 元。

数字是枯燥的，但枯燥的数据真实反映了一个单位发生的巨大变化，而这些变化无不凝结着处长刘文利的智慧与心血。

一、锐意改革，走创新发展之路

水利二处总人口 2023 人，在职职工 743 人，离退休人员 66 人，有 9 个独立核算的基层单位，4 个党总支，14 个党支部。管理着一条河流，8 座大、中、小型水库，360km 引配水渠道，124km 人饮水供水管道，140km 排干渠、三大灌区和 74 个配水点，担负着七师 8 个团场和乌苏部分乡镇 11 万 hm^2 耕地的农业用水、工业用水、生态用水和 12 万人的人饮水供应任务。要更好地完成师党委交给的使命和任务，必须敢于突破才能实现创新发展。

2006 年初，上任不久的刘文利经过调研，与党委一班人针对水管主业积极推进以下改革。

(1) 为切实调动水管人员的工作积极性，继续推行管养分离，全面推行定岗、定编、定费用，层层签订岗位目标管理责任书。按月考核，当月在工资发放中兑现。

(2) 水利二处现有的水管职工中有的是企业工资，有的是事业工资，这种同岗不同酬的矛盾已经存在多年。为便于管理，充分调动职工的积极性，全处打破档案工资，实行同工同酬的岗位技能工资，这项改革的顺利推进，极大地调动了水利职工的积极性，职工的劳动效益明显提高。

(3) 为解决水管行业作风建设问题，在全处开展优质服务活动，向团场作出八项承诺，自觉接受用水团场的监督。同时积极开展执法监察活动，行业作风建设得到明显改善。

(4) 为切实压缩非生产性开支，刘文利在党委会上提出改革要动真格。一是率先对用车制度进行了彻底改革，变养车为租车，同时核定租车费，仅此一项，每年减少车费方面的开支 20 余万元。二是核定领导干部的招待费，标准比原来降低 60%。三是机关干部的办公费从节约一度电，节约一张纸抓起，人均降低办公费 200 元。

(5) 为贯彻事业单位人事制度改革的要求，2008 年，以供水总站为试点推出人事制度改革，通过演讲、答辩、理论考试、群众评议的方法，公开竞聘，18 名中层干部中有 9 名得到聘用，岗位配置得到进一步优化，冗员得到最大限度的精简。

居安思危、不断自加压力、努力开拓创新才能谋求新发展，在一次次大的改革面前，承受的风险是巨大的，然而刘文利顶住了压力，作出了正确的抉择。

二、明确定位，走科学发展之路

近年来，水利二处党委坚持以科学发展观统领全处工作全局，紧紧围绕二处主业的实际需要以及各项资源优势，在实践中不断探索，逐步明确了“水管立处，建筑强处，种养活处，和谐稳处”的发展思路，引领水利二处经济社会逐步走向了良性发展的快车道。

（1）水管立处。管好水、配好水是二处的“天职”。从引蓄水到调配水，从水库防洪到灌区输配水，刘文利丝毫不敢懈怠，坚持科学管水，精细化管水。为最大限度地发挥水的效能，春季实施水库“风险”蓄水；为了缓解夏灌用水的紧张矛盾，使渠道满负荷调水，最大限度地满足了团场用水需求。科学养护维修和管理使九座水库近年来没有发生大的安全运行事故，360 多 km 的输配水渠道及水利建筑物也实现了安全运行。

2009 年，水利二处的水管工作，在全兵团率先通过兵团一级水管单位的考核验收，这在水利二处的发展史上是具有里程碑意义的大事，也是兵团对水利二处工作的肯定。

（2）建筑强处。近几年，水利二处奎河公司在师内先后完成了车排子西干渠、总干渠改建工程、黄沟一库除险加固、双河水库与泉沟水库除险加固、北排干工程、柳沟沉沙池、枯沟水库、黄沟一库和共青三库除险加固、137 团南干渠改建、124 团和 130 团人饮水改造等一系列工程。在做好师内工程承建的同时，水利二处积极向师外拓展，靠信誉和质量抢占市场。先后完成了农四师 62 团东城水库除险加固工程、农九师 168 团干渠工程和玛纳斯塔西河干渠改造等。建筑业产值从 2006 年的 3350 万元增加到 2008 年的 6500 万元。建筑业如今已经成为拉动水利二处经济增长的又一支柱产业。

（3）种养活处。引导广大职工发展庭院经济，实现增收。2008 年全年产鲜鱼 700t，养殖销售各类家禽 3 万余只，一线职均庭院增收突破 3000 元。2006 年来，二处已为配水点提供了近两万棵果树苗，为发展林果业打下了坚实的基础。

（4）和谐稳处。紧紧围绕建设花园式所、站目标，创建安居乐业的生产生活环境。近几年，共争取项目资金约 2000 万元为职工群众办实事 20 多件。最大限度地解决了职工群众在住房、用电、吃水、办公、交通、文化娱乐等方面的困难。

2008 年是水利二处丰收的一年，荣获兵团水利管理先进单位称号，荣获师经济工作争先创优二等奖。

三、以人为本，走亲民为民之路

作为水利二处的一把手，刘文利始终把关心职工的疾苦、为职工谋利益作为工作的出发点和落脚点，用诚心感动人，用关心温暖人，增强了单位的凝聚力。

刘文利常说，“职工的事再小也是大事”。三年来，刘文利踏踏实实地兑现着自己的诺言，用实际行动塑造了一名共产党员的远大胸怀。

在单位，刘文利从不以领导自居，压缩招待费从自我开刀，外出办事一切从简从自己做起，给大家树立了良好的榜样。对于一些送钱要求办事的坚决拒绝。而对于一些弱势群体他总是倾注真情去帮助。

班子团结，人心稳定，单位和谐，职工安居乐业是近年来二处实现快速发展的有力保障。谈到成绩，刘文利总是很谦虚，他说：“这是师党委赋予的光荣使命，我只有努力做好工作，才能不辜负师党委和二处上下的期望。”

黄河水利委员会陕西黄河河务局副局长　黄保强

陕西黄河河务局（以下简称陕西河务局）副局长黄保强脚踏实地、任劳任怨、切实履行职责。在陕西河务局水利工程管理体制改革工作中，按照上级的部署，立场坚定、顾全大局、认真对待、严格要求，为维护陕西河务局改革、发展、稳定的大局作出了突出的贡献，赢得了上级领导和职工群众的一致好评。

2006 年初上任以后，恰好也是上级要求全面完成水管体制改革工作的关键时期，面对时间紧、任务重的要求，黄保强同志沉着冷静，迎难而上，为切实领会水管体制改革的精神实质，先后对相关文件精神进行了反复学习，认真研读，并及时向上级有关部门请教、沟通，力求对水管体制改革工作了然于胸，准确把握。

在制定实施方案的过程中，充分借鉴经验，多次深入基层调研，先后主持召开了 8 次专题会议进行安排。在竞争上岗的关键环节，创造性提出了“把好四关”（把好审查关、竞争上岗关、监督工作关和签订合同关）的工作要求，确保了整个改革期间思想不散、秩序不乱、工作不断的目标要求，实现了管理、养护单位人员和资产的彻底分离，初步建立了“事企分开、产权明晰、权责明确”的水利工程管理新体制，达到了改革的预期目的。

在改革过程中，黄保强同志不厌其烦、亲力亲为、身先士卒，多次深入基层一线，利用召开职工大会、座谈会、深入谈心等形式，千方百计统一职工思想。考虑职工的切身利益，将各类矛盾及时消除在萌芽状态，为稳定职工队伍，增强单位凝聚力，促进单位和谐发展作出了积极的贡献。

改革全面结束后，从职工利益高于一切，单位稳定、和谐发展大于一切的实际出发，黄保强同志又把水管企业职工养老统筹工作作为一项重点工作来亲自抓，通过与地方有关主管部门积极沟通、协调，从制度上保证了职工的切身利益，有力地维护了单位的稳定和团结，进一步巩固了水管体制改革的成果。

为了在新的运行机制建立后迅速使改革成效性显现出来，先后在全局提出“变被动抢险为主动加固”“示范工程建设”和“国家级水管单位创建”等工作理念；主持编写了《陕西河务局黄河水利工程维修养护实施细则》《监督管理和质量评定》等办法，主持协调完成了渭河入黄流路调整、禹潼河段近期治理等工程项目，累计完成已建和在建项目投资 2811 万元，强力推进工程的“精细化”管理。在加强工程管理与维修养护工作中，克服重重困难，努力探索，大胆创新，确保了工程面貌常年良好。陕西河务局各项工程连续多年都取得了好名次。

淮河水利委员会沂沭泗水利管理局上级湖水利管理局局长　宋宗伟

宋宗伟，1972 年 9 月出生，本科学历，中共党员，现任淮委沂沭泗局南四湖局上级湖局局长。自 1992 年工作以来，宋宗伟同志以求真务实的精神，创造性的工作方法，在水利工程管理、水行政执法、水管体制改革等各项工作中一直扎根最基层，作出了可喜的成绩，受到上级领导的充分肯定，在干部职工中享有很高的威望。所在单位多次被上级评为先进单位，个人在近三年的年终考核中都被评为优秀，并记三等功一次。

2002 年，水管体制改革工作启动以来，宋宗伟同志团结带领全局职工认真学习贯彻上级指示精神，团结拼搏，真抓实干，锐意进取，攻坚克难，圆满完成了水管体制改革任务，在上级组织的验收中，上级湖局水管体制改革工作得到专家组的一致好评和充分肯定。

宋宗伟同志坚持以邓小平理论和“三个代表”重要思想武装自己，深入贯彻落实科学发展观，坚决执行党的路线方针和政策，通过自我学习和积极参加各种培训的方式来提高党性知识，提高思想理论水平。水管体制改革工作刚一启动，宋宗伟同志就首先认真学习水利部有关水管体制改革文件精神，自觉领会文件的精神实质和水管体制改革工作思路，并耐心细致地在广大职工中作思想宣传，进一步统一思想，营造良好氛围，促进改革工作的顺利开展。

工作中宋宗伟同志坚持全心全意为人民服务，恪守职业道德规范，顾全大局，作风正派，清正廉洁，团结同志，任劳任怨，兢兢业业。改革期间，组织编制完成了《上级湖水利管理局水管体制改革实施方案》，完成了经费、岗位测算和管养机构的分离工作，根据上级有关规定，结合上级湖局实际，主持制定了维修养护工作实施细则，在构建新的水管单位运行机制中发挥了重要作用，保障了水利工程体制改革工作有序进行，使上级湖局水管体制改革工作取得了较好效果。

改革工作中，宋宗伟同志深刻认识到做好群众工作的重要性，深入一线职工积极开展沟通和交流，宣传文件精神，主动化解职工由于对政策理解不透彻而产生的矛盾，理顺情绪，在群众中享有很高的威信。针对改革中的热点和难点问题常与群众职工进行研究探讨，主动关心分流人员的工作和生活，和他们交心，听取他们的意见，采取有效措施，妥善解决了分流人员担心的社保等问题，维护了职工队伍的稳定，促进了水管体制改革的顺利开展。2005 年 7 月，单位一些职工由于对政策、文件的理解不透，对改革工作产生不满情绪，四处上访，懈怠本职工作，造成单位正常运行困难，改革面临困境。宋宗伟同志了解情况后，主动挨个前往有关职工家中开展思想工作，与每一个对改革有抵触情绪倾向的职工就改革文件、政策等进行认真探讨学习，耐心解答他们的问题和疑问，顺利消除了他们的抵触情绪，化解了群众矛盾，使改革工作得以顺利开展、落实。

参加工作以来宋宗伟同志非常注重严于律己、清正廉洁，到上级湖局工作以来，克服了由于离家带来的种种不便和困难，始终保持自己良好的工作和生活作风，从未出现过违法违纪行为。宋宗伟同志属于交流干部，工作单位距家甚远，自交流至上级湖局以来便长期与爱人过着两地分居的生活，日常生活中照顾老人、孩子等许多的重担就压在了其爱人的肩膀上，宋宗伟同志深深体会到了爱人的难处，却做不到毫无顾虑的抛弃手头的工作回家照看老人和孩子，他深刻的认识到家庭与工作的矛盾与面临的困难。为此宋宗伟同志平时总是拼命努力工作，以希望更好、更早地完成各项工作，能够在周末或者假期跟家人团聚。单位距家太远，坐车极其不方便，日常工作中宋宗伟同志平均半个月乘公交车中转几次回家一趟帮着爱人一起照顾年迈的老人以及年幼的孩子，弥补因繁忙工作而无法及时照顾家庭的愧疚。2006 年 8 月初，正是防汛关键时期，宋宗伟同志一心扑在了工作上，认真分析汛情，寻求最好的防汛工作思路和方法，一个多月没有回家，期间接到家人的电话说是女儿生病住院，然而他却无法在女儿最需要父爱的时候赶到医院陪着女儿，他把所有的精力放在了工作上，他深深地认识到“大家”与“小家”的利害关系。为此，为更好地照顾好“大家”和“小家”，妥善处理好家庭与工作的关系，宋宗伟同志加倍努力工作，只是为了在周末，在假期能够好好照顾女儿、老人，陪着爱人安心地生活几天。

多年来，宋宗伟同志作为单位的行政一把手，高度重视单位的党风廉政建设工作，身体力行，模范遵守和执行党风廉政建设方面的各项规定，在做好自身廉洁自律的同时，通过言传身教的方式带动和影响身边的职工群众，在他的带领下，全局上下和谐稳定，风清气正，呈现出蓬勃向上，干事创业的良好精神风貌。

宋宗伟同志对工作极端负责，他特别关心维修养护资金的安全使用问题。改革实施过程中，多次深入维修养护一线进行察看和调研，严把工程质量关和资金拨付关，严格遵守国家法律法规和水管体制改革方面的规章制度，规范操作，严格监管，督促养护单位按质按量完成工程维修养护任务，保障了“三个安全”。

中国科学院水利部水土保持研究所

中国科学院、水利部水土保持研究所（以下简称水保所）成立于1956年，是我国唯一的国家级水土保持科研机构，面向全国，以黄土高原为重点，研究解决水土流失地区生态修复与环境保育的重大科学与技术问题。近年来，水保所进一步拓宽研究思路，加强科技创新，开创了集理论研究、技术开发、试验示范与推广应用于一体的科研模式。

多年来，水保所形成了以水土保持学为主体学科，以土壤学、生态学和农业水土工程学等有关领域为支撑的综合性学科体系，将影响水土流失发生与发展的陆地表层生物地学过程及各个环境因子之间的关系作为研究重点，研究中国水土流失评价与预测模型，完善不同尺度水土流失综合治理试验示范理论与技术，发展土壤侵蚀及其治理的理论与技术；建立以改善植物抗旱节水潜力与雨水资源高效利用为特色的旱地农业理论与技术体系。

在加强基础研究和应用研究的同时，水保所进一步加强以水利和水保工程建设为核心的应用发展研究，在“国家节水灌溉杨凌工程技术研究中心”基础上，又申报组建并于2006年获准成立了“水利部水土保持工程技术研究中心”，加强水土保持工程建设与技术的集成，为加快技术工程化、产业发展奠定了基础，在直接服务于国家重大工程建设主战场上迈进了重要一步。水保所积极开展科学普及工作，促进公众了解科学。多年来，充分利用杨凌农科城的区位优势，结合自身学科特色、实验设施和研究基础，依托国家重点实验室、人工模拟降雨大厅、节水灌溉科技博览园、野外生态站等，向国内外科学家和公众介绍我国水土保持与生态环境建设的成果。

建所至今，共取得科研成果500余项，其中获得国家科技进步一等奖、二等奖成果10项，省部级科技成果奖160余项。为黄土高原国土整治、旱地农业、生态建设发挥了重要的科技支撑作用，累计经济效益百亿元以上。近年来，主持承担多项国家“973”、“863”、国家攻关、国家基金、中科院创新专项重大、国际合作等重要项目和课题。

庆阳市水土保持管理局

庆阳市位于甘肃省东部，属黄河上游多沙粗沙重点区，是黄土高原水土流失最为严重的地区之一。总土地面积 27119km²，其中水土流失面积为 22008km²，占总面积的 81.2%。境内丘陵起伏，沟壑纵横，地形地貌复杂，山、川、塬兼有，沟、峁、梁相间，高原风貌雄浑独特，是我国黄土地貌发育最典型的地区。严重的水土流失，导致生态环境恶化，洪水造成的滑坡、崩塌等地质灾害以及高温、干旱、沙尘暴等灾害性天气经常发生，在很大程度上制约了庆阳市经济社会可持续发展。

"十一五"期间，在省委、省政府的高度重视和黄委、黄委上中游局的大力支持下，庆阳市广大干部群众发扬老区光荣革命传统和艰苦奋斗精神，坚持以科学发展观为统揽，紧紧围绕"科学发展、率先发展、和谐发展"工作主题和"工作创一流、名次争上游、抓落实干到位"的总体要求，全市上下凝心聚力、奋力拼博，以实施水保生态建设项目为引擎，大力推进水保生态建设，取得了比较明显的成效。截至 2009 年底，全市共完成水土流失治理面积 9194.87km²，占水土流失面积的 41.8%；修建淤地坝工程 807 座，建成各类小型水保拦蓄工程 5.42 万处（座），有效地控制了局部地区水土流失，减少了入黄泥沙，改善了生态环境，全市生态面貌有了较大改观。水土保持管理局被水利部授予"全国水土保持监督管理规范化建设先进单位"；世行一、二期项目被联合国粮农组织评为"特别满意项目"和"黄土高原旗帜工程"，被黄委评为"黄土高原水土保持世行贷款项目先进集体"；环县被水利部评为"全国水土保持生态建设先进县"；宁县、西峰两个县区和桥子沟、雷畔沟等 36 条小流域被水利部、财政部、国家发改委联合命名为全国"十百千"示范县和示范小流域。

一、主抓水保项目实施

"十一五"期间，水土保持管理局把争取和实施水保生态项目作为推动全市水保生态建设、带动经济社会快速发展的一项主要任务，取得了明显成效。

（1）世行一、二期项目。世行一期项目于 1993 年 11 月审批立项实施，2001 年底执行结束，世行贷款 3.32 亿元。通过 8 年的实施，项目共累计完成水土流失治理面积 1386.1km²，占计划任务的 100%。世行二期项目于 1999 年启动实施，世行贷款 1.47 亿元，实施期为 5 年，共完成水土流失治理面积 579.23km²，占计划任务的 109.14%。通过世行一、二期项目实施，项目区生态环境明显改善，治理程度分别由治理初期的 21.5%和 22.4%提高到 56.6%和 53.6%，植被覆盖率分别由 15.8%和 14%提高到 40.8%和 36.5%，项目区与非项目区形成鲜明对比。

（2）蒲河一、二期项目。蒲河一期项目是黄河流域水土保持生态工程 16 个重点项目之一，于 2001 年 4 月份正式启动，2005 年结束，其中中央投资 4318.33 万元。项目累计完成水土流失治理面积 254.84km²，占计划任务的 119.43%。蒲河二期项目于 2006 年批准实施，建设期为 5 年，其中国家投资 2769 万元，截至目前已完成治理面积 153.8km²。蒲河一、二期项目实施以来，按照"因地制宜、合理布局、规模治理、突出特色、打造精品"的总体思路，建成了一批高质量、高水平、高效益的特色农业、优质林果、规模种草养畜示范点，有力地推动了项目区各项事业的快速发展。

（3）黄土高原淤地坝工程。淤地坝建设是水利部"三大亮点"工程之一，是国家对多沙粗沙区实施有效治理的重大战略举措。目前，全市已批复实施的坝系 16 条，在全省名列前茅，涉及全市 8 县区，其中国家投资 1.91 亿元，已建成淤地坝 366 座。为了把这一重大工程真正建成安全工程、惠民工程和效益工程，经过大量细致地调查研究，制定完成了《庆阳市淤地坝建设总体规划》《淤地坝建设管理办法》《淤地坝资金管理办法》《工程招投标管理办法》《淤地坝工程施工技术》《淤地坝工程质量年活动实施方案》等 6 个规范性管理文件，为淤地坝工程顺利实施提供了有力保障。

二、狠抓基本农田建设

庆阳市有宜修坡耕地 68.78 万 hm²，这些坡耕地不仅是山区农民赖以生存的饭碗田，也是水土流失的重点区域。近年来，全市各级党委、政府把梯田化建设作为农业基本建设的主要任务，加强组织领导，加大投入力度，坚持"三结合、三为主"，创建出了"因地制宜，科学规划，围庄就近，注重口粮田建设和群众生计条件改善"的成功路子，使全市梯田建设步伐明显加快。截至 2009 年底，全市已兴修梯田 30.78 万 hm²，占宜修坡耕地的 44.8%，先后有 70 多个乡镇实现了梯田化。2003 年宁县率先在全市实现了梯田化整体达标，西峰区梯田化达标也于 2006 年通过了省政府验收。2009 年，水利部对宁县、西峰梯田建设模范县区进行了复查验收，给予了充分肯定。

三、大抓水保执法监督

经过多年的实践探索，全市的水保执法监督工作逐步走上规范化。为了加强全市水保生态建设项目治理成果监督管护、水保“两费”征收和开发建设项目水保方案编报审批工作，依法行使好水土保持执法监督、方案审批和规费征收三项基本职权，市县（区）两级按照水土保持“一法一例一办法”要求，加大普法宣传力度，强化水保执法培训，规范水保执法程序，加快软硬件建设，使全市水保预防监督机构进一步健全，执法队伍不断壮大，手段不断改进和完善，执法水平明显提高。据统计，2000 年以来，全市共受理各类水保违法案件 1147 起，依法查处 1140 起，结案率 99.38%；共编报水保方案 1337 个，审批 1314 个，审批率 98.2%；收缴水土流失危害补偿费 975.9 万元。这些措施的落实，有效地巩固了项目治理成果，使人为水土流失初步得到遏制。

今后，水土保持管理局将按照甘肃省委“四抓三支撑”的总体思路和“中心带动、两翼齐飞、组团发展、整体推进”的区域发展战略，以科学发展观为指导，围绕“率先发展、创新发展、绿色发展、和谐发展”的主题，继续加大工作力度，强化工作措施，积极探索能源地区生态补偿机制，进一步拓宽水保生态建设投资渠道，使全市生态环境得到全面改善。

金华市水利局

近年来，在金华市委、市政府的正确领导和浙江省水利厅的有力指导下，金华市水利局深入贯彻落实科学发展观，狠抓民生水利，真抓实干，争先创优，有力推进该市水利事业的新发展，实现了一年一目标，三年一台阶。2007 年，夺得全省水利工作最高荣誉奖——全省水利“大禹杯”金奖，成为浙江省首个“双冠王”；2008 年，被授予“全国水利文明单位”，成为浙江省市、县（区）中除宁波单列市外的首家全国水利文明单位。2009 年 12 月，获全省唯一的全国水利最高荣誉奖——“全国水利系统先进集体”称号。

金华市水利局围绕提高防洪保安能力、城乡供水能力、水环境生态能力“三大能力”，着力抓好千库保安、千万农民饮用水、千万亩十亿方节水工程、万里清水河道“三千一万工程”建设，加快构建以保障人民生命财产安全为首位、保障城乡饮水安全为重点、提高农业综合生产能力和改善城乡水环境为目标的“四大体系”，水利各项事业取得长足发展。2005 年以来，全市水利总投入高达 86.07 亿元，完成了 258 座病险水库的除险加固，累计解决 225 万农民饮水不安全问题，整治河道 1000 余千米，治理水土流失面积近 500km^2。此外，还全力推进以灌区节水配套改造项目为重点的节水灌溉工程建设，稳步推进水环境整治和水资源依法管护能力建设，扎实推进党风廉政建设，掀起了全市水利建设的新一轮热潮。水利工作走在了全省前列，许多经验和做法得到上级部门的肯定和推广。

针对农村水利设施日益增多、管理任务加重的情况，该市从 2008 年下半年开始积极探索组建村级农民水务员队伍，初步发挥了“宣传员”“监管员”“巡查员”“协调员”“疏导员”等“五员”的作用，成为全省首支、全国少有的村级水利管理队伍。经过近两年的实践，证明此举是加强农村水利长效管理的有效措施，为健全农村水利的长效管理机制开辟了一条新路子，积累了好经验。村级农民水务员队伍建设得到了中央、省、市领导的充分肯定。省委常委、副省长葛慧君，省水利厅厅长陈川，以及金华市的有关领导都作了批示和肯定。

2010 年，金华市水利局将继续深入贯彻落实科学发展观，深化践行新时期治水思路，立足人民群众最关心、最直接、最现实的水利需求，围绕加快提高防洪保安能力、城乡供水能力、水环境生态能力“三大能力”，以重点工程建设为抓手，珍惜荣誉、锐意进取、真抓实干，全面推进金华民生水利新发展。

平凉市水保局

多年来，平凉市水保局在各级党政组织的正确领导和有关方面的大力支持下，坚持把水土保持工作作为改善生态环境和生产生活条件，促进区域经济发展最基础、最根本的措施来抓，在综合治理、监督管理和效益开发等方面取得了显著成效。

(1) 从解决群众温饱入手，积极开展梯田建设。通过多年坚持不懈的努力，全市累计兴建梯田32.46万hm^2。庄浪县于1998年率先实现了山地梯田化，被水利部授予“全国梯田化模范县”的称号，塑造了“实事求是，崇尚科学，自强不息，艰苦创业”的庄浪精神，全县37个乡（镇）实现了梯田化。

(2) 以建设秀美山川为目标，全方位开展小流域综合治理。先后有泾川、庄浪、静宁3县被水利部和财政部命名为首批“水土保持生态环境建设示范县”。在开展的131条小流域治理中，有茜家沟等31条小流域被命名为“水土保持生态环境建设示范小流域”。

(3) 以科技为先导，深层次推进开发。初步形成了以泾川县田家沟为代表的“治理＋开发＋旅游”水保观光旅游型治理模式，以静宁县北岔集为代表的“梯田＋水窖＋科技＋产业”水保经济开发型治理模式，以及以庄浪县榆林沟为代表的“库坝拦蓄＋径流调控＋能源利用（节柴灶、沼气池、太阳能）”生态清洁型小流域治理模式。

(4) 严格监督执法，多手段加强管护。依照《中华人民共和国水土保持法》制定出台了一系列水保预防监督地方规范性文件，全面推行封山禁牧措施，依法加大监督和执法力度。在多年的执法管护中，全市7县（区）先后全部通过了省级以上预防监督执法达标验收，其中华亭、崇信两县被水利部表彰为“全国水土保持监督执法先进单位”。

(5) 开展科学研究，不断提升综合治理的科技含量。先后开展水土保持科研与技术推广项目25项，有21项获得市级以上科技进步和技术推广奖。

浙江省防汛物资管理中心

浙江省防汛物资管理中心（浙江省防汛机动抢险总队，以下简称为中心）于2007年由省编委正式批准挂牌成立，为监督管理类纯公益性事业单位，县处级，定编15人。中心负责省级防汛防台抗旱物资的储备、调运；提出省级防汛物资储备年度计划；监督、检查和指导市、县、乡各级防汛防台抗旱物资的储备管理；拟订防汛防台抗旱物资储备管理制度、标准、规范；组织指导全省防汛机动抢险队伍建设；组织参加重大水利工程险情应急抢险；推广防汛抢险和抗旱新技术、新工艺、新产品。

浙江地处我国东南沿海，经济发展迅速，但台风、暴雨等自然灾害频发，防汛抢险任务艰巨，经济社会的快速发展对防洪安全提出更高要求。浙江省高度重视防汛减灾工作，在着力加强防洪工程建设的同时，近年相继出台了《浙江省防汛防台抗旱条例》《浙江省防灾避险人员转移办法》等地方性法规，2009年省防指、省财政厅、省水利厅联合发布了《浙江省防汛防台抗旱物资管理办法》，进一步规范防汛物资储备管理。中心在省防指、省水利厅的领导下，编制完成了省级防汛物资储备规划和物资储备技术标准，组织开展对全省各级防汛机构防汛防台抗旱物资储备的监督检查和业务指导，组织调研、交流、推广防汛抢险和储备物资新技术、新产品及相关技术培训工作，促进和推动全省防汛抢险和物资储备应急保障能力的提升。

中心内设综合科、储运科、监管科三个科室，在杭州市区有两处仓储基地，拥有逾1万m^2的仓储面积，常年储备麻袋、应急灯具、救生衣、救生圈、铁锹、钢镐、麻绳等常规防汛物资，近年增储了钢管、液压抢险工具、钢丝网兜、救生绳、油布、土工布、发电机、移动泛光工作灯、水泵、电缆等。因杭州市城市建设发展需要，防汛物资中心两处基地近期均面临迁建，目前正在开展前期勘探设计工作，新址上将建成设施一流、功能齐全的防汛物资储备基地和抢险队伍集结基地。

江苏盐城水利建设有限公司

江苏盐城水利建设有限公司（以下简称为公司）具有水利水电总承包壹级、通航建筑物专业承包壹级和市政、桥梁、地基与基础处理等贰级资质。自1959年10月成立以来，公司获得“鲁班奖”“大禹奖”“交通部优质工程奖”“全国优秀水利企业”等百余项荣誉，为淮河、太湖、京杭大运河、长江治理和南水北调等国家重点工程建设和地方水利工程建设作出了巨大贡献，建造了一座座让国家和人民放心满意的精品工程。

一、立足水利施工，强化管理，提高市场竞争力

公司牢固树立以生产经营为中心的指导思想，把承接工程项目作为第一要务，艰苦创业，锐意创新，积极开拓内外埠市场，抓好在建工程项目，培育实体经济增长点，取得了骄人的业绩。以市场部为龙头，部门配合，全员参与，组织精干力量编制标书，近两年参与了水利、交通、电建等235个项目的投标，累计中标56个项目，中标合同总价11.6亿元。公司从项目管理的工期、质量、安全、文明工地、效益等主要环节入手，抓好在建项目的管理工作，本着对国家负责、对人民负责、对公司负责的精神建设好每一项工程。公司还投资设立了禹建房地产开发公司、禹衡检测公司、禹泰设备租赁中心、禹风材料公司等4个实体，培植新的经济增长点。

二、视质量为生命，注重技术创新和人才引进

公司于2001年通过了ISO 9001质量体系认证，2007年通过了ISO 9001质量管理体系、ISO 14001环境管理体系及GB/T 28001职业健康安全管理体系认证，期间各年均通过年度监督审核；近两年通过验收了太仓荡河枢纽、天目湖水库除险加固等项目，工程合格率100%，优良率85%以上；申报并获得审批1项省级工法（钢筋混凝土系杆拱桥水上少支架施工工法）；共录用应往届大中专毕业生28名，不断充实公司的技术力量，改善人才结构。

三、推进精神文明建设，构建和谐企业

通过签订党风廉政建设责任书、双合同制等形式，对廉政建设工作作出了明确要求，规定了考核时间、考核办法和责任追究；开展廉政文化进工地等活动，促进党风廉政建设。各项目部从创建文明工地入手，努力做到“同期布置，同期检查，同期奖惩；让社会满意，让业主满意，让职工满意”。

把文明单位创建活动贯穿于单位管理的全过程，取得了丰硕成果，通过开展“为公司发展献一策”“技术创新大讨论”“项目施工技术竞赛和练兵”等活动，推进了公司员工争做文明职工、争当先进、争为公司作贡献的热潮，近两年来获得“工人先锋号”“省五一劳动奖章”“文明工地”等个人和集体荣誉称号。

公司将在“三个代表”重要思想和科学发展观的指引下，继续发扬“铁军精神”，本着“长远做人、长远做事”的理念，与各界朋友坦诚相待，建造更多的精品工程，为水利建设事业和社会经济的发展作出新的贡献。

湖北省富水水库管理局

富水水库是一座以防洪、发电为主，兼有灌溉、养殖、围垦、灭螺、航运等综合利用的大（1）型水库，总库容 16.65 亿 m^3。水库防洪保护范围 2245km^2，保护下游 57 万人口、2.33 万 hm^2 耕地、阳新县城以及武九铁路、106 国道等重要交通干线和阳新长江干堤的安全。从 1960 年大坝合龙后起算，50 年累计防洪效益达 41.6 亿元。水库设计灌溉面积 8.8 万 hm^2，电站装机容量 2×2 万 kW，多年平均年发电量 1.2 亿 kW·h。水库还将为通山大畈核电站提供充足的冷却水源。2003 年 11 月水库除险加固工程正式动工，现主体工程基本完成。

1998 年富水水库移交湖北省水利厅直管，单位全称为湖北省富水水库管理局。近 10 余年来富水水库水管体制改革已经完成，基础设施和环境基础设施更趋完善。

2009 年，管理局围绕防汛抗旱服务、除险加固建设、枢纽工程管理、水资源管理等中心工作，实现了富水流域及库区平安度汛，行业能力建设不断加强，机关平稳搬迁，职工生活质量进一步改善，综合素质不断提高，全局呈现稳步发展的良好态势。不断强化管理，加强干部人才队伍建设，完成了水利工程建设领域突出问题专项排查，全面推进除险加固工程建设，档案规范化管理达到 AA 级、被评为黄石市“园林式绿化单位”和“综合治理先进单位”。

水库管理局将紧紧围绕创建水利部工程管理一级达标单位这一目标，明确职责，强化责任，制定和执行具体措施，加强协调督办抓落实，为把富水水库建设成“风景名胜观光旅游水库、人水和谐的生态水库、造福一方的兴利水库、经济社会的效益水库”而不断开拓创新。

湖南农业大学工学院水利水电工程专业

湖南农业大学工学院水利水电工程专业是在农业水利工程专业基础上，2003 年经湖南省教育委员会批准调整的一个新专业。农业水利工程专业 1999 年开始招生，2006 年农业水土工程设立了二级硕士点，2007 年起招收硕士研究生，使水利水电工程专业开始了本科、研究生多层次的培养模式。几年来水利水电工程专业共发表论文 60 篇，承担科研课题 21 项。

院领导合影

该专业现配有专业教师 13 人，其中高级职称 6 人（教授 2 人、副教授 4 人），中级职称 7 人；具有博士学位的教师 2 人，硕士学位的 11 人，其中在读博士 2 人。现已形成一支数量充足、结构合理、专兼结合、具有创新精神的师资队伍。

近年来共建成水力学、土力学、建筑材料、结构、地质、灌溉排水（基地）、水泵及水泵站、水工建筑物模型室，面积达 1120m^2；还有与学院共有的 CAD 中心，工程图学、测量实验室。

在丘陵地区水土资源综合利用、山丘区集雨、排灌机械设备设计和应用等方面进行了大量的科学研究，已形成水资源环境、水土资源综合利用、流体机械及工程等研究方向。在研的主要课题有国家自然科学基金青年项目“洞庭湖流域丘陵岗地土壤磷素迁移机理及动力学模拟”和国家科技支撑计划重大专项“沿洞庭湖粮食主产区农业面源污染物消纳减排技术研究与示范子课题：坡地水土流失强拦截关键技术研究示范”。

国家科技支撑计划重大专项“沿洞庭湖粮食主产区农业面源污染物消纳减排技术研究与示范子课题：坡地水土流失强拦截关键技术研究示范”示范区照片

国际合作项目“蓝藻机械化处理技术研究”照片

国家自然科学基金青年项目“洞庭湖流域丘陵岗地土壤磷素迁移机理及动力学模拟”室内外照片

西北农林科技大学水利与建筑工程学院

西北农林科技大学水利与建筑工程学院是集产、学、研为一体的综合性学院。学院于 1999 年 9 月由原西北农业大学水利与建筑工程学院和水利部西北水利科学研究所合并组成。

学院设有农业水利工程、水资源与环境工程、水利水电工程、土木工程、动力及电气工程、材料与结构工程 6 个系，有旱区农业水土工程教育部重点实验室、农业部旱区农业节水重点开放实验室、陕西省农业水工程实验教学示范中心，并设有水资源与节水研究中心、陕西省节水灌溉试验中心、水利部西北水利工程实验中心、西北水利水电咨询公司、西北水利水电建设监理中心、西北水利水电建筑勘测设计院等机构。学院是农业高效用水国家实验室，国家节水灌溉杨凌工程技术研究中心的主要依托单位之一，编辑出版《水资源与水工程学报》和《水利与建筑工程学报》两种学术刊物。

学院现有农业水土工程国家级重点学科，农业工程一级学科博士学位授权点及博士后流动站，水利工程博士后流动站，5 个博士学位授权学科点、8 个硕士学位授权学科点，水利工程和农业工程领域可授予工程硕士，农业水土工程、水利水电工程和水文及水资源可授予高校教师攻读硕士学位点，农业资源利用可授予农业推广硕士。学院共有 7 个本科专业面向全国招生，现有在校本科生 2039 人，博士、硕士研究生 401 人。近年来共培养博士毕业生 67 人、硕士毕业生 423 人，毕业博士生获全国优秀博士学位论文奖 1 人、全国优秀博士学位论文提名奖 1 人、陕西省优秀博士学位论文奖 1 人。

学院现有教职工 218 人，教授（研究员）26 人，副教授及副研究员 88 人；博士生导师 16 人，硕士生导师 53 人。其中国务院学位委员会学科评议组成员 1 人，国家“新世纪百千万人才工程”入选者 2 人，教育部高校青年教师奖获得者 1 人，教育部“新世纪优秀人才支持计划”入选者 1 人，“教育部优秀青年教师资助计划”入选者 3 人，西北农林科技大学拔尖人才支持计划入选者 3 人，并有双聘院士 1 人。

近 5 年来，学院先后承担国家“863”计划、“973”计划、国家科技支撑计划、国家自然科学基金等课题 60 余项，总经费约 4000 万元；同时承担横向生产课题 600 余项，总经费 1.2 亿元。获得科技奖励 50 余项，其中国家科技进步二等奖 2 项、国家技术发明二等奖 1 项、国家优秀教学成果二等奖 1 项、省部级科技进步一等奖 2 项，获批专利 50 余项，各级刊物发表论文 2000 余篇，其中 SCI、EI、STP 收录论文 300 余篇，出版学术专著 100 余部。

学院长期与国内多所大学和研究单位，以及以色列农业研究组织水土与环境科学研究所、澳大利亚持续灌溉农业研究所、澳大利亚联邦科学与工业组织水土研究所、日本筑波大学、美国西密歇根大学实验室、美国犹他州立大学等国外研究单位或高校进行合作，共同开展研究。近年来，学院接收来自全国多个高校或科研单位的访问学者 15 人，先后接待国内外专家 100 余人次来学院进行参观交流，先后有教职工 30 余人次前往美国、澳大利亚、加拿大、英国、以色列、日本等地进行合作研究与学习访问，并成功举办了多种大型国际学术研讨会。

学院坚持面向社会生产实际开展社会服务，目前学院拥有水利部西北水利科学研究所实验中心、陕西省水利工程质量检测中心站 、西北水利水电工程建设监理中心、西北水利水电建筑勘察设计院、咸阳西北水利工程咨询有限公司；具有进行土工试验，水质分析，地基与基础工程检测，土石坝原型观测，岩石、水泥、粉煤灰、粗细骨料、钢筋、砂浆、混凝土、沥青油膏、土工合成材料、防水卷材、野外观察、水力学、泥沙颗粒分析等 18 类 173 个参数的实验和检测能力；可以开展各类水利水电工程、一般公路工程、工业与民用建筑工程监理的业务；可进行水利工程、水利水电工程、水力发电工程、一般公路工程、各类工业与民用建筑工程监理，土木建筑等工程的试验研究、施工质量检测、水工建筑物检测和工程质量安全评价和咨询、建筑工程的勘察设计及技术咨询的业务。

四川水利职业技术学院

四川水利职业技术学院创建于1956年，系省属公办全日制普通高校。50余年来，学院恪守“厚德励志，禹脉传承”校训，历经几代水利人培育，传承灌县水利学校、灌县水利专科学校、四川省水利学校、四川省水利电力学校历史，于2003年升格为高等职业技术学院。

学院占地$50hm^2$有余，有老校区、实训校区、羊马新校区3个校区。老校区位于都江堰古堰景区侧，绿荫丛丛，花香四季，完善的教学实验设施，健全的后勤保障系统，具有显著特色的校园文化和浓郁的学习氛围，构成水利职业技术学院特色。实训校区有装机3×1000kW的水电厂和机械制造厂，水电厂采用全微机监控自动化运行生产方式，同时具备传统运行生产方式，可供机电类专业学生实习；水力机械制造厂是具有现代化管理条件的花园式的生产实训基地，可提供水利工程类专业实训实习。实训校区先进的实训内涵、功能及规模在整个西部高职高专院校中名列前茅。

学院现开设水利、水电、水产、资源环境等29个大学专科专业，现有全日制在校生7200余人，专职教师319名，享受国务院政府特殊津贴1人，四川省青年学术带头人1人，正高及副高级职称67人。

学院秉承50余年水利水电教育文化积淀，立足四川，面向西部，依托水利，服务社会；加强素质教育，强化教学实践，以市场为导向，提高毕业生就业竞争力，毕业生就业率连续多年保持在90%以上。建校至今，共有三万多名毕业生走向社会，他们已成为水利、水电、水产行业的技术和管理骨干人才，在四川水利水电行业享有“黄埔军校”的美誉。2006年10月，在教育部高职高专办学水平评估中，学院以其鲜明的办学特色获评优秀级。

“5·12”地震中学院遭受重大人员伤亡和财产损失，直接经济损失3.5亿元，是受灾最重的高校之一。2009年3月，国家批复学院灾后重建可研报告，投资5.3亿元，在崇州羊马新城新征教学用地近$37hm^2$，实施灾后重建。学院按照“发展老校区，建设新校区，三年跨步走，五年上台阶”的发展思路，积极推进新校区建设，确保新校区2011年9月建成。

黑龙江农垦禹洪水利开发建设有限责任公司

黑龙江农垦禹洪水利开发建设有限责任公司（以下简称为公司），成立于1999年，注册资金合计4000多万元，是集水利施工、建筑施工、房地产开发、物业管理等相关产业为一体的多元化准集团企业。自公司创建以来，年平均施工产值近1亿元，注册资金稳步增长，公司规模不断扩大，目前市场以公司总部所在地的哈尔滨市辐射黑龙江中、东部地区，以公司的发祥地齐齐哈尔市辐射西、北部地区。

公司坚持以创造较高的经济效益为核心，实行科学管理，实现可持续发展，增强企业核心竞争力的经营方针；坚持以水利工程施工、房地产开发为主，以建筑施工、装饰工程施工、物业管理和设备租赁为辅的相关产业价值链的多元化经营模式。

公司在水利工程建设、农业综合开发、中低产田改造、土地复垦、通乡公路、国家大型商品粮基地项目以及房地产开发、建筑施工中为社会发展作出了积极的贡献。嫩江干流堤防富裕牧场段消险加固一、二、三、四期工程，克山农场水土保持工程，荣获黑龙江垦区水利水电优质工程；查哈阳农场客运站工程，荣获黑龙江省农垦总局优质样板工程；开发并施工的齐齐哈尔鑫地怡园小区工程，被齐齐哈尔市评为十佳精品楼盘。公司还多次获得水利施工先进企业，水利行业优秀施工奖，安全生产先进单位，黑龙江省重合同、守信用企业和全国优秀水利企业等荣誉称号。

禹洪公司将不断发扬“从严、务实、拼搏、开拓”的企业精神，在力求“社会、股东、客户、员工四方和谐”的企业使命指引下，更新观念、抢抓机遇，不断完善管理体系，提高企业的核心竞争力，创建更多的精品工程，为社会发展作出新的更大的贡献！

上海勘测设计研究院

伊朗Mollasadra水电站

亚洲首座海上风电场——上海东海大桥海上风电场

上海勘测设计研究院（以下简称上海院）创建于1954年，一直致力于水利、水电、风电、环保、建筑等工程勘察、设计和咨询服务工作，现已发展成为具有勘察、规划设计、咨询、监理、监（检）测、项目管理和工程总承包等全过程服务能力的大型甲级设计院，是上海市高新技术企业，业务遍及海内外40多个国家和地区。

上海院已完成浙江新安江、伊朗Mollasadra等40余座大中型水电工程，南京三汊河口闸、上海青草沙水库及取输水泵闸等水利工程，亚洲第一座海上风电场——上海东海大桥海上风电场、华能阜新陆上风电场等风电工程，太湖水环境综合治理等环境工程的勘测设计，以及诸多建筑市政、输变电等工程的设计、咨询等业务。在流域综合规划、河口综合治理及水源地建设、城市水利、水生态研究及水环境治理、风电等新能源领域、水电及抽水蓄能电站建设等领域创造了一个个奇迹和纪录。

近年来，上海院大力拓展国内外总承包业务，承担了越南山洞电厂水库，江西省永新县3座病险水库，华能崇明前卫风电场，河北曹妃甸风电示范工程等项目，加快了国际型工程公司创建步伐。

上海院始终坚持发扬“不畏艰难、拼搏进取、诚实守信、追求卓越”的企业精神，将用智慧的音符，谱写出首首赞歌，为创造环境更加美好、社会更加和谐的明天而努力！

上海青草沙水库主龙口合龙航拍图

中国水利水电建设股份有限公司

董事长、党委书记
范集湘

总经理、党委副书记
刘起涛

中国水利水电建设股份有限公司（Sinohydro Group，Ltd）（以下简称为公司）是中央管理的中国水利水电建设集团公司整体改制并控股创立的股份公司，是跨国经营的综合性大型企业，是目前中国规模最大、科技水平领先、最具实力、行业品牌影响力最强的水利水电建设企业，具有国家施工总承包特级企业资质、对外工程承包经营权、进出口贸易权、AAA级信用等级。

2009年11月27日，中国水利水电建设集团公司和中国水电工程顾问集团公司在北京共同发起创立中国水利水电建设股份有限公司（总股本66亿元），分别占99%和1%的股份；其中，中国水利水电建设集团公司以工程承包业务、电力投资与运营业务、房地产开发业务、设备制造与租赁业务及其他经营性业务等主业资产作为出资，中国水电工程顾问集团公司以现金出资。

截至2009年底，中国水利水电建设股份有限公司总资产达955.56亿元，在中国设有18个全资子公司、9个控股公司、1个参股公司，在世界46个国家设有59个驻外机构。

公司主要从事国内外水利水电建设工程的总承包和相关的勘测设计、施工、咨询、监理等配套服务，以及机电设备、工程机械的制造、安装、贸易业务，电力、公路、铁路、港口与航道、机场和房屋建筑、市政公用、城市轨道等方面的工程设计、施工、咨询和监理业务；投融资业务;房地产开发经营业务；进出口贸易业务等。

公司的前身，即中国水利水电建设集团公司，自20世纪50年代以来，承担了国内65%以上的大中型水利水电工程的建设任务，参建了长江三峡等上百座世界瞩目的巨型水电站，总装机容量突破1.3亿kW，为中国常规水电装机容量、水电在建规模跃居世界第一作出了突出贡献。公司承建的多项工程获得了国家及地方政府颁发的鲁班奖、金质奖、银质奖、优秀工程奖。公司在交通、市政、工业与民用建筑等非水电建筑领域也取得了显著业绩；2008年中标京沪高速铁路工程对公司全面开拓非水电建筑市场产生了深远影响，在世界建筑市场进一步彰显了“中国水电”作为水电建设第一品牌的声誉。

目前，公司建筑总承包业务已形成国内水电、国内非水电、国际业务“三足鼎立”的格局，已由水利水电施工企业初步发展成为集工程承包，水电、风电等能源投资开发，国际经营及房地产开发协调发展的综合性大型跨国企业。

2009年11月27日，中国水利水电建设股份有限公司创立大会在北京召开

公司积极推进国际化战略，是中国水电产业“走出去”的排头兵和中国企业“走出去”的重要力量。公司先后在亚、非、欧、美各大洲50多个国家和地区进行了工程承包建设和经济技术

公司承建的黄河公伯峡水电站工程荣获2009年度国家优质工程金质奖

公司承建的云南小湾水电站工程（坝高292m，总装机容量420万kW）

合作，拥有全球50%的水利水电建设市场份额。2009年，在中国对外承包工程企业中营业额位列第4位，在全球最大225家承包商中排名第31位。“中国水电”已成为国际上水利水电建设的第一品牌和行业代表。

公司在从事工程建设的同时，积极稳健地开展融投资业务，投资建设了水电、风电、煤电等一批优质能源项目和房地产开发项目、BOT高速公路项目。截至2009年底，公司投资控股及参股在建电力项目总装机容量约918万kW，其中权益装机659万kW；路桥项目开发投资总额约166亿元,开发总里程175km；房地产业投资在建项目7个，规划建筑面积近160万m^2，投资总规模80余亿元。

公司承建的贵州构皮滩水电站工程（坝高232.5m，总装机容量300万kW）

以科学发展观为指导，公司确立了全面建设“行业领先，管理一流，品牌影响力明显，具有持续成长性和较强国际竞争力的质量效益型跨国企业”的发展目标，不断改革创新，以实现公司科学、可持续发展。

公司承建的山东泰安抽水蓄能电站工程荣获2009年度中国建筑工程鲁班奖

水电十五局有限公司承建的陕西黑河金盆水利枢纽工程荣获2009年度中国建筑工程鲁班奖

公司承建的苏丹麦洛维水电站大坝工程（总装机容量125万kW）

公司承建的伊朗塔里干水利枢纽工程荣获2009年度中国建筑工程鲁班奖

公司承建的埃塞俄比亚泰可泽水电站工程（总装机容量30万kW）

公司承建的卡塔尔多哈国际机场——第一个专门为空客380—800飞机设计和建造的机场

2009年12月18日，公司承建的非洲杯足球赛体育场馆——安哥拉卢班戈体育场正式竣工移交

公司承建的安哥拉绍里木机场修复工程，图为机场跑道沥青混凝土摊铺

中国水电 SINOHYDRO

2009年10月30日，公司承建的京沪高铁全线最长的隧道——西渴马一号隧道（2812m）贯通

公司投资建设的吉林长岭风电场一期、二期工程（总装机容量9.9万kW）

2009年12月2日，公司承建的南水北调中线丹江口大坝右岸土石坝加高工程全部达到设计高程

公司全心致力于做强做大“中国水电地产”品牌。图为其在成都投资开发的AAAAA级智能写字楼“中国水电大厦”

2009年4月15日，公司投资建设的四川沙湾水电站（总装机容量48万kW）首台机组投产发电

中国水利水电建设股份有限公司

地址：北京市海淀区车公庄西路22号

邮编：100048

电话：010-58382266

网址：www.sinohydro.com

中国大唐集团公司
China Datang Corporation

中国大唐集团公司（以下简称为集团公司）是2002年在原国家电力公司部分企事业单位基础上组建而成的特大型发电企业集团，是中央直接管理的国有独资公司，国务院批准的国家授权投资机构和国家控股公司试点，注册资本金为人民币153.9亿元。截至2009年底，集团公司在役及在建资产分布在全国28个省（自治区、直辖市）以及缅甸、柬埔寨等国家，资产总额达到4778亿元，发电装机规模突破1亿kW。2010年7月，集团公司首次入选世界500强企业，居412位。

集团公司水电项目主要分布在桂、川、滇、陕、甘、疆、渝等省（自治区、直辖市）以及缅甸、柬埔寨、老挝等东南亚国家。在役水电项目中，有我国目前第二大水电站——龙滩水电站以及乌江彭水水电站等；在建水电项目中，大型项目有嘉陵江亭子口水利枢纽工程（4×27.5万kW）、大渡河长河坝水电站工程（4×65万kW）、乌江银盘水电站工程（4×15万kW）等，万家口子水电站（2×9万kW）将建成世界上最高的碾压混凝土双曲拱坝，坝高为167.5m。

集团公司作为联合国“全球契约”组织的一员，在调整结构、提供发展质量和效益的同时，系统上下深入贯彻落实科学发展观，全面恪守“全球契约”十项原则，坚决执行国家环保政策，实现资源开发和环境保护相结合，自觉履行社会责任。

2010年1月23日，四川嘉陵江亭子口水利枢纽工程顺利实现大江截流

2007年12月3日，重庆乌江银盘水电站实现大江截流，图为施工中的银盘大坝

四川大渡河长河坝水电站已完成导流洞开挖，目前正在进行坝肩开挖及戗堤施工

2010年7月21日，缅甸太平江一期水电站水库下闸蓄水

陕西汉江喜河水电站大坝泄洪

甘肃麒麟寺水电站全景

广西红水河乐滩水电站全貌

重庆乌江彭水水电站投资61万元建立了中华蚊母古树保护园

龙滩水电工程是我国西部大开发十大标志性工程和“西电东送”的战略项目之一，是珠江流域防洪的龙头控制性工程，也是集团公司最大的控股水电项目。工程于2001年7月1日开工，2008年底一期工程7台机组全部建成投产，总投资328亿元。

龙滩水电站提供的清洁优质电力，每年替代火力发电用煤560万t，减少CO_2的排放量1462.8万t，给地方带来了生态效益。龙滩防洪库容50亿m^3，也是下游地区强大的防洪屏障，2008年为广西梧州抗洪防灾发挥了较大的作用。利用龙滩水库的调丰补枯能力，可抑制珠江口海水咸潮回溯，压咸补淡，在2007年冬至2008年春以及2008年冬至2009年春的咸潮期，保证了澳门、珠海的供水安全。工程建成后改善了红水河航运条件，促进了旅游、水产业的发展，拉动了广西、贵州地方经济，具有良好的社会效益。

龙滩水电站鸟瞰图

龙滩移民新村

龙滩生态公园

国电大渡河流域水电开发有限公司

DADU RIVER HYDROPOWER DEVELOPMENT CO.,LTD.

国电大渡河公司隶属于中国国电集团公司，是集水电开发建设与经营管理于一体的大型流域水电开发公司，于2000年11月在成都注册成立。公司股东分别为中国国电集团公司、国电电力发展股份有限公司和四川川投能源股份有限公司。公司的使命是以大渡河上已建成的龚嘴、铜街子等水电站为母体，对大渡河干流水电资源实施“流域、梯级、滚动、综合”开发，以到2020年“装机一千五、流域统调度、沿江一条路、两岸共致富”的阶段性开发战略为目标，强势推进大渡河流域水电开发，努力创造良好的经济和社会效益。

瀑布沟水电站厂房（装机容量360万kW）

瀑布沟水电站中控室

国电大渡河流域梯级电站集控中心

瀑布沟水电站水库

2009年5月2日，瀑布沟水电站6号机组转子吊装

截至2009年底，公司注册资金为40.16亿元，总资产354.39亿元，累计发电量566.21亿kW·h，上缴利税56.74亿元，拥有员工近1800人。公司目前下辖龚嘴水力发电总厂、流域检修安装分公司、瀑布沟水力发电总厂、集控中心4个电力生产单位，瀑布沟、深溪沟、大岗山、双江口、猴子岩、枕头坝、沙坪、金川、老鹰岩、丹巴、巴底11个项目子（分）公司（筹备处），已形成了“两个项目在建、一个项目待核准、七个项目全面开展前期工作”的大开发局面，开发规模超过1700万kW，占大渡河干流整体规划的75%以上。

2009年，国电大渡河公司在中国国电集团公司的正确领导下，在国家有关部委、四川省委、省政府的关怀和股东方的大力支持下，以确保瀑布沟水电站首批机组年底“双投”为中心，全力推进基本建设、电力生产、流域开发、企业转型和队伍建设等各项工作；全体干部员工团结拼搏，攻坚克难，圆满实现了瀑布沟水电站首批机组“双投”目标，超额完成了年度利润指标，出色地完成了年度各项工作任务，取得了较好成绩。2009年，公司荣获“全国五一劳动奖状”，被四川省评为“2009百强企业”，再次荣获“国电特级奖状”“国电一级红旗奖状”等荣誉称号。

2009年12月13日，瀑布沟水电站首台机组6号机正式投产发电

深溪沟水电站施工夜景

瀑布沟水电站输电工程铁塔群

深溪沟水电站机组安装施工（装机容量66万kW）

中国国电集团公司总经理朱永艽在汉源察看瀑布沟水电站移民工程

大渡河干流水电梯级开发方案图

Cascade Development Planning on the trunk branch of Dadu River

岷江	大渡河	足木足河
Min River	Dadu River	Zumuzu River

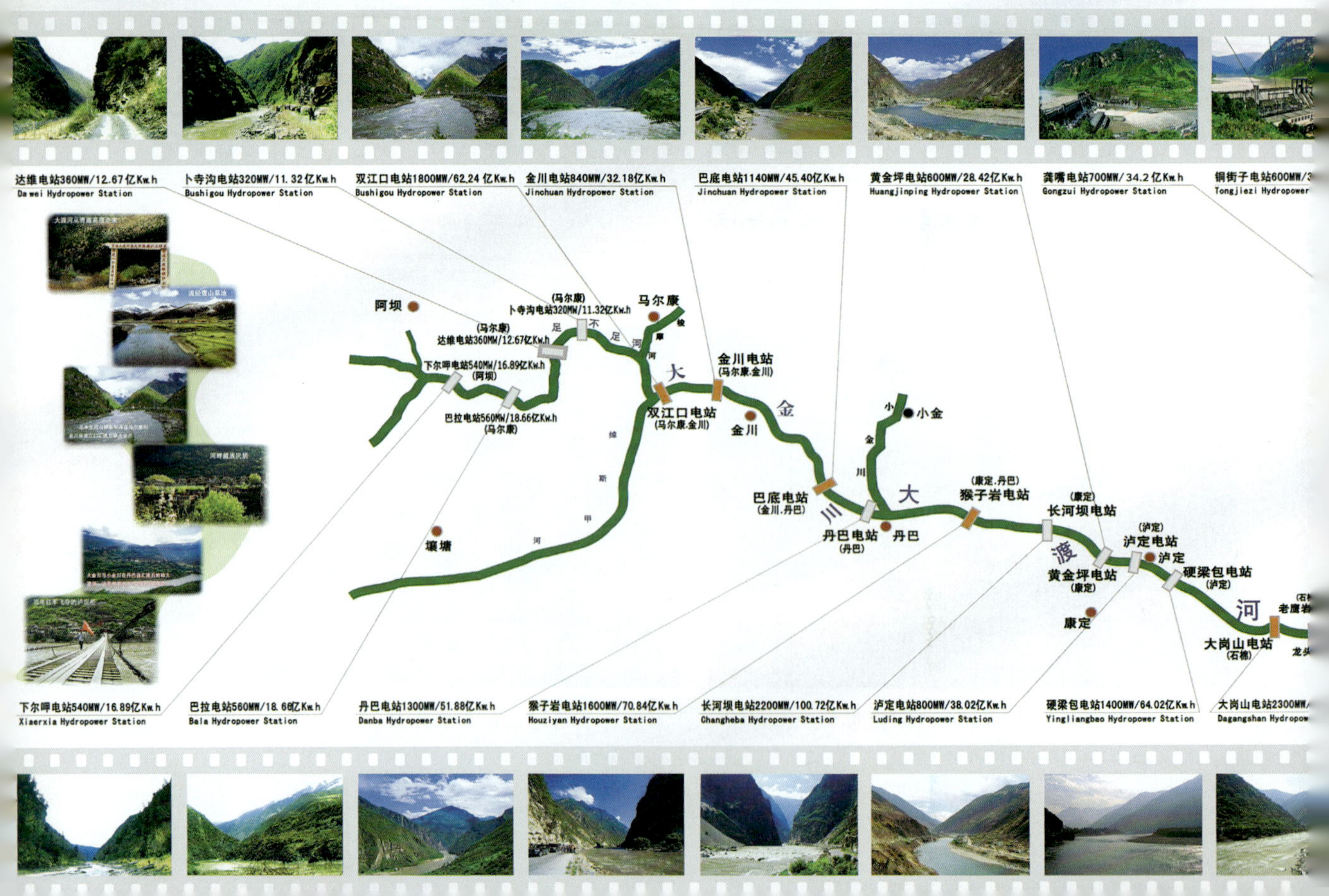

中国国电集团公司党组书记乔保平察看瀑布沟水电站现场

国电大渡河公司庆祝新中国成立60周年书画摄影展

已建成投产的铜街子电站厂房外景（装机容量70万kW）

国电大渡河公司向若尔盖红军家属捐赠物品

已建成投产的龚嘴水电站（装机容量73万kW）

华能澜沧江水电有限公司

华能澜沧江水电有限公司

中国华能集团公司（以下简称“华能集团”）是经国务院批准成立的国有重要骨干企业，是国家授权投资机构和国家控股公司试点的世界500强企业。作为国有重要骨干企业，在党中央、国务院的正确领导下，华能集团着力优化电源结构，始终致力于水电等清洁可再生能源开发，发展规模不断扩大，综合实力不断增强，截至2009年底，华能集团总装机规模10438万kW，其中：水电859.7万kW，占8.2%；在建、筹建水电项目规模约2000万kW。预计到2010年、2015年、2020年，华能集团水电装机容量将分别达到约1100万kW、2500万kW、4000万kW，约占华能集团同期电力装机的10%、16%和20%，电源结构调整扎实推进，低碳清洁能源比重将显著提高。

华能澜沧江水电有限公司（以下简称“澜沧江公司”）是由华能集团控股和管理的大型流域水电企业，主要任务是：本着“流域、梯级、滚动、综合”的原则对澜沧江流域水电站进行滚动开发，并积极参与其他流域水电开发。澜沧江公司致力于为广大用户提供优质、清洁的能源，努力成为云南省“西电东送”“云电外送”的重要骨干企业和建设以水电为主电力支柱产业的核心企业，“藏电外送”的主要参与者，成为中国南方电网和澜沧江—湄公河次区域最重要的水电开发运营公司。

澜沧江公司始终坚持“追求卓越、争创一流”的企业精神，确立了“高起点、敢创新、严管理、重效益”的指导思想，提出了“创一流公司、建精品工程”的目标，高标准、严要求，精心组织、科学管理，全面推进澜沧江流域、金沙江中游龙开口电站和缅甸瑞丽江流域水电资源开发，积极推动太阳能等新能源项目开发建设，装机容量位列亚洲第一的石林并网光伏实验示范项目首期工程已投产发电。截至目前，澜沧江公司投产装机容量达837.44万kW，在建、筹建规模超过1600万kW，资产总额超过700亿元，实现了“运营一批、建设一批、储备一批”的良好发展态势。2010年，华能小湾水电站4号机组成为全国水电装机突破2亿kW的标志性机组，见证了中国水电百年辉煌。

澜沧江公司秉承“建好一座电站、带动一方

小湾水电站

经济、保护一片环境、造福一方百姓 、促进一方和谐”的水电开发理念，始终坚持以科学发展观统领全局，精心统筹水电开发与自然环境的协调发展，坚持生态环保优先，打造绿色水电，推动绿色发展取得新进展；统筹水电开发与地方经济社会的协调发展，切实履行社会责任，带动流域经济社会实现新发展；统筹水电开发与移民群众的协调发展，创新思维、多措并举，移民安置和发展实现新突破；统筹水电开发与创新型企业的协调发展，建设创新型企业，形成了以技术、管理创新为主的新优势。

澜沧江公司曾荣获“全国五一劳动奖状”“西部大开发突出贡献先进集体”“中国能源绿色企业50佳”“中央企业思想政治工作先进单位”“中央企业信访工作先进集体”“全国企业文化优秀成果”“电力行业企业文化建设特等奖”“首批电力行业AAA级信用企业”“云南省文明单位”“云南省优强工业企业”“云南省扶贫工作先进集体”“云南省劳动关系和谐企业”“电力科技创新先进企业”等荣誉称号。

小湾水电站厂房

漫湾水电站

石林光伏电站

景洪水电站

夯实基础 改革创新 为水利发展提供有力支撑

水利部综合事业局成立10周年

2009年1月22日，水利部部长陈雷到综合事业局慰问职工

水利部综合事业局是伴随着新时期水利工作方针和治水思路的实践诞生和发展起来的，是水利改革与发展的产物。2000年8月，水利部党组顺应国家机构改革的大潮，整合部直属的8个正、副司局级事业单位及其附属单位，组建水利部综合事业局，其主要职责是受部委托，承担水资源管理、水利科技推广、人才资源开发、水利工程建设与管理、水土保持监测、沙棘开发、展览宣传、水利机械和水利多种经营管理等工作，为水利发展提供技术支撑与管理服务。

综合事业局成立以来，在水利部党组的正确领导下，以科学发展观为指导，积极践行可持续发展治水思路，不断创新发展理念，破解发展难题，经过10年的艰苦努力，在业务发展和经济建设等方面取得了令人鼓舞的成绩，实现了跨越式发展，初步完成了第一阶段改革发展的历史使命和奋斗目标，为推动水利事业发展提供了有力的技术支撑，对提高水利对经济社会可持续发展的保障能力发挥了积极作用。

一、准确定位，大胆改革，努力践行可持续发展治水思路

定位决定地位，思路决定出路。综合事业局成立初期，局党委领导班子就认识到：综合事业局的根本任务就是要紧密围绕水利中心工作，不断提高业务水平，为水利发展提供坚实的技术支撑，这是综合事业局生存与发展的基础。

综合事业局成立初期，面临一系列的困难，如业务整合难度大、经费不足、人心不稳、人才匮乏、困难单位多等。面对发展中的压力，水利部党组给予了高度的重视。2002年上半年，时任副部长的陈雷同志亲自领导综合事业局深入研究改革发展中的重大问题，组织制定了综合事业局整体改革方案。根据水利部领导“做活、做好、做实、做响”的指示精神，综合事业局结合自身实际与现实需求，解放思想，转变观念，不等不靠，确立了“建立精干高效的事业队伍，建立强大稳定的经济基础”两大战略目标，力争通过若干年的努力，把综合事业局建设成“业务强局”“经济强局”。

2000年8月2日，时任水利部部长汪恕诚，副部长敬正书、张基尧出席水利部综合事业局成立大会

目标明确了，操作是关键。推进“业务强局”“经济强局”建设必须要建立一系列充满活力、富有效率、科学发展的管理体制和运行机制。为此，局党委领导班子经过周密策划和慎重考虑，充分权衡改革进程中的各种利益关系，于2003年出台了“三条主线、四个层次”以及“发展三大产业”的整体改革方案。围绕行政管理、业务管理、经济财务管理三条主线，确立水电开发、城市供排水、技术咨询三大产业，按局机关、在京直属事业单位、局属科研机构和局属企业四个层次进行全方位的改革。

2005年，综合事业局在系统总结经验、科学分析形势的基础上，认真研判了经济社会发展的新要求、水资源条件的新变化、水利实践的新发展，对建设“业务强局、经济强局”两大战略目标进行了充

实调整，在此基础上，编制完成了《综合事业局2006—2010年发展战略》，提出了“打造品牌、合作共谋、革新管理、创建文化”战略构架和“完成机构改革、打造品牌业务”等八大阶段性发展目标，从战略高度谋划了全局今后一个时期的发展道路。

2008年以来，在深入学习实践科学发展观活动中，根据党的十七大精神、加快经济发展方式转变和发展民生水利的新要求，对建设“业务强局”“经济强局”的工作思路做了进一步的完善，先后出台了《综合事业局产业发展二次改革框架方案》和《综合事业局关于进一步加快业务发展的指导意见》两个重要文件，通过进一步深化改革，不断强化主体业务，提高经济发展质量，在更高层次上提升业务、经济的发展水平。

回顾10年的发展历程，综合事业局全体职工深刻认识到：必须坚持服务水利发展大局，适时开辟新的、有生命力的业务领域；必须深化改革，创新科学发展、和谐发展的体制机制；必须了解自身的现状与需求，制定高瞻远瞩的战略，选择切合实际的发展模式，运用现代经济的手段，在千载难逢的战略机遇期中谋求发展。

经过10年的探索实践，综合事业局的发展思路不断完善，发展理念日趋科学，发展模式不断创新，走出了一条符合可持续发展治水思路、切合全局工作实际、特色鲜明的改革和发展之路。改革与发展的成果充分证明了水利部党组未雨绸缪、高瞻远瞩决策的正确性。

二、围绕中心，服务大局，为水利发展提供有力支撑

10年来，综合事业局作为承担水利部行政职能业务延伸较多的单位之一，紧密围绕水利中心工作，励精图治，奋力拼搏，各项工作都有了长足的发展。

（一）拓展业务，强化管理，对水利发展的支撑能力不断增强

综合事业局按照业务优先的发展思路，注重加强业务体系建设，业务发展的可持续性大大增强，形成了比较稳固的水资源管理、水利风景区建设与管理、水利水电产品质量监督管理、国际河流管理与国际合作交流、水利工程建设与管理、水土保持生态建设管理、水利科技研发与推广、水利人才资源开发与培训、水电开发与建设、水务发展与建设等十大主体业务体系，基本具备了为水利发展提供管理和技术支撑的能力。

2004年3月15日，水利部水资源管理中心揭牌

水资源管理实现了跨越式发展。2003年，在水利部党组和有关司局的大力支持下，综合事业局正式成立水利部水资源管理中心。“节水型社会建设”“全国跨世纪节水行动”“全国地下水保护行动”等大型项目逐一立项实施，促进了全国节水型社会建设工作的开展。完成了七大流域、30个省（自治区、直辖市）及82个国家级节水型社会建设试点规划

的编制工作；加强建设项目水资源论证；组织开展地下水管理立法、地下水保护试点研究；主持和参与编制的《建设项目水资源论证导则》《地下水超采区评价导则》等多项水资源管理的技术标准与规范，较好地发挥了对水利部水资源管理业务的支撑作用。2010年3月，综合事业局在中国水务投资有限公司设立了地下水保护利用研究所，积极开展地下水保护利用前沿领域研究，为下一步有效管理地下水资源提供技术支撑。

水利风景区业务是综合事业局近年来适应民生水利和生态文明建设而新拓展的业务。这项业务的开展，得到了有关部门的充分肯定，在2004年深化行政审批体制改革中，国务院明确保留了“水利风景区建设”审批事项。水利部党组高度重视水利风景区的建设与管理，2009年成立了“水利部水利风景区建设与管理领导小组”，为推动水利风景区建设与管理工作提供了组织保障。2010年3月，水利部部长陈雷亲临全国水利风景区建设与管理工作大会，并作了重要讲话，为下一步水利风景区的发展指明了方向。全国现有国家级水利风景区370个，省级水利风景区千余个，这些景区在整治水环境、保护水资源、修复水生态、维护水工程、弘扬水文化、发展水经济、改善人居环境、促进人与自然和谐相处、推进民生水利和生态文明建设等方面发挥了独特作用，取得了良好的社会、生态和经济效益。

组织国家水利风景区评审

水利科技是推动水利发展的不竭动力，水利科技推广是促进水利科技成果转化的重要环节。综合事业局认真实施科技兴水战略，紧密围绕水利建设主战场开展科学研究、技术开发和推广转化，以科技进步推动水利现代化，取得了一批行业内外有影响的科技成果。由综合事业局自主研发的“HL420-2S6000L超大型预冷强制式混凝土搅拌楼研制”获2007年大禹奖一等奖，与有关单位共建科技推广管理机构10家、推广示范基地11个，水利科技推广机构和技术服务组织体系已见雏形。受水利部委托管理“948”、推广计划、农转资金计划等项目，涉及项目100多个，经费规模近1亿元。连续8年组织召开了国际水利先进技术（产品）推介会，推动一大批科技成果应用于生产。

大型渠道衬砌成套设备

工程建设管理不断加强。近年来，随着国家对水利的投资力度加大，工程建设的质量成为社会广泛关注的焦点。为此，综合事业局积极配合水利部有关司局，加大对水利工程的稽察、质量监督管理工作，不断提高工程建设管理水平。截至2009年底，共组织完成572个水利工程建设项目的稽察、复查、举报调查和专项检查；承担了万家寨、小浪底、引额济乌、尼尔基等23个大型水利工程建设项目的质量监督工作，涉及工程投资2270亿元。仅2009年，就完成了296项病险水库除险加固工程、农村饮水安全工程和灌区“两改一提高”工程的稽察，涉及工程投资385亿元。同时，高度重视水利

开展水利工程永久设备质量安全监督工作

安全生产监督工作，先后对龙口、西霞院、燕山、皂市、白莲崖、刘家道口、尼尔基、百色等10项工程的安全生产情况进行监督检查。

人才资源开发成果显著。建设高素质的水利人才队伍是水利事业发展的基础，这几年随着国家人才开发培训力度的加大，综合事业局抓住机遇，调整人才资源开发中心的业务重心，理顺内部管理体制，水利人才开发工作成果显著。累计举办行业内各类培训班100多期，培训人员超万人；2005年，水利部党校恢复办学后，举办了6期处级领导干部进修班；开展了中日项目培训3000多人次，延伸培训3万多人；累计鉴定并核发水利特有工种证书2万余份。

积极开展各方面人才培训

加强与各国的交流与合作

构建全国水土保持监测网络和信息系统

苎麻治理南方坡耕地水土流失

国际经济技术交流与合作稳步推进。重点加强和规范了世行、亚行、英国、日本等政府或机构赠款项目的实施和管理，实施外资赠款项目22个，涉及1.1亿美元，开展贷款项目5个，涉及资金近8亿美元。承担了中英、中荷、中西、中意、中澳等5个水利双边合作交流机制的日常工作，与相关国家开展了水资源管理、防洪减灾、污水处理、水权水市场等方面的交流与合作。

水土保持监测能力显著增强。水土保持是各级政府依法履行的一项基本国策，公益性特征突出，社会关注度高，行业发展性强。综合事业局先后组织完成第二次、第三次全国土壤侵蚀遥感调查，初步建成全国水土保持监测网络系统，形成了快速便捷的全国水土保持信息采集、传输、处理和发布系统；组织审查生产建设项目水土保持方案及大纲近2000个，为水土保持行政监督执法提供有力支撑。

水土保持植物生态建设实现良性发展。通过组织实施的“晋陕蒙砒砂岩沙棘生态工程项目”，形成了生态建设与商业推广有机结合的“沙棘模式”，累计种植沙棘200多万hm^2，每年减少入黄泥沙2500多万t，项目区农民每年人均增收500多元，对改善黄土高原水土流失地区生态环境发挥了重要作用。世界最大的沙棘综合加工基地在内蒙古鄂尔多斯建成投产。

水利机械行业管理力度不断加大。水利机械设备管理业务主要涉及水利水电产品质量管理、水利工程设备制造监理资质管理、水利水电机电新产品鉴定等工作，是综合事业局承担的一项行政许可业务。对此，局领导班子高度重视，采取多项措施，加大对水利行业机械设备管理力度，严格规范对水利机械行业准入制度和资质的管理，确保水利行业在永久性设备领域无重大事故的发生。出台了《水利工程启闭机使用许可证审查员管理办法》；组织实施了水利水电产品质量监督管理、水利工程设备制造监理资格管理、水利水电机电新产品鉴定推广和技术标准制（修）订等工作；严格规范对水利机械行业准入制度和资质的管理，累计核发启闭机使用许可证306张、水工金属结构防腐蚀专业施工能力证书16张、焊工合格证书6777张、无损检测

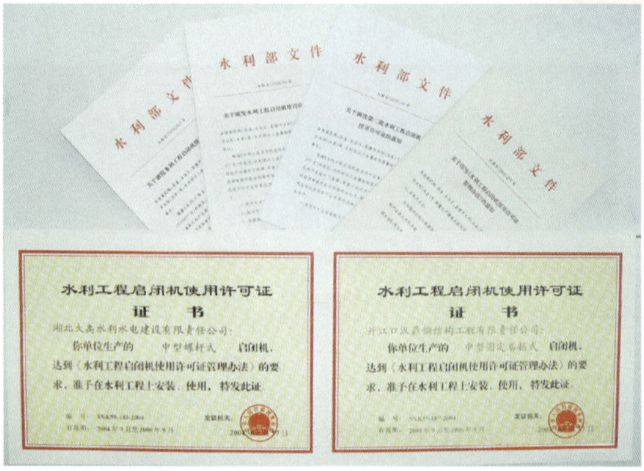

核发水利工程启闭机使用许可证

水利部北戴河疗养院

人员合格证书911张、防腐蚀质检员合格证书481张、防腐蚀操作工合格证书1642张 。

局属京外单位发展势头良好。北戴河疗养院建成运行。2004年，水利部党组交给综合事业局承办北戴河培训中心重建的任务后，我们加大管理和投入力度，融资1亿多元，完成了疗养院的整体规划和培训楼的建设任务，使之完全具备了承担水利系统业务培训、重要会议、职工休假等接待能力。近三年已累计接待15万人次。

郑州水工金属结构质检中心以科研及标准项目为重点，先后承担水利部标准编制任务近20项；组织完成了“三峡升船机施工测量技术研究”，成果达到国内领先水平，并应用于指导三峡船闸工程的施工测量；全国水利水电行业金属结构质量检验测试实验室正式投入使用，在建设权威检测研究机构的道路上迈出了重要一步。

杭州产品质量标准研究所大力开展提高科研能力和成果转化能力建设，先后申请到多项部、省、市级科研项目，科研成绩创历史新高；全国水利机械产品质量标准研究和检测实验室即将建成，为进一步提高检验检测和科研能力奠定了坚实的基础。

长春机械研究所面向长远发展，实行了企业化管理，各项业务工作正在稳步推进。

（二）面向水利，打造平台，引导社会资本投资水利建设

发展水电既是提供清洁能源的重要手段，也是治水兴国的重要组成部分。发展水务既是促进城乡水务一体化管理的重要举措，也是引导社会资金加快水利建设的重要途径。近年来，综合事业局从水利事业发展的高度出发，依托行业优势，选择了水电、供水和技术咨询为全局经济发展的主导产业，相继构建了新华水电、中国水务、新华咨询和新华实业四大产业平台。通过发展产业来解决综合事业局存在的困难，为业务发展和自身改革夯实经济基础；同时，发挥水利国有资本示范效应，引导社会资本投资水

2009年12月27日，新华水利水电投资公司2009年第十台机组并网发电仪式在北京举行

2008年4月1日，新华国际工程咨询公司与澳大利亚国际水中心举行战略合作谅解备忘录签字仪式

利建设，以市场手段推动水利又好又快发展。

2006年8月24日，综合事业局与新疆地矿局举行《淮东煤田帐南煤矿区勘查合作协议》签字仪式

几年来，综合事业局充分发挥国有资本对社会资金的带动作用，整合局属企业的存量资产，采取各种改革方式促进存量资产合理流动，增量激活存量，实现了水电、水务两大产业的滚动发展。据不完全统计，截至2009年底，综合事业局所属公司利用起步时近8亿元的原始资本，带动了全社会近200亿元资金投入水利基础设施建设，黄河沙坡头水利枢纽、黄河龙口水利枢纽、云南龙江水利枢纽、新疆冲乎尔电站和波波娜电站、湖南浯溪水电站等一批水电项目相继开工建设或投产；在上海、山东、江苏、浙江等东南沿海发达地区相继控股了十几家水务企业，形成了以投资促发展、以发展引投资的良性循环格局。目前，综合事业局所属公司水电装机容量达350万kW，可实现每年二氧化碳减排量620万t，2010年可实现二氧化碳减排交易收入近1亿元，2010年二氧化碳减排收入将超过2亿元；水务日供水能力超500万t，有效促进了水资源的高效利用和城乡水务一体化建设，提高了供水的安全保障能力。截至2009 年底，综合事业局可控资产总额近300亿元，实现营业总收入35.6亿元，利润总额3.7亿元，上交税金4.5亿元，与成立之初比，可控资产总额增长了20倍，营业收入增长了23倍。

与此同时，产业发展也极大地促进了综合事业局的业务发展，全局的基础设施得到有效改善。从局机关到局属单位，基本都有了自己的办公场所，具备了长远发展的基础条件，在河北北戴河、宁夏沙坡头、内蒙古呼和浩特分别建设运营3座星级酒店；相继解决原来难以安置的机关及事业单位分流的职工，维护了社会稳定；扶持了原水利部直属的天津院、东北院等勘测设计机构及科研院所的发展。同时，在促进地方经济发展、保护生态环境、加快贫困地区脱贫致富、维护民族团结等方面做出了积极贡献。

钱江水利自来水厂

（三）统筹兼顾，维稳解困，为构建和谐水利做贡献

综合事业局建局之初，共有10个特别困难单位划入综合事业局管理。这些困难单位大多是水利系统的老厂，历史遗留问题较多，包袱沉重。水利部党组高度关注这些困难单位，多次召开有关会议专门研究困难单位的脱困工作。2002—2003年期间，当时分管综合事业局工作的水利部副部长陈雷曾下大力气来研究这些单位改革的方案。在此基础上，提出了困难单位改革发展的总体思路，对生产企业以稳定发展为目标进行股份制改造；对科研单位进行转制和转型；对郑州水工机械厂、三门峡水工机械厂、重庆水文仪器厂（以下简称“三厂”）分别制定了改革方案并加快实施。

在发展过程中，综合事业局党委高度重视稳定工作，在集中资源大力支持“三厂”等老国有企业发展的同时，把维护全局系统企事业单位职工的稳定作为重要工作来抓。10年过去了，包括“三厂”在内的全局系统基本没有下岗职工，2009年都实现了盈利。同时，在水电、水务工程建设中，全力做好移民安置工作，为实现全局健康、和谐、稳步发展创造了条件，为维护社会稳定做出了努力。可以说，困难单位改革的成功推进，取决于综合事业局业务经济总量的快速增加与整体实力的不断提高。

三、抓住机遇，不断创新，努力推进水利综合事业又好又快发展

胡锦涛总书记在2010年2月省部级主要领导干部专题研讨班上强调，加快经济发展方式转变是党中央从全球视野和全局高度出发，根据我国现阶段发展的新特点和新要求提出的重大战略举措。水利部部长陈雷在贯彻落实中央提出的转变经济发展方式党组学习会上强调，要把科学发展观的基本要求、加快经济发展方式转变的战略部署与解决干旱缺水、洪涝灾害、水污染和水土流失等问题有机结合起来，进一步完善水利发展思路，转变水利发展模式，通过合理开发、高效利用、综合治理、优化配置、全面节约、有效保护和科学管理水资源，推动水利走上科学发展、可持续发展的道路。面对加快经济发展方式转变和推动民生水利新发展的要求，综合事业局党委初步确定了今后一个时期的工作思路，即“把握一条主线、围绕两个主题、做到四个推进”，全力推进“业务强局”“经济强局”建设，更好地服务民生水利新发展。

“把握一条主线”即把握转变经济发展方式、推动民生水利新发展这一主线。加快转变经济发展方式是我国经济领域的一场深刻变革，关系改革开放和社会主义现代化建设全局，其意义深远，任务艰巨，责任重大。综合事业局作为水利部的业务管理支撑单位，必须在转变经济发展方式、推动民生水利新发展的伟大实践中努力走在前列。

“围绕两个主题”即提升业务管理能力、提升经济发展水平这两个主题。为更好服务民生水利新发展，业务建设和经济建设仍将是综合事业局全体干部职工今后一个时期的两个主要任务，业务强局和经济强局仍然是综合事业局的两个主要的战略目标。

“做到四个推进”即推进业务持续发展、推进经济结构调整、推进事业单位改革、推进人才队伍建设。

（一）着力推进业务能力建设

业务建设是立足的根本。综合事业局将把握好自身定位，加大资源整合力度，紧密配合相关司局，高质量完成行政职能的延伸工作，着力增强对水利事业发展的支撑能力和服务保障能力。近期，在广泛调研的基础上，综合事业局出台了《综合事业局关于进一步加快业务发展的指导意见》，重点在三个方面下工夫：一是在加强培育新业务上下工夫，设立地下水保护利用研究所和海水淡化应用与技术推广研究所，积极拓展水资源管理业务；做实产品质量监督管理工作，强化水利机械设备制造行政许可职能管理；进一步加强水利风景区建设与管理领导小组办公室的职能，推动水利风景区建设与管理业务新发展。二是在整合资源上下工夫，支持和推动局属业务单位的交流、协调与合作，优化业务结构，共享业务资源，提升整体业务品牌和行业影响力。三是在提高业务管理支撑能力上下工夫。把加强水资源管理、水利风景区建设管理、国际河流管理、水土保持生态建设管理、水利工程质量与安全管理等业务作为全局业务发展重点来抓，加大扶持力度，切实提升业务发展水平。

（二）着力推动经济结构调整

按照加快转变经济发展方式的要求，综合事业局正在积极推进产业发展二次改革，调整经济结构，

努力促进业务规模、结构、质量、效益的协调发展。一是改进企业监管模式，建立适应综合事业局特点的企业监管体制和运营机制，进一步强化国有资产的监管职能，设立“控股公司”，改革资产的管理，通过“控股公司”对水电、水务等产业公司及其他资产进行股权管理，综合事业局从过去直接管理产业公司逐步向产权管理和资产经营转变。二是以资本为纽带，积极引进战略投资者，推进产业公司股份制改造，实现股权多元化、社会化，加快产业公司上市步伐。三是积极进行结构性调整，加强具有良好经济效益和社会效益项目的管理，逐步退出非重点发展行业；加快改组、改造“三厂”的工作，研究探索机电资产的重组整合，推动机电产业的改革与发展。四是优化融资结构，规避资金风险，合理确定项目资本金和负债比例，控制债务风险；积极探索和运用产业投资基金、发行债券等多种融资方式，提高直接融资比例，有效规避和化解企业资金风险。五是加强项目管理，提高投资收益，从项目的立项、建设、投资、运营等环节入手，加强内部管理和成本控制，努力提高投资效益。

（三）着力推进事业单位分类改革

加快推进事业单位的分类改革，是大势所趋。2008年4月召开的全国水利人事劳动教育工作会议上，水利部部长陈雷明确提出要“在中央和有关部门的统一部署下，积极稳妥地逐步推进水利事业单位分类改革”。2009年以来，国家分类推进事业单位改革的步伐明显加快，相关政策和实施办法正在陆续制定出台。面对这一新形势，综合事业局将结合自身实际，着力推进所属单位分类改革，逐步建立起与社会主义市场经济体制相适应、符合事业单位自身发展规律和特点、布局结构合理、资源优化配置、运转协调、服务高效、充满生机和活力的管理体制和运行机制，争取在水利事业单位改革中积累一些经验，并努力在实践中走在前列。

（四）着力推进人才队伍建设

当今和未来的世界竞争，从根本上说，是人才的竞争。综合事业局要在日益激烈的竞争中快速发展，必须努力建设一支能办大事、会办难事、敢办新事、一心一意干实事的干部职工队伍。一是加大培养高端人才的力度。在专业领域和经济管理方面通过多种方式继续加大人才培养的力度，同时全力支持挂靠的几个社团，吸引行业内外的高端管理人才。二是进一步加大选拔年轻干部的力度，通过完善干部任用、选拔机制，真正把政治觉悟高、业务精通、工作踏实、作风正派的年轻干部选拔到领导岗位上来，使干部工作走上制度化、规范化的轨道。三是努力建设合理的人才结构，使老中青相结合的行政管理人才、经济管理人才和专业技术人才协调发展，这是全局健康、可持续发展的根本保证。四是大力弘扬“献身、负责、求实”的水利行业精神，树立“专业、创新、执行、和谐”的核心价值观，深入开展精神文明建设和文化建设，营造全局上下同心同德、群策群力、心平气顺、和谐发展的良好氛围。

今后一个时期，既是我国全面建设小康社会的关键时期，也是水利发展与改革的重要战略机遇期。综合事业局党委将带领全局干部职工，认真贯彻落实水利部党组的决策部署，紧密围绕水利中心工作，进一步加快改革步伐，坚定不移地推进水利综合事业又好又快发展，更好地服务于可持续发展的现代水利事业。

与日本国际协力机构合作实施中国水利人才培训项目

新华水利水电投资公司

宁夏沙坡头水利枢纽工程全貌

云南龙江水电站工程移民新村——建在公路旁的岳岛移民安置点

新华水利水电投资公司是水利部综合事业局专业从事水利产业投资开发的大型企业。控股水电装机容量4000MW，城市与工业供水400万t/日，总资产300亿元。

公司以服务水利、服务民生为己任，坚持合作共赢、服务社会的理念，围绕水电水务产业，狠抓管理增效，不断拓展主业优势，基本形成了新疆区域、近西北区域、中南区域的水电布局和以中东部为主的水务经营市场。

通过“十五”和“十一五”两个五年期的发展，公司净资产由成立之初的7.5亿元增长到33亿元。2009年，投产4座电站10台机组共500MW，今后将陆续投产一批中小型水电站，逐步形成良好的滚动发展态势。计划到“十二五”末期，发电装机容量将超过5000MW，供水能力超过600万t/日。

面对国家节能减排的形势和任务，新华水利水电投资公司迎来了良好的发展机遇。公司将大力发展水电等可再生能源，创新供水市场，为水利事业和水资源节约、保护、利用作出新贡献。

云南龙江水电站枢纽工程全貌

强化技术支撑　服务民生水利

——中国灌溉排水发展中心成立25周年

2010年，中国灌溉排水发展中心（以下简称“中心”）成立25周年。1985年，中国喷灌技术开发公司成立，后来发展成为中国灌排技术开发公司，2000年机构改革，更名为中国灌溉排水发展中心，从企业改为事业单位。25年来，中心从最初承担节水灌溉贴息贷款、技术推广培训、产品研发、中日合作项目管理发展成为承担农村水利有关规划、技术规范编制以及重点项目的具体业务管理工作，负责灌溉排水、农村饮水技术开发、推广、培训、工程项目咨询评估，农村水利对外技术合作交流等综合性业务的事业单位。中心始终坚持“献身、负责、求实”的水利行业精神，认真履行职责，开拓创新、锐意进取，为农村水利事业的发展提供了强有力的技术支撑。

中心先后主持完成“863”国家计划项目2项、“十一五”国家科技支撑计划重点项目4项、行业重大专题研究25项，取得了丰硕成果。其中，《全国农村饮水安全工程“十一五”规划若干重大技术问题研究》《全国灌溉用水定额编制研究》《中部四省大型排涝泵站更新改造规划相关重大问题研究》分别获水利部大禹奖二、三等奖；《全国新增千亿斤粮食生产能力规划（水利专题）》获全国优秀工程咨询成果一等奖；《西部地区农村饮水安全问题研究》获2007年度中国发展研究奖一等奖；《全国300个节水增产重点县建设技术推广项目》获国家科学技术进步二等奖。

受水利部委托，编制完成《全国节水灌溉规划》《全国大型灌区续建配套与节水改造“十一五”规划》《全国农村饮水安全工程“十一五”规划》《全国大型泵站更新改造“十一五”规划》《全国新增千亿斤粮食综合生产能力规划（水利专题）》等10多项全国性专项规划；制定、修订《节水灌溉工程技术规范》《节水灌溉设备现场验收规程》等技术标准22项，其中已颁布16项。

中心围绕水利部农村水利重点项目，在咨询评估、项目检查验收、信息化建设、技术培训与推广等诸多方面开展了大量工作。完成了大型灌区续建配套与节水改造项目中期评估、全国农村饮水安全复核评估、中型灌区节水改造项目综合评价等。对中部地区140处大型排涝泵站和全国252处大型灌溉排水泵站更新改造安全鉴定报告进行复核；开展了农村水利信息化建设。在管理的外资项目中有两项被世行评为“非常满意”项目。举办了100多期培训班，编写培训教材40多册，培训人员8430人（次）。同时，中心编制完成农村水利项目可行性研究报告、实施方案、工程设计等技术报告100多项，完成节水灌溉工程施工10余项，实施工程监理项目30多项。

中心积极推进中外技术交流与合作，承担了中日合作“灌溉排水技术开发与培训”“草原生态保护节水灌溉示范”，中英合作“面向贫困人口的农村水利改革”，世界银行“节水灌溉贷款项目”，全球环境基金“海河流域水资源与水环境综合管理”等项目的具体管理与实施。

20多年来，中心坚持走以改革促发展的路子，加强内部管理，健全规章制度，落实岗位责任制，实行绩效挂钩，建立激励机制，面貌发生了很大变化，形成了灌溉排水、农村饮水安全技术服务全面发展，两个文明建设同步推进的喜人局面，连续9年获得国家机关精神文明先进单位和水利系统精神文明单位。

水利部长江水利委员会

三峡大坝泄洪

长江水利委员会（以下简称“长江委”）是水利部在长江流域和澜沧江以西（含澜沧江）区域内行使水行政主管职能的派出机构，成立于1950年2月。60年来，在水利部的坚强领导下，在流域各省（自治区、直辖市）的大力支持下，长江委励精图治、不懈奋斗，忠于国家、忠于人民，创造了一个又一个辉煌业绩，铸造了一个又一个历史丰碑，谱写了新中国长江治理开发与保护的壮丽篇章。

——长江防洪抗旱减灾体系初步建成，水旱灾害得到有效应对。长江委一直把防洪抗旱作为治江工作的重中之重，在成立之初即根据长江的实际和特点提出了以防洪为中心的治江三阶段方略。60年来，按照“蓄泄兼筹、以泄为主”的方针和“江湖两利”“左右岸兼顾”“上中下游协调”的原则，加强工程措施与非工程措施建设。流域初步建成了以堤防为基础，以三峡工程为骨干，干支流水库、分蓄洪区、河道整治以及蓄、引、提水等工程措施和非工程措施相结合的综合防洪体系和抗旱体系，防洪抗旱能力显著提升：有效应对了1954年和1998年大水、2006年川渝大旱等特大洪水和严重干旱灾害，成

三峡工程全貌

长江堤防景色

功抵御了频繁发生的台风和山洪灾害袭击，取得了2008年汶川和2010年玉树水利抗震救灾斗争的重大胜利，最大程度地减轻了灾害损失，为保障流域经济社会发展和人民安居乐业作出了重要贡献。昔日桀骜不驯、多灾多难的长江正成为一条洪行其道、惠泽人民的安澜巨川。

——一大批骨干工程巍然矗立，水资源开发利用成效显著。60年来，经过不懈努力，流域内三峡等一大批综合利用水利枢纽陆续建成，我国最大的水电基地金沙江干流梯级水电开发逐步推进；南水北调中、东线工程按计划开工建设，我国水资源配置战略格局初步形

耙铺长江堤防建设

目前世界最高的面板堆石坝——水布垭水利枢纽

2005年9月26日，南水北调中线水源工程丹江口大坝加高工程奠基

南水北调穿黄工程竖井施工

清江隔河岩水利枢纽

成；长江干支流通航能力不断增强，黄金水道的功能得到进一步发挥。统计资料表明，长江流域已建水库约4.6万座，总库容2500多亿m^3；建成地表水蓄、引、提、调水工程约522万座，实际供水能力约2000亿m^3，发展有效灌溉面积1500万hm^2；已建和在建水电站2400多座，总装机容量1.32亿kW；长江水系通航里程7.1万kW。其中，已建水库、水电站总装机容量和通航里程均占全国的一半以上。流域供水、灌溉、发电、航运等水资源综合利用体系基本形成，为流域乃至全国经济社会发展提供了有力的支撑和保障。

——水资源及水生态与环境保护不断加强，优良生态得到维护。60年来，长江委不断加大水资源保护力度，基本建成了覆盖长江流域主要江河、湖泊和水库等水体的水环境监测网络，初步建立了以水功能区管理为基础的流域水资源保护管理体系，饮用水源地保护、入河排污口管理逐步实现规范化，长江水质总体良好。开展了以“长治”工程为龙头的水土流

武汉江滩整治工程，将防洪功能与生态环境有机结合

水质监测

失综合治理，建成基本农田72万hm²，累计治理水土流失面积29.9万km²。积极开展水生态修复工作，尝试开展水利水电工程生态调度，加强渔业资源重点保护，对长江中下游圩垸实施平垸行洪、退田还湖，恢复水面面积2900km²，实现了千百年来从围湖造田向主动还江河湖泊空间的历史性转变，流域水资源及水生态与环境得到有效保护与修复。

——流域综合管理和公共服务水平显著提升，依法治江深入推进。60年来，长江委根据流域经济社会发展形势及河流治理开发保护的要求，开展了长江流域综合规划和干流各河段及主要支流、重要地区的专业、专项规划，以及西南国际河流的综合规划等工作，提出了《长江流域综合规划报告》等一系列规划成果，流域规划体系日趋完善，对流域治理开发与保护起到了重要的指导作用。实施了水工程建设规划同意书、取水许可和水资源论证、洪水影响评价等制度，初步确定了流域取水总量控制指标体系，流域水资源管理、河道管理、采砂管理和水利工程建设管理等不断加强。积极推行综合执法试点，成功查处了一大批水事案件和省际河段水事纠纷。深入推进行政审批制度改革，在流域机构中率先实行行政许可“窗口”式服务，流域综合管理各项工作逐渐步入科学化、规范化和法制化轨道。

——长江水利科技取得重大进展，治江科技基础

层层梯田菜花香

青山绿水惹人醉

长江流域防洪规划审查会

长江流域综合规划成果

鄂豫两省边界丹江荆紫关水事纠纷调解

长江河道采砂管理两部合作机制

得到夯实。60年来，长江委始终坚持科技立委和技术创新，科学研究与技术应用稳步推进。开展了健康长江评价指标体系研究、以三峡为核心的水库群联合调度研究等一系列治江重大课题研究，攻克了三峡和葛洲坝等工程的一系列重大技术难题，水工技术应用达到世界领先水平，获国家级、省部级科技奖励300余项。科研条件不断改善，建成并投入使用了当今世界规模最大、功能最全的长江防洪大模型。国际技术交流与合作不断加强。长江水利信息化和现代化水平不断提高，全江118个中央水文报汛站在全国率先实现自动报汛，被誉为我国水文现代化的重要标志之一。

长江防洪大模型占地800亩，是目前世界上最大的河工实体模型，可进行多项防洪科研项目

“水利部江湖治理与防洪重点实验室”揭牌

118个中央报讯站实现报汛自动化

2005年4月，长江委成功举办首届长江论坛

——长江委自身建设不断上台阶，治江组织保障得到加强。60年来，特别是改革开放以来，长江委以机构改革为契机，不断理顺和拓展流域水行政管理职能，加强单位自身建设，取得了长足进步。委属事业单位服务于治江事业，整体管理水平不断提高；委属企业进行战略性改组，形成了集水电开发、勘察设计、枢纽管理、工程建设和资本运营为主营业务的经营格局，产品服务优势、科技人才优势和市场竞争优势明显。2009年全委经济收入总额近80亿元，经济实力显著增强。长江委高度注重人才培养和引进，特别注重在实践中锻炼人才，形成了“团结、奉献、科学、创新”的长江委精神，涌现了一大批既有理论水平又有实践经验的院士、大师和各类高级治江人才。目前，长江委共有各类专业技术人才7500余名、技能人才9700余名，其中，累计入选中国工程院院士2人、中国工程勘察设计大师7人、享受国务院政府特殊津贴的专家200多人，初步形成以国家级、省部级专家为龙头，以专家后备人才和高级经营管理人才为中坚，以覆盖各专业、各学科优秀青年科技人才为支撑的三级人才队伍体系，为治江事业提供了有力的组织保障和智力支持。长江委相继获得“全国五一劳动奖状”、省、部文明单位等一系列光荣称号。

长江委成立60周年庆祝大会

站在新的起点，长江委将深入贯彻落实科学发展观及可持续发展治水思路和新时期治江思路，更好地统筹流域治理开发与保护，为维护健康长江、促进人水和谐作出新的更大的贡献！

大河奔流著华章

水利部黄河水利委员会荣获第三届新加坡“李光耀水源荣誉大奖”

大会发言

黄河是中华民族的母亲河，也是世界上复杂难治的河流之一。进入21世纪，黄河水利委员会针对黄河治理开发与管理中不断出现的新情况、新问题，创新理念，改革发展，在黄河治理开发与管理现代化征程上，用辛勤和智慧，创造了举世瞩目的辉煌成就。

2010年，在第三届新加坡“李光耀水源荣誉大奖”角逐中，黄河水利委员会凭借其创新的流域管理理念与治理实践中取得的成效，经过了国际评委的两轮严格审查和评选，最终从全世界50位候选者中脱颖而出，摘得桂冠。这是目前世界上第一个获得新加坡“李光耀水源荣誉大奖”的流域机构。

黄河水利委员会获奖的主要原因在于其建立了“维持黄河健康生命”治河新理念、全面系统的水资源管理及水量统一调度体系以及实施的大空间尺度调水调沙。这些举措为流域内及下游沿河供水区数以亿计的人口提供了用水保障；使河口三角洲大面积的湿地及生物的多样性得到了恢复；同时，有效地防御了洪水并保障了下游防洪保护区内9000万居民的生命及财产安全。

建立了“维持黄河健康生命”治河新理念

黄河安危，事关全局。近年来，面对黄河出现的水资源供需矛盾尖锐，下游河道断流，河槽萎缩等严峻形势，黄河水利委员会在科学发展观指引下，坚持走人与自然和谐相处之路，建立了“维持黄河健康生命”的治河新理念，并以此为中心构建了“1493”治河体系。

其初步理论框架为：“维持黄河健康生命”为黄河治理的终极目标。“堤防不决口，河道不断流，污染不超标，河床不抬高”为体现其终极目标的四个主要标志。这四个标志应通过与之相应的九条治理途径得以实现：减少入黄泥沙；流域及相关地区水资源利用的有效管理；外流域调水增加黄河水资源量；建设黄河水沙调控体系；制定并实现黄河下游河道科学合理的治理方略；塑造使河道主槽不萎缩的径流过程；采取满足水质功能要求的水资源保护措施；治理黄河河口，以尽量减少其对下游河道的反馈影响；满足黄河三角洲生态系统良性维持要求的径流过程塑造。而要使“维持黄河健康生命”的治黄终极目标顺利实现，就必须树立现代水利理念，借助现代科技手段，这种有效的手段就是“三条黄河”科学决策场，即“原型黄河”“数字黄河”和“模型黄河”。

这一新的治河体系，从化解黄河生存危机出发，以实现人与河流和谐相处为目标，将水少沙多、水沙关系不协调与经济社会发展、生态环境要求不适应作为分析和解决黄河问题的突破口，以现代科学技术手段为支撑，为今后黄河治理开发与管理确立了方向和目标。

全面系统的水资源管理和水量统一调度成效显著

1999年3月，根据国务院授权，黄河水利委员会开始对全河水资源实施统一管理和水量统一调度。十余年来，在黄河来水持续偏枯的情况下，黄河水利委员会在流域各省（自治

调水调沙航拍

合影留念

证书

区）的配合下，通过科学管理和优化配置黄河水资源，采取参与式方法，精细调度每一方黄河水，确保各省和人民对城乡、工业、农业用水分配的大力支持，防止了黄河水资源的无序利用和过度开采，实现了黄河连续不断流。在技术上，应用了跨度达3000km的干支流水库综合调度系统，调控流量和增强水量存储及调配能力，遥感和自动控制技术被用于实时收集河流信息和监测、控制、协调水库运行。

在2010年度的水资源管理与调度中，启动了黄河三角洲生态调水暨刁口河流路恢复过水试验，断流34年的黄河入海故道刁口河全线过流，湿地生态系统淡水资源得到有效补给。

黄河连年不断流，确保了流域城乡居民生活用水和工农业生产供水安全，取得了明显的经济效益、社会效益和生态效益。使流域及相关供水区的11个省（自治区）的人民从中受益，经济社会发展用水得到了保障。黄河三角洲大面积的湿地及生物的多样性得到恢复。古老的黄河再次焕发出勃勃生机与活力。

建立了突发性水污染事件应急处置机制，并与地方环境保护部门密切配合，推行了水情信息公告系统，以便及时告知公众重大水污染事件。

调水调沙实现了多赢的目标

通过小浪底水库与其他干支流水库的联合调度，黄河水利委员会自2002—2010年，连续实施了12次调水调沙，通过水库联合调度，把进入黄河下游不平衡的水沙关系塑造成协调的水沙过程，人工塑造洪峰“冲刷”河道，有效提高了黄河下游防洪减淤能力。

9年来的调水调沙均实现了下游河道主槽的全线冲刷，河道主槽最小过洪能力由2002年以前的1800m^3/s提高到目前的4000m^3/s，下游滩区群众的防洪安全保障程度得到明显提高。在2010年的调水调沙中，小浪底水库最大出库含沙量288kg/m^3，排沙比达到150%，为进一步减少小浪底水库的泥沙淤积，实现水库泥沙的多年调节、灵活调度积累了经验。通过调水调沙，大量水沙进入河口地区，为河口淡水湿地进行补水，并且兼顾了滨海生态用水需求。从“人沙赛跑”不断加高大堤的被动防御到“调水调沙”巧借自然之力的主动出击，黄河泥沙治理打开了新的局面。

黄河小浪底水库

六十载励精图治 一甲子山河壮丽

2010年10月14日，“新中国治淮六十周年”纪念邮票首发式在蚌埠举行。淮委主任钱敏出席仪式并致辞

首发式当日，集邮爱好者争相购买纪念邮票

淮河是新中国成立后第一条全面系统治理的大河。1950年10月14日，中央人民政府政务院作出《关于治理淮河的决定》，开启了新中国治淮的伟大征程。60年来，勤劳智慧的淮河流域人民，在党和政府的正确领导下，在毛泽东主席“一定要把淮河修好”的号召指引下，遵循“蓄泄兼筹”的治淮方针，励精图治、开拓奋进，战胜各种艰难困苦，开展规模空前的治淮建设，在古老的淮河大地上创造了震古烁今的人间奇迹，昔日灾难深重的淮河流域发生了翻天覆地的历史性巨变。

60年来，党和国家始终把淮河作为全国江河治理的重点，摆在关系国家事业发展全局的战略地位，先后12次召开国务院治淮工作会议，作出一系列重大决策，领导人民开展了波澜壮阔的治淮建设，取得了前所未有的辉煌成就。随着治淮19项骨干工程的全面建成，由水库、河道堤防、行蓄洪区、枢纽工程和防汛调度指挥系统等共同组成的流域防洪除涝减灾体系基本形成，实现了淮河洪水入江畅流、归海有路，流域总体防洪标准明显提高；水资源配置格局逐步建立，跨省、跨水系、跨流域水资源调度能力显著增强，城乡供水保障水平大幅提升；水资源和水生态保护不断强化，水功能区和入河排污口监督管理深入推进，水污染联防成效明显。新中国治淮60年，在

2010年10月23日，新中国治淮60周年纪念大会在蚌埠隆重举行

保障淮河流域防洪安全、供水安全、粮食安全、生态安全和能源安全等方面发挥了日益显著的作用，为促进经济发展、社会进步、民生改善提供了有力支撑和保障。

淮河治理的伟大成就令人鼓舞，今后的治理任务依然十分繁重而艰巨。目前，淮河流域防洪排涝减灾体系仍存在薄弱环节，上游防洪标准偏低，中游行洪不畅，下游洪水出路规模不足，低洼地区因洪致涝和“关门淹”的现象依然严重，水资源短缺和水污染等问题依然突出，成为制约淮河流域经济社会发展的瓶颈。2010年6月，国务院召开治淮工作会议，对今后一个时期的治淮工作作出全面部署，要求从淮河流域水情和流域经济社会发展对水利的需求出发，全面规划、统筹兼顾，标本兼治、综合治理，突出重点、远近结合，改善民生、注重实效，工程措施与非工程措施结合，兴利与除害并重，统筹解决好防洪、除涝和水资源保护问题，为淮河流域经济社会又好又快发展提供更加有力的支撑和保障。淮河水利委员会将按照国务院的统一部署，进一步加快淮河治理工作，深入研究淮河特性，全面掌握治淮规律，认真总结治淮经验，继续巩固治淮成果，加快完善流域防洪排涝减灾体系，抓紧落实最严格的水资源管理制度，不断谱写治淮事业发展新篇章。

为隆重纪念新中国治淮60周年，在水利部的正确领导下，淮委会同流域四省水利部门，组织开展了一系列内容丰富、意义深刻的纪念活动。2010年10月14日，国家邮政局正式发行“新中国治淮六十周年”纪念邮票和首日封，中央电视台播出《望淮河——纪念新中国治淮60周年》电视纪录片。10月23日，新中国治淮60周年纪念大会在安徽蚌埠隆重举行，中共中央政治局常委、国务院总理温家宝，中共中央政治局委员、国务院副总理回良玉对淮河治理作出重要批示，全国政协原副主席钱正英发来贺信。10月23—24日，成功举办淮河研究会第五届学术研讨会。建成治淮陈列馆，出版《新中国治淮60年》和《新中国治淮60年纪念文集》，编印《筑梦淮河》大型画册，组织开展“新中国治淮60年十件大事评选”活动等，在社会上引起极大的反响，取得了显著的成效，全面展示了治淮成果，广泛宣传了治淮成就，为促进淮河进一步治理营造了良好的舆论氛围。

六十载春华秋实，一甲子沧桑巨变。回顾过去，令人振奋；展望未来，豪情满怀。站在新的历史起点上，淮河水利委员会将深入贯彻落实科学发展观，坚持人水和谐，坚持蓄泄兼筹，坚持团结治水，积极推进新时期治淮事业，让淮河早日成为一条安澜之河、清澈之河、富庶之河，为促进流域经济社会发展、造福淮河两岸人民作出新的更大贡献。

创新发展中的江西水利

2009年，江西各级水利部门深入贯彻落实科学发展观，积极践行可持续发展治水思路，紧紧围绕全省经济社会发展大局和鄱阳湖生态经济区建设，与时俱进，开拓创新，各项水利工作取得了新的成绩。

峡江水利枢纽隆重奠基

夺取了抗御局部严重洪涝灾害和罕见夏秋连旱斗争的重大胜利。病险水库除险加固、农村安全饮水、灌区续建配套与节水改造、泵站更新改造、鄱阳湖重点堤防加固整治、五河重点段防洪治理等一批涉及民生的水利工程项目建设快速推进，峡江、山口岩、伦潭水利枢纽等一大批重大水利项目建设进展顺利，124个县级单位全部完成县级农田灌溉规划编制工作，安义等20个县列为国家小型农田水利建设重点县。服务鄱阳湖生态经济区建设扎实推进。全面启动鄱阳湖模型试验研究基地和水文水生态监测与研究基地建设，省委省政府批准成立了江西省水利厅管理的正厅级全额拨款事业单位——江西省鄱阳湖水利枢纽建设办公室，推进鄱阳湖水利枢纽建设。以水资源、水生态、水环境保护和水土保持生态建设为重点的绿色生态江西建设深入推进，水量分配工作进一步细化。全省治理水土流失面积21.13万hm^2，全省24个重点河段的79%和全部的25个主要供水水源地水质达到Ⅲ类以上标准。水行政执法、建设管理和河道采砂等各项管理得到进一步加强，南昌、新余两市城乡水务一体化改革取得突破。全省水利系统党的建设、精神文明建设和干部队伍建设得到进一步加强，省水利厅机关荣获“2009年度省直单位文明单位”称号。

整治一新的飞剑潭水库

江南粮仓——赣抚平原灌区

峡江水利枢纽效果图

鄱阳湖水利枢纽工程效果图

兴水治旱正当时

——快速发展的陕西水利

陕西水资源短缺，洪涝灾害频繁，水土流失严重，生态环境脆弱，特殊的省情和水情决定了水利在全省经济社会发展中的重要基础地位。历届省委、省政府坚持“治秦先兴水”的思路，组织带领全省人民，加快推进水利建设与发展，取得了显著成效。特别是随着西部大开发和扩大内需战略的深入推进，陕西水利发展步入了新的时期，在重点水源、城乡供水、防洪保安、灌区改造、水保生态等重点项目建设上取得了重大进展，在体制机制创新、依法治水管水等方面取得了明显成效，水利为拉动内需、促进经济增长、保障改善民生和服务全省经济社会又好又快发展作出了突出贡献。

云帆高挂风正劲，兴水治旱正当时。站在新的历史起点上，新一届水利厅党组大兴调查研究之风，客观辩证认识陕西水情，牢固树立水忧患意识，着力破解制约陕西经济社会发展的突出水问题，进一步理清工作思路，明确发展目标，谋划重大项目，努力掀起新一轮水利建设高潮。一是以大项目为支撑，下大力气建设控制性水源工程；二是着力构建防灾减灾体系，提升防汛抗旱能力水平；三是大力发展城乡供水工程，确保供水安全；四是统筹发展城乡水利，加快推进农村水利建设；五是突出抓好重点水保工程建设，构建生态安全屏障；六是严格水资源管理，全面推进节水型社会建设；七是深化水利体制机制创新，为水利加快发展提供强劲动力；八是加强行业自身建设，锻造一支能干事、敢创业、奋进有为的水利干部职工队伍。

乘着新一轮西部大开发的强劲东风，全省水利系统广大干部职工将按照省委、省政府的决策部署，抢抓机遇，坚定信心，大干兴水，实干兴水，努力推动陕西水利发展与改革取得新突破和新跨越，为建设西部强省、构建和谐陕西作出新的更大贡献。

水利厅厅长王锋深入引汉济渭工程一线检查调研

西安李家河水库工程开工建设

东雷抽黄大型泵站改造

灌区渠道建设

抓机遇　谋发展
实现云南水利发展改革新跨越

云南省州市水利（水务）局长会议

2009年，云南省水利系统在水利部的关心支持下，在云南省委、省政府的正确领导下，深入贯彻落实科学发展观，迅速落实中央和省的一系列决策部署，牢牢抓住扩大内需的历史机遇，千方百计增投入，多措并举惠民生，创新机制促改革，狠抓目标责任落实，实现了全省水利事业新跨越，为促进云南经济社会发展，保障人民群众生命财产安全，奠定了坚实基础，提供了有力支撑，作出了重大贡献。

全年水利投资创“四个历史新高”，即省级财政投入水利资金27亿元，省以上水利投资达到52亿元，全省完成水利投资105.5亿元，全年完成水利水电投资206.8亿元。

水利重点建设项目有效推进。中央扩大内需投资项目进展顺利，牛栏江—滇池补水工程国家立项规划依据全部落实，“润滇工程”全面开工建设；20座大中型、378座重点小（1）型病险水库除险加固工程快速推进，已有10座中型、102座重点小（1）型病险水库完成除险加固任务。

防汛抗旱减灾取得显著成效。投入抗旱资金1.43亿元，投入抗旱人数680万人，临时解决了250万人、140万头大牲畜饮水困难，有效缓解了旱情，避免了城市可能出现的供水危机，确保了县级以上城市居民生活用水，最大限度地保证了农村饮水安全。汛期积极组织抗洪抢险，全年防汛抗旱减灾效益达41.6亿元。

涉及民生的水利问题加快解决。解决了210万农村人口饮水安全问题，提前1年圆满完成“十一五”规划目标任务；突出抓好全省中低产田地改造的水利配套设施建设，切实抓好灌区续建配套与节水改造项目；全年建设超过1500km干支渠防渗工程和25万件“五小水利”工程，新增有效灌溉面积2.67万hm^2和节水灌溉面积3.33万hm^2；启动部省共建山区水利发展与改革综合示范区建设和改革工作；全省治理水土流失面积3254km^2，新实施生态修复面积8000km^2；农村水电新增装机容量220万kW，中小水电装机容量首次突破1000万kW大关，完成农村水电发电量370亿kW·h，小水电代燃料扩大试点工程项目区已有6000多农户享受到小水电代燃料优惠电价。

水利发展能力不断强化。积极落实最严格的水资源管理制度，依法治水取得新进展；全面启动水利发展“十二五”规划编制工作，水利前期工作取得新进展；加强了取用水管理、水资源保护、河道管理、水工程管理、入河排污口设置以及擅自减免、拖欠水资源费等领域的执法。坚持深化各项水利改革，全省农村小型水利工程管理体制改革试点工作全面启动；水务改革取得阶段性成果，全省共有4个州（市）、64个县完成了水务体制改革；水管体制改革、水价改革、水利投融资改革不断深化，为水利健康快速发展提供了体制机制保障。坚持两手抓两手都硬，自身建设取得显著成效，全省水利系统形成了和谐、向上、积极的工作环境和氛围。

以人为本　倾情民生　着眼长远

中国酒泉卫星发射中心水务局

中国酒泉卫星发射中心（以下简称“中心”）位于巴丹吉林沙漠西北部、黑河下游，自然环境恶劣，水资源极为匮乏。

2010年8月1日，中心新建水源地工程建设工地彩旗飘扬，锣鼓喧天。中心军民期盼已久的新水源地工程，随着中心崔吉俊主任一声令下，伴随着齐鸣的鞭炮声开工建设。

这是水利部、黄河水利委员会、黑河流域管理局关心支持中心长远建设，心系中心官兵及家属身体健康的具体体现，充分体现了总装党委、首长对中心官兵的关怀和厚爱，也充分体现了中心水务局在中心党委的正确领导下认真落实科学发展观、集智聚力破解难题的坚强决心和实际行动。

水是生命之源、事业之基，新水源地的建设，是一件实事、一件好事、一件喜事、一件大事。新水源地工程对改善中心军民的生活质量、保障黑河流域的生态建设、促进航天事业的长远发展，以及实现总装首长让东风航天城这颗大漠明珠更美好、更亮丽的目标，都具有十分深远的历史意义和重要的现实意义。办好这件大事，既是当务之急，也是几代航天人热切的期盼，更是航天事业可持续发展的需要。

中心党委始终把新建水源地作为落实科学发展观的重要举措。2009年以来，中心首长和中心水务局领导多次到水利部、黄河水利委员会、黑河流域管理局和设计院协调工程立项审批工作。新水源工程项目于2010年2月由水利部黄河水利委员会批复，项目投资5996.47万元。

据国家给水监测网兰州市城市给水中心监测，新建水源地水质完全符合天然优质矿泉水标准，有些指标还优于国家标准。中心新建水源地建设完成后，必将彻底结束中心军民饮用净化水的历史。

中心水务局全体人员将以对历史负责、为航天事业献力的宽阔胸怀和诚挚热爱，全力以赴，通力协作，精心施工，严把质量关，确保工程按计划扎实推进，把新水源工程建设成一个优质安全的精品工程、廉洁工程。

河南省水利移民征迁工作

在河南省委、省政府和水利厅党组的领导下，2009年河南省南水北调办公室、省政府移民办主任王树山带领“两办”全体干部职工，充分发挥特别能战斗、特别能吃苦、特别能创新、特别能奉献的扎实作风，克难攻坚，日夜奋战，圆满完成了全年水利移民征迁任务，促进了库区和移民安置区经济发展，为保障水利工程顺利建设和构建和谐社会作出了显著贡献。其中，完成了南水北调中线干线工程年度征地拆迁任务，征用土地5360hm^2，搬迁群众2.97万人，确保了黄河以北连线建设，黄河以南建设序幕拉开；完成了丹江口库区1.1万人的试点移民搬迁安置任务，并及时启动了库区第一批移民6.49万人的新村建设工作，为库区16.2万移民按期搬迁奠定了基础；完成了全省大中型水库移民164万人的后期扶持和小型水库移民困难问题处理任务，为提高已建库区移民生产生活水平创造了有利条件；完成了在建水库移民搬迁安置任务，小浪底水库移民和燕山水库移民安置通过了竣工验收，保障了工程的顺利运行。在做好其他移民工作的同时，河南省委、省政府成立了省南水北调丹江口库区移民安置指挥部，负责全省丹江口库区移民迁安的组织协调任务；省直25个厅（局、委、办）成立了移民迁安包县工作组进驻丹江口库区移民安置县（市、区）开展督导协调和帮扶工作。

2009年5月张基尧主任在宝丰县视察丹江口库区试点移民新村建设情况

2009年8月河南省委书记徐光春在唐河县鱼关移民新村视察丹江口库区试点移民搬迁安置情况

2009年5月河南省委副书记、省长郭庚茂在宝丰县调研丹江口库区移民新村建设情况

2009年7月，河南省委副书记陈全国在淅川县调研丹江口库区移民情况

2009年河南省全省水利移民工作取得的突出成效，受到了水利部、国务院南水北调办公室等国家有关部门的高度评价，国务院南水北调办公室领导多次称赞河南干线征迁和库区移民工作高效务实，为其他省（市）带了好头，树立了样板，并专门印发通知，号召其他省（市）向河南学习。

2009年6月，河南省政府刘满仓副省长在淅川县丹江口库区移民村调研

2009年4月，河南省水利厅王仕尧厅长在临颍县调研丹江口库区移民新村建设情况

2009年8月，河南省南水北调办公室、省政府移民办主任王树山在淅川县移民村调研

2009年7月，河南省委、省政府在淅川县召开会议，部署丹江口库区大规模移民迁安工作

2009年8月3日，河南省南水北调丹江口库区移民安置指挥部办公室在省政府移民办挂牌运行

2009年8月31日，河南省丹江口库区1.1万试点移民搬迁安置工作圆满结束。图为马川村移民搬迁车队进入宝丰县马川新村

厦门市水利局

2009年2月7日，厦门市市长刘赐贵（左三）、副市长詹沧洲（右三）在水库库区考察厦门"十一五"重点水利建设项目——莲花水库

2009年10月27日，市委常委、副市长詹沧洲（中）在市水利局局长叶勇义（左四）陪同下，检查农村饮水安全工程

2009年面对国际金融危机的严峻挑战，厦门水利工作坚持以科学发展观为统领，抓住国务院支持海西建设的历史机遇，围绕保增长、保民生、保稳定的工作大局，深入学习实践科学发展观，完善灾害应急管理机制，加大水利基础设施投入，加强依法治水管水力度，形成服务民生、保障民生、改善民生的水利发展格局，促进城乡一体化发展，为厦门"两个先行区"建设和经济社会平稳较快发展作出新的贡献。

一、学习实践活动扎实有效

按照中央、省委、市委的统一部署，围绕城市供水"两个转变"的实现方式、防洪排涝设施与开发片区建设"四同步"等7个方面8个课题，通过深入调研和认真梳理分析，查找出影响和制约厦门市水利事业科学发展6个方面不相适应的问题，形成了科学发展民生水利、可持续发展水利的五大共识。按照"四明确一承诺"的要求，集中解决了影响和制约水利科学发展、群众反映强烈的5个方面19项整改落实任务，确保整改落实方案落到实处，取信于民。

二、灾害应急管理机制日趋完善

通过修订《厦门市防洪防台风应急预案》，进一步完善了防汛防台风应急处置机制。在应对台风、暴雨灾害过程中，突出会商环节，实施精确指挥，加强科学调度，强化部门联动，做到有力、有序、有效。面对夏秋旱情，及时采取科学调度水资源、动态核准汛限水位、人工增雨、组织农民抗旱自救等各种有效措施，保障了城乡饮用水，最大限度降低了农业损失。

三、水利基础设施建设成效显著

以落实中央水利新增投资为重点，认真抓好水库（水闸、海堤）除险加固、流域治理和边远山区人饮工程等民生水利建设。完成了丙州片区海堤除险加固、大嶝虎头寨海堤应急除险加固等中央增投水利项目。完成蔡厝海堤加固工程，实现全市沿海突出部标准化海堤的闭合。稳步推进水库除险加固工程、老区山区人饮工程，完成汀溪水库大坝泄洪设施改造工程。全面推进海沧过芸溪、集美深青溪瑶山溪治理工程以及同安工业集中区下游河道拓宽改造工程。

四、依法治水管水进程提速

市政府颁布实施了《厦门市水利工程建设与管理若干规定》，标志着厦门市水利工程建设与管理步入法制化、规范化的轨道。随着厦门市抗旱规划、小型水库管护人员管理办法、水功能区划、重要饮用水源地生态保护补偿机制等有关涉水规定相继出台，全市依法治水、依法管水进程明显提速。

当前，厦门市水利工作正处于从传统水利向现代水利、从以农业水利为主向统筹城乡水利转变的重要时期。下一步水利工作要准确把握水利发展新趋势，树立水利发展新理念，实施水利发展新战略，加快构建城乡一体化的新的水利设施骨干框架，着力提升城乡供水、防洪、挡潮、排涝标准，全面提高全市水环境综合承载能力和抵御自然灾害能力，在更大范围、更宽领域、更高水平上满足经济社会发展需要，造福人民群众，努力实现厦门水利事业发展新跨越。

做好水务保障 服务发展大局

深圳市水务局

观澜河清湖段生态治理工程使观澜河水清岸绿

2010年是深圳经济特区成立30周年。伴随着经济的快速发展，深圳水务也由小到大，由弱到强，实现了由传统水利向城市水务、现代水务的跨越式发展。2009年底，全市原水供应总量18.2亿m^3，自来水供应总量15亿m^3，制配水能力670万m^3/d，处理污水量10.2亿m^3，污水处理率达到80%。全市水土流失总面积降到52.66km^2，饮用水水源地水质达标率100%，万元GDP水耗22m^3，居全国领先水平。

30年来深圳水务取得的成绩可以归纳以下4个“确立”。

一是确立了以境外引水为主、以本地水资源为补充的水资源战略保障格局，满足了经济高速增长和城市飞速发展的用水需求。全市现有东深、东部两条引水干线及13条输配水干支线组成的高标准的水源保障工程体系，“长藤结瓜、分区调蓄”的水源调配网络基本形成。

二是基本确立了与经济社会发展相适应的三防减灾体系，为城市安全提供了基础保证。初步建成以水库、河道、海堤、滞洪区、排涝泵站等为主体的工程体系，在全国较早建立了现代化三防指挥决策系统，形成了政府主导、部门协调、军地警民共同参与三防工作的格局。

二期改造后的永湖泵站

三是基本确立了水环境综合治理框架，全面铺开河道整治工作，有效遏制了水环境持续恶化的趋势。强化污水处理设施建设，完善污水收集处理系统，建成深圳水库排洪河、盐田河、观澜河干流深圳段等长度逾30km的生态景观示范河段，全市主要河流水质普遍好转，水土生态建设成效明显。

已完成扩建的铁岗水库

四是率先推行水务一体化管理，统一水务规划、建设和行业监管，初步确立了与现代城市发展相适应的水务管理体制。目前，市水务局主要承担水资源开发利用、防洪排涝、供水排水、水污染治理等14项职能，实现了上水、中水、下水等水事链条全覆盖，形成了“一龙管水、团结治水、合力兴水”的崭新格局。建立了较为完善的地方水务政策法规和规划体系，组建全市水政监察机构。全市涉水秩序显著好转，依法治水管水能力大大增强。

武汉市水务局

水利部部长陈雷在第十三届世界湖泊大会期间视察武汉市水环境模型

第十三届世界湖泊大会开幕式

武汉素有"江城"和"百湖之市"的美誉，滨江滨湖特色鲜明，"水"是武汉经济社会持续发展的重要支撑，也是彰显城市个性魅力，提高城市综合竞争力的重要着力点。武汉市充分发挥水资源优势，紧紧围绕"全国水生态系统保护与修复"以及"全国节水型社会"双试点，全面推进资源节约、环境友好型社会建设。2009年，武汉市水务工作贯彻落实水利部治水方略，坚持人水和谐、可持续的发展理念，紧抓中央扩大内需机遇，在"水安全、水环境、水资源、水生态"等方面充分发挥优势，积极服务民生，彰显滨水特色，取得了积极成效。

一、以人为本，全力发展民生水务

(1) 紧抓国家扩大内需机遇，加强水利基础设施建设。全面完成中央投资水利建设项目，完成国家扩大内需项目14个，完成投资2.29亿元。多年来，农田水利建设保持持续大规模投入，2001 — 2009年，农田水利基本建设直接投入达34亿元。

(2) 全力推进农村安全饮水工程。2009年再解决70万农村人口安全饮水问题，累计解决182万人。农村安全饮水城乡统筹、先易后难、分步实施的做法被水利部在全国推广。

(3) 节水型社会创建深入开展。全市计划用水户达到1.1万余户，计划用水管理率达100%，整体节水工作达到了南方城市先进水平，住房和城乡建设部、国家发展和改革委员会授予武汉市"全国节水型城市"称号。

(4) 污水处理能力实现跨越式发展。2009年中心城区新增日污水处理能力18万t，远城区新增日污水处理能力19万t，全年COD削减量89059.8t。全市中心城区污水处理率由2003年的6.4%提高到89.8%，远城区实现区区均有污水处理厂投入运行，在全国副省级城市中率先启动了污水全收集全处理项目。

二、综合治理，加强滨水环境建设

(1) 继续实施两江四岸防洪及综合整治工程。2009年续建汉江江滩并开园迎宾，青山及汉阳江滩新增露天游泳池对外开放，滨江生态休闲长廊不断向两江四岸延伸。几年来，武汉市投资数十亿元建成总长29km、总面积260万m^2的两江四岸江滩，成为市民亲水临水的生态乐园。其中，汉口江滩防洪及环境综合整治工程规模目前名列世界首位，成为世界级的大型绿化广场，是现今国内唯一的位于城市中心的国家级水利风景区。

(2) 综合治理湖泊，实现"一湖一景"。在实施"清水入湖"截污工程，对湖泊全面截污的基础上，2009年投资逾10亿元实施湖泊水质提挡升级工程，16个湖泊水质提挡升级。同时采用水生植被、生态引水、生物治理等多项措施综合治理湖泊，对中心城区湖泊开展湖泊景观带绿化，22个湖泊建成为城市湖泊公园。

三、开展试点，恢复城市生态功能

(1) 水生态系统保护与修复试点通过验收。2009年，武汉市历时3年的水生态试点工作通过水利部验收，成为全国十个试点城市中第一个通过验收的城市。试点工作以“六大工程”和一个体系建设为重点，将水生态系统保护和城市生态景观建设相结合，取得了巨大的生态效益、社会效益和经济效益。

(2) 大东湖生态水网构建工程获批启动。2009年，国家发改委正式批复武汉市大东湖生态水网构建工程总体方案，建设项目主要为“三大工程、一个平台”，实施期12年，工程总投资158.78亿元。该工程与汉口江滩、’98抗洪精神同获湖北省“辉煌荆楚60名片”殊荣。目前，该工程已正式启动实施。

(3) 加强水生态环境建设。2009年新增堤防绿化植树42万株，全市800km堤防植树350万株，水岸绿化率达到了85%；建成了3个省级重点水土保持监测点；建成6个省、市级湿地保护区和东湖、金银湖两个国家湿地公园；实施汉阳“六湖连通”工程，成功进行了调水试验。

四、科学发展，积极推进改革创新

(1) 成功筹办第十三届世界湖泊大会。这届湖泊大会规模创历届新高，大会发表了以“让湖泊休养生息”为核心理念的《武汉宣言》，为国际湖泊治理保护事业积累了丰硕成果。作为大会举办城市，武汉市人民政府被授予特别贡献奖，武汉市水务局被授予贡献奖。

武汉市水务局局长姜铁兵在第十三届世界湖泊大会上作主题报告

获全国节水型城市称号

(2) 创新水环境治理投融资机制。2009年组建武汉水资源发展投资有限公司，建立完善以水资源开发利用保护为目的，集投融资、建设、运营、管理为一体的水务融资平台。

(3) 积极争取国家投入，大力实施“项目兴市”战略。2009年争取中央、湖北省水务建设资金55232万元，超过前5年总和；2009年共完成水务固定资产投资229669万元，比2008增长23%，水务项目投资运行态势良好，投资结构更加均衡，做到了统筹城乡、协调发展。

科学治水，武汉市坚持建管并举、注重长效，不断完善涉水法规规划体系，出台了《武汉市湖泊保护条例》，成为全国首个为湖泊保护专项立法的城市；同时加强水务干部职工队伍建设，规范执法程序、加强内部管理，以管理促成效，2009年，武汉市水务局被水利部授予“全国水利文明单位”和“全国水利行业技能人才培养突出贡献奖”。

回顾2009年，武汉市治水事业硕果累累；展望2010年，污水全收集全处理加快推进、中心城区湖泊岸线固稳与生态修复全面实施、两江四岸百里生态画廊呼之欲出，一篇篇更加精彩的水文章值得期待，我们信心百倍。依托得天独厚的水资源优势，面对“两型”改革的历史机遇，武汉市委、市政府提出了“水环境建设走在全国前列”的发展目标，武汉市将坚定不移地走城市生态化发展道路，遏制水污染，保护水环境，节约水资源，修复水生态，提升水景观，彰显水文化，发展水经济，不断提高滨水魅力，努力建设“生态环境优美、经济绿色高效、文化气息浓郁、人与自然和谐”的滨江滨湖现代生态新城。

东湖落雁岛湿地

大东湖工程效果图

综合整治后的汉口江滩全景

玉溪水利硕果累累

云南省省长秦光荣（左三）在玉溪市委孔祥庚书记（右一）、市长高劲松（左一）陪同下到易门县田间地头查看旱灾灾情

一是全年完成水利投资121143万元，比2008年增加65.8%；二是实施小（2）型以上病险水库除险加固工程16件，其中东风水库提前完成输水隧洞除险施工，比计划提前10天下闸蓄水，为恢复向中心城区供水创造了条件；三是完成农村饮水安全工程408件，16.09万人可饮用安全水；四是完成农村“五小水利”工程3043件，比计划多2084件；五是完成水土保持治理面积140.2km^2；六是应对旱灾部署早、行动快、2009年9—12月千方百计增加蓄水6292万m^3；七是自身建设进一步加强。何坤局长先后被水利部、人力资源和社会保障部授予全国水利系统先进工作者称号。杨明书记被云南省人民政府授予全省先进工作者称号。

云南省副省长孔垂柱（左三）在玉溪市委、市政府领导孔祥庚、高劲松、李洪云和水利局何坤局长（左一）、局党组书记杨明（右一）陪同下查看并听取东风水库除险加固工程进展情况汇报

玉溪市水利局局长何坤（右一）陪同云南省水利厅厅长周运龙（左二）、副市长李洪云（左一）查看通海杞麓湖调蓄水隧洞工程试行情况

玉溪市水利局局长何坤（右一）为饮水困难的山区群众送水解渴

昌吉回族自治州水利局

昌吉州水利局领导班子

自治州水利工作以科学发展观为统领，以可持续发展治水思路为指导，以民生水利为重点，坚持节约优先、合理开发、优化配置、科学管理的原则，坚持“节水、增水和调水”并举，水利事业呈现出快速发展的强劲态势。2010年开工水利项目共11类48项，总投资13.9亿元，其中申请国家、自治区投资3.8亿元。

一、开源增水、山区调控，重点水利工程建设规模空前。4座中型水库相继开工建设为历史少有，3座新建“富民兴牧”水库2010年全部开工建设，8座小型病险水库除险加固工程已完成初步设计并全部通过新疆水利厅审查，2010年完成招投标和三通一平、主要物资采购等准备工作，2011年开工建设，4个大中型灌区续建配套与节水改造工程全部完成年度建设任务，通过一批重点水利工程的建设，进一步夯实了农业基础，提高了水资源保障率和利用率。

二、政策支持、投资拉动，高效节水力促现代农业发展。报请州党委、政府实施了《昌吉州加快高效节水农业实施意见》，将其作为年度综合目标管理考核和自治州水利建设“天山杯”竞赛的重要指标予以考评奖励。州、县（市）、乡（镇）出台实施了奖补新机制，形成了“国家补助、地方配套、农民自筹”多层次、多渠道的建设投资机制。报请州人民政府实施了《昌吉州高效节水工程建设管理办法》，规范物资招投标和工程建设管理。在全州推广了河水加压滴灌技术，高效节水在经济作物、大田作物和设施农业、特色林果业等领域大力推行。总结归纳汇编了《农业高效节水技术服务手册》《农业高效节水运行管理模式推广手册》《昌吉州农业高效节水对比试验成果推介手册》。完成已建成高效节水工程GPS定位上电子图工作。完成了棉花、番茄，制种玉米、小麦滴灌与常规灌溉对比实验工作。积极探索节水型流域和区域水资源优化配置，高效节水效益显著。全州已累计建成高效节水面积21万hm^2，2010年新建6.3万hm^2。

三、顺应民意、关注民生，农村饮水安全惠及众生。完成总体规划修编、实施方案制定工作；实施了乡镇集中供水工程，水厂由997座整合到92座，促进了规模化、集约化发展。制定印发了《昌吉州农村供水工程建设运行管理办法》，核定了农村供水水价，建立了规范的价格运行机制。加强了农村供水工程管理，把好水质、工程建设、材料采购、资金使用、施工队伍选择和检查验收6个关口，实施了水质一票否决制。在全州推广了自动化监测系统、远红外数字视频监控系统、网络收费系统，提高了科学管理、现代化管理水平。2010年解决16.44万人饮水安全问题，是历史最多的一年。

昌吉州奇台县吉布库水厂

四、科学布局、挖潜更新，加强地下水资源管理保护。编制并报请州政府批准实施了《昌吉州开展节水型社会建设的意见》《昌吉州加强地下水资源管理的意见》。编制完成自治州地下水监测井网和各县市区超采区治理规划，合理规划机电井布局。对州域内新打井及更新井的取水申请进行统一审批，对全州农业灌溉新打井实行“零”控制。完成对全州各类机电井的普查和机电井GPS定位上电子图工作，健全机电井单井档案。全州计划用6年时间基本实现对全部机电井取水计量的智能控制，2010年新安装机井取水智能控制器1840套。

除险加固后的昌吉州呼图壁县红山水库

山东邹平水务

省级水利风景区——亲水乐园黛溪湖

2009年，山东省邹平县水务局坚持科学发展观，贯彻落实中央“保增长、保民生、保稳定”的各项决策部署，围绕“民生水利、生态水利、可持续发展水利”三大主题，深入完善巩固水务一体化管理职能，水务事业呈现保障有力、发展加快、管理加强的良好态势。

一、工程建设突破进展

全年投资3.06亿元，完成各类水利工程89项，胡楼引黄灌区续建配套与节水改造一、二期工程全面完工并投入使用；城市污水处理厂日处理污水达16万t，成为全省县级最大城市污水处理厂；建成月河水厂，完善黛溪水厂、城北水厂，生活日供水能力达6万m^3；建成高标准水利方田逾4500hm^2；实施城区雨污排水管道建设、改造38km。全县水源蓄水、节水农业灌溉、工业供水、城区生活供水、城市排水治污、防洪除涝“六大水网”配套进一步完善。

二、民生水利润泽民心

实施农村饮水安全、危桥维修改造和山区病险水库维修加固三大民心工程，新增41个村4.3万农村安全饮水受益群众，完成160座危桥维修改造，对聚群、杏林、花盆河等6座水库进行了维修加固。

三、生态水利和谐发展

加大生态水系建设力度，“一河两湖”水利风景区进一步完善。加强南部山区水源保护及生态修复，建设山区小水窖21座，治理水土流失面积10km^2，城区地下水位较2004年平均上升4.8m。节水型社会建设成效显著，全县规模以上工业用水重复利用率达到80%以上。

四、防汛抗旱扎实有效

科学防控，扎实备汛，成功抵御“5.9”特大暴雨袭击，保障了人民群众的生命财产安全。针对严重春旱，及时启动Ⅰ级抗旱应急响应，优化配置抗旱水源，为农业丰收、经济发展提供了充足的水源支撑。

五、招商引资成果丰硕

全年共引进县外资金1.85亿元，其中无偿资金2870万元，为促进经济大发展注入了新活力。

山区小流域治理成效显著

高标准衬砌的胡楼引黄主干渠

水生态修复后的雪花山小流域

刘家道口枢纽工程

国家重点治淮项目刘家道口枢纽工程是国务院确立的治淮19项骨干工程之一——东调南下续建工程的关键性控制工程。工程规模为大（1）型，主要任务是调控、拦蓄沂河上游来水，在大官庄枢纽工程配合下，使部分洪水经新沭河就近东调入海，较大程度腾出骆马湖防洪库容，更多地接纳南四湖南下洪水，从而提高沂沭泗河中下游地区的防洪标准，同时兼有蓄水、灌溉、排沙、交通等综合效益。

节制闸下游

枢纽工程包括新建刘家道口节制闸，改建李庄闸，重建李公河防倒漾闸，新建刘家道口、盛口、姜墩三个灌溉放水洞，闸上堤防截渗，以及工程管理设施建设等。水利部淮河水利委员会与山东省水利厅联合组建了刘家道口枢纽工程建设管理局作为该工程的项目法人，组织工程实施。

建设中的刘家道口枢纽工程

刘家道口枢纽工程于2005年12月开工，自2008年12月投入初期运行，经受了高水位运行的考验，大大提高了沂沭泗河中下游防洪、排涝和水资源调蓄能力，发挥了巨大的经济、社会和生态效益。2010年4月，顺利通过水利部会同山东省人民政府的竣工验收，主要单位工程全部优良，蒙山沂水间又树起一座新的治淮丰碑。

这座亚洲最大的平原河道节制闸的建成，对于进一步完善沂沭泗河流域防洪体系，充分发挥沂沭泗河洪水东调南下工程的总体效益，促进地方经济社会的可持续发展具有重要而深远的意义。枢纽工程造型别致的调度中心，气势磅礴的36孔闸，绿意盎然的生态环境，形成临沂滨河景区又一道亮丽的景观。

刘家道口枢纽工程新貌

西北都江堰

——甘肃省引大入秦工程

2007年6月14日，省委书记、省人大常委会主任陆浩（左五）等省市领导和有关部门负责同志，深入引大入秦尖山庙调蓄水库施工现场调研，听取了省水利厅副厅长，省引大入秦工程管理局党委书记、局长周兴福关于引大入秦工程“三步走”长远发展思路及规划情况的介绍

2007年8月7日，时任省委副书记刘伟平（左三）深入引大入秦工程考察调研时在总干渠盘道岭隧洞进口前探讨引大入秦工程改革发展与灌区综合开发工作

甘肃省引大入秦工程是将发源于青海木里山的大通河水跨流域调至兰州以北秦王川地区的一项大型自流水利骨干工程。这一工程的建成，对于解决秦王川地区乃至兰州、白银两市的干旱缺水矛盾，改善农业生产基础条件和区域生态环境，统筹农业、工业、城乡生活、生态用水，为促进经济社会全面协调可持续发展提供水资源支撑，起到了重要而长远的基础性作用。

工程跨越甘肃、青海2省4市6县（区），主要项目包括引水枢纽、总干渠、东一干渠、东二干渠、电灌分干渠、甘露池分干渠、黑武分干渠、62条支渠及斗渠以下输水工程，干支渠总长逾1000km；调蓄水库2座，总库容940万m^3；安置移民5.64万人；灌溉面积4.90万hm^2（农业4.41万hm^2，生态0.49万hm^2）。工程设计引水流量32m^3/s，加大引水流量36m^3/s，年引水量4.43亿m^3，概算总投资28.13亿元。

工程于1976年开工建设，1994年总干渠建成通水后，主体工程已安全运行16年，最初确定的“发展灌溉，生产粮食，解决温饱”的目标已基本实现。灌区农业生产条件得到根本性改善，灌区综合开发和新农村建设步伐加快，基础设施不断完善，人民生活水平显著提高，为兰州新区开发和“兰白经济圈”发展奠定了坚实基础。

引大入秦工程是改革开放以来甘肃第一个引进外资、国际招标建设的项目，是世界银行贷款项目的样板工程；写入《政府工作报告》《中华人民共和国建设成就概览》《中华人民共和国大事记》，并被

引大入秦工程渠首引水枢纽

引大入秦工程总干渠先明峡

镌刻入《中华世纪坛青铜甬道铭文》。引大入秦工程新技术、新工艺、新材料运用成果荣获“国家科技进步二等奖”“甘肃省科技进步一等奖”“甘肃省水利科技进步特等奖”；是全国首批爱国主义教育基地之一，被誉为“西北都江堰”和“人工地下长河”；被评为改革开放30年甘肃十大建设成就和新中国成立60周年甘肃建设成就地标之一，被甘肃省委、省政府誉为德政工程、民生工程、生存工程和发展工程；是展示甘肃改革开放、推进科学发展的重要窗口。工程建设管理一直受到党中央、国务院的亲切关怀和国家有关部委的大力支持，多位党和国家领导人亲临视察。

引大入秦工程建设历经30余年，管理体制几经变更。省委、省政府调整理顺引大入秦工程管理体制，甘肃省引大入秦工程管理局深入贯彻落实科学发展观，解放思想、实事求是、与时俱进，将工程功能定位由当初的 “发展灌溉，生产粮食，解决温饱”调整为“以兰州新区开发建设为依托，以经济、社会、生态效益最大化为目标，统筹农业、工业、城乡生活、生态用水，科学配置和有效利用水资源，建立多元化供水格局，为‘兰白都市经济圈’建设和供水区经济社会全面协调发展提供水资源支撑”。管理局提出了“实现‘三个转变’，突出‘三个调整’，实施‘三步走’发展战略，加强‘五个方面工作’，达到‘四个一流’奋斗目标”的长远发展思路，确定了“管理上水平，调整迈大步，效益跨台阶，队伍新提高”的总体工作目标。

近年来，管理局坚持从实际出发，着眼于“兰白经济圈”发展，着眼于兰州新城区开发建设，着眼于引大入秦工程综合效益的发挥，科学编制《甘肃省引大入秦工程供水结构优化调整方案》；坚持不懈地谋长远，强基础，增后劲，促发展；坚持不懈地抓重点，干大事，求突破，上台阶。通过全面深化改革，创新体制机制，强化安全运行，加强供水管理，调整供水结构，加快项目建设，科学配置和有效利用水资源，使长期困扰引大入秦工程建设和发展的深层次矛盾和问题得到有效解决，工程管理体制机制更加科学合理，工程供水能力得到保障，服务供水区经济社会发展的水平显著提高，灌区经济效益和社会效益全面提升，各项工作取得了新进展、新突破，实现了工程建设、运行管理以及发展思路的重大转变与调整，揭开了引大入秦工程改革发展的新篇章，开创了引大入秦工程科学发展的新局面。

全长2194.82m的引大入秦工程庄浪河渡槽横跨庄浪河，兰新铁路，312国道，明、汉长城遗址

建成运营后的引大入秦工程空港循环经济产业基地供水项目尖山庙调蓄水库总库容104万m^3

陆水试验枢纽管理局

部委领导考察陆水三峡试验坝展览馆

长江水利委员会陆水试验枢纽管理局是因兴建三峡试验坝——陆水水利枢纽于1958年成立，是大（2）型水库陆水水库的管理单位，负责陆水试验枢纽的运行管理与维护、水库防洪抗旱调度、水库水资源管理与保护，承担有关水电工程科学试验，负责国有资产的运营及监督管理等。50多年来，为防洪减灾、农业灌溉、城镇及工业供水、水电科学试验、水利风景旅游等民生水利建设作出了突出贡献。

陆水水利枢纽的预制块安装筑坝技术开创了我国水利水电工程施工技术的先河，是我国大型水利水电综合试验基地和大专院校、科研院所教学实习基地。50多年来陆水水利枢纽完成了包括三峡、葛洲坝等大型水利水电枢纽有关重大试验项目在内的200余项科学试验，为我国水利水电事业的创新和发展作出了重要贡献。

陆水试验枢纽管理局所属企业——陆水枢纽工程局具有水利水电工程总承包一级资质、电力承装（修、试）许可证，通过了质量、环境和职业健康安全“三标一体”管理体系认证，主要从事水利水电勘察、设计、施工及咨询、发电供电、水电站控制设备研发制造等。现有在职职工600多人，各类专业技术人员400多人，其中具有各类高级技术职称人员100多人。各项业务遍布全国各地，施工打入东南亚市场，励磁产品远销10多个国家，“陆水”牌商标享誉行业内外。

50年风雨历程铸就了“团结、求实、开拓、奉献”的陆水精神，陆水试验枢纽管理局先后荣

部委领导莅临考察

获“湖北省直机关工委文明单位”、“全国优秀水电企业”、国家工商总局“全国重合同守信用企业”、全国质量管理奖、湖北省“模范职工之家”、中国工程建筑质量安全管理先进单位、水利系统优秀企事业特别奖、全国诚信建设优秀施工企业等称号或奖项，创造出了良好的经济效益和社会信誉。

张翻局长在陆水水利枢纽开工50周年庆典上致辞

陆水水利枢纽开工50周年纪念大会

陆水水利枢纽开工50周年文艺汇演

陆水水利枢纽新貌

陆水枢纽工程局承建的全长269m，单跨70m，高36m的宜昌红星渡槽项目

陆水电厂主厂房发电机组

续写引黄入晋新篇章

山西省引黄管理局局长管二拴

万家寨引黄工程是一项跨流域引水工程，是山西省有史以来最大的水利工程。工程从黄河干流的万家寨水库取水。工程由总干线、南干线、连接段和北干线四部分组成。引水线路总长约446.72km，设计年引水12亿m^3，其中，向太原年引水6.4亿m^3，向大同、朔州年引水5.6亿m^3。工程分两期实施，一期工程已于2003年完工并通水到太原。二期工程（北干线）于2009年2月27日开工建设。

北干线是从根本上解决大同、朔州水资源供需矛盾的唯一出路，建设北干线工程对促进两市经济发展、实现地下水采补平衡、保护生态环境、提高人民生活水平和生活质量具有重要意义。

北干线工程由总干线下土寨分水闸起向东，经偏关、平鲁、朔州、山阴、怀仁至大同市附近赵家小村水库止。线路总长161.12km，主要建筑物有：输水隧洞1座，长43.67km；PCCP压力管道2段，长112.87km；倒虹吸2座，长117.36km；调节水库4座，总库容3769.4万m^3；地下泵站1座，设计总扬程137m，总装机容量8500kW。

2009年，在省委省政府的正确领导下，在各相关部门的支持和配合下，经过全体引黄人的共同努力，超额完成了全年建设任务。完成投资13.4亿元。主体工程方面：输水隧洞完成10.31km，占年度计划的103.1%；PCCP输水压力管道生产成品管25km，超额9km，完成管道安装13km，超额5km。大梁、耿庄、尚希庄、墙框堡四座调节水库，土石方开挖回填完成739万m^3，超额557万m^3。

大梁水库施工图

2010年北干线工程迎来建设高峰年，为早日实现通水到大同、朔州的目标，全体管理者及建设者正以顽强拼搏的精神投入到工程建设中。

引黄入晋工程北干线开工仪式

引黄入晋工程北干线输水管（PCCP）安装现场

中国水利水电建设工程咨询北京公司

中国水利水电建设工程咨询北京公司成立于1985年7月，是国内水利水电行业首批甲级工程咨询和监理单位。营业范围：水利水电、工业与民用建筑、电力、市政、新能源风电、公路、桥涵、移民和水保环保工程监理及咨询。具有住房和城乡建设部、水利部核发的甲级工程监理证书，国家发改委核发的工程咨询资质证书，通过质量、环境及职业健康安全管理体系认证。

公司拥有专业配套齐全的技术人员，承担监理和技术咨询的国外工程21项，国内工程160余项，国内开展业务地域涵盖22个省份，监理项目荣获国家与省市级优质工程奖20余项，其中鲁班奖4项，新中国成立六十周年百项经典工程1项、国家优质工程金奖1项。获北京市科技咨询信誉单位、北京市建设监理行业优秀单位、全国青年文明号、全国重质量守信用单位、全国优秀水利企业、共创鲁班奖工程监理企业、中国建设监理创新发展20年工程监理先进企业等荣誉。

公司以创建“学习型、科技型、国际型”为战略发展目标，本着“技术为先、诚信为本”的经营理念，竭诚与国内外工程建设单位合作，为客户提供优质服务，为社会经济发展做出应有的贡献。

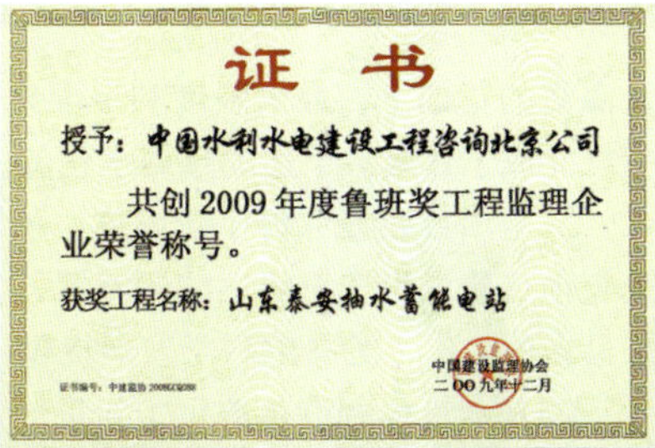
证书

授予：中国水利水电建设工程咨询北京公司

共创2009年度鲁班奖工程监理企业荣誉称号。

获奖工程名称：山东泰安抽水蓄能电站

中国建设监理协会
二〇〇九年十二月

山东泰安抽水蓄能电站荣获鲁班奖

泰安水电站上水库

新中国成立六十周年
百项经典暨精品工程

工程名称 黄河公伯峡水电站
监理单位 中国水利水电建设工程咨询北京公司

黄河公伯峡水电站荣获新中国成立六十周年百项经典暨精品工程奖状

公伯峡水电站

甘肃省景泰川电力提灌管理局

甘肃省委书记、省人大常委会主任陆浩（右）听取省景电管理局工作汇报

2009年是新中国成立60周年和景电工程建成40周年，景泰川电力提灌管理局坚持以党的十七大、十七届三中和四中全会精神为指导，用科学发展观统领全局工作，抢抓机遇，迎难而上，真抓实干，强化管理，一些重要工作有了新的突破，交上了“十新答卷”。

一是主要经济指标迈上了新台阶。全年共提水4.72亿m^3，占年计划的115.21%，同比多提水900万m^3；完成水费收入10672.924万元；完成灌溉面积6.667万hm^2，全灌区年生产粮食3.21亿kg，油料等经济作物2.40亿kg，农业生产总值9.25亿元。

二是向民勤调水实现了新突破。在满足灌区农作物适时适量灌溉的基础上，最大限度利用灌溉间隙和空闲流量向民勤调水6516.271万m^3，同比多提水401万m^3，超额完成了甘肃省下达的年调水任务。

三是项目建设取得了新成效。积极争取国家和省对景电大型泵站更新改造项目的立项和资金投入，全年项目建设投资总额达6850万元，完成投资5053万元，占计划的73.76%。争取到的项目资金是建局以来最多的一年，为景电科学发展提供了有力的资金支持。

四是水管体制改革取得了新进展。按照甘肃省政府批准的水管体制改革方案，落实公益性岗位财政供给人员376人，财政补贴经费1850万元。稳步推进水价改革步伐，甘肃省物价局批准景电灌区水价上调0.0162元/m^3。

五是安全生产增添了新内容。组织开展了“安全生产月”活动、全局安全生产大检查和水利安全隐患排查治理、防汛度汛、建设工程专项安全检查等活动，确保了人身、工程和设备“三大安全”。

六是科技创新取得了新成果。把采用新技术作为破解灌区管理技术难题的重要手段，组织力量研制成功了新型水量及闸门远程智能测控系统，为景电灌区逐步实现现代化管理提供了科学手段。

七是队伍建设步入了新阶段。先后选拔了20名处级干部，调整充实了14个处（室）的领导班子；完善机关科级建制，通过对116名干部的交流、提拔、任用，进一步优化了干部队伍的文化、年龄及专业结构。

八是系列庆祝活动提升了新形象。 在新中国成立60周年和景电工程建成40周年之际，结合景电实际，开展了10项庆祝活动，历时105天，进一步凝聚了人心，鼓舞了斗志，激发了干劲，弘扬了正气，提升了形象。

景电工程建成40周年庆祝活动

九是反腐倡廉推出了新举措。落实局党委惩防体系建设具体办法，重点加强了对人财物管理、工程招标投标、土地开发、配水收费、职工分配、人事调动等重点部位和关键环节的监督，做到了正确用权，阳光用权，规范用权。组织开展了民主评议行风和廉政文化“进机关、进站所、进灌区、进小区、进家庭”活动，保证了党政工作的务实、清廉、高效。

深入开展学习实践科学发展观活动

十是水文化建设展示了新风貌。紧紧围绕全局中心工作，加强与新闻媒体的合作，及时总结宣传工程管理建设的新成就。组织代表队参加甘肃省直属机关第九届职工运动会，取得了4金、1银、2铜的好成绩。代表甘肃水利系统赴京参加了全国水利系统文艺汇演，为甘肃水利争得了荣誉。

内蒙古河套灌区水利事业长足发展

巴彦淖尔市副市长、河灌总局局长武银星（中）向水利部相关负责人介绍情况

河灌总局党委书记秦景和（左三）在灌区调研指导工作

河套灌区位于黄河上中游内蒙古段北岸的冲积平原、巴彦淖尔市境内，是全国3个特大型灌区之一，也是水利部确定的全国20个示范灌区之一。现引黄控制面积112万hm^2，灌溉面积57.4万hm^2，年引黄用水量50亿m^3，是国家和自治区重要的商品粮、油生产基地。

近年来，灌区上下认真贯彻国家治水方针，按照水利部“两改一提高”的要求，大力加强基础设施建设，加快节水改造步伐，着力提高水资源的综合利用效率和效益，在用水户参与管理、灌区民主化建设、信息化建设等方面，积极探索，勇于实践，积累了一些宝贵经验，走在了全国大型灌区的前列。尤其是新一届领导班子站在发展可持续水利、服务当地经济社会发展的高度，加快推进城乡水务一体化改革，逐步形成了“构建三大体系、实现三个转变”的发展思路，各项工作有了新的起色，灌区正在翻开新的一页。

以加快实施民生水利为重点，在灌区水利基础建设上取得新跨越。积极争取和实施了灌区续建配套与节水改造、安全饮水、黄河堤防加固及险工险段治理、水库除险加固、水土保持和灌区信息化建设等一批重点水利工程，灌区水利基础设施建设力度、投资强度和项目规模逐年加强，仅2009年全市水利建设投入达10.66亿元。

以强化水资源管理为核心，在促进水利服务地区经济社会发展能力上取得新提高。优化水资源配置，在全力满足农业生产用水需求、确保全市粮食生产连年丰收的基础上，积极支持地区工业发展，规划建设了一批市域重点工业园区集中供水工程，形成年供水能力7250万m^3。利用引黄河凌汛槽蓄水进行分洪减灾，实施生态补水，既缓解了黄河防凌压力，也维护了地区生态环境。开展了重要水功能区划定，加强了入河排污口的监督管理和骨干渠（沟）道的水质监测，突出抓了旗县区政府所在地自备水源井的关闭工作，遏制了地下水资源无序开发的现象。

以推进改革创新为动力，在加快水务水管体制改革上取得新突破。城乡水务一体化的管理体制初步形成，对全市水资源实行“统一规划、统一管理、统一配置、统一取水许可、统一征收水资源费、统一监控水质”的“六统一”管理。全面加快水务市场化进程，组建成立了河套水务公司，公司运行3年多来，在涉水项目争取、工业供水、城市水景观、水权转换、水利工程建设等方面都取得了重大进展。

万里黄河织锦绣

灌区掠影

水利部海河水利委员会海河下游管理局

海河下游管理局，正局级单位，1980年10月成立，隶属于水利部海河水利委员会，局机关位于天津市河西区。主要管辖西河闸枢纽、屈家店枢纽、独流减河进洪闸、海河防潮闸、独流减河防潮闸等五座水闸枢纽；海河、独流减河河口和杨柳青、独流减河进洪闸水文站两个国家级重点水文站，局机关内设8个部门，下属6个管理处和2个事业单位，截至2010年8月底，全局在职职工共有194人。

2008年4月27日，水利部部长陈雷视察独流减河进洪闸

新中国成立后特别是近年来，党和政府高度重视海河下游地区的水利建设和管理，朱德、江泽民、李鹏、朱镕基、温家宝、回良玉等党和国家领导人，国务院有关部委领导，天津市领导等多次视察局属的水利工程，极大地鼓舞了干部职工献身水利、建功立业的斗志和情怀。

独流减河进洪北闸

近年来，管理局坚持以人为本，内强素质、外塑形象，坚持用“三he文化”[河（流）、合（力）、和（谐）]凝聚团队智慧和力量，各项工作取得了可喜成效。

文明建设结硕果。管理局连续6年保持“全国水利文明单位”称号，连续7年保持“天津市文明单位”荣誉称号；局属各闸管处多年保持“天津市文明单位”荣誉称号，其中西河闸管理处同时保持“全国水利文明单位”荣誉称号；局属杨柳青水文站多年保持“全国文明水文站”荣誉称号。

水利建设出精品。2008年竣工的独流减河进洪闸除险加固工程建设质量达到了优良标准，打造了海委系统窗口示范工程，先后获得水利部和天津市“文明建设工地”称号，南闸工程还荣获天津市建设工程“海河杯”奖。

工程管理创一流。积极推进水利工程管理标准化体系建设，所辖工程设施安全运行率达100%，2009年，独流减河进洪闸管理处水利工程管理达到了海委示范管理单位标准水平；大力推进“数字工管”建设，实现了水闸枢纽工程自动化控制和远程视频监控，得到了国务院、水利部领导的高度评价。

防汛工作保安全。切实做好每年的防汛准备工作，确保了遇标准内洪水工程安全度汛、遇超标准洪水将损失降到最低；坚持每年对独流减河河口清淤，保证河口泄洪通畅；有效预防、多次战胜了历史罕见的风暴潮灾害，确保所属工程安全度汛。

河口管理上水平。《海河独流减河永定新河河口管理办法》颁布实施为河口管理工作提供了法律依据，也对河口有关管理工作提出了更高的要求。管理局将进一步提高水政执法水平和基础工作水平，从管理、执法、监督、服务等各个方面创新思路，狠下功夫，全方位做好河口管理工作。

全局职工将在部委党组的正确领导下，抢抓机遇，乘势而上，确保所属水利工程安全良性运行，积极推进流域水利事业的发展，为海河下游地区特别是天津市的经济社会发展做出新的更大的贡献！

铸新中国治淮伟业丰碑 开混联水库群统管先河

——安徽省佛子岭水库管理处

水利部领导视察佛子岭水库

佛子岭水库全貌

佛子岭水库管理处为安徽省水利厅直属事业单位，正县级建制。管辖佛子岭、磨子潭、白莲崖3座大型水库及佛子岭水电站。佛子岭水库位于淮河支流淠河东源，是新中国成立之初治理淮河的第一个骨干工程；磨子潭、白莲崖位于佛子岭水库上游东、西支流上，是为提高佛子岭水库防洪标准而兴建的水利工程。3座大型水库为混联式结构，控制流域面积1840km^2，总库容13.01亿m^3。所属佛子岭水电站装机共8台，总容量为6.01万kW，年平均发电量1.3亿kW·h。

一、加强管理，创巨大的社会经济效益

水库建成后，共拦截大小洪水220次。与响洪甸水库联合灌溉面积达44万hm^2。水库同时承担向合肥市等中心城市供水的重任，每年输水1.5亿m^{3}左右，为城市发展和人民生活水平提高作出了巨大的贡献。同时，作为安徽省第一座水力发电站，佛子岭水库电站的建成，改变了合肥市靠柴油发电机供电的历史，累计发电达65亿kW·h。

为确保水库大坝安全和工程效益的正常发挥，针对大坝多次出现裂缝和渗水现象，水库管理者积极争取上级部门支持，先后实施了3次大坝加高加固工程。特别是2002年起实施的除险加固工程，为国家组织实施新一轮大规模的水库除险加固积累了宝贵的经验。

二、理顺体制，开混联水库群统管之先河

2006年6月，安徽省编委批复成立安徽省佛子岭水库管理处，进一步理顺了水库和电站管理体制；2008年，安徽省编委批复将白莲崖水库纳入到佛子岭水库管理处管理，佛子岭、磨子潭、白莲崖3座大型水库统一管理的局面正式形成。

2009年，白莲崖水库下闸蓄水，3座水库具备联合调度条件，在主汛期的3次洪水过程中，通过初步实践3库联合调度，削减佛子岭水库入库洪峰60%以上，水库群共减少弃水量6000余万m^3，其防洪保安和供水能力进一步提高。

AAAA级旅游区牌

三、抢抓机遇，全面提升水库发展新平台

近年来，管理处积极开发利用水库的水能资源和旅游资源，参与投资建设装机容量为2×8万kW的佛子岭抽水蓄能电站工程，创建AAAA级旅游景区工作。2009年，佛子岭抽水蓄能电站项目顺利通过国家发改委核准，佛子岭水库风景区被批准为国家AAAA级旅游景区。

同时，为全面加强管理工作，管理处大力开展争创省部级文明单位和省一级水工程管理单位工作，提出“以文明创建工作为抓手，全面提升水库管理水平”的指导方针，水库景区面貌焕然一新，水工程管理水平显著提升。

管理处按照上级主管部门的部署，积极推行事企相对独立运行工作，不断理顺水库电站的管理体制和运行机制，以改革促发展，积极推进管理处向更高层次迈进。

曹娥江大闸枢纽

曹娥江大闸夜景

曹娥江大闸

曹娥江大闸枢纽工程是国家批准实施的重大水利项目，是我国目前在河口地区建设的第一座大闸，是浙江省“五大百亿”工程浙东引水工程的枢纽工程。工程建设任务主要是以防潮（洪）治涝为主，兼顾水资源开发利用、水环境保护和航运等综合利用功能。工程主要由挡潮泄洪闸、堵坝、导流堤、鱼道、闸上江道堤脚加固工程等组成。挡潮泄洪闸共设28孔，每孔净宽20m，总净宽560m，总宽697m，堵坝长610m，导流堤长510m。工程建设期3.5年，工程静态总投资12.52亿元。

工程建设总目标是把工程建设成为“优质、安全、廉洁、高效”的河口大闸；质量目标是“确保零质量事故”和“确保钱江杯，争创鲁班奖”；进度目标是“确保按计划工期完成”；安全目标是“确保安全零责任事故”；廉政目标是“确保零违法违纪案件”；工作要求是“一流的管理、一流的设计、一流的施工、一流的监理、一流的材料供应”。

飞鱼化龙

工程于2005年12月30日开工，2007年10月31日挡潮闸工程基本完工，2008年12月18日大闸工程下闸蓄水投入试运行，2009年6月完成堵坝工程、上部建筑工程、水保绿化工程，2009年12月完成细部完善、内部装修、文化配套等。

工程达到了“控制投资，保质量、保进度、保安全、保廉洁”的“一控四保”目标，其中投资控制在初步设计概算内；进度符合国家批准的三年半的工期要求；已完工工程质量优良，没有发生质量事故；安全一直处于受控状态，没有发生安全责任事故；至目前没有发生违纪违法案件，也未收到有关举报。

曹娥江大闸

农三师前进水库管理处

学习十七届四中全会精神

及时清除闸前杂草，确保洪水安全通过枢纽

新疆生产建设兵团农三师前进水库管理处（以下简称水管处）是一个以水利工程管理，引、蓄、配水为主，农林牧副渔并举的国有事业单位。

水管处拥有1座库容9500万m^3的大中型平原水库——前进水库，引入叶尔羌河水；叶尔羌河“一块钱引水龙口”上的雅洪达枢纽、汗可尔枢纽；叶尔羌河东河滩防洪堤、提兹那甫河西岸10km防洪堤。

水管处坚持以邓小平理论和“三个代表”重要思想为指导，深入贯彻落实科学发展观，全面落实党的十七届四中、五中全会精神、中央新疆工作座谈会精神、兵团党委和师市党委会议精神。紧紧围绕“保增长、保民生、保稳定”的总体要求，团结带领全处各族职工群众，克难攻坚，奋力拼搏，实现经济建设、政治建设、文化建设、社会建设和生态建设新跨越。

2009年，全处实现生产总值1368万元，与2008年相比增长14%。其中第一产业完成341万元，同比增长10%；第二产业完成123万元，同比增长38.2%；第三产业完成904万元，同比增长12.86%。职工平均收入22120元，较2008年(21250元)增加4.09%。人均收入13612元，较2008年（12940元）增加5.19%。全年完成固定资产投入758.5万元。

2010年，水管处提出了力争引水3.2亿m^3，水库蓄水1.8亿m^3，场口配水2.2亿m^3，实现生产总值1480万元，增长8.1%，职工平均收入2.4万元，增长9%，固定资产投入完成1154万元的奋斗目标。

为实现目标，水管处从三方面入手：一是加强水利基础设施建设，提高水利工作管理水平和服务质量。以提高服务质量、科学调度、安全引水、安全蓄水、精准配水为宗旨，建立健全管理机构、防汛抗旱组织机构和防汛岗位责任制度。二是调整农业种植结构，推动现代农业发展。集中力量推进“减棉、增果、增畜”方针全面落实，大力发展特色种植。三是发展水产养殖，继续扩大养殖规模。推广围栏养殖、网箱养殖，重点培育2~3个名优特水产品种，实施“千亩池塘千亩林”综合开发项目，将库外渔池及坑地面积整体规划，合理配置，加快建设，调动职工从事水产养殖的积极性。

发展特色林果业致富职工群众

珠江水利综合技术中心(信息中心)

精神文明建设

珠江水利综合技术中心（信息中心）成立于2002年，是水利部珠江水利委员会下属的事业单位。主要业务有：组织珠江委权限内流域大中型水利建设项目前期工作的技术审查以及地方有关河流规划、专业规划和专项规划的技术审查；组织进行重要河流综合规划、流域性专业规划及专项规划的编制工作；组织涉及流域管理的重大水课题的研究工作；水利及相关工程技术咨询服务；水土保持建设咨询与管理工作；流域和珠江委水利信息化及水利通信业务的建设、组织与协调;编制流域和珠江委水利信息化及水利通信发展规划；流域和珠江委水利信息网络、通信网络、数据中心、珠江水利网站和业务应用系统的建设和运行管理工作；《人民珠江》的组稿、编辑、出版和发行工作；制定和完善珠江委档案管理规章制度；珠江委档案、资料图书的归档、保管和利用工作。

中心技术力量雄厚，拥有一批具有较高理论水平和丰富实践经验的水文、规划、地质、水工、概预算、水利信息化等方面的专家和专业技术人员。

中心具有国家发展和改革委员会颁发的甲级工程咨询资格证书、乙级工程咨询资格证书、城乡和住房建设部颁发的乙级工程设计证书、水利部颁发的水资源论证乙级资格证书，是中国工程咨询协会和广东省工程咨询协会的团体会员。

职工风采

成绩斐然

北京师范大学水科学研究院

从左到右：院总支书记王金生教授，院长许新宜教授，名誉院长汪恕诚教授，刘昌明院士，副院长徐宗学教授

2005年，由中国科学院院士刘昌明、林学钰共同倡议，率先在国内高校创立了水科学研究院。

水科学研究院下设水文水资源系、地下水科学与工程系和水生态与环境研究所，拥有地下水污染控制与修复教育部工程研究中心、水沙科学教育部重点实验室、环境保护部与北京师范大学共建的环境应急管理技术研究中心，建成了数字流域实验室、土壤—地下水污染修复实验室以及多个野外实习基地，为开展各类复杂、综合性的科学实验与研究提供了重要支撑。

水文水资源系主要研究方向包括：①陆地水文循环与地表过程；②水资源循环及其过程；③水资源可持续利用与高效节水技术；④水战略与水政策等。

地下水科学与工程系主要研究方向包括：①地下水资源评价与规划；②地下水污染控制与修复；③地下水环境安全与管理；④二氧化碳地质处置与地热开发利用技术等。

水生态与环境研究所主要研究方向包括：①水生态系统在自然过程和人类活动影响下的演化过程和发展趋势；②不同类型受损水生态系统的修复技术和工程优化理论；③生态流域理论与方法；④环境应急技术管理等。

水科学研究院拥有5个博士学位授予点（地下水科学与工程、环境科学、环境工程、自然地理学、自然资源）和6个硕士学位授予点（水文学及水资源、地下水科学与工程、环境科学、环境工程、自然地理学、自然资源），经教育部批准，与中国环境科学研究院共建环境科学与工程博士授予点。

在完成“国家重点基础研究发展规划项目（973）”《黄河流域水资源演化规律与可再生性维持机理》后，北京师范大学聚集了一大批从事地表水和地下水研究的知名学者和科研团队。目前，水科学研究院由汪恕诚教授担任名誉院长，有中国科学院院士2人、中国工程院院士1人、教授21人、副教授11人，5年来共培养获得学位的研究生104名、在校研究生146名、博士后21名。

呼伦湖取水样

三峡实习

栾城教学科研基地

国际水资源协会（IWRA）

2010年6月5-7日首届IWRA常务理事会在法国Montpellier总部合影

IWRA法国总部所在省的行政首脑与夏军及其他常务理事交谈

国际水资源协会（IWRA）是全球水资源知名的学术团体组织之一，1971年由美国周文德（Ven Te Chow）教授等一批世界知名水资源学者创建。由IWRA主持的世界水大会（World Water Congress）是全球知名的水资源学术大会之一。IWRA设有水晶球国际水大奖（The Crystal Drop Award）、周文德国际学术奖（The Ven Te Chow Memorial Lecture）、最佳论文奖（Best Paper Awards）等多个水奖。第十四届世界水大会（The 14th World Water Congress）将于2011年9月25—27日在巴西举行，主题是面向未来的水资源适应性管理。《国际水杂志》（Water International）是该协会会刊。我国许多老一辈水利、水文水资源学者曾经是IWRA会员，我国也成立有IWRA中国区域委员会。

IWRA也是世界水理事会（WWC）的创建和发起组织之一，目前为世界水理事会常务理事成员。2009年11月8—12日，由IWRA常务理事会主持的国际水质管理研讨会在西班牙萨拉戈萨举行，来自中国科学院地理科学与资源研究所的研究员夏军教授当选为新一届IWRA主席，任期为2010—2013年，这是IWRA历史上首次由来自中国的学者当选主席一职。夏军研究员当选为IWRA主席后，同时进入WWC代表IWRA担任常务理事（Governor）工作。

中国学者在IWRA担任重要职位，表明国际水文水资源研究同行对中国水文水资源专家所做工作的高度肯定和认同，同时也有利于推动我国水资源领域国际合作与交流的进一步发展。新一届IWRA常务理事会工作的不断开展和取得的成果，展示了中国学者在国际水资源组织的核心领导作用和贡献。同时，通过IWRA和WWC等国际知名学术机构，也给中国水资源管理相关研究成果在国际舞台上的展示，以及国际同行新的研究在中国的联系与交流，提供了重要的平台。

IWRA主席夏军（右一）在2010年上海世博会世界水理事会（WWC）会议上介绍水管理发展战略

IWRA主席夏军应邀参加2010年新加坡世界水周，并参与流域管理研讨会上的主题讨论

中国水利水电出版社水利志书编辑部

中国水利水电出版社水利志书编辑部即水利水电第二出版中心（《中国水利年鉴》编辑部）主要负责《中国水利年鉴》、各类水利史志、水利重要典籍的出版工作。近年来编辑出版了《中国水利年鉴》《中国水利统计年鉴》等水利行业重要年鉴，承担了新闻出版总署“国家重点图书出版计划”项目《中国河湖大典》的编辑出版工作，并编辑出版了《珠江续志》《陕西省水文志》《湖南省水文志》《苕溪运河志》等数十种方志图书，为水利史志图书的出版做出了重要贡献。

2010年，在国家人力资源和社会保障部、中国地方志指导小组联合举行的第二届全国地方志系统先进表彰大会上，编辑部被中国地方志领导小组评为全国方志系统先进集体。

泰和县南车灌区管理局

泰和县南车灌区位于革命圣地井冈山脚下，是江西省十三大灌区之一，也是吉安市辖区内唯一的大型灌区。交通便利，光热条件好，水资源充沛，土地肥沃，适宜种植多种农作物，是江西省吉泰盆地重点商品粮基地。

南车灌区是一个以南车水库为主要水源，芦源水库、槎滩陂和梅陂为补充水源的多水源蓄引水灌溉工程，控灌泰和、吉安两县17个乡镇，设计灌溉面积2万hm^2，引水流量33m^3/s。利用灌溉余水发电，装机容量为3000kW，年发电量1060万kW·h，大坝蓄水后形成可利用水面20hm^2，年养鱼7.5万kg。灌区工程建设的主要内容有：干支渠的续建、配套、整治和防渗加固，渠系建筑物的改建、维修及配套，田间工程续建配套，灌区管理设施以及灌区信息化系统的配套完善；工程概算总投资为2.9亿元。项目于1999年8月启动，截至目前累计到位资金9986.3万元，完成投资9500万元，完成了渠首枢纽和总干渠13.065km、槎滩渠灌片9.8km的渠道整治与垅下、沛潭、赖家、老坑等4座大型渡槽及配套建筑物。南车灌区续建配套与节水改造工程的实施，极大地改善了受益区人民群众的生活条件，使灌区农业生产能力不断提高，经济效益和社会效益十分显著。

多年来，南车灌区管理局认真贯彻落实科学发展观和新的治水思路，以与时俱进的思想观念，奋发有为的精神状态，真抓实干的工作作风，强化创先争优意识，积极推进灌区项目建设，取得了工程建设和“三个文明”建设的双丰收。

河海大学

河海大学党委书记 朱拓

河海大学校长 王乘

河海大学是一所拥有95年办学历史，以水利为特色、以工科为主、多学科协调发展的教育部直属全国重点大学，是实施国家“211工程”重点建设的高校之一。近年来，以科技部批准成立水文水资源与水利工程科学国家重点实验室、国家发改委批准成立水资源高效利用与工程安全国家工程研究中心、教育部先后批准正式成立研究生院和建设“优势学科创新平台”为标志，学校的建设与发展跨上了一个新的台阶。

学科建设成效显著。水利工程被首批评定为一级学科国家重点学科，在教育部学科评估中位居全国第一；新增4个二级学科国家重点学科、2个二级学科国家重点培育学科，9个学科被列入江苏省“十一五”重点建设学科；新增4个博士后流动站、2个一级学科博士点、28个二级学科博士点(含自主设置14个)、86个硕士点(含自主设置14个)、7个工程硕士授权领域和工商管理硕士（MBA）专业学位授予权；博士点的覆盖面由2个学科门类5个一级学科增加到4个学科门类14个一级学科，硕士点的覆盖面由5个学科门类23个一级学科增加到9个学科门类39个一级学科，形成了水利土木、资源环境、经管人文和电气信息四大学科群。

教学工作成绩优异。获国家教学成果奖3项，入选国家实验教学示范中心2个、国家教学团队2个、国家教学名师3名、国家特色专业9个、国家精品课程9门、国家双语示范课程3门、国家人才培养模式创新实验区1个，成为首批国家大学生创新性实验计划项目学校。推进了研究生管理体制和培养机制改革，创新培养模式，建设了长江、黄河、西部水电开发国家研究生创新中心；2篇论文获全国优秀博士论文奖，2篇论文获全国优秀博士论文提名奖。本科生和研究生生源质量不断提升，毕业生就业率多年保持在95%左右的高水平。

科技事业发展迅速。获准建设“水文水资源与水利工程科学国家重点实验室”并通过验收，获准

河海大学党委领导班子

建设“水资源高效利用与工程安全国家工程研究中心”，新增9个省部级重点实验室和工程研究中心，学校主要学科领域都有省部级以上科研基地支撑。年度科技经费从2.18亿元增加到4.18亿元，7年累计达22.42亿元，其中纵向和重大工程科研项目经费占60%以上，国家基金项目数量和资助经费总量显著增加。主持国家“973计划”项目1项、“863计划”重大专项2项。获国家自然科学奖1项，国家科技进步奖12项，省部级奖183项，高水平学术论文数量明显增长。

师资队伍蓬勃发展。具有博士学位的教师比例从11.5%上升到37.1%，重点学科博士学位教师比例由35%提高到70%以上。加强师资培养工作，特别是通过出国进修、学科带头人传帮带等多种方式对中青年学术骨干进行培养，让他们在教学和科研中勇挑重担。新增“千人计划”特聘教授2人，“长江学者”特聘教授和讲座教授5人，国家杰出青年科学基金获得者4人，新世纪百千万人才工程国家级人选4人，新世纪优秀人才支持计划入选者14人，江苏省“333高层次人才培养工程”首席科学家1人，中青年科技领军人才5人，新增省部级创新团队4个。

合作办学活力增强。坚持“以服务求支持、以合作促发展”，加强与各级政府和社会各界的全面合作，进一步拓展了学校发展空间，优化了办学的外部环境。以江苏沿海开发上升为国家战略为契机，全面深化学校与江苏省及相关市县的合作关系；与海军和武警水电部队签订培养干部协议，申请军工项目资质，积极开辟新时期服务国防事业和军队建设的渠道。积极开展国际交流与合作工作，加快国际化进程。与20个国家和地区的70余所大学、机构保持紧密合作关系，积极在相关国际组织发挥影响。组织大型国际学术会议30余次，每年保持150人次以上教师出访和200人次以上海外专家来访规模。学校从在读学生中选派出国交流学生和外国留学生规模显著增长，2009年分别达到186人和254人。

河海大学坚持“特色强校、和谐兴校、质量立校、人才名校、环境美校、道德荣校”的发展方略，积极弘扬“献身、负责、求实”的水利精神，努力开创高水平特色研究型大学建设新局面！

教育部、江苏省人民政府共建河海大学

河海大学积极参与江苏沿海开发

河海大学闻天馆

河海大学东湖

華北水利水電學院

华北水利水电学院坐落在黄河之滨的郑州市，是水利部与河南省共建、以河南省管理为主的高校，是教育部普通高等学校本科教学工作水平评估优秀学校，是博士学位授予权单位立项建设高校。学校的前身是于1951年创建的水利部北京水利学校，1958年，北京水力发电函授学院、北京水力发电学校并入，成立北京水利水电学院，隶属水利部管理，1960—1978年，著名水利专家、中国科学院首届学部委员汪胡桢先生担任学校校长，1978年更名为华北水利水电学院，并在原北京校址成立了研究生部，1990年学校迁至河南省郑州市办学。

2009年9月14日，全国高校毕业生就业市场河南分市场揭牌仪式

学校现有花园校区和龙子湖校区两个校区，总占地面积155.33hm^2。设有水利学院、资源与环境学院、土木与交通学院、机械学院、电力学院、环境与市政工程学院、建筑学院、管理与经济学院、数学与信息科学学院、信息工程学院、外国语学院、法学院、思想政治教育学院、软件学院、体育部、人文艺术教育中心、继续教育学院、国际教育学院等18个教学单位，全日制在校本科生、研究生1.8万余人。学校是国务院首批确定具有学士、硕士学位授予权的高校之一，是目前省内具有研究生单独招考资格的高校，是国务院学位委员会授权的、河南省具有单独命题考试资格招收优秀在职人员攻读硕士学位（双证齐全）的地方院校，是具有推荐并接收应届本科毕业生免试攻读硕士学位研究生资格的高校之一。

学校以学科建设为龙头，培育了水利工程、地质资源与地质工程、管理科学与工程等多个在国内外有影响的优势学科，其综合实力和整体水平在全国水利行业具有较强优势。现有3个一级省级重点学科，21个二级省部级重点学科，3个省部级重点实验室，3个硕士学位一级授权学科，28个硕士学位二级授权学科。

学校拥有一支教学水平高、科研能力强、结构梯队合理的高素质人才队伍。现有教职工1337人，其中专任教师1054人，专任教师中院士5人，具有副高级以上职称者500余人，具有硕士以上学位者800余人。学校设有6个省级特聘教授岗位，省级特聘教授、校级特聘教授8人。两院院士潘家铮为学校高级顾问，中国工程院院士顾金才、王浩、倪维斗、周丰峻、王光谦为学校教授、双聘院士，学校还聘请了刘光鼎、王思敬、林皋、赵国藩、厉以宁等国内外知名学者、科学院院士或工程院院士担任学校的兼职教授。学校拥有享受国务院特殊津贴的专家18人；入选国家“百千万人才工程”、省、厅级“555人才工程”的专家45人；省管专家、

就业是硬道理。2009年，在朱海风书记等领导的积极促成下，全国高校毕业就生就业市场河南分市场落户华北水院，彰显了华北水院的就业实力

省高校创新人才11人；省级学科带头人5人；省教学名师及优秀中青年骨干教师 29 人；“全国五一劳动奖章”获得者2人，全国模范教师4人，省、部级优秀教师9人。

长期以来，学校围绕“培养什么人，怎样培养人”和“办什么样的大学，怎样办好大学”这两个根本性的问题，秉承“从严治校、从严执教”的方针，努力营造“教书育人、管理育人、服务育人”的优良环境，在教学质量、育人质量、师资队伍建设和学术水平等方面不断提高。在2005年教育部本科教学工作水平评估中，学校被评为优秀院校。2006年被授予“河南省学位点建设与研究生教育工作先进单位”称号。2007年学校获人事部、教育部“全国教育系统先进集体”称号。特别是近年来，学校从人才培养的根本任务出发，牢固树立教学工作的中心地位，确立教学质量是学校的生命线和永恒的主题，学校教学工作取得了显著成绩，教育教学改革取得了突破性成果。2007年以来新增本科专业8个，现有本科专业49个。拥有国家级特色专业2个，省级特色专业建设点8个，省级实验教学示范中心2个，省级教学团队3个，省级教学名师3人，省级精品课程12门。学校设立教育教学改革课题120多项，积极引导、鼓励教师参与教学研究和教学改革。2009年获河南省教学成果一等奖6项，二等奖3项。

2009年8月12日，水利部与河南省《共建华北水利水电学院》协议签字仪式

河南省高校毕业生就业市场水利电力类分市场在华北水利水电学院建立

学校以博士授权单位建设为契机，以水利特色为突破口，先后与中国水电顾问集团北京勘测设计研究院和中国水利水电科学研究院等单位签订全面合作框架协议，进一步加强与水利行业科研及企业单位的合作交流。2009年8月12日，水利部与河南省《共建华北水利水电学院协议》的签署更是为学校在学科建设、人才培养、学术研究、科技攻关、行业交流、技术培训等各方面争取双重支持提供了平台。2009年获得国家和省部级项目11项，以学校为第一完成单位通过省级鉴定的科技成果有26项；河南省科技进步奖4项；大禹水利科学技术奖一等奖1项，其他省部级奖20项。

学校面向全国招生，2009年本、专科招生计划总数6803人，其中本科招生计划5150人，创历史新高。近年来新生第一志愿录取率在河南为100%，在全国保持在95%以上，新生报到率超过97%。在全国就业形势日趋严峻的情况下，学校毕业生一次就业率连续近10年保持在95%左右，位居河南省高校前列。2009届毕业生就业率达95.12%，并荣获“全国高校毕业生就业工作先进集体”称号。经过多年的人才培养改革和探索，学校毕业生以“吃得苦、下得去、用得上、留得住”的鲜明特色受到用人单位的充分肯定，“全国高校毕业生就业市场河南分市场”和“河南省大中专毕业生就业创业服务基地”先后落户学校。

经过近60年的建设和积累，学校形成了鲜明的办学特色，办学规模、办学条件、办学层次、办学声誉、师资力量、科研水平、学科建设水平、人才培养和社会服务能力等都有了显著提高，构筑了学校特有的行业优势，使学校跨入了河南省以及水利电力行业高校的先进行列。日益凸显的学科优势，高昂的工作热情，科学的学术精神，通畅的工作机制，勤奋踏实的工作作风，彰显出华水人不懈的追求精神，这种精神推动着学校各项工作不断取得新的进展，“情系水利、自强不息”的华水精神不断展现新的风貌，“勤奋、严谨、求实、创新”的校训不断激励着一代又一代华水人薪火相传，奋力拼搏。

南昌工程学院

团结奋进的校领导班子

南昌工程学院创建于1958年，是江西省政府与水利部共建的一所以工学为主，经济学、管理学、文学、理学、农学等多学科协调发展的应用型本科院校。

学校占地面积约135hm^2，校舍建筑面积60万m^2，为“江西省园林化单位”。学校拥有水利工程、测绘工程、水电动力工程、水土保持、岩土工程研究、网络工程、亚热带区域生态环境研究、电气工程、水文水资源、自动化等10个中央与地方共建的实验室和实训中心；拥有物理实验中心、电工电子实验中心、土壤与植物生态实验中心、计算机基础实验中心和机械基础实验中心等5个“江西高校实验教学示范中心”；拥有水土保持与沙漠化防治、计算机应用技术、岩土工程以及马克思主义中国化等4个江西省高校“十一五”重点学科。学校设有数字水利研究所、生态与环境科学研究所、网络与信息安全研究所、岩土工程研究所、微纳驱动研究所、马克思主义社会发展学研究所等6个研究所。

学校现有教职工1100余人，专任教师800余人，副高以上职称和硕士以上学位的教师占专任教师的74%以上。现有国家跨世纪一、二层次人才1名，国家有突出贡献的青年专家1名，全国优秀教师1名；省级学科带头人9名，省级中青年骨干教师13名，省级教学名师8名，江西省“新世纪百千万人才工程”9人，近几年新增9名教师享受政府特殊津贴。特聘中国科学院院士2人、中国工程院院士3人。设有水利与生态工程学院、土木与建筑工程学院、机械与电气工程学院、信息工程学院、工商管理学院、经济贸易学院、人文与艺术学院、理学系、外国语言文学系、继续教育学院、国际教育学院、思想政治理论教学科研部和军事体育部等13个院（系、部），开设了70余个本、专科专业，面向全国31个省（自治区、直辖市）招生，现有普通全日制在校生17400余人。学校先后与荷兰、韩国、英国等国家的大学开展教育合作项目，目前已有在校生1000余人。学校在全国十多个省（自治区、直辖市）设有函授站，函授生达6300余人，并与浙江大学等4所高校联合举办了远程教育。

学校围绕“水”字做文章，以特色求发展，狠抓特色学科和特色专业建设，积极融入和参与鄱阳湖生态经济区建设，进行“产学研”合作，提高科研成果转化率、贡献率。

学校积极探索应用型人才培养模式，办学水平和人才培养质量稳步提升。2009年，在全国大学生“挑战杯”课外科技作品大赛（江西赛区）中荣获团体总分第二名，与哈尔滨工业大学、同济大学等国内著名高校并列全国总排名的第21位76名。近三年，学校毕业生就业率均在90%以上，其中专科生初次就业率连续多年高居全省首位。

风光旖旎的校园

三 峡 大 学

历史沿革　三峡大学是经教育部批准，由原武汉水利电力大学（宜昌）和原湖北三峡学院于2000年6月29日合并成立，是湖北省“十五”、“十一五”期间重点建设大学。学校具有62年的办学历史，2005年学校在教育部本科教学工作水平评估中获得优秀；2008年被国务院学位委员会批准为博士学位授予权立项建设单位。2009年12月，水利部和湖北省人民政府在北京签定协议，决定共建三峡大学。

学科专业　学校现有23个学院，57个本科专业，涵盖理、工、文、医、经、管、法、教育等8大学科门类，学校现有全日制在校普通本科生18546人，硕士研究生1640人，留学生537人，高职高专学生4515人，成人教育学生16499人，本科自学考试助学班学生1770人 。

水利部与湖北省共建三峡大学协议签字仪式

师资队伍　学校现有专任教师1790人，其中教授240人，副教授623人，具有博士学位的教师300人。有博士生导师31人，硕士生导师477人；学校聘请了包括诺贝尔奖获得者蒙代尔及16位院士在内的273名专家担任兼职教授。

基础设施　学校占地面积252hm^2，校舍总建筑面积132.3万m^2，固定资产17亿元。有各类教学实验中心（实验室）58个，大中型教学科研仪器设备2万台（件），教学科研仪器设备总值达2.18亿元；图书馆馆藏纸质图书260万册，各类电子图书42万册(件)；建有160多个校内外实践教学基地和产学研合作基地。

科学研究　学校建有长江三峡滑坡国家野外科学观测研究站，三峡库区地质灾害省部共建教育部重点实验室，三峡库区生态环境省部共建教育部工程技术研究中心，水电站仿真实验室、岩土工程研究中心2个原国家电力公司重点实验室（211工程建设项目）等。

学校近5年来承担各级各类科研项目1679项，其中国家攻关课题、“973计划”项目、“863计划”项目、国家自然科学基金、国家社会科学基金项目、国家重点科技攻关等重点科研项目200余项，累计项目经费达4亿多元；有80余项科研成果获省部级及以上奖励，其中，获国家科学技术进步二等奖4项，教育部科技进步二等奖2项，中国岩石力学与工程学会一等奖3项，获中国爆破工程学会特等奖1项；获湖北省科技进步奖特等奖2项、一等奖7项、二等奖13项、三等奖22项；获湖北省社会科学优秀成果二等奖5项、三等奖9项；获授权发明专利100余项；公开出版学术专著、译著、教材250余部，公开发表学术论文累计12000余篇。

开放办学　学校贯彻开放办学方针，广泛开展国内外交流与合作。先后与亚洲、欧洲、美洲、大洋洲等20多个国家和地区的70多所高校建立了教学、科研和互派留学生等合作关系；设有HSK考点；开办3个中外合作办学项目。2007年我校第一所孔子学院在美国德州大学达拉斯分校挂牌成立。

国家首批示范高职院校

杨凌职业技术学院

YangLing Vocationa & Technical College

YVTC

院长张朝晖荣获中国职业教育杰出校长、陕西省突出贡献专家称号

党委书记曹毓刚在2009年全国高校毕业生就业工作网络视频会议上作典型发言

杨凌职业技术学院是经教育部批准成立的一所全日制普通高等学校，隶属陕西省政府领导。学院坐落于我国现代农业的发源地、全国唯一的农业高新技术产业示范区——杨凌农业高新技术产业示范区。学院创办于1934年，2009年被教育部、财政部确定为全国首批高职示范院校，被水利部确定为全国水利职业教育示范院校建设单位，被教育部授予“全国普通高等学校毕业生就业工作先进集体”称号，2010年被评为全国50所高校毕业生就业典型经验高校之一。

学院占地106.67hm^2。校舍建筑面积40.4万m^2。固定资产总值3.02亿元，其中教学仪器设备总值9380万元。拥有各类校内实验实训室（场、中心）188个，校外实训基地163个。图书馆藏书71万册。现有教职工810名，专任教师583名，其中教授33人，副教授127名。学院设有14个教学院（系部）及继续教育与培训学院，设有“三农”发展研究所，开设有54个高职专业，其中国家级教改试点专业2个、省级重点专业4个。有在校生1.6万余名。校内技能鉴定培训站可承担176个高级和中级职业（工种）的鉴定任务。

学院近5年承担和参与的科研项目有192项，其中国家级3项，省（部）级109项，先后获省部级科技成果奖16项，地厅级16项；获得国家级优秀教学成果奖3项、省级优秀教学成果奖12项；获得专利3项。教师近年来公开发表论文847篇，其中发表于核心期刊的有353篇；主（参）编教材327种。有国家级精品课程1门，省级精品课程10门；有省级教学团队4个、省级突出贡献专家1名、省级教学名师3名、省级职教名师11名，省级师德标兵3名。

多年来，学院坚持以服务为宗旨，以就业为导向，秉承“以人为本，质量立校，特色办学，创新发展”的办学理念，突出高职教育特色，加强学生实践能力培养，大力推进教学改革与建设，努力改善办学条件，取得了办学事业的显著成绩，成为引领陕西、辐射西北的一所示范性高职院校。

水工实训大厅

教育部原党组书记、部长周济在陕西省省长赵正永的陪同下在学院视察

贵州大学林学院水土保持与荒漠化防治专业

贵州大学是一所211综合性大学，水土保持与荒漠化防治专业是培养水土保持与荒漠化防治专门人才基地，可培养本科生和研究生，在贵州省水保领域中具有重要的地位。水土保持学与林学紧密相关，自1958年成立林学系起，围绕贵州水土流失治理工作开展研究，取得了大量的研究成果，培养了一大批从事水土保持与荒漠化防治的专门人才。1999年正式建系并招收首届本科生，2007年招收首届硕士研究生，截至2010年已有近400名本科生和8名硕士生毕业。2008年被评为贵州大学特色专业和示范专业。

强大的教学与科研队伍。有贵州省创新团队1个，贵州省人才培养基地1个，享受国务院政府特殊津贴专家2人、贵州省管专家2人。在职教师中高级职称者占50%以上，80%以上具有硕士学位，取得或在职攻读博士学位者占60%，教师队伍以中、青年教师为骨干，年富力强，充满朝气，具有较强的创造力。

特色与优势的科学研究。由于贵州喀斯特分布面积大、发育强烈、景观类型多、环境复杂、人地矛盾尖锐，植被退化严重，导致水土流失强烈，石漠化严重。围绕喀斯特山地水土流失与石漠化治理，先后承担了科技部国家重点基础研究“973”计划项目、国家科技支撑（攻关）计划项目，国家对外合作项目、贵州省科技攻关项目、贵州省自然科学基金项目和贵州省省长基金项目等，在喀斯特区水土流失的发生、发展、演化及石漠化形成机理，喀斯特生境特征与立地分类评价，树种适应特征、方式、途径，以及石漠化生态综合治理等生态恢复与重建理论与技术领域开展了大量研究，并取得突破和创新，形成了一些新观点、新方法，丰富了水土保持与荒漠化治理学的内容和理论。在学术界获广泛好评。获得各级科技进步奖多项。

三峡实习

径流场

学术著作

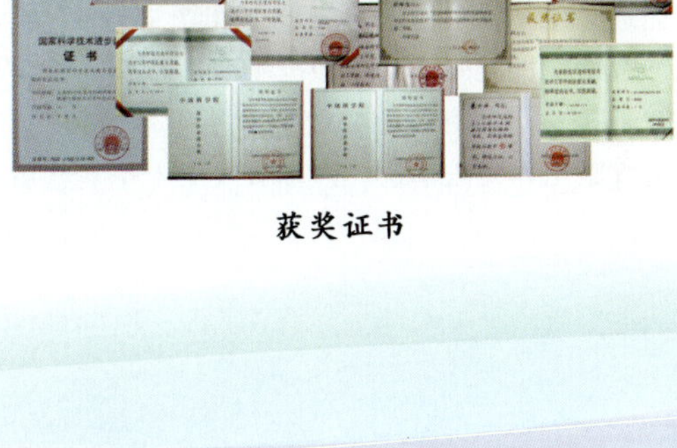

获奖证书

发展中的聚龙潭水务

聚龙潭净水厂

聚龙潭水库

东辽县聚龙潭水库工程从2001年10月启动，工程运行之初，东辽县政府就率先实行了水源、制水、供水相统一的水务一体化管理模式。在水利部可持续发展治水思路的指导下，在东辽县委县政府的领导下，坚韧不拔的聚龙潭水利人，为了提高民生和经济社会发展的载体功能，励精图治、开拓进取、求实奉献，不断把东辽水务事业推向前进。

一、水环境治理成效显著

聚龙潭从水源保护区的划分和界定入手，坚持科学规划，标本兼治，精心实施。水源生态环境发生了巨大变化。70%的陆域面积完成了植物工程，以芦苇、河柳居多，其中河柳已达到自然繁衍的状态，水资源承载能力不断加强。

二、城市供水规模扎实推进

几年来，聚龙潭把扩大供水规模和规范供水服务做为一项战略措施，工程运行以来分步实施了水库二期、净水厂二期工程和防洪、水保等工程，不断完善基础设施配套。供水规模从东辽县城区逐步向辽源市经济开发区，平岗、金岗等煤矿塌陷区延伸，同时为社会提供了更为公开、透明、便捷和高效的公共服务平台。在发展中创新，在创新中适应，聚龙潭水务事业正充满着勃勃生机。

黄河水利职业技术学院

学院党委书记、院长
刘宪亮

学院创建于1929年，2000年由水利部划归河南省管理。建院80多年来为服务地方经济发展和水利建设事业培养了8万多名优秀毕业生，被誉为“黄河技干摇篮”和“黄河流域的黄埔军校”。截至2009年底，学院占地面积93.3hm^2，建筑面积48万m^2，总资产8.2亿元，仪器设备总值1.3亿元。在校全日制专科生1.6万人，专任教师573人，教授 、副教授占30%以上，硕士、博士占50%。开设有18个教学系（部、院），工、经、文、管4个学科63个专业。有各类校内实验、实训场馆148个，其中国家级实训基地1个。合作企业510家，校外实习基地495个。以学院和中国水利职教协会为依托，联合81家水利企事业单位和13所水利高职院校成立了中国水利职业教育集团。

学院定位准确，办学指导思想明确，教育理念先进。现有国家级精品专业1个，国家级教学改革试点专业2个，省级各类重点专业14个；有国家级精品课程13门，省级精品课程18门，在河南省高校中名列第一。有国家教学成果二等奖3项，国家级教学团队奖1个。现为教育部教学指导委员会主任委员单位，教育部高职高专人才培养工作水平评估优秀院校，全国职业教育先进单位，国家首批示范建设单位（2009年通过国家验收），教育部批准的具有单独招生资格院校，全国就业力十强高职院校、全国高职院校就业“星级示范校”，河南省职业教育攻坚工作先进单位、河南省大中专毕业生就业工作先进集体。

教学楼区

汉江水利水电（集团）有限责任公司

汉江丹江口大坝开闸泄洪

汉江水利水电（集团）有限责任公司（以下简称“汉江集团”）于1996年由水利部丹江口水利枢纽管理局改制而成。以汉江集团公司为核心企业的汉江集团拥有汉江水电开发公司、丹江口水力发电厂、丹江铝业公司、江苏昆山铝业公司等20余家企业，有在职职工8400余人，专业技术人才2600余人。

汉江集团将科学发展观贯穿于“产业多元化、产权多元化”的经营思路中，以资源型和能源型为先导，在投资模式上将长线投资和短线投资相结合；对内优化资源配置，对外实施资本扩张，形成了以水电、铝业、电化、地产四个板块为主的多元发展格局，产业链延伸至山西、山东、浙江、江苏、河南、陕西等地；组建了多家合资企业，多元化产业涉及发供电、电力设备安装检修、工程施工、工程招标代理、工程监理、化工、冶炼、外贸、房地产与物业管理、旅游服务等众多领域，实现了资产、组织和人员的结构优化升级。

目前汉江集团资产达96.02亿元，在建和已建成的水电项目权益装机容量超过200万kW，企业年物流量超过200万t，铝冶炼和深加工产业链实现了产品扩展和纵向一体化经营，电石年产33万余t，电化工产品的电耗和物耗指标达到了国内领先水平。汉江集团已逐步发展成为一个充满生机和活力的跨地区、跨行业、跨所有制的大型企业集团。

汉江集团先后荣获“全国五一劳动奖状”“全国精神文明建设先进单位”“全国实施卓越绩效管理模式先进企业特别奖”“全国优秀水利企业”“全国模范职工之家”等荣誉。

今后，汉江集团将继续走优先发展水电，优化发展铝业，实施资本稳健扩张，拓展新兴优势产业之路；强化管理创新，深化改革改制，搞好公共关系，促进科学发展，不断努力实现企业又好又快发展，稳步提高经济效益和职工收入，谱写汉江集团改革与发展新篇章。

铝板带生产线

淅川九信电化公司全景

国家水电可持续发展研究中心

国家能源局和水利部领导为中心揭牌

中心技术委员会第一次会议

水电作为一种清洁可再生能源，在能源战略中占有重要位置，为经济社会发展作出了重要贡献。随着水电发展的持续深入，我国水电建设迎来了前所未有的机遇，同时也遇到新问题，面临新的挑战。为适应新形势要求，实现在保护生态基础上有序开发水电的目标，促进水电的可持续发展，国家能源局于2009年9月依托中国水利水电科学研究院组建成立了国家水电可持续发展研究中心（以下简称为中心），形成国家级水电科研平台。

中心旨在围绕国家需求，结合我国水电建设实际和发展需要，充分整合相关机构优势，系统总结国内外经验教训，开展我国水电可持续发展有关理论、技术、政策和标准的前瞻性研究，为国家能源主管部门的宏观决策和我国水电开发建设提供技术支持。

中心集中了水科院的优势科研力量，在职员工14名，其中教授级高级工程师5名、高级工程师3名，博士9名，硕士4名。同时聘请了近百位在国内水电界享有盛誉的院士、专家组成第一届管理委员会和技术委员会，由国家能源局新能源和可再生能源司领导出任委员会主任，凝聚智慧，指导中心发展。

中心与中国长江三峡集团公司签署合作框架协议

（1）研究工作。围绕国家“十二五”能源规划，开展了前期重大问题“能源发展主要约束性因素研究”“全国水电新农村电气化建设‘十二五’规划”等课题研究，为国家政府部门的宏观决策提供技术支持。在国内率先开展了水电可持续性评估方法的研究，包括长江三峡水电站可持续发展关键问题研究、乌江梯级开发的可持续评估技术、湖北清江流域水布垭水电站可持续性评估等。广泛联合相关院所和水电企业，就水电开发的生态保护与修复、水电开发对区域经济的带动作用、移民安置的长效机制，以及水电对温室气体减排和应对气候变化的作用等方面进行了大量开拓性工作。积极服务于农村小水电建设，开展了水电新农村电气化发展战略等研究。

（2）交流合作和舆论宣传。在国内，与中国长江三峡集团公司、贵州乌江水电开发有限责任公司等签署战略合作协议，并努力加强与我国水电建设的开发、设计、施工、管理等各个层面的全面合作。在国际上，与国际水电协会（IHA）、挪威可再生能源环境设计中心（CEDREN）等国际组织机构建立了稳定的合作关系，不断促进国际合作和交流。针对当前水电发展的热点和焦点问题，积极组织国际性和全国性的论坛和学术研讨会，包括“水电可持续发展专题国际研讨会”“水库温室气体排放（GHG）项目国际研讨会”“全国水利水电移民工程学术研讨会”等，扩大学术影响与合作领域。

中心还承办了水利部主管的国家级科技月刊《中国水能及电气化》，以传播科学管理理念、报道最新科研成果、倡导节能减排、促进我国水电行业的蓬勃发展；定期编发内部刊物《水电发展动态》，及时总结报导水电建设在生态保护、安全保障、促进区域发展等方面的实践探索和成果，促进水电开发战略方针、政策、统筹规划、利用保护、管理实践等最新信息在行业内外的交流，获得较好反响。

中国的水电建设已走过百年历程，中国水电的发展仍然任重道远。展望未来，中心将以科技支撑水电可持续发展为己任，与国内外从事水电可持续发展的各界人士密切合作，进行水电可持续发展理论和实践的研究、交流、宣传，通过持续努力，在制约我国水电科学发展的科学认知、关键技术、发展环境等重点环节取得突破，为我国水电事业的可持续发展作出积极贡献。

定期编发的《水电发展动态》

在贵州乌江索风营电厂进行水电可持续性评估调研

广西水利电业集团

GUANGXI WATER RESOURCES & ELECTRIC POWER GROUP

团结进取的领导班子

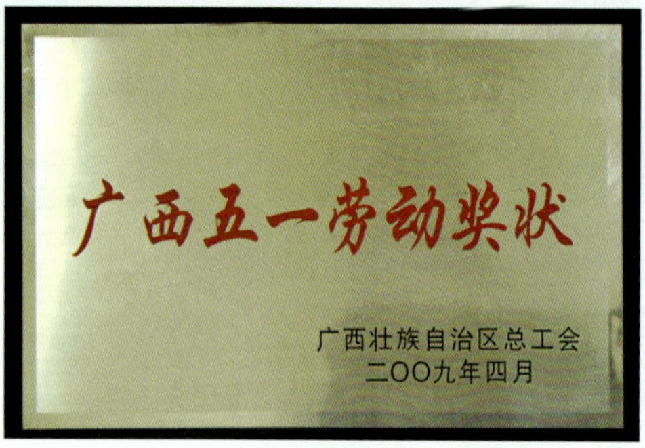

五一劳动奖状

广西水利电业集团于2006年9月28日正式挂牌成立，以广西水利电业集团有限公司为母公司，联合40家控股供电公司、26家控股发电公司、1家物业公司和贺州市八步水利电业有限公司（参股公司）、梧州市电业局、百色电力有限责任公司组建而成。集团业务范围为：以电力供应为主，同时经营中小水电站开发投资、管理和技术改造，挖潜增容，电网建设和改造，供水工程投资与管理，水利水电工程咨询服务，水电成套设备物资供应以及除特殊许可以外的国内商业贸易等。

广西水利电业集团有限公司前身为广西水利电业有限公司，是由广西水利系统50家企事业单位共同出资，于1998年组建的省级电力企业，是广西农网改造的两个承贷主体之一，负责全区43个县（市、区）“两改一同价”的工作任务。广西水利电业集团有限公司在发展历程中，引入现代企业经营与管理模式，规范和加强管理，不断创新和改革，逐渐摸索出一条适合自身发展的路子，确定了“以供电为基础，以发电和供水为新的增长点，以其他产业为补充”的发展战略，坚持贯彻“为地方经济发展服务”的宗旨，秉承“诚信、质优、高效、规范”的服务理念，成为全国地方水电创新发展的一面旗帜，被誉为“水电航母”。目前，集团拥有供电分公司4家、控股供电公司36家、参股供电公司1家、发电分公司14家、控股发电公司29家、宾馆3家、设备厂1家、供水公司3家、污水处理公司2家、科技公司1家，注册资金为9.44亿元，资产160多亿元，系统员工超过2.7万人，是自治区重点大型国有企业。2009年，集团实现供电量158.35亿kW·h，售电量146.79亿kW·h，水电站装机容量102.84万kW，发电量15.3亿kW·h，销售收入64.2亿元，在广西100强企业排名中列第16位，并获得了“全国优秀水利企业”“全国水利系统先进集体”“全国农网改造先进集体”“广西强优工业企业”“广西企业100强”“广西抗击雨雪冰冻灾害先进集体一等功”“全区水利系统抗击冰冻灾害工作先进集体”“广西诚信企业”“广西五一劳动奖状”“2009中国最具创新力企业”等荣誉称号。

“且持画笔绘奇景，日破云涛万里红”，广西水利电业集团将继续坚持把“服务、创新、卓越”的核心价值贯穿到企业发展中，坚持把“廉政文化、和谐文化”为主体的企业文化建设渗透到企业生产生活中，把潜在的优势转化为企业的无形资产。在水电先进科技领域，集团组建科技公司积极与广西大学、三峡大学等重点院校联合开展科技成果的研究，积极推动供电企业调度自动化和发电企业优化调度的建设，努力推进风力发电的前期研究探索，拓展产、学、研相结合的发展路子。集团公司的硬实力和软实力不断得到提升，力争用3~5年时间跨入广西10强企业行列，为广西地方经济社会腾飞作出更加突出的贡献。

荔浦发电分公司长滩河大坝

艰苦创业写就华章 科学发展再铸辉煌

——奋进中的黑河水电

甘肃黑河水电开发股份有限公司是经省政府批准设立的集水力发电、铁合金生产、机电安装、电力相关产业开发、电力销售为一体的国有控股公司。公司成立之初，有4个分公司，总装机容量2.3万kW，总资产1.6亿元，年发电量5200万kW·h，年总收入2014万元，利润总额80万元，上缴税金212万元。

董事长朱兴杰参加甘肃黑河水电（MFF）项目研讨会

从2001年开始，公司开始实施二次创业工程，公司规模快速扩张。先后开发建设了黑河干流上的3座中型水电站和1个铁合金冶炼公司。3座中型电站总投资14.8亿元，总装机容量217.5MW。到2009年底，所属企业由原来的4个壮大到10个，另有2个项目筹建处。全公司的水电装机容量达到了25万kW，铁合金年产能规模达到4万t，资产总量达到16.6亿元。全年完成发电量9.5亿kW·h，生产铁合金系列产品2.15万t。发电及铁合金两大产业年总收入完成4.77亿元，实现利润6060万元，利税总额达到1.11亿元，人均利税14.7万元，并形成了水电和铁合金高端系列产品两大产业。

黑河水电大楼

公司先后获得“全国水利系统水电先进集体”甘肃省“五一劳动奖状”、“甘肃省劳动关系和谐企业”等荣誉称号。2000年，甘肃省水利厅批准在公司设立“甘肃省水电农村电气化张掖培训中心”；2001年，设立“联合国国际小水电中心张掖基地”。2006年，公司进入甘肃工业百强。公司现有产业职工1200余人，党员148人。

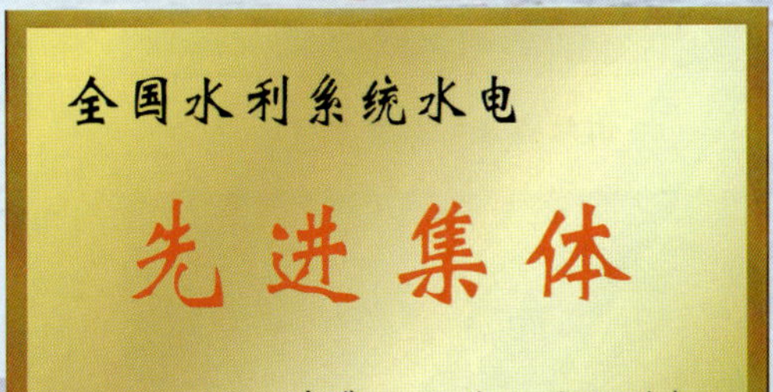

水利系统先进集体

自2009年起，公司提出第三次创业战略规划，具体目标是：2009年为启动年，经过6年时间的发展，到2015年使公司年销售收入在2008年突破4亿元的基础上，增长1~1.5倍，达到8亿~10亿元，年实现利税突破2亿元以上。目前在建的第三产业项目有：投资1.3亿元的城市天然气供气项目、投资3.5亿元的一期2500T/D的熟料新型干法水泥项目生产线和投资8000万元的小水电改扩建等工程，预计2010年下半年均能投产，届时将形成以水电开发为主，合金冶炼、水泥生产并重的多产业格局。

励精图治 开拓创新

——西安水务（集团）有限责任公司

副省长姚引良检查集团节水宣传工作

常务副市长董军、水利厅副巡视员李永杰为水务集团揭牌

西安水务（集团）有限责任公司（以下简称为集团公司）成立于2009年7月1日，是市政府授权的国有资产运营机构，是以原水、自来水、污水处理及中水回用的投资建设和经营管理为主要业务的国有独资公司。集团公司内设10个部室、9个子（分）公司，目前拥有水库2座，输水渠道全长130km，自来水厂6座，供水管网1519km，日供水能力158万m^3，供水面积约340km^2，涉及供水人口440余万;拥有污水处理厂5座，日处理能力达95万m^3，拥有中水处理公司1个，日生产能力16万m^3，已建中水管线25.8km。

(1) 注重改革发展，生产经营呈现良好态势。集团公司组建以来，在各级领导的关怀下，逐步理顺了集团内部各种关系，建立起一系列符合现代企业运行机制和集团化管理要求的管理制度，使集团公司逐步走上了规范化、制度化的发展快车道。一年来，共完成原水供给2.64亿m^3，自来水售水量2.83亿m^3，黑河坝后水电站发电6625万kW·h，污水处理1.02亿m^3，中水销售767万m^3，生产经营工作开局良好，稳步提升，呈现昂扬发展态势。

团结奋进的领导班子

美丽迷人的黑河水库夜景

(2) 立足服务民生，拓展业务彰显良好形象。“水是生命之源，是城市的血脉”。一年来，集团公司以原水、自来水、污水处理、中水回用四大板块为主业，不断拓展业务领域，服务实力明显增强，社会影响逐步提升。仅用两个月，解决了搁置10年之久的北二环南、北两侧供水管网连通问题，使周边居民吃上了期盼已久的黑河水。开工并建成了周至水厂，让黑河水惠泽了周至县城及附近的居民群众，在当地产生了极大影响。启动了向阎良、临潼城区供水、东南郊水厂的前期工作。开展了向沣渭新区、西高新草堂工业园区供水工作。集团供水区域正在随着城市的发展而不断跟进、拓展。启动了江村沟垃圾渗沥液处理和一污、二污二期工程前期工作，接收了五污、六污、十污的建设和运行管理工作，污水筹建处整建制划归，水务集团实力不断壮大。一年来妥善处理了10余起市民投诉问题。

(3) 增强发展后劲，重点工程建设稳步推进。完成了黑河引水灌区续建配套、城市给水改扩建、北郊大学城等区域供水工程，污水处理厂建设改造，黑河库区扬水曝气项目，黑河引水复线、信息平台网络监测、土地置业开发等项目蓄势待发。

孙英茹董事长散发节水资料

石卫平总经理在工程建设一线检查

集团公司全年承担建设维护项目51 项，其中100万元以上项目26项，“十二五”规划重点建设项目20余个。

(4) 坚持多元发展，资本结构进一步优化。一年来，按照“主业做优、辅业搞活、主辅并进、多元发展”的思路，在做大做强主业的同时，充分利用资源优势、实行全方位发展。矿泉水开发利用工作取得实质进展；长安三水厂并购国资委批准正在按方案逐步实施；甫店和黑河口基地开发已全面展开，供水集团公司、金盆水库管理中心、石砭峪水库管理中心、黑河输水管理公司在闲置土地开发利用、置业开发等方面，都取得了一定的进展。集团办公楼前期工作进展顺利，黑河小寨大院开发、水质研究发展中心项目正在按计划有步骤推进。

(5) 着力谋划大事，开拓市场能力进一步提升。一年来，集团公司围绕西安建设国际化大都市的战略机遇，适时启动企业战略规划编制工作，确立了项目研究团队，明确了工作大纲，编制工作顺利展开；把企业上市工作作为集团快速健康发展的平台、实现企业借力资本市场又好又快发展，聘请专家、成立机构、抽调专人、全力推进；积极开展“制度建设年”活动，建立健全各项规章制度；着力打造企业文化，狠抓安全生产；注重处理好改革发展与稳定的关系，事改企工作进展顺利；为全面推动企业长远发展奠定了扎实的基础。

(6) 重视党建工作，精神文明建设成效显著。一年来，集团公司始终坚持以人为本，把党建工作与学习实践科学发展观活动有机结合，把维稳工作和反腐倡廉工作贯穿于企业发展的全过程，深入开展“以推动科学发展，管好水务工程，服务西安人民”为载体的学习实践活动，围绕中心，服务大局，着力抓好“领导科学发展好班子”建设，充分发挥党组织的政治核心作用和党员的先锋模范作用，通过开展各种有益活动，增强了团队的凝聚力和向心力，营造出了和谐向上、积极进取的发展氛围。

展望未来，机遇与挑战并存。集团公司要按照水资源区域一体化管理、一体化经营，水资源生产、运营、服务与资本一体化运作的战略要求，紧紧抓住关中天水规划和转变经济发展方式的战略机遇，坚持在促发展中转方式、在转方式中谋发展。结合集团工作实际，着力抓好重点工程项目建设；着力抓好安全生产、水源保护工作；着力抓好资本结构优化工作；着力抓好企业上市工作；着力抓好“领导科学发展好班子”建设，促进发展方式转变和产业链的优化升级，积极搭建投融资平台，坚持人才强企、制度创新、多业并举、多元发展，力求在3年内把水务集团建设成为西部有影响的大型企业集团公司。

汇集源泉润古城

变污浊为圣洁的污水处理厂

风景如画的南郊水厂

镇江市水利投资公司

引航道水利枢纽工程

镇江市北部滨水区总体规划

镇江市水利投资公司是2002年由镇江市人民政府批准设立的具有独立法人资格的国有企业，是镇江市主要的城市基础设施、水利基础设施投融资平台和建设主体，并被授权为镇江市北部滨水区建设实施主体。公司主要从事城市基础设施和水利基础设施建设、水环境治理、土地开发和运营等业务。

公司注册资本10亿元，拥有全资子公司、控股子公司6家。截至2009年末，公司总资产205亿元。公司内设办公室、财务审计部、工程管理部、产业发展部、拆迁安置管理办公室、水专项管理办公室以及各工程建设管理处。

“十五”期间，公司共完成主城区防洪墙等六项城建重点工程；承担并圆满完成了“863”国家“十五”重大科技专项“镇江水环境质量改善与生态修复技术研究及示范”水环境质量项目，极大地推动了镇江城市水环境的治理、改善。

“十一五”以来，伴随着镇江城市“南山北水”发展战略的实施，北部滨水区建设全面启动。作为北部滨水区建设的实施主体，公司以水环境治理工程为先导，实施了引航道水利枢纽、金山湖整治、安置房建设等一大批城市基础设施和水利基础设施建设，以及渔民安置、企业搬迁、码头整治等保障内江功能转换的配套工作，以实际行动开启了北部滨水区建设的大幕，为未来滨水区建设、全面实现滨水区的复兴打下坚实的基础。

公司主营以下三个板块业务。

（1）城市基础设施建设。公司先后承建了赛珍珠道路广场、滨江旅游专线及风光带建设、金山湖片区路网建设、金泉花园和滨江花城安置房建设等重点城建工程，明显改善了镇江的城市环境，有效提升了城市土地增值空间和城市品位，给全社会带来巨大的经济效益。

（2）水利基础设施建设与水环境治理。公司先后承建了镇江市主城区防洪墙建设工程，光明河、古运河一期、张王庙沟等城市河道整治工程，引航道水利枢纽工程、金山湖整治工程、内江清淤工程等“863”课题依托工程，对内江、古运河等水域的水质改善发挥了积极作用。

（3）土地开发与运营。2006年以来，公司通过旧城改造项目共委托收储土地约1000hm^2。随着北部滨水区建设的深入开展，公司的土地开发及运营业务将会成为支撑公司未来长足发展的持续利润来源。

滨江风光带

金山湖景观工程

长江委水土保持局生态建设处
荣获“国家西部大开发突出贡献集体”荣誉称号

2010年7月，长江委水土保持局生态建设处荣获国家人力资源和社会保障部与国家发展和改革委员会联合颁发的“国家西部大开发突出贡献集体”荣誉称号。

长江上中游是我国水土流失严重的区域之一，水土流失地区主要分布在云、贵、川、甘、陕、鄂、渝等省（直辖市），是经济相对落后、贫困人口较集中的地区。1988年，国务院批准将长江上游列为国家水土保持重点防治区，于1989年开始实施长江上中游水土保持重点防治工程（简称“长治”工程）。

一、20年拼搏努力成效巨大

“长治”工程20年来，在党中央、国务院的高度重视和关心下，在水利部等有关部委的大力支持和指导下，在重点防治区各级党委、政府和广大干部群众艰苦奋斗、真抓实干、共同努力下，长江委水土保持局始终贯彻落实党中央、国务院改革开放、保护环境、西部大开发、生态文明建设等政策方针，不断持续、稳步、快速发展，推动了长江流域水土保持工作取得巨大实效。

截至2008年底，“长治”工程已累计实施了七期重点治理工程，防治范围覆盖长江上中游地区100多万km^2，累计完成水土流失治理面积9.6万km^2。其中，在水土流失主要策源地——坡耕地上建设水平梯田（地）70.8万hm^2；在陡坡耕地和荒山荒坡上营造水土保持林241.27万hm^2、种植经济果木林107.93万hm^2、种草33万hm^2、采取封禁治理措施333.73万hm^2，实施保土耕作措施166.67万hm^2，并建设了一批小型水利水保工程和沼气池、节柴灶等辅助措施。使长江上游土石山区和石灰岩地区濒临石漠化的数百万亩坡耕地得到及时抢救，治理区达到人均1亩旱涝保收的基本农田、0.5亩经果林，治理区林草覆盖率达到55%。水土流失面积减少了40%~60%，全流域水土流失面积由20世纪80年代的62万km^{2}减少到53万km^2，实现了水土流失面积由增到减的历史性转折。

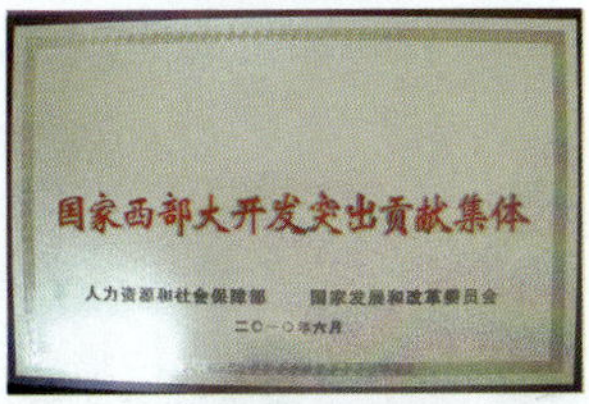

二、20年肩负重责不辱使命

长江流域特别是“长治”工程取得了巨大成就，与长江委水土保持局20年来艰苦奋斗、励精图治息息相关。而具体承担“长治”工程建设管理和技术指导工作的是该局的生态建设处。

生态建设处秉承科学求实、严谨治学的作风，弘扬“献身、负责、求实”的水利行业精神，形成了深入基层、从实际出发、对工作精益求精、对事业孜孜以求的良好风气，顶严寒、冒酷暑，服从工作安排、不讲条件、不计报酬和个人得失，常年坚持深入到长江上中游水土流失治理的第一线；多次荣获全国水土保持先进集体，多人荣获全国水土保持先进个人、全国绿化先进个人、保护母亲河先进个人等荣誉。

三、20年励精图治硕果累累

生态建设处根据长江流域特别是长江上中游地区的水土流失实际情况，不断探索并始终坚持正确的防治理念和技术路线，走出了长江流域水土保持生态建设的成功之路。一是始终坚持以小流域为单元，因地制宜、综合治理的技术路线。二是坚持预防为主，保护优先，有效遏制人为水土流失的发生发展。做到预防保护与综合治理“两手抓、两手硬”。三是首创流域范围滑坡泥石流预警系统，且基本覆盖了长江上游滑坡、泥石流分布集中的区域，监控面积达11万km^2，成功预报处理滑坡泥石流灾害264起，撤离和转移群众3.8万人，避免直接经济损失近3亿元。四是完成规划科研监测等基础性工作。2000年以来，水土流失动态监测面积覆盖了长江和西南诸河流域100多万km^2，2007年发布了第一份《长江流域水土保持公报》。指导和组织编制了重点防治区100多个重点治理县水土保持总体规划；开展了不同水土流失类型的治理模式试点研究和多项水土保持科研课题研究，得到大范围推广运用，取得较好效果。

长江委水土保持局生态建设处以“长治”工程的实施管理为重点，以坚韧不拔之志，以殷殷赤子之心，前赴后继，默默奋斗，无私奉献，用智慧、心血和汗水，卓有成效地开展并完成了流域水土保持各方面工作，取得了显著成效，谱写了一曲惊天动地、荡气回肠的“长治”之歌、“奉献”之歌。

前进的历程　光辉的事业

——西藏水土保持工作

西藏自治区水土保持局

水利部水土保持监测中心主任郭索彦考察拉萨次角林监测点

林芝地区监测分站小流域监测点气象观测场

西藏自治区位于祖国西南边陲，国土面积120多万km²，平均海拔在4000m以上，素有“世界屋脊”之称。但由于特殊的地理及气候环境，土壤侵蚀面积大、侵蚀类型多，多种侵蚀要素交替作用，从而导致大部分地区植被条件差，生态环境脆弱，水土保持能力差，水土流失十分严重。根据水利部第二次遥感普查显示，西藏自治区水力侵蚀面积627.44万hm²。

近10年来，在自治区党委政府的高度重视下，在水利厅党组的正确领导下，经过广大干部群众和水土保持技术人员坚持不懈的努力奋斗，自治区水土保持工作以“立足当前，着眼未来，坚持先易后难、重点突破、整体推进、分步实施”的指导思想，以水土保持监测网络工程重点项目建设为突破口，带动了水土保持机构能力建设、水土保持监测、预防监督、综合治理、生态修复等各项工作的发展。水土流失综合治理是生态建设的一项重要措施，早在20世纪70年代已通过植树造林等措施初步开展西藏水土流失治理工作，当时受各种条件的限制，水土流失治理仅局限于植树造林，从1999年开始，小流域综合治理逐步取代了单一的植树造林，并相继开展了日朗河流域等11个水土保持综合治理试点工程，累计完成水土流失治理面积37010hm²。通过综合治理，改善了这些区域的生态环境，减少了土壤侵蚀，减轻了风沙灾害，维持了生态平衡，促进了当地农牧林业的发展；同时也探索出了一些适合西藏特殊气候环境的治理模式，为高原地区水土流失治理积累了宝贵经验。

水土保持监测是水土保持生态建设的基础性工作。2009年，水利部批准了全国水土保持监测网络工程西藏部分，建设规模为1个自治区水土保持监测总站，4个重点地区分站和10个重点项目监测点。2004年8月，自治区机构编制委员会批准成立了西藏自治区水土保持局，此后在全区水土保持监测网络工程的带动下七地（市）相继成立了水土保持监测分站。截至2010年5月，全区拥有水土保持从业人员140多人，10人取得了水土保持监测上岗证，35人获得开发建设项目水土保持方案编制上岗证，21人获得水土保持监督执法上岗证，为水土保持事业发展提供了组织和人才保障。

预防监督工作是水土保持工作的核心，在生态脆弱区必须坚持保护优先防治并重的工作方针，才能有效地控制水土流失，优化生态环境。截至2010年5月底，全区共审批开发建设项目水土保持方案102项，其中2009年审批42项，完成生产建设项目水土保持设施竣工验收5项，取得了显著成效，提高了开发建设项目水土保持方案的编报率、实施率和验收率。

林芝地区监测分站网络监测中心

西藏自治区水土保持工作虽然取得了一定成绩，但是，由于起步晚、底子薄、欠账多，与其他省份相比还存在很大的差距。在今后的工作中，自治区水土保持工作将在自治区党委政府的高度重视下，在上级有关部门的关心和支持下，继续坚持“先易后难、重点突破、分步实施、整体推进”的指导思想，不断努力，不断创新，不断完善西藏水土保持总体发展规划、流域规划、重点项目规划；健全水土保持监督执法体系及监测预报体系；建立健全全区土壤侵蚀背景数据库；建设一批集科普教育、治理措施的试验示范、效益监测、技术培训、应用推广等于一体的典型科技示范园。促使水土保持预防监督、治理开发、规划、科研、管理等方面有新突破，西藏水土保持工作全面步入依法防治轨道。

西藏自治区开发建设项目水土保持方案编制上岗培训班

日喀则江孜日郎小流域水土保持坡面试点工程

山南地区雍布拉康小流综合治理工程

黄河水土保持西峰治理监督局

（黄河水利委员会西峰水土保持科学试验站）

黄河水土保持西峰治理监督局党组书记、局长毛效嗣

黄河水利委员会西峰水土保持科学试验站，创建于1951年，是黄委设在黄土高原沟壑区的水土保持科学试验单位。2000年4月，经上级批准成立了黄河水土保持西峰治理监督局（以下简称西峰局），隶属于黄河上中游管理局，为集科学研究、监督监测、治理示范、管理服务于一体的综合性事业单位。主要负责子午岭以西地区水土保持预防监督工作的组织、协调与管理，以及黄河干流下河沿水文断面至石嘴山水文断面河段及泾河干流的水政水资源管理工作。

全站现有职工285人，其中在职职工188人，离退休职工97人。在职职工中，高级职称技术干部28人，中级51人；技术工人中，高级技师3人，技师30人。学科涵盖水土保持、农学、林学、水利工程、水文、自然地理、园艺、计算机应用等多种专业。

机关大楼

现内设办公室、业务管理科、人事劳动教育科、财务科、党群办、水政科、预防监督科、科研中心、水土保持生态环境监测中心、工程建设处、规划设计院、工程部、监理部、后勤服务中心等14个部门，下辖南小河沟试验监测站、东湖水土保持试验场、董志水土保持试验场和冯堡水土保持试验场4个试验、示范和监测基地。拥有开发建设项目水土保持方案编制甲级、水土保持监测甲级、工程设计丙级及开发建设项目水资源论证乙级等技术服务资质。

水政监察（监督）

近60年来，西峰局紧密围绕黄土高原沟壑区水土保持的实践需求，主要开展了水土保持试验研究、综合治理、示范与推广以及生态工程建设等工作，曾取得一系列较为丰硕的成果。累计取得科研成果116项（次），其中获得国家级奖励5项（次），省部级奖励42项（次），出版专著12

水土保持生态示范区建设

部，自主研发的2项技术成果获得了国家专利。多次受到国家部委和地方各级政府的表彰奖励，四次被评为“全国水土保持先进单位”，两次被评为“全国绿化先进单位”，被甘肃省人民政府先后评为“精神文明建设先进单位”“科技示范先进单位”和“植树造林先进集体”。2003年以来，连续7年获“支持庆阳经济发展突出贡献奖”，连续7年被评为黄河上中游管理局目标管理先进单位。2009年被授予“全国野外科技工作先进集体”和“全国绿化模范单位”。值得一提的是，经过几代人的辛勤付出而倾力打造的南小河沟流域，成为闻名全国的水土保持小流域综合治理样板，被誉为“黄河中游上的一块翡翠”，在国内外水保界享有较高声誉。

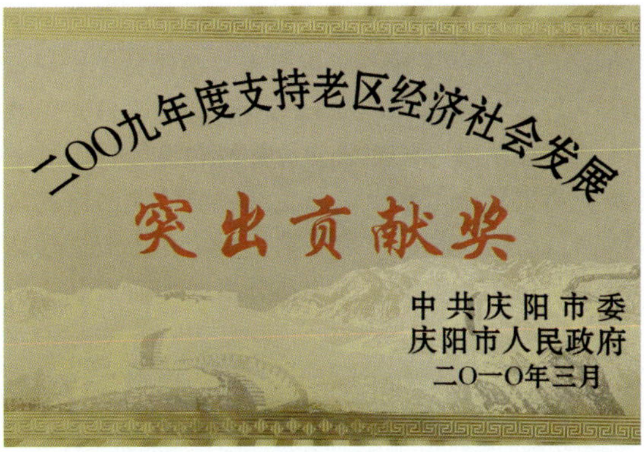

南小河沟坝地苗圃

模型黄土高原

苗圃

杨家沟径流泥沙测站（治理沟）

搞好水土保持监测 服务生态环境建设

——重庆市水土保持生态环境监测总站

总站站长唐学文

重庆地处长江上游，是举世瞩目的长江三峡工程的库区所在地，受自然因素和人为活动的影响，水土流失极为严重。据2005年全市水土流失遥感调查，全市水土流失面积4万km^2，占土地总面积的48.55%。为摸清全市水土流失动态变化情况，更好地服务于重庆市生态环境建设，2000年9月成立了重庆市水土保持生态环境监测总站。全站定编16人，为全民所有制自收自支正处级事业单位，总站内设监测科、设计科和综合科，其主要职能职责是负责全市水土保持生态环境监测网络的建设和管理，全面、及时、准确地掌握全市水土流失动态变化，定期发布全市水土保持监测公报，为政府制定科学的水土流失防治对策提供依据。

近年来，重庆市水土保持监测事业得到了较快的发展。

监测网络体系建设稳步推进。目前，全市有重庆市水土保持生态环境监测总站和万州、涪陵、渝北、永川4个监测分站，建立了常规监测站点24个，全市共有专兼职水土保持监测人员130余人，监测信息网络已基本建成。

区域水土流失动态监测成效显著。全市已先后完成了三峡水库重庆库区移民迁建中水土流失状况调查、重庆市第一次（2002年）和第二次（2005年）开发建设项目水土流失状况调查、坡耕地水土流失监测、水土保持措施效益监测等基础性监测工作，并分别于2005年和2009年向社会发布了《重庆市水土保持公报》。

开发建设项目水土保持监测工作稳步推进。近年来，重庆市水土保持监测总站陆续启动了永（川）泸（州）一级公路重庆段、江津珞璜电厂扩建工程、新建铁路遂宁至重庆线重庆段、彭水乌江水电站等数十项开发建设项目的水土保持监测工作。通过掌握工程项目区水土流失状况，评价工程建设对水土流失的实际影响，进一步掌握项目区各项水土保持措施的实施效果和合理性，为同类建设项目水土流失预测和制定防治方案以及水行政主管部门加强监督提供了有力的技术支撑。

水土保持监测工作是一项范围广泛、内容多样、任务艰巨的复杂性工作。重庆市水土保持生态环境监测总站把水土保持监测工作同治理、预防监督放到同等重要的地位，加强管理、扎实工作，把重庆市水土保持事业不断地推向前进。在今后的一个时期，重庆市水土保持监测工作要进一步完善水土保持监测网络体系，不断探索监测新方法，提高监测水平，为政府水土保持生态建设与保护宏观决策提供依据，为促进经济社会可持续发展服务。

浙江省水电建筑机械有限公司

“十五”国家重大技术装备研制项目——1×8000kN-96m单吊点双驱动高扬程固定卷扬启闭机

浙江省水电建筑机械有限公司位于浙江省中部的东阳市，占地10多万m^2，有职工520人，工程技术人员占30%。公司现有国家质检总局颁发的各类水工金属结构件和起重机制造安装生产许可证，并通过ISO2008：9000认证。公司拥有固定资产7000多万元，设备装机部容量6000多kW·h。公司专业生产各类平面、弧形闸门，各类卷扬、门式、移动式启闭机，各类清污机、拦污栅、升船机、压力钢管、锥形阀等超大型、大型水工金属结构件，公司还专业生产各类门座式、龙门式、塔式、桥式等大型起重机。公司产品远销全国26个省（自治区、直辖市），并出口16个国家和地区，广泛应用于全国重点工程建设，如长江三峡永久性船闸工程、淮河蚌埠闸扩建、浙江温州珊溪水库、四川紫坪铺水电站、包头钢铁公司和宁波北仑港等。公司技术中心系浙江省技术中心，是浙江省科技型企业，承担多个国家重大设备科技攻关、浙江省科技攻关项目。几年来公司先后获得全国“水利先进单位”、全国“优秀水利企业”、浙江省“十佳职业道德建设先进单位”、浙江省“企业思想政治工作创新奖”、浙江省和东阳市“劳动保障诚信企业”、浙江省“守信用企业”“纳税大户”、浙江省水利系统和金华市“文明单位”等荣誉称号，公司董事长兼总经理周冬锦被授予全国“优秀水利企业家”“守信用企业家”等荣誉称号。

正在三峡施工的起重机

中国河口第一大闸——曹娥江大闸，闸门采用双拱空间网架结构形式，结构新颖，属国内首创

四川紫坪铺水库200t坝顶门机

分水江

葫芦岛平山供水有限责任公司

平山主水源地——泵站

配水厂调度楼

葫芦岛平山供水有限责任公司（以下简称平山供水公司）是省市合资的国有企业，隶属于辽宁省水利厅，承担着为葫芦岛市区供水的重要任务。

作为一个年轻的现代企业，公司按照“科学调水、保障供水、合理配水、减少弃水”的供水方针和“构建和谐统一，让葫芦岛市民吃上放心水”的宗旨，创新经营，实施精细化管理，兴建三合水库备用水源，经营租赁宫山嘴水库作为补充水源，形成了“跨流域、多水源、高压力、长距离、多用途”的供水系统。截至2010年4月28日，已累计向葫芦岛市区供水2.36亿t，连续10年供水保证率达到98%以上，让葫芦岛市280万人喝上了“放心水”，为促进葫芦岛市地方经济持续发展、维护社会和谐稳定发挥了重大作用。

10年来，公司先后获得全国水利建设与管理先进集体、中国水利工程优质（大禹）奖、辽宁省文明单位、辽宁省发展公益事业优秀信誉单位、辽宁省水利系统文明单位和先进集体、葫芦岛市文明单位和明星企业等荣誉称号。多项课题获省市科技进步奖。公司党支部被葫芦岛市委授予先进党支部称号。公司董事长兼总经理刘旭升获得“全国优秀水利企业家”、辽宁省“五一劳动奖章”，“辽宁省优秀青年”和“葫芦岛市劳动模范”等荣誉称号。

嫩江尼尔基水利水电有限责任公司

尼尔基水利枢纽位于黑龙江省与内蒙古自治区交界的嫩江干流上，是以防洪、城镇生活和工农业供水为主，结合发电，兼有改善下游航运和水环境，并为松辽地区水资源的优化配置创造条件的大型控制工程。

2009年，枢纽首次经受住了高水位运行的考验。汛期枢纽上游发生大范围降雨，水库水位多次突破自蓄水以来的最高水位，公司适时对枢纽进行调控，有效地缓解了枢纽区及下游地区的汛情，为和谐社会的建设奠定了牢固的基础。2009年4月23日至6月8日，为下游补偿供水约11.40亿m^3，有力地保证了春季农业灌溉用水，在抗旱关键时期发挥了枢纽工程补偿调节供水的重要作用，为保障国家粮食安全作出了巨大贡献。2009年总发电量达5.95亿kW·h，创历史最好水平。

陕西省水利电力勘测设计研究院

鲁班奖

大禹奖

陕西省水利电力勘测设计研究院、水利部陕西水利电力勘测设计研究院、水利部西安水土保持生态环境规划设计院三院合一。现有职工近千名，其中本科以上学历的占85%，中高级以上职称人员400多名，主专业教授级高级工程师33人；有17人获得全国、全省劳模称号，6人为有突出贡献专家，享受政府特殊津贴；拥有9项甲级资质和14项乙级资质；2001年通过ISO 9001国际质量体系认证，为国家甲级综合勘测设计研究及工程总承包单位。

建院50多年来，所承担工程项目遍布全国20多个省、市及境外10余个国家。先后完成规划、勘测、设计等工程3000余项，有 10多项成果创全国先进水平，共获得省部级以上重大科技成果奖和优秀勘察设计奖百余项。其中汉中城市桥闸工程获建设工程“鲁班奖”，西安市黑河金盆水利枢纽工程获得“鲁班奖”和“大禹奖”。

近年来，该院积极推行人本管理，坚持科学发展、专业发展、创新发展，内部经营生产和技术质量管理两大主控体系有效运作，实力大大增强，经济效益和经营规模大幅提高。先后荣获“陕西省先进集体”“陕西省文明单位”“全国水利系统先进集体”“全国水利系统文明单位”“全国工程勘测先进单位”“全国精神文明建设工作先进单位”“全国水利勘测设计行业AAA级信用等级企业”等多项荣誉称号。

宝鸡峡渠首大坝

黑河金盆水利枢纽工程

山西省水利水电勘测设计研究院

河道治理美化修复工程（市区段）

长距离、大直径PCCP输水工程设计技术（PCCP管道安装现场）

山西省水利水电勘测设计研究院（以下简称山西水院）成立于1957年，是国家甲级勘测设计研究单位，为中国工程咨询协会（FIDIC）成员协会会员，具有国家勘察综合类甲级资质，水利行业设计、工程咨询、工程测量、工程监理、水土保持、水资源论证、水文水资源评价等甲级资质，市政工程设计、环境影响评价、水利工程设备制造监理、电力行业设计、建筑工程设计等乙级资质。以及水工建筑物、地基与基础工程施工一级资质，1999年通过GB/T 19001-ISO9001质量体系认证，2003年通过2000版换证认证。全院现有职工1037人，其中国家级突出贡献专家13人，教授级高级工程师36人，高级工程师198人。

山西水院下设7个职能部门、11个专业设计所以及勘察分院、测绘分院、岩土试验所等14个生产单位，有山西北龙监理工程有限公司、山西铁龙地基与基础工程有限公司、太原市高龙工程招标代理有限公司等3个实体公司和5个辅助生产中心；有GPS、全站仪、红外线测距仪、INGERSAL-TH-10型钻机、瑞雷波仪和各种型号计算机等技术装备500余台；专业配备齐全、技术力量雄厚、仪器设备先进、实践经验丰富。

50多年来，山西水院先后完成了35座大中型水库、21座中小型水电站、56个万亩以上灌区、16项大中型引调水工程、48座5000kW以上泵站、36项河道治理美化和生态环境修复工程的勘测设计以及30多项流域规划项目，业务范围遍及多省市。近年来还承担完成了厄瓜多尔、玻利维亚、也门、柬埔寨等国家的引调水工程和输变电工程的勘测设计、施工监理等项目。特别是万家寨引黄工程国际项目的技术交流，为山西水院稳步走进国际勘测设计咨询市场奠定了基础，形成了PCCP输水工程、沉沙池、多泥沙河流高扬程泵站、高寒地区碾压混凝土重力坝、塑性混凝土防渗墙设计等优势技术。

山西水院先后主编和参编了《水利水电工程沉沙池设计规范》《小型水电站初步设计报告编制规程》《泵站设计规范》《水电水利工程沉沙池设计规范》等多项技术标准；先后荣获国家级和省部级科技进步、优秀工程设计、勘察、咨询成果、质量创优等各种奖300余项；精神文明建设硕果累累，多次荣获“全国五一劳动奖状”“全国水利系统先进集体”“全国水利系统模范职工之家”等荣誉。

山西水院在新一届领导班子的领导下，将继续弘扬“团结、敬业、创新”的企业精神，坚持“提供合格产品、增强服务意识、追求持续发展”的质量方针，真诚希望与国内外同仁进行多形式、多领域的技术交流与合作，共创现代化水利水电事业、现代化祖国的美好明天。

沉沙池设计技术（黄河禹门口提水工程复合型沉沙池）

多泥沙河流高扬程泵站设计技术（大禹渡提水工程）

广西桂林市“两江四湖”工程（实景）